本书出版得到清华大学双高计划资助

傅璇琮文集

驼草集

第一册

中华书局

图书在版编目(CIP)数据

驼草集/傅璇琮著. —北京:中华书局,2023.3
(傅璇琮文集)
ISBN 978-7-101-16143-4

Ⅰ.驼… Ⅱ.傅… Ⅲ.社会科学-文集 Ⅳ.C53

中国国家版本馆 CIP 数据核字(2023)第 040331 号

书　　名	驼草集(全十册)	
著　　者	傅璇琮	
丛 书 名	傅璇琮文集	
责任编辑	李碧玉　郭惠灵	
责任印制	管　斌	
出版发行	中华书局	
	(北京市丰台区太平桥西里 38 号　100073)	
	http://www.zhbc.com.cn	
	E-mail:zhbc@zhbc.com.cn	
印　　刷	北京中科印刷有限公司	
版　　次	2023 年 3 月第 1 版	
	2023 年 3 月第 1 次印刷	
规　　格	开本/920×1250 毫米　1/32	
	印张 95　插页 20　字数 2032 千字	
国际书号	ISBN 978-7-101-16143-4	
定　　价	580.00 元	

傅璇琮文集
出版说明

　　傅璇琮先生(1933—2016),浙江宁波人。1951年至1955年,先后就读于清华大学中文系、北京大学中文系,毕业后在北京大学中文系任助教。1958年3月调至商务印书馆任编辑,后因出版分工调整,进入中华书局工作,历任中华书局文学组编辑、古代史编辑室副主任、中华书局副总编辑、总编辑。2008年受聘为中央文史研究馆馆员。曾任国务院古籍整理出版规划小组成员、秘书长、副组长,中国唐代文学学会会长,中国人民大学国学院特聘教授,清华大学中文系教授、古典文献研究中心主任等。

　　傅璇琮先生是著名出版家。他一生致力于古籍整理出版事业,参与制订《古籍整理出版规划(1982—1990)》、《中国古籍整理出版十年规划和"八五"计划》、《中国古籍整理出版"九五"重点规划》。在中华书局主持或分管编辑工作的数十年间,策划、主持整理出版了一系列具有重大学术影响的古籍图书,培养了一批中青年编辑人才。

　　傅璇琮先生是著名学者,"学者型编辑"的杰出代表,在古代文史研究领域笔耕不辍,著作宏富。其撰著的《唐代诗人丛考》、《唐代科举与文学》等,体现了开创性的研究方法和深刻的治学理念,产生了广泛而深远的影响;其领衔和参与主编的《续修四库全书》、《续修四库全书总目提要》、《中国古籍总目》、《全唐五代诗》、《全宋诗》、《唐才子传校笺》、《宋才子传笺证》、《全宋笔记》、《唐五代文学编年史》等古籍整理图书和学术著作,成为相关领域的基础性文献和重要学术成果,在海内外学术界、出版界享有广泛和崇高的声誉。

此次整理出版《傅璇琮文集》,收录其个人著作《唐代诗人丛考》、《唐代科举与文学》、《唐翰林学士传论》、《李德裕年谱》四种,合著《李德裕文集校笺》、《河岳英灵集研究》两种,另将傅璇琮先生 1956 年至 2016 年间发表在报刊杂志和收录于文章专集的单篇文章,包括学术论文、杂文、随笔,以及所作序跋、前言、说明等三百六十馀篇,依时间为序结集为《驼草集》。

文集的出版,得到清华大学以及傅璇琮先生家属的鼎力支持,在此谨致谢忱!

中华书局编辑部

2023 年 3 月

弁 言
——记我的父亲傅璇琮先生

傅文青

今天,大年初二。北京下雪了,阴冷。七年前的今天,2016 年 1 月 23 日,空气中弥漫着一种"伤",让我喘不过气来。那天,我的父亲,傅璇琮先生,想休息了,所以,我们就没再打扰他……

我从"认识"父亲开始,他给我的几乎都是他的后背——伏案,还是伏案。

他的房间,一到晚上,从窗外面看见的,就是一盏白炽的台灯,映在窗帘上,像一幅画,他是画中人,时而抬头,时而翻阅,时而疾笔。他喜欢书桌上放个小碟子,碟子中放些花生米,有次,我轻轻爬过去,在他碟上放了一块小橡皮,几秒后,听得他"噢"的一声,马上回身叫了我的名字,他知道是我的恶作剧。但他从来没对孩子红过脸,甚至大声也没有……因为他总觉他对孩子有愧——因为他的"右派",他的干校……

父亲的"朋友圈"有很多。有和他同职业的,也有跟他所从事的"不搭界"的。有我认识的,也有我没听说过的。父亲在其中却"有润有馀"!

是的,他对朋友是"润"的,甚有些江湖气的。他常为一些朋友的被无端欺压而拍案而起,心痛异常,又甚感书生的百无一用!

他对一些后学,有一种热诚倾心的喜爱。

我记得有位《新民晚报》的驻京记者,他曾是常州市文科状元,考到北大古典文献专业,本科时,看过父亲的书。有次在一个工作活动中,和我相识,当他知道我父亲是傅先生时,激动地说要拜访。后来,父亲在中华书局旁边的一餐厅,当时很有名的萃华楼,请了这位记者和同去的一起就餐。考虑到这两位记者是单身,回宿舍还要自己做饭,故,就餐时多点了一些菜,让他们打包带回去。这件事,十几年过去了,这位记者只要碰到我,就说这事,还跟周围人说,弄得我特别不好意思。回家跟父亲说起,他竟有些茫然,说想不起来了。

父亲的"馀",就是朋友的多。父亲的专著,我几乎都没看过。他出了书,也不跟我们讲,就放在书柜里。感觉就是想看就看,不看就拉倒。嘿嘿。

但他知道,我喜欢看——序、跋、前言、后记。因为,我觉得这样的文章比较好看,语言也不学究,真情实感。所以,他写这样的文章,就告诉我。父亲这样的文章,晚年写的比较多,我觉得他的这个"朋友圈"很庞大啊,五湖四海的。有时就问他,这人谁啊,怎么样啊,他的"套话"总是——人不错,学问好,有情有义,有风骨。我现在想,人们常说的"三观一致"差不多的,能成"朋友圈"。想必父亲的"朋友圈"是这样的:馀,就暖,多,丰,富,也就厚实。互相抱团取暖,暖意融融的!

父亲在他的《唐代科举与文学》自序中有这样一段描写:"在通往敦煌的路上,四周是一片沙碛,灼热的阳光直射于沙石上,使人眼睛也睁不开来。但就在一大片沙砾中间,竟生长着一株株直径仅有几厘米的小草,虽然矮小,却顽强地生长着,经历了大风、酷热、严寒以及沙漠上可怕的干旱。这也许就是生命的奇迹,同时也象征着一个古老民族的历史道路吧。"

父亲写的"这一株株小草"是什么呢? 我问:这是"骆驼草"么? 父亲说:是的。

骆驼草是生长在沙漠戈壁中的一种植物,它的根系能深达地下二十多米,关键它是草本植物,就是很弱的不易生长且不能长久的一种植物。但它居然能面对严寒酷暑的恶劣环境,坚忍不拔,傲然挺立! 当时,咱们国家"两弹"研制期间,戈壁沙漠中食物奇缺,科研人员竟以骆驼草充饥,熬过了最艰难的岁月。

父亲为什么钟情"骆驼草"?

有次我问父亲:你五七年被打成"右派",听到这个消息后,你当时是什么样儿? 他说:把自己关在房间里,三天,看了托尔斯泰的《战争与和平》,然后,就出来了。

父亲说,书中的安德列战场受伤后,躺在俄罗斯广袤无垠的土地上,看到的太阳是黑色的,他的心沉到了海底,但是,当他看到了俄罗斯的年轻人勇敢前行坚强不屈时,太阳又是红色的了,给了他希望。

父亲说,他看到这一段,也看到了红色的太阳,勉励自己要坚强起来,往前走,毕竟人生的路还长……

父亲在湖北咸宁干校时，干的农活是在稻田里插秧。他说了两个细节，说明文学创作是从生活中来的重要性。

　　一个是他在插秧时，阳光照在脊背上，暖暖的，像是在抚摸着自己，他说他看过托尔斯泰写过这段话，并说托尔斯泰的感受是从生活中来的。

　　还有，父亲说过，看一些电影中的演员插秧，一垄地插到头，马上直起腰挥手。他说，这是没有生活的。插秧到最后，腰是一点儿一点儿直起来的，根本不可能马上直起来，那是违反人体生理的。

　　父亲说，干校生活让自己有了"地气"，让他想到"自强不息，厚德载物"，让他感到做人做学问要踏踏实实的，要去掉浮躁和不必要的东西，让自己脱胎换骨，纯净下来。

　　那么，父亲是把自己喻为了一棵小小的弱弱的顽强不息的驼草么？

　　父亲的学术文章，最早的发表于 1956 年，最晚的发表于 2016年。六十年间所作，竟有近四百篇之多。这是父亲留下的学术的印迹，更是他一生的心路的陪伴。

　　岁月不居，人一生中的许多际遇，有时很难论定。经年累月里，在那些相似的历史时刻，像父亲这样普普通通的知识分子，他们都是时代列车上的乘客，他们有许多的愿望和憧憬，他们的努力和付出，他们的坚强和勇敢，还有他们有过的相似的困惑，穿越了那些相似的风雪，最终又捧得了那些相似的花月，去迎接"光明的未来"！

　　这或许也是岁月的温柔吧！

叫"父亲"有些沉重,因为"父亲"承受着有太多的担当!还是叫一声爸爸吧!爸爸只属于孩子,所以,爸爸是暖和的。

亲爱的爸爸,想你也爱你!

2023 年 1 月 23 日

目　录

1956 年

谈《儒林外史》 ·· 1

我国古代的短篇小说集

　　——《警世通言》 ·· 7

1957 年

《施公案》是怎样一部小说 ································· 13

1958 年

《诗经通论》出版说明 ······································· 19

《邢襄题稿、枢垣初刻》出版说明 ·············· 24

1959 年

点校本《全唐诗》出版说明 ···························· 29

1961 年

影印本《史通》出版说明 ································· 33

1962 年

高明的卒年 …………………………………………… 37

范成大佚文的辑集与系年 ……………………………… 41

读《陶渊明研究资料汇编》 ……………………………… 63

1963 年

《杨万里范成大资料汇编》前记 ………………………… 74

1964 年

影印本《四库全书总目》出版说明 ……………………… 77

1965 年

影印本《清人考订笔记》出版说明 ……………………… 81

1978 年

《黄庭坚和江西诗派资料汇编》前记 …………………… 86

1979 年

谈批评与知音 …………………………………………… 89

左思《三都赋》写作年代质疑
    ——《晋书·左思传》等辨误 ……………………… 93

1980 年

谈《全唐文》的修订 …………………………………… 107

《学林漫录》第一集题记 ……………………………… 118

唐代诗人李敬方事迹辨正 ……………………………… 121

《唐五代人物传记资料综合索引》前言 ……………… 124

从曹操的佚文谈曹操的文学思想 ……………………… 152

1981 年

潘岳系年考证 ……………………………………… 164

有关曹丕《典论》一条材料的甄别 ……………… 201

《学林漫录》第三集题记 ………………………… 203

中古文学丛考 ……………………………………… 207

陈贻焮《杜甫评传》序 …………………………… 235

1982 年

李商隐研究中的一些问题 ………………………… 240

白居易评价中的一个问题 ………………………… 264

《滕王阁诗序》一句解

　　——王勃事迹辨 …………………………… 271

关于编纂《全宋诗》、《全宋文》的建议 ……… 281

1983 年

牛李党争与唐代文学研究 ………………………… 286

近年唐人诗文集的整理和出版 …………………… 296

重视古典文学研究的普及工作,加强书评,提倡正常的

　　学术批评风气 ……………………………… 306

1984 年

年鉴的工作要有一个总体规划 …………………… 311

唐代科举制度下的文人生活

　　——"唐代科举与文学"研究之一 ……… 317

关于唐代科举与文学的研究 ……………………… 339

论唐代进士的出身及唐代科举取士中寒士与子弟

之争 ………………………………………………… 364

邓绍基《杜诗别解》序 ………………………… 386

1985 年

从《张说年谱》所想到的 ……………………… 391

《杨万里范成大研究资料汇编》重印后记 …… 395

《唐才子传校笺》前言 ………………………… 402

1986 年

加强文学史的横向和纵向研究
　　——重读鲁迅的《魏晋风度及文章与药及酒之关系》
　　有感 ………………………………………… 408

闻一多与唐诗研究 ……………………………… 414

《李白在安陆》序 ……………………………… 435

要重视地域文化的研究
　　——《浙江十大文化名人》序 ……………… 442

《黄庭坚研究论文集》序 ……………………… 449

关于唐代文学研究的一些想法 ………………… 455

天宝诗风的演变 ………………………………… 464

中国韵文学的创立
　　——《中国韵文学刊》发刊词 ……………… 485

1987 年

《宋人绝句选》序 ……………………………… 489

欧文《初唐诗》中译本序 ……………………… 493

古典文学研究的结构问题 ……………………… 499

孙映逵《唐才子传校注》序 ························· 506

近代文学研究的深入
　　——喜读《中国近代文学的特点、性质和分期》 ········· 512

王昌龄事迹新探 ···························· 520

《唐代文学研究》第一辑序 ···················· 547

1988 年

任国绪《卢照邻集编年笺注》序 ················ 552

吴汝煜《唐五代人交往诗索引》序 ·············· 560

《摩尼教及其东渐》 ························· 566

《文史》掇忆 ······························ 569

谈王昌龄的《诗格》
　　——一部有争议的书 ···················· 577

1989 年

普及的层次 ······························· 604

一种文化史的批评
　　——兼谈陈寅恪的古典文学研究 ············· 607

关于《全唐诗》的改编 ······················ 631

唐代诗画艺术的交融 ······················· 645

读《日本汉诗选评》 ······················· 661

"壶中天地"的悲哀
　　——文化史研究小议 ···················· 664

读《汪辟疆文集》所想到的 ··················· 668

谈古代文学研究中的文化意识

——由《佛教唐音辨思录》所想起的 …………… 671

学养深厚与纵逸自如 ………………………………… 693

　　1990 年

点校本《五代诗话》序 ………………………………… 696

洒扫封尘　启迪来者

——读《纪念陈寅恪先生诞辰百年学术论文集》……… 718

《唐代文学研究》第二辑编者题记 …………………… 721

《白居易集笺校》评介 ………………………………… 725

古代文学的整体研究评议

——从《中国中古诗歌史》谈起 ………………… 733

吴汝煜、胡可先《全唐诗人名考》序 ………………… 754

王洪《唐诗百科大辞典》序 …………………………… 760

《唐诗论学丛稿》后记 ………………………………… 766

读《千家诗全译》 ……………………………………… 772

想起一则"附记" ……………………………………… 775

陈寅恪思想的几点探讨 ………………………………… 778

《学林漫录》琐记 ……………………………………… 812

吴在庆《杜牧论稿》序 ………………………………… 819

罗宗强《玄学与魏晋士人心态》序 …………………… 825

读冷僻书 ………………………………………………… 833

　　1991 年

《唐才子传校笺》编余随札 …………………………… 837

《中国古典文学少年启蒙丛书》序 …………………… 849

陈振濂《宋词流派的美学研究》序 ⋯⋯⋯⋯⋯ 853

程章灿《魏晋南北朝赋史》序 ⋯⋯⋯⋯⋯⋯⋯⋯ 860

陶敏《全唐诗人名考证》序 ⋯⋯⋯⋯⋯⋯⋯⋯⋯ 867

蒋长栋《王昌龄评传》序 ⋯⋯⋯⋯⋯⋯⋯⋯⋯⋯ 875

王洪《中国文学宝库·唐诗精华分卷》序 ⋯⋯⋯ 880

卢纶家世事迹石刻新证 ⋯⋯⋯⋯⋯⋯⋯⋯⋯⋯ 887

于平实中创新

　　——记台湾学者罗联添先生的治学成就 ⋯⋯ 894

关于中国古典文学学术史研究的思考 ⋯⋯⋯⋯ 907

1992 年

关于《中国古籍整理出版十年规划和"八五"计划》制订

　　工作情况说明 ⋯⋯⋯⋯⋯⋯⋯⋯⋯⋯⋯⋯⋯ 930

学术理性的启示 ⋯⋯⋯⋯⋯⋯⋯⋯⋯⋯⋯⋯⋯ 937

漫谈宋代文化史研究的材料建设 ⋯⋯⋯⋯⋯⋯ 941

中国唐代文学学会第六届年会"十年工作报告"

　　（1992 年，福建厦门） ⋯⋯⋯⋯⋯⋯⋯⋯⋯ 947

喜读《中国文学家大辞典·唐五代卷》 ⋯⋯⋯⋯ 957

1993 年

略谈陈三立

　　——陈寅恪思想的家世渊源试测 ⋯⋯⋯⋯⋯ 968

黄珮玉《张孝祥研究》序 ⋯⋯⋯⋯⋯⋯⋯⋯⋯⋯ 980

曹道衡《中古文学史论文集续编》序 ⋯⋯⋯⋯⋯ 985

《唐人选唐诗新编》序 ⋯⋯⋯⋯⋯⋯⋯⋯⋯⋯⋯ 991

《唐才子传校笺》第五册前记 ……………………… 995

力求务实创新　切忌急功近利 ……………………… 1000

《宁波市志》序 …………………………………… 1003

戴伟华《唐方镇幕僚文职考》序 …………………… 1006

会心处不必在远

　　——读王世襄《说葫芦》……………………… 1011

1994 年

张宏生《江湖诗派研究》序 ………………………… 1014

《韩愈研究论文集》序 ……………………………… 1022

柳晟俊《唐诗论考》序 ……………………………… 1029

《才调集》考 ………………………………………… 1033

《搜玉小集》考略（节要）………………………… 1057

中国唐代文学学会第七届年会开幕词

　　（1994 年，浙江新昌）……………………… 1064

柳宗元学术史上的力作

　　——评高文、屈光的《柳宗元选集》………… 1067

拓展各学科史研究，丰富国学内容 ………………… 1076

1995 年

《天台山历代诗选》序 ……………………………… 1078

《续修四库全书》编纂前记 ………………………… 1082

《中国文学大辞典》序 ……………………………… 1097

齐燕铭与古籍整理出版二三事 ……………………… 1103

陆游与王炎的汉中交游 ……………………………… 1110

文化意识与理性精神 ·················· 1125

　　1996 年

翟胜健《曹雪芹文艺思想新探》序 ········· 1127

关于《李德裕集》的一封信 ············· 1132

陈寅恪史事新证 ··················· 1136

书香飘入百姓家 ··················· 1142

《中国古典文学史料研究丛书》总序 ········ 1146

唐人选唐诗题记 ··················· 1151

祝贺《中国古籍善本书目》编成 ·········· 1195

中国唐代文学学会第八届年会开幕词

　　（1996 年,陕西西安）········· 1198

李德裕及《会昌一品集》研索 ············ 1202

文化精品与学术窗口

　　——评《唐代文学研究》··········· 1219

《书品》:与著者读者沟通的桥梁 ·········· 1223

启示

　　——读顾颉刚一封论《尚书》今译的信 ····· 1228

　　1997 年

细活与精品

　　——从两本冷僻书谈起 ············· 1234

文学编年史的设想 ················· 1238

纪念匡亚明先生,做好古籍整理工作 ········ 1245

古典文学的"历史—文化"研究

————《日暴丛书》序 ……………………………… 1252

《中国古典文学学术史研究》序 ……………… 1257

陈尚君《唐代文学丛考》序 …………………… 1260

《宁波风光画集》序 …………………………… 1270

中国古典文学走向世界的启示 ……………… 1272

理性的思索和情感的倾注

————读朱东润先生史传文学随想 ……… 1293

记钱锺书先生的几封书信 …………………… 1308

"何时一尊酒,重与细论文"

————杂忆《学林漫录》 ………………… 1313

感召 …………………………………………… 1317

历史的沉思 …………………………………… 1320

卢文弨与《四库全书》 ………………………… 1327

热中求冷 ……………………………………… 1331

1998 年

张清华《韩学研究》序 ………………………… 1335

《唐宋八大家文钞校注集评》序 ……………… 1340

《百年学科沉思录》序 ………………………… 1351

独立不阿的人品　沉潜考索的学风

————纪念邓广铭先生 …………………… 1357

《当代学者自选文库·傅璇琮卷》自序 ……… 1364

唐代长安与东亚文化 ………………………… 1373

我和古籍整理出版工作 ……………………… 1381

唐初三十年的文学流程 ………………………………… 1399

陈良运《周易与中国文学》序 ………………………… 1423

中国唐代文学学会第九届年会开幕词

    （1998 年，贵州贵阳）………………………… 1433

讲究实学　不尚空谈

    ——推荐《明诗话全编》………………………… 1437

《唐诗论学丛稿》重版后记 …………………………… 1440

《唐五代文学编年史》自序 …………………………… 1443

文学古籍整理与古典文学研究 ……………………… 1452

    1999 年

缅怀钱锺书先生 ……………………………………… 1462

楼中日月长

    ——推荐《湘绮楼日记》………………………… 1470

武则天与初唐文学 …………………………………… 1472

郁贤皓《唐刺史考全编》序 …………………………… 1499

近代学术之源泉

    ——谈《嘉定钱大昕全集》……………………… 1508

毕宝魁《韩孟诗派研究》序 …………………………… 1511

从多方面了解韩愈 …………………………………… 1517

陶文鹏等《宋词三百首新译》序 ……………………… 1522

张忠纲《全唐诗大辞典》序 …………………………… 1527

    2000 年

张高评《宋诗特色研究》序 …………………………… 1532

方勇《南宋末年遗民诗人群体研究》序 ················· 1537

《中华古诗文名篇诵读》序 ··················· 1542

徐俊《敦煌诗集残卷辑考》序 ················· 1547

回望：二十五年前《万历十五年》的面世 ············· 1553

吴承学《中国古代文体形态研究》序 ············· 1557

程国赋《唐五代小说的文化阐释》序 ············· 1565

唐玄肃两朝翰林学士考论 ··················· 1569

带读者到南宋遗民诗人中去 ··················· 1590

《唐代科举与文学》韩文译本序 ················· 1593

《名家彩绘四大小说名著》序 ················· 1597

清华学风应作进一步具体探索 ················· 1602

王勋成《唐代铨选与文学》序 ················· 1610

2001 年

《宋登科记考》札记 ····················· 1615

唐代宗朝翰林学士传 ····················· 1632

《中国藏书通史》导言 ····················· 1663

奇文共赏　疑义相析
　　——《柳如是别传》怎样读 ················· 1685

唐诗中的钱塘江潮 ······················· 1692

《浙江图书馆古籍善本书目》序 ················· 1702

新世纪中国诗歌研究三题 ··················· 1710

温故知新　倍感亲切
　　——重读《元白诗笺证稿》················· 1720

陈友冰《海峡两岸唐代文学研究史》序 ················ 1728

面向世界的中国古典文学 ······················· 1734

古籍标点中两个应注意的问题 ··················· 1736

陆游南郑从军诗失传探秘 ······················· 1740

黄世中《中国古典诗词：考证与解读》序 ··········· 1754

《中华名人轶事》序 ···························· 1759

唐永贞年间翰林学士考论 ······················· 1769

评《中华大典·文学典·隋唐五代文学分典》 ········· 1793

论中国藏书史的内涵 ···························· 1797

横空出世　清逸自如
　　——历史文化和地域文化中的李白 ··········· 1824

唐德宗朝翰林学士考论 ························· 1828

翰林供奉 ··································· 1847

《万历十五年》出版记事
　　——兼忆与黄苗子、黄仁宇先生之文化交流 ····· 1851

傅明善《宋代唐诗学》序 ······················· 1862

　　　2002 年

国学研究呼唤务实学风和创新思维
　　——从两个实例谈起 ····················· 1867

陈飞《唐代试策考述》序 ······················· 1872

陈耀东《唐代诗文丛考》序 ····················· 1878

建议加强专题个案性的研究 ····················· 1888

竺岳兵《浙东唐诗之路》序 ····················· 1895

跋《续古宫词》 ················· 1898

杨庆存《黄庭坚与宋代文化》序 ················· 1899

博通、集成、创新、致用

    ——评熊笃《诗词曲艺术通论》 ················· 1905

王粲作《英雄记》志疑 ················· 1910

唐宪穆两朝翰林学士考论 ················· 1915

葛振家《崔溥〈漂海录〉评注》序 ················· 1946

四库本《毛奇龄合集》序 ················· 1951

《〈红楼梦〉人物姓名之谜》序 ················· 1957

"近五十年来台湾地区中国古代文学研究概况"正在

    编撰中 ················· 1961

2003 年

《黄庭坚和江西诗派资料汇编》重印后记 ················· 1965

胡可先《政治兴变与唐诗演化》序 ················· 1971

中国韵文学构建的突破性进展

    ——评蒋长栋教授的《中国韵文学概论》 ················· 1976

《宋诗纪事补正》疏失举正 ················· 1979

《全宋笔记》序 ················· 2014

张兴武《五代艺文考》序 ················· 2024

求真务实　严格律己

    ——从关于《全宋诗》的订补谈起 ················· 2030

《五代史书汇编》总序 ················· 2049

文津阁《四库全书》的文献价值 ················· 2064

发挥史料的原创性与活力 ···················· 2069

陈耀东《浙籍文化名人评传(唐五代卷)》序 ········ 2072

唐玄宗朝翰林学士传 ························ 2077

独具标格的唐代试策考 ····················· 2123

学术情谊 永志不忘

　　——记美籍华裔学者李珍华教授 ············ 2126

唐肃宗朝翰林学士传 ························ 2134

文化界、学术界值得庆贺的一件喜事 ············ 2163

《唐宋文史论丛及其他》前言 ················· 2167

2004 年

把饮食史研究推向高潮

　　——评《中国饮食史》 ·················· 2172

杜甫与严武关系考辨 ························ 2175

谈线装版简体字点校本《资治通鉴》的出版 ······· 2192

毕宝魁《九梅村诗集校注》序 ················· 2195

《中国古代诗文名著提要》选辑 ··············· 2201

《步辇图》题跋为李德裕作考述 ··············· 2205

徐宗文《三余论草》序 ····················· 2218

日藏稀见汉籍《中兴禅林风月集》及其文献价值 ····· 2225

探索古代文学研究的新思路

　　——在"传统文学与现代性"国际学术研讨会上的

　　讲话 ····························· 2252

伊永文《东京梦华录笺注》序 ················· 2257

祝尚书《宋代科举与文学考论》序 ················· 2265

《中国古代文学通论》总序 ······················ 2272

   2005 年

文德重扬　桃李滋荣
    ——林庚师对后学关怀琐忆 ················· 2278

唐代文学研究:社会—文化—文学 ·············· 2283

走进中华
    ——《学林漫录》忆旧及其他 ··············· 2285

开创了中国古籍全国性书目的先河 ·············· 2297

赵逵夫《先秦文学编年史》序 ··················· 2301

《黄庭坚研究论文选》序 ······················· 2310

体例完备规范　立意精确创新
    ——谈《中国古代文学作品选》 ············· 2314

顾志兴《浙江藏书史》序 ······················· 2318

   2006 年

雒三桂《王羲之集校笺》序 ····················· 2324

编辑与学界的情谊
    ——编辑工作掇忆 ························· 2330

欲穷千年目　通览此套书 ······················ 2340

一件难忘的小事
    ——缅怀夏承焘先生 ······················· 2345

两《唐书》掇误 ······························· 2349

两《唐书》记事辨误 ··························· 2371

面向新世纪的古典文学研究

    ——国家社科基金项目成果《中国古代文学通论》

    内容简介 ……………………………………… 2411

2007 年

记叶圣陶先生为中华书局所办两件事 ……………… 2414

为学术界办一些实事 ………………………………… 2417

谈谈《唐翰林学士传论·晚唐卷》 ………………… 2420

走出唐诗的"唐诗之路" …………………………… 2427

吴伟斌《元稹考论》《元稹评传》序 ……………… 2431

2008 年

古籍整理领域的一大收获 …………………………… 2437

《续诗苑英华》考论 ………………………………… 2439

刘明华《文化视野下的中国古代文学阐释》序 …… 2462

《书林漫笔》序 ……………………………………… 2468

古诗赏析与民情风物 ………………………………… 2470

王志清《纵横论王维》(修订版)序 ……………… 2474

《学林清话》自序 …………………………………… 2477

文史贯通的一部佳作 ………………………………… 2481

《中国古典散文精选注译》总序 …………………… 2486

《朱关田论书文集》序 ……………………………… 2490

《中国古代诗文名著提要》总序 …………………… 2494

唐诗之路:中国文人的山水走廊 …………………… 2504

《〈三字经〉古本集成》序 ………………………… 2511

《张九龄学术研究论文集》序 …………………………… 2515

2009 年

文献学与文学研究结合 …………………………………… 2519

《古诗十九首》研究的首次系统梳理和突破

    ——评木斋的汉魏五言诗研究 …………………… 2527

从《玉台后集》到《瑶池新咏》

    ——论唐总集编纂对女性诗什的接受 ………… 2543

《儒林心史》序 …………………………………………… 2560

《唐诗纪事校笺》掇误 …………………………………… 2565

《鄞州佛教文化》序 ……………………………………… 2579

《历史的化石》序 ………………………………………… 2584

在第二届乐府与歌诗国际学术研讨会上的讲话 ………… 2590

地域文化研究的创新性

    ——"长安学丛书"序 …………………………… 2594

《论语精评真解》序 ……………………………………… 2600

展开我国题画诗的研究

    ——《中国题画诗发展史》序 …………………… 2605

发扬学诗、诗教的优良传统提高青少年学生的思想文化素质

    ——介绍《单人耘诗词选读》………………………… 2609

2010 年

《王应麟著作集成》总序 ………………………………… 2616

关于重写文学史之我见 …………………………………… 2621

论双音词转型视角下的十九首与建安五言诗 …………… 2628

《安史之乱与盛唐诗人》序 ……………………………… 2651

《当代名家学术思想文库·傅璇琮卷》自序 …………… 2655

2011 年

"钓鱼岛归属中国又一铁证"

　　——从《海国记》的发现说开去 ……………………… 2658

《宋才子传笺证》总序 …………………………………… 2662

清董正国《南墩诗稿》 …………………………………… 2668

《唐五代逸句诗人丛考》序 ……………………………… 2676

《回文集》序 ……………………………………………… 2681

《孟浩然研究论丛》序 …………………………………… 2685

《中华诗词名篇解读》序 ………………………………… 2691

《牛李党争研究的新视野》序 …………………………… 2694

《辛亥革命时期期刊汇编》序 …………………………… 2701

唐诗有了排行榜之后

　　——读《唐诗排行榜》 ………………………………… 2705

《阅读中华国粹》序 ……………………………………… 2709

《子藏》:一座宏大的子学经典库

　　——有感于《子藏·道家部·庄子卷》的出版 ……… 2713

古籍影印事业的重要开拓者

　　——深切怀念陈乃乾先生 …………………………… 2717

《中国华北文献丛书》概述 ……………………………… 2721

2012 年

关于方志学研究 …………………………………………… 2728

《骈文论稿》序 ……………………………………… 2731

"家藏四库系列"丛书序 …………………………… 2736

《唐代试赋研究》序 ………………………………… 2738

《陆游与汉中》序 …………………………………… 2743

古籍整理与中华文化传承创新

    ——在"先秦诸子暨《子藏》学术研讨会"上的发言 ……… 2751

《南岗集》序 ………………………………………… 2756

《文化之旅》读后感

    ——兼及饶宗颐先生的几封书信 ………………… 2759

《唐人选唐诗新编》增订本序 …………………… 2765

见贤思齐　通古识今

    ——《鄞州望族传记》序 ………………………… 2770

再谈关于木斋的探索

    ——从《曲词发生史绪论》说起 ………………… 2773

关于木斋的探索

    ——从《曲词发生史》两序说起 ………………… 2781

祝贺《蒙学十三经》出版 ………………………… 2788

寻本溯源,撮要撷精

    ——评方勇教授《庄子纂要》 …………………… 2791

《王辉斌学记》序 …………………………………… 2795

继往开来　创新学术 ……………………………… 2800

《续修四库全书杂家类提要》序 ………………… 2806

     2013 年

《中华傅氏通谱》序 ……………………………… 2811

《濡沫集》前记 ··· 2814

书法文献整理的意义

  ——谈《黄庭坚书法全集》 ···························· 2818

《商周逸诗辑考》的学术启示 ································ 2822

"中国人"丛书序 ··· 2826

"逢其知音,千载其一乎"

  ——缅怀学术知音大师程千帆先生 ············· 2830

《诗词论鉴》序 ·· 2837

《浙东唐诗之路重要源头学术研讨会论文集》序 ········· 2840

"中国传统文化经典名句"序 ································· 2845

乐府学会成立大会致辞 ······································· 2848

《鄞州区志》序 ·· 2850

唐后乐府诗史的原创研究

  ——读王辉斌《唐后乐府诗史》所想到的 ········· 2853

《中国当代名家学术精品·刘继才卷》序 ················· 2858

《绿窗唐韵》序 ·· 2863

《桐溪书声》序 ·· 2865

《西湖通史》序 ·· 2869

《湘湖古韵》序 ·· 2873

家族文化、地域文化与中华文化

  ——《山东文化世家研究书系》读后感 ············· 2876

  2014 年

《黄震全集》评介 ··· 2881

"中国传统民俗文化丛书"总序 ························ 2886

《书林清话》前记 ································· 2891

论证严密　新见叠出

　　——《新编元稹集》序 ····················· 2896

《唐人编选诗文总集研究》序 ···················· 2905

《中国当代名家学术精品文库·傅璇琮卷》前记 ·········· 2910

《万斯同全集》中稿本和抄本学术价值选评 ············ 2914

记一次人文史迹考察活动 ······················ 2918

　　2015 年

崇贤馆巾箱本序言 ··························· 2921

《续修四库全书提要》总序 ····················· 2923

心念桑梓　慨怀乡情

　　——《大道周口·王学岭诗文书作集》序 ········· 2927

人类文化生态的哲学思考 ······················ 2931

宋遗民诗文校补的又一重要成果

　　——评方勇教授《存雅堂遗稿斠补》············ 2935

　　2016 年

我写《唐代科举与文学》的学术追求

　　——《唐代科举与文学》获第三届思勉

　　　原创奖感言 ······················· 2940

新见迭出的《敦煌文学总论》 ···················· 2944

把中华民族的根留住

　　——《唐碑四书六经译释》总序 ············· 2951

附　录

傅璇琮先生著作目录 ……………………………… 2959

傅璇琮学术论文选集十二种详目 ………………… 2963

存　目（已收入专著）

李嘉祐考

收入专著《唐代诗人丛考》，另见安徽教育出版社 1998 年版《当代学者自选文库·傅璇琮卷》

刘长卿事迹考辨

收入专著《唐代诗人丛考》，另见安徽教育出版社 1998 年版《当代学者自选文库·傅璇琮卷》

卢纶考

收入专著《唐代诗人丛考》，另见安徽教育出版社 1998 年版《当代学者自选文库·傅璇琮卷》

《李德裕年谱》序

收入专著《李德裕年谱》，另见安徽教育出版社 1998 年版《当代学者自选文库·傅璇琮卷》（题为：《李德裕年谱》自序）、万卷出版公司 2010 年版《当代名家学术思想文库·傅璇琮卷》（题为：《李德裕年谱》自序）、首都师范大学出版社 2010 年版北京社科名家文库《治学清历》、东北大学出版社 2015 年版《中国当代名家学术精品文库·傅璇琮卷》

唐代进士放榜与宴集

收入专著《唐代科举与文学》，另见安徽教育出版社 1998 年版《当代学者自选文库·傅璇琮卷》

唐代举子情状与科场风习

收入专著《唐代科举与文学》，另见安徽教育出版社 1998 年版《当代学者自选文库·傅璇琮卷》及《枣庄学院学报》1984 年第 1 期（收录部分文字，题为：唐代科举制度下的文人生活——"唐代科举与文学"研究之一）

《唐代诗人丛考》余论

原载《书品》1986 年第 4 期，收入专著《唐代诗人丛考》（题为：《唐代诗人丛考》摭谈），另见黑龙江人民出版社 1992 年版《唐诗论学丛稿》、安徽教育出版社 1998 年版《当代学者自选文库·傅璇琮卷》、京华出版社 1999 年版《唐诗论学丛稿》、万卷出版公司 2010 年版《当代名家学术思想文库·傅璇琮卷》

盛唐诗风和殷璠诗论

原载《清华大学学报（哲学社会科学版）》1988 年第 3 期，收入专著《河岳英灵集研究》，另见黑龙江人民出版社 1992 年版《唐诗论学丛稿》、京华出版社 1999 年版《唐诗论学丛稿》、万卷出版公司 2010 年版《当代名家学术思想文库·傅璇琮卷》

《河岳英灵集》音律说管窥

与李珍华合撰，原载《中华文史论丛》1989 年第 2 期，收入专著《河岳英灵集研究》，另见黑龙江人民出版社 1992 年版《唐诗论学丛稿》

唐人选唐诗与《河岳英灵集》

收入专著《河岳英灵集研究》，另见黑龙江人民出版社 1992 年版《唐诗论学丛稿》、安徽教育出版社 1998 年版《当代学者自选文库·傅璇琮卷》、京华出版社 1999 年版《唐诗论学丛稿》

《李德裕文集校笺》前言

原载《河北学刊》1998 年第 2 期（题为：中晚唐政治文化的一个缩

影——写在《李德裕文集校笺》出版前，文字略增损），收入专著《李
德裕文集校笺》，另见首都师范大学出版社 2010 年版北京社科名家
文库《治学清历》、东北大学出版社 2015 年版《中国当代名家学术精
品文库·傅璇琮卷》

《李德裕年谱》新版题记

收入专著《李德裕年谱》，另见首都师范大学出版社 2010 年版北京
社科名家文库《治学清历》、东北大学出版社 2015 年版《中国当代名
家学术精品文库·傅璇琮卷》

李白任翰林学士辨

原载《文学评论》2000 年第 2 期，收入专著《唐翰林学士传论》，另见
大象出版社 2004 年版《唐宋文史论丛及其他》

《翰学三书》编纂小记

原载《书品》2001 年第 5 期，收入专著《唐翰林学士传论》，另见大象
出版社 2004 年版《唐宋文史论丛及其他》、首都师范大学出版社
2010 年版北京社科名家文库《治学清历》、大象出版社 2015 年版《书
林清话》

从白居易研究中的一个误点谈起

原载《文学评论》2002 年第 2 期，收入专著《唐翰林学士传论》，另见
大象出版社 2004 年版《唐宋文史论丛及其他》、万卷出版公司 2010
年版《当代名家学术思想文库·傅璇琮卷》

《唐代科举与文学》重印题记

收入专著《唐代科举与文学》，另见《中国文化研究》2002 年第 2 期、
大象出版社 2004 年版《唐宋文史论丛及其他》

《唐代诗人丛考》重印题记

收入专著《《唐代诗人丛考》》，另见大象出版社 2004 年版《唐宋文史

论丛及其他》

唐翰林学士史料研究札记

原载《文史》2004 年第 3 辑,收入专著《唐翰林学士传论》,另见首都师范大学出版社 2010 年版北京社科名家文库《治学清历》

唐代翰林与文学——以文史结合作历史—文化的探索

原载《人文中国学报》2005 年第 11 期《名贤讲席———中国古典文学研究前沿的思考》(2004 年 12 月 1 日香港浸会大学中文系主办),收入专著《唐翰林学士传论》,另见首都师范大学出版社 2010 年版北京社科名家文库《治学清历》、万卷出版公司 2010 年版《当代名家学术思想文库·傅璇琮卷》

岑仲勉《补僖昭哀三朝翰林学士记》正补

原载北京大学出版社 2004 年版《唐研究》第十卷(创刊十周年纪念专号),收入专著《唐翰林学士传论》

《蒙求》流传与作者新考

原载《寻根》2004 年第 6 期(题为:寻根索源:《蒙求》流传与作者新考),收入专著《唐翰林学士传论》

《唐翰林学士传论·晚唐卷》前言

收入专著《唐翰林学士传论·晚唐卷》,另见首都师范大学出版社 2010 年版北京社科名家文库《治学清历》、东北大学出版社 2015 年版《中国当代名家学术精品文库·傅璇琮卷》

谈《儒林外史》

　　吴敬梓的作品——《儒林外史》近年来大量印行,受到广大读者的珍视。《儒林外史》在思想上和艺术上的成就不仅在我国古典文学中是不可多得的,就是在世界文学中也是杰出的。

　　吴敬梓在 1701 年生于安徽省全椒县。他的家庭是一个所谓"名门望族",但是传到他父亲时,家道已经中落;到了他自己手里,由于他轻视功名富贵,又爱周济别人,因此不到几年就把家产化光了。他在三十几岁离开了故乡,迁居到南京,中间到过安庆、芜湖、杭州等城市,最后于 1754 年在扬州死去。他的著作除了《儒林外史》,还有《文木山房集》,这是他的诗文集子;此外,他还有一些关于《诗经》的论著,可惜已经失散了。

　　吴敬梓中年以后生活是很贫困的,只靠卖文章和朋友的帮助度日,有时几天没有米下锅。但是吴敬梓并没有因此向黑暗的社会低头,清代封建统治下的种种腐朽和丑恶的社会现实却引起了他的深刻的憎恶和愤恨。他根据亲身的感受和清醒的认识,在《儒林外史》中为当时社会生活描绘了巨幅的图画,对封建社会的种种不合理的现象给予了无情的讽刺和猛烈的攻击。

《儒林外史》对于现实社会的揭露和批判是多方面的,但主要还是从士大夫阶层热中于功名富贵的主题着手,着重地攻击了科举制度,并揭露了这种制度对于一般士子们的思想品德和广泛的社会风气的毒害。"八股取士"是清朝沿袭明代的选拔人才的考试制度,应考的人要摹仿"四书五经"的陈词滥调,说些空无内容的废话;文章规定了死板的格式,甚至字数也有一定的限制。封建统治者用这套罪恶的制度来笼络和腐蚀士子们,经过这种制度选拔出来的官吏,不但没有实际才能,而且绝大多数都变得利禄熏心、堕落无耻。如小说中的进士王惠做南昌太守,上任时只想着"三年清知府,十万雪花银",一心只盘算着弄钱的花样。这在当时是很普遍的。但是不论怎样,士子们一旦考中了,就一步登天,名也有了,钱也有了。这对当时社会能有怎样恶劣的影响,是可以想见的。《儒林外史》就从这里对封建制度作了有力的揭露。

读过《儒林外史》的人,不会忘记书中开头所写的两个可怜可笑的老童生:周进和范进。周进年纪已经六十多岁,考了几十年,"却还不曾中过学",在薛家集的观音庵教蒙馆,受尽了屈辱。如新进学的梅玖在吃饭时对他作种种恶意的嘲弄。王举人路过观音庵,对他吹牛摆威风,"周进下面相陪"。掌灯时,王举人的管家"捧上酒饭,鸡、鱼、鸭、肉,堆满春台";然后"和尚送出周进的饭来,一碟老菜叶,一壶热水"。第二天一早,王举人走了,"撒了一地的鸡骨头、鸭翅膀、鱼刺、瓜子壳,周进昏头昏脑,扫了一早晨"。这是书中所描写的周进在薛家集所过的短短几天的生活,由此我们可以推知,几十年来他是如何的被人瞧不起,过着怎样悲辛屈辱的日子!可是,后来考中了怎么样呢?书中写道:"不是亲的也来认亲,不相与的也来认相与";原先百般侮辱他的梅玖现在竟冒充是他的学生,薛家集也给周进供起了长生禄位牌。

范进在没有考中时,也同样到处受人轻视;他的丈人胡屠户常常辱骂他。他考过乡试回来,家里没米煮饭,范进正"抱着鸡,手里插个草标,一步一踱的,东张西望,在那里等人买"。邻人找来告诉他,说他中了举人了,他还以为是作弄他。直到回家看见了捷报,他立刻就欢喜得疯了。后来胡屠户给了他一个耳光,才又清醒过来。于是马上就有许多人来奉承他,"有送田产的,有人送店房的";"到两三个月,范进家奴仆、丫鬟都有了,钱米是不消说了。"

通过对于周进和范进的形象的描写,作者告诉我们读书人为什么这样热中于科举,同时也清楚地揭示了,正因为中与不中决定着一个读书人的荣辱和升沉,于是读书人就以科举为"荣身之路,把那文行出处都看得轻了"(第一回王冕所说的话)。

《儒林外史》就这样积极地展开了反科举的主题,描写了士子们的愚妄无知、利欲薰心以及士绅豪霸的胡赖、欺诈的无耻行为。像王德王仁兄弟,口里说:"我们念书的人全在纲常上做工夫。"但心里想的却是银子。像严贡生自吹从不占人便宜,而事实上却胡赖别人家的财物,强夺弟妇的家产。书中所写的地主士绅阶级的丑恶行为是举不胜举的。

吴敬梓的高度现实主义精神,使他没有把当时读书人的堕落无耻归罪于个人的品性上,而是通过人物与环境的连系和发展,人物与人物之间的相互关系,揭示出社会和政治制度的罪恶。书中对匡超人性格的描写,非常明显、非常深刻的说明了这一点。

匡超人本来是一个勤勉的贫家少年，他从杭州回到家乡，待人接物表现了纯朴的内心，为了奉养父母，负起生活重担，杀猪磨豆腐，尽了最大的努力。但是后来乐清县的李知县赏识他，提拔他；他到了杭州，和景兰江一班假名士鬼混了一个时候，又和潘三相交，潘三教他做坏事弄钱，后来身居高位的李给谏又一力帮衬他，使他步步高升，飞黄腾达起来，如此等等，匡超人的品格就一天天堕落，恶劣思想就一天天发展，终于成为一个极端无耻的人。

吴敬梓还揭露了封建礼教的虚伪和惨无人道。他对于王玉辉的描写是深刻动人的。王玉辉"做了三十年的秀才，是个迂拙的人"。他的女儿要替丈夫殉节，他竟鼓励女儿自杀殉夫。女儿绝食的几天，"王玉辉在家，依旧看书写字，候女儿的信息"。听到女儿的死讯，他的夫人"哭死了过去"他却责骂她"真正是个呆子"，自己仰天大笑道："死的好！死的好！"王玉辉这种思想和行为并不是做作出来的，而是出于对封建教条的认真的信奉，封建道德的信念已经深入到他的骨髓中去了。但等到在明伦堂公祭他的女儿时，他就"转觉心伤，辞了不肯来"。以后"在家日日看见老妻悲恸，心下不忍"，就只好到南京去游玩排遣。路上看见一个穿白的妇人，"他又想起女儿，心里哽咽，那热泪直滚出来"。这些描写，揭露罪恶虚伪的封建礼教与善良的天性之间的矛盾是多么深刻、细致而又生动逼真！

吴敬梓就是通过对于这些人和事的具体描写，表示了他对于这个社会现实的强烈憎恨。中国封建社会发展到满清时候，已经山穷水尽。当时封建统治对于任何进步的事物都抱着敌视的态度，广大人民处于深重的苦难之中。当时的上层统治阶级，从他们的日常生活到精神思想，都到了腐烂不堪的地步。《儒林外史》虽然没有对封建制度作全面的攻击和批判，但是通过具体人物的描写，却真实地为我们展示了趋向崩溃的封建主义社会的图景。这也就是《儒林外史》的不朽之处。

吴敬梓既然憎恶一般热中功名富贵的士大夫，就自然而然地倾心于一些心地淡泊的读书人。小说一开头写了一个作者心目中的模范人物王冕，主要就是赞他的不肯做官，轻视功名利禄。吴敬梓认为一个人只要不热中功名富贵，就能保持清醒的头脑和良好的品格，因此他对虞育德、杜少卿、庄绍光、迟衡山这些人物，基本上都给以肯定。像杜少卿那样装病辞谢征辟，拉着妻子的手游清凉山，就明显地带有向封建秩序和世俗观念挑战的意味了。

《儒林外史》，对"下层"社会的人民充满着诗意的描绘和热情的颂扬。如做戏的鲍文卿，认为"须是骨头里挣出来的钱才做得肉"，他拒绝贿赂，富有正义感和正直心肠。小说的最后一回，写了四个市井奇人：一个写字的，一个卖火纸筒的，一个开茶馆的，一个做裁缝的。作者极力赞美了他们的志行高洁。把这些人和那些中进士、举翰林的士大夫相比，哪个阶级阶层保有人的尊严就十分清楚了。作者一心倾向于这些"下层"社会中的人物，是从对功名富贵中人的利欲薰心、堕落无耻的反感而来的，也是由于对当时社会制度的憎恨而产生的。

《儒林外史》的内容是非常丰富的，它的艺术成就也是非常出色的。我们在阅读的时候，应该仔细的咀嚼，那才可以有较多的体会。我们今天阅读《儒林外史》，纪念吴敬梓，要学习"他的暴露矛盾、鞭挞腐化的和落后的、赞美人民的高贵品质""它的卓越的艺术成就,包括创造典型和文学语言的洗炼优美以及独特的风格"(茅盾:吴敬梓先生逝世二百周年纪念会开幕词)。

原载《读书》1956 年第 4 期,据以录入

我国古代的短篇小说集

——《警世通言》

　　《警世通言》《喻世明言》和《醒世恒言》合称"三言"，明代文人冯梦龙所编。冯梦龙对于通俗文学有强烈的爱好，他编写过戏曲、小说，也创作和搜集过当时的民歌小调和民间故事，而他的最大功绩即在于把宋、元、明三代500多年中的通俗白话短篇小说（"话本"和"拟话本"）加以整理和编订，使它们不致散失，得以流存到现在。他所编撰的"三言"与凌蒙初的"二刻"（《拍案惊奇》初刻、二刻），一直是研究中国古代通俗短篇小说的重要资料。

　　在冯梦龙的时代，通俗话本小说是一种新的文学形式。这些话本原来是职业"说话人"讲述的底本。它们的对象是一般的城市平民；后来的"拟话本"小说是明代人摹拟"话本"的体裁、风格而写的，也主要是供这般人阅读的。当时的城市平民，主要是商人和手工业者。在封建社会内部，他们代表着一种新的社会力量。通俗话本小说的对象既然是这般城市平民，因此也就表现了他们的思想感情。《警世通言》中的四十篇小说，有的直接描写了当时一般城市平民的生活,反映了他们的思想感情;有的虽然取材于古代的故事,描写了上层统治阶级的生活,但也是从城市平民的眼光与角度去理解的,因此写的虽然不是他们,也一样反映了他们的思想意识。这是这些小说的一个主要特征。

描写青年男女爱情、婚姻的作品,在《警世通言》中占有最大的比重。它们表现了鲜明的反封建的思想,尤其是表现了深受封建压迫的妇女对于爱情的坚强与执着的要求。在封建社会中,劳动人民是受压迫受剥削的,而妇女更被压在社会的最底层。她们受压迫(尤其是封建礼教的压迫)最深,反抗也最为强烈,这种反抗的意志就集中地表现在她们对于幸福生活的向往与追求上。这一时期的通俗小说就突出地塑造了几个富有反抗性的妇女形象,表现出她们在爱情上的勇敢、热情、坚决、强烈和执着,使人感到可敬可佩,可歌可泣。

譬如,"杜十娘怒沉百宝箱"这篇小说,其中杜十娘的形象就是带着巨大的激情描绘出来的。这个故事始终在杜十娘与李甲两人思想性格的对立和矛盾中进行。先是鸨儿看见李甲穷了,要赶他出去,赖十娘劝住。杜十娘主动要嫁给李甲,与李甲"议及终身之事",李甲却说他囊空如洗,没有办法。十娘叫他去借。他一连几日没有借到钱,不敢回来,结果还是杜十娘叫他回来,并且是自己拿出一半的钱赎出身来的。后来杜十娘问李甲到何处安身,李甲说:"辗转寻思,尚未有万全之策。"最后还是十娘想出办法,先到苏杭暂住,然后与李甲一起回家。一路费用都是十娘所出,连李甲自己也说:"若不遇恩卿,我李甲流落他乡,死无葬身之地矣!"但后来李甲却背恩忘义,把杜十娘以一千两银子卖给盐商之子孙富。杜十娘明了实情以后，知道自己看错了人，就连同价值连城的百宝箱，一同投入江中。

作为小说思想基础的，是具有深刻意义的尖锐的道德上的冲突。作品把妓女出身的杜十娘和地主官僚的儿子李甲，作了黑白分明的对比。作者以火一般的愤怒心情鞭挞了李甲的负心，而以全部热情颂扬了杜十娘善良纯真的愿望、高尚的品格以及她的坚强和能干，对于她的不幸遭遇给以深切的同情和悲悯。杜十娘形象的悲剧意义，就在于她沉痛地控诉了一个渴求幸福爱情的善良、纯洁的女性，受到封建制度的无情摧残；她对于世俗眼光和封建秩序所表示的勇敢的抗议和蔑视。她的光彩夺目的形象，一直给人以影响。

在其他几篇小说中，作者以喜悦的笔调写出了青年男女对于爱情的忠贞和执着。如"玉堂春落难逢夫"，王景隆虽然是一个宦家子弟，但他对于旧日的爱妓玉堂春仍是一片真心的爱护。"唐解元一笑姻缘"写唐寅（解元）为追求华学士府中一个丫鬟，不惜隐瞒了自己的身分，扮做穷汉，到华府求个"差使"，先做公子的伴读，又做华学士的书记，后来又做华府当铺的主管。终于得到了自己追求的人，完全突破了封建婚姻"门当户对"的限制。"王娇鸾百年长恨"中王娇鸾对周廷章的爱情始终不变。这些，都是作品所热烈歌颂的。

通俗白话小说不单在以爱情婚姻为题材的作品中大胆地表露了民主意识；同时，它还在生活的各个方面对封建统治和世俗传统展开了批判，差不多它们之中的每一篇都浓郁地散发着时代和生活的气息。

如"崔待诏生死冤家"中的璩秀秀强烈要求人身的自由和幸福的婚姻,但是她却为延安郡王活活打死。"陈可常端阳仙化"中的可常和尚,并没有与吴七郡王的婢女新荷通奸,却遭到郡王的毒打。这些作品深刻地揭露了封建社会中人民的生活如何没有保障,而权贵势要却如何的任意指民为盗,私刑拷打,这种对比是非常鲜明、有力的。

有些小说往往在不经意之中揭穿了封建制度的虚伪和不合理的真相。如"老门生三世报恩"。作品的主题是在于表扬鲜于同的报恩,这种思想当然是很平庸的,但在具体的描写中,通过蒯顺之立意不愿鲜于同考取,屡次毫无理由地变换阅卷、取士的标准,却画龙点睛地写出了科举制度原来是这样的扯淡胡闹,作者表示了揶揄嘲笑的态度。

《警世通言》也有几篇颇有民间故事风味的小说,它们一方面从民间流传而来,同时也采取了一些书面的材料。这一些小说表现了人民的乐观、幽默的健康的生活情愫,显示了他们对美好事物的向往,而作品的风格也是明朗朴素、清新可爱的。"俞伯牙摔琴谢知音",展示了俞伯牙、钟子期纯真美好的友情,通篇就像一首散文诗。"王安石三难苏学士",写深沉博学的王安石怎样用事实教训了聪明却又恃傲的苏东坡,道出:"为人第一谦虚好,学问茫茫无尽期。"这对我们现在也有深刻的教育意义。其他如"李谪仙醉草吓蛮书"表现了人民对诗人李白的崇敬和深厚怀念。这些都是很好的。

小说的作者们还吸取了人民的富有表现力的艺术形式和技巧,在作品中采取了人民大众所喜闻乐见的形式。其中的一些优秀作品，直到现在，还保持着一种极为强烈的艺术魅力；它们的艺术技巧，还是值得我们一再探讨和学习的。

通俗小说的语言运用得极为成熟，它们所达到的准确与生动传神的程度是往往令人惊异不置的。这些小说的另一特点是故事的曲折和情节的丰富。它们往往用生动有趣、引人入胜的故事情节来表达主题，随着情节的曲折展开，人物的内心活动和精神面貌也就自然而然地显露出来了。像"玉堂春落难逢夫""杜十娘怒沉百宝箱""宿香亭张浩遇莺莺"等，都能一下子把读者抓住，使人一开头就不能放手。在这方面，通俗小说给我们留下了很好的学习榜样。

最后还应该指出《警世通言》中所表现的一些错误、落后甚至反动的思想。

因果报应等迷信思想在书中是普遍存在的，这比较明显，大家也都能看得出来。不过在阅读的时候，也应该作具体的分析。有些作品，因果报应思想只是一个框子，它的核心仍旧是现实主义的。如"计押番金鳗产祸"一篇，金鳗产祸只是前后加上去的框子，而计押番一家一连串所碰到的惨剧则完全是现实的。

有几篇迷信思想比较浓厚，如"三现身包龙图断冤""一窟鬼癞道人除怪"就带有很大恐怖成分。有几篇小说还存在着歧视妇女的思想，如"乔彦杰一妾破家"，把破家原因归结在女人身上；更严重的是"庄子休鼓盆成大道"，反对妇女改嫁，鼓吹封建夫权主义和禁锢情欲的思想。这些都必须加以批判。通俗小说的作者不只一个，他们的阶级出身和思想情况也不尽相同，非常复杂，有进步的有落后的，书中因之有精华也有糟粕，又加以作品受到时代的限制,就是在进步的作品中,也难免掺杂着落后思想,阅读的时候应该细心加以分辨。

原载《读书》1956 年第 9 期,据以录入

《施公案》是怎样一部小说

　　《读书月报》编辑部转给我一封读者的信,来信人说他不同意去年《读书月报》(第6期)上侯岱麟同志的"略谈三侠五义"一文中附带提到的对于《施公案》的评价。侯文中认为《施公案》与《荡寇志》一样,所写的是"刀尖指向人民,指向绿林好汉,刀刃砍断梁山泊英雄的脖子的反动内容"。这位读者认为《施公案》"通过施公的英明,众豪杰的勇敢,因此判断了一些最为复杂的案件,逮捕了一些令人发指的强盗"。他说他"非常喜爱它,把它像珍宝一样的藏在书箱里"。

　　《施公案》以及其他类似的公案侠义小说,解放前很流行,对读者的影响相当大,这位读者的来信就是一例。为了帮助这样的读者比较正确地对待这些小说,我想以《施公案》为例,来谈谈我自己的一些粗浅的认识。

　　《施公案》共8卷97回,续集(不分卷)100回;其他还有二续、三续,有至四续的,但一般流传的是正集和它的初续。正集的作者各书都无记载,我所看到的聚锦堂藏板《施公案传》前有一篇序,序后有"嘉庆戊午年镌"字样,可知小说最晚在公元1798年即已成书了（鲁迅先生《中国小说史略》谓在 1838 年，不确）。初续刊于光绪二十年（1894）。

施公是实有其人的，名施世伦，康熙时任江苏泰州知州，后来督过漕运、勘察过陕西灾情等，在当时是有名的清官，时人比之为宋代的包拯。关于他的事绩在民间广为流传。根据清代人的笔记，说他："公平生得力全在不侮鳏寡不畏强御，盖二百年茅檐妇孺之口，不尽无凭也。"（据陈康祺：《燕下乡脞录》）小说根据施公性格的"不侮鳏寡、不畏强御"加以发挥，同时渗杂明代的《龙图公案》等书写成，其中有些情节大约也实有其事，但很明显，许多的奇案冤狱以及武侠豪霸是作者加上去的。

《施公案》一书的思想很复杂，侯岱麟同志把它与《荡寇志》等列看待，当然失之于简单，是应当引起读者怀疑的。我觉得，对于《施公案》思想内容的估价，要从小说的描写本身去看，同时也要结合小说产生的历史环境去看，这样才能得出比较恰当、公尤的结论。

施公治狱的一些情节，基本上是与《三侠五义》中包公审案的精神一致的，施公作为人民的理想人物而出现，在他的身上，作者寄托了智慧、刚毅与体察下情等等良好的品性。包公、施公等清官的故事之所以产生并且广泛地流传，是长期处于黑暗社会中的人民要求伸张正义、公道的精神的体现。在这里面，人民表示了自己的爱憎，表示了对于历史和历史人物的判断。我想，包公、施公等故事的人民性，主要就是表现在这里（当然，《施公案》在这点上是远逊于《三侠五义》的）。

此外，《施公案》还有一点值得注意的地方。小说写的是清朝康熙的时代,康熙曾被统治阶级称为"老佛爷",他立朝的时期被誉称为"盛世"。但《施公案》所写的康熙时代,却一点不像盛世的样子。社会的动荡不安,冤狱的众多,官吏的贪污和无能,绿林好汉在各地的活动,像小说所写的,即使在北京城市,也有"盗匪"的踪迹。这那里像是盛世呢? 小说所写的这些实际情况,把这个为统治阶级所虚饰的"盛世"幌子戳穿了。我觉得,施公断案的意义,与其说是表现了施公的英明,无宁说是通过这些层出不穷的案件以及皇亲国戚、恶霸豪强的鱼肉人民,点出了这个动乱的、罪恶的时代的真相。

但是,《施公案》一书有很多、很严重的缺点,其中甚至还包含有毒素。

我们在上面说过,《施公案》也写出了清朝动乱、罪恶的时代,这只是就作品的客观意义说的,并不是作者的主观意图。古典作家的世界观和创作常常会发生矛盾,有些现实主义作家,他们的政治思想是落后甚至反动的,但他们忠于现实、忠于艺术,他们所描写的事物就能突破世界观的限制,而符合于客观真理。但也会发生另外一种情况,即是有些作家反动思想的作用过分强大,虽然在他的作品中可以看到一些客观现实的影子,但绝大部分是歪曲现实的,他们的作品就变成为反动思想的体现和传声筒。《施公案》虽然还不像《荡寇志》那么反动,但它的确包含有过分浓厚的落后以及反动的思想,其中最突出的,是作者忠于满清王朝的奴才思想,这表现在施公身上,也表现在黄天霸身上。

譬如续集第一回写施公升仓厂总督,出了北京往通州进发,在路上碰见两队运粮米的车夫打架,一些饥饿的老百姓就乘机把米抢了;施公非常恼恨,命令衙役把抢米的人都抓了来,每人重责三十大板,并且骂他们说:"你们这些无知的奴才,真正可恨!你们未从起意,私抢皇粮,也该想想国家法律,从南边运来米粮,俱是万岁爷爷养八旗兵丁之储,国家储运之物,那许尔等妄行私窃的道理!"又如八十五回写施公从山东赈济回朝,面见康熙,康熙可怜他身带残疾,就让他不必跪着说话,给他一个垫子坐着。施公听了,就连忙叩首,连说奴才谢主天恩,"谢罢又行到垫子上,不敢坐下,还是一条腿跪在垫子上,用腿垫着屁股"。这种奴才情态,令人恶心,但作者却是把这些作为施公的美德,而大加赞赏的。

黄天霸本是出身草泽的绿林好汉,施公大破莲花院,杀死了九黄和尚及12名"江洋大盗"之后,黄天霸激于朋友的义气,半夜入衙行刺,却被施公一席话说服了,从此"归化"了清朝。作者极力要把他写成《三侠五义》中南侠展熊飞那样武艺高强,体现除暴安良思想的英雄,但实际上,黄天霸的形象,却是一个心胸狭窄、高傲偏激、负尽江湖信义的小人。他与南侠不能相比。最明显的是正集第六十六回"标死武天虬,自刎朴天捣"一节,写施公从江都知县回京,半路上被好汉武天虬、朴天捣两人所擒。武、朴两人因施公杀害过许多"盗寇",就想为朋友报仇,要把施公杀死。这时黄天霸本已离开施公回家,但因怕施公在路上出事,也就随后跟来。至武、朴两人山寨,见施公被绑,就力劝二人将施公放了。二人不答应。黄天霸就动武把自幼的结义好友害死了,并且还逼死了武、朴二人的妻子,这一节写得很惨,充分暴露了黄天霸为了往上爬,图得封妻荫子,使尽了一切卑鄙残酷的手段。小说后来也写道:因为他"负了江湖信义之真,逼死一家人的性命,江湖上的朋友,无不怨恨!"后来黄天霸除"盗寇"有功,为康熙所召见,在康熙前面卖弄武艺,尽力博得康熙的欢心,做到漕运副将的官职。这些,作者都是以肯定赞扬的态度来写的。

《施公案》最严重的缺点,是它对于绿林"强盗"的深恶痛绝的态度,作者往往歪曲他们的形象,把他们写成无恶不作专吃人心肝的野蛮人。其中如续集三十五回到三十七回,写红土坡于六、于七兄弟率领山寨喽啰抢劫官粮的一节,恶毒地歪曲和污蔑了农民起义的领袖。于七是实有其人的,他是清初山东一支农民军的领袖,声势很盛,康熙时与清朝军队经过几个月的苦斗,后来失败,逃亡不知所终(小说中,于六被官军打死,于七也是逃走不知下落)。小说中于七是作为反面人物来写的,跟于七对立的,是清王朝的官吏以及黄天霸等人,作者的立场是显而易见的。

作者在小说中虽然也写了施公、黄天霸除掉了不少的土豪恶霸,审清了不少的案件,因而救出了一些无辜受害的良民,但是写这些情节的总的目的,是要表扬康熙的如何圣明,施公的如何贤良。18世纪末正是各地农民起义重新走向高潮的时候,而19世纪末正是满清王朝摇摇欲坠、义和团兴起的前夜,在这个时候出现了《施公案》(以及《彭公案》等书),极力表扬了清朝君臣的贤明,要人民把希望寄托于圣君贤臣的身上,认为人民是无力的、软弱的,只有像施公那样的清官以及黄天霸那样的英雄才能救他们于水火之中。这种意图和思想,在当时农民起义风起云涌的情况下,不能不说是有极大的消极作用的。

小说的艺术性也不高。人物没有个性,我们所看到的主要人物,像施公、黄天霸、关泰等人好像都不是有血有肉的活生生的人物。语言也很贫乏,尤其是正集,文辞的粗陋,叙述的简疏,令人不堪卒读。虽然是长篇小说,也有几个主要人物作为贯串全书的骨干,但整个说来,结构极为松散。有些案子看起来错综复杂,但只是作者的故弄玄虚,没有现实基础,缺少生活的内在逻辑性。这些也都不能与《三侠五义》等书相比。《施公案》一书,单就艺术技巧而言,充其量也只是三、四流的作品。

但是为什么在解放以前有不少人读它,并且喜爱它呢?

大致说来有两个原因:第一,《施公案》虽然有浓厚的反动思想,但其中也确实写了对于土豪恶霸的惩罚。生活在黑暗统治下的人们,对这点是喜欢的。第二,"五四"以来,新文学固然有很大的发展,但它并不深入于广大的市民阶层以及工农群众之中。而他们是要求精神食粮、要求阅读文艺作品的,于是就找到了《施公案》等书。这些书写得通俗,又加以某些惊险的情节和曲折离奇的案件,也有相当的诱惑性,就能够吸引他们去看。我想,解放以前,一些公案侠义小说之所以充斥市场,获得群众的爱好,原因就在这里。至于现在,我们有了很多优秀的为工农兵服务的文学作品,还有许多杰出的思想艺术两皆高超的古代小说,就不需要也不应该再去看这些小说了。

原载《读书月报》1957 年第 4 期,据以录入

《诗经通论》出版说明

　　《诗经》是我国文学史上第一部的诗歌总集,而从汉朝开始,儒家定于一尊,《诗经》奉为经典,于是在"经师"们凿空推索和迂腐传注之下,人民的诗歌就被蒙上重重叠叠的瓦砾灰尘。毛、郑的《传》、《笺》和卫宏的《诗序》,在从汉到唐一千多年的时期中,一直成为说诗的权威。在这期间,虽然有王肃、孙毓等人对毛、郑的《传》、《笺》表示个别不同的意见,但他们仅仅只争毛、郑之间的得失,不能跳出《诗序》的圈子,一致承认《诗》的大旨是在"止乎礼义",即合于封建统治的政教明训和伦理准则。

　　宋代的学者开始对《传》、《笺》、《诗序》的本身发生怀疑。最初是欧阳修的《毛诗本义》和苏辙的《诗经传》,后来又有郑樵的《诗辨妄》和王质的《诗总闻》,而集大成的是朱熹的《诗集传》。郑樵大胆地提出《诗序》出于"村野妄人"所作;朱熹更进而认为:"凡《诗》之所谓《风》者,多出于里巷歌谣之作,所谓男女相与咏歌,各言其情者也。"在两宋时代,汉儒解经的迂腐和固凿,已经不能再像从前那样地支配人心,在学术思想的进步和社会发展的新情况下,封建时代某些头脑比较清醒的学者,对《诗经》进行了较为切合实际的解释。但是，《诗经》中的一些民间恋歌，仍然被朱熹目为"淫奔之诗"，稍后于朱熹的王柏在其《诗疑》一书中，更主张把它们从《诗经》中删除出去，这表明了他们只不过企图用新的伦理观念来代替两汉经师们的注解，以期适合于当时的封建统治的要求。

姚际恒的《诗经通论》在《诗经》研究中是一部重要的著作。宋代以后，也有一些祖述毛、郑的人据《诗序》来攻击朱熹，如马端临明白地提出"《书序》可废，《诗序》不可废"，"《雅》、《颂》之序可废，而十五《国风》之序不可废"；在清朝汉学大盛的时候，像陈启源的《毛诗稽古篇》、陈奂的《诗毛氏传疏》等都是以攻朱尊《序》著名的。尊《序》与宗朱，是几百年《诗经》学研究中激烈争论的中心。在这期间，能够不牵涉到这个聚讼纷争中去，而能从诗的本义说诗的，只有姚际恒、崔述、方玉润等几个人。崔述写《读风偶识》时有否见到过《诗经通论》，我们还不得而知，但方玉润的《诗经原始》，却是明显地受到姚氏的影响。

姚际恒，字立方（《四库提要》谓字善夫），号首源，祖籍安徽新安，长期居住在浙江的仁和，康熙时诸生，与毛奇龄同时，也是毛的学问上的诤友。《武林道古录》中谓："少折节读书，泛滥百家，既而尽弃词章之学，专事于经。年五十，曰：向平婚嫁毕而游五岳，余婚嫁毕而注《九经》。遂屏绝人事，阅十四年而书成，名曰《九经通论》。"《浙江通志·经籍门》载，《九经通论》一百七十卷。此外并有《古今伪书考》、《好古堂书画记》、《庸言录》等著作，足见其治学范围之广。据阎若璩《古文尚书疏证》与张穆《阎潜丘先生年谱》所载，阎若璩对于伪古文《尚书》的考证，多引证姚际恒

《尚书通论》的见解,《礼记通论》也多散入杭世骏的《续礼记集说》各篇。毛奇龄《西河诗话》中盛称其经学根柢的深厚。可见在清初,姚际恒即以博淹通敏与大胆疑古为学术界所见重。其所著除《九经通论》中的《诗经》、《仪礼》两种,以及《古今伪书考》、《好古堂书画记》等几种外,大多已亡佚。

《诗经通论》的可贵之处,在于它不依傍《诗序》,不附和《集传》,能从诗的本文中探求诗的意旨,从而对《诗经》的内容作了比较实事求是的解释。作者在《自序》中谓"惟是涵咏篇章,寻绎文义,辨别前说,亦从其是而黜其非";摆脱汉、宋人的门户之见,大胆地怀疑古人的说法,置《诗经》于平易近人之境,这种自由立论、不拘拘于朴学家繁琐饾饤的考据,开辟了说《诗》的新风气。譬如《卫风·硕人》一诗,《毛诗序》以为是"闵庄姜",《集传》因仍《序》说,各家的注疏也都无异词;至姚际恒才力辟其说的无稽,指出《诗序》明明依据《左传》的"庄姜美而无子,卫人所为赋《硕人》也"几句附会而成。又如《召南·小星》,齐、鲁二家之说固已不可详知,《韩诗》以为是劳人行役之作(见《韩诗外传》卷一),这是较近于诗意的,《毛诗序》却认为是"惠及下也",《集传》也说是"南国夫人承后妃之化,能不妒忌以惠其下";这些都遭到《诗经通论》作者的有力驳斥。姚氏指出《集传》虽然表示力反《序》说,但因袭旧说之处仍然不少,甚至于"时复阳违之而阴从之"。元、明以后,朱熹的《诗集传》被封建朝廷定为科举取士的准则,同样成为拘囿知识分子头脑的工具,姚际恒的这种抨击,客观上起了一种启愦破惑的作用。

姚氏对于诗旨的诠释,有汉学家穷委竟原、谨严自守的优点,而无其固滞胶结的毛病。最明显的如《邶风·击鼓》,《诗序》以为怨州吁用兵,郑《笺》更以为鲁隐公四年卫国与宋、陈、蔡伐郑之事,历来都认为如此,独姚际恒破几千年的疑案,据《左传》所记,详为剖析,谓是鲁宣公十二年宋伐陈、卫穆公出兵救陈时事。而对于《雄雉》、《蚾蝀》、《叔于田》、《遵大路》、《皇矣》等诗,诸说纷纭,他不赞成前人的说法,但也没有新见,于是都以"不得其解"存疑,这种态度比起汉宋说诗家的迂腐穿凿,要通达信实得多了。

但姚际恒终究是一个封建时代的读书人,他不得不受到封建礼教思想和传袭的《传》、《疏》学说所局限。对于一些天真活泼的男女恋歌,他都认为是"刺淫之诗"。他在书前的《诗旨》中说:"'《诗》三百,一言以蔽之,曰思无邪'。如谓淫诗,则思之邪甚矣,曷为以此一言蔽之耶?盖其时间有淫风,诗人举其事与其言以为刺,此正思无邪之确证。何也?淫者,邪也,恶而刺之,思无邪矣。今尚以为淫诗,得无大背圣人之训乎?"对于一些男女相思之情的作品,姚氏同毛、郑一样,硬加上君臣或朋友思念等等的封建教条,将正面的描写说成反面的讽刺。可见他虽然可以攻《诗序》,攻朱熹,而对于封建社会的基本伦理系统是不能打破的。这不只是姚氏是这样,连后来态度比他激烈得多的崔述、方玉润两人也不免如此,《读风偶识》认为这些作品都是"惩淫荡之风",方玉润以为"《溱洧》则刺淫,非淫者所自作"(《诗经原始》卷五)。其他像《绿衣》、《日月》、《七月》、《鱼丽》等篇,姚氏驳斥《集传》,虽有是处,实近枝节,态度不无偏激,使人感到好像专为攻朱而作的。这都是《诗经通论》一书的疵病。

《诗经》收辑了西周初年到春秋时期五六百年中的歌谣乐章,

其中大部分是民间的创作。它们最朴素而又最生动地表现了人民的生活和真淳的感情,反映了当时社会生活以及各个阶级、阶层间的变化,真实地揭示了阶级社会产生以后不可调和的矛盾。"诗三百篇"是人民集体创作的宏伟的史诗,是我国古典文学现实主义和人民性传统的最早源头。只有在马克思列宁主义思想的光辉照耀下,才能对这些诗篇予以正确的阐明。而在这同时,对于过去的注本,辨别其糟粕,吸取其精华,指出长时间封建时代的学者对于《诗经》的种种歪曲与误解,两千多年来《诗经》研究中曲折发展的过程,也都是值得深入研究的工作。我们整理、重印这部书,目的就在此。

本书有道光十七年(1837)韩城王笃刻本,又有 1927 年双流郑璋覆刻本;顾颉刚先生在三十余年前曾据王刻本加以校点,我们现在就采用他的校点本重印。原书中有题"增"字的数条,多和姚氏的意见不同,似乎不是姚际恒自己后来所补,可能是刻书者王笃的手笔,也可能是在未刻前别人传抄时所加而误刻入者。因为没有确切的证据,现在不加删除,仍照旧附印。

原载中华书局 1958 年版《诗经通论》,此据首都师范大学出版社 2010 年版北京社科名家文库《治学清历》录入

《邢襄题稿、枢垣初刻》出版说明

　　《邢襄题稿》和《枢垣初刻》，是明末官僚李永茂于崇祯十五年至十六年（1642—1643）在兵科给事中任内的疏稿。

　　崇祯十五年松山战役以后，清军对明的包围形势已经形成。皇太极曾说："取北京如伐大树，先从两旁斫，则大树自仆。……今明国精兵已尽，我四围纵略，北京可得矣。"就在这年十一月，清兵分道入关，先陷蓟州，深入畿南，直趋曹、濮，连下山东八十余城，鲁王以派自杀（见《明史》卷二四）。明朝政府面对这样紧张的局势，一面派人督师抗击，一面遣六科给事中分别察理近畿各府城守情形。李永茂当时即奉命视察顺德府（府治今河北邢台市）属的城守，并以其察理所得的闻见及对防守的意见，奏报朝廷，结集成为《邢襄题稿》。永茂后以崇祯十六年正月事毕返京，上奏对待李自成农民起义军和清兵的攻守策略，约三十几疏，为《枢垣初刻》。

　　这两部疏稿保存了一些有用的资料，对研究明末的历史有一定的参考价值。

　　首先，它反映了明代末叶农民在土地兼并与苛重剥削下的悲惨生活。如《奏报入境日期等事疏》中说:"三十日入内丘,一望荆榛,四郊瓦砾,六十里荒草寒林,止有道路微迹,并无人踪行走,此出都九百里第一荒残之地也。"《奏报察过沙南平广四县疏》中说:"四望村野,白沙黄茅,渺无边际。……自戊寅(即崇祯十一年)至今,五载灾荒,士民之死于奴酋、土贼、疫饥、差役者,已十分之九。即本年稍稍告熟,而东作无人,西成安望? 其时亦有子衿十数人来见,率皆鹄形鸠面,百结鹑衣。……盖不意辇毂之下,尚有此魑魅世界也。"明朝统治者对广大农民进行残酷的剥削,田租田赋之外,又有许多加派,崇祯时又有辽饷、剿饷、练饷等三项主要加派,以至"私派多于正派,民不堪命,怨声四起"(孙承泽《春明梦余录》)。《明史·五行志》详细记录了从万历到崇祯七十年间灾荒频仍民不聊生的景象,当时浙江、山东、陕西等地赤地千里,人相食,几于无年不旱。崇祯十五年《兵部题为江南之危形孔棘等事》中也提到:"数年以来,旱魃为虐,赤地千里;蝗蝻肆毒,烟寒万灶;百姓之转沟壑者,不可侧目。"(《明末农民起义史料》)可见,李永茂在这里所说民生凋敝的情况,是有典型性的。

其次,李氏在这两部疏稿中尖锐地指出了明末吏治的极端败坏。明朝自万历以后,整个统治机构已经日趋崩溃,上自皇族、勋臣、宦官,下至各级各地的官吏,都只知背公植党,贿赂诛求,穷耳目之好,极声色之娱,政治的腐败与堕落已达极点。在这种情势下,一旦外敌入侵,文武官吏为了保全自己的身家财产,不是畏葸观望,拥兵不前;就是土崩瓦解,率先倡逃。《邢襄题稿》的第一疏《奏陈应责应催事宜疏》中说:"年来文武将吏,玩愒日甚,重金钱则甘轻性命,徇情面则忍欺君父。以致兵刃未接而溃,战不成战;

风鹤无迹而逃,亦守不成守。"当时畿南一带的守土官吏,如平乡知县袁梦吉升补多时,规避不前,印务久付寒毡(《奏报察过沙南平广四县疏》)。如蓟督赵光抃,清军已陷山东等地八十余日,而尚驻军于千里之外的良乡(《策励两督击奴疏》)。更令人发指的,如镇兵白广恩、驸马刘有福等,率领部下家丁抢掠行人,杀害良民。"沿途行人之骡马行李,城民之衣粮鸡犬,所过一空。甚有火民之居,掳民之妻者;更有不走正道,迂转旁掠者。"遂致"百姓率弃家而逃,有司但闭关以谢"(《奏报守具粗备战事当明疏》)。无怪李永茂感慨地说:"吏治之偷,至今日为已甚,至今日之邢、襄为更甚。"其实,这种情况也不只畿南,而是遍及于全国的。

第三,对于人民坚决抗敌的英勇事迹,李氏的疏稿中也有某些具体的反映。面对着外来敌人的侵略而奋起抗击的,只有广大的人民群众,如顺德府民众组织起来保卫乡里,"四千之众,人人鼓跃,虽无坚铠精骑可备征逐,而长矛白梃已自气勃神旺。令奴到之日,昼则山高林密,张疑设伏;夜则鼓角钲铙,互相牵制"(《奏报邢民感激皇恩疏》)。清兵到山东冠县,"县民辛武四围伏炮,匹马驰入奴营,大呼官兵已到。奴从鼾梦中惊怖而起,伏炮齐发,自相残戮,数以千计,卒不敢窥冠而去"(《策励两督击奴疏》)。明朝统治阶级只知遇敌规避和趁火打劫,而平时受到惨重的压迫和剥削的人民群众,一旦遇到强敌压境,却能人人振奋,发扬中华民族反侵略反强暴的优良传统。这些都是研究明末人民抗清史的很好材料。

最后必须指出的,李永茂是明朝的官吏,他是站在统治阶级的立场上说话的。对待外来的侵略,他有爱国心,而对农民起义却采取对立的态度,表现了地主阶级的反动性。如他说:"寇□之患不与奴较细,剿寇之事不与奴较缓。"(《汝宁失陷疏》)他主张积极镇压的政策。李永茂的家乡邓州(今河南邓县),是农民军屡次出入之地。《襄阳再陷疏》中说:"臣家世邓州,再破之城,庐舍尽焚。望人父母,如鸟失栖,率臣妻子,飘泊孤艇,盘桓村舍。伪官到后,尚未知如何行动?使臣老亲幼子,倘膏锋刃,天下有无父母、无妻子、无庐舍填墓之人乎!兴言及此,不啻烈火烧身、众镝摧体矣。"李永茂这种仇视农民起义的立场是反动的。但从另一方面来看,疏稿中的确也不自觉地反映了农民军的锋刃已逼近统治集团的咽喉,在人民反抗力量的磅礴气势前面,统治阶级表现了举棋不定、张皇失措的情况;在这些有关明末实际政治的第一手材料中所反映出来的当时的阶级关系,是可以看得很清楚的。

为了帮助读者了解李永茂的生平,我们选录了王夫之《永历实录》里的一篇《李永茂传》。但这篇传文尚有错误之处。如李永茂中进士,据《邓州志》(乾隆二十年蒋光祖等纂修)及《邢襄题稿》,是在崇祯十年丁丑,并非天启五年乙丑。李氏在通籍后,即任浚县知县。崇祯十五年,为兵科给事中。王夫之所谓"崇祯末……丁艰家居",也是没有根据的。永茂丧父在弘光元年南赣巡抚任内,《邓州志》卷十五《人物》云:"顺治二年(1645)……丁外艰。葬事毕,奉母至端州。"这可见"隆武中……永茂以母丧解官,侨寓岭南",也并不确实。又如桂王立于肇庆,李永茂拜为东阁大学士、知经筵,并非文渊阁大学士。这些都是王夫之疏忽的地方。

徐鼒《小腆纪年》卷十一载:"(顺治二年七月,)大清兵既克南昌、袁州、临江、吉安相继下,已又取建昌,惟赣州孤悬上游独存。(杨)廷麟乃与(刘)同升谋邀赣抚李永茂集绅士于明伦堂,劝输兵饷,刻期大举。"卷十二又谓:"(顺治三年六月,)前南赣巡抚李永茂遣副将吴之藩、游击张国祚将粤兵五千援赣,战于李家山、九牛山之间,连战皆捷。"李永茂的一生活动,主要投入于反清入侵的斗争中,在当时,他不失为一位气节之士。据《邓州志》,李永茂生于神宗万历二十九年(1601),卒于永历二年(1648)。所著有《邢襄题稿》、《枢垣初刻》、《西掖焚余》、《抚虔议草》、《佤上吟》、《南北咏》、《哀余初草》等,大都散佚。

《邢襄题稿》计二十二疏,其中两疏已佚,《枢垣初刻》原三十七疏,现存十三疏,旧藏开封李雅轩先生处。孔宪易先生为我们介绍这份材料,并给我们不少帮助,谨此致谢。稿中称清为"奴"、"虏"、"酋",并不避讳,似系原稿的初钞本。现即据此钞本排印,并加断句,间亦订正其讹落等字数处。漏落错误可能还不少,尚请读者指教,以便再版时改正。

原载中华书局 1958 年版《邢襄题稿、枢垣初刻》,此据首都师范大学出版社 2010 年版北京社科名家文库《治学清历》录入,另收入大象出版社 2004 年版《唐宋文史论丛及其他》

点校本《全唐诗》出版说明

　　唐人的诗,除各个作家的专集以外,在唐宋已有人汇辑编集,但都不够全备。至明胡震亨的《唐音统签》(一千三百三十三卷)和清初季振宜的《唐诗》(七百十七卷),采集宋元以来所刊刻、传抄的唐人别集,并搜求遗佚,补辑散落,遂成为网罗面较广的唐诗总集。《唐音统签》一书的体例,以初、盛、中、晚断限,每一个作家的诗,则按体排比;季振宜《唐诗》多依照原集本次序。清初编纂《全唐诗》,基本上就是以胡、季两书作为底本,再加校补而成。

　　《全唐诗》的修纂,始于康熙四十四年三月,成于四十五年十月,当时入局参校,有彭定求、杨中讷等十人。《全唐诗》大体依季氏书编次,不分初、盛、中、晚,并删去《统签》篇末章咒四卷,偈颂二十四卷。当时修纂,除以《统签》、《唐诗》为底本外,并用内府所藏唐人诗集参校,"又旁采残碑、断碣、稗史、杂书之所载,补苴所遗"(《四库总目·全唐诗提要》),共收诗四万八千九百余首,作者二千二百余人,总九百卷。

　　这样一部卷帙浩繁的大书,对于研究我国唐代的历史、文化和文学,无疑有很大的参考价值。首先,它是相当"全"的,它承受了在它以前的各种唐诗汇辑本的成果，并在这个基础上，相当完备地搜罗了唐代三百年间无论成集的或零星的篇章单句的诗歌，使我们较能概见唐诗的全貌。其次，胡震亨、季振宜两人不仅藏书丰富，又都是精鉴名家，他们对唐人诗的校勘，是用功甚深的。《全唐诗》既以胡、季两书为前资，又根据当时内府所藏善本校补，因此，书中所作校订还有一定的参考价值。

然而这样一部近千卷的大书，却只以十人之力，不足两年的时间编成，这就必然会有许多讹舛疏漏之处。当时朱彝尊已有"业经进呈，成书不说"之叹（见《晨风阁丛书·潜采堂书目四种》之一《全唐诗未备书目》后冯登府记），这也是过去一般官修书不愿深究的积习。我们认为，这部《全唐诗》的缺点，约而言之，有下列几类：

一、误收、漏收。《全唐诗》中往往误收并非唐人的诗，如戴叔伦集中杂元丁鹤年、明刘崧等诗，胡震亨就曾将这些诗删去（《统签》丁签六十四戴集叙录。引见俞大纲《纪唐音统签》，文载《历史语言研究所集刊》第七本），而《全唐诗》却仍依所据本收录。又如殷尧藩《春游》，为元人虞集所作（见《道园学古录》卷三，题作《东城观杏花》）；裴度《凉风亭睡觉诗》，为宋人丁谓所作；李翱《戏赠诗》、皇甫湜《出世篇》，也均似后人依托（见刘师培《左盦集》卷八《读全唐诗书后》）。也有不是诗而误入的，如卢仝《孟夫子生生亭赋》、罗隐《秋虫赋》等。而另一方面，书中漏收作品却又不少，较严重的如徐铉的诗竟遗漏二卷未收（见《四部丛刊》影宋本《徐公文集》卷二一、二二）。

二、作品作家重出。重出的作品，有时互注，有时无注，有注一作某诗而某集不载,有注一作某诗而无某集,又有集后所附佚句已见于集中某篇之内,更有一人而误分为二人者(如卢肇字子发,乃既有卢肇,又有卢子发,且以后者为不可考)。

三、小传、小注舛误。胡、季两书于诸集之前,首弁小传,大抵取材于两《唐书》及杂史、地志、笔记、诗话与各家别集等书。《全唐诗》作者小传极为简略,且疏失之处甚多。如陆海小传,以海与陈子昂、卢藏用等为方外十友,不知与陈子昂等结方外十友者,乃陆海祖陆余庆(见岑仲勉《读全唐诗札记》,《历史语言研究所集刊》第九本)。又如刘禹锡《泽宫诗》注"四首",实只一首;白居易《狂吟七言十四韵》,注云"十六句缺二字,十七句缺一字",实则一字不缺。所列无名氏作品,也有可以考知作者姓氏的,如第七九六卷"道远擎空钵,深山踏落花"为贾岛诗,"床上小薰笼,韶州新退红"为薛昭蕴词,等等。

四、编次不当。《全唐诗》以皇帝、后妃及宗室诸王等诗列首;有官爵的则"以登第之年为主,其未曾登第及虽登第而无考者,以入仕之年为主"(凡例),如骆宾王先王勃生,却列王后,韦应物出生晚于高适、岑参、杜甫等人,却反列在诸人之前(见李嘉言《古诗初探》中《改编全唐诗草案》一文)。这些极不合理的编次,都充分反映了封建统治阶级的观点。

五、其他。《统签》引书多注其所出,而《全唐诗》于此却大多删去,其注明的一部分,书名也有很多错误,如《唐诗纪事》有误为《诗话总龟》者,《唐摭言》有误为《北梦琐言》者,《吟窗杂录》误作《吟香杂录》,《江邻几杂志》夺为《江邻几志》。其他讹夺的字也不少,如"比部郎中"误为"北部郎中","来护儿"夺为"来护",这些有的是刊刻的错误,有的则是底本原误而未加校正。

以上仅举其大端而言,其他细节讹舛处尚多。可见这部《全唐诗》实有重新加以彻底整理的必要。但这尚待进一步努力。我们这次为应科学研究和教学工作的急需,根据扬州诗局刻本校点,由中华书局重印,后面附录日本上毛河世宁纂辑的《全唐诗逸》三卷(据《知不足斋丛书》本)。除断句外,并改正了某些明显的错误,如原书裴寂向李渊劝进,误为向隋祖劝进,已据温大雅《大唐创业起居注》改正;又如原书"急乐世"误作"急世乐"(曲名只有"乐世",没有"世乐"),"来护儿"误作"来护"等,皆予改正。凡改正和补阙的字均用方括号〔 〕标出,原误或应删去的衍字均用圆括号( )标出,并用小字排。至于书中存在的其他一些问题,就只好留待以后修订整理时解决。又以前《全唐诗》的刻本都是按函册分的,中华书局这次重印,不分函册,概以卷分,在每一分册前面编加诗篇目录,以便读者检阅。我们的水平有限,错误一定难免,希望读者指正。

撰写于 1959 年 4 月 25 日,原载中华书局 1960 年版《全唐诗》(署名:王全),此据大象出版社 2004 年版《唐宋文史论丛及其他》录入

影印本《史通》出版说明

　　刘知幾字子玄,徐州彭城(今铜山县)人,生于唐高宗龙朔元年(661),卒于玄宗开元九年(721),是我国古代一位杰出的历史学家。今年是他诞生的 1300 周年,我们为了纪念他在史学上作出的重要贡献,并为读者提供研究的资料,特影印他的代表著作——《史通》(明张之象刻本)。

　　刘知幾的一生,大半用于研究我国古代的历史和史籍。差不多还在儿童时,他就对历史发生浓厚的兴趣。二十岁左右登进士第,任获嘉县主簿,他有充裕的时间研读史书。四十二岁时,他以著作佐郎兼修国史,不久即迁左史。在这以后到他的晚年,在将近二十年的时期内,虽然有时因官阶的迁转,离开过史馆,但多半兼著史职,参加修史的工作。《史通》写成于中宗景龙四年(710),前后花了七年的工夫,写成后又经过不断的修改。刘知幾自著及与别人合编的书,除《史通》外,还有好几种,如《刘氏家史》、《刘氏谱考》、《刘子玄集》、《三教珠英》、《姓族系录》及高宗、武则天、中宗、睿宗等几朝实录,这些书都已散佚,《史通》是他惟一流传至今的专门著作,也是他一生研究史学的结晶。

《史通》的撰作，正如作者在《自叙》中所说"盖伤当时载笔之士，其义不纯，思欲辨其指归，殚其体统"，是一部有与夺、褒贬、鉴诫、讽刺的历史评论的著作。全书共五十二篇（原缺三篇），分内篇、外篇两部分。内篇主要论述修史的体例书法，资料采撰，文字剪裁，以及历史语言的应用，等等。外篇着重论述史籍的源流和评介旧史的得失。《史通》一书充满大胆疑古的精神，对过去的历史学作了综合的批判，无论在史学思想方面，或在历史编纂学方面，作者都表示了自己的创造性的意见，正如作者自己所说"其为贯穿者深矣，其为网罗者密矣，其所商略者远矣，其所发明者多矣"。

我们今天所能见到的最早的《史通》版本，是明嘉靖十四年（1535）的陆深刻本。陆深是上海人，嘉靖十三年他在江西得到一部蜀刻本《史通》，便开始加以校订，于次年完成，并为重新刻版。陆深所见的蜀刻本，不知刻于何年，现在已无法查考。他因为没有别本可供比勘，对于书中不能解释的字句也只能不予改动，因此虽然他自序说"订其错简，还其缺文"，实际上却并未能完全做到。

陆深以后，第二个校刻《史通》的便是张之象。张之象，字玄超，华亭（今松江县）人，生于明正德二年，卒于万历十五年（1507—1587），曾任浙江按察司知事（据莫如忠所作墓志铭）。他一生刻过许多书，但现在流存的却很少。张之象见到无锡秦柱家藏的宋版《史通》，与同郡徐球、冯继可诸人参合众本校勘，也参考了陆深的刻本，刻板于万历五年（1577）。其自序中说：

梁溪友人秦中翰汝立（秦柱字汝立）视予家藏宋刻本，字整句畅，大胜蜀刻，俨山先生（陆深字俨山）所未及睹者。乃相与铨订，寻讨指归，将图不朽。复与郡中徐君、冯君等参合众本，丹铅点勘，大较以宋本为正，余义通者，仍两存之。反覆折衷，始明润可读。

但张之象所见到的宋本，从秦氏散出后，就不知下落，又加以明人刻书常有自称根据宋本而又随意改动的习气，因此，一般人对张之象刻本仍不免怀疑。清初的藏书家，还是重视陆刻，而极少提及张之象刻本，如钱曾《读书敏求记》单收陆深刻本，就是一个明显的例子。直至康熙、乾隆以后，经过校勘家何堂用朱氏影宋钞本核对，才证明张之象刻本确系依据宋本校刻。何堂跋：“从从叔小山假得李氏所藏华亭朱氏影宋钞本，与此张氏刻互勘，无大相乖舛，知序中所云曾见梁溪秦氏家藏宋本不虚也。”卢文弨《群书拾补》也曾引用了朱氏钞本，说“其体例较古雅”，又说“凡宋本皆可从，然时有别字，自是唐人所习用”。卢文弨没有见到张之象刻本，所以不提宋本和张刻本的异同，但据他上面所说，足以证明宋本的优点。华亭朱氏是明中叶的大藏书家，主人朱邦宪与秦柱、张之象都是同时好友。他的钞本，当系据秦氏所藏的宋本影钞而得。

我们知道，北宋以前，《史通》是深受人们重视的。《旧唐书》刘知幾本传说：“太子右庶子徐坚深重其书，尝云居史职者宜置此书于座右。”徐坚就是《初学记》的编写者，也就是“居史职”的人。北宋时宋祁虽然讥诮过刘知幾“工诃古人而拙于用己”，然而在他编写的《新唐书》里，有不少处却也采用了刘知幾的意见（见钱大昕《十驾斋养新录》卷一三）。但是自南宋，经元代，直至明初，约二百年，学术风气受到道学思想的影响，像《史通》那样疑古惑经的著作就不太为人所注意。那时除了王应麟等少数学者以外，一般人很少提及《史通》。宋时《史通》虽然刻过一次版，但流传极少。明成祖时纂修《永乐大典》，把可能见到的书全都收了进去，却没有《史通》。自明中叶以后，《史通》才又逐渐引起了较多人的注意，刻版渐多，而在这之中，张之象的刻本对《史通》是有着摧陷廓清之功的。因为陆深虽是明朝第一个整理《史通》的人，但由于他所见的本子少，校订工作因此也做得不多，而张之象根据完整的宋本校正重刻，就比陆深"抱残守缺"的方式要好得多了。

在张之象以后的刻本，还有万历三十年（1602）张鼎思刻本，曾经影印在《四部丛刊》中，此本比陆刻已有所校补，但第五卷中《补注》、《因习》两篇，仍有大段脱误（后来郭延年刻《史通评释》，即据张之象本补刻了这两篇的全文）。至于就书中文义加以评释的，则有郭延年刻本《史通评释》，王惟俭刻本《史通训故》，黄叔琳刻本《史通训故补》，浦起龙刻本《史通通释》等。他们的校订、评释各有其价值，但《史通》正文，都是采用张之象刻本，或就张刻本加以校改的。在现代流传的各种版本中，张之象刻本无疑是一部较为完善的祖本。因此，我们这次影印，就选用了这个刻本。

原载中华书局 1961 年版影印本《史通》，此据首都师范大学出版社 2010 年版北京社科名家文库《治学清历》录入，另收入大象出版社 2004 年版《唐宋文史论丛及其他》

高明的卒年

　　《琵琶记》作者高明（则诚）的卒年向无定说。钱南扬同志在《琵琶记作者高明传》①中，从苏伯衡生年推测高明生于大德五年（1301），说其卒当在 70 以上。戴不凡同志的《论古典名剧琵琶记》一书②，据王昶《明词综》卷一高明小传："洪武初召修元史，以老病辞归"，谓其殁当在明太祖洪武元年（1368）以后。这些都是揣测之辞。

　　清代陆时化《吴越所见书画录》卷一收高明的《题（陆游）晨起诗卷》③，文云：

　　　　陆务观诗，大概学杜少陵，间多爱君忧时之语。如《题侠

---

①文载剧本月刊社编的《琵琶记讨论专刊》。

②中国青年出版社出版。

③按高明的诗、文、词今存约五十余篇。他的文，据《永嘉诗人祠堂丛刻》和冒广生的附记，仅六篇，即《大成乐赋》、《余姚筑城记》、《乌宝传》、《碧梧翠竹堂后记》、《孝义井记》、《华孝子故址记》。这篇《题晨起诗卷》是他处未见的。

客图》所谓"无奈和戎白面郎",《示儿作》所谓"但悲不见九州同",《壮士歌》所谓"胡不来归汉天子",其雄心壮气可想见已。此诗意高语健,不以衰老自弃,而欲尚友古人,不以蒿莱廊庙异趣,而所贵者道,则其平生所志,又非徒屑屑于事功者。或者乃以韩平原《南园记》为放翁病,岂知《南园记》唯勉以忠献事业,初无谀辞,庸何伤!夫放翁不受世俗哀,而直欲挽回唐虞气象于三千载之上,又安肯自附权臣以求进耶?至正十三年夏五月壬辰,永嘉高明谨志于龙方。

同书同卷还有余尧臣的《题晨起诗卷》文章,现在一并抄录于下:

　　放翁手书《晨起》诗一首,感时自惜,忠义蔼然。永嘉高公则诚题其卷端,以为爱君忧时如杜少陵,且表其平生所志不在事功,岂以《南园》一记为放翁病,直欲挽回唐虞气象于三千载之上,又安肯自附权臣以求进。斯言也,非特尽夫放翁心事,而高公之抱负从可见矣。是卷题于至正十三年夏,越六年而高公亦以不屈权势病卒四明。言行相顾而不背者,予于高公见之。永嘉余尧臣敬书。

　　高明这篇文章作于元顺帝至正十三年(1353),据余尧臣说,过了六年,他就在四明(宁波)死去,则这年应是至正十九年(1359)。洪武元年是公元1368年。如果这个结论可以成立,高明的卒年就要大大提前,与过去的一些记载大不相同。
　　余尧臣是怎样一个人呢?钱谦益《列朝诗集小传》有一段记

载:"余左司尧臣,字唐卿,永嘉人。早以文学著。客居会稽。越镇帅院判迈善卿、参政吕珍罗致幕下,与有保越之功,荐剡交上;无意仕进,于越之桐桂里治圃结第,署曰菜薖。已而入吴,居北郭。……吴亡之后,与杨基、徐贲同被征谪濠。洪武二年放还,授新郑丞。"《明史》卷二百八十五《王行传》称"高启家北郭,与行比邻,徐贲、高逊志、唐肃、宋克、余尧臣、张羽、吕敏、陈则皆卜居相近,号北郭十友";后面又说余氏曾入张士诚幕府,明太祖立,"破例徙濠梁",洪武二年放还,授新郑丞。

从关于余尧臣的记载中,可以看出这样几点:第一,余尧臣大致与高明同时,又同是永嘉人,他后来客居会稽,虽一度参加张士诚军队,但活动地域仍不出江、浙一带。高明的行踪大致也不出这个范围。第二,余尧臣的交游,大多是元明之际的知名文人。高启在《送唐处敬序》中说:"余世居吴之北郭,同里之士有文行而相友善者,曰王君止仲一人而已。十余年来,徐君幼文自毗陵,高君士敏自河南,唐君处敬自会稽,余君唐卿自永嘉,张君来仪自浔阳,各以故来居吴,而卜第适皆与余邻,于是北郭之文物遂盛矣。"①可见一斑。

从现存的高明《柔克斋诗辑》中,我们还可发现:除了《丁酉二月二日访仲仁仲远仲刚贤昆季别后赋诗以谢》一诗以外(丁酉是至正十七年,公元1357),其他的诗都没有明显标出作诗年月,尽管如此,有一点可以肯定,即这些诗没有一首有入明所作的痕迹。这是很值得注意的。

---

①《凫藻集》卷二,《四部丛刊》影印明正统九年周忱刊本。

我们再来检查一下史料:说朱元璋建国后,闻高明之名,使使征之,而高明却托词不出,这出于《南词叙录》、《留青日札》、《闲中古今录》等书的记载。但这些书都是明中叶以后的人所著,就史料的可靠性来说,是不及《吴越所见书画录》所收高明和余尧臣两篇的。

我们再从高明交游的线索中寻检一下:赵汸有《送高则诚归永嘉序》,其中说"既开幕府,及以论事不同,避不治文书",这是1352年方国珍接受元朝封号以后,高明离开杭州时,赵汸送他的话。此外,刘基有几首诗赠他,这几首诗都写于明朝建立以前。这个情况也可为上说作一旁证。

根据以上所提供的线索,我们大致可以确定,高明是在明朝建立前九年的至正十九年(1359)逝世的,他的生年现在仍不可考。这样,过去不少有关他晚年生活的记载,有关他入明以后活动的记载,就将重新考虑它们的真实价值。

原载《文史》1962 年 10 月创刊号(署名:湛之),此据安徽教育出版社 1998 年版《当代学者自选文库·傅璇琮卷》录入,另收入湖南人民出版社 1997 年版《濡沫集》

范成大佚文的辑集与系年

一　前记

　　范成大以诗著称,在南宋诗坛上,他与陆游、杨万里、尤袤号称中兴四大家。这四大家中,陆游和杨万里的作品保存得较为完整,尤袤最少,我们现在所能看到的,仅后人辑本《梁溪遗稿》一卷;范成大正好居中,他的诗集《石湖居士诗集》今存三十四卷(其中有一卷是赋和楚辞),另有《吴郡志》、《吴船录》、《桂海虞衡志》、《梅谱》等,也都留存于世,但是他的文集却已经散佚。

　　《宋史·艺文志》别集类载范成大《石湖大全集》一百三十六卷。又陈振孙《直斋书录解题》卷十八别集类下亦载《石湖集》一百三十六卷。可见他的文集的数量是相当可观的。这部分资料的散佚,给我们今天研究范成大的生平、思想和创作,带来一些困难。洪适《盘洲文集》卷二二《范成大秘书省正字制》说他"学赡而文缛,迤美于前人"。楼钥《攻媿集》卷三八《资政殿大学士通议大夫范成大转一官致仕》告文也称他"胸中之有甲兵，世称小范之材高"。可见范成大是一个有多方面才干的人。但是以前我们研究他的生平和创作，除了他的诗集等以外，基本上仅依据周必大所作《范公成大神道碑》一文（见《周益国文忠公集·平园续稿》卷二二）。《宋史》本传即根据《神道碑》而更为简略。我们如要对范成大作较为全面和深入的研究，对这些材料终还感到不足。

南宋当时人对范成大的散文是评价很高的。周必大所作《神道碑》中说他"天资俊明，辅以博学，文章赡丽清逸，自成一家"。这里所说的"文章"，不包括诗，因为后面还有"尤工诗，大篇短章，传播四方"的话。杨万里在《石湖先生大资参政范公文集序》一文中说："甚矣文之难也，长于台阁之体者，或短于山林之味；谐于时世之嗜者，或漓于古雅之风；笺奏与记序异曲，五七与百千不同调。非文之难，兼之者难也。至于公，训诰具西汉之尔雅，赋篇有杜牧之刻深，骚词得楚人之幽婉，序山水则柳子厚，传任侠则太史迁。"（《诚斋集》卷八二）这些话虽然不无夸饰，但范成大的散文在当时有其一定成就，却大致可以肯定。

为了更好地了解范成大和更全面地认识他的文学创作，我从一些书籍中辑录了他的佚文七十七篇。这些佚文主要辑自《永乐大典》（清开四库馆，曾从《永乐大典》中大量辑集佚书，但当时仅注意经、史、子类等书，集部所辑甚少，范成大文集当然也无暇顾及）；其次是宋、元、明、清的一些类书、笔记、史书及诗文别集，如范成大自己纂修的《吴郡志》，杨万里的《诚斋集》，李心传的《建炎以来朝野杂记》，郑虎臣的《吴都文粹》，王应麟的《玉海》，周密的《齐东野语》，魏齐贤的《五百家播芳大全文粹》（一百五十卷本），祝穆的《事文类聚》，方回的《桐江集》，黄淮等的《历代名臣奏议》，张鸣凤的《桂胜》，钱穀的《吴都文粹续编》，顾宸的《宋文选》，顾炎武的《天下郡国利病书》，倪涛的《六艺之一录》，张仲方的《南宋文范》等。为了便于研究者查阅，我把这些文章凡能确知其写作年月的，便都系了年；不能确定时间的放在后面；仅知其题而文已佚的，为"补目"。间亦摘录一些有助于研讨的资料，供读者参考。这七十几篇佚文与原书好几十卷的分量是不能相比的，我把它们辑集起来，并加以系年，只是希望对于研究者有所帮助，使他们可以省去一些翻检之劳；同时也希望有助于对范成大生平、思想的探索。至于其中疏失之处，还希望大家指正。

二　系年

代洪徽州贺户部邵侍郎启

载《永乐大典》第七千三百零四卷，中华书局影印本第 72 册。洪徽州即洪适。据周必大《洪文惠公适神道碑》（《周益国文忠公集·平园续稿》卷二十七），适于绍兴二十八年（1158）知荆门军，后改知徽州，但未明指何年。《盘洲文集》卷三十七有《知徽州谢到任表》，前有《谢赐绍兴二十九年历日表》（卷三十六），后有《谢赐绍兴三十年历日表》（卷三十七），则知适至徽州在绍兴三十年。此文当作于绍兴三十年至三十二年之间。周必大所作范成大《神道碑》云："洪公博洽精明，每以讼牒付公，必问一牒几人，姓名云何,公由此究心熟吏事。洪公喜,日与公商榷古今,常曰:吾视君齿,必致两府第,其自爱。"时范成大任徽州司户参军,适为其上司,而两人交谊甚深,脱略形迹,《盘洲文集》与《石湖诗集》各有唱和之作。此启即范成大为洪适代笔。

瞻仪堂记

载《吴郡志》卷六,郑虎臣《吴都文粹》卷二。文中云:"番阳洪公之以内相典城也,乃规东序之间屋为堂,取凡公私所藏故侯之像,颇补其阙遗,列画其上,又采韩退之庙学碑语,名之曰瞻仪,而命州民范成大词而识诸石。"按《宋史》卷三百七十三《洪遵传》,遵于绍兴三十年迁翰林学士兼吏部尚书,后以徽猷阁直学士提举太平兴国宫;三十一年,因金完颜亮南侵,又命遵知平江,故云"以内相典城"。又据《吴郡志》卷六:"瞻仪堂旧在厅事之东,绍兴三十一年郡守洪遵建。吴俗贵重太守,来者必绘其像,春秋则陈于齐云楼之两挟,令吏民瞻礼。至是洪公恐为风日所侵,故作此堂藏之。绍熙三年,郡守沈揆始迁诸像于后圃旧凝香堂中,并其名迁焉。"绍熙三年(1192),洪遵已死十八年(遵死于淳熙元年),范成大亦以资政殿大学士奉祠家居,而此篇末署为"左从事郎范成大记",则知此篇当作于绍兴三十一年或三十二年徽州司户参军任上。时徽州守洪适为遵兄,又与范成大交友甚深,此篇之作,或亦因洪适之请。

思贤堂记

载《吴郡志》卷六,郑虎臣《吴都文粹》卷二,又载《永乐大典》第七千二百三十六卷,中华书局影印本第69册。按此文作于绍兴三十二年八月,时已由徽州入杭,临太平惠民和剂局。

代乐先生还乡上李太守书

载《永乐大典》第六千六百四十一卷,中华书局影印本第 64 册。此文不能确知写作年月。《石湖诗集》并有《乐先生辟新堂以待芍药酴醾作诗奉赠》(卷二)、《贺乐丈先生南郭新居》(卷四)、《岁旱邑人祷第五罗汉得雨乐先生有诗次韵》(卷四),皆范成大中进士前所作。卷九有《次韵乐先生吴中见寄》,时成大在临安供职,当在乾道二年以前。则此文必当作于乾道二年以后无疑。《贺乐丈先生南郭新居》中云:"先生淮海俊,踏地尝兵戈,飘飘万里道,芒鞋厌关河。风吹落下邑,楚语成吴歌。岂不有故国,荒垣鞠秋莎。"文中又说乐先生为"鲁人"。乐先生不知其名,大约是山东、苏北一带的人,金人沦陷北中国以后,北地有不少义士流归南宋,乐先生就是其中的一个。他在南方走过不少地方,"漂流二十年"。最后又回到北方去。文中充满悲愤激烈的感情说:"盖尝历数此邦之人,异时遭罹寇戎,肝脑涂地,其得免脱祸机,散而四方者,才十分之三;就三分之中,其不饿踣槁死与流为奴隶,而能澡雪拔励、自列于冠带之流者,又三分之一而已。"可见当时北方人民流离失所的痛苦情状。

三高祠记

载《吴郡志》卷十三,及郑虎臣《吴都文粹》卷三,又见明顾宸编《宋文选》。据文中所述,系作于孝宗乾道三年六月。时范成大因言官指责由著作佐郎除尚书吏部员外郎为躐等迁升,乞领祠禄,乃主管台州崇道观,归吴门家居;此年十二月,即又起知处州。

周密《齐东野语》卷十六亦载此文,句颇异同。周密记云:"三高亭,天下绝景也,石湖老仙一记,亦天下奇笔也。余尝见当时手稿,揩摩抉剔,如洗玉浣锦,信前辈作文,不惮于改如此。"

吴令厅壁记

载《吴郡志》卷三十七,及郑虎臣《吴都文粹》卷九,又见明顾宸编《宋文选》。据文中所述,此文作于乾道三年八月,时奉祠居于吴下。《吴郡志》卷三十七并云:"吴县在府治之西二里,廨宇绍兴二年知县蒋结建,县门淳熙十二年知县赵善宣重建并书额。厅之西有平理堂、无倦堂,堂之西有延射堂,天圣七年知县徐的建。亭之南北各有小山,山有小亭,南曰松桂,北曰高荫,皆淳熙五年知县赵不忿建。吴令壁记二,范成大又为续记一,世代氏姓,犹可考云。"所谓"吴令壁记二"者,即范成大以前梁肃与郭受皆曾作《吴令厅壁记》文。梁肃,《新唐书》有传,代宗大历时人;郭受,宋哲宗元祐时人。

新修主簿厅记

载《吴郡志》卷三十七,及郑虎臣《吴都文粹》卷九。据文中所述,此文作于乾道三年二月。厅为吴江县簿高文虎建,南宋人李处全并有《曾程堂记》,与成大此文所记略同。高文虎,字炳如,四明人,绍兴三十年进士,《宋史》本传称其"闻见博洽,多识典故"。后托韩侂胄门下,与胡纮等共攻道学,为世所病。

上孝宗皇帝书

载《历代名臣奏议》卷九十六,又载清庄仲方《南宋文范》卷十六。周必大所作《神道碑》云:"(乾道)三年十二月,起知处州。

陛对论力之所及者有三,一曰日力,寸阴是也;二曰国力,资用是也;三曰人力,思虑知术所及者是也。三者有限,今尽以虚文耗之。"按"力之所及有三"云云,即此《上孝宗皇帝书》中语。又范成大于乾道四年八月始赴处州任,则知此文作于乾道三年十二月至四年八月之间。

论朝市仪注札子

载《历代名臣奏议》卷一百二十。文中云:"以上三者虽礼之细,而实关事体,所以观国之光在是,诚不可忽。臣缪掌邦礼,未敢及其重大,谨按众目之所不安者姑举一二。"按范成大于乾道五年由处州入对(《石湖诗集》卷十一有《己丑五月被召至行在……》,则是五月入都),除礼部员外郎兼崇政殿说书,十二月擢起居舍人。此文当作于乾道五年五月至十二月间。

和义郡夫人蔡氏可封硕人

载《永乐大典》第二千九百七十二卷,中华书局影印本第 39 册。据周必大所作《神道碑》,孝宗乾道六年五月,范成大充金国祈请国信使使金,十月还,授中书舍人。以下制词,当皆为中书舍人时所作。乾道七年,因除张说为签书枢密院事,范成大缴回"词头",为孝宗所不满,范成大即请奉祠,后除集英殿修撰知静江府、广西经略安抚使。

台州仙居县尉余闳母潘氏、饶州浮梁县主簿谢偶母董氏并可特对孺人

同上。

赐赵雄辞免参知政事不允第二诏

载《永乐大典》第三千卷,中华书局影印本第 40 册。

右迪功郎汪大定可从事郎制

载《永乐大典》第七千三百二十五卷,中华书局影印本第 73 册。

右迪功郎余颖可右从事郎制

同上。

左迪功郎赵善登可左从政郎制

同上。

归正人赵虚己可迪功郎制

同上。

归正人归州助教高粲可右迪功郎制

同上。

乡贡进士方权输米补迪功郎制

同上。

阁门宣赞舍人干办皇城司吴璩施行亲从推垛子可转右武郎制

载《永乐大典》第七千三百二十六卷,中华书局影印本第 72 册。

胜捷都虞候周元可秉议郎制

同上。

忠训郎柴进修盖营寨有劳可秉议郎制

同上。

振华军都虞候刘俊、马军司都虞候小刘安并可秉议郎制

同上。

将仕郎戴安国捕获海贼可承信郎制

载《永乐大典》第七千三百二十七卷,中华书局影印本第
73 册。

忠义军统制官耶律适哩妻弟萧庆元可承信郎制

同上。

明州水军统制下董珍招安到海贼倪德等可补承信郎制

同上。

进勇副尉陈广捕获海贼可承信郎制

同上。

张建阵亡与子德普恩泽补承信郎制

同上。

提举两浙东路常平茶监公事周闶可户部员外郎总领淮西财赋制

载《永乐大典》第一万三千四百九十八卷,中华书局影印本第
139 册。

起复新知庐州叶衡可敷文阁待制枢密都承旨制

载《永乐大典》第一万三千四百九十九卷,中华书局影印本第
139 册。

江南东路转运副使沈度可秘阁修撰宁国府长史制

同上。

知临安府姚宪可使农少卿兼权户部侍郎制

载《永乐大典》第一万三千五百零七卷,中华书局影印本第139册。

新知通州许克昌可秘书省秘书郎兼权司封郎官制

同上。

左宣教郎马大同可国子监主簿制

载《永乐大典》第一万四千六百零八卷,中华书局影印本第154册。

国子监主簿潘慈明可太常寺主簿、武学博士刘敦义可国子监主簿制

同上。

右奉议郎张权可军器监主簿制

同上。

杨万里国子博士告词

载杨万里《诚斋集》卷一百三十三。乾道六年十月六日行,时当在使金还不久。

杨万里太常博士告词

载《诚斋集》卷一百三十三。乾道七年七月二十八日行。

复水月洞铭并序

载《桂胜》卷一。乾道九年七月作。按范成大于乾道七年除知静江府、广西经略安抚使,时尚家居;乾道九年三月,始赴任。周必大所作《神道碑》云:“淳熙元年十月,除敷文阁待制、四川制

置使、知成都府。"然据《石湖诗集》卷十四有《甲午除夜犹在桂林……》、《乙未元日用前韵书怀今年五十矣》,又《再用前韵》题下自注:"时被命帅蜀"。乙未为淳熙二年,是周必大所云"淳熙元年十月"除四川制置使,不确。又《桂海虞衡志》《志岩洞》云:"水月洞,在宜山之麓,其半枕江,天然刬刻,作大洞门,透彻山背,顶高数十丈,其形正圆,望之端整如大月轮。江别派流贯洞中,踞石弄水,如坐卷篷大桥下。"可与此文参看。又张孝祥亦有《朝阳亭记》(文)、《题朝阳岩》(诗),并载《桂胜》卷一。

重貂馆铭并序

载《永乐大典》第一万一千三百十二卷,中华书局影印本第115册。文中云:"乾道九年,余辱帅事,腊后大雪盈尺,苦寒如中州,一坐屡索衣,至尽用顷使朔庭时所服。"是为九年冬在桂林作。

碧虚亭铭并序

载《桂胜》卷二。于桂州帅任上作。《桂海虞衡志》有记楼霞洞一节,可与此文参看。

壶天观铭并序

载《桂胜》卷二。《桂海虞衡志》有记屏风岩一节,可与此文参看。又《桂胜》卷二《题名》类下有:"经略安抚使范成大新作壶天观,提点刑狱郑丙落其成,转运判官赵善政、提点坑冶经略钱守大正同集,淳熙改元十月十日。夏彦鸿淳熙甲午仲秋题。"则是此文作于淳熙元年秋。

辟兵官札子

载《永乐大典》第八千四百十三卷,中华书局影印本第93册。

时在四川制置使任上。范成大在四川,能治兵选将,积极注意于边防的巩固,周必大所作《神道碑》称其"日夜阅士,制器甲,督边郡"。而在这个札子中更有具体的叙述:"自臣到任,尽革弊倖。遇有陈乞差遣者,躬赴教场,按阅事艺,取四色材武应选之人,依资次差辟;如武艺不应格者,即令归部参选;向来医卜给使及进纳吏职之流,与夫癃老疾病、怯懦无技者,皆不得以滥吹。臣用此规模,一年以来,沿边城寨诸州将佐,皆易以材武之人,几以太半,只更数月,可以尽变。"这可以帮助我们了解范成大在四川的政绩。他的佚文使我们对他在四川的活动了解得更多一些。又毕沅《续资治通鉴》卷一百四十四,淳熙二年九月,载:"庚子,诏:'阶、成、西和、凤州,当职官以下,令本路帅、漕司于四路在部官同具选辟,并体量见任人委实癃老及不堪倚仗者,并申制置司,申取朝廷指挥。其所辟官,不许辞避。所有边赏,令吏部看详,申尚书省。'以知成都府权四川制置使范成大奏也。"此可与札子所奏事参看。

论民兵义士札子

载《永乐大典》第八千四百十三卷,中华书局影印本第93册。时在四川帅任上。周必大所作《神道碑》言:"蜀用陕西旧法,料简强壮民丁三万寓之于农,号曰义士,以待缓急。岁久,监司郡守多杂役之,都统司又令守关隘烽燧,且乞与大军更戍。公力言其不可,诏遵旧法。"事可与此札子参看。又札子中云:"臣以身之闻见,考之江浙近地,所谓民兵者,直保伍役夫耳,诚不足恃。"按《续资治通鉴》卷一百三十二引李宗闵上书,亦云:"臣往在行间,常见三衙及诸处招军,皆市井游手,数年之后,虽习知骑射击刺之事,而资性疲懦不改也。"所论近似,可见南宋军队的腐败情状。

论蜀兵贫乏札子

载《永乐大典》第八千四百十三卷,中华书局影印本第 93 册。时在四川帅任上。

乞免移屯与执政答宣谕札子

载《永乐大典》第三千五百八十七卷,中华书局影印本第 52 册。时在四川制置使任上。

催西兵营寨札子

载《永乐大典》第八千四百十三卷,中华书局影印本第 93 册。文中云:"臣今去官,合具奏禀,伏乞朝廷行下四川制置司及黎州催促。"时当在离四川制置使职时所作。据周必大所作《神道碑》云:"(淳熙)三年春,公大病,求归。上令先进敷文阁直学士,明日乃下诏,命公列上民兵十五事。上曰:范某已病,尚为国远虑,可趣其来。公疾愈而行。"但并未指明离去四川之时。按《石湖诗集》卷十七有《丁酉正月二日东郊故事》、《三月十九日夜极冷》,即淳熙四年春仍在成都。诗集卷十八《初发太城留别田父》有"秋苗五月未入土,行人欲行心更苦"句,可知约在此年初夏离蜀,而此文则当作于淳熙四年初。同年十一月,范成大即至临安,权吏部尚书,明年四月以中大夫参知政事(《神道碑》)。

祭乐先生文

载《永乐大典》第一万四千零五十四卷,中华书局影印本第 147 册。文中云:"维年月日,门生敷文阁直学士朝请郎四川安抚制置使范某,谨以清酌庶羞之奠,致祭于删定监簿先生乐公之墓。"后又云："藐然远戍,万里来归,谓当复登堂受教,安知其忽焉楸行之下,拜先生之坟乎!"则似作于淳熙四年去蜀之日。

春晚晴媚帖

载《六艺之一录》卷三百九十五。文末云："三月日,中大夫提举洞霄宫范成大札子。"按成大于淳熙五年四月,以中大夫参知政事,历两月,即以本官奉祠,提举临安府洞霄宫;明年二月,魏王死于明州,即起成大代之,并兼沿海制置使。则此帖当作于淳熙六年。

祭亡兄工部文

载《永乐大典》第一万零八百七十六卷,中华书局影印本第107册。时在淳熙七年十二月。周必大所作《神道碑》,言乾道五年,范成大"除礼部员外郎兼崇政殿说书。上令更加清职,遂兼国史院编修官。会从兄成象为工部郎官,公援故事,乞班其下;从之。"则所谓工部者即其从兄范成象。

辞免知建康府札子

再辞免知建康府札子

载《永乐大典》第一万零九百九十八卷,中华书局影印本第109册。据周必大所作《神道碑》,范成大于淳熙七年二月除端明殿学士;三月,改帅江东兼行宫留守。此二札当作于是年二三月间。

奏拨隶转般仓札子

载《永乐大典》第七千五百十五卷,中华书局影印本第81册。

时在建康帅任上,淳熙九年七月奏。据《景定建康志》卷二十三,转般仓"淳熙六年置,在上水门外淮水北岸"。《永乐大典》同卷引《镇江府志》云:"绍兴七年,每上江粮运至镇江,冬则候潮闸占舟,而防折运纲兵亦复侵耗。运使向子䛦乞置仓,以转般为名,诸路纲至,即令卸纳;从之。"又《宋史》卷四百二十《王垈传》亦云:"(垈)为江西转运副使,知隆兴府,继有它命,时以米纲不便,就湖口造转般仓,请事毕受代。"可参看。范成大此奏系建议改进当时转般仓的管理体制。

奏乞蠲免大军仓欠负札子

载《永乐大典》第七千五百十六卷,中华书局影印本第 81 册。时在建康帅任上,盘量大军仓,共欠负八万六千余斛,可见当时军仓舞弊情状,可与前《奏拨隶转般仓札子》参看。《永乐大典》同卷引《镇江府志》:"大军仓,在程公下坝北,前临潮河,后枕大江,即旧转般仓也。"

殊不恶斋铭

载《永乐大典》第二千五百三十六卷,中华书局影印本第 29 册。按《石湖诗集》卷二十五有《殊不恶斋秋晚闲吟五绝》,编年约在淳熙十二年秋,此铭似亦作于同时。

重修行春桥记

载明钱毅《吴都文粹续编》卷三十五。文中云:"淳熙丁未冬,诸王孙赵侯至县甫六旬,问民所疾苦,则曰:政孰先于舆梁徒杠者。乃下令治桥。……岁十二月鸠工,讫于明年之四月,保伍不知,工役不预,邑人来观,欢然落成而已。……桥成之明年日南至,资政殿学士通议大夫提举临安府洞霄宫范成大记。"知作于淳熙十六年。范成大于淳熙九年以资政殿学士提举洞霄宫致仕,家居七年,于淳熙十六年十一月起知福州。此文作于起知福州之前,时仍里居。

范村记

载《永乐大典》第三千五百七十六卷,中华书局影印本第 50册。据文中所述,作于光宗绍熙元年(1190)二月。家居。《石湖诗集》卷二六《丙午新正书怀十首》其一末两句谓"春风若借筋骸便,先渡南村学灌畦"。诗后自注:"新圃在河南,名范村。"丙午为淳熙十三年,时范成大六十一岁。此篇与前篇《殊不恶斋铭》充满佛老出世思想,《石湖诗集》卷三十并有《范村午坐》诗,中云:"老便几杖供,慵废诵弦课。蒲团软易暖,困来百骸惰。"都可有助于了解范成大晚年的生活和思想。

双瑞堂记

载《吴郡志》卷六,及郑虎臣《吴都文粹》卷二。《石湖诗集》卷三十有《次韵袁起岩瑞麦,此麦两岐已黄熟,其间又出一青枝,亦已秀实,传记所未载也》。依诗的前后次序看来,当在光宗绍熙元年,时已家居八年。袁起岩,名说友,建安人,隆兴元年(1163)进士。时为吴郡守。《吴郡志》卷七:"袁说友,以朝议大夫、浙东提举除,淳熙十六年七月二十八到任,绍熙元年三月除直秘阁知平江府。"《宋史》有传。

姑苏同年会诗序

载宋祝穆编《事文类聚》前集卷二十九。文中云:"绍兴改元,建阳袁起岩、张元善俱使浙西,始以岁五日会同年之在吴下者,于姑苏之台,登临胜绝,倾倒情素,献酬乐甚……起岩谓仆尝涝春闱,属为序引。"篇末署"二月望日石湖范某书"。按范成大于绍兴二十四年中进士,袁起岩(说友)则为孝宗隆兴元年进士,为时更晚。"绍兴"当为"绍熙"之误。

[以下未能系年]

谢赐生日生饩表

载《永乐大典》第一万三千九百九十二卷,中华书局影印本第145册。

詹氏知止堂铭并序

载《永乐大典》第七千二百四十一卷,中华书局影印本第71册。

跋司马温公帖

载《永乐大典》第三千卷,中华书局影印本第40册。

贺户部赵侍郎启

载《永乐大典》第七千三百零四卷,中华书局影印本第72册。

贺户部钱侍郎启

同上。

贺户部汪侍郎启

同上。

贺户部侍郎启

载《永乐大典》第一万四千九百十二卷,中华书局影印本第160册。

延和殿又论二事札子

载《永乐大典》第一万零八百七十六卷,中华书局影印本第107册。文中云:"臣窃闻房中自立璟为太孙,诸子不平,形于谣言。臣顷过保州,是时其嗣允恭尚在,已见承应人密说国中惟畏服大王,将来恐有李唐秦王之事,谓其长子允升也。今又立璟,则其伯叔之心,皆可想见,他日若璟得国,伯叔不服,必有内乱。"似作于使金回朝时,即孝宗乾道六年。然据《大金国志》卷十六金世宗本纪上,大定三年(宋孝宗隆兴元年,1163),五月,立皇子越王允升为皇太子;卷十八世宗本纪下,大定十九年(淳熙六年),允升因谋刺杀晋王允猷被诛。大定二十年,立昇王允恭为太子。大定二十七年,皇太子允恭薨,诏立原王璟为太孙。则璟立太孙在大定二十七年,即宋孝宗淳熙十四年,1187年,时范成大已奉祠家居数年,自无再经保州之理。此篇所记是否确实,尚待考定,故暂不系年。

水利图序

载顾炎武《天下郡国利病书》第五册《苏》下。此篇不知写作年月,时当家居。文记吴中河水为患,可见范成大对于贫苦农民的关切与同情心,可与他的《田园杂兴》相参看,很可能是他晚年所作。文中云:"今之塍岸,率去水二三尺,人单行犹侧足,其上坎坷断裂,累累如蹲羊伏兔。佃户贫下,至东作时,举质以备粮种,其势无余力以及畚锸之工。妇子持木杴,探污泥,补缀缺空,累块亭亭,一蹴便陨,谓之作岸,实可怜笑。虽殚力耕耘,而不念四维之不足恃。秋水时至,相以飘风,莫之障防,与江湖同波……"可以见到当时苏州一带农民遭受水灾的患害。

垂诲帖

载《六艺之一录》卷三百九十五。

金橘帖

同上。

玉候帖

同上。此与下《中流一壶帖》皆为家书,文字颇近口语,惟皆不知写作年月。

中流一壶帖

同上。

论书

载《六艺之一录》卷二百七十九。此与下《跋兰亭定武本》均可见范成大书法鉴赏之精,可见其多方面的艺术素养。

跋兰亭定武本

载《六艺之一录》卷一百五十七。

贺王中书启

载《五百家播芳大全文粹》卷五十。

贺史刑侍启

载《五百家播芳大全文粹》卷五十三。

[补目]

续释常谈跋

方回《桐江集》卷三《读〈续释常谈〉跋》云："《释常谈》，古有此书而亡，历阳龚颐正为《续释常谈》，释人所常道之语也。石湖为之跋。"今所传龚颐正《续释常谈》仅有《笔余丛录》辑本，存三十二条，并无范成大跋，当随原书一同散佚。按周必大《周益国文忠公集·书稿》卷三有与龚颐正书一通（绍熙四年），内云："石湖身后赖左右调护，得岁前夫妇合葬于祖茔之侧，为惠大矣。"则知龚颐正为范成大生前好友，为其书作跋，不为无因。

论处州义役札子

李心传《建炎以来朝野杂记》甲集卷七载："乾道中，范文穆成大知处州，言松阳县民输金买田，以助役户，为田三千三百亩有奇，排比役次，以名闻官，不烦差科，可至一二十年者，请命诸县通行之。事下户部看详……及文穆为中书舍人，复言处州六邑义役已成，可以风示四方，美俗兴化，请命守臣胡沂以其规约来。上从之。"范成大在处州言义役，当时会引起朝廷上的争论，别处也有试行的，可惜他本人详细的札子不能看到，此处只能见其大略。

跋宋孝宗书

王应麟《玉海》卷三十四载："（淳熙）八年闰月既望，以御书苏轼四诗赐范成大。十五年十二月，又赐损斋所书苏辙诗二轴。是月辛卯，书石湖二字赐成大。成大跋云：天纵圣能，游艺超绝。典则高古如伏羲画，体势奇逸如神禹碑。又跋云：跳龙卧虎之势，漏屋画沙之迹，皆神动天随，泂穆无间，譬犹叶气絪缊，蒸为云汉，辉光所丽，自成文章，非复世间笔墨畦径所能拟议。"（《淳熙书苏轼苏辙诗》条）此二跋全文今已不传，仅据《玉海》节引于此。

新开塘浦记

载明钱毂《吴都文粹续编》卷二十六。按《吴都文粹续编》目录,卷二十六本题为水利土产花果等类,全集并无题画一门,而今集中卷二十五、二十六两卷皆为题画诗跋,水利等类转缺,但无别本可查,此处只能据录补目于此,文暂阙。

附记 此文作于 1961 年春。在这以后,我又陆续发现一些范成大的佚文。因已排成校样,为了不致过于影响版面,现在扼要补记于下:明杨慎编《全蜀艺文志》收四篇:《上高宗疏》(卷二十六)、《成都古今丙记序》(卷三十)、《石经始末记》(卷三十六)、《成都古寺名笔记》(卷四十二)。这四篇都是帅蜀时作。明汪砢玉《珊瑚网法书题跋》有《跋山谷先生楷书》一篇(卷五),写作年月不详。抄本《方舆胜览》(藏北京图书馆善本部)引用书目有《南岳庙记》一篇,约作于赴桂林途中。另外颇堪注意的是南宋人黄震的《黄氏日抄》,其书卷六十七《读范石湖文》保存了范成大的大量佚文的篇目或节要。看样子黄震是读过范成大大全集的全部的,从他的读后记中,我们还可依稀了解到大全集编次的大略规模,其次序是:词赋、杂诗、奏状、札子、外制、表、馆职策、应诏、书、启、杂文、跋、记、《梅菊谱》、《揽辔录》、《骖鸾录》、《桂海虞衡志》、《吴船录》。除了《梅菊谱》、《揽辔录》等专著外,奏状、札子等类,有些已见于上文所辑,尚可补的,计奏状三十余篇,札子二十余篇,表两篇,馆职策一篇,应诏三篇,书四篇,启十余篇,杂文三篇,跋二十余篇,记七篇。这样看来,范成大的佚文,据现在所得,就有一百数十篇了,可惜《黄氏日抄》所载大多是摘录,有些且与黄氏的评语混合，不易分辨，而有些则仅有篇目，连节录亦不复可得。章学诚对辑佚工作的要求是很高的，他的《校雠通议》内篇一《补郑第六》中，要求"缀辑逸文，搜罗略遍"。这是不容易做好的。现在这篇范成大佚文的辑集，仅仅是一个尝试，而且只是一个初步的调查工作，可以增补的恐还不少。为学如积薪，后来居上，搜集资料也复如此，加以时日，总可以求得完备的。

1962 年 7 月 25 日记

原载《文学遗产（增刊）》1962 年第 11 辑（署名：徐甫），此据大象出版社 2004 年版《唐宋文史论丛及其他》录入

读《陶渊明研究资料汇编》

一

注陶诗的,南宋汤汉是第一人,对陶诗评语有所采录的南北宋之间胡仔要算第一人。宋代人对陶渊明的为人和他的作品,发生了真正研究的兴趣。在先前,南朝两部大的文艺批评名著,钟嵘的《诗品》只寥寥几笔,轻描淡写地提到了他,书中把陶渊明列入中品,又说他是"古今隐逸诗人之宗",后者在古代一千多年的时间内差不多奉为定式,前者却是许多评论家的聚讼所在;刘勰的《文心雕龙》一个字也没有提到他,那不能怪刘彦和,因《文心雕龙》一书有自己的体例,它不批评刘宋以后的作家①。鲍照和江

---

① 《文心雕龙·才略》篇评介历代作家,都一一道出名字,只到东晋为止,接着说:"宋代逸才,辞翰鳞萃,世近易明,无劳甄序。"宋齐两代是彦和所认为的"近世",他只概括批评这两代的文风,却不会对具体作家给以"甄序"。而在当时,一般人都把陶渊明当作刘宋时代的人:沈约把(接下页)

淹有摹拟陶诗的作品,却不算成功。唐代的诗人逐渐对陶渊明增多了认识,但真正的研究是谈不到的。

宋代的学术风气十分浓厚,对历史学的兴趣似乎特别大,前代的作家为许多诗人和诗话作者的注意所及。宋代几个大诗人大都提到过陶渊明,批评者从多方面来研究他,陶集的刻本也多了起来。《蔡宽夫诗话》说"渊明集世既多本,校之不胜其异,有一字而数十字不同者,不可概举",可见一般。

但是胡仔的《苕溪渔隐丛话》并非专录对陶渊明一人的评语,而且他自己的意见时常夹杂在别人的评语里,实在有伤体例,也害得有些写文章的人不容易把它们分别清楚①。后来有宋末元初人李公焕的《笺注陶渊明集》,他的笺注比汤汉的详,而且不止笺注,还辑集评语,是专为陶渊明一人辑集的。这个本子通行甚久,明清两代各家注陶评陶,都受它的影响。直到陶澍的《靖节先生集注》出来,才代替了它。陶澍的本子有注,有年谱和考异,有各诗旨意的诠释,此外还有各家评陶,元明和清代中期以前的有关评语,都择要采录。这都是见出功力的工作。与他同时和稍后,有温汝能的《陶诗汇注》、钟秀的《陶靖节纪事诗品》等。陶诗的研究蔚为一时的风气。但以上各书,就其材料的辑集来说,还

(接上页)他列入《宋书·隐逸传》,《诗品》说"宋征士陶潜"。到了唐代,才把他正式写进官修的《晋书》中。现在有些报刊论文以《文心雕龙》不提及陶渊明为书中一疵,那是不明了刘彦和著书的体例和齐梁当时人的看法的缘故。

① 如《光明日报》1962年1月11日汪浙成的《批评的尺度》,就把苏轼的话当作胡仔说的;这话见于津逮秘书本《东坡题跋》卷二。

都大有可补。到现在,我们又读到了北京大学和北京师范大学两校中文系部分师生合力编辑的《陶渊明研究资料汇编》(中华书局1962年1月出版),二十九万多字。陶诗评语的辑录,至此告一初步的总结。

对一个大作家,在几百年或甚至更长的时间内,有各种各样的批评意见,意见的纷纭,互相驳难,在世界文学史上也是屡见不鲜的。俄国的文学批评家别林斯基说普希金的创作在历史上永远留给后人以探讨不尽的现象,他有一段话说得极好,他说:"每一个时代对这些现象都发生各自的论断,但是每一个时代无论怎么正确地理解这些现象,总要留给在它之后的一个时代说些新的和更正确的话,没有一个时代是能说得完全的。"①

陶渊明的诗不多,一共只157首(通常认为伪作的,如《归园田居》第六、《问来使》《四时》等不列在内),文也不过十篇光景,比起后代动辄几十卷或一百多卷的作家来说,实在是少得很。但历代对他的批评意见却最为纷纭,各种议论,细看都十分奇异有趣,它们的数量远远超过被批评作品的几十倍。

《陶渊明研究资料汇编》(以下简称《汇编》)的编者们,在资料搜讨上用力之勤,是看得出来的。书中辑集了二百五六十种书,二十九万多字。不单辑集了诗话、笔记中的记载,还搜罗了文集中的材料,搞过资料辑录工作的人当能体会其中的甘苦。从几十卷或一百多卷的集子中勾稽出一两首诗,有时只是一首绝句,二十个或二十八个字,那种爬梳剔抉的工作看起来很琐细,其实

①《普希金文集》页291转引,时代出版社,1954年1月。

是并不容易做好的。就仅以唐宋两代为例,像白居易、欧阳修、苏轼、陆游、杨万里、朱熹、真德秀、魏了翁,他们的集子,光是读一遍,也有不少人轻易不敢尝试。何况,还有一些人的集子,同样是几十卷或一百多卷,全部翻检之后,一个字的材料也没有。这样的劳力也是应该计算进去的。

《汇编》中有一些难得的资料。这里试举一二例子:书中收了陈模《怀古录》的两则评语。陈模是宋代人,他的生平已不可考,《怀古录》仅见于倪灿《宋史艺文志补》著录(北京图书馆藏有清钞本)。这是一本很好的诗文评著作。郭绍虞、罗根泽先生对两宋诗话存佚残辑的调查,曾花过一番功夫,做出了不小的成绩①。但是他们都忽略了陈模的这本书,大约因为书名不像诗话的名称(其实宋代诗文评著作类此的正复不少,如方岳的《深雪偶谈》、周密的《浩然斋雅谈》、范晞文的《对床夜语》、陈应行的《吟窗杂录》等,光看书名是不易见出它们的性质的)。又如书中辑录的明人许学夷的《诗源辩体》、清人潘德舆《说诗牙慧》、《作诗本经纲领》等书,通常都不易见到(刻本潘德舆《养一斋集》未收此两种)。

从资料编纂的角度来看,《汇编》对资料的处理也可以使人感到是确实费过心思的。如陶渊明的年谱,现在见到的有九种,宋

---

① 郭绍虞先生有《北宋诗话考》(《燕京学报》第 21 期),《四库著录南宋诗话提要评述》(同上第 26 期),并《宋诗话辑佚》;罗根泽先生有《两宋诗话辑校叙录》(《文哲季刊》第一卷第十期),《两宋诗话年代存佚残辑表》(《师大月刊》第 30 期)。

代的三种①:王质《栗里谱》,吴仁杰《陶靖节先生年谱》,张縯《吴谱辨证》;清代的三种:陶澍《靖节先生年谱考异》,丁晏《晋陶靖节年谱》,杨希闵《陶靖节年谱》;近人的四种:梁启超《陶渊明年谱》,古直《陶靖节年谱》,傅东华《陶渊明年谱》,逯钦立《陶渊明年谱稿》。宋代的三种虽然简略,但因为时代较早,大多为后人所本,《汇编》就全部收了进去。其他六种篇幅过多,不便全收,则选录其有关诗意诠释的部分(如书中所辑丁晏《陶靖节年谱》)。虽然我们不妨另辑"陶渊明年谱会编"这样的书,或者做像闻一多先生做过的《少陵先生年谱会笺》或朱自清先生《陶渊明年谱中之问题》那样的工作,但以汇编历代批评、研究资料的书来看,现在这样做也是很适当的。另外,如1919年至1949年的资料,《汇编》选录的十二篇文章,也是很精的。这些文章大体上可以代表当时陶渊明研究所达到的水平,也可以见到各种对立意见的原貌(如既辑录鲁迅先生的意见,也辑录了论点有分歧的朱光潜先生的文章)。

《汇编》不但对陶渊明的深入研究有帮助,而且还可以供研究古典文艺理论批评者参考。我国古代的文艺理论批评,有它自己的发展历史和独特的民族内容与形式。理论式的阐发,常常与对具体作家作品的批评相结合,这是我国古代文艺理论批评史的一个特点。为什么看来如此平淡的陶诗,千余年来一直保持着它的艺术魅力?各个时代的作家、评论家,都作出了自己的解答。这

---

①南宋著名史学家李焘有《陶潜新传》并《诗谱》三卷,见《宋史》卷三八八。已佚。

就为今天的文艺理论研究提供了系统的有价值的资料。

二

《汇编》也还有可以商榷的地方。

资料书既要求大体全备,也要求避免芜杂。《汇编》在这两方面都还有待改进。现在先说后一方面。

宋代部分收了梅尧臣的《送永叔归乾德》一首诗。原诗是这样的:

> 渊明节本高,曾不为吏屈。斗酒从故人,篮舆傲华绂。
> 悠然日远空,旷尔遗群物。饮罢即言归,胸中宁郁郁。

从字面看来,确实是在写陶渊明,但仔细考查一下,诗中的陶渊明却完全是指欧阳修。据《欧阳文忠公年谱》,宋仁宗景祐三年(1036),欧阳修因参与范仲淹同宰相吕夷简的冲突,写了一篇《上高司谏书》,降职为夷陵县令,第二年十二月,移乾德县令。又据元人张师曾所作《宛陵先生年谱》,宝元二年(1039),梅尧臣知汝州襄城县,与谢绛同至邓州①。这年五月欧阳修因谒告,也到邓州会见梅、谢二人。后来临别时,梅尧臣送了他这首诗。诗中以

---

① 《欧阳文忠公全集》卷一四九《与梅圣俞书》(宝元二年作):“前者见邸报,有襄城之命,乃知当与谢公偕行。”

陶渊明作比,影射当时的政治情势,并对老友的外放给以慰藉。《宛陵集》卷六并有《代书寄欧阳永叔四十韵》,其中说,"白醪封画榼,素鲤养泓泉。戒吏收山栗,呼童惜沼莲。只期东浦过,共醉小溪边。"意境与上面这首诗是相似的。在这种地方,陶渊明只是后代诗人用事时所掇取的故实,而不是文学批评的对象。

与此类似的,我们还可举出书中唐代部分的两个例子。一是高适的《封丘尉》,一是刘长卿的《三月三日李明府后亭泛舟》。高适诗的最后两句是"乃知梅福徒为尔,转忆陶潜归去来",刘长卿诗的中间两句是"壶觞须就陶彭泽,时俗犹传晋永和"。这两处都是用典。高适最初仕宦并不得意,封丘县尉的职务又使他忙得不堪,于是说:还不如像陶潜那样回去耕田呢!那是怄气的话。刘长卿的两句则更是空泛不足为凭。如果这样的材料也收列进去,那就收不胜收了。我们就随手举一些本书所不曾收而性质与上面几首相似的诗来看看:白居易的《寄皇甫七》:"孟夏爱吾庐,陶潜语不虚,花樽飘落酒,风案展图书……"(《全唐诗》卷四四六)宋人陈与义的《次韵周教授秋怀》:"一官不办作生涯,几见秋风卷岸沙。宋玉有文悲落本,陶潜无酒对黄花。天机衮衮山新瘦,世事悠悠日自斜。误矣载书三十乘,东门何地不宜瓜。"(胡穉《增广笺注简斋诗集》卷一)清人冯班的《示钱遵王》:"咄咄书空盼,悠悠何所思。死生虽有命,贵富已非宜。且饮陶潜酒,休吟阮籍诗。庭槐渐憔悴,谁谓更无知。"(《钝吟集》卷中)这些诗虽然也都提到陶渊明的名字,但是,对于一本真正具有研究价值的资料书来说,还是"割爱"为好。

《怀古录》评陶渊明的诗,说:"皮毛落尽,惟有真实。"不妨移来作为编辑资料书的一个标准。对于在文学史上颇有影响、评论意见较多的作家,辑集他们的资料,有时倒不在于患疏漏,而是怕于很难摆脱芜杂的毛病:这里就往往见出编辑者的功夫和眼力。

三

现在说应该增补的部分。

唐代的资料显然是收得少了。书中收的只有十几条,实际上,可收的远不止此数。我们试拈出几点来谈谈。颜真卿有一首《咏陶渊明》:

> 张良思报韩,龚胜耻事新,狙击不肯就,舍生悲缙绅。鸣呼陶渊明,奕叶为晋臣,自以公相后,每怀宗国屯,题诗庚子岁,自谓羲皇人。手持山海经,头戴漉酒巾,兴逐孤云外,心随还鸟泯。(《全唐诗》卷一五二)

这首诗对后世颇有影响,南宋一些人以忠义目陶,大多受颜诗的启发。又如《文选》五臣注说:"潜诗晋所作者皆题年号,入宋所作者但题甲子而已,意者耻事二姓,故以异之。"北宋的思悦驳斥五臣的说法,说:"渊明诗有题甲子者,始庚子距丙辰,凡十七年间,只九首耳,皆晋安帝时所作也。"这是陶诗批评史上一个著名的论点。然而颜真卿的诗中已经有这一说("题诗庚子岁")。颜在思悦前,思悦之说大约本此。

宋代的《蔡宽夫诗话》已经说及唐人"薛能、郑谷乃皆自言师渊明"。能诗:"李白终无敌,陶公固不刊。"(《全唐诗》卷五六一)谷诗:"爱日满阶看古集,只应陶集是吾师。"(《全唐诗》卷六七五)都是《汇编》所未收的。中晚唐时战乱频仍,社会经济凋敝,当时就有不少诗人向往桃花源式的生活,像施肩吾的《桃源词二首》,曹唐的《题武陵洞五首》,章碣的《桃源》,都能使人看到陶诗的影响。又据钱锺书先生的考索,像韦应物、钱起、孟郊、许浑、崔颢、刘驾、曹邺、司马札、唐彦谦等,都有诗提到陶渊明①。虽然有些诗只不过是泛及,但合起来看,可以见出唐代诗人已经怎样普遍地注意到了在他们前三四百年的这位前辈大诗人了——这比南朝大大前进了一步。

陶渊明的生卒、居里、出处、世系,以及陶诗题甲子说等等,前人的意见最为纷繁,有不少固然琐碎,不足道,但有些是非研究不可的。作为研究资料汇编,应该适当予以辑录。《汇编》所收也有专论这些问题的,如傅占衡的《永初甲子辩》,恽敬的《靖节集书后三篇》等。但比较起来,有些重要的篇章却未曾收录。如清代校勘名家何焯的《义门读书记》,对甲子说有所创获,而钱大昕的《跋义门读书记》(《潜研堂文集》卷三〇)更就何说有进一步的发挥。他的另一篇《跋陶渊明诗集》(同上卷三二)是考证陶渊明世系的,同样性质的文章还有全祖望的《陶渊明世系考》(《鲒埼亭集》外编卷四〇),姚莹的《与方植之论陶渊明为桓公后》(《东溟文后集》卷一),阎咏的《左汾近稿》(附《潜丘札记》后),等等。这些文

———————

① 见《谈艺录》页104,开明书店,1948年6月。

章也都应该收进。

我们感到奇怪的是，《汇编》中对同一集子的篇章，为什么有些收有些不收？这里举几个例子：黄庭坚的诗，见于集中的，还有《题松下渊明》（《豫章黄先生文集》卷三）。元代刘因，《汇编》中收了《归去来图》，但他的另外两首诗《桃源行》和《采菊图》也是应该收的（见《静修先生文集》卷四）。又如宋濂，《汇编》收了他的《题张渤和陶诗》和《题渊明小像卷后》，但他另有一篇《答章秀才论诗书》（《宋学士全集》卷二八），说陶渊明"其先虽出于太冲、景阳，究其所自得，直超建安而上之，高情远韵，殆犹大羹充铏，不假盐醯而至味自存者也"，是颇有见地的，《汇编》却漏收了——或许是光从题目看不出与陶诗有关吧。类似的情况，像查慎行收了他的《寓楼读陶诗毕敬题其后》，但是他的《舟发桃源》（《敬业堂诗集》卷二）和《大雨泊东流城下食顷放晴》（同上卷二二）却未收，前诗说："但使耕桑能复业，仙家原自在人间。"对《桃花源诗》意境的认识有新的发展，值得注意。

就《汇编》所收，可增补的还有不少，但已非本文的篇幅所能容纳，在这里也没有枚举的必要。辑集资料也如同积薪，时间越久，发现的当然越多。《汇编》的编者们的努力，是应该受到大家感谢的，它已省去了研究者不少的时间。以上所举，只觉得其中一部分还可以有所补订而已。清代有位家境贫寒而读书极勤且细的人，名叫臧镛，他在给阮元《经籍纂诂》作的后序中说，有些批评者对别人家的著作，仅仅"指其小舛，支支节节而议之，是欲摘泰山之片石，问河海于断潢矣"（《拜经堂文集》卷二）。钱大昕也嘲讽过那些"文致小疵，目为大创"的批评者（《廿二史考异》自

序)。上面这些琐屑的意见,希望有助于对陶诗的研讨,而不致受
如臧、钱二氏所说那样的讥诮。

原载 1962 年 9 月 23 日《光明日报》,此据万卷出版公司
2010 年版《当代名家学术思想文库·傅璇琮卷》录入,另收
入大象出版社 2004 年版《唐宋文史论丛及其他》

《杨万里范成大资料汇编》前记

　　杨万里和范成大是宋代的著名诗人。当时在南宋的诗坛上，陆游、杨万里、范成大、尤袤号称"四大家"。陆游的作品较为阔大，其思想和艺术的成就驾乎其他三人之上。尤袤的诗篇散失很多，从流传下来的看来，特色无多，似还不足称大家。杨、范两人在当时是颇负盛名的，两人的创作，概括地说来，从内容反映现实的深度看，杨不如范；从诗歌的表现方法看，范则不如杨有较多的独创性。但他们两人有许多相似之处。他们的诗歌最初都曾受到过江西诗派的影响，缺乏现实内容，艺术上也较生涩粗硬。后来逐渐增多了社会内容，表现了强烈的爱国主义思想。范成大作品中还有一些集中地描述农民生活的诗篇；杨万里虽然大量写作山水风景诗，但也有一部分作品涉及了农村生活。他们作品的风格，一般来说也比较清新明朗，接近口语。至于他们两人作品中的缺点，大体也是相类的，即有不少诗篇抒写了伤感颓废、拜佛参禅等思想情调，道学气味相当浓厚，一部分作品艺术上又较粗糙。正因为如此，杨万里和范成大两人，无论当时或以后，习惯上他们的名字总是并称的，人们也常常把他们两人的作品进行比较研究。因此，本书也就把有关他们的资料汇辑在一起，作为《古典文学研究资料汇编》的一种，供研究者参考。

我们今天该运用马克思列宁主义的观点和方法，来批判地审查古代的一些评论家如何从他们各自的政治标准和艺术标准出发来探讨这两个作家。这不但能丰富我们对杨、范作品的认识，而且也能加深对文学史和文学理论发展史的研究。譬如在所收的评论资料中，固然有不少是正确地肯定了杨、范作品中的爱国热忱和民族思想，探讨了他们作品中一些艺术上的成功之处，但也有相当多的评论错误地赞扬了杨、范脱离现实的、消极感伤的作品，片面地讲究一字一句的所谓"尖新"和"妩媚"，甚至有些人把范成大描写农民生活困苦的《四时田园杂兴》诗，引导到"谁知农圃无穷乐，自与莺花有旧期"，"栗里久无彭泽赋，松江唯有石湖诗"的所谓"田园乐"的吟咏（见宋末《月泉吟社》所收梁相、杨本然等人的诗）。可见，无论对于杨、范的作品，或是对于古代评论的资料，都应该持分析态度，这样才能正确地利用这些资料，而不致受其错误观点的影响。

本书分两部分，即杨万里和范成大，各人名下按宋、元、明、清的朝代次序，列诸家的记述和评论。所收书200余种。大体上看来，宋代的资料最多，有些是杨、范的友人，他们写的多是唱酬之作；元、明两代最少，清代也并不很多。某些材料，同时牵涉到两人的，视其重要与否，或一见，或两见。除诗评外，有评论其文、词、书法等等的，也酌加采录。书末附范成大佚文的篇目，至于对这些佚文所作的较多的说明，请参考我写的一篇题为《范成大佚文的辑集与系年》的文章（署名徐甫，载《文学遗产增刊》第十一辑）。

书中疏失错误之处，在所难免，希望读者指正。

1963 年 2 月

原载中华书局 1964 年版《杨万里范成大资料汇编》，此据东北大学出版社 2015 年版《中国当代名家学术精品文库·傅璇琮卷》录入，另收入首都师范大学出版社 2010 年版北京社科名家文库《治学清历》

影印本《四库全书总目》出版说明

　　清朝政府从乾隆三十七年（1772）开始，用了十年左右的时间，集中了大批人力物力，纂修成一部规模庞大的丛书，名叫《四库全书》。在纂修期间，对采入《四库全书》的书籍和一些没有采入的书籍，都曾分别编写内容提要；后来把这些提要分类编排，汇成一书，就是这部《四库全书总目》（又称《四库全书总目提要》）。

　　为了纂修《四库全书》，当时在北京设立了一个专门机构，称为"四库全书馆"。每当一部书籍校订完成，就由馆臣拟写一篇提要，放在书的前面。提要的内容，除了论述"各书大旨及著作源流"外，还要"列作者之爵里"，"考本书之得失"，以及辨订"文字增删，篇帙分合"，等等。各书前面的提要在编入《总目》时，又经过较大的修改补充，最后由总纂官纪昀和陆锡熊综合、平衡，并在文字上加以润饰。纪昀在四库全书馆内最久，提要的整理加工，也以他的力量为多，因此，这部《总目》虽然以乾隆第六子永瑢领衔编撰，实际上却是纪昀总其成的。

　　《总目》全书共二百卷，按中国古代传统的分类法，分经史子集四大类，每一大类又分若干小类，其中一些比较复杂的小类再细分子目。每一大类、小类的前面有小序,子目的后面有案语,扼要地说明这一类著作的源流以及所以分这一类目的理由。每一类的后面,还附有"存目","存目"中的书籍,是经纂修官们校阅,认为价值不高,或它们的思想内容有对于封建统治不利,因而不曾收入《四库全书》中的。《总目》卷首还分列乾隆的所谓"圣谕",四库馆臣所上的"表文",以及"职名"、"凡例"等,大致记载了《四库全书》和《总目》的纂修经过和编写体例。

乾隆四十七年(1782)七月,《总目》初稿完成。在以后大约七八年的时间内,《总目》的内容,随着《四库全书》的不断补充和抽换,也有过几次增改。据现在所知,《总目》在乾隆五十四年(1789)已经写定,并在这年由武英殿刻版(见 1933 年出版的《故宫所藏殿版书目》)。乾隆六十年(1795),浙江的地方官府又根据杭州文澜阁所藏武英殿刻本翻刻。从此以后,这部《总目》就得到广泛的流传。

《总目》对书籍的评价,是从封建主义的观点出发的。它一方面标榜当时盛极一世的"汉学",其中有些提要偏于琐屑字句的考证;一方面又宣扬作为封建社会上层建筑的理论基础的孔孟之道,提要虽然在一些具体问题上不尽同意程颐、朱熹的意见,但实质上还是恪守程、朱理学,而对某些不合封建正统思想的著作竭力攻击。另外,一部分提要在涉及国内少数民族的地方,对他们表示了蔑视的态度;涉及对我国一些友邻国家的记载,又流露出封建大国沙文主义的思想。这些都是书中的糟粕,应该加以批判。

但同时我们还应该看到《总目》的另一面。《总目》著录的书,据我们这次整理时的仔细统计,收入《四库全书》中的有三千四百六十一种,七万九千三百零九卷,存目中的有六千七百九十三种,九万三千五百五十一卷。这些书籍,基本上包括了乾隆以前中国古代的重要著作(尤以元代以前的书籍收辑更为完备)。这一万余种的书籍,每一种有介绍其大致内容的提要,而且又有系统的分类编排,这就对于我们了解古代的各类著作提供了不少方便。另外,当时参加纂修《四库全书》和编写提要的人,像戴震、邵晋涵、周永年、姚鼐等,都在某一方面有所专长,《总目》中对于一些古籍的考订,也在一定程度上吸收了当时的研究成果,订正了前人的某些缺失(《总目》的考证也仍有不少纰缪疏漏,可参考近人余嘉锡《四库提要辩证》等书)。因此,《总目》作为一部较有系统的、内容比较充实的书目工具书,它对我们今天还有查阅参考之用。我们现在把它影印出版,目的也就在此。

以下谈谈这次整理影印中的一些情况。

一、《总目》过去有几个比较主要的刻本,即武英殿本、浙江杭州本,同治七年(1868)的广东本。浙本据殿本重刻,校正了殿本的不少错误。粤本由浙本为底本覆刻,个别字句又据殿本校改,但同时又沿袭了殿本之误。浙本当然还留有不少错字,但比较起来错字较少,因此这次我们用浙本作底本,参用殿本和粤本相校,作校记附后。

二、乾隆五十二年(1787),清朝政府发现收入《四库全书》中的明李清《诸史同异录》一书有诋毁清朝统治的字句,于是又派人重新检查收入的书,就把李清的其他几种著作,像《南北史合注》、《南唐书合订》、《列代不知姓名录》,以及周亮工的《读画录》、《书影》、《闽小纪》、《印人传》、《同书》，吴其贞的《书画记》，潘柽章的《国史考异》等撤毁，并把这十一种书的提要也从《总目》中删除。但这十一种书虽然从《四库全书》中撤出，清朝宫殿中却仍然留有副本，书前的提要也依旧保存（《诸史同异录》和《同书》未见）。我们这次就从故宫博物院中把《南北史合注》等九份提要补录在《总目》的后面，题为"四库撤毁书提要"。

三、嘉庆时，浙江巡抚阮元先后征集了四库未收的书一百七十多种，向清廷进呈，并仿《总目》的体例，每一书写有提要。道光二年（1822），阮元的儿子阮福就把这一百七十多篇提要编成五卷，列在阮元《揅经室集》的后面，题为外集。我们这次就用它影印，并接在"四库撤毁书提要"之后。

四、本书由王伯祥先生断句。我们自己又编制了书名及著者姓名索引，附于书末，以便检寻。

1964 年 12 月

原载中华书局 1965 年版影印本《四库全书总目》，此据首都师范大学出版社 2010 年版北京社科名家文库《治学清历》录入，另收入大象出版社 2004 年版《唐宋文史论丛及其他》

影印本《清人考订笔记》出版说明

清代考据之学盛行,不少学者以毕生精力用于考订文字,诠释名物。有些人把他们的研究撰成专门著述,同时还将平日的读书心得,以漫谈杂话出之,写成笔记。另外有些人则终生没有专门著述,或者撰而未成,而仅以笔记名世。据现在所知,清代的这类考订笔记,较著名的,约有一二百种。笔记的内容,有的有明确的分类或大致有个类别,有的则是作者死后,由亲友或门生子弟从杂碎遗稿中拼凑而成,并无系统可言。这些笔记的价值,也因作者学识高下、工力浅深的不同,而相去悬殊。

清代考据学家以考订古书为一大学问,垂老头白,孜孜不倦。他们之中,有的人确是花了不少力气,在古代文献的训诂考证和资料的排比编纂方面,在某些具体问题上,取得了一些成绩,给我们今天研究古代的历史、文化提供了某些方便。但这些考据学家研究学问,带有复古主义和形而上学倾向。他们的工作常常重床叠屋,彼此雷同,烦琐支离,不切实用,为考证而考证。他们脱离现实,埋首古书堆中,往往用功愈深,就越钻入牛角尖。他们的这种治学倾向,我们必须加以坚决摒弃,而对他们著作中的具体成果,就应当批判地加以继承和利用。对清代考订笔记,也应该这样看待。

清代考订笔记中,有些卷页较多,流传较广,而且参考价值较大的,如《日知录》、《十驾斋养新录》等,可以单独出版,或加必要的校勘和断句。另外有些笔记,或附列全集,或收入丛书,刻本少,流传不多,而其内容则仍可资参考,我们现在选择一些,稍加汇集,不加校点,影印出版。此次影印的,是邵晋涵、汪中、沈涛、李详四人所著,共七种。如果研究者认为这些笔记对自己的工作尚有所裨益,而这种出版方式也还比较合宜,我们将根据需要和可能,以后再酌加选辑和影印。

现将所收邵晋涵等四人的笔记,简略介绍如下:

(一)邵晋涵(1743—1796),字与桐,又字二云,号南江,浙江余姚人。乾隆三十六年(1771)进士,与周永年、戴震等同征入四库全书馆任纂修。史部要籍的提要,大都由他拟稿。所著《尔雅正义》和所辑《旧五代史》,皆刊行。邵晋涵曾有志改修《宋史》,拟先作《南都事略》,以续宋王称的《东都事略》;惜稿佚不传,仅有儒学、文艺、隐逸三类列传的目录,保存在钱大昕《十驾斋养新余录》中。

《南江札记》是邵晋涵死后,其子秉华从遗稿中辑出的,并与所著《南江文钞》合刻。《札记》大体依所读的书分类,卷一为《左传》、《穀梁传》,卷二为《仪礼》、《礼记》、《三礼》,卷三为《孟子》,卷四为《史记》、前、后《汉书》、《三国志》、《五代史》、《宋史》,大都标举异同,存而不断。这些笔记,原是作者为了著书而所作的准备,并非定稿。我们现在据原刻本影印。其中关于《孟子》的部分，有汪中子喜孙的批识。

（二）汪中（1744—1794），字容甫，又自署颂夫。乾隆四十二年（1777）选拔为贡生。其著述以《述学》和《广陵通典》为代表作，另外又有《经义知新记》、《大戴礼记正误》、《国语校文》等。《旧学蓄疑》为其子喜孙从遗稿中掇拾而成，凡未收入以上诸书的零星随札，即辑为一编，分子、史、评诗、杂录四类。原稿历经喜孙及刘文淇、刘恭冕、王萱龄、成蓉镜等人传阅，并有签注意见。当时未及付刻，直到光绪初年，才刻入《木犀轩丛书》中。

（三）沈涛（178？—1861），原名尔振，字季寿，一字西雍，号匏庐，浙江嘉兴人。肄业诂经精舍，嘉庆十五年（1810）举人，由知县洊升府、道。所著《论语孔注辨伪》、《说文古本考》、《常山贞石志》、《十经斋文集》等，皆刻行。后又有人辑刻其未刊诸稿，为《遗集》七卷。

沈涛颇着力于笔记的撰述。其《瑟榭丛谈》和《交翠轩笔记》分别作于官宣化府知府和大名府知府的时候，瑟榭及交翠轩即其官署中居室之称。两书杂载当地掌故，而仍以考订见长。《铜熨斗斋随笔》为晚年所刻，纯系考订古籍的笔记，其中不乏新见，如考《汉书艺文志》"六弢"为"大弢"之误，自后遂为定论。以上三种由沈涛自刻，他别有《柴辟亭读书记》一卷，为《遗集》的第四种。此书所记，见于《瑟榭丛谈》和《交翠轩笔记》的各一则，见于《铜熨斗斋随笔》的十六则，复重几半，当是校辑《遗集》者疏于检核之故。现在一并汇印，以见沈涛笔记的全貌。

（四）李详（1859—1931），字审言，初号窳生，后改媿生，又称齳叟,江苏兴化人。县学廪膳生,历任前南京高等学堂及安徽存古学堂教习、江楚编译官书局纂修等职。晚年馆贵池人刘世珩家,协助他校刻丛书或代撰校记。李详所著有《世说小笺》《选学拾沈》《文心雕龙黄注补正》等,曾陆续在《国粹学报》上发表,但都未完成。《媿生丛录》系宣统元年(1909)自加删定,刻版于南京。其中考订古书,间亦谈及清代学者的掌故,又因为他长于《文选》之学,因此古代文集中一些不易理解的典故,书中有较清楚的注释。

1965 年 4 月

[附]清人考订笔记目录

南江札记四卷

　　余姚邵晋涵撰　　嘉庆八年邵氏面水层轩刻本

旧学蓄疑一卷

　　江都汪中撰　　木犀轩丛书本

瑟榭丛谈二卷

　　嘉兴沈涛撰　　道光二十五年自刻本

交翠轩笔记四卷

　　嘉兴沈涛撰　　道光二十八年自刻本

柴辟亭读书记一卷

　　嘉兴沈涛撰　　十经斋遗集本

铜熨斗斋随笔八卷

　　嘉兴沈涛撰　　咸丰七年自刻本

媿生丛录二卷

兴化李详撰　　宣统元年自刻本

原载中华书局 1965 年版影印本《清人考订笔记》, 此据首都
师范大学出版社 2010 年版北京社科名家文库《治学清历》
录入, 另收入大象出版社 2004 年版《唐宋文史论丛及其他》

《黄庭坚和江西诗派资料汇编》前记

　　江西诗派是宋代具有影响的一支诗歌流派。在中国古典诗歌的历史上,提出比较明确的主张,形成一个大体相同的风格,在一个较长的时期内成为一时诗风的,可以说江西诗派是较早的一个。当然,江西诗派的内部是很复杂的,不仅有好些个作家不是江西人,而且有好些人提出的某些具体作诗主张与这个流派的共同主张是矛盾的;江西诗派也因当时社会政治的变化,在其发展的历史上,前后有所不同,这在他们的具体创作实践上更为显著。然而这并不妨碍我们把它(江西诗派)作为当时一个比较稳定的诗歌流派的认识。在北宋末以及整个南宋时期,几乎没有一个稍有成就的诗人不和它在创作上有过或多或少的联系,而且它的影响也带到南宋的词坛上去,在某些词人的作品中染上了这个流派所特有的那种色彩(如姜夔)。诗歌史的材料说明,一直到晚清时期,它的理论和主张在相当多的作家中还有着较大的支配力,同光体诗人所标榜的"宋诗",其实就是江西派的诗。

　　正式提出"江西诗派"这个名称的,是南北宋之际的吕本中。他把北宋末年的著名诗人黄庭坚作为诗派的创始人,又把陈师道等二十四人作为这一诗派的成员。在他以后,也就有人把吕本中列入江西诗派中去。宋末元初的诗评家方回,倡"一祖三宗"之说,"一祖"指杜甫,"三宗"为黄庭坚、陈师道、陈与义。江西诗派诗人推尊杜甫,方回则进一步认为江西诗派即继承杜甫的衣钵。另外,南宋初年负盛名的诗人曾几,在当时也被人认为是江西派诗人;他的诗歌风格确实与诗派其他人相似。

为了使读者较系统地研究这个诗派的理论、主张和创作,本书辑集了有关的资料。江西诗派的作诗主张和创作实践,有很大的缺点,也有它一定的贡献;它的影响,也相当复杂。对这个诗歌流派进行理论的分析和概括,应当掌握比较丰富的原始资料。本书所辑集的,说不上丰富和完备,只不过提供一些基本资料,使研究者能省却翻检之劳而已。

江西诗派诗人中,有些人并没有站得住脚的作品流传于世,南宋后期的诗人刘克庄,在他作《江西诗派小序》的时候,就感叹其中的几个诗人的作品已不可复见。宋以后的评论,也不是对诗派中所有的人都评及的。今大体依《江西诗派小序》的次序,并益以陈与义和曾几。就所录的资料,分上下两卷:卷上为黄庭坚;卷下为江西诗派,分江西诗派总论,陈师道,韩驹,徐俯,潘大临,潘大观,"三洪"(洪朋、洪刍、洪炎),夏倪,"二谢"(谢逸、谢薖),"二林"(林敏功、林敏修),晁冲之,汪革,李彭,"三僧"(饶节、祖可、善权),高荷,江端本,李錞,杨符,王直方,吕本中,陈与义,曾几。每一部分则依资料时代先后排列。凡有关诗人生平事迹、作品评论、考证等,均加辑录。同一资料牵涉到两人或两人以上的,视重要与否,或一见,或互见。除诗歌评论外,有些评论文、词、书法等艺术的,也酌加采录。所收书 540 余种,附编引用书目,以备检寻。

对于黄庭坚和江西诗派应当如何评价,对历代的评论资料应该怎样加以分析,这是专门研究的题目,不是这篇短短的前记所能胜任的,编者愿意写专文来探讨这些问题。至于本书中资料的辑集与编排,疏失之处,恐怕难免,希望读者指正。

又,这部资料稿于 1962 年编成,并交中华书局出版。在这之后,我又陆续搜得一些资料,并发现原来已查阅过的书籍中有部分遗漏,因一并补辑。由于排版已竣,为了不致影响版面,故作为补编各附于上下两卷之后。王幼安先生在本书编辑过程中曾提供不少宝贵的线索,给编者以很大的帮助,谨致谢意。

1978 年 1 月

原载中华书局 1978 年版《黄庭坚和江西诗派资料汇编》,此据东北大学出版社 2015 年版《中国当代名家学术精品文库·傅璇琮卷》录入,另收入首都师范大学出版社 2010 年版北京社科名家文库《治学清历》

谈批评与知音

　　《世说新语》中曾讲到一个故事，说三国时钟会写了一篇《四本论》，写好后很想请嵇康看一看，于是把文章放在衣兜里，去见嵇康。走到嵇康家门口，忽然觉得害怕，不知道嵇康对这篇文章会提出什么责难，不敢见嵇康的面，便把这篇《四本论》从门外扔进院内，拔脚就走。

　　此事看来似乎很可笑，但却告诉我们，古人著书，求一个知音者的批评之难。三国建安时，曹丕著《典论·论文》，就感叹过"文人相轻，自古而然"，又说"夫人善于自见，而文非一体，鲜能备善，是以各以所长，相轻所短"。南北朝时的文艺理论专著《文心雕龙》，也对某些片面的文艺评论，加以批评，说它们是"会己则嗟讽，异我则沮弃，各执一隅之解，欲拟万端之变"。在对别人著作的评论中，以己之所长，轻人之所短，这是弊病之一；合于自己见解和趣味的大加赞赏，与自己不合的则一概否定，这是弊病之二。古人这些对批评的评论，还是可以有所鉴戒的。

　　当然，古人也有好意修改别人的作品而得罪的。据《唐诗纪事》载，牛僧孺应科举时，曾将自己的诗文投献于诗人刘禹锡，刘禹锡乃"对客展卷,飞笔涂窜其文"。"历二十余岁,刘转汝南,公(即指牛僧孺)镇海南",二人又一次见面,牛谈吐之间对刘很不客气,还给刘写一首诗,最后两句是"莫嫌恃酒轻言语,曾把文章谒后尘"。意思是说,你莫怪我喝了酒用言语轻薄你,你只要想想过去我把文章投献给你,你就明白了。过后刘禹锡对自己的儿子说:"吾成人之志,岂料为非;汝辈进修,守中为上。"表示大为后悔。这一记载是否确实,还可进一步考核,如据史传,牛僧孺做过淮南节度使,从未在"海南"做官,恐字有误。古人记此事,大约也是说明以文字贾祸的一例。刘禹锡"飞笔涂窜其文",可能改动的多了一些,但牛僧孺的量也实在太小。如果我们现在出版社的编辑,碰到几个像牛僧孺那样的作者,恐怕不敢下笔了。

上面说到曹丕,且说建安时期,群雄纷起,三国鼎立,曹魏的文学是最为兴盛的,这主要是社会原因,但与曹操父子有意识的提倡以及他们的作风也是有很大关系的。《文心雕龙·时序篇》就曾说:"自献帝播迁,文学蓬转,建安之末,区宇方辑。魏武以相王之尊,雅爱诗章;文帝以副君之重,妙善辞赋;陈思以公子之豪,下笔琳琅。并体貌英逸,故俊才云蒸。"文帝即曹丕,陈思即曹植。当时曹操是丞相,封魏王,曹丕是魏太子,曹植是贵公子,在他们周围聚集了一批文士。可以注意的是曹植有一篇写给杨修的书信,收录在《昭明文选》中,即《与杨德祖书》,其中有一段,颇可玩味:

> 世人之著述,不能无病。仆常好人讥弹其文,有不善者,
> 应时改定。昔丁敬礼尝作小文,使仆润饰之,仆自以才不过

若人，辞不为也。敬礼谓仆："卿何所疑难？文之佳恶，吾自得之，后世谁相知定吾文者邪？"吾常叹此达言，以为美谈。

这段文字，从文章角度看，也是摇曳多姿，声情并茂的。笔者以为，它给人的启发，不只是曹植临文的谦虚态度，而且可以见出曹植与其属下文士谈论文章时的那种平等待人的作风。丁敬礼为丁廙，据《三国志·陈思王植传》裴注引《文士传》，他建安时曾任黄门侍郎，史称其"少有才姿，博学洽闻"。植先封平原侯，后封临菑侯，属下的文士有杨修及丁仪、丁廙兄弟。曹植当时既以贵公子之尊，又才情横溢，给人的印象，正如《三国志》本传所称，是"任性而行，不自雕励"，但现在读此文，那种与属下文士平等谈文，请人讥弹其文的精神，至今读来，尚感亲切。

丁敬礼的话也有启发。一个作者请人提意见，没有比他这番话再得体的了。"文之佳恶，吾自得之"，表示自己心中自有准则，并非盲从，也不是一所到批评意见，就六神无主，紧张得不得了。但还是请曹植批评者，是因为"后世谁相知定吾文者"，把曹植当作知心朋友，而不是看作什么长官上司，只有这样，才能寥寥数语，作此推心置腹之论。

鲁迅先生曾概括建安时期文章的风格之一为通脱。所谓通脱，即是不拘儒家礼法，思想比较解放，这种时代风气也表现于曹丕文中。曹丕写《典论·论文》，对于当时著名文人加王粲、刘祯等一一作了评价，称他们"于学无所遗，于辞无所假，咸以自骋骥騄于千里，仰齐足而并驰"。即使已被曹操所杀的孔融，曹丕仍然称赞他"体气高妙，有过人者"。这样的持论应当说是公允的，而且也是不容易的。

　　古人不像现代社会那样，读者对一部作品可以在报刊上进行公开批评和自由讨论，作者也可对自己的作品进行辩答。而且，即使曹丕、曹植那样，也还是把文学当作个人的事业。今天，我们社会主义文化的发展，当然不是封建时代文化所能比拟，我们的作者和读者，创作者和批评者，是新型的无产阶级的同志关系，在对作品的讨论中，更可以建立平等的、同志式的关系。今天，我们批了"四人帮"动辄挥舞帽子和棍子的恶劣作风，发扬社会主义民主，迎接文化学术的繁荣春天，来回顾一下古人对著述批评的态度，以及一些时代风气，恐怕还是有所启发的吧。

　　　　　　　　原载《读书》1979 年第 1 期（署名"湛之"），据以录入

左思《三都赋》写作年代质疑

——《晋书·左思传》等辨误

一

左思是西晋时期的杰出作家。他的《咏史》诗八首,以"振衣千仞冈,濯足万里流"的豪迈气概,表现了对当时门阀士族的极大蔑视,所谓"郁郁涧底松,离离山上苗,以彼径寸茎,荫此百尺条",形象地描写了豪门与寒族的对立,对后世有着深刻的影响。如南朝的范云就有《咏寒松》诗①。初唐四杰之一的王勃曾以此为题,他把涧底寒松写成"志远而心屈,才高而位下"②。与王勃同时、并为四杰之一的杨炯也说:"左太冲之咏史,下僚实

①见丁福保编《全梁诗》卷六。
②见《四部丛刊》本《王子安集》第二《涧底寒松赋》,又见《文苑英华》卷一四三。

英俊之场。"①这些都表现了王、杨等人对当时门阀余习的抨击，反映了左思的作品在初唐的影响。

左思并非只是以诗著称，他的《三都赋》也是传诵的名篇。后世的一些评论家，常以其赋与其诗并举。如刘勰《文心雕龙·才略篇》说："左思奇才，业深覃思，尽锐于《三都》，拔萃于《咏史》。"唐代古文运动的先驱萧颖士，也说"左思诗赋，有雅颂遗风"②。左思的《三都赋》不只提供了文学批评史的材料（见左思自序及皇甫谧序），而且还通过对魏蜀吴三国都城的描写，反映了当时要求全国统一的历史趋势，值得我们注意。

但是，关于《三都赋》的写作年代，历史却沿袭《晋书·左思传》的记载，认为是作成于陆机由吴北上至洛阳以后。这个传统的说法能否成立，是可以重新讨论的。

《晋书》卷九十二《文苑·左思传》说：

> 初，陆机入洛，欲为此赋，闻思作之，抚掌而笑，与弟云书曰："此间有伧父，欲作《三都赋》，须其成当以覆酒瓮耳。"及思赋出，机绝叹伏，以为不能加也，遂辍笔焉。

这就是说，在陆机由吴入洛时，左思的《三都赋》尚未完成，因此陆机才有"覆瓮"之讥。在此以后，左思赋成，陆机读后叹服，才不再

① 杨炯《益州温江县令任君神道碑》，见《四部丛刊》本《杨盈川集》卷七，又见《文苑英华》卷九二九。
② 李华《扬州功曹萧颖士文集序》引，见《文苑英华》卷七〇一。

作同类题材的赋。——这里就牵涉到《三都赋》的写作年代问题。

又,《世说新语·文学篇》,刘孝标注引《左思别传》,说《三都赋》的注解都是左思自己作的,《别传》说:

> 思造张载问岷蜀事,交接亦疏。皇甫谧西州高士,挚仲治宿儒知名,非思伦匹,刘渊林、卫伯舆并早终,皆不为思赋序注也。凡诸注解,皆思自为,欲重其文,故假时人名姓也。

《左思别传》的作者简直是把左思看成文坛上的骗子。清人严可均在《〈书左思别传〉后》一文中对此曾有所辨正①。这里也涉及到作赋的时间问题。可惜严氏所论未尽恰当,还遗留一些问题尚待解决。

本文提供的论证将说明,上面所引《晋书·左思传》的记载和《左思别传》的说法都是不可靠的,在陆机入洛以前,《三都赋》即已写成;刘逵、卫权等皆非早卒,他们都来得及为左思的赋作注。

二

为便于说明问题起见,先把《晋书·左思传》中的有关记载抄录于下,然后分别加以论述。

---

① 严可均《铁桥漫稿》卷八。

造《齐都赋》，一年乃成。复欲赋三都，会妹芬入宫，移家京师。乃诣著作郎张载，访岷邛之事。遂构思十年，门庭藩溷，皆著笔纸，遇得一句，即便疏之。自以所见不博，求为秘书郎。及赋成，时人未之重，思自以其作不谢班、张，恐以人废言，安定皇甫谧有高誉，思造而示之，谧称善，为其赋序。张载为注《魏都》，刘逵注《吴》《蜀》，而序之曰……。陈留卫瓘又为思赋作略解，序曰……。司空张华见而叹曰："班、张之流也。使读之者尽而有余，久而更新。"于是豪贵之家，竞相传写，洛阳为之纸贵。（后面就接叙陆机的一段，已见上引，不录。）

这里是说左思先在家乡山东临淄著《齐都赋》，"一年乃成"，后来他的妹妹左芬入宫，左思也随之移居洛阳，即着手《三都赋》的写作。按解放前出土的《左棻墓志》，志文云："左棻字兰芝，齐国临淄人。晋武帝贵人也。永康元年三月十八日薨，四月廿五日葬峻阳陵西徼道内。"[1]志文提供左芬的卒年，碑阴说"父熹字彦雍"，还可补正《晋书·左思传》所说"父雍"之误，但没有提供左芬何时入宫的材料。又按《晋书》卷三十一《后妃·左贵嫔传》说："芬少好学，善缀文，名亚于思，武帝闻而纳之。泰始八年拜修仪。"泰始八年为公元272年。考《晋书·后妃传》及《职官志》，都不载内职。《初学记》卷十引臧荣绪《晋书》："武帝采汉魏之号，以拟周之六宫，置贵妃、贵人、夫人，是为三夫人；淑妃、淑媛、

---

① 见赵万里《汉魏南北朝墓志集释》卷一，科学出版社1956年1月版。

淑仪、修容、修华、修仪、婕妤、容华、光华,是为九嫔。"因此有人认为《晋书》称芬拜修仪,而墓志又称贵人,是由修仪晋为贵人①。至于泰始八年拜修仪以前为何职,《太平御览》卷一四五引《晋起居注》,说是"拜美人左嫔为修仪"②。由此可见,左芬于泰始八年(公元272年)为修仪之前,曾为美人,那末他被纳入宫,当还在此之前,也就是说,左思在公元272年之前就由齐入洛,开始写作《三都赋》,就按《晋书》所说,"构思十年"乃成,也就是公元280年即已完成,这时距陆机于太康末(公元289年)入洛还早十年之久呢。

三

再说访张载的事。张载也是西晋有名的文人。《晋书·左思传》说左思在写《三都赋》的过程中,曾去向张载请教关于蜀中的事。那末张载是什么时候去蜀的呢?

《晋书》卷五十五《张载传》说:

> 张载字孟阳,安平人也。父收,蜀郡太守。载性闲雅,博学有文章。太康初,至蜀省父,道经剑阁,载以蜀人恃险好

---

① 见容庚《古石刻零拾》。
② 但《太平御览》卷一四五所引的《晋起居注》系此事于咸宁三年(公元277年),时间太晚,恐不足据。

乱,因著铭以作诚曰……。益州刺史张敏见而奇之,乃表上其文,武帝遣使镌之于剑阁山焉。……载又为《濛汜赋》,司隶校尉傅玄见而嗟叹,以车迎之,言谈尽日,为之延誉,遂知名。起家佐著作郎,出补肥乡令,复为著作郎,转太子中舍人……

　　此处说张载赴蜀及作《剑阁铭》,在太康初。太康共十年,即公元280年至289年,太康初,当指太康元年,即公元280年。张载不知何时回洛阳,但总是在280年以后。如果确是这样,《三都赋》的写作及完成时间当然要大大推后了。

　　但《晋书·张载传》所说的"太康初"却同样是有问题的。今按《艺文类聚》卷二十七载有张载《叙行赋》,首即云:"岁大荒之孟夏,余将往乎蜀都,脂轻车而秣马,循路轨以西徂。"后面叙述从洛阳至四川的沿途所见,与《剑阁铭》所写正合。"岁大荒",即太岁在巳之谓。以与张载在世时之相近者推之,惟有癸巳(泰始九年,公元273年)、乙巳(太康六年,公元285年)、丁巳(元康七年,公元297年)三种可能。丁巳过晚,不必论。乙巳在太康中,是否《晋书·张载传》所说的"太康初"即为"太康中"之误呢?这种可能性有没有呢?如果乙巳说能成立,作《三都赋》的时间也是较晚的,上面所引的有关陆机之事也有可能成立。

　　《剑阁铭》载于《文选》(卷五十六)。《文心雕龙》论魏晋铭文,独推此篇,说:"惟张载《剑阁》,其才清采,迅足骎骎,后发前至。"(卷三《铭箴》)但《剑阁铭》文中没有说作于何时。李善注引臧荣绪《晋书》,说是"张载父收为蜀郡太守,载随父入蜀,作《剑阁铭》"。与《晋书》所说"至蜀省父"者有异,但也没有提供更多的材料。至于益州刺史张敏,《晋书》无传,除严可均《全晋文》(卷八十)辑其《神女赋》《神女传》《头责子羽文》外,亦未见有其他事迹可考。

按据上引《晋书·张载传》文,张载作《剑阁铭》时,似尚未为人所重。后又作《濛汜赋》,已至洛阳,司隶校尉傅玄见之大为叹赏,为之延誉,遂知名,从此就步入仕途。那末就应当进一步解决傅玄何时为司隶校尉及傅玄的卒年问题。

《晋书·傅玄传》:

> 五年,迁太仆。时比年不登,羌胡扰边,诏公卿会议。玄
> 应对所问,陈事切直,虽不尽施行,而常见优容。转司隶校
> 尉。献皇后崩于□□□……寻卒于家,时年六十二。

这里所说的"五年",未言为何时五年,前面有叙述泰始四年(公元268年)傅玄为御史中丞时上疏言事,按史文惯例,则此应为泰始五年。另外,《通鉴》系傅玄卒于咸宁四年(公元278年),《通鉴》卷八○晋武帝咸宁四年载,"前司隶校尉傅玄卒"。但《通鉴考异》于此下却云:

> 《玄传》曰:"五年,迁太仆,转司隶,景献皇后崩,坐争位
> 骂尚书免,寻卒。"按景献后崩在(咸宁)四年,《玄传》误也。

《考异》意思是说,景献后是死在咸宁四年,傅玄也因骂尚书被免

官,并于同年卒,但《晋书·傅玄传》却将卒年连接前面的泰始五年,使人以为傅玄即卒于泰始五年,因此是错的。对《考异》的这一说法,清人劳格有所驳正:

> 玄为太仆在泰始五年(亦见《乐志》),后崩于咸宁四年,相距十年,《考异》误认泰始为咸宁,故以《玄传》为误耳。①

劳格说《晋书·傅玄传》所谓"五年"是接前泰始四年上疏而言,应仍为泰始五年,《晋书》没有错。劳格认为傅玄于泰始五年迁太仆是一回事,后转司隶校尉另是一回事,以后咸宁四年景献后死不久傅玄也随即去世则又是一回事。劳格的意见是对的。但《傅玄传》于"五年,迁太仆"下接着就说"时比年不登,羌胡扰边"云云,叙事确有不清楚之处,因这二句都是发生在咸宁间的事,现在这样叙述,容易使人误解,《考异》的怀疑也不是没有道理。

今按,据《晋书》卷三《武帝纪》,景献后羊氏卒于咸宁四年(公元278年)六月。又据史载,咸宁三年,兖、豫、青、徐、荆、益、梁七州大水;咸宁四年,司、冀、兖、豫、荆、扬等州大水。又咸宁头几年,羌人树机能起兵抗晋,咸宁四年六月,凉州刺史杨欣战败,为羌人所杀(以上参见《通鉴》卷八十及《晋书·武帝纪》)。这与所谓"比年不登,羌胡扰边"正合。由此可以推断,《通鉴》系傅玄卒于咸宁四年,当有据,可以信从,从这里也可推断傅玄为司隶校尉当在咸宁三、四年(公元277年、278年)之间。

---

① 见《月河精舍丛钞》劳格《读书杂识》。

傅玄为司隶校尉的时间以及他的卒年既然考定,就可以回过头来讨论张载入蜀的时间了。如前所引张载的《叙行赋》,所谓太岁在巳,丁巳太晚,其次为乙巳,乙巳是太康六年(公元 285 年),这时傅玄已死去八年,不可能有张载出蜀之后为之延誉的事情。那就只有癸巳,即武帝泰始九年(公元 273 年)。按蜀灭于公元 263 年,距此时只十年,时孙吴尚存,《剑阁铭》所谓"公孙既灭,刘氏衔璧,覆车之轨,无或重迹,勒铭山阿,敢告梁益",含有警诫之意,也可理解。如作于太康六年,那时孙吴已平,全国统一,距离蜀亡已二十多年,所谓著铭作诫,也就没有什么现实意义了。因此,可以断定,《晋书·张载传》所说的张载太康初入蜀是不确的,他的入蜀之年在泰始九年(公元 273 年),应该说是泰始之末(泰始共十年)。

　　根据以上所考,就可以进一步推论左思作赋的时间。现在可以大致作这样的论断,即:张载于泰始九年(公元 273 年)入蜀,大约不久即回到洛阳,在咸宁三、四年间(公元 277 年、278 年),当时任司隶校尉的傅玄见到他的赋大为赞赏。左思的妹妹左芬于泰始八年(公元 272 年)前被选入宫,左思也就从山东临淄移居洛阳,着手于《三都赋》的写作,于咸宁初几年访张载于洛阳。如以"构思十年"而言,则为公元 272 至 282 年间之事,与张载于公元 277 至 278 年在洛阳任著作郎等职的时间也正符合。这就是说,左思因为写作《三都赋》而去访张载一事,不是如《晋书》所说在公元 280 年(太康元年)灭吴之后,而是在公元 280 年灭吴之前。

四

　　从《三都赋》所描写的实际内容来看,赋之写成也应当是在孙吴灭亡之前。这篇赋的结构,是设为西蜀公子、东吴王孙、魏国先生三人,各为问答之辞,各自夸耀本土的山川、物产、风土、人情。应该引起注意的是《吴都赋》中,在西蜀公子谈了一通之后,东吴王孙批评说:"土壤不足以摄生,山川不足以周卫。公孙国之而破,诸葛家之而灭。兹乃丧乱之丘墟,颠覆之轨辙。"很明显,这是说蜀已灭亡了。但在《魏都赋》中,那位魏国先生在听了东吴王孙言谈以后,却并没有说东吴也已是"丧乱之丘墟,颠覆之轨辙"。在叙述魏都之后,说:

　　　　揆既往之前迹,即将来之后辙;
　　　　成都迄已倾覆,建业则亦颠沛。

这四句意思也是明显的,"揆既往之前迹",是指"成都既已倾覆"说的,意谓蜀汉之亡已是历史的陈迹了。"即将来之后辙"则是指"建业则亦颠沛"说的,意谓孙吴也将顺着这条道路,不免颠沛覆灭。所以后面又说:

　　　　权假日以余荣,比朝华而菴蔼。
　　　　览麦秀与黍离,可作谣于吴会。

这当然就是指孙吴而言,意谓孙吴现虽尚存,也不过是苟延时日,回光返照而已,行将不久,黍离之歌就要吟唱于吴会了。重点放在孙吴,那是因为蜀的问题已经解决,只要东吴平定,全中国就又复归于统一了。

应当说,魏、蜀、吴三国鼎立,在整个中国的历史上,只是趋向于全国统一的一个过渡阶段。在三国末期,统一已成为历史发展的必然趋势。《晋书》卷三十四《羊祜传》载羊祜上疏,其中说:"蜀平之时,天下皆谓吴当并亡,自此来十三年,是谓一周,平定之期复在今日矣。"羊祜所说"天下皆谓",就是反映了当时历史的客观要求。在这篇奏疏中,他在比较了吴与蜀的政治、经济、人力、地形等情况之后,作了"宜当时定,以一四海"的论断。羊祜的上疏,与左思的《三都赋》,其内容确实有非常相似之处。应当说,这时历史发展的趋势已提出南北统一的任务,左思正是以写实的手法,而兼之以绚丽多采的文笔,反映了这一历史要求。正如后来郭璞的《江赋》,描绘长江的动人气势,以文艺的形式反映了东晋初年在江南立国的思想状态一样,都是一个时代的代表作品。

五

现在,可以进而论述为《三都赋》作序作注的皇甫谧、刘逵等人了。

皇甫谧,《晋书》有传(卷五十一)。据传,谧卒于太康三年,年六十八。太康三年为公元 282 年。谧既为赋作序,则赋之成必在此之前，其理甚明。

皇甫谧的序，可靠性如何？据现今所知，除了《左思别传》之外，还没有证明其为伪作的材料。卫权的序中称"有晋征士、故太子中庶子安定皇甫谧，西州之逸士，耽籍乐道，高尚其事，览斯文而慷慨，为之都序"（《晋书·左思传》引）。这是西晋当时人的看法。又《三都赋序》收入《文选》（卷四十五），李善注引臧荣绪《晋书》云："皇甫谧有高名于世，思乃造而示之，谧称善，为其赋序也。"①这是南朝人的看法。我们没有理由怀疑它不出于皇甫谧之手。

皇甫谧既卒于公元 282 年，则《三都赋》之成不能在此之后。而陆机却是太康末，即太康十年（公元 289 年）才入洛的。《晋书》卷五十四《陆机传》："年二十而吴灭，退居旧里，闭门勤学，积有十年。"又说："至太康末，与弟云俱入洛。"吴亡于公元 280 年，至太康末，正好十年。这时，距皇甫谧之卒已经八年，怎么能说陆机入洛时，左思的赋还没有写成呢？严可均的《书〈左思别传〉后》已经注意到皇甫谧卒于太康三年之事，却又说《三都赋》在此以后又屡经删改，并据《晋书·张载传》的错误记载，说左思于太康中访

_____

①李善注引臧荣绪《晋书》又云："三都者：刘备都益州，号蜀；孙权都建业，号吴；曹操都邺，号魏。思作赋时，吴蜀已平，见前贤文之是非，故作斯赋，以辨众惑。"据此，则臧荣绪与唐修《晋书》同样，认为左思作《三都赋》时吴蜀已平。但清人胡克家《文选考异》云："'三都者'下至'以辨众惑'，袁本无此四十六字，有'遍于海内'四字，是也。茶陵本并五臣入善，与此同，非。"就是说，这一段文字，原为五臣的吕向注，尤袤本等混入李善注，非是，应依胡氏校删。

张载。——这些都不足信,辨已见前。

挚虞(仲洽)与《三都赋》无关,可略而不论。张载,据《晋书》本传,是一直活到晋惠帝太安二年(公元303年)以后的,长沙王司马乂曾请张载为记室督,盖在太安二年司马乂居朝时。第二年司马乂为张方所杀,"载见世方乱,无复进仕意,遂称疾笃告归,卒于家"。不知其卒年。但无论如何,他是有时间为《三都赋》作注的。

刘逵,《晋书》无传。赵王司马伦于永康元年(公元300年)八月杀淮南王司马允后,刘逵时为黄门侍郎(见《晋书》卷五十九《赵王伦传》)。又据《晋书》卷四十七《傅祗传》,永宁元年(公元301年),赵王伦败,"齐王冏收侍中刘逵,常侍邹捷、杜育,黄门郎陆机,右丞周导、王尊等付廷尉,以禅文出中书,复议处祗罪,会赦得原。"据《晋书·陆机传》,这次所收付廷尉议罪的共九人。罪名是替司马伦起草受禅文告。但看来像傅祗、陆机等都被赦;邹捷也被赦,永嘉末卒(据《晋书》卷九十二《文苑·邹湛传》,捷为湛子)。刘逵是否也被赦,还是就在这次被杀,史无明文。但就是这一年死,距《三都赋》之写成也有十二余年了,怎么能说早卒呢?

还有卫权。《晋书·左思传》原说是陈留卫瓘,是错的(吴士鉴《晋书斠注》已指出,中华书局点校本《晋书》已加改正)。《三国志》卷二十二《魏志·卫臻传》,裴注谓臻子楷,楷子权,字伯舆。裴松之说:"权作左思《吴都赋》叙及注,叙粗有文辞,至于为注,了无所发明,直为尘秽纸墨,不合传写也。"可见裴松之认为卫权是为左思的赋作过注的,虽然他认为注毫无价值。又据裴注,汝南王司马亮辅政时,以权为尚书郎。时当在元康元年(公元291

年）。后事不知。但即以此而论，距《三都赋》之成已十年多了。由此可见，《左思别传》说刘逵、卫权早卒，来不及为《三都赋》作注，都不足信。又，现在《文选》所载《三都赋》注，李善注本皆题为刘渊林（即刘逵）注，而无张载、卫权，不知何故？是否张、卫之注都已亡佚，而独存刘注，此点待考。

最后，附带说一说所谓"构思十年"的问题。左思作《三都赋》，不一定就是十年这个整数。《后汉书·张衡传》说："时天下承平日久，自王侯以下，莫不逾侈，衡乃拟班固《两都》，作《二京赋》，因以讽谏，精思傅会，十年乃成。"颇疑所谓左思作《三都赋》"构思十年"云云，乃本于此，正如《文心雕龙》所谓"张衡研《京》以十年，左思练《都》以一纪"（卷六《神思篇》）。无论十年或一纪，都是极言其多的意思。

原载《中华文史论丛》1979 年第二辑，此据京华出版社 1999
年版《唐诗论学丛稿》录入

谈《全唐文》的修订

　　清代官修的两部唐人诗文总集,一为《全唐诗》,一为《全唐文》。《全唐诗》的修纂,始于康熙四十四年三月,成于四十五年十月,共收诗四万八千九百多首,作者二千二百余人,总九百卷。《全唐文》修成于嘉庆十九年,收文一万八千四百多篇,共一千卷。这两部总集,卷帙浩繁,洋洋大观,前人曾以为"有唐一代文苑之美,毕萃于兹"(俞樾《春在堂杂文》四编卷七《全唐文拾遗序》)。这对于我们研究唐代的文学和历史,无疑会有不少的方便。

　　但这两部总集,仍然存在不少的问题。关于《全唐诗》,"文革"前,在《文学遗产》以及其他一些刊物上,曾有李嘉言等先生写过文章,论述《全唐诗》需要修订的一些意见,对研究者颇有启发。《全唐文》的情况如何,究竟存在哪些问题,新中国成立以后三十年间,似尚无人涉及。过去岑仲勉先生曾撰有《读全唐文札记》(载前《历史语言研究所集刊》第十本),谈到一些问题,但岑先生的文章主要还是从治史的角度出发,对《全唐文》所载文章及作家小传作若干史实考证,对于修订本身,论述不多。因为工作关系,我们在近年来曾对《全唐文》翻检一遍,并参考其他一些史籍,对书中存在的问题作了一些记录。我们觉得，《全唐诗》如要修订的话，则《全唐文》也应加以修订，这部书中的问题并不比《全唐诗》少。由于篇幅所限，当然在这篇短文中不可能将存在的问题——列出，这里只能举一些例子加以说明，以供研究者参考。

我们知道，《全唐诗》的辑集，主要依据明末清初的两大部唐诗总集，即胡震亨的《唐音统签》（一千三百三十三卷）和季振宜的《全唐诗》（七百一十七卷）。嘉庆时修《全唐文》，是否有所依藉，情况还不清楚。据俞樾《全唐文拾遗序》，说"嘉庆时天子右文稽古，出内府所储唐文一百六十册"，似乎这个"唐文"并非专书的名称，但嘉庆"御制"序文，却说是"予近得唐文一百六十册，几暇披阅，觉其体例未协，选择不精，乃命儒臣重加厘定"。《全唐文》的凡例中，每有"原书"如何如何的话，如说"原书制诰别立一门，与全书体例未协，今以见各人文集者归其本人……"；又有"原书批答即载本文之后"、"原书误收唐以前文"等语。由此可见，嘉庆时内府所藏的所谓一百六十册唐文，应当是已经编成的一部全唐文，当时馆臣即根据这一唐文总集，修改其体例，补益其缺漏。但这部《唐文》的情况究竟如何，譬如卷数多少，如何编排，有否作家小传，等等，均不得而知。如果其书尚藏于现在的故宫博物院，那就可以像《唐音统签》那样，拿来作比较研究。

嘉庆时为了修纂《全唐文》，还特地开设了"全唐文馆"，在辑集工作中，除了依据上面所说的一百六十册《唐文》外，还据《四库全书》、《永乐大典》、《古文苑》、《文苑英华》、《唐文粹》等几部大书汇辑。但即使如此，也仍有遗漏，后来陆心源利用他的皕宋楼所藏，补辑了不少遗文，编为《唐文拾遗》七十二卷、《唐文续拾》

十六卷。今天看来，还有不少遗文可以辑集，单是近一二百年出土的碑文墓志，就可补进数千篇文章，其中不少篇对文学史研究有极重要的参考价值。如众所周知的靳能所作王之涣墓志铭（《唐故文安郡文安县太原王府君墓志铭》），就是过去李根源先生《曲石藏志》之一，岑仲勉《续贞石证史》（载前《历史语言研究所集刊》第十五本）曾据此对王之涣的生平有所考证。这一墓志，就不见于《全唐文》和陆心源的《唐文拾遗》和《唐文续拾》。过去对王之涣生平事迹的记载，不是空白，就是错误，如著名的唐代诗歌研究著作宋代计有功的《唐诗纪事》，就说王之涣为"天宝间人"，元人辛文房的《唐才子传》又说王之涣是"蓟门人"。现在据靳能所作墓志，则王之涣于天宝元年二月即已去世，他的郡望为太原，从其五代祖王隆之为北魏绛州刺史起，就占籍绛州（《新唐书》卷三九《地理志》三，河东道有绛州绛郡）。这些都有助于唐诗的研究。《曲石藏志》中还有一篇张阶作的李琚墓志（《唐故河南府洛阳县尉顿丘李公墓志铭》），根据这篇墓志，可以考见唐朝著名理财家刘晏任夏县令的时间（天宝七载二月以前），并由此还可考见刘晏与盛唐诗人王昌龄、李颀的交游事迹。这篇墓志也为《全唐文》及过去金石著录所未载的。近代比较著名的藏石，还有"千唐志"等，如果把已知的这些碑传墓志加以辑录印行，一定会大大有助于对唐文的认识以及对唐代文学的研究。另外，《全唐文》纂修时，《文苑英华》曾是重要的依据材料。"凡例"中特别提到除了明刊本外，还据影宋抄本《文苑英华》补配。但即使如此，《文苑英华》中也还有一些篇章为《全唐文》所漏收的（此点可参看清人劳格《读书杂识》卷八）。

这就是说，现在修订《全唐文》，在补辑遗文方面还有不少工作可做，这是一方面；另一方面，《全唐文》本身还有许多错误需要订正，这个订误的工作，或许比辑佚还要费事费时，它要查阅大量的史书，需要详细占有材料，并进行比较的研究。根据我们所看到的情况，大致有以下四点：

一、文章误收。修纂《全唐文》时，这些编修官已经注意到甄别文章的作者。譬如杨炯《彭城公夫人尔朱氏墓志》、《伯母李氏墓志》，过去曾误编入庾信的集子中，这次加以刊正，改入杨炯名下。撰人姓氏歧出的，如《邕州马退山茅亭记》，见柳宗元《河东先生集》，又见于独孤及的《毗陵集》；《卢坦之杨烈妇二传》，见李翱的《李文公集》，又见于李华的《遐叔集》，编《全唐文》时都各加订正，归于一是。负责修纂的徐松等人，对唐宋史事号称精熟，徐松本人曾撰有《登科记考》，是研究唐朝科举制度与文人生活的重要资料书，他又利用编《全唐文》之便，辑修了《宋会要辑稿》一书，保存了宋代不少极有用的史料。但即使如此，《全唐文》中张冠李戴的情况还是不少。这里不妨举一个典型的例子。如卷三五七高适名下收《皇甫冉集序》一文。皇甫冉是中唐时的著名诗人，清人管世铭《读雪山房唐诗抄》曾将他列为大历十才子诗人之一。现存有关皇甫冉事迹的材料，最早要算是独孤及所作的《唐故左补阙安定皇甫公文集序》(《毗陵集》卷十三)，序中说皇甫冉于代宗大历二年(767)迁左拾遗，转右补阙，后奉使江表，省家至丹阳，不幸染疾而死，年五十四。根据其他有关材料，可以大致考知其卒当在大历四五年之间(769—770)。而我们知道，高适则卒于永泰元年(765)。《全唐文》所载《皇甫冉集序》却说："恨长辔未骋，而芳兰早凋,悲夫!"明明是高适比皇甫冉早五六年死,却在所作序文中悼念皇甫冉的有才早死,岂非奇事!细一比较,原来《全唐文》所载的这一篇《皇甫冉集序》,与《唐诗纪事》卷二十七皇甫冉条所引"高仲武曰"完全相同,高仲武即是唐人选唐诗之一《中兴间气集》的编选者,原来这一篇文字即是《中兴间气集》对皇甫冉的评语。据高仲武自序,他这部诗选,"起自至德元首,终于大历暮年",皇甫冉正好生活其间。现在单刻本的《中兴间气集》,与《唐诗纪事》所引,关于皇甫冉的评语,字句虽有所出入,但大致相同。由此可以断定,这所谓《皇甫冉集序》决非高适所作,而且这个篇名也是修纂者硬按上去的。其所以致误的原因,大约还与《唐才子传》有关,《唐才子传》卷二高适小传就说"适字达夫,一字仲武",把诗人高适(字达夫)与诗选家高仲武合而为一,编修官徐松不察,也就沿袭其误,将《中兴间气集》的评语作为高适所作的序文(徐松所撰《登科记考》卷九天宝十五载进士登第皇甫冉名下即引"高适《皇甫冉集序》",误与《全唐文》同,由此可见《全唐文》此处之误,即出于徐松之手)。这是明显的例子,类似的情况还有不少,需要参稽有关史料,加以刊正。

二、人名误。《全唐文》卷三九八载楚冕《对莱田不应税判》文一篇,于"楚"字下注云"一作樊",小传云开元擢书判拔萃科。按此应作樊冕,是唐代最早为杜甫诗编成集子的人。《新唐书》卷六十《艺文志》四著录《杜甫小集》六卷,注云"润州刺史樊冕集"。《元和姓纂》卷四载樊冕官职为兵部员外、润州刺史。《嘉定镇江志》卷十四"唐润州刺史"条,代宗大历七年樊冕正在任上。《新唐书》卷二百《儒学·林蕴传》说林蕴父林披以福建临汀"多山鬼淫祠,民厌苦之,撰《无鬼论》"。这时的福州刺史为樊晃(樊晃为福州刺史又见元《临汀志》,载《永乐大典》卷七八九三)。樊晃在润州刺史任上,与当时的一些著名诗人颇有交往,如刘长卿有《和樊使君登润州城楼》(《刘随州集》卷八),皇甫冉有《和樊润州秋日登城楼》(《全唐诗》卷二四九)、《同樊润州游郡东山》(同上,卷二五〇)。关于樊晃,又见《宋高僧传》卷十七《唐金陵钟山元崇传》、《唐郎官石柱题名考》卷十四、卷二二。唐人选唐诗之一,芮挺章的《国秀集》卷下录樊晃诗一首,称"前进士"。《国秀集》所收诗为开元至天宝三载,正与《全唐文》小传所谓开元时擢书判拔萃科相合。由上所考,可见《全唐文》的楚冕,即为樊晃的形讹。

另外,如《全唐文》卷九〇二载史徵《周易口诀义序》一文,小传云"河南人",而据《直斋书录解题》卷一,载史之徵著《周易口诀义》,亦为河南人,当同是一人,则《全唐文》史徵人名缺一"之"字。与此相似的卷九二三有道士史崇,而据《新唐书》卷五九《艺文志》三,载道士史崇玄与崔湜、沈佺期等撰《道藏音义目录》一百十三卷,则史崇名字又缺第三字"玄"。又《全唐文》卷四〇二载魏静《永嘉集序》一篇,小传云:"静,开元时官庆州刺史。"按《元和姓纂》卷八有魏靖,云库部郎中、秦州都督。《新唐书》卷五九《艺文志》三著录玄觉《永嘉集》十卷,云"庆州刺史魏靖编次"。《宋高僧传》卷八《玄觉传》亦载有"庆州刺史魏靖"。由此可知,作"靖"是,作"静"非。

再如《全唐文》卷八五六载马裔孙文。马裔孙为五代后唐时中书侍郎平章事,其事迹又见《旧五代史》卷一二七,亦作裔孙。但《新五代史》卷五五、《资治通鉴》卷二八〇及南宋人陈思所作

《书小史》皆作胤孙，《全唐文》《旧五代史》刊作裔，当避清讳改；徐松《登科记考》卷二五、二六则又作"马允孙"，其避清帝讳则更为显然。又如李玄真作李元真、成玄英作成元英、田弘正作田宏正、辛弘亮作辛宏亮、闾丘胤作闾丘允等等，这些人名误写误刊及避清讳而改名的情况，在《全唐文》中较为普遍，往往造成混乱。

三、小传记事误。《全唐文》凡例中说："小传无取繁冗，载里居科第后略序历官始末，其事迹见史传及习见之书者概不叙入，惟其人事迹不经见，则搜访遗佚，间采琐事，以备掌故。"看来似乎是很谨严的。但如细加核对，就会发现不少错误。其中有记载时代错误的，如卷五一一裴冕小传，谓裴冕德宗时任剑南西川节度使。按《旧唐书》卷一一三《裴冕传》，冕于肃宗时即为成都尹、剑南西川节度使。《旧唐书》卷十《肃宗纪》载乾元二年（759）六月，"以右仆射裴冕为御史大夫、成都尹，持节充剑南节度副大使、本道观察使"。据本传，裴冕卒于代宗大历四年（769），而德宗则于大历十四年（779）才即位，已是裴冕卒后十年，怎么说是裴冕于德宗时任剑南西川节度使呢？又如《全唐文》卷九一九僧福琳小传，说福琳为元和时人。经查《宋高僧传》卷二九《唐湖州杼山皎然传》载福琳年八十二卒，"兴元二年四月入塔"。《景德传灯录》卷十三《黄州大石山福琳禅师传》更明确记载"唐兴元二年入灭，寿八十有二"。兴元二年为785年，元和为806—820年，《全唐文》说福琳为元和时人，时间先后颠倒了二三十年。

另外为世系误。如卷九〇一张随小传："随，始兴人，徙居韶州曲江，容州司马凤初从孙。"意思是说，张随本为始兴人，后来他又徙居韶州曲江。但据《新唐书》卷七二下《宰相世系表》，于始兴张氏云:"出自晋司空华之后,随晋南迁,至君政,因官居于韶州曲江。"按君政为唐初人(张随为玄宗、肃宗时人),即张随先世,至其高祖君政时,已徙居于韶州曲江,非张随始。又据《新表》,张随为处闲子,容州司马凤初为允龄子,凤初与随实为同辈,而小传却说随为凤初从孙,大谬。

又如官职误。《全唐文》卷四〇四李丹小传谓凡字叔南,是。这里应当指出的是,《新唐书》卷一九四《元德秀传》云:"(李)嶷族子丹叔、惟岳";又云"嶷字伯高,丹叔字南诚,惟岳字谟道,赵人。"《新唐书》所述,实本李华《三贤论》,而《三贤论》原作:"赵郡李嶷伯高,含大雅之素;嶷族子丹叔南,诚庄而文;族子惟岳谟道,沉邃廉静。"(见《文苑英华》卷七四四)由此可见,《三贤论》是说李丹字叔南,而"诚庄而文"四字则自成一句,是对李丹的评语,《新唐书》误以"南诚"为字,"丹叔"为名,实大谬。《全唐文》李丹小传改正了《新唐书》的错误,却产生了另一错误。小传说李丹曾任虔州刺史,而据《宰相世系表》,任虔州刺史者乃李岑子李舟,亦即任豪州刺史李丹之兄,这里的李舟、李丹兄弟,都属于陇西李氏姑臧房,而字叔南的李丹,则属于赵郡李氏,完全是两个人。

四、《全唐文》还有合几个人事迹为一人,以及同一人之文分见于两处的。如《新唐书》卷五九《艺文志》三,著录王冰注《黄帝素问》二四卷,又释文一篇,此书前有宝应元年自序(参见近人余嘉锡《四库提要辩证》卷一二《黄帝素问》条),可见这个王冰是唐肃宗时人。另外《新唐书》卷七二中《宰相世系表》载有王冰,为文宗时宰相王播子,官京兆府参军。两者时间相距有六七十年,显系二人。又《唐郎官石柱题名考》卷一六金部员外郎有王冰,约为懿宗、僖宗时人，时间又后于王播子王冰约三四十年，官职也有不同。而现在《全唐文》卷四三三载王冰所注《素问》自序，其文末题宝应元年，则当为医家王冰，而小传谓“宝应中官京兆府参军、金部员外郎”，则误合不同时代、不同官职的三个王冰为一人。

与此刚好相反的，如《旧唐书》卷一一五、《新唐书》卷一四一有《崔瓘传》，谓瓘博陵人，累官至澧州刺史，不为烦苛，人便安之，流亡还归，居二年，增户万数。有司以闻，优诏特加五阶，至银青光禄大夫。大历四年迁潭州刺史，兼御史中丞，充湖南观察使。大历五年，兵马使臧玠作乱，瓘遇害死。按崔瓘为潭州刺史时，杜甫正好在湖南，并在潭州与苏涣相遇，杜甫为此作了好几首诗。臧玠作乱，崔瓘遇害死，杜甫又仓皇从潭州出走，最后终于流落至死。这个崔瓘与杜甫的事迹尚有一定的关系。经查《全唐文》卷四三四载崔瓘文一篇，小传云：“瓘，博陵人，累官至澧州刺史，风化大行，优诏特加五阶，至银青光禄大夫，移潭州，兼御史中丞，充湖南都团练观察处置使。大历五年，兵马使臧玠构乱，遇害。”而卷四五九载崔璀文一篇，小传云：“璀，博陵人。代宗时为澶州刺史，不为烦苛，人便安之，户流亡还归，居二年，增户万数，诏特进五阶以宠异政。仕终湖南观察使。”两处小传，主要事迹都相同，而且字句也大致相似，显为一人。卷四五九虽云崔璀，其小传实出自《新唐书·崔瓘传》，《全唐文》小传谓澶州刺史，“澶”显系为“澧”字之误。唐人另有崔瓘者，见《旧唐书》卷一五五《崔邠传》，为邠之子，另《新唐书》卷七二下《宰相世系表》则载邠子璜，邠弟鄯有子瓘，字汝器，另据《旧五代史》卷五八《崔协传》及《唐郎官石柱题名考》卷八，应从《宰相世系表》作崔瓘为是，《旧唐书·崔邠传》作崔瓘误（为节省篇幅，考据文字省略）。由此可见，唐代有两崔瓘，一为大历时任澧州、潭州刺史，湖南观察使之崔瓘，大历五年死；一为字汝器之崔瓘，贞元、元和时人。《全唐文》则将前一崔瓘之文分作两处，一作崔瓘，一作崔瓘，初看似为两人，细考实为一人。

同样的情况，又见于卷七六三之沈珣与卷七六七之沈询。沈珣小传谓："珣，宣宗朝官中书舍人，以礼部侍郎出为浙东观察使。"沈询小传谓："询字诚之，赠礼部尚书传师子。会昌初进士，累迁中书舍人，出为浙东观察使，除户部侍郎。咸通四年为昭义节度使，奴结牙将为乱，灭其族，赠兵部尚书。"这两处所载事迹，都可见于《旧唐书》卷一四九、《新唐书》卷一三二的《沈传师传》，并皆作沈询，而《全唐文》却分作二人（承程毅中同志相告，《北梦琐言》卷五有沈询，字仁纬，官至丞郎，卷一二又载沈询曾镇潞州。按《北梦琐言》所载沈询与新旧《唐书》本传合，则当作"询"为是，但仁纬是沈询的儿子，不是他的字，此是《琐言》之误）。经查核《文苑英华》卷四五六沈珣名下收《授纥干泉岭南节度使制》、《授白敏中邠宁节度使制》等篇，卷三八四收沈询《授曹确充翰林学士制》等篇，《全唐文》均与之相同。《全唐文》凡例中曾说："原书编载《文苑英华》诸文，所据系明刊闽本，其中讹脱极多，今以影宋钞逐篇订正。"似乎修纂时对《文苑英华》的不同版本还作了校勘是正，而从沈询、沈珣的例子，都可以看到《全唐文》因袭《文苑英华》之误，误将一人之文分作两处的例子。

以上，我们从《全唐文》的漏辑、误收、人名误、小传误，及合数人为一、分一人为二等例子,说明《全唐文》存在错误的情况。这并不是说,这部《全唐文》就一无是处了,而是说我们今天利用这部唐文总集时应该持分析研究的态度,而在具备一定条件时,则与《全唐诗》同样,应加以切实的修订。以上这些意见,只是提供一些例子,供修订时参考,并希望引起唐代文学研究者的注意。

与张忱石、许逸民合撰,原载《文学遗产》1980 年第 1 期,此据首都师范大学出版社 2010 年版北京社科名家文库《治学清历》录入,另收入大象出版社 2004 年版《唐宋文史论丛及其他》

《学林漫录》第一集题记

　　不少文史研究者或爱好者，愿意在自己的专业领域内，就平素所感兴趣的问题，以随意漫谈的形式，谈一些意见，抒发一些感想。而不少读者，也希望除了专门论著之外，还可读到学术性、知识性、趣味性相结合的作品，小而言之，可资谈助，大而言之，也可以扩大知识面，开阔人们的眼界，启发人们的思想，丰富人们的精神生活。《学林漫录》的出版，正是为了适应这样的要求。

　　中国古代的学人，除了撰写系统周密的专著外，还往往将其治学的心得、成果以随笔或札记的形式出之。譬如，中国古代的文学批评，诗话就是常见的一种体裁。宋代人许𫖮在他写的《彦周诗话》中，开宗明义第一条，就说："诗话者，辨句法，备古今，记盛德，录异事，正讹误也。"这几句话差不多包括了古代文学批评，特别是诗话一类著作的全部内容。古代的笔记，情况亦复如此，只不过内容更为广泛罢了。如明清之际大学问家、思想家顾炎武，就十分重视他自己所著的笔记著作《日知录》，他在回答朋友谈及自己著书的情况时说："承问《日知录》又成几卷，盖期之以废铜，而某自别来一载，早夜诵读，反复寻究，仅得十余条，然庶几采山之铜也。"顾炎武是把他所谓经世致用之说托之于《日知录》的，并且慎重其事地把这部笔记体著作比之为采山之铜。由此可见，中国古代，用笔记写严肃的社会内容，是有悠远而深厚的传统的。

当然，时代不同了，社会发展了，那种原来意义的诗话或笔记的形式，恐怕已不能容纳日益复杂的社会生活的内容，但那种轻松平易的文笔，那种信手拈来、随意铺叙的写法，那种精炼短小而又兴味盎然的格调，还是值得我们借鉴，富有启发的。

《学林漫录》的编辑，拟着重于"学"和"漫"。所谓"学"，就是说，要有一定的学术性，要有一得之见，言之有物，不是人云亦云，泛泛而谈，如顾炎武所说的"废铜"。所谓"漫"，就是上面说过的不拘一格的风格与笔调。杜甫在他定居于成都时，写了一首《江上值水如海势聊短述》的七律，有这样两句："老去诗篇浑漫与，春来花鸟莫深愁。"是很有意义的。杜甫在他后期，诗律是愈来愈细了，但自己却说是"漫与"，似乎是说诗写得不怎么经心了。这是不是谦词呢？不是。老杜经历了大半生的戎马战乱，在离乱的生活中积累了丰富的实践知识，稍有闲暇，又读了不少书，只有在这样的深厚的基础上，才能写出"浑漫与"三字，就是说，看来不经心，其实正是同一篇诗中所说的"语不惊人死不休"的。拿杜甫这首诗中的诗句，来为我们这本书的"漫"字作注脚，恐怕是合适的。

这样说来，《学林漫录》的内容确是十分广泛的。如这次初集所收，像启功先生的《记齐白石先生轶事》，王永兴先生的《怀念陈寅恪先生》，吴小如先生的《朱佩弦先生二三事》等，他们以亲身经历，记述了我国近代有建树的艺术家、学者、作家的事迹，读来使人感到亲切，而又受到教益。其他的文章，有述掌故，记异闻，品诗评画、谈艺说文，以及正讹误，论得失，等等，不一而足，均有可采。有些书刊，往往有编辑凡例、征稿启事那样的告白，说明所刊文章的范围。这无疑是有必要的，但我们想，最好的说明，还是其所刊载文章的本身；好比我们走进一家店铺，并不是先要看店铺门首写的所售商品"一览表"，而是要看橱窗内或柜台里摆的究竟是什么货色，来决定买回去什么东西。这就是说，读者看了我们这一初集的目录和文章，就可了然这本书所收文章的性质了。

我们采取书的形式，不定期出版，稿件多就多出，稿件少就少出。希望读者寄赐佳作，使这一小书在学术之林中得占其片地。

封面"学林漫录"四字，系钱锺书先生题签，谨此致谢。

原载中华书局 1980 年版《学林漫录》第一集，此据首都师范大学出版社 2010 年版北京社科名家文库《治学清历》录入，另收入大象出版社 2004 年版《唐宋文史论丛及其他》、北方文艺出版社 2008 年版《书林漫笔》

唐代诗人李敬方事迹辨正

　　李敬方是中晚唐之际的诗人,他现存的诗虽然不多(《全唐诗》卷五〇八载其诗九首),但却有其特色,如《汴河直进船》:"汴水通淮利最多,生人为害亦相和。东南四十三州地,取尽脂膏是此河。"短短的一首七言绝句,以汴河取譬,揭露了腐朽的唐朝廷对东南一带的残酷剥削。此外如"天台十二旬,一片雨中春。林果垂杨尽,山苗半夏新"(《天台晴望》)等,描写江南初夏山景,都有新意。

　　但李敬方的事迹,过去的记载大多错误,实有纠正的必要。《新唐书》卷六〇《艺文志》四,丁部集录别集类,著录李敬方诗一卷,小注云:"字中虔,大和歙州刺史。"《新唐书·艺文志》的记载一直为后世所沿用,南宋时著名的唐诗研究著作计有功的《唐诗纪事》也说:"字中虔,登长庆进士第,大和中为歙州刺史。"(卷五八)《唐诗纪事》补充了李敬方登进士第的时间,但仍然沿袭了大和中为歙州刺史的说法。清朝官修的《全唐诗》,其小传所记李敬方事迹,与《唐诗纪事》完全相同。

　　现存的宋元方志,保存了不少颇有研究价值的史料,其中有关唐人的记载，往往可以补正其他史籍的缺误。这方面的材料，似还没有引起唐代文学研究者的注意。这里关于李敬方的事迹，就可以利用宋元方志，对《新唐书·艺文志》以来的误载，加以纠正。

宋《宝庆四明志》卷一、元《延祐四明志》卷二都载有李敬方，说是大中初明州（即今浙江宁波）刺史。宋陈耆卿的《嘉定赤城志》卷十说李敬方于会昌六年为台州司马，而宋罗愿《新安志》卷九则又明确地记载李敬方于大中四年至六年为歙州刺史。

按大和为唐文宗年号，827—835 年；大中为唐宣宗年号，847—860 年，其间相距二三十年。是《新唐书·艺文志》等书记载的对呢，还是这几种宋元方志对呢？

《全唐文》卷七三九载有李敬方所作的《汤泉铭》，其中说："唐大中五年，敬方患风疾，至汤池浸浴，六年十一月又入浴，因感白龙见，风疾遂瘥。"又铭曰："刺郡二年，病不能兴。"可见那时李敬方为郡刺史。又《全唐诗》卷五〇八载其《题黄山汤院》诗，自序有云："敬方以头风痒闷，大中五年十二月因小恤假内再往黄山浴汤，题四百字。"黄山即在宣歙治区之内。这就从李敬方本人的诗文证实《新安志》记载的正确。

又考《旧五代史》卷五八《李琪传》载："五代祖憕，天宝末，礼部尚书、东都留守。安禄山陷东都，遇害，累赠太尉，谥曰忠懿。憕孙寀，元和朝位至给事中。寀子敬方，文宗朝，谏议大夫。"这也有助于对李敬方事迹的考究。

综合上述材料，我们大致可以这样推述：李敬方于文宗朝为谏议大夫，后以事贬台州司马（据《赤城志》云台州司马，而《文苑英华》与《全唐诗》云左迁台州刺史，劳格《唐郎官石柱题名考》谓当以《赤城志》所载《桐柏山题名碑》为正，应作司马），时当会昌中（841—846）。大中初（847）稍迁为明州刺史，大中四年（850）又为歙州刺史。由此可证《新安志》、《唐诗纪事》、《全唐诗》皆误。至于《唐才子传》卷七谓李敬方“大和中仕为歙州刺史，后坐事左迁台州刺史”，则记事记时均先后颠倒，较《新唐书·艺文志》等，就更为谬误。

原载《文学遗产》1980 年第 1 期（署名：湛之），此据大象出版社 2004 年版《唐宋文史论丛及其他》录入

《唐五代人物传记资料综合索引》前言

一

　　若干年来，我在工作之余，一直以唐代文学为主要研究课题。我想先从材料积累着手，对唐代有关的文献资料，作一些初步的系统的整理，编写出一部较为信实可靠的唐代作家的传记，再进而作综合的深入一步的研究。近年来除发表一些单篇论文外，1980 年 1 月出版了《唐代诗人丛考》一书，对唐初至肃、代时期的一些诗人事迹作了考索，纠正了历史记载中的某些错误，补充了前人未曾涉及的若干史实。德宗以后，也就是中唐和晚唐时期，我也已经作了一些材料准备。中晚唐的文学，是在较前期更为复杂的社会斗争中发展的，研究这一时期的文学，或许会比研究初唐和盛唐更能引人入胜。但另一方面，它也要求有更为广博的历史知识，更为充实的资料基础。作家是社会的人，文学作品是社会生活的反映，脱离具体的社会历史的研究，不了解作家与当时社会生活的联系,不清楚作家当时的各种人事关系,要确切理解作品的内容,它的思想倾向,它在整个文学发展中的地位与影响,是不可能的。在这一点上说来,中晚唐文学的研究,又要比初盛唐困难得多。

我在研究初盛唐诗人时,已经感到自己历史知识的贫乏。这一缺陷对文学史工作者来说,可能一时会感觉不到,但如果我们作稍为深入的发掘,定会觉得,它必将越来越影响研究工作的开展——如果他并不是浅尝辄止的话。现在要进行中晚唐文学的研究,必须着重弥补这一缺陷。我在阅读唐代文献资料时,对陈寅恪、岑仲勉这两位唐史研究专家治学的精博,实感骇异。这一点,我在《唐代诗人丛考》的前言中曾有过表示。要达到他们对唐代史事熟悉的程度,是非常不容易的,对于他们来说,他们的这几部著作是多年潜心研究的结果。以我这样的一个业余研究者来说,无论时间、精力等条件,都是不允许完全按照他们的研究程序走的。这就使我想到,必须尽最大的可能来掌握有关的工具书,首先应该是有关历史人物传记资料的工具书。

前哈佛燕京学社引得编纂处曾编印了几本人物传记的综合引得,这就是《四十七种宋代传记综合引得》《辽金元传记三十种综合引得》《八十九种明代传记综合引得》《三十三种清代传记综合引得》。那是几十年以前的事了,不知道是什么原因,当时并未编唐五代的传记引得。中华书局于前些年出版的《全唐诗》《唐诗纪事》《唐才子传》等,书后附有人名索引,颇便于检寻。岑仲勉先生的《唐人行第录》重印时,书前有姓氏笔画目录,也可起到索引的作用。其他似乎就没有什么可查的索引工具书了。有些很有用的资料书，如劳格的《唐郎官石柱题名考》《御史台精舍题名考》、徐松的《登科记考》，以及《元和姓纂》（包括岑仲勉《元和姓纂四校记》），由于没有索引，就很难在短时间内查获到所需要的资料。如果我们再想利用《新唐书·宰相世系表》，夸大地说，就更无异于大海捞针——我自己就有这样的体会，为了复核《新表》的材料，只有逐页用手指一行一行地寻检，这种纯粹手工业方式的操作，在电子计算机充分发展和应用的今天，是如何的不相适应啊！

为了工作的方便，我曾自己动手，编了一些人名索引，如对《唐郎官石柱题名考》《御史台精舍题名考》《登科记考》等，都分别编过索引。由于这些纯粹是为自己使用而编的，也就缺乏统一的体例，查检不便，而且这样零散的索引，对于想要研究一代的文学和历史，显然也是极其不够的。于是，就想填补前引得编纂处的空白，编制一部整个唐五代的人物传记资料的综合索引。这样，我便邀约张忱石、许逸民二同志合作，共同进行这部书的编制工作。

有些人可能一听到编工具书，便会习惯地流露出不屑一顾的神情，他们觉得，搞学问，应该就是写文章、写专著；不要说自己编工具书，即使去查一查工具书，也会亵渎研究学问这一门行当似的。这实在是一种传统的偏见。时至今日，各门学科的发展已非过去单纯的记诵之学所能适应。现在，人类知识的门类日益繁多，学科的分工越来越细，这就要求在较短的时间内掌握和利用较多的和有用的知识资料——工具书就是这样应运而生的。不管有些人如何对此加以轻视，它是客观发展要求的产物，而且我们相信,它必定会成为一门独立的学科而存在和发展。

当然,查检工具书并不能代替研究,有些人仅仅依靠几本工具书,拼凑一些零碎的材料,就写成文章,这是不足为训的。但无论如何,工具书给研究者提供查获资料的方便,提高研究工作的效率,这是明白无疑的。如果一个人明明放着《十三经索引》不去查,为了查检《礼记》的一句话,非得从头去读一遍《礼记》,对这种"不惮烦"的精神,能说什么好呢? 再进一步说,编制工具书,也不单纯是技术的工作,而是需要一定的研究基础,在工作进行过程中也必须与学术研究紧密相结合。我们的一些前辈学者,常常是自己动手编制工具书的,如陈垣先生,是人们熟知的有深厚基础和精湛修养的史学家,他撰写过多种著作,也编过好几部工具书,早年如《中西回史日历》和《二十史朔闰表》,以后又编《释氏疑年录》。他编《释氏疑年录》一书,引书几百种,费了多年时间,对自晋至清初 2800 名僧人的生卒年作了记载,提供了所据的材料线索,这本身不就是一部高水平的学术著作吗?

张忱石和许逸民同志都有较丰富的编纂索引的经验。张忱石同志编有《晋书人名索引》,与吴树平同志合编有《二十四史纪传人名索引》,均已由中华书局出版,他的《南朝五史人名索引》接近完工。许逸民同志编有《初学记索引》,已经出版。他们二人,一是治魏晋南北朝史的,一是治魏晋南北朝文学的。张忱石同志写的《阿大中郎考》等文章,有助于《世说新语》词语的诠解;许逸民同志校点的《庾子山集》即将出版,他近年来写过几篇关于庾信诗文集的文章,说明他在这方面功夫的扎实。他们都有兴趣把研究的时限延续至唐五代,与我一起编这部唐五代人物的传记索引。我们共同商订体例,确定书单,分工合作,取长补短,终于完成了这部百万字的索引稿。我们在工作进行了一定阶段以后,还就索引工作中碰到的问题,分别写了一些论文,计有:《谈〈全唐文〉的修订》(傅璇琮、张忱石、许逸民,《文学遗产》第一期),《读〈全唐诗〉小札》(张忱石、许逸民,《文史》第十一辑),《宋元方志举正》(署名忱民,《文史》第十一辑),《两〈唐书〉校勘拾遗》(傅璇琮、张忱石、许逸民,《文史》第十二辑)。这说明,索引工作与学术研究是完全可以结合的,也可以说是能够互相促进的。我们的工作也说明,在研究工作中,适当采用集体合作的方式,确实能提高效率、提高质量;这部唐五代人物传记资料索引,如果由我们三人中任何一人来独立进行,就难免要旷日持久,说不定还会半途而废。

二

编唐五代人物传记资料索引,比起编宋以后各朝的索引,有两个较大的困难。第一,它除了新旧《唐书》、新旧《五代史》等几部正史外,不像宋、元、明、清那样有其他较详实记载的史籍材料。要编唐五代的传记索引,势必打破一些旧的框框,把范围扩大到某些带有传记性质的文献资料。前哈佛燕京学社引得编纂处所以只编宋、辽金元、明、清部分,而未编唐五代,很可能考虑到资料搜集不易这一因素。第二,正因为资料搜集不易,因此区分同姓名人物就特别困难。编一代历史人物的索引,一定会碰到不少同姓名的人物，较具一定水平的索引，遇见这种情况，决不能不加区分，照书即录。由于唐五代文献资料较为零散，这种区分工作的难度就比较大，但却必须做得十分细心，既要吸收前人已有的研究成果，还要由编者自己去进行独立的考证研究。

考虑到以上这两种情况，我们决定把资料的面扩大，不受前哈佛燕京学社几部引得的局限。除正史外，我们大量采用了与传记资料有关的各种体裁的文献，结果，这部《唐五代人物传记资料综合索引》共收书83种，收书数量之多，仅亚于《八十九种明代传记综合引得》；且燕京的几部引得，于正史中只收纪与传，我们则兼收志(《旧唐书·经籍志》《新唐书·艺文志》)与表(《新唐书·宰相世系表》)。另外，我们在编纂过程中，花了不少工夫对异人同名加以区分，必要时并于页末加注说明；我们自己觉得，有一些注文，就类似于读史笔记，其中引用的材料，都注明出处。这样做，是希望对唐五代的历史人物作进一步的研究，对今后有关史籍的整理考订，也可提供某些参考。

以下分别就所收资料作些说明。

正史部分，我们收了《旧唐书》《新唐书》《旧五代史》《新五代史》。这是一组，这四部史书的资料价值是众所周知、毋庸多说的。这里要说明的是，我们除了本纪和列传外，增收了《旧唐书·经籍志》(简称《旧志》)、《新唐书·艺文志》(简称《新志》)，以及《新唐书·宰相世系表》(简称《新表》)。《新唐书》共有四个表，即《宰相表》《方镇表》《宗室世系表》《宰相世系表》。《宰相表》按年排列宰相的拜罢名单，材料已见于本纪和列传，人物事迹没有新的补充；《方镇表》表地而不表人，即记载唐时各方镇的建置沿革,不载任职人名;《宗室世系表》除了少数与政治、文化等有关外,绝大部分的宗室只是具名而已,资料价值不大。因此这三个表都未收入。《宰相世系表》,表唐宰相 369 人 98 族的世系。宋以前修史,并无志氏族、表世系的,《新表》实为创举。在此之后,元朝修《宋史》,有《宗室世系表》;修《辽史》,有《世表》;《金史》有《宗室表》。明修《元史》有《宗室世系表》,都限于皇家世系。至于表一般氏族,可以说《新唐书》是独一无二的。据记载,《新唐书》的表是吕夏卿修纂的,他本长于谱学。南宋人洪迈《容斋随笔》卷六《唐书世系表》条曾说:"《新唐书·宰相世系表》皆承用逐家谱牒";史学家岑仲勉先生则认为《新表》之蓝本为《元和姓纂》(见其所著《元和姓纂四校记》自序及《唐史馀沈》)。但《元和姓纂》记载止于元和前期,元和以后当还是如洪迈所说,承用故家谱牒。唐代的一些故家大族,多有谱牒,但经过唐末五代兵乱,散亡甚多。明人叶盛《水东日记》卷八载《范氏家谱世系》一文,就说及唐时宰相范履冰的后世,其中一支于唐懿宗咸通十一年渡江寓居苏州,后来"子孙流散,遗失前谱"。在谱牒散失的情况下,《新表》能将唐代的一些名门望族曾任宰相者的世系列之于表,注明字号、官爵,许多是列传所不曾记述的。清人沈炳震《新唐书宰相世系订伪》曾摘举出《新表》的不少错误,其自序中说:"就其所列官爵谥号,或书或否,或丞尉而不遗,或卿贰而反阙,或误书其兄弟之官,或备载其褒赠之职,更或其生平所偶历及曾未尝居是官者,庞杂淆乱,不可究诘,合之史传,不胜纠摘。"《新表》错乱之处确实很多,但不能因此而否定它的参考价值。它不但可以补纪传之不足,有时还可用来校正纪传及《元和姓纂》等书。

经过隋末的战乱,书籍散失极多。唐统一全国后,就注意搜集亡逸。唐太宗贞观中,魏徵、虞世南、颜师古相继任秘书监,采购天下遗书,组织专人抄写、整理、校阅,"群书大备"。这样到了唐玄宗开元九年(721)命殷践猷等修《群书四部录》时,唐朝廷宫中藏书已达51852卷。后来毋煚又将《群书四部录》200卷精简为《古今书录》40卷,《旧唐书·经籍志》就是以《古今书录》为蓝本而编纂的,因此它所著录的唐人著作,仅限于唐初至开元以前。宋仁宗时修《新唐书》,经过几十年的休养生息,加以经济发展、社会安定,亡逸的书籍又逐渐集中,这就为编纂《新唐书·艺文志》准备了较充分的条件。《新志》在数量上补充了开元以后至唐末的各类书籍,另外《新志》可贵的地方还在于增加了许多小注,这些小注大多记载作者的事迹,以集部而论,不少诗文作家的事迹,就是只见于《新志》而未见于他书的。这就为查阅唐代人物提供较早和较为可信的传记资料(当然其中也难免有疏漏和错误之处)。我们这次把《新唐书·宰相世系表》以及《旧唐书·经籍志》《新唐书·艺文志》所载唐人姓名编入索引,无疑可以弥补两《唐书》纪传的不足。

与《新表》性质相近的是唐林宝于宪宗元和七年(812)修成的《元和姓纂》。宋邓名世《古今姓氏书辨证》曾将《姓纂》与《新表》并举,称:"姓书校正最号详备者,如《元和姓纂》、《唐宰相世系表》。"(卷八"二十五寒·韩")《新表》关于中唐以前的姓氏即以《姓纂》为蓝本。《新表》所收人物,以曾在唐任宰相者为限,《姓纂》则不受此限制,因此它所收人物的面要比《新表》为广,《四库总目提要》曾称其"于唐人世系则详且核"。可惜其书至宋代已有散佚，后人虽有校补，但缺漏尚多。我们这次用的是孙星衍校订的十卷本，同时还较详细地参考了岑仲勉先生的《元和姓纂四校记》一书，充分吸收了他的研究成果。至于宋代以后的姓氏书，如南宋邓名世的《古今姓氏书辨证》、章定的《名贤氏族言行类稿》以及明凌迪知的《万姓统谱》，它们的内容大多详宋而略唐，而于唐人世系也不出《新表》与《姓纂》的范围，因此本书就未加收录。

以上《旧唐书》、《新唐书》（包括《新表》《旧志》《新志》）、《旧五代史》、《新五代史》、《元和姓纂》，这是一组。其次，如《全唐文》《唐文拾遗》《唐文续拾》《全唐诗》《全唐诗逸》《河岳英灵集》《国秀集》《中兴间气集》《极玄集》《唐诗纪事》《唐才子传》等，是另一组，这大体上是属于文学家的传记资料。这一组又可分为三小类：

第一小类是以《全唐诗》《全唐文》为主的诗文总集。《全唐诗》和《全唐文》都是清朝官修书。《全唐诗》的修纂，始于康熙四十四年（1705）三月，成于四十五年（1706）十月，共收诗48900多首，作者2200余人，总900卷。《全唐文》修成于嘉庆十九年（1814年），收文18400多篇，共1000卷。这两部总集，卷帙浩繁，洋洋大观，前人曾以为"有唐一代文苑之美，毕萃于兹"（俞樾《春在堂杂文》四编卷七《全唐文拾遗序》）。这两部总集的特点，除了数量多以外，还在于有作者小传，虽然现在看来，这些小传还有不少错误，但无论如何它们还是提供了许多有用的研究线索。当然，这两部书所收诗文也有遗漏：日人河世宁就曾辑有《全唐诗逸》三卷；近人王重民先生根据敦煌遗书，又辑校过唐人的一些遗诗；我们还曾听说南京师范学院中文系孙望先生也正在做辑佚的工作,希望能早日完成,以有助于唐诗的研究。这次我们编制本索引,就只收《全唐诗》和《全唐诗逸》,王、孙二先生的辑佚暂未列入。至于《全唐文》,也有遗漏,如陆心源就曾利用他的皕宋楼所藏,补辑了不少遗文,编为《唐文拾遗》72 卷、《唐文续拾》16 卷。陆氏所编的两种,因其为辑补《全唐文》而作,因此我们也一并编为索引。

第二小类是唐人选唐诗的几种。按过去中华书局上海编辑所(现改为上海古籍出版社)曾编印过《唐人选唐诗十种》,其中唐写本唐人选唐诗,系敦煌石室发现的唐人写本残卷,它们有校勘价值,但对于唐诗人事迹的研究,意义不大;另外如元结的《箧中集》、令狐楚的《御览诗》、韦庄的《又玄集》、韦縠的《才调集》、佚名的《搜玉小集》,它们都未载作家小传,其诗又皆已编入《全唐诗》,因此都未编入索引。而殷璠的《河岳英灵集》、芮挺章的《国秀集》、高仲武的《中兴间气集》、姚合的《极玄集》四种,除了对所选诗人的评论外,还载有作家的字号、籍贯及其仕历,虽然简略,但不乏重要的研究线索。如高仲武《中兴间气集》说刘长卿"刚而犯上,两遭迁谪",我曾受此启发,结合独孤及的《送长洲刘少府贬南巴使牒留洪州序》(《毗陵集》卷十四)及其他材料,考证了刘长卿两次贬谪的时间和地点,纠正了自从《新唐书·艺文志》以来有关刘长卿事迹记载的错误(参见拙著《刘长卿事迹考辨》一文,《中华文史论丛》总第八辑)。因此,我们将这四种唐人选唐诗所选的作家姓名,编入索引。

第三小类是南宋计有功的《唐诗纪事》和元人辛文房的《唐才子传》。《唐诗纪事》共 81 卷,收诗人 1150 家,除采录诗句外,凡其人可考的,则撮述其世系爵里和生平经历,辑集了大量有关唐代诗人的资料。清朝编《全唐诗》,而《唐诗纪事》是其极重要的参考资料,其诗人小传很多即采自此书,而且南宋时题为尤袤撰、实为廖莹中编的《全唐诗话》,就是剽窃《唐诗纪事》而成的(参见《四库总目提要》卷一九七集部诗文类存目),而现在有些研究者在论著中竟还在引用《全唐诗话》而不去检核《唐诗纪事》,实在是使人奇怪的。《唐才子传》也是一部研究唐代诗人的重要参考书。我曾作过一些比较,《唐才子传》所载诗人事迹,不少是采自《新唐书》和《唐诗纪事》的,但它有一个特点,就是尽可能记录诗人的登科年份,书中人物的先后编排,不少就是依登第时间排列的。有些登第年岁提供了研究诗人生平的极宝贵材料,如载宋之问为上元二年(761)登第,即可大致考出宋之问的出生年,这是他书所未见的(请参阅拙著《唐代诗人考略》,载《文史》第八辑;又见《关于宋之问及其与骆宾王的关系》,载《杭州大学学报》1980年第二期)。唐人重科第,中晚唐时就刻有登科记一类的书,这些书大约宋元时还有流传的;如南宋人吴曾《能改斋漫录》卷四"林藻欧阳詹相继登第"条,曾说"予家有唐赵儋撰《唐登科记》"。另外,诗人李益之子李奕,也曾编过唐初至德宗贞元时的登科记(见《全唐文》卷五三六李奕《登科记序》)。辛文房在著《唐才子传》时,当是利用了那时存世的唐人登科记一类的书,因此这方面的记载是较为可靠的。

本书采用书目的第三组是《唐郎官石柱题名考》《唐御史台精舍题名考》《翰林承旨学士院记》《翰林院故事》《重修承旨学士壁记》《唐登科记考》《唐方镇年表》等7种。按唐尚书省所属除六部尚书、侍郎外,设有郎中、员外郎之职,统称郎官。唐代是颇重视郎官人选的,据说员外郎比起郎中来更显得有声价。刘肃《大唐新语》卷十三有这样的记载:"晋宋以还,尚书始置员外郎,分判曹事。国朝弥重其迁。旧例,郎中不历员外郎拜者,谓之'土山头果毅',言其不历清资,便拜高品,有似长征兵士,便得边远果毅也。"清人劳格、赵钺将尚书左右司及六部郎官,见于题名碑者,蒐辑材料,排其行事,共得3200余人,另补遗634人,编为26卷。又将御史台题名,仿《郎官考》的体例,编成《御史台精舍题名考》三卷。《旧唐书》卷一八五上《良吏·李素立传》载:"素立寻丁忧,高祖令所司夺情,授以七品清要官,所司拟雍州司户参军,高祖曰:'此官要而不清。'又拟秘书郎,高祖曰:'此官清而不要。'遂擢授侍御史,高祖曰:'此官清而复要。'"可见唐之侍御史是被视为清要官的,它与翰林被视为内相一样,都是唐代的重要官职。至于唐代进士诸科之盛,中唐以后方镇权势之强,更所周知。这几部书中所列,几乎网罗了唐代各类官场中的人物,而劳格、徐松、吴廷燮等又于唐史事极为精熟,他们所引用的材料,所作的考订,虽不免仍有疏漏和错误,但总的说来对研究者是颇有参考价值的。

晁公武的《郡斋读书志》和陈振孙《直斋书录解题》,作为目录提要书,是本索引所收书的第四组。按宋人官私书目,留存于今者仅四家,除晁、陈二志外,尚有宋初王尧臣等奉敕编修的《崇文总目》和南宋尤袤的《遂初堂书目》。《崇文总目》经郑樵删削序释,刊落极多,已非原本之旧。另外,它与《遂初堂书目》同样,仅著录书名、卷数,未载作者事迹,我们这次略而未收。《郡斋》

《直斋》著录的，都是晁、陈二人所实藏的书，而且于作者名下大多注明字号、籍贯、仕历及版本流传情况。正如《四库全书提要》所说："古书之不传于今者，得藉是以求其崖略；其传于今者，得藉是以辨其真伪，核其异同。"以本书所采为例，晁、陈二志有些地方可以补新旧《唐书》中《艺文（经籍）志》的不足。如《新唐书》卷六〇《艺文志》四，集部别集类，载李康撰《玉台后集》十卷。但据《郡斋》卷四下、《直斋》卷十五，撰《玉台后集》者名李康成，非单名李康。另外，宋元之际马端临《文献通考》中的《经籍》考，系据晁、陈二志编成，虽也是重要的目录书，但为避免重复，我们也就未加收录。

　　第五组是唐至元的书画书，即《书断》《历代名画记》《唐朝名画录》《益州名画录》《五代名画补遗》《宣和书谱》《宣和画谱》《图画见闻志》《书小史》《图绘宝鉴》《书史会要》等 11 种。唐宋人的书画著录，记载了唐代书画家的姓名、简历及作品流传情况，不但可以补正史之不足，而且他们之中不少人是正史所未载的，这当然是极可宝贵的材料，就是元人的两种（《图绘宝鉴》《书史会要》），虽为晚出，但因有汇辑的性质，也有足资参考之处。这里可以举几个例子：（1）盛唐、中唐之际的大诗人韦应物，对于他的世系，一般根据《新表》与《姓纂》，可以考查而得，但我们从《唐朝名画录》《历代名画记》《益州名画录》等的记载中，可以考知他的父亲韦銮和伯父韦鉴都是当时有名的画家，他的堂弟韦偃也以画马著称，《宣和画谱》记有韦鉴、韦偃的画流传于宋的尚有多幅。从这些记载可以看出韦应物生长在一个富有艺术修养的家庭，这一点是过去文学史研究者所未曾注意的。（2）自从晚唐人张固

《幽闲鼓吹》和五代人王定保《唐摭言》记白居易初以举人至长安谒顾况,顾况说"长安居大不易",白居易赋"离离原上草,一岁一枯荣,野火烧不尽,春风吹又生"的诗句,顾况大为嗟赏,白居易也因而得名。此事后来被写入新旧《唐书》的《白居易传》,就更广泛地流传于后世。按《历代名画记》卷十记顾况"贞元五年贬饶州司户",离开长安,不久即卒于饶州;而据白居易《送侯权秀才序》,他直至贞元十五年(799)才由宣州入贡至长安应举,顾、白二人实无在长安见面的机会(详参见拙著《唐代诗人丛考》一书中的《顾况考》)。在这里,《历代名画记》的记载是一个重要的例证。(3)刘长卿有《集梁耿开元寺所居院》诗:"到君幽卧处,为我扫莓苔。花雨晴天落,松风终日来。路经深竹过,门向远山开。岂得长高枕,中朝正用才。"(《全唐诗》卷一四七)曾有友人问梁耿其人。按刘诗中梁耿之名仅一见,唐人诗文中亦未见有记载,本书采用的元陶宗仪《书史会要》卷五却载其名,书中虽然未载其具体事迹,但还是提供了有关梁耿的某些线索,可见元人的书画书仍有可为参考者。

第六组是有关五代时十国的书,计有《十国春秋》、《九国志》、《五代史补》、马令和陆游的《南唐书》、《江南野史》6种。它们可以补新旧《五代史》的不足,其史料价值不待多说。这里要说明的是,五代和宋人关于这方面的著述极多,仅吴任臣在《十国春秋》的凡例中开列的书目就有二三十种之多,我们则选取其中属于纪传体的史书。

第七组是宋元方志,计33种。根据记载,唐时已有方志,当时叫作图经。唐朝廷曾规定,全国各州府每三五年定期给中央尚书兵部职方造送图经一次。但那时的图经大都还只记载天象、地理，并未扩充到人文历史方面，且大部分已经亡佚，现在仅存《沙州图经》《西州图经》两种残本。到了宋元时期，这时所修的方志，内容已十分齐备，除了山川、疆界等记载外，人物志和艺文志已占有重要地位，其中记载的唐代人物，往往为后人用作考订的材料。在本书中，我们也根据宋元方志的记载，订正了其他史籍的一些错误。这里可举一个例子来说明这种情况。中晚唐之际的诗人李敬方，他现存的诗虽然不多（《全唐诗》卷五〇八载其诗九首），但却有其特色，如《汴河直进船》："汴水通淮利最多，生人为害亦相和。东南四十三州地，取尽脂膏是此河。"这首诗以汴河取譬，揭露了腐朽的唐朝廷对东南一带的残酷剥削；此外如"天台十二旬，一片雨中春，林果垂杨尽，山苗半夏新"（《天台晴望》），描写江南暮春山景，颇有新意。但李敬方的事迹，过去的记载大多错误。《新唐书·艺文志》著录李敬方诗一卷，小注云："字中虔，大和歙州刺史。"这一记载一直为后世所沿用，《唐诗纪事》也说："字中虔，登长庆进士第，大和中为歙州刺史。"（卷五十八）《唐诗纪事》补充了李敬方登进士第的时间，但仍然沿袭了大和（827—835年）中为歙州刺史的说法。《全唐诗》与《唐才子传》小传均与此同。今查宋《宝庆四明志》卷一、元《延祐四明志》卷二都载有李敬方，说是大中初明州刺史。宋陈耆卿的《嘉定赤城志》卷十谓李敬方于会昌六年（846）为台州司马，而宋罗愿《新安志》卷九则又明确记载李敬方于大中四年至六年（850—852）为歙州刺史。按《全唐文》卷七三九载李敬方所作的《汤泉铭》，其中说："唐大中五年，敬方患风疾，至汤池浸浴。六年十一月又入浴，因感白龙见,风疾遂瘥。"又铭曰:"刺郡二年,病不能兴。"可见那时李敬方任郡刺史。又《全唐诗》卷五〇八载其《题黄山汤院》诗,自序有云:"敬方以头风痒闷,大中五年十二月因小恤假内再往黄山浴汤,题四百字。"黄山即在宣歙治区之内。这就从李敬方本人的诗文证实《新安志》记载的正确。由此我们可以推知,李敬方在文宗朝为谏议大夫(参《旧五代史》卷五十八《李琪传》),后以事贬台州司马(据《赤城志》云台州司马,而《文苑英华》与《全唐诗》云左迁台州刺史,劳格《唐郎官石柱题名考》谓当以《赤城志》所载《桐柏山题名碑》为正,应作司马),时当会昌中(841—846年)。大中初稍迁为明州刺史,大中四年(850)又为歙州刺史。由此可证《新志》《唐诗纪事》《全唐诗》《唐才子传》等皆误。

这里应说明的是:(1)《会稽掇英总集》虽然并非方志,但因为它载有唐太守题名记,是查阅唐代任浙东观察使的有用材料,故附于方志而一并收录。(2)明清两代的方志,虽也有参考之处,但所记唐人事迹,大多与前史陈陈相因,新发现的材料不多,且明清的方志数量繁富,有数千种之多,收不胜收,本书就一概不收。

第八组是有关释氏的书,有《续高僧传》《宋高僧传》《景德传灯录》《大唐内典录》《开元释教录》《大唐贞元续开元释教录》《贞元新定释教目录》《续贞元释教录》等八种。前三种是僧人传记,后五种为释氏书目录。《旧唐书·经籍志》序言曾说:"(毋)煚等《四部目》及《释道目》,并有小序及注撰人姓氏,卷轴繁多,今并略之";又说:"其《释道录目》附本书,今亦不取。"照此看来,毋煚等在编《群书四部录》时,在编释、道著作时,有小序,还注有撰人姓氏,而这些却为《旧唐书》编修者所删去,这是非常可惜的。我们为了提供唐人所作释氏书目录,选取其中较可作为传记资料参考者,从《大藏经》中录取《大唐内典录》等五种编入本书。

<h1 style="text-align:center">三</h1>

上面一节概述了这部索引所收八十余种书的大致情况与史料价值。在这一节中,想谈一谈利用本索引以订正某些史籍记载的讹误。

一般认为,搞索引不算是学术研究。这从学术研究的严格意义上来说是对的;但应当说,索引与研究的关系是十分密切的,在科学研究飞速发展的今天,尤其如此。世界上一些著名学校的图书馆,往往定期聘请在某一学科有专长的学者编制图书目录;有些专门的学术研究机构,也经常由专家学者主持,定期编制国内外学术论著的索引。这已越来越为我国学术界所注意。这说明,没有一定的专门知识,没有相当的研究基础,是编不好较高水平的索引目录书的,更何况有些索引本身就具有一定的学术性。在编纂这部传记资料索引时,我们感到,如果对唐代历史没有一定的基础,对唐代史料未有一定的了解,对古籍整理校勘等基本知识未有切实的掌握,就会感到相当困难,而且会发生相当多的纰漏。因为如果不具备上述的这些条件,各书汇集以后大量出现的同人异名和同名异人问题,就会得不到解决。我们就深感基础和才力的不足,这可能会影响这部索引的质量,但我们也确切感到,经过对一些史籍的比较研究,即使从人物传记资料这一角度,本索引也能订正古籍中的不少记载错误。以下拟分别就本书所收的资料谈谈这方面的情况。

古代史书中往往会碰到同一人而其姓名各书所记不一的情况；有些史书虽然经过校勘整理，但由于种种原因，漏校者甚多。在中华书局出版的"二十四史"中，新旧《唐书》在这方面就存在着较多的问题，有时同是一个人，《旧唐书》作杜甲，《新唐书》作杜乙，点校本却未加比勘，如果稍不留心，就会误认为两人。我们在编制这部索引时，遇到这种问题，尽可能加以区分，有些地方还引证一些必要的材料，或前人的研究成果，写成小注，借以订正史籍中的某些讹误。这里举一些例子加以说明。

（一）《旧唐书》卷一五二有《段佐传》，《新唐书》卷一七〇有《段佑传》。两书所记皆为郭子仪牙将，因功迁为泾原节度使，终右神策大将军，事迹相同，当为一人，而其名一作佐，一作佑，另《元和姓纂》又作段祐。今查《白居易集》卷三十七有《除段祐检校兵部尚书右神策军大将军制》，称："四镇北庭行军兼泾原等州节度支度营田观察处置等使、光禄大夫、检校工部尚书……段祐……可检校兵部尚书、右神策军步军大将军、知军事。"由此可证新旧《唐书》及《姓纂》之误。

（二）《新唐书》卷七二上《宰相世系表》二上载杜崇殻，宫尹丞、右司员外郎、丽正殿学士，为行敏子，希望父，杜佑祖。而《旧唐书》卷一四七《杜佑传》载其祖为杜崇慤。今查权德舆《杜公淮南遗爱碑铭》（《权载之文集》卷十一）、《岐国公杜公墓志铭》（同上卷二十二）皆作"杜崇慤"，与《旧传》同，可证《新表》作"殻"者误。

（三）《新唐书》卷一一六有《杜景佺传》，《旧唐书》卷九〇有《杜景俭传》，看来似乎是两人，实为一人。中华书局点校本于此与上述的段佐、段佑一样，都没有校记。其实关于这点，清人岑建功《旧唐书校勘记》早已指出，并已解决，其书卷九〇"杜景俭"条云："《通典》二十五、《文苑英华》三百九十八、《册府》三百十七、《御览》六百四十俱作佺，《新书》同。案《御览》二百五作景俭，《通鉴》二百四同，注引《考异》云：《实录》及《新》纪表传俱作景佺，非，盖《实录》以草书致误，《新书》因承之耳，当从《旧书》、《统纪》为是。"如果我们仅看传目，不察传文，也未掌握前人的校勘成果，就可能在索引中将杜景佺、杜景俭分为两人。与此类似的还有：《旧唐书》卷一六三有《卢弘正传》，《新唐书》卷一七七有《卢弘止传》，正、止互异。而据《通鉴》卷二四〇武宗会昌六年八月条《考异》所载，及岑仲勉《唐方镇年表补正》所考，应作"卢弘止"为是。

（四）《旧唐书》卷一七二《牛僧孺传》谓其父名幼简，而《新唐书》卷七五上《宰相世系表》五上作幼闻。今查唐李珏《故丞相太子少师赠太尉牛公（僧孺）神道碑》（《文苑英华》卷八八八）载："父幼闻，华州郑县尉。"与《新表》同，则《旧传》作"幼简"为误。

（五）《旧唐书》卷一五七《李廓传》："子柱，官至浙东观察使。"又载柱子碛。而《新唐书》卷一四六《李廓传》则谓："子拭，仕历宗正卿、京兆尹、河东凤翔节度使，以秘书监卒。拭子碛。"《新表》也载廓子拭，拭子碛。另《旧唐书》卷一八下《宣宗纪》下，大中四年九月，"以朝请大夫、检校礼部尚书、孟州刺史、河阳三城节度使李拭为太原尹、北都留守、河东节度等使。"《通鉴》卷二四八武宗会昌五年四月，"壬寅，以陕虢观察使李拭为册黠戛斯可汗使"。宣宗大中二年为浙东观察使，见《会稽掇英总集》卷一八。《唐郎官石柱题名考》卷一五也载有李拭。由以上诸例，可证《旧唐书》作李柱者误。

（六）《新唐书》卷五八《艺文志》二，乙部史录仪注类，著录"裴瑾《崇丰二陵集礼》"，小注云："瑾字封叔，光庭曾孙，元和吉州刺史。"按同书卷七一上《宰相世系表》一上载有裴墐，儆子，吉州刺史。时代相同。《新志》作瑾，《新表》作墐。柳宗元有《唐故万年令裴府君墓碣》，云："公讳墐，字封叔，河东闻喜人。……大理卿府君讳儆，实父。"文中还具体叙述了裴墐撰著《二陵集礼》一事，云："司空杜公联奉崇陵、丰陵礼仪，再以为佐。离纷龙，导滞塞，关百执事，条直显遂，司空拱手以成。自开元制礼，讳去国恤章，累圣陵寝，皆因事挈缀，取一切乃已，有司卒无所征。公乃撰《二陵集礼》，藏之南阁。"（中华书局1979年10月点校本《柳宗元集》，世采堂本《柳河东集》同）按裴墐之后夫人柳氏为柳宗元之姊，墐于元和十二年（817）卒于吉州刺史时，柳宗元在柳州刺史任，他对于裴墐的事迹当然是知之详确的。据此，可知《新表》作"裴墐"是，《新志》作"裴瑾"误。

（七）《旧五代史》卷一二七有《马裔孙传》，马裔孙为五代后唐时中书侍郎平章事；《全唐文》卷八五六也载其文。但《新五代史》卷五五、《通鉴》卷二八〇及南宋人陈思所作《书小史》皆作"马胤孙"。《旧五代史》《全唐文》刊作"裔"，当是清人避讳改；徐松《登科记考》卷二五、卷二六则又作"马允孙"，"允"字也是避清讳所改。如果不注意，则很可能因避讳改字而将一人误分为两人。

（八）《全唐文》《全唐诗》的错误极多,其中的一项即将一人误分为两人。如《全唐文》卷七六三载沈珣文,卷七六七又有沈询文。沈珣小传谓:"珣,宣宗朝官中书舍人,以礼部侍郎出为浙东观察使。"沈询小传谓:"询字诚之,赠礼部尚书传师子。会昌初进士,累迁中书舍人,出为浙东观察使,除户部侍郎。咸通四年为昭义节度使,奴结牙将为乱,灭其族,赠兵部尚书。"这两处所载事迹,都可见于《旧唐书》卷一四九、《新唐书》卷一三二《沈传师传》,并皆作"沈询",而《全唐文》却分作两人。《北梦琐言》卷五有沈询,官至丞郎,同书卷十二又载沈询曾镇潞州(潞州即昭义军所驻地),所载与新旧《唐书》本传合,可见作"沈询"为是。类似的情况,又如《全唐诗》卷七三七载熊皦诗二首,同卷又另载熊皎诗四首。熊皦小传谓:"熊皦,后唐清泰二年登进士第,延州刘景岩辟为从事,入晋拜补阙,贬商州上津令。《屠龙集》五卷。"熊皎小传谓:"熊皎,自称为九华山人。《南金集》二卷。"初看似为二人,今按《直斋书录解题》卷十九载《屠龙集》一卷,称"五代晋九华熊皎撰,后唐清泰二年进士。"《唐才子传》卷十有熊皎,即以《屠龙集》、《南金集》皆为熊皎所作,并云陶穀为之序。可见熊皦、熊皎实为一人。熊皦(皎)事又可参见《诗话总龟》卷十三所引《雅言杂载》及《新五代史》卷四七《刘景岩传》。由此可见,利用索引所排比的材料,即可用来订正《全唐文》《全唐诗》的这些谬误。

以上是唐五代传记资料中同人异名的情况,通过本索引得以改正的一些例子。至于史书上所载人物字号的错误,就更为常见,这里也可举两个例子,以见一斑。一是《新唐书》卷一九四《卓行·元德秀传》,载元德秀有弟子数人,云:"是时程休、邢宇、宇弟宙、张茂之、李愕、愕族子丹叔惟岳、乔潭、杨拯、房垂、柳识皆号门弟子。"后文又云:"愕字伯高,丹叔字南诚,惟岳字谟道,赵人。"据这二处所述,则李愕(萼)之族子,一为丹叔,字南诚,另一为惟岳,字谟道。按《新唐书》这里的记述,实本于李华《三贤论》,而《三贤论》关于这三人的记述,则是:"赵郡李萼伯高,含大雅之素;萼族子丹叔南,诚庄而文,族子惟岳谟道,沉邃廉静。"(见《文苑英华》卷七四四)由此可见,《三贤论》是说李丹字叔南,此下"诚庄而文"系自成一句,说明李丹之为人,正如后面的"沉邃廉静"来形容李惟岳一样。《新唐书》作者误读《三贤论》原文,以"南诚"为字,"丹叔"为名,以致大谬。另一个例子是,《新唐书》卷七四上《宰相世系表》四上载韦温字弘有,而《旧唐书》卷一六八、《新唐书》卷一六九《韦温传》作字弘育。按杜牧有《唐故宣州观察使御史大夫韦公墓志铭》(见《樊川文集》卷八),云:"公讳温,字弘育。"由此可见作"弘育"为是,《新表》作"弘有"非。

关于新旧《唐书》《全唐文》《全唐诗》的问题,我们曾分别发表过《两〈唐书〉校勘拾遗》《谈〈全唐文〉的修订》《读〈全唐诗〉小札》等几篇文章,读者可以参看,这里只是举一些例子,说明仅仅从索引工作中接触到的一些问题,也可以对过去大部头的史籍作重要的订正。同样,从人名的排比整理中,还可改正南宋两部著名的目录中的一些错误。如《郡斋读书志》卷二上《后汉书》条云:"唐高宗令章怀太子贤与刘讷言、革希言作注。"而据《新唐书》卷五八《艺文志》二,为章怀太子李贤注《后汉书》者为格希元,非革希言;又据《新唐书》卷七四上《宰相世系表》四上,载格希元为处仁子,洛州司法参军,时当高宗时,《姓纂》卷十同。岑仲勉先生《元和姓纂四校记》还据唐人墓志,证明格希元为唐高宗、武后时人。又如《直斋书录解题》卷十四载韦韫《九镜射经》《射诀》,并云韫仕为检校太子詹事。考韦韫为唐末诗人韦庄之父(见《新唐书》卷七四上《宰相世系表》四上),查韦庄事迹材料,未见其父有任检校太子詹事之职者。而据《新表》,载韦友刚子韦蕴,检校太子詹事,时代正合,当为一人。由此可知《直斋书录解题》之韦韫为韦蕴之误。《直斋》卷十五著录《汉上题襟集》三卷,云:"唐段成式、温庭筠、逢皓、余知古、韦蟾、徐商等倡和诗什,往来简牍,盖在襄阳时也。"这里的逢皓,应是庭皓之误,庭皓为温庭筠之弟。夏承焘先生《温飞卿系年》(见《唐宋词人年谱》)已经指出:"《文献通考》无逢皓,有崔皎。案逢皓、崔皎皆庭皓之误。《全唐诗》二十二:'温庭皓初为襄阳徐商从事。'"《唐摭言》卷十也载:"温庭皓,庭筠之弟,辞藻亚于兄,不第而卒。"如果不加比较,未参考有关的研究著作,整理《直斋》这部书时,就很可能将"温庭筠"与"逢皓"作为毫无关系的两人,这就会造成不应有的错误。

关于宋元方志,张忱石与许逸民同志曾写有《宋元方志举正》(载《文史》第十一辑),就唐代人物的姓名对宋元方志中的某些讹误作了校正。我们在上一节中着重讲了宋元方志的史料价值,但毋庸讳言,现存三十几种的宋元方志,存在不少错误(包括原书修撰时的错误与刊刻传抄时的错误),这里不妨举几个明显的例子。如《嘉定镇江志》卷十六载有卢准,唐时曾为润州司士参军。按大历时诗人卢纶有《送从叔士准赴任润州司士》诗(《全唐诗》

卷二七六)。《嘉定镇江志》所本,当即卢纶此诗,但卢纶诗题明明记载其从叔任润州司士参军者名士准,非单名准。又如《嘉定赤城志》卷八载武后垂拱四年台州刺史沈福。今查《姓纂》卷七,沈道之子成福,历简、台、庐等州刺史;《姓纂》又载道之兄名训之,训之子名成景,其兄弟辈的名字中都有一"成"字。《全唐文》卷二〇〇也载有沈成福文,小传说他是高宗永徽时人,时代与《姓纂》及《嘉定镇江志》所载相合,当同是一人。岑仲勉《元和姓纂四校记》所引的拓本《沈知敏志》,也称"父成福,通议大夫、台州刺史"。这些,都可证《赤城志》作"沈福"之误。另外,如《毗陵志》卷七载李偈,谓唐玄宗孙,徐王埕第三子。按据《旧唐书》卷一〇七《玄宗诸子传》,载唐玄宗第二十三子信王瑝,"天宝末有子封为王者二人:佟为信安郡王,太常卿同正员;偈为晋陵郡王,光禄卿同正员。"(《新唐书》卷八十二同)李偈封为晋陵郡王,因此《毗陵志》载人(毗陵即今江苏无锡,属晋陵郡)。但李偈实为信王瑝的第二子,《毗陵志》所载,显然是以"信"讹为"徐","瑝"讹为"埕","二"讹为"三"。如不查核新旧《唐书》,则所谓徐王埕者竟不知为何人了。

　　以上三个例子,当皆为修撰时的错误,至于版刻之误,在现存宋元方志中就更多。如《嘉定镇江志》卷十四载浙西观察使郑明,此"郑明"为"郑朗"之误,郑朗曾于唐宣宗大中年间由御史中丞、户部侍郎出为浙江观察使(见《唐书》本传,并参《唐方镇年表》)。又同书同卷载卢明,据《新表》应作"卢朗";李元义,据《新表》应作"李玄义"(《新表》共有四个李玄义,此任润州刺史者为行师子,详见本索引)。又如《三山志》卷二〇载吴奏于唐德宗贞元初以太子宾客为福建观察使，"吴奏"为"吴凑"之误（见《旧唐书》卷七《德宗纪》及新旧《唐书》本传）。又如《咸淳临安志》卷四五载宋憬于唐中宗时为杭州刺史，"宋憬"为"宋璟"之误；《吴兴志》卷十四载崔刍官于咸通三年为湖州刺史，"崔刍官"为"崔刍言"之误。

前面已说过，我们无意夸大索引工作的重要性，认为单凭索引，将有关资料加以简单的排比，就可代替学术研究，但从本节所举的为数不算太少的例子，读者可以看出，索引工作应有它一定的地位，索引不但可以帮助人们迅速地掌握所需要的材料，而且通过归纳和比较，还可订正若干原始材料本身的错误和疏漏。我们在这部索引中，凡对过去史籍有所订正或可校其异同者，均于当页加注说明。这些小注，字数虽然不多，但确实费了我们不少劳力。我们自信，它们对研究者是会有帮助的，细心的读者将会从中得到有用的材料。

四

关于本书的编辑体例问题，张忱石同志和许逸民同志起草的编辑凡例中已有具体说明，这里拟补充说明几点。

人名索引中往往会碰到同姓名的问题，处理得是否准确和妥善，是衡量一部索引质量高低的重要标志之一。清代汪辉祖有《九史同姓名录》，他在那时的条件下已经尽了他的努力，但不免尚有错漏，何况他所接触的只是唐以后的几部正史，问题还算简单。我们这部索引，收录的书达八十余种，其中有几种书都在百卷以上，时间又集中在唐和五代约三百几十年之中，所收唐、五代的人物有近三万人之多，因此所碰到的同姓名问题就远较汪辉祖的复杂。有时有四五个人为同一姓名，就须查核其籍贯、郡望、字号、世系、事迹，加以细心的甄别，稍一疏忽，就会张冠李戴。有时时代相近，事迹又较简略，就更不易分辨。如《新唐书》卷七二下《宰相世系表》有张复鲁，幼挺子，度支郎中。《唐郎官石柱题名考》卷十三也有张复鲁，《郎考》卷十三所载度支郎中，则与《新表》当即一人。而徐松《登科记考》卷二十七于进士第而未有确切年代可系者有张复鲁，时代相近，初看似与《新表》、《郎考》所载为同一人。但查《唐故宣州观察使御史大夫韦公（温）墓志铭》（《樊川文集》卷八），称韦温有女四人，"长嫁南阳张复鲁，复鲁登进士第，有名于时"。《登科记考》所本即杜牧此文。考《新表》之张复鲁出始兴张氏，世居韶州曲江，与张九龄同族，而韦温婿之张复鲁为南阳张氏，籍望不同，本书就区分为二人。这种情况在本书中是很多的。还有不少是姓名相同，时代相近，但别无确切材料证明其为同一人的，我们就本着阙疑的精神，姑且作二人处理。如严杲，既见于《郎考》、《御考》，又见于《历代名画记》，均为开元时人；又如郑宥，既见于《新唐书》卷七五上《宰相世系表》五上（华子，博州参军），又见于《新表》同卷（进子，燕弟，未注官职），又见于《全唐文》卷四〇八，小传仅云"天宝时判拔萃登第"，时代均相近，未能确定《全唐文》之郑宥属于《新表》中哪一个郑宥，因材料缺乏，就只好分为三人。凡属于这种情况，我们都于注中说明，注明待考。

《新表》与《姓纂》有一大部分是相重的。据岑仲勉先生考定，认为《新表》于元和初以前的部分，即据《姓纂》编定。因此我们凡是遇到二者所载同人异名时，一般即从《姓纂》；但也有《新表》是而《姓纂》非的，就以《新表》为主，以《姓纂》所载作为参见。

《全唐文》与《全唐诗》所载，包括唐和五代，但也有混杂前后朝代人的。如《全唐文》卷九五六载马子才《送陈自然西上序》一文，据劳格《读全唐文札记》（《读书杂识》卷八），谓："见《新编古今事文类聚》前集二十一。子才系宋人。《直斋书录解题》十七，《马子才集》八卷，鄱阳马存子才撰，元祐三年进士第四人。误入当删。"元祐为北宋哲宗年号，距宋开国已一百二十余年，马子才为宋人无疑。今后若修订《全唐文》，就必须把马子才其人其文剔除。但本索引所辑以书编录，因此像《全唐文》、《全唐诗》等，虽有误载前后朝人物的，也一并录入，且也不作注说明。至于像《宋高僧传》、《景德传灯录》等兼载唐宋人的，则将显系宋人的删除（本书时代断限适当放宽，凡生于五代而入宋的，也酌予收录）。

当然，我们也看到，如果要全面查阅唐代人物的传记事迹，现在的这部索引的范围就要大大扩大。譬如说，《全唐文》就不能只收作者姓名，应当将书中的碑传墓志，以及与事迹有关的序跋也一并辑入。除了《全唐文》及陆心源的两种补遗外，清末至近年出土的唐碑唐志，应该有计划地编录。唐、五代直至北宋前期的一些杂史、笔记，有较丰富的人物传记资料。《新唐书》的《宗室世系表》，《全唐诗》中诗篇提到的人名，也都应考虑辑入。如果把这些材料都加汇聚，并予以合理的编排，那末，我们就将有一个网罗全局的唐代人物的材料库。但这是一个更大的工程，远非二三个人于短期内所能完成。我们希望这方面的有志者来承担这项大工程,这必将受到唐史和唐代文学研究者的欢迎和感激。为此,我们愿意以书为引玉之砖。

本书在编撰过程中,曾得到武汉大学历史系唐长孺先生、山东大学历史系王仲荦先生、北京师范大学中文系启功先生的鼓励和帮助,启功先生还特地为本书封面题字,在此一并致谢。

傅璇琮

一九八〇年六月二十三日

原载中华书局 1982 年版《唐五代人物传记资料综合索引》,据以录入,另收入安徽教育出版社 1998 年版《当代学者自选文库·傅璇琮卷》、首都师范大学出版社 2010 年版北京社科名家文库《治学清历》、东北大学出版社 2015 年版《中国当代名家学术精品文库·傅璇琮卷》(有删节)

从曹操的佚文谈曹操的文学思想

一

现有的一些文学史著作,在讲述曹操时,大多只讲曹操的诗,很少讲他的散文,对于他的文学思想,则更无一语道及。对曹操的散文,较早作出高度评价的,是鲁迅先生。鲁迅指出,建安时期文章的风格,由于受到曹操在政治上尚刑名的影响,因而具有清峻、通脱的特色。曹操自己的散文就充分体现了这种特色:"他胆子很大,文章从通脱得力不少,做文章时又没有顾忌,想写的便写出来"①。这就与东汉末年文学因作为经学的附庸而形成的虚伪平板的文风截然相对立。

鲁迅同时还强调指出,曹操在当时"也是一个改造文章的祖师"。鲁迅的这句话不但说到了曹操的文学创作,而且触及了曹

①鲁迅:《魏晋风度及文章与药及酒之关系》(《而已集》)。

操的文学思想。但"可惜他的文章传得很少",使得后来关于这方面的探讨没有深入。

我们知道,曹操的文集很早就已经散佚。南朝刘宋时裴松之注《三国志》,曾引用过曹操的集子,名为《曹公集》①。唐初修《隋书》,当时见到的曹操集子,有二十六卷、三十卷、十卷三种②。稍后的李善注《文选》,还引用过《魏武集》③。可见直到隋唐时,曹操的文集还是比较完整的,有不少人见过。但后来就只有《旧唐书·经籍志》、《新唐书·艺文志》简略地提及《魏武帝集》三十卷,此外就不见于其他书籍的称引了。很可能他的集子就在唐宋之际散佚④。直到明代后期张溥编《汉魏六朝百三家集》,辑曹操的诗文,总共也只有一百四十余篇。张氏之后,有人再加辑集,也不过增加数篇而已。

有关曹操文学思想的材料,都不见于现存的曹操文集的辑本。本文仅从一些书籍中提到的片段,略加论述,以填补这方面的空白,并供文学史研究者参考。

---

① 见《三国志》卷三十八《蜀志·糜竺传》注引《表糜竺领赢郡》,注云出自《曹公集》。

② 《隋书》卷三十五《经籍志》四集部别集类著录《魏武帝集》二十六卷,并有注云:"梁三十卷,录一卷。梁又有《武皇帝逸集》十卷,亡。"又著录《魏武帝集新撰》十卷。

③ 《文选》卷四《南都赋》注引《奏上九酝酒法》,云出自《魏武集》。

④ 宋代两部有名的藏书目录《郡斋读书志》和《直斋书录解题》,都未著录曹操文集。

二

曹操本人有很高的文学素养,他在戎马倥偬中又十分重视文学的作用。曹操的主要谋臣之一荀彧,就称赞他能"外定武功,内兴文学"①。建安八年(公元203年),也就是著名的官渡之战的第二年,当他打败了袁绍、初步统一了北方之后,那年七月,就下令:"其令郡国各修文学"②。当然,这里所说的"文学",兼指文化、学术而言,但应当是包括广义的文学在内的。当时在曹操政权内,聚集了一大批文士,"俊才云集","彬彬之盛大备于时"③,这种情况是吴、蜀二国所不能比拟的。

曹操与袁绍的官渡之战,是曹操统一北方的关键性一仗。当时袁绍在河北搞的完全是东汉以来的经学那一套,再加上袁氏"四世居三公位","门生故吏遍天下",更助长了恶劣影响。因此当曹操战胜袁绍、平定河北以后,就在政治、经济及文化思想各方面采取了一系列措施,来消除这种影响。建安九年(公元204年),他下令:"河北罹袁氏之难,其令无出今年租赋"。并特别强调"重豪杰兼并之法"。十年正月,冀州最后平定,曹操又下令:"令民不得复私仇,禁厚葬,皆一之于法"④。关于后一点,南朝沈

---

① 《三国志》卷十《魏志·荀彧传》裴注引《荀彧别传》。
② 《三国志》卷一《魏志·武帝纪》。
③ 钟嵘:《诗品·序》。
④ 《三国志》卷一《魏志·武帝纪》。

约所修的《宋书》有较多的记载：

> 汉以后天下送死奢靡，多作石室石兽碑铭等物。建安十
> 年，魏武帝以天下雕弊，下令不得厚葬，又禁立碑。①

《三国志·武帝纪》载曹操的令，只说到禁厚葬，《宋书·礼志》补充了很重要的一点，那就是"禁立碑"。这个"禁立碑"，对当时及后来的文风，是有着重要意义和深刻影响的。

立碑的风气，东汉极盛。这是与东汉的政治、经济特点相联系的。豪强大地主在东汉垄断政治、经济大权。当时的世家大族利用"察举征辟"，推荐和任用私人当官吏，又利用宗法血缘制度及所谓"门生故吏"关系，结党营私，扩占地盘。而树碑立碣，所谓报举主"恩义"，就是其中的一个重要手段。碑文的兴盛，是那时文坛的一大特色。《文心雕龙》的作者刘勰就说过："自后汉以来，碑碣云起"②。对东汉末年立碑的恶劣风气，三国时人桓范曾严加痛斥，他的一段话很可帮助我们具体了解这种情况：

> 夫渝世富贵，乘时要世，爵以赂至，官以贿成，视常侍黄
> 门宾客，假其声势，以至公卿牧守，所在宰莅，无清惠之政，而

---

① 《宋书》卷十五《礼志》二。
② 《文心雕龙》卷三《诔碑》。又，这种风气一直沿袭至唐代，《封氏闻见记》卷六《碑碣》条说："前汉碑甚少，后汉蔡邕、崔瑗之徒，多为人立碑。魏晋之后，其流寝盛……近代碑碣稍众，有力之家，多辇金帛以祈作者之谀……顺情虚饰，遂成风俗。"

有饕餮之实。……而门生故吏,合集财货,刊石纪功,称述勋德,高邈伊、周,下陵管、晏,远追豹、产,近逾黄、邵,势重者称美,财富者文丽,后人相踵,称以为义,外若赞善,内为己发,上下相效,竞以为荣,其流之弊,乃至于此,欺曜当世,疑误后世。①

桓范的这段话说得痛快淋漓,对于东汉封建统治者的丑恶面目和那时碑文的虚伪内容,作了充分的揭露。我们还可以举出东汉末年在文坛上享有盛名的蔡邕来作例子。蔡邕在当时被推为海内"文宗",主要是因为他写了大量的碑文。但是它们的价值又如何呢? 蔡邕自己就曾对卢植说过:"吾为碑铭多矣,皆有惭德,惟郭有道无愧色耳。"②怪不得清初的顾炎武说:"蔡伯喈集中为时贵碑诔之作甚多,如胡广、陈寔各三碑,桥玄、杨赐、胡硕各二碑,至于袁满来年十五,胡根年七岁,皆为之作碑,自非利其润笔,不至为此,史传以其名重,隐而不言耳。"③顾炎武指出的蔡邕碑文为"时贵"而作的情况,使人可以清楚地看出蔡邕这个"大手笔",归根到底是依附于世家豪族,并为他们的特权利益服务的,倒不仅仅只是"利其润笔"而已。

其实,蔡邕的所谓"惟郭有道无愧色"这句话也须打折扣。东晋初年人葛洪对郭太有尖锐的评论,说他"盖欲立朝则世已大乱,

①桓范《世要论·铭诔》,见严可均《全三国文》卷三十七,云辑自《群书治要》。
②《后汉书》卷六十八《郭太列传》。
③《日知录》卷十九"作文润笔"条。

欲潜伏则闷而不堪，或跃则畏祸害，确尔则非所安，彰徨不定，载肥载臞，而世人逐其华而莫研其实"①。这里对于东汉末年同样代表士族地主利益的所谓清议派人士，其虚伪面目，确是描画得维妙维肖的。——由此，更可以看出蔡邕碑文的价值何在了。蔡邕在那时还是其中的佼佼者，自此以下也就更可想而知了。

从以上的种种情况，我们可以理解到曹操在平定河北之后，为什么要特别下令"禁立碑"。可惜曹操的原文已经散佚，他的令文的具体内容已不可得而知，但这禁立碑的本身，在当时，对于被豪门士族所污染的社会风尚和文坛风气，确是起了扫弊廓清的作用。一直到魏末，即过了五十余年以后，还发生着影响："魏高贵乡公甘露二年（公元 257 年），大将军参军太原王伦卒，伦兄俊作《表德论》，以述伦遗美，云'祇畏王典，不得为铭……'"②这里所说的"王典"，就是曹操禁立碑的命令。

在中国文学批评史上，人们往往举曹丕的《典论·论文》，认为这是文学批评史上以专文论文学创作的开始。这诚然是不错的，但曹丕的文学思想，有些观点是与这里论述的曹操"禁立碑"主张相通的。如《典论·论文》提倡"铭诔尚实"，就是反对东汉末年以来借写作铭诔来吹捧名门豪族的浮夸虚伪的文风。又如曹丕《答卞兰教》中说："赋者言事类之所附也，颂者美盛德之形容也，故作者不虚其辞，受者必当其实。兰此赋，岂吾实哉！"（见《三国志》卷五《魏志·卞皇后传》裴注引）这也是文须"尚实"的意

①《抱朴子》外篇《正郭》。
②《宋书》卷十五《礼志》二。

思。尚实,这是构成建安时期文学的重要内容,而这一点,如前所述,应当说是与曹操的文学思想紧密相连的。

曹操以后,一些进步的思想家、文学家仍然坚持了曹操禁立碑的主张。南朝裴松之曾说:"勒铭寡取信之实,刊石成虚伪之常。"①北朝的著名作家阳衒之,在其所著《洛阳伽蓝记》中借隐士赵逸之口,指斥当时的一些王公大臣,"生时中庸之人耳,及其死也,碑文墓志,莫不穷天地之大德,尽生民之能事"②。唐初进步思想家刘知几在强烈斥责豪门大族以邑里郡望相夸耀时,也指出:"爰及近古,其言多伪,至于碑颂所勒,茅土定名,虚引他邦,冒为己邑。"③把这些材料前后联系起来观察,更可以看出曹操禁立碑的思想在文学批评史上确实具有重要的意义。

与此相近的,《文心雕龙》中还记有曹操文学思想的另一条材料:"昔晋文受册,三辞从命,是以汉末让表,以三为断。曹公称为表不必三让,又勿得浮华。所以魏初表章,指事造实,求其靡丽,则未足美矣。"(卷五《章表》)

这里提到的"为表不必三让,又勿得浮华",也不见于现存的曹操文集。但尽管如此,《文心雕龙》的这几句记载,却是十分宝贵的。它与上面所说的禁立碑思想可以互相补充。这里虽然只是针对拜官三让这种公文程式而言,但其精神却远远超过这件具体的事实。它表现了曹操的反传统、反虚伪习俗的精神,并要求

---

①《宋书》卷六十四《裴松之传》。
②《洛阳伽蓝记》卷二《城东·景兴尼寺》条。
③《史通》卷五《因习》下。

文章冲破为经学家所束缚的那一种死板的格式。看来刘勰是认识到曹操这一主张在当时散文写作上产生了实际影响的,所以他说"魏初表章,指事造实",虽然以"靡丽"的要求来说,未足为美,但"靡丽"正是文学创作病态的表现,怎么能算得上美呢?

《南齐书·谢朓传》记载了一件事:"迁尚书吏部郎,朓上表三让,中书疑朓官未及让,以问祭酒沈约,约曰:'宋元嘉中,范晔让吏部,朱修之让黄门,蔡兴宗让中书,并三表诏答,具事宛然,近世小官不让,遂成恒俗,恐此有乖让意……'"南朝是门阀制度充分发展的时代,也是礼学极其发达的时代,那种不但做大官要三让、小官也要三让的虚伪习俗,通过沈约之口,反映得很清楚。从东汉至南朝沿袭不衰的这种风气来看,曹操的"为表不必三让,又勿得浮华"的主张,就更显得可贵了。

另外,《宋书》卷十四《礼志》还有一条记载:"夫有国有家者,礼仪之用尚矣。然而历代损益,每有不同,非务相改,随时之宜故也。……魏祖以侈惑宜矫,终敛去袭称之数。……"这一条也不见于现存的曹操集。其精神是与上面所说相通的。但因文字过简,未能究明其具体涵义,这里就暂置不论。

三

《文心雕龙》所载关于曹操的文论,尚有三处,前两处是:

夫以子云之才,而自奏不学,及观书石室,乃成鸿采。表里相资,古今一也。故魏武称张子之文为拙,然学问肤浅,所见不博,专拾掇崔、杜小文,所作不可悉难,难便不知所山。斯则寡闻之病也。(卷八《事类》)

至如仲任置砚以综述,叔通怀笔以专业,既暄之以岁序,又煎之以日时。是以曹公惧为文之伤命,陆云叹用思之困神,非虚谈也。(卷九《养气》)

这两处可以见出曹操对文学创作活动的一些评论。我们知道曹操是很博学的,史书上说他"御军三十余年,手不舍书,昼则讲武策,夜则思经传,登高必赋,及造新诗,被之管弦,皆成乐章。"①他的儿子曹丕也说:"上雅好诗书文籍,虽在军旅,手不释卷,每每定省从容,尝言人少好学则思专,长则善忘,长大而能勤学者,唯吾与袁伯业耳。"②一直到晋朝的袁瑰,在他的奏表中还提到:"昔魏武帝身亲介胄,务在武功,犹尚废鞍览卷,投戈吟咏。"③可见曹操的勤学与博览是出名的。因此,《文心雕龙·事类》篇记载他讥评张子的一段话④,确实符合曹操的情况,也可看出曹操的多方面的兴趣,从一个侧面见出他的学识素养。

---

①《三国志》卷一《魏志·武帝纪》裴注引《魏书》。
②《三国志》卷二《魏志·文帝纪》裴注引曹丕《典论·自叙》。
③《晋书》卷八十三《袁瑰传》,又见《宋书》卷十四《礼志》一,文字有小异,"废鞍"作"息鞍"。
④张子不知是谁,自来注《文心雕龙》者都略而未注。按《金缕子·立言篇》有"等张君之弧,徒观外泽;亦如南阳之里,难就穷检矣"。似相近,但也不知其张子为何人。

曹操虽然主张博学,对于有些人"学问肤浅,所见不博"的毛病给以讥评,但他并不主张死读书、死作文。《文心雕龙·养气》篇所说的"曹公惧为文之伤命",虽语焉不详,但其意义仍可揣知。关于这一点,黄侃的《文心雕龙札记》有一个较好的说明,他说:"然则息游亦为学者所不可缺,岂必终夜以思,对案不食,若董生下帷,王劭思书,然后为贵哉?"黄侃引及董仲舒的例子,是值得注意的。据说董仲舒做博士官时,"下帷讲诵,弟子传以久次相受业,或莫见其面。"①曹操的"惧为文之伤命"是否有暗讽董仲舒之意,不得而知,但对于那些平日不接触社会现实、一味在书本上讨生活的腐儒,含有一定的讥刺,那倒是很有可能的。

《文心雕龙》另一处称引曹操的文学主张的,是:

> 昔魏武论赋,嫌于积韵,而善于资代。……又诗人以兮字入于句限,楚辞用之,字出句外。寻兮字成句,乃语助余声,舜咏南风,用之久矣。而魏武弗好,岂不以无益文义邪?（卷七《章句》）

如同上面所说,我们感到可惜的是已看不到曹操在这方面的完整的意见,只能从刘勰的论述中得知其大概。据前人关于《文心雕龙》的研究,这是讲作赋的句末用韵的。黄侃的《札记》说:"盖以四句一转则太骤,百句不迁则太繁,因宜适变,随时迁移,使口吻调利,声调均停,斯则至精之论也。……魏武嫌于积韵,善于

---

① 《史记》卷一二一《儒林列传》。

资代,所谓善于资代,即工于换韵耳。"当然,关于辞赋用韵这个具体问题,在后代已没有多大实际意义,但我们从这里却可以进一步看到,即使像辞赋用韵,以及分字入于句限那样具体的写作技巧问题,曹操对此也表现了如此浓厚的兴趣和钻研精神,以致在过了二三百年以后,使得专门文艺批评家如刘勰那样,也感到有必要来引述曹操的主张以丰富他的论证,这确是值得我们研究魏晋文论时注意的。

除了上面提到的《宋书》、《文心雕龙》等书之外,初唐四杰之一的王勃,也曾提及过曹操的文论。王勃的《平台秘略论》之三《艺文》说:"《易》称观乎天文以察时变,《传》称言而无文行之不远,故文章经国之大业,不朽之能事,而君子所役心劳神,宜于大者远者,非缘情体物,雕虫小技而已。是故思王抗言词赋,耻为君子;武皇裁敕篇章,仅称往事,不其然乎?"①这里的"思王"二句,即曹植与杨德祖(修)书,现在尚见于《文选》,而"武皇裁敕篇章,仅称往事"二句,却已不知其出处,这当也是曹操的佚文,王勃当时尚能看到,后来则又散失。清朝时注释王勃诗文以详博著称的蒋清翊也只好说"其事未详"。

建安时期的文学,是中国古典文学的一个重要发展阶段,而曹操又是建安文学的重要作家,他不但从政治建树上、诗文创作上,给予当时文坛以极大影响,他的文学思想,从本文所搜辑到的,也可以看出,内容是多方面的,对于当代和后世,影响也很深刻。这一点,希望今后编写文学史时能够予以应有的注意和足够

---

① 《王子安集》卷十。

的重视,并希望研究者在本文提到的以外更能搜辑其文学思想的资料,以有助于对魏晋文论的探讨。

原载《北方丛刊》1980 年第 4 期,此据京华出版社 1999 年版《唐诗论学丛稿》录入

潘岳系年考证

    在西晋文坛上,潘岳往往与陆机并称,作为西晋文学的代表。沈约《宋书·谢灵运传论》说:"降及元康,潘陆特秀,律异班贾,体变曹王。"萧子显《南齐书·文学传论》也说:"潘陆齐名,机岳之文永异。"南朝及后世的诗文评,常以潘、陆的作品作比较的研究。作为文学史的研究,我们固然应当从作品的内容和艺术风格,评论作家在文学史上的地位与作用,同时还应当研究和考证作家的生平事迹,知人论世,对作品的了解就可以更加深入。潘岳的一生,在西晋文人中,具有一定的代表性。荥阳潘氏从建安以来,就有文名。潘岳妻室杨氏一家,门第更盛,魏及西晋初期,都得到当时君主的宠信。潘、杨两家与当时名气大、社会地位高的阮(籍)、郑(袤)等家族,都有姻亲关系。在世家大族占统治地位的魏晋南北朝时期,婚姻一直是被看作极端重要的事情,如果"婚宦失类",就将被士族所不齿(此可参看沈约《奏弹王源》,《文选》卷四十)。西晋是世家大族经济势力大发展的时期,门阀士族制度也在这时正式形成,潘岳的出身以及他的社会关系,决定他必须依附于某一个豪门贵戚,以求得在仕途上的发展和文学上的凭借。他一开始就投身于当时权势极大的贾充、贾谧家族,与当时不少文人都随着贾氏一家政治上的兴衰而浮沉,这一点在整个西晋文坛是有典型性的。在当时,几乎没有一个文人不卷入贵族、豪门、权臣、悍将纷繁而惨酷的斗争中,这些斗争当然不仅影响文人的生活,也影响他们的创作。当时政治争斗的复杂与急遽,使文人们有时感到无所适从,他们往往被迫作心口不一的表示,而某些文学作品中所表现的恬静与作家仕途进取的躁竞,也往往在同一时期出现。通过潘岳生平事迹的探索,会有助于我们对西晋文人生活的了解。

本文辑集潘岳事迹的有关材料,并加以排比整理;对于史书上的某些误载,也加以讨论辨正。发明无多,形同钞胥,录出谨供治文学史者参考。

据《晋书》卷五十五《潘岳传》,潘岳的祖父名瑾,曾为安平太守;他的父亲名芘,任琅邪内史。又据《三国志》卷二十一《魏志·卫觊传》裴注引《文章志》,潘勖子满,平原太守;满子尼,尼之从父为潘岳。据以列表,应是:

潘瑾——潘芘——潘岳

潘勖——潘满——潘尼

潘勖是否为潘瑾所生,无文献可征。但据《三国志·卫觊传》裴注引《文章志》,勖卒于汉献帝建安二十年(公元 215 年),年五十余,其生年当在公元 161 至 165 年间。潘芘则于晋武帝泰始元年(公元 265 年)为琅邪内史(详后),勖之卒与芘之仕为琅邪内史,相距竟有五十年,若以勖之生年计算,则竟达一百年。又据《晋书》卷五十五《潘尼传》，尼于永嘉中迁太常卿，"洛阳将没，携家属东出成皋，欲还乡里。道遇贼，不得前，病卒于坞壁，年六十余"。按洛阳于永嘉五年（公元311年）六月为刘曜所破，潘尼之卒也当在这一年，这时潘尼六十余岁，则其生年约在公元250年左右，潘岳则生于公元247年，二人年岁相差无几，故潘尼《赠司空掾安仁》诗（丁辑《全晋诗》卷四）云："坐则接茵，行则携手，义惟诸父，好同朋友。"从这些方面看来，潘芘与潘勖当非亲兄弟。唐林宝《元和姓纂》卷四潘氏："广宗，今宋城县。勖生芘、满。芘生岳，满生尼。"把潘勖与潘芘列为父子关系，与《三国志》、《晋书》及潘尼诗都不合，误。

潘勖也是建安时著名的文章家。《三国志·卫觊传》称"建安末尚书右丞河南潘勖，黄初时散骑常侍河内王象，亦与觊并以文章显"。潘勖字元茂，初名芝。献帝时为尚书郎，迁右丞，史称他"才敏兼通，明习旧事"。《三国志》卷一《武帝纪》载建安十八年五月策曹操为魏公文，裴注云"后汉尚书左丞潘勖之辞也"。这就是所谓九锡文。萧统《文选》卷三五载潘勖此文，题作《册魏公九锡文》。据清人赵翼《廿二史札记》（卷七），自从册封曹操开始有九锡文，"其后晋、宋、齐、梁、北齐、陈、隋皆用之。其文皆铺张典丽，为一时大著作"。各朝的九锡文，都是步武潘勖所作。按裴注引《文章志》又载："勖子满，平原太守，亦以学行称。"潘满之子潘尼，"少有清才，文辞温雅"（裴注引《潘尼别传》）。因此潘氏一门，从建安到西晋，大抵都以文学名世，《潘尼别传》还记载潘尼曾有诗赠陆机，陆机作诗答之，其中说："猗歟潘生，世笃其藻，仰仪前文，丕隆祖考。"就是指潘勖至潘尼三世而说的（按：陆机这四句诗,丁辑《全晋诗》及郝立权《陆士衡诗注》均失收)。

又按《晋书·潘岳传》谓岳为荥阳中牟人,《三国志·武帝纪》建安十八年条裴注称潘勖为陈留中牟人。据《晋书》卷十八《地理志》上,荥阳郡为晋武帝泰始二年置,汉末与魏时属河南。中牟县晋时属荥阳郡,汉魏时属陈留郡,其地在今郑州与开封之间。但《水经注》卷十五"洛水"云:"其水(指九山溪水——引者)东北流入白桐涧,又北径袁公坞东,盖公路始固有此也,故有袁公之名矣。北流注于罗水,罗水又西北径袁公坞北,又西北径潘岳父子墓前,有碑。"其地域在巩县范围之内。又潘岳《西征赋》(《文选》卷一〇)云:"眷巩洛而掩涕,思缠绵于坟茔。"李善注谓:"巩、洛,二县名也。《河南郡图经》曰:潘岳父冢,巩县西南三十五里。"《西征赋》是潘岳就任长安县令时所作,历叙从故乡出发的沿途见闻。从赋文与李善注,可以确定潘岜的坟墓在巩县西南。潘岳《在怀县作》诗(《文选》卷二六)其二:"卷(胡克家《考异》谓当作"眷")然顾巩洛,山川邈离异。"李善注:"巩、洛,岳父坟茔所在也。"可以注意的是,在这二句诗之后又说:"愿言旋旧乡,畏此简书忌。"由以上的材料,可以知道,潘岳父亲的坟墓在巩县西南三十五里的罗水流经处,潘岳本人死后也葬于此(据上所引《水经注》,是潘岳的门人为之立碑,潘尼为碑题辞)。潘岳在诗文中都表示这个地方是他的旧乡。这些,都使我们觉得,荥阳或陈留的中牟是指他的郡望,巩县才是他一家(至少是从他父亲开始)实际居住之地。

《世说新语·赏誉篇》:"谢胡儿作著作郎,尝作《王堪传》,不谙堪是何似人,咨谢公。谢公答曰:'世胄亦被遇。堪,烈之子,阮千里姨兄弟,潘安仁中外。安仁诗所谓子亲伊姑,我父唯舅。是许允婿。'"(按,此段文字,宋本分成两条,以"堪,烈之子"为断,"阮千里姨兄弟"另起一条,显误)刘注引《晋诸公赞》云:"堪字世胄,东平寿张人。少以高亮义正称。为尚书左丞,有准绳操。为石勒所害,赠太尉。"这里所说的为石勒所害,是指永嘉四年(公元310年)二月,王堪为车骑将军时,与石勒战,兵败身死(见《晋书》卷五《怀帝纪》,又参见卷一○○《王弥传》、卷一○四《石勒载记》)。又据《晋书》卷三九《荀组传》:"赵王伦为相国,欲收大名,选海内德望之士,以江夏李重及组为左右长史,东平王堪、沛国刘谟为左右司马。"后东海王越讨河间王颙时,王堪为尚书令(《晋书》卷五一《王接传》)。王堪父王烈,在曹魏时任治书侍御史,也知名。堪岳父许允,曹爽执政时为魏侍中(《晋书》卷一《宣帝纪》),在任吏部郎时,石苞曾因许允对己之评语而自诩(同上卷三三《石苞传》)。曾为郑袤所赏识,受王郎所辟,与鲁芝、王基等"后咸至大位,有重名"(同上卷四四《郑袤传》)。可见王堪一门,在魏晋两朝,官宦显赫。潘岳有赠王堪诗(《文馆词林》卷一五二题作《赠王胄》,当系唐人后来因避唐太宗讳省去"世"字),其中说:"峨峨王侯,中外之首。子亲伊姑,我父惟舅。昆同瓜瓞,志齐执友。"潘岳与王堪为姨表兄弟,王堪与阮瞻(千里)也为姨表兄弟。阮瞻事可参见《晋书》卷四九《阮籍传》,阮籍兄子咸,咸二子,长即阮瞻。阮咸即为著名的竹林七贤之一。

潘岳之妻室杨氏,岳丈为杨肇,见岳所作《怀旧赋》(《文选》卷一六)。又李善注引贾弼之《山公表注》:"杨肇女适潘岳。"杨肇一家在魏及西晋初是名门望族,得当时君主的宠信。杨肇的祖父为杨恪,魏时任骁骑将军之职。潘岳《杨荆州诔》(《文选》卷五六):"伊君祖考,方事之殷。鸟则择木,臣亦简君。投心魏朝,策名委身。奋跃渊途,跨腾风云。或统骁骑,或据领军。"李善注引潘岳《杨肇碑》云:"肇,骁骑府君之嫡孙,领军肃侯之嗣子。"又引贾弼之《山公表注》曰:"杨恪字仲义,骁骑将军。生暨,字仲先,领军将军。"又《晋书》卷二十四《职官志》:"骁骑将军、游击将军,并汉杂号将军也。魏置为中军。及晋,以领、护、左右卫、骁骑、游击为六军。"杨恪事可考者仅此。杨暨的事迹记载得稍多一些。《三国志》卷九《魏志·曹休传》:"太和二年,帝为二道征吴,遣司马宣王从汉水下,休督诸军向寻阳。贼将伪降,休深入,战不利,退还宿石亭。军夜惊,士卒饥,弃甲兵辎重甚多。休上书谢罪,帝遣屯骑校尉杨暨慰谕。"魏明帝太和二年为公元 228 年,此时杨暨为屯骑校尉。《晋书·职官志》:"屯骑、步兵、越骑、长水、射声等校尉,是为五校,并汉官也。魏晋逮于江左,犹领营兵。"杨暨于太和二年为屯骑校尉,太和末(太和共七年)已为中领军,据《晋书·职官志》所载,上述屯骑校尉等五校,"皆中领军统之",就是说,中领军将军是他们的上司。无论魏晋,任此职者都是帝王的亲信大臣,如曹丕即位后,以曹休为中领军,晋武帝时,以羊祜为之。《三国志》卷十四《魏志·刘晔传》裴注引《傅子》,说刘晔事魏时帝,甚见亲重,尝与明帝论伐蜀事,"中领军杨暨,帝之亲臣,又重晔,持不可伐蜀之议最坚,每从内出,辄过晔,讲不可之意"。刘晔卒于太和末,杨暨之为中领军也当在这个时候。又如《三国志》卷二十六《魏志·田豫传》:"太和末,公孙渊以辽东叛,帝欲征之而难其人,中领军杨暨举豫应选。"由此可见,杨暨在魏明帝时是颇受重用的。杨暨字肇，字秀初，就是潘岳的岳丈。他的事迹详见下文，概略言之，杨肇在魏末历任职县令、治书侍御史、野王典农中郎将。司马昭执政后，他任相国府参军，开始依附司马氏，从此得到赏识。晋武帝即位之初，典宫中武卫，因勋进封东武伯，后又为荆州刺史。不幸的是，泰始八年（公元 272 年）时，晋与吴战，晋军失利，杨暨为吴国名将陆抗所败，由此免官。此外还应一提的是，杨肇子杨潭，字仲武，娶郑默女为妻。潘岳有《杨仲武诔》（《文选》卷五六），序云：“八岁丧父，其母郑氏，光禄勋密陵成侯之元女。”李善注引贾弼之《山公表注》曰：“郑袤为司空、密陵元侯，生默，为光禄勋、密陵成侯。默女适荥阳杨潭。”据《晋书》卷四十四《卷袤传》，袤荥阳开封人，自汉末即为大族，为司马师所器重，晋武帝时表为司空，辞。郑默也为司马氏所推重，本传载：“初，（武）帝以贵公子当品，乡里莫敢与为辈，求之州内，于是十二州中正佥共举默。文帝与袤书云：‘小儿得厕贤子之流，愧有窃贤之累。’”默官大司农，转光禄勋，太康元年卒。史又载杨骏先欲以女妻默之子豫，默固辞，骏深以为恨。由此都可见杨肇一家三世在魏晋时的际遇和社会地位。

杨肇长女适潘岳，次女适任护。护字子咸，乐安人，曾任奉车都尉，年二十卒。潘岳《寡妇赋》（《文选》卷一六）：“乐安任子咸，有韬世之量，与余少而欢焉，虽兄弟之爱，无以加也。”李善注引《山公表注》：“任护字子咸，奉车都尉。”赋又云：“其妻子吾姨也。”李善注引《山公表注》：“杨肇次子适任护。”又引《尔雅》曰：“妻之姊妹同出为姨。”赋又曰：“不幸弱冠而终。”卒时，有女尚幼，后仅三岁而夭。赋曰：“孤女藐焉始孩。”李善注引《潘岳集·

任泽兰哀辞》:"泽兰者,任子咸之女也。涉三龄,未没丧而殒。余闻而悲之,遂为其母辞。"其哀辞见丁福保辑《潘安仁集》卷四,系辑自《艺文类聚》卷三十四。

魏邵陵厉公正始八年丁卯　247 年　一岁

《晋书》本传未载潘岳年岁。《文选》卷一三潘岳《秋兴赋》:"晋十有四年,余春秋三十有二。"李善注曰:"十四年,晋武帝泰始十四年也。"按泰始共十一年,李善注误,历来《文选》学家多已指出。晋十四年即晋武帝咸宁四年(公元 278 年),此年潘岳三十二岁,据此推算,则当生于本年。

本年阮籍三十八岁,时曹爽辅政,曾召阮籍为参军,籍以疾辞。《晋书》卷四十九《阮籍传》:"及曹爽辅政,召为参军,籍因以疾辞,屏于田里,岁余而爽诛,时人服其远识。"按据《三国志·三少帝纪》,曹爽被杀在嘉平元年(公元 249 年)正月,在此之前岁余,则当在本年秋冬。

魏邵陵厉公嘉平元年己巳　249 年　三岁

杨肇任轵县令。潘岳《杨荆州诔》:"学优则仕,乃从王政。散璞发辉,临轵作令。化行邑里,惠洽百姓。"李善注引潘岳《杨肇碑》云:"嘉平初,除轵令。"按嘉平共六年(公元 249—254 年),此云嘉平初,当指元年。此为杨肇从政之始。《晋书》卷十四《地理志》上,轵县属河内郡,在今河南省济源县南。

阮籍约于今明年内为司马懿之太傅府从事中郎。《晋书》卷四十九《阮籍传》:"宣帝为太傅,命籍为从事中郎。"

石崇生。崇字季伦,渤海南皮人,石苞之子。见《晋书》卷三十三《石崇传》。

魏高贵乡公正元二年乙亥　255 年　九岁

　　杨肇约于本年起为司马昭大将军府参军,在此前数年历任治书侍御史、野王典农中郎将等职。潘岳《杨荆州诔》:"煌煌文后,鸿渐晋室。君以兼资,参戎作弼。"李善注引潘岳《杨肇碑》云:"文后历数在躬,为参军。"《艺文类聚》卷五十八载潘岳《杨肇碑》作:"于时文后,历数在躬,相国幕府,实允华夏。九德咸事,俊乂在官。成君名器,纳字参军。"按司马师卒于正元二年正月,同月,司马昭进位大将军,加侍中,都督中外诸军,录尚书事,辅政。《晋书·职官志》:"诸公及开府位从公为持节都督,增参军为六人。"杨肇当是司马昭为大将军时,入其府为参军,从此受到司马氏的赏识

魏高贵乡公甘露三年戊寅　258 年　十二岁

　　潘岳本年受知于杨肇,肇许以女妻岳。潘岳《怀旧赋》序云:"余十二,而获见于父友东武戴侯杨君,始见知名,遂申之以婚姻。"又赋云:"余总角而获见,承戴侯之清尘。名余以国士,眷余以嘉姻。"潘岳少时即以才颖见称乡里,号为奇童,见《晋书》本传,又臧荣绪《晋书》也称岳"总角辩惠,摛藻清艳,乡邑称为奇童"(《文选》卷七《藉田赋》李善注引)。又《杨荆州诔》云"仰追先考,执友之心";《杨仲武诔》:"潘杨之穆,有自来矣。"可见潘、杨两家为世交,潘芘与杨肇为挚友,但潘芘此时任何职,未可考知。

魏元帝景元二年辛巳　261 年　十五岁

　　陆机生。机字士衡,吴郡人。见《晋书》卷四《惠帝纪》、卷五十四《陆机传》。

魏元帝景元三年壬午　262年　十六岁

夏侯湛本年二十岁,为太尉府掾。湛为潘岳好友。潘岳《夏侯常侍诔》(《文选》卷五十七)载湛卒于晋惠帝元康元年(公元291年),年四十九。以此推算,本年为二十岁。《诔》又云:"少知名,弱冠,辟太尉府掾。"又据《三国志》卷四《陈留王奂纪》,是时太尉为高柔。

陆云生,云字士龙。见《晋书》卷五十四《陆云传》。

魏元帝景元四年癸未　263年　十七岁

阮籍卒,年五十四,见《晋书·阮籍传》。

魏元帝咸熙元年甲申　264年　十八岁

杨肇本年封东武子,当仍为司马昭参军。《杨荆州诔》:"用锡土宇,膺兹显秩。青社白茅,亦朱其绂。"李善注引《杨肇碑》云:"五等初建,封东武子。"按《晋书》卷二《文帝纪》,咸熙元年七月,"始封五等爵"。《三国志》、《通鉴》系于是年五月,《通鉴》卷七十八咸熙元年载:"五月庚申,晋王奏复五等爵,封骑督以上六百余人。"按上年十一月平蜀,五等之建,为赏平蜀之功。

晋武帝泰始元年乙酉　265年　十九岁

潘岳父潘芘约于本年十二月后为琅邪内史,潘岳曾随父至任。《晋书》岳本传:"父芘,琅邪内史。"未载年月。按据《晋书》卷三《武帝纪》,司马炎于本年十二月即皇帝位,改元为泰始;丁卯,大封宗室功臣,司马懿第九子伦封琅邪王。《晋书》卷五十九《赵王伦传》也载:"武帝受禅,封琅邪郡王";"咸宁中,改封于赵"。又据《晋书·职官志》,咸宁三年,卫将军杨珧、中书监荀勖曾上疏谓:"诸王为帅,都督封国,即各不臣其统内。……而诸王公皆在京都"，云云。由此可知，当时诸王虽有封地，皆不就国，另由内史掌行政职务（《晋书·职官志》："诸王国以内史掌太守之任"）。潘芘之为琅邪内史，当即在此时。西晋时，以平原、汝南、琅邪、扶风、齐为大国，梁、赵、乐安、燕、安平、义阳为次国。

《晋书》潘岳本传又载："初，芘为琅邪内史，孙秀为小史给岳，而狡黠自喜。岳恶其为人，数挞辱之，秀常衔忿。"按潘岳于泰始二年辟司空掾，他在琅邪的时间应在泰始元年、二年间。与孙秀结怨即在此时，后潘岳竟由此致死。《世说新语·仇隙篇》刘注引王隐《晋书》也载："岳父文德（按此或即为潘芘字——引者）为琅邪太守，孙秀为小史给使，岳数蹴蹋秀，而不以人遇之也。"据《晋书·职官志》，晋时王国内史的官属，高者有主簿、主记室、门下贼曹等，另有小史、循行小史等低级属官。孙秀虽为小史，但在琅邪则多方攀附高门，如《晋书》卷四十三《王戎传》谓："初，孙秀为琅邪郡吏，求品于乡议。戎从弟衍将不许，戎劝品之。及秀得志，朝士有宿怨者皆被诛，而戎、衍获济焉。"可以概见。

杨肇于泰始初几年典宫中武卫之职。《杨荆州诔》："魏氏顺天，圣皇受终。烈烈杨侯，实统禁戎（李善注引《杨肇碑》曰：皇祖之始，典戎武卫）。司管阊阖，清我帝宫（李善注引《晋宫阁铭》曰：洛阳城阊阖门。又引应劭曰：天子行幸所至，先案行清静殿中，以虞非常）。苟懝不作，穆如和风。谓督勋劳，班命弥崇。"

晋武帝泰始二年丙戌　266 年　二十岁

潘岳于本年上半年仍在琅邪，作《射雉赋》，这是现在可以考知的潘岳最早的作品。按《射雉赋》载于《文选》卷九，李善注曾录岳自序云："余徙家于琅邪，其俗实善射，聊以讲肄之余暇，而习媒翳之事,遂乐而赋之也。"此云"徙家于琅邪",即指随父至任所。潘岳本年辟为司空掾,赴洛阳(见后)。此赋中叙射雉之时间:"于时青阳告谢,朱明肇授"。青阳为春,朱明为夏。徐爰注这二句,谓"明四月也"。这就是说,潘岳于四月间尚在琅邪,则其辟司空掾赴洛阳,当即在本年下半年。又《射雉赋》有徐爰注,爰为南朝刘宋时人,博洽多闻,曾著《宋书》,为后来沈约所著《宋书》的蓝本。徐爰于此篇题下注曰:"媒者,少养雉子,至长狎人,能招引野雉,因名曰媒。翳者,所隐以射者也。晋邦过江,斯艺乃废,历代迄今,寡能厥事。尝览兹赋,昧而莫晓,聊记所闻,以备遗忘。"琅邪地方的农人把幼雉养大,并用来招引野雉,射者伏在隐蔽处,伺机射之。这是当地捕猎野禽的一种方法,潘岳在赋中详叙其情节,十分真切,潘赋善于叙事,于此亦可概见。李善较完整地保存了徐爰的注,潘赋和徐注,乃是研究西晋时琅邪一带农民生产活动的可贵资料。

又丁辑《潘安仁集》卷一有《沧海赋》,云:"徒观其状也,则汤汤荡荡,澜漫形沈,流沫千里,悬水万丈。"文中未载作于何年,但有云:"其中有蓬莱名岳,青丘奇山,阜陵别岛,嵚岖其间。"蓬莱、青丘都在今山东胶州半岛,于琅邪为近。潘岳后期踪迹并来再至山东,则此《沧海赋》当也在琅邪时游历蓬莱等地所作。《潘安仁集》卷四又有《吊孟尝君文》,疑亦游齐时所作。

潘岳约于本年下半年被辟为司空掾,时司空为荀颛。按《晋书》本传仅言"早辟司空、太尉府",未言年月。《文选》卷七《藉田赋》李善注引臧荣绪《晋书》谓:"弱冠,辟司空、太尉府,举秀才。"又潘岳《河阳县作》诗也说:"微身轻蝉翼,弱冠忝嘉招。"(《文选》

卷二六)李善注谓"岳弱冠举秀才"。潘岳于本年四月间尚在琅邪（见上引《射雉赋》），则任司空掾当在本年下半年。《晋书·武帝纪》，时荀颛为司空。《晋书》卷三十九《荀颛传》，颛为荀彧第六子，魏咸熙中即迁为司空。

潘岳在洛阳，约于今明年内与夏侯湛结交同游，京都谓之"连璧"。《晋书·夏侯湛传》："湛幼有盛才，文章宏富，善构新词，而美容观。与潘岳友善，每行止同舆接茵，京都谓之连璧。"按夏侯湛于景元三年（公元262年）为太尉掾，在洛阳，但那时潘岳年仅十六，恐尚在故里，无缘与夏侯湛相识。至本年泰始二年，年二十，至洛阳为司空掾，因得与湛交游。《世说新语·容止篇》也载："潘安仁、夏侯湛并有美容，喜同行，时人谓之连璧。"刘注引《八王故事》："岳与湛著契，故好同游。"夏侯湛本年为二十四岁。

晋武帝泰始四年戊子　268年　二十二岁

潘岳本年仍为司空掾。正月，作《藉田赋》。《文选》卷七载此赋："伊晋之四年正月丁未，皇帝亲率群后藉于千亩之甸，礼也。"李善注引臧荣绪《晋书》曰："泰始四年正月丁未，世祖初藉于千亩，司空掾潘岳作《藉田颂》也。"按此处之正月丁未，"未"应作"亥"。《晋书·武帝纪》载泰始四年正月，"丁亥，帝耕于藉田"。参清孙志祖《文选考异》卷一引何焯等说，谓据《礼记·月令疏》，藉耕应在亥日。岳此赋当是代司空作，这时任司空者为裴秀，见《晋书·武帝纪》。

潘岳任司空掾期间，潘尼有《赠司空掾安仁》诗（丁辑《全晋诗》卷四），四言十首。其二、其三称诵潘岳之才颖秀发，云："华茂九春，实繁三秋。骋辞泉涌，敷藻云浮。""表奇髫龀，成名弱冠。

令德内光,文雅外焕。幽冥必探,凝滞必散。终贾杜口,扬班韬翰。"这首诗当为本年前后作,其八叙尼与岳之情谊有云:"伊余鄙夫,秩卑才朽。温温恭人,循循善诱。坐则接茵,行则携手。义惟诸父,好同朋友。"此处自称"秩卑才朽",则潘尼此时当已入仕,但品阶尚低,未知何官。

夏侯湛、挚虞本年举贤良对策中第,拜郎中。《晋书·夏侯湛传》:"泰始中举贤良对策中第,拜郎中。"未载年月。按夏侯湛有《泰始四年举贤良方正对策》(严辑《全晋文》卷六十八,残存五句),则知为泰始四年。又《晋书》卷五十一《挚虞传》:"举贤良,与夏侯湛等十七人策为下第,拜郎中。"又曰:"武帝诏曰:'省诸贤良对策,虽所言殊途,皆明于王义,有益正道。欲详览其对,究观贤士大夫用心。'因诏诸贤良方正直言,会东堂策问,曰:'顷日食正阳,水旱为灾,将何所修,以变大眚……'"按《晋书·武帝纪》载泰始四年,"九月,青、徐、兖、豫四州大水,伊洛溢,合于河,开仓以振之。"按此即所谓水旱为灾。又同年十一月,"己未,诏王公卿尹及郡国守相,举贤良方正直言之士"。据此,则举贤良方正确在泰始四年十一、二月间。挚虞字仲洽,京兆长安人,生年不详。

晋武帝泰始七年辛卯　271 年　二十五岁

贾充时为侍中、尚书令,专权任势,与侍中任恺不合,朝臣结为朋党,张华、向秀等党于任恺。《晋书》卷四十五《任恺传》谓:"充既为帝所遇,欲专权势,而庾纯、张华、温颙、向秀、和峤之徒皆与恺善,杨珧、王珣、华廙等充所亲敬,于是朋党纷然。"又《通鉴》卷七十九泰始七年五月载:"侍中、尚书令、车骑将军贾充,自文帝时宠任用事,帝之为太子,充颇有力,故益有宠于帝。充为人巧

诶,与太尉、行太子太傅荀颛,侍中、中书监荀勖,越骑校尉安平冯
统相为党友,朝野恶之。……侍中乐安任恺、河南尹颍川庾纯皆
与充不协。"

刘琨生。琨字越石,中山魏昌人。见《晋书》卷六《元帝纪》
及卷六十二《刘琨传》。

晋武帝泰始八年壬辰　272年　二十六岁

杨肇时为荆州刺史,迎战吴军,为吴将陆抗所败,免官。又
《晋书·武帝纪》泰始八年,"九月,吴西陵督步阐来降。……吴将
陆抗攻阐。遣车骑将军羊祜帅众出江陵,荆州刺史杨肇……攻
抗,不克而还。阐城陷,为抗所禽。"《晋书》卷三十四《羊祜传》:
"祜率兵五万出江陵,遣荆州刺史杨肇攻抗,不克,阐竟为抗所禽。
有司奏:'祜所统八万余人,贼众不过三万。祜顿兵江陵,使贼备
得设。乃遣杨肇偏军入险,兵少粮悬,军人挫衄。背违诏命,无大
臣节。可免官,以侯就第。'竟坐贬为平南将军,而免杨肇为庶
人。"(据《通鉴》卷七十九,免杨肇为庶人在泰始八年十二月)《三
国志》卷五十二《步骘传》、卷五十八《陆抗传》所记大体相同。按
此次晋、吴之战,晋以羊祜所统为主力,率大军向江陵,而以杨肇
率偏师向西陵救步阐;吴以陆抗为主力,不正面迎击羊祜军,而却
急赴西陵围步阐而击杨肇,肇因救兵不至,大败,竟至免为庶人。
故潘岳《杨荆州诔》云:"继塞粮尽,神谋不忒。君子之过,引曲推
直,如彼日月,有时则食。负执其咎,功让其力。亦既旋旆,为法
受黜。"《杨肇碑》中也说:"西陵之役,悬军深入。亲薄寇垒,躬行
天诛。既而救兵不进,粮尽道穷,因乃怃然回虑,殿其众而返。虽
为法受黜,勋庸未崇,而天下服其勇,世主思其忠。"

按杨肇天泰始初典宫中武卫,已见前。后曾为东莞相,转荆州刺史,其为荆州刺史当在前数年间。《杨荆州诔》谓:"茫茫海岱,玄化未周。滔滔江汉,疆场分流。秉文秉武,时惟杨侯。既守东莞,乃牧荆州。折冲万里,对扬王休。"李善注引《杨肇碑》:"领东莞相、荆州刺史……加折冲将军。"据《晋书·地理志》下,平吴之前,晋之荆州统南阳、江夏、襄阳、南乡、魏兴、新城、上庸等七郡。

晋武帝泰始九年癸巳 273年 二十七岁

阮咸因讥评荀勖,出为始平太守。《晋书·阮咸传》谓咸解音律,善弹琵琶,"荀勖每与咸论音律,自以为远不及也,疾之,出补始平太守"。未言何时。据《宋书》卷十九《乐志》一载:"(泰始)九年,荀勖遂典知乐事,使郭琼、宋识等造《正德》、《大豫》之舞,而勖及傅玄、张华又各造北舞歌诗,勖作新律笛十二枚,散骑常侍阮咸讥新律声高,高近哀思,不合中和。勖以其异己,出咸为始平相。"

晋武帝咸宁元年乙未 275年 二十九岁

杨肇卒于家。《杨荆州诔》:"维咸宁元年夏四月乙丑,晋故折冲将军、荆州刺史、东武戴侯荥阳杨使君薨。"按肇于泰始八年(公元272年)十二月因兵败免官后,即家居。潘岳于十二岁时,杨肇即以长女许与为妻,其结婚于何时,无史料可征,大要当在本年以前。此时潘岳仍在洛中任职。

晋武帝咸宁二年丙申 276年 三十岁

郭璞生。璞字景纯,河东闻喜人。见《晋书》卷七十二《郭璞传》及《通鉴》卷九十三晋明帝太宁二年。

晋武帝咸宁四年戊戌　278年　三十二岁

潘岳本年作《秋兴赋》,时为太尉掾。此时贾充为太尉。按《秋兴赋》载于《文选》卷一三,自序云:"晋十有四年,余春秋三十有二,始见二毛,以太尉掾兼虎贲中郎将,寓直于散骑之省。"《晋书·武帝纪》,咸宁二年八月,"司空贾充为太尉"。前此之太尉为陈骞,骞亦为贾充之党。按潘岳于泰始二年(公元266年)始为司空掾,泰始四年(公元268年)仍在此职,见其所著《藉田赋》,其转为太尉掾,未详在何年。但自泰始二年至本年已十二年,《晋书》本传叙潘岳所作《藉田赋》后即云:"岳才名冠世,为众所疾,遂栖迟十年。"臧荣绪《晋书》亦曰:"辟司空、太尉府,举秀才,高步一时,为众所疾。"(《文选》卷七《藉田赋》李善注引)作《藉田赋》至本年已十年,仍不免沉浮下僚,当不仅是才高遭忌,或与当时党争有关。故《秋兴赋》自序又云:"摄官承乏,猥厕朝列,夙兴晏寝,匪遑底宁。譬犹池鱼笼鸟,有江湖山薮之思。"

本年又作《景献皇后哀策文》(《潘安仁集》卷四),称"於穆先后,俪黄协运",又云"母亦后晋,终温且惠",又云"嗟余艰屯,仍遭不造,靡恃惟妣,景命弗保。心之方痛,痛贯穹昊"。此景献皇后为羊氏,司马师妻,名徽瑜,见《晋书》卷三十一《后妃·景献羊皇后传》。传又云:"武帝受禅,居弘训宫,号弘训太后。……咸宁四年,太后崩,时年六十五,祔葬峻平陵。"潘岳此作,拟武帝口吻,当为司空掾时受命代作之文。文云:"袭龟筮之良辰,启幽房之潜燧。"即指祔葬峻平陵之事。《晋书》卷二《景帝纪》,称"陵曰峻平,庙称世宗",故诔文中又云"世宗之胤,德博化光"。

杨肇子杨潭卒。潘岳《杨仲武诔》(《文选》卷五六),记杨绥

（仲武）为杨潭子，"八岁丧父"。绥卒于惠帝元康九年（公元 299
年），年二十九，八岁当为咸宁四年。按潭字道元，仕历不详，其妻
即郑袤女。

晋武帝咸宁五年己亥　279 年　三十三岁

潘岳约于上年或本年出为河阳令，有《河阳令作二首》（《文
选》卷二六）。按潘岳作《秋兴赋》时尚为太尉掾，在咸宁四年秋。
《晋书》本传于《藉田赋》后叙云"遂栖迟十年，出为河阳令"，由泰
始四年（公元 268 年）至此即整十年，或于上年作《秋兴赋》后即出
任河阳（《河阳县作》其二云"鸣蝉厉寒音，时菊曜秋华"，亦为秋
时）。总之当不出此二年。又潘尼《赠河阳诗》（丁辑《全晋诗》卷
四）云："弱冠步鼎铉，既立宰三河。"与上所云年岁亦合，"既立"
自是举成数而言。

尼赠诗又云："虙生化单父，子奇莅东阿。桐乡建遗烈，武城
播弦歌。逸骥腾夷路，潜龙跃洪波。"此当是潘岳赴任时，潘尼赠
行之作。

据《晋书·地理志》，河阳县属司州河内郡，在今河南省孟县
西，黄河北岸，其南岸即洛阳，因此岳诗谓："登城绻南顾，凯风扬
微绡。洪流何浩荡，修芒郁苕峣。"这里的"洪流"指黄河，"修芒"
指北芒（在洛阳北郭）。潘岳又有《河阳庭前安石榴赋》（丁辑《潘
安仁集》卷三），叙宰河阳时之心情，说："仰天路而高睇，顾邻国以
相望。位莫微于宰邑，馆莫陋于河阳。虽则陋馆，可以遨游。"

《晋书》本传又云："出为河阳令，负其才而郁郁不得志。时尚
书仆射山涛领吏部，王济、裴楷等并为帝所亲遇，岳内非之，乃题
阁道为谣曰：'阁道东，有大牛，王济鞅，裴楷鞧，和峤刺促不得

休。'"按此又见《世说新语·政事篇》及刘注引王隐《晋书》,《世说》云:"山公以器重朝望,年逾七十,犹知管时任。贵胜年少,若和、裴、王之徒,并共宗咏。有署阁柱曰:'阁东有大牛,和峤鞅,裴楷鞧,王济剔嬲不得休。'或云潘尼作之。"按裴楷、和峤,在武帝登极前已跻高位,《晋书》卷三十五《裴楷传》称其"与山涛、和峤并以盛德居位"。又:"帝尝问曰:'朕应天顺时,海内更始,天下风声,何得何失?'楷对曰:'陛下受命,四海承风,所以未比德于尧舜者,但以贾充之徒尚在朝耳。方宜引天下贤人,与弘正道,不宜示人以私。'时任恺、庾纯亦以充为言。"又卷四十五《和峤传》,称峤"与任恺、张华相善"。则裴楷等数人皆与贾充相对立;潘则曾为贾充之太尉府掾,后又为贾谧所善。又潘岳曾为荀颢的司空掾,据《晋书》卷三十九《荀颢传》,谓"颢明《三礼》,知朝廷大仪,而无质直之操,唯阿意苟合于荀勖、贾充之间"。《晋书·和峤传》载峤鄙荀颢之为人。由此可见,潘岳题阁道词,并非仅从个人仕途失意而发,恐主要系涉及当时朝臣派系的斗争,《晋书》岳本传系于在河阳时,似非,《世说》及王隐《晋书》均未载明时间。此所谓阁道者当指洛阳宫中,或即为尚书阁。似当潘岳在洛阳时作。潘岳之出为河阳,或者与这也有关系。

潘岳在河阳,识公孙宏。《晋书》本传谓:"初,谯人公孙宏少孤贫,客田于河阳,善鼓琴,颇能属文。岳之为河阳令,爱其才艺,待之甚厚。"按公孙宏后为楚王玮长史,曾救潘岳之命。

本年十一月,晋大举伐吴。

晋武帝太康元年庚子　280年　三十四岁

夏侯湛于本年已为中书侍郎,《晋书》卷二十《礼志》,载太康元年东平王司马楙言其国相王昌事，令群臣平议，其中有中书侍郎夏侯湛。按据《晋书》本传，夏侯湛在此之前曾任太子舍人、殿中郎、野王令，并有《昆弟诰》等文。

晋武帝太康三年壬寅　282 年　三十六岁

潘岳约于本年春初转为怀县令，夏有《在怀县作二首》（《文选》卷二六）。按《晋书》本传仅云"出为河阳令……转怀令"，未言年月。《在怀县作》其一有云："我来冰未泮，时暑忽隆炽。"则知抵怀县乃在春初河冰尚未泮散之时，作诗则在当年盛夏。诗又云："虚薄乏时用，位微名日卑。驱役宰两邑，政绩竟无施。自我违京辇，四载迄于斯。器非廊庙姿，屡出固其宜。"由此可见，潘岳于咸宁四、五年间任河阳令，过了四年又转为怀县令，即本年。《在怀县作》叙写怀县夏时情景云："初伏启新节，隆暑方赫羲。朝想庆云兴，夕迟白日移。挥汗辞中宇，登城临清池。凉飚自远集，轻襟随风吹。"钟嵘于《诗品》中举"五言之警策者"，有"安仁倦暑"，即指此。

丁辑《潘安仁集》卷四有《太宰鲁武公诔》。按《晋书·武帝纪》，太康三年"夏四月庚午，太尉、鲁公贾充薨"。卷四十《贾充传》："太康三年四月薨，时年六十六。帝为之恸，使使持节、太常奉策追赠太宰……与石苞等为王功配飨庙庭，谥曰武。"岳之诔文亦当在本年夏间作，文中极颂贾充功德，谓："年逾知命，位极人臣。家无余禄，贵而食贫。他人之贤，譬彼丘陵，邈矣公侯，如日之升。"由此可见潘岳与贾氏在政治上之关系。

又丁辑《潘安仁集》卷五有《顾内诗》二首。按此诗仅"初征冰未泮"似合于潘岳初赴怀县之时节，但诗中又有"漫漫三千里，迢迢远行客"、"山川信悠永"、"绵邈寄绝域"等句。怀县在晋时属司州河内郡,在今河南省武陟县西南,距洛阳或巩县甚近,既非"绝域",更无三千里之路程,这些都与怀县不合。潘岳后曾任长安令,赴关中,但赴关中在四五月间,并非"冰未泮",且关中之行系携得家眷,不必"顾内"而作诗。综观潘岳一生踪迹,似并无远行三千里以外之绝域。此诗是否潘岳所作,尚有可疑。

晋武帝太康五年甲辰　284 年　三十八岁

潘尼约于本年前后举秀才,为太常博士。《晋书》卷五十五《潘尼传》云:"尼少有清才,与岳俱以文章见知,性静退不竞,唯以勤学著述为事。……初应州辟,后以父老,辞位致养。太康中举秀才,为太常博士。"按傅咸有《答潘尼》诗,序云:"司州秀才潘正叔,识通才高,以文学温雅为博士。余性直,而处清论褒贬之任,作诗以见规。虽褒饰之举,非所敢问,而斐灿之辞,良可乐也。"(严辑《全晋文》卷五十二)按《晋书》卷四十七《傅咸传》,咸于咸宁末为司徒左长史,后为尚书左丞。潘尼有《答傅咸诗》(丁辑《全晋诗》卷四),自序有云:"司徒左长史傅长虞,会定九品,左长史宜得其才,屈为此执天下清议,宰割百国,而长虞性质而行,或有不堪。余与之亲,作诗以规焉。"傅咸之为司徒左长史及潘尼之为太常博士,当皆在本年前后。傅咸诗,《诗品》列于下品。

晋武帝太康六年乙巳　285 年　三十九岁

潘岳约于今后数年间由怀县令入为尚书度支郎,迁廷尉评,又因公事免。《晋书》本传云:"岳频宰二邑,勤于政绩,调补尚书度支郎,迁廷尉评,以公事免。"皆未载明年岁。按岳于太康三年(公元 282 年)由河阳令转怀县令,在河阳约四年,在怀县或亦为四年,秩满,入为尚书度支郎,则当在今年或明后年。另潘岳《怀旧赋》(《文选》卷一六)系往吊杨肇之坟茔时作,其自序有云:"余既有私艰,且寻役于外,不历嵩丘之山者,九年于兹矣。""私艰"当指其父丧;"寻役于外",即出任河阳、怀二县令。云因此而九年不历嵩山,也可与此推算相合。又杨骏辅政时,引岳为其太傅府主簿,时在290年,则入为度支郎、迁廷尉评及因公事免官,均当在公元285年至290年之间。

又《晋书》本传载:"转怀令。时以逆旅逐末废农,奸淫亡命,每所依凑,败乱法度,敕当除之,十里一官櫺,使老小贫户守之,又差吏掌主,依客舍收钱。岳议曰……"此即所谓《上客舍议》。本传系之于怀县令时。按此文以丁辑《潘安仁集》所载为较全,其文首云:"被下尚书敕:客舍废农,奸淫亡命,败乱法度,皆当除外,十里安一官舍,老小民使守之,又差吏掌主,依客舍收钱数,春农事兴,求须冬闲。谨案客舍逆旅之设,其所由来远矣。……"按此处所议之事,乃属于尚书度支郎职务范围之内,文云"被下尚书敕",当是敕下尚书曹郎平议。《晋书·职官志》,晋时尚书三十四曹郎,度支是其中之一。《晋书》本传系之于怀令时似不确,应是潘岳任度支郎时所作。

晋武帝太康七年丙午 286年 四十岁

潘岳任尚书度支郎时,挚虞也任尚书郎,曾就古今尺长短事与潘岳有所驳难。《晋书》卷五十一《挚虞传》:"以母忧解职。久之,召补尚书郎。将作大匠陈勰掘地得古尺,尚书奏:'今尺长于古尺,宜以古为正。'潘岳以为习用已久,不宜复改。虞驳曰……"按据本传,挚虞于太康元年(公元280年)在闻喜令任,曾上《太康颂》，后以母忧解职。此处云久之召补尚书郎，最早也当在太康四、五年间。乃《晋书》卷十九《礼志》云："及晋国建，文帝又命荀𫖮因魏代前事，撰为新礼，参考今古，更其节文，羊祜、任恺、庾峻、应贞并共刊定，成百六十五篇，奏之。太康初，尚书仆射朱整奏付尚书郎挚虞讨论之。……虞讨论新礼讫，以元康元年上之。"此处以挚虞为尚书郎系于太康初，且云其时朱整为尚书仆射，不仅与《晋书·挚虞传》不合，且当时潘岳尚在河阳，也不得参与讨论。按朱整，《晋书》无传，但《晋书·武帝纪》载太康九年二月，"以尚书朱整为尚书右仆射"，而太康十年四月丁亥，朱整卒，则其任尚书仆射之时间即在太康九年二月至十年四月。《晋书·礼志》上所谓"太康初，尚书仆射朱整奏付尚书郎挚虞讨论之"之"太康初"，当为"太康末"之误。又《文选》卷四六任昉《王文宪集序》李善注引臧荣绪《晋书》曰："太尉荀𫖮先受太祖敕，述新礼，太康初，尚书仆射朱整奏付尚书郎挚虞讨论之。"这里也说是"太康初"，唐修《晋书》盖承臧书而误。又潘岳有《答挚虞新婚箴》，未详何时所作。

晋武帝太康十年己酉　289 年　四十三岁

陆机年二十九、陆云年二十八，由吴郡入洛，时号"二俊"，与张华、王济等游。见《晋书·陆机传》。陆机有《赴洛道中作二首》（《文选》卷二六）。按陆机、陆云至洛阳后与诸文士交游事，可参见《世说新语·言语篇》、《文学篇》刘注引《文章传》及《赏誉》、《排调》等篇，不具引。

晋惠帝永熙元年庚戌　290 年　四十四岁

夏侯湛四十八岁，于本年四月前由南阳相入为太子仆，未受命而武帝卒,惠帝即位,以为散骑常侍。《晋书·夏侯湛传》载湛于晋武帝后期历任中书侍郎、南阳相,又曰:"迁太子仆,未就命而武帝崩,惠帝即位,以为散骑常侍。"按晋武帝于本年四月己酉卒,同日惠帝即位,改元为永熙。夏侯湛当于本年四月前即由南阳相入为太子仆,武帝卒,太子即位,是为惠帝,因改为散骑常侍。潘岳《夏侯常侍诔》(《文选》卷五七),序云:"南阳相,家艰乞还。顷之,选为太子仆,未就命而世祖崩,天子以为散骑常侍,从班列也。"

此时潘岳也由廷尉评以公事免,闲居洛中,因复与夏侯湛游。《夏侯常侍诔》云:"乃眷北顾,辞禄延喜(按延喜系夏侯湛在洛阳所居之里第——引者)。余亦偃息,无事明时。畴昔之游,二纪于兹。斑白携手,何欢如之。"潘岳与夏侯湛曾于泰始二、三年(公元266年、267年)在洛阳相识交游,时谓之连璧,至本年已二十四五年,故云"畴昔之游,二纪于兹"。诔文中有叙及二人论文之语,可参。《世说新语·文学篇》又载:"夏侯湛作《周诗》成,示潘安仁,安仁曰:'此非徒温雅,乃别见孝悌之性。'潘因此遂作《家风》诗。"葛洪《抱朴子·钧世》篇:"近者夏侯湛、潘安仁并作补亡诗《白华》、《由庚》、《南陔》、《华黍》之属,诸硕儒高才之赏文者,咸以古诗《三百》,未有足以偶二贤之所作也。"

潘岳《狭室赋》当作于此时,可以概见免官时在洛阳居处之仄陋:"历甲第以游观,施陋巷而言归。伊余馆之褊狭,良穷敝而极微。阁了庆以互掩,门崎岖而外扉。室侧户以攒楹,檐接秔而交榱。当祝融之御节,炽朱明之隆暑。□日晔以耀庭,赫风焊其灼字。沸体怒其如铄,珠汗挥其如雨。若乃重阴晦冥,天威震曜,汉

潦沸腾，丛溜奔激。曰灶为之沈溺，器用为之浮漂。……"（丁辑《潘安仁集》卷二）

五月以后，潘岳为杨骏太傅府主簿。《晋书》本传云："杨骏辅政，高选吏佐，引岳为太傅主簿。"按据《晋书·惠帝纪》，惠帝于本年四月己酉立，五月丙子，"以太尉杨骏为太傅，辅政"。潘岳之为杨骏太傅府主簿，自当在本年五月以后。《潘安仁集》卷三有《世祖武皇帝诔》，当是任主簿时奉命代作，《晋书·惠帝纪》："夏五月，辛未，葬武皇帝于峻阳陵。"时张华为太子少傅，有《武皇帝哀策文》（严辑《全晋文》卷五十八。）

按此时同在太傅府任主簿者，尚有《海赋》作者木华。《文选》卷一二《海赋》五臣张铣注引《今书七志》云："木华字玄虚，广川人也。文章俊丽，为杨骏府主簿。"木华其他事迹不详。按隋时杜台卿曾以潘岳《沧海赋》与木华《海赋》等并称，严辑《全隋文》卷二十杜台卿《海赋》序云："后汉班彪有《览海赋》，魏文帝有《沧海赋》，王粲有《游海赋》，晋成公绥有《大海赋》，潘岳有《沧海赋》，木玄虚、孙绰并有《海赋》。"杜台卿，见《隋书》卷七十六《文学传》。

杨骏又辟陆机为祭酒。《晋书·陆机传》："后太傅杨骏辟为祭酒。"《文选》卷二四潘岳《为贾谧作赠陆机》诗有云："况乃海隅，播名上京。爰应旌招，抚翼宰庭。"即指陆机应杨骏辟事。李善注引臧荣绪《晋书》："太熙末，太傅杨骏辟机为祭酒。"按太熙为武帝年号，即本年，是年四月惠帝即位，改太熙为永熙。

晋惠帝元康元年辛亥　291 年　四十五岁

三月，杨骏为楚王玮等所杀，潘岳赖公孙宏救以免，除名为民。《晋书》本传云:"杨骏辅政,高选吏佐,引岳为太傅主簿。骏诛,除名。初,谯人公孙宏少孤贫,客田于河阳,善鼓琴,颇能属文。岳之为河阳令,爱其才艺,待之甚厚。至是,宏为楚王玮长史,专杀生之政。时骏纲纪皆当从坐,同署主簿朱振已就戮。岳其夕取急在外,宏言之玮,谓之假吏,故得免。"潘岳《闲居赋》(《文选》卷一六)也谓:"今天子谅暗之际,领太傅主簿。府主诛,除名为民。"《西征赋》(《文选》卷一〇)也说及此次免难事:"夕获归于都外,宵未中而难作。匪择木以栖集,鲜林焚而鸟存。遭千载之嘉会,皇合德于乾坤。弛秋霜之严威,流春泽之渥恩。甄大义以明责,反初服于私门。"杨骏被杀的当夜,潘岳恰巧在都外,故未及与朱振等同被于难,又赖公孙宏之救以免。又按杨骏死后,贾氏势力大增,潘岳曾在贾充府中为掾,也可谓贾氏故吏,此次之免难,或得贾谧阴为相助。又《晋书》卷四十七《傅祗传》载:"时又收骏官属,祗复启曰:'昔鲁芝为曹爽司马,斩关出赴爽,宣帝义之,尚迁青州刺史。骏之僚佐不可加罚。'诏又赦之。"(参见《通鉴》卷八十二元康元年三月条)大约当时因傅祗建议,避免株连过多,杨骏僚属中不少人得以保全。

夏侯湛于本年五月卒于洛阳,冬,潘岳为作诔文。《晋书·夏侯湛传》谓元康初卒,年四十九。《夏侯常侍诔》云:"春秋四十有九,元康元年夏五月壬辰寝疾,卒于延喜里第。"潘岳此篇诔文,当作于本年冬,诔云:"日往月来,暑退寒袭。零露沾凝,劲风凄急。惨尔其伤,念我良执。适子素馆,抚孤相泣。前思未弭,后感仍集。积悲满怀,逝矣安及。"夏侯湛五月卒,潘岳之诔冬日作,因此说"日往月来,暑退寒袭"。

又，潘尼本年为太子舍人，与陆机、陆云同为东宫僚属。《晋书·陆机传》："会骏诛，累迁太子洗马。"《文选》卷二四陆机《赠冯文罴迁斥丘令》李善注引臧荣绪《晋书》曰："杨骏诛，征机为太子洗马。"《晋书·陆云传》也载云为太子舍人。又潘尼《赠陆机出为吴王郎中令》诗（《文选》卷二四）："及尔同僚，具惟近臣。"李善注引臧荣绪《晋书》："正叔，元康初拜太子舍人。"按《晋书》潘尼本传载尼于元康初为太子舍人时上《释奠颂》，其辞曰"元康元年冬十二月"云云，则尼之为太子舍人确在本年。

晋惠帝元康二年壬子　292 年　四十六岁

潘岳于本年五月赴长安令任，其秋，作《西征赋》。按《晋书》本传云："未几，选为长安令，作《西征赋》，述所经人物山水，文清旨诣。"并未载明年月。按《西征赋》载于《文选》卷一〇，李善注谓"晋惠元康二年，岳为长安令，因行役之感，而作此赋"。李善注又引潘岳《伤弱子序》云："元康二年五月，余之长安。"《西征赋》亦云："岁次玄枵，月旅蕤宾，丙丁统日，乙未御辰，潘子凭轼西征，自京徂秦。"李善推得为元康二年五月十八日。赋又云："于是孟秋爰谢，听览余日，巡省农功，周行庐室。"盖首途在五月，作赋于八月。

自洛阳出发时，潘尼曾作诗送行，尼《献长安君安仁》诗（丁辑《全晋诗》卷四），有云："仆夫授策，发轫皇都。亲戚鳞集，祖饯盈途。"又赞潘岳之政绩与才德："明理内照，流风外馨。出敷五教，入赞典刑。黎人既乂，庶狱既清。""出不辞难，处不闷滞。望色斯听，温言顺厉。志在恤人，损己济代。复宰旧都，三命而逝。"潘尼此时当仍为太子舍人，在洛阳供职。

按潘岳此次赴任,乃携老幼西行,《西征赋》有云:"牧疲人于西夏,携老幼而入关。"行经新安时,其三月所生的幼子不幸夭折,赋中云:"夭赤子于新安,坎路侧而瘗之。亭有千秋之号,子无七旬之期。虽勉励于延吴,实潜恸乎余慈。"李善注引岳《伤弱子序》云:"三月壬寅,弱子生。五月之长安,壬寅次于新安之千秋亭,甲辰而弱子夭,乙巳瘗于亭东。"千秋亭在谷水旁,《水经注》卷十六《谷水》:"谷水又东径千秋亭南,其亭累石为垣,世谓之千秋城也。潘岳《西征赋》曰'亭有千秋之号,子无七旬之期',谓是亭也。"又按《西征赋》今所存者即《文选》所载,有唐李善及五臣注,但据《水经注》,则北魏崔浩已曾为之作注,《水经注》卷十五《洛水》有云:"又东北径三王陵,东北出焉。三王,或言周景王、悼王、定王也。魏司徒公崔浩注《西征赋》云……"按《西征赋》有"咨景悼以迄丐,政凌迟而弥季"二句,即《水经注》所说的三王陵。又《水经注》卷四《河水》:"河水又东得七里涧,涧在陕城西七里,故因名焉。其水自南山通河,亦谓之曹阳坑,是以潘岳《西征赋》曰'行乎漫渎之口,憩于曹阳之墟'。袁豹、崔浩亦不非其地矣。"按《魏书》卷三十五、《北史》卷二十一《崔浩传》,及《晋书》卷八十三、《宋书》卷五十二、《南史》卷二十六《袁豹传》,都未载崔、袁二人为《西征赋》作注之事,唯《北史·崔浩传》有云:"浩又以《晋书》诸家并多误,著《晋后书》,未就,传世者五十余卷。"看来崔浩于晋事甚为熟悉,为《西征赋》作注当有可能。

　　又,《西征赋》作于本年秋,但这时期的长安,从赋中所写,实甚荒芜,从这篇赋中可以看出西晋后期长安城内的衰败景况:"街里萧条,邑居散逸。营宇寺署,肆廛管库,蒌芮于城隅者,百不处一。所谓尚冠修成，黄棘宣明，建阳昌阴，北焕南平，皆夷漫涤荡，亡其处而有其名。"又云："鹜雉雊于台陵，狐兔窟于殿旁。何黍苗之离离，而余思之芒芒。洪钟顿于毁庙，乘风废而弗悬。禁省鞠为茂草，金狄迁于灞川。"

晋惠帝元康四年甲寅　294年　四十八岁

陆机于本年秋以太子洗马出为吴王郎中令，潘尼有诗赠行。《晋书·陆机传》："吴王晏出镇淮南，以机为郎中令。"未载年月。按《北堂书钞》卷六十六载陆机《皇太子清宴诗序》："元康四年秋，余以太子洗马出补吴王郎中（令）。"（此据清光绪十四年南海孔氏三十三万卷堂刊本，严辑《全晋文》漏收此数句）可见陆机出京在元康四年秋。潘尼有《赠陆机出为吴王郎中令》诗（《文选》卷二四）。陆机有《祖道毕雍孙刘边仲潘正叔》，毕、刘、潘皆为东宫僚友。陆机又有《答潘尼》诗，当也为同时所作，此时潘尼仍为太子舍人。按潘尼与陆机兄弟交好甚笃，对陆机之诗也深相钦服，陆云《与兄平原书》（严辑《全晋文》卷一〇二）有云："一日，见正叔与兄读古五言诗，此生叹息欲得之。"可以概见。

晋惠帝元康六年丙辰　296年　五十岁

潘岳本年作《闲居赋》（《文选》卷一六），在洛阳。赋云："仆少窃乡曲之誉，忝司空、太尉之命，所奉之主即太宰鲁武公其人也（按指贾充——引者）。举秀才为郎，逮事世祖武皇帝，为河阳、怀令，尚书郎，廷尉评。今天子谅暗之际，领太傅主簿，府主诛，除名为民。俄而复官，除长安令，迁博士，未召拜，亲疾，辄去官，免。自弱冠涉乎知命之年，八徙官而一进阶，再免，一除名，一不拜职，迁者三而已矣。"由此可知作赋之年为潘岳五十岁。潘岳于元康二年（公元 292 年）为长安令，由此赋，知后由长安令召入洛阳为博士，但未拜职，因亲疾而去官，此时则闲居洛邑（赋云："于是退而闲居于洛之涘，身齐逸民，名缀下士"）。按《晋书》本传云："征补博士，未召，以母疾辄去官，免，寻为著作郎，转散骑侍郎，迁给事黄门侍郎。岳性轻躁，趋世利，与石崇等诌事贾谧。……既仕宦不达，乃作《闲居赋》。"将《闲居赋》系于黄门侍郎之后。按《闲居赋》所叙前世所历官职，卒迁博十、未召拜、即去官为止，未言及为著作郎事，而岳之为著作郎在元康七年（详后），黄门侍郎更在其后，《晋书》此处叙事误。

又本年石崇（年四十八）出为征虏将军，监徐州诸军事，大会文士于金谷园，潘岳、刘琨等皆与宴，并有诗。石崇《金谷诗序》（严辑《全晋诗》卷三十三）云："余以元康六年，从太仆卿出为使持节、监青徐诸军事、征虏将军。有别庐在河南县界金谷涧中，去城十里。……时征西大将军祭酒王诩当还长安，余与众贤共送往涧中，昼夜游宴，屡迁其坐，或登高临下，或列坐水滨。……遂各赋诗，以叙中怀。"《晋书》石崇本传未载年月，《水经注》卷十六《谷水》引《金谷诗序》作元康七年，《文选》第二〇潘岳《金谷集作诗》李善注引石崇《金谷诗序》则仍作元康六年。当作六年是。潘岳诗有云："王生和鼎实，石子镇海沂，亲友各言迈，中心怅有违。"又云："春荣谁不慕，岁寒良独希。投分寄石友，白首同所归。"又《晋书》卷六十二《刘琨传》："年二十六，为司隶从事。时征虏将军石崇河南金谷涧中有别庐，冠绝时辈，引致宾客，日以赋诗。琨预其间，文咏颇为当时所许。"刘琨生于公元 271 年，年二十六，即元康六年。

又陆机于本年由吴王郎中令入为尚书中兵郎,入朝后,与贾谧有赠答诗,贾谧之诗系潘岳代作。陆机《答贾长渊》诗,自序云:"余昔为太子洗马,鲁公贾长渊以散骑常侍侍东宫。积年,余出补吴王郎中令。元康六年,入为尚书郎,鲁公赠诗一篇,作此诗答之云尔。"(《文选》卷二四)陆机又有《思归赋》,谓"以元康六年冬取急归"。则陆机由淮南返洛阳在本年冬,与贾谧赠答诗即在此时或次年春。《文选》卷二四载潘岳《为贾谧作赠陆机》诗。按贾谧此时历位散骑常侍、秘书监,依凭贾后之专恣,所谓权过人主。《晋书》本传载:"开阁延宾,海内辐凑,贵游豪戚及浮竞之徒,莫不尽礼事之。或著文章称美贾谧,以方贾谊。渤海石崇、欧阳建、荥阳潘岳、吴国陆机、陆云、兰陵缪徵、京兆杜斌、挚虞、琅邪诸葛诠、弘农王粹、襄城杜育、南阳邹捷、齐国左思、清河崔基、沛国刘瓌、汝南和郁、周恢、安平牵秀、颍川陈眕、太原郭彰、高阳许猛、彭城刘讷、中山刘舆、刘琨,皆傅会于谧,号曰二十四友,其余不得预焉。"《晋书·刘琨传》也记二十四友事,云:"秘书监贾谧参管朝政,京师人士无不倾心,石崇、欧阳建、陆机、陆云之徒并以文才降节事谧,琨兄弟亦在其间,号曰二十四友。"《晋书》潘岳本传原以潘岳为二十四友之首。按潘岳又有《贾充妇宜城宣君诔》(《潘安仁集》卷四),此宜城君即贾充妻郭槐,赵万里《汉魏南北朝墓志集释》卷一载有《贾充妻郭槐柩铭》,洛阳出土,称"槐以元康六年薨"(按《晋书》未记郭槐卒年),则潘岳为贾谧所作郭槐诔文当也作于本年。潘岳另有《于贾谧坐讲汉书》诗(《潘安仁集》卷四),称"显兄鲁侯,文质彬彬,笔下摛藻,席上敷珍"。再参证上述为贾谧作诗赠陆机,都可见潘岳与贾谧关系之密切,以及当时文士依附权豪的风气。潘岳本年并无官职,但仍热中奔趋于官场,而又写作《闲居赋》,谓"巧诚有之,拙亦宜然。……方今俊乂在官,百工惟时,拙者可以绝意乎宠荣之事矣。"因此赵翼《廿二史札记》卷七说:"《潘岳传》载《闲居赋》,见其迹恬静而心躁竞也。"此种情况,西晋文人所在多有,不独潘岳为然。

晋惠帝元康七年丁巳　297 年　五十一岁

潘岳本年秋冬已为著作郎,有《马汧督诔》(《文选》卷五七)。按潘岳于上年作《闲居赋》时尚未有官职,《晋书》本传仅云"寻为著作郎,转散骑常侍,迁给事黄门侍郎",都未记年月。《马汧督诔》云:"惟元康七年秋九月十五日,晋故督守关中侯扶风马君卒。"又云"天子既已策而赠之,微臣托乎旧史之末,敢阙其文哉。"则元康七年秋之前,潘岳已任著作郎之职。又按李善注引臧荣绪《晋书》曰:"汧督马敦,立功孤城,为州司所枉,死于图圄,岳诔之。"诔文中叙述关中氐羌起兵,推齐万年为帅以反抗晋朝,并于元康七年正月攻晋建威将军周处,周处败死。文云:"建威丧元于好畴,州伯宵遁乎大溪。若夫偏师裨将之殒首覆军者,盖以十数,剖符专城纡青拖墨之司,奔走失其守者,相望于境。"诔中写战况之激烈,及晋守土官吏之无能,颇具体真切。

晋惠帝元康八年戊午　298 年　五十二岁

潘岳之妻杨氏卒于洛阳德宫里。按潘岳有《杨仲武诔》(《文选》卷五六),岳妻杨氏为仲武之姑,仲武卒于元康九年五月,诔文即作于同年,文中云:"而子之姑,余之伉俪焉,往岁卒于德宫里。"李善注引陆机《洛阳记》曰:"德宫,里名也。"诔文又云:"德宫之艰,同次外寝。惟我与尔,对筵接枕。自时迄今,曾未盈稔,姑侄继殒,何痛斯甚。"意谓杨氏病危时,岳与仲武在侧,今则仲武又死,去其姑之卒期,还不到一年,则岳妻之卒当在元康八年六、七月间。《文选》卷五七载潘岳《哀永逝文》,当即其妻安葬时所作哀文,云:"启夕兮宵兴,悲绝绪兮莫承。俄龙辆兮门侧,嗟俟时兮将升。嫂侄兮惝惶,慈姑兮垂矜。"末云:"已矣,此盖新哀之情然耳,渠怀之其儿何,庶无愧兮庄子。"

晋惠帝元康九年己未　299 年　五十三岁

　正月,齐万年事平,潘岳应诏作《关中诗》(《文选》卷二〇)。李善注引潘岳上诗表曰:"诏臣作《关中诗》,辄奉诏竭愚作诗一篇。"五臣注吕周翰曰:"……既定,帝命诸臣作《关中诗》。"按《晋书·惠帝纪》元康六年五月,"匈奴郝散弟度元帅冯翊、北地马兰羌、卢水胡反,攻北地,太守张损死之。冯翊太守欧阳建与度元战,建败绩。征征西大将军、赵王伦为车骑将军,以太子太保、梁王肜为征西大将军、都督雍梁二州诸军事,镇关中。"八月,"雍州刺史解系又为度元所破。秦雍氐、羌悉叛,推氐帅齐万年僭号称帝,围泾阳。"十一月,"丙子,遣安西将军夏侯骏、建威将军周处等讨万年,梁王肜屯好畤,关中饥,大疫。"关于关中氐、羌起兵,及孟观讨平齐万年事,可参阅《通鉴》所记。齐万年于元康九年正月为孟观所破,《关中诗》之作当在本年正月以后。诗中详叙起事经过及晋军败状。按关中氐、羌起事,非仅元康六年以后,在此以前已矛盾甚深,潘岳于元康二年五月赴长安令时,潘尼作诗送行,已曰:"赫矣旧都,实惟西京。人不安业,盗贼公行。"而当时任关中军政首脑之赵王伦,应首负其咎。傅畅《晋诸公赞》曾谓伦都督雍梁时,"诛羌大酋数十人,胡遂反,朝议召伦还"。(《文选·关中诗》李善注引)《通鉴》卷八十二元康六年夏也载:"征西大将军赵王伦信用嬖人琅邪孙秀,与雍州刺史济南解系争军事,更相表奏,欧阳建亦表伦罪恶。朝廷以伦挠乱关右,征伦为车骑将军,以梁王肜为征西大将军、都督雍凉二州诸军事。"《晋书·赵王伦传》也说:"伦刑赏失中,氐羌反叛,征还京师。"潘岳在诗中对赵王伦在关中的措施也寓讽刺之意。潘岳与欧阳建后为赵王伦所杀,当也与此有关。

潘岳约于本年秋冬作《悼亡诗三首》(《文选》卷二三)。按岳妻卒于上年,何焯《义门读书记》曰:"安仁《悼亡》,盖在终制之后,荏苒冬春谢,寒暑忽流易,是一期已周也。古人未有丧而赋诗者。"何说是。岳妻约卒于上年六、七月间,《悼亡诗》其一云:"荏苒冬春谢,寒暑忽流易。……春风缘隙来,晨霤承檐滴。"写第二年春。其二曰:"清商应秋至,溽暑随节阑。凛凛凉风升,始觉夏衾单。"写初秋。其三曰:"凄凄朝露凝,烈烈夕风厉。……念此如昨日,谁知已卒岁。"写冬日。诗当作于本年冬。

潘岳此时为黄门侍郎,仕于朝,《悼亡诗》中屡言"俛俯恭朝命,回心反初役";"投心遵朝命,挥涕强就车"。潘岳于此时则参预贾后废太子之密谋,《晋书》卷五十三《愍怀太子传》载:"贾后将废太子,诈称上不和,呼太子入朝。既至,后不见,置于别室,遣婢陈舞,赐以酒枣,逼饮醉之。使黄门侍郎潘岳书草,若祷神之文,有如太子素意,因醉而书之,令小婢承福以纸笔及书草使太子书之,文云'陛下宜自了,不自了,吾当入了之……'"此事又见《通鉴》卷八十二。《晋书》潘岳本传未载。按本年十二月,贾后乃废太子为庶人。

晋惠帝永康元年庚申　　300 年　　五十四岁

据《晋书·惠帝纪》，四月癸巳，赵王伦、梁王肜矫诏废贾后为庶人，并害司空张华、尚书仆射裴頠等，贾谧及党与数十人也都被杀。甲午，赵王伦自为相国，都督中外诸军事，执朝政。己亥，令贾后死。八月，淮南王允举兵讨赵王伦，不克，允及其二子均被杀。

本年七、八月间，潘岳、石崇、欧阳建等也为赵王伦所杀。《晋书·潘岳传》："初，芘为琅邪内史，孙秀为小史给岳，而狡黠自喜，岳恶其为人，数挞辱之，秀常衔忿。及赵王伦辅政，秀为中书令，岳于省内谓秀曰：'孙令犹忆畴昔周旋不？'答曰：'中心藏之，何日忘之。'岳于是自知不免。俄而秀遂诬岳及石崇、欧阳建谋奉淮南王允、齐王冏为乱，诛之，夷三族。"《晋书·石崇传》也载孙秀欲夺石崇妾绿珠，崇不与，"秀怒，乃劝（赵王）伦诛崇、建，崇、建亦潜知其计，乃与黄门侍郎潘岳阴劝淮南王允、齐王冏以图伦、秀。秀觉之，遂矫诏收崇及潘岳、欧阳建等"。据此，则潘岳等被杀之时间当在本年八月淮南王允举兵前后。

按《世说·仇隙篇》有云："孙秀既恨石崇不与绿珠，又憾潘昔遇之不以礼，后秀为中书令，岳省内见之，因唤曰：'孙令忆畴昔周旋不？'秀曰：'中心藏之，何日忘之。'岳于是始知必不免。后收石崇、欧阳坚石，同日收岳。"上引《晋书》潘岳本传所谓孙秀为中书令一段文字，即本于此。《国立中央图书馆馆刊》第一卷第四号（1947.12.1）有《晋潘岳生卒年考》一文（章泰笙著），即据《世说·仇隙篇》，定潘岳之卒在孙秀为中书令时，又据《晋书·赵王伦传》，以为孙秀任中书令乃在永宁元年（公元 301 年）正月赵王伦僭位后,由此谓潘岳非卒于永康元年,而卒于永宁元年。按此说不确。据《晋书》卷四十七《傅祗传》:"及赵王伦辅政,以为中书监,常侍如故,以镇众心。祗辞之以疾,伦遣御史舆祗就职。……伦篡,又为右光禄、开府,加侍中。"据此,则永康元年四月赵王伦辅政时,以傅祗为中书监,又据《晋书·赵王伦传》,伦篡位后,"孙秀为侍中、中书监、骠骑将军、仪同三司。"亦即永宁元年正月,孙秀接替傅祗为中书监,而非中书令。《晋书·职官志》:"中书监及令:……魏武帝为魏王,置秘书令,典尚书奏事。文帝黄初初改为中书,置监、令,以秘书左丞刘放为中书监,右丞孙资为中书令;监、令盖自此始也。及晋因之,并置员一人。""并置员一人"者,中书监与中书令并各置一人也,中书监为长,中书令为贰。永康元年四月至永宁元年初,任中书监者先为傅祗,后为孙秀。南朝人不察,至刘义庆撰集《世说新语》时,则误以孙秀为中书令,唐修《晋书》,即径据之以写入《潘岳传》。倒是《世说·仇隙篇》刘注引王隐《晋书》所载尚近于当时情事:"石崇、潘岳与贾谧相友善,及谧废,惧终见危,与淮南王谋诛伦,事泄收崇,及亲期以上皆斩之。"石崇、潘岳、欧阳建皆谧党,贾谧既诛,此数人岂能幸免。除非如陆机,因名气大,又被任为参军(见《通鉴》卷八十三);刘琨因与赵王伦为姻亲(《晋书·刘琨传》"伦子荂,即琨姊婿也"),被辟为相府记室督。

《水经注》卷十五《洛水》:"罗水又西北径袁公坞北,又西北径潘岳父子墓前,有碑。……岳碑题云'给事黄门侍郎潘君之碑',碑云:'君遇孙秀之难,阖门受祸,故门生感覆醢以增恸,乃树碑以记事。'太常潘尼之辞也。"盖明年永宁元年三月齐王冏等起兵讨赵王伦,四月,诛伦等,潘尼乃葬岳于其父墓侧,并立碑云。潘尼后于永兴末(公元306年)为中书令,约卒于永嘉五年(公元311年)左右,年六十余。

又南宋人陈思《宝刻丛编》卷一东京开封府中牟县,记有"晋潘岳碑",云"在县西北七里平秩乡墓侧"(出《访碑录》)。此恐后人为之,非当初潘尼所撰之碑。

1981年2月12日写定

原载《文史》1982年第2辑,此据京华出版社1999年版《唐诗论学丛稿》录入

有关曹丕《典论》一条材料的甄别

有些文学史著作和文学史参考资料把下面一段记载,作为曹丕《典论》的文字,并且以此来说明建安时代曹操父子延揽文士的情况:

> 为太子时,北园及东阁讲堂,并赋诗,命王粲、刘桢、阮瑀、应瑒等同作。

有些书在引用时,加上"曹丕曰"三个字,后面注明为:《典论·叙诗》。现经查核,这几句话不可能出于曹丕之口,也不是《典论》的文章。

《初学记》卷十"皇太子"类"东阁"词条下载有这条材料,这是现今所见这条材料的最早出处。《初学记》所载是:"《魏文帝集》曰:为太子时,……"众所周知,凡类书所引某某人集的文字,不仅是某人的文章,还包括编集者所加的有关材料,这在汉魏晋南北朝人的文集中是常见的。

再从这条材料本身的记载看。文中说,曹丕为太子时,命一些文士同赋诗,其中有阮瑀。我们知道,曹丕是建安二十二年(217)立为魏太子的,《典论》大约也是在此时期写作并完成的(见《三国志·文帝纪》裴注引《魏书》所载曹丕与王朗书,及《艺文类聚》卷十六所载卞兰《赞述太子表》)。而阮瑀则病死于建安十七年(212),阮瑀死后,曹丕还作有《寡妇赋》,说:"陈留阮元瑜与余有旧,薄命早亡,每感存其遗孤,未尝不怆然伤心,故作斯赋,以叙其妻子悲苦之情。命王粲等并作之。"(《文选》卷十六潘岳《寡妇赋》李善注引)很难想象,像曹丕那样,对阮瑀早有交谊,在阮瑀死后还特地作赋哀悼,过了几年,还作文字,说什么他在做太子时还命包括阮瑀在内的文士一起宴乐赋诗。这种情况是不可能发生的,因而这段文字也不可能是曹丕写的。

应该说,这段文字是为曹丕编集的人所加的说明材料,因为此人不甚明了建安文士的生平情况,出了不应有的错误。今天,把它当作《典论》的文字是不确的,用来说明曹氏父子与建安文人的关系,也未必恰当。

原载《文学遗产》1981 年第 2 期(署名:湛之),据以录入

《学林漫录》第三集题记

　　《学林漫录》的出版，在文史研究者和爱好者当中，引起了广泛的兴趣。初集出版不久，书店里就不易买到，出版社收到许多来信，要求办理邮购。编辑部也收到不少相识和不相识者的来信，称许《学林漫录》为别具一格，新颖可喜。这无疑是对我们极大的鼓励。

　　在初集的编者的话中，我们曾说："我们采取书的形式，不定期出版，稿件多就多出，稿件少就少出。"在我们最初的设想中，这样的书，一年编两本也就差不多了。但实际情况却打破了原来的估计。初集是 1980 年 1 月发稿，同年六七月间出书的；接着，二集于 9 月发稿，而仅隔数月，现在是 11 月，又要发第三集的稿了。作者与读者的寄赐佳作，使我们对继续办好这一书刊更有了信心。

　　读者欢迎已出的初集和二集，大约就在它的别具一格吧。所谓别具一格，从内容上说，就是所收文章的面较宽。举凡近当代一些学者、作家、艺术家事迹的记述，诗文书画的考析和鉴赏，古今著作的推荐和评论，以及读书随笔、序跋札记，只要有一得之见,言之有物,均可登载。另外,从文章的风格上,我们主张不摆架子,不作姿态,希望如友朋之间,促膝交谈,海阔天空,不受拘束。我们不敢保证初集至三集的文章能篇篇如此,但相信至少有一大半是读者所爱读,并且是读后有所得的。

读者可以看到,《学林漫录》第三集的内容,比起已出的两集来,有所变化。这个变化,如果用一句话来概括,就是把《学林漫录》办成一个学术"窗口"。窗口是眺望窗外的景物的,人们站在高楼上,从窗口眺望远近,景色俱收于眼底。我们也希望海内外的读者,从《学林漫录》这一窗口,能对国内文史研究的情况及时有所了解。具体说来,今后我们拟增加这样一些内容:

一、在一些专文中,我们想陆续刊登某一学科或某些学术领域研究情况的综述。这一集刊出了北京大学历史系张广达同志记述唐代禅宗传入吐蕃及敦煌文书研究的文章。这篇文章所谈的问题虽然专门一些,但提供了不少材料,对研究者是有启发的。我们希望,这样的文章,既回顾过去研究的成绩,也能略谈其经验与教训,指出今后发展的方向。当然,这绝非什么居高临下式的学术总结,它只不过是以一个普通研究者的身份,谈谈他所了解的这一方面的情况,以及他个人的某些见解,供友朋参考。此外,我们将用适当的篇幅介绍外国学者对于中国古代文学、历史等方面的研究,还拟刊登一些有关中外文化交流的文稿,如第三集关于意大利学者利玛窦的两篇文章,就是如此。

二、专辟书评与书讯一栏,对近期内出版的文史哲古籍及今人的学术专著,加以评介,有时则介绍出版社的一些计划和打算。

三、专辟文史哲研究工作者简介一栏,每集介绍五六人、七八人不等。当今从事文史哲研究的,有些是前辈老先生,不少是新中国成立以后培养出来的中青年学者。读者很想知道他们的一些情况,包括简历、研究范围,有过哪些论著,今后的研究方向,等等。从第三集起,我们连续刊登这一方面的介绍,借以交流学术情况,活跃学术空气,并加强出版社与著作者的联系。除了介绍老一辈的研究者以外,我们拟着重介绍中年学者,他们是当代学术行列中的骨干。这些介绍以提供基本事实为主,不事虚张,不尚浮夸,希望取得各地研究者的支持和合作。

四、每集刊出"古籍与学术著作书目"。这一书目由版本图书馆的同志们所编,他们具备优越的客观条件,掌握全国各地的书籍出版情况,我们相信这一书目是详尽而可靠的。这次刊出的是 1980 年 1 月至 6 月,下一集则是 1980 年 7 月至 12 月,以后我们定期公布,以供读者了解全国古籍整理和学术著作的出版概况。

另外,我们拟利用书末和文间的空白,多刊登一些书籍的广告。由于时间匆促,这一集只是中华书局出版的书。我们也希望与兄弟出版社合作,准备提供篇幅,刊登其他出版社所出的文史哲古籍和今人学术著作。应当说,书籍的广告主要不是商业活动,而是为读者和研究者提供方便,并且是从另一角度显示我们在整理和研究祖国文化遗产中的成绩和繁荣发达的景象。

我们希望从以上所说的这种种方面,构成一个窗口,借以眺望正在发展中的我国文史研究的现状。这项工作光靠编辑部的几个人是不够的,我们期望各地研究者的积极合作和大力支持,为我们撰稿,向我们提供情况,不断向我们提出改进的意见,使这本小书在文史研究界中能起到它一定的作用。

原载中华书局 1981 年版《学林漫录》第三集，此据首都师范
大学出版社 2010 年版北京社科名家文库《治学清历》录入，
另收入大象出版社 2004 年版《唐宋文史论丛及其他》

中古文学丛考

刘桢事迹钩沉

作为"建安七子"之一的刘桢,其事迹见于陈寿《三国志》者仅数句,而且还是与他人合叙的。《三国志》卷二十一《王粲传》载:

> 始文帝为五官将,及平原侯植皆好文学。粲与北海徐幹字伟长、广陵陈琳字孔璋、陈留阮瑀字元瑜、汝南应玚字德琏、东平刘桢字公幹并见友善。
>
> ……
>
> 玚、桢各被太祖辟,为丞相掾属。玚转为平原侯庶子,后为五官将文学。桢以不敬被刑,刑竟署吏。咸著文赋数十篇。

除此以外，关于刘桢的事迹，有关的记载甚为零散，不易考明其时间的先后，前人的一些说法有时还有错误。现将史籍材料稍加钩稽，考述如下。

《后汉书》卷八十《文苑传下·刘梁传》载："孙桢，亦以文才知名。"但《三国志·王粲传》裴注引《文士传》却说："桢父名梁，字曼山，一名恭。少有清才，以文学见贵，终于野王令。"《后汉书》谓桢为刘梁孙，《文士传》说是刘梁子。按据《后汉书》刘梁本传，梁字曼山，一名岑（此亦与《文士传》所云"一名恭"者异，疑作岑者是）。桓帝时（公元147—167年）举孝廉，除北新城长，后召入拜尚书郎，改野王令，未行，光和中病卒。光和为灵帝年号，公元178至184年。《后汉书》未载梁子，从刘梁简单的系年来看，还未能遽定刘桢是其孙还是其子。但从《后汉书》所载，可以对刘桢的事迹作两点补述：第一，刘桢是汉朝宗室，但已经败落："梁宗室子孙，而少孤贫，卖书于市以自资。"刘梁看不惯东汉末年那种"世多利交，以邪曲相党"的社会风气，著有《破群论》、《辨和同之论》等文，为时所称。这对于我们理解刘桢《赠从弟三首》诗的思想可能有所帮助。第二，《后汉书》载刘梁为东平宁阳人。据司马彪《续汉书志·郡国三》，东平属兖州，有宁阳县（在今山东省宁阳县南）。一般文学史著作和选注本仅据《三国志》谓刘桢为东平人，似应据《后汉书》作东平宁阳人。

根据现在所能见到的材料，刘桢的生年和早年的情况下，已不可考知。有的文学史著作系其生年为公元170年，未知何据。《后汉书·刘梁传》李贤注引《魏志》称刘桢曾为司空军谋祭酒，《三国志·王粲传》说刘桢曾与应场同为丞相掾属。按曹操置军谋祭酒在建安三年，建安十三年罢三公，六月，曹操改官丞相。为司空军谋祭酒当在十三年以前，曹操改官，刘桢又转成了丞相掾属。

刘桢有《赠五官中郎将》诗四首（《文选》卷二十三），其一有云："昔我从元后，整驾至南乡，过彼丰沛都，与君共翱翔。""元后"指曹操，"君"称曹丕，曹丕封五官中郎将在建安十六年（公元211年）。此首系追叙昔日交好之情状。李善注引《毛诗》"维汝荆楚，居国南乡"，说"至南乡，谓征刘表也"。其说是。刘桢《遂志赋》："梢吴夷于东隅，掣叛臣乎南荆。"可证征刘表、征孙权，刘桢都参预其役。按曹操于建安八年八月曾一度往征刘表，"军西平"而还。西平在今河南省定颖县境。建安十三年七月又征刘表，八月表病卒，表子琮降操，是年十二月曹操兵败于赤壁。刘桢诗中又云："四节相推斥，季冬风且凉。众宾会广坐，明镫熺炎光。"诗中明言"季冬"，可知非本年事。而且"过彼丰沛都"云云，此处的丰沛都，当非实指徐州，因为曹操是谯县人，是用丰沛来比喻谯的。李善注是。但曹操的两次征刘表，不必（实际上也不是）迂道经过谯县。同时，诗中所叙酣宴情状也不是大战前夕的气氛。今按《三国志·武帝纪》："（建安）十四年春三月，军至谯，作轻舟，治水军。秋七月，自涡入淮，出肥水，军合肥。……十二月，军还谯。"可知建安十四年曹操征孙权，曾在谯县训练水军，其年冬军还时，仍驻扎于谯。这一次曹丕是从行的，他有《浮淮赋》以记其事："建安十四年，王师自谯东征，大兴水军，泛舟万艘。时予从行，始入淮口，行泊东山，睹师徒，观旌帆，赫哉盛矣。"（丁福保《汉魏六朝名家集·魏文帝集》卷一）据《北堂书钞》卷一三七，

《艺文类聚》卷八,《初学记》卷六,《御览》卷七七〇,王粲也有《浮淮赋》之作,云:"从王师以南征兮,浮淮水而遒逝。背涡浦之曲流兮,望马丘之高澨。"可见这次从行者,不止曹丕,还有王粲,可考的还有陈琳、杨修、徐幹、应场、繁钦等人。刘桢诗中说:"四节相推斥,季冬风且凉。众宾会广坐,明镫熺炎光。清歌制妙声,万舞在中堂。金罍含甘醴,羽觞行无方。"所写与曹丕、王粲的赋及《三国志》所载,情事相合。他们的诗赋,同时反映了这些文学侍从们的从军生活。

刘桢生平还有一件事,即《三国志·王粲传》所谓"桢以不敬被刑,刑竟署吏",具体何所指,发生在哪一年?裴注引《典略》谓:"其后太子尝请诸文学,酒酣坐欢,命夫人甄氏出拜。坐中众人咸伏,而桢独平视。太祖闻之,乃收桢,减死输作。"《世说·言语》篇、《文选》卷二〇刘桢《公宴》诗李善注引《魏志》,所载与此略同。"输作"的内容,据《世说》注引《文士传》、《水经注》卷十六《谷水》,都说是"磨石"。这里称曹丕为太子,据《三国志·武帝纪》,曹丕之为太子在建安二十二年十月,而刘桢于建安二十二年春即已病死。"太子"云云,当是泛称嫡长子或系后人追叙。今按《后汉书·刘梁传》,李贤注引《魏志》,曾载桢"为司空军谋祭酒,五官郎将文学"。曹丕封五官中郎将在建安十六年,可知刘桢先在曹操府,建安十六年后又转为曹丕官属,为五官郎将文学,与上引《典略》称"太子尝请诸文学"者合。但单凭这几条材料,还不能考知其确切时间。

《三国志·王粲传》亦记吴质事,裴注于此处引《魏略》云:"质字季重,以才学通博,为五官将及诸侯所礼爱;质亦善处其兄弟之间,若前世楼君卿之游五侯矣。及河北平定,五官将为世子,质与刘桢等并在坐席。桢坐谴之际,质出为朝歌长,后迁元城令。"这条材料提供了解决这个问题的重要线索。云刘桢"坐谴",即所谓以不敬被刑,减死输作。云"桢坐谴之际,质出为朝歌长",当是刘桢被刑时,吴质也坐累出为朝歌长。而据本文《曹丕〈与吴质书〉之作年》所考,已知吴质约于建安二十年由朝歌长迁为元城令,而此时质在朝歌已有四年:"墨子回车,而质四年。"(《文选》卷四十二吴质《答东阿王书》)由建安二十年上推四年,即建安十六七年间。这正与曹丕于建安十六年为五官中郎将,刘桢为五官郎将文学的时间相符合。由此,不但可考知刘桢以不敬被刑的时间,还可测知吴质出为朝歌长的原因,我们看《文选》所载吴质在朝歌和在元城所写与曹氏兄弟的信,情绪是迥不相同的,其缘由大约也即在此。

又,刘桢有《赠徐幹》一诗,载《文选》卷二十三,云:"谁谓相去远,隔此西掖垣。拘限清切禁,中情无由宣。思子沈心曲,长叹不能言。起坐失次第,一日三四迁。步出北寺门,遥望西苑园。细柳夹道生,方塘含清源。轻叶随风转,飞鸟何翻翻。乖人易感动,涕下与衿连。仰视白日光,皦皦高且悬。秉烛八纮内,物类无颇偏。我独抱深感,不得与比焉。"徐幹也是"建安七子"之一,也曾为军谋祭酒掾属、五官将文学。清人何焯曾谓:"《魏志》云桢以不敬被刑,刑竟署吏。此诗有'仰视白日'之语,疑此时作也。'步出北寺门',或桢方输作于北寺耳。"(《义门读书记·文选》卷二)方东树也有类似见解,《昭昧詹言》卷二评此诗云:"时徐为太子文学,故在西园。所云北寺,当是被刑输作北寺署吏时作,故有'仰视白日'等语。"所谓"北寺",李善引《风俗通》云："尚书侍御御史谒者所止,皆曰寺也。"似为泛称,何焯、方东树坐实为此时所作,恐不确。

刘桢被刑的时间大约不太久。《世说·言语》篇注引《文士传》云："武帝至尚方观作者,见桢匡坐,正色磨石。……即日赦之。"被赦以后,当即转为平原侯庶子(曹植封平原侯在建安十六年,十九年徙封临菑侯)。《三国志》卷十二《邢颙传》载邢颙为平原侯家丞,刘桢为平原侯庶子,颙与曹植不合,刘桢曾有书谏植,所谓"采庶子之春华,忘家丞之秋实"这有名的二句,就是这篇书谏中语,刘勰《文心雕龙·书记》篇所说的"公幹笺记,丽而规益",当即指此而言。

刘桢此后事迹无可述,直至建安二十二年病卒。

陈琳的籍贯、年岁及佚文考索

现在的一些文学史著作和选注本,谈及陈琳籍贯时,都只称他为广陵人。以广陵为陈琳的籍贯,最早见于曹丕的《典论·论文》:"今之文人,鲁国孔融、广陵陈琳、山阳王粲、北海徐幹、陈留阮瑀、汝南应场、东平刘桢。"又见于《三国志·王粲传》:"粲与北海徐幹字伟长、广陵陈琳字孔璋、陈留阮瑀字元瑜、汝南应场字德琏、东平刘桢字公幹并见友善。"这就是所谓"建安七子"。但鲁国、广陵云云,只是郡国的名称,是一个大的地域范围,如果讲到籍贯,似应有进一步考究的必要,如王粲为山阳郡高平县人(见

《三国志》本传），刘桢为东平郡宁阳县人（见前节考），等等。

按《三国志》卷七《臧洪传》，载袁绍围东郡太守臧洪于东武阳，历年不下，"绍乃令洪邑人陈琳作书于洪，喻以祸福，责以恩义"；《后汉书》卷五十八《臧洪传》，《通鉴》卷六十一汉献帝兴平二年所记并同，皆称洪邑人陈琳。据《三国志》、《后汉书》本传，臧洪为广陵射阳人。司马彪《续汉书志》卷二十一《郡国》三，东海、琅邪、彭城、广陵、下邳均属徐州，广陵郡所属有射阳县。古代所谓邑人者，即指同县之人。据此，则对于陈琳的籍贯，可以具体地称为广陵射阳人。

陈琳卒于建安二十二年（公元 217 年），见于《三国志·王粲传》等的记载。但其年岁若干、生于何年，各书都未有明文可据，此处拟作一大致的推测。

陈琳曾为何进主簿，何进谋召董卓等诛杀宦官，陈琳曾进谏认为不可；何进不听，旋即被宦官所杀。据《后汉书》卷八《灵帝纪》，何进死于中平六年（公元 189 年），陈琳为其主簿当在前数年。假设中平六年陈琳为二十五岁，则其生年为公元 165 年。又《三国志》卷五十二《吴志·张昭传》载："（昭）少好学，善隶书，从白侯子安受《左氏春秋》，博览众书，与琅邪赵昱、东海王朗俱发名友善。弱冠察孝廉，不就，与朗共论旧君讳事，州里才士陈琳等皆称善之。"张昭彭城人，彭城与琅邪、东海、广陵同属于徐州，故可称"州里"。张昭卒于吴嘉禾五年（公元 236 年），年八十一，其生年为公元 156 年，即东汉桓帝永寿二年。弱冠察孝廉，则在公元 175 年，在这之后数年间又为陈琳所"称善"，则陈琳与张昭当为同辈。结合他为何进主簿的时间加以推算，则陈琳之生年当不晚于公元 160 年，即略后于孔融，而早于王粲诸人。

《隋书·经籍志》四载"后汉丞相军谋掾《陈琳集》三卷"，注云"梁十卷，录一卷"。《旧唐书·经籍志》、《新唐书·艺文志》都著录为十卷。李善《文选》注中有时引《陈琳集》，可见李善是看到过陈琳集子的。《文献通考》据《直斋书录解题》也作十卷，似乎宋元之际陈琳的集子还保存得较为完备。至明清人辑陈琳的诗文，就只有一卷了，可见陈琳的作品，散佚是很多的。现据一些书籍所载，对其佚著，作若干考索。

严可均《全晋文》卷一○二载陆云《与兄平原书》，中云："陈琳《大荒》甚极，自云作必过之。"《大荒赋》今所存者仅二句，见《初学记》卷二十"卜第八"："假龟筮以贞吉，问神谶以休祥。"陆云的作品是否能超过陈琳，现已无法评论，但他既特地提到这篇赋，可见在魏晋之际也必传诵于时的。

颜之推《颜氏家训》卷九《文章》："陈孔璋居袁裁书，则呼操为豺狼；在魏制檄，则目绍为蛇虺。"按陈琳在袁绍幕中，曾作《为袁绍檄豫州》文，见《文选》卷四十四，其中有"操豺狼野心，潜包祸谋"语，这就是《颜氏家训》所谓"居袁裁书，则呼操为豺狼"所本。但现存陈琳的檄文中，并没有骂袁绍的话，他在曹操军中所作的《檄吴将校部曲文》（载《文选》卷四十四），作于建安二十一年，此时陈琳随曹操征孙权，草此檄文，提及袁绍时，也只有"强如二袁，勇如吕布，跨州连郡，有威有名……然皆伏铁婴钺，首腰分离"，并没有骂袁绍为"蛇虺"之语。由此可见，《颜氏家训》所说的"在魏制檄，则目绍为蛇虺"，当是指陈琳的另一檄文，而此文已佚，赵曦明注《颜氏家训》，于此下注云："琳集不传，此无考。"当即此意。

《后汉书》卷五十八《臧洪传》载袁绍兵围臧洪，"历年不下，使洪邑人陈琳以书譬洪，示其祸福，责以恩义"。李贤注于此处引《献帝春秋》曰："绍使琳为书八条，责以恩义，告喻使降也。"今洪书存而琳书佚，《献帝春秋》说陈琳"为书八条"，臧洪答书中云"前日不遗，比辱雅贶，述叙祸福，公私切至"，又说"重获来言，援引古今"（此据《三国志·臧洪传》），可见陈琳书笺"词繁意复"之情状。

《文选》卷四十一载陈琳《为曹洪与魏文帝书》，李善注引《陈琳集》谓"琳为曹洪与文帝笺"，又引曹丕序，称："上平定汉中，族父都护还书与余，盛称彼方土地形势，观其辞，如陈琳所叙为也。"按曹操于建安二十年征张鲁，平定汉中，曹操从弟曹洪随征，陈琳时也在军中，曹洪就请陈琳代笔作书与曹丕。《文选》所载的这篇书信，一开头说："十一月五日，洪白。前初破贼，情多意奢，说事颇过其实。得九月二十日书，读之喜笑，把玩无厌，亦欲令陈琳作报。"由此可以看出，这封信写于十一月五日，在此之前还有一信给曹丕，"亦欲令陈琳作报"云云，即是说前一封信也是陈琳代笔的，这前一封信已佚，后一封信则赖《文选》传存于后世。

邯郸淳撰《曹娥碑》及《笑林》辨疑

《三国志·王粲传》于建安七子之外，又称繁钦、路粹等八人"亦有文采"，而邯郸淳为其首，裴注引《魏略》也说邯郸淳"博学有才章"。过去的著录，自从唐章怀太子李贤注《后汉书》引《会稽典录》以来，一直认为邯郸淳曾撰《曹娥碑》，又相传《曹娥碑》的碑文曾被汉末大文学家蔡邕誉为"绝妙好辞"，邯郸淳因而遂以《曹娥碑》著者为文学史家所称引，有些小说史著作还有以今所传存的《笑林》的著作权归之于他的。但据现今所见的史料，这些都很可怀疑。

《后汉书》卷八十四《列女传》载：

> 孝女曹娥者，会稽上虞人也。父盱，能弦歌，为巫祝。汉安二年五月五日，于县江溯涛婆娑迎神，溺死，不得尸骸。娥年十四，乃沿江号哭，昼夜不绝声，旬有七日，遂投江而死。至元嘉元年，县长度尚改葬娥于江南道傍，为立碑焉。

这里是说为曹娥立碑的是上虞县长度尚，时间是汉桓帝元嘉元年（公元151年），并没有出现邯郸淳的名字。唐李贤注《后汉书》，引《会稽典录》，对于此事的记载就增加了情节：

> 上虞长度尚弟子邯郸淳，字子礼。时甫弱冠，而有异才。尚先使魏朗作《曹娥碑》，文成未出，会朗见尚，尚与之饮宴，而子礼方至督酒。尚问朗碑文成未，朗辞不才，因试使子礼为之，操笔而成，无所点定。朗嗟叹不暇，遂毁其草。其后蔡邕又题八字曰："黄绢幼妇，外孙齑臼。"

此处说作《曹娥碑》文者为邯郸淳，字子礼，且谓其作碑之年为"方

"弱冠"，即二十岁。以元嘉元年为二十岁推算，则此邯郸淳当生于汉顺帝阳嘉元年（公元132年）。

自李贤注以后，一般著录即把《曹娥碑》的作者定为邯郸淳，如宋章樵《古文苑》目录《度尚·曹娥碑》下即注为"弟子邯郸淳撰"，清严可均《全三国文》卷二十六于邯郸淳名下收有《孝女曹娥碑》。

但检寻南北朝人的著述，却有不同。如《世说新语·捷悟》篇刘峻注引《会稽典录》的一段文字为：

> 孝女曹娥者，上虞人。父盱，能抚节按歌，婆娑乐神。汉安二年迎伍君神，溯涛而上，为水所淹，不得其尸。娥年十四，号慕思盱，乃投瓜于江，存其父尸曰："父在此，瓜当沉。"旬有七日，瓜偶沉，遂自投于江而死。县长度尚悲怜其义，为之改葬，命其弟子邯郸子礼为之作碑。

又《水经注》卷四十：

> 浦阳江……江水东径上虞县南……江之南有《曹娥碑》。娥父盱，迎涛溺死。娥时年十四，哀父尸不得，乃号踊江介，因解衣投水。祝曰："若值父尸，衣当沉，若不值，衣当浮。"裁落便沈，娥遂于沈处赴水而死。县令杜（度）尚使外甥邯郸子礼为碑文，以彰孝烈。

这两条材料中，一称"弟子"一称"外甥"，似有不同，但"弟子"也可解为女弟之子,文字的不同倒是证明这南北两书的作者关于曹娥的故事得之于同一的传闻。这里可以注意的是,他们都说碑文的作者为邯郸子礼,并没有邯郸淳的字样,更没有记载邯郸淳字子礼。

按《三国志·王粲传》裴注引《魏略》曾记述邯郸淳的事迹,说淳一名竺,字子叔。初平时,从三辅客荆州,荆州平,邯郸淳即归于曹操,起先在曹丕五官中郎将的文学官属中,后又与曹植交游,并介入了曹丕、曹植的争权纠纷:"而于时世子未立,太祖俄有意于植,而淳屡称植材。由是五官将颇不悦。及黄初初,以淳为博士、给事中。淳作《投壶赋》千余言奏之,文帝以为工,赐帛千匹。"此后就未见记载。严辑《全三国文》卷二十六收有邯郸淳《上受命述表》、《受命述》及《投壶赋》,都作于曹丕刚即位时,《上受命述表》中云:"臣抱疾伏蓐,作书一篇。"《魏略》既未载其此后之事,大约他在黄初头几年去世。

如果照李贤注所说,邯郸淳于元嘉元年作《曹娥碑》,时年二十,他生于公元 132 年,则初平(公元 190—193 年)由关中客荆州,已是六十余岁的老人。曹丕于建安十六年(公元 211 年)为五官中郎将,如果此年邯郸淳为其文学官属,则当已八十岁。据现今所知史料,当时为曹丕五官将文学的,如刘桢、吴质、应场等人,皆不过三四十岁,揆之情理,未有八十岁之老人尚跻身于此辈新进文人之中。《魏略》又载邯郸淳后又见曹植,"时天暑热,植因呼常从取水自澡讫,傅粉。遂科头拍袒,胡舞五椎锻,跳丸击剑,诵俳优小说数千言,讫,谓淳曰:'邯郸生何如邪?'"这里固然表现了曹植不受礼法拘束的通脱性格,但如果邯郸淳真为八十多岁的耄鬈老翁,曹植能直称之为"邯郸生"吗? 至于黄初元年,则他已是八十九岁。享高龄不是不可能,但从《魏略》所载邯郸淳的事迹看来,是大可怀疑的。

《三国志》及裴注记邯郸淳事迹者有数处,一即上所引《王粲传》,与繁钦、路粹、丁仪、丁廙、杨修、荀纬并列,称其有文采,而繁钦等人之年岁与陈琳、王粲相若,生年大致均在公元160年以后。另一处为卷十三《王肃传》裴注引《魏略》,称邯郸淳、董遇、贾洪、薛夏、隗禧、苏林、乐详等为"儒宗",则着眼于学术,董遇等亦为汉魏之际人。再一处为卷十一《管宁传》,以淳与胡昭、钟繇、卫觊、韦诞并称,乃著称其书法(卷二十一《刘劭传》裴注引《文章叙录》亦云"邯郸淳、卫觊及诞并善书,有名")。胡昭等的生年虽不得确考,但他们在建安以前皆未见记载。从这些情况看来,邯郸淳的年岁也应当与他们大致相同。《魏略》载邯郸淳的事迹从初平中客荆州叙起,也就是因为在此之前并没有什么可以记载。如果邯郸淳早年即作有《曹娥碑》,并且得到蔡邕的称扬,而《三国志》、《后汉书》对此却无一字提及,似乎也出情理之外。

因此,是否可以说:作《曹娥碑》者为邯郸子礼,系上虞县长度尚弟子(或外甥),生于公元132年;建安时在邺下集团之文人行列中的邯郸淳,字子叔,生年不可确考。他们的字号、时代与事迹均不相同,为毫不相干的两个人。魏晋南北朝时的文献记载并没有将他们说成一个人。《世说》注和《后汉书》注同引《会稽典录》,刘孝标注只说"邯郸子礼",而李贤注却出现了邯郸淳,这种情形也是很难理解的。"子礼"与"淳"混而为一,责任究竟归于谁,则已难于考索了。

邯郸淳的著述，《隋书》卷三十四《经籍志》三，子部小说家类载有《笑林》三卷，云"后汉给事中邯郸淳撰"。前面已经说过，邯郸淳之为博士、给事中是在曹丕即位的黄初元年，非建安年间，因此不能称为"后汉给事中"的。这暂置不论。《笑林》，鲁迅《古小说钩沉》有辑本（《玉函山房辑佚书》已辑有一卷），问题是现在传存的《笑林》，是否即为邯郸淳所作，值得考究。如其中一条云："沈珩弟峻，字叔山，有名誉，而性俭吝。张温使蜀，与峻别，峻入内良久，出语温曰：'向择一端布，欲以送卿，而无粗者。'温嘉其能显非。"按据《三国志》卷四十七《吴志·吴主传》："（黄武）三年夏，遣辅义中郎将张温聘于蜀。"又卷三十八《蜀志·秦宓传》也载："建兴二年……吴遣使张温来聘。"吴黄武三年、蜀建兴二年为公元 224 年（即魏黄初五年）。邯郸淳于黄初元年已经是"抱疾伏蓐"，约黄初中即死（黄初仅五年）。张温使蜀在公元 224 年，其事之传于世，并传于北方，必当更在其后，邯郸淳当已谢世，不及再闻其说了。

又如《笑林》另一条云："吴人至京师，为设食者有酪酥，未知是何物也。强而食之，归吐，遂至困顿。谓其子曰：'与伧人同死，亦无所恨；然汝故宜慎之。'"这里用了"伧人"二字。余嘉锡先生有《释伧楚》一文（载《余嘉锡论学杂著》），谓"伧父"、"伧人"都是吴人讥骂北人的词语，而且是吴为晋人统一以后出现的称呼。余先生并引宋释赞宁《笋谱》和宋人所作《五色线》二书所载，都说《笑林》为陆云所作，谓"其说当有所本"。因此，从现存《笑林》所载部分笑话故事的时间来考察，邯郸淳是否著过《笑林》，也是值得怀疑的。

曹丕《与吴质书》之作年

曹丕《与吴质书》,为建安时期文学批评的名篇。初见于《三国志》卷二十一《王粲传》:

> (阮)瑀以(建安)十七年卒。(徐)幹、(陈)琳、(应)场、(刘)桢二十二年卒。文帝书与元城令吴质曰:"昔年疾疫,亲故多离其灾,徐、陈、应、刘,一时俱逝。观古今文人,类不护细行,鲜能以名节自立。而伟长独怀文抱质,恬淡寡欲,有箕山之志,可谓彬彬君子矣。著《中论》二十余篇,辞义典雅,足传于后。德琏常斐然有述作意,其才学足以著书,美志不遂,良可痛惜!孔璋章表殊健,微为繁富。公幹有逸气,但未遒耳。元瑜书记翩翩,致足乐也。仲宣独自善于辞赋,惜其体弱,不起其文;至于所善,古人无以远过也。……

阮瑀死于建安十七年(公元 212 年),徐幹、陈琳、应场、刘桢死于建安二十二年(公元 217 年)。曹丕给吴质的这封书信是接着这两年写的,但《三国志》并未明说它写于何年。萧统《文选》卷四十二载此书全文,题作《与吴质书》,李善注引《典略》云:"初,徐幹、刘桢、应场、阮瑀、陈琳、王粲等与质,并见友于太子。二十二年,魏大疫,诸人多死,故太子与质书。"从上下文意看,似乎曹丕此书即写于建安二十二年。近人卢弼的《三国志集解》又定于建安二十三年,因《三国志·王粲传》裴注引《吴质别传》,记载吴质于魏明帝太和四年(公元230年)卒,而吴质《答魏太子笺》云今质已四十二年矣。时为建安二十三年,至魏太和四年卒,年五十四。"卢弼是以曹丕与吴质这一次书信往返的时间定为建安二十三年,然后来定吴质死时的年岁。此说一出,几成定论。但实际上这二十三年之说是并无根据的。

《与吴质书》首云:"二月三日,丕白。岁月易得,别来行复四年。三年不见,《东山》犹叹其远,况乃过之,思何可支。"信的末尾又说:"东望于邑,裁书叙心。"这就是说:第一,这封信是二月三日写的;第二,曹丕与吴质,自上次离别后已将近四年未见;第三,这时吴质正在邺城之东为县令,而据《三国志·王粲传》,此时吴质为元城令,元城属冀州阳平郡(据司马彪《续汉书志》,元城县东汉属冀州魏郡),在今河北省大名县东北,其地正于邺城之东,因此《三国志》说那时吴质任元城令,是对的。

吴质的事迹,《三国志》只附见于《王粲传》及裴注,未有专传,记载很零碎。我们只知他在元城令前曾为朝歌令,《文选》卷四十二载曹丕《与朝歌令吴质书》,李善注引《典略》:"质为朝歌长,大军西征,太子南在孟津小城,与质书。"《典略》这里只说大军西征,曹丕那时在孟津,并未明说在哪一年。但这一年是考查得出的。据《三国志》卷一《武帝纪》,曹操于建安二十年三月西征张鲁,十二月自南郑还。这时曹丕驻孟津,曹植留守邺中。这封信中只说"元瑜长逝,化为异物",而未及徐幹、陈琳等人,阮瑀死于建安十七年,徐、陈等死于建安二十二年,此书作于建安二十年五月十八日,时间也正相合。信末说:"今遣骑到邺,故使枉道相过。"朝歌在邺城西南，孟津在河南巩县黄河北岸，曹丕派人赴邺城，正可以说"使枉道相过"，送信至朝歌。曹丕另有《与钟大理书》(《文选》卷四十二)，是写给钟繇的，李善注引《魏略》："后太祖征汉中，太子在孟津，闻繇有玉玦，欲得之，而难公索，使临淄侯转因人说之，繇即送之，太子与繇书。"信中也说："近日南阳宗惠叔称君侯昔有美玦，闻之惊喜，笑与抃会。当自白书，恐传言未审，是以令舍弟子建，因荀仲茂时从容喻鄙旨，乃不忽遗，厚见周称。邺骑既到，宝玦初至，捧匣跪发，五内震骇。"《魏略》所说的"太祖征关中"，即是建安二十年曹操征张鲁。而据《三国志·钟繇传》，此时钟繇确在邺，任大理；曹植也留守邺中(前此曹操西征马超时，曹植从行，曹丕守邺。)

根据以上所说，建安二十年五月，吴质时任朝歌令，这是可以确定的。

按吴质由朝歌令改为元城令时，曾往邺城拜见曹丕。此可见于吴质《在元城与魏太子笺》(《文选》卷四〇)，李善注引《魏略》曰："质迁元城令，之官，过邺辞太子，到县与太子笺。"信中也说："前蒙延纳，侍宴终日，耀灵匿景，继以华灯。……即以五日到官，初至承前，未知深浅。"信中又说这里的地形是"西带常山""北邻柏人""南望邯郸""东接巨鹿"，正是元城县的地理位置。我们知道建安二十年五月他还在朝歌令任上，则他之改为元城令，自当在此之后。

至此，我们可以回过来讨论曹丕《与吴质书》的时间。上面已引信中说"二月三日，丕白。岁月易得，别来行复四年"。这所谓"别来"，当是指吴质赴元城令时经邺中拜见曹丕时说的。如果按卢弼所说，这封信作于建安二十三年，则从这年二月往前推四年，应当是建安十九年，而我们知道建安二十年五月吴质还在朝歌，即使他在建安二十年五月后不久即改官，则到建安二十三年二月，还只有两年另九个月，是不能说"别来行复四年"的。又按曹操于建安二十五年正月卒于洛阳，二月葬于邺城，那年二月，曹丕正忙于曹操的丧事，当然也不可能有心绪给吴质写这样的书信。因此，写这封信的时间，是应当在建安二十四年。

我们再查吴质的答书，《答魏太子笺》（《文选》卷四〇）谓："二月八日庚寅，臣质言。奉读手命，追亡虑存，恩哀之隆，形于文墨。""追亡"云云，就是指曹丕来书中追怀阮瑀、陈琳等人说的。这里可注意的是"二月八日庚寅"几个字。查陈垣《二十史朔闰表》，建安二十四年二月癸未朔，二月八日正好是庚寅。曹丕的信是二月三日写的，吴质于二月八日回书，时间也正相衔接。

由建安二十四年二月上推约四年，则吴质由朝歌令改元城令，大约即在建安二十年五月以后不久的事。曹植有《与吴季重书》（《文选》卷四十二），其中说："墨翟不好伎，何为过朝歌而回车乎？足下好伎，值墨翟回车之县。"可见曹植此信是吴质任朝歌令时作的。《文选》同卷又载吴质的答书，题作《答东阿王书》，"东阿王"是错的，曹植封东阿王在魏明帝时，此无须多辩。吴质信中说："墨子回车，而质四年，虽无德与民，式歌且舞，儒墨不同，固以久矣。然一旅之众，不足以扬名，步武之间，不足以骋迹；若不改辙易御，将何以效其力哉！今处此而求大功，犹绊良骥之足，而责以千里之任；槛猿猴之势，而望其巧捷之能者也。"吴质这里说他在朝歌已有四年，还发了一顿牢骚，认为这个地方不足以施展其才能。按照常情，县令满四年即可以升迁，何况他又说了这一套话。很可能即在此位后不久即改为元城令，则曹植的这封信当也写于建安二十年，而吴质之始任朝歌令，应在建安十六年。

这里所考的曹丕、曹植与吴质往还的书信，是建安时期文学批评必须提及的作品，关于它们的作年，向无定说，今抒管见如上，以备研究魏晋文论者参考。

谢灵运《初去郡》诗《文选》注辨

《文选》卷二十六谢灵运《初去郡》诗，为灵运辞永嘉太守时所作。《文选》卷二十六有其《永初三年七月十六日之郡初发都》诗，《宋书》本传载其"在郡一周，称疾去职"，则辞官在少帝景平元年（公元 423 年），自无疑问。诗中称"牵丝在元兴，解龟及景平，负心二十载，于今废将迎"，也是一个明证。

但是，本传又记灵运"袭封康乐公，食邑二千户，以国公例，除员外散骑常侍，不就，为琅邪王大司马行参军"。《晋书·安帝纪》义熙元年（公元 405 年）三月，"甲午，帝至建康。庚子，以琅邪王德文为大司马"，《通鉴》所记同。是年为灵运入仕之始，谢诗的研究者俱无异说。但《初发郡》诗又明记"牵丝在元兴"，李善注："牵丝，初仕。"元兴为晋安帝年号（公元 402—404 年），以景平元年辞官上推二十年，恰为元兴三年。

是否《宋书》所记有误？当然不能轻率下这样的结论。诗歌中举成数而言，触处皆是，没有一个注家会如此胶柱鼓瑟到认为不能增减一两年。《艺文类聚》三十六有灵运《辞禄赋》："解龟纽于城邑，反褐衣于丘窟。判人事于一朝，与世物乎长绝。自牵缀于朱丝，奄二九于斯年。"牵丝，解龟，从义熙元年至景平元年，正好一十八年，这才是从初仕到辞永嘉郡守的确切年月。

　　然而灵运何以在诗中要说"牵丝及元兴"呢？这里的"牵丝"应当认为是和政治发生关系，不能坐实地解为"入仕"。前引本传载"袭封康乐公，食邑二千户。以国公例除员外散骑侍郎，不就"，邢昺衡《谢灵运年谱》（《见《华东师范大学学报》1957年五期）考定灵运袭封当在隆安三年（公元399年）以后，是年灵运十五岁。元兴元年（公元402年），灵运十八岁。以年岁约计，除员外散骑侍郎，也应当在元兴年间。当时桓玄起兵叛晋，入建康，次年篡位。谢灵运辞官不就，当是顺理成章的事情。直到义熙元年，安帝还建康，灵运开始就职。时桓玄已兵败被杀，刘裕掌握朝政，政治形势已经稳定，谢灵运乃进入官场，也同样是顺理成章的事情。但是他除员外散骑侍郎，虽未就职，终究是和政治发生关系的开始，所以才有"牵丝自元兴"的追叙。

　　《之郡初发都》诗又有"从来渐二纪，始得傍归路"之句，《文选》同卷《过始宁野》也说"违志似如昨，二纪及兹年"。二纪云云何指，李善注没有说明。刘履说："况从筮仕以来，渐及二纪。"本来筮仕至出为永嘉郡守不足二十年，这时又变成二十四年，自更令人费解。刘说盖误。按，灵运旧居会稽，隆安三年（公元399年）十一月，孙恩攻陷会稽，据《安帝纪》载，王凝之、谢邈、司马逸皆死之，吴谦、王崇、魏隐等并弃官而遁，可见当时高门显贵的狼狈之状。谢灵运应当就是在这种情况下，离开会稽而移居建康的。至景平元年，正好又是二十四年，所谓二纪，盖指此。

《文选》卷二十五又有谢灵运《还旧园作见颜范二中书》诗，张铣注："旧园即会稽始宁之园也。"后人多同其说，方虚谷、朱兰坡还大加发挥。但这一说法显然又是有问题的。李善注云，颜指颜延之，范指范泰。按范泰，传见《宋书》卷六十、《南史》卷三十三，元嘉三年"进位侍中、左光禄大夫、国子祭酒，领江夏王师，特进如故"，二传并同而未及中书。所以这里的范中书是否指范泰尚有疑问。但颜指颜延之则是确切无疑的。《宋书·颜延之传》载，少帝即位，出颜延之为始安太守。"元嘉三年，（徐）羡之等诛，征为中书侍郎。"《通鉴》卷一二〇元嘉三年载，"帝还建康，征谢灵运为秘书监，颜延之为中书侍郎，赏遇甚厚。"是颜、谢同时被征入都。二人相识并有酬答，当在此时以后。所谓"旧居"，谢灵运指的是自己的建康旧居，而决非会稽旧居。因为灵运辞永嘉守以后，一直住在会稽，是时不得言"还"，此其一。诗中说"盛明荡氛昏，贞休康迍邅"，明指诛徐羡之事，此其二。诗中又有"曾是返昔园，语往实款然。曩基即先筑，故池不更穿。果木有旧行，壤石无远延"等语，已是久别重返的语气。本传记灵运抵建康，"多称疾不朝，直穿池植援，种竹树果"，与诗中所叙事实似乎恰恰相反，但情状和文辞却完全相同。诗中所谓"故池不更穿"云云，不过是做诗而已，但所指旧园为建康旧居，当无可疑，此其三。张铣没有细辨谢诗，致有此误。邢谱曾提到此即指建康旧居，但是没有说明理由，因释之如上。

《北山移文》吕向注辨

《文选》卷四十三所收孔稚珪的《北山移文》，一向被推为南朝骈文中的名作。关于这篇文章的本事，善注曾经含混地提到。所以含混，是因为李善没有在题目下做任何解释，而是在"钟山之英，草堂之灵"两句下引了梁简文帝《草堂传》：

> 汝南周颙，昔经在蜀，以蜀草堂寺林壑可怀，乃于钟岭雷次宗学馆立寺，因名草堂，亦号山茨。

然后，在"世有周子，俊俗之士"下引萧子显《南齐书》，说明周子即周颙，字彦伦。

比较明确地说明本事的，是五臣之一的吕向。他在作者下面的注释中说：

> 钟山在都北。其先周彦伦隐于此山，后应诏出为海盐县令，欲却过此山。孔生乃假山灵之意移之，使不许得至，故云《北山移文》。

周颙本传见《南齐书》卷四十一。传文虽然没有明记颙曾经出为海盐令，但是把《移文》本文和传文、吕向注对照一下，这个问题似乎也是不难解决的。

《移文》说:"世有周子,俊俗之士。既文既博,亦玄亦史。"传载颙"音辞辩丽,出言不穷,宫商朱紫,发口成句。泛涉百家,长于佛理",无疑恰相符合。《移文》又说,"至其纽金章,绾墨绶,跨属城之雄,冠百里之首",用事都和县令有关;"今又促装下邑,浪拽上京",则是所谓秩满入都。

但是,稍稍深入一点,疑问就很容易随之产生:第一,本传记周颙凡三为县令,即肥乡成都二县县令、剡令、山阴令,未载其曾为海盐令。第二,传文明言"张英风于海甸,驰妙誉于浙右",海盐地处滨海,显见不能属于"浙右"的范畴之内。

这两个问题是可以答复的。第一,《移文》一开头就提到了"草堂之灵",本传在历叙周颙三为县令,还为文惠太子东宫正员郎以后,接着才叙述"颙于钟山西立隐舍,休沐则归之",可见此事在三任县令之后。如果《移文》本事为从剡或山阴还京,则"草堂"就无所着落了。第二,海盐固然不能称为浙右,但是寻绎上下文义,"浙右"所指可以不是海盐而是海盐所属的吴郡。据《南齐书》卷十四《州郡志上》:"吴郡:吴、娄、海虞、嘉兴、海盐、钱唐、富阳、盐官、新城、建德、寿昌、桐庐。"很显然,其中包括了属于浙右的建德、桐庐等地,而《移文》说"跨属城之雄,冠百里之首",明明说的是在各个县邑之中,周颙的政绩突出,即张铣注所说"言越众城而为县宰之称首也"。以下"张英风于海甸,驰妙誉于浙右",说周颙声名所及,不仅海盐一地,而且遍于全郡,这看来就是顺理成章,于文义无所凝滞了。至于张铣注又云"海甸,所理邑近海而在浙江之右也",则属于望文生义,不足深辨。

也许是基于上述理解,所以自从有了这条吕向注以后,历来的注家于《移文》的本事似乎均无异说。张云璈在《选学胶言》中提到,草堂是周颙"官国子博士、著作郎时,于钟山筑隐舍,休沐则归之,未尝有隐而复出事"。梁章钜《文选旁证》引张氏说,表示同意。张说似乎触及了问题,但是点到为止,并未深入。近年来,有几部比较有影响的散文选或作品选,也都沿用吕向这一说法。

然而问题是否真的到此为止,涣然冰释了呢?我们以为还没有。

首先,《北山移文》所讽刺的固然是周颙一个人,但这种现象却具有比较普遍的社会性,作者孔稚珪又是当时文坛上的名人,此文一出,其社会影响之大,固不待言而自明。惟其如此,萧统才有可能收入《文选》。萧子显比萧统要年长十岁左右,为南齐皇族,入梁为吏部尚书,见闻既博,又有条件充分利用当时关于南齐史的一些书稿和史料,其所记述,应当是比较可信的。他不可能不知道《移文》这篇文章及其本事,如果《移文》所叙确系周颙自会稽令秩满入京之事,那么他在《周颙传》中不提曾任山阴令这一段仕历,就是不应有的疏漏。这样的可能性是极小的。其次,李善号称书簏,如果真属萧子显的疏漏而又别有史料可据,他也会明确地在题解中加以征引,无须乎再待比他晚数十年的吕向来补正他的缺失。

上面所说的两点,即便可以成立,也是属于"想当然"之辞。所以,不妨另外再作一种假设,就是周颙确实做过山阴令。如果是这样,他的任期又在哪一年呢?本传所记周颙的仕历,虽未一一标明年月,但一张简宋泰始年间,在蜀中。四年(公元468年),还京师。

本传:"益州刺史萧惠开赏异颙,携入蜀,为厉锋将军,带肥乡、成都二县令。……随惠开还都。"《宋书》卷四十七《萧惠开传》:"泰始四年,还至京师。"

还都后,为宋明帝近臣。

本传:"宋明帝颇好言理,以颙有辞义,引入殿内,亲近宿直。……转安成王抚军行参军。"按,此当是泰始五年(公元469年)以后事。

元徽(公元473—477年)初,出为剡令。

本传:"元徽初,出为剡令。有恩惠,百姓思之。"按,此当是元徽元年或二年事。玩传文,在任或不止一年。

还京,历邵陵王南中郎三府参军。昇明元年(公元477年)冬,在京。

本传:"还,历邵陵王南中郎三府参军。太祖辅政,引接颙。颙善尺牍,沈攸之送绝交书,太祖口授令颙裁答。"按,沈攸之于昇明元年冬起兵反萧道成,并遗道成书,此书与颙答书并见《南齐书》卷二十五《张敬儿传》。

转齐殿台郎中。建元(公元479—482年)初,为长沙王参军,后军参军,山阴令。

本传。

齐建元三年或稍后,为文惠太子中军录事参军。在京。
单的年表还是可以排出来的。

本传。《南齐书》卷二十一《文惠太子传》:建元二年,文
惠太子"征为侍中、中军将军,置府,镇石头"。

建元四年(公元 482 年),随府转征北,在南徐州。

本传。《文惠太子传》:"四年,迁使持节、都督南徐兖二
州诸军事、征北将军、南徐州刺史。"

永明三年(公元 485 年),时为太子仆,在建康。

本传:"转太子仆,兼著作,撰起居注。"《文惠太子传》:
"永明三年,于崇正殿讲《孝经》,少傅王俭以擿句令太子仆周
颙撰为义疏。"

后迁中书郎,又转国子博士。永明七年(公元 489 年)前
卒官。

本传:"颙卒官时,会王俭讲《孝经》未毕,举昙济自代,学者荣之。"《南齐书》卷二十三《王俭传》:"七年,乃上表曰……其年疾,上亲临视,薨,年三十八。"按,俭于永明三年已讲《孝经》,则颙之卒官或在四年至六年间。

从上列简单的年表来看,周颙的官职迁转,时间前后衔接都是很紧的。如果任海盐令,可能的时间是:一、泰始五年至元徽初大约四五年间。但本传又明言"出"为剡令,可见并非自海盐令迁转。二、建元四年至永明三年的三年间,但本传又明言"转"太子仆,可见这几年间周颙并没有离开文惠太子府。

　　据此,就可以得出结论:周颙并没有做过海盐令,本传和李善注不记此事,并非偶然的疏漏。《移文》的本事当是从山阴令任满返京。

　　现在要回过头来答复上面我们自己作了假设而又加肯定的两个问题。第一,关于草堂的建造。本传确实放在自山阴令还京以后叙述,但这完全可能是一种插入的倒叙。建造"隐舍"或"草堂",并不是一件大事,在传文中的安排可以视行文的方便而定,完全不能排除其建造的时间在建元以前。再,《移文》中所说的草堂,李善注谓为颙所自建,李延济却说是以前的一位蜀中法师所建,可见正不必拘执不化。第二,"张英风于海甸,驰妙誉于浙右",既然可以指吴郡,当然同样可以指会稽郡。《南齐书》卷十四《州郡志上》:"会稽郡:山阴、永兴、上虞、余姚、诸暨、剡、鄞、始宁、句章、鄮。"李善注于"浙右"下引《字书》:"江水东至会稽山阴为浙右。""驰妙誉于浙右",也就是驰于会稽郡,或者再说得死板一点,即驰于会稽郡的一部分。

那么,《移文》的本事,又何以一定是从山阴返京而非从剡返京呢?这就只能是一种推测了。其一,剡去海较远,似不得谓之"海甸",而山阴则去海较近。其二,周颙出为剡令,上距自蜀入京不久,似乎还不能获得那么大的社会声誉,而在建元初,已经为萧道成执笔写过报沈攸之书这样的重要书牍,相较之下,与《移文》中所描写的那位周子的声势更为切近。

与沈玉成合撰,原载《中华文史论丛》1981 年第 3 辑,此据京华出版社 1999 年版《唐诗论学丛稿》录入

陈贻焮《杜甫评传》序

　　陈贻焮先生是我的学兄。他的年岁比我大，1953年我们一起在北京大学听林庚先生讲授魏晋南北朝隋唐部分的文学史，那时他已是林先生的助教，我还是学生。因此，我对他一直是以师友对待的。贻焮先生在唐代诗歌的研究上所下的功夫很深。这些年来，他全面研究了王维和孟浩然的诗，探索了他们的生平；又论述了李颀、岑参的边塞诗，并对李白思想的某些重要方面作了很有深度的分析；又进而对李贺、李商隐进行研究，并对中晚唐的诗歌流派作了概括的论述，提出了值得注意的一些新看法。在50年代中期，他研究的重点是六朝文学，那时他所写的关于陶渊明、鲍照的文章，无论从资料搜讨和思想阐发来说，到现在仍有其价值。不难想见，在这样扎实广博的基础上，他集中对杜甫进行研究，并且写出了有好几十万字的《杜甫评传》，对他来说，是他学术研究进程中的一个新的进展，而对读者来说，则是获得了一部经过多年潜心研究而写成的内容丰富的专著。

　　对杜甫的研究之所以特别困难，是因为在杜甫诗歌中集中地出现了大唐帝国由盛到衰这一转变时期社会生活的许多重要问题，杜诗描绘了这个社会的多样而曲折的过程，充分地反映了这个过程的复杂性。杜甫出生的前后几年，似乎就标志着一个文学时代的结束，另一个文学时代的开始。杜甫生于唐玄宗先天元年（公元712年），在这之前四年，中宗景龙二年（公元708年），杜审言卒。再过两年，睿宗景云元年（公元710年），上官婉儿在一次宫廷政变中被杀，宋之问被流放到岭外钦州，先天元年死于贬所。沈佺期死于开元元年（公元713年）；同年，李峤随他的儿子赴虔州刺史任，大约过一二年死去。这样，武、韦时期的诗人就此在文坛上消逝。就在这同一时期，景云二年（公元711年），张说入居相位，任同中书门下平章事、兼修国史。张说是开元时期转变文风的重要人物，从这时开始，他以宰相之尊，吸引一些文士于其周围，因而使开元时期的文风与前一时期有显著的不同。就在这一年，王翰登进士第，第二年，王湾登进士第。王湾在这前后所写的"潮平两岸阔，风正一帆悬；海日生残夜，江春入旧年"诗句，张说居相位时手题于政事堂，"令为楷式"，这风格壮美而又富于展望的诗句，一扫武、韦时期绮丽不振的诗风，使人耳目一新，预示着盛唐诗歌健康发展的康庄大道。从先天元年起，像贾曾、贺知章、张九龄等都先后步入仕途。到开元四年（公元716年），富有才艺的早熟的王维，以十八岁的青少年诗人写出了长篇歌行《洛阳女儿行》，标志着诗歌史上的"唐音"已正式开始。对唐诗研究者来说，研究这一转变时期的政治、经济、社会风尚与文学发展的关系，该是多么有吸引力。应该说，这是一片有待于开垦和收获的肥沃的土地。

盛唐诗歌的另一转变时期是天宝年间。这时社会繁荣富庶似乎已达到了它的顶点，上层统治阶级、阶层的相互勾结、杀戮、争夺权力、掠取财物，以及种种腐朽现象，正以长安为中心，日益发展。社会矛盾已到达了饱和点，安史之乱正是这种矛盾发展的结果。这也是杜甫诗歌风格逐步形成的时期。这时，我们可以看到，高适、岑参正来往于西北的烽火边塞；王维已满足于他取得的社会地位和文艺成就，定居在长安郊区的美丽别墅写他的田园诗；李颀、王昌龄等人忙碌于做他们的地方官，不时发出不平之鸣；大诗人李白正继续在南北各地游历……杜甫则正在长安这一政治斗争的中心，锤炼他的诗风。贻焮先生在《评传》上卷中，叙述杜甫居住长安时期多方面的生活，仿佛把我们引进了当时纷繁复杂的世界。我个人觉得，这是上卷的重心，是最引人入胜的地方。《评传》的作者没有把杜甫简单化，既没有像封建社会某些士大夫那样把他看成一饭不忘君的诗圣，也不像以前有一时期把杜甫贬成一钱不值的地主老财。他只是如实地根据杜甫本人的作品，把受多种社会条件约束的杜甫介绍给读者；但正因为如此，使我们感到杜诗之与众不同的地方，杜甫之所以伟大。《评传》的这些叙述，不但使我们认识了杜甫，还使我们具体地感受到这样庞大的封建帝国是怎样一步步衰弱下去，帮助我们具体认识那时的唐代社会。

　　杜甫研究之另一困难，不像有些作家那样，苦于资料太少，而是苦于资料太多。从宋朝以来，杜诗注家之多，是别的诗人所难以比拟的。当然，其中不乏真知灼见，但有不少是陈言滥调，或谬论妄说。今天，我们研究杜甫和他的诗歌，就得冲过这重重的评注家的包围圈，吸收其合理的一部分，摒弃其无价值的地方。贻焮先生的这部《评传》，也是较好地解决了这一困难的。《评传》主要采集了清代几个注家的说法,那就是钱谦益的《杜诗笺注》、杨伦的《杜诗镜铨》、浦起龙的《读杜心解》以及仇兆鳌的《杜诗详注》。这几部书在许多种杜诗评注本中是有特色的。《评传》引用了它们的某些说法,并站在今天的高度,结合杜甫的身世与当时的社会现实,对这些意见作了剖析。这里可以看出《评传》作者的眼力。

这里还应当特别指明的,是《评传》写法的一个特点,那就是作者力图作到雅俗共赏。书中既有材料的繁富征引,又有对杜诗作行云流水般的讲解。书中往往在一些较为专门性的论述以后,就接着以亲切的笔调向读者介绍杜甫的生活,他的朋友,他的诗歌艺术手法的特点,犹如冬夜围炉听一老友在谈论他所感兴趣的事情。写到这里,我不禁想到宋人叶梦得在其《避暑录话》中的一段记载:

> 吴门下居厚喜论杜诗,每对客未尝不言。绍圣间,为户部尚书,叶涛致远为中书舍人。待漏院每从官晨集,多未厌于睡,往往即坐倚壁假寐,不复交谈。惟吴至则强之与论杜诗不已,人以为苦,致远辄迁坐于门下檐次。一日忽大雨飘洒,同列呼之不至,问其故,曰:"怕老杜诗。"

这是一则很有趣味的记载。古往今来,像叶涛那样怕说杜诗的情况恐怕也是不少的。但人们还是爱读杜诗,爱谈杜诗,这除了杜诗本身具有吸引力以外,也因为杜诗研究中还是出现了一些有价值的著作。贻焮先生的这部《评传》,一定会以其雅俗共赏的特点来吸引读者,从而在杜诗研究中据有一定的地位。

别林斯基曾称普希金的《欧根·奥涅金》为俄罗斯社会生活

的"百科全书"。我觉得,从对诗歌反映现实的广度和深度来说,杜诗也可以说是唐朝安史之乱前后几十年的生活的"百科全书"。试想,如果不去读读杜甫的《赴奉先咏怀》,历史学家要想写天宝末期那种"山雨欲来风满楼"的情景,他们的笔将是多么的枯涩乏味!如果没有"三吏"、"三别",九节度相州之溃后唐朝统治者与人民的矛盾,当时中原人民所受的战乱之苦,我们今天的认识将会多么地一般和平淡!杜甫的杰出贡献,即在于他凡所到之处,就把生活本有的丰富多样的面貌,精细地描绘出来。我们现在在《评传》的上卷中,随着贻焮先生的笔触,看到杜甫如何生活在一个奉儒守官的家庭,如何在多方面的教养下度过童年,又看到在开元盛世中杜甫的几次南北壮游,然后又看到杜甫进入纷繁的长安城,最后,看到杜甫在战乱中颠沛流离,用他的一枝笔写出了活生生的社会现实。在这以后,杜甫的行踪更扩大了,我们将在《杜甫评传》的下卷中,看到杜甫在秦州时所写的特异的山川风物,杜甫在成都的定居以及他笔下的蜀中名胜,他的江陵的栖息,潇湘之游与漂泊一生的结局。这将是一轴长的画卷,我们等待着后一部分早日舒展在读者的眼前。

1981 年 10 月

原载上海古籍出版社 1982 年版《杜甫评传》,此据大象出版社 2008 年版《学林清话》录入,另收入黑龙江人民出版社 1992 年版《唐诗论学丛稿》、湖南人民出版社 1997 年版《濡沫集》(题为:行云流水　雅俗共赏)、京华出版社 1999 年版《唐诗论学丛稿》

李商隐研究中的一些问题

　　李商隐研究中一个最为聚讼纷纭的问题,是他与牛李党争的关系。从五代、北宋以来,这个问题一直争论不休。有的说他是牛党,有的说他是李党,有的说他依违于两党之间而终于受到两党的排挤,建国以后的一些文学史著作、唐诗选本及有关论著,则大多倾向于说他是牛李党争的无辜牺牲品。但有一个说法是共同的,那就是,李商隐卷入党争,是从他在令狐楚死后,转入王茂元幕府并成为王茂元的女婿开始的,王茂元是李德裕一党,从此牛党就把李商隐恨得要死。这就决定了李商隐坎坷一生的命运,他从此就摆脱不开党争这一可怕的魔影和羁绳。

　　本文将要说明,王茂元既不是李党,也不是牛党,他与党争无关。当时无论哪一派,都不把王茂元看成党人。因此,李商隐入王茂元幕,也根本不存在卷入党争的问题。我们研究会昌以前李商隐大半生的事迹和思想,不应当受到传统说法的影响,而应当从客观的史料出发,对李商隐的这段历史作实事求是的分析。

　　本文还将说明,李商隐确实是卷入了党争的。李德裕一派在中晚唐时是一个要求改革、要求有所作为的政治集团,他们与牛僧孺、李宗闵等因循保守、依附腐朽势力的一派鲜明对立。由于中晚唐社会极端腐败，李党终于失势，而李商隐正是在李党面临失败的无可挽回的情况下表同情于李党，并用自己的一枝笔为李党辨诬申冤，因而受到牛党的打击。李商隐这样做，表现了明确的是非观念，坚持了倾向进步、追求理想的气概和品质。我们对李商隐的政治态度也应作出新的估价。这对于进一步研究他的创作是会有好处的。

一

李商隐死后不久，当时的一位诗人崔珏有《哭李商隐》二首，诗写得很沉痛，其中说："虚负凌云万丈才，一生襟抱未曾开。"①崔珏没有说李商隐的襟抱是什么，也不曾说他一生的襟抱未曾开的原因，可能在大中年间牛党势盛之时，政治气氛使得崔珏不能把这些说得明明白白。但有一点是清楚的，他与李商隐生前的友人喻凫、薛逢、温庭筠赠诗同样，都未说到李商隐与王茂元的关系。

最先正式讲到这事的是《旧唐书·李商隐传》。李传先叙述李商隐早年受知于令狐楚，曾在令狐楚的节度使幕府，并因令狐楚的资助，才得以进士登第，然后说：

---

①崔珏为宣宗大中年间进士，曾从事西川幕府。关于他的材料，可参见《新唐书》卷六十《艺文志》四集录别集类，卷七十二下《宰相世系表》二下崔氏清河小房，《唐诗纪事》卷五十八，《唐才子传》卷九，《全唐诗》卷五九一，徐松《登科记考》卷二十七。

王茂元镇河阳,辟为掌书记,得侍御史。茂元爱其才,以子妻之。茂元虽读书为儒,然本将家子,李德裕素遇之,时德裕秉政,用为河阳帅。德裕与李宗闵、杨嗣复、令狐楚大相仇怨。商隐既为茂元从事,宗闵党大薄之。时令狐楚已卒,子绚为员外郎,以商隐背恩,尤恶其无行。

在这之后,《新唐书·李商隐传》也说:

王茂元镇河阳,爱其才,表掌书记,以子妻之,得侍御史。茂元善李德裕,而牛李党人蚩谪商隐,以为诡薄无行,共排笮之。

《新唐书》的记载基本上是依据《旧唐书》的,《旧唐书》这短短的几行字却有不少错误。如说李商隐为王茂元所辟,为其掌书记,而且做他的女婿,是在王茂元镇河阳时。这在时间上就有大错。王茂元为河阳节度使是在武宗会昌三年(公元843年),那时王茂元正受命与刘稹作战,不久即死于军中,而李商隐这时正居母丧。《两唐书》的记时之误,已受到冯浩、张采田等有力的驳正,而据冯、张等考证,李商隐入王茂元幕,应当在文宗开成三年(公元838年)王茂元为泾原节度使之时。但张采田仍认为:"义山以婚于王氏,致触朋党之忌","党局嫌猜,一生坎壈,自此基矣。"①这点似乎已成定论,认为王茂元就是李德裕的一党,有的甚至引

_____

①《玉溪生年谱会笺》开成三年条。

申说"令狐楚和王茂元是政敌。"①

到底有什么根据说王茂元是李党呢？我们如果查一下史料，可以说，没有一条是能证明这一点的，过去的说法只不过人云亦云，似乎新旧《唐书》都这么说，就自然是如此了。即使像张采田那样对李商隐生平研究较深的学者，对此也没有作过怀疑。

应当从整理史料着手。让我们来查阅一下有关王茂元生平的材料。

王茂元为濮州濮阳人。他的祖父王崇术，官只做到鄜州伏陆县令。据权德舆所作的神道碑，王崇术的曾祖为集州司仓参军，祖父为滑州卫南县令，父为蔚州司法参军，都是地方州县的基层官吏，因此权德舆说"故缨縠未华，仕不过郡掾史、县大夫。"②王崇术有三子，幼子名栖曜，也就是王茂元的父亲。王家自王栖曜才显赫起来。王栖曜以军功起家，安史乱起，他征讨有功，从牙将开始往上升，德宗时官做到鄜坊节度使、检校礼部尚书、兼御史大夫。贞元十九年（公元 803 年）卒③。王茂元在德宗时曾授校书郎、太子赞善大夫之职。元和时对李师道等用兵，他在东都留守吕元膺手下做事，署防御判官，对平定李师道叛乱有功。元和十四五年间曾为归州刺史④。此后曾历守郢州、蔡州等地，大和二

---

① 文学研究所编选《唐诗选》下册第 258 页李商隐小传。
② 《故鄜州伏陆县令赠左散骑常侍王府君神道碑》，《四部丛刊》本《权载之文集》卷十六，又见《全唐文》卷五〇〇。
③ 王栖曜，见《旧唐书》卷一五二、《新唐书》卷一七〇本传。
④ 参王茂元《楚三闾大夫屈先生祠堂铭》（《全唐文》卷六八四），及李商隐《为外姑陇西郡君祭张氏女文》（冯浩《樊南文集详注》卷六）。

年(公元828年)四月,由邕管经略使改为容管经略使。大和七年,为广州刺史、岭南节度使。大和九年十月,改为泾原节度使①。在这之前,王茂元的官职迁转,都与李德裕无关。大和九年十一月,发生甘露之变,宦官大杀宰相王涯、李训等人,当时宦官中有人曾指控王茂元因王涯、郑注见用,王茂元害怕,就把在岭南任官时积存的家财拿出不少来贿赂宦官,史称"李训之败,中官利其财,掎摭其事",从中可看出王茂元之任泾原,可能与李训、郑注等有关,而李德裕恰恰因受李、郑的排挤而不得在朝中任职,出守浙西。会昌元年(公元841年),王茂元改忠武军节度使,镇守陈、许。会昌三年,唐朝廷讨伐公然抗命的昭义刘稹,调陈、蔡兵任泽潞南面攻讨,因此授王茂元为河阳节度使;只几个月,王茂元兵败,病死军中。这时确是李德裕当政,但这已经是李商隐入王茂元幕以后好几年的事了。这就是说,王茂元从他父亲起,王家两代都长期担任地方节镇,并没有与中央政局的变动有什么牵涉。说王茂元是李党,从这方面是找不到证据的。

另外,我们倒可以看到王茂元与牛党人物的交往。开成三年(公元838年),杨嗣复、李珏拜相,王茂元这时在泾原节度使任上,马上送去一封贺状,这封贺状是由李商隐起草的,其中说:"伏见今月某日制书,伏承相公由大司徒之率属,掌中秘书之枢务,宠延注意,荣叶沃心,凡备生灵,莫非陶冶。"②杨嗣复本来就是牛党

①王茂元官职迁转,据《旧唐书》本传,并参张采田《玉溪生年谱会笺》所考。王茂元又有传附于王栖曜传之后。
②《樊南文集详注》卷二《为濮阳公上杨相公状》。

的骨干,他在开成时执政,就排挤李党,大批起用牛党人物。

如果说给杨嗣复的贺状还可用一般例行公文来解释的话,那末会昌元年(公元841年)王茂元出任忠武节度使时给李宗闵的两封书信,就应当是足够说明问题的了。原先李训、郑注为了排挤掉李德裕,在大和后期把李宗闵从山南西道节度使召回入相,利用他来排除掉李德裕。等到李德裕被迫出守浙西,李训、郑注就抓住李宗闵勾结宦官、戚属的把柄,一连把他贬为明州、处州刺史、潮州司户①。后来由于杨嗣复拜相,才将李宗闵内迁,并于开成四年冬由杭州刺史迁转为太子宾客分司东都。会昌元年王茂元出镇忠武军时,正是李德裕当国,李宗闵在洛阳担任这一闲职,当然是不会得意的。但恰恰在这时,王茂元给李宗闵送去了两封信,信也是由李商隐起草的②。第一封信中说:"某早蒙恩顾,累忝藩方。本冀征辕,得由东洛,伏以延英奉辞之日,宰臣俟对之时,止得便奏发期,不敢更求枉路。限于流例,莫获起居,瞻望恩光,不任攀恋。傥蒙知其丹赤,赐以始终,则虽间山川,若在轩屏。"这里说的是两方面的内容:一是王茂元自谓早时曾得到李宗闵的提拔奖引,得以任职节镇;二是此次出守陈州,限于成例,不能前来洛阳相见,实在是"不任攀恋",并且希望李宗闵能谅察他的这一片丹诚。

---

① 《唐大诏令集》卷五十七《贬李宗闵明州刺史制》、《再贬李宗闵处州刺史制》、《三贬李宗闵潮州司户制》。
② 见《樊南文集补编》卷二《为濮阳公上宾客李相公状》二首。按,钱振伦笺注谓此宾客李相公指李德裕,张采田考证谓指李宗闵,张说是,已可成定论,见《玉溪生年谱会笺》会昌元年条。

接着是第二封信,也可分几点说。第一:"相公昔在先朝,实秉大政,当君子信谗之日,禀达人大观之规。"——对李宗闵大和末年的被贬寄予同情,给以慰问。第二:"某早蒙奖拔,得被宠荣,番禺将去之时,获醉上尊之酒;许下出征之日,犹蒙尺素之书。"——再次表示早岁蒙李宗闵奖拔的谢忱,并且透露出,王茂元出镇岭南,是李宗闵为之出力的。第三:"便道是拘,登门莫遂,向风弭节,掩泣裁笺,思幄恋轩,不胜丹款。"——又一次表示此次不能相晤的遗憾心情。

我们知道,会昌元年正是李德裕当政时,李宗闵在洛阳担任宾客分司的闲职,实在是无足轻重的。如果王茂元是李党,他有必要连续写这两封信,而且在信中表达那样的一种感恩与惋惜之情吗?

与上述给杨嗣复、李宗闵信的差不多同时,王茂元也有给李德裕的书信,时间是在开成五年(公元840年),共三封,也是李商隐起草的①。第一封写于王茂元罢镇泾原入为司农卿之时,这时武宗初即位,李德裕尚未命相,在淮南曾有书与王茂元,王茂元作书答复,内容一般。第二封作于已任德裕为相而尚未从淮南启程之时,当在七八月间,因此说:"伏承恩诏,荣征圣上,肇自汉藩,显当殷鼎。"第三封作于李德裕赴京途中,谓"不审自跋涉道路,尊体何如,伏计不失调护"。这封信中追叙了李德裕父亲李吉甫在元和中为相时对藩镇用兵的功绩:"某窃思章武皇帝之朝,元和六年

---

① 《樊南文集补编》卷二《为汝南公上淮南李相公状》。钱振伦考证谓此汝南公乃濮阳公之讹,因所叙之事与周墀事迹不合,而与王茂元合。张采田采其说。

之事,镇南建议,初召羊公,征北求人,先咨谢傅。故得齐刜封豕,蔡剸长鲸。"宪宗朝先后平定刘辟、李锜、吴元济、李师道等公然抗命的方镇,李吉甫有谋划之功,这封信中予以充分的肯定。信中也赞扬了李德裕在淮南的治绩。史书对李德裕在淮南兴修水利等也作了记载,信中所写并无夸大失实之处。信中又叙述了与李德裕个人的关系:"某早尘下顾,曾奉指踪,江左单衣,每留梦寐,柳城素几,行睹尊颜。"这几句也不过是说过去曾有交往,与上面说过的与李宗闵的关系相比较,王、李之间的个人关系就显得浮泛多了。

新旧《唐书》本传都提到王茂元镇河阳与李德裕的关系,似乎说王茂元是李党,因此李德裕任王茂元为河阳节度使。这事也应当谈一谈。

会昌三年(公元 843 年)四月,昭义节度使刘从谏卒,其侄刘稹秘不发丧,自称留后,胁迫朝廷给予节度使的名号。这是大历以后强藩割据、不听朝命的故技重演。李德裕力排众议,不予妥协,决定用兵讨伐,就在四月中下旬部署了军力,以成德节度使王元逵、魏博节度使何弘敬为东面军,河东节度使刘沔为北面军,河中节度使陈夷行(后为李彦佐)为西面军(不久又调石雄接替),以王茂元为南面军,镇河阳,并调王智兴的儿子王宰(原邠宁节度使)代王茂元为忠武节度使。同年八月,王茂元军为刘稹部将所败,王茂元也随即病于军中。这一战役的失利很影响士气,李德裕马上采取果断措施,命王宰接替王茂元为河阳行营攻讨使①。

---

① 见李德裕《会昌一品集》卷十五《论河阳事宜》第一状、第二状,及《通鉴》的有关记载。

在九月初,李德裕明确地说:"缘王茂元虽是将家,久习吏事,深入攻讨,非其所长。"①实际上罢了王茂元的军权。

从李德裕对王茂元的任免上,我们实在看不出李德裕有什么偏私的地方。四五月间命各方镇合围攻讨,王茂元只是几个节度使之一,假如说因为李党才任命,那末王元逵、刘沔、石雄等人却从来没有人说过是李党,这又如何解释呢?八月间王茂元兵败,影响了整个战局的发展,李德裕坚决调王宰来代替王茂元,并指出王茂元的短处。人们也并不把王宰视为李党。因此,任王茂元为河阳节度使,实在算不上王是李党的证据。

二

现在,让我们再进一步来分析令狐楚的情况,他与李德裕的关系怎样,他与王茂元是不是政敌。

过去的一些历史记载和史学论著,大多把令狐楚说成牛党,其实令狐楚的情况较为复杂,不能简单地一刀切。他的年辈比李德裕、王茂元要大。元和十二年(公元817年),唐朝廷任命裴度专任讨伐淮西事,这时另一宰相李逢吉与裴度不和,而与令狐楚相善,共同阻挠用兵,裴度借故奏请罢免了令狐楚的翰林学士之职。李逢吉是牛党早期的庇护者,如果从这一点看,把令狐楚算作牛党,也未始不可。过了不久,皇甫镈因言财利得到宪宗的宠

①同上《请授王宰兼行营诸军攻讨使制》。

信,排挤掉裴度,皇甫镈又引用令狐楚为相,执掌朝政。穆宗即位,杀皇甫镈,也就贬令狐楚为衡州刺史,贬谪的制词是元稹起草的,说令狐楚为"异端斯害,独见不明,密赞讨伐之谋,潜附奸邪之党。因缘得地,进取多门,遂忝台阶,实妨贤路。"①元稹这几句话就是指令狐楚元和时附和李逢吉阻挠军情,以及巴结皇甫镈而说的,并无夸大失实之处。这时元稹与李德裕同在翰林,结为好友,和李绅一起号称"三俊"。中晚唐人可能就因此以为令狐楚与李德裕相对立,实际上这是元稹的事,与李德裕无涉。

　　但有一件事是涉及令狐楚与李德裕的关系的。令狐楚于敬宗宝历年间任汴宋观察使,曾上奏说亳州出圣水,"饮者疾辄愈",曾受到当时宰相裴度的斥责,裴度判之为"妖由人兴,水不自作。"②李德裕这时任浙西观察使,镇润州(今江苏镇江),也曾上奏言其事,说这本是"妖僧诳惑,狡计丐钱",由于此而使得"数月以来,江南之人,奔走塞路,每三二十家,都顾一人取水"。请求朝廷"下本道观察使令狐楚,速令填塞,以绝妖源。"③

　　在这之后,令狐楚的官职屡有升降,看不出他与牛党有什么政治上的联系,在任地方官时也有一些政绩可纪。大和九年甘露事变后,宦官气焰嚣张,令狐楚还与李党的郑覃共事,对宦官专权作过抵制。开成二年卒于山南西道节度使任,年七十二④。

---

① 见《旧唐书》卷一七二《令狐楚传》。查今传《元氏长庆集》未载此文。
②《新唐书》卷一七三《裴度传》。
③《旧唐书》卷一七四《李德裕传》;又《会昌一品集》别集卷五《亳州圣水状》。
④ 关于令狐楚的事迹,可参见新旧《唐书·令狐楚传》,以及刘禹锡《唐故相国赠司空令狐公集纪》(《刘禹锡集》卷十九)。

综观令狐楚的一生,他早期与李逢吉等人交结,与裴度等主张对藩镇用兵的意见相左,但后来与李德裕等人没有发生过重大的政治分歧,他后期与党争无涉,严格说来,把他说成牛党是并不妥当的。至于说他与王茂元为政敌,实在找不出任何史料依据,他的行迹与王茂元可以说毫不发生关系。

如果我们抛弃掉王茂元是李党、令狐楚是牛党这种先入为主的成见,平心静气地来考查一下李商隐入王茂元幕府后,他与令狐绹等人的关系,那末,就会与过去有不同的看法。

令狐楚死时李商隐还只有二十五岁,按照我们现在的情况,恐怕只能说是一个刚步入社会的青年。那时他刚刚进士登第,还没有正式官职,有一大堆家口要养,而这时令狐绹不过是一个左拾遗,又丁父忧免职。李商隐要取得仕途上的依靠,并取得经济上的资助,在当时的实际情况下,只能是投靠在某一节度使的幕下,做一些文字工作。这在唐代社会中是极为常见的,对读书人来说也是一件很自然的事,不会受到人们的责难,更不存在背恩忘德的问题。

第二年,也就是开成三年,他在王茂元的泾原节度使幕,并得到王茂元的赏识,做了王家的东床快婿。《樊南文集补编》卷八有《献舍人彭城公启》、《献舍人河东公启》两文。钱振伦注谓:"义山登第,多借令狐绹延誉之力,此彭城公,下篇河东公,皆子直为之介绍。绹之为补阙在开成初年,……其由补阙为户部员外郎在会昌二年。"张采田《玉溪生年谱会笺》系这两文于开成五年武宗即位以后,并考河东公为柳璟,据《重修承旨学士壁记》,柳璟于开成三年二月九日迁中书舍人(时为翰林学士),

五年十月改礼部侍郎出院。彭城公则待考。张采田的说法是可信的。《献舍人彭城公启》中说:"方今圣政维新,朝纲大举,征伊皋为辅佐,用褒向以论思,大窒浇风,廓开雅道。"这也合于武宗即位时的情况。

《献舍人彭城公启》中说:"某启。即日补阙令狐子直顾及,伏话恩怜,猥加庸陋,惶惕所至,感结仍深。"《献舍人河东公启》说:"前月十日辄以旧文一轴上献,即日补阙令狐子直至,伏知猥赐披阅,今日重于令狐君处伏奉二十三日荣示,特迁尊严,曲加褒饰,捧缄伸纸,终惭且惊。"

这些话说明了什么呢?它说明了,在李商隐入王茂元幕以后,令狐绹仍为之延誉,以使得李商隐在仕途上能有所进展。保存下来的有关事迹当然只是这两封书状,没有保存下来的当不止于此。如果令狐绹认为李商隐背恩忘德,投靠敌党,他还能为李商隐到处揄扬,使他能因此而取得进身之阶吗?正因为令狐绹并不如此看,所以他还像过去那样,为李商隐出力。这难道不是顺理成章的事吗?

除了令狐绹之外,还可举出他与杨嗣复、周墀的关系。据冯浩和张采田的考证,开成五年,李商隐曾应杨嗣复之招,赴湖南观察使幕,张采田甚至还认为"九月湖南之行,亦必子直(令狐绹)荐达之力,杨嗣复本牛党也。"[1]那时王茂元由泾原入为朝官,因此李商隐就改入湘幕。可见,当时令狐、杨等人并不因李商隐曾入王茂元幕而拒之以千里之外的。

---

①《玉溪生年谱会笺》"开成五年"条。

周墀与李宗闵的关系密切，文宗时李宗闵为山南西道节度使，曾辟周墀为行军司马。周墀后来入朝为翰林学士、中书舍人；武宗即位，出为工部侍郎、华州刺史。杜牧认为，这是李德裕故意排斥周墀的结果①。宣宗时，周墀也加入对李德裕攻击诋毁的行列，说李德裕当国时改宪宗实录，美化德裕父李吉甫的功绩。可见当时人是把周墀归入牛党的。但恰恰就在会昌元年周墀任华州刺史时，李商隐与周墀有交往，他曾给周墀上书，表示想要入幕之意，又在周墀幕府中会宴赋诗②。他在华州曾代周墀起草过不少奏表③。

　　以上的这些材料说明什么问题呢？它们说明了，李商隐由令狐楚改入王茂元幕之后，牛党人物如令狐绹等并不对他加以排斥，不仅如此，还在某些实际行动中资助李商隐在仕宦上找出路。我们评价历史事件，只能从现存的历史材料出发，有几分材料说几分话，既不能缩小，也不能夸大。历史材料没有记载的，只能抱阙疑的态度。而传统的说法，无论历时多久，影响多广，也必须根据现在所能见到的材料，重新加以考核。囿于旧说，限于成见，就不可能在研究上取得突破。所谓李商隐入王茂元幕，从此就卷入党争，我个人认为就是这样的一种旧说和成见。

---

① 参见杜牧《祭周相公文》（《樊川文集》卷十四）、《赠司徒周公墓志铭》（同上卷七）。周墀，新旧《唐书》均有传，大致本杜牧所作墓志。
② 《樊南文集补编》卷六《上华州周侍郎状》，《玉溪生诗集笺注》卷一《华州周大夫宴席》。
③ 如《樊南文集详注》卷一《为汝南公华州贺赦表》、《为汝南公以妖星见贺德音表》，卷二《为侍郎汝南公华州谢加阶状》等，不具列。

三

要讨论李商隐与牛李党争关系的问题,应当首先弄清牛李党争的性质。牛李党争并不是如有些论著所说的纯粹是无原则的权力之争。牛李两党,在唐代中后期,反复斗争,持续将近半个世纪,对当时的政治以至文学都发生过很大影响。很难设想,这种牵涉面如此大、经历的时间如此久的政治斗争仅仅是一种人事纠纷。

过去有一种流行观点,以陈寅恪先生为代表,认为牛党重进士科,代表"寒门",李党重门第,代表"山东士族";前者进步,后者落后甚至反动。岑仲勉先生不同意这种观点,在他所著的《隋唐史》、《唐史余沈》、《通鉴隋唐纪比事质疑》中曾列举史实,说明上述论点并无材料依据。近些年来,史学家对李德裕则倾向于持肯定的态度①。笔者为了较深入地研究唐代中后期文学与牛李党争的关系,正在从事李德裕《会昌一品集》的整理点校,并撰写《李德裕年谱》。本文主要是谈李商隐,不可能用很多篇幅来谈李德裕及其与牛党的斗争,但为了说明李商隐的政治态度,有必要对牛李党争的性质作一个概括的论述。

牛李两党对当时几个重大的政治问题都持针锋相对的意见。分析历史上的党争,应当抓住党派的政治见解、政治态度这一原

①如《历史研究》1979 年第 6 期胡如雷同志《唐代牛李党争研究》。

则问题,而不要被纷繁的次要问题所缠住而迷失方向。

唐代中后期政治生活中一个突出的问题是藩镇割据。李德裕是反对藩镇割据,维护中央集权的。会昌年间他当政时,力排众议,坚决主张对拥兵擅命、盘踞泽潞的刘稹进行军事讨伐,就是明显的例子。战争进行了一年多一些,平定泽潞五州,打击了藩镇势力,巩固了国家统一,振奋了全国的军心民心,正如《旧唐书》所说,在这次平叛战争中,"筹度机宜,选用将帅,军中书诏,奏请云合,起草指踪,皆独决于德裕,诸相无预焉。"[1]而与此相对立,李宗闵等早与昭义节度使刘从谏交通往来,牛僧孺居洛阳时,闻刘稹败讯,每"恨叹之"[2]。态度明显不同。

宦官专权是唐代中后期政治腐败的又一表现。宦官主持了好几个皇帝的废立,操纵朝政,并且直接与一些朝臣勾结。李德裕是主张抑制宦官的权力的,他在抗击回纥、平定刘稹的战争中,不许宦官干预军政,加强了将帅的权力,使得指挥统一,军权集中,保证战争的胜利。他在会昌时的一些实施,都可看出是主张抑制和削夺宦官干政的。清初王夫之曾明确指出:"唐自肃宗以来,内竖之不得专政者,仅见于会昌。德裕之翼赞密勿、曲施衔勒者,不为无力。"[3]而李宗闵等人,却有巴结宦官的事例。

唐朝中后期,西北和西南边防相当紧张,经常受到回纥、吐蕃和南诏的侵扰。李德裕在文宗大和年间任剑南西川节度使,整顿

[1]《旧唐书》卷一七四《李德裕传》,又参见《会昌一品集》卷十八《让太尉第三表》附武宗批答。
[2]《新唐书》卷一七四《牛僧孺传》。
[3]王夫之《读通鉴论》卷二十六。

巴蜀的兵力,成绩斐然,并使得相陷已久的西川入吐蕃的门户维州归附唐朝;而这时牛僧孺为相,却执意放弃维州,结果是平白丢掉重要的边防重地,并使得降人受到吐蕃奴隶主贵族残酷的报复性杀戮。在对回纥的战争中,李德裕也是与牛僧孺相对立的。李德裕主张积极巩固国防,保护边疆地区的正常生产,在此基础上与一些有关的少数民族政权保持和好关系;而牛僧孺则一味主张退让,所执行的完全是一种民族投降的政策。

佛教在唐代中期以后大为发展,使得"中外臣民承流相比,皆废人事而奉佛,刑政日紊。"[1]李德裕明确指出,释氏之教"殚竭财力,蠹耗生人"[2]。他赞助武宗灭佛,是历史上的有名事例。这次灭佛,涉及面很广,日本僧人圆仁的《入唐求法巡礼行记》有具体生动的记载。但宣宗即位,白敏中等人执政,马上宣布兴佛,恢复佛教势力。这点,连杜牧、孙樵等在大中时也是不赞成的[3]。

即使以科举考试来说,李德裕也并不是一般地反对进士试,相反,他却是采取措施来革除科试中的一些弊病,并且注意奖拔中下地主的士人。李德裕贬后,所谓"八百孤寒齐下泪,一时南望李崖州",不是没有根据的[4]。而我们从牛党人物中却可以看到他们利用科试的弊端,为贵门子弟入仕而互通关节,朋比为奸,以

①《通鉴》卷二二三唐代宗永泰元年。
②《会昌一品集》卷二十《祈祭西岳文》。
③见杜牧《樊川文集》卷十《杭州新造南亭子记》,《通鉴》卷二四九大中五年六月条引孙樵语。
④见五代王定保《唐摭言》卷七"好放孤寒"条,并参《玉泉子》。

致"妨平人道路"等事例①。

李德裕在任地方官时还有如兴修水利、废除奴役、破除迷信等政绩,而李宗闵等则一无可记。这些,本文不拟再一一列举。

当然,李德裕并不是完人,他有种种缺陷和弱点,作为地主阶级的一员,他有他的阶级局限。这是可以分析的,也是可以理解的。但是,我们要看到,他的一些在重大政治问题上的主张和行动,在历史上是属于进步的,他是一个要求改革、要求有所作为的政治家。北宋时"庆历革新"的名臣范仲淹就从这点着眼,对李德裕作了充分的肯定,说他"独立不惧,经制四方,有真相之功,虽奸党营陷,而义不朽矣。"②清朝人毛凤枝认为他"料事明决,号令整齐,其才不在诸葛下"③。如果我们把他的政见放在历史的联系上来看,可以说,会昌政治是永贞革新的继续。剥夺藩镇和宦官之权,革除朝政的种种弊端,对当时社会上的一些腐败现象进行整顿,这是德宗末期以来要求改革之士的共同愿望。顺宗时永贞革新是一个高潮,宪宗元和前期是又一个高潮,第三个高潮就是武宗会昌时期。会昌以后,唐朝就再也没有出现这样的高潮,唐王朝就在腐败中走向灭亡。唐中期以后,腐朽势力越来越强大,革新力量无不以失败而告终。会昌、大中之际是这两大势力最后一大搏斗,结果以李德裕的贬死而宣告革新力量的失败。李商隐以自己的诗文表同情于李德裕,在当时的政治斗争中,就是表明

①可参见《旧唐书·武宗纪》,及新旧《唐书·杨虞卿传》。
②范仲淹《述梦诗序》(《范文正公集》卷六)。
③清毛凤枝《关中金石文字存逸考》卷九。

他是将自己置身于从永贞、元和以来政治革新的行列的。而腐朽势力的强大，革新派的最终被扼杀，唐朝廷从此一蹶不振，腐败的风气重又弥漫朝野，这，就是李商隐悲剧的真正根源。我们研究和分析李商隐瑰丽奇伟而又扑朔迷离的富有悲剧色彩的诗歌，是不能离开这一主要脉络的。

四

会昌五年新春，由于连续取得对回纥、对泽潞的军事上的胜利，朝廷政治进行了一些整顿改革，京城内外有着一种丰乐熙和的气象。李商隐在会昌前期因母丧丁忧，家居于山西永乐，这时也不禁为太平气象所鼓舞，写了《正月十五夜闻京有灯恨不得观》这样一首在他的诗作中少有的乐观情绪的诗篇：

> 月色灯光满帝都，香车宝辇隘通衢。身闲不睹中兴盛，羞逐乡人赛紫姑。①

他对会昌的政事是逐步认识的，对重大事件采取积极拥护的态度。《行次昭应县道上送户部李郎中充昭义攻讨》诗中说："将军大斾扫狂童，诏选名贤赞武功。"赞扬对泽潞的用兵。会昌四年

---

① 《玉溪生诗集笺注》卷二。关于此诗系年，据张采田说。

《为李贻孙上李相公德裕启》，对李德裕的文治武功备加赞颂①。然而好景不常，会昌六年三月，武宗病死，宣宗即位，政局急转直下，其变化之快，一切都出乎人们的意料之外。

宣宗于三月下旬即位，四月，就出李德裕为荆南节度使，同时贬李德裕所赏识的工部尚书判盐铁转运使薛元赏为忠州刺史，其弟京兆少尹权知府事薛元龟为崖州司户。这是一个信号，标明李党从此开始要遭到一连串的打击了。与这差不多同时，牛党人物白敏中由翰林学士承旨拜相。五月，增修佛寺。接着，牛党骨干大批内调，逐步安排重要官职。八月，下令牛僧孺、李宗闵、崔珙、杨嗣复、李珏皆由贬所北迁（李宗闵未离贬所病卒）。九月，李德裕又由荆南改调洛阳，为东都留守，解平章事，把"使相"的虚衔也给摘掉了。第二年，大中元年二月，又唆使人告李德裕会昌执政时的所谓"阴事"（但又举不出具体罪状），又降为太子少保分司，名义上是在洛阳闲居，实际上是把李德裕在洛阳看管起来了。也在同年二月，郑亚由给事中出为桂管观察使。郑亚早年曾入李德裕的浙西观察使幕府，会昌时受到重用，对会昌政事多有裨益②，这次也因牵连李德裕事外出。接着，会昌时的宰相李回外出为西川节度使。会昌时兴举的一些改革措施，在短短的一年多中全部停止。

---

① 《樊南文集详注》卷三。
② 《全唐文》卷七二六崔嘏《授郑亚桂府观察使制》中曾说："入赞黄枢，超居青琐。弥缝阙漏，衮职以之无遗；参酌宪章，国典由其益振。"崔嘏因为说了一些老实话，起草郑亚、李德裕的贬谪制词不肯横加斥词，也被远谪。

明眼人不难看出政局变化的动向。宣宗即位刚刚一年多,所有措施,差不多都是为打击李德裕一派而布置的。打击的矛头指向哪里,是再也清楚不过的了。

恰恰就在这时,李商隐入郑亚幕府,为其掌书记,远赴桂林。这难道是偶然的、毫无政治含义的举动吗? 这个时候,摆在李商隐面前的,可以有几种选择:他仍然可以在长安继续担任秘书省正字的职务,慢慢得到升迁;他也可以挑选与李党没有关系的节度使做一些文字工作;他甚至可以表白心迹,直接投靠牛党。这些路子他都不走,却在李党明白无误地走下坡路的时刻,进一步把自己的仕途放在李党一边,用世俗的眼光看,这不是太傻了吗? 如果没有一种坚定的是非观念,没有一种政治上的正义感,确是不可能这样做的。李商隐,作为一个杰出的诗人,可贵就在这里。这难道是诡薄无行的文人所能望其项背的吗?

大中元年二月郑亚为桂管观察使命下之时,在洛阳的李德裕曾写了一封信给郑亚(这封信没有保存下来),郑亚就委托李商隐起草作书答复①。政治形势的险恶使得书信只能用象征性的文字来表达相互慰藉之意,说:“伏惟慎保起居,俯镇风俗,俟金滕之有见,俾玉铉之重光”;又再三叮咛:“伏惟少以家国为念也。”这不只显示了文字的巧妙,更是表达了书信作者的深切同情。

政治迫害的日益临近,使得李德裕感到有必要把他在武宗朝所起草的文书及奏章汇为一编,不致散失,以保存这一时代的历

①见《樊南文集补编》卷二《为濮阳公上李太尉状》。据钱振伦考证,题中濮阳为荥阳之讹,荥阳乃指郑亚。

史真实。于是他把这些篇章编成十五卷,寄给郑亚,并请郑亚为其作序①。郑亚请李商隐起草,后又自己重加改定,现在李商隐的原稿与郑亚的改稿都保存下来②,可以比较而观。郑亚除了改骈为散作些文字上的修改外,主要使得赞颂的词句不太明显,在当时的政治气候下,这是可以理解的。如李商隐原稿中,对李德裕有这样的称颂:"成万古之良相,为一代之高士! 繄尔来者,景山仰之。"郑亚的改稿就删去了。这不是可以看作李商隐对李德裕的评价吗? 李商隐为郑亚起草的《上李太尉状》也用同样的语句推崇李德裕:"太尉妙简宸襟,式光洪祚,有大手笔,居第一功";又称李德裕之文"言不失诬,事皆传信,固合藏于中禁,付在有司,居微诰说命之简,为帝典皇坟之式。"这些话,在当时一片讨李声中,真成为空谷足音,李商隐从这时起,真正为令狐绹等人所嫉恨,这不是很自然吗?

令狐绹等人实在拿不出像样的证据足以制李德裕之罪,但又想把李党一网打尽,于是抓住了前几年李绅在任淮南节度使时处理过的一桩案件,大作文章。李绅生前把他属下一个名叫吴湘的官吏,因为犯贪赃罪,又强娶民女,依法处以死刑。大中元年底、二年初,令狐绹等人起用原推勘官崔元藻,硬说这是李德裕包庇李绅制造成的一件冤案,郑亚、李回等人也都有罪责。于是嚣闹一时,把李德裕贬为崖州司户,郑亚、李回也都进一步贬官,而崔元藻等人却论功行赏,超擢官职。在这一新的冤案铸成之时,李

---

① 《会昌一品集》别集卷六《与桂州郑中丞书》。
② 见《樊南文集详注》卷七。

商隐为郑亚起草了几封给朝中公卿的书信,详细剖析案情,指明崔元藻诬陷不实之词,严正指出:"逝者难诬,言之罔愧";斥责崔元藻等"乘时幸远,背惠加诬"①。当然,人们可以说这些是李商隐为郑亚代写的书稿,但信中严密的推理,明确的爱憎,不包含有李商隐个人的思想和见解吗?李商隐把这些篇章编收进集中,不表示自己的一种政治态度吗?

与此同时,李商隐还写了感叹李德裕远贬的诗,如著名的《李卫公》:"绛纱弟子音尘绝,鸾镜佳人旧会稀;今日致身歌舞地,木棉花暖鹧鸪飞。"《旧将军》:"云台高议正纷纷,谁定当时荡寇勋?日暮灞陵原上猎,李将军是旧将军。"前人早已指出,前诗是感伤李德裕之远贬崖州,后诗是讽刺宣宗朝进封一批新贵,而对昔日攘回纥、定泽潞之旧将军不但无人顾及,而且还想置于死地而后快。在当时,这样的诗作,其政治含义是一望而知的。这也就使李商隐进一步遭到牛党人物的痛恨。张采田《玉溪生年谱会笺》举出了不少李商隐后期的诗,认为是哀李党、刺牛党而作,有些固然求之过深,强为比附,但他说这一时期李商隐"所赋篇什,幽忆怨断,恍惚迷离,其词有文焉,其声有哀焉,义山始愿,不负李党,亦可见已",又说"《漫成五章》明揭生平,以表襮其始终钦仰卫公之初心"。这些话都是有见地的。

李商隐在这以后还曾入卢弘止、柳仲郢幕,卢、柳等都与李德裕关系甚深。大中年间李德裕的灵柩北返,李商隐还奉柳仲郢之

---

① 见《樊南文集补编》卷七《为荥阳公上马侍郎启》、《为荥阳公与三司使大理卢卿启》、《为荥阳公与前浙东杨大夫启》等。

命,特地从西川赶到江陵致奠①。关于李商隐后期的行踪,限于篇幅,这里就不谈了。总括本文所论,可以归结为一点,就是:所谓李商隐卷入党争,是会昌末、大中初代表进步倾向的李党走向失败的时候开始的,它显示了李商隐极为可贵的政治品质,表示了李商隐绝不是历史上所说的汲汲于功名仕途、依违于两党之间的软弱文人。李商隐前期也写过一些优秀作品,但他的创作的真正收获期是在后期,这恰恰是与他的政治态度分不开的。前人评论他的艺术风格,大多说他寄托深远、沉博绝丽、深情绵邈、包蕴密致,等等。艺术风格当然有作家个人的因素,但主要是时代的产物。李商隐的后期,正是进步的、革新的政治遭到打击,理想变成幻灭,社会的前途看不到什么希望的时代,政治的高压使得他只能用象征的手法来吐露他对美好事物的向往与追求,以及对理想破灭所表达的哀伤。时代的病态造成李商隐诗作中的某些感伤情调,但我们仍可从他的婉丽的诗句中体察到对美好事物、对理想的执着追求,因而并不使人颓伤。他的诗歌的力量就在于此。这之中,如果没有进步的政治信念的支持,而仅仅是个人的身世不遇的感伤,能够达到这样的思想和艺术境界吗? 中唐以后,文学创作的高峰总是与每一次的政治革新相联系的,贞元、元和之间是一个高峰,出现了韩、柳、元、白、刘、李(贺)、张(籍)、王(建)等各具特色的诗人;会昌、大中之际是一个高峰,则以李商隐、杜牧为代表。在这之后,唐代诗歌就再也没有形成可以瞩目的高峰,李商隐,正是出于一种天才的艺术敏感,为唐王朝的衰落

_____

①陈寅恪《李德裕之贬死及归葬传说考释》,见《金明馆丛稿二编》。

唱出了挽歌——李商隐的时代意义就在这里。

1982 年 1 月

原载《文学评论》1982 年第 3 期，此据万卷出版公司 2010 年版《当代名家学术思想文库·傅璇琮卷》录入，另收入黑龙江人民出版社 1992 年版《唐诗论学丛稿》、安徽教育出版社1998 年版《当代学者自选文库·傅璇琮卷》、京华出版社1999 年版《唐诗论学丛稿》

白居易评价中的一个问题

  近些年来,在对于白居易的评价中,经常涉及到他与永贞革新的关系,不少文章肯定白居易对永贞革新持赞成的、积极支持的态度。持这种论点的同志,往往从这几方面来论证他们的意见:一是白居易在元和时期所写的《新乐府》、《秦中吟》等讽谕诗,以及他在任谏官期间所写的一些奏议等文章,其中所表现的政治主张和思想倾向,与永贞革新有某种共同之处;二是白居易后来与刘禹锡有长期较深的友谊,而刘禹锡是革新派的骨干;三是顺宗即位后,白居易曾上书给当时宰相韦执谊,即白氏文集中的《为人上宰相书》。韦执谊是当时朝廷中赞助新法,并为王叔文集团所依靠的大臣,白居易既然上书给韦执谊,并且说了不少好话,当然是说明白居易当时政治态度的一个直接的证据。

  以上介绍的这一说法,似乎成了这些年来评价白居易政治思想的一种普遍意见。《文史》第十一辑上刊登的顾学颉先生的《白居易与永贞革新》的文章,再次全面论述了这一观点。顾先生是研究白居易的专家,他所校点的《白居易集》已于1979年在中华书局出版,给了读者、研究者以很大的方便。笔者对顾先生的学问是很钦佩的,不过在白居易与永贞革新这一问题上,笔者尚有一些不同的看法,想借此向顾先生和白诗的研究者请教。

先说白居易上书给韦执谊一事。关于此事,顾先生《白居易与永贞革新》一文有一个带总结性的论断,说:"白居易在永贞革新时,由于某种原因,虽然没有实际参与其事,但在重要时刻,即韦执谊拜相不到十天的时候,他抓紧时机,向韦上万言书,全面地陈说了国家大计、当务之急;并提醒韦应不失时机,赶紧推行新政,以救天下人的疾苦。从而清楚地表明了他对革新的积极拥护态度。"

现在要研究的是,这一论断是否有足够的材料根据和事实基础。

白居易于德宗贞元十八年(802)试书判拔萃科登第,第二年授校书郎。贞元二十一年(也即永贞元年)正月,德宗卒,顺宗即位,任用王叔文等人推行新政。这时白居易仍在长安任校书郎之职。他在那年已三十四岁,又在长安这一政治中心,他对这次政治革新运动会有什么看法? 研究者对这一问题进行探索,是毫不奇怪的,而刚好现存白氏文集中有给韦执谊的上书,当然更会引起研究者的注意和兴趣。

问题在于这份上书的写作时间,以及它的内容是否涉及到当时的新政措施。

《为人上宰相书》一开始说:"二月十九日,某官某乙谨拜手奉书献于相公执事。"根据顾先生和一些研究者考订,这里的"二月十九日",是指贞元二十一年的二月十九日。所谓"相公",就是韦执谊。据《旧唐书·顺宗纪》和《顺宗实录》,那年二月十一日,韦执谊拜相（守尚书左丞、同中书门下平章事）；同月十九日，白居易上书。文中说："主上践祚，未及十日，而宠命加于相公"，"相公受命未及十日，而某献于执事"，都与史书所载相合。而《为人上宰相书》的所谓"为人"，实际上是白居易自己，这一说法也是可以成立的。

问题恰恰就出在这二月十九日这一上书的时间上。

顾先生曾根据新旧《唐书》的《顺宗纪》，以及《顺宗实录》、《通鉴》等的记载，归纳当时的新政实施，大致有这样几项：

罢翰林医工、相工、占星、射覆、冗食者四十二人。

贬贪刻百姓的京兆尹李实为通州长史。

召回长期被贬在外地的正派、清廉、敢于讲话、深得民心的官员陆贽、阳城、郑余庆、韩皋等人。

诸道除正敕率税外，诸色榷税，并宜禁断；除上供外，不得别有进奉；停钱铁使进献。

放出宫女三百人于安国寺，又放出掖庭教坊女乐六百人于九仙门，召其亲属归之。

赦京城系囚，大辟降从流，流以下减一等。

免除二十一年十月以前百姓所欠诸色课利租赋钱帛共五十二万六千八百四十一贯、石、匹、束。

贞元之末，政事为人患者，如宫市、五坊小儿之类，皆罢之。

以上在当时说来都是善政，也是王叔文集团见之于施行的几项措施。但是，这些措施是渐次颁行的，并不是顺宗一践祚，韦执谊一上任，就马上宣布这些施政纲领。这就有一个白居易上书与新政颁布时间的关联问题。

尽管现存《顺宗实录》的作者问题尚有争论,《顺宗实录》中对王叔文的革新派多有诬蔑之词,但其中所记的事和时还是可以依据的。现在让我们根据《实录》和《旧唐书·顺宗纪》,排一个纪事表:

　　贞元二十一年正月二十三日癸巳,德宗死。

　　正月二十六日丙申,顺宗即位。

　　二月初二日癸卯,朝见百官,听政。

　　二月初六日丙午,罢翰林医工等冗食者四十二人。

　　二月十一日辛亥,以韦执谊为相。

　　二月二十一日辛酉,贬京兆尹李实为通州长史。

　　二月二十二日壬戌,王伾以太子侍书、翰林待诏为左散骑常侍,王叔文以前司功参军、翰林待诏为起居舍人,并充翰林学士。

　　二月二十四日甲子,大赦,除诸杂税,禁宫市,禁绝五坊小儿。

　　三月,出后宫及教坊女伎;追陆贽等还。

　　五月,召韩皋、郑余庆等还;范希朝掌神策军兵权;王叔文为户部侍郎。

　　前面已说过,白居易上书韦执谊的时间是二月十九日。人们不难看出,白居易上书时,新政几乎还没有开始,连这一新政的实际主持者王叔文授翰林学士,能实际谋划和操纵政事,还是在白居易上书后的四天,贬李实则在上书后的三天,至于其他新政,更在其后,在上书之前,所谓永贞革新,只不过是任命韦执谊为宰相而已,而仅仅任韦为宰相这一点,人们怎能设想其新政的内容呢?因此,说白居易的这一上书,是"把全部期望寄托在韦执谊等人的改革上","是促进革新派及早行动",以及"全面地陈说了国家大计、当务之急"，"清楚地表明了他对革新的积极拥护态度"，等等，恐怕是缺乏根据的。因为很明显，所谓的新政还未实施，连新政的主持者尚未登场，何来支持和拥护呢？

我们如果剖析白居易这一上书的内容，应当说，它确实也未涉及新政。信是写得很长，中心的内容则是希望新任命的宰相能注意任用贤才，而上书者正是官卑位贱的贤才，希望得到荐引和提拔。这种内容在唐人求仕途进取中是极为常见的。当然，书中也举了当时的一些弊政，如说"天下之户口日耗，天下之士马日滋；游手于道途市政者不知归，托足于军籍释流者不知反。计数之吏日进，聚敛之法日兴。田畴不辟，而麦禾之赋日增；桑麻不加，而布帛之价日贱。吏部则士人多而官员少，奸滥日生；诸使则课利少而羡余多，侵削日甚"，等等。但这些都不过是劝说宰相应当"用天下之目，观而救之"、"用天下之心，图而济之"的陪衬，而用天下之目、天下之心，又当广用人才。笔者并不想抹杀白居易这封书信的积极内容，它与一般希求进用的上书还是有很大的区别的，但我们不必要一定从拥护永贞革新的角度来肯定白氏的这一举动。大家都知道，韩愈在贞元十九年任监察御史时也曾上疏请缓征京畿税钱（《御史台上论天旱人饥状》），及论罢宫市，似乎与永贞新政有相同之处，但我们不能就说韩愈赞成王叔文等人的革新措施。

白居易于元和三年至元和五年任左拾遗之职，在这期间他写作了《新乐府》、《秦中吟》等诗篇，以及一些有关时事的奏议。正如他在《与元九书》中所说："是时皇帝初即位，宰府有正人，屡降玺书，访人急病。仆当此日，擢在翰林，身是谏官，手请谏纸，启奏之外，有可以救济人病，裨补时阙，而难于指言者，辄咏歌之。"白居易思想中很明确，他在这时无论是上疏或写作讽谕诗，都是在尽谏官的职责，"欲稍稍递进闻于上"，所谓"上以广宸聪，副忧勤，次以酬恩奖，塞言责"。宪宗即位以后，任用杜黄裳、李吉甫、裴垍等为相，对一些公然抗命的藩镇进行了讨伐，除掉德宗时的某些弊政，并稍稍抑制宦官的不法行为，因此朝政中出现了某种新气象。白居易的诗文是在这样的一种政治环境中产生的，这时的政治局面与永贞革新时有所不同。我们分析作家的思想，应当严格地遵循社会存在决定社会意识这一历史唯物主义原理，不要把不同时期出现的作品和思想作简单的类比。

至于白居易与刘禹锡的关系，他们二人的友谊当然是很深的，尤其是白居易在其好友元稹死后，他更把刘禹锡视为知交。但在他与刘禹锡的诗歌酬答中，却没有涉及过当时的政治。白居易在中年以后，生怕牵涉到当时朝臣之间的朋党斗争中去，这是他中后期消极思想的表现之一。这时距永贞革新已有二三十年，他更无必要在和刘禹锡的交往中谈及旧事。会昌二年（842）刘禹锡死，白居易有《哭刘尚书梦得二首》，第一首说："四海齐名白与刘，百年交分两绸缪。同贫同病退闲日，一死一生临老头。杯酒英雄君与操，文章微婉我知丘。贤豪虽殁精灵在，应共微之地下游。"这首诗写他和刘禹锡的交谊，是带有总结性的。从全诗可以看出，他总认为二人的友谊只是建立在文学创作的基础上。当然，我们可以推想，在长期的交往中，这两位大诗人对中唐时纷繁复杂的政局变动不会没有交换过意见，对永贞革新也会旧事重提。——但这些只是一种揣想，而科学研究只能从事实出发，不能从揣想出发。现存刘、白的酬答诗作未能提供必要的材料，因此不能说白居易后来与刘禹锡交情很深，刘是参与永贞革新的，因而白居易也就赞成永贞革新。这样的推论恐怕是不能成立的。

看来，说白居易赞同、支持永贞革新，这一说法恐怕是没有事实依据的。这牵涉到我们如何正确地运用和分析史料的问题，因此特提出来，与研究者和读者讨论。

原载《文学遗产》1982 年第 3 期，此据大象出版社 2004 年版《唐宋文史论丛及其他》录入

驼草集

第二册

中华书局

《滕王阁诗序》一句解

——王勃事迹辨

　　王勃《滕王阁诗序》,全名为《秋日登洪府滕王阁饯别序》,最早载于《文苑英华》卷七一八。这篇赋向来以词藻华美、属对精切、意境清新、声调铿锵著称。如"落霞与孤鹜齐飞,秋水共长天一色",以及"渔舟唱晚"、"逸兴遄飞"、"老当益壮,宁移白首之心;穷且益坚,不坠青云之志",等等,都是脍炙人口的名句。文章的第一段说:

　　南昌故郡,洪都新府;星分翼轸,地接衡庐。襟三江而带五湖,控蛮荆而引瓯越。物华天宝,龙光射牛斗之墟;人杰地灵,徐孺下陈蕃之榻。雄州雾列,俊彩星驰,台隍枕夷夏之交,宾主尽东南之美。都督阎公之雅望,棨戟遥临;宇文新州之懿范,襜帷暂驻。十旬休暇,胜友如云;千里逢迎,高朋满座。腾蛟起凤,孟学士之词宗;紫电清霜,王将军之武库。家君作宰,路出名区;童子何知,躬逢胜饯。

这一段文字,由洪州的地势、人材,叙及宴饯。其中"童子何知,躬逢胜饯",是王勃自指,自来注家对此并无异词。问题出在"家君作宰,路出名区"这一句上。这句应作如何解释? 一种流行的说法,认为"家君作宰",是说王勃的父亲于前几年出为交趾令,而"路出名区"则是指王勃这次前去探望父亲,路过洪都(即今江西南昌)这一名城大郡。但这种说法至少在语法结构上是有毛病的。很明显,"童子何知,躬逢胜饯",其主语是"童子",也就是王勃自己;以此例彼,则前一句"家君作宰,路出名区",主语当然也应是"家君",也就是王勃的父亲。不应把这一完整的句子割裂为并立的两句,而以前者的主语为王勃之父,后者的主语为王勃。大约有鉴于此,有些注本就似乎采取回避的态度,如中国人民大学语文系文学史教研室编注的《历代文选》(中国青年出版社1963年出版)仅注云:

> 家君:对自己父亲的称呼,指王福畤。作宰:作县令。路出名区:路过南昌。

究竟是谁路过南昌? 注文中不加以表态。但在前面的题解中说到"秋日,阎在阁上宴饮宾僚,恰巧王勃省亲路经南昌"。则"路出名区"者仍为王勃。朱东润先生主编的《中国历代文学作品选》(中华书局上海编辑所1963年出版),对这句的解释则又为:"王勃的父亲王福畤左迁南方,由北往南,曾经路过洪州,故云。"把"家君作宰"与"童子何知"所指的时间分隔开来,前者是几年前的事情,后者是王勃这次文章的时间。这一说法,看起来似乎较有道理,但细玩第一段全文,也不免使人产生疑问:这一段文字明明是讲眼前风光,为什么当此段末了,却又分叙两个时间的事情呢?

应当说,关于"家君作宰,路出名区"的解释,不仅仅是字义的问题,而是关系到王勃事迹中的一个传统的记载应当加以打破、或者说是改正的问题,这里牵涉到王勃这篇文章的写作时间,王勃因何南行,以及王勃文集的刊刻流传等问题。本文拟从这些方面进行一些探讨,以有助于对王勃生平及其作品的研究。

关于《滕王阁诗序》的写作时间,过去有两说,一种以五代时王定保的《唐摭言》为代表,其书卷二"以其人不称才试而后惊"条载:

> 王勃著《滕王阁序》,时年十四。都督阎公不之信,勃虽在座,而阎公意属子婿孟学士者为之,已宿构矣。及以纸笔巡让宾客,勃不辞让。公大怒,拂衣而起,专令人伺其下笔。第一报曰:"南昌故郡,洪都新府。"公曰:"亦是老先生常谈。"又报曰:"星分翼轸,地接衡庐。"公闻之,沉吟不言。又云:"落霞与孤鹜齐飞,秋水共长天一色。"公矍然而起曰:"此真天才,当垂不朽矣!"遂亟请宴所,极欢而罢。

同此说者有清人蒋清翊的《王子安集注》,其书卷八注中谓王勃父福畤此时任六合县令,王勃往省其父,途经南昌而作此文。按王勃的生年,据杨炯的《王勃集序》(《文苑英华》卷六九九),说卒于唐高宗上元三年(676),年二十八,据此推算,则生于唐太宗贞观二十三年(649)。又王勃《春思赋》(《王子安集注》卷一)说咸亨二年(671)的时候,他二十二岁,据此推算,其生年又应为高宗永徽元年（650）。据现有材料，还不能断定究竟以何者为是，但好在只相差一年，问题不大。王勃生年大致确定，则十四岁时当是龙朔二三年间（662—663）。杨炯《王勃集序》曾说："年十有四，时誉斯归。太常伯刘公巡行风俗，见而异之，曰：'此神童也。'因加表荐，对策高第，拜为朝散郎。"据王勃的有关传记资料及王勃自己的诗文可以考知，他幼年早慧，六岁即善文辞，得到前辈文人杜易简的称许。九岁，作《汉书指瑕》十卷。龙朔元年（661）在长安，遇医者曹元，受医术（见《王子安集注》卷九《黄帝八十一难经序》），此后几年一直在长安，到十四岁那年又因司列太常伯刘祥道之荐，应幽素举，对策高第，授朝散郎，再后又为沛王李贤府中修撰。从这一时间表中不难看出，王勃十四岁那年根本没有可能到江南来。又据《王勃集序》，王福畤之任六合县令，是在交趾县令之后，也就是王勃死了以后（王勃是在王福畤任交趾令时死的），当然，也就不可能有王勃去六合探望他父亲的事。

由此可见，王定保《唐摭言》与蒋清翊《王子安集注》说这篇文章系王勃十四岁时作，路经南昌去六合，是不能成立的。

另一种说法，是王勃往交趾省其父，路经南昌，因作此文。这一说较前一说，过去为大多数人所赞成，也就是凡记叙王勃事迹及论述《滕王阁诗序》者，几乎都宗此说。这一说法，情况较为复杂，须要将材料与论点展开论析。

《旧唐书》卷一九○上《文苑上·王勃传》载：

> 久之，补虢州参军。勃恃才傲物，为同僚所嫉。有官奴曹达犯罪，勃匿之，又惧事泄，乃杀达以塞口。事发当诛，会

赦除名。时勃父福畤为雍州司户参军,坐勃左迁交趾令。上元二年,勃往交趾省父,道出江中,为《采莲赋》以见意,其辞甚美。渡南海,堕水而卒,时年二十八。

此处虽没有讲到《滕王阁诗序》的事,但王勃往交趾省父的情节就为以后各书所本。如《新唐书》卷二○一《文艺上·王勃传》及《唐才子传》卷一王勃小传,既沿袭《旧唐书》往交趾省其父语,又采取了《唐摭言》九月九日滕王阁开宴作赋事,将二者捏合为一。其他记王勃事的,如《郡斋读书志》(卷四上)、《唐诗纪事》(卷七),以及《全唐诗》、《全唐文》小传,都是如此。

上引《旧唐书》的记载,尚有可议。譬如记载王勃杀官奴而得罪一事,前人也已经有过怀疑。最早记述王勃生平的杨炯《王勃集序》即未载其事,只是说"长卿坐废于时,君山不合于朝",以司马相如、桓谭隐喻王勃,暗示他是因政治原因而受到打击。在这两句之前,还说他"先鸣楚馆,孤峙齐宫,乘(枚乘)、忌(邹忌)侧目,应(应玚)、刘(刘桢)失步",这是说王勃乃受别人的妒忌陷害。关于这点,清朝人姚大荣《王子安年谱》(载其所著《惜道味斋集》中)说得较为剀切明白:"子安在虢州,《旧书》称其恃才傲物,为同僚所嫉,《新书》亦云倚才陵藉,为僚吏共嫉。其为官奴事致罪,疑或为嫉者朋谋构陷,假手官奴,以攻其瑕,古今事冤诬类此者多矣。"姚大荣的这一分析是不无见地的。关于此事,这里不再详论。

现在拟进而辨析往交趾省亲的记载是否属实。不过在正式讨论这一问题之前,拟先叙述一下王勃文集编刻的大致情况。

按,据杨炯《王勃集序》,王勃死后,杨炯曾编定其诗文为二十卷,并说"具诸篇目"。后来《旧唐书·经籍志》、《新唐书·艺文志》都著录为三十卷,南宋时又有二十卷本(《郡斋读书志》卷四上)、二十七卷本(《容斋四笔》卷五《王勃文章》条)等几种。但这些到后来都已亡佚。现在所见最早的诗文合集,是明崇祯年间张燮辑集的《初唐四子集》本,内《王子安集》十六卷。清光绪时蒋清翊又在张燮的基础上作《王子安集注》十六卷,并从《全唐诗》、《全唐文》、《唐语林》、《韵语阳秋》等书补辑诗文若干。这说明一个情况,就是,王勃的诗文,自从杨炯编定,新旧《唐书》著录以后,大约到宋元之际,已经散佚不少,现在所谓的《王子安集》,是明、清时人从一些类书、总集中辑出来的,这就使得研究王勃的生平事迹带来史料不足的困难。

蒋清翊的注本是带总结性的本子,在这之后,从邻国日本发现了较早时期的王勃文集的残本。这首先见于杨守敬的《日本访书记》,其书卷一七载杨守敬在日本时得见古抄《王子安文》一卷,共三十篇,其中"天"、"地"、"日"、"月"等字"皆从武后之制",因此杨氏定为是武则天时所抄。又据杨氏云,这三十篇中不见于《文苑英华》等书者十三篇,其他十七篇,也与《文苑英华》等所载文字异同甚多,说大抵以此本为优,因而叹为"真稀世珍也"。

另外,日本正仓院也收藏有《王子安集》残卷,抄写于日本文武天皇庆云间(704—707),相当于中国武则天长安四年至中宗景龙元年。抄写的时代与《日本访书记》所载的《王子安文》同时,或同出一本,而篇目多寡不同。后来罗振玉辗转抄得,刻于《永丰乡人杂著续编》中,共补佚文三十篇,又附录文五篇。据罗振玉记,这三十篇不但包括了杨守敬所得的十七篇佚文,而且还可订正其缺失。罗辑佚文补充了王勃的重要篇目,附录五篇还提供了研究王勃事迹的有用资料,如所收彭执古、孟献忠给王勃弟的书信,王勃族翁承烈祭王勃文,以及承烈的几封书信,都为过去所未见,极有参考价值。我们现在就可根据罗氏所辑的佚文,参照王勃其他的诗文,讨论前面所提出的问题。

罗辑佚文中有一篇《过淮阴谒汉高祖庙祭文》,其中说:

> 维大唐上元二年岁次乙亥八月壬申朔十六日丁巳,交州交趾县令等谨以清酌之奠,敬祭于汉高皇帝之灵曰:承睿命而述职兮,发棹洛阳;闻英风而愿谒兮,税舳楚乡。

此文题下注曰"奉命作"。显然,文中"交州交趾县令"云云,即是王勃之父福畤。王福畤本为雍州司户参军,坐王勃累,左迁为交趾令。"发棹洛阳"与"税轴楚乡"提供了此次行程的路线,就是从河南洛阳出发,沿漕运河往东南方向走,到达现在江苏北部的淮阴。这里可注意的有三点:一、题下注说是"奉命作",文中又以交趾县令的口气祭汉高祖,显然是王勃奉其父之命,代其父立言。二、文中说"承睿命而述职",是说受命去赴县令之职。三、文中点明时间是上元二年(675)八月,这点要特别注意,因为所有关于王勃传记的资料都说王勃是上元二年赴交州省亲的。王勃另有《秋日楚州郝司户宅遇饯崔使君序》一文(《王子安集注》卷八),说:"上元二载,高宴八月,人多汴北,地实淮南。"可见上元二年八月王勃确实在楚州(今江苏淮安)、淮阴一带。这几点说明什么呢?

它说明了，上元二年秋，王勃由洛阳南行，到楚州、淮阴，是与他父亲王福畤一起走的，经淮阴时，过汉高祖庙，王勃又奉其父之命，作交趾县令祭汉高祖文。这篇祭文中还说："已矣哉，伊微生之谅直，委大运之行藏。荷天泽以穷骜，陵风涛而未央。誓沉珠于合浦，思屏厉于炎荒。杖信义以为楫，浮忠贞以为航。"从这几句中更可以看出，王福畤此行确是赴任，"誓沉珠于合浦"二句是表示将来的语气，说将要到合浦、炎荒之地去做官。

另外，罗辑佚文的附录中有《族翁承烈致书》一篇。承烈系王勃族翁，大约长期居住在江西，王勃南下临近江西时，承烈曾寄书给王勃，但因故未达；王勃死后，勃兄王劀写信给王承烈求此书，因得以保存。承烈的信中有这样几句话："适知旅泊江浔，人遐路近，聊因翰墨，粗飞数行。乙亥年仲秋月廿有九日，寓言使至，得十一日信……（按下有脱字）。"乙亥年，即上元二年。这是说，承烈于上元二年八月廿九日得王勃八月十一日信。按，前面说过，王勃在这年八月中在淮阴，后又沿河南下，在江宁又作《江宁吴少府宅饯宴序》（《文苑英华》卷七一八），中有"想衣冠于旧国，便值三秋"。其后当又溯江而上，先是泊九江，后再入南昌，时地均相合。可以注意的是，信中有"闻吾宗粤自中州，随任南徼"之句。显然，这里是说王福畤，说王福畤发自中原，随官职南巡，表示客气的话。加一"闻"字，即表明是写信的当时。试想，如果王福畤几年以前已为交趾令，王勃这次探望其父，王承烈的信还会那样写吗？正因为上元二年秋王福畤赴交趾县令任，王勃又与其父同行，路经浔阳，王承烈才能写出"闻吾宗粤自中州，随任南徼"的话。这应当是容易理解的。

从史料学的角度看,还可以作这样的考察,那就是:王勃的友人,与王勃同时的杨炯,在勃死后为其编定文集,作文集序叙述其生平时,并没有记载王勃交趾之行是为的省其父。王勃自己的作品,也没有一个字说这次是为探望他父亲而去的,恰恰相反,在他的文章中以及当时有关人的文字中,却保存了他于上元二年陪他父亲赴任的材料。从现有材料看,说王勃上元二年省亲的,最早见于《旧唐书》王勃本传,而《旧唐书》编定于五代,那已经是杨炯、王勃之后二百几十年了。其史料价值当然要逊于杨、王及当时人所写的东西。

根据以上所考,似乎可以得出结论,即从《旧唐书》开始记载的王勃事迹中,说他于上元二年赴交趾省亲,这是不确实的,事实乃是:那一年秋天,是王勃陪同他父亲一起去交趾,后来在回来的路上,王勃不幸于渡海时堕水而死。

只有这一传统的说法被打破,被否定,《滕王阁诗序》中"家君作宰,路出名区;童子何知,躬逢胜饯",才能迎刃而解,作出合理的解释。这段文字的意思是说,洪都大府,都督雅望,人杰地灵,真是"胜友如云"、"高朋满座"。而对此种情况,家父是往远地赴县令之职,因而途经此名区,而自己何知,竟得以亲逢这一盛会。

我个人认为,只有对《滕王阁诗序》这几句作这样的解释,才是较为合理的;而这几句,也正好用来进一步证明《旧唐书》等所谓省亲说的谬误。

原载《古典文学论丛》1982 年第 2 辑,此据北京联合出版公司 2013 年版《濡沫集》录入,另收入大象出版社 2004 年版

《唐宋文史论丛及其他》、北方文艺出版社 2008 年版《书林漫笔》、万卷出版公司 2010 年版《当代名家学术思想文库·傅璇琮卷》

关于编纂《全宋诗》、《全宋文》的建议

    两年以前,笔者曾在一个关于古籍整理出版的内部通讯上提出过编辑《全宋诗》、《全宋文》的建议。两年以来,古籍的整理和出版,已经有了很大的进展。中央领导同志对于古籍整理工作的指示,给了文史研究工作者很大的鼓励;国务院古籍整理规划小组的建立,又进一步推动了这项工作的开展。在文学古籍方面,无论诗文、戏曲、小说、文艺批评等,都有一些较为长远的规划正在拟订和进行。听说唐五代词、全元诗、全明词、全清诗、全清词等大部头书的辑集,都在着手进行。文学总集的整理确实应当提到日程上来了。但是,《全宋诗》、《全宋文》的辑集,似乎还没有眉目。因此,我想旧事重提,希望能受到学术界的注意,引起讨论,以征得各方面宝贵的意见,集思广益,期于有成。

    在中国诗歌史上,唐诗当然是高峰,但宋诗继唐诗之后,在我国古典诗歌的发展上,有它的特色。自宋以后,对于宋诗,褒贬不一,但都不能不承认宋诗有它自己的面目,自己的特色。宋诗是唐诗的发展,而不是停滞或后退。元诗、明诗、清诗当然也有成就,但在宋以后历代评论家中,只有宋诗才能和诗歌史上的高

峰唐诗并提,这是文学史上的事实。至于宋文,它在我国古代散文上的地位,就更不待言,"唐宋八大家",有六家就出在宋代。宋代散文的成就,从整体上来说,是超过唐代的,这恐怕也是文学史上的事实。从文化史的角度看,有宋一朝,是很有值得我们研究的地方的,除了文学以外,史学、经学、金石学等等,都较前代开拓了新局面。文化普遍的发展和繁荣,对于文学当然有直接的影响。

显然,在文学总集的整理中,如果只注意明清的诗文,而忽略其成就远超过明清的宋代诗文,那就未免轻重失次了。

当然,我们应当看到编辑《全宋诗》、《全宋文》所存在的困难。宋代诗文的辑集,比起唐代诗文来,材料多而分散,没有现成基础,需要从头做起,工程浩大,难见成效,以致使人望而生畏。但这些困难都是可以克服的。因此,我们应当有充分的信心来担当起编辑宋代诗文总集的工作。

现在看来,编辑《全宋诗》、《全宋文》,要做这样几项工作:

一、辑集。这是工作的第一步,也是整个总集的基础。我们一方面可以根据现有宋人的专集,同时可以利用前人所编近于总集的书籍。清朝初年吴之振、吕留良等编了《宋诗钞初编》,目录定为一百家,其中未刻者十六家,后来由管庭芳等辑补,撰为《宋诗钞补》。吴之振等所编定名为"初编",看样子是想编下去的,后来吕留良牵连进文字狱,其事作罢。另外,乾隆年间厉鹗费了二十年的时间,编著成《宋诗纪事》一百卷,收三千八百十二家(所收作者已远较《全唐诗》为多);后来陆心源又利用他的皕宋楼所藏,编《宋诗纪事补遗》一百卷,陆氏自己说他这部书较厉书"增多三千余家,得诗八千余首"。钱锺书先生对厉、陆二书曾给予批评,但仍然指出:"没有他们的著作,我们的研究就要困难得多。不说别的,他们至少开出了一张宋代诗人的详细名单,指示了无数探讨的线索,这就省掉我们不少心力。"(《宋诗选注序》)关于宋诗辑集的书,除上述以外,也还有一些,有待我们发掘,如据陆心源《仪顾堂题跋》卷一三,元朝时就有一部《宋诗拾遗》二十三卷,编撰者陈世隆为宋末书贾陈氏的从孙。此书《四库全书》未收,厉鹗辑《宋诗纪事》时也未曾寓目。类似这样的书,需要我们多方寻求,以获得丰富的材料线索。至于宋文,似材料较多,《宋文鉴》、《南宋文范》以及明黄淮等编的《历代名臣奏议》等都是较为集中的材料。

二、校订。校订大致可分两方面,一是诗篇作者的确定,不要像厉、陆二书那样把唐人的作品误作宋诗。二是文字的校订,总集文字的校订不可能像专集那么细,它只要选择一个较好较全的本子作底本,再校以一二种本子就行,以正是非为主,校异同为次,工作量不是太大的。

三、作者小传。总集的作者小传,字数是并不多的,但却是工夫所在,是一部总集学术水平的重要标志。《全唐诗》、《全唐文》的小传错误较多,近人史学家岑仲勉先生曾作过纠摘。可见这是专业性极强的工作。钱谦益编《列朝诗集》时,对所选录的明代二千家诗人作了小传,其中好多人是没有什么名气的,钱氏此书的价值也就在此。后来其族孙陆灿汇集书中的小传单刻为《列朝诗集小传》,就有四十七万多字,这是钱谦益"发其家所藏故明一代人文之集"(陆灿序语)而撰成的有很高学术价值的书。这里,我想顺便对现在我们一些研究机构体制提些意见。现在各地有一些专业研究机构，高等学校也成立有研究室或研究所，但就古典文学来说，所出的成果似乎还不够理想。其原因之一，是把研究、资料整理、工具书的编制等环节割裂开来。如果我们有一项综合研究的项目，确定几个理论研究的题目，同时着手于系统的而非零散的、长期的而非短期的资料的编集整理，再配合以必要的各类工具书的编制，那么，过了一些年，就会有一批而非单个的、较为扎实的而非单薄的成果产生。环绕着宋人诗文的辑集，同时进行作家资料的汇集，作家生平的考订，小传就自然写成，而这些小传将是建立在研究的基础上，具有历史文献的价值，经得起时间的考验的。

以上几项工作，决非一人之力所能完成，也决非短时间内所能奏效。需要纳入专门研究机构的工作规划中去。我个人觉得，我们的古典文学研究也要现代化，这个现代化，除了加强用马列主义理论对文学史的一些基本规律以及作家作品进行深入研讨外，还需要对我们的研究方法、工作程序作科学的分析，毋庸讳言，这些方面我们还有不少陈旧之处。应当像地质勘探那样，作综合性的考察。可以考虑，编宋代诗文的全集，除了搞古典文学的人以外，还应当有史学家，及其他一些方面（如版本、书画鉴别、文字音韵等）的专家参加，这不单是有益的，而且是必要的。

如果工作进行得好，那就既能出成果，又能出人才，通过《全宋诗》、《全宋文》的编辑，必然会培养出一批有经验的古籍整理研究人才和宋代文学的专门家，进一步推动整个宋代文学以及宋代历史的研究。

原载 1982 年 12 月 21 日《光明日报》,此据首都师范大学出版社 2010 年版北京社科名家文库《治学清历》录入,另收入大象出版社 2004 年版《唐宋文史论丛及其他》

牛李党争与唐代文学研究

一

　　唐代的牛李党争发生在九世纪的前半叶,也就是唐朝的中后期。牛党的首领是牛僧孺(780—848 年)和李宗闵(? —846 年),李党的首领是李德裕(787—849 年)。牛僧孺、李宗闵、李德裕三人都曾任过宰相,两党的一些重要成员,有的也作过宰相,有的担任过中央和地方上的要职。因此,他们之间的斗争,必然会对当时的政治产生重大的影响。

　　过去的历史书,往往把藩镇、宦官、朋党作为唐朝中期以后的政治腐败、统治阶级内部纷争的三大表现。据说唐文宗有一次感叹道:"去河北贼易,去朝廷朋党难!"似乎朝廷上的朋党之争比藩镇割据还要难治。表面看来,这几十年的政治,一派掌权,就把另一派打下去,另一派起来,又排斥原来掌权的一派,似乎有"乱哄哄,你方唱罢我登场"的那种样子。因此有不少人认为牛李党争完全是封建统治阶级狗咬狗的斗争,无所谓是非曲直,有些初读历史的人认为朋党之争头绪纷繁,索性不去理它。有些搞唐代文学的人,一碰到有些作家夹杂在那时的党争中,也感到头疼,觉得不知怎么评价为好。

怎样来区分牛党和李党?用什么标准来评判这两党的功过是非?过去,著名史学家陈寅恪先生提出过一种说法,说牛党重进士科,李党反对进士科而重门第,李党代表两晋、北朝以来的山东士族,牛党代表唐高宗、武则天之后由进士词科进用的新兴阶级(《唐代政治史述论稿》中篇《政治革命及党派分野》)。这一说法在史学界很有影响,有些新编的历史书也认为李德裕是"关东著名士族的后裔","排斥进士","企图挽救已经失去社会基础的门阀制度",而牛党则"都是进士出身",他们是"新兴的进士贵族"。

这种仅仅以对进士科举的态度来作为划分两种不同政治集团的标志,在理论上是难以说通的,在实际上也不符合客观材料的。进士科唐初就开始实行,到这时已经经历了二百年,为什么到这时偏偏发生了牛李两党的争论呢?李德裕固然不是进士出身,但李党的其他重要成员很多是进士出身的。牛僧孺是隋朝贵族大官僚宰相牛弘之后,李宗闵是唐朝的宗室,论门第都要比李德裕显赫。所谓牛党重进士,李党重门第,这种传统说法看来是不能成立的,现在有些历史学家已不主张此说。

即使就进士科举而论,牛李两党,何者为是,何者为非,也可以看得很清楚。长庆元年(821年),礼部侍郎钱徽掌贡举,李宗闵等就向钱徽托人情,要求录取他们的子弟,后来放榜,录取的果然多是公卿子弟，其中就有李宗闵的女婿苏巢。当时舆论大哗，皇帝只得命令白居易、王起等人覆试，这般公卿子弟就有不少人落选，苏巢即是其中之一。牛党骨干杨虞卿更是请托、通关节的能手，每年春天科试时，杨虞卿为举选人驰走取科第，占员缺，无不得其所欲，升沉取舍，出其唇吻"。就是这样的人，而"李宗闵待之如骨肉，以能朋比唱和，故时号党魁"（《旧唐书》本传）。

李德裕怎样呢？现在还没有确切的材料证明李德裕是根本反对进士科的。李德裕在执政时，对科举考试曾先后作过这样一些措施：第一，他反对进士只考试诗赋，认为不能只讲究浮华的词藻，还应考经义策问，讲究实际的行政才能。第二，他反对当时盛行的进士登第后大宴曲江池、门生拜座师的习尚，认为这只能助长奢侈和朋党的不良风气。第三，当时科举考试有这样一种不成文的规定，礼部阅卷初步定了名单，还要依次到宰相府第呈报，请求过目，这里面就有上下其手的种种弊端。李德裕执政，奏请取消这一层手续，这实际上是对包括李德裕自身在内的宰相权力的一种限制。第四，会昌（841—846年）以前，每年录取进士名额大致以二十五人为限，会昌时取消这一限额，这就势必使进士录取人数增加，而这正是李德裕做宰相、掌大权的时期。

可见，牛李两党，根据他们的实际行动，在科举制度上，究竟谁是谁非，结论是显而易见的。而且结论在唐代当时就已经有了。当李德裕为牛党所陷害，远贬到海南岛的崖州，当时就有两句诗道："八百孤寒齐下泪，一时南望李崖州。"所谓"八百孤寒"，就是指当时较为清寒的应试举子。

二

　　牛李党争并不是什么偶然事件，它是当时历史条件的产物；它也不是单纯的个人权力之争，而是两种不同政治集团、不同政见的原则分歧。

　　大和六年（832 年）十一月，有一次，唐文宗问宰相："天下何时当太平，卿等亦有意于此乎？"当时的宰相有牛僧孺、李宗闵等，牛僧孺回答说："太平无象。今四夷不至交侵，百姓不至流散，虽非至理，亦谓小康。陛下若别求太平，非臣等所及。"《通鉴》的作者司马光，由于他在北宋中期也处于新旧党派的斗争中，出于他对王安石新法的反对态度，他在《通鉴》中常常是褊牛而非李的。但即使如此，他对于牛僧孺的这番话也大不以为然，评论说："于斯之时，阉寺（按指宦官）专权，胁君于内，弗能远也；藩镇阻兵，陵慢于外，弗能制也；士卒杀逐主帅，拒命自立，弗能诘也；军旅岁兴，赋敛日急，骨血纵横于原野，杼轴空竭于里闾，而僧孺谓之太平，不亦诬乎！"（《通鉴》卷 244）

　　司马光所说的，简直是一个惶惶不可终日的政治情势，这是大致符合当时实况的。藩镇割据，宦官擅权，战争连年不息，赋税日益加重，士兵与农民大批被杀戮于战场，农村十室九空，生产力受到极大的破坏，这就是当时的现实。怎样对待这个现实，上述牛僧孺的这番话，把牛僧孺等人的政治面目，勾勒得清清楚楚。一句话，他们是把乱世说成盛世。既然这个世界一切都很合理，按照现成的秩序,继续统治下去就是了。

牛僧孺、李宗闵各有一些思辨哲理性的文章,牛僧孺说:"君人者当务乎道适时。"(《辨名政论》)李宗闵说:"人皆奉时以行道者也。"(《随论上下篇》)似乎他们很注意于"时"这个概念。实际上他们所谓"时"的含义,就是趋时,也就是承认当时既成的事实,维护现成秩序的所谓合理性,他们强调人君应当以现成的"时"为准绳,来奉行与之相适应的"道"。如果说牛党有哲学基础的话,这就是他们的哲学基础。他们在政治上的因循保守,反对一切改革,依附于腐朽势力,都是与此相一致的。

以文采而论,李德裕是远胜过牛党诸人的。刘禹锡、元稹等在与李德裕的唱和中赞誉过他的诗篇。宣宗时人裴庭裕说他"文学过人"(《东观奏记》卷上)一代文豪欧阳修说李德裕"文辞甚可爱也"(《集古录跋尾》卷九)。高标神韵、少所许可的清初诗人王渔洋,称道李德裕《会昌一品集》的骈体文"雄奇骏伟"(《池北偶谈》卷十七),又说李德裕的文章可以和陆贽、杜牧、皮日休、陆龟蒙等人并提(《香祖笔记》卷六)。近代学者罗振玉又推崇李德裕的书法,以为唐人隶书"尚存古法者,有唐惟李卫公(按李德裕曾封卫国公)一人耳"(《石交录》卷四)。尽管如此,在政治上,李德裕却是一位实干家。他在好几个地方担任过节度使的官职,像在浙西、滑州、西川、淮南,都有治绩,在可能的范围内,为当地做过一些好事。他曾两度为相,都有改革的措施。正是李德裕这种"错综万务,应变开阖"的政治才干和革新主张,使他成为"唐中世第一等人物"(宋叶梦得《避暑录话》卷二),也使他与牛僧孺、李宗闵集团尖锐对立。可以说,牛李两党,对当时一些重大政治问题,都是针锋相对的。

　　唐代中后期政治生活中一个突出的问题是藩镇割据。藩镇与中央政权的矛盾,是当时统治阶级中的主要矛盾。李德裕是反对藩镇割据,维护中央集权的。会昌年间他当政时,力排众议,坚决主张对拥兵擅命、盘据泽潞的刘稹进行军事讨伐,就是明显的例子。战争进行了一年多一些,平定了泽潞五州,打击了藩镇势力,巩固了国家统一,振奋了全国的军心民心。正如《旧唐书》本传所说,在这次平叛战争中,"筹度机宜,选用将帅,军中书诏,奏请云合,起草指踪,皆独决于德裕。"与此相对立,大和五年(831年)牛僧孺为相时,卢龙节度使李载义被部将杨志诚所驱逐,杨志诚拥兵自立,牛僧孺却是姑息偷安,承认这一既成事实。在平泽潞时,牛僧孺居住在洛阳,闻刘稹败讯,每"恨叹之"。二者态度鲜明对立。

　　宦官专权是唐代中后期政治腐败的又一表现。宦官主持了好几个皇帝的废立,操纵朝政,并且直接与一些朝臣勾结。李德裕是主张抑制宦官的权力的,他在抗击回纥、平定刘稹的战争中,不许宦官干预军政,加强了将帅的权力,使得指挥统一,军权集中,保证了战争的胜利。他在会昌时的一些实施,都可看出是主张抑制和削夺宦官干政的。清初著名思想家王夫之即指出:"唐自肃宗以来,内竖之不得专政者,仅见于会昌。"(《读通鉴论》卷26)而李宗闵等人,却有巴结宦官的事例。李宗闵本人就是由于依靠宦官的资助,才得以排挤掉李德裕,而做上宰相的。

　　唐朝中后期,西北和西南边防相当紧张,经常受到回纥、吐蕃和南诏的侵扰。李德裕在文宗大和年间任剑南西川节度使,整顿巴蜀的兵力,成绩斐然,并使得相陷已久的西川入吐蕃的门户维州归附唐朝;而这时牛僧孺为相,却执意放弃维州,结果是平白丢掉重要的边防重地,并使得降人受到吐蕃奴隶主贵族残酷的报复性杀戮。在对回纥的战争中,李德裕也是与牛僧孺相对立的。李德裕主张积极巩固国防,保护边疆地区的正常生产,在此基础上与一些有关的少数民族政权保持和好关系;而牛僧孺则一味主张退让,所执行的完全是一种民族投降政策。

佛教在唐中期以后大为发展,使得"中外臣民承流相化,皆废人事而奉佛,政刑日紊"(《通鉴》卷223)。李德裕明确指出,释氏之教"殚竭财力,蠹耗生灵"(《祈祭西岳文》)。他赞助武宗禁佛,是历史上的有名事例。当时还俗僧尼四十一万多人,充作国家的两税户,收寺院良田数千万顷,有的分给"寺家奴婢丁壮"耕种,有助于农村生产的发展。这次禁佛,涉及面很广,日本僧人圆仁的《入唐求法巡礼行记》有具体生动的记载。但宣宗即位,牛党白敏中等人执政,马上宣布兴佛,恢复佛教势力。晚唐著名散文家孙樵说,宣宗即位三年,大造寺院,"斤斧之声不绝天下,而工未已"(《复佛寺奏》)。

当然,李德裕并不是完人,他有种种缺陷和弱点,作为地主阶级的一员,他有他的阶级局限。但应该说,他的一些在重大政策问题上的主张和行动,在历史上是进步的,他是一个要求改革、要求有所作为的政治家。北宋时"庆历革新"的名臣范仲淹就从这点着眼,对李德裕作了充分的肯定,说他"独立不惧,经营四方,有相之功,虽奸党营陷,而义不朽矣"(《述梦诗序》)。如果我们把他的政见放在历史的联系上来看,可以说,会昌政治是永贞革新的继续。削夺藩镇和宦官之权,革除朝政的种种弊端,对当时社会上的一些腐败现象进行整顿,这是德宗末期以来要求改革之士的共同愿望。顺宗时永贞革新是一个高潮,宪宗元和前期是又一个高潮,第三个高潮就是武宗会昌时期。会昌以后,唐朝就再也没有出现这样的高潮,唐王朝就在腐败中走向灭亡。唐中期以后,腐朽势力越来越强大,革新力量无不以失败而告终。会昌、大中之际是这两大势力最后一次的大搏斗,结果以李德裕的贬死而宣告革新力量的失败,牛李党争也就此结束。

三

牛李党争对于当时的文学也有很大影响,尤其与当时一些作家的政治态度和身世遭遇,更直接有关。因此本文也想略为谈谈这方面的情况。

中晚唐文学上的几位大家,除了韩愈、柳宗元因去世较早以外,其他如白居易、元稹、李绅、李商隐、杜牧,都牵涉到党争。另外如李翱、皇甫湜、孙樵等,也都在作品中涉及到这一斗争。

以白居易和元稹为例。元、白的文学成就,世有定评,无庸多说。以为人而论,过去的评论者大多颂白而短元,尤其表现在对两人后期的评价。元稹确有不少可訾议之处,他太热衷于仕进,往往在进退出处上招人非议。但元稹的有些方面是被人忽略的。他由江陵召回不久,在起草贬令狐楚为衡州刺史的制词中,指责令狐楚在元和时"密赞讨伐之谋,潜附奸邪之党"。这两句是说令狐楚附和李逢吉,阻挠对淮西的用兵,又巴结权臣皇甫镈,排斥裴度等贤臣。李逢吉正是李宗闵、牛僧孺等人早期的庇护者。元稹后来又直接与李宗闵发生冲突,指斥李宗闵等人利用科场弊端,为贵要子弟考取进士而奔走说情。据说元稹为此事起草的诏令,使李宗闵等朋党之徒切齿痛恨。正因如此,牛党人物把元稹视为李德裕一党,屡加排斥。白居易的妻子是牛党骨干杨汝士从父之妹,正因为他与杨家有姻亲关系,就在文宗时牛李斗争激烈之际,他主动请求出居洛阳,过着安闲不问世事的生活。白居易后期之所以未能写出如前期《新乐府》、《秦中吟》那样的诗篇,与他的这种不问是非、消极逃避的政治态度极有关系。激烈而复杂的现实斗争,能磨炼一些作家的笔锋,但也会模糊另一些作家的眼睛,捆住他们的手笔。我们当然不能简单地说元稹是李党,白居易是牛党,但如果脱离牛李党争的现实,元、白政治态度的变化也就得不到合理的解释。

李商隐更是一个突出的例子。过去的一些研究者有的说他是牛党,有的说他是李党,有的说他依违于两党之间而终于受到两党的排挤,有的则说他是牛李党争的无辜牺牲品。李商隐坎坷的一生,他的瑰丽奇伟而又带有浓厚感伤情调的诗句,如果不从当时的现实政治和牛李党争这一角度去理解,就无法得出正确的结论。李商隐在早期并未牵涉到党争,有的人说他的岳父王茂元是李党,因此他也是李党,这种说法是不可靠的,王茂元是一个节度使,他与党争无关(请参看拙文《李商隐研究中的一些问题》,《文学评论》1982 年第 3 期)。李商隐后来从实际生活中对李德裕的政治主张有了认识,正因如此,当宣宗即位后,牛党得势,李

德裕接连被贬,李党处于无可挽回的失败情况下,他却用自己的
一支笔为之辩诬申冤,表现了明确的是非观念,坚持了倾向进步、
追求理想的气概和品质。李商隐以自己的诗文表同情于李德裕,
在当时的政治斗争中,就是表明他是将自己置身于从永贞、元和
以来政治革新的行列的。而腐朽势力的强大,革新派的最终被扼
杀,唐朝廷从此一蹶不振,腐败的风气重又涨满朝野,这,就是李
商隐悲剧的真正根源。我们研究和分析李商隐沉博绝丽而又扑
朔迷离的富有悲剧色采的诗歌,是不能离开这一主要脉络的。

对牛李党争性质的正确评价,有助于对当时一些作家政治态
度和作品思想内容的研究。但不能像过去有些研究者那样,将作
家简单分类,谁是牛党,谁是李党。不能那样一刀切,还应结合作
家生平和作品实际,作具体的分析。从文学的角度对这一问题进
行探讨,也会帮助我们更进一步对牛李党争作深入的研究。

原载《文史知识》1983 年第 2 期(题为:略谈唐代的牛李党
争),此据黑龙江人民出版社 1992 年版《唐诗论学丛稿》
录入

近年唐人诗文集的整理和出版

    在介绍近几年来唐人诗文集的整理和出版之前,拟先就建国以后到"文革"为止十七年中的有关情况,作一简略的回顾。这对于我们了解唐集整理出版的概貌,当不无帮助。

    "文革"前的十七年,可大致分为两个阶段,而以 1957 年为分界线。建国初期的几年中,没有出版过唐人集子。1954—1956 年的三年间,当时的文学古籍刊行社先后出版了《孟浩然集》、《白香山集》、《杜少陵集详注》、《白氏长庆集》、《元氏长庆集》五种。这五种书也只是根据现成的本子断句排印或影印,未作进一步的校勘和整理。1957 年起,北京、上海设立了专业出版社;1959 年古籍整理规划小组成立,对文史哲古籍的整理作了通盘规划,京、沪两地的有关出版社也作了进一步分工。唐人诗文集的整理出版,随着整个古籍整理工作的开展,无论数量与质量,都比前一阶段有了显著的提高。据粗略估计,从 1957 年起,到 1962 年,这六年中,共出版唐人诗文集二十二十六种,另外 1960 年中华书局还出版了如《全唐诗》那样共计九百卷之多的唐代诗歌总集。唐代作家中,如骆宾王、陈子昂、王维、李白、杜甫、元结、韩愈、柳宗元、王建、张籍、李贺、杜牧、李商隐、皮日休、聂夷中、韦庄等的集子，都曾整理出版。其中如钱仲联编注的《韩昌黎诗系年集释》（古典文学出版社，1957），向迪琮校订的《韦庄集》（人民文学出版社，1958），华忱之校订的《孟东野诗集》（人民文学出版社，1959），萧涤非整理的《皮子文薮》（中华书局上海编辑所，1959），孙望校点的《元次山集》（中华书局上海编辑所，1960）等几种，有较高的水平，整理者在多年研究的基础上，对作品进行编年详注，或汇集众本之长，作了详细的校勘，成为定本，因而有一定的学术参考价值。

唐集的整理出版，不仅有了良好的开端，而且也有了较扎实的基础。可惜自1964年起，随着政治形势的变化，这项工作也告中辍。中华书局本来已用宋版配明版影印了《文苑英华》，大部分已经装帧完毕，也被迫封存，未能及时发行。除了刘禹锡因不虞之誉被封为法家诗人而出了两种集子（陕西人民出版社的《刘宾客文集》、上海人民出版社的《刘禹锡集》）外，"文革"十年间连一本唐人集子也没有出版过。长达十四年的停顿，当然给唐代文学研究带来极大的损失。

粉碎"四人帮"以后，特别是党的十一届三中全会以来，古典文学研究和出版工作，同全国其他各项工作一样，取得了显著的成就。古典文学研究者、文史古籍整理者，和广大的编辑出版工作者，在党的领导下，解放思想，实事求是，冲破长期以来"左"倾思想的束缚，短短的几年中整理和出版了研究者和广大读者所迫切需要的许多种文学古籍。单以唐人诗文集而论，从1979年到1982年，根据不完全的统计，就有二十四种，这不能不说是一个很大的发展。

近些年来唐集的整理和出版，假如要归纳出几个特点的话，我想是否可以说比较注意于系统性、多样性和学术性这样几点。

以系统性而言，应当举出中华书局的《中国古典文学基本丛书》和上海古籍出版社的《中国古典文学丛书》。这两套书都是近些年拟订规划，并开始陆续出书，它们虽然是包括了整个中国古典文学的名家著作，不限于唐代，但唐代部分显然占了重要的地位。

中华书局的《中国古典文学基本丛书》唐代部分出版的有：《李太白全集》（清王琦校注），《杜诗详注》（清仇兆鳌注），《白居易集》（顾学颉校点），《卢照邻集、杨炯集》（徐明霞校点），《高适诗集编年笺注》（刘开扬校注），《元稹集》（冀勤校点）。上海古籍出版社的《中国古典文学丛书》唐代部分，已出版的有：《岑参集校注》（陈铁民、侯忠义校注），《李贺诗歌集注》（清王琦等注，蒋凡、储大泓校点），《樊川文集》（陈允吉校点），《玉溪生诗集笺注》（清冯浩笺注，蒋凡校点），《温飞卿诗集笺注》（清曾益等笺注，王国安标点），《皮子文薮》（萧涤非、郑庆笃整理）。

从已出版的这几种看来，大致包括旧注本的标点，新注，汇集过去各本所长加以整理校点这样三类。李白诗文的王琦注本，杜诗的仇注本，李贺诗的王琦等三家注本，李商隐诗的冯浩注本，温庭筠诗的曾益、顾嗣立注本，都是旧注中的佳本，将它们标点出版，既可供研究者参考借鉴，也可为今后进一步作新注准备条件。《高适诗集编年笺注》和《岑参集校注》是这两套丛书的新注本。前者以《四部丛刊》影印上海涵芬楼所藏明活字本《高常侍集》为底本,以高集他本及《文苑英华》、《全唐诗》等总集及敦煌残卷相校,并包括补遗、校误、辨伪等工作,还对高诗的大部分篇什作了编年。这些都可见出校注者的工力。《岑参集校注》以《四部丛刊》影印明刊七卷本为底本,并校以宋刊残本、明抄七卷本及《全唐诗》等。全书共分五卷,卷一至卷四为编年诗,卷五为未编年诗及赋、文、铭等。注文较为详明(有些似不必作注,如释"平照"为"天刚亮"、"吾徒"为"我辈"之类),虽然涉及西北地理方面的注释尚可商榷,但总的来说颇可供读岑诗者之参考。

所谓多样性,可从两方面言之,一是出版唐代作家的集子,面比过去宽了,二是出版的方式较为灵活多样,除了排印外,还影印了不少唐人集子。就前者而论,可以举出上海古籍出版社计划出版的一套"唐诗小集"。这套书选择唐代诗人中作品流传不多,却有一些好诗,在思想艺术上又自具一格、卓有可观的作家三十余人,加以简明的注释,并附作者年谱或传记、前人评介等资料于书后。据该社初步拟定的计划,凡有王绩、杜审言、刘希夷、贺知章、王之涣、祖咏、李颀、崔国辅、崔颢、王昌龄、常建、王翰、张谓、钱起、张继、韩翃、顾况、戎昱、戴叔伦、卢纶、李益、司空曙、李绅、张祜、赵嘏、马戴、刘驾、曹邺、于濆、聂夷中、郑谷、崔涂、杜荀鹤等,作品较多的一人一册,作品较少的几人合出一册,计划在五年内出齐。应当说,这一设想,对于开拓唐诗研究的领域是有不少帮助的。过去我们的唐诗研究,无论专著、选本或论文,大多集中于少数几个大家或名家,除了一些专业研究者能有机会接触《全唐诗》这样的总集以外,不少教学研究工作者和多数读者,是很难看到一些所谓"小家"的诗集的,而如果不研究这些"小家"的作品,也就不可能领会唐代诗歌百花争艳、千岩竞秀的繁荣局面,当然也不可能对唐诗中不同流派、不同风格和体裁作深入一步的探讨。"唐诗小集"的出版,无疑将对开拓研究的领域起推动的作用。就 1982 年已出版的《王绩诗注》(王国安注)、《杜审言诗注》(徐定祥注)、《戎昱诗注》(臧维熙注)、《曹邺诗注》(梁超然注)等几种看来,质量也是好的,注者态度认真,注释切实详明,所辑的资料都很实用。

除了上海古籍出版社的"唐诗小集"外,1981 年四川人民出版社出版了张篷舟笺注的《薛涛诗笺》,对中唐时流寓成都的女诗人薛涛的九十余首诗加了注释。

古籍的影印早在五十年代、六十年代即已开展,但那时把工作的重点放在类书、史籍、总集等卷帙较多的书籍上,如《太平御览》、《册府元龟》、《永乐大典》、《万历武功录》、《天一阁藏明代地方志》,以及《文苑英华》等。影印这些书当然是必要的,但对于今天迫切需要提供更多原始资料的广大教学和研究者来说,这样费数年之力影印少数几部大书,已经是远远不够了。近几年内文史古籍的影印较为活跃,就是这种客观要求的反映。影印除了能保存古书原貌、推广和传播珍本秘本,以利于校勘辑佚之用以外,还因为它免掉了排校这一在目前说来仍是极为繁杂的工序,使书籍的出版周期得以缩短,这样就在品种上能够满足多方面的需求。

近几年内,关于唐人诗文集的影印,上海古籍出版社做了不少的工作。该社于 1981 年 8 月出版的《唐五十家诗集》和现在已经陆续印行的《宋蜀刻本唐人集丛刊》,已引起学术界的重视。

这个《唐五十家诗集》,就是所谓明铜活字印本,向来受到藏书家的重视,有的竟至认为是宋时印本的(如邓邦述《寒瘦山房鬻存善本书目》、叶德辉《郎园读书志》)。所收无李白、杜甫、韩愈、白居易、元稹等篇什较多的大家,时代则以初、盛、中为主,不收晚唐人的作品,从唐太宗李世民、虞世南起,至卢纶、羊士谔、武元衡、权德舆等人为止。这部大型丛书的刊刻时间,大约是在明正德年间,地点可能在现在的江苏南部一带。按明人刊刻唐人诗文集,自弘治以后,数量渐多,正德、尤其是嘉靖以后,汇刻唐人诗集为丛书的,竟成为一时的风气,如《唐百家诗》(朱警辑刻)、《唐十二家诗》(张逊业辑刻)、《唐诗二十六家》(黄贯曾辑刻)、《广十二家唐诗》(蒋孝辑刻)等。据这次影印本徐鹏同志所写的《前言》,包括这部《唐五十家诗集》在内的当时唐诗汇刻本,大多只收中唐以前的作品,而将晚唐诗人排斥在外。《前言》中说:"此种现象之出现,似与当时文坛风气有直接联系。明成化以前,文坛占统治地位的是由统治阶级上层人物领导的内容以歌功颂德为主、形式雍容典丽的所谓'台阁体'的作品,弘治年间,由李梦阳、何景明等为代表的'前七子'起来反对这种文风,提出了'文必秦汉,诗必盛唐'的复古口号。他们积极鼓吹,相互号召,形成了一个创作流派,并在社会上引起广泛影响,其时间已经到了正德年间。"由此可见,唐集的编集与刊刻,也从一个侧面反映了唐诗研究的时代变迁和文学思潮的消长起伏,影印本的出版,对这些方面的研究给予了有力的资助。

宋代四川刻书的风气很盛,南宋末年因遭兵灾,刻书事业衰落,宋蜀刻本流传于世的也就较宋刻浙本、闽本为少。据估计,现存于我国国家图书馆的宋蜀刻本大约为五十种左右,其中却有不少是唐人的诗文集。宋代刻书是以唐本为准,接近于原本,且校勘精审,这是宋刻本的可贵之处,而宋蜀刻本流传稀少,就更显得珍贵。上海古籍出版社近年内据有关图书馆所藏,辑得三十二种,编为《宋蜀刻本唐人集丛刊》,已经印行的有《张承吉文集》、《孙可之文集》、《王摩诘文集》、《杜荀鹤文集》、《孟浩然诗集》五种①。

《张承吉文集》十卷。这是 1965 年在周恩来总理直接关怀下,北京图书馆从香港某藏书家手里买来的一批珍贵古籍之一。此十卷本是海内孤本,共收诗四百六十八首,其中有一百余首为其他一卷、二卷、五卷和六卷本所未收,另外在文字上还可校正他本的讹脱,这对于我们研究中唐诗人张祜提供了许多可贵的资料。《孙可之文集》十卷。孙樵的文集讹误极多,即以《四部丛刊》所收而论,经笔者过去翻检,有些地方甚至不可卒读。清代著名校勘学家顾广圻(千里)看到这个宋蜀刻本,校出了其他传本的错误,曾感叹说:"见宋刻而后知正德本之谬,校定书籍,可不慎哉!"《王摩诘文集》十卷。这是至为珍贵的北宋刻本,清末杨绍和在《楹书隅录》中称之为"宋椠中之最古者"。《孟浩然诗集》三卷,《杜荀鹤文集》三卷,都是传世各本中最早的,文字上也都胜于他本。这套宋蜀刻本唐集拟影印的尚有十八种,为:《骆宾王文集》、《皇甫持正文集》、《李太白全集》、《刘文房文集》、《孟东野文

---

① 关于这套书的内容和出版概况,本文所写系参考徐小蛮同志的《上海古籍出版社编印〈宋蜀刻本唐人集丛刊〉》(载《古籍整理出版情况简报》第 97 期),特此说明。

集》、《陆宣公文集》、《新刊权载之文集》、《新刊经进详注昌黎先生文》、《欧阳行周集》、《张文昌文集》、《刘梦得文集》、《新刊增广百家详注唐柳先生文》、《姚少监诗集》、《新刊元微之文集》、《李长吉文集》、《许用晦文集遗稿拾遗》、《司空一鸣集》、《郑守愚文集》。显然,这许多宋刻唐人集的影印问世,大大开阔了我们的视野,以便于从这些最接近原本的刻本中对众多的作家进行广泛的、综合的比较和研究。

另外,江苏广陵古籍刻印社,还印了宋代王十朋等集注的《编年杜陵诗史》,也是影宋本,是杜甫诗的佳刻之一。但此次系木板刷印,线装订成一函十六册,定价太高,非一般研究者个人所能置备。

近年来唐集整理出版的第三个特点,是较注意学术性。这首先表现在新注的增加。唐人文集,清朝人作过不少有益的工作,除了辑佚外,校注是突出的一项。我们现在经常需要参考的,如蒋清翊《王子安集注》、陈熙晋《骆临海集笺注》、赵殿成《王右丞集笺注》、王琦《李太白集注》、钱谦益《杜诗笺注》、仇兆鳌《杜少陵集详注》、王琦《李长吉诗注》、冯浩《玉溪生诗集笺注》、曾益等《温飞卿诗集笺注》等等,都有较高的学术水平。但我们不能仅以此为限,而应该有旧注的再加修订补充,改作新注,前人没有作过注的,更要白手起家。后一项工作,近年来已经有了可喜的收获。前面说过,两套古典文学的《丛书》和《基本丛书》中,有岑参、高适两家集子的新注,"唐诗小集"(已出四种)都是新注,其他单本如四川人民出版社的《陈子昂诗注》(彭庆生)以及上面提到过的《薛涛诗笺》,也是新注。当然,从已出版的看来,这方面还可作进一步的努力。全集的注与一般的新注本应有所分工，它不必把过多的精力放在一般词语的诠释上，而应当着力解决作品的编年，真伪的甄别，有关典故及僻义的疏解，唐人惯语及当时风尚习俗的考证，等等，就是说，要做提高的工作。我们希望能体现我们时代水平的注本今后将不断涌现。

学术性还表现在近年出版的唐人诗文集，不管是一般的点校本，旧注标点本，或新注本，都能注意向读者提供经过整理、研究的资料。如《卢照邻集、杨炯集》附有卢、杨二人的合谱，《白居易集》、《高适诗集编年笺注》、《岑参集校注》以及几本"唐诗小集"，也都有校注者所撰作家的简谱。另外，还尽可能辑录传记、评传等资料。有些则对遗佚者加以辑补，伪作者予以甄辨。这些都可以看出我们今天对待文学遗产的细心和认真负责的态度。

还应当提及的是，近年出版的唐集校注本，有的在前人的基础上更向前迈进，并有所突破。如上海古籍出版社 1980 年出版的瞿蜕园、朱金城《李白集校注》，共四册，一百二十多万字。李白诗文的王琦注本，虽然采撷宏富，考证精详，但仍留有不少问题，王注编成二百多年来，李集的研究又不断有新的进展。现在出版的这个校注本，大致吸收了王琦的成果，在校勘方面补充了几个重要的刻本（如北京图书馆藏宋刊本及日本京都大学人文科学研究所影印静嘉堂藏晒宋楼原藏的宋刊本）；注和详笺部分，则汇集了旧注及历代笔记、诗话、研究考订专著中的有益成果。这是目前所见最为完备的李白集的校注本。又如萧涤非整理的《皮子文薮》，1959 年曾出版过，这次又借用几个善本，重新进行了校勘，这些本子包括四库全书本、明公文纸本、明许自昌校刻本、清合肥李氏重刻宋本和日本享和二年(1802)刊本,特别是日本享和二年刊本为国内所罕见。经过重新整理的校本,精益求精,学术质量有了明显的提高,这也是近年唐集整理中较好的一种。

　　近年来唐集的整理和出版,成绩是不小的,但仍有不足之处,这就是计划性还不够强,还有不少缺门。如"初唐四杰"中,成就最大的王勃的集子,还未出版,清人蒋清翊的《王子安集注》是较好的注本,亟应整理。对盛唐文坛有承先启后影响的张说诗文集,也没有受到应有的注意。韩愈的诗和文,过去分别出版过评注本,但全集本未有出版,这对于了解这一在文学史上有很大影响的作家的全貌,是有所欠缺的;其实像宋代魏仲举的五百家音注《昌黎先生集》,保存了不少文献材料,是应该加以整理的。晚唐作家的集子,则出版的更少。希望出版界能与研究和教学部门密切合作,有一个通盘的计划,组织适当的人力,分工合作,既能保证一定的质量,又能提高整理出版的速度。希望唐集的整理和出版,也与整个文学研究那样,开创新局面,取得新成果。

一九八三年二月

原载《文学遗产》1983 年第 2 期,据以录入

重视古典文学研究的普及工作,加强书评,提倡正常的学术批评风气

　　党的十一届三中全会以来,古典文学的研究和文学古籍的整理出版工作,同全国其他各项工作一样,取得了显著的成绩。古典文学研究者、文史古籍整理者,和广大的编辑出版工作者,在党的领导下,解放思想,实事求是,冲破较长时期以来"左倾"思想的束缚,研究的范围比过去扩大了,对作家作品的评价更切合实际了,对某些文学现象和文学发展中某些带规律性问题的探讨比过去深入了,这几年出了不少好书和好文章。与此同时,在古籍整理方面,短短的几年中出版了研究者和广大读者所迫切需要的许多种文学古籍,而且逐年有所增长。据初步统计,以 1981 年而论,全国出版的文史哲古籍,约 120 多种,其中文学古籍约近 50 种,比 1980 年增加了 60% 多;以唐代诗文集来说,"文革"前的十七年出版了 31 种,而从 1979 年到现在的四年半的时间,出版的唐代诗文集也已有三十种,其中不少书的质量有进一步的提高。

　　总结我们这几年取得的成绩,回顾我们走过的道路,来学习《邓小平文选》,就更深刻更具体地感到小平同志提出的解放思

想、实事求是的方针,关于坚持四项基本原则的思想,同样是指导我们古典文学研究开拓新局面、取得新成就的根本保证。

我们的成绩是基本的,应该充分肯定,但也不是没有缺点,不是没有支流。就以出书而论,前些年就有乱和滥的现象,尤其是在出版古代小说方面,情况更加突出。《三侠五义》,一印就好几十万。《儿女英雄传》有两家出版社出版,也是印了几十万册。同一《洪秀全演义》、《九命奇冤》,都有三家出版社印出。不是说这些小说不能印,问题在于不加适当的控制而大量地印,抢着印,这就不正常。

邓小平同志《在中国文学艺术工作者第四次代表大会上的祝辞》中强调指出:"我们要在建设高度物质文明的同时,提高全民族的科学文化水平,发展高尚的丰富多彩的文化生活,建设高度的社会主义精神文明。"现在,建设两个文明的思想已经深入人心了。努力使自己的研究工作适应人民的需要,适应社会主义精神文明建设的需要,应当成为古典文学研究者的自觉要求和光荣义务。我们古典文学研究也有一个提高和普及的关系问题,二者不可偏废。对作家作品的深入研究、考证,对文学历史及其发展规律的探索,是属于提高方面的,这当然也是精神文明的建设。我们自然要求真正有学术价值的古典文学方面的著作更多地产生出来;写出高水平的学术专著,能推动普及工作的进一步开展,也有利于普及读物逐步提高水平。同样我们不能要求普及读物解决一切问题,解决专著才能完成的问题,但它所起的作用,有些确实是专著所起不到的。在当前大力加强爱国主义教育之际,这种普及教育和普及读物就更有它的特殊作用。胡乔木同志去年在全国哲学社会科学规划座谈会上的讲话，曾举出一个实例。北京航空学院开设了一门唐诗宋词的选修课。航空学院的教学本来和唐诗宋词课程没有多大关系，可是开了这一门课的结果，却产生了原来预想不到的效果，很大地激发了学生的爱国心，使他们知道世界上除了托尔斯泰、雨果、海明威之外，在祖国的历史上早就有非常伟大的文学家和文学作品。这就向我们启示：我们研究古典文学的人，除了作专门论著之外，还应力求用通俗、生动、准确、优美的文笔，向广大群众、广大青少年介绍我国丰富的文学遗产，介绍我国数千年的历史长河中曾产生过众多优秀的作家、艺术家，介绍我国古代作品中的精品，使我们的青少年懂得我们民族的文学中自有它的瑰宝，使它们开阔眼界，增长见识，提高文化素养和审美趣味，不要以为一切就是外国的好，中国的不好。这对于培育爱国主义思想，加强对祖国和民族的爱，提高道德情操，都会起很大的作用。

　　普及的工作是容易被人忽视的，在目前，我觉得应该强调一下。这牵涉到我们搞社会科学的人怎样更好地联系实际、面向广大群众的学风问题。普及的工作之所以不受重视，一个很重要的原因是被人看不起，认为没有学术价值，这其实是一种传统的偏见。普及的工作真正要做得好，没有专门的研究基础是不行的。近年来，有几家出版社编辑出版了历史、文学等学科的知识小丛书，这是很有意义的工作。其中有一些小册子是写得很好的，没有对于该选题作专门的研究，要在短短数万字中概括而清晰地介绍出来是不可能的，所以应当重视这一工作，应当把古典文学的普及工作提到应有的高度，这是大有用武之地的。

另外，学习《邓小平文选》，我觉得我们应该有必要的正常的批评风气。邓小平同志指出："无论如何，思想理论问题的研究和讨论，一定要坚决执行百花齐放、百家争鸣的方针。"（《坚持四项基本原则》）同时也指出："当前更需要注意的问题，我认为是存在着涣散软弱的状态，对错误倾向不敢批评，而一批评有人就说是打棍子。"（《关于思想战线上的问题的谈话》）

我在上面说过的前些年出书乱和滥的现象，群众中对此是有批评的，但在古典文学研究界中，却很少有文章对此加以分析和批评。我们要加强书评的工作。五十年代时，《文学遗产》是很重视书评工作的，当时编辑部经常出题目，组织我们一些二十几岁的年轻人写，这也是一种培养和锻炼，同时活跃了学术空气。现在书评工作做得不够，写书评的人有顾虑，怕得罪人；被批评的人过分紧张，怕因此影响评职称、评工资级别。这应当作一些解释，大家共同努力，把批评和讨论的风气搞得正常起来。

这几年来，现当代文学的研究很活跃，提出的问题不少，这对古典文学研究也有影响，如有些人就在我国古代文学中找意识流、朦胧诗的表现手法，想以此来证明这也是古已有之、源远流长的。有些人竟认为像美国那样的"垮掉的一代"在中国古代作家中似乎也有一大批，譬如说阮籍、陶渊明也是"垮掉的一代"。《光明日报》的《文学遗产》专刊曾批评了这种观点。我觉得，我们还是应当坚持马克思列宁主义的观点。目前在研究机构、高等学校、报刊出版社担任古典文学研究、教学、编辑工作的骨干的，多半是五十年代、六十年代培养出来的中年人，他们之所以能做出一定的成绩，是同他们在学校和工作岗位上学到的马列主义基本理论分不开的。对于现在出现的各种研究方法或流派,应当采取马克思列宁主义的分析态度,不要盲目的赞赏和吸取;当然也不必惊恐,因为我们相信马克思列宁主义的思想武器,必然能对各种思想流派和倾向加以辨别。

现在一些外国学者,以及居住在香港、居住在美国、日本等地的某些华裔学者,研究我国古典文学的兴趣也很浓厚,也有一些著作问世。他们不少人对新中国和祖国大陆表示友好的态度,他们的某些研究方法,也可给我们参考和借鉴。但无可讳言,他们的论著和某些研究方法也有许多不足之处,对此也应采取分析的态度,不要一概排斥,也不要认为新得不得了,趋之若鹜,出版社和报刊更不要发生抢稿的情况。对他们的一些有代表性的著作和有影响的论点,我们应当在研究的基础上写出书评和文章,开展讨论,这才是真正的交流和切磋。

原载《文学遗产》1983 年第 4 期,据以录入

年鉴的工作要有一个总体规划

在我国,以断代文学的研究为内容,编纂成为年鉴的,这部《唐代文学研究年鉴》是第一部。当编纂年鉴的创议于1982年4月在西安举行的全国唐代文学学会成立大会上提出时,立刻得到了普遍的赞同。后来又以几个月的极短的时间,从成立编委会,到商议框架,确定选题,以及约稿,审稿加工,经过紧张的努力,第一辑创刊号终于编成。现在又正进行第二辑的编辑工作。作为编者之一,我有幸较早地读到各地研究者所写的文稿。我觉得,第二辑比起第一辑来,无论门类的安排,内容的编写,都有所提高。这一方面固然是由于主办单位即陕西师大中文系年鉴编辑部的认真负责的精神,而另一方面,也是由于1983年的唐代文学研究较前一年更有所发展。年鉴质量的高低,归根到底是决定于客观存在着的研究成绩的好坏。我们现在唐代文学的研究一年比一年有所进展,就使我们有信心展望《唐代文学研究年鉴》将会年复一年地充实和提高。

在这种情况下,作为唐代文学的研究者和年鉴编委会的成员之一,我想提这样一个要求,就是年鉴工作要有一个总体的规划。

为什么要提这样的要求呢？因为第一，年鉴是长期的工作，不是办一二期或几期就算完了的，既然是长期的，那就要有一个较长远的目标或设想，使我们能看清前进的方向。第二，年鉴是面向全国的，同时还要考虑到一部分国外的研究者，应当看到我们有了一支颇有实力的研究队伍，如何把这一庞大的队伍更好地调动起来，就需要有一个能概括各方面具体指标的总规划。

我想到的总体规划，包括以下四点内容：

一、我们对目前唐代文学研究的迅速进展，要有充分的估计。新中国成立初至"文革"前的十七年，唐代文学的研究当然取得了不少的成绩，但那一时期只能算是初期阶段，无论研究的广度和深度都是很不够的。最近五六年来的研究成绩，我个人认为已超过了"文革"前的十七年，尤其值得注意的是研究的势头甚为迅猛，换句通俗的话说，是后劲很足。我们面临着一个飞跃的形势。如果要归纳的话，我觉得这些年来唐代文学研究的突出进展，表现在这样四个方面：第一，填补了不少空白，尤其是注意到了对某一历史时期文学加以综合的考察和概括，力图从中探求文学发展的带有规律性的东西，这是研究水平提高的明显的标志。如初唐文学，高宗武则天时期的反六朝余风斗争，大历时期文学（以及与之相适应的南北文风的异同），贞元、元和时期的文学革新，古文运动的社会历史背景和思想渊源，晚唐文学，等等，这些方面的研究都有相当的深度和力度。第二，对作家作品的考订更加细致精确。过去的唐代文学研究很多停留在名作名句的欣赏上，而对于材料的掌握相对来说较为薄弱，因此难免有些论断建立在不确切或错误的材料基础上。这些年来情况有很大的改变。对作家生平事迹的考订，对作品写作年代、真伪存佚的辨析，比起别的朝代来，似更为突出，而且有蔚为风气之势。唐代诗文集、传奇小说以及通俗文学的整理出版，不仅数量多，而且质量也日益提高。我觉得，这方面的基本情况是好的，它表明了我们不少研究者在踏踏实实地做工作，努力使我们的理论研究基础更加扎实牢靠。第三，开拓了研究领域，这些年来发展了不少与唐代文学关系密切的边缘科学的研究，我们的研究者注意到文学与音乐、舞蹈、绘画等艺术门类的比较研究，有些论著以文学为中心而扩展到对佛学、考古学、历史地理学、科举制度以及社会风尚的研究，扩大了学术领地，也深化了对文学特征的认识。这些方面的研究正在兴起，其成绩可以翘足以待的。第四，对文学艺术性分析的加强。这方面的工作已经突破了传统的词句赏析的范围，而是从整体的审美要求出发，对思想和艺术作统一的探讨，并且注意到与其他艺术样式的比较，与外国古典文学的比较，开拓了研究的领域。

当然，唐代文学的研究还有别的收获，但就以这四个方面来说，已足以使人如行山阴道上，应接不暇了。这就给我们提出了一个要求，就是掌握众多繁复的研究信息问题。信息化是时代的需要。随着现代科技的发展，不仅工业本身，而且整个社会都日趋信息化。对于社会科学研究来说，信息化也是不例外的。当然，我们并不是以信息化来取代马列主义理论的指导，而是在马列主义理论的正确指引下，研究如何更好地运用信息来掌握研究的进程。我们要尽可能有效地积累和扩大研究者的总智力，使研究成果能及时、准确、详尽地为人们所掌握。在这方面，年鉴应责无旁贷地担负起这个任务。年鉴不是机械地摘抄现有的论文和平板地报导上一年的论著,而应当抓住研究的新的趋向,如实地及时地把它们反映出来。

二、正因为有以上的要求,那就要有相应的机构。信息化是现代大工业的最新科技成就的产物,绝不可能建立在手工业生产方式的基础上。我们要对全国各地的研究成果、动态及时总结和报导,只靠现有年鉴编辑部三两个人是绝对不行的。我们在这方面应当有雄心壮志。是否可以设想,以现有年鉴编辑部为基地,逐步创造条件,扩充力量,建立一个唐代文学资料馆。应当把资料馆与年鉴统一起来。资料馆要有一定的人力配备,要能把全国的研究情况尽收于眼底。一年出一本年鉴,总归是太慢了,资料馆要起到活的年鉴的作用。如某一研究者要研究唐代某一作家、某一作品,或某一问题,向资料馆求教,资料馆就能迅速、准确地将有关作家、作品或问题的历史和现状材料,系统地提供出来。资料馆也应当搜集国内外研究者的情况,向他们求索其过去的和最新的著作。有的问题,未能写成专著和专文的,但确有一得之见,也可考虑将手稿存放于资料馆,由资料馆给予妥善的编排,以提供给研究者参考。资料馆要建设成为研究者的可靠顾问和亲密朋友。

三、唐代文学研究发展到现在,已经有条件创立唐代文学研究史。一门学科之可以建立学术史,是成熟的标志。而它的建立又可以进一步推动研究的深入。唐代文学的研究是一门科学,我们应当对它的历史加以探讨,作出总结。要回顾封建时代的研究情况,更应研究"五四"以来的研究历程,看看有什么经验教训可资借鉴。而年鉴在这方面也是大有可为的,因为年鉴本身就将是学术史基本材料的一部分。从这个要求出发，年鉴就要有意识地组织和刊登学术史方面的稿件，还要尽可能地调动有成就的老一辈学者的积极性，请他总结治学心得，撰写学术回忆录，把他们的治学道路、治学经验作为知识成就保存下来。

四、要充分注意和重视中青年研究者所作出的努力，对他们近些年来的贡献和成就要有充分的估计，足够的评价。这些年来涌现出了一批二十几岁到四十来岁的研究者，他们是我们研究队伍中的中坚力量。新中国成立以来还没有哪个时期像近年这样集中出现那么多作出成就的人才。这几年来，我因工作上的关系，接触了不少大学毕业或研究生毕业的三十岁左右的研究、教学和编辑工作者，发觉他们富有朝气而又脚踏实地、立论新颖而又基础扎实，有进取心而又对前辈学者的成就十分尊重，他们路子正，学问面宽，又善于吸收新的东西。他们近年来所发表的论著，有的是已有相当高的水平，他们已经是各个工作岗位上的骨干，自然也是唐代文学研究中的骨干，是我们事业的希望。他们的起点是很高的，在今后定能作出更多的成绩。年鉴要把他们吸引到自己的周围，反映他们的成就，报导他们的情况，对他们的论著作实事求是的科学的评价。年鉴要把工作的基础放在中青年研究者身上，这是年鉴工作的基点。年鉴也可以与有关机构配合，在有条件的地方，就某些专题，召开中青年学术讨论会，以活跃学术空气，交流学术情况。

以上四点，作为年鉴工作的总体规划，可能超出年鉴编纂的范围了。但我认为，如果我们从长远打算，真正把唐代文学研究年鉴办得有特色的话，这四个方面的工作是必须的。而如果它能取得唐代文学学会的支持,取得广大研究者的支持,这四个方面的工作也是不难做到的。

原载陕西人民出版社《中国唐代文学研究年鉴》1984 年号,
此据大象出版社 2004 年版《唐宋文史论丛及其他》录入

唐代科举制度下的文人生活

——"唐代科举与文学"研究之一

　　科举制度正式确立于唐代。作为封建时代选拔官吏的制度之一,它比起两汉的察举制与魏晋南北朝的九品中正制,有很大的进步性。科举制的施行,使得封建国家把选用权集中于中央,以适应于大唐帝国统一的政治局面的需要。科举制又是采取一整套考试的办法,订立一定的文化标准,面向地主阶级的整体,招徕人才,这说明中国古代封建地主阶级,发展到唐代,对政体构成人员的文化水平较过去时代有更高的要求,也反映了当时社会的文化较过去更有所发展和提高。科举制对唐代的政治无疑起了积极的作用(当然也有其消极的一面),同时也给予文学和文人生活以显著的影响。这些都是为学术界所公认的。研究唐代的科举与文学,研究二者的关系,这对于历史研究和文学史研究都是新课题,同时这也是一个大题目,远不是一两篇文章所能概括得了的。笔者有一篇题为《唐代的进士发榜与宴集》的文章,发表于《文史》第二十三辑(中华书局编辑出版),乃是试图研究科举试与文人生活的关系,从而想探索科举试给予文学风气的影响。那篇文章叙述的,是已经登第的读书人的各种喜庆活动,唐人诗文中关于这些活动的记载,在欢乐气氛的描叙中带有浓厚的浪漫主义想象的成份。但及第者只占应试举子极小的部分,及第者的欢乐,同时也意味着落第者的失意与悲哀。唐代毕竟是封建社会,科举制度毕竟是封建社会的上层建筑,这种考试制度根本不是向广大劳动者开门的,即使对地主阶级来说,能受到科举制实行的好处的也只是这个阶级中极少的一部分,因此应试举子的大部分即落第者的生活,也应受到我们的注意。即使一部分落第者在以后的考试中及第了,但他们在落第时所作的诗文,仍可作为落第举子思想感情的写照供我们研究。本文的重点,就是写科举制下落第者的生活及其坎坷不平的道路,说明即使像唐代那样处于鼎盛时期的中古社会,即使科举制作为当时社会的上层建筑还起着进步的作用,但应试举子的大部分,还仍然不免有落拓困顿和漂泊流离的辛酸遭遇。

一

在唐代,每年集中于京师的贡士,约一千余至三四千不等。韩愈《送权秀才序》说:

余常观于皇都,每年贡士至千余人。(《韩昌黎文集校注》卷四)

这是中唐时的情况,晚唐时也大致保持此数,如康骈《剧谈录》卷下《元相国谒李贺》条说:

　　　自大中、咸通之后,每岁试春官者千余人。

　　当然也有多的时候,如韩愈在德宗贞元末说:"今京师之人不啻百万,都计举者不过五七千人,并其僮仆畜马,不当京师百分之一。"(《论今年权停举选状》,《韩昌黎文集校注》卷八)韩愈所说举者及其僮仆畜马,竟将近长安人口的百分之一,比例已经不算小了;当然这里所谓的举者,既包括进士、明经等贡士,也包括已及第及已入仕至京师等候调选的人。

　　但能及第的却是极少数,进士及第的比例更小,宋元之际的史学家马端临就说过"唐进士取人颇少"的话(见《文献通考》卷三十五《选举考》八)。《宋史》卷一五五《选举志》引北宋人王珪的话,说:"唐自贞观讫开元,文章最盛,较艺者岁千余人,而所收无几;咸亨、上元增其数,亦不及百人。"这所谓百人,是包括进士、明经等科在内的。开元以后,进士科所取人数有所增加,但大体稳定在三十人上下,占应试者总数的百分之二至三。在这百分之二、三中,有相当一部分还是官僚大族出身的子弟,他们依仗政治权势及采取行贿等手段,买通关节,取得及第,则一般中小地主出身或家境较为清贫的士人,及第的比例就更加小了。虽然因文献记载的缺乏,我们还不能统计出一般地主出身的士人登第与落第的比例数字,但可以想见他们中绝大多数是不免落第或者是久试才得一第的。春日长安的曲江宴集,他们是向隅者;传为美谈的唐代科举盛事,对大多数应试者来说是落第的悲叹和奔波于道途的辛酸。

譬如所谓"行市罗列"、"车马填塞"的曲江宴,最初本是慰藉落第举人而设的,因此筵席就极其简单粗率,后来逐渐被新科进士所据,这些落第者只好黯然而退了(见《唐摭言》卷三)。据《云仙杂记》卷二记,唐代"进士不第者,亲知供酒肉费,号买春钱"。这买春钱的名称,对于落第举子也是够凄凉的了。唐末孙棨《北里志》中的《杨妙儿》条也说:"京师以宴下第者,谓之打毷氉。""打毷氉"一词又见于中唐李肇《国史补》卷下:"不捷而醉饱,谓之打毷氉。"所谓毷氉,就是失意、烦闷的意思。可见中唐至唐末,亲友宴请落第举人,以消除其失意的愁闷,大约是当时社会的一种习俗。

落第举子还有一种习俗,就是乞取及第进士的衣裳,以为吉利。张籍《送李馀及第后归蜀》中说:"归去唯将新诰牒,后来争取旧衣裳。"(《张籍诗集》卷四)所以争取旧衣裳者,乃为的是图吉利,宋人程大昌《演繁露》卷十二《社日停针线取进士衣裳以为吉利》条即引张籍的这两句诗,并加解释道:"知新进士衣物,人取之以为吉兆,唐俗亦既有之。"这种举动,对于落第者来说,实际上也是很可怜的,明代的唐诗学者胡震亨称"当时下第举子丐利市,猥习可悯笑者"(《唐音癸签》卷十八《进士科故实》),是有一定见地的。

落第的举子,也有出家修道,或入市井行贾的,这也可从一个侧面窥见当时社会的面影。如《太平广记》卷二十四载:

> 兰陵萧静之,举进士不第。性颇好道,委书策,绝粒炼气,结庐漳水之上,十余年而颜貌枯瘁,齿发凋落。一旦引镜而怒,因迁居邺下,逐市人求什一之利,数年而资用丰足,乃置地葺居。

像萧静之那样,考进士不中,结庐修道,又出来经商,遂以致富,这也是一条出路,在当时社会有其一定的代表性。另外是走河北、山东,在藩镇的幕府谋得一个职务,逐步求得升迁,尤其是在中晚唐,这更是士人的仕进之途。这点请参考我的另一篇文章(《论唐代的进士出身及寒门与子弟之争》,《中华文史论丛》,1984 年第 2 辑,上海古籍出版社编辑出版),本文不再详论。

唐代进士落第者的种种艰辛遭遇,在诗文和笔记、杂史中,有不少记述,这些记述可以使我们具体地了解那一时代相当一部分知识分子的生活和所处的环境,这对于我们进而了解唐代的社会和文学,都会有确切的帮助。

在具体展开对这一问题的论述之前,让我们先来看看两则有关举子与其家庭的悲剧性的描写。其一是《唐摭言》卷八《忧中有喜》条:

> 公乘亿,魏人也,以辞赋著名。咸通十三年,垂三十举矣。尝大病,乡人误传已死,其妻自河北来迎丧。会亿送客至坡下,遇其妻。始,夫妻阔别积十余岁,亿时在马上见一妇人,粗缞跨驴,依稀与妻类,因睨之不已;妻亦如是。乃令人诘之,果亿也。亿与之相持而泣,路人皆异之。后旬日,登

第矣。

公乘亿于懿宗咸通十三年(872)登第,《唐摭言》作者王定保记此事时加了"忧中有喜"的标题,虽然写了团圆的结局,但并不能冲淡公乘亿与他妻子凄惨遭遇的悲剧色彩。在登第前,他已考了将近三十次,也就是三十个年头,这长时期的失望与愁苦的郁积是可想而知的。其妻听人误传,以为公乘亿已死,以当时的交通条件,一个妇人自河北孤单只身来到长安,路途之艰辛,心情之哀楚,也是可以想见的。公乘亿在送客途中,遇其妻而不敢认,可见阔别之久;后来终于认出,却又看到妻子穿着丧服,悟出其中的缘由,则长久积郁的悲恨与愁怨顿时倾泻而出,乃在道路上与妻子"相持而泣"。这样的遭遇,这样的情感,在那一时代贫寒士人中一定有相当的代表性,故其事迹广为流传,生于唐末五代时人的王定保得以记录于他的书中。

另一则故事见于《太平广记》卷七十四《陈季卿》篇,说:"陈季卿者,家于江南,辞家十年,举进士,志不能无成归,羁栖辇下,鬻书判给衣食"。一个江南的士人,为应进士试,千里迢迢来到长安,却是十年不第,十年不得返家,流落在长安市上,靠为人抄写书判为衣食之费,这十年陈季卿是怎么过来的,他的有家归不得的心情是怎样久积于心的,都不难想见。因此,他在一个偶然的机会,游长安南郊青龙寺,遇一终南山翁,山翁问他何所求,他一开头就诉说想要回家而不可得,于是山翁乃施异术,使陈乘一竹叶小舟,忽地得返故乡。阔别十年,与妻子兄弟相见,悲欢异常。但却不能久住:

此夕谓其妻曰："吾试期近,不可久留,即当进棹。"乃吟一章别其妻曰："月斜寒露白,此夕去留心。酒至添愁饮,诗成和泪吟。离歌栖凤管,别鹤怨瑶琴。明夜相思处,秋风吹半衾。"将登舟,又留一章别诸兄弟云:"谋身非不早,其奈命来迟。旧友皆霄汉,此身犹路歧。北风微雪后,晚景有云时。惆怅清江上,区区趁试期。"一更后,复登叶舟,泛江而逝。兄弟妻属,恸哭于滨,谓其鬼物矣。

陈季卿的诗并不出色,但感情是真挚的。这则故事写一个贫寒的士人,为了博得一个进士出身,滞留长安,十年不得归家,即使因有一个机缘回家与妻子兄弟相会,但又因试期迫近,只得匆匆离家,以至于全家痛哭送别时,以为他已不在人世,只是鬼魂返回而已。这样的描写,已颇接近于蒲松龄在他的不朽名著《聊斋志异》中揭露科举考试黑暗的某些篇章了。

困于科场、久举不第的,大多是朝中无奥援、家中无厚积的一般地主阶级知识分子。如《金石续编》卷九《大唐故宣州司功参军魏府君墓志铭》记魏邈:"少履文字,贞元初以乡举射策,上省者五六,以贿援兼无,竟不登第。"虽然"称屈者众矣",但因魏邈既无财行贿,又无路攀援,终于未能登第。又如李翱《送冯定序》中说:

冯生自负其气,上无援,下无交,名声未大耀于京师。……是以再举京师皆不如。(《李文公集》卷五)

文宗大和九年(835)十二月,中书门下奏中也说:"又闻每年贡士尝仅千人,据格所取,其数绝少,强学待用,国年不试,孤贞介士,老而无成。"(《册府元龟》卷六四一《贡举部·条制》三)当时一定有不少孤立无援而有真才实学的人被排斥于及第者行列之外,终老而未能成名的,中书门下才有这样的议论。

据现在所知的文献记载,唐朝不少第一、二流的文学家,大都有过科场挫折或累举不第的经历,如著名的散文家李翱在《谢杨郎中书》中说:

> 翱自属文,求举有司,不获者三,栖遑往来,困苦饥寒,踣而未能奋飞者,诚有说也。(《李文公集》卷七)

另外他在《感知己赋》的序中说:

> 贞元九年,翱始就州府之贡。其九月,执文章一通谒右补阙梁君(肃)。十一月,梁君遘疾没。……梁君殁于兹五年,每岁试于礼部,连以文章罢黜。(同上卷一)

李翱于贞元十四年(798)进士及第,在此之前,五年中考了三次,都失败了,所以说"栖遑往来,困苦饥寒,踣而未能奋飞"。与此相类的有中唐时散文家兼传奇小说家沈亚之,也是考了五年(《沈亚之文集》卷七《与李给事荐士书》说"昔在五年,亚之以进士入贡",按沈亚之于元和十年及第,此五年指元和五年),三黜于礼部(同上卷七《上寿州李大夫书》)。与李翱同时的古文名家皇甫湜,也在文中感叹其不遇:"湜求闻来京师三年矣,一年以未成颠蹶,二年以不试狼狈,及今三年而不遇有司。"(《皇甫持正文集》卷四《答刘敦质书》)又如李商隐于文宗大和六年(832)始应进士举,开成二年(837)及第,关于这几年的遭遇,他在文中有好几处提到,如:

> 凡为进士者五年,始为故贾相国(餗)所憎。明年,病不成。又明年,复为今崔宣州所不取。(《上崔华州书》、《樊南文集详注》卷八)

> 若某者幼常刻苦,长实流离。乡举三年,才占下第,宦游十载,未过上农。(《献相国京兆公启》,《樊南文集补编》卷八)

> 藐念流离,莫或遑息,乔木空在,敝庐已颓。遂与时人,俱为岁贡。三试于宗伯,始忝一名;三选于天官,方阶九品。(《献舍人彭城公启》,同上卷八)

其实,像李翱、沈亚之、皇甫湜、李商隐那样考了三、五年后及第的,年份并不算长,晚唐几位诗人,像韩偓、吴融、郑谷,竟考了一、二十年。韩偓《与吴子华侍郎同年玉堂伴直怀昔叙恳因成长句兼呈诸同年》诗,有"二纪计偕劳笔砚"之句,自注谓"予与子华,俱久困名场",则韩偓与吴融困于科场者竟有"二纪"(二十四年)。至于郑谷,《唐诗记事》(卷七〇)说他"游举场十六年",则比李翱应试时间多三倍。

韩愈于贞元八年(792)、年二十五岁登进士第,又应博学宏词试数年,一直未能考中,不得已,到贞元十一年只好离开京都。离

京前夕,他有《上宰相书》,说:

> 四举于礼部乃一得,三选于吏部卒无成;九品之位其可望,一亩之官其可怀。遑遑乎四海无所归,恤恤乎饥不得食,寒不得衣,滨于死而益困,得其所者争笑之,忽将弃其旧而新是图,求老农老圃而为师,悼本志之变化,中夜涕泗交颐。(《韩昌黎文集校注》卷三)

句子的急促变化,充分表达了急于求仕而又累次失望的心情。他说:求老农老圃而为师,只不过一时失意而聊为慰藉的话,本是不准备实行的,但那时的读书人,仕途上的失意往往会使他们向往于归隐田园,如被誉为大历诗人之冠的钱起,在《长安落第作》诗中就说:

> 始愿今如此,前途复若何。无媒献词赋,生事日蹉跎。……故山归梦远,新岁客愁多。(《钱考功集》卷六)

钱起还有一首《下第题长安客舍》,也写得很真切:

> 不遂青云望,愁看黄鸟飞。梨花度寒食,客子未春衣。世事随时变,交情与我违。空余主人柳,相见却依依。

钱起于天宝九载(750)登进士第,这两首写下第的诗当然是作于天宝九载之前,也就是作于开元、天宝的所谓盛世。盛世之音也是有凄苦之声的。

晚唐时的几位诗人，像徐夤考了十七年(《赠垂光同年》："丹桂攀来十七春，如今始见茜袍新。"见《全唐诗》卷七〇九)，黄滔考了二十三年(《黄御史公集》后附编年考："滔以咸通壬辰登荐，年三十三，又越二十三年乃登第。"又《成名后呈同年》诗："业诗攻赋荐乡书，二纪如鸿历九衢。")。而孟棨竟考了三十多年，如《唐摭言》记载说："孟棨年长于小魏公。放榜日，棨出行曲谢。沆泣曰：'先辈，吾师也。'沆泣，棨亦泣。棨出入场籍三十余年。"(卷四《与恩地旧交》)又如诗人顾况的儿子顾非熊，也考了三十年，项斯《送顾非熊及第归茅山》诗说："吟诗三十载，成此一名难。"(《全唐诗》卷五五四)又如写过"凭君莫话封侯事，一将功成万骨枯"的诗人曹松，考了一辈子，到七十多岁了，还算是因为照顾年老而特放及第的，怪不得曹松在及第后献给座主的诗中说："得召丘墙泪却频。"(《唐诗纪事》卷六十五)这七个字凝聚了曹松一生的辛酸和血泪。了解这些情况，对于我们阅读下列的诗句，会增加一些真切的感受：

> 落第逢人恸哭初，平生志业欲何如。鬓毛洒尽一枝桂，泪血滴来千里书。(赵嘏《下第寄宣城幕中诸公》，《全唐诗》卷五四九)
>
> 玄发侵愁忽似翁，暖尘寒袖共东风。公卿门户不知处，立马九衢春影中。(赵嘏《下第后归永乐里自题》，《全唐诗》卷五五〇)
>
> 年年春色独怀羞，强向东风懒举头。莫道还家便容易，

人间多少事堪愁。(罗邺《落第东归》,《全唐诗》卷六五四)

古人有遗言,天地如掌阔。我行三十载,青云路未达。……谁知失意时,痛于刃伤骨。身如石上草,根蒂浅难活。人人皆爱春,我独愁花发。……(邵谒《下第有感》,《全唐诗》卷六〇五)

十载长安迹未安,杏花还是看人看。(张蠙《下第述怀》,《全唐诗》卷七〇二)

以上介绍的多是一些名人,而且其中大部分人到后来还是登了第的,至于那更大多数既无名气、最终也未登第的读书人,其景况则更为凄凉,我们这里举三个例子。一是赵璘《因话录》所记:

进士陈存能为古歌诗,而命蹇。主司每欲与第,临时皆有故,不果。许尚书孟容旧相知,知举日,万方欲为申屈。将试前夕,宿宗人家。宗人为具入试食物,兼备晨食,请存偃息以候时。五更后,怪不起,就寝呼之,不应。前视之,已中风不能言也。(卷六羽部)

这位陈存,考了大半辈子,没有考取,最后,知举者总算是熟人,可以想办法提携他了,却不料就在考试的前一夜,中风而死。一辈子想要的,眼看就可到手,却又那样默默地离开了人世。这短短的几行文字,写一个小人物之死,是很传神的。

另一个例子是《太平广记》所载:

> 李敏求应进士举,凡十有余上,不得第。海内无家,终鲜
> 兄弟姻属,栖栖丐食,殆无生意。大和初,长安旅舍中,因暮
> 夜,愁惋而坐,忽觉形魂相离,其身飘飘,如云气而游。……
> (卷一五七《李敏求》)

这里写的不过是生活中的一个片断,但这一片断却也写得极
为传神,把李敏求孤单一身、终生不遇、前途无望、四顾茫然的精
神面貌刻划出来了。这一段的描写,如放在《聊斋志异》中,也是
上乘之作。

第三个例子是白居易的一篇文章:《送侯权秀才序》(《白居
易集》卷四十三)。侯权与白居易都是贞元十五年(799)秋由宣州
奔赴长安应试的,第二年,白居易考取了,登了第,后来又做了官。
虽然也经历过一些波折,但在写作此文时,白居易已经担任知制
诰(为皇帝起草文告)的要职了。这时,侯权也在长安:

> 时子尚为京师旅人,见除书,走来贺予。因从容问其宦
> 名,则曰无得矣;问其生业,则曰无加矣;问其仆乘囊帤,则曰
> 日消月朘矣;问别来几何时,则曰二十有三年矣。嗟乎侯生!
> 当宣城别时,才文志气,我尔不相下,今予犹小得遇,子卒
> 无成。

贞元十五年由宣州启程赴长安时,白居易二十八岁,侯权之
年岁大约也相接近。写这篇文章的长庆元年(821),白居易已经
五十岁。时间已经过了二十多年,白居易已经历仕中外,昔日同

途应举的友人,却仍是长安市上的一介旅人,二人的差距有多么远,其间的变化又是多么的大。文章最后说:

> 言未竟,又有行色,且曰:"欲谒东诸侯,恐不我知者多,请一言以宠别。"予方直阁,慨然窃书命笔以序之尔。

昔日"才文志气"不相上下的侯秀才,经过生活风霜的磨炼,其精神状态竟显得如此的卑微了。这篇序是送行的文章,也是一封推荐书,当然无从预卜侯权此后的命运,但从除了白居易的这篇文章外再无别的记载来看,可以推知这位侯秀才大约也就此默默过了一生,在车尘马足中消失了自己的身影。

宋代邵伯温在《邵氏闻见录》(卷二)中有一则记载,说:"本朝自祖宗以来,进士过省赴殿试,尚有被黜者。远方寒士,殿试下第,贫不能归,多至失所,有赴水而死者。仁宗闻之恻然,自此殿试不黜落。"宋代录取进士的名额远较唐代为多,却尚有殿试被黜而赴水自尽的,唐代落第的举子是否也有同样的情况,缺乏直接的记载,不敢断定,但《邵氏闻见录》所记的情况仍可作为参资。

二

唐宋人的记载,有说白居易年轻时至长安应进士试,拜谒名士顾况,顾况一见白居易的名字,开玩笑地说:"长安居,大不易!"这一记载虽不可靠(请参拙著《唐代诗人丛考·顾况考》),但"长安居大不易"的话,确实道出一般读书人在长安生活的艰辛。长安是大唐帝国的京都,固然是全国政治、文化的中心,但由于集中居住着皇室、贵戚、大官、豪族、富室、巨贾,生活的奢侈是不容说的了,这也使得生活费用要比其他城市为高,一般地主家庭或自耕农出身的读书人来到京城应举,如果有几次考试落第,面对着昂贵的衣食费用,其景况是不容易处的。有些士人就只好住在长安城的偏僻处,过着半饥寒的生活。如晚唐诗人曹邺在一首诗中说:

> 举头望青天,白日头上没。归来通济里,开户山鼠出。中庭广寂寥,但见薇与蕨。无虑数尺躯,委作泉下骨。唯愁揽清镜,不见昨日发。(《下第寄知己》,《曹邺诗注》,上海古籍出版社出版)

通济里在长安城南(唐时一些贫寒的士人,大约多住于城南,如张籍《过贾岛野居》也说:"青门坊外住,行坐见南山。此地去人远,知君终日闲。蛙声篱落下,草色户庭间。好是经过处,唯愁暮独还。"见《张籍诗集》卷二)。曹邺从桂林,跋涉千里,来到长安,累试不第,其居处寂寥,别无长物,但见薇蕨,诗人生计的贫苦可想而知。曹邺在及第后曾沉痛地诉说前此的境遇说:

> 僻居城南隅,颜子须泣血。沉埋若九泉,谁肯开口说。(《成名后献恩门》)

与此同时，散文家孙樵对他寓居长安的生活，则写得更为具体、真切：

> 长安寓居，阖户讽书。悴如冻灰，癯如槁柴，志枯气索，怳怳不乐。一旦有曾识面者，排户入室，咤骇唧唧，且曰：惫耶饿耶？何自残耶？对曰：樵天付穷骨，宜安守拙，无何提笔入贡士列，抉文倒魄，读书烂舌，十试泽宫，十黜有司，知己日懈，朋徒分离。矧远来关东，囊装销空，一入长安，十年屡穷。长日猛赤，饿肠火迫，满眼花黑，晡西方食。暮雪严冽，入夜断骨，穴裘败褐，到晓方活。(《寓居对》，《孙樵集》卷七)

孙樵在这里写了他在长安十年间每下愈况的境地：由于累次不第，友朋离散，钱囊如洗，白天饿得头昏眼花，夜里冻得不能成眠，以至"悴如冻灰，癯如槁柴"。这样的情况并不是个别的，诗人杜荀鹤也有同样的自况：

> 近腊饶风雪，闲房冻坐时。书生教到此，天意转难知。吟苦猿三叫，形枯柏一枝。还应公道在，未忍与山期。(《长安冬日》，《唐风集》卷上)

杜荀鹤这时虽还有僮仆，但僮仆也瘦弱得可以，他行走在长安道上，不禁发出"回头不忍看羸僮，一路行人我最穷"的感叹(《长安道中有仆》，《唐风集》卷中)。而他之所以还不能舍离长安，是因为对进士及第终还抱着那么一种向往，所以说"还应公道在，未忍与山期"，又说"更从今日望明年"（《长安春城》，《唐风集》卷中）。温庭筠的儿子温宪也是屡试不第，他也有类似的诗句，说"十口沟隍待一身，半年千里绝音尘。鬓毛如雪心如死，犹作长安下第人。"见《唐诗纪事》卷七〇。

至于因为没有考取，困居长安，抒写抑郁困顿的情怀，申诉落拓失意的悲慨，则在唐人诗篇中就更为多见，这里略举数首如下：

> 客里愁多不见春，闻莺始叹柳条新。年年下第东归去，羞见长安旧主人。（豆卢复《落第归乡留别长安主人》，《全唐诗》卷二〇三）
>
> 八月更偏长，愁人起常早。闭门寂无事，满院生秋草。昨宵西窗梦，梦入荆南道。远客归去来，在家贫亦好。（戎昱《长安秋夕》，臧维熙校注《戎昱诗注》）
>
> 一夕九起嗟，梦短不到家。两度长安陌，空将泪见花。（孟郊《再下第》，华忱之校点《孟东野诗集》卷三）
>
> 古巷槐阴合，愁多昼掩扉。独存过江马，强拂着花衣。送客心先醉，寻僧夜不归。龙钟易惆怅，莫遣寄书稀。（项斯《落第后寄江南亲友》，《全唐诗》卷五五四）
>
> 进乏梯媒退又难，强随豪贵殢长安。风从昨夜吹银汉，泪拟何门落玉盘。抛掷红尘应有恨，思量仙桂也无端。锦鳞赪尾平生事，却被闲人把钓竿。（罗隐《西京崇德里居》，《甲乙集》卷一）

读了上面的这些诗，特别是罗隐的"强随豪贵殢长安"，可以使我们进一步领会杜甫旅食长安时的悲辛："骑驴十三载,旅食京华春。朝扣富儿门,暮随肥马尘。残杯与冷炙,到处潜悲辛。"（《奉赠韦左丞丈二十二韵》）虽然时代先后有所不同,但长期困顿于长安,使诗人们喷发出相同的控诉与悲号："纨袴不饿死,儒冠多误身!"（杜甫,同上诗）"早知世上长如此,自是孤寒不合来!"（罗隐《丁亥岁作》,《甲乙集》卷十）

钱易的《南部新书》乙卷还有一则记载,说:

> 岁除日,太常卿领官属乐吏,并护僮侲子千人,晚入内,至夜于寝殿前进傩,然蜡炬,燎沉檀,荧煌如昼,上与亲王、妃主已下观之,其夕赏赐甚多。是日衣冠家子弟,多觅侲子之衣,着而窃看宫中。顷有进士臧童者,老矣,偶为人牵率,同入其间,更为乐吏所驱,时有一跌,不敢抬头视,执牦牛尾拂之,鞠躬宛转,随队唱《夜好》,千匝于广庭之中。及将旦得出,不胜困劣,扶舁而归,一病六十日,而就试不得。

这里写一个老秀才,大约也是一直考到老而未中的,有一年除夕夜,忽发奇想,也想入宫中窥看进傩的情况。于是为人带进,却不料被乐吏所驱,跌跌撞撞,千匝百转,低着头也不敢看什么,就这么折腾了一夜,第二天早上已经走不动路,只好让人抬着回到住处,连病了六十天,结果考期也没有赶上,这样就又耽误了一年。写臧童那样的失意士人境遇之悲惨,可与《儒林外史》的笔法相并比。从这种默默无闻的小人物的遭遇,更可以帮助我们认识那一时代知识分子所受到的包括科举制度在内的各种物质和精神压力，是何等的沉重。从这种认识出发，我们再来谈韩愈《与李翱书》中那一段传诵的名句，就更会感到字字都包含着血泪：

> 仆在京城八九年，无所取资，日求于人以度时日。当时行之不觉也，今而思之，如痛定之人思当痛之时，不知何能自处也。（《韩昌黎文集校注》卷三）

三

落第举子既有困居长安之苦，又有行旅漂泊之悲。唐时落第的举子，有的就在长安过夏，读书修业，至新秋再谋取京兆府或附近同、华等州的举送；另外也有不少人游历外地州府，以取得地方大员或名公贵卿在经济上的资助和政治上的荐引；此外还有相当一部分贫寒的士人，须在发榜后回家赡视父母妻儿。荆南人刘蜕在一篇文章中曾具体地描述这种行役的苦辛：

> 家在九曲之南，去长安近四千里。膝下无怡怡之助，四海无强大之亲。日行六十里，用半岁为往来程，岁须三月侍亲左右，又留二月为乞假衣食于道路，是一岁之中，独留一月在长安，王侯听尊，媒妁声深，脱有疾病寒暑风雨之不可期者杂处一岁之中哉！是风雨生白发，田园变荒芜，求抱关养亲亦不可期也。（《上礼部裴侍郎书》，《刘蜕集》卷五）

荆南距长安,比起岭南、江南、福建等地来,还是不算远的,但刘蜕已经须用半年的工夫花在来回的路上,还要有两个月的时间往外地"乞假衣食",其奔走道路的艰辛也是可想而知的。刘蜕的这一段话,说出了较下层读书人的共同处境,应当说是有代表性的。中唐时家在吴兴的沈亚之,在他未曾及第时,也说自己是"得黜辄归,自二月至十一月,晨驰暮走"(《上寿州李大夫书》,《沈亚之文集》卷七)。后人往往把唐代读书人的这种行旅漂泊称作漫游,唐代人有时自己也叫做"壮游",如果我们读读刘蜕和沈亚之的这些篇章,对于唐代士人的生活当会有深切的了解。晚唐诗人黄滔,他在下第离开长安东归时,有这样的诗:

> ……莺声历历秦城晓,柳色依依灞水春。明日蓝田关外路,连天风雨一行人。(《下第东归留辞刑部郑郎中諴》,《唐黄御史文集》卷三)

这幅风雨行役图,包含着多少失意士人的血和泪!

据唐人的一些文献记载,不少士人在漂泊的途中穷困潦倒,甚至就死于客舍或田野间的。如《酉阳杂俎》前集卷二记一个秀才,元和时落第,"旅游苏、湖间",途中生病,一文莫名,没有别的办法,只得把身上穿的一件脏衣服脱下来,叫人去典卖了,说:"可以此办少酒肉,予将会村老,丐少道路资也。"写下层知识分子贫窘的遭遇,像这样有强烈的现实性的描写,在中国古代也还是不多见的。《酉阳杂俎》还有两则描写士人不幸遭遇的故事:

于襄阳顿在镇时,选人刘某入京,逢一举人,年二十许,言语明晤。同行数里,意甚相得,因藉草。刘有酒,倾数杯。日暮,举人指支径曰:"某敝止从此数里,能左顾乎?"刘辞以程期。举人因赋诗曰:"流水涓涓芹努牙,织鸟双飞客还家。荒村无人作寒食,殡宫空对棠梨花。"至明旦,寻访举人,殡宫存焉。(前集卷十三《冥迹》)

枝江县令张汀,子名省躬,汀亡,因住枝江。有张垂者,举秀才下第,客于蜀,与省躬素未相识。大和八年,省躬昼寝,忽梦一人,自言姓张名垂,因与之接,欢狎弥日。将去,留赠一诗曰:"戚戚复戚戚,秋堂百年色。而我独芒芒,荒郊遇寒食。"惊觉,遽录其诗,数日卒。(续集卷二《支诺皋》)

这两则故事都托之于鬼魂,写举子在客游期间死于途中,不得归亲于故里。段成式在中晚唐间曾仕宦于荆襄,荆襄又为南方入京的通道,当地关于士子流落至死的传说当有不少,因此段成式择要记录在他的这一部笔记小说中。人们不难通过这些看似离奇的情节,看出作者对应试举子流离道路及其凄凉结局所寄寓的深切的同情。

南宋人洪迈在其《容斋随笔》的五笔卷二《唐曹因墓志铭》中,记南宋宁宗庆元三年(1197),江西信州的一个村庄,挖掘出一个唐碑,"乃妇人为夫所作"。碑文写得很简单,一共不到一百来字,后半篇写道:

惟公三举不第,居家以礼义自守。及卒于长安之道,朝廷公卿,乡邻耆旧,无不太息。

这位曹君,世居鄱阳,既非大族右姓,且又累举不第,可见在朝中是没有什么有力者为之援引的,其死于长安之道,碑铭乃仅出于妻子之手,身世之悲,可以想见。碑文朴素无华,却相当真实地写出了一个读书人为考科举而奔走至死的悲惨结局,死时还只有二十几岁,由此也可见出上述《西阳杂俎》的两则鬼魂故事,确是植根于现实生活的土壤的。

晚唐诗人刘沧在一首诗中说:

> 旅途谁见客青眼,故国几多人白头。雾色满川明水驿,蝉声落日隐城楼。(《秋日寓怀》,《全唐诗》卷五八六)

唐代的读书人,有多少人就是辗转往返于水驿、城楼之间,度过其青春,迎来了白发。我们通过科举考试对读书人生活的这种种影响,可以更好地来认识唐代的社会生活和唐代的文学。

原载《枣庄学院学报》1984 年第 1 期,据以录入;此文后收入专著《唐代科举与文学》第十二章"举子情状与科场风习"第一至三小节,文字略有增删,可参看

关于唐代科举与文学的研究

　　关于唐代科举考试与文学发展的关系,现在已开始引起人们的注意。其实这是一个老问题,譬如说,南宋人严羽在他的名著《沧浪诗话》中就说过:"唐以诗取士,故多专门之学,我朝之诗所以不及也。"明代的王文禄也说:"唐以诗取士,盛矣。"(《文脉》卷二)也有相反的议论,如郭绍虞先生《沧浪诗话校释》中所引明代王世贞《艺苑卮言》、杨慎《升庵诗话》等著作,认为唐人省题诗很少佳者,而凡传世之作,则皆非省题诗。这些说法,都与议论者各自的文学思想与论诗主张有关;限于种种条件,前人关于科举制对当时文学创作影响的论述,当然不可能作出全面的科学的论断。近年来,由于讨论唐诗繁荣的原因,这一问题再次被提了出来,有些文章对此发表了一些很好的见解。唐代进士科的考试诗赋是否促进诗歌的繁荣,这是一个问题,唐代科举制的施行与唐代文学发展的关系,这是又一个问题,后一个问题比前一个问题范围要大,内容更广,涉及到上层建筑内政治制度与意识形态的相互影响,既有历史材料的辨析问题,又有理论探索的问题。本文拟在已有讨论的基础上,对其中的某几点谈一些看法,以就正于研究唐代文学和唐代历史的同志们。

一

　　唐代进士考试的办法以及具体项目,曾经经过几次变易,如果不理清其头绪,就容易造成误解。即以博学淹通如清人赵翼者,论述时也有疏失之处,其所著《陔余丛考》卷二十八"进士"条说:"唐初制,试时务策五道,帖一大经,经、策全通为甲第,策通四、帖过四以上为乙第。永隆二年,以刘思立言进士唯诵旧策,皆无实材,乃诏进士试杂文二篇,通文律者然后试策,此进士试诗赋之始。开元二十五年,诏进士以声韵为学,多昧古今,自今加试大经十帖。建中二年,中书舍人赵赞权知贡举,又以箴表论赞代诗赋。大和八年,仍复诗赋。此唐一代进士试艺之大略也。"赵翼的这段话,大致本于《通志》,可议者有好几处:第一,说唐初试时务策五道,帖一大经,实则唐初只试策,未有帖经,帖经是高宗永隆二年(公元 681 年)以后的事。第二,说永隆二年起试杂文,即是试诗赋之始,实际上最初所谓杂文者只是箴表论赞等,后渐为赋或诗,杂文专试诗赋已是开元、天宝之际。第三,说自建中二年(公元 781 年)起以箴表论赞代诗赋,至大和八年(公元 834 年)又试诗赋,似乎这中间有半个多世纪的时间不试诗赋。实际情况是,所谓停进士诗赋而代之以论议,是李德裕任宰相后对于科试所作改革的一部分,这是于文宗大和七年(公元 833 年)八月颁下的,第二年九月李德裕罢相,李宗闵上台,尽斥李德裕之所为,又复试诗赋。可见这次罢诗赋，只不过一年的时间①。

　　正因为对历史材料未作必要的清理和辨析，有时就会对某些历史现象作出不符合实情的判断。所谓唐代进士科以诗取士促进唐诗的繁荣，就是误解之一。

　　在唐初一个相当长的时期内，进士考试是与诗赋无关的。《通典》卷十五《选举》三，说进士"其初止试策，贞观八年诏加进士试读经史一部。至调露二年，考功员外郎刘思立始奏二科（进士、明经）并加帖经，其后又加《老子》、《孝经》，使兼通之。"刘肃的《大唐新语》（卷十《厘革》）、胡震亨《唐音癸签》（卷十八《进士科故实》），都提到进士科最初止试策文。到高宗调露二年（公元680年），由于刘思立的奏请，进士才与明经同样要考帖经。这就是说，从唐开国起，有六十年的光景，进士考试是只考策文的。这占了唐朝历史的五分之一的时期。

　　当时试策的情况，我们还可在《文苑英华》中略见一二。《文苑英华》卷四九九、五〇二分别记载了贞观元年（公元627年）进士科试时务策的两道策问，前者是关于评审案件的，提出如何宽猛相济、缓急折中，后者是关于选拔人才的，提出如何不次擢用才能之士，以充实新建立的政权。这都带有贞观初期新王朝刚刚建立，如何调整阶级关系和地主阶级内部关系，以巩固大唐帝国统治的时代特点。这年进士登第者有上官仪，——就是后来在高宗朝享有诗坛盛誉的"上官体"的代表诗人。他的策文也保存在《文苑英华》上述的两卷中。上官仪的对策，则完全是堆砌辞藻，用的

————————

① 参见《旧唐书·文宗纪》，及徐松《登科记考》卷十一大和七年条。

是初唐流行的骈体，内容则一无可取，全是颂扬休明之词，没有任何一点现实的影子。可见唐初进士科试策文，注重的还不过是文词的工丽和精巧，这种策文实际上也就是一种赋体，如果一定要加一个名称的话，不妨称之为"策赋"。

进士只考试策文的情况，到高宗后期，即武则天实际掌握政权时有了变化，这就是进士试由试策文一场改变为试帖经、杂文、策文三场，这种三场考试的办法遂成为唐代进士试的定制。

《唐会要》有两条记载这种变化的材料：

> 调露二年四月，刘思立除考功员外郎。先是进士但试策而已，思立以其庸浅，奏请帖经及杂文，自后因以为常式。（卷七十六《贡举中·进士》）
>
> 永隆二年八月敕：如闻明经射策，不读正经，抄撮义条，才有数卷；进士不寻史籍，惟诵文策，铨综艺能，遂无优劣。自今已后，明经每经帖十得六已上者，进士试杂文两首，识文律者，然后令试策。（卷七十五《贡举上·帖经条例》）

调露二年为公元 680 年，永隆二年为公元 681 年（调露二年即永隆元年）。这当是前一年刘思立建议，第二年就由朝廷正式颁布施行。因此史书上认为进士试杂文和帖经，即起始于刘思立的奏请，如《旧唐书·刘宪传》："父思立，高宗时为侍御史。后迁考功员外郎，始奏请明经加帖、进士试杂文，自思立始也。"《旧唐书·杨绾传》载杨绾于代宗时上疏议贡举，说："至高宗朝，刘思立为考功员外郎，又奏进士加杂文，明经填帖，从此积弊，浸转成俗。"(《南部新书》等也有类似的记载,不具引。)

　　所谓杂文两首,具体何所指,徐松有一个解释,颇得其要。《登科记考》卷二"永隆二年"条说:"按杂文两首,谓箴铭论表之类,开元间始以赋居其一,或以诗居其一,亦有全用诗赋者,非定制也。杂文之专用诗赋,当在天宝之间。"这段话说得扼要明白,对于唐代进士试杂文这一措施的演变讲得相当清楚,但却不大为人们所注意。徐松的话是有事实根据的,如颜真卿所作颜元孙神道碑(《全唐文》卷三四一),记颜元孙于武周垂拱元年(公元685年)登进士第,试题为《九河铭》、《高松赋》。这是永隆二年实行试杂文后的第二年。在这之后,见于记载的,玄宗先天二年(即开元元年)为《藉田赋》,开元二年为《旗赋》,开元四年为《丹甑赋》,开元五年为《止水赋》,开元七年为《北斗城赋》,开元十一年为《黄龙颂》,开元十二年才有试诗的记载,这就是祖咏的《终南山望余雪》诗。在这之后,开元十四年为《考功箴》,开元十五年为《积翠宫甘露颂》,开元十八年为《冰壶赋》,开元二十二年乃有诗赋各一,即《武库诗》、《梓材赋》。开元二十五年为《花萼楼赋》,开元二十六年又为诗赋各一:《拟孔融荐祢衡赋》、《明堂火珠诗》。天宝十载,诗赋各一:《豹鸟赋》、《湘灵鼓瑟诗》。在这之后,则试题即固定为诗赋各一首。上面的记载,可能因材料不全,有所缺漏,但大致的趋向是不差的。唐人的论述,往往把开元、天宝年间的进士科与文学联系起来,极言其盛况,如古文家梁肃《李史鱼墓志铭》(《文苑英华》卷九四四)说:"开元中,以多才应诏,解褐授秘书省正字。时海内和平,士有不由文学而进,谈者所耻。"独孤及《顿丘李公墓志》(《毗陵集》卷十一):"开元中蛮夷来格,天下无事,搢绅闻达之路惟文章。"权德舆《王公(端)神道碑铭》(《权载之文集》卷十七):"自开元、天宝间,万户砥平,仕进者以文讲业,无他蹊隧。"杜佑《通典》卷十五《选举》三也记道:"开元以后,四海晏清,士无贤不肖,耻不以文章达。"这些话当然不免有所夸张,但其论述的基本点,是都把开元、天宝间进士科得人之盛与文学的发达联系起来谈的;关于二者关系的这样论述,为开元以前所未有。

由此可见,以诗赋作为进士考试的固定的格局,是在唐代立国一百余年以后。而在这以前,唐诗已经经历了婉丽清新、婀娜多姿的初唐阶段,正以璀灿夺目的光彩,步入盛唐的康庄大道。在这一百余年中,杰出的诗人已经络绎出现在诗坛上,写出了历世经久、传诵不息的名篇。这都是文学史上的常识,不需要多讲的。因此,那种片面地强调唐代进士以诗取士促进了诗歌创作的繁荣,是与历史发展的客观事实不符的。应当说,进士科在八世纪初开始采用考试诗赋的方式,到天宝时以诗赋试士成为固定的格局,正是诗歌的发展繁荣对当时社会生活产生广泛影响的结果。

二

而且,唐代进士科的考试诗赋,还对文学的发展起过一定消极的作用。

首先是省题诗本身,由于内容的限制和形式格律的拘牵,不容易产生出好的作品。宋人阮阅《诗话总龟》后集卷三十一引《丹阳集》说:"省题诗自成一家,非他诗之比也。首韵拘于见题,则易于牵合;中联缚于法律,则易于骈对;非若游戏于烟云月露之形,可以纵横在我者也。王昌龄、钱起、孟浩然、李商隐之辈,皆有诗名,至于作省题诗,则疏矣。"这段话虽然并不全面,但它说省题诗容易束缚作者的思想,也难于施展诗人独特的艺术手法,却有一定的道理,所以王昌龄等在唐诗的百花园中各自呈现出异范奇卉的诗人,却写不出一首省题诗的佳作。虽然在现存的省题诗中,有钱起的"曲终人不见,江上数峰青"(《湘灵鼓瑟》),祖咏的"终南阴岭秀,积雪浮云端;林表明霁色,城中增暮寒"(《终南山望余雪》),但在整个唐诗中,毕竟是太少了,而且也是只有名句,而未能产生名篇。

唐代统治者衡量省题诗的标准是什么呢? 说来很有意思,其标准乃是齐梁体格。唐末范摅《云溪友议》卷上《古制兴》条记载道:"文宗元年秋,诏礼部高侍郎锴复司贡籍,曰:'……其所试赋,则准常规;诗则依齐梁体格。'"这里所说的文宗元年应是文宗的开成元年,开成二年高锴知贡举,他在《先进五人诗赋奏》(《全唐文》卷七二五)中,具体地品鉴了第一至第五名的诗赋,其中说:

> 进士李肱《霓裳羽衣曲诗》一首最为迥出,更无其比,词韵既好,人才俱美,前场吟咏,近三五十遍,虽使何逊复生,亦不能过,兼是宗枝,臣与状头第一人,以奖其能。……其次沈黄中《琴瑟合奏赋》,又似《文选》中《雪》、《月》赋体格,臣与

第三人。

高锴的品评，是具体地体现了文宗诏诰中提出的评文原则的，以李肱的诗与何逊相比，以沈黄中的赋与《文选》中《雪赋》(谢惠连)、《月赋》(谢希逸)相比，总之，取法乎《选》体，把衡文的标准退回到杨炯、王勃、陈子昂、李白等早已批判过了的六朝柔弱细巧的文风中去。再来看看被高锴取为状元的李肱《霓裳羽衣曲诗》：

> 开元太平时，万国贺丰岁。梨园献旧曲，玉座流新制。凤管递参差，霞衣竞摇曳。醮罢水殿空，辇馀春草细。蓬壶事已久，仙乐功无替。讵肯听遗音，圣明知善继。

这样的诗，说是"虽使何逊复生，亦不能工"，实在是品鉴失当，何逊的作品真是夐出乎其上，李肱此诗，怎能相比。这不仅是文宗一朝的情况，在唐代进士试中有它的代表性。这里倒是可以看出唐代上层统治者对省题诗的要求，也可以看出以《文选》为代表的齐梁体格在唐代的影响，并不是像我们有些论著所说的，经过初盛唐一些作家的批判，就销声匿迹，不再发生影响。文学发展的现象就是这样的复杂。

总之，按照对省题诗的要求，以及省题诗的具体创作实践，来比较唐代现实主义和积极浪漫主义诗歌的发展道路，可以说二者正好是背道而驰的。幸好唐代的不少作家们对省题诗只当作敲门砖，以与吟咏性情、摹写物象的真正诗歌创作相区别，否则真不知会给文学发展带来多么不利的影响。如果《全唐诗》中到处充塞着的是李肱那样的诗,那还有什么我们可为之骄傲的文学菁英——"唐诗"可言呢。

唐代作家中对科试文的看法,不少是清醒的,他们并不把这看成为真正的文学创作。大家知道,韩愈考过几次进士试,他对科举是热衷的,但对他所作的这些诗文,他抱什么态度呢?他说:"退自取所试读之,乃类于俳优者之辞,颜忸怩而心不宁者数月。"他又说:"使古之豪杰之士,若屈原、孟轲、司马迁、相如、扬雄之徒进于是选,仆必知其辱焉。"(《答崔立之书》)他说如果让古代杰出的作家如屈原等来作这种科试程文,也必定无所施展其才能。这是为什么呢?韩愈在另一篇文章中谈到了这是由于科举考试给文风带来的消极影响所致,他在《答吕毉山人书》中说:"方今天下入仕,惟以进士、明经及卿大夫之世耳。其人率皆习熟时俗,工于语言,识形势善候人主意,故天下靡靡日入于衰坏,恐不复振起。"韩愈是从内容和形式统一的角度来批评科试文对文风所起的腐蚀作用的。谈韩愈所倡导的古文运动,如果只注意他批判六朝以来流行的骈文,而不注意他对"时文"的出于自身经验的针砭,那是不全面的。

韩愈的两个弟子——皇甫湜和李翱,都对进士试的文章有所批评,皇甫湜在《答李生第一书》(《皇甫持正文集》卷四)中,提到了当时应进士试的一些年轻士子,视科试的诗文为"浮艳声病",乃至以"耻不为者",可见出当时知识阶层对这种情况的不满。在《第二书》中,皇甫湜自己对"近风教偷薄,进士尤甚"的种种表现给以指责。李翱《与淮南节度使书》(《李公文集》卷八)说:"近代已来,俗尚文字,为学者以抄集为科第之资。"另外,与他们同时的

散文家兼传奇作家沈亚之,曾经在一篇文章中回顾自己为什么考试未中的原因,说:

> 时亦有人勉亚之于进士科,言得禄位大可以养上饱下。去年始来京师,与群士皆求进,而试以八咏,雕琢绮言与声病。亚之习未熟,而又以文不合于礼部,先黜去。(《与京兆试官书》,《沈下贤文集》卷八)

晚唐古文家孙樵《与友人论文书》说:

> 今天下以文进取者,岁丛试于有司,不下八百辈。人人矜执,自大所得,故其习于易者则斥艰涩之辞,攻于难者则鄙平淡之言,至有破句读以为工,摘俚语以为奇。秦汉已降,古文所称工而奇者,莫若扬、马,然吾观其书,乃与今之作者异耳,岂二子所工不及今之人乎!此樵所以惑也。(《孙樵集》卷二)

五代的西蜀词人牛希济《文章论》说:

> 今有司程式之下,诗赋判章而已,惟声病忌讳为切,比事之中,过于谐谑,学古文者深以为惭,晦其道者扬袂而行。……且时俗所省者唯诗赋两途,即有身不就学,口不知书,而能吟咏之列。是知浮艳之文,焉能臻于理道。(《全唐文》卷八四五)

以上的议论,侧重点虽各有所不同,但都指出进士科试文字那种"雕琢绮言"与讲究"声病"的风气,只能窒息正常的文学创作活动,而不能带给文学发展以任何的生机。特别是科场中朋党交结、行贿纳赂、吹嘘拍马、互相攻讦等种种恶劣习气,也侵蚀到文坛中来,使得晚唐的文学风气,除了一部分作家还能正视现实、写出较好的作品以外,相当部分的文人,正如明代唐诗学家胡震亨所说的那样:"晚唐人集,多是未第前诗,其中非自叙无援之苦,即訾他人成事之由。"(《唐音癸签》卷二十六)北宋初期作家王禹偁也说:"文自咸通后,流荡不复雅;因仍历五代,秉笔多艳冶。"(《高锡》)南宋人计有功说:"唐诗自咸通而下,不足观矣。……气丧而语偷,声烦而调急,甚者忿目褊吻,如戟手交骂。"(《唐诗纪事》卷六十六"赵牧"条)计有功认为这种情况之产生,"其来有源";这个源,一大部分则是出于当时科举考试的那种消极的一方面,正如宋人孙明复所说,"专以辞赋取人,故天下之士皆致力于声病对偶之间"(《与范天章书》,《孙明复小集》卷二)。

三

　　上面所讲的,是唐代的科举制度,特别是进士科的以诗赋取士,给文学带来的消极影响。这里就产生一个问题,那就是,作为封建社会上层建筑一部分的科举制度,它在唐代的历史条件下,无疑在政治上是起了进步作用的。科举制原是封建时代选拔官员的一种制度,它在唐代被正式确立,比起两汉的察举制与魏晋南北朝的九品中正制，有极大的优越性，它使得封建国家把官员的选用权集中于中央，以适应于大唐帝国统一的政治局面的需要。科举制又采取一整套考试的办法，订立一定的文化标准，面向地主阶级的整体，招徕人才，这说明中国古代封建地主阶级，发展到唐代，对国家官员的文化水平较过去时代有更高的要求，也反映了当时社会的文化较过去更有所发展和提高。这说明，科举制对唐代的政治生活是起了积极作用的。一个在政治上有进步作用的、在当时社会生活中有较为广泛影响的制度，对于文学却有着消极的影响，这二者是否有矛盾呢？

我认为，这应当加以分析。科举制在唐代，甚至在宋代，起过进步作用，这是应当肯定的，我们应当从一定的历史条件出发。但科举制毕竟是封建社会的上层建筑，它是为封建国家的最高统治阶层服务的，这种考试制度根本不可能向广大劳动者开门，即使对地主阶级来说，能实际享受到科举制实行的好处的也只是地主阶级中极少的一部分；尤其是到中晚唐，贵族大官僚利用其权势，以种种手段把持选举权，抑止寒门贫士通过科举以求得进身之阶，斗争甚为激烈。因此，伴随着它的进步性，科举制在实行过程中也暴露出不少严重的弊病，正是这些弊病给予文学创作以消极的影响。但我们另一面还应看到，科举制在唐代，是以南北朝豪门把持政权、阻止贫寒而有才能之士进入仕途的对立物而出现的，科举制的实行，使得盛行了几百年的"平流进取，坐致公卿"的门阀世袭统治无最终立足之地，这就极大地解放了人才，大批非士族出身的一般中小地主知识分子，力争在政治上露头角，从而也力求在文化上施展其才艺，这就给予了社会以活力，尤其是唐代进士以诗赋取士,在唐代文学艺术充分发展的时代,新科进士的活动就更受到人们的注意。颜真卿称进士及第为"以词学登科"(《颜鲁公文集》卷十二《孙逖文公集序》),王定保又称进士科为"文学之科"(《唐摭言》),李嘉言在送人及第归家诗中认为"高第由佳句"(《送冷朝阳及第东归江宁》,《全唐诗》卷二○六),都把进士科与文学联系起来了。韩愈在向人推荐应试举子时,也着重称扬他们的文才,他在《与祠部陆员外书》(《韩昌黎文集校注》卷三)中说"文章之尤者,有侯喜者、侯云长者",又说:"有刘述古者,其文长于为诗,文丽而思深,当今举于礼部者,其诗无与为比。"在韩愈看来,不管科试的程式之文如何类似于俳优之所为,但真正有文才之士,还是应当参加科试,因为只有科举及第,才能取得进身之阶,施展自己的抱负,——而正因为进士等科向地主阶级文人提供了这一现实的前途,才使韩愈等人能有这种想法,如果是在"世胄蹑高位,英俊沉下僚"(左思《咏史》)那样的社会,则是根本不可能的。

譬如李白,过去不少论著都说他不屑于应科举试,这也需要分析。李白本人当然有他自己的打算,他是想求得人的荐引,直接为朝廷所赏识,"申管晏之谈,谋帝王之术,奋其智能,愿为辅弼"(《代寿山答孟少府移文书》,《李白集校注》卷二十六),但李白并不否定科举制本身。如开元二十九年(公元741年)立崇玄学,开四子举,他有《送于十八应四子举落第还嵩山》诗(同上卷十七),说"复羡二龙去,才华冠世雄,平衢骋高足,逸翰凌长风",为于十八的落第感到惋惜。李白又有《同吴王送杜秀芝举入京》诗(同上卷十八):"秀才何翩翩,王许回也贤。暂别庐江守,将游京兆天。秋山宜落日,秀水出寒烟。欲折一枝桂,还来雁沼前。"又是对赴京应试的举子寄与及第的希望,鼓励他能一举成名,喜庆归聚。可见即使像李白那样恃才傲世、不拘常调的大诗人,对科举制也是采取肯定的态度,这与《儒林外史》的作者吴敬梓大为不同,而所以如此,则是由于历史条件不同,这是完全可以理解的。

　　由此可见,历史上的一种制度,当它在主导方面还起着进步作用时,即使它已表现出某种弊病,它还是可以得到人们的拥护,即使这些人并没有直接从这种制度得到什么好处,或甚至还给予这种制度以严厉的批评,但他们对它的存在本身还是持肯定的态度。而我们今天则更应该把它放在一定的历史条件下去加以说明,充分研究它的不同的侧面,它在社会发展进程中所曾起的不同作用。对于唐代科举制及其与文学发展的关系,就是应该抱这种态度去加以研究的。我们似应该把视野放开些,不能只停留在说明考试办法(如试诗赋、帖经等)对文学的影响上,单纯以下个积极或消极的结论为满足,可以把科举制对社会风气与文人生活的影响作为研究的课题,进行较为全面的、历史的考察。在这方面,我们已经有一部值得称道的专著,那就是程千帆先生的《唐代进士行卷与文学》(上海古籍出版社1980年8月出版)。程先生的这部书字数不算太多(六万余字),但相当精粹,这是近些年来唐代文学研究和唐代科举史研究的极有科学价值的著作,它的出版使这些学术领域的研究得以向前扩展了一大步。程先生由唐代进士试的特点,考察了唐代进士行卷风气的形成,以及这种风气对当时诗歌、古文和传奇小说的创作所起的积极的促进的作用。书中对进士行卷的风尚给予文学的作用是否有估计过高之处,还可以进一步讨论,但这种研究方法是可以开阔人的视野,给人以启发的。

由于科举考试是面向地主阶级整体的,它以文化(当然不言而喻是封建文化)考试为主要的内容,这就刺激地主阶级对其子弟进行文化教育,客观上则对文化在社会上的普及起了推动的作用,唐代文化的普及远远超过了前代,唐代灿烂的文学艺术就是以文化的普及为基础的。在唐代,中央有国子学,州县有州县学,乡有乡学,教育事业得到空前的发展。皮日休在一篇诗序中说,他儿童时在村中上乡校,得到杜牧的诗集,就伏在桌上抄写①。在乡村的学校中,竟有杜牧的集子,可见文化传播的面已经相当之广了。又如白居易《与元九书》,叙述元和十年(公元815年)贬江西九江的沿途见闻,说"自长安抵江西,三四千里,凡乡校、佛寺、逆旅、行舟之中,往往有题仆诗者"。元稹《白氏长庆集序》,记述他在浙东做官时的所见:"予尝平水市中(自注:镜湖傍草市名),见村校诸童,竞习歌咏,召而问之,皆对曰:先生教我乐天、微之诗。"这两处所记,可以见出元、白二人诗歌在当时乡村学校中流行之广。韩愈于德宗贞元末因言事被贬为阳山(今广东阳山县)令,"阳山,天下之穷处也",但"有区生者,誓言相好,自南海挈舟而来",向他问学(《送区丹序》,《韩昌黎文集校注》卷四)。另有一位窦秀才,也是"乘不测之舟,入无人之地,以相从问文章为事"(《答窦秀才书》,同上卷二)。后来韩愈又一次被贬于潮州,及量移江西的宜春,又有当地的士子向他学文(《唐摭言》卷四

_____

① 见《唐诗纪事》卷六十六"严恽"条。

《师友》）。而柳宗元元和时被贬于湖南的永州、广西的柳州，"江岭间为进士者，不远数千里皆随宗元师法；凡经其门，必为名士"（《旧唐书·柳宗元传》）。又如刘禹锡，他也是因参预永贞革新而被贬出的，他自述贬在连州（今广东连县）时的情形是："予为连州，诸生以进士书刺者，浩不可纪。"（《送曹璩归越中旧隐诗》，《刘禹锡集》卷三十八）这些当然与韩愈、柳宗元、刘禹锡等个人的声望有关，但更基本的原因，则是科举取士面向整个地主阶级知识分子，在他们面前出现了只要提高文化水平就可以有仕进机会的现实可能性，这就不仅是中原地区和经济文化素称发达的江南地区，就是偏远的湘西、桂中及岭南等乡县，地主阶级士人拜师学文也已开风气。这在客观上也就推动了文化在这些地区的传播和普及。

即以进士科试诗赋而论，我们也应该看到，科试诗赋的讲究声律对偶，也刺激了文人对声韵的研究，从诗歌创作的形式来说，也不是没有值得肯定的一面。譬如，唐代进士试诗赋，对于用韵，要求是很严格的，宋人吴曾《能改斋漫录》（卷二）、彭叔夏《文苑英华辨证》（卷一）都有所论列，限于篇幅，这里不再具引。《册府元龟》卷六四二曾记"有犯韵及诸杂违格，不得放及第"。中唐时李肇《国史补》（卷下）就记载宋济屡试不第，"尝试赋，误失官韵，乃抚膺曰：'宋五又坦率矣！'"由于这种现实需要，使得中唐时起，韵书大为发达，《切韵》及有关《切韵》补缺刊谬本在社会上广为流行①。年青女子吴彩鸾工于书法，"以小楷书《唐韵》一部市五

①此点请参阅周祖谟先生《切韵的性质和它的音系基础》《王仁昫切韵著作年代释疑》等文（收入《问学集》），及《唐五代韵书集存》上册《总述》。

千钱,为糊口计"（《宣和书谱》卷五）。吴彩鸾一生写了近百部王仁昫《切韵》。另有詹鸾,也以抄写《唐韵》为生,"书《唐韵》极有功"。吴彩鸾和詹鸾所写的《唐韵》一直传到北宋末,"断纸余墨,人传宝之"（《宣和书谱》卷四）。能以抄写韵书为生计,可见社会上的需要,这种需要正是出于进士科的考试诗赋。当时应试的举子入场考试,是可以而且必须拿着韵书的,否则就要误失（此点可参《白居易集》卷六十《论重考试进士事宜状》,及《太平广记》卷二六一"梅权衡"条）。

　　科举考试还扩大了文人的行踪,开阔了他们的视野,以有利于他们对现实生活的认识,这在下面一节还要讲到。由于举子大量集中于京都应试,无论及第或落第,士人的流动量是很大的。这就在唐诗中产生了相当数量的送人赴举、贺人及第或慰人落第的诗篇,这些作品不少写得声情并茂,富有现实性和时代气息,像李贺《送沈亚之歌》,刘商《姑苏怀古送秀才下第归江南》、朱庆馀《送崔约及第归淮南觐省》,姚合《送马戴下第客游》,都堪称为佳作;又如张籍《送朱庆馀及第归越》（"有寺山皆遍,无家水不通;湖声莲叶雨,野气稻花风"）,韩翃《送冷朝阳还上元》（"落日澄江乌榜外,秋风疏柳白门前;桥通小市家林近,山带平湖野寺连"）,都有名句可诵。同时,我们还可从初盛唐人所写的有关科第的诗什与晚唐人所作相比较,会发现其间无论内容情调和风格气韵都有明显的差别,如陈子昂《落第西还别魏四懔》、高适《别韦参军》、孟浩然《送从弟邕下第后归会稽》等,与罗隐《送臧濆下第谒窦鄜州》及其他晚唐诗人同类诗篇相比较,可以见出时代风尚的差异给予文学风气不同的影响。这都有助于我们对整个唐诗作深入的研究。

四

中唐诗人姚合在《送喻凫校书归毗陵》诗中说：

> 阙下科名出，乡中赋籍除。(《姚少监诗集》卷一)

这里牵涉到科举及第以后，文人享有特权的问题。

唐代前期实行租庸调制，后期实行两税法。关于租庸调制和两税法的性质和实施情况，属于史学研究的范围，这里不作详论。简略说来，就是，凡是有户籍的农户及有土地的人丁，不管出人，或者出钱，都有对封建国家负担赋役的义务，除非做了官，就可以按规定免去这种义务，而把负担转嫁到广大劳动者身上。一般没有功名的中小地主阶级文人，或自耕农、小土地所有者出身的知识分子，则是要承担这种义务的。但是，如果科举及第了，就能免除赋役。譬如穆宗时(公元 821—824 年)就曾下诏："将欲化人，必先兴学，苟升名于俊造，宜甄异于乡闾。各委刺史、县令招延儒学，明加训诱，名登科第，即免征徭。"①后来敬宗宝历元年(公元 825 年)又重申前令："名登科第，即免征役。"②有些历史学家根

①《全唐文》卷六十六穆宗《南郊改元德音》。
②《唐大诏令集》卷七〇《宝历元年正月南郊赦文》。

据武宗会昌五年(公元 845 年)《加尊号后郊天赦文》所说"非前进士及登科有名闻者,纵因官罢职,居别州寄住,亦不称为衣冠户,其差科色役并同当处百姓流例处分"①,以及僖宗乾符二年(公元 875 年)《南郊赦文》所说的"准会昌中敕,家有进士及第,方免差役,其余只庇一身"②,以为只有进士科及第,才享有全家免去差役的特权,其他科目则不然。这种说法恐怕是不对的。如前面引述过的穆宗、敬宗时诏令,都是说"名登科第",则凡科第内的各科,都依此例,并未只说限于进士一科。另外,五代时张允曾奏请停止童子科的考试,说:"童子每当就试,止在念书背经,则虽似精详,对卷则不能读诵,及名成贡院,身返故乡,但刻日以取官,更无心而习业,滥蠲徭役,虚占官名。"③童子科在科举取士的各项科目中是排在末等的,规定年不满十岁的孩童方许应试,考试时正如张允奏中所说,只不过"念书背经"而已,对照着书本有时就连字也不认得。但即使如此,童子科及第,还是能蠲免徭役,则其他科目就更是如此。

这就是说,一个文人,只要经礼部试及第,即使吏部试尚不合格,还未授予官职,但其身份已和一般老百姓不同了,他可以免除差役征徭,享有政治上、经济上一定的特权。姚合的"阙下科名出,乡中赋籍除"二句诗,写出了文人们所以向往科第的实际物质利益所在。而且,有时只要诗作得好,有文名,虽未登第,也可以

---

① 《全唐文》卷七十八。
② 《唐大诏令集》卷七十二。
③ 张允《请罢童子科奏》(《全唐文》卷八五五)。

作为特例,免去差役的。《唐摭言》记载任涛的事说:"任涛,豫章筠川人也,诗名早著。有'露团沙鹤起,人卧钓船流',他皆仿此。数举败于垂成。李常侍鹗廉察江西,特与放乡里之役,盲俗互有论列。鹗判曰:'江西境内,凡为诗得及涛者,即与放色役。'不止一任涛耳。"(卷十《海叙不遇》)任涛是凭他的文学才能而受到优顾的,这也进一步说明了科举得第者免去乡里之役是当然之事。

恩格斯曾说,哲学和宗教,是"更远离物质经济基础的意识形态",但他认为即使如此,"观念同自己的物质存在条件的联系",仍然存在①。恩格斯在另一处又说道:"在宗教狂热的背后,每次都隐藏有实实在在的现世利益。"②这些话,对于如何看待唐代文人对科举追求的心理和活动,都可给我们以启发。前面说的免除徭役是一个例子,下面我们还可分析一下唐代文人所谓漫游的实际意义。

唐代士人是很重视漫游的。李白年轻时仗剑去国,辞亲远游,杜甫早年也曾漫游吴越和齐赵,其他一些文人多有过类似的经历。唐代前期社会的安定,交通的发达,为这种漫游提供了有利的客观条件,在中后期,战乱不息,藩镇割据,而漫游之风仍未稍衰。唐代士人在诗文中对这种漫游往往赋予一种幻想的色彩,过去有些研究者也往往用"少年精神"去评析和赞赏这种举动。当然,我们并不排斥在那个经济、文化充分发展的唐代社会,士人

①《路德维希·费尔巴哈和德国古典哲学的终结》,《马克思恩格斯选集》中文第 2 版第 4 卷,第 253—254 页。
②《论原始基督教的历史》,《马克思恩格斯选集》中文第 2 版第 4 卷,第 458—459 页。

的漫游会带有某种浪漫的心情和意绪,但是我们如果稍稍作些具体的考察,就会发现这种漫游却包含有非常直接的物质利益和世俗意义。

曾经受业于韩愈的散文作家皇甫湜在《上江西李大夫书》中说:

> 居蓬衣白之士,所以勤身苦心,矻矻皇皇,出其家,辞其亲,甘穷饥而乐离别者,岂有二事哉,笃守道而求知也。(《皇甫持正文集》卷四)

这几句话是讲得非常冠冕堂皇的,说一个士子,辞亲远游,并非为谋私利,而只在乎守道和求知。但书信的末尾却流露了真情:"谨献旧文十首,以先面贽,干犯左右,惶惧于旌门之前。"不免有前倨后恭之嫌。江西李大夫,是李巽,他于贞元十三年至永贞元年(公元797—805年)任江西观察使;皇甫湜则是在元和元年(公元806年)登进士第的。他给李巽的这封书信,是他还没有登第、并且是正在求举时写的。由此可知皇甫湜的献文、上书,其实际目的只不过是他信中所说的"求知",也就是求荐引,扬声誉,所谓守道则不过是好听的虚语而已。

胡震亨还说过:

> 唐士子应举,多遍谒藩镇州郡丐脂润,至受厌薄不辞。如平曾三缣邮旅途之恨,张汾二千贯出往还之夸,鄙秽种种。至所干投行卷,半属谰辞,概出赝剿,若小说所称百钱买自书

铺，并荆南表丈一时乞取者，真堪令人捧腹。士风凌夷如此，
总科举为之流弊也。(《唐音癸签》卷二十六《谈丛》二)

胡震亨的话看似煞风景，但确是道出真情。不过他一概地把
这类事情说成"士风凌夷如此"，并且归结为由于科举之流弊，则
并非持平之论。因为在唐代，举子们在应试前游历州郡，托名公
荐举，扬声誉于公卿间，这是很自然的事；落第之后，尤其是一些
清寒之士，为求得下一次的及第，也需要取得经济上的资助，否则
困守长安，日子是不好过的。像李观在给他弟弟的一封信中就
说："六年春，我不利小宗伯，以初誓心不徒还，乃于京师穷居，读
书著文无缺日时。是年冬，复不利见小宗伯。……于时顾逆旅而
无聊，图俟时而尚遐，发能迁之虑，缄莫知之嗟。乃以其明年司分
之月，乘罢驴，出长安，西游一二诸侯，求实于囊，往复千里，投身
甚难。"①这是一个贫寒士人的自白，西游的目的，是"求实于囊"，
说穿了就是讨钱。唐人在这点上倒往往是很坦率的，他们并不讳
饰，譬如中唐时著名传奇小说的作家沈亚之，他于元和五年(公元
810年)来长安，应试不第，就离开长安到山西去，他在元和六年夏
所作的《与潞州书》中就说："亚之昨去长安时，历别于所知亲友
门，所知亲友谓亚之曰：安所适，安所为？亚之对曰：适鄜，将假贷
于诸侯门"。(《沈下贤文集》卷八)特别是中晚唐时，应试的面扩
大了，不少地主阶级下层人士参加到科举的行列中来，但由于名
额有限，考取的只能是少数，大多数人不是淹留长安，就是旅食各

①李观《报弟兑书》(《全唐文》卷五三三)。

地,向一些名公贵卿、地方节镇干谒请求。如晚唐一位名叫顾云的诗人,在《投西边节度使启》中写道:

> 某稷下儒生,天涯客子,远携书剑,来拜旌旗。……某射鹄无功,亡羊有恨。娄敬之衣裘屡敝,张仪之颊舌何为。至于草织衡门,雪封陋巷,蛙鸣灶底,鱼跃釜中,然犹讲树未休,书笃不已,潜修此道,以俟明时。春初将谒朱门,卜行上国。(《全唐文》卷八一五)

在唐代,有时对士子这种以诗文投谒地方官员以求得经济上资助的,称做"举粮"①,是不以为讳的。如《唐语林》记崔枢在未登进士第时,居住汴州,就与同舍一个外国商人说:"吾一进士,巡州邑以自给。"②《玄怪录》记书生韦元方,长庆初落第,"将客于陇右",途中碰到表兄,这表兄对他说:"子之是行也,歧甚厚而邠甚薄,于泾殊无所得,诸镇平平耳。"元方后来西游而归,"所历之获,无差其说。"③这些都说的是钱的事情。对于贫寒的读书人来说,这样做是不得已的,也是未可厚非的,这是当时的一种社会风气。如著名的传奇小说《裴航》,记裴航因落第游于鄂渚,恰好碰到在那里做官的是他的故人,"赠钱二十万",一个人拿不了,"因佣巨舟,载于湘汉";后来又碰上一位奇异的女子,遂造成一段富有浪

---

① 参五代人何光远《鉴诫录》卷八记诗人方干事。
② 《唐语林》卷一"德行"条。
③ 《玄怪录》卷三《掠剩使》。

漫色彩的爱情故事①。这算是文人于外地旅食中的幸运者了。大多数恐怕倒是像姚合诗中所写的那样：

> 东门送客道，春色如死灰。……子行何所之，切切食与衣。谁能买仁义，令子无寒饥。野田不生草，四向生路歧。士人甚商贾，终日须东西。鸿雁春北去，秋风复南飞。勉君向前路，无失相见期。（姚合《送张宗原》，《姚少监诗集》卷二）

姚合诗的调子是低沉的。写这类题材的诗，也有较为开朗明快的，如李中《夕阳》："影未沉山水面红，遥天雨过促征鸿。魂销举子不回首，闲照槐花驿路中。"（《碧云集》卷上）唐人有"槐花黄，举子忙"的俗语，是说举子经过夏天的温习功课，又要为本年的州府试作准备，而到处奔忙了。这首诗就是写举子们为迎接应举的行役之劳。行色匆匆，在夕阳将要下山之际那种湖光山色、槐花驿路的暮色冥漠的情景，触动了作者的诗情。应当说，这种社会风气带给文人生活的影响，对文学创作来说，有它好的一面，这就是扩大了诗人们的行踪，开阔了他们的视野，无论就诗歌的内容题材和表现手法说，都有积极的作用。如韩翃《送李湜下第归卫州便游河北》："……路出司州胜景长，西山翠色带清漳。仙人矶近茱萸涧，铜雀台临野马岗。屡道主人多爱士，何辞策马千余里。高谈魏国访先生，修刺平原过内史。一举青云在早秋，恐

---

① 见《太平广记》卷五〇《裴航》。

君从此便淹留。……"(《全唐诗》卷二四三)韩翃又有《送崔秀才赴上元兼省叔父》诗:"……诗家行辈如君少,极目苦心怀谢朓。烟开日上板桥南,吴岫青青出林表。"(《全唐诗》卷二四三)又《送李秀才归江南》:"……荷香随去棹,梅雨点行衣。……"(《全唐诗》卷二四四)又严维《送房元直赴北京》:"犹道楼兰十万师,书生匹马去何之。临歧未断归家日,望月空吟出塞诗。常欲激昂论上策,不应憔悴老明时。遥知到日逢寒食,彩笔长裾会晋祠。"(《全唐诗》卷二六三)这些诗,无论写江南北国,摹景抒怀,都各有特色。由于多是送落第举人的,因此诗中也多少有那么一种慷慨之气。当时这些举子们的踪迹是相当广的,我们举一些诗题就可以了然,如:《送友人下第游雁门》(刘驾)、《送友人罢举赴蓟门从事》(刘沧)、《和友人下第北游感怀》(李频)、《送许棠下第游蜀》(张乔)、《送姚舒下第游蜀》(方干)、《送进士喻坦之游太原》、《赠友人罢举赴交趾辟命》(杜荀鹤)、《送友人罢举赴边职》(李洞),等等。

这种在科举制下所造就的文人的漫游生活,以及因此而给与文学的影响,是唐代所特有的,宋代以后,随着有关的客观条件的变化,这种情况也就不复存在了。

原载《文学遗产》1984年第3期,此据万卷出版公司2010年版《当代名家学术思想文库·傅璇琮卷》录入,另收入安徽教育出版社1998年版《当代学者自选文库·傅璇琮卷》、京华出版社1999年版《唐诗论学丛稿》

论唐代进士的出身及唐代科举取士中寒士与子弟之争

一

唐人入仕的途径,根据《旧唐书·职官志》的记载,主要有科举、流外入流和以门资入仕三种。在这三者之外,还有用其他方式来获得官职的,如在对内和边塞战争中,通过应募从军,以战功来取得官职和勋赏;由于战争的特殊性质,这有时要比别的途径更能获得迅速的升迁,尤以唐初和唐前期更是如此。另外,又有向朝廷进献所著书而得官的,如中唐时人封演记:"开元中,有唐颖上《启典》一百三十卷,穆元休上《洪范外传》十卷,李镇上《注史记》一百三十卷、《史记义林》二十卷,辛之谔上《叙训》两卷,卜长福上《续文选》三十卷,冯中庸上《政事录》十卷,裴杰上《史记异议》,高峤上《注后汉书》九十五卷。如此者并量事授官,或沾赏赍,亦一时之美。"①与此类似的,如杜甫于天宝中进献"三大礼赋",授河西尉、右卫率府胄曹参军②;晚唐诗人李群玉,于大中时"进诗三百篇",得授弘文馆校书郎③。

又有上书言事而得官的,如裴怀古于高宗仪凤中上书,授下邽主簿,来子珣于武周永昌时上书陈事,除左台监察御史④。杜亚"善言物理及历代成败之事",安史乱起,他跑到肃宗灵武驻所"献封章,言政事",授校书郎⑤。罗珦"宝应初上书言事,廷命太祝,由吏资转长水、河南二县尉。"⑥凌准"年二十,以书干丞相,丞相以闻,试其文,日万言,擢为崇文馆校书郎"⑦。

另有大臣奏荐而得官的,如"天宝末,杨国忠执政,求天下士为己重,闻(张)镐才,荐之,释褐衣,拜左拾遗"⑧。又"建中初,

---

① 《封氏闻见记》卷三《制科》。又参《旧唐书》卷一五五《穆宁传》:"父元休,以文学著,撰《洪范外传》十篇,开元中献之,玄宗赐帛,授偃师县丞。"
② 见《旧唐书》卷一九〇下《文苑下·杜甫传》,及杜甫《进三大礼赋表》(《杜诗详注》卷二十四)。
③ 《郡斋读书志》卷四中"李群玉诗一卷"下注,又参《唐才子传》卷七李群玉小传。《四部丛刊》本《李群玉诗集》卷首载《进诗表》,谓"徒步负琴,远至辇下,谨捧所业歌行、古体诗、今体七言、今体五言四通等合三百首,谨诣光顺门昧死上进。"并参卷首令狐绹《荐处士李群玉状》。
④ 见《旧唐书》卷一八五下《良吏下·裴怀古传》,卷一八六上《酷吏上·来子珣传》。
⑤ 《旧唐书》卷一四六《杜亚传》。
⑥ 《权载之文集》卷二十三《唐故大中大夫守太子宾客上柱国襄阳县开国男赐紫金鱼袋罗公墓志铭》。
⑦ 《柳宗元集》卷十《故连州员外司马凌君权厝志》。
⑧ 《新唐书》卷一三九《张镐传》。

（杨）炎为宰相，荐（沈）既济才堪史任，召拜左拾遗、史馆修撰"①。又如大书法家李邕因李峤、张廷珪之荐召拜左拾遗，大历十才子之一、诗人卢纶累次应举不中，宰相元载"取纶文以进，补阌乡尉"②。又有京兆尹表荐为其属官的③。有时也以朝廷出面，直接加以征召，如孙翌《苏州常熟县令孝子太原郭府君墓志铭并序》："时天后造周，……公始以孝子征，解褐拜定州安平县丞。"④萧祐"少孤贫，耿介苦学，事亲以孝闻"，后即自处士征为左拾遗⑤。在特殊情况下，也可以纳粟入官，如宪宗元和十二年，因定州灾荒，饥民流离失所，七月，下诏"能于定州纳粟五百石者，放同优比出身，仍减三选；一千石者，无官便授解褐官，有官者依资授官"⑥。

　　这里还应提到的是，安史之乱以后，地方节镇的权力增大，特别是河北三镇，俨然如同独立王国，他们除了增强军事实力以外，还聘召读书人为其幕僚或属下的文吏。苏轼就曾说过："唐自中叶以后，方镇皆选列校以掌牙兵，是时四方豪杰不能以科举自达者皆争为之，往往积功以取旄钺。"⑦中唐以后，走藩镇辟召的道路往往容易得到升迁或美仕，受到仕人的重视。南宋人洪迈说：

---

① 《旧唐书》卷一四九《沈传师传》。
② 见《旧唐书》卷一九〇中《文苑中·李邕传》，《新唐书》卷二〇三《文艺下·卢纶传》。
③ 如李翱《故检校工部员外郎任君（佶）墓志铭》（《李文公集》卷十四）："君少遭父丧，养母以孝称。京兆尹崔光远表试左清道率府兵曹参军。"
④ 《全唐文》卷三〇五。
⑤ 《旧唐书》卷一六八《萧祐传》。
⑥ 《唐会要》卷七十五《选部下·杂处置》。
⑦ 《文献通考》卷三十五《选举考》八"吏道"引。

"唐世士人初登科或未仕者，多以从诸藩府辟置为重。"①不少人往往科举不中，到河北、山东、河南一带的节度使幕府寻求出路②。有些人虽未从科举出身，但却为好几个州府节镇所辟，出了名，后来终于做了大官，如张建封、薛戎、独孤朗等就是③。

清人王鸣盛曾说："唐人入仕之途甚多。"④这种入仕之途甚多的现象反映了时代的变化，反映了封建统治机构在权力分配上的新趋向，地主阶级中下层中不少人参加到政权机构中来，有的还做了高官，魏晋南北朝世家大族独占仕途，所谓"平流进取，坐致公卿"的局面开始被打破。

二

唐代社会的这种变化也反映在科举取士上，特别是表现在进士科所取人员的社会阶层的广泛性上。

在这方面，杜牧有一段话很值得注意。他在《上宣州高大夫书》中说：

---

① 《容斋续笔》卷一《唐藩镇幕府》。
② 如韩愈《唐河中府法曹张君（固）墓碣铭》："初举进士，再不第，因去，事宣武军节度使，得官至监察御史。"柳宗元《故试大理评事裴君墓志》："射进士策，不中，去过汴，韩司徒弘迎取为从事，以闻，拜太子通事舍人。"又钱易《南部新书》丁卷："李山甫，咸通中不第，后流落河朔，为乐彦祯从事。"
③ 张建封等，见新旧《唐书》有关列传。
④ 《十七史商榷》卷八十一《取士大要有三》。

自去岁前五年,执事者上言,云科第之选,宜与寒士,凡为子弟,议不可进。熟于上耳,固于上心,上持下执,坚如金石,为子弟者鱼潜鼠遁,无入仕路,某窃惑之。科第之设,圣祖神宗所以选贤才也,岂计子弟与寒才也。古之急于士者,取盗取仇,取于夷狄,岂计其所由来,况国家设取士之科,而使子弟不得由之!若以科第之徒浮华轻薄,不可任以为治,则国朝自房梁公以降,有大功,立大节,率多科第人也。若以子弟生于膏粱,不知理道,不可与美名,不令得美仕,则自尧已降,圣人贤人,率多子弟。凡此数者,进退取舍,无所依据,某所以愤懑而不晓也。①

宣州高大夫,当是指高元裕。据吴廷燮《唐方镇年表》卷五,高元裕自会昌五年(845)至大中元年(847)为宣州刺史、宣歙观察使。杜牧于会昌五年十二月由池州刺史改任睦州刺史,这篇上书可能在会昌六年初所作。

杜牧这段话之所以值得注意,不在于杜牧本人对此事的看法,而在于杜牧提出的问题本身反映了中晚唐科举取士中寒门与子弟两种力量斗争的消长,而这种情况是具有时代特征的。这里所谓子弟,是高门大族出身的代称,所谓寒门,大致是指没有世袭政治特权的普通地主出身的文士。从杜牧的话中可以看出这样两点:第一,士族地主出身的子弟已经不能仅仅依靠父祖的官爵和门第出身来取得高位,他们必须走科举取士的道路了。五代人

①《樊川文集》卷十二。

王定保曾经论道:"三百年来,科第之设,草泽望之起家,簪绂望之继世。孤寒失之,其族馁矣;世禄失之,其族绝矣。"①由此可见,科举制度的发展,使得争取科举及第成为获得政治地位或保持世袭门第的重要途径。这也使我们得以理解,为什么中唐以后,表现在科举取士中的斗争往往十分激烈,有时激化为官僚士大夫中公开的朋党之争,因为这不仅仅牵涉到某一个人的宦海升沉,而是关系到地主阶级中不同阶层在政府机构中掌握权力的比重。第二,从总体上说,高门大族在科举取士中的优势已经失去,在某些时候,甚至处于被排斥的劣势地位,如杜牧所说文宗末、武宗初的时候,竟然是"为子弟者鱼潜鼠遁,无入仕路"。尽管杜牧本人早年的处境是比较清贫孤单的,但他毕竟出身于高门,他的祖父杜佑是一代重臣,门第显赫。杜牧是属于子弟之列的,因此他大声疾呼:"科第之设,圣祖神宗所以选贤才也,岂计子弟与寒才也。"表面上似乎站在不偏不倚的立场,实际上是为子弟舒"愤懑",而这也正是高门大族的子弟失去某种优势的反映,因为从社会客观条件来说,高门大族在科举取士的竞争中本来就比寒门处于有利和有力的地位,而这种有利的条件竟然未能起到应有的充分的作用,这不是某一个人的原因,而是反映了历史发展的一种趋向,也就是说,随着封建经济的上升,一般地主土地所有制也得到发展,任何地主已不能世代都保有其土地,政治地位也随着土地所有权的不断转移,而不断地更迭,"诸达官身亡以后,子孙既

---

① 《唐摭言》卷九"好及第恶登科"条。

失覆荫，多至贫寒"①，杜牧的愤懑终究不能扭转客观的历史趋势。

抑子弟、升寒门的情况，并非仅仅见于杜牧的言论，还可以举出几个例子：

（一）文宗大和八年（834）所收进士，多为贫士，有人作诗讥嘲道："乞儿还有大通年，六十三人笼仗全。薛庶准前骑瘦马，范鄸依旧盖番毡。"②把这年的及第进士比喻为乞儿，显然出于公卿子弟的妒嫉和偏见。

（二）据《旧唐书》卷一七七《杨严传》，杨严于武宗会昌四年（844）进士擢第，"是岁仆射王起典贡部，选士三十人，严与杨知至、窦缄、源重、郑朴五人试文合格，物议以子弟非之，起覆奏。武宗敕曰：'杨严一人可及第，余四人落下。'"杨严等五人因为出身世胄，虽然试文合格，也由于"物议以子弟非之"，只放一人及第。那时王起知贡举，华州刺史周墀还特地写诗称贺其选士得人，而且还提到王起早于穆宗长庆（821—824）主举时即以"采摭孤进，至今称之"③。又如《唐摭言》卷十"海叙不遇"条所载："卢汪门族，甲于天下，因官，家于荆南之塔桥，举进士二十余上不第，满朝称屈。"以门第甲于天下的卢汪，竟至于经历二十几次考试，虽然满朝为之称屈，也未能使其一第。

（三）《四部丛刊》本《唐黄御史文集》附录有《昭宗实录》残

①《旧唐书》卷九十六《姚崇传》。
②徐松《登科记考》卷二十一大和八年引《纪纂渊海》。
③周墀《贺王仆射诗序》（《全唐文》卷七三九）。

篇,记乾宁二年(895)二月崔凝知贡举,已取进士张贻宪等二十五人及第。放榜的当日,又敕第二天于武德殿覆试,结果这二十五人中,赵观文、黄滔、王贞白等十五人及第,张贻宪等五人落下,但许以后应举,崔砺、苏楷等四人最劣,落下,并不许再举。《唐摭言》卷七对此加以评论说:"昭宗皇帝颇为寒畯开路,崔合州(凝)榜放,但是子弟,无问文章厚薄,邻之金瓦,其间屈人不少。孤寒中唯程晏、黄滔擅场之外,其余以程试考之,滥得亦不少矣。"按照《唐摭言》所说,则是子弟不问考试成绩如何,率多退落,而所取孤寒中却有不少滥收的。实际情况究竟是否如此,还可研究,但以上事例表明,在科举取士中明显地倾向于孤进、寒门,却是时代的思潮,已不是少数孤立的、偶然的现象了。

三

前面说过,唐人入仕的途径,主要为科举、流外入流和以门荫入仕。从所得的官职来说,科举及第不如门荫,唐时明经、进士及第,再经吏部考试,一般是授予校书郎或县尉的官职,其品阶在正九品、从九品之间,而门荫则即使以最低一级的从五品官来说,其所荫子可授以从八品下的官职。再从数量上来说,科举所取也远不及流外入流的人数。根据徐松《登科记考》所载,进士及第人数,贞观时每年平均约九人,高宗永徽、显庆间每年约十四人,后来稍多,也不过二三十人,再加上明经,总数大约一百余人,而显庆时每年入流的有一千四百人①。开元时国子祭酒杨玚曾对此二者作过比较,说:"窃见入仕诸色出身,每岁向二千余人,方于明经、进士,多十余倍。"②

但科举取士的社会影响却较流外入流和门荫入仕为大。流外入流被称为杂色,受到人们的轻视,使得他们绝大多数不可能向中高级官员发展,在权力机构中起不了多大作用。门荫入仕则被看作袭父祖余绪,也影响他们向高级官员发展。而据有的研究者统计,唐代前期科举及第做到高官的很少,玄宗开元元年至二十二年期间,科举出身的宰相共十八人,占这个时期宰相总数二十七人的三分之二,比重有所增加。在这之后,科举出身任宰相的比例又有所减少,但从德宗贞元时起,及第进士大量进入中高级官僚的行列,宪宗以后,进士在宰相和高级官僚中占据了绝对优势,终唐没有再发生变化,进士科稳定地成为高级官吏的主要来源③。

如果说,在高宗、武后时官至宰相的薛元超自称以不由进士擢第为平生三大恨之一④,只不过是一种谈柄,那末到德宗贞元时韩愈《上宰相书》所谓"今天下不由吏部而仕进者几希矣",就确实是摆在大多数地主阶级文人面前的活生生的现实。韩愈在这篇上书中还进一步说:"方闻国家之仕进者,必举于州县,然后

①《通典》卷十七《选举》五《杂议论》中引刘祥道奏。
②同上,又见《唐会要》卷七十五《贡举上·帖经条例》。
③见吴宗国《科举制与唐代高级官吏的选拔》,《北京大学学报(社会科学版)》1982 年第 1 期。
④见刘𫗧《隋唐嘉话》中。

升于礼部吏部,试之以绣绘雕琢之文,参之以声势之逆顺,章句之短长,中其程式者,然后得从下士之列,虽有化俗之方,安边之画,不由是而稍进者,万不有一得焉。"①这就是说,任凭你有怎么远大的方略,宏伟的抱负,如果不从科举出身中谋取官职,那末什么也办不到。这就是当时的现实生活给予韩愈的认识。

唐朝人把进士及第比喻为登龙门,是因为进士及第后"十数年间"②,就可以"拟迹庙堂"②,是因为"台阁清选,莫不由兹"③。正因如此,所以"方今俊秀,皆举进士"④。进士科成为谋取高官美仕的集中争夺的场所,杜牧所说的子弟与寒士之争,主要也是就进士科而言的。而恰恰在唐朝,特别是中晚唐,应进士举及进士登科的,具有较广泛的社会性,也就是说,唐朝统治者通过进士科试把较广泛的社会阶层的优秀分子吸引到政府机构中来,而不同的社会阶层的人物竞相奔趋于进士科,也使得当时的政治生活、社会风气,以至于文学艺术的发展,表现出某种活力。

现在根据所见到的材料,试对唐代进士举的不同出身加以论述,这些不同出身大致有以下几类:

(一)出身于县吏。《唐摭言》卷八"以贤妻激劝而得者"条记载:

> 彭伉、湛贲,俱袁州宜春人,伉妻即湛姨也。伉举进士擢第,湛犹为县吏。妻族为置贺宴,皆官人名士,伉居客之右,

---

① 《韩昌黎文集校注》卷三。
② 《封氏闻见记》卷三《贡举》。
③ 《唐会要》卷七十六《贡举中·进士》,开成元年十月中书门下奏。
④ 李肇《国史补》卷下。

一座尽倾。湛至，命饭于后阁，湛无难色。其妻忿然责之曰："男子不能自励，窘辱如此，复何为容！"湛感其言，孜孜学业，未数载一举登第。

据徐松《登科记考》卷十四，湛贲于贞元十二年（796）与李程、孟郊等同登进士第，在此之前本是江西宜春的一个小县吏。这里值得注意的是，在此之后，元和二年（807），唐朝廷曾下令，凡曾为州县小吏的，各地不得举送为进士，如《旧唐书》卷十四《宪宗纪》元和二年十二月壬申："进士举人，曾为官司科罚，曾任州县小吏，虽有辞艺，长吏不得举送，违者举送官停任，考试官贬黜。"《新唐书·选举志》上也记叙元和二年这道禁令，说："其尝坐法及为州县小吏，虽艺文可采，勿举。"同样的内容也见于《唐会要》卷七十六《贡举中·进士》。可见当时确有此明文规定。从这个禁令中，可以推知在这之前州县小吏举送进士的情况是不少见的，如前面所举湛贲就是一例。但即使在元和二年以后，仍然有县吏应举及第的记载。如《唐才子传》卷八邵谒小传载：

谒，韶州翁源县人。少为县厅吏，客至仓卒，令怒其不摆床迎侍，逐去，遂截髻著县门上，发愤读书。……咸通七年抵京师，隶国子，时温庭筠主试，悯擢寒苦，乃榜谒诗三十余篇，以振公道。……仍请申堂，并榜礼部，已而释褐。

邵谒本为县厅吏，客人来了，县令还要命他支床迎接侍候，邵谒由于侍候不及，至为县令所逐，其地位之低微可以想见。但他发愤读书,终于在咸通七年(866)以后因温庭筠的援扬而得第。另一例子是汪遵的情况。《唐摭言》卷八《为乡人轻视而得者》载:

> 许棠,宣州泾县人,早修举业。乡人汪遵者,幼为小吏,泊棠应二十余举,遵犹在胥途;然善为歌诗,而深自晦密。一旦辞役就贡,会棠送客至灞、浐间,忽遇遵于途中,棠讯之曰:"汪都(原注:都者吏之呼也),何事至京?"遵对曰:"此来就贡。"棠怒曰:"小吏无礼!"而与棠同砚席,棠甚侮之,后遵成名五年,棠始及第。

此处把许棠对作为县吏的汪遵的轻蔑记叙得极其生动。据《唐才子传》所载,汪遵也是咸通七年进士及第的①。由此可见,元和二年的那道禁令,恐怕实际上没有起多大的作用。

(二)出身于工商市井之家。据《北梦琐言》卷三,四川成都人陈会,出身于酒家,他本人还曾因为"不扫街,官吏殴之"。后来其母"勉以修进,不许归乡,以成名为期"。他大约于开成末、会昌初登进士科②,此时李固言为剑南节度使,得到进士登科的报状,

---

① 关于汪遵应进士举的记载,还可见于《太平广记》卷一八三,《唐诗纪事》卷五十九。

② 徐松《登科记考》卷二十定陈会大和元年进士第,即据《北梦琐言》所载的"大和元年及第"。但《北梦琐言》又谓"李相固言览报状,处分厢界,收下酒旆,阖其户"云云,而据两《唐书·李固言传》,李固言为成都尹、剑南西川节度使,在开成元年十月,会昌初入朝。大和元年李固言官只做到驾部郎中。徐松未考李固言官历,而定陈会于大和元年及第,似误。

命令当地收下陈会家的酒旆,以表示陈会已入仕宦;但其家尚不知陈会已登科,"家人犹拒之"。后来陈会官至剑南的彭、汉二州刺史。这是进士登科者出身于市井酒家的一例。还有几个出身于盐商的例子。如后来官做到宰相的毕诚,本为盐商之子,《新唐书》本传说他一家"世失官为盐估"。由于出身盐商,毕诚应举时还曾受人讥嘲,《北梦琐言》卷三载:

> 唐相毕诚,吴乡人,词学器度,冠于侪流。擢进士,未遂其志,尝谒一受知朝士者,希为改名,以期亨达。此朝士讥其醘贾之子,请改为"诚"字,相国忻然受而谢之。竟以此名登第,致位台辅。

又晚唐时人裴庭裕也记:"毕诚,本估客之子,连升甲乙科。杜悰为淮南节度使,置幕中,始落盐籍。"①按我国古代封建社会中,自周秦以来,逐渐形成严密的户籍制度,《唐律疏议》卷十二称"率土黔庶,皆有籍焉";《唐会要》卷八十五"籍帐"条载:"开元十八年十一月敕,诸户籍三年一造,……并装潢一通,送尚书省,州县各留一通。"从事盐业的工商户称作盐户,《魏书》卷五十七《崔游传》就有这一名称。从白居易的《盐商户》、元稹的《估客乐》、张籍的《贾客乐》等诗中,可以见出中唐时盐商就已相当活跃。毕诚由盐商之子登进士第,后又仕宦,"落盐籍",这对于古代所谓"工商世家"是一个发展。

---

① 裴庭裕《东观奏记》卷下。

另外，据唐尉迟枢《南楚新闻》所载，咸通六年进士登第的常修，为江陵某盐商子，"才学优博，超绝流辈"。又《唐诗纪事》卷六十七载顾云为"池州鹾贾之子"，咸通中登第（《登科记考》卷二十三据《永乐大典》所录《池州府志》，顾云于咸通十五年进士登科）。晚唐诗人罗隐分别有诗寄赠常、顾二人①。

以上，如酒家之子陈会中第后官至州刺史，盐商之子毕諴进士及第后官至宰相，顾云、常修等又与一些著名诗人来往，都说明唐代工商业者的地位比隋代以前有了显著的提高。当然，市井之家能否应举，在唐代也不是没有争论，白居易有一道判，就反映了这种争论，判题为："得州府贡士，或市井之子孙，为省司所诘。申称：群萃之秀出者乎，不合限以常科。"白氏的判词为：

> 唯贤是求，何贱之有？况士之秀出者，而人其舍诸？惟彼郡贡，或称市籍；非我族类，则嫌杂以萧兰；举尔所知，安得弃其翘楚？……拣金于沙砾，岂为类贱而不收；度木于涧松，宁以地卑而见弃？但恐所举失德，不可以贱废人。况乎识度冠时，出自牛医之后；心计成务，擢于贾竖之中。在往事而足征，何常科而是限？州申有据，省诘非宜。②

按《白居易集》卷六十六、六十七两卷所载皆为判词，即所谓

①罗隐有《广陵秋夜读进士常修三篇因题》（《全唐诗》卷六五七），《东归别常修》（同上卷六六四），《送顾云下第》（同上卷六六三）。
②《白居易集》卷六十七。

"百道判",是白居易于贞元十八年冬应吏部试书判拔萃科前练习之文,练习时须揣摩当代时事。判题中所说的州府所贡举子中有市井即工商户的子弟,而为礼部所诘难,州府不服,这算是反映了当时的实际情况,说明唐代中期在市井出身的人能否应举这一点上有所争论,而这种争论的本身也说明了市井出身的人在经济地位得到一定提高的同时,相应地要求在政治上有所发展。白居易在这一问题上是明显地站在市井之家一边的。他明确地提出"唯贤是求,何贱之有","不可以贱废人"的主张,既标明青年白居易反传统的思想,也表现市井力量的增长已达到了地主阶级文人能为其利益呼吁的程度,这无论对于研究唐代科举史和唐代社会史,都是令人感兴趣的材料。

(三)出身于僧道的。唐代由僧还俗应进士举而得名的,最著名的是诗人贾岛,这是大家熟知的例子。又如与白居易在江州时有过交往的刘轲,早年也曾为僧。《唐摭言》卷十一《反初及第》谓:"刘轲,慕孟轲为文,故以名焉。少为僧,止于豫章高安县南果园;复求黄老之术,隐于庐山;既而进士登第。"开成元年(836)进士及第的蔡京,也是僧人出身,而且在僧人中地位是较为低微的,令狐楚为义成节度使时,"因道场见于僧中,令京挈瓶钵"[1]。由于得到令狐楚的赏识,遂还俗读书。宋朝人蔡宽夫《诗话》说:"唐搢绅自浮屠易业者颇多"[2],是有一定根据的。

---

①范摅《云溪友议》卷中。蔡京开成元年登进士第见徐松《登科记考》卷二十一。
②见郭绍虞《宋诗话辑佚》第411页。

当然，僧人出身而应举的，不一定就能考中，《北梦琐言》卷三曾记有一事，说五代梁时张策早年为僧，后还俗应举，"亚台（当是赵崇——引者）鄙之，或曰：'刘轲、蔡京得非僧乎？'亚台曰：'刘、蔡辈虽作僧，未为人知，翻然贡艺，有何不可。张策衣冠子弟，无故出家，不能参禅访道，抗迹尘外，乃于御帘前进诗，希望恩泽，如此行止，岂掩人口。某十度知举，十度斥之。'"从这话里，可知刘轲、蔡京无论为僧或反俗时，都是一般平民，"未为人知"，像贾岛那样在长安应举，所过的更是穷苦生活，如贾岛《下第》诗说："下第只空囊，如何住帝乡。"①张籍《赠贾岛》诗："拄杖傍田寻野菜，封书乞米趁时炊。"②相反，衣冠子弟出身由僧返俗而应举的，像张策那样，却要受到排斥。但到了宋代，则明文规定僧道归俗之徒一概不许应进士举③，可见唐代在取士的范围上还比宋代广泛。

至于曾为道士，后还俗应举的，唐人著名的有大历十才子诗人之一的吉中孚，《新唐书·艺文志》著录其诗一卷，称其"始为道士，后官校书郎，登宏辞"。《唐才子传》卷四小传也载他"初为道士"，后"第进士，授万年尉"。又有晚唐诗人曹唐，也曾为道士④，他与罗隐有往还⑤，也以能诗名于当时⑥。

---

①《贾浪仙长江集》卷三。
②《张籍诗集》卷四。
③《文献通考》卷三十《选举考》三"举士"，载宋朝应进士者，"不许有大逆人缌麻以上亲及诸不孝不悌、隐匿工商异类、僧道归俗之徒"。又见《宋史》卷一五五《选举志》一"科目"。
④《郡斋读书志》卷四中"曹唐诗一卷"下注，又见《唐才子传》卷八。
⑤见《增修诗话总龟》卷三十七。
⑥见《太平广记》卷三四九《曹唐》引《灵怪集》。

（四）出身于节镇衙前将校之子的。如《北梦琐言》卷四载：

> 尔来余知古、关图、常修，皆荆州之居人也。率有高文，连登上科。关即衙前将校之子也。及第归乡，都押已下，为其张筵，乃指盘上酱瓯戏老校云："要校卒为者。"其人以醋樽进之曰："此亦校卒为者也。"席人大噱。

中晚唐时节镇属下将校，虽也掌握有一定的武力，有一定的权势，但社会地位毕竟是不高的，其子弟得能进士及第，同列视为荣耀，故关图及第归乡时，"都押已下，为其张筵"。从席上的戏谑看来，也可反映及第新进士关图对父辈的轻视。

（五）由方镇幕府再应进士举的。中唐以后，文士有已经礼部试及第，而吏部试不合格的，入方镇幕府谋求仕进，如韩愈就是；也有未及礼部试先入方镇幕府，然后再应进士举的，这部分人往往出身寒门，势孤力单，倚所从事的节镇为奥援，再应进士举。如《旧唐书·李商隐传》："（令狐）楚镇天平、汴州，（商隐）从为巡官，岁给资装，令随计上都。开成二年，方登进士第。"又同上书卷一七八《赵隐传》："会昌中，父友当权要，敦勉仕进，方应弓招，累为从事。大中三年，应进士登第。"

（六）外国籍应进士举的。如宣宗大中二年（848），大食国（即阿拉伯）人李彦，得宣武军（汴州）节度使卢钧的荐奏，以进士及第①。从现在记载的材料来看，在唐应进士举的，以朝鲜人为

———————
① 见《全唐文》卷七六七。

最多。较著名的有晚唐时崔致远,乾符元年(874)进士及第后还在唐朝做官,他所著的《桂苑笔耕集》为研究晚唐史提供了很有参考价值的史料。《桂苑笔耕集》卷首自序中说:"臣自年十二离家西泛,当乘桴之际,亡父诫之曰:'十年不第进士,则勿谓吾儿,吾亦不谓有儿矣。'……臣佩服严训,不敢弭忘,悬刺无遑,冀谐养志,实得人百之己千之。观光六年,金名牓尾。"可见唐朝的进士考试对异国人士的吸引力。

当时朝鲜人来唐朝应试,与中华人士结成友谊,他们的才艺也为人们所钦佩。如《太平广记》卷五十三《金可记》:"金可记,新罗人也,宾贡进士。性沉静好道,不尚华侈,或服气炼形,自以为乐。博学强记,属文清丽,美姿容,举动言谈,迥有中华之风。俄擢第,于终南山子午谷葺居,怀隐逸之趣。"另外如晚唐诗人张蟜有《送友人及第归新罗》诗①,贯休有《送新罗人及第归》诗②。又如《登科记考》卷二十三僖宗光启元年(885)进士及第崔彦㧑,也是新罗人,徐考引《东国通鉴》,说崔彦㧑"禀性宽厚,自少能文,年十八入唐登科,四十二还国"。

这些外国籍人士在唐应进士举,有些是及第后归还本国,有的则及第后就留在唐朝做官。他们从一个侧面反映了唐朝进士出身的广泛代表性。

(七)出身于贫寒士人。唐代每年应科举的人数大约一千余人,出身于地主阶级较下层的有不少。他们一般在政治上无特

①《全唐诗》卷七〇二。
②贯休《禅月集》卷二十一。

权,没有权贵势要之家作为靠山,经济上也没有多少积蓄,几次下第,奔波道路,不免坎坷。唐人诗文、笔记及传奇小说中对此有不少描写。如中唐新乐府运动的著名诗人王建在送张籍的诗中就说"所念俱贫贱,安得相发扬"①;王建又自称"衰门海内几多人,满眼公卿总不亲"②,表明他与张籍都是贫寒出身。晚唐古文家孙樵写他在长安应举时落拓困顿之状,谓:"长安寓居,阖户讽书,悴如冻灰,癯如槁柴",甚至于"长日猛赤,饿肠火迫,满眼花黑,晡西方食;暮雪严冽,入夜断骨,穴衾败褐,到晓方活"③。真是到了无以自存的地步。《太平广记》卷七十四《陈季卿》篇,就写江南士人陈季卿,辞家十年来长安应举,"志不能无成归,羁栖辇下,鬻书判给衣食"。沈亚之叙述清河张宗颜的情况,更为凄惨。张宗颜与沈亚之同在长安应进士举,后离去,其亲丧,贫不能葬,竟至于与其兄"东下至汴,出操契书,奴装自卖",把自己打扮成奴仆模样,标价出售,"闻者皆恸感流涕,然盈月不得售"④。《唐摭言》卷八还记述一则富有传奇性的故事:

> 公乘亿,魏人也,以辞赋著名。咸通十三年,垂三十举矣。尝大病,乡人误传已死,其妻自河北来迎丧。会亿送客至坡下,遇其妻。始,夫妻阔别积十余岁,亿时在马上见一妇人,粗缲跨驴,依稀与妻类,因睨之不已。妻亦如是,乃令人

①《王建诗集》卷四《送张籍归江东》。
②同上卷八《自伤》。
③《孙樵集》卷七《寓居对》。
④《沈下贤文集》卷七《与李给事荐士书》。

诘之，果亿也。亿与之相持而泣，路人皆异之。后旬日，登第也。

《唐摭言》载此事，标题为"忧中有喜"，实际上这是极有代表性的唐代进士考试中的悲剧，这种悲剧对于一些出身贫寒的读书人来说，是会经常遇到的。试想，从上面所举数量不多的例子中，我们已经可以看到，应举者，有的饥无食，寒无衣；有的靠卖文字过日；有的父母死了，只得卖身为奴来为双亲办丧事；有的夫妻分别十余年，遇见时几乎不能相认，相认后抱头大哭。不管这些人究竟是否能够及第，他们能为州府所贡，跑到京都长安来，互相结交，并在文学作品中得到表现，这无论在社会生活中，或唐代的文学创作中，都会带来过去时代所不可能有的新的东西，特别是在中晚唐，他们已经构成进士试中的主体。

四

当然，我们还应看到，一些高门大族及新兴的贵族官僚，在科举取士上仍有不可忽视的影响，他们通过政治、经济等各种纽带，插手科场，企图把持选拔权，力求把公卿豪门的子弟通过进士试，在中央和地方上取得要职。只看到唐代进士试中社会阶层的广泛性，不看到势要之家对科举取士施加的影响，也是不对的。如穆宗长庆元年进士试，知贡举钱徽因受人请托，为元稹等告发，穆宗遂命王起与白居易覆试，《旧唐书》卷一六四《王起传》就记述当时科场的情况是:"贡举猥滥,势门子弟,交相酬酢,寒门俊造,十弃六七。"文宗时,杨虞卿身为大官,而又"阿附权幸",每年"为举选人驰走取科第,占员缺,无不得其所欲"(《旧唐书》卷一七六《杨虞卿传》)。杨虞卿之所以能如此,是由于宰相李宗闵的支持,"李宗闵待之如骨肉"(同上)。王凝于晚唐时知贡举,因他秉心坚正,能拔取寒俊,不受权豪的请托,终于受到排挤,出为商州刺史(《旧唐书》卷一六五《王凝传》)。司空图所作的王凝行状对此有具体的记述,说:"中外之议,谓公不司文柄,为朝廷缺政,竟拜礼部侍郎。韦澄迈在内廷,悬入相之势,其弟保殷干进,自谓殊等不疑,党附者又方据权,亦多请托,攘臂傲视,人为寒心。公显言拒绝,及榜出沸腾,以为近朝难事。……久之,时宰竟用抗己,内不能平,遂致商于之命,尚帖御史大夫以塞群议。"(《司空表圣文集》卷七《唐故宣州观察使检校礼部王公行状》)又如宣宗大中十四年(860),裴坦主举,"中第皆衣冠士子,是岁有郑义则故户部尚书瀚之孙,裴弘故相休之子,魏当故相扶之子,令狐滈故相绹之子,余不能遍举"①。有人统计,范阳大族卢氏,自德宗兴元元年(784)至僖宗乾符二年(875)的九十二年中(这九十二年中有二年停贡举,实际为九十年),卢氏一门中登进士第的有一百十六人,别的科目还不计算在内②。有些大族还买通主考官,施行贿赂或要挟等手段,上下其手,控制取士权,如《唐语林》卷三载:"牛、孔数家,凭势力,每岁主司为其所制"(《赏誉》);卷四载:"崔

---

① 《册府元龟》卷六五一《贡举部·谬滥》。
② 见钱易《南部新书》己卷,王谠《唐语林》卷四《企羡》。

瑶知贡举,以贵要自恃,不畏外议;榜出,率皆权豪子弟"(《方正》)。南唐人刘崇远《金华子杂编》卷六载:"崔起居雍,甲族之子(原注:雍字顺中,礼部尚书戎之子),少高令闻,举进士,擢第之后,蔼然清名喧于时,与郑颢同为流品所重(原注:颢,太傅纲之子,宣宗时尚万寿公主,恩宠无比,终礼部尚书、河南尹)。举子公车,得游历其门馆者,则登第必然矣。时人相语为崔郑世界,虽古之龙门,莫之加也。"类似的例子还有不少,不再枚举。

但这些只能看作门第势力的残余,至于一些占据高位的官僚贵族,通过各种手段,为其子弟通关节,以期通过考试而进入官场,则宋至清的科场中也屡见不鲜,不独唐代为然。应当说,唐代进士及第者出身的广泛性,不单唐以前所未有,也是宋以后所不能比的,它反映了唐代处于封建社会发展极盛时期的一些特点,这对于当时的政治,以及文化思想、文学艺术的发展,都具有显著的影响,带来新的内容。

原载《中华文史论丛》1984 年第 2 辑,此据安徽教育出版社1998 年版《当代学者自选文库·傅璇琮卷》录入

邓绍基《杜诗别解》序

　　绍基先生数年来于忙中作暇，研读杜诗，并写成随札，陆续发表于报刊，今又将所作汇集成书，名曰《杜诗别解》，交付出版，又函示命于书前缀以数言。我因在出版社工作，得获先睹，受而读之，谨略陈所感，以求教于作者和学界。

　　在中国古代文学作品中，因后世研究者之众多，笺注评论材料之丰富，可以具备条件建立学术史的，大概首先推《诗经》、楚辞、《文选》、杜诗、《红楼梦》五种。《诗经》学、楚辞学、《文选》学、杜诗学、红学，几乎与作品本身同样具有独立研究的价值。应当说，在悠久的中国古典文学研究历史中，还有不少作家作品可以建立学术史的，我们还应该有乐府学、唐诗学、元杂剧学等等。开展学科史的研究，将是提高研究素质的有效途径，会大大丰富古典文学整体研究的内容。绍基先生的这部《杜诗别解》，将与建国后出版的其他几部杜诗研究一起，成为我们新时期杜诗学有所建树的著作，而受到人们的注意。

　　大凡每一种学科，其积累的资料愈多，传统的包袱也愈重。传统中当然有好东西，但弄不好，这整个包袱也会把人压得喘不过气来的。杜诗在宋代就已有千家注之称，明清两代，评注者之多，迥出乎诸家之上。这之中似乎有两种情况，一种如钱谦益在《草堂诗笺元本序》中所说的："今人注书，动云吾效李善。善注《文选》，如《头陀寺碑》一篇，三藏十二部，如瓶泻水；今人饾饤拾取，曾足当九牛一毛乎？颜之推言观天下书未遍，不得妄下雌黄，何况注诗，何况注杜。"另一种如季振宜为钱注杜诗所作的序所说："后生轻薄，喜谤先辈，偶得一隅，乃敢奋笔涂抹改窜，参臆逞私，号召于人曰：'我注杜诗矣！'是犹未能坐而学揖让，未能立而学步趋。"后一种之病在于不读书而舛陋，季振宜对此是挖苦得很刻薄的；前一种，陈义虽高，但容易食古不化，以致泛滥踳驳，割剥支离。从总体来说，古代讲说杜诗者，似以前一种倾向为主。黄庭坚有一句名言，说："老杜作诗，退之作文，无一字无来处。"（《答洪驹父书》，《豫章黄先生文集》卷十九）自从江西诗派倡一祖三宗之说，奉老杜为诗祖，山谷的这句话也就一直为学杜者、注杜者奉为圭臬，而山谷的更有价值的话却不大为人所知：

> 子美诗妙处，乃在无意于文。夫无意而意已至也，非广之以《国风》、《雅》、《颂》，深之以《离骚》、《九歌》，安能咀嚼其意味，闯然入其门耶？……彼喜穿凿者，弃其大旨，取其发兴于所遇林泉、人物、草木、鱼虫，以为物物皆有所托，如世间商度隐语者，则子美之诗委地矣！（《大雅堂记》，《豫章黄先生文集》卷十七）

黄庭坚的这段话真说得好，这是他中年以后，历尽仕途坎坷，又提炼其创作之所得,发自肺腑的话。金元时期的元好问,也正因为注意到了《大雅堂记》这篇文章,才感叹道:"近世惟山谷最知子美!"(《杜诗学引》,《遗山先生文集》卷三十六)学术史上的这些经验之谈,无论对于我们今天的创作和研究,都是有益处的。

从传统杜诗学的繁杂、穿凿这一倾向,回过头来读绍基先生的《杜诗别解》,则其特点(或优点)就会看得更明显。作者似乎并不打算把摊子铺得太大,他主要守住清代的几部注杜名作,即钱谦益、杨伦、仇兆鳌、浦起龙几家注本,从这几位有代表性注家的意见中引出歧义,由此而征引有关的材料,断以己意。我个人觉得这实在是机智的做法,很可为青年学人效法的。还可以看出,起初发表的几篇,像下棋那样,似乎还走得较为拘谨,所用的材料,大致也为通常所及,后来则逐渐走动自如,材料的征引扩展到不少如天文律算、佛道谶纬等冷僻的书。但本书倒并不以材料见长,而是能把材料及时收束,不使之旁溢,从前人种种附会割剥中,寻求杜诗的本意;在考订是非、解释疑滞中,不故作高深,不生立奥义,而是结合杜甫作诗时的环境与心情,作实实在在的探讨,每读一篇,都使人有化繁从简、弃芜存菁、推腐致新的感觉。我想,书名"别解"者恐以此,而非如作者嘲戏者之所云。

绍基先生 50 年代中期毕业于复旦大学中文系,分配到中国社会科学院(当时称哲学社会科学部)文学研究所。那时的文学研究所还设在北京大学哲学楼。我也于同年毕业于北京大学中文系,留作浦江清先生的助教,当时中文系在文史楼。哲学与文史二处,隔楼相望,由于同行,也偶有过从;后因他专攻元明清戏曲小说,又长期担任所内的行政领导工作,我则因兴趣在诗文方面,又加种种人事原因,行迹日疏,二人的交往倒确实可以称得上是"淡如水"的。但他为人的质直则一直留在印象中。因此当他在报刊上发表读杜的文章时,我最初是很吃惊的,担心他除原来的摊摊外,又另辟新地,是否铺得太开,顾不过来。陆续读了几篇之后,感到这份担心是多余的了。现在读了全书,更另有一种体会,那就是我们搞古典文学的人如何力求使自己的学问面扩展得开一些,视野更阔大一些。我们往往看到老一辈学者,他们做学问的面是很宽阔的,博大与精深,往往是造就大学者两个互为联系的条件。由于种种原因,我们这一时代的中青年学者,往往在一个或几个点上钻研有一定的深度,但往往是点,不是线,至于连成片,或较大的面积,恐怕是极少极少的了。这应当说是一个时代的缺陷,从长远来看,对整个学术进展是不利的。现在绍基先生从他原有的元明清戏曲小说涉足于唐朝开宝大历时期的杜甫,即不论其实际达到的成就,单是这种研究的趣向和方法,就是很值得我们思考的。我想,我们一些年轻学者,于此也可考虑治学方法上的一些问题。我们在讨论从国外引进某些新理论、新方法,或吸收自然科学研究的某些成果时,适当结合我们民族的传统,注意总结我们同时代学者行之有效的实践经验和治学成果,是会有助于方法论的创新和探索的。

由此,我还想到《世说新语》中的一则记载:

愍度道人始欲过江,与一伧道人为侣,谋曰:"用旧义往江东,恐不办得食。"便共立"心无"义。既而此道人不成渡,愍度果讲义积年。后有伧人来,先道人寄语曰:"为我致意愍度,'无'义那可立? 治此计权救饥尔,无为遂负如来也!"
(《世说新语·假谲》篇)

这是一个古老的故事。但不知怎的,当我读到某些深文奥义使人
难以捉摸的文章,就常常想起那位伧道人的话来。我与绍基先生
同样,这儿年做学问,基本上还是老一套的路子,可能为有识者所
笑,但所幸皆未故树新义,以负如来,或可以此互勉云。

1984 年 12 月

原载中华书局 1987 年版《杜诗别解》,此据大象出版社 2008
年版《学林清话》录入,另收入黑龙江人民出版社 1992 年版
《唐诗论学丛稿》、湖南人民出版社 1997 年版《濡沫集》(题
为:别出新解   如实探讨)、京华出版社 1999 年版《唐诗论
学丛稿》

从《张说年谱》所想到的

　　最近读了一本《张说年谱》，香港中文大学出版社1984年出版。作者陈祖言同志现在在美国攻读博士学位，这本年谱原是他的硕士学位论文。我觉得选择张说一生撰写成年谱，说明了我们研究者文学观念的某些变化。

　　我对张说曾是较早注意到了的。我觉得，唐代文学在由初唐转入盛唐的发展过程中，他是一个关键性人物。在《唐代诗人丛考·王翰考》中，我曾对此有所论述。

　　《张说年谱》的《前言》中说："《旧唐书·张说传》称张说'喜延纳后进'。张说所奖掖的文学后进（包括一些和他年龄差不多的人），现在我们能考知的就有：张九龄、贺知章、徐坚、孙逖、王翰、徐安贞、许景先、袁晖、袁述兄弟二人、赵冬曦兄弟二人、齐瀚、王丘、徐浩、裴灌、尹知章、吕向、王湾、常敬宗、崔沔、康子元、敬会真等二十余人（还有些当时以文学受知于张说，日后却并非以文学著称者，如房琯、李泌、刘晏等）。这简直就是一张开元前期的文学家名单！这批人，又提携了一批盛唐的大师，如张九龄之于孟浩然、王维，贺知章之于李白，孙逖之于李华、萧颖士。可以说，张说的'延纳后进',对唐代文学的发展,意义是重大的,影响是深远的。"

但就是这一当时享有大名、文学发展上起过一定承前启后作用的人物,在我们的一些文学史著作中,却没有得到应有的重视,长期以来,无论在唐代文学的研究和教学中,张说仅仅是一笔带过,有的甚至连名字也未提到。

造成这一情况的原因,我想是否有两点:第一,我们的文学史结构,长期以来,受到旧的框架的束缚,好像一个个作家评传、作品介绍的汇编,史的叙述很不够。这样,就很难从某一历史时期文学的总趋势出发,对文学发展的倾向和动向加以宏观的考察,对某些文学人物的历史活动作出合乎实际的论断。文学的历史上往往有这种情况,他们在文学上的业绩,主要不在于他们个人的作品,而是他们的活动促进了文学的发展和繁荣。如果不把握总的历史趋向,而仅仅着眼于个人作品的评论,那么像张说这样的文学人物就会摒弃于文学史叙述之外,或者放在无足轻重的地位。第二,我们在一个很长的时期内,往往仅从文体上来判断作家成就的高下,而对于某些文体,又缺乏历史的分析的态度。骈文就是一个突出的例子。有个时期,往往把骈、散两种文体的关系说成形式主义和现实主义的斗争,把事情看得非常绝对化,似乎写散文的就有时代性和现实性,而写骈文的无非是吟风弄月,流连词藻,不值得一提,尤其是以骈文的体裁写碑传墓志,则似乎更是为王公贵人歌功颂德的谀墓之作。因此,当时号称"大手笔"的张说,今天只能在批判性的叙述中找到其位置。这种看法,陈义虽高,但却是脱离文学发展的实际。不说汉魏六朝,即以唐朝来说,如果去掉骈文,那么唐文的成就就要重新作出评价。特别是初盛唐,就文来说,简直可以说是骈文的天下,其中脍炙人口的作品,我想,即使只接触过《古文观止》那样选本的读者,也会举出好些篇来的。

研究的方法,总是在一定程度上反映人们对研究客体的认识,当然也反映研究主体在认识进程中对事物内在规律探求的尺度。这些年来,古典文学的研究,也同整个文艺学的研究一样,在方法论上有所开拓和创新,这是十分可喜的现象。我觉得,我们一方面固然应该就方法论本身进行理论上的探索,而另一方面更重要的,则是要踏踏实实地做出实际的成绩。

从以上就古典文学、特别是唐代文学的研究背景来看,陈祖言同志选择张说这一历史人物作成年谱,这一选题本身就有非常积极的意义,这既体现了作者的文学历史观,也体现了符合于文学研究这一学科本身发展所需要的新的方法论。

祖言同志是年轻的研究者,他还有着自己的发展。《张说年谱》目前也还难于说是一部名著,书中有些地方表现了年轻匠者的斧凿痕迹,有些地方在史料的运用上还可斟酌。但尽管如此,我觉得书中也确实表现了方法上的开拓和创新。作者把重点放在张说后期政治上居高位时的文化设施,着重记述了他对不少文士的奖掖,以及出于积极爱护之心的评论,这就抓住了张说的根本,也抓住了初盛唐文学发展中的契机。而同时,作者又恪守年谱撰写的传统要求,对张说生平的某些细节作了令人信服的考证。如张说的籍贯,他自己及同时代人称范阳,《旧唐书》等史传记载为洛阳,而据作者考查应是河东;张说制举登第,《新唐书》等说是永昌元年,清人徐松《登科记考》说是垂拱四年,据作者考订应为载初元年;张说迁荆州之年,唐史学者岑仲勉《唐史余沈》提出开元五年、六年两种可能,经作者判断是开元五年,等等。这些,看来似乎是细微末节,但如果没有扎实的功夫,凭"花架子"是做不出来的;而且有些问题可由小见大,如籍贯问题,可以看出人们观念是怎样受时代的局限而又如何随时代而变化,张说自称范阳,无非是想攀附高门大族,受旧的门第观念影响,而他在政治和文学上的主张,却又是那样的革旧变新。——历史的复杂性就是如此,严肃的著作不应回避这种复杂性,而应当通过对这种复杂性的剖析,说明历史是怎样在迂回中前进。我觉得,在这一点上,《张说年谱》也说明了,传统形式和新方法应当有恰当的结合,我们在探索方法论上的革新时不应抛弃传统形式中值得肯定的一面,而且,在传统形式的运用上有扎实的基础,将会更有助于研究方法的探索和创新。

原载 1985 年 8 月 13 日《光明日报》,此据北京联合出版公司 2013 年版《濡沫集》录入,另收入黑龙江人民出版社 1992 年版《唐诗论学丛稿》、湖南人民出版社 1997 年版《濡沫集》、京华出版社 1999 年版《唐诗论学丛稿》

《杨万里范成大研究资料汇编》重印后记

　　本书编成于 1960 年至 1962 年间,当时我正从事于宋代诗文的探讨,想从资料积累着手,整理出一些诗文发展的头绪。那时我在业务上似乎还有些雄心壮志,想在年纪还轻的时候,对宋代诗文作一些较为全面的探索。其时我对唐代文学也还不很熟悉,但总觉得,宋诗研究的基础,比起唐诗来,是不够坚实的,其中原因很多,但资料准备不足是一个重要的原因。在 50 年代末、60 年代初,搞宋代诗文的资料,在古典文学研究界中,似乎还是一个冷门,很多人是不屑一顾的。比起那时的一些轰轰烈烈的情况,我本人也算是"冷门"中人,因此觉得,以我这样的人来搞这一冷门,倒是十分相宜的。于是白天做编辑工作,阅看上起《诗经》,下至《人境庐诗草》的稿子,晚上和星期天,就看我所喜爱看的宋人集子及有关材料,不仅不以为苦,反而自得其乐,觉得冷热搭配,颇有陶渊明"时还读我书"的那种味道。就在这几年中,我"偷空"搜集了黄庭坚和江西诗派,以及杨万里和范成大的研究资料。我至今还铭感那时在中华书局主持古典文学编辑室工作的徐调孚先生,他冒着一定的风险,把这些资料列入《古典文学研究资料汇编》的大项目之中。《杨万里范成大卷》出版于1964年2月,《黄庭坚和江西诗派卷》的字数较多,有七十几万字,在1964年间也已付型,但因故到1979年才正式出版。这部书出版时,把一生的全部心血献给出版事业的调孚先生却已于"文革"中强迫退休,远在四川北部的江油居住。我马上寄呈一部给调孚先生,记得当时还得到他的一封简短的回信,过了不久,他就在江油去世。后来我有机会检寻《黄庭坚和江西诗派卷》的校样,看到他那时用毛笔在上面改正错字的旧迹,不禁泪下。

往事真似流水,一晃二十年就过去了,确如苏东坡所说,"事如春梦了无痕",繁杂的日常生活是会把过去的喜怒哀乐逐渐冲淡的,现在重新提起,我只不过借重印的机会回顾一下宋代诗文研究情况的一个极小的侧面,并想说明搞资料工作是要有坐冷板凳的精神准备的。同时,也希望借此纪念徐调孚先生,他早已是位名人,但平时在办公室内却做着极细琐平凡的事情——正是这点,是使人难以忘怀的。

这些年来,宋代诗文的研究有了很大的进展,"冷门"似乎变成了"热门",这未始不是事物发展的正常现象。当初我为了辑集范成大的佚文,把出版不久的《永乐大典》残存影印本翻阅了一遍,虽然有所收获,但这种单打一的工作方法终究是不足取的。近些年来,有关范成大诗文的辑集又有所进展,如1983年7月,中华书局出版了孔凡礼先生的《范成大佚著辑存》一书,承孔先生在《前言》中提到我过去做过的工作,实际上他所辑集的已远超过了我。就在这一极小的范围内,也可以见出我们的古典文学的研究是在怎样的进展着。至于对于杨万里、范成大生平事迹的考订,对他们作品的思想内容和艺术特点的论析,则已有一些文章在报刊上刊登。我现在的研究重点已经不在宋代,但对宋代文学仍有浓厚的兴趣,看到宋代文学研究的新成就,总有一种欣悦之情,会使我想起二十多年前犹似荒漠中摸索行进的情景,这或许也是一种怀旧吧。

本书最初出版于1964年2月,1965年6月重印过一次,那次重印时对《前记》作了较大的修改,是重排了的。1964年2月的《前记》中有一处说:"宋诗在唐诗以后,开拓了新的局面。人们一提起宋诗,就会产生与唐诗不同的感受。唐诗中有各种不同的风格,不同的流派,宋诗中也有各种不同的风格,不同的流派,但是很奇怪,在各自的错综复杂的诗歌群中,确有一种稳定的共同体存在,形成一个时代的诗风。"当时我写这一段话,对唐宋诗风的认识还很肤浅,说得不是很明确,只不过表示我对唐宋两代诗歌特点的一种直感,这种认识在学术研究上应当是允许的。但书出版后刚好碰上批判所谓"合二而一"论,以及什么"时代精神汇合"论。出版界照例是"城门"下之"池鱼",不要说是"火",就是一有"火光",也要殃及的。于是在普查出版物之际,也就说上述这段话有这两论之嫌,要改,于是1965年重印时改掉了。现在重提这一旧事,倒不是什么翻案,因为这实在成不了一个案,而且原来的意见也远谈不上什么深刻,我只不过说明,健康的、正常的政治环境对于学术研究是多么的重要,而这也使我们更加珍惜改革开放以来的新局面;我们应当在已取得的基础上有所前进,以不辜负时代和人民对我们的要求。

本书出版后,当时还在中华书局工作的王仲闻先生(即人民文学出版社出版的《李清照集校注》的作者),特从《永乐大典》卷二千二百六十六"湖字韵"中抄录杨万里的儿子杨长孺所撰的《石湖词跋》给我。从这篇跋文中，可以进一步见出杨、范二人的交谊。南宋人对范成大的词评价较少，他的词名为诗文所掩，而这篇跋文却可以向我们提供南宋时人对范成大词的某些看法，今将全文逐录于此，以供参考：

　　石湖先生文章翰墨，其视坡、谷，所谓鲁君之宋，呼于垤泽之门者。今留天地间，已贵珍之，况后世子云耶！吟咏余思，游戏乐府，纵笔落纸，不琱而工，较之于诗，似又度骅骝前也。淳熙戊戌，先生归自浣花。是时家尊守荆溪，置酒卜夜，触次从容。先生极谈锦城风景之盛，宦情之乐，因举似数阕，如赋海棠云："马蹄尘扑。春风得意笙箫逐。款门不问谁家竹。只拣红妆高处，烧银烛。碧鸡坊里花如屋。燕王宫下花成谷。不须悔唱关山曲。直为海棠，也合来西蜀。"如忆西楼云："怅望梅花驿，凝情杜若洲。香云低处有高楼，可惜高楼，不近木兰舟。缄素双鱼远，题红片叶秋。欲凭江水寄离愁，江已东流，那肯更西流。"此盖先生之最得意者。长孺耳剽，恨未饱九鼎之珍也。后九年，忽得余妍亭稿二百十有二阕，遂入宅于石湖无尽藏中，毫发无遗恨矣。又五年，长孺系官二水，丞相益国周公罗致幕下。偶为乡人刘炳光、继先伯仲言之，炳光曰："昔蘧伯玉耻独为君子，足下独私先生之制作，可乎？"长孺对曰："不敢。"乃以授之，俾传刻云。绍熙壬子六月二日，门下士修职郎永州零陵县主簿权湖南安抚使准备差遣杨长孺谨跋。

另外，程毅中同志也曾就他平时披阅所及，就本书所漏收的，向我提供了一份有关范成大的材料线索，计有：《诚斋集》卷八十一《千岩摘稿序》；《诗人玉屑》卷二十一引游次公《送范制置成大入蜀》词；《永乐大典》卷一五一三九引李洪《送范至能帅桂林》诗；明王鏊《范文穆公祠记》，见乾隆修《江南通志》卷三十八，又卷一四〇人物志有范传；叶盛《水东日记》卷十有引范成大为李结记澹塘浦及昆山水利序。其他如《娱书堂诗话》卷上、《定香亭笔谈》卷二、《茶余客话》卷九等，都有范成大的评述资料。

我自己也在平日读书时，发现了一些本书未收的资料。杨万里部分，有宋罗大经《鹤林玉露》卷二"世事翻覆"条、卷十六"诚斋夫人"条等；清人汪伉《小眠斋读书日札》也有杨的材料。又日本人岛田翰《古文旧书考》卷三宋椠本部分有题诚斋，所记甚详，可参，并附该书卷尾刘涣跋语，末署"淳熙丙午十二月朔，门生承事郎新权通判肇庆军府兼管内劝农事刘涣谨启"。关于范成大的部分，计有：宋刘昌诗《芦浦笔记》，《澹庵集》中之《送范至能使金序》，《吴文肃集》之《送范石湖序》。刘将孙《养吾斋集》卷九《送临川二艾采诗序》中也提及范。清马曰璐《南斋集》卷二有《题范石湖复水月洞铭拓本》，为五言古诗。其他如彭遵泗《蜀故》卷九，《昆山志》卷一、卷三、卷四等。

以上这些，这篇后记中就不拟抄录，也不打算作为补编附于书末，读者如需参考，可按上述书目加以翻检。

这里拟加补充说明的是，关于范成大的《四时田园杂兴》的组诗，历史上仿效的，还可举出一些来，如南宋叶绍翁有《田家三咏》（《南宋群贤小集》本《靖逸小集》），其二、其三两首云："田园水坏秧重插,家为蚕忙户紧关。黄犊归来莎草阔,绿桑采尽竹梯间。"
"抱儿更送田头饭,画鬓浓调灶额烟。争信春风红妆女,绿杨庭院
正秋千。"又如明代嘉靖时人区大相的《田家吟》(《区太史诗集》
卷二十七),显然也是摹仿范成大的,其中两首云:"农务虽闲未敢
安,近来生事日艰难。旧租未了新租急,又责金钱供内官。""海内
传闻有赐酺,酿钱相就醉枌榆。诏书又报天南下,不是宽租是索
租。"这些诗都程度不等地接触到社会现实,是范成大《田园杂兴》
诗的积极影响。又如清代沈涛在《交翠轩笔记》(卷二)中提到,
他在大名书院试士时,也曾以"春日田园杂兴"命题,以七律体裁,
让诸生和作,沈涛自己也拟作了一首:"蒲芽短短柳依依,雨足郊
原麦渐肥。新水陂头闲射鸭,夕阳村落竞呼豨。采桑女浴红蚕
箔,荷锸人归白板扉。正是故乡农事起,当年深悔裂荷衣。"也可
见出范诗对后世那些与农村生活尚有一定联系的知识分子的思
想上的启示和感情上的共鸣。

最后我还想提到的是,1958年上半年,我刚到商务印书馆工
作,百无聊赖,竟对清末名士李慈铭产生好感,他的《越缦堂日记》
成为我床头的消遣品,而那时任商务古籍编辑室主任的吴泽炎先
生正好指导我整理《越缦堂读书记》一书,他后来又向我提供了不
少范成大的资料,这里就不再列举。我谨向帮助过我的几位师友
表示诚挚的谢忱。

原载中华书局1964年版《杨万里范成大研究资料汇编》
1985年重印本,此据万卷出版公司2010年版《当代名家学
术思想文库·傅璇琮卷》录入,另收入安徽教育出版社1998

年版《当代学者自选文库·傅璇琮卷》、首都师范大学出版社 2010 年版北京社科名家文库《治学清历》(题无"研究"二字)

《唐才子传校笺》前言

本书拟作为唐代文学史料研究的集体成果呈现给读者。之所以说是集体成果，是因为本书笺证部分的执笔者多人，他们大多是有关研究领域的专家和学术工作者，他们把各自的研究心得运用到笺证中去，同时又注意吸收国内同行的研究成果，努力从高层次上总结目前已取得的作家事迹考证的新成就。我们的目标，是想通过笺证，体现中国学者当前唐代文学研究的水平，为唐代诗学的建立作出一定的、积极的贡献。

我们注意到友邻国家日本学者对于《唐才子传》所作的努力和取得的成绩。日本学者对《唐才子传》版本的考证，切实详确，富有参考价值。我们也高兴地看到布目潮沨、中村乔两位先生所撰的《唐才子传之研究》一书的出版（1972 年 8 月），书中的"资料探源"部分见出日本学者的功力。应该说，关于《唐才子传》的研究，在前一阶段，日本学者是走在前列的。《唐才子传》是中国古代的一部著名著作，作为本国的文化遗产，中国的学者有义务对此作出更大的努力。而在目前，我们的研究实践，已为此书的整理研究，提供了充足的条件。

从 70 年代后期以来,我国唐代文学的研究有着突出的进展,特别是对作家作品的考订更加细致精确。这些年来研究者努力掌握充分的材料,从事于作家生平事迹的考证,以及作品写作年代、真伪存佚的辨析,成果累累,蔚为风气。不但对一些大作家,在前人已有的基础上作更深的开拓,就是一些小家,过去很少涉及的,研究者也抉微探幽,广搜博讨,使诗人们的行踪更加清楚,也从而使我们的理论研究安置在一个扎实的材料基础上。我们的笺证工作,正是在这种富有成果的学术背景下进行的。

　　《唐才子传》共 10 卷,书内立专传者 278 人,附见者 120 人,共 398 家。辛文房在书前的《引》中说他撰写此书时"游目简编,宅心史集"。从书中的记述看来,作者确实翻阅、参考了不少史书、文集、笔记、小说,采集了不少珍贵的材料。即以所载进士登第的年份来说,不仅为查考诗人的仕历提供可靠的线索,而且其本身也成为唐代科举史研究的不可缺少的材料,清代著名学者徐松在他的《登科记考》中就以辛氏此书作为重要的依据。从唐诗学的角度看,我们可以说,辛文房以一西域人,为一代诗人写传,确有非凡的气魄,他的写作这部书,应当看作是一项开拓性的工作,在中国古代似乎只有钱谦益的《列朝诗集小传》能与它比肩。作者的文笔秀润隽洁,模拟《世说新语》,有时也能得其情韵,这也增加其书的可读性。鲁迅先生开列的学习中国文学的书目,所举十二种书,《唐才子传》列为首位。这部书一直为唐诗研究者所重视,是不难理解的。但我们也应看到,辛文房与他的前辈学者、南宋计有功不同,计有功所创建的"诗记事"的体例为中国古代诗学研究开拓了一条新路,他并且还以其广博的见闻记录了唐代诗人及其作品的信实的资料——计有功是一位有建树的文献学家，而辛文房则是别具一格的诗评家。他虽为众多的唐代诗人立传，而其主旨却似乎在因人而品诗，重点是标其诗格，而不在于考叙行迹。因此，毋庸讳言，作者在搜集和排比材料时，有时是十分随意的，这就使得这部书中材料上的疏误几乎随处可见。《唐才子传》一书，价值很明显，缺点也很突出。可惜的是，过去我们的一些研究者，在引用此书时未加复核，往往把它的错误记载作为论证的依据。

本书笺证部分的内容，大致包括：一、探索材料出处；二、纠正史实错误；三、补考原书未备的重要事迹。显然，按照这一要求，用之于《唐才子传》记述到的 390 多人，即无异于对唐五代诗人作全面的生平考证。可以想见，这是一项多么庞大的工程，是足够一位辛勤的研究者劳勤一辈子的——由于个人的精力和条件所限，这样做恐怕也不见得能差强人意。因此，我们采取集体协作的方式，发挥各自的长处，争取在较短的时间，编撰出具有一定学术水平的著作。我个人觉得，这是目前所能采取的最好的方式，是个人单独进行所远不能相比的。开放型的学术研究应当鼓励多种样式的试验，按照内容的要求，选择最佳的工作程序和组织方式。我们邀约有关的研究者共同工作，并采取目前这样的方式，是想在专题著作和古籍整理中探求如何使个人专长和集体协作能有效的配合，同时也包含有一个这样的希望，就是我们不满足于传统意义上的笺证，而是想通过现在那样的笺证的方式，科学地集中和概括作家生平事迹研究的线索，希望这本书能作为有唐一代诗人事迹的材料库，使书中的笺证既是现有研究的成果，又是无限的学术进程中一个新的起跑点。如果研究者能从本书所提供的线索找到有益于继续探讨的材料，就将是我们最大的满足。

本书的校勘统一由孙映逵同志担任。经过比较，采用黎氏（庶昌）珂罗版影印元刊本为底本，而以五山本、正保本、《佚存丛书》本、《四库》本、三间本、《指海》本相校。由于采择的底本较好，错字较少，因此校勘的文字并不多，但细心的读者当会发现，这字数不多的校勘记是包含校者大量的劳动的，因为如果不经过认真的、看来极为琐细的比勘研究，就不可能恰当地确定底本，也不可能作出这些为数虽不多但足资参考的校勘记。校勘的一个原则，是底本不误、他本误者一般不出校，但如误者有一定影响、其版本有一定的代表性，也择要写出校记，以供参考。映逵同志写有《校勘说明》，对辛文房的生平大略，及《唐才子传》的版本情况和校勘体例有扼要的记述。他的工作使本书在文字方面有一个扎实的依据。我在校阅时曾作了某些删改，如有不妥之处，则可能是因我误改所致。

笺证的体例，大致是：凡有生卒年可考的，则尽可能加以考证，或作大致的论断；未有充分材料可以考知的，则不勉强为之。籍贯也是如此。作家先世世系，凡有材料可依据的，其高曾以下则约略叙述，高曾以上一般从略，不作详细的世系考证。凡正史有传的，或私家传述的碑传墓志较为详细的，则择要摘引，不全录原作，以免冗长。诗文集著录，一般限于两《唐书》的《经籍》《艺文》两志及宋代主要的公私书目，不详作著作流传考和版本源流考。与今人意见不同的，只作正面论述，不加辩驳；而引用现有研究成果的,则一概在有关部分注明。年号加括号注公元纪年,籍贯及重要经行地注今地名。引文一般注明出处。为求省文,笺证的叙述文字采用浅近的文言。

卷一,卢照邻传由任国绪(黑龙江人民出版社)担任,骆宾王传由骆祥发(浙江师范大学)担任,储光羲传由陈铁民(中国社会科学院文学研究所)担任,其他则由傅璇琮担任。

卷二,綦毋潜、王维、孟浩然三传由陈铁民担任,薛据传由储仲君(晋东南师专)担任,李白传由郁贤皓(南京师范大学)担任,高适传由周勋初(南京大学)担任,其他则由傅璇琮担任。

卷三,岑参传由孙映逵(徐州师范学院)担任,鲍防、郎士元、灵一、秦系、张众甫、严维、于良史、灵彻、张南史、古之奇、朱湾等传由储仲君担任;张继传由周义敢(安徽大学)担任,顾况传由赵昌平(上海古籍出版社)担任,张志和传由陈耀东(浙江师范大学)担任,陆羽传由储仲君、陈耀东担任,其他则由傅璇琮担任。

卷四,卢纶、韩翃、耿湋、钱起、司空曙、李端、张谓、韦应物、武元衡等传由傅璇琮担任,李益、王建二传由谭优学(西南师范大学)担任,皎然传由赵昌平担任,其他则由储仲君担任。

卷五,卢仝、马异、刘叉、李贺等传由吴企明(苏州大学)担任,戴叔伦传由蒋寅(南京大学)担任,吕温传由刘德重(上海教育学院)担任,李涉、杨巨源、韩愈、朱放、贾岛、王涯、令狐楚、姚系、张登、羊士谔、鞠信陵等传由吴汝煜(徐州师范学院)、胡可先(徐州师范学院)担任,其他则由吴汝煜担任。

卷六,张祜传由吴在庆(厦门大学)担任,其他由吴企明担任。

卷七,许浑、薛逢、赵嘏、薛能等传由谭优学担任,李群玉传由羊春秋（湘潭大学）担任，其他则由梁超然（西北大学）担任。

卷八，由梁超然担任。

卷九，郑谷传由赵昌平担任，其他由周祖譔（厦门大学）、吴在庆担任。

卷十，由周祖譔、贾丽华（厦门大学）担任。

我们希望得到学术界的指正，也希望随着研究的不断进展，今后将不断修改和更新笺证的内容。

启功先生一直关心本书的编写，并特为本书题签，谨致衷心的谢意。

1985 年 12 月

原载中华书局 1987 年版《唐才子传校笺》，此据东北大学出版社 2015 年版《中国当代名家学术精品文库·傅璇琮卷》录入，另收入首都师范大学出版社 2010 年版北京社科名家文库《治学清历》

加强文学史的横向和纵向研究

——重读鲁迅的《魏晋风度及文章与药及酒之关系》有感

　　笔者最近重读了鲁迅先生的《魏晋风度及文章与药及酒之关系》,深受启发。文章论述的精辟且不说,即从方法论的角度来看,也可以给我们许多启示。这篇文章是一九二七年作的,距今已将近六十年,但读起来还是那么新鲜,那么有吸引力。这是为什么呢?

　　我想恐怕有这样三点:

　　第一,鲁迅先生的这篇文章,给人一个突出的印象,就是他是从整体上来把握魏晋文学。文章不是孤立地论这一时期诗歌怎么样,文章怎么样,文学思想又是怎么样,也不是把一些作家逐个儿拉出来排队,说一些赞许或批评的话,而是结合政治斗争、社会思潮、文人生活,以及他们的兴趣爱好、心理状态,作综合的考察。即使初学者或不以古典文学为专业的人,读了也会得到具体的认识,从而把握住魏晋时期文学的特色。系统的整体研究,这是鲁迅先生很早就建立起来的文学史研究的格局。

　　第二,这是一篇论魏晋文学的专题学术论文,正如鲁迅先生所说,这时期的文学,是"材料太少,研究起来很有困难的地方"。

但就是这样一个学术性极强的专题论文,鲁迅先生说来却娓娓动听(原为讲演),通篇用明白如话的文体写成,没有艰涩难懂的语句,不堆砌那些生造的、使人看不懂的名词和术语,真正做到了炉火纯青的地步。这使我想到,我们的文学创作要有民族风格和民族形式,理论研究也何尝不是如此。当然,我们不应排斥引进某些外来的概念、范畴,以及一些自然科学的名词术语,但运用时应当有精确的科学的含义,读了要使人更加明白而不是使人更加糊涂的。研究中国古典文学,不应拘守一定的程式,应当大胆地打破旧框框,注意学习和运用新理论、新方法,这都是不成问题的,但我感到,我们还是应当尽可能地采取我们民族文学中喜闻乐见的形式,这样才能经受得住时间的考验。鲁迅先生的这篇文章就是一个很好的例证。

第三,这篇文章之所以能够如此,是与鲁迅先生对我国悠久的历史文化具有深湛的修养分不开的。厚积而薄发,正因为鲁迅先生对我国传统文化的研究有深厚的根基,透彻的了解,才能举重若轻,三言两语,就切中要害,说明一个大道理。我们知道,鲁迅先生对魏晋南北朝文学是很下过功夫的,他做过为人所不屑做、恐也不能做的一些史书、小说的辑佚,这如果没有潜下心来、甘于坐冷板凳的研究品格,是做不到的。我们只要看文章中提到的一些书名,如东晋人孙盛的《老子非大贤论》、隋朝巢元方的《诸病源候论》等等,就可以知道鲁迅先生是真正读了不少书,融会贯通了,才使他的论述能如此的精湛,又如此的浑然无间。

目下,有关方法论的问题正在古典文学界展开讨论。古典文学界似乎还不是什么顽固堡垒,我们应当相信绝大多数研究者是愿意随着时代改革的步伐,把自己的研究工作与为社会主义服务、为人民服务很好地结合起来,努力开拓研究工作新局面,把我们整个古典文学研究提高到一个新的水平。

目前正在进行的方法论的讨论,的确也有助于开阔视野,活跃思想。对这一讨论,我们应抱积极的态度,盲目附和固然不足取,一概排斥、视而不见也是不必要的。但是,我们应当把问题看准了。古典文学研究在方法论上的问题究竟是什么,这首先要弄清楚,以便对症下药。对某些疾病确实需要中西医结合,但先要查清病情,否则就不是中西医结合,而是中西药乱下。对自然科学研究的成果,或国外的一些新理论、新方法,我们也应有一个大体清楚的了解,譬如所谓"三论",即控制论、系统论、信息论,究竟含义是什么,怎样来应用到文学研究上来,都应使多数研究者看得懂,弄得明白,才能谈得上接受和运用。

重读鲁迅先生的文章,我觉得,在研究方法上,目前应注意的,是应加强横向和纵向的研究。所谓横向的研究,概括地说,就是要求从历史文化总背景下来研讨古典作家和作品。我们过去的文学史论著,似乎已形成一定的模式,先是时代背景即社会概况,再就是一个个作家介绍评析。时代背景、社会概况,中心内容是阶级压迫和阶级斗争形势,于是对作家作品的评价也从是否反映这种压迫和斗争着眼。不是说这种写法不可以,而是说这样作太简单,不符合文学作为意识形态之一的特殊规律。

我们过去对文化史研究的薄弱,也直接影响古典文学的研究。似乎经济基础或当时现实的政治斗争直接作用于文学,而不去研究文化这一广泛而丰富的领域,不考察文化中一些部门对文学的更为紧密的联系和更为深刻的影响。这样,文学史的研究和叙述就显得单薄和乏味。法国丹纳的《艺术哲学》,丹麦勃兰兑斯的《十九世纪文学的主流》,即由于他们注意到文学研究的横向联系,从总的文化史研究着眼,就使得他们的著作才气横溢,富有吸引力。

所谓横向联系,我个人的看法,似乎可包括三方面的内容:一是研究社会民俗与文学的关系。丹纳在论尼德兰的绘画时曾说过:"个人的特色是由于社会生活决定的,艺术家创造的才能是以民族活跃的精力为比例的"(《艺术哲学》第三编)。一个时代的社会生活、民情风俗对于文学的影响,是潜移默化、深刻而全面的,不细心考察,不大容易发觉;但有志者如果从事于此,则必有所获。二是研究文化各领域、各学科与文学的关系,这就是通常所说的开展交叉、边缘的研究。这一方面,当前已谈论很多,这里就不多说。第三,就是对文学创作主体的研究。所谓创作主体,就是文学家本人。过去固然有对作家生平和思想的评述,但深入作家内心世界的实在不多。研究一个时代的文学,如果不研究那个时期文人特有的生活道路、心理状态和思维方式,即他们的整个的精神风貌,就很难说到点子上。一个时代的文学面貌总与那个时代知识分子的精神气质有关。鲁迅先生的文章论魏晋文学,就是着重剖析那一时期文人独有的生活行迹和精神寄托,文章抓住药与酒这两样当时带有社会性的事物,就把那时的文人写活了,也从而把那一时期的文学风貌清楚地勾勒出来了。长时期来,我们对创作主体的研究很差,就直接影响到作品研究的深度。

所谓纵向研究,也就是史的探索。从方法论的角度说,我这里所说的纵向研究或史的探索,不是指文学通史或文体史,而是学术史、学科史。中国古典文学有悠久的历史,中国古典文学的研究也同样有悠久的历史,我们过去往往只注意前者而忽略后者。应当开展对研究的研究,这将是提高研究素质的有效途径。应当总结以往的学科发展史,这方面本身就有丰富的内容。譬如《诗经》,所谓孔子删诗是一个阶段,汉儒说经是一个阶段,宋是一个阶段,清又是一个阶段,各有特色,更不用说"五四"以后逐步用马克思主义观点加以研究,更是崭新的阶段。我们应当有《诗经》学,看看前人走过的探索的道路,他们的成功在哪里,不足又在哪里,有哪些可以作为成果肯定下来,不要再在原水平上重复,有哪些则还要继续探讨,指出继续前进的方向。在这中间,特别可以总结一下研究方法是如何随着时代的发展而有所改革和创新的。一门学科之可以建立学术史,是成熟的标志,而它的建立又可以进一步推动研究的深入。如果我们有《诗经》学、楚辞学、乐府学、唐诗学,以及元杂剧学、《红楼梦》学,等等,各自总结本学科的研究史,就会大大丰富古典文学整体研究的内容,由此而总结出的现在还可行之有效的传统方法,并科学地吸收国外的或自然科学研究的新方法,就会使我们的研究方法真正建立在科学的、民族的深厚基础上。

　　当然,无论是横向研究和纵向研究,重要的是要实践,就古典文学的研究而言,这所谓实践就是读书。我们要真正把材料建设当作研究的起步来认真对待,从大量的文献记载和文物遗存中搜辑有用的材料,这是要下苦功夫的,但必会有所获。稗贩旧铜钱,或者徒托空言，永远也不能为学术界提供新东西。

原载 1986 年 1 月 14 日第 698 期《光明日报・文学遗产》，此
据万卷出版公司 2010 年版《当代名家学术思想文库・傅璇
琮卷》录入，另收入黑龙江人民出版社 1992 年版《唐诗论学
丛稿》

闻一多与唐诗研究

一

　　对于闻一多先生的唐诗研究，学术界存有不同的看法。特别是近些年来，闻先生论述过的好几个问题，差不多都有争论；有的虽然没有提到闻先生的著作，但是很明显，其基本论点与闻先生是不一致的。如初唐诗，是否就是类书的堆砌与宫体的延续；唐太宗对唐初的文学发展，是否就只起消极作用；卢照邻的《长安古意》、刘希夷的《代悲白头翁》、张若虚的《春江花月夜》，是否就如闻先生所说的属于宫体诗的范围，它们在诗坛的意义用"宫体诗的自赎"来概括是否确切；"四杰"在初唐诗歌史上的出现，是一个整体，还是两种不同的类型；孟浩然是否就是"为隐居而隐居"而没有思想矛盾；中唐时的卢仝、刘叉，是否是"插科打诨"式的人物；贾岛诗是否就那样的阴暗灰色，等等。

　　以上的问题涉及到闻一多先生关于唐诗的专著《唐诗杂论》

的大部分篇目。闻先生的另一部唐诗著作《唐诗大系》，是一部唐诗选本，书中所选的作家大多标有生卒年。这是闻先生对于唐诗所作的考证工作的一部分，在一个较长的时期内为研究者所信奉，有时还作为某些大学教材的依据。但这些年以来，有不少关于唐代诗人考证的论著，对书中所标的生卒年提出异议，另立新说。

以上这些情况，已经牵涉到对闻先生唐诗研究某些基本方面的估价①。

应该怎样来看待这些问题呢？

科学研究是不断深化、不断发展的认识运动。科学史的实例表明，没有一个大师的观点是不可突破的。新材料的补充和发现，新学说的提出和建立，构成科学发展的最根本的内容。闻先生进行唐诗的研究，是在 20 年代末到 40 年代初，过了四五十年，学术界出现了与闻先生意见不相同的新看法，修订了其中某些不大符合文学史实际的论点，这正是学术研究自身发展的正常现

---

① 根据现有的研究资料，我们知道闻先生在唐诗研究方面有一个庞大的计划。但公开发表的只有《唐诗杂论》和《唐诗大系》，分别收载于已经出版的《闻一多全集》第三册和第四册。据说还有不少有关唐诗的手稿有待整理，其数量大大超过已经发表的《唐诗杂论》和《唐诗大系》。从一些回忆录的文章来看，这些手稿大部分属于资料的辑集与考订。由于尚未问世，这里暂不论列。另外，郑临川先生过去曾在西南联大听过闻先生的课，他有《闻一多论古典文学》一书出版（重庆出版社 1984 年 11 月版），是经过整理的讲课记录。我们要感谢郑临川先生，他的这份记录是很宝贵的，其中唐诗部分可以给人很多的启发。但为慎重起见，本文论述仍以已经出版的《全集》为依据。

象。如果说,过了将近半个世纪,我们的唐诗研究还停留在 20 至 40 年代的水平,研究者的眼光还拘束在闻先生谈论过的范围,那才是可怪的了。

对唐代文学研究的迅速进展,要有一个充分的估计。建国以前,我们的一些前辈们对唐代文学做了不少开拓性的工作,我们应当特别提到闻一多先生及郑振铎、罗根泽、李嘉言等已故老一辈学者。但唐代文学研究真正沿着正确的方向,有计划地进行,并作出较大成绩的,是建国以后,特别是近七八年以来。对这些年来唐代文学研究的突出进展,我曾归纳为四个方面,概括说来就是:

(1)填补了不少空白,尤其是注意到了对某一历史时期文学加以综合的考虑和概括,力图从中探求文学发展的带有规律性的东西。(2)拓展了研究领域。(3)对作家作品的考订更加细致精确。(4)对诗歌艺术性分析的加强。我们是站在学术繁荣的新的高度来回视前辈学者的成就的。靠了许多人的努力,我们把学术道路往前延伸了一大段,再回过头来看看前人铺设的一段,我们有理由为自己用汗水(有时还有血泪)开拓的一段高兴,但绝无理由因此而鄙薄前人的那一段,尽管那一段比起现在来似乎并不那么宽阔,或者甚至还有弯路,但我们毕竟是从那一段走过来的。要知道,在崎岖不平的学术道路上,要跨过一段,哪怕是一小段,是多么的不容易,有时看来甚至是不可能的,而这一段或一小段,就是前行者的历史功绩。

我觉得,在唐代文学研究取得相当大进展的今天,我们来谈论闻一多先生的唐诗研究,如果只是扣住某一些具体论点,与现在的说法作简单的对照,以此评论其得失,恐怕是没有什么积极意义的。对我们有意义的是,前辈是在什么样的情况下开拓他们的路程的,是风和日丽,还是风雨交加;他们是怎样设计这段路面的,这段路体现了创设者自身的什么样的思想风貌;我们对于先行者,仅仅作简单的比较,还是努力从那里得到一种开拓者的启示。

这就需要我们思考:闻一多先生是在什么样的观念下来建立他的研究体系的?

二

为了叙述的方便,在具体评论闻先生的唐诗研究之前,我想先概略地回顾一下他的古代研究,以便使我们对问题有一个总体的认识。

朱自清先生在为《闻一多全集》所作的序中,对闻先生作为诗人、学者、民主斗士的三者关系,作了很好的说明:

> 他是一个斗士。但是他又是一个诗人和学者。这三重人格集合在他身上,因时期的不同而或隐或现。……学者的时期最长,斗士的时期最短,然而他始终不失为一个诗人,而在诗人和学者的时期,他也始终不失为一个斗士。

这几句话对于我们认识闻先生的古代研究,包括他的唐诗研究,是非常重要的。这就是说,闻先生并不满足于把自己关在书斋里搞那种纯学术的研究,而是努力把自己的学术工作与当前的伟大斗争相联系,从文化学术的角度对民族的历史命运作理智的思索。综观闻先生关于先秦《周易》《诗经》《庄子》《楚辞》以及远古神话的研究,不难感觉到它们的两个鲜明的特点,一是对于民族文化的总体探讨,二是对于传统的严肃批判。

"我是把古书放在古人的生活范畴里去研究"①。这可以看作是闻先生进行他古代研究的一种基本方法,他总是想透过书本来剖析活的社会。他在抗战时期的一篇文章中说:"二千年来士大夫没有不读儒家经典的,在思想上,他们多多少少都是儒家的,因此,我们了解了儒家,便了解了中国士大夫的意识观念。"(《什么是儒家》)多么警辟的论断! 他就是在这种整体观念下建立他的研究格局的。

花了十年左右才成书的《楚辞校补》,出版后被公认为文献研究中的力作,他在书前的"引言"中说:

　　较古的文学作品所以难读,大概不出三种原因。(一)先作品而存在的时代背景与作者个人的意识形态,因年代久远,史料不足,难于了解;(二)作品所用的语言文字,尤其那些"约定俗成"的白字(训诂家所谓"假借字")最易陷读者于多歧亡羊的苦境;(三)后作品而产生的讹传本的讹误,往往

①刘烜《闻一多评传》(北京大学出版社 1983 年 7 月版)第 275 页,谓转引自陈凝《闻一多传》第 3 页,民享出版社 1947 年 8 月版。

也误人不浅。《楚辞》恰巧是这三种困难都具备的一部古书，所以在研究它时，我曾针对着上述诸点，给自己定下了三项课题:(一)说明背景,(二)诠释词义,(三)校正文字。

郭沫若先生在为《闻一多全集》作序时，曾特别注意到了这一段文字，并且敏锐地觉察到其中的第一项"是属于文化史的范围，应该是最高的阶段"。《楚辞校补》的这一段话，实际上是闻先生对自己十余年来学术道路的一个小结，也使他更加明确了学术思想上的追求方向和所要努力达到的境界。

表面看起来，对于先秦，闻先生所作的似乎只是专书整理，实际上他所要努力触及的是"时代背景"与"意识形态"，也就是整个时代的历史文化。我们不妨举几个例子。他著《周易义证类纂》，是想"以钩稽古代社会史料之目的解《周易》"，于是"依社会史料性质，分类录出"，把《周易》的文句主要分成三大类，每一大类又分别几个小类，如:

一、有关经济事类:甲、器用，乙、服饰，丙、车驾，丁、田猎，戊、牧畜，己、农业，庚、行旅。

二、有关社会事类:甲、婚姻，乙、家庭，丙、家族，丁、封建，戊、聘问，己、争讼，庚、刑法，辛、征伐，壬、迁邑。

三、有关心灵事类:甲、妖祥，乙、占候，丙、祭祀，丁、乐舞，戊、道德观念。

这就是从"时代背景"到"意识形态"，对《周易》作社会文化史的研讨。他的《风诗类钞》，体例也与此相似。在《序例提纲》中，闻一多先生首先提出对《诗经》有三种旧的读法，即经学的、历史的、文学的，而他这本书的读法则是"社会学的"。他把《诗经》的国风部分重新编次，分三大类目，即婚姻、家庭、社会。他认为这样重新编排和注释，国风就"可当社会史料文化史料读"，同时"对于文学的欣赏只有帮助无损害"。闻先生并不抹杀《诗经》的文学性质，他在译注中很好表达了国风作为抒情诗的艺术特点。他是要充分利用文学反映社会生活和时代精神的特殊手段，来揭示那一时代活的文化形态，并把这种形态拿来直接与今天的读者见面，这就是他所说的"缩短时间距离——用语体文将《诗经》移至读者的时代，用下列方法（按即用考古学、民俗学、语言学的方法——引者）带读者到《诗经》的时代"。

显然，闻先生这样做，并不单纯是追求一种学术上的新奇，或者仅仅是一种研究趣味，他是把昨天的历史与今天的现实联结，以古代广阔的文化背景给现实以启示，把他那深沉的爱国主义用对祖国文化的反思曲折地表现出来，来探求我们民族前进的步子。同样，他之所以又从《诗经》、《楚辞》而上溯到神话的研究，用他自己的话来说，是"神话在我们文化中所占势力之雄厚"（《伏羲考》），是为了探求"这民族、这文化"的源头，"而这原始的文化是集体的力，也是集体的诗，他也许要借这原始的集体的力给后代的散漫和萎靡来个对症下药吧"（朱自清《全集》序）。

闻先生古代研究的另一特点是对传统的批判，而这种批判又植根于他对祖国历史文化的赤子之爱。对于中国的传统文化，他有一个明确的观念，就是："文化是有惰性的，而愈老的文化，惰性

也愈大。"(《复古的空气》)他早年有一首题为《祈祷》的诗,其中说:

> 请告诉我谁是中国人,
> 启示我,如何把记忆抱紧;
> 请告诉我这民族的伟大,
> 轻轻的告诉我,不要喧哗!

诗人出于对自己人民的爱,提出"如何把记忆抱紧",而且深情似地请求:"请告诉我这民族的伟大"。应当说,这种故国乔木之思正是他作为诗人、学者、斗士的根本动力,而作为清醒的爱国者和严肃的学者,他并不沉湎于历史,也不陶醉于传统。经过审视,他愈来愈感到古老文化中的惰性;这种惰性,更由于当时国民党的反动政策而得到加强。批判封建传统,揭露古老文化的惰性和一切不合理成分,在当时的实际意义,就是反对黑暗统治,为民主革命而斗争,这正标志着闻一多先生爱国思想的升华。

在这方面,闻一多先生的态度有时是很激烈的,有些地方甚至使人感到竟有些偏颇。如说:"愈读中国书就愈觉得他是要不得的","封建社会的东西全是要不得的"(《五四历史座谈》)。这种有激而发的语句并非出于一时冲动,而是植根于严正学者的冷静思索:

> 周初是我们历史的成年期,我们的文化也就在那时定型了。当时的社会组织是封建的,而封建的基础是家族,因此

我们三千年来的文化，便以家族主义为中心，一切制度，祖先崇拜的信仰，和以孝为核心的道德观念等等，都是从这里产生的。(《家族主义与民族主义》)

1943年冬，他在一封信中说到，"经过十余年故纸堆中的生活，我有了把握，看清了我们这民族、这文化的病症"(《给臧克家先生信》)。从这里我们可以看到，闻一多先生那种广阔的文化史研究如何加深他对民族历史文化的认识，又是如何促进他对传统的毫不留情的批判。正如与闻先生共事十余年，深知其治学历程的朱自清先生所说，"是在开辟着一条新的道路，而那披荆斩棘，也正是一个斗士的工作"(《全集》序)。

要知道，闻一多先生是在中华民族正在经历生死存亡的大搏斗中进行他的文学创作和学术研究的，这一严峻的环境不仅影响他的诗作，也影响他的学术著作。他不可能像我们现在那样在一个平和的环境中从事于学术探讨。激烈的政治、思想和文化上的斗争，使他本来具有的那种诗人浪漫气质，强烈影响到论著中去，使犀利的笔锋更带有逼人的气势。这是当时的环境所促成的。事过几十年，当我们在完全不相同的环境来讨论那些问题，会觉得闻先生的某种片面性(当然，从历史主义观点看，这点也不需要讳饰)，但我们首先应当看到这种把学术研究与实际斗争相结合，在近代中国思想文化史上如何放射出永远值得人们珍视的异彩！

三

我们在前一节中用一定的篇幅论述了闻一多先生的古代研究,为的是有助于对他的唐诗研究工作的理解。先从宏观上来把握闻先生的研究格局和学术体系,那末闻先生对唐诗的一些具体看法,才不致被误解。

闻先生对唐诗有一个相当规模的研究计划。1933 年 9 月,刚到清华大学不久,他在给友人饶孟侃的信中谈了近年来从事的学术项目,共有八项,除了《诗经》、《楚辞》各占一项外,其他六项全是唐诗,它们是:

> 《全唐诗校勘记》:校正原书的误字。
> 《全唐诗外编》:收罗《全唐诗》所漏收的唐诗。现已得诗一百余首,残句不计其数。
> 《全唐诗小传补订》:《全唐诗》作家小传最潦草。拟订其误,补其缺略。
> 《全唐诗人生卒年考》。
> 《杜诗新注》。
> 《杜甫》(传记)。

从这个项目来看,他的研究格局也如同《楚辞校补》,先做文字校订和字义训释的工作,然后再进行综合的研究。过去一些研究者强调闻先生继承清代朴学家训诂学的传统,这是对的,但仅仅讲这一点是不够的,应当说闻先生是多方面地承受了前代学者的优良学风。譬如清初思想家黄宗羲说"读书不多,无以证斯理之变化",顾炎武主张"博学以文",闻先生每做一项研究,都尽可能搜罗有关材料,以求彻底解决,都与这些大学者的学术思想有关。至于他的大胆怀疑的精神,敢于立异的新颖之说,更是受清代学风中积极因素的影响。这些,在他的唐诗研究中也可以看得很清楚。

《唐诗杂论》中的《少陵先生年谱会笺》发表于 1930 年,这是他一系列唐诗研究中所作出的最早的业绩。从这一篇较侧重于资料编排的文章中,我们已经可以看出其眼光的非同一般。譬如他注意辑入音乐、绘画、文献典籍等资料,如开元二年(公元 714年)杜甫三岁时,根据《唐会要》、《雍录》等书,记设置教坊于蓬莱宫侧,玄宗亲自教以法曲,称为"梨园弟子"。开元四年、五年,连续记载于洛阳设置乾元院(后改丽正书院),辑集群书。开元十五年,记徐坚纂修文艺性类书《初学记》成。开元二十年,吴道玄作"地狱变相图"。开元二十九年,崇玄学,以《老子》、《庄子》、《文子》、《列子》为"四子",并作为科举考试明经举的依据。天宝三年,芮挺章选开元初以来的当时人诗为《国秀集》。年谱中又以较多的篇幅记载佛教的活动,如开元七年《华严论》成,八年印度金刚智、不空金刚来华(合善无畏称"开元三大师"),开元十八年僧人智升撰《开元释教录》(此书为我国唐以前佛教经录之总汇),开元二十四年五月名僧义福卒,赐号大智国师,七月葬于洛阳龙门之北,送葬有数万人,大臣严挺之为作碑。宋代以来,为杜甫作年谱者不下几十家，但都没有像闻先生那样，把眼光注射于当时的多种文化形态，这种提挈全局、突出文化背景的作法，是我国年谱学的一种创新，也为历史人物研究作出新的开拓。

在这以后，闻先生继续沿着这一治学方向发展，他的方法运用得更加自如，创获也更加显著。他从不孤立地论一个个作家，更不是死守住一二篇作品。他是从整个文化研究着眼，因此对唐诗的发展就能把握大的方面，着力探讨唐诗与唐代社会及整个思想文化的关系，探究唐诗是在什么样的社会环境中发展的，诗人创作的优缺点怎样与其生活环境与文化氛围发生密切的联系，等等。总之，他是站在一个新的高度，以历史的眼光，观察和分析唐诗的发展变化，冲破了传统学术方法的某种狭隘性和封闭性。这是闻先生唐诗研究的极可宝贵的思想遗产，是值得我们很好吸取的。

《唐诗杂论》中的《类书与诗》、《宫体诗的自赎》、《四杰》三篇属于初唐诗的研究。不必讳言，闻先生对初唐诗的具体论述有不够确切、不够全面之处。他对于初唐诗的消极面看得多了些，对初唐诗为盛唐诗歌的发展准备思想和艺术方面的条件估计不够充分。对于唐太宗李世民作用的评价也不恰当，他单以某种欣赏趣味的高低来把唐太宗与隋炀帝作类比，认为唐太宗鉴别诗歌的眼力大大低于隋炀帝，在《类书与诗》的末尾还得出这样结论性的意见："太宗毕竟是一个重实际的事业中人；诗的真谛，他并没有，恐怕也不能参透。他对于诗的了解，毕竟是个实际的人的了解。他所追求的只是文藻，是浮华，不，是一种文辞上的浮肿，也就是文学的一种皮肤病。"近年来，唐代文学的研究，已经纠正了长期以来对唐太宗评价过低的偏向。

我觉得,时过几十年,再来具体讨论某一人物、某一作品评价的得失,并不能对我们的思考有多大的意义。对我们有意义的,是闻先生研究初唐诗的角度,以及他对这一阶段文学变迁审视的眼光,在这里,我们就会发现闻一多先生所特有的气度和魄力。

闻先生始终把文学看作为一种历史运动,他把文学发展作为动态来把握。他并不把诗的初唐看作一个笼统的概念,而把它分成两个阶段,即唐政权建立(公元618年)到高宗武后交割政权(公元660年),这是前五十年;在这之后到开元初(公元713年),是另一阶段。闻先生这样描写两个阶段交接的情况:

> 靠近那五十年的尾上,上官仪伏诛,算是强制的把"江左余风"收束了,同时新时代的先驱,四杰及杜审言,刚刚走进创作的年华,沈宋与陈子昂也先后诞生了,唐代文学这才扯开六朝的罩纱,露出自家的面目。(《类书与诗》)

这就是文学发展的动态叙述,正好像前面引述过的《风诗类钞·序例提纲》所说的"带读者到《诗经》的时代"那样,作者也是力求给今天的读者看到那个活的时代。

文章接着说:"所以我们要谈的五十年,说是唐的头,倒不如说是六朝的尾。"这又是把文学放在它自身的历史运动中来考察,而不拘牵于封建王朝的兴替。——要知道,在闻先生的年代,谈中国历史要打破王朝体系真不知道有多少困难。据朱自清先生介绍,闻一多先生抗战时期讲授中国文学史时,曾有一份《四千年文学大势鸟瞰》提纲,将四千年的中国文学分为八大期,其中第五期名为"诗的黄金时期",系自东汉献帝建安元年至唐玄宗天宝十四载(公元196—755年),五百九十年。由此可见,初唐第一阶段的五十年,只不过是这一时期的一个极为短小的过渡期。

接着,闻先生就展开了他那特有的历史文化的综合研究。对初唐诗,他提出三个动向,一是诗的学术化,以词藻的堆砌作诗,于是发展了类书;二是宫体诗的衍变,诗的情趣怎样由亵渎走向净化;三是由于作家身份的变异,一批新人走上文学舞台,诗的题材也得到了解放,即由宫廷走到市井,从台阁移至江山与塞漠。而前两点,也正是从那"说是唐的头,倒不如说是六朝的尾"的著名论断出发的,指出它们都与六朝诗风紧相关连。他说:"寻常我们提起六朝,只记得它的文学,不知道那时期对于学术的兴趣更加浓厚。唐初五十年所以像六朝,也正在这一点。这时期如果在文学史上占有任何位置,不是因为它在文学本身上有多少价值,而是因为它对于文学的研究特别热心。"然后他举出从太宗时期到开元时所编修的数量众多、篇幅浩繁的类书,写道:

> 《文选》注《北堂书钞》《艺文类聚》《初学记》初唐某家的诗集,我们便看出一首初唐诗在构成程序中的几个阶段。

这几句话真是所谓"立一篇之警策"! 在这之前,有谁论述初唐诗,会把它与六朝及唐初的学术风气相联系,有谁会想到唐代前期,大量编修类书是出于一种文学风格的需要。读闻先生的这些著作,确定会有一种启人思考的崭新和开拓之感。

《春江花月夜》算不算宫体诗,学术界还有争论①。闻一多先生在《宫体诗的自赎》中,主要并不在于讨论这首诗是否属于宫体诗的范围,而是从历史变迁的角度,着重探讨了唐初将近一百年的时期,诗人们怎样以自己的努力,来扫除齐梁以来弥满于诗坛的这种恶浊空气。那种"人人眼角里是淫荡,人人心中怀着鬼胎","在一种伪装下的无耻中求满足"的宫廷艳情诗,实际上只不过是"一种文字的裼裸狂"。但这种诗风盛行已久,隋末的政治风暴并没有把它们驱散,在唐初又适应宫廷的需要而得以继续存在,而且"词藻来得更细致,声调更流利,整个的外表显得更乖巧,更酥软"。闻先生在这里揭示了文学上的一条规律,那就是文风的转变有时是相当艰巨的,它不能单靠政治的力量,而是更靠作家们在长时期的创作实践中,经过自我的斗争和提高,才得以逐步完成。冲破齐梁以来诗坛中萎靡不振的那种"虚伪的存在",开始是卢照邻的《长安古意》,它通过歌唱长安的繁华,教给人们"如何回到健全的欲望"。但这首诗在形式上还不够成熟,感情又过于狂放,好似狂风暴雨,虽有气势,不能持久,不易为许多人所接受。于是接着出现了刘希夷的《代悲白头翁》:"洛阳女儿好颜色,坐见落花长叹息。今年花落颜色改,明年花开复谁在?……年年岁岁花相似,岁岁年年人不同!"闻先生指出这首诗里潜藏着一种"宇宙意识",这就是从美的暂促性中认识到

① 见程千帆《张若虚〈春江花月夜〉的被理解和被误解》(《文学评论》1982年第2期),周振甫《〈春江花月夜〉再认识》(《学林漫录》第七集,中华书局1983年3月版),吴小如《说张若虚〈春江花月夜〉》(《北京大学学报》1985年第5期)。

"永恒"。这已经超过了《长安古意》"共宿倡家桃李蹊"的狂放，一跃而进到对青春年华的圣洁般的赞叹。接着就到了张若虚的《春江花月夜》：

> 江畔何人初见月？江月何年初照人？人生代代无穷已，江月年年只相似。不知江月待何人，但见长江送流水。

这就是"更复绝的宇宙意识！一个更深沉、更寥廓、更宁静的境界！"因为在这里，已经把宫体诗所散发的一切污浊从诗境中完全排除出去，把男女间刻骨的相思之情，真正用庄严的诗笔表达出来，而且赋予这种真情以哲理的光辉。诗的最后四句："斜月沉沉藏海雾，碣石潇湘无限路。不知乘月几人归，落月摇情满江树！"闻先生赞叹道：

> 这里一番神秘而又亲切的，如梦境的晤谈，有的是强烈的宇宙意识，被宇宙意识升华过的纯洁的爱情，又由爱情辐射出来的同情心，这是诗中的诗，顶峰上的顶峰。

从这里我们可以看到闻先生怎样把审美活动与哲理研究融汇在一起，怎样把文风的改革放在历史文化的宏大背景下加以观照。可以想见，这在当时国民党统治区的恶浊环境中，在小市民庸俗情调的包围中，对提高人们的艺术鉴赏水平，培养纯真的审美情趣，会有什么样的意义。

另外，从对贾岛的评论中，我们又可看到闻一多先生对传统批判的特点。贾岛是中晚唐之际有独特成就的诗人，明代著名的诗评家胡应麟曾说："曲江之清远，浩然之简淡，苏州之闲婉，阆仙之幽奇，虽初盛中晚，调迥不同，然皆五律独造。"（《诗薮》）这种幽奇的诗风，大行于晚唐五代："唐末五代，……大抵皆宗贾岛辈，谓之贾岛格。"（宋胡仔《苕溪渔隐丛话》）可能有人觉得闻一多先生对贾岛诗评价得太低了。应当说，对贾岛诗的评价，是学术上的百家争鸣问题，可以各抒己见，而且以后还会出现新的争论。值得注意的是，闻先生在《贾岛》一文中提出了一个富有启发性的问题："你甚至说晚唐五代之际崇拜贾岛是他们那一个时代的偏见和冲动，但为什么几乎每个朝代末叶都有回向贾岛的趋势？宋末的四灵，明末的钟谭，以至清末的同光派，都是如此。"这就把问题一下子提高了。作者接着犀利地提出：

> 可见每个在动乱中毁灭的前夕都需要休息，也都要全部的接受贾岛。

这里把贾岛对后世诗人的影响提到某种规律性的高度。闻先生是环绕诗歌与生活的关系这一文学的根本问题来展开的。他把贾岛生活的中晚唐之际，形象地比喻为"一个走上了末路的，荒凉、寂寞、空虚，一切罩在一层铅灰色的时代"。贾岛早年又曾出家为僧，出世超尘的早期经历，养成了"属于人生背面的，消极的，与常情背道而驰的趣味"。中年后还俗，屡考不中，仕途无望。时代还是那个时代，一个以自我得失为中心的诗人只能背对着生活，那种荒凉得几乎狞恶的"时代相"也激发不起他的任何诗情，禅宗与老庄思想又乘虚而入。这就使他爱静、爱瘦、爱冷,爱这些情调的象征——鹤、石、冰雪。贾岛的诗正是使那种远离生活而又陷于苦闷、无所作为的人们得到某种虚幻的满足。在年龄上,比起白居易、孟郊、韩愈以及张籍、王建来,贾岛是晚辈,是青年,然而在诗的情调上,他比起这些前辈诗人来,又是那么阴霾、冷漠,而且显得如此的疲乏。这种评论是否太苛刻了呢?不,要知道,闻一多先生并不单为贾岛而发,而是超越贾岛,把批判的锋芒指向社会:"老年中年人忙着挽救人心、改良社会,青年人反不闻不问,只顾躲在幽静的角落里做诗,这现象现在看来不免新奇,其实正是旧中国传统社会制度下的正常状态。"这是一种畸形,却又是旧制度(包括闻先生所处的国民党统治区)的正常产物。闻一多先生这里把古代研究与现实批判有机地结合起来。

在抗战后期,闻一多先生一方面看到国统区某些文艺作品因脱离生活而显得苍白无力,另一方面又接触到抗日根据地刚健质朴、有丰富生活内容的新作。由此出发,他特别强调生活对文学的重大作用。他称赞田间的诗是时代的鼓手,说"它所成就的那一点,却是诗的先决条件——那便是生活欲,积极的、绝对的生活欲"。又说:"你说这不是诗,因为你的耳朵太熟习于'弦外之音'……那一套,你的耳朵太细了。"(《时代的鼓手》)他强调诗要有骨格,"这骨格便是人类生活的经验"(《邓以蛰〈诗与历史〉题记》)。正是从这点出发,他批判了贾岛,又高度评价了孟郊。他认为孟郊虽没有像白居易那样写过成套的"新乐府",但是他有穷苦的生活作基础,并不追求闲情逸致,"他的态度,沉着而有锋"(《〈烙印〉序》)。他说,苏轼诋毁孟郊的诗,那是出于苏轼的标准,"我们只要生活,生活磨出的力,像孟郊所给我们的,是'空螯'也好,是'蜇吻涩齿'或'如嚼木瓜,齿缺舌敝,不知味所存'也好,我们还是要吃,因为那才可以磨炼我们的力"(同上)。无论对于贾岛或孟郊,我们现在看来,闻先生的评价或许还有不够全面的地方,但他直探本源,抓住要害,并联系广阔的社会环境,对传统的弊病和现实的症结作犀利的批判,那种眼光与手力,到现在还能给我们以启示。

四

在前面一节中,主要是联系闻一多先生的整个古代研究,就注意于文化史的总体探讨和对传统的批判两点,来探索闻先生在唐诗研究上所作的贡献,目的在于从大的方面把握他的研究体系和研究格局。我想,这可能比讨论一个个具体问题,对我们今天的研究来说要有意义一些。当然,闻先生唐诗研究的建树还不止这些,还可以举出一些问题来谈,如《岑嘉州系年考证》对于盛唐边塞诗人岑参的生平考证,工力深厚,直到现在还可作为依据;又比如《唐诗大系》所选的诗,既能照顾到各种时期,各流派的作家,又能选择其中的艺术珍品,是很有特色的唐诗选本①。闻先生所作的《全唐诗》的文字校勘和作品辑佚,以及作家小传订补,其手

①闻先生的《唐诗大系》也是应该谈的,但这涉及对不少作品的看法,又牵涉到不少诗人生卒年等考证问题,我希望以后有机会另写专文评论。

稿有待整理,一定还有不少富有成果的学术遗产可借探究。以上这些,本文就不再详细论述了。这里拟简单补充一点的,是闻先生学术文章的艺术美。

　　闻先生诗人的素养和优美的文笔使得他的学术文章有一种难以企及的诗的境界。关于这一点,朱自清先生曾经谈到过:"他创造自己的诗的语言,并且创造自己的散文的语言。诗大家都知道,不必细说;散文如《唐诗杂论》,可惜只有五篇,那经济的字句,那完密而短小的篇幅,简直是诗。"①《唐诗杂论》的这几篇文章,对学术论著如何做到既富有理致,又能给人以艺术享受,很能给人以思考。当然,要做到这一点,须要具备多种条件,要有生活阅历,要像闻先生那样有对传统文化广博的学识,还要有很高的艺术素养,能够品味出艺术美的细致精妙之处。譬如他的《英译李太白》一文,谈到李白诗的翻译成英语问题,说:"形式上的秾丽许是可以译的,气势上的浑璞可没法子译了。但是去掉了气势,又等于去掉了李太白。"又如孟浩然的清逸淡远的风格,说:"孟浩然不是将诗紧紧的筑在一联或一句里,而是将它冲淡了,平均的分散在全篇中。"(《孟浩然》)这些都不是一般的鉴赏水平所能说出的。又譬如他讲到庄子时,说庄子"是一个抒情的天才",然后举出《庄子》中这样的文句:"送君者皆自厓而返,君自此远矣!"说果然是读了"令人萧寥有遗世之意"。把学术文章当作美文来写,这方面,闻先生也给后来者树立了一个不太容易达到的标准。限

①朱自清《中国学术的大损失——悼闻一多先生》,载《闻一多纪念文集》,三联书店编,1980 年 8 月版。

于篇幅,这个问题只能提一提,其实这是很值得写一篇专文来谈的。

原载《清华大学学报》1986 年第 2 期,此据首都师范大学出版社 2010 年版北京社科名家文库《治学清历》录入,另收入黑龙江人民出版社 1992 年版《唐诗论学丛稿》、京华出版社 1999 年版《唐诗论学丛稿》、万卷出版公司 2010 年版《当代名家学术思想文库·傅璇琮卷》

《李白在安陆》序

　　《李白在安陆》一书,经过作者们的努力,现在终于正式出版了。安陆的同志希望我为此书写一篇序言。我觉得由我为本书写序未必合适,因为我虽然是搞唐代文学的,但对李白并没有专门研究。但我还是答应写了,因为我多少了解一些这本书的成书过程,作者们这几年为写作此书而跋涉奔波,其中的甘苦我也稍有些体味,因而也有一些不得已于言的地方;另外,我也想借此就唐代文学研究的某些方面,谈谈自己的看法。当然,也有些情绪上的快慰之处,因为我看到书中的一些文章间或引征了我的某些考证所得,正如我也注意到了他们有几位同志写文章表示不同意我的另一些论点。我觉得,安陆同志不没人之功而又能自执己见,这种学术上的坦率态度是值得称赞的,也是会引起不抱偏见的学者的好感的。基于以上这些原因,我表示乐于写这篇序,虽然不一定能副作者们的殷望。

　　本书的着手编写,还是近几年的事。县的考证李白的工作机构成立于 1982 年 11 月,随即进行了紧张的工作。他们首先在县的范围内抽调人力,征集文物和资料,对李白在安陆的遗迹作了普遍的调查。这种将文献研究与实物调查结合起来的方法，既符合地方特点，也体现当前学术发展的趋势。1983年上半年，他们又分组外出，跑了好几个地方，拜访了不少专家学者。我也是那时候在北京见到他们的。我为张昕等几位同志的热情所吸引，当时就不自量力地贸然许诺为今后编写的书写序言。老实说，那时我对安陆同志的潜力是估计不足的，我以为，这本书不知何时才能写出来呢。但没有想到过不多久，一本三十万字的《李白在安陆》寄来了。书是县里印的，征求意见稿，非正式出版物，限于当地的条件，印刷装帧当然不怎么讲究。但翻看目录，全书共分十个部分，从李白在安陆十年行踪的探讨，以及诗文系年，问题讨论，遗迹介绍，一直到游踪图的绘制，不能不使人感到安陆的同志之极端认真的态度。当时陕西师范大学教授霍松林先生和我正负责编辑《唐代文学研究年鉴》，我就马上写信给年鉴编辑部的阎庆生同志，请他组织一篇书评，同时又请他与安陆联系，请安陆同志写一篇介绍他们工作机构的文稿。庆生同志就请西北大学唐代文学研究室的阎琦同志写了一篇书评，刊登在1984年的《唐代文学研究年鉴》上，这是这一辑年鉴"新书选评"专栏的惟一一本不是正式出版的专著。同辑也刊出了安陆同志写的《湖北省安陆县考证李白办公室简介》一文。1986年4月，在洛阳召开了唐代文学学会第三届年会，那时这一辑年鉴出版不久，我听到会上不少同志对这两篇文章很感兴趣。

这本三十万字的书竟在一年之内完成，作者们的效率由此也可想见。但毕竟时间匆促，难免粗糙。在这之后，安陆的同志在广泛征求意见的基础上，进一步收集资料，对该书进行修改。在这期间，我也收到过他们一些单篇的修改稿，但由于工作忙，未能及时提出意见。在修改过程中，安陆的同志对某些问题的看法，也有不尽相同之处，也有争议，有些同志还把争议点写成文章寄交给我。由于缺乏研究，我当然不可能对这些分歧表示意见。我只是表示，希望按照"双百"方针来处理学术上的是非问题。学术上不同意见的存在和争论是正常现象，只要处理得合宜，不但不会妨碍团结，还会促进团结。不过无论如何，从这一点，也可看出安陆同志在学术上的认真精神，他们确是抱着追求真理的态度来从事这项工作的。

现在书已正式出版，等待着学术界和读书界作出评价。评价可能有各种各样。我个人以为，这本书基本上是成功的。对一本书的评价，应考虑到各方面的因素。譬如，我们应当考虑到，本书的作者原来几乎都不是专业工作者，在从事这项工作之前，李白研究的行列中似乎找不到他们的名字，他们是白手起家的，而前后编写的时间又不长，只不过三四年的时间。但即使抛开这一些不谈，单就内容而言，则他们的创获也已非一般。全书的框架与原来的大体一致，去掉了民间传说一节，可能认为渲染过多，不足为据吧，其实如作适当的安排，也未始不可列入。

《李白在安陆十年行踪》一节可读性很强，有些段落文艺气息很浓厚，不但对一般读者颇具吸引力，就是对专门研究者也能起开阔视野的作用，虽然他们可能会感到某些描述于史无征。这一节其实可以接《李白在安陆十年论略》放在前面去的。就全体而言，我以为本书基本上是一部资料考证著作。可以看出，作者们努力吸取了李白研究的已有成果，特别是近年来的新成果，并由此出发，作了新的开拓。如本书接受李白两次入长安的说法，但认为初入长安是在开元十九年春至二十一年秋，以证成李白诗"离居在咸阳，三见秦草绿"之说。这就较现有的几家说法合理。又如认为李白诗中的"淮南"一词不专指淮南道治所的扬州，也较妥帖。其他如考证"郡督马公"为马正会，考证长安紫极宫的设置，考证任华、李邕的生平，都极精细，有新见。李白第一次离长安的路线，书中认为是出子午谷，登太白山，循汉水东下，学术界对此可能有不同意见，但此说仍有参考价值，作者提供的材料和作出的推论是能给人以启发的。

李白在安陆的十年，对李白来说是一个很重要的阶段。这时李白是二十七岁到三十六岁，是他的思想形成和创作发展的一个关键时期。第一次入长安就发生在这一时期，他与社会各方面人士的接触，和一些著名诗人的交往，也都在这一时期。在这一时期中，他又以安陆为中心，漫游南北一些地方，使他对开元盛世以及潜藏着的社会矛盾有了具体的感受。这对他下一阶段的发展无疑是很重要的。本书正是以李白生平中这一重要时期为中心内容，展开论述和考证的，这对于整个李白研究来说，应当说是一个促进，就唐代文学研究来说，我们是欢迎安陆的同志所作出的贡献的。

建国以来，李白的研究有很大的进展。与杜甫研究相比较，问世的论文和专著可能比杜甫的少，但就创获来说，我个人以为李白的研究是领先的。不管是论述李白的思想和艺术，还是考证李白的事迹，都有显著的、使人一新耳目的成就。但李白确实是一个非常复杂的作家，他的思想尤其复杂。我以为，不了解李白的思想,就不可能真正认识他的诗歌的艺术价值。研究李白,包括研究他的思想,有所谓宏观和微观两法。照时下的倾向来看,似乎宏观研究更易为人所重视,更使人感兴趣。但我以为,对某些复杂的历史现象,有时只有把范围加以缩小后,研究才可更为深入,而宏观也才会更有基础。具体来说,研究李白的思想,我认为首先要做的,一是作品真伪的辨析,二是作品年代的论断。有些论文看起来说得头头是道,但所依据的作品乃出于后人依托,这就大大影响论述的科学性。这一点过去已有一些文章论及,这里就不多说,我想着重说说作品断代(或系年)的问题。

断代是历史研究的一种很重要的方法。有时,它还是某门学科取得突破性进展的标志。我们可以举两个例子。甲骨文自上个世纪被发现以来,一直为中外研究者所瞩目,收集、摹印、考释的著作陆续问世,这些著作都有它们的贡献。但真正可以利用甲骨文字来有效地探索商代社会的发展和文化的演进,就只有先将它们分期。王国维的《殷卜辞中所见先公先王考》在甲骨学上的贡献,不仅仅在于他对于父甲、父庚、父辛等具体人称的考定,而在于他开创了这一科学方法。后来郭沫若先生也正是进一步发展了甲骨文字的断代学,用之于商代社会的全面研究,就为科学的商代历史研究奠定了基础。又如作为中国考古学前身的金石学,在北宋时代已经产生,当时出现了一些古器物和古文字的金石图谱。吕大临在《考古图》的序中说:"观其器,诵其言,形容仿佛,以追三代之遗风,如见其人矣。"这几句话很有代表性,可以见出当时社会金石学家摹印或拓印,很大部分是出于一种怀古的情绪和艺术上的爱好。只有到了近代,才把两周青铜器铭文真正当做历史研究的史料来看待，也正是郭老的《两周金文辞大系图录考释》在这方面作出了重大的贡献，这就是把存世的重要青铜器作了系统的断代区分。沿着这个方向而更有所进展的还有陈梦家、唐兰等先生。由于对铭文作了断代分期，就使这些古器物和铭刻文字成为可以依据、可以利用的史料，王国维曾就对待古器物释字的两种偏向发表过议论，他说："自来释古器者，欲求无一字之不识，无一义之不通，而穿凿附会之说以生。穿凿附会者，非也；谓其字之不可识，义之不可通，而遂置之者，亦非也。"（《毛公鼎考释·序》）王国维讲的是释字，我觉得也可移来用于论断代。说每一甲骨，每一铭刻文字，或每一篇诗文作品，都可以确定年代，会流于穿凿附会；但如果说，都不可断代分期，从而不去进行这方面的工作，那也是错的，因为这就根本谈不上起码的历史研究。

我觉得，我们之所以要研究李白作品的年代分期，就是要恢复李白的本来面目。譬如，李白到底是体现了盛唐气象呢，还是主要反映了由盛入衰之象；李白的成就主要是前期还是后期。这些，都要依靠准确考订过而能确认其时代的作品作为依据。有些文章认为李白的特点，是在天宝三载离长安以后形成的，以此分李白创作的前后期，并举出《将进酒》、《行路难》、《蜀道难》等作为后期的代表来论述李白的思想。但根据本书的考证，《将进酒》、《行路难》、《蜀道难》几篇都是开元时的作品，是他第一次入长安离开后所作。这倒并不是本书作者第一次提出，他们是吸取近年来学术界的成果并进一步加以论证、发挥的。如果这样，那末说李白前期没有什么值得称道的作品，就缺乏根据了。《将进酒》等几篇的准确系年,在很大程度上将决定对李白思想和艺术的论断。因此,我们认为,目前李白研究,应当投入相当一部分人力放在系年上,这看起来似是琐屑的微观工夫,但离开了它,宏观将何所凭依呢?

从这一点看,《李白在安陆》一书的意义就更为显然。本书把李白在这十年中的作品尽可能系年,并对相应的事迹作了考索。其中可能还有不够确切或甚至失实之处,但这一步是必须要迈出的。如果将李白足迹所到之处,各有关机构或研究者都能像安陆的同志那样做,那末合起来就将是一部很可观的《李白诗文系年》了。这项工作做好了,我们也就会有一部详赡可靠的《李白传》。

最后,我还有一个希望,希望安陆的同志发挥地方的优势,把安陆这一地区在唐代的经济和文化作较为深入的研究,把这一地区的历史文化背景搞得更清楚些,由此再来研究李白的活动。这将会使研究更加丰富,也将会使我们看到一个活的李白。我想,这或许将成为《李白在安陆》续篇的一个内容吧。

1986 年 6 月

原载华中师范大学出版社 1986 年版《李白在安陆》,此据大象出版社 2008 年版《学林清话》录入,另收入黑龙江人民出版社 1992 年版《唐诗论学丛稿》、京华出版社 1999 年版《唐诗论学丛稿》

要重视地域文化的研究

——《浙江十大文化名人》序

　　近几年来,文化问题的讨论,已成为思想界、学术界的一股新潮流。正如上海和北京的一些报纸所说,80年代在中国大地上兴起了一股"文化热"。文化问题愈来愈受到人们的关注,一门新的学科——文化学,正在形成。

　　这就使我们想起了近代中国两位大学者的话,他们一个是王国维,一个是陈寅恪。王国维在《最近二三十年中中国新发现之学问》中说:"古来新学问起,大都由于新发现。有孔子壁中书出,而后有汉以来古文家之学,有赵宋古器出,而后有宋以来古器物古文字之学。惟晋时汲冢竹简出土后,即继以永嘉之乱,故其结果不甚著。然同时杜元凯注《左传》,稍后郭璞注《山海经》,已用其说,而《纪年》所记禹、益,伊尹事,至今成为历史上之问题。然则中国纸上之学问赖于地下之学问者,固不自今日始矣。"(《静庵文集续编》,载《王国维遗书》第五册)根据他所揭橥的这一主张,王国维列举了"此二三十年发见之材料并学者研究之结果",计有五项:(一)殷虚甲骨文字,(二)敦煌塞上及西域之简牍,(三)敦煌千佛洞之六朝唐人所书卷轴,(四)内阁大库之书籍档案,(五)中国境内之古外族遗文。陈寅恪则专就敦煌发现的材料立说,以为:"一时代之学术,必有其新材料与新问题。取用此材料,以研究问题,则为此时代学术之新潮流。治学之士,得预于此潮流者,谓之预流(借用佛教初果之名)。其未得预者,谓之未入流。此古今学术史之通义,非彼闭门造车之徒,所能同喻者也。"(《陈垣敦煌劫余录序》,载《金明馆丛稿初编》)

上述两段话都是 20 世纪初一二十年间说的,他们根据当时地下发掘的新材料,运用于研究中去,在各自的领域内作出新的开拓。王、陈二位都是他们领域中的大师,在他们所处的时代,他们能不囿于旧的书面材料,勇于接受地下发现所得,确非"闭门造车之徒"所能同日而语。在当时的学术界,他们确是走在前列的。但他们对学术新潮流起因的解释,有一定的片面性。他们还是较侧重于文献材料,以为有新资料才能有新学问,而不大注意社会变革对于学术思想的重大影响。这是前贤所受时代的局限,是可以理解的。现在看来,新学问、新潮流之起,恐怕在许多情况下,还是社会原因,是社会生活出现的新变化,引起思想界,从而在学术界,促进对旧学问的冲击和改造,新学问的兴起和繁荣。这倒是"古今学术史之通义"。

就以近些年来的"文化热"来说,在此之前,学术界似乎并没有发现什么特别的新材料,如同上世纪末、本世纪初的安阳甲骨、敦煌卷轴那样震惊于中外。有的则是在中国广大城乡出现的,以经济体制改革为先导的全面改革。这是一项深刻的社会变革,它所触及的社会生活的各个方面,无论广度和深度,都是前所未有的。整个社会的经济、政治、文化,以及人们的生活方式、思想观念、心理结构,都处在变化和前进之中。经济、政治体制的变革,必然促使人们对传统文化及其价值观念的审视,加深对目前正在兴起的一些新的文化观念的思考。可见,80年代的中国"文化热"是有其深厚的现实生活的土壤的,这是这门新学问获得发展的最根本的动力。如果要说新材料的话,那么变革中的中国社会,就是任何地下发掘也无从比拟的丰富而深刻的新材料,那是研究者所取之不尽、用之不竭的,即使传统的书面文献资料,处于今日的文化研究的整个系统中,也将会以新的面貌为研究者所利用。

从当前中国的情况来看,文化的研究,似乎还可以分为两大类,一类是与改革的实践密切相关的现实问题的研讨,一类即是史的研究。这两大类互有关联,各有其研究对象。我们固然需要进行宏观的理论体系的研究和讨论,但不能长时间停留在这一步,为了研究的深入,必须把对象相对稳定,范围适当缩小,尤其是对文化史来说,似更应如此。

现在浙江人民出版社编辑出版的这套"浙江文化研究丛书",我以为是虽稍偏重于史的研究,但又能从传统文化的研究来观照现实问题,同时,又能立足于本省,从地域文化研究出发,进一步丰富整个中华民族文化研究的内容。这一设想是有开创性的,必将获得新的开展和成功。而作为这套丛书的第一种《浙江十大文化名人》,为在浙江历史上产生过的、对整个中国文化作出杰出贡献的代表人物立传,由此反映浙江文化的某种程度的连续性,以及它在历史上的成就,其选题也是十分合适的。承浙江人民出版社的好意,要我为这部著作写一序言,我却觉得未必合适。因为本书的作者都是各自学科的专家,他们撰写的这十篇传记,大都从他们原有深厚的蓄积中提炼而成,有不少还在原有著作的基础上作了新的补充和修订,使立说更为扎实,见解更为宏通。而我对这些方面却缺乏专门研究,除了乡籍也是浙江之外,确是没有资格为本书作序的。我只不过在中华书局这一古籍整理出版的机构中做过若干年工作,由于工作关系,倒不局限于某一学科,特别是国务院古籍整理规划小组重新建立以来,因为工作的需要,较为广泛地接触到文学、历史、哲学,以及语言文字等学科领域,多少了解一些情况。也可以说是同行,我对浙江人民出版社的眼光与魄力表示歆羡,同时对于他们把开创勇气与求实作风相结合,踏踏实实地把文化研究真正当做一项事业来做,而不是追求一种时髦,也是深感钦佩的。因此不揣浅陋,冒佛头着粪之大不韪,写了这篇序,但我想还是难以符合出版社同志的殷望的。

浙江的经济和文化,在新石器时代就有相当的发展。良渚文化且不说,70 年代在余姚河姆渡发现的一种崭新的文化遗存,后来命名为河姆渡文化,差不多也可以是震惊中外的。建国以来的考古发现,表明浙江地区与中原地区一样,都同样存在着灿烂的原始文化,应当构成中华民族古代文化发源地的一部分。本书的十位文化名人传,更加有力地证明,浙江对于整个中国古代文化作出了如何的贡献。文化名人的产生不是孤立的。时间流失了,具体的历史进程逐渐模糊了,以至流传到现在的只是一些个人。但这些个人是历史的产物,是历史的见证,尤其是一些杰出人物,从他们的著作和活动记载中,是能较为充分反映他们的时代的。
19世纪法国著名的美学思想家丹纳说过:"个人的特色是由社会
生活决定的。艺术家创造的才能是以民族的活跃的精力为比例
的。"(《艺术哲学》,第三编《尼德兰的绘画》,傅雷译,人民文学出
版社1963年1月版)丹纳这里说的是画家,我觉得可以扩而充之
用于一切有才能的历史人物。历史文化名人的事迹,其背景是当
时整个的历史,是我们民族文化发展发达的历史。应当说,本书
所写的十位人物,他们的活动是有全国意义的,他们是有全国影
响的人物,培养他们的是整个民族的历史文化。因此,他们不只
是浙江的"乡贤"。光是浙江的文化还不足以承担得起他们的教
养。但无论如何,他们是在浙江长大的,他们与浙江有着先天的
联系,这种联系对他们的全部活动和著述有着深潜的影响。这一
点,我们在鲁迅先生身上可以看得很明显。因此,我们可以说,通
过这几位名人的传记,可以看出我们浙江文化在历史上达到的程
度。这一点,也应该促进我们的学术工作者进一步去研究浙江文
化的历史特点。中华民族的文化是一个整体,但它是由许多各具
特色的地区文化所组成和融汇而成的。不同地区的文化各具不
同的色彩,这就使得我们整个民族的文化多姿多彩。没有地方特
色,也就没有整体风格;不研究地区文化的特点,也不可能对整个
民族的传统文化作出准确的判断。黄河流域文化与长江流域文
化不同,吴越文化与楚文化也有不同。研究地区文化的特点,无
疑将把我们的文化史研究引向深入。有志者如从事于此,必将大
有所获。

另外,我觉得,人物的研究还应当与社会的风尚习俗研究相

结合。我们现在看《清明上河图》，恐怕倒不在于观赏人物车马的笔法，而是神游于图中那种细腻生动的社会生活和人民习俗。这幅图距现在已相隔千年，图中描绘的生活与我们现在差不多已经完全两样了。但人们还是有兴趣观看，它的魅力仍然存在，这个道理是很值得思考的。其中一条，可能是人民对自己生活痕迹的怀念，这是一种深刻的感情。而风尚习俗则是构成生活痕迹的重要部分。陆游的诗，写山阴的特别多，尤其是中年以后。我觉得，读他的这些诗，总能使人感到浙江乡村的一种特有气质和风光。长久在本地生活的可能不一定体会到，远在外地的人，时间稍久，读陆游的诗，那种特定环境的乡思之情会油然而生。这就是陆诗的醇厚处，而这就与他的诗反映浙东地区的社会习尚分不开。研究文化名人，特别是研究作家，注意他们所表现和反映人民生活的痕迹，将会大大扩展研究的天地，丰富我们研究的内容。

浙江文化名人不止十个，本书所列应当说是远远不够的，有些很有特点的，并未列入，如明朝的徐渭（文长）。有些人名气不是很大，但在文化史上有其独特的贡献，特别是一些民间艺人、匠人，由于他们与人民生活保持更为密切的联系，他们的创造就更值得珍视。我希望我们今后不要拘于整数——这种文化观念和思维模式，在现在新的形势下，恐怕也是应当有所突破的。不知出版社的同志以为然否？这套丛书的其他一些选题，就我个人来说，可能比本书还使我更感兴趣，如浙江的佛教等。我也希望能把浙江的山水胜景、浙江的手工业和民间技艺等，纳入选题中去，极愿早日能读到它们。但它们的难度可能更大。惟其如此，我们更盼望它们能早日写就,早日出版,这对于我们整个文化史以及整个文化问题的研究和开拓都将是一个促进。

1986 年 7 月于北京

原载浙江人民出版社 1987 年版《浙江十大文化名人》,此据万卷出版公司 2010 年版《当代名家学术思想文库·傅璇琮卷》录入,另收入黑龙江人民出版社 1992 年版《唐诗论学丛稿》(题为:《浙江十大文化名人》序)、湖南人民出版社 1997 年版《濡沫集》(题为:开展地域文化的研究)、大象出版社 2008 年版《学林清话》(题为:《浙江十大文化名人》序)

《黄庭坚研究论文集》序

　　50 年代末、60 年代初,我曾集中时间从事于宋代诗文研究资料的搜辑,后来结集为《杨万里范成大卷》、《黄庭坚和江西诗派卷》二书,列入中华书局的《古典文学研究资料汇编》中。1964 年2 月出版的《杨万里范成大卷》的前记,曾谈道:"宋诗在唐诗以后,开拓了新的局面。人们一提起宋诗,就会产生与唐诗不同的感受。唐诗中有各种不同的风格,不同的流派,宋诗中也有各种不同的风格,不同的流派,但是很奇怪,在各自的错综复杂的诗歌群中,确有一种稳定的共同体存在,形成一个时代的诗风。宋以后的诗人和诗评家,大多企图来探讨这一虽然复杂却也饶有趣味的文学现象,但似乎迄今还没有一个令人满意的结果。从比较来看,我们对唐诗的情况还比较熟悉,对宋诗,对其中不少的诗人和流派,认识得还不是十分透彻。宋诗研究的基础,比起唐诗来,是不够坚实的。近数年来,我断断续续在宋代诗文中摸索,希望在这方面整理出一些头绪,以便进行较为全面的探讨。在这样的摸索过程中,我痛感,单是在诗歌范围之内,也有不少基本事实还没有搞清楚,这就使我觉得非得先从积累和整理原始资料入手不可。在大量的和经过审查的资料基础上,再进行理论的分析和概括。"这里抄录二十多年前的这一段话,是想给企图了解宋代文学研究进程的先生们提供一个背景,表明我们这三十多年来宋代文学曾经处于怎样的一种落寞的状态。在一个很长的时期内,宋代文学、特别是诗文的研究,是被看做冷门的,至于对黄庭坚的研究,那更是冷门中的冷门。上面提到的《黄庭坚和江西诗派卷》,全书共七十余万字,是与《杨范卷》同时编成,而且是同时交付排印的,但那时出版社考虑到舆论对黄庭坚和江西诗派的某些看法,不得不采取付型后暂不印的办法,这样,就直到 1978 年 8 月才与读者见面,这之间竟隔了十五年! 对于一个研究者来说,十五年意味着什么,我想大家都会有真切的感受。以过去的这样一种情况与今天对宋代文学热烈的讨论对照,人们自然会对我们的文学事业产生一种不能自已的兴奋之情。

　　1984 年 10 月,我在济南参加李清照研究讨论会,遇到江西省文学艺术研究所的夏汉宁君,在交谈中我建议江西方面是否可对黄庭坚集中进行研究,并在适当时间召开一次学术讨论会,以推动研究的进一步深入。夏汉宁君回赣后写信给我,说省的文化工作领导很赞同这一意见,并着手开始准备。果然,一年以后,就由江西师大、江西省文学艺术研究所、九江师专、九江市文联等单位联合发起,于 1985 年 11 月上旬在修水县举办了纪念黄庭坚诞生 940 周年学术讨论会。我深感抱歉和遗憾的是,我因临时为他事所牵,未能赴会,失去一次学术交流的机会。事后听到与会的先生介绍,说会议开得十分成功,一百五十多位与会者对许多问题展开了认真的讨论。我后来又收到厚厚一袋论文资料,一次会议论文的数量,竟超过了半个多世纪发表的论文的总和!谁说我们的古典文学界是处在停滞不前的、落后的境地呢。

当然,黄庭坚的研究现在还仅仅是一个起步,虽然它可以说是一个真正的起步。由于黄庭坚的思想和作品的复杂性,特别是长期以来受到"左"倾思潮的影响所造成的某种僵固的文学批评观念,使得他的创作得不到公允的评价。要在短时期内消除文学观念上的习惯势力是不容易的,我们在近年内的一些力求有新见的黄庭坚研究中还不时可以看到某些旧时的踪迹。我觉得,当前黄庭坚研究中首先要解决的一个问题,就是怎样从总的方面,从比较广阔的视野出发,探讨黄庭坚的作品在中国文学史上以怎样的一种方式存在?而要解决这个问题,我个人以为,需要从三个方面着手。

第一,我们需要了解宋代知识阶层的情况。知识阶层,中国古代称做士,后来又称士大夫,他们是中国古代文化的主要承受者。我觉得,研究中国文化,特别是研究中国文学,不研究知识分子的历史性格之形成及其流变,是研究不透的,但在这点上,过去恰恰为人们所轻视,或遭到粗暴的否定。50年代林庚先生探讨李白的思想性格,曾用过"布衣感"一词,企图以此来探索和把握盛唐时期一部分知识分子的思想面貌和性格特征,但却受到不公正的对待。从此以后,在文学研究的范围内,对文学主体的探索竟成为禁区。这是应当引为教训的。研究作家所生存的文化圈,研究某一历史时期的文人心态,是摸索创作心灵的必然途径。宋诗的特点,也恰恰与那一时期文人的经历、兴趣、爱好密切相关。对唐宋历史与文学稍有涉猎的人,闭目一想,唐代和宋代知识分子的思想性格、行为举止，是可以区分得很清楚的，虽然这些区别如果用文学表达出来，还需要经过思考和研究。我个人以为，在宋代文人中，黄庭坚似乎更能代表宋代知识分子的一般特性，更能代表那一时期士大夫的优点和弱点。对这个问题进行探索，哪怕是稍稍的涉足，也定会拓展古典文学研究的领域，引起人们在学术上的创新的兴趣。

　　第二，要有一个宋代文学编年史。黄庭坚生活的年代，是宋代学术文化高涨的时期。诗歌、散文、书法、绘画、音乐、工艺，以及哲学、史学、音韵、训诂等都发展到极高的水平。黄庭坚的博学，他的才情，他的诗歌艺术，需要从历史文化的广阔背景去加以理解。这就是说，我们的研究要努力提供一个产生众多杰出人才的社会环境。我们还缺乏一些基本事实的说明，例如，黄庭坚进入文学领域时，北宋的诗坛是什么样的情况，那时已经有多少诗人在进行活动，有哪些诗人已写出了成功的作品，形成了自己的特色；又譬如，受黄庭坚影响而写作的年轻诗人，后来在不同程度上成为江西诗派的，他们在北宋后期是怎样活动的，黄庭坚与他们有哪些交往，彼此来往有哪些特点；又譬如，吕本中是在什么时候写出他的《江西诗社宗派图》的，他作这个宗派图时与哪些诗人交换过意见，他们的经历如何，在重大的政治变动中态度如何，给他们的作品带来哪些影响。这些基本事实都需搞清，才能对黄庭坚的创作作出准确的分析和判断。要搞清这些事实，我以为最好是作编年史，它将会给我们一个纵横交叉的、立体的认识，更便于作宏观的考虑。关于文学史研究的编年写作问题，我为《文史知识》1986 年第 12 期《关于唐代文学研究的一些意见》中有所阐述,请读者参考,这里就不再多讲。

第三,要精细地研究黄诗的语言。诗歌是语言的艺术,语言是诗歌的生命,研究一个诗人,落脚点必须在于对其诗歌语言奥秘的探究上,否则一切都将落空。美国著名语言学家爱德华·萨丕尔说过一句很值得玩味的话:"读了海涅,会有一种幻觉,整个宇宙是说德语的。"(《语言论》)这种感觉,我们在读我国古典诗作时也会产生。读了杜甫、李白的诗篇,我们真会惊异汉语的奇妙的表达能力,似乎汉语经过这些杰出诗人的诗句猛然加深了它的意蕴和内涵。对于"点铁成金"、"脱胎换骨"可以有种种争论,但人们不得不承认黄庭坚终其一生对诗歌语言进行了严肃而真诚的探索,而他的哪些探索是成功的,哪些探索是不成功的,需要做细致的工作。语言的研究需要具体,在学术工作中有时把范围适当缩小,不仅更能收到成效,有时还能从某一局部而拓展到全体。我相信对黄庭坚语言作较为精密细微的分析,会有助于对他的整个风格的认识,或许还会加深我们对宋诗的艺术风味的理解和欣赏。

以上三方面,都需要花时间,花工夫,我希望研究者能潜下心力,踏踏实实地做一些基础工作。在自然科学内,用严格的实验方法来确定事实,有时会导向规律的发现,社会科学研究是否也由此得到一些启发呢?规律是要谈的,新方法的运用也是值得讨论的,但科学研究必须有大量的事实作基础。脱离大量的事实,而侈谈规律和方法,就会像下面所引王僧虔诫子书中所说的那样,是非常危险的:"汝开《老子》卷头五尺许,未知辅嗣何所道,平叔何所说,马、郑何所异,《指》《例》何所明,而便盛于麈尾,自呼谈士,此最险事。"(《南齐书》卷三三《王僧虔传》)

最后我想说的是,江西人民出版社能够承担这部论文集的出版,在经济上是要作出牺牲的,但必将得到学术界的赞许和好感。我也是搞编辑出版工作的,深感在当前的情况下,出版工作中经济效益和社会效益往往不能一致,如何抉择,就显出当事者的眼光和魄力。这本《黄庭坚研究论文集》,我想销路也不会太好。这里我倒想起了当代美国著名传记文学作家欧文·斯通的一段话,他在为中译本《梵高传——对生活的渴求》(北京出版社,1983年10月版)所作的导言中写道:他在写完这部著作的后三年中,这部手稿曾被美国十七家大出版社所拒绝,后来对原稿删减了十分之一,才勉强为英国一家出版社的小分社接受出版,老板神情阴郁地对作者说:"我们印了5000册,我们还在求神保佑。"而后来,即到欧文·斯通写这篇导言时,这本书已经翻译成80种文字,销出了大约2500万册,《梵高传》成为全世界向往生活、向往艺术的青少年读者最为仰慕的书籍之一。不过,这中间毕竟经过了将近五十年的时间,可见一本书,哪怕是件艺术珍品,要被人所知,是多么的不容易。我相信,黄庭坚作品一定会为自己开路,这本论文集的众多作者的辛劳将会从读者那里得到报偿。

1986 年 11 月于北京

原载江西人民出版社 1989 年版《黄庭坚研究论文集》,此据大象出版社 2008 年版《学林清话》录入,另收入湖南人民出版社 1997 年版《濡沫集》(题为:山谷诗风研究的新开拓)、大象出版社 2004 年版《唐宋文史论丛及其他》

关于唐代文学研究的一些想法

　　近十年来,我在编辑工作之余,集中时间研究唐代文学,除了发表一些单篇论文之外,作为专书出版的,有《唐代诗人丛考》(1980,中华书局)、《唐五代人物传记资料综合索引》(与张忱石、许逸民合编,1982,中华书局)、《李德裕年谱》(1984,齐鲁书社)、《唐代科举与文学》(1986,陕西人民出版社),另外在排印中的有《唐才子传校笺》,则是由我担任主编,邀约有关的研究者共同撰写。我个人的成绩是很微小的,而近六七年来,我国整个唐代文学的研究获得迅速的发展。这些方面的情况,可以归纳为以下四点:

　　第一,填补了不少空白,尤其是注意到了对某一历史时期文学加以综合的考虑和概括,力图从中探求文学发展的带有规律性的东西,这是研究水平提高的明显的标志。如初唐文学,高宗武则天时期的反六朝余风斗争,大历时期文学(以及与之相应的南北文风的异同),贞元、元和时期的文学革新,古文运动的社会历史背景和思想文化渊源,晚唐文学,等等。这些方面的研究都有相当的深度和力度。

第二，对作家作品的考订更加细密。过去的唐代文学研究，着力于欣赏、评论，材料掌握不足，因此难免有些论断建立在不确切或错误的材料基础上。这些年来情况有很大的改变。对作家生平事迹的考订，对作品写作年代、真伪存佚的辨析，比起别的朝代来，似更为细致精确。它表明了我们不少研究者在踏踏实实地做工作，努力使我们的理论研究基础更加扎实牢靠。

第三，开拓了研究领域。这些年来发展了不少与唐代文学关系密切的边缘科学的研究，我们的研究者注意到文学与音乐、舞蹈、绘画等艺术门类的比较研究，有些论著以文学为中心而扩展到对佛学、考古学、历史地理学、科举制度以及社会风尚的研究，扩大了学术领地，也深化了对文学特征的认识。

第四，对文学艺术性分析的加强。这方面的工作已经突破了传统的词句赏析的范围，而是从整体的审美要求出发，对思想和艺术作统一的探讨，并且注意到与其他艺术样式的比较，与外国文学的比较，拓展了研究的领域。

我觉得，以上四点基本上可以概括这些年来唐代文学研究所取得的成就。还应当特别提到的是，这些年来涌现出了一批二十几岁到四十来岁的中青年研究者，上面所说的四个方面的成就，有不少即是他们作出的，他们是我们研究队伍中的中坚力量，建国以来还没有哪个时期像近年这样集中出现这么多作出成就的人才。他们富有朝气而又脚踏实地，立论新颖而又基础扎实，有进取心而又对前辈学者的成就十分尊重。他们近年来所发表的论著，有的已经有相当高的水平，他们是唐代文学研究中的骨干，是我们事业的希望。我认为，完全可以预期，依靠老一辈学者和大批中青年研究者的共同努力,在今后几年内,唐代文学研究必将有一个大的进展,有新的突破。

那末,我们应当怎样继续前进呢?应当怎样来跨出新的一步呢?这里,我想根据当前的研究现状,参照自己的治学体会,提出三点意见,一是建立文学编年史的研究;二是加强作家传记的研究;三是大力开展对专书、专题的研究。

我在《唐代诗人丛考》的前言中,曾写过这样一段话:"我们现在的一些文学史著作的体例,对于叙述复杂情况的文学发展,似乎也有很大的局限。我们的一些文学史著作,包括某些断代文学史,史的叙述是很不够的,而是像一个个作家评传、作品评论的汇编。为什么我们不能以某一发展阶段为单元,叙述这一时期的经济和政治,这一时期的群众生活和风俗特点呢?为什么我们不能这样来叙述,在哪几年中,有哪些作家离开了人世,或离开了文坛,而又有哪些年轻的作家兴起;在哪几年中,这一作家在做什么,那一作家又在做什么,他们有哪些交往,这些交往对当时及后来的文坛具有哪些影响;在哪一年或哪几年中,创作的收获特别丰硕,而在另一些年中,文学创作又是那样的枯槁和停顿,这些又都是因为什么?"

这篇前言是 1978 年写的,但上面所说的想法,却产生于 60 年代。60 年代初,我因病住院,随身携带一本新出版的丹纳《艺术哲学》的傅雷译本在病床上阅读。当时"左"的思想对学术活动已经有很大的影响,但说来很奇怪,丹纳的书却对不少知识分子有吸引力,使他们感到新鲜。我也从《艺术哲学》中得到很大启发,觉得研究文学确应从文学艺术的整体出发,这所谓整体,包括文学作为独立的实体的存在,还应包括不同流派、不同地区互相排斥而又互相渗透的作家群,以及作家所受社会生活和时代思潮的影响。这样做,就将牵涉到总的研究观念的改变。但具体如何着手呢?我当时想到了编年史。我觉得文学编年史将会较好地解决研究整体的问题。这也是对于那一时期文学史著作的体例所感到的一种不足。现在我认为,文学史著作有它自己所要解决的任务,它不能完全为文学编年史所代替,两者可以并存,而当前的情况下,建立编年史的研究尤应引起特别的注意,它确实有不少的优点。我的这一想法也是受我国当代文学蓬勃发展的现实所启发。我们写当代文学史,如果还是像老样子,一个作家写完了再写另一个作家,一个个排着队来写,肯定会把丰富多彩、生机蓊郁的当代文学弄得死气沉沉,使人感受不到蕴含于作品中的那种强烈的时代精神和当代意识。如果我们逐年地作综合的研究,把政治发展、经济改革、人们思想情绪的变化、作家们复杂多样的经历及其创作的活跃,作总体的考察,就会清晰地看出新时期文学在这十年中前进的步伐。唐代文学也是如此,初唐将近一百年,虽有进展,但较缓慢,盛唐三四十年,突然像火山爆发那样发出那么多诗的熔岩,而盛唐的高潮以后,又有一个回顾、思索的曲折时期,然后又产生贞元、元和时以古文运动和韩、白两大诗派为标志的另一高潮,这些,如果有一详确得当的编年史,那末唐代文学的快慢起伏,就会看得很清楚。近年已经出版了陆侃如先生的旧著《中古文学系年》,虽然还有可以改进之处,但毕竟给研究者提供一种思索上的选择。我们如果分段进行唐代文学的编年,把唐朝廷的文化政策,作家的活动,重要作品的产生,作家间的交往,文学上重要问题的争论,以及与文学邻近的艺术样式如音乐、舞蹈、绘画、建筑等的发展,扩而大之如宗教活动、社会风尚,等等,择取有代表性的材料,一年一年编排,就会看到文学上的"立体交叉"的生动情景,这也必将引出现在还想不到的新的研究课题。

第二点,关于加强对作家传记的研究。这也是我自己切身体会而得的。如上所述,60年代前期,我产生了文学编年史的想法,因此中断了我当时进行的宋代文学资料的探讨(在这之前我已编了"古典文学研究资料汇编"中的《黄庭坚和江西诗派卷》和《杨万里范成大卷》两书),想在中国古代文学充分发展的时代唐朝来作一番试验,于是就拟订了一个计划,从初唐开始,看了一些史书和唐人别集。当然,过不多久,"文革"事起,这些都谈不到了。70年代中期,我又有机会重操旧业,故志未改,又继续做编年的工作。但做了一阵子,在深入一步以后,我发觉,我们搞了那么多年的作家评论,文章和专书也已不少,但细究起来,众多作家的生平却仍然若明若暗,有些事迹叙述不确切,有些则基本上搞错了。显然,在这种情况下,要做精确的编年工作是不可能的。一定要有作家事迹研究的基础,才能再加概括和综合,编年史也才有符合历史实际的内容。这就使我从编年中回过头来做作家考证的工作,而又因为有编年的基础,事迹的考辨更能收到相互参照的效果。《唐代诗人丛考》就是在这种情况下写出来的。

这些年来,作家事迹的考证工作已经做得很不少了,但就以整个唐代文学而言,似还差得很远。我粗略估计,这些年来经过考辨,大致可以搞清其生平事迹的,约占整个有成就作家的十分之三、四,进一步要做的工作还不少。如果对还占十分之六、七的作家的情况不甚清楚,就很难说我们已经理清了唐诗发展的脉络。这里特别要提到的是,无论理论阐发和资料考证,要考虑到作家群。我们过去对作家群的观念是较为淡薄的,视角只落在少数几个大家身上,于是文学史往往形成孤立的点的联缀,而不是永流不歇的作家群体的发展。我们可以闭目想一想,历史上哪一个伟大的、杰出的作家周围没有好几个较为不大杰出的或次要的作家呢?他们有的是好朋友,在创作上互相切磋和支持,有些又可能是对立面,在思想和艺术上又常有诘难或竞争。大作家往往受到小作家的影响。时代特色有时在一些小作家的作品中更能得到体现。研究大家与小家的关系,研究他们怎么共同承受社会的影响而又如何各异地表现出时代的音响和色彩,这会给文学史研究带来多少吸引人的新鲜题材。

　　《唐代诗人丛考》考证了初唐至大历时期大小作家二十余人,那末中唐以后怎么办?仍如《丛考》那样一个个考下去呢,还是用一条线索把一些作家的事迹串联起来呢?从对史料的考察中,我发现中晚唐之际不少作家与牛李党争有关,而牛李党争又头绪纷繁,不但是非曲直众说纷纭,而且材料的真伪纠葛往往使人不知所从。有些搞唐代文学的人,一碰到有些作家夹杂在那时的党争中,也感到头痛,于是或者沿袭旧说,或者采取回避态度。显然,要使中晚唐作家研究前进一步,光靠单个作家的考证是不够的。中晚唐文学的复杂情况,需要从牛李党争的角度加以说明,而要研究牛李党争,最直接的办法则是研究李德裕。李德裕是牛李党争的核心人物。于是着手编写《李德裕年谱》。正是从李德裕的政治措施对当时影响的研究中,我弄清了李商隐的政治态度,清除了过去对他的一些误解,也从一个新的角度考察了杜牧、元稹、白居易、李绅等人的社会政治活动。我觉得《李德裕年谱》一个小小成功之点，就是通过对牛李党争的澄清通盘考察了与此有关的作家的事迹，把作家的经历与当时政局的重大变动作了幅度较大的探索。

由此我想到，我们是否可以组织一套中国古典作家传记丛书，凡在中国文学史上有过贡献，有其特色的作家，从屈原开始，到清末，分别写出传记。这套传记丛书，要立足于信实，要吸收已有的研究成果，又经过撰写者的独立研究，对作家的生平事迹写得清清楚楚，不回避矛盾，也不强作解人，从材料出发，而这些材料又是经过核验的，无论今后对作家的思想、艺术评价有何等样的变化，要做到这套丛书所写的基本事实是推翻不掉的，而无论评价是如何的花样翻新，它们对这些作家的生平必须以这套传记丛书为依据。要做到这一点是不容易的，但不是不可达到的，而如果我们真的做成了，则将是一项中国文学史研究的基本工程，在世界上也会产生影响。我们如果有较高学术水平的一套作家传记，同时还编有从先秦到近代的多卷文学编年史，我们有了这二者，那不但是唐代，而且整个中国古代文学的研究，就有了雄厚的基础，尽可以在这上面做出宏文巨著来了。

唐代文学研究进一步要做的第三点，是大力展开对专书、专题的研究。加强对专题的研究，是容易理解的，这几年也作出引人注目的成就。譬如有些研究者，把佛教看作为一种文化形态，并以之与文学作比较的研究。这方面作出显著成绩的，有陈允吉先生论王维、韩愈、李贺、白居易作品与佛教文化关系的一系列论文，有孙昌武先生的《唐代文学与佛教》的专著。罗宗强先生从文学思想的演变、文学思潮的发展着眼，写出了极有深度的论著，开拓了史的研究的新领域。我个人则希望从科举制度的角度来窥探唐代士人的生活道路和心理状态,它们又怎样给予创作以影响。专题的研究还有待进一步开拓,如唐代盛行的道教与文人是怎样一种关系;西域的文化怎样吸引文人的注意,使他们的作品带上特异的光芒和色泽;文人怎样在幕府中生活,他们的从军生涯又与边塞诗发生什么样的联系;唐代不同地区、不同的地理风貌,与作家群有什么关系(附带说一句,我们在文化史的研究中,对历史地理或地理文化,注意是很不够的,实际上地理及地理学给予其他人文学科的影响不可忽视。19 世纪末、20 世纪初英国地理学家哈·默金德写了《历史的地理枢纽》两篇论文,总共不过二、三万字,却引起轰动,80 年代初,一个美国人把它与达尔文《物种起源》、马尔萨斯《人口论》、爱因斯坦《相对论》等十五种书并列,称为"十六本改变世界"的"巨著"①)。敦煌文学的研究,已蔚为大观,就不再论列。

比较起来,专书研究不大受人注意,其意义似乎也不大为人理解。我觉得,这是我们深层研究所必须做的一着。清人在唐人别集的笺注上做出了成绩,其中的一些好的注本,如陈熙晋的《骆临海集笺注》,蒋清翊的《王子安集校注》,赵殿成的《王右丞集笺注》,王琦的《李太白集校注》,钱谦益、仇兆鳌、杨伦等的杜诗注,以及王琦等的李贺诗注,冯浩的李商隐诗注,曾益的温庭筠诗注,不但有助于对原作词句的理解,而且也使后人对唐人诗文中涉及的典章制度、人事交往、风俗习尚能有较多方面的认识。唐代文

———————————

① 见商务印书馆 1985 年 10 月出版的《历史的地理枢纽》一书及译者前言。

献中,不仅是作家集子,有些综合性的书籍,更需要研究阐释。如北宋初年人王谠的《唐语林》,多方面记录唐代的社会生活和文学情况,但现存多有残缺,现在周勋初先生一一为之找出材料出处,间加注释,为专书研究作出新的努力。又如集中记载唐代科举活动的《唐摭言》,也是值得深入研究的一书,过去岑仲勉先生做过一番研究,现在还可进一步整理。《文镜秘府论》,已经有了王利器先生的详尽的注本,日人的另一本书《入唐求法巡礼行记》也是很值得做的,其意义恐不在《大唐西域记校注》之下。我自己近年来邀约国内的有关研究者,从事于《唐才子传》的笺证,已完成全书的一半,正在排印中。专书的研究,实际上是对研究者功力的一种考验,也是我们整个研究的不可或缺的支撑。如果我们对唐代若干有代表性的专书分别作了专题性研究,这就会使我们的整个研究基础较前更为充实,也会使年轻的研究者得到严谨学风的熏陶。

当前,古典文学研究如何革新,如何突破,是研究者和读者所十分关心的,有关方法论的讨论也在热烈地进行。这对于活跃思想、开阔视野,很有好处。我觉得,我们应当关心和欢迎这一讨论,而与此同时,具体的研究仍需积极进行,我们要做基础工作。本文所谈的,就是这样的基础工作,它们可能不易为人瞩目,不易一时见效,但却是一种切实有用之事,是经得住时间的检验的。

原载《文史知识》1986 年第 12 期,此据万卷出版公司 2010 年版《当代名家学术思想文库·傅璇琮卷》录入,另收入黑龙江人民出版社 1992 年版《唐诗论学丛稿》、京华出版社 1999 年版《唐诗论学丛稿》

天宝诗风的演变

　　很久以来，评述盛唐的诗歌，几乎形成一种公认的框架和模式：王、孟山水诗派和高、岑边塞诗派，浪漫主义诗人李白和现实主义诗人杜甫，概括地代表了整个盛唐诗歌的发展、特点和成就，其他的一些诗人则分别纳入这两大诗派、两大诗人的范围及影响之中。应当说，这一流行的模式是有缺陷的，缺陷的主要点是把复杂的文学现象简单化。现实生活是丰富多彩而又矛盾复杂的，文学现象也同样如此。古代社会生活的节奏没有我们今天的快，古代文学的发展变化也没有现当代文学那样的多层次多结构，但在历史发展的某些重大的、关键性时刻，社会生活和文学的发展，也会出现惊人的飞跃和似乎令人捉摸不定的流向。天宝时期的诗风，就有这样一种历史倾向。

　　上面所说的模式，既不适用于天宝，也概括不了开元时期诗歌发展的特点和成就。除了孟浩然确属开元时期代表诗人之一以外，高、岑、李、杜和王维的主要成就并不在开元时期；而把王昌龄、常建、储光羲、李颀及王之涣、王翰、王湾等著名诗人列入两大诗派，显然存在许多不相适合的问题；同时像萧颖士、李华、贾至、元结等当时有论有诗的作家仅仅视为古文运动的先驱,摒除在外,甚至列入中唐诗人,也未为妥当。倘使横向地看,则似乎除了李、杜交谊的佳话外,盛唐诗人之间似乎甚少联系,很少互相影响。复杂而生动的历史内容被简单化了,丰富可贵的历史经验也只剩下若干抽象的概念。

丹麦文学史家格奥尔格·勃兰兑斯的《十九世纪文学主流》有一句名言:"文学史,就其最深刻的意义来说,是一种心理学,研究人的灵魂,是灵魂的历史。"(第一分册《流亡文学》,人民文学出版社 1980 年 9 月译版)按照作者的意图,他这个六卷本的巨著,就是想通过对欧洲文学中某些主要作家集团和运动的探讨,"勾画出 19 世纪上半叶的心理轮廓"。勃兰兑斯注意于社会生活与文学流派的多样化联系,并努力从整体上来把握作家群的时代情绪和心理活动,这种研究方法对我们还是可以借鉴的。

纵观天宝时期的诗坛,使我们感觉到不少诗人似乎从开元盛世的光圈中走了出来,他们慢慢驱散笼罩着他们的幻想式的雾气,而逐渐学会用一双清醒的眼睛来看现实,我们发现他们饱含诗意的眼神中竟如此的忧郁,人们可以感觉到一种深刻的不安。

是不是可以说,深刻的不安,是那个时期社会上的带有普遍性的情绪,而在文学上,这种诗化了的深刻的不安,则是天宝诗风的基调。

这种深刻的不安,在不同作家群中有不同的反映,下面让我们来作一些具体的分析。

一

　　站在时代前列的诗人感觉是敏锐的,他们的诗歌传达时代脉搏是灵敏的,反映现实矛盾是迅速的。但是,在古代金字塔结构的封建社会里,处于不同阶层和地位的诗人,生活感受和体验并不等同。又由于古代社会经济发展缓慢,社会信息传递滞留,因而他们的创作在反映时代变化的敏捷和步调上并不一致,表现在创作趋势上便显得错综起伏。这种现象,看起来似乎是不同流派的结果,其实并非如此。唐玄宗天宝年间的诗风演变,便是这样。

　　唐玄宗开元年间太平鼎盛,天宝政治黑暗腐败。这一历史现实在诗人创作中普遍得到反映,也是决定诗歌创作趋势发生变化的主要原因。从开元末到天宝年间,至安史之乱爆发之前,诗歌创作有三个趋势是明显的:一是超脱现实,清高隐逸;一是正视现实,抨击黑暗;一是愤世嫉俗,崇儒复古。这三个诗歌创作趋势先后起伏,错综发展,而随着政治现实日益腐败黑暗,正视现实的趋势迅速扩大,鲜明突出,成为主导的创作思潮,直接启发和哺育着中唐诗人。

　　开元二十四年(公元 736 年),以正直著称的贤相张九龄罢政,口蜜腹剑的权奸李林甫执政。次年,张九龄贬任荆州长史。调动执宰,原是玄宗朝常有的事,但这次变动不同往常,"自是朝廷之士皆容身保位,无复直言"(《资治通鉴》卷二一四)。张九龄不仅是宰相,而且是开元间继张说而为词宗的大手笔,在文坛甚有声望。因此这一变动在他和接近他的诗人创作中迅速得到反映。他在荆州创作的一组《感遇》诗,以五古的形式,兴寄的手法,朴质的语言,抒写坚守志操、不苟污浊、避祸自全的情怀,便是针对李林甫黑暗专政的。他讽劝朝士不要贪恋高位,要提防暗算:"矫矫珍木巅,得无金丸惧。美服患人指,高明逼神恶。"而庆幸于"今我游冥冥,弋者何所慕"。他赞美江南丹橘经冬不凋,"自有岁寒心",同时感慨"运命唯所遇",寄托了深沉的不平。这组诗保持着盛世志士风度,同时又有着一种预感到不祥变化的不安情绪,尽管这种情绪还是很朦胧的,但却正是盛唐诗人从理想的追求转变为对现实的不平的表现,既表明诗人清高超脱的政治态度,也体现诗风转变的最初趋势。

　　大约在开元二十三年(公元735年)张九龄为相之际,襄州刺史韩朝宗偕本州名士兼隐士孟浩然入京,要为孟的入仕延誉。韩的好意虽因孟的狂狷失约而扫兴,但孟浩然却在长安结识了张九龄,成为"忘形之交"(见王士源《孟浩然集序》)。两年后,张九龄在荆州召浩然入幕,两人又在一起吟咏了几个月,然后再度分别。可以想见,这几年涉历仕途和结交张九龄,使孟浩然多少了解到朝政的实情,因而使这位以平淡冲和著称的布衣诗人创作中,增添了惋惜和惆怅,而终于潜心归隐,超脱现实。他在《岁暮归南山》中唱道:"北阙休上书,南山归敝庐。不才明主弃,多病故人疏。"感到失志蹉跎,为此长夜难眠。而在辞别荆州幕府的那首《望洞庭赠张丞相》中,他激愤了:"气蒸云梦泽,波撼岳阳城。"心潮汹涌不平,如浩渺波涛,震撼天地。然而他理解、同情张九龄的处境和心情,想到古谚所云"临渊羡鱼,不如归家织网",在李林甫专政下,张九龄也是徒有荐贤之心,已无举能之力了。因而也可以理解那首著名五绝《春晓》,诗人从甜睡的觉醒中感到盎然的春意,却更敏锐地觉察到美好的春天在风雨声中渐渐消逝。在这惜春的咏歌里,蕴藉着盛世的喟叹和惆怅,表达了一部分士人的情绪。他终于在《夜归鹿门歌》中,听着醒世的"山寺钟鸣",望着争喧的"鱼梁渡头",与世人分道扬镳,独自走向"唯有幽人自来去"的归宿,超脱隐逸。从诗歌的创作趋势看,这正表现一部分诗人从宫阙朝廷渐渐走向江湖山林。

张九龄和孟浩然都在开元二十八年(公元 740 年)去世。这似乎是文学历史的一个转折点,因而也是一个分界线。在这以后,文学活动就向多样化发展。

把张、孟开端的清高超脱的诗歌趋势进一步推进发展的代表诗人是王维。开元二十二年(公元 734 年),张九龄为中书令,擢升王维为右拾遗。王维和孟浩然结识,大约就在孟进京那一年。张九龄贬荆州时,王维为监察御史。当时他虽是三十几岁的成名诗人,却是开元时年辈较小的作家。由于这几年任职御史台,又受张的赏识,他是比较了解朝政内情的。他正直,因而对张九龄说:"方将与农圃,艺植老丘园。"想要归隐。但他软弱,"恐招负时累"(《赠从弟司库员外郎绿》),怕得罪李林甫,终于没有辞官。于是他选择了一条半官半隐、"无可无不可"的生活道路。他认为"君子以布仁施义、活国济人为适意;纵其道不行,亦无意为不适意也"(《与魏居士书》),清高超脱,适意自在。晚年更好禅理,虔信佛教。众所周知,在张九龄被贬以前,王维诗的主要倾向是积极开朗的,富有理想和展望,洋溢热忱和激情。此后则常住于终南辋川别业。"兴来每独往,胜事空自知,行到水穷处,坐看云起时"(《终南别业》),优闲优隐,独乐自适;"空山不见人,但闻人语响,返景入深林,复照青苔上"(《辋川集·鹿柴》),醉心空寂,胜似遁世。他不辞官而归隐,改大隐为中隐,从躲避客观污浊变为追求内心清静,悟禅理,得禅悦。他为天宝年间一部分正直而软弱的士大夫开辟了一条容身保位的便道,把清高超脱的诗歌创作趋势引向更加脱离现实的自我精神满足,使山水田园的自然美也在他的诗歌中变成"色相俱泯"的空寂意境,甚至"读之身世两忘,万念皆寂"(胡应麟《诗薮·内编》)。

我们可以注意到这一个现实,就是王维是怎样在"适时"的外表下掩饰内心的不安。张九龄在开元二十四年十一月罢相,开元二十五年正月朝廷就设置玄学博士,以《老》、《庄》作为科试的内容,并且任命道士尹愔为谏议大夫、集贤学士、兼知史馆事,王维在此后就写有《和尹谏议史馆山池》诗,说"君恩深汉帝,且莫上空虚",把诗歌作为崇道活动的粉饰。更有甚者,王维在天宝初还直接称颂过李林甫,说"长吟吉甫颂,朝夕仰清风"(《和仆射晋公扈从温汤》)。他又与李林甫的得力文臣苑咸过往很密,苑咸称他为"当代诗匠",王维奉和苑咸的诗则一并把李林甫也称颂了:"仙郎有意怜同舍,丞相无私断扫门。"(《重酬苑郎中》,又可参见《旧唐书·李林甫传》:"自无学术,仅能秉笔,有才名于时者尤忌之。而郭慎微、苑咸文士之阘茸者,代为题尺")。但是尽管如此,他作为中上层的官员,对于朝政的恶化,终于不能无动于衷,他在诗中说:"寂寞掩柴扉,苍茫对落晖。"(《山居即事》)这里面蕴含着诗人多深的意绪,他所钦仰的贤相张九龄和诗友孟浩然去世了,时世是无可挽回地向坏的方向发展,而自己又无能为力,他感到深深的寂寞,这寂寞中又透露出一种不安。

从开元末到天宝年间出现的超脱现实、清高隐逸的诗歌创作趋势,首先来自统治阶级上层比较正直的士大夫。他们比较了解朝政形势,一方面敏锐觉察,迅速反映,为之忧愤,而同时又受上层士大夫固有局限,往往从不苟污浊、洁身自好而清高超脱,反抗软弱。从这一趋势的作品看,大体从关心政治到超脱现实而追求内心满足,从讽刺朝政的寄兴到歌咏隐逸田园的写意,从五古到律绝,而以抒情诗为主。在一个时期内,这一趋势适应中下层士大夫的情绪意愿,反响较广,发展较快。但随着李林甫以及杨国忠专政的罪恶暴露于天下,这类超脱现实的山水田园诗逐渐见弱,而为正视现实及愤世嫉俗的创作潮流所取代。

二

事实上,当张九龄罢相、李林甫执政之际,文坛上还有两类诗人活跃着。一类如王昌龄、常建、李颀等久已入仕或刚刚擢第的诗人,他们关心政治,并不超脱现实。另一类如李白、高适、杜甫及岑参等尚未入仕,犹属布衣的诗人,他们还都满怀壮志豪情,展望远大前程。而使天宝年间诗歌波澜起伏、绚烂壮观的,恰是他们的创作,尤其是李白等人。

王昌龄和常建是开元十五年(公元 727 年)同榜进士擢第的,李颀则在开元二十三年(公元 735 年)进士及第。王昌龄曾任校书郎,两为丞尉,两度贬谪南荒。常建和李颀则都是一尉之后,久不调迁,弃官归隐。他们的经历归宿并不相同,但都属于下层士大夫,中年擢第,仕途不达,接触社会现实,生活体验和思想倾向有相近之处,诗歌创作上有共同特点和趋势。就主题而言,他们的边塞诗和山水诗比较突出地表现出:热切关心国力的强弱、朝政的得失;对个人出处虽然消极,但并不追求内心满足,而是显示出与世俗的对抗。

王昌龄早年到过边塞,写了许多歌唱边塞将士、感慨边愁不解的优秀诗篇,对边塞问题有切实了解和明确见解。到天宝中,他的认识更为清晰。在贬龙标尉时所作的《箜篌引》中,通过叙述一个从西北边塞远流南边的胡族“迁客”的悲愤控诉,揭露唐朝边帅穷兵黩武,邀功求赏,背信弃义,残害世代归唐的胡族部落,破坏边塞民族和睦,挑起战争,制造仇恨;同时明确主张“紫宸诏发远怀柔”,要求“怜爱苍生比蚍蜉”,以期“海内休戈矛,何用班超定远侯”。诗人以前主张良将镇边,如今主张怀柔政策,反对开边黩武,同情胡族人民,这个转变显然针对天宝间边政腐败,是切实而进步的。而这诗用乐府旧题叙事,描述典型而如实。比较起来,常建、李颀的边塞诗则具有以古讽今的咏史特点,思想则与王昌龄一致。常建《塞下曲四首》之一,咏叹汉代西域乌孙玉帛朝回的历史,赞美怀柔政策的功泽:“天涯静处无征战,兵气销为日月光。”其三云:“龙斗雌雄势已分,山崩鬼哭恨将军。黄河直北千余里,冤气苍茫成黑云。”则明显抨击边将黩武扩边所造成的祸患。李颀《古从军行》则借汉武帝故事,讽刺唐朝扩边之患,造成汉军士兵牺牲,“胡儿眼泪双双落”,而结果只是“空见蒲桃入汉家”,

点缀了汉家宫苑。不难看到,这些边塞诗的锋芒已从反对异族侵扰变为反对唐玄宗扩边祸害汉胡各族人民,是天宝间边塞诗的一种明显的变化趋势。

在李林甫专政下,正直士大夫仕途不平,容易产生归隐之想。王昌龄曾经隐居,常建、李颀都一尉即隐。他们都有山水诗。开元末,王昌龄因事被谪岭南,路过荆州,有诗赠张九龄说:"邑西有路缘石壁,我欲从之卧穹嵌。鱼有心兮脱网罟,江无人兮鸣枫杉。"明白表示有心摆脱网罗而隐逸,清高自适,但他更关心国家遭遇,感慨地想起《招魂》的名句,体验到屈原流放的心情。他曾从钓鱼体会到仕隐不同境遇,"手携双鲤鱼,目送千里雁,悟彼飞有适,嗟此罹忧患",理解隐士必须"神超物无违,岂系名与宦"(《独游》),从生活到思想都彻底摆脱名宦束缚,做个真隐士。但他终于没有隐逸,也没有逃脱罗网,而是在"寒雨连江夜入吴"的宦途中,吟赏着"一片冰心在玉壶"(《芙蓉楼送辛渐之二》),磊落正直,坚持志节,不羁不屈,显示出反抗精神。比较起来,常建、李颀的田园山水诗是直截歌咏隐逸情怀的。王昌龄遭贬时,常建有《鄂渚招王昌龄、张偾》,劝他归隐,指出"世上徒纷纷",认为"翻覆古共然,名宦安足云;贫士任枯槁,捕鱼清江渍",表明对时世的深刻失望和对历史的清醒认识。他是要真隐的,做个"别家投钓翁,今世沧浪情",断绝官宦,存真无名,"碧水月自阔,安流净而平,扁舟与天际,独往谁能名"(《渔浦》)。正是这种情操,使他写出著名的《题破山寺后禅院》,深情赞美这山林禅房环境幽深优美,令人清净自在,"山光悦鸟性,潭影空人心",既有禅悦,更见真隐,寄托清高志趣,与尘世喧杂相对。而善写人物神情的李颀,其山水诗显得清新活跃,但思想实质与常建相近。《渔父歌》写一位"避世长不仕,钓鱼清江滨"的隐者,他"浦沙明濯足,山月静垂纶。寓宿湍与濑,行歌秋复春",竹竿芦薪,水饭荷鳞,自乐全真,"而笑独醒者,临流多苦辛",对奔波仕途的坎坷志士施以同情的微笑,显示出诗人对时世的清醒而失望的认识。在一个秋天早晨,他远望京畿秦川的壮观景象,"远近山河净,逶迤城阙重,秋声万户竹,寒色五陵松"(《望秦川》),敏感到秋寒严霜笼罩大地,发出岁暮归去的感叹,有盛世的忧患和失时的慷慨。因而他们歌咏隐逸的山水诗,更接近孟浩然,而与王维不同。他们心里关切现实。

总起来看,王昌龄等代表着一部分下层士大夫的思想情绪和创作趋势。他们关心国家命运,反对腐败政治,认识清醒,态度不苟,逐渐转向正视现实,揭露黑暗,但对底层人民生活和情绪则较少了解,也少反映;艺术上仍有盛世气派,多用寄兴的抒情诗和讽今的咏史诗,但已有写实的趋势。如果以张九龄《感遇》作为诗风转变的开端标志,则可以看到以京洛为中心的诗坛出现了两个趋势,一部分比较软弱的诗人日益脱离现实,一部分比较清醒的诗人则逐渐正视现实。后一种趋势显然符合时代进程,因而随之而来的是一些下层布衣诗人,大步走向诗坛中心,站在时代前列。

三

李林甫专政之初,朝政腐败黑暗尚未充分暴露,大唐帝国表面依然繁荣昌盛。许多尚未入仕的下层布衣之士,远离政治中心，并不了解朝政实情，还没有体验政治黑暗，因而仍是胸怀壮志，充满展望，歌唱理想，情调高扬。开元后期，中年李白在武昌曾结交孟浩然，"吾爱孟夫子，风流天下闻"（《赠孟浩然》），热情赞美孟浩然清高隐逸、傲视王侯的品性风度，寄托他自己"不屈己、不干人"的志趣情怀，信心充沛。高适当时正在浪游宋中，穷困而不消沉。他对朋友说："惆怅春光里，蹉跎柳色前；逢时当自取，有尔欲先鞭。"（《别韦兵曹》）志向依然，待时进取。开元二十六年（公元738年）写出《燕歌行》，在思想上仍属讽谕朝廷任用边帅不当，具有开元边塞诗的特点。青年杜甫在开元二十三年（公元735年）应试不第，便"放荡齐赵间，裘马颇清狂"（《壮游》），路过泰山，"会当凌绝顶，一览众山小"（《望岳》），宏愿豪迈，壮心可观。还有那位宰执后裔的青年岑参，这几年来往京洛，远游河朔，"酩酊醉时日正午，一曲狂歌垆上眠"（《邯郸客舍歌》）；对贬官江宁的王昌龄诚挚慰勉，"潜虬且深蟠，黄鹤飞未晚"（《送王大昌龄赴江宁》），满腔热情，一片认真。尽管他们年龄大小、出身经历、思想性格并不相同，但朝士"皆容身保位，无复直言"的那种政治气氛，显然还没有传染到他们身上。然而恰是他们的诗歌，在天宝年间发出激发人心的力量。

历史的安排是偶然的，但似乎也有意。开元二十三年，张九龄、孟浩然和王维的相遇结交，成为诗风转变趋势的前奏。十年以后，天宝三载（公元744年），李白、杜甫和高适的梁宋之游，历来传为诗史佳话，在诗歌发展中，其实也具有一个新的创作趋势开端的意义。众所周知，李白在天宝元年（公元742年）应诏进京，当了两年御用文人，光宠而不遇，得意而失志，终于在天宝三载辞官离京。他深感朝政黑暗,"却忆蓬池阮公咏,因吟渌水扬洪波",竟觉得有魏、晋之际那样形势严峻;但他不学伯夷、叔齐,而是"东山高卧时起来,欲济苍生未应晚"(《梁园吟》),壮志不灭,待时而起。在这样的思想状况下,遇见杜甫、高适。当时高适长期浪游,深感压抑,牢骚不平。"燕雀满檐楹,鸿鹄抟扶摇。物性各自得,我心在渔樵"(《同群公秋登琴台》),似乎甘于浪迹,而其实理怨得志的朋友不相提携,"京洛多知己,谁能忆左思"(《宋中别周、梁、李三子》),正表明他渴望"铅刀贵一割"(左思《咏史》之一)。杜甫这时三十三岁,比李、高小十岁左右。他与李白在一起,快意之中不免受到影响,"向来吟《橘颂》,谁与讨莼羹? 不愿论簪笏,悠悠沧海情"(《与李十二白同寻范十隐居》),也有过逍遥之想。但他毕竟要奉儒守官,并不愿意"痛饮狂歌空度日"(《赠李白》)。正因为他们对政治黑暗,仕途险阻,都有了不同程度的体验和认识,所以先后相遇于梁宋,酣歌射猎,访古论文,痛快一时,长怀慷慨。此后他们的经历表现各不相同,李白在新的思想基础上重新漫游待时,高适登科不得意而改投军幕,杜甫则在长安度过十个辛酸屈辱的年头。但他们的诗歌创作则有明显的变化,对朝政无多幻想,把眼光从注视上层转为正视国家人民的现实和前途,胸怀日益博大,思想日益深刻,感情日益激愤,倾向日益鲜明,体现了一个新的趋势。

李白从辞别长安到安史乱起的十年之间,他漫游南北,不涉仕途,依然那样傲岸不羁,颖脱不群,诗歌充满浪漫精神。但这位"谪仙"却日益把眼光投向现实。值得注意的是,这位伟大的浪漫主义诗人的创作中,出现了具有现实主义色彩的作品。《古风》三十四"羽檄如流星",批评天宝十载(公元751年)征伐南诏的不义战争及其祸害。诗中设问作答,夹叙夹议,叙事如史,笔法《春秋》,同情人民,指斥朝廷,深为国家担忧。在严峻的事实面前,诗人的自我形象是清醒的,沉重的,认真思索国家大事和人民苦难,毫不狂放。《丁都护歌》写纤夫劳役艰苦,使诗人看到交通发达、商业繁荣的景象中,包含劳动人民的血汗,想到开凿运河的苦难。对人民苦难的同情,对人民创造的崇敬,使诗人陷于历史的沉思悲慨。因而这诗没有神奇的幻想、惊人的夸张,而是使艺术的夸张从属于如实的描写,让浪漫的想象含蓄于不尽的言外。

高适在天宝八载(公元749年)应试中第,得了个封丘县尉。任满后转入哥舒翰幕府掌书记。在安史乱起之际才拜为左拾遗,转监察御史,算成了正式朝士。在与李、杜分别后的十年中,前四年依然混迹渔樵,后六年仕途并不平坦。就在天宝四载(公元745年)秋天,他在河南遭遇大水灾,作《东平路中遇大水》,记述了骇闻的天灾,"虫蛇拥独树,麋鹿奔行舟。稼穑随波澜,西成不可求。室居相枕藉,蛙黾声啾啾";表达了深切的同情,"农夫无依着,野老生殷忧";发为民请命的慷慨,有怀才不遇的忧伤。这首平铺直叙、朴实明快的古诗,出自亲历,发自肺腑,真切中肯。稍后,他有《自淇涉黄河途中作十三首》,其中"朝从北岸来"一首记述"农夫苦","耕耘日勤劳,租税兼乌卤",连不收的盐碱地都要征收租税,可见苛政甚于天灾。这诗明白如话,深中要害,朴实感人。在任职封丘尉中,他体验到"拜迎官长心欲碎,鞭挞黎庶令人悲"(《封丘作》),道尽一个正直有为的封建小官的矛盾痛苦。而在河西幕府时,他更深刻感到边塞形势严重,国家前途可危,借西晋故事叹古讽今,认为"晋武轻后事,惠皇终已昏",指出"而今白庭路,犹对青阳门。朝市不足问,君臣随草根"(《登百丈峰二首》之一,题一作《武威作二首》),语重心长,忧心如焚。在直接反映劳动人民生活苦难方面,高适是盛唐诗人较早而突出的一位。

杜甫这十年是在京城长安度过的。在这繁华的都城,帝国的中心,他处于封建阶级的下层。为了仕进与生存,他受尽屈辱,饱尝辛酸,到天宝十四载(公元 755 年)才得到一个卑微官职。他奉儒守官之性不渝,忠君报国之心未泯,但日益深切看到帝国的腐败黑暗,更为国家前途忧虑。针对征伐南诏的不义战争,他写了《兵车行》,用即事名篇的乐府体咏古讽今,锋芒直指当今皇上,深刻揭露穷兵黩武的开边战争,大胆表达了老百姓和普通士兵反战情绪。针对杨国忠擅政专权,写了《丽人行》,用即事名篇的乐府体直写时事,借三月三日上巳节修禊游春情景,揭露讽刺宫廷和朝廷淫奢靡烂,皮里阳秋地嘲弄唐玄宗昏庸。这类诗在艺术上都溶化《春秋》笔法和乐府技巧,继承发展了古代直指现实的精神和特点。而最能代表他在天宝时期成就的,便是天宝十四载冬写的《自京赴奉先县咏怀五百字》。在这篇叙事咏怀的长篇政治抒情诗中,他慷慨坦荡地披露了失志不遇的窘困处境、思想斗争和守志不移;悲愤激烈地叙述了夜过骊山脚下想到皇帝昏庸,外戚骄宠,宫廷淫佚,朝政黑暗,人民遭殃;忧心如焚地陈诉了渡过渭河桥时的感触,回家遇见幼子饿死的悲凄,想到国家人民危难的形势,心潮如涌。诗中不仅写出了千古名句"朱门酒肉臭,路有冻死骨",反映了封建社会阶级剥削的真实面貌;而且从自己"生常免租税,名不隶征伐",想到没有特权的平民百姓,"默思失业徒,因念远戍卒"，充分理解广大人民的不安不满，深刻看到帝国失去人心而基础动摇，忧虑至极。大约就在这诗写成之际，安禄山叛军已从蓟城出发，帝国动乱从此开始。杜甫也许并没有料到这一点。然而历史进程却证明诗人思想认识的敏锐深刻，表现出惊人的预见。他深为忧虑的大不幸，竟迅速成为灾难的现实。如果结合这诗明显的现实精神和特点来看，那么它不仅足以在思想性、艺术性、现实性上代表天宝诗歌创作的最高成就，而且表明诗歌创作的发展，面向现实已在诗坛上居于主流地位。从这个意义上说，盛唐诗歌的最后一幕就在这首忧国忧民的咏叹调中渐渐落下幕布了。

四

唐玄宗在开元前期励精图治，尊儒崇礼，整顿佛道，约奢节俭，恶华好朴，也曾使风气"翕然尊古"，使一部分士大夫欣然古道。元德秀苦行僧似的遵行儒家道德，奉母尽孝而终生不娶，刻板地恪守先秦辞章，依照商周经典重作唐代乐舞《破阵乐》的歌词，被敬为一代贤者，名高望重。实际上，有相当一部分青年士子便是在道德文章并重的儒家教养熏陶下成长的。但当他们登上仕途或者正要踏上仕途，却碰上开元末的转折年头，唐玄宗昏庸，李林甫执政，政治黑暗，风气败坏，与他们的抱负、理想发生抵牾，仕途当然也不顺利。他们具体的经历各有不同，但他们共同的思想要求则是崇儒复古。这一股愤世嫉俗、崇儒复古的思潮不仅表现在文章写作上，也代表着一种诗歌创作的趋势。

开元二十三年同榜进士中，除李颀外，有萧颖士、李华两位著名作家诗人。他们当时都是二三十岁的青年儒生，风华正茂，却在登第的次年就赶上李林甫执政，都未获官职。萧颖士经制科对策第一而在天宝初授秘书正字；李华也在天宝二年举博学宏词科而任南和尉。可以想见，进士擢第后的五六年间，他们在长安谋仕，对朝政黑暗是有所体会的。因而萧颖士奉命至赵、卫间搜集图书，因拖延而被弹劾免官，就留在濮阳招收门生。"萧夫子"之名名扬海内外。而他也一再讽刺、顶撞李林甫，以致仕途坎坷。李华比较软弱，仕途也比较平稳，但在天宝十一载（公元 752 年）任监察御史时，却曾弹劾杨国忠党羽而被降职。他们在天宝年间以文章著称，但也都有诗歌创作体现他们崇儒复古的主张。

萧颖士今存诗二十首，其中十四首五古，还有四首仿《诗经》的四言五首二十六章，表现出明显的复古倾向。其内容则多以寄兴手法抒写复古志向和遭际，语言典雅明畅。如《菊荣五章》有小序说明"酬赠离，且申志也"。其末章写岁暮残促中菊花傲霜的形象，蕴含时代感慨和诗人自况，鲜明抒写正直不屈的志向，"人之侮我，混于薪棘，诗人有言，好是正直"。李华今存诗二十九首，大多为古诗及绝句。其中《咏史十一首》、《杂诗六首》显然继承阮籍《咏怀》、陈子昂《感遇》传统，借古讽今，针对时政，大抵为天宝时作。其特点是所谓"吟咏情性，达于事变"（独孤及《赵郡李公〈中集〉序》），思想敏锐，指向分明，感情激愤，语言质直。如《咏史》之一"昂藏獬豸兽"，咏传说神兽獬豸明断是非，感慨"乱代乃潜伏，纵人为祸愆"；赞汉代诤臣朱云请斩佞臣故事，"身死名不灭,寒风吹墓田,精灵如有在,幽愤满松烟"。又如《杂诗》之六"结交得书生",比较历史上"书生"和"纵横者"二类人在政治斗争中的表现,揭露"纵横者"不仁不义,得意时"相旋如疾风,并命趋紫极",失势后则"风火何相通","肝胆反为仇";奉劝主上"勿嫌书生直,钝直深可忆";显然针对当时士大夫中倾轧急夺、趋炎附势之风而发。比较起来,与他们同时且行迹相近的另一作家贾至,诗多即兴感怀的绝句,但几首天宝间作品则为五言古诗,如天宝八载在单父所作《闲居秋怀寄阳翟陆赞府、封丘高少府》,抒发"秋风吹二毛,烈士加慷慨"的不遇情怀;天宝十五载所作《自蜀奉册命往朔方途中呈事左相等》,陈述从成都到灵武奉送唐玄宗让位册命途中感慨,更被称为"直叙时事,煌煌大文"(沈德潜《唐诗别裁》);而《寓言二首》之一"春草纷碧色",则以香草美人的传统比兴,熔炼黄鹤千里、商山四皓两个隐而择时的典故,抒写不遇感慨,"叹息良会晚,如何桃李时";表述忠悃忧思,"怀君晴川上,伫立夏云滋",颇有风骨,富于情思。诚如独孤及所说,天宝中,李华、萧颖士、贾至,"勃焉复起,振中古之风",复古思潮是从天宝年间兴起的,并且指出"二十年间,学者稍厌《折杨》、《皇华》,而窥《咸》、《韶》之音者十五六",他们的复古思潮不仅针对文章,也包括诗歌。

比较起来,另一些在天宝年间出来谋仕的下层儒生,遭际感受要更为激切。元德秀的族弟、学生元结二十八岁前在家乡学习道德文章。天宝五载(公元746年)离家出游,一接触社会现实便激烈不平,愤世嫉俗。他沿运河到淮阴,遇见"水坏河防",托言"得隋人冤歌五篇",作《闵荒诗》,觉得这些冤歌充满"怨气",感慨"奈何昏王心,不觉此怨尤。遂令一夫唱,四海忻提矛",借隋炀帝亡国教训,对天宝奢华腐败进行讽刺。明年他以布衣之士进京应试,结果等于被李林甫捉弄一番,所谓"征天下通一艺以上者"的考试是做给唐玄宗看的戏。这使他写的仿《诗经》的四言诗《补乐歌十首》和《二风诗》,要"极帝王理乱之道,系古人规讽之流"(《二风诗序》),歌颂上古三皇五帝至夏禹商汤的历史功德,概括古来治君和乱君的各种表现和功过。这两组诗内容明白,语言古朴,但缺乏个性,说教味重,显然受他族兄元德秀的影响。然后他便回家闭门著作。天宝十载(公元751年),他又托于"前世尝可称叹者",作《系乐府十二首》,揭露时政世风腐败,抒发崇儒复古、愤世嫉俗情绪,感慨"吾行遍九州,此风皆已无,吁嗟圣贤教,不觉久踟蹰"(《思太古》),厌恶"谄竞实多路,苟邪皆共求"(《贱士吟》)。其中也有反映民生疾苦之作,如《贫妇词》《农臣怨》等,旨在批评吏治暴政,要求施行仁政。可见元结在天宝年间诗歌创作,几乎都是追随元德秀,以拟古补亡而叹古讽今之作。

元结在乾元三年(公元760年)撰辑《箧中集》,所收七人,都是天宝年间穷困诗人,"名位不显,年寿不终,独无知音,不见称颂"(《箧中集序》)。其实,以沈千运为首的这批诗人在天宝诗坛上并非无名,对后世也不无影响。沈千运在天宝中数举不第,游河南一带,年已五十,于是归隐。唐肃宗曾拟礼征,但他已去世。元结说他"独挺于流俗之中,强攘于已溺之后","凡所为文,皆与时异,故朋友后生稍见师效"。可见在他周围也有一批同情共鸣的诗人。高适任封丘尉时,曾与他来往,称他"沈四逸士"、"沈四山人"。高仲武《中兴间气集》评孟云卿曰:"祖述沈千运,渔猎陈子昂。"还认为"虽效于沈、陈，才得升堂，犹未入室"（引见孙毓修《中兴间气集校文》）。而孟云卿是元结二十年同州里的诗友，"声名满天下，知己在朝廷"（元结《送孟校书往南海序》）。还有王季友，博学通经，穷困不遇，但在天宝至大历初也颇有文名，与沈千运、杜甫、岑参、郎士元、戎昱、独孤及等都有往来。《河岳英灵集》收其诗六首，可见他在天宝十二载前已有诗名。《箧中集》诗人今存诗不多，总的看来，这是一部分穷困的下层士大夫的呼声。他们从儒家思想教养出发，在生活经历中体验到天宝政治、道德上的某些弊病，时有真切痛心的愤懑，如"咳唾矜崇华，迂俯相屈伸，如何巢与由，天子不得臣"（沈千运《山中作》），又如"虎豹不相食，哀哉人食人，岂伊逢世运，天道亮云云"（孟云卿《伤时二首》之一）；时有透辟入里的精警讽喻，如"昔时闻远路，谓是等闲行。及到求人地，始知为客情"（孟云卿《途中寄友人》），又如"雀鼠昼夜无，知我厨廪贫。有情尽捐弃，土石为周身"（王季友《赠韦子春》）；也有哀叹人生的苦难写照，如孤苦少年他乡作客，"朝亦常苦饥，暮亦常苦饥。飘飘万余里，贫贱多是非"（孟云卿《悲哉行》），又如戍边老兵残废回乡，"一枝假枯木，步步向南行"，"所愿死乡里，到日不愿生"（赵微明《回军跛者》）。他们的诗歌内容是针对现实的，形式则要求直截明了，浅显易晓，多用乐府古体。应当说，他们的显著缺点是流于议论说教，失于质直枯燥，因而经过历史淘汰而留传的作品很少。但在当时却有相当广泛的社会影响，反映着下层人民的一种情绪。

综上可见，从天宝中到天宝末的十年中，与正视现实、抨击黑暗的趋势相随出现的这一崇儒复古、愤世嫉俗趋势，实际上也是一批在开元盛世熏陶培育出来的中青年诗人作家。不过,他们的思想和理想有着较深固的儒家传统基础,比较正经而鲠直,也比较拘谨而刻板,思想行为都要求以儒家经典为准则,因而诗文创作在语言和体裁上都要求复古,对近体几乎完全否定,而内容上则更侧重于伦理道德的教化。但由于萧颖士及元结等人正好碰上天宝腐败黑暗的年代,因而便表现为崇儒复古,愤世嫉俗,从而在创作上成为反映现实主义的一个组成部分。事实上,在安史乱后,到肃宗、代宗朝,元结便和"致君尧舜上"的杜甫一起走在时代的前列,成为代表创作思潮主流的诗人。

天宝十一载秋,几位诗人同登长安慈恩寺塔(即今西安大雁塔),他们是那一时期的代表诗人:杜甫、高适、岑参、储光羲、薛据。值得思索的一个文学事实是,这几位的诗风各有不同,但他们除了薛据所作已佚、储光羲意别有所指外,杜、高、岑在登塔时所作的诗,都蕴含有一种共同的时代情绪,这种情绪,概括起来,就是本文开头所说的"深刻的不安"。杜甫诗中说:"秦山忽破碎,泾渭不可求","回首叫虞舜,苍梧云正愁。"岑参:"秋色从西来,苍然满关中;五陵北原上,万古青濛濛。"高适:"秋风昨夜至,秦塞多清旷;千里何苍苍,五陵郁相望。"薛据的和作没有传下来,天宝时期的诗评家殷璠说"据为人骨鲠有气魄","怨愤颇深",并且特地举出他的"寒风吹长林,白日原上没","孟冬时短暮,日尽西南天",称赞其为"旷代之佳句"(《河岳英灵集》)。这些诗句有一个共同的艺术特色,就是自然景色深深为作家的忧郁与不安所浸染,使人感到一个大的变乱就要到来,而这个变乱究竟如何到来,如何发展,人们又应如何采取对策,这几位作家却又对此茫然。——整个天宝诗风似乎都带有这种时代心理。《封氏闻见记》卷五《第宅》有一个很好的描述:"则天以后,王侯妃主,京城第宅,日加崇丽。至天宝中,御史大夫王鉷,有罪赐死,县官簿录鉷太平坊宅,数日不能遍。宅内有自雨亭子,檐上飞流四注,当夏处之,凛若高秋。又有宝钿井栏,不知其价。他物称是。安禄山初承宠遇,敕营甲第,瑰材之美,为京城第一。太真妃诸姊妹第宅,竞为宏壮。曾不十年,皆相次覆灭。"天宝时期,统治集团上层的追求享乐生活,已到了病态的程度,这表明这个社会行将有大的变动。天宝时期的诗作,当然不可能像安史之乱时期那样对现实作深刻的揭发,因为实际生活还未能提供矛盾充分展开的素材,他们只能表现出不安,但这种不安却是宝贵的,它们表现了诗人们对时代、对人民的责任感,使诗风有多样化的发展,也预示我国古典诗歌一个更伟大的发展(即产生《三吏》、《三别》、《北征》的诗的高峰)即将到来。

与倪其心合撰,原载陕西人民出版社 1986 年版《唐代文学论丛》第八辑,此据万卷出版公司 2010 年版《当代名家学术思想文库·傅璇琮卷》录入,另收入安徽教育出版社 1998 年版《当代学者自选文库·傅璇琮卷》、京华出版社 1999 年版《唐诗论学丛稿》

中国韵文学的创立

——《中国韵文学刊》发刊词

中国韵文学会于 1984 年 11 月在长沙成立。在成立大会上就决定创办《中国韵文学刊》作为自己的会刊，以团结海内外学术界人士，交流思想，切磋学艺，共同推进韵文学的研究，为振兴和发扬中华文化作出应有的贡献。经过几年的筹备，现在第一期终于问世。值此创刊之际，谈谈我们对刊物宗旨的一些想法，以就正于方家学者和广大爱好韵文的读者。

大家知道，中国韵文有其长期形成的民族传统，有着鲜明而独特的艺术风格，有着符合于我们民族的审美趣味和欣赏习惯的艺术形式和表现手法。中国韵文创作，不论古典形式，还是现在还活跃在群众口头上的各种说唱作品，它们的历史经验是十分丰富的。但是，比起创作实际来，理论研究却显得薄弱。这种薄弱特别表现在对某些具有普遍意义的文学现象缺乏理论上的抽象。譬如，我们可以对一些诗人、词人的思想和艺术作出详细具体的分析，我们也可以有诗论、词论、曲论和赋论，但是，涵盖诗词曲赋而在中国文学史上表现出统一民族风貌和特定创作规律的韵文，却缺少理论上的阐发。而如果没有这一点,就不可能建立具有学科意义的韵文学。中国韵文学会和《中国韵文学刊》必须回答这样的问题:究竟有没有中国的韵文学? 中国的韵文学应当怎样建立? 本刊第一期有意识地编发了好几篇讨论这些问题的文章,我们希望今后还将陆续就这些问题进行讨论。韵文学作为学科来建立,有一个过程,这个过程除了严肃的科学探讨外,其他都是无济于事的。

我们还希望,在对传统研究的同时,特别要注意对现状的研究。对学科现状的科学认识和深刻理解,是学科本身趋向成熟的标志,也是它存在的价值。中国韵文有数千年的历史,有它丰富的内容,前人和当今学者曾做过不少研讨,对以往和当今的研究应当怎样估价,韵文学的发展趋向是什么,我们应该作出回答。应当开展对研究的研究,这将是提高研究素质的有效途径。在现状研究的基础上,总结本学科的研究史,就会大大丰富古典文学整体研究的内容,由此而总结出现在还行之有效的传统方法,并科学地吸收国外的或自然科学研究的新方法,就会使我们的研究方法真正建立在科学的、民族的深厚基础上。

在筹备这个刊物时,我们回顾了创办于半个多世纪以前的《词学季刊》。对于前辈学者辛勤耕耘的这块园地,我们作为学术后辈,到现在还充满感情。维系这种感情的,是这块园地所培育出的果实。由此我们想到,一个学术刊物的生命,不是按期数,而是按它所提供的文章的历史价值来计算的。我们希望这个刊物具有历史文献的价值。这可能是我们的奢望,但我们要努力追求这个高目标。我们希望有对韵文学作整体研究的通论式文章,但我们也热切需要真正下过工夫的、有真知灼见的具体考索。有谁能对在大量搜辑资料的基础上写出的缜密考证文章加以鄙夷呢？而且我们确实感到不足的是，本期内这样的考证文章还少了一些。30年代时，一位清华大学研究院的学生把他的《突厥通考》一文提请陈寅恪教授审阅，陈教授对他说："此文资料疑尚未备，论断或犹可商，请俟十年增改之后，出以与世相见，则如率精锐之卒，摧陷敌阵，可无敌于中原矣。"（《寒柳堂集·朱延丰突厥通考序》）这位史学大师对后学的亹勉之辞，我们今天读来还是那样新鲜，有吸引力。我们希望能有不少支经过"十年增改"的锤炼出而与世相见的精锐之师，在韵文学的广漠大野上纵横驰骋。

这个刊物，除了研究文章外，还发表一定数量的古典形式的韵文创作，其中主要是传统诗词。因此，我们就要真正贯彻"百家争鸣，百花齐放"的方针，允许各种学术意见和各种艺术风格自由探索，只要这种探索有益于社会主义精神文明的建设，有益于全民族、全社会文化素质的提高。韵文学研究的一个重要任务，是要沟通中外和古今，这就是说，我们要着力从历史和现实的经验中探索怎样使外来文化取得民族化的效果，在对传统的继承中适应现代化的需要。这方面，十余年来的传统诗词创作作出了可喜的业绩。一些学养深厚的老一辈诗人词家，他们所作的传统诗词，名曰旧体，实为新声，这对于新诗怎样继承古典诗歌的艺术成就，取得民族化的形式，是很可作为借鉴的。这一期发表的韵文创作，数量上还不够多，形式上还不够丰富，我们希望在以后能有所改进和提高。

最后还有一点小意见，我们感到这一期的总的面貌，似严肃有余,生动不足,大块文章固然要,短而精粹的散论也能给人以启发,其实大块文章也能写得轻松而有韵味的。今后我们还将继续就一些专题组织笔谈,使大家能更随意地谈谈各自的看法。我们还将继续刊登一些图片和书画手迹,它们不但有文献上的价值,还将使读者得到这个刊物时有赏心悦目之感。总之,我们要努力从内容到形式形成自己的特点,祝愿这棵新苗能依凭同人的共同灌溉,在一片生机葱郁的学林中成长为挺拔的大树。

1986 年

原载《中国韵文学刊》1987 年创刊 00 期,此据万卷出版公司 2010 年版《当代名家学术思想文库·傅璇琮卷》录入,另收入黑龙江人民出版社 1992 年版《唐诗论学丛稿》(题为:《中国韵文学刊》发刊词)

《宋人绝句选》序

　　绝句是我国古典诗歌的一种重要体裁,曾被人誉为"百代不易之体"(明胡应麟《诗薮》)。五言绝句 20 个字,七言绝句 28 字,篇幅短小,但古代诗人常常以之写景、咏怀、讽事、感时,尺幅小景而有千里之势。在诗歌发展史上,绝句是有着古诗、律诗所不能代替的优点的。从一定的意义上说,绝句似乎更能代表我国诗歌的民族形式。它较易于普及,易于为群众所接受,而对于作家来说,他们对外界事物的感受和领悟,用绝句的形式表达,也似乎更为凝练和隽永,更易引起人们的深切思索和长久回味。研究中国古典诗歌遗产,绝句是一个不可忽视的部门,而对于向今天的读者介绍中国古典诗歌,绝句则是更值得重视的文学样式。

　　清代一位评论家曾说:"七言绝句起自古乐府,盛唐遂踞其巅。"(田雯《古欢堂集·杂著》)古代不少诗论著作,差不多都认为绝句在唐代已达顶峰,后人不可企及。诚然,绝句在唐代已经达到极高的成就,唐代诗人如李白、王维、王昌龄、王之涣、高适、岑参、李益、韩翃、白居易、刘禹锡、杜牧等等,都写出过传诵千古的名篇。但是,每一个时代的文学都有它自己的价值,正如在大自然中，既有浩瀚奔腾的长江大河，也有清雅秀洁的细流曲涧；既有挺拔的高峰，也有深邃的幽谷。它们都各有自己的美而不相掩，这是自然美和艺术美的规律。我们现在编选宋人绝句，也可以向读者提供古代绝句佳作的另一种美的选择、美的品尝。

宋人绝句，也是名家辈出，有不少高手。他们在唐人的阔大宏放、高华典丽之外，另辟蹊径。清末著名的诗评家陈衍说："宋诗人工于七言绝句，而能不袭用唐人旧调者，以放翁、诚斋、后村为最"（《石遗室诗话》）。石遗老人这里只举出陆游、杨万里、刘克庄三人，是太少了，之所以如此，是因为还存有唐宋之见。如果抛开这一传统的说法，应当说，宋代优秀的绝句作家是远不止这几位的，宋代的绝句佳品在数量上或者还可以与唐人相匹敌。宋人绝句的创作特色，是构成宋诗特有的艺术风格的重要组成部分。

宋人绝句自有其新意，这种新意不妨概括为两点：一是诗的日常生活化，二是诗的哲理化。而这两点，又与宋代士人的社会心理和文学观念相联系。

宋人绝句中，写社会重大题材的不多，这可能是它们的缺点；但宋代诗人却也把诗的题材向另一面扩大，把日常看来平淡无奇的生活情景，用平易浅近的语言形式，表现得很细腻，很有诗意、有美感，因而触发读者的再创造，发现生活中固有的美，使自己的思想感情得到升华。即使生活中的一个小小角落，诗人们也表现得富有情趣，在诗歌的意象中有所开拓创新，因而使得极为平凡的场景也闪耀出不平常的光彩，使人产生新的审美感受，感到人世间和自然界本有的诗意和美感。试读下列一些诗句："何处山村人起早,橹声摇月过桥西";"分得鱼虾归野寺,满江鸥鹭夕阳闲";"莫言春色无人赏,野菜花开蝶也来";"江南二月多芳草,春在濛濛细雨中";"竹深树密虫鸣处,时有微凉不是风"——不都是可以开启感情的窗扉,领略自然界和日常生活中的美景吗?

诗的哲理化在宋人绝句中更为普遍,更为明显。这倒不仅仅是因为宋代禅学盛行,禅理入诗,而是因为处于中国封建社会一个新的发展阶段,地主阶级及其知识分子的地位有了新的变化。地主经济的发展使得地主阶级文人文化知识得到普遍的提高,他们中不少人有着较高的古典文化修养,并从而能在对世界、对人生的整体探讨中具有哲理的深度。另外,通过科举制度的改革,使得大批中小地主文人走上仕途,在封建政体组成中增加新的成分。但因此也引起比前朝复杂得多的政治纷争。宦海的波澜和人生道路上的坎坷引起士人们对本身命运的思索,包括对文学创作本身的思考。这一切的总和,就是宋代哲理诗产生的历史文化背景。宋人绝句中的哲理诗有的写得很粗率、很平淡,缺乏诗味,但其中好的哲理诗,即诗的哲理化,却是诗人们对社会人生、宇宙自然的深刻观察,是对日常琐屑和无聊庸俗的解脱,使人的感情得到一种洗涤,似乎重新认识了自己,因而产生一种领悟的喜悦,好像超越自我而达到新的境界。像下面一些诗句:"不识庐山真面目,只缘身在此山中";"竹外桃花三两枝,春江水暖鸭先知";"此身合是诗人未,细雨骑驴入剑门";"问渠那得清如许,为有源头活水来",不是蕴含着丰富的人生经验,给人以启迪智慧的理趣吗?至于像"看似寻常最奇崛,成如容易却艰深";"云里烟村雨里滩,看之容易作之难";"诗怀自叹多尘土,不似秋来木叶疏",更可看作为创作心理的别开生面的探索,有益于对古代美学思想的研讨。

原载齐鲁书社 1987 年版《宋人绝句选》,此据东北大学出版社 2015 年版《中国当代名家学术精品文库·傅璇琮卷》录入,另收入湖南人民出版社 1997 年版《濡沫集》(题为:宋人绝句艺术谈)、北方文艺出版社 2008 年版《书林漫笔》(题为:宋人绝句艺术谈)、首都师范大学出版社 2010 年版北京社科名家文库《治学清历》

欧文《初唐诗》中译本序

　　自从欧洲的第一批耶稣会士抱着传教的虔诚,越过重洋,在明朝末年来到中国,开始接触中国的社会和文化,西方学者对中国传统文化的认识和研究,经历了漫长而曲折的过程。如果按照《国际政策的文化基础之研究》作者诺思罗普(F. S. C. Northrop)所说,世界各国人民的根本分歧不在于政治而在于文化,这种分歧深深植根于各自传统的不同概念之中,那末,四百多年来西方学者对中国文化固有精神和价值的探索,实际上可以说是两种或两种以上文化的互相认识和补充。这也构成了近代世界史上文化交流的丰富繁复的图像。尤其是作为东方大国的中国,它的悠久的历史文化被世界所认识,以及这种认识的日益深化,本身就是文化史上令人神往的课题。从这个背景上说,斯蒂芬·欧文先生的成名作《初唐诗》被介绍到中国来,它的意义就不仅仅是中国学术界增加一本优秀的汉译名著,而且还在于它是文化交流的链索中一个十分引人注目的环节。

　　在探索西方学者对中国文化的认识过程中,我们不应该忘记马克斯·韦伯(Max Weber, 1864—1920)。他的思想和著作日益受到中国读书界的注意,特别是近几年显得十分突出。是他扬弃了在他之前的欧洲学者的共同学风,即服从于自己的时代背景和相应的要求,按照西方人的思想模式来理解中国的社会和文化的发展;正是从韦伯开始,主张应当密切联系社会历史的实际状况来研究观念的形成和演变轨迹。这就为尔后的研究开辟了一个新的格局,那就是要对中国的文化真正有所了解,就应当探求中国传统文化产生、发展的历史背景,努力依循中国人的思想方式来进行课题的研究。这种情况,特别在第二次世界大战后的美国学者那里,表现得更为明显。

关于美国学者对中国文学的研究,就我所看到的材料,美国密歇根州立大学人文系及语言学系教授李珍华博士的《美国学者与唐诗研究》(载《唐代文学研究年鉴》第一辑,1983)是最清楚、概括的一篇。这篇文章讲的虽然是美国的唐诗研究,实际上足以反映美国于本世纪50年代以来汉学研究的很大进展。我们只要比较一下上一世纪同一时期法国学者对中国那些平庸的言情小说《平山冷燕》、《玉娇李》的推崇,和本世纪近三十余年来美国学者(包括美籍华人学者)对唐诗、宋词及明清小说的认真探讨,相距真不可以道里计。日本对于中国文学的研究,往往以绵密的材料考证见长,而美国在这方面却常以见识的通达和体制的阔大取胜。

正是从李珍华先生的文章中,使我知道欧文先生在唐诗研究中取得的成就。李珍华先生把欧文先生列为美国的中国文学研究的第三代学人,而称为"特别值得一提",并推许出版于1977年的《初唐诗》为"一本杰作",说"把整个初唐诗作一系统性处理,欧氏可以说是第一人"。李珍华先生对欧洲文化与美国文学均有深邃的认识,而又对唐诗、特别是初盛唐诗有较深的把握,因此我想他的话是可信的。由于我参与《唐代文学研究年鉴》的编辑,较早读到其中的文稿,因此李先生特别提及的欧文先生著作给我的印象很深,并盼望能早日见到全书的中文译本。现在依靠贾晋华同志的努力,这个愿望得以实现,甚感欣慰,我想我们国内的唐诗研究者也会从这一译著中获得启发。贾晋华同志前数年从厦门大学周祖譔先生研治唐代文学,她的硕士学位论文论皎然《诗式》及大历时期江南诗风的特点,也给我很深的印象,她的从文学演进的内部规律与外界社会文化思潮相互影响的研究,与欧文先生的治学,也确有不谋而合之处。以贾晋华同志对唐诗所具有的修养来从事于本书的翻译,必能准确表达原书的胜义,这应当是无可怀疑的。

在过去一个很长时期中,初唐诗的研究在我国整个唐诗研究中是一个极为薄弱的环节。初唐,如果把下限定在睿宗时,那就是足有九十年的光景,占了唐代历史的三分之一。如果对于这一阶段文学研究不足,就不可能充分说明盛唐的高潮。对这九十年时期的文学,过去的论著往往只停留在一个笼统的认识,细节研究非常缺乏,这种情况在最近四五年内才有所变化。作为近体的律诗,到底是经过什么样的轨迹一步步地成熟的?古诗,特别是盛唐、中唐时一些大家所擅长运用的七古,怎样从南北朝的涓涓细流,经过初唐作家的多方尝试和大胆变革,而汇成长江大河,这中间有什么规律和经验可求?由"四杰"而陈子昂,而沈、宋,是怎样一步步递嬗演进的?当时的社会思潮、文化氛围给予诗人和诗风以什么样的影响？初唐时期几个帝王的宫廷政治和文化生活，赋予文学风格以什么样的特色？这些，都需要作细致的分析。而近几年来我国初唐文学研究的进展，也正是在这些方面作出了令人瞩目的探讨。从这一研究的历史背景来看，欧文先生作于1977年的这本《初唐诗》，在中国学者之先对初唐诗歌作了整体的研究，并且从唐诗产生、发育的自身环境来理解初唐诗特有的成就，这不但迥然不同于前此时期西方学者的学风，而且较中国学者早几年进行了初唐诗演进规律的研求。虽然近几年来中国学者的论著在不少方面已作了深入的挖掘，大大加快了初唐文学研究的进程，但欧文先生的贡献还是应该受到中国同行的赞许的。

我们高兴地看到，在《初唐诗》之后，作者又于1981年出版了《盛唐诗》，更进一步论述了初唐与盛唐的关系，并对盛唐诗人作了使人感兴趣的分类（如把张说、张九龄、王维作为"京城诗人"，把孟浩然等作为"非京城诗人"，把王昌龄、高适、岑参作为处于两者之间的诗人，"京城诗人"多用律体，"非京城诗人"多用古体）。欧文先生近年来的研究格局似更为放开，由论述诗歌创作进而研讨诗歌理论。他说他更强烈地感觉到诗歌中那些无法为文学史所解释的方面；他仍然相信文学史是基本的，但它需要由对诗歌的其他方面的探讨来补充。为此，他又撰写了关于中国诗论的论文，结果结集八篇文章，起名为《传统的中国诗歌和诗论：一个预言的世界》，于1985年由威斯康辛大学出版。紧接着又是一组八篇文章的集子：《中国古典文学研究心得》，于1986年由哈佛大学出版。他自己说这八篇文章是一种反系统的处理，将互不相关的作品放在一起考察，尝试着使单篇的诗作和散文焕发出生命力。

这样做,作者也抱着一种希望,这就是打破美国的中国文学狭窄阅读圈子,寻求更多的读者。

欧文先生的学术著作在其已经完成尚未出版的《中国文学思想读本》中,更有新的进展。他认为,过去大部分论述中国文学理论和批评的英文著作,都倾向于运用现代西方文学理论的术语,而在他的这部近著里,却试图向英语读者表明,作为中国诗歌基础的概念和趣味,与西方是不同或不完全相同的;各种传统的文学思想都具有伟大的力量,但是这些力量是各不相同的。欧文先生的这一认识确值得赞许,这是对不同民族文化传统充分尊重的态度,只有持这种态度,才能达到真正清晰的理解。这是一个严肃的学者在独立的研究中摆脱西方习以为常的观念所必然产生的结果,是一个富有洞见的认识。

近十年来中国古典文学研究已取得可观的成绩。但人们对研究现状仍不满意,这种不满意是多种多样的。在我所接触的一些研究者中,越来越感到对古典文学的研究结构需要有所反省,这就是说,研究结构存在不合理的情况。有些课题投入的力量多,成果却并不多,许多情况下往往是一窝蜂,赶热门,结果却出现了不少缺门,这就必然影响总体水平的提高。这是一个需要详细论证的问题,不是这篇短序所能承担的。由欧文先生的著作,使我进一步感到,作为古典文学研究结构中的问题之一,就是我们对国外学者研究中国古典文学现状的了解,是多么的不够。我相信,在美国、日本、欧洲以及其他一些地区,研究中国古典文学的有价值的著作,一定还有不少,它们以不同的视角来审视中国的独特的文学现象,定会有不少新的发现,即使有的著作有所误失,也能促使我们从不同的文化背景来研究这些误差的原因,加深我们的认识。如果我们能有计划地编印一套汉译世界研究中国古典文学的代表作,肯定会受到中国学术界和读书界的欢迎,也将会对我国古典文学研究结构起到积极协调的作用。这是我个人作为研究者之一所深深期望着的。

1987 年 3 月于北京

原载广西人民出版社 1987 年版贾晋华译斯蒂芬·欧文著《初唐诗》,此据大象出版社 2008 年版《学林清话》录入,另收入黑龙江人民出版社 1992 年版《唐诗论学丛稿》、湖南人民出版社 1997 年版《濡沫集》(题为:他山之石)、京华出版社 1999 年版《唐诗论学丛稿》

古典文学研究的结构问题

　　最近几年，关于文学研究中观念更新、方法更新的探讨，正以"五四"以后所仅见的规模在深入展开。这场讨论开始于理论和当代文学的领域里，对古典文学研究者来说，由于传统的包袱比较沉重，再加上某些特殊的情况，反应并不是那么迅捷，然而几乎每一个人都感觉到了冲击波的震荡。理论上的是非得失，最终要由社会实践来做出结论，而且说来为时尚远。不过至少多数人都可以同意一点，即新观念和新方法的冲击使三十多年来古典文学研究工作中的缺陷暴露得更加明显，从而可以促使我们去更加认真地反思内省。

　　有些重大的问题是在十一届三中全会以后就被提出来了，比如庸俗社会学的倾向，把复杂的精神产品的研究硬塞进几个简单的理论模式里，五十年代前期讲"人民性"，后期讲"红线、黑线"、"民间文学主流"，六十年代讲"阶级性"，这些都是我们亲身经历过来的。更为严重的，文艺既然是政治的风信鸽，势必就要随政治风向甚至个别领导人的意志而转动，这就更把古典文学的研究搞得不成样子了。目前，在大学里讲授古典文学的同志纷纷反映古典文学的课难教,不受青年学生的欢迎。这种情形的出现,自然不能归于八十年代的青年受了诸如新三论、文学主体性之类"异端"的"诱惑",而恰恰是对我们过去研究工作中存在着的缺陷的逆反和抗议的某种表现形式。

有责任感的研究者对此表示焦虑并正在做各方面的探索。如何在马克思主义的指导下,在古典文学研究中引进新观念、新方法,以期拓开新的局面,是这种探索之一。我们以为这种探索无疑是有益的。但是长期以来,我们同样痛切地感到,古典文学研究中除了观念、方法上的问题以外,还有一个问题必须重视和解决。简要地说,就是古老文学研究工作的结构存在着不合理的现象,极为严重地影响了研究水平的总体提高。

前一时期有的同志已提出要重视社会科学学的研究。这是一个极有价值的建议。单就古典文学研究来说,对这一整体的结构,即各分支学科之间的内在联系以及由此而产生的如何进行有效配置等等问题,过去就很少做过宏观的审视。正像一项重大工程,如果没有全面切实地对工程整体结构进行了解、分析和设计,只顾分体和部件的施工,整个工程的最终效果必然不容乐观。

结构不当,配置不调,和上述把科研工作简单化以及驱使科研工作为现实政治甚至为运动服务是密切相关的。三十多年来,一种最常见的现象是,凡合于时势、顺乎风气的课题,会有许多人一拥而上,而精神生产的一窝蜂往往造成低水平。《红楼梦》固然伟大,然而前些年"红学"的繁荣多少有一点畸形。与之相反,有不少值得研究的分支学科和课题却几乎无人问津,缺乏有分量的论著。学科和课题的价值有大小之分,但不应该有行情冷热之别,"××热"之类的现象必须排除在严肃的科学态度之外。偏食有碍于身体健康,这个道理在古典文学研究中同样适用。不论辩证法还是系统论,都要求对各种现象作多角度、多方位、多层次的研究。今天我们对某一专题研究往往陷于人云亦云,苦于无法开拓,原因之一就是对于和该专题有关现象的研究知之甚少。比如研究唐代文学,如果不了解六朝文学,就不易于深入腠理,而六朝文学在相当长时期内由于被判定为形式主义而曾使研究者望而却步;又如元、明、清,似乎除了戏曲、小说之外再无别的文学现象可供研究。对这五百多年间的诗、词、文,除了极少数的专家不肯随俗浮沉,做出了难能可贵的成绩,其他不要说鸿编巨制,就是单篇论文也很少见到。

结构配置失调的另一种现象是在同一学科或课题中,一般性的论述过多,通过大量搜集资料、深入钻研而使结论跨越前人的著作较少。从表面上看,"下里巴人"多于"阳春白雪",应当是正常的。然而稍一分析,就涉及到出版体制、稿酬标准以及知识分子待遇等极为难办的普遍性问题。由于一般性的论著读者多,销路广,出版周期短,就使不少真正有能力探索未知的研究者转而以不同的方式在阐述已知,而且这种阐述还有相当明显的重复劳动。这种使人不能满意的现象,读者只要翻检一下古典文学研究的论著索引,就可以相信我们不是在有意夸大事实。

观念和方法的探讨是重要的,但不是唯一的。有的同志自觉不自觉地认为,观念、方法一旦更新,就如同获得了一把万用钥匙,科学殿堂的千门万户可以在顷刻间豁然开启。这种看法是难以令人同意的,因为它忽视了研究工作的复杂性与艰苦性,会重犯我们过去的错误,所不同的只是想用新的模式来取代旧的模式。历史的经验值得借鉴。刘师培的《中古文学史》之于汉魏六朝文学,王国维《宋元戏曲史》之于戏曲,鲁迅《中国小说史略》之于小说,陈寅恪《元白诗笺证稿》之于中唐诗歌,郭绍虞《中国文学批评史》、《宋诗话考》之于文论,钱钟书《谈艺录》、《管锥编》之于诗文艺术,至今仍然是上述不同领域中研究工作的基础和支撑点。这些学者各自使用了不同的理论和方法,但他们并没有以理论和方法相标榜,他们的成就和贡献在于脚踏在大量材料的坚实基础上,使用各自的理论和方法为古典文学研究开辟了新领域,创建了得以进一步发展的基地。后来的学者在这些领域里继续研究开拓,自然会同时接受或吸收他们的理论和方法。可见,理论和方法的探讨应该和研究的实践密切结合,通过有价值的实践来推广,就更易于令人信服,乐于学习运用。

那末怎样使古典文学研究的实践更具有科学价值呢?根据当前研究的实际状况,如上面所说,我们认为,应当郑重地提出研究工作的结构配置问题。

古典文学研究的结构,大体如同建筑工程,可分为基础工程和上层结构两个方面。基础工程是各类专题研究赖以进行的基本条件,具有相对的、长期稳定的特点和要求,其具体内容,主要有下述四个范围:

1. 古典文学基本资料的整理:包括文学作品总集、历代作家别集的校点、笺注、辑佚、新编。

2. 作家、作品基本史料的整理研究:包括作家传记、文学活动编年、作品系年、写作本事、流派演变的记述和考证等等。

3.基本工具书的编纂:包括古代文学家辞典、文学书录、提要、诗词曲语词辞典、戏曲小说俗语辞典、文学典籍专书辞典或索引、断代文学语言辞典等等。

4.文学通史、专史的撰著:包括断代专史、分体专史等。

如果说基础工程是基本建设,关系到古典文学研究的发展方向,具有长远效益,那么在这个基础上建筑的上层结构,便应有直接为现实社会服务的特点和要求,发扬古典文学的精华,总结其创作经验,探索其艺术规律,促进当代创作,繁荣学术研究,为建设精神文明作出贡献。应当发挥众长,鼓励独创,奖掖新进,不拘一格。凡以古典文学为对象的科学研究,在选题、领域、方法以及组织上,力求突破传统观念和界限,广开门路,另出新裁;与有关学科交叉渗透,创新学科,别开生面;大胆引进现代科学的新方法,并结合古典文学的民族风格、民族形式摸索新方法;充分挖掘、发挥各种学术力量,进行灵活有效的组合。因此,上层结构的范围宜广,例如下列几方面:

1.作家、作品的专题研究,文学流派的专题研究。

2.古典文学样式如诗歌、散文、戏剧、小说的专题研究,古代文学体裁如诗歌的古近体、辞赋骈文、词曲等专题研究。

3.作品的批评鉴赏,包括古典文学的普及工作。

4.古典文学与其他学科的交叉研究。如与音乐、美术、建筑、宗教、民俗、服饰以及自然科学的交叉渗透,都可进行探索。

5.古典文学比较研究。如中外文学的比较研究,汉民族与兄弟民族文学比较研究,以及古今文学比较、同一主题创作的历史比较等。

6. 新分支学科的开辟。如充分利用建国以来的考古成果，从文学研究角度来从事考古成果的分析研究，开辟一门文学考古学。又如搜集古典作家作品的图录、碑刻、手迹等文物，分析它们在作家创作、作品传播、文学发展中的作用和价值，以及它们自身的特点等，开辟一门古典文学的文物研究。

7. 方法论的研究，包括传统的、现代的、一般的及具体方法的研究。

8. 学科史的研究，包括古典文学研究学术史以及杰出学者的研究。

不难看出，上举前三个方面属于传统的研究范围，要求研究者深入探索，并于其中有新的发现和独创的见地；后五个方面则为初辟或尚待开拓的领域，更多要求学识、胆略和毅力，也更需要倡导、鼓励和支持。令人鼓舞的是，不论基础工程或上层结构，都已有一些重大的项目和重要的课题在有关领导的支持下，或已作规划，或已在进行。有所不足的是，由于对古典文学研究的结构未作探讨，因而难于做到宏观的考察以驾驭全局，不免信息滞塞，交流分散，投入与增值失比，高质量成果难产。为此，我们认为，现在提出古典文学研究的结构问题，是适时的，希望引起众多研究者的注意和关心，共同来探讨这一与大家都有关系的问题。

全面切实探讨古典文学研究的结构，取得整体了解和认识，是进行宏观控制、微观审视的依据。有了整体结构观念，便可真切了解近十年来古典文学研究在基础工程和上层结构各方面，有哪些成果和成就，还有哪些薄弱环节和空白领域，哪些方面应当突破和开拓，哪些门类可开辟新分支，等等，从而可以更科学地择定重点项目和课题。有了整体结构观念，便可充分发挥各方面的积极性，根据研究机构、高等院校、出版部门（包括出版社、报刊编辑部）的研究力量，分析各自现有的特点和优势，了解各自未来发展的趋向，予以适当规划，使之积极交流，沟通信息，彼此配合，相互促进，从而可以更合理地投入力量，安排布局。有了整体结构观念，也可使各种理论和方法能更加有效地引进和运用。例如传统的考证方法可在基础工程范围起较大作用，现代科学的各种新理论新方法则在上层结构范围中进行大胆开创，勇敢探索。可以相信，无论传统的或现代的理论方法，都会在整体结构中找到自己适当的领域和课题，在促进古典文学研究新局面中发挥作用，也将在研究实践中日趋多样，日趋精密，终将形成一个具有我们时代和民族特色的理论、方法体系。

与沈玉成、倪其心合撰，原载《文学评论》1987 年第 5 期（题为：谈古典文学研究的结构问题），此据万卷出版公司 2010 年版《当代名家学术思想文库·傅璇琮卷》录入，另收入黑龙江人民出版社 1992 年版《唐诗论学丛稿》

孙映逵《唐才子传校注》序

　　我与映逵先生，就古典文学研究来说，是同行，就对《唐才子传》一书的整理来说，又曾是合作者，——由我承乏主编的《唐才子传校笺》，映逵先生除了撰写岑参传的笺证外，还承担了全书的校勘工作，正如我在该书的前言中所说，由于映逵同志的细心校阅，使得这部书在文字方面有一个扎实的依据。由中华书局出版的共四册《唐才子传校笺》，是集国内有关专家之力协作完成的，因为要对书中将近四百位诗家传记作笺证，无异是对绝大多数知名的唐五代文学作家考索其生平事迹，提供其基本线索。这是一项大工程，根据我们现有的学术状况，靠一个人的力量要在短期内完成是不可能的。我的本意，是想通过笺证，总结和体现我国唐代文学研究界长期以来所进行的关于诗人传记研究的成果，显示唐代文学研究在一个方面所达到的水平，而这种水平是应该得到国内外学术界所公认的；这同时也是我们研究的一个新起点，希望今后唐代文学研究更有一个材料上的坚实基础。

　　与此同时，映逵先生又独立进行了对《唐才子传》的校勘、注释、补录和辑评，在全稿完成、交付出版之际，他要求我写一篇序言。前面说过,作为同行和合作者,我当然是义不容辞,但面对映逵先生以过人的毅力和辛劳、本该由群体来作而却由他一人毕功的这部著作,我觉得他人的任何序言都是多余的了,他为这部唐代文学著名文献所作出的业绩已经足够说明,撰著者在学术领域中是怎样的一位勤奋的追求者。不过我还是想借此机会,谈谈我对一些问题的看法。

由于我所从事的工作的繁杂,又由于我即将去国外进行一段时间的学术访问,限于时间,我不能通读全稿。就我所读过的,我觉得映逵先生所作的工作是切实的,对于一般愿意深入了解唐五代诗人及其作品艺术风貌的读者来说,这本书十分有用。校勘细致而不繁琐;注释、补录简明确切,对前人记述的疏误所作的纠谬补缺,时有胜义;辑评部分着重搜采后世的一些有代表性的评论,似更切合原书的特点。这使我想起1984年12月,我与中华书局文学编辑室的一些同志在一起,因为着手编纂一部大型的工具书——《中国文学家大辞典》,商得厦门大学中文系的同意,邀请有关的研究者在厦门开会。会议期间,我与徐州师范学院吴汝煜先生谈起为《唐才子传》作笺证事,我说笺证可以分头写,而校勘只能一个人作,我自己来作不免费时费事,不易见效,颇以简选合适的人选为难。当时汝煜先生就向我介绍了映逵先生。吴汝煜先生我是先读了他的文章,然后才认识的。我们在厦门是头一次见面,一见之下,我感到他真是一位恂达君子,文如其人。由于他的推荐介绍,我也就信赖了映逵先生。后又听说孙望先生是映逵先生的研究生导师,而孙先生则是我素所敬重的学术前辈。每一次我因事路过南京,去看望他,都有如坐春风之感。前些年孙先生结集他的旧作，题为《蜗叟杂稿》出版，书前题记的结束语特地写上这样一段话："本集所涉及到的几个问题，就我所知，都已有学者专家继续作出了深入的卓有成果的研究，如段熙仲先生著《古镜记的作者及其他》，王运熙先生著《元结箧中集和唐代中期诗歌的复古潮流》，傅璇琮先生著《韦应物系年考证》和卞孝萱先生著《元稹年谱》等便是。这些学术著作，其中很多论点与考证足以订正拙文存在的缺失与错误，览者倘分别阅读各位专家的论著，自能发现，恕我不再在此一一加以说明了。"在自己的著作集中一一指出别人论著的长处，加以赞誉，并请读者与己之所作加以比较，这种学术上的坦诚与谦虚，真如光风霁月，何等感人！我深深觉得，老一辈学者传给我们的，不止是术业，更重要的是学风。后来在接触了映逵先生之后，我也确实感到，他无论为人和做学问，也真像孙先生，朴质、敦厚，脚踏实地地耕耘着自己的那一块土地，而终于有所收成。

　　我后来就把《唐才子传》全书的校勘托付给他。他很快写了校勘凡例给我，掌握情况非常全面，版本源流讲得清清楚楚。但后来实际做起来却并不快，其间我又把中国科学院所藏的日本汲古书院影印内阁文库藏本（"五山版"）复印了一份给他，他又重校了一遍。这些都可见出他的认真和审慎。我现在常常感到，我们研究中国古代学问，掌握理论当然是不可少的，吸收一些新方法也是需要的，但我们还应立足于我们自己的学术土壤，要有传统的治学方法的训练，这是一种基本功。校勘就是这种基本功之一，而目前恐怕是很不为人所看重的；不但不看重，大有鄙夷不屑一顾的样子。且不说清代学者段玉裁的那句名言："必先定其底本之是非,而后可断其立说之是非。"(《与诸同志论校书之难》),我们只要粗略的算一下,从两宋的余靖《汉书刊误》、岳珂《刊九经三传沿革例》、方崧卿《韩集举正》等书起,一直到清代以至近现代,前人曾撰写了多少学有根柢的校勘专著,这些专著的校勘实例以及总结出的校勘理论,我认为其意义不仅仅是对古书某些字句的校误补缺,而是学术史上长期积累形成的一种求实学风。南宋人彭叔夏在其《文苑英华辨证》的自序中说:

> 叔夏尝闻太师益公先生(按指周必大)之言曰:"校书之法,实事是正,多闻缺疑。"叔夏年十二三时,手钞太祖皇帝实录,其间云:"兴衰治□之源。"缺一字,意谓必是"治乱"。后得善本,乃作"治忽"。三折肱为良医,信知书不可以意轻改。

《文苑英华辨证》是我国古代的一部校勘名著,它通过分类实例的辨析而得出的某些概括,已不限于校勘学,"实事是正,多闻缺疑",对于作学问,特别是有志于搞中国古代学问的中青年学者,仍然是有启发的。目下新说迭起,引人注目,我希望不要因此而把我们固有的经过历史考验的好的治学方法丢弃了。映逵先生在《唐才子传》校勘上所作的,就是老老实实的学问,它们决非属于如有些人很喜欢说的将被"更新"之列的。

我在为《韵文学刊》第一期所写的《创刊词》中曾提到陈寅恪先生的一篇文章(《朱延丰突厥通考序》,载《寒柳堂集》)。30年代初,朱延丰就读于清华大学研究院时,曾将其所著《突厥通考》请陈寅恪先生审正。当时陈先生对他说:"此文资料疑尚未备,论断或犹可商,请俟十年增改之后,出以与世相见,则如率精锐之卒,摧陷敌阵,可无敌于中原矣。"这里可以见出前辈学者对后辈的严格要求,而且可以感到他们对著述一事是如何的审慎。"十年磨一剑",这本来就是中国古来创作和著述极端谨严的传统学风。我个人认为,我们现在应该以这种谨严的学风大力开展专书的研究。中国古代文学中像《唐才子传》那样有文献价值的专书是不少的,对于这些专书,需要我们花实实在在的功夫一个一个地加以整理和研究。感想式地或者掇拾一些新名词糊弄一番,是无济于事的。它们经不起时间的考验,也无益于真正的学术事业。我始终认为,中国古典文学固然有悠久的历史,中国古典文学的研究同样有着悠久的历史;我们需要有中国文学创作史的著作,同样需要有中国文学研究史的著作。我们应从学术史的角度对中国文学的发展作历史的审视,这样可能对文学史的研究提供值得借鉴的学术背景。也就是说,要开展对研究的研究。这样的一种研究过去是被人们忽视的,今后可能会提到日程上来。如果我们对每一历史时期研究的概况进行具体切实的研究,譬如说,每一时期对前代文学的研究提出了哪些问题,解决了哪些问题,这一时期又产生过哪些有贡献的学者和著作,这些人和书在整个研究史中的地位如何,一定时期的研究风气又是如何,有哪些成就和不足。如果我们这样来进行工作,就会大大丰富文学史研究的内容,开阔研究者的视野,从而开启后学者的心智。而要进行这样的学术史研究,就要有专书的整理和研究作为基础。我曾经在另外的地方写过,专书研究是最能考验著作者的功底的,这也是提高我们整体研究的有效途径。在提倡学术史研究的今天,那末像映逵先生所作的《唐才子传》校勘、注释、补录、辑评那样的工作,学术界会是多么需要,不是可以看得更加清楚吗? 映逵先生正富年华,他定能率精锐之卒,再次开辟新的疆场,这或许也是我这篇短序所寄寓的一个小小的期望。

1987 年 9 月 24 日北京

原载中国社会科学出版社 1991 年版《唐才子传校注》,先发表于《徐州师范大学学报》1988 年第 1 期,此据大象出版社 2008 年版《学林清话》录入,另收入黑龙江人民出版社 1992 年版《唐诗论学丛稿》、湖南人民出版社 1997 年版《濡沫集》(题为:《唐才子传》研究的新成果)、京华出版社 1999 年版《唐诗论学丛稿》

近代文学研究的深入

——喜读《中国近代文学的特点、性质和分期》

　　这是一次学术讨论会的论文结集①。全书十七篇文章,共约二十一万余字,篇幅不算多,但却标志了中国近代文学研究达到一个新的阶段,即对于中国近代文学整体的新思考,表现了我们的研究者已从局部问题的评价上升到对整个学科体系的探索和掌握。这牵涉到近代文学的总体构思、总体框架问题,是过去的论著中从来没有这样清晰地提出来过的。因此我认为,这本论文集的出版,确实反映了近代文学研究的深入。

　　这本论文集主要讨论近代文学的分期问题,但又并不局限于具体的时代断限,而是由分期问题的讨论,广泛地涉及到近代文学的历史渊源、发展线索、文化背景、研究模式等带有基本格局的探讨。

---

①1985 年 9 月 15 日至 20 日,由中山大学中文系主持,全国各地有关研究者参加,举行了一次近代文学的专题讨论会,主要讨论中国近代文学分期问题。后来又由中山大学中文系将参加讨论的文章结为一集,名为《中国近代文学的特点、性质和分期》,于 1986 年 10 月由中山大学出版社出版。

由五十年代起,中国近代文学的断限,一般认为起自鸦片战争时期至"五四"前夕,大体上就是 1840 至 1919 的八十年时间。近年来,随着历史学界关于中国近代史分期问题研究的进展,不少治中国近代文学的同志也提出打破"五四"这一鸿沟,把近代文学的下限定在 1949 年。他们认为从鸦片战争至中华人民共和国建立以前,中国社会的性质和革命任务基本未变,并援引毛泽东同志《五四运动》中所说的一段话:"从鸦片战争以来,各个革命发展阶段各有若干特点,其中最重要的区别就在于共产党出现以前及其以后。然而就全体看来,无一不是带了资产阶级民主革命的性质。"不少研究者认为,这一百多年,在文学发展上,也是一个完整的时代,它包括了从中国古代文学向现代中国文学转变的整个过程。我们可以把这一进程分为前后两个阶段,五四以前是从旧文学向新文学转变的过渡阶段,五四以后是新文学形成、发展并日趋成熟阶段。有些研究者说,这样的划分,可以标示出文学随社会发展而演进的自身历程。这一看法有不少人赞成。另外,也有的认为近代文学的开始期不能拘守于鸦片战争,因为作为中国近代文学开始时期的代表诗人龚自珍,他早在 1820 年即道光初就已开始了文学活动,而他又于鸦片战争结束的次年死去,因此,近代文学的上限应定在 1820 年。也有的认为近代文学开始于戊戌变法。有的则认为起始于 1902、1903 年间,因为那时梁启超发表了他的著名论文《论小说与群治之关系》,这两年间的一些小说理论和文学创作,都显示了文学观念、文学精神意向等方面的质的变化,明显表现出中国文学思潮的"近代"性质。当然,也有仍然主张以 1840—1919 年分期的,认为这样划分比较符合于中国近代文学的实际,容易说清楚中国近代文学发生发展的种种现象。

我认为,以上各种分歧意见的出现是一种好现象,它说明我们近代文学研究开始打破过去单一的气氛,思想活跃起来,把视野扩展到较为广泛的范围。因为,由分期问题,就必须回答:什么是中国的近代文学?中国近代文学的性质究竟是什么?它有哪些特征?它又经历过哪些阶段?这就会使我们遇到过去所未曾想到的,或虽曾想过而未曾深究的一些问题,而对这些问题的思考,必然会给人们带来新鲜感和研究的迫切感。

譬如,有的研究者从近代文学的社会环境前后的变化,从中外文化接触、交流的演进,得出这样一种整体的认讥:"近代文学是充满自我反省精神的觉醒的文学,是对社会现实表现出愤怒抗争的文学,又是处于不断向域外进行艰苦探索的文学,因而呈现为一种前所未有的开放型的文学。"有的文章吸收当前文学理论的新成果,考察近代文学观念的演变进程,认为这种演变,一是对文学社会职能的认识,由传统的"文以载道"的目的论向现代"为人生"的目的论的过渡,二是关于文学范畴的界说,由传统的文字型杂文学体系向现代情感型纯文学体系的过渡,三是文学语言的变革,表现为传统的与语言脱离的文言文向现代的口语的、规范化的白话文的过渡。我们知道,我们一向是把中国近代文学概括为反帝反封建的民族民主文学的,这一看法从总的方向上说是对的,但仅仅这样说还不够,作为文学史的研究,它必须有文学自身的特点。上面所举的两种说法,是否恰切,是否周到,当然还可讨论,但可以看出,许多研究者确实努力从研究的当代意识出发,来探索中国近代文学的特殊道路,和它有别于古代文学、现代文学的独特风貌。这对于我们认识和理解整个中国文学的发展,无疑会有积极的作用。

应当重视和开展对于自鸦片战争到五四时期文学的研究,五十年代即已经提出。在过去较长时期内,这一研究大体上由两条平行的路线行进,一是对作家作品的专题评论,有的则撰写成文学专史,二是资料的辑集,如出版了一些小说、戏曲和诗文集。而有代表性的则是阿英同志的两套资料书,即"中国近代反侵略文学集"和《晚清文学丛钞》。这两方面,在过去都作出了一定的成绩。我们可以说,正因为有过去的积累,才使我们今天能对近代文学的总体结构和整个进程作出一定的概括。我们现在要在已有成就的基础上,往前推进一步。我以为,我们还应作这三方面的工作:

第一,由分期问题的讨论,对近代文学的若干理论问题,作进一步的细致的考察。这本论文集中提出了过去所未曾提到过的问题,但也应实事求是地说,有的提法还嫌笼统,缺乏充分的、有说眼力的阐述,有的则又有所偏颇。譬如,好几位研究者提出中国文学的近代化的命题,使人感到很新鲜,但到底什么是中国文学的近代化呢? 近代化的内涵是什么呢? 近代化与现代化又有什么区别和联系呢? 却谈得很不具体,有些论述前后也不一致。有些文章为了论述近代文学的下限到 1949 年,就认为中国文学近代化一直延续到五四以后,那末黄遵宪、梁启超等的近代化,又与鲁迅、郭沫若、茅盾等的近代化有什么相同相异处呢? 近代化一词,在科学性上是否能够成立,还可研究,至少应有一个具体的界限性的说明。又譬如，梁启超提出"新民说"。鼓吹小说革命，要用小说的力量来"新一国之民"，后来南社周实等也曾"慨念国魂不振"，要以文学来唤起"国民精神"，可见当时的资产阶级改良派、革命派文人也注意到文学对改变人们精神世界的作用。而这又与鲁迅的用文艺"改造国民性"的思想有什么区别？鲁迅比起这些前驱者们，又有哪些发展？这就牵涉到另一个问题，同是反帝反封建的文学，五四前的作家与五四后的作家，对人民大众的看法有没有不同？我以为，如果从文学反映现实的角度看，以鲁迅为代表的新文学，他们着重关注农村现实和农民的精神状态，这是五四前的作家所远远不能相比的，从这点是不是也可有助于对分期问题的解决？另外，近代作家如何接受外来文化的影响，外国（主要是欧美）思想文化究竟是通过哪些途径影响中国文学的，这对于此后及今天的文学发展，有哪些经验教训，也都值得探究。

第二，继续开展对作家作品的个体研究。这几年来，作家作品研究的面有所扩大，这是值得肯定的。这里想提请注意的是，中国近代社会经济、政治发展的不平衡，也必然会影响文学发展的不平衡。我们过去着重论述到的作家，大多是在东南沿海地区及北京、上海等文化较发达地区，如仅仅以此来概括近代作家的情况，恐怕是不够的。让我们把视野转向中国的广大地区，看看那些被遗忘地区的文学是怎么一种情况，这恐怕会极大地增加我们的总体认识。另外，对一些落后、保守或反动的作家作品，也不应采取简单否定态度，而要具体分析，这也可增进我们对近代文学复杂性的认识。

第三,资料的搜集。这方面我们应该感谢阿英同志,在近代文学资料的搜讨上,阿英同志的贡献是杰出的。他的两大套系统的资料集,倾注着他对中国革命和进步文学的感情。目前客观条件应该说比阿英同志当时好得多了,我们完全有可能在较短的时期内编出更符合近代文学实际的资料书。由中国社会科学院文学研究所近代文学室等单位编辑的《中国近代文学研究资料丛书》正在进行中。这是一部包括作家作品、文学社团、文学流派、文学思潮研究的大型资料书,编成后,也必将为我们提供系统的资料。但这套丛书主要还是偏重于史料,除了史料之外,我们还应当编纂一部大型的文学丛书,即主要提供文学作品本身。鉴于过去由赵家璧先生主编、良友图书公司出版的《新文学大系》的良好经验,我曾提出编纂《中国近代文学大系》的建议。这个建议刊登在国务院古籍整理出版规划小组编印的《古籍整理出版情况简报》第 159 期上(1986.6.20)。由于这是内部交流性质的工作简报,可能见到的人不太多,又鉴于近代文学资料本身的重要性,因此我想在这里补充叙述一下。

文学选本的编集在中国有久远的传统。在中国文学的历史上,好的文学选本产生过两方面积极的作用,一是通过所选的作品体现编选者的文学思想,由此而推动文学新作的产生和新的文学观念的形成;二是使零散的、容易佚失的作品得以集中和传播。不妨设想一下,如果没有萧统的《文选》和徐陵的《玉台新咏》,汉魏六朝的诗文真不知会有多少湮没于时间的流逝中。同样,如果没有《新文学大系》,那末自 1917 年至 1927 年现代文学第一个十年的文学,也会有不少散失;正是依靠《新文学大系》提供的材料和线索,使得研究者对这十年文学的论述有了坚实的基础。

《新文学大系》的经验,一是主要辑集作品,提供研究的原始素材。二是选定恰当的编选者,如小说由鲁迅、茅盾、郑伯奇编选,散文由周作人、郁达夫编选,诗由朱自清编选,戏剧由洪深编选,理论由胡适、郑振铎编选,史料及索引由阿英编选,都是行家和名家,因此各卷的导言写得详尽深入,合起来就是十年间的文学综述。三是效率高,从设想的提出,到各卷的编定,至最后一卷出书,总共十大卷,只不过二、三年光景,这不能不说是出版史上的一个创举。

近代文学从鸦片战争到"五四"前夕,约有七、八十年,比《新文学大系》包含的时间多七、八倍。无疑这一时期的材料应该也远远超过《新文学大系》。但现在要找到这些材料已十分不易,不少已经散失,如果现在不及时收集整理,再过若干年,还会有相当的亡佚。这种情况应当引起严重的注意。

我们现在编《中国近代文学大系》,不妨借鉴《新文学大系》的经验,可分别编为诗词卷(诗和词也可分编),散文(可包括骈文)卷,小说卷,戏曲卷,文学理论卷,译文卷,史料索引卷。选录的面可宽一些,由于它不是普及性的选本,因此作品入选的原则主要是有助于研究参考,要考虑有代表性、有过一定影响的,即使有些作品思想上较为保守落后,为了研究的全面起见,也应选录。所选作品可不必作词句文义上的注释,以免篇幅过大。戏曲卷可包括昆曲、京剧及有代表性的地方戏,以及说唱文学。译文卷应包括小说、散文、诗、戏剧,要考虑到在社会上和文学界、思想界有过实际影响的。史料索引卷,可包括:(一)凡各卷选录的作家,在此卷内统一编写小传;(二)近代文学年表或文学大事记;(三)近代主要报刊目录;(四)主要的文艺期刊每期细目。另外,也要求每卷书前有一篇能体现当前研究水平的导言。

由于近代文学史料分散,又几经战乱,搜采极为不易,辑集的工作量是很大的。这是一项大工程,需要有专门机构主持其事,筹集一定的经费,提供足够的条件,而最重要的是确定恰当的人选。应当说,比起《新文学大系》来,我们今天的条件是好得多了。我们应当有信心有气魄来从事此项工作。编成这样一套大型的文学作品丛书,也是许多研究者所共同盼望的。这套丛书的编成,将会促进我们的近代文学研究得到更加广泛深入的发展,无论对国内外都将会有很大的影响。

原载《文学遗产》1987 年第 5 期,据以录入

王昌龄事迹新探

　　王昌龄在盛唐诗坛上的杰出地位,在他生前,就已被人认识到。盛唐诗歌在理论上的代表殷璠,在他认为是盛唐诗的精英《河岳英灵集》中,王昌龄诗入选得最多(十六首),超过王维(十五首)、李白(十三首);殷璠并推许他是东晋以后几百年内振起颓势的"中兴高作"。在这之后约一百余年,晚唐时流行的一本说诗杂著《琉璃堂墨客图》,尊称王昌龄为"诗天子"①。这个称号就一直为后世所沿用。至于他的七绝在诗史上的地位,历代评论更多,这里不再论列。与对他的赞誉与评论相比,对他生平的研究却十分薄弱。新旧《唐书》有极为简单的传略,记述之少,几乎无法把他的经历稍为连贯起来。元代辛文房的《唐才子传》是专门记述唐代诗人的,但对王昌龄的记载,不仅没有在前人的基础上有所补充,反而增加新的错误。较为认真的探讨只不过是近二三十年来的事。经过学者们的共同努力,王昌龄生平的几个大的段

①《琉璃堂墨客图》残本存于明抄本《吟窗杂录》中。关于此书,见卞孝萱《唐〈琉璃堂墨客图〉残本考释》,载《古籍整理与研究》1987年第1期。

落已经为人了解，但这此段落具体落实在什么时候，则一般的认识似仍很模糊。譬如他以写边塞诗著称，但他究竟有没有去过边塞？如果去过，是在什么时候？许多论著中都写得不清楚。又譬如他有过两次贬谪，到底在什么时候？这两次贬谪与当时的朝政及诗人本身的思想有何联系？这些都是问题。本文的标题称新探，不敢谓必是，只不过是立一新说以资弹射而已。

一

王昌龄的生年，过去闻一多先生的《唐诗大系》定为公元 698 年（武周圣历元年），此说后来一直为唐诗学界所沿用。闻先生没有注明根据。我的《唐代诗人丛考·王昌龄事迹考略》中曾提出公元 690 年左右一说，所据一为王维《青龙寺昙壁上人兄院集》一诗的自序，称之为"江宁大兄"。王维生于公元 701 年（武周长安元年），他既称昌龄为兄，则王的生年当在公元 701 年之前。所据之二为岑参于开元二十八年作《送王大昌龄赴江宁》诗，其中说："对酒寂不语，怅然悲送君。明时未得用，白首徒攻文。"王昌龄于同时所作的《宿灞上寄侍御玙弟》诗说："孤城海门月，万里流光带。不应百尺松，空老钟山霭。"这两首诗分别提到"白首"、"空老"，都指老境而言。开元二十八年为公元 740 年，如以五十岁为白首而言，则其生年即在公元 690 年。

假如仅限于上述的材料，未始不可以以此立论。但现在重新检查，认为《宿灞上寄侍御玙弟》一诗的作年不应在开元二十八年,而应在此数年之后,并应与王昌龄的第二次贬谪联系起来考虑(说详后)。另外,王昌龄有《代扶风主人答》(《全唐诗》卷一四〇。按以后凡引王昌龄诗见于《全唐诗》者,仅注卷数,以省文字),这是一首西北边塞之行的纪实诗,是诗人刚从塞外归来,因有感于从军的抱负未得伸展,于是在扶风一家酒店沽酒销愁,店主人劝慰他,说:"少年与运会,何事发悲端。天子初封禅,贤良刷羽翰。"劝他专攻文事。封禅指玄宗开元十三年冬登封泰山事,"初封禅",当在此后不久,或即在开元十四年(关于此诗年代及王昌龄的塞上之行,详见后)。开元十四年为公元 726 年。诗中称王昌龄为"少年",以一老年店主人视二十余岁之诗人,"少年"之称大体尚可。如生年为公元 690 年,则此时昌龄已三十六岁,就不当称之为少年了。因此,他的生年虽早于王维,但当相近,确切的年份还不能断定,但大致当在公元 698 年至 701 年间。至于岑参诗中"明时未得用,白首徒攻文",则是一种设喻,是说生逢明时如未能得用,那就即使白首攻文,也是徒然的了。

王昌龄的郡望有山东琅邪与河东太原二说,但他实际居住地不在此两处。他曾在一首诗中提到"归居太行北"(《洛阳尉刘晏与府掾诸公茶集天宫寺岸道上人房》,卷一四一)。但究竟在太行山北的何处,不得其详。昌龄诗谈到过他曾游历太原及晋东南一带,而没有说他年轻时居住过这些地方。因此我们只能推想,他曾有旧居在太行以北的某地,或即在今山西太原附近。比较起来,他有好几首诗讲到他在长安居住,且具体得多。从这点说来,《旧唐书·文苑传》说他为京兆人,是对的。他在《灞上闲居》诗中说"偃卧滋阳村"(卷一四一)。滋阳即芘阳,据文物考古的研究成果,可以确定芷阳在长安万年县的玙川乡(参武伯伦《唐代长安郊区的研究》,载《文史》第三辑,中华书局 1963 年 10 月)。

王昌龄早年在滋阳居住的具体情况,现在所知不详。他的家大约不大富裕,他出仕后曾在一首诗中回忆道:"本家蓝溪下,非为渔弋故。无何困躬耕,且欲驰永路。"(《郑县宿陶大公馆中赠冯六元二》,卷一四〇)在《上李侍郎书》中也说到自己"久于贫贱,是以多知危苦之事";而且说:"昌龄岂不解置身青山,俯饮白水,饱于道义,然后谒王公大人,以希大遇哉,每思力养不给,则不觉独坐流涕,啜菽负米。"(《全唐文》卷三三一)像他这样的家庭情况,又处于开元科举发达时期,他就同当时不少读书人一样,自然走科举取仕的道路。他闭户著书,"日暮西北堂,凉风洗修木。著书在南窗,门馆常肃肃"(《秋兴》,卷一四一)。有时也到附近溪涧钓鱼,发一些貌似超然于名宦的议论:"林卧情每闲,独游景常晏。时从灞陵下,垂钓往南涧。……永怀青岑客,回首白云间。神超物无违,岂系名与宦。"(《独游》,同上)上安附近多的是古迹,因此有时他也凭吊于邻近的古轵道:"轵道,秦故亭名也。今在京师东北十五里,署于路曰秦王子婴降汉高祖之地,岂不伤哉!余披榛往而访之,则莽苍如也。"(《全唐文》卷三三一)轵道在万年县崇道乡,与芷阳原接邻,因此他可"披榛往而访之"。

现存王昌龄的诗作中,有几首游汴州、宋州、洛阳等地的诗,慨叹客途的艰难和自身的不遇,不像入仕以后所作。如《大梁途中作》(卷一四一):"怏怏步长道,客行渺无端。郊原欲下雪,天地棱棱寒。当时每酣醉,不觉行路难。今日无酒钱,凄惶向谁叹!"又《梁苑》(卷一四三):"梁园秋竹古时烟,城外风悲欲暮天。

万乘旌旗何处在,平台宾客有谁怜。"梁苑在宋州,即今河南省商丘县东。从诗的意绪看,当是入仕前游历所作。唐代士人本有漫游的风习,也是配合科举应试而求取声援的一种举动。王昌龄大约从长安出来,东游汴、宋等州,后又游历(或小住)河南的嵩山,并由嵩山北向入河东境。他有《谒焦炼师》一诗(卷一四二),李白也有《赠嵩山焦炼师》诗,与王昌龄所谒者可能即为一人①。他另有一首与道士交往的诗《就道士问周易参同契》(卷一四一):"仙人骑白鹿,发短耳何长。时余采菖蒲,忽见嵩之阳。稽首求丹经,乃出怀中方。披读了不悟,归来问嵇康。嗟余无道骨,发我入太行。"都讲到向道士求炼丹及道经等事,而地点都在嵩山。"发我入太行",用《神仙传》所载王烈事(见《太平广记》卷九),记王烈在太行山中得石髓可长寿。但此句意义双关,意谓入道不成,乃北入太行。《悲哉行》(卷一四〇)就记他登太行山所见:"北上太行山,临风阅吹万。长云数千里,倏忽还肤寸。"

　　王昌龄记河东之游的诗有《驾幸河东》《潞府客亭寄崔凤童》《寒食即事》《沙苑南渡头》(以上皆卷一四二)。《驾出长安》一作宋之问诗,暂不列入。问题在于他何年有河东之行。有一说是在开元二十年(公元 732 年)②,另一说是在开元十年(公元 722 年)③。我主张在开元十一年。据《旧唐书》本纪,玄宗于开元二十年十月、十一月间曾幸河东,但只是在睢上祭祀后土,醮三日,

①据李云逸《王昌龄诗注》,上海古籍出版社,1984 年。
②李国胜《王昌龄诗校注》,台湾文史哲出版社,1973 年。
③谭优学《唐代诗人行年考》,四川人民出版社,1982 年。

算是稍为隆重一点,至太原、潞州则只是历一下。开元十一年之行不同。太原是李家皇朝发祥之地,潞州在晋东南(今山西省长治市),是玄宗即位前的封地。开元十一年又是玄宗做皇帝后第一次去河东,因此特别隆重。据史载:十一年正月,"北都巡狩,敕所至处存问高年鳏寡惸独……庚辰,幸并州、潞州,宴父老……别改其旧宅为飞龙宫。辛卯,改并州为太原府,官吏补授一准京兆、河南两府,百姓给复一年,贫户复两年,元从户复五年,武德功臣及元从子孙有才堪文武未有官者委府县搜扬,具以名荐。上亲制起义堂颂,及书,刻石纪功于太原府之南街。"王昌龄《驾幸河东》诗云:

> 晋水千庐合,汾桥万国从。开唐天业盛,入沛圣恩浓。
> 下辇回三象,题碑任六龙。睿明悬日月,千岁此时逢。

诗中所述与史书所记是吻合的,尤其是"题碑任六龙"即《旧纪》所谓"刻古纪功"之事。如果在开元二十一年,就不能说"千岁此时逢"了。

王昌龄此行的目的还不大清楚。他前此在河南漫游,未有所成,曾在嵩山与道士商略炼丹之事,当然也未有结果,可能因玄宗有河东之行,他想来此找找机会的。《驾幸河东》是一种颂德体,也许即为上献而作。但看来仍没有收获,同年所作《寒食即事》情绪已经低落,"西见之推庙,空为人所怜";他就是带着前途渺茫难测的心情离开河东而返关中的,"孤舟未得济,入梦在何年"(《沙苑南渡头》)。至于《潞府客亭寄崔凤童》,按照他由河南北上太行山的路线看来，则当是上一年秋作。

王昌龄的《上李侍郎书》，是上给吏部侍郎李元纮的，李元纮约于开元十一、十二年间任吏部侍郎。唐代进士科试，开元二十四年前由吏部员外郎主持，二十四年后改归礼部侍郎。至官吏的铨衡选注，则由吏部侍郎主管。《上李侍郎书》中说："持衡取士，专在文墨，固未尽矣。况文章体势其多面焉，苟不相容，则太迂阔，一时不合，便即弃之，伏恐伤钩赜之明，结志士之怨。吁可畏也。"唐代至开元中，进士试逐渐以诗赋定取舍，王昌龄这里似乎在批评进士试之专以文辞取士。文章接着说："又有恢恢无明，精诚洞物，大不施小，屈于章句，盖屈寸而伸尺，小枉而大直，君子行焉，傥斯人也，木讷自守，默然而退，明公不以为贤，是小人敢正颜色，鼓喉舌，欲伸大直于明公，能容之否？"唐代吏部铨试，有书判身言四科，判是一二百字的判狱讼文字，本取实用，后也流于词藻（且以文字为游戏的，可参张鷟《龙筋凤髓判》）。王昌龄这一段文字当是批评判与言不足以察明一个人是君子还是小人。看样子他是希望李侍郎能在常科之外给他以荐拔，所谓"初闻明公克举大体，不尚小节，竭智附贤，贯道选数"。但可惜也未有结果，于是就有边塞之行，并以此结束他少年时的耕读生涯与在中原一带的漫游经历。

二

王昌龄现有诗篇以边塞为题材的共有二十一首，其中有些堪称唐代边塞诗的第一流杰作,千余年来传诵不衰。他的有些边塞诗,如《出塞行二首》之一"秦时明月汉时关",高度概括,不易断定时地。有些则写得十分真切,如《从军行七首》之七:"玉门山嶂几千重,山北山南总是烽。人依远戍须看火,马踏深山不见踪。"(卷一四三)写边地风物,不亲历其境,只凭空想象,是决写不出来的。这就有个他是否去过边塞的问题;如果去过,在什么时候。现在一些研究者似乎倾向于王昌龄是到过边塞的,但边塞之行的具体行踪,在哪几年,则大都略而不谈。这里有史料不足的困难。现在拟从王昌龄的几首诗作一些具体考察,希望能在这方面有所进展。

《旅望》(卷一四三。《全唐诗》于题下注一作出塞行,并有文字校注):

> 白花(一作草)原头(一作上)望京师,黄河水流无尽时。
> 穷秋旷野行人绝,马首东来知是谁。

《全唐诗》校"花"一作"草",作"草"是对的。白草原实有其地,它就在今甘肃与宁夏之间。该处有大小二白草原,小白草原在宁夏会宁西二百二十里,大白草原则在会宁东北。黄河在会宁北二百七十里。这大小白草原北临黄河,西接甘肃靖远,东连屈吴山,地"平旷肥饶多白草"①。由于靖远距河仅一里,而白草原又靠河,诗人是不难在这一带的高处望见黄河的。据《汉书》颜师古注和

---

① 清乾隆时纂修《甘肃通志》卷五。

清人徐松补注,白草在春发时与诸草无异,但在成熟时则呈白色①。《旅望》这首诗好似我们考察王昌龄边塞之行的坐标,由此可以确切知道诗人在某一年的秋天经过现在甘肃靖远附近的白草原,行踪是由西向东("马首东来知是谁")。

其次是《从军行二首》之一(卷一四〇):

> 向夕临大荒,朔风轸归虑。平沙万里余,飞鸟宿何处。
> 虏骑猎长原,翩翩傍河去。边声摇白草,海气生黄雾。……

这首诗与上述《旅望》当作于同时同地。"向夕临大荒"的大荒,即指大小白草原,又指靖远黄河以北的腾格里大沙漠,一望无垠,因此说"平沙万里余"。朔风、白草、边声、海气、黄雾,把景物写得非常切实。胡人行猎,傍河而去,当然是黄河,翩翩写其自得之状,而"归虑"、"飞鸟",则衬托出诗人的思乡怀远之情。从上述二诗,我们可推测王氏的路线当是自靖远东行,沿黄河南岸过白草原,又沿清水河经萧关到固原。

萧关在固原北,唐在开元中曾在其北置白草军。《新唐书》卷三十七《地理志》萧关下谓"白草军在蔚茹水之西,至德后没吐蕃",可见与吐蕃邻近,为军事要塞。又可参陶翰《出萧关怀古》:"驱马击长剑,行旅至萧边。……北虏三十万,此中常控弦。"(见《文苑英华》卷三〇八)。王昌龄《塞下曲四首》之一(卷一四〇):

---

① 《汉书》卷九十六。

蝉鸣空桑林,八月萧关道。出塞复入塞,处处黄芦草。
从来幽并客,皆共沙尘老。莫学游侠儿,矜夸紫骝好。

地点明确指明是萧关路上,过关便即入塞。故以"塞下行"命名。
蝉鸣空林,黄芦满目,一片边塞残秋景象。黄芦草状在"芦茅淡竹
之间,深广三尺,色黄,与茇茇草相什,数十里滩中一望皆是"①。
　　从固原继续南行便是六盘山区。这一段旅途可以在《山行入
泾州》(卷一四一)诗中看出:

　　倦此山路长,停骖问宾御。林峦信回惑,白日落何处。
徙倚望长风,滔滔引归虑。微雨随云收,濛濛傍山去。西临
有边邑,北走尽亭戍。泾水横白烟,州城隐寒树。所嗟异风
俗,已自少情趣。……

所谓"山路长"指的可能是固原南边过和尚铺的六盘山道路。"寒
树"即点明残秋。"归虑"者说明作者是从塞外归来。既然是"山
行入泾州",是由高而下,而且距州城还有一段道路,所以泾水和
州城都在微雨初收、烟雾迷蒙之中。而回顾来路,自然会发出"西
临有边塞,北走尽亭戍"的行旅艰苦的感叹,不身临其境,是写不
出来的。
　　从六盘山东麓,诗人可能东到今天的平凉城,至四十里铺南
折,经安口镇到陇县,然后顺千河南下到官道,经凤翔、岐山一带

①参刘满《白草考》(载兰州大学出版社《唐代文学丛谈》)。

到扶风。我们从这条路线来考察,那末他的《代扶风主人答》(卷一四〇)正好为归塞之行作一总结,并且由这首诗我们可以进而确定他这次边塞之行的时间。这首诗比较重要,今将全诗抄录于下:

> 杀气凝不流,风悲日彩寒。浮埃起四远,游子弥不欢。依然宿扶风,沽酒聊自宽。寸心亦未理,长铗谁能弹。主人就我饮,对我还慨叹。便泣数行泪,因歌行路难。十五役边地,三回讨楼兰。连年不解甲,积日无所餐。将军降匈奴,国使没桑干。去时三十万,独自还长安。不信沙场苦,君看刀箭瘢。乡亲悉零落,冢墓亦摧残。仰攀青松枝,恸绝伤心肝。禽兽悲不去,路傍谁忍看。幸逢休明代,寰宇静波澜。老马思伏枥,长鸣力已殚。少年与运会,何事发悲端。天子初封禅,贤良刷羽翰。三边悉如此,否泰亦须观。

这篇带有自叙性的诗简直就是西北边地上的一幕短剧,富有生活气息。时间是残秋或初冬,与以上诸诗时令衔接。作者自称游子,当是从塞外归来,而且似乎是未有所获,颇为不欢,这与《旅望》《山行入泾州》等情调亦相一致。酒店主人也是久经战争之苦的,他的自述对于了解唐代边塞战争带给普通人民的苦难很有认识价值。值得注意的是最后几句话,说现在边地无战争,从军无出路,而天子又刚好在做封禅的大事,你这个年轻人为什么不振作精神,戮力攻文,来求得功名呢?考诸唐史,终玄宗开元之世,仅有开元十三年(公元725年)十一月封禅泰山一事,玄宗并于同年十二月返至东都洛阳。这是当时的一件大事,也是唐玄宗显示国力的盛世之举,——在此前几年突厥请和,契丹被败,吐蕃被退,唐帝国正如日丽中天,四境无事。由此我们可以确定《代扶风主人答》当作于开元十四年(公元 726 年)的秋冬。也就是说,开元十四年,王昌龄从西北塞外归来,走的是黄河南岸由甘肃靖远一带,经白草原,经萧关,到泾州,再顺千河到陇县,及至扶风。一过扶风,就是直奔长安的大道了。既然路线和方位都已明确,那末王氏在进入白草原以前一定会在其以西的地区活动过。这地区当包括河西走廊。《代扶风主人答》中的"依然宿扶风"可见他两度住宿该店,故与店主人有旧。揆情按理而推,第一次住宿是他经扶风出塞路上,第二次是入塞回长安经扶风路上。从上面所举的诗看来,他入塞走的似是从来没有走过的路即北路,那末他出塞走的就很有可能是南路。如果这一想法可以成立的话,他的《望临洮》和"昔日长城战,咸言意气高,黄尘足今古,白骨乱蓬蒿"这些诗句也在地理和王氏活动范围上有了关连。进一步,我们就不禁想起"青海长云暗雪山"、"大漠风尘日色昏"、"烽火城西百尺楼"和"琵琶起舞换新声"这些反映河西走廊风光的名篇佳句了。这些作品,正如我们已经说过的,诗人如果没有亲历其境,是不可能写得如此佳妙天成的。王昌龄的这次边塞之行,在仕途上没有什么进展,但在创作上却是硕果累累,这也是盛唐诗国的一次丰收!

如上所述,我们已经知道了他归来的时间,即开元十四年秋,那末他是何时出塞的呢?从可考知其行迹的诗篇中,都写的是秋日。限于史料,我们还不能作出确定的答复,很可能他是开元十四年上半年出塞，因无所成而于当年返回，也可能是上一年出去，这就只好阙疑了。好在我们弄明白了他的归程，就不难打开对他西北之行进行通盘考察的通道。

三

这一节拟记述他初入仕途与第一次贬谪。王昌龄于开元十五年（公元 727 年）进士及第，这是确定了的，有史料可证（如顾况《监察御史储公集序》、《唐才子传》），研究者也无歧异，问题在于及第后是否授官，授何官职。

先从材料分析入手。《旧唐书》本传说："进士登第，补秘书省校书郎，又以博学宏词登科，再迁汜水县尉。"《新唐书》本传说"第进士，补秘书郎，又中宏词，迁汜水尉。"《唐才子传》卷二则谓"开元十五年李嶷榜进士，授汜水尉，又中宏辞，迁校书郎。"徐松《登科记考》卷七于开元十五年下载其进士及第，又于开元十九年下据《唐才子传》载他中博学宏词科，又于开元二十二年载再中博学宏词。以上所记互相之间都有一些差异。

《新唐书》所谓秘书郎应作校书郎，《唐才子传》所谓进士登第后即授汜水尉，也不确。这在我过去的著作中已有论证。问题是，他在进士及第后授校书郎几乎是一致肯定的，而正是这一点，有重新考虑的必要。

他有《放歌行》诗（卷一四〇）：

南渡洛阳津,西望十二楼。明堂坐天子,月朔朝诸侯。清乐动千门,皇风被九州。庆云从东来,浃漇抱日流。升平贵论道,文墨将何求。有诏征草泽,微诚将献谋。冠冕如星罗,拜揖曹与周。望尘非吾事,入赋且迟留。幸蒙国士识,因脱负薪裘。今者放歌行,以慰梁甫愁。但营数斗禄,奉养每丰羞。若得金膏遂,飞云亦可俦。

　　诗是写皇帝在洛阳,征诏草泽之士,而作者想脱去负薪之裘,将去应试,希望能够中选,一则可以奉养家中老小,二则从此可以有升迁的机会。考诸史籍,开元十年至二十九年间,玄宗居于洛阳,并下诏试草泽之士者,只有开元十五年一次。开元十三年十二月,玄宗自泰山封禅回至洛阳,十五年闰九月始返长安。《旧唐书》本纪,十五年正月“戊寅,制草泽有文武高才,令诣阙自举”。徐松《登科记考》卷七开元十五年下引《册府元龟》,谓是年九月庚辰,“帝御洛城南门,亲试沈沦草泽,诣阙自举文武人等”。则玄宗是九月亲试这些自举者,第二月返长安。这也是制科举,但据记载没有王昌龄名。

　　由此我们可以推论,王昌龄于这一年春应进士试及第,但大约史部铨试没有通过,未有官职,因此遂于本年又应诏试“高才沈沦、草泽自举科”(科名参见《登科记考》,此科中者有邓景山、樊咏、王缙)。显然,如果本年进士试后即已授秘书省校书郎,王昌龄就不能再以草泽之士的身份应这次诏试。《放歌行》中也明白说到,希望因此而“脱负薪裘”。脱负薪裘,也就是释褐入仕的意思。

那末是否第二年或第三年入秘书省校书郎呢？也不是。这里仍以他本人的诗作证。《郑县宿陶大公馆中赠冯六元二》（按诗题中"大"，《全唐诗》卷一四〇作"太"，此据《四部丛刊》本影印明刊本《河岳英灵集》）说："儒有轻王侯，脱略当世务。本家蓝溪下，非为鱼弋故。无才闲躬耕，且欲驰永路。幽居与君近，出谷同所骛。昨日辞石门，五年变秋露。云龙未相感，干谒亦已累。子为黄绶羁，余忝蓬山顾。……"郑县属华州，即今陕西省华县，华山在其附近，因此诗中说"京门望西岳，百里见郊树"。可以注意的是，诗中说自己与陶大居处邻近，彼此都曾因"无才困躬耕"，自从辞别旧居，五年过去了，虽也数次求进（干谒），但终未得机遇（"云龙未相感"），现在你已得县丞（或县尉），我也总算在秘书省做事。这就是说，在任校书郎前的五年中，王昌龄一直未有官职。我们从开元十五年算起，至开元十九年，刚好五年。因此可以认为，他之得秘书省校书郎之职，是在开元十九年博学宏词试的那一年。两《唐书》说他进士及第，后授校书郎，应重新考虑。

当然，这里还有一个问题，即孟浩然有一首《初出关旅亭夜坐怀王大校书》诗，是孟浩然离开长安，经潼关，怀念与王昌龄的交友，诗歌称"王大校书"，诗中有"永怀蓬阁友"之句。过去一般认为是孟浩然开元十六年入京，因求仕不成，第二年离京时所作。但据近年来的研究，孟浩然有两次入京，第二次是开元二十一年，而这首诗正是第二次入长安后离去所作①。王昌龄又有《夏月花萼楼酺宴应制》（卷一四二），是玄宗在花萼楼酺宴群臣，王昌龄应

①参见陈铁民《关于孟浩然生平事迹的几个问题》，载《文史》第十五辑。

制作诗,诗末有"愚臣忝书赋,歌咏颂丝桐"之句,可见已在朝中任职。查开元二十年十月至十一月玄宗曾幸河东,"祀后土于睢上",昌龄诗中有"汾阴备冬礼"即指此。又《全唐诗》卷三载玄宗《首夏花萼楼观群臣宴宁王山亭回楼下又申之以赏乐赋诗》,小序中提到"前月之晦,细风飘雨","今年带闰,节候全晚",诗中首二句又谓"今年通闰月,入夏展春辉"。开元二十一年为闰三月。诗题云首夏,当为四月作。玄宗与王昌龄诗都为五言八韵。由此可知王昌龄于开元二十一年四月亦在校书郎职上。这就是说,我们还没有发现可以确定为开元十九年前王昌龄已任校书郎职务的诗。那末《登科记考》定王昌龄为开元十九年中博学宏词科,还是可信的,现在可以再补充为:中博学宏词后始任秘书省校书郎。

应制诗只是应奉公事,他任校书郎似并不得意。《风凉原上作》(卷一四一)是他出游蓝田时所作,诗的最后六句是:"海内方晏然,庙堂有奇策。时贞守全运,罢去游说客。余忝兰台人,幽寻免贻责。"说四海清平,无所进言,这是反言正说,实际上是说像他这样抱有奇策的人得不到进用,只好出来寻幽探胜,以免因多说话而受到谴责。同时期所作有《灞上闲居》(卷一四一),首二句说"鸿都有归客,偃卧滋阳村"。鸿都用《汉书·儒林传》的典,借汉时藏书之所喻唐的秘书省。诗中写自己落寞的心境:"轩冕无枉顾,清川照我门。空林网夕阳,寒鸟赴荒园。"于是寄托府前的孤鹤,致意于古时处于贫贱而不遇的贤人颜渊与原宪:"庭前有孤鹤,欲啄常翻翻。为我衔素书,吊彼颜与原。"

就这样,他遂于开元二十二年又应博学宏词试,试后授汜水尉职。唐人博学宏词是可以再试的。王昌龄于开元二十二年中博学宏词,见《登科记考》卷八引《直斋书录解题》,并有《文苑英华》卷六十九载王昌龄、李琚、杨谏、韩液等《公孙弘开东阁赋》为证,是可以确定的。他于博学宏词试后任汜水尉,也见于两《唐书》本传,说是"迁"汜水尉。按汜水本属郑州,高宗显庆三年(公元658年),以洛阳为东都,汜水改属河南府,为畿县,会昌三年(公元843年)才又改属孟州①。据唐代官阶,秘书省校书郎为正九品上,畿县尉为正九品下。但校书郎为闲职,畿县官有实权,且易得到升迁,外官俸亦高。唐人由校书郎调迁为畿县或近京诸州县尉的多有,如独孤及《检校尚书吏部员外郎赵郡李公中集序》(《全唐文》卷三八八),记李华于天宝二年举博学宏词为科首,由南和尉为秘书省校书郎,八年,又改为伊阙尉;又如《旧唐书·房琯传》记房琯于开元十二年因献文得授秘书省校书郎,后"调补同州冯翊尉",都算是擢迁。

但今存王昌龄诗明确作于汜水尉任上的,未见②。李华《扬州龙兴寺经律和尚碑》(《全唐文》卷三二〇)记扬州龙兴寺住持僧怀仁卒于天宝十载(公元751年)。怀仁是名僧,李华文中记道:"朝廷之士,衔命往复,路出维扬,终岁百数,不践门阀,以为大羞。"就是说,朝廷中官员,每年因公奉使路经扬州的不下百人,如果不登龙兴寺拜谒怀仁,将"以为大羞"。李华文中列名的有:"太子太保陆象先、吏部尚书毕构、少府监陆馀庆、吏部尚书崔日用、

①《元和郡县图志》卷五河南府二,及两《唐书·地理志》河南府。
②李云逸《王昌龄诗注》以《缑氏尉沈兴宗置酒南溪留赠》、《赵十四兄见访》
　为汜水尉时作,但证据也并不充足,在疑似之间。

秘书监贺知章、礼部尚书裴宽、中书侍郎严挺之、河南尹崔希逸、太尉房琯、中书侍郎平章事崔涣、礼部尚书李澄、词人汜水尉王昌龄等，所共瞻奉，愿同洒扫。"这当是李华据寺院当时的记录而载入碑文的，李华写时有些是终官或赠官①，王昌龄官职不高，但以文辞著名，可能即以当时实录而称呼之，前面并加"词人"二字以示区别。由此可以推知王昌龄在汜水尉期间或曾因公事出使，路经扬州，具体情况则不详。

不久，就发生了贬谪的事。王昌龄有《见谴至伊水》诗，见日本僧人空海《文镜秘府论》地卷"十七势"，存二句："得罪由己招，本性易然诺。"空海于中唐时来唐游学，返国时携带汉籍多种，其中就有王昌龄的集子（空海《性灵集》卷四《献杂文表》，见日本昭和四十年九月一日增补三版《弘法大师全集》第三辑）。《文镜秘府论》引王昌龄诗均可信。另外，《全唐诗》卷一四〇载王昌龄《留别伊阙张少府郭大都尉》诗："迁客就一醉，主人空金罍。江湖青山底，欲去仍裴回。郭侯未相识，策马伊川来。……孟阳蓬山旧，仙馆留清才。日晚劝趣别，风长云遂开。幸随板舆远，负谴何忧哉。唯有仗忠信，音书报云雷。"这是说行至洛阳南面的伊阙，张、郭二人相送，张又是过去秘书省的同僚。由此我们可以得知他这次贬谪的路线是由汜水至洛阳，再由洛阳南下。今天我们从《河岳英灵集》宋本的王昌龄评语中，知道他有两次贬谪，第二次贬谪是由江宁（今江苏省南京）丞贬龙标尉，走的是长江水路，这

---

① 如房琯称太尉，则是琯于代宗广德元年（公元763年）八月卒后所赠，见《旧唐书》卷一一一《房琯传》。

次由洛阳南下，当是由汜水尉而贬。这在王昌龄的研究中一般都无歧说，问题在于他由汜水尉而贬是在何时。

孟浩然有《送王昌龄之岭南》诗（《全唐诗》卷一六〇）："洞庭去远近，枫叶早惊秋。岘首羊公爱，长江贾谊愁。土风无缟纻，乡味有查头。已抱沉痾疾，更贻魑魅忧。数年同笔砚，兹夕异衾裯。意气今何在，相思望斗牛。"这是王昌龄动身去岭南时孟浩然送行的诗，因此过去一般都把王昌龄第一次贬谪的时间定于开元二十七年。但研究者大多忽略"数年同笔砚，兹夕异衾裯"二句。我们在上面已提到王昌龄在京任校书郎时，孟浩然曾与之交游，但为时甚短，恐怕不到一年，不能说"数年同笔砚"的。以后二人也并无在一起的机会。因此可以设想，王昌龄在去岭南前，与孟浩然在江陵、襄阳一带相与盘桓当有数年之久。不过，他始贬是在何年呢？

有一首诗过去没有引起注意，就是他的《送李十五》："怨别秦楚深，江中秋云起。天长杳无隔，月影在寒水。"此诗载《全唐诗》卷一四三，而《文镜秘府论》卷二地卷"十七势"也载，题作《送李邕之秦》。据《新唐书》卷二〇二《文艺传》，李邕于开元中因事贬遵化尉，"后从中人杨思勗讨岭南贼有功，徙澧州司马。开元二十三年起为括州刺史"。澧州属山南东道，州治澧阳，在今湖南省澧县，即洞庭湖西，江陵之南。"怨别秦楚深"，指李邕由澧州司马改官，奉调入京，而王昌龄则于楚地（可能就在江陵一带）与他话别。"江中秋云起"，当指长江。由此，则开元二十三年诗人已在今湖北一带，王昌龄《次汝中寄河南陈赞府》（卷一四〇）谓"遥见入楚云，……不谓远离别"，又说"京邑多欢娱，衡湘暂沿越"，他计划是由洛阳南下,经衡湘的路线。前述《留别伊阙张少府郭都尉》诗说到"幸随板舆远,负谴何忧哉",则他是奉其母南行的。此次贬谪当即在开元二十三年,而行至今湖北一带,却由于某种原因,停了下来。他曾说这次贬官是由于"易然诺",可能说话不小心,与政治关系不大,因此到了江陵一带,受孟浩然的邀约,住了下来。后来张九龄任荆州长史(开元二十五年),孟浩然入张九龄幕,则王昌龄可能又受到张九龄的庇护,就一住数年。从现存诗篇中,可以看出这几年他送人的诗有相当数量,如《送胡大》、《送谭八之桂林》、《寄穆侍御出幽州》、《送窦七》、《送万大归长沙》、《送姚司法归吴》,以及送大诗人李白的《巴陵送李十二》。这些诗篇虽也有惆怅,但并不低沉,可能与孟浩然、张九龄的交游有关。显然,如果这次贬谪只是匆匆路过,不可能有这些数量的送行之作。

张九龄在外出任荆州刺史时,制词中即有"慕近小人,亏于大德"的话(见《四部丛刊·曲江张先生文集》附录诰命),这当然是李林甫等人对张九龄举贤选能用人政策的诬陷。张、李的矛盾逐渐发展,王昌龄以原来的负谴之官,现在又与张九龄接近,且可能也在张的幕下,当然会引起朝中的注意,于是就在开元二十七年重又贬谪,其间当有政治斗争的影子。这一点,在王昌龄的《奉赠张九龄》(卷一四一)诗中可以看得很明显:"祝融之峰紫云衔,翠如何其雪崭岩。邑西有路缘石壁,我欲从之卧穹嵌。鱼有心兮脱网罟,江无人兮鸣枫杉。王君飞鸟仍未去,苏耽宅中意遥缄。"言词闪烁,欲说还休,似有诸多顾忌。这与孟浩然送他诗中把他比之于流放到长沙的贾谊,情调是一致的。

他在湖北这几年的生活,以及与孟浩然的过从,与盛唐另一诗人常建的交游，可以另外讨论，根据研究者已取得的一致意见，知道他于开元二十八年即又北返，途经襄阳，再与孟浩然会晤，相得甚欢，不幸孟浩然"食鲜疾动"而卒（见王士源《孟浩然集序》），这些就不再详述。

四

王昌龄于开元二十八年北返，与孟浩然重又相聚后，走向哪里？这里拟提出一些看法，以供讨论。问题产生于孟浩然的《送王大校书》诗（《全唐诗》卷一六〇）：

> 导漾自嶓冢，东流为汉川。维桑君有意，解缆我开筵。
> 云雨从兹别，林端意渺然。尺书能不吝，时望鲤鱼传。

诗是在襄阳写的，也是送别之处，王昌龄走的水路，循汉水东下。虽然是送别，但诗的整个情绪是平静的。从王、孟的几次交往看来，似乎只有开元二十八年重晤后为最有可能。问题是"维桑君有意"如何解释。从字面上说，维桑出于《诗经·小弁》："维桑维梓，必恭敬止。"是怀念父母、家乡的意思。如果以此理解，王昌龄应当从陆路北上，经商关大道赴京都，为什么反而由汉水东下呢？这里想提出一些推测。

王昌龄在贬官龙标时曾作有《西江寄越弟》诗（卷一四二），那时这个越弟刚从岭南贬谪北返。所谓越弟，大约是昌龄的一个族弟而居住于越中的。王昌龄由汜水经洛阳南下时是随奉老母的,前面已述。在湖北一带居住数年,后朝廷又申前命,仍贬岭南,临行前昌龄可能将老母(或还有妻小)托这个越弟安顿在江东一带。这次北返,与孟浩然相见,且又未得朝廷新命,因此沿汉水而下,经由长江,到江东探问老母,因此孟浩然诗有"维桑"的语句。他就把家安顿在现在江浙的某地,也就是习惯所称的江东。正因为如此,待安史乱起,他离开龙标就到长江下游来,才好得到解释。后来濠州刺史闾丘晓陷害杀死王昌龄,河南节度使张镐又以耽误军机杀闾丘晓,闾丘晓求情,张镐说:王昌龄之亲又谁养? 联系上述情况,这话也就容易理解了。从这点出发,他的《别辛渐》、《太湖秋夕》、《夜宿京口期刘眘虚不至》、《客广陵》、《重别李评事》、《万岁楼》等一组描写江南秋景的诗,当也作于开元二十八年秋。王昌龄当是看望老母家小后由扬州北上,循漕河而返京都。

顺便说一下,他的名作《芙蓉楼送辛渐二首》(卷一四三),第二首"丹阳城南秋海阴,丹阳城北楚云深",指的是润州以南的丹阳县。则从地域方位来说,应当是第二首在前。如果根据上面的说法,则王昌龄于开元二十八年秋本来就行止于太湖周围,是年秋,辛渐北行,他乃就近相送。如按一般意见,以此诗为江宁丞时所作,则他可能先至江浙一带探望家眷,然后至丹阳与辛渐聚首,又一起行至润州郡城的芙蓉楼话别。联系诗人的行踪,这两首诗的次序较易得到合理的解释。

以上是根据王、孟二人的交往及王昌龄诗篇提供的行迹线索所作的推测,是否合理,谨供商榷。在史料不足的情况下,不妨提供一些可能的推测,通过切磋,以求逐步接近问题的解决。

五

现在我们可以进一步来讨论王昌龄的第二次贬谪,也是王昌龄生平行迹中最后一个需要解决的大问题。

王昌龄于开元末、天宝初任江宁丞,他的第二次贬谪是由江宁前往龙标,这在过去的研究中都已取得一致的意见,可以不论。问题是他这次贬谪究竟是何原因,又在何年,唐诗学界则一直对此未有确定的看法。

王昌龄在江宁丞期间并不得意,他感到"县职如长缨,终日检我身",又说"出处两不合,忠贞何由伸"(《送韦十二兵曹》,卷一四〇),认为县丞之职未能伸其怀抱。他于天宝时有长安之行。他在长安,可以确定时间的有李白《同王昌龄送族弟襄归桂阳》(王琦注《李太白全集》卷十七),其中有"秦地见碧草,楚谣对清樽"、"予欲罗浮隐,犹怀明主恩"句,是李白在长安对玄宗已经失望但还未离去时作。根据现在李白研究的成果,李白第二次入长安是天宝初年,三载春离开。这首诗当作于天宝三载春。另外,王维有《青龙寺昙壁上人兄院集》,说"时江宁大兄持片石命维序之",同咏者有王昌龄、王缙、裴迪。时节当在夏日。由此可知王昌龄在天宝三载春夏间已在长安。值得注意的是王昌龄《宿灞上寄侍御玙弟》诗(卷一四〇)。这首诗以前曾认为是开元末昌龄赴江宁丞时作,现在看来是不对的。此诗对于了解诗人后期思想非常重要,又似与第二次贬谪有一定关系,因此特提出来讨论。王玙因投合唐玄宗尊崇神仙、迷信道家之所好,于开元二十五年为侍御史、领祠祭使(《资治通鉴》卷二一四)。《旧唐书》卷一三〇《王玙传》也说:"开元末,玄宗方尊道术,靡神不宗。玙抗疏引古今祀典,请置春坛,祀青帝于国东郊,玄宗甚然之,因迁太常博士、侍御史,充祠祭使。"王昌龄诗中说:"孟冬銮舆出,阳谷群臣会。半夜驰道喧,五侯拥轩盖。是时燕齐客,献术蓬瀛内。甚悦我皇心,得与王母对。"开元末、天宝初的数年间玄宗差不多每年十月都去骊山温泉宫,"孟冬銮舆出"二句所写即指此。各地方大献神仙之术,史书记载甚多。王昌龄对宫廷的这种情况是不满的,因此虽然委婉却仍是语含讽刺地谈到了这一点,但是使他不满的,也是此诗的主旨,是边事:"昨闻羽书飞,兵气连朔塞。诸将多失律,庙堂始追悔。"这几句实有所指。开元末、天宝初,唐军与吐蕃作战,已累有失利。早几年,如开元二十九年十二月,吐蕃攻陷廓州达化县及振武军石堡城,节度使盖嘉运不能守。天宝四载九月,"陇右节度使皇甫惟明与吐蕃战于石堡城,官军不利,副将褚直廉等死之"(《旧唐书·玄宗纪》)。这是唐朝廷一次较大的军事失败,为此皇甫惟明于第二年正月被贬为播州太守,不久又处死于黔中。王昌龄诗"昨闻"四句即指此事而言,也就是该年孟冬(十月)。诗人说自己不过是东南的一个小官("佐邑由东南,岂不知进退"),但自感"良马足尚骎,宝刀光未淬","不应百尺松,空老钟山霭",在国家有事之秋,应不计个人的安危得失,慷慨陈言:"安能召书生,愿得论要害。戎夷非草木,侵逐使狼狈。虽有屠城功,亦有降虏辈。兵粮如山积,恩泽如雨霈。羸卒不可兴,碛地无足爱。若用匹夫策,坐令军围溃。不费黄金资,宁求白璧赉。"他早年到过边塞,有过实际感受。他是不主张单纯以战争来解决问题的(所谓"虽有屠城功"),而主张积极的睦边政策。而这正好与朝中决策者意见相左。王昌龄自己也感到这一点。诗中说"公论日夕阻,朝廷蹉跎会"。他大约已经意识到进言之无用,因此赴江宁临行前向这位正受到信用的族弟说出这番慷慨之词("离言深慷慨")。不过,据此诗和李白的诗,则昌龄在长安停留有两年之久,他因何来京,又何能离开职守可达如此之久,可惜限于史料,还未能作出确切的解释。我们仅将这个问题提出。不过我们知道,他一直关注于西北边事,而且颇以自己在这方面的抱负自许,因此即使后来在湘西贬所,他还唱道:"仆本东山为国忧,明光殿前论九畴。粗读兵书尽冥搜,为君掌上施权谋,洞晓山川无支俦。……何用班超定远侯,史臣书之得已不。"(《箜篌引》,卷一四一)从这里,我们推想,他之所以不几年即由江宁丞远贬龙标,当是与生性亢直、直陈政事有关。因此,殷璠在《河岳英灵集》中说他"晚节不矜细行,谤议沸腾"。殷璠把对他的指责归之于"谤议",同情之心是很明显的,可能作为同时人,处于同样的政治环境,殷璠充分了解这一点。

那末王昌龄又何时被贬呢?此事一直得不到确解。这里想提出一个看法。昌龄有《别陶副使归南海》诗(卷一四三),说"南越归人梦海楼,广陵新月海亭秋"。地点在广陵(扬州),当是在江宁时作。南海指岭南节度使治地(今广州)。又有《寄陶副使》(同上):"闻道将军破海门,如何远谪渡湘沅。春来明主封西岳,自有还君紫绶恩。"这当是同一个陶副使。破海门,可能是指天宝三载二月朝廷命河南尹裴敦复、晋陵太守刘同升、南海郡太守刘巨鳞破"海贼"吴令光事。而天宝八载五月戊子,"南海太守刘巨鳞坐赃决死之"(《旧唐书》本纪)。身为副使的陶某即可能因此受到牵累。《旧唐书》本纪又载天宝九载正月,"庚寅,群臣请封西岳,从之",而同年九月,又因久旱,停封西岳。从这些文献记载看来,则这首诗当作于天宝九载春,这与陶副使因涉及刘巨鳞事而被贬,在时间上也是衔接的。从"如何远谪渡湘沅"句看来,王昌龄应还在江宁,未在龙标。那末他自己的被贬,当在这一年或下一年秋,再晚恐怕也不大可能了。这一时间的确定,也可因而解决李白的《闻王昌龄左迁龙标遥有此寄》这首名作的系年问题。也就是说,李白的这首诗,当作于天宝十载或十一载春。

上面仅就王昌龄事迹中较为重要,而过去的研究又不大充分,或多有歧说的地方,根据初步掌握的材料以及对材料的分析,作若干探索。他的事迹中还有一些值得研究的,如常建招王昌龄在鄂渚隐居在何时(《鄂渚招王昌龄张偾》),在湖北与孟浩然的过从;他第二次贬谪时从江宁至龙标,应一开始就溯江而上,为什么先特地跑到宣城、南陵去弯一弯(《至南陵答皇甫岳》);以及他到龙标后的一些创作及其所表现的思想,他的另外一些边塞诗的系年问题,相传他的《诗格》的真伪问题,等等,限于篇幅,只好在以后讨论。不过,如果本文所描绘的轮廓能成立的话,那么王昌龄诗歌的大部分将可以得到它们应有的坐标,这对于了解诗人的整个创作活动将是有益的。

1987 年 11 月

原载《古籍整理与研究》1988 年第 5 期,此据京华出版社

1999 年版《唐诗论学丛稿》录入，另收入黑龙江人民出版社 1992 年版《唐诗论学丛稿》、安徽教育出版社 1998 年版《当代学者自选文库·傅璇琮卷》

《唐代文学研究》第一辑序

　　《唐代文学研究》第一辑现由山西人民出版社出版,和大家见面了。

　　《唐代文学研究》的前身是《唐代文学论丛》,《唐代文学论丛》是中国唐代文学学会的会刊。我因为在学会中担任一些职务,对《论丛》的事务有一定的了解,因此乘现在由《唐代文学论丛》改刊为《唐代文学研究》之际,向读者介绍一些有关的情况。

　　《唐代文学论丛》原名《唐代文学》,于1981年4月出版,西北大学学报编辑部与西北大学中文系唐代文学研究室合编。出版后反映颇佳,印数愈万,迅即告罄。这是因为一方面,西安是唐代长安旧地,在西安出版唐代文学研究的书刊,当然有一定的号召力;另一方面,"四人帮"粉碎后,经过几年的努力,学术空气渐浓,好象春回大地,古典文学界颇有一种情满于山、意溢于海的态势,有这样一个专门的断代文学研究,耳目一新。于是下一辑(1982年第一期)即由陕西人民出版社出版,并正式定名为《唐代文学论丛》。1982年5月,中国唐代文学学会在西安成立,经过讨论,理事会将《论丛》作为学会会刊,仍由西北大学中文系唐研室编辑,学会正副会长任正副主编，常务理事为编委。作为第一期会刊的《论丛》（即总第三辑），于 1983 年 5 月出版。1984 年 8 月，学会第二届年会在兰州举行，这届年会进一步明确了《论丛》的宗旨，希望加强学术性，主要发表理论研究和考证、资料性的文稿；同时相应对编委作了调整。在此之后所编的两期（总第八、第九辑），确实是贯彻了第二届年会对会刊的要求的，质量显著有了提高，所载文章普遍得到好评。

总计从非正式出版的《唐代文学》起，到第九辑《论丛》，共出版十辑。这十辑所刊载的文字约 250 万，各类文稿 400 多篇。其中不少理论探讨的文章，在国内外研究界有相当的影响，一些考证、资料性的文章，也受到重视。据了解，日本、美国以及东南亚的唐代文学研究者，颇注目于此，他们有的每期必购，有时不能及时买到，则辗转托人，期于必得。国外及港澳一些图书馆，向西北大学函购或提出交换者，则更为频繁。建国以后近四十年中，在中国学术界，专门的断代文学研究书刊能出版十辑，历时数年，这还是唯一的一种。作为唐代文学的爱好者和研究者，对此我是很受鼓舞的，我觉得这是我们国家学术繁荣、研究自由的明白无疑的标志，当然更是唐代文学研究兴旺发达的好兆头。不少学术界的朋友与我是有同感的。

在这里应该提到的，是西北大学中文系唐研室的同志们为《论丛》所作的贡献。他们大多是中青年的学术工作者，有志于在唐代文学研究中作一番事业，这几年来他们所发表或出版的论著的确也表明了他们的实力。但是他们肩负重托，接受《论丛》的编辑，一连串繁杂、琐细的事务就跟着来了。看稿、改稿当然不必说,与作者联系,跑工厂、看校样、寄送样书,在在都要花费劳力。在我国目前的情况下,出版学术性的书刊并不像在光华流丽的大道上漫步,可以那样轻松自得;出书过程中的种种曲折,难以尽道,到后来几乎每一辑都要与各方几经交涉,才得与世人相见。他们在各自所要完成的教学和研究任务之外来做编辑工作,实际上是一种奉献。这里还应特别提到的是陕西人民出版社几位编辑同志,他们除了差不多与唐研室同志一样辛劳之外,更需要做大量的事务性工作,有时连续几天奔波于出版社和印刷厂之间,还要与财会部门费精劳神、唇敝舌焦地交道。可以说,每一辑的《论丛》都倾注了唐研室与陕社编辑部的心血。

现在改名为《唐代文学研究》,还是继续前一时期的方针,不过学术性更强调一些。关于唐代文学,可以做多方面的工作。大量普及性、知识性的工作是很需要的。近年来唐诗鉴赏的文章,在读者中,特别是在青年中,很受欢迎。把我国古典诗的精华介绍给今天的读者,让他们对唐诗蕴含的思想价值和艺术价值获得丰富的认识,这本身就是一项开创性的文化建树。另外,像《唐诗今译集》那样,对古代文学与当代创作怎样沟通,也是极有意义的尝试。不过,我们想《唐代文学研究》着重于做另一方面的工作,那就是发表一些比较专门的文章,或者说面比较窄的研究文章,这当中可以有理论探讨,也可以有资料考证,而从目前情况看来,后一方面恐怕会更多一点。比起轰轰烈烈的什么"热"来说,这些专门性的文章会是比较寂寞的。学术工作就是要安于寂寞,而且,对于学术工作者来说,能相安于寂寞未始不是一种美德。

我们希望《唐代文学研究》不是以量取胜,能够一年出上一辑,或者两辑,也不错了。这几年来,古典文学研究似乎受当代文学创作一种风气的影响,追求一种量的发展。我认为,我们不必跟那种一年写一个长篇、七八个中篇、十几个短篇赛跑,精神产品最终是要看质量的,有质量就有数量,没有质量也就没有数量,古往今来,莫不如此。今后,《唐代文学研究》似还可登载一些确实下过工夫,但面实在过窄,或较为冷僻,或字数过多,总之,不大能在别的地方发表的专题性学术文章。

我在这里也要感谢山西人民出版社。大家知道,出这样的研究书籍,在经济上是要亏损的,而从目前出版体制来说,这将对出版社的工作造成困难。但是山西人民出版社的同志们毅然作了承诺,使我们的研究有了一个可靠的后盾。我认为山西社的同志们是有远见的。自有近代意义的出版社以来,中国出版界自本世纪初起就有一个好的传统,那就是出版社自办刊物,或较长期地出版一种或几种有影响的书刊。我们不是一想起《东方杂志》、《小说月报》就想起商务印书馆来吗?论述中国近代文化史能不提到它们吗?书刊实在是出版社联系作者、开辟稿源、在读书界造成影响的一个很好途径。我们希望,唐代文学研究者能与山西社的同志密切合作,这方面的前景是相当广阔的。

本辑系中国唐代文学学会与山西人民出版社合编,具体的编辑工作仍是由西北大学中文系唐研室做的。今后编辑部的工作如何进行,学会理事会将在适当的时候讨论决定。

一九八七年十二月

原载山西人民出版社 1988 年版《唐代文学研究》第一辑(原

题:告读者——代序),据以录入,另收入黑龙江人民出版社
1992 年版《唐诗论学丛稿》(题为:《唐代文学研究》第一辑
编者题记,有删节)

任国绪《卢照邻集编年笺注》序

　　新时期十年中，我国古典文学的研究取得了令人注目的成就。但是，今天还有不少人对研究的现状表示不满，应当说，这种不满意或不满足的心情是正常的，问题在于对如何改进现状，似乎有不同的看法。有的人认为古典文学研究存在着危机，这种危机就是不少研究者思想陈旧，观念落后；有的认为古典文学研究过去老是陷于对一些具体作家作品的考证、论述，而缺乏对发展总体的把握和规律性的探讨，因而强调进行宏观研究；有的认为古典文学研究在方法论上存在较大的缺陷，过去旧的一套已显得单调保守，应当吸收自然科学研究成果，并引进外来的某些文学观念。我觉得，不管各种具体意见的是非如何，这种讨论本身就是值得赞许的，它说明我们许多古典文学的研究和教学工作者的一种学术上的自觉，他们要求对这一有古老传统的学科进行一次真正有科学意义的反省，希望我们整个古典文学研究能与现当代文学研究、文艺和美学理论研究，以及哲学、历史学等学科的研究取得平衡的发展，也就是说，古典文学研究应当对我们整个人文科学的研究作出贡献，而不应该不谐调地落在后面。

在讨论中,我和中国社会科学院文学研究所沈玉成先生、北京大学古文献研究所倪其心先生,合写了一篇文章,表示了我们的看法,这就是发表在1987年第五期《文学评论》上题为《谈古典文学研究的结构问题》一文。我们认为,古典文学研究中除了观念、方法等问题之外,还有一个问题必须重视和解决,这就是研究工作的结构存在着不合理的现象,这种情况的长期存在严重地影响了研究水平的总体提高。建国以来的四十年中,除了"文革"十年的特殊情况以外,我们的研究大致有这样两种偏向,一是一窝蜂,看什么问题热闹,行情看涨就往那里跑,这样就在几个少数热门上聚集不少力量,而很多应该研究的问题则无人问津,形成不少冷门。二是一般性的论述多,而需要大量搜集资料、深入钻研,使结论跨越前人的著作少。这两方面凑合在一起,就产生重复劳动,投入与增值失比,不少论著在低水平线上徘徊。

如何看待和改进古典文学研究的结构,当然可以智者见智,仁者见仁,各有各的看法。我始终认为,为了古典文学研究的长远发展,我们极应加强基础建设,这是各类专题研究赖以进行的基本条件,它关系到古典文学研究的发展方向,具有长远效益。这种基础建设,包括古典文学基本资料的整理,作家作品基本史料的辑集,基本工具书的编纂,文学通史、专史的撰著,等等,而历代作家别集的校点、笺注、辑佚、新编就是其中重要的一项。从古典文学研究结构的整体观念,来看任国绪同志的这部《卢照邻集编年笺注》,那末它的意义就不仅仅是对一位具体诗人作品的整理,而是体现了当今古典文学界着眼于长远发展的一种要求。

任国绪先生是一位年轻的研究者,80年代初他在杭州大学中文系取得硕士学位,即以卢照邻作为研究专题,我曾有幸看过他的论文,并参与评阅。从那时起,他即锲而不舍,对卢集逐篇作了校注,差不多花了十年的时间,始将他的积累以编年笺注的形式问世。十年的时间是不算短的。在当今讲究近期效益的趋向中,为了一部书而花费十年的时间,恐怕会有不少人认为是不值得的。这倒使我想起两件事。一是季振宜《钱蒙叟杜工部集笺注序》,文中提到钱谦益的族曾孙钱曾(遵王)的话:"一日,(遵王)指杜诗数帙,泣谓余曰:此我牧翁笺注杜诗也,年四五十,即随笔记录,及年八十,始书成。"钱谦益在明末清初是以淹博见长的,他的学问面很宽,对杜诗钻研很深,以他的资力,尚且用三四十年的时间作成一部杜集笺注,使得季振宜(沧苇)这样一位在唐诗的纂集上花过大力气、做出过大贡献的专家也不得不为之叹服。另一件是陈寅恪先生的一个学生在清华大学研究院读书时写了一部《突厥通考》,就教于他的老师,陈寅恪当时对他说:"此文资料疑尚未备,论断或犹可商,请俟十年增改之后,出以与世相见,则如率精锐之卒,摧陷敌阵,可无敌于中原矣。"(《朱延丰突厥通考序》,载《寒柳堂集》)当朱延丰的书初稿已著成之后,陈寅恪还要求他再用十年的时间加以增改,这表明这位史学大师的极为严谨的学风和学术上极端负责的态度。这两篇文章给我的印象是很深的。现在看到任国绪先生的这部书,见到他这十年来的努力所获得的成果,又使我想起前辈学者做学问的认真精神。

我觉得,我们还应考虑到任国绪先生的特殊工作条件。他在研究生毕业后即到出版社工作,不久又担任编辑室的行政领导工作。出版社工作的繁杂是学校和研究机构无法想象的,在上班时几乎恨不得一人生就三头六臂，以应付各方面纷至沓来的不管你喜欢不喜欢的事情，有时真像杜甫所写的那样："束带发狂欲大叫，簿书何急来相仍!"（《早秋苦热堆案相仍》）白天忙得头昏脑胀，只有到晚间，待妻儿安顿好后才能稍稍有安静的时光，以求得一点"时还读我书"的余兴。我想，任国绪先生就是在这样忙里偷闲、苦中作乐的情况下来完成这部著作的吧。但他还是认真地去作，有时不惜返工。譬如他要对卢照邻诗文进行编年，曾设想过打乱原集的次序，而且恐怕已试着做了，后来征求我的意见，我根据我自己对李德裕诗文所作编年的经验，劝他还是以不打乱原集的次序为好，可在篇首的题解中详明写出自己的意见，他于是又重新改了过来，像现在的样子。

在有一次关于古典文学研究的讨论会上，我曾听到一位在学校中教书的先生讲起，他说，让他开屈原研究的课，他敢开，但要他开《离骚》讲解的课，就不大敢了。为什么呢？因为讲屈原研究，主动性在我，可讲的就讲，不易讲的可以避开，而讲解《离骚》，则是硬功夫，一字一句，绕不过去。我觉得这位先生的话很有启发。我们现在有些同志是颇有些鄙薄古籍整理的，以为这些算不上真正的学术研究，只有写宏篇大论才是高层次的什么。但根据我自己的经验，写洋洋上万言的论文，似也有避实就虚之一法，有时是可以藏拙的，但要作笺注，则对不起，你可不能腾空飞跃了。比如译外文书，你不能说好译的就译，不好译的就不译，你得硬着头皮啃。

陈寅恪先生晚岁以十年的时间集中撰著《柳如是别传》。他在该书第一章中曾谈到他写这部书的缘起，说抗战时他随校避迁昆明，一次在旧书铺中买到常熟的茆港钱氏旧园的一颗红豆，置之筐笥，历二十年，"然自此遂重读钱集，不仅借以温旧梦，寄遐思，亦欲自验所学之浅深也"。陈先生早年研治魏晋南北朝史、隋唐史、蒙古史，涉及佛学、文学、音韵学、突厥学等多种领域，而晚年在双目失明的情况下专心于明清之际政治与文化的研讨，对这个翻天覆地的大变动时代他倾注了全部思想和感情，以成此一代巨著，这是很值得我们探究的。可以注意的是，这部书的相当多的篇幅，是以对钱（谦益）、柳（如是）诗的笺注形式出现的。他要"披寻钱柳之篇什于残缺禁毁之余"，得见其"孤怀遗恨"，通过对明清之际时代变乱和知识阶层所作所为的剖析，"以表彰我民族独立之精神，自由之思想"，而这些又是从对钱柳诗的详繁释证而体现的。他曾说："自来诂释诗章，可别为二。一为考证本事，一为解释辞句，质言之，前者乃考今典，即当时之事实，后者乃释古典，即旧籍之出处。"他又认为，"解释古典故实，自以不能考知辞句之出处为难"，但有时"最初出处，实不足以尽之，更须引其他非最初而有关者，以补足之，始能通解作者遣辞用意之妙"。他在《柳如是别传》中，把古典、今典运用得纯熟之极，可说已至化境。譬如书中第四章释柳如是《西泠》诗：

> 西泠月照紫兰丛，杨柳丝多待好风。小苑有香皆冉冉，新花无梦不濛濛。金吹油壁朝来见，玉作灵衣夜半逢。一树红梨更惆怅，分明遮向画楼中。

作者认为，此诗"为咏当时西湖诸名媛而作，并自述其身世之感"。

首句用李商隐《汴上送李郢之苏州》诗"苏小小坟今在否,紫兰香径与招魂"句,丛乃多数之义,指诸名媛,与下面"一树"之指己身,相对为文。次句"杨柳丝多待好风"乃合李商隐《无题》诗"斑骓只系垂杨岸,何处西南待好风"两句为一句。"金吹"疑应作"金鞭","鞭"字脱落,因误成"吹"字。《乐府诗集》卷八十五有苏小小歌:"我乘油壁车,郎骑青骢马。何处结同心,西陵松柏下。""金鞭"即指青骢马而言,与"油壁"一词相联贯。且"鞭"字平声,于音律协调。"玉作"亦疑为"玉佩"之误。《九歌·大司命》"灵衣兮被被,玉佩兮陆离"。"金鞭油壁"与"玉佩灵衣"相对为文,自极工切。"红梨",见李商隐《代秘书赠弘文馆诸校书》诗:"崇文馆里丹霜后,无限红梨忆校书"。唐代书法家郑虔有柿叶临书的故事,后人即以红梨指"男校书"之校书郎,又因薛涛有"女校书"之称,于是又以"红梨"比喻为女校书,明人徐复祚《红梨记》传奇即其例。柳如是自比于"一树红梨""遮向画楼中",即遮隐于画楼之中,不欲俗人窥见之意。这样,经过陈寅恪先生的笺释,柳如是以高雅自许的孤洁心理就看得很清楚了。这样的一种摭拾古典、今事,光靠查几本词典工具书是做不到的。书中此类胜义可以说比比皆是,我们能说这种笺释不是高层次的学术研究吗?

限于时间,我未及细读任国绪先生的笺注全稿,但就浏览所及,我觉得国绪先生的工作是认真的,有价值的。如《中和乐九章》之四《歌南郊》"云飞外求"句,"外求"二字,《全唐诗》卷四一作"鸣球"。他为了证实应作"外求",引用了《文选》卷九杨雄的《长杨赋》及李善注,《周礼注疏》中的郑玄注、贾公彦疏、陆德明释文,以及《史记·封禅书》、《汉书·郊祀志》。又如《昭君怨》中

"形影向金微"句，微字，《全唐诗》卷四二注云一作徽。为了证明金微是山名，书中引用了《后汉书·耿夔传》，还引证了唐张仲素《秋闺思》"梦里分明见关塞，不知何路向金微"，不仅校字，还帮助读者进一步领会诗意。《早度分水岭》的题解，引了《太平御览》、《汉书·地理志》、《隋书·地理志》、《元和郡县图志》，以及《全唐文》中高宗的《改元总章诏》，清人徐松《登科记考》，不仅考明分水岭的地域，还确定了诗的作年。特别是注《病梨树赋》、《与洛阳名流朝士乞药直书》中的注释，引用《本草纲目》等书，证实卢照邻长期服饵中毒，是他所谓染风疾的根本原因，很有说服力。骚体《五悲》与《释疾文》篇幅巨大，用典浩繁，注者则一一注明用事出处，具见功力；特别是诗人写游历天上情景，光怪陆离，国绪先生引用了不少天文律历的书，据说他注此文时，还动手绘制了天文图以备参考。值得称许的是，书中还及时吸收了今人的研究成果，如注《驯鸢赋》的"彭门"，用了刘琳先生《华阳国志校注》的说法，注"巫峡"，采用了粟斯先生《唐诗故事》的记述。我这里所举的，只是极小一部分例子，但即使如此，读者已可看到任国绪先生是以怎样一种执着的精神来作这部笺注的。我过去曾在一篇文章中讲到过，专书的研究最能考验出一个研究者的功力，我觉得现在还应当补加一句，就是这种费时费事的研究（我是把笺注作为研究看待的），也最能考验出一个人的学品；只能涉足于浅流者是不足语于此的。

清朝人很有几位在唐集的校注上下过功夫，如蒋清翊之于王勃集，陈熙晋之于骆宾王集，赵殿成之于王维集，王琦之于李白、李贺集，钱谦益、杨伦、仇兆鳌之于杜甫集，冯浩之于李商隐集，曾益之于温庭筠集,等等。近世的学者也继续对唐人诗文集进行研究,做出了好几部有分量的笺注。研究工作是多方面的,既要有理论的探讨,也要有基本资料的整理,后者在一定程度上说难度更大,更费时间,这是要有献身精神的。国绪先生应当说还是学术上的新手,这部编年笺注恐怕难免还有疏失。陈寅恪先生曾说过:"夫考证之业,譬诸积薪,后来者居上,自无胶守所见,一成不变之理。"(《二论李唐氏族问题》,载所著《金明馆丛稿二编》)我想这部书的出版,正可提供广泛征求意见的机会,使之更加丰实和精密。国绪同志还刚步入中年,他的学术道路还长,希望他能一本求实的精神,一步一个脚印地在古典文学研究这个既古老又年轻、既能吸引人而又不免冷清的事业中开拓前进。

1988 年 7 月于北京

原载黑龙江人民出版社 1989 年版《卢照邻集编年笺注》,此据大象出版社 2008 年版《学林清话》录入,另收入黑龙江人民出版社 1992 年版《唐诗论学丛稿》、京华出版社 1999 年版《唐诗论学丛稿》

吴汝煜《唐五代人交往诗索引》序

　　吴汝煜先生在本书的《前言》中提到我为《唐五代人物传记资料综合索引》所作的序言中说过的几句话。我在那篇序的最后一段写道,尽管张忱石、许逸民两先生和我合编的这部索引,收了八十多种书,书的范围包括正史、唐代的两部诗文总集以及唐人选唐诗、各种题名录、年表、书目、书画谱、五代十国别史、宋元方志、僧传与释氏书目录等,但如果要全面查阅唐五代人物的事迹,这部索引收录的范围就要大大扩大。在举例中我提到"《全唐诗》中诗篇提到的人名,也都应考虑辑入"。我说,如果把这些材料都加汇聚,并予以合理的安排,那末,我们就将有一个网罗全局的唐代人物的材料库。汝煜先生一再说,他之编纂这部《唐五代人交往诗索引》,是受到我上述这一构想的启发。这当然是他的谦词。因为我当初虽然说了这些,但脑子里其实是很朦胧的,而且我以为未必有人愿意来做这样的事。现在这部一百三十余万字的索引编出来了,它为我们展示了唐五代人物通过诗作而进行的文学活动以及各种社会联系的具体而生动的图景,它所达到的实际成就,已经不限于查找人物交往,也不限于订正某些史实错误,它使我们从一个很有意义的侧面观察到那个社会,使我们对唐代诗歌据以发展的文化环境有进一步切实的了解。汝煜先生和其他几位参预本书编纂工作的同志,他们的实践已经大大超过了我原来的很不具体的设想。我相信,正如我在上述的那篇序言中所说的,他们的工作"必将受到唐史和唐代文学研究者的欢迎和感激"。

我之所以说未必有人愿意来做这样的事,不是没有根据的。尤其是近些年来,这种编制索引的工作可以说受到内外两方面的夹挤。所谓内,是当前学术界中一些相当流行的看法,即相当一部分人看不起搞资料工作,看不起对具体历史事实的考证和研究,他们认为史学危机、古典文学研究危机也就在这里。既然如此,则比起资料整理、史事考证来技术性更加突出的索引编制,就更等而下之了。所谓外,是出版界中一种越来越强烈的追求经济效益的倾向。在我们这个改革、开放的时代,出版界要改变过去单一的产品经济模式,参加到商品经济的行列中去,因而重视经营中的经济效益,这不但无可厚非,而且也是应该的。但是在我们现在,各种关系还没有完全理顺,出版社迫于各种现实利益的考虑,肯定会减去不少市场销售不甚理想的书稿,而在这种情况下,专业性较强的索引书稿必然会在首先"整肃"之列。

这种情况是大家都看得到的,也是很多人感到不满意的。但这是现实,而且可能短时期内不大会有改变。那么出路何在呢?

我认为出路还在于我们自身。首先我们自己要有一个信念,我们做的是文化积累的工作。我们虽然没有必要拿二千多年前太史公那句"藏之名山"的嘉言来作为立身的守则,但确实要有对自己工作的一种信心。在这里,我认为对资料工作要有一个正确的认识。在过去一个长时期中,对历史研究,包括文学史研究,过于强调对揭示历史规律的要求,殊不知在学术研究中要发现或揭示规律,需要有多少的积累,要进行多少具体的研究。在未取得许多的具体成果之前,所谓揭示规律,只不过是可望而不可即的"远景",解决不了实际存在的任何一个问题。而在过去那种空阔的要求下,具体历史过程的叙述和研究被忽略了。我感到,我们现在,对文学史上的好些情况,一般的谈谈是可以的,但如果要求你把发展的具体过程和某些必要的细节,清清楚楚地、有根有据地说出来,有时是会作腊的。研究历史,一个必不可缺的基础和条件,就是首先要弄清事实。这似乎是最简单不过的道理,但遗憾的是,对此我们过去是相当漠视的。为什么会这样呢?可以说出不少原因,不过我想,从研究本身来说,弄清事实是一件很难的事,不容易在短期内见成效,这可能是一个重要原因。历史上的事实已经消失了,它只有靠文献记载下来,而各种记载可能彼此歧异,又可能有缺漏,有些更可能会有掩饰、伪造,这就需要广搜博讨、爬梳抉剔,把错综复杂、千头万绪的事实,具体地理清楚,这实在是一件艰苦细致、穷年累月的差使。在当前讲究"短期效益"的趋势中,更不容易做到。但就学术工作的整体来说,这又是非做不可的。我们应当把眼光放远一点。学术上的一些基本工作,是不应该受什么"热"的影响的,比起轰轰烈烈的什么"热"来,它确是比较冷。但"热"又怎么样呢?清朝的阮元在为江藩的《汉学师承记》所写的序言中,提到当时的一种学术风气,叫做"朝立一说,暮成宗主"。这确乎很热了,但结果又是怎样呢?我觉得我们应当提倡这样一种学术品格,那就是舍易就难,舍热就冷。看到汝煜先生在本书《前言》中所写的工作中种种困难及如何克服困难等情况，我很有同感，也受到鼓舞，我觉得这是我们古典文学研究在踏踏实实地前进的很好的例子，也是古典文学界必然会取得更大成果的迹象。

对于出路的第二个想法，是在竞争中力求高质量。可以预计到，在今后一段时期内，出版竞争会是相当激烈的。学术工作不得不参加到这个竞争的机制中去。出版界的一个叫得很响的口号是社会效益与经济效益的统一。这是一个"理想王国"，实际上恐怕是很难达到的，而且所谓统一，标准又是什么呢？也很难有一个确定的可以测量的标志。根据目前我们的经济水平和文化条件，学术著作的出版要达到这个统一，恐怕是极少极少的，于是不得已而求其次，叫做社会效益好经济效益差，也要出，这就要量力而行了。因为所谓经济效益差，就是赔钱，不过我们发明的术语多，能说得高雅一些。出版社不能老赔钱，这就要选择了。这里就会有种种门道。当然，不能保证在这之中不会出现歪门邪道，但从总体来说，质量高的总归会占上风。可以说，以学术著作而言，今后相当长时期内，将是彼此间的质量竞争，优胜劣败也将会起支配作用。对于这种竞争的形势，我们要有所准备，我们要随时调整本身的结构来适应这一客观现实，力求使自己的成果通过竞争得以社会化。

以上两点，是我从本书的编纂所想到的。由本书所取得的成就，我更觉得这两点想法有一定的现实依据。使我惊异的，是编纂者竟如此广泛地吸收已往的和当今的学术成果，并通过自己的探索，提出和解决了那么多的具体问题，这可以说是自岑仲勉先生关于唐代文史考证以后最大的一次系统工程。这使我进一步坚信,索引和资料工作确是学术研究的一部分。编制索引和整理资料,是学术事业中的服务性行业,它有着强烈的利他的性质。但是它要服务得好,其本身必须具有一定的学术深度,从事这项工作的人本身即是具有较高学术素养的研究者。这使我想起30年代至40年代在我国古籍索引事业上作出很大贡献的燕京哈佛学社引得编纂处。这个引得编纂处,在不过二十几年的时间,竟编纂、出版了包括经、史、子、集各种引得六十四种共八十一册,其中不少种在运用科学方法编制古籍索引方面具有开创性质,有很高的学术价值,而主持者洪业先生所写的长达数万言的《礼记引得序》,后来得到法国铭文学院的赞赏和推许,获得了1937年度巴黎赠予的茹连安奖金。他的另一篇《春秋经传引得序》竟近十万字,简直是一部《春秋》经传沿革发展的学术史专著了。引得编纂处就是因为他们的严格追求学术性而站住脚跟,在中国近代文化史上占有一席之地。

据王钟翰先生所写的回忆文章《洪煨莲先生与引得编纂处》(《学林漫录》第八集,中华书局1983年4月版),当时在引得编纂处工作的,除主任洪业先生外,只不过编辑三人,经理一人,抄录员五人,后来增设校印所,即把印刷机械也包括进去,总共也不过十五人。但他们竟出了这么多高质量的工具书,平均每年出版二三种三四册。王钟翰先生的文章曾总结引得编纂处成功的经验,概括起来为六个字:有钱、有人、有责。也就是有一笔固定的经费,专款专用;善于吸收和识拔有专长、有事业心的人材,像聂崇岐、翁独健、周一良等著名学者都曾在引得编纂处工作过,从中受到良好的培育;各司其职,责任明确,权力下放,发挥主动性。这样的经验是很吸引人的,我们现在有些做得到,有些还做不到。即以第一项而论,汝煜先生他们就不免略逊,以致他们要印研究成果《交游考》,还得另外申请经费,争取在《徐州师院学报》另辟增刊来加以解决(附带说一句,《交游考》最好与《索引》合在一起印,成为一部书,以便对使用者对照阅读,正好像考古发掘报告与研究同编为一书那样)。

汝煜先生与我分处南北,我还未能通阅索引的全稿,但他与可先先生合写的《全唐诗人名考》(《徐州师院学报》1987年第4期、1988年第1期),我是细心阅读了的。除少数略可商榷外,其他绝大部分都有助于对唐代诗人事迹的考证。我相信,谁要阅读《全唐诗》,谁要查考唐五代人的生平事迹,进而言之,谁要了解唐五代人通过诗作而进行的各种社会活动,是不能绕过这部索引和这部考证的。我们的唐代文学研究如果有十部、二十部这样的著作,那么我们整个研究的水平就会有显著的提高。我们实在需要有这样勤恳的耕耘者。我相信,读者今后在查阅书中每一个人物、每一首诗篇的时候,是会想到编纂者的辛勤的。对于学术工作者来说,还有比这更令人欣慰的吗?

1988年夏于北京

原载上海古籍出版社1993年版《唐五代人交往诗索引》,此据大象出版社2008年版《学林清话》录入,另收入黑龙江人民出版社1992年版《唐诗论学丛稿》、湖南人民出版社1997年版《濡沫集》(题为:舍易就难　舍热求冷)、京华出版社1999年版《唐诗论学丛稿》

《摩尼教及其东渐》

　　《摩尼教及其东渐》(林悟殊著,中华书局1987年8月出版),顾名思义,即研究摩尼教及其在中国的传播。在目前出版界颇着意于"时效"的风气下,来谈这本书,似乎有点不合时宜。因为现在老讲什么"热",文艺作品有"武侠热"、"琼瑶热"、"性文学热",学术著作则有宏观热、文化热。比起这种种"热"来,这本书确实有点冷,有点僻。

　　但如果我们把这个"冷"理解为对研究对象作潜心的研究,把这个"僻"理解为著者甘于寂寞地把某一学术专题作深层的挖掘,那末,这样的著作必将经受住时间的考验,因为它本身就体现了一种可贵的建设性的品格。而这,在目前尤为难得。

　　摩尼教是一个古老的宗教,它自公元三世纪中叶波斯人摩尼(Mani)创立起,就逐渐从其发源地今伊朗、伊拉克一带,往西至北非和南欧,往东则及于中国的东南沿海。在这广袤的地域上,它的经典,曾由最初的古叙利亚文,被译成拉丁文、希腊文、科普特文、突厥文、汉文、回鹘文、阿拉伯文等十几种文字。但摩尼教的传播是在残酷的环境中进行的。似乎可以说,没有对它的迫害,也就不会有它的传播。而在经历了千余年的劫难之后，终归于湮灭，而其经典文献亦复荡然无存。本世纪前，人们只能依靠古代与摩尼教对立的一些基督教徒、伊斯兰教徒的记载中得到零散的知识。本世纪初，国外才陆续有摩尼教典籍的发现，特别是我国敦煌、吐鲁番大批文献资料的公布，摩尼教的研究才真正步入科学研究的阶段。

宗教不止是一种信仰，一种主义，它还是一种文化，一种哲学。像摩尼教这样一种已经死亡了的古老世界性宗教，研究它的起源、传播和衰亡，对于探讨其传播地区的文化思想和文化交流，无疑会有很大的价值。但这种研究的困难也是显而易见的。它要克服各种语言上的障碍，又要扫除因文献资料的局限而造成的种种误解。这就不但需要时间，更需要一种坚韧，一种学术上的勇气。研究者要不为某些时髦的风气所动，而能安心于在静寂中工作。从这点来说，能相安于寂寞，未始不是学术工作的一种美德。

清代学者阮元，在为同时代人所作的《汉学师承记》一书所写的序言中，曾批评一种"朝立一说，暮成宗主"的浮夸学风。这本《摩尼教及其东渐》，以其朴实的学风显示了一个道理：老老实实地把某一专题搞清楚，它讲的虽是具体的史实，却能具有宏观的性质；它虽不标榜什么，却会具有广泛的文化史研究的意义，从而取得真正科学的独立的价值。

原载 1988 年 7 月 11 日第 32 期《瞭望》周刊，据以录入

驼
草
集

第
三
册

中
华
书
局

《文史》掇忆

  《文史》出版30辑,大致可分两个阶段,那就是"文革"前的4辑和"文革"后的26辑。从遇到的困难来说,这两个阶段各有各的问题,但是我感到,这前后两阶段从事于刊物编辑工作的同志,都有着很强的事业心,愿意为学术的繁荣做出自己的贡献。特别是近几年来,编这个具有国际影响的刊物,人员虽有变动,但总不超过两个人(再加一个管收发的秘书)。没有对于事业的执着,是不可能做到这一点的。

  近些天来,我翻阅了一下"文革"前的《文史》卷宗,对那一时期的工作有些感触。苏东坡说"事如春梦了无痕"。日常繁杂的生活是会把好些事湮没得一点痕迹也没有的,有时就需要我们作些具体的回顾,这样就能稍微再现当时的情景,使我们可以稍微超越于日常生活的琐屑,从过去的屐痕中得到一种感情上的慰藉和认识上的升华。

  那时的总编辑金灿然同志显然经过一定的考虑,把《文史》放在文学编辑室。当时的室主任是出版界老前辈徐调孚先生,但他手下的一帮人,也就是那时文学室的业务骨干,大都不过三十上下，除了王国维的儿子王仲闻先生是六十出头，不过他那时还不算正式职工。《文史》的责任编辑只一个人，就是沈玉成同志，当时他还没有摘"右派"帽子，正因如此，使一些害左视眼的人常为之侧目，这也是使我佩服灿然同志的原因之一——当然，这也是"文革"中成为他的一条大罪状，即重用"右派"（包括我在内）。不过说实话，那时我们几个人，包括程毅中同志和王仲闻先生，倒是兴高采烈的。我们是一个办公室，桌子靠近，玉成是责任编辑，我们几个人帮他出主意，看稿，写稿，无形中形成一个小小的智囊团。有时调孚先生也从隔壁房间跑来，他总是站着，站在我们书桌旁，谈得高兴时，就把眼镜拿下来，气氛十分融洽，似乎左、右的政治界线暂时泯灭了（调孚先生那时已是党员）。

"文革"前办《文史》，最大的困难，也就是经常提心吊胆的，是政治问题。编这么一个偏重于资料考证的古代文史刊物，会不会被人目为繁琐考据，被指责为复旧，或被说成遗老遗少。当时的中华书局从领导到编辑人员，对此都很敏感，生怕触电。突出表现在《文史》第一辑的"前记"上。

还在筹备期间，灿然同志就曾让赵守俨同志和我分别草拟过"编辑凡例"，这两份凡例现在还保存在卷宗里。后来正式确定玉成专职从事《文史》的编辑工作，就叫他起草类似于发刊词的"编后记"（刊出时又改为"前记"）。玉成起草时也煞费苦心，拼凑了几千字，强调了马克思主义指导下的资料考据，等等。灿然同志可能感到这样不容易说清楚，而且在当时政治气候下，这些方面说得越多也越容易被人抓住把柄，因此就叫玉成删了又删。最后写成千把字的编后记，分送社外几个编委和社内领导审阅。这篇编后记最关键的是这一段话：

> 我们要求《文史》具有这样一种鲜明的性格：崇尚实学，去绝浮言。我们提倡朴学家的学风。乾嘉以来朴学家们的研究工作，如果剔除其逃避现实和释事忘义的一面，他们那种严肃认真、一丝不苟的治学态度和实事求是、尊重客观的治学方法，仍然是一份有益的遗产。批判地继承这份遗产，重视资料，对资料作细心的考订，对于改进我们的学风，或有针砭和药石之效。

这段话，在我们现在看起来，实在是平温得很的，现在有些报刊上的文章即有类似的意思，而词句比这尖锐的不知有多少。但就是这一段话，几位领导却表现得高度紧张，现在看看他们的批示，倒是很有意思的。

当时的副总编丁树奇同志索性把这一段整个地勾掉。灿然同志删去"我们提倡朴学家的学风"一句话；"对于改进我们的学风"，以"这是一种优良"代替"对于改进我们"六个字，而把"或有针砭和药石之效"句删去。编委冯定和吴晗最宽容，未作改动，吴晗只在"对资料作细心的考订"句，"细心的"前加"科学的"三字。林涧青也删去"我们提倡朴学家的学风"以及"重视资料"以下四句。意见提得最多的是编委何其芳同志。他在"我们提倡朴学家的学风"、"他们那种严肃认真、一丝不苟的治学态度和实事求是、尊重客观的治学方法"、"对于改进我们的学风，或有针砭和药石之效"等句下都打上红杠，并用小字作了批注："此段值得斟酌的。

我们今天只是'提倡朴学家的学风'？批判地继承清代朴学家的治学方法，不等于就是提倡那种学风。我们还有我们的新东西。清代朴学家的治学方法也有许多不科学的，和我们今天说的'实事求是'不同。如陈奂关于诗经的注解著作，一概以毛诗为准，那算什么'一丝不苟'、'尊重客观'？""对于改进我们的学风"二句，批注道："这种说法也可斟酌。我们的学风也并非不重视资料，不认真研究、辨别资料。这种说法好像我们学风很成问题似的，好像连清代朴学家都不如似的。我们的学风的主流是好的；空谈、空话，不重视资料，不是我们的学风的主要方面。"说实话，当时我看了何其芳同志的这些意见，是很佩服的。现在看来，他的这些话也有合理成分，但可以看出，当时这几位领导对于稍稍涉及"现实政治"（那时的套语），是何等的紧张和敏感，生怕出问题。不过，他们对于出《文史》这样一个刊物，则从思想到感情上都是赞同的，包括何其芳同志在内。由何其芳同志的这些意见，我倒看出他那时对工作、对事业是何等的认真和虔诚。

"文革"前的《文史》，名义上由《新建设》杂志编辑，中华书局出版，实际上中华书局在组稿、审稿中所起的作用，无宁说起主要的作用。正如当时在《新建设》杂志社工作、具体负责《文史》稿件的王庆成同志（现为中国社科院近代史研究所副所长），在1963年1月31日给沈玉成的信中所说的："《文史》的编辑工作，目前实际上是由我们两家合作来搞，而且你们花的力气比我们还多。"

实际情况确实如此，当时不管是《新建设》转来的稿子，或是作者自动投来的稿子，都由玉成或我自己看，或由调孚先生组织编辑室内的同志看（调孚先生亲自为《文史》草拟退稿、退改或联系组稿的信件,现在还有好几封保存在档案里),有的还由当时分管《文史》工作的萧项平同志安排给其他编辑室的同志看。那时各编辑室的业务骨干都替《文史》审阅过稿件。当时赵守俨同志任古代史编辑室主任,李侃同志任近代史编辑室主任,他们也替《文史》阅稿,并写有具体的审阅意见。这里不妨从《文史》卷宗中摘抄两份:

守俨同志对一篇书稿所写的意见:

一、司马相如传二十七下"躬傶骭胝无胈"应从史记作躬胝无胈。案王先谦已言之。本文作者所谓"附录",乃指殿本考证。史记是史记,汉书是汉书,这类的问题不能径据史记改汉书。

二、同传"以訾为郎",訾应作赀。案訾与赀通,颜师古有注,不能改。如改为赀,则颜注变成无的放矢,连颜注一起删,更不能这样办。作者对以赀为郎的解释仍未解决问题。何义门云,赀郎乃择有身家之人,非入粟拜爵之比,似近乎是。

三、同传"夫容"改"芙蓉","毒冒"改"瑇瑁"。案可通,不必改。

四、同传"乃饮卓氏弄琴","卓"上加"为"字。案作者把句子读错了,应读作"乃饮卓氏,弄琴",并不存在脱字问题。

此外对终军传及霍光传颜注的驳正也都不对。谓光传"挽显"的显是神主尤可笑,显是人名,又误解了史文。

此文不能用。

李侃同志对一篇《中国同盟会成立日期考》所写的意见为:

此文我意似可用，不过作为"补白"就行了。文字亦可大大节省，题目可改一个，不用"考"，因为这种"考"分量太轻。只把几种说法摆出来，然后证以可靠材料即可，大概有一千字足够。至于邹鲁为什么错了，可不说，邹鲁《国民党史稿》似可提，因为这是纠其错误，并作为资料引用（此点我把握不定，请再问问树奇同志）。

他们的意见有案断，有具体材料和分析。作为编辑室主任，来审阅不属于本编辑室的稿件，并且写出有具体分析的审阅意见，可见那时中华书局编辑部从总编辑起，直到室主任和编辑人员，对此是何等重视。

还可以举出一个例子。1963年6月，为了讨论《文史》第三辑的内容和安排问题，还由几个编委和中华书局的副总编丁树奇、萧项平等同志联合开了一次座谈会，会前由中华书局提供了一份第三辑所收文章的内容简介和评阅意见。这份材料是写得相当充实的。如对于《共工传说史实探源》一文是这样写的：

这篇文章首先提出神话传说与古史的关系，引用了吕振羽、翦伯赞、吴泽等人的意见，认为神话传说"决非好事者之凭空谎造，而皆有其一定的历史根据"，"能代表历史上一个时代的真实意义"。在具体的论述中，作者说共工氏是一个古老的民族，长期与洪水作斗争而以治水著名。共工怒触不周之山，也是为了治水，把山打开一个缺口，水就可以流向东南低地。而共工氏在政治上又是一个勇于斗争的氏族，曾向三皇五帝作过斗争，但由于内政不修，因而失败。

徐旭生同志认为这篇文章大体还好。

吴晗同志批示说"这篇稿子可用，但稿中所引原文应逐条核对一下"。

中华书局编辑部有的同志认为这篇文章不是一篇科学性的考证。文中所提出神话传说与历史的关系是不错的，但这两者并不能等同。这篇文章似乎就犯了这个毛病，对共工氏作了许多细致的考证，惟其太细致，而其依靠的基础却是神话传说，结论就不能令人信服，《文史》最好不登。

类似这样的表示中华书局编辑部独立不苟意见的有好几篇，而且把编辑部内不同意见也摆出来。如对孙常叙《楚辞九歌悬解之一》，先引文怀沙的审读意见，然后说：

中华书局编辑部有的同志的看法也不一致。文学组的几位同志认为有关《九歌》的材料就是这么一些，内证已经发掘得差不多了，如另有坚强的外证，才有另创新说的权利。而这篇文章并无新的外证，而是从主观出发，想象再加想象，其结论似乎有据，但那是建筑在虚无缥缈的基础上的。历史组的同志则认为此文颇有可取处，从所论证的各点中，可以看到我国古代神话、歌舞的曼妙，富于想象力，是这篇文章的可取处。所用的材料，以楚辞同时代的《山海经》和继承楚辞神话传说系统的《淮南子》相印证，也是可取的，至少是一条很好的路子。

一篇文章，不但请社外专家看（此文还请北大的林庚先生看过），而且还由不同的编辑室提出不同的意见，这就不仅显得郑重，还可见出当时编辑部浓厚的学术风气，能够形成这样的风气，真是难得，令人忆念。

玉成曾提到《文史》第一辑《文选六臣注订伪》一文的作者祝廉先在文末提及感谢几位友人曾帮他修改此文，其中陈彦及为陈布雷，后经人指出，害得他作了检查。不过我看当时的档案，几位领导并没有强调个人的责任，丁树奇同志批示说："可以写一个经过情况，并拟订今后防止这种问题的办法。"萧项平同志批示中说："这篇文章我也看过，不能推卸责任。"我认为，这样的领导作风与气度，是令人信服的。

最后还想提一个可能使人感兴趣的小材料。《文史》档案中还保存第二辑和第三辑的稿费情况。第二辑最高是顾颉刚和章士钊，千字14元，其他基本上是12元。这是1963年4月。第三辑最高是陈垣，千字15元，其次冯家昇，千字14元，其他大部分为12元。这大约是1963年9月。时隔二十五年，四分之一世纪，各方面情况都有不少变化，而目前《文史》的稿费恐怕比那时也只不过提高三五元，我们学术文章的"价格"确实是十分的"稳定"，看到过去的材料，不免会使人想得很多的。

原载《书品》1988年第3期，此据大象出版社2004年版《唐宋文史论丛及其他》录入，另收入湖南人民出版社1997年版《濡沫集》

谈王昌龄的《诗格》

——一部有争议的书

  王昌龄有没有作过《诗格》？现在传存的署名为他所作的《诗格》一卷、《诗中密旨》一卷,真伪如何？这些,似乎一直是个疑案。写文学史的人,好像为了慎重,都不愿意正面接触这个问题。王昌龄是盛唐时代的一位大诗人,他的七绝历来是与李白并提的,在中晚唐时已经有了"诗天子"的称号(见《吟窗杂录》所引唐《琉璃堂墨客图》残本)。按照南宋人严羽的观点,他的诗真可以算作是透彻玲珑,无迹可求,言有尽而意无穷的了(《沧浪诗话》)。与他的诗相比较,那种琐细地谈诗之什么格、什么式的东西,如果也归于这位大诗人身上,似乎对他的诗名是一种玷污。最有代表性的论点,是清朝官修的《四库总目提要》,其书卷一九五集部诗文评类司空图《诗品》提要谓:"唐人诗格传于世者,王昌龄、杜甫、贾岛诸书,率皆依托,即皎然《杼山诗式》,亦在疑似之间。"又卷一九七集部诗文评类存目《吟窗杂录》提要谓:"前列诸家诗话,惟钟嵘《诗品》为有据,而删削失真,其余如李峤、王昌龄、皎然、贾岛、齐己、白居易、李商隐诸家之书,率出依托,鄙倍如出一手。"《提要》

的作者先有一个观念,就是这些书"鄙倍",正如北宋后期范温评白居易《金针诗格》时所说的:"世俗所谓乐天《金针集》,殊鄙浅。"(胡仔《苕溪渔隐丛话》前集卷八引《诗眼》)他们都以谈诗的著作一定得"雅"来贬称这些书为"鄙",又从而认为它们必非出于名家之手。这完全是一种主观的、虚构的评论,是不以实际的客观材料为依据的。但可惜,这样一种观点却很有影响,我们现在的一些文学史著作还不敢承认王昌龄《诗格》的存在,并且对唐五代一批有相当数量,且在实际生活中发生过作用的谈诗歌格律、体式等诗学著作,有意无意加以轻视,未始不与此有关。

现在,让我们从分析材料着手,对于这个问题"结"一个"账",不要再使它像过去那样模糊不清地拖延下去了。

公私目录书最早著录王昌龄著有《诗格》的,是《新唐书·艺文志》,它在集部文史类里记载为二卷。这就是说,《新唐书》的作者在北宋前期是看到过一部两卷的书,题名为《诗格》,作者是王昌龄。稍后的《崇文总目》记载相同。到了南宋,两大私人藏书家,晁公武《郡斋读书志》没有著录,陈振孙《直斋书录解题》卷二十二文史类记载有《诗格》一卷,《诗中密旨》一卷,说是王昌龄作。这也就是说,陈振孙是看到过这两卷书的,而且作者署名为王昌龄,虽然《诗格》已较《新唐书·艺文志》少了一卷,而另外多出了一卷《诗中密旨》,但人们仍可理解为这《诗中密旨》或许就是《诗格》之一,加起来仍是二卷,与《新唐书·艺文志》相符。那么,陈振孙有否根据呢?有,这就是在他稍前的《吟窗杂录》。

现在所见《吟窗杂录》最早本子,是明嘉靖时刻的五十卷本,其卷四后半为《诗格》前一部分,卷五为《诗格》后一部分,卷六为

《诗中密旨》，都署名为王昌龄撰。《吟窗杂录》的编撰者与成书过程比较复杂，这里不拟详述，我们希望另有机会加以讨论。简单地说，见于《直斋书录解题》(卷二十二) 的，书名作《吟窗杂咏》，三十卷，题蒲田蔡传撰，蔡传是北宋著名书法家蔡襄 (君谟) 之孙。陈振孙说此书"取诸家诗格诗评之类集成之"。但这三十卷本《杂咏》未见传世，后世看到的是《吟窗杂录》五十卷，题为"状元陈应行编"，而书名又叫"陈学士吟窗杂录"。另外，南宋魏庆之《诗人玉屑》卷五于"十难"条下注："下四条并陈永康《吟窗杂录》序"。这所谓序，即今存嘉靖刊本卷首题浩然子的一篇序，中云："余于暇日，编集魏文帝以来至于渡江之前，凡诗人作为格式纲领以淑诸人者，上下数千载间，所类者，亲手校正，聚为五十卷，胪分鳞次，具有条理，目曰《吟窗杂录》。"则今本的《吟窗杂录》，应包括蔡传的原著，以及陈永康 (字应行，号浩然子) 所增编的部分。所谓"魏文帝以来……凡诗人作为格式纲领"，按其卷次，为：魏文帝《诗格》(卷一)、钟嵘《诗品》(卷二)、贾岛《二南密旨》(卷三)、白乐天《文苑诗格》、王昌龄《诗格》(卷四、卷五)、王昌龄《诗中密旨》、李峤《评诗格》(卷六)、僧皎然《诗议·中序》(卷七)，以下列晚唐五代及北宋初诸书，与本文无关，兹不录。序说这都是渡江以前流传于世的，而蔡传也正是北宋中后期的人，《直斋书录解题》已经说此书"取诸家诗格诗评之类集成之"，与今存的目录相符。因此这部分大约已为蔡传所辑，又为陈振孙所见，而题为王昌龄所撰的《诗格》《诗中密旨》又另有单刻，因此陈振孙即并加著录。另外，南宋王应麟《玉海》卷五十四曾著录李淑于北宋仁宗宝元二年 (公元 1039 年) 承诏编《诗苑类格》三卷，说是书中辑录了"沈约而下二十二家诗评"。《诗苑类格》原书亡佚,这所谓沈约而下二十二家诗评是哪些书当然也无从查考,但《诗人玉屑》卷七《属对》曾引"唐上官仪曰"谈诗之"六对",注明是据《诗苑类格》,而这又见于《吟窗杂录》之《魏文帝诗格》,及《文镜秘府论》所引用的上官仪部分。由此推测,则很可能题为王昌龄作的这两书也收在《诗苑类格》之内的。总之,现在所见到的《吟窗杂录》中的《诗格》、《诗中密旨》,至迟在北宋中后期已经如此。

元代辛文房《唐才子传》卷二王昌龄传在记述王昌龄诗集五卷后,又说:"又述作诗格律、境思、体例共十四篇,为《诗格》一卷,又《诗中密旨》一卷。"按辛文房在记诗人著作时,很多仅据一些目录书的著录,不问元代是否传存,但此处写得那么具体,再核以《诗格》的内容,可以证明辛文房是看到过原书的。《吟窗杂录》所载《诗格》,计有:

(1)诗有三境 (2)诗有三思 (3)诗有三不 (4)起首入兴体十四 (5)常用体十四 (6)落句体七 (7)诗有三宗旨(8)诗有五趣问 (9)诗有语势三 (10)势对例五 (11)诗有六式 (12)诗有六贵例 (13)诗有五用。

又《诗中密旨》为:

(1)诗有六病例 (2)句有三例 (3)诗有二格 (4)犯病八格 (5)诗有九格 (6)诗有三得 (7)诗有六义。

从这里可以看出,辛文房的所谓"作诗格律、境思、体例"云云,并非凿空之论,除"律"字外,其他格、境、思、体、例等字都可在上列条目中见到。如果辛文房没有见过原书,凭想像是写不出这几个字来的;而反过来也证明,元代流传的《诗格》二书,也正是《吟窗杂录》所载的样子。不过《唐才子传》作"十四篇",而今存《诗格》只十三条,则或者是辛文房误记,或者是元时尚有十四条,明嘉靖刻时少刻了一条。

这样,题为王昌龄所作的《诗格》与《诗中密旨》各一卷就这样留传下来。明代胡文焕刻入《格致丛书》(无《诗中密旨》),清顾龙振刻入《诗学指南》(《指南》本于《诗格》缺"诗有三不"条,当系漏刻)。彼此间文字稍有异同,那是刊刻的原因,不涉及内容编录的问题。

从上面的简述中,我们知道,《四库提要》所讥评为伪托的,其实在北宋中期已经是这个样子,也是很早的了,如果再加上《新唐书》的记载,则可以说宋初见到的就是如此,而且很可能这还是五代时传下来的。那末,这是否就是王昌龄的原作呢?或者说,王昌龄究竟有没有作过《诗格》一类的书呢?当然,单凭上面的叙述,还不能解答这个问题,因为从五代上推王昌龄的生活的年代,还有一百年的时间,还是可以有人托名伪作的。

现在我们作进一步的论述。我们要举出两个佐证材料,一个是中唐时皎然的《诗式》,一个是与皎然同时稍后的日本僧人空海的《文镜秘府论》。

《诗式》卷二在论谢灵运的"池塘生春草"、"明月照积雪"二句诗时,曾提到王昌龄论诗的两句话,说:"古今诗中,或一句见意,或多句显情。王昌龄云,'日出而作,日入而息',谓一句见意为上,事殊不尔。"这里皎然是不同意王昌龄意见的。意见本身的是非暂可不管,而由此可见,皎然明确认为这话是王昌龄说的。

按今存《诗中密旨》的"句有三例"条，有云："一句见意，'股肱良哉'是也。两句见意，'关关雎鸠，在河之洲'。四句见意，'青青陵上柏，磊磊涧中石，人生天地间，犹如远行客'。"这里没有说一句见意为上，但按所举例子的时代先后，似乎含有此意，不过所举例子不同，但仍可看出，王昌龄确是说过"一句见意"的话的。另外，《文镜秘府论》南卷《论文意》中有一段话，说："自古文章，起于无作，兴于自然，感激而成，都无饰炼，发言以当，应物便是。古诗云'日出而作，日入而息，凿井而饮，耕田而食'，当句皆了也。其次，《尚书》歌曰：'元首明哉，股肱良哉，庶事康哉。'亦句句便了。"据考，《论文意》这部分是王昌龄之文（详后）。这里没有"一句见意"的话，但它是从兴于自然谈起，其中是包含此意的，而且所引"日出而作"例，也与《诗式》所举相同，而"股肱良哉"此例则与《密旨》同。皎然是间接引用，则他是见过王昌龄的诗论的。

据《诗式》卷一《中序》，他在贞元初就已写成《诗式》初稿，贞元五年（公元789年）夏五月，李洪来做湖州长史，两人相得，晤谈甚契，李洪劝勉并帮助他完稿，乃成书为五卷。《全唐文》卷九一七也载有皎然此序，不过作壬申，则为贞元八年（公元792年）。但不论五年或八年，距天宝末的756年，不过三十几年，时间是相当接近的。如果王昌龄根本没有论诗著作，或身后出于他人伪作，皎然不可能那么明确提出。《全唐文》同卷并载皎然《答权从事德舆书》，说及他曾与李华、皇甫冉、严维等交友，而李华在天宝时就有文名，皇甫冉天宝十五载登第，严维也上接天宝，都与王昌龄为同时。皎然本人当时已颇有诗名，他长期居住江南，对于王昌龄的论诗著作，料想他是不会轻率提到的。

日本僧人空海，法号遍照金刚，卒后封为弘法大师。他于唐德宗贞元二十年（公元804年）七月来中国，在长安著名的西明寺学佛，于宪宗元和元年（公元806年）八月回国。他携带回不少汉籍，后来根据一部分论文的书籍，经过整理、排比，著成《文镜秘府论》一书，这是日本古代文学方面的经典著作，一直受到日本学术界的重视。对这部书，日本方面产生过不少有分量的研究著作，中国也有相应的研究和校注本。根据已有的研究成果，已可确定《文镜秘府论》内保存了王昌龄的不少诗论。

空海返国后，曾向日皇呈献自中国带回的一部分书籍，并写有献纳表数篇。其中《书刘希夷集献纳表》（《弘法大师全集》）中说："王昌龄《诗格》一卷，此是在唐之日于作者边偶得此书，古诗格等虽有数家，近代才子，切爱此格。"（陆心源《唐文续拾》卷十六也收有此文，题《献书表》）这里明确说到王昌龄著有《诗格》，而且说，在唐朝，诗格之书虽有好几种，但近世的读书人却是"切爱"王昌龄的这一种的。所谓近世，则当是大历、贞元时，也是与皎然同一个时候。皎然在江东作《诗式》引用王昌龄的书，空海在长安得到这部《诗格》，可见已流传很广。所异者，空海说是一卷，《新唐书》以后都说是两卷。不过，唐代的诗文是以抄写成卷轴行世的，卷次分合没有一定，上述空海的《献纳表》中曾说到，"《贞元英杰六言诗》三卷，元是一卷，缘书样大，卷则随大，今分三卷"，即是如此。

空海带回去的这部《诗格》，在日本并没有传下来，不过他曾将其中部分内容辑入《文镜秘府论》。空海是为了帮助本国人学习汉语和汉文学而编写此书的，正因为如此，所以书中较多地介绍了有关汉语和汉文学形式方面的材料,如诗歌的声韵、对仗、辞藻以及写作技巧等等,重点是南朝至中唐时期的骈俪文学。这样,《文镜秘府论》也就保存了中国本土已经失传的不少文学批评史的重要材料,王昌龄的诗论著作即包括在内。

空海在《文镜秘府论》的序中说:"沈侯刘善之后,王皎崔元之前,盛谈四声,争吐病犯,黄卷溢箧,缃帙满车。"沈侯为南朝的沈约,倡四声八病说;刘善是隋朝的刘善经,著有《四声指归》;而据学者研究,这里的王皎崔元即指王昌龄、皎然、崔融、元兢,这已经可成定论。这就是说,中国自沈约、刘善经之后,中唐皎然以前,谈论声韵的书是很多的。序中说,为了满足日本学者学习汉文学的要求,"即阅诸家格式等,勘彼同异,卷轴虽多,要枢则少,名异义同,繁秽尤甚。余癖难疗,即事刀笔,剥其重复,存其单号,总有一十五种类"。由此可见,空海是把他所带回的书籍作了一番删削整理的工作。从书中的内容也可看出,有些是按原来的样子成篇收入的,如元兢《古今诗人秀句序》、殷璠《河岳英灵集序》以及陆机《文赋》等,但都把作者姓名删去,加上"或曰"、"又曰"等字;有些则完全按空海的设计框架,加以打散,分类重编。最典型的例子是东卷《论对》的"二十九种对"。他在此前有一说明,说:"余览沈陆王元等诗格式等,出没不同。今弃其同者,撰其异者,都有二十九种对,具出如后。……今者开合俱举,存彼三名。后览达人,莫嫌烦冗。"所谓"存彼三名",是这二十九种对中,空海注明第十二至十七对出自元兢《诗髓脑》,第十八至廿五对出自皎然《诗议》,第廿六至廿八对出自崔融《唐朝新定诗体》。而第一至十一对,则说"右十一种对,古人同出斯对"。其实如托名魏文帝

《诗格》而实为上官仪《笔札华梁》的六对即全见于这十一种对，《诗人玉屑》所引上官仪"六对"也有五对见于此。这十一对中还包括托名李峤《评诗格》而实为崔融《新定诗体》。其第七赋体对，又与今传王昌龄《诗格》的"常用体十四"之五"赋体"相近。这就是空海所说的"弃其同者，撰其异者"，这第一至十一对应该也有王昌龄之说，不过因与别人相同，于是空海作了综合汇编的工作，把各人的名字删去了。

根据现有的研究成果，成篇收入的，如地卷的《十七势》，开头"或曰"二字，日本的古抄本、三宝院本、无点本都作"王氏论文云"；南卷的《论文意》，开头"或曰"二字，古抄本旁注"王氏论文"。这所谓王氏，即为王昌龄。另外，天卷《调声》第一段也有"或曰"二字，虽未注明"王氏论文"字样，但据日本学者研究，也是王昌龄文。这些都已成定论。特别是《十七势》，大量举王昌龄自己的诗句作例子，这些诗句好些为《全唐诗》所未收，而又与王昌龄生平相符合。让我们举两个例子：（1）第一"直把入作势"中引他的《见谪至伊水》诗"得罪由己招，本性易然诺"二句，就与王昌龄第一次贬谪的情况与路线相合。按王昌龄于开元后期由秘书省校书郎改授汜水尉，不久即因事被贬。《全唐诗》卷一四○载他《留别伊阙张少府郭大都尉》诗中说："迁客就一醉，主人空金罍。"他的路线是由汜水就近至洛阳，再由洛阳南下。而《见谪至伊水》正可与《全唐诗》所载的这首诗相印证。（2）第七"迷比势"中引他《送李邕之秦》，《全唐诗》卷一四三载作《送李十五》。诗中有"别怨秦楚深"之句。按《新唐书》卷二○二《文艺传》载，李邕于开元中因事贬遵化尉，"后从中人杨思勖讨岭南贼有功，徙澧州司马。开元二十三年起为括州刺史。"澧州属山南东道,州治澧阳,在今湖南省澧县,即洞庭湖西,江陵之南。这时王昌龄因贬流滞江陵,李邕由澧州改官赴长安,正好在江陵附近与王昌龄道别,"别怨秦楚深"完全切合二人的事迹。岑仲勉先生《唐人行第考》据《全唐诗》所载立李十五条,但说其人未详,这是岑先生当时还未查考过《文镜秘府论》,现在即可据以补正。

这就是说,《文镜秘府论》中成篇收载王昌龄诗论的,就是天卷的《调声》,地卷的《十七势》,南卷的《论文意》。它们之间,文意有互见者。如《调声》中说:"且须识一切题目义。最要立文多用其意,须令左穿右穴,不可拘检。作语不得辛苦,须整理其道格。"(小注:格,意也。意高为之格高,意下为之格下)《论文意》中则云:"凡作诗之体,意是格,声是律,意高则格高,声辨则律清。"又云:"凡作文皆不难,又不辛苦。""夫作文章,但多立意。令左穿右穴,苦心竭智,必须忘身,不可拘束。""诗贵销题目中意尽"。这些,皆与《调声》相应。《调声》中又说:"律调其言,言无相妨,以字轻重清浊间之须稳。至如有轻重者,有轻中重,重中轻,当韵即见。……上句平声,下句上去入;上句上去入,下句平声;以次平声,以次又上去入;以次上去入,以次又平声。如此轮回用之,直至于尾两头管。"《论文意》中与此相应的,有云:"夫用字有数般:有轻,有重,有重中轻,有轻中重。……若用重字,即以轻字拂之便快也。"又云:"凡文章不得不对,上句若安重字、双声、叠韵,下句亦然。"又如《论文意》中说:"诗有上句言物色,下句更重拂之体。"并举"夜闻木叶落,疑是洞庭秋"为例,而地卷《十七势》之八即名"下句拂上句势",所释文义与例句均相同。《论文意》说"夫诗有生杀回薄,以象四时",《十七势》之十四即名为"生杀回薄势"。《论文意》说"诗不得一向把",《十七势》之十五"理入景势"中说:"诗不可一向把理,须入景语始清味。"其他类似者还有。有时文字虽有不同,而文意则一。这些说明什么呢? 这说明这几个篇章虽未标出姓名,但确实出于同一个作者。

　　不过我们要注意它们的断限,因为前面说过,空海引录时是不注明姓名的,有时加"或曰"、"又曰",有时不加,这就很容易相混。如《论文意》,一开始的"或曰"是王昌龄之文,这没有问题。这样,一直到"凡文章体例,不解清浊规矩,造次不得制作"一段,此段之后,又有一个"或曰"起,据研究,便是皎然《诗议》了。这容易明白。但如《调声》中王昌龄文后列举几个人的诗,计有皇甫冉未题诗名的一首五律,钱起《献岁归山》,又有未题作者名及诗题的一首五绝,崔曙《试得明堂大珠》,陈闰《罢官后却还旧居》,张谓《题故人别业》,何逊诗三首,再后又是皇甫冉与钱起的各一首七律。在此之后才是"元氏曰",即元兢的《诗髓脑》文。过去的研究者一般都纯粹从形式着眼,把这几首诗都列在王昌龄诗论名下。但这几首诗中,何逊是南朝人,崔曙的这首诗作于开元二十六年应进士试时(据《封氏闻见记》卷四《明堂》及《直斋书录解题》卷十九),于时间上都没有问题。但钱起、皇甫冉、张谓都是大历时著名诗人,怎么解释呢? 于是有的研究者说,钱起、皇甫冉都是天宝时登进士第,张谓也是天宝时就有诗作,他们都与王昌龄同时,因此王昌龄可以称引他们的作品。可是这些研究者没有具体地考查这几首诗的写作时间。皇甫冉那首未载题目的诗,见于《全唐诗》卷二四九,题为《独孤中丞筵陪韦使君赴昇州》。这个独孤中丞，据《嘉泰会稽志》卷二，是继李希言以后任浙江东道节度使的独孤峻。《志》中说："独孤峻，自陈州刺史授，加御史中丞，召拜金吾卫大将军。"独孤峻之后为吕延之，而据《旧唐书·肃宗纪》，吕延之为浙江东道节度使在乾元二年六月（浙江东道节度使初置于乾元元年）。由此可见，独孤峻之为浙江东道节度使是在肃宗乾元元年至二年间（公元 758—759 年）。又独孤及《唐故浙江东道节度掌书记越州剡县主簿独孤丕墓志》（《毗陵集》卷十）也说："乾元二年，从季父峻为御史中丞、都督江东军事。"官称、时间与地点均合。独孤及与皇甫冉为同时好友，他的记叙应该是可信的。当时的浙江东道节度使驻越州，即现在的绍兴，皇甫冉另有《奉和独孤中丞游法华寺》（《全唐诗》卷二五〇），法华寺即在绍兴。据此，则皇甫冉的这首诗，乃作于乾元年间，也就是在王昌龄死后了。又钱起的诗见《全唐诗》卷二三七，题下注："一本题下有酬寄皇甫侍御六字，又作献岁初归旧居酬皇甫侍御见寄。"可见是与皇甫侍御酬和的。而这个皇甫侍御则是皇甫冉之弟皇甫曾。皇甫曾何时始任侍御史，具体时间虽不可确考，但总是在安史之乱以后，因此钱起此诗也作于王昌龄身后。再说陈闰，唐代文献中未有陈闰其人，而另有陈润，据《唐诗纪事》卷三十九，则是大历时人，做过坊州鄜城县令，并且是白居易的外祖。如果陈闰为陈润，那也是晚于王昌龄的。因此，我们认为不必以这几个人曾生活在天宝时而曲为之解，应当说这不能列在王昌龄诗论名下，而可能是空海在辑录了王昌龄论声韵之文后，再根据另一些唐诗中声韵的材料，补辑进去作为例证的。

　　以上说的是《文镜秘府论》中保存的王昌龄诗论成篇的部分，

另外还有一些散见的,情况就较为复杂。其中如地卷《六义》,是空海按风、赋、比、兴、雅、颂分类,分别辑录皎然和王昌龄的解释(风一类只有王说,未标皎然说)。情况举例如下:

> 二曰赋。皎云:"赋者,布也。匠事布文,以写情也。"王云:"赋者,错杂万物,谓之赋也。"
>
> 三曰比。皎云:"比者,全取外象以兴之,'西北有浮云'之类是也。"王云:"比者,直比其身,谓之比假,如'关关雎鸠'之类是也。"

其他兴、雅、颂也都是如此,二人之说分得很清楚。但有些地方是并不像《六义》那样标出姓氏,而文义或文字却相同或相近的。如西卷《文二十八种病》,这是空海的综述,有几处注明元氏(兢)、崔氏(融)、皎公(然)、刘氏(善经)云,但没有标出王氏。不过我们看第十一"缺偶",第二十一"离支",其名也见于《论文意》的王昌龄部分,如说:"凡文章不得不对,上句若安重字、双声、叠韵,下句亦然。若上句偏安,下句不安,即名为离支;若上句用事,下句不用事,名为缺偶。"这使人们有理由推测,在这"二十八种病"中,空海除了引述元、崔等说外,还是参考了王昌龄的有关论说的。

这就是我们对《文镜秘府论》本身的考查。结论是:(1)书中有些地方是成篇地辑录了王昌龄的诗论,如天卷的《调声》,地卷的《十七势》,南卷的《论文意》。(2)有些是由空海按照他的编排,把王昌龄的有关论述,打散之后分别辑入有关章节,有些则文字也作了一定的删改,如南卷的《六义》,西卷的《文二十八种病》。这第二类,需要细心地考辨,王昌龄的诗论当不仅仅是我们已举出的《六义》和《文二十八种病》两节。

现在我们来作第二步的工作,也即以现存的《诗格》、《诗中密旨》来与《文镜秘府论》作比较。这里我们可以看到几种不同的情况:

一种情况是:这二书所讲的,与《文镜秘府论》王昌龄诗论部分,无论文字与例句均大致相同。如《诗格》的"诗有六式"之二为"不难",举王粲"朝入谯郡界,旷然销人忧"例,之三为"不辛苦",举王粲的"逍遥河堤上,左右望我军"例。《文镜秘府论》中的《论文意》有云:"凡文章皆不难,又不辛苦。如《文选》诗云:'朝入谯郡界','左右望我军'皆如此例,不难不辛苦也。"不同的是,《论文意》是作为一段来叙述,《诗格》作为格式,分作两条(又空海据《文镜秘府论》而摘抄改编的《文笔眼心钞》曾列"二十七种体",其中第十四体名为"不难不辛苦体",乃为一条,所举例子则同)。又如《诗格》中"常用体十四"之十二"因小用大体",举左思"振衣千仞冈,濯足万里流",谢惠连"裁用筒中刀,缝为万里衣"作例,《论文意》中有云:"诗有意阔心远,以小纳大之体,如'振衣千仞冈,濯足万里流'。"不过没有谢惠连诗。《诗格》中属于这一类的,还有"诗有六贵例"之一"贵杰起",见《论文意》中"诗有贵杰起险作";之二"贵直意",见《论文意》中"凡高手,言物及意,皆不相倚傍",及"诗有天然物色";之三"穿穴",见《论文意》中"令左穿右穴"。又"起势入兴"之八"直入兴",见《十七势》之一"直把入作势"。《诗中密旨》中"诗有三格",见于《论文意》中论意高、格高一段;"句有三例",见《论文意》中论古文格高,有一句见意、二句见意、四句见意一段。"诗有六病例",全见于西卷的《文二十八种病》,但《文二十八种病》中未标出王氏曰,这就进一步证明我们在前面说过的这"二十八种病"中会保存有王昌龄诗论的材料;"犯病八格"中的第一、二、三、五、六格,也见于《文二十八种病》。以上是第一种情况。

第二种情况:文字有别,文意相近,例句不同。如《诗格》中"诗有六式"之四"饱腹",说:"调怨闲雅,意思纵横。谢灵运诗:'出谷日尚早,入舟阳已微'。此回停歇意容与。"《论文意》中说:"诗有饱肚狭腹,语急言生,致极言终始,未一向耳。若谢康乐语,饱肚意多,皆得停泊,任意纵横。"语意相近,但一举例,一未举例。又如《诗格》中"落句体七"之四为"含思",无说明,举陆韩卿"惜哉时不与,日暮无轻舟",及陈子昂"蜀门自兹始,云山方浩然",与《论文意》中"落句须含思常如未尽始好"相近,而《十七势》中另有"心期落句势",云"心期落句势者,心有所期是也",与《诗格》的"含思"意近,但"含思"所举为王昌龄本人的诗。与此同类的,有"常用体十四"之九"理入景体"、之十"景入理体",分别见《十七势》之十五"理入景势"、十六"景入理势"。另外,上述第一种情况如"犯病八格"见于《文二十八种病》的,例句有几处也有稍异。

第三种情况:举例相同,或文字相近,但文意有别,所论非一。如《诗格》中"起首入兴体十四"之六"叙事入兴",云:"谢灵运诗:'时竟夕澄霁,云归日西驰,密林含余情,远峰隐半规。久痗昏垫苦,旅馆眺郊岐。'此五句叙事一句入兴。又古诗:'遥闻木叶下,疑是洞庭秋。中宵起长望,正见沧海流。'此三句叙事,一句入兴。"《十七势》之八有"下句拂上句势",也引古诗"夜闻木叶下，疑是洞庭秋"，但仅二句，且释为："上句说意不快，以下句势拂之，令意通。"显然所论非一事。又如《诗格》中"诗有六式"之六，"一管抟意"，云："谢玄晖诗'缥帷飘井干，樽酒若平生'，此一管论酒也。刘公幹诗：'谁谓相去远，隔此西掖垣，拘限清切禁，中情无由宣'，此一管谓守官有限，不得相见也。"《论文意》中有云："凡诗，两句即须团却意，句句必须有底盖相承，翻覆而用。四句之中，皆须团意上道，必须断其大小，使人事不错。"有的研究者注抟意即团，谓此两处相通，实则所论不一。又如"常用体十四"之五"赋体"，《文镜秘府论》东卷《论对》第七也名"赋体"；"势对例"之五"偏对"，《论对》第二十三也名"偏对"，名虽同而所述各异。

第四种情况：例子相同，立意矛盾，或两处作者非一。如《诗格》中"常用体十四"之三为"立节体"，举王粲"生为百夫雄，死为壮士规"，刘桢"风声一何盛，松竹一何劲"，虽无说明，但可以意会是带有褒意的。但《论文意》中论"意高则格高"一段，说古文格高，有一句见意的，其次为两句见意，再其次为四句见意，然后又举刘桢的诗"青青陵上柏，瑟瑟谷中风，风弦一何盛，松枝一何劲"，说是："此诗从首至尾，唯论一事，以此不如古人也。"贬意显然。如出同一个作者之手，则竟持两种态度，十分奇怪。又如《文镜》中《六义》，分别立皎然与王昌龄两说，但《诗中密旨》的"诗有六义"却往往同于皎说，如："二曰赋。皎云：'赋者，布也。匠事布文，以写情也。'王云：'赋者，错杂万物，谓之赋也。'"而《密旨》中云："赋者，布也，象事布文，错杂万物，以成其象，以写其精（情）。"似乎综合二说，实则以皎说为本。又："三曰比。皎云：

'比者,令取外象以兴之,西北有浮云类是也。'王云:'比者,直比其身,谓之比,如关关雎鸠之类是也。'"而《密旨》中云:"比者,各令取外物象,已(以)兴事。"完全取皎然之意。又:"四曰兴。皎云:'兴者立象于前,后以人事喻之,关雎之类是也。'王云:'兴者指物及比其身说之为兴,盖托喻谓之兴也。'"而《密旨》中云:"兴者立象于前,然后以事喻之。"此处则文字也同于皎说。又如第一"风",《文镜》中只标"王云",未有"皎云",但"王云"之前仍有几句释文,谓:"体一国之教谓之风,《关雎》、《麟趾》之化,王者之风也;《鹊巢》、《驺虞》之德,诸侯之风也。"而《密旨》中云:"讽者风也,谓体一国之风教,有王者之风,有诸侯之风。"二者大体均同,我们有理由推测《文镜》中的《六义》,于"一曰风"中漏掉了"皎云"二字。"六义"中,只有"雅"一项,《密旨》所释与《文镜》中的"王云"相同,其他差不多都同于皎说。至于《密旨》中的"诗有九格",则全部见于地卷皎然《诗议》的"十四例",连例句也相同。

第五种情况:《诗格》、《密旨》有,而不见于《文镜》的。这种情况以《诗格》居多,大部分内容不见于《文镜》,《密旨》则仅"诗有三格"未见。

以上我们将《诗格》、《诗中密旨》与《文镜秘府论》作了比较,为便于说明问题,区分了几种情况。这篇文章是论文,不是对两书作整理,因此不必用表格的方式将它们的异同一一标出,这也不是学术论文的任务。本文的目的是举出若干代表性的例子,说明现今传存的《诗格》、《诗中密旨》与《文镜秘府论》相比较,存在着复杂的情况。那末从这些情况中,可以得出什么看法呢?

是不是可以这么说:

第一，今存《诗格》、《诗中密旨》中一部分内容，与《文镜秘府论》的王昌龄诗论，或者是相同，或者是相近。如果我们肯定《文镜》中王昌龄诗论的确实性，那也应当肯定《诗格》、《密旨》中这一部分是王昌龄原著中保留下来的。因为众所周知，空海是在元和初把有关的书携回的，而《文镜》一书至清末才有人介绍到中国来，《诗格》、《密旨》则至迟在北宋就已形成现在所见的面貌，两不相涉，不可能有互相抄袭的情况。

第二，今存《诗格》、《密旨》中有相当一部分不见于《文镜》中的王昌龄的诗论，我们认为不能采取完全否定或者完全肯定的态度。因为空海编撰《文镜》时，对材料是有取舍、分割的，很可能他并没有完全采录王昌龄的诗论，我们不能以《文镜》之所无来否定《诗格》、《密旨》所载的真确性。当然，根据相互间比较的复杂情况，我们也难于断定这些条目都是王昌龄诗论的原来部分。

第三，《诗格》、《密旨》中有与《文镜》所论非一，或甚至矛盾，以及作者相异的，这种情况较为复杂。而且，与此相关的，《文镜》本身内容有些也是有问题的，如《论文意》中论古代诗及诗说的师承关系，说孔子传于游、夏，游、夏传于荀卿、孟轲，把荀子列在孟子之前；后面又说"荀、孟传于司马迁，迁传于贾谊"。其实贾谊是文帝时人，司马迁在《史记》中就替贾谊写过传，他与贾谊之孙为友，怎能由他传于贾谊？又说贾谊谪长沙，"迁逐怨上，属物比兴，少于风雅"，"皆有怨刺"，于是为南宗，而司马迁为北宗。这也与事实相违。司马迁的书，是被班固、扬雄讥为"是非颇谬于圣人"的。他肯定屈原"忧愁幽思而作《离骚》"，这"忧愁幽思"也就是"迁逐怨上"，也正因此，他把贾谊与屈原列在同一个传里（《史记·屈贾列传》)。而且他还认为，《诗》三百篇，"大抵贤圣发愤之所为作"(《史记·太史公自序》)，这种"愤"，与"怨"也是同一意思，正像他自己发愤而著《史记》那样。因此，将贾谊与司马迁分列南北宗，似没有什么事实依据，虽然南北宗之说很值得研究，唐代佛学、绘画在那时都有南北宗之分(《论文意》这里的文字可能有脱漏)。又《论文意》这一段在叙述建安以后说："中有鲍照、谢康乐，纵逸相继，成败兼行；至晋宋齐梁，皆悉颓毁。"前面是鲍、谢并提，鲍是南朝宋人，谢是晋、宋之际人，时代先后已有所倒置，而鲍、谢之后又说到"晋宋齐梁"，则其误更加显著。这都是属于一般常识错误，作为大诗人，王昌龄恐怕是不至于有此疏忽的。这就牵涉到成书的过程问题，我们在这里一并讨论：

据前所述，我们已可肯定王昌龄有过诗论著作，那末它们是作于什么时候呢？王昌龄自己或他的朋友，都没有谈起过他著有诗论，我们惟一的办法只有从《文镜》中他所引的诗句来作考察。《十七势》中第十二"一句中分势"曾引他的"海静月色真"诗句，是他《送韦十二兵曹》诗中句，此诗又云："县职如长缨，终日检我身，平明趋郡府，不得展故人。"(《全唐诗》卷一四〇)这是他在开元末、天宝初任江宁丞时的诗。但《十七势》中所引诗，还有在此之后的。《十七势》之四"直树两句第三句入作势"引其"桑林映陂水，雨过宛城西，留醉楚山别，阴云暮凄凄"句。此诗《全唐诗》未收。宛城即宣城。这是一首过宣城而留别之作。《全唐诗》卷一四三另载其《至南陵答皇甫岳》诗："与君同病复漂沦，昨夜宣城别故人。明主恩深非岁久，长江还共五溪滨。"此诗所谓"昨夜宣城别故人"，当即指《十七势》所引的"雨过宛城西"、"留醉楚山别",而提到的五溪滨,就是他第二次被贬的去处——龙标。那次被贬,他是由江宁起程,先走陆路,途中过访宣城他的故人,然后再走长江水路,季节是秋天,与《十七势》所引诗,时、地均合。据拙著《王昌龄事迹新探》,王昌龄是在天宝九载或十载被贬的,在龙标居住到安史乱起,前往江东,不久遭害而死。他在龙标至少有六七年的时间。作为著名诗人,来到这个僻远之地,当地或附近一些读书人肯定会来向他请教。这有没有根据呢?我们可以举出在此后约五六十年的贞元、元和时的例子。柳宗元曾因八司马事件被贬至湖南永州(离龙标不远),后又改为柳州刺史。他在这两个地方时,"江岭间为进士者,不远数千里皆随宗元师法,凡经其门,必为名士"(《旧唐书·柳宗元传》)。刘禹锡也于同时贬岭南连州,他自述说:"予为连州,诸生以进士书刺者,浩不可纪。"(《送曹琚归越中旧隐诗》,《刘禹锡集》卷三十八)韩愈于贞元末被贬岭南阳山,"阳山,天下之穷处也",但"有区生者,誓言相好,自南海挈舟而来",向他问学(《送区册序》,《韩昌黎文集校注》卷四)。另有一位窦秀才,也"乘不测之舟,入无人之地,以相从问文章为事"(《答窦秀才书》,同上)。后来韩愈于元和时又一次被贬潮州,又移江西宜春,都有当地士子向他学文(参《唐摭言》卷四《师友》)。所谓学进士业,主要就是学作诗、学骈文,因为当时进士考试主要就是考诗赋。这种相从问学的情况,不会只是中唐时如此。因此我们有理由推测王昌龄在龙标时,为满足一些士子学诗的请求,就提了一些论诗的意见。他在龙标有好几年,时间是较为充裕的,尽可总结他一生的创作经验,加以系统的叙述(当然,这并不排斥在龙标以前他也曾陆续有过这方面的论述)。《十七势》中主要引录他本人的诗,这是很特别的,当也是举自己的诗作便于说明问题,而且称名而不冠姓,也是自述的口气。最有意思的是第七"迷比势"所引《送李邕之秦》诗,他对此诗作意有所解释:"昌龄《送李邕之秦》诗云:'别怨秦楚深,江中秋云起'(原书小注:言别怨与秦楚之深远也。别怨起自楚地,既别之后,恐长不见,或偶然而会,以此不定,如云起上腾于青冥,从风飘荡,不可复其起处,或偶然而归尔)。天长梦无隔,月映在寒水(原书小注:虽天长,其梦不隔,夜中梦见疑由相会。有如别,忽觉,乃各一方,如月影在水,至曙,水月亦了不见矣)。"在中国古代诗人中,分析自己的创作心理有如此周详的,恐没有第二例。而如果不是作者本人,恐怕是不可能讲得那样细致而又如此贴切的。而这,正是为初学者传授门径的较好的形式。

正因为是应初学者而作,随时写成,又因人而异,因此文体也不必强求一致,今天我们在《文镜秘府论》中看到的,有成篇的《论文意》,也有条目式的《十七势》,而且即使《论文意》,虽有一个大体的布局,但仍较零散,像是作者随时想到札录而成,也像听讲者根据自己的记忆笔札写录,因此间有重复。而且在流传过程中,因传抄的缘故,难免有所删改(如今存《诗格》的"起首入兴体"之四,引古诗"蝉鸣空桑林,八月萧关道",其实这二句为王昌龄诗,他自己决不会误写成古诗,当是流传中的误改),或别人窜入,到空海时已出现司马迁传贾谊那样的情况。在这之后,晚唐五代,诗格一类之书大行,于是就更有人根据流传的本子,对其中残缺的再附益己见,或把旁人的东西增加进来(如上述"六义"、"诗有九格"中采入皎然的著述),并且统一改编成条目的形式。至北宋中叶，其中一卷可能另题名《诗中密旨》。这就形成今天所见的《诗格》《诗中密旨》那样的面貌，而这二书与《文镜》相较出现诸种复杂的情况，也就是如此造成的。

这就是说，王昌龄诗论的整体原貌，现在已不可得知，比较起来，《文镜》所载，应当是最接近原来的形态。我们现在可以做的，是根据《文镜》及《吟窗杂录》所载，分别加以辑录，并且作适当的比勘和校理，使之较前更为齐备和真确。至于书名，我们以为仍应称作《诗格》，因空海献书表中已提到《诗格》之名，书中也提到"诗格式"的称呼。据日本学者研究，日本最早的汉籍目录《日本国见在书目录》，也曾明确著录王昌龄的《诗格》。这个目录编成于日本阳成天皇、宇多天皇年间，约当唐朝僖宗、昭宗时，即唐末，离空海回国约八九十年，可见这时日本所藏尚有此书，并即以"诗格"命名。其实在北朝北齐时颜之推即用过"诗格"一词："诗格既无此例，又乖制作本意"（《颜氏家训·文章》篇）。王昌龄以此命名自己的论诗著作，也并非突兀之举。

那末现在怎样来评价王昌龄《诗格》的意义呢？

限于篇幅，我们已经不可能用较多的文字来详细地分析王昌龄在《诗格》中所表现的文学思想，虽然这是一件很有意义的工作，尤其是以往国内的文学史界对此几乎完全漠视。我想可以提出几点来谈。首先是《四库总目提要》所谓"鄙倍"的问题。这样用格式、条目的形式来谈诗，是否鄙浅琐屑呢？我们认为，不能抽象地、孤立地来谈论这一点。先得承认一种存在，这就是，在初唐时，这种以诗歌声律为研究对象的著作出现得很多，而它们多半是以格式、条目的形式写成的。《文镜秘府论》中早已明白地写过："沈侯刘善之后，王皎崔元之前，盛谈四声，争吐病犯，黄卷溢箧，缃帙满车。"这里是"溢箧"、"满车"，不是一般的多。比较有代表性的，有上官仪的《笔札华梁》(即《吟窗杂录》中的《魏文帝诗格》)、元兢的《诗髓脑》、崔融的《唐朝新定诗体》(即《吟窗杂录》中的李峤《评诗格》)，部分内容还保存在《文镜秘府论》内。它们大多采取数字贯串实字的方式，如"六志"、"八阶"、"八对"、"八病"，"调声三术"，"诗有十体"，等等。这种方式，是根据汉字每一字作为单一词组而采取的，而且似乎也反映了汉民族的某些习惯和学习心理（我们现实生活中也还是有不少用数字来概括的例子）。这的确也便于记忆，便于上口。中唐时这种情况更多，皎然《诗式》就列有：诗有四不、诗有四深、诗有二要、诗有二废等等格式；齐己的《风骚旨格》列有"十体"、"十势"等名目。空海就仿此而大量采入《文镜秘府论》中，而且他还另外摘编《文镜》的大要，作了一部《文笔眼心钞》，前面小序说："余乘禅观余暇，勘诸家诸格式等，撰《文镜秘府论》六卷，虽要而又玄，而披诵稍难记，今更抄其要含口上者，为一轴拴镜，可谓文之眼，笔之心，即以'文笔眼心'为名，文约义广，功省蕴深，可畏（委）后生写之诵之。"在这部《文笔眼心钞》中，他更进一步把《文镜》中成篇的文章格式化，包括王昌龄的诗论在内。此无他，正如他自序所说，为使后生写之诵之，便于记忆。郭绍虞先生在为周维德的《文镜秘府论》校本所写的序中说：《文镜秘府论》是弘法大师来华留学回国后编写的，是日人为了介绍汉语汉文而编写的，同时，就本书在日本流传的情况观察，是收到实际效果的。那么它不是可以间接说明了唐代也是用类似这样的资料来教初学，而取得学文写文成效的吗？"

（人民文学出版社1975年5月版）这话说得好。我们过去常说律诗是在沈、宋手中完成的，但文学史的研究如果仅仅停留在这一点，那就太表面了。现在如果细看一下上述上官仪、元兢、崔融这几种讲声韵、格律的书，就可以知道律诗的完成是怎样在众多人的学习写作和一部分人从事教习这样一种广阔的社会背景中进行的。上官仪等人讲声律和中晚唐人讲字法句法，确有许多繁琐和过于碎细之处，但初学写作的人是需要的。唐诗的繁荣不仅是体现在少数优秀或天才诗人身上，它是建筑在普遍学习诗的写作技巧、普遍提高诗歌艺术那样一种基础上的。而在这点，那种以启蒙为目的而编撰的诗格式书无疑会起相当大的普及知识的作用。这是我们过去的研究所忽视的，也就是说忽视唐诗的群众基础。《四库提要》的作者，正是从其虚拟的"雅"的标准出发，孤立地、抽象地看问题，而没有注意到唐诗是在怎么样的一种具体社会环境中逐步发展的。

在这样的一种发展中，王昌龄《诗格》比起初唐类似的著作已经有很大的超越。可以看出，他对声律的要求，已经不是那么琐细，而是转移到诗歌创作一些更为本质的东西，如前代诗歌的发展趋向，诗歌艺术的根本要求，构思的运用，艺术形象的捕捉，等等。在这些方面，他与前人有不少吻合之处。如《论文意》中谈到作诗"即须凝心，目击其物，便以心击之"，而且要"意须出万人之境，望古人于格下，攒天海于方寸"，也就是"凝心天海之外，用思元气之前"。我们看《文选》中的陆机《文赋》，就有类似的意思："其始也，皆收视反听，耽思傍讯，精骛八极，心游万仞"；"馨澄心以凝思，眇众虑而为言；笼天地于形内，挫万物于笔端"。又如《论文意》中强调作家先要有气,有兴,"兴发意生,精神清爽,了了明白",才能有所感,同时要"抄古今诗语精妙之处","作文兴若不来,即须看随身卷子,以发兴也"。这些意思,在《文心雕龙·神思》篇中也能找到参证,如说:"神居胸臆,而志气统其关键";"是以陶钧文思,贵在虚静,疏瀹五藏,澡雪精神,积学以储宝,酌理以富才"。不过一用骈文,一用浅显的接近于口语的语录体,似乎显得有雅俗之别了。其实,王昌龄把创作心理说得更为明白、更为透彻,在这点上说,是对前代文论的一种发展。

当然,王昌龄《诗格》的价值并不在于"于古有证",而在于他的有时代特征的独创。我们可以看到他的某些理论与盛唐诗论的代表殷璠有极相似之处。殷璠当然是非常推重王昌龄的,他的《河岳英灵集》,收王诗最多,在评语中推他为继承建安的"中兴高作"。当然,二人并无交往,殷璠也不可能知道王昌龄有《诗格》问世。但我们比较《论文意》与《河岳英灵集》的叙和论,他们对盛唐诗歌的要求竟是很一致的。如殷璠主张当代诗歌应声律与风骨齐备,又说"宁预于词场,不可不知音律焉"。《论文意》中多次提出文要立意,"意高则格高,声辨则律清,格律全,然后始有调",并说要有气,又说"凡文章体例,不解清浊规矩,造次不得制作","今世间之人,或识清而不知浊",等等。殷璠曾用"罗衣何飘飘,长裾随风还"作为声韵的例子,王昌龄也用同样的例句,立意相同。殷璠选诗以五言为主,王昌龄也说"夫文章之体,五言最难,……句多精巧,理合阴阳"。这都可以看出王昌龄诗论的时代特征,而这也正好证明《论文意》等确乎是盛唐时代精神的产物。

王昌龄诗论的一个很可贵之处,就是他不被儒家诗教说所束缚,而自出新见,强调创作的真和新,强调作家个性对创作的积极作用,从而丰富了中国古代文学思想的内容。如对诗的六义的解释,他一反传统的见解,对"风",他不讲什么"体一国之风教谓之风",而说"天地之号令曰风",对雅,他有异于皎然的"正四方之风谓雅",而说"言其雅言典切"。这与他在《论文意》中所谓"自古文章,起于无作,兴于自然"相符合。他明确提出诗要"意好言真",这对古代诗论是一个发展,因为意好言真既从创作主体出发,而又尊重客体,尊重创作的内在规律,因而也就反对代圣人立言,反对假饰。他说:"何以为诗?是故诗者,书身心之行李,序当时之愤气。气来不适,心事不达,或以刺上,或以化下,或以申心,或以序事,皆为中心不决(快),众不我知。"这与《毛诗序》所谓"发乎情,止乎礼义"完全相对立,把过去的"文以气为主"发挥得更具体,而又下接韩愈的"不得其平则鸣"的创作主张。他一方面反对在字句上完全模仿前人,说"莫用古语及今烂字旧意。改他旧语,移头换尾,如此之人,终不长进",与韩愈的"惟陈言之务去"相通;一方面又大量引用汉魏六朝人的优秀诗句,表明他眼界的开阔。《论文意》中有一段还专门评论了两汉至南朝的赋,提到司马相如的《上谏猎书》、木华的《海赋》、贾谊的《鹏鸟赋》、孙绰的《天台山赋》、鲍照的《芜城赋》,很值得研究。我们以为,对建安以后的文学,特别是南朝文学,应当如何正确评价,如何既有批判又有继承,只有到盛唐,才在创作上和理论上得到真正的解决。王昌龄的诗论正好提供了理论上的说明。

结论是什么呢?结论是:王昌龄《诗格》是真实存在的一部书,但它的流行情况复杂,需要细心地辨别整理;它是一部盛唐时代有独特见解的诗论,有许多真知灼见,它应该与殷璠的《河岳英灵集》同样成为盛唐诗论的代表,而在古代文学理论史上占一席之地;它在形式上又是一部带有时代和民族特点的著作,这种研究格式、条目方式的诗论,从初唐至晚唐,数量众多,在诗歌基本知识和写作技巧的普及上起过不可忽视的作用,研究唐代诗歌如果漠视它们的存在,将会减弱我们对唐代诗歌群众性的认识,而这则是非常可惜的。

与李珍华合撰,原载《文学遗产》1988 年第 6 期,此据万卷出版公司 2010 年版《当代名家学术思想文库·傅璇琮卷》录入,另收入黑龙江人民出版社 1992 年版《唐诗论学丛稿》、京华出版社 1999 年版《唐诗论学丛稿》

普及的层次

近日翻阅过去开明书店出版的《朱自清文集》,重点阅读了几篇论述古典文学的文章,对古典文学的普及产生了一点应讲究层次的想法。

朱先生是我国现代文学中卓有贡献的诗人与散文家,后期他主持清华大学中文系的工作,致力于古典文学的研究。他与闻一多先生时以惊人之笔破陈说、创新见不同,往往以平实的文笔,把古义源源本本地讲述出来,在演绎与概括中把他的心得一点一滴地告诉读者,并且似乎时时采取与读者商量的口气,想征求你的意见。每读他的这些篇章,总有一种如沐春风的感觉。

朱自清先生很重视古典文学的普及工作。他与叶圣陶先生编了好几部文言读本,他极力推荐浦江清先生对词的讲解,他自己也动手作《古诗十九首》析解,还写了一本《经典常谈》,系统介绍中国传统的经史子集各类著作。

但是我感到,朱先生的这些普及著作是不容易读懂的,按照现在古典文学普及读物的标准和要求,如果不是他的大名,说不定会被出版社的编辑先生退稿的。我在大学读书时,根据老师的指点,第一次读了《经典常谈》。记得当时的印象是两点:一是有些讲得太概括,看不懂;二是有些讲得太平淡,无所获。于是大致浏览了一遍,即放置一边,一直没有再看。时隔三十余年,如白居易所说的,"年齿渐长,阅事渐多",再来读一遍这部书,恰好像发现了一部新的从未读过的专著,似乎每一段每一句都能印入心中。阅毕掩卷,确有一种"真乃不可及也"之感。

为什么年轻时看了觉得平淡无所获的书,三十多年后再读时却感到大有所获呢? 我想主要原因恐怕是作者功底厚,书的内蕴深,这种书如果没有一定的知识准备和社会阅历,是不易获知其价值的。反过来说,随着知识的增长,阅历的积累,看这种书,就随时看会随时有新的获得。年轻时看《红楼梦》,与 40 岁以后看《红楼梦》,所得定然不同,也是这个道理。

《经典常谈》这部书,胜义真是不胜枚举。如《诗经》一章讲采诗,说各国都养着一批乐工,管采集歌谣的事,乐工的老师叫太师,"太师们是伺候贵族的,所搜集的歌儿自然得合贵族们的口味,平民的作品是不会入选的"。这几句话实在也是平淡得很。但是我们记得,过去我们讲《诗经》,大谈民歌的现实性和战斗性,近几年有人又"创"新说,大谈《诗经》中的奴隶主意识。对此,朱先生这几句平淡无奇的话,不是更能使人思考吗?

《经典常谈》中第十二节题目是《诗》,不到八千字,谈了乐府诗到五七言诗的发展,时期是两汉到南宋末,真是洗炼极了。片言只语,往往能使人咀嚼再三。如说曹植"诗中有了'我',所以独成大家";说五言诗到了阮籍手里,增加了"文人化的程度"。又说陶渊明"是第一个人将田园生活描写在诗里",谢灵运"是第一个在诗里用全力刻画山水的人;他可以说是第一个用全力雕琢字句的人"。但谢灵运不像陶渊明,陶诗中也讲哲理,这些哲理"是他从实践生活里体验得来的,与口头的玄理不同,所以亲切有味",而谢则"像硬装进去似的"。同样说理,杜甫又有不同,杜甫"常在诗里发议论,并且引证经史百家;但这些议论和典故都是通过了他的满腔热情奔进出来的,所以还是诗"。至黄庭坚,虽继续将诗散文化,但由于刻意求新,"使每个字都斩绝地站在字面上,不至于随口滑过去"。这些评论,既见出朱先生作为有高度古典文学修养的学者的工力,也包含有他作为诗人的精致的审美体验。

可是《经典常谈》写作时是作为普及读物而写的。我作为 50年代前期的大学生看了觉得不够味儿,料想现今的大学生也不会对它有特别的爱好。由此我想到古典文学的普及应有不同的层次。《经典常谈》可以说是普及读物,但这是专门研究基础上向具有中高级的人作的普及,不是一般的鉴赏或赏析。它是在严格的知识传授的意义上,对古典作出系统的评析,这可以说是普及的中间环节,我们可以通过这中间环节,再作浅近一些的普及。我总感到,目前古典文学的鉴赏、赏析作品,数量很多,五花八门,但一是讲得太腻,二是有不少知识性的纰漏。这方面的读物存在着提高科学性的问题,就需要有如《经典常谈》一样较高一层的普及著作,也就是普及与专题研究相结合的作品。在普及读物的写作上也应提倡多层次,不要简单化、一体化。

原载 1989 年 1 月 25 日《瞭望》周刊,此据北京联合出版公司 2013 年版《濡沫集》录入,另收入湖南人民出版社 1997年版《濡沫集》

一种文化史的批评

——兼谈陈寅恪的古典文学研究

一

　　陈寅恪先生是一位史学家,同时他对古典文学又有强烈的爱好。读他的全部著作,可以感受到冷静而理智的学术品格与内在的对人生的激情的融合。1953年秋他在广州,这时他早已年过花甲,又因为病目,读书写文十分艰辛,一次听人读清初钱塘才女陈端生所作的弹词体小说《再生缘》,不禁动隔代之悲,满含感情地写下了"高楼秋夜灯前泪,异代春闺梦里词"的诗句(详见《论再生缘》,《寒柳堂集》七十七页)。他是执着于做学问的,在这首诗的末了,他不无自嘲但却是坚定地表露心意:"文章我自甘沦落,不觅封侯但觅诗。"不论是他因世局的变化而被迫流徙,或暂时觅得一个安定的环境,他总以寒士自命。他晚年不无感伤地写了一篇赠序,自伤长期过着幽居的生活:"此岂寅恪少时所自待及异日他人所望于寅恪者哉?"但他仍然斩钉截铁地说:"默念平生固未尝侮食自矜,曲学阿世,似可告慰于友朋。"(《赠蒋秉南序》,《寒柳堂集》一六二页)他非常看不惯做学问上一种只求"速效"的"夸诞之人",他讽刺这种学风为"声誉既易致,而利禄亦随之"(《陈垣元西域人华化考序》,《金明馆丛稿初编》二三八页)。因此,他在抗战时期为邓广铭先生的《宋史职官志考证》作序,极力赞扬邓先生摈弃世务,"庶几得专一于校史之工事",并且不无天真地说:"不屑同于假手功名之士,而能自致于不朽之域"(《金明馆丛稿二编》二四六页)。

在写"不觅封侯但觅诗"时,陈寅恪已经想要写《再生缘》的研究文章了。他是历史上少有的既能潜心于学术研究而取得大成就又具有博丽深邃的才情在文学创作上自树高格的一代大师。他在长期的史学研究中总是未能忘情于对文学的研究,特别是对诗的研究。抗战刚结束,他远涉重洋,飘泊万里,到英国医治眼疾,却未能治好,这个不幸的消息带给他的失望和打击是可以想见的,但这时那种学术上的渴求似乎更为强烈了。他在《来英治目疾无效将返国写刻近撰元白诗》的七律中,自抒当时的心情:"余生所欠为何物,后世相知有别传";他要"归写香山新乐府"——这就是他于50年代初初版,后又经他自己两次刊正而重印的《元白诗笺证稿》。他对白居易诗相当精熟,而且一直颇有感情,早年有好几篇史学论文中引用白诗来考证史事,这时在目疾医治无效的景况中又发愤写元白诗的专著。直到七十多岁,他在一首诗中,感慨时势和身世,曾有"十部儒流敢道贫"之叹,但还是寄情于白诗:"文章堆几书驴券,可有香山乐府新?"(《癸卯冬至

日感赋》)

我这里引用这位史学家的一些抒情诗文来作为文章的开头，是想说明，我们面对的不是仅仅只在某一专题领域有其特长的学者，而在他的著作中，在它们的繁复征引和绵密演绎的深处，有着诗的才情的潜流，有着超越于史事证述的对人生、对社会的深刻思考。对于这样一位学者的认识，不是一次或一代人所能完成的。它们像世界上为数不多的文学作品和学术专著那样，我们每次阅读它们，都会发现一些过去没有觉察到的有意义的内容。笔者本人就有这样的体验：二十岁出头时第一次读《元白诗笺证稿》，为其中考证"七月七日长生殿，夜半无人私语时"的新鲜结论而得到年轻人那种单一的求知心理的满足。年纪稍大一些，在一种左的政治气氛中看到对这位学者的批判；自己在学问路途中偶有所获，也发现书中有些具体的材料和叙述上的疏失，于是就把这部《元白诗笺证稿》束之高阁了。过了二十余年，正如白居易所说的，"年齿渐长，阅事渐多"，再来阅读这部书和陈寅恪的其他一些论著，竟然如读新著，恍然有从未寓目之感，感受到一种巨大的吸引。似乎读的不是多少带有艰涩的学术论著，而是有着一种强烈的艺术魅力的文学创作，使人得到欣悦的、难以忘怀的美的享受。

二

那末，陈寅恪著作的吸引力究竟在哪里呢？

过去有一种误解，就是只把陈寅恪看成为一个考据家。从这个角度来评论，带有褒意的是赞许他详细地占有资料，并且提出在掌握资料上要争取"超过陈寅恪"（郭沫若《文史论集》十五页）；而带有贬意的，则认为他的史事考辨繁琐冗长，意义不大。

陈寅恪当然是强调原始资料的重要性，强调对资料和史事进行严密的考证的，但把陈寅恪的学问归结为考据，那只是看到它的极为次要的部分。从考据和资料上超过陈寅恪，应当说并不十分困难，他自己也说过："夫考证之业，譬诸积薪，后来者居上，自无胶守所见，一成不变之理。"（《三论李唐氏族问题》，《金明馆丛稿二编》三零四页）在陈寅恪之后，无论是史学还是古典文学研究，都有一些论著，在材料考证和具体史事的辨析中对他的著作有所修正。科学研究是不断深化、不断发展的认识运动。科学史的实例证明，没有一个大师的学说是不可突破的。新材料的补充和发现，新学说的提出和建立，构成学说发展的最根本的内容。陈寅恪难于超越之处，是他的通识，或用他的话来说，是学术上的一种"理性"（《王静安先生遗书序》，《金明馆丛稿二编》二一八页）。这就是经过他的引证和考析，各个看来零散的部分综合到一个新的整体中，达到一种完全崭新的整体的认识。在唐代诗歌与唐代佛教的比较研究中取得卓越成就的复旦大学陈允吉先生，曾称誉陈寅恪的《论韩愈》一文是迄今韩愈研究中写得最好的一篇文章，他从而论述道："陈寅恪先生的治学特点，主要表现在他具有过人的远见卓识。至于在细密的资料考证方面，倒并不是他最注意的。因此他所提出的一些新见解往往带有某种预见或推导的成分，需要后人根据他提供的线索去发掘、研究有关史料，才能得到实际的证明。"(《韩愈的诗与佛经偈颂》,载所著《唐音佛教辨思录》)这段话实在说得非常好,他准确地说出了对陈寅恪的学问真正有所认识的人的共同体验。

陈寅恪有几处提到过去一些史家只注意史料的排比和简单的归纳,而未能从这些排比和归纳中揭示出历史运动的一般意义。清代史评家赵翼在《廿二史札记》卷十一《江左世族无功臣》一书中掇拾了南朝时期从武功出身位至重臣大将的材料,陈寅恪在《魏书司马睿传江东民族条释证及推论》一文中提到了它,说:"赵氏此条却暗示南朝政治史及社会史中一大问题,惜赵氏未能阐发其义,即江左历朝皇室及武装统治阶级转移演变之倾向是也。"(《金明馆丛稿初编》九十四页)他在这篇文章中,从赵翼提供的线索,论证了流徙于江东的中原大族如何一步步腐化,江南一带的寒族甚至少数民族的领袖如何在军事斗争中一步步获胜而进入统治阶级的上层,江南的政权构成又怎样发生新的变化。陈寅恪将这些历史现象提高到政治史和社会史来把握,这就好像一下子把灯点亮了,原来多少还带有朦胧不清的这时都看得清清楚楚。这也就是他所说的,对历史的认识要摆脱"时间空间之限制",达到"总汇贯通,了解其先后因果之关系"(《论隋末唐初的所谓山东豪杰》,《金明馆丛稿初编》二三一页)。

又如他注意到白居易诗文中多讲到居官时的俸料钱问题。经过细致的探讨和分析,他发现,凡是中央政府官吏的俸料,史籍所载与白居易诗文所记的无不相合,独至地方官吏,则史籍所载与白氏所记多不相合,而白氏诗文所记的额数,都较史籍的为多,由此他推断说:"据此可以推知唐代中晚以后,地方官吏除法定俸料之外,其他不载于法令,而可以认为正常之收入者,为数远在中央官吏之上"(《元白诗中俸料钱问题》,《金明馆丛稿二编》六十九页)。他在这篇文章说,关于白居易诗中屡次谈到俸料问题,不是他的首次发现,南宋人洪迈在《容斋五笔》卷八中已经提出来了。但他说:"本文材料虽亦承用洪氏之书,然洪氏《随笔》之旨趣在记述白公之'立身廉清,家无余积',本文则在考释唐代京官外官俸料不同之问题,及证明肃、代以后,内轻外重与社会经济之情势,故所论与之迥别。"同样的材料,八百年前的史学家只从个人的道德修养着眼,赞美白居易作为一名朝廷官员的清廉,而陈寅恪却抓住了中晚唐的社会经济情势,并且还联系诗人杜牧等的仕历,把问题提到"中晚唐士大夫共同之心理及环境"。这就是说,中晚唐时期,由于内轻外重的经济情势,造成京朝官与地方官俸料收入的不等,而这种实际经济利益的差异,就形成士大夫的某种共同心理与立身处世的准则。陈寅恪有一种本领,他能够利用并不很多的常见材料,或者就用前人提供的线索,然后如禅宗那样地直指本性,一下子把具体材料提到历史发展普遍性的高度。他的这种提高或引申,当然并不都很准确,但你在沿着他的思路探寻时,拨开史料的丛林,穿过弯曲的溪流,你好像忽然来到一个山口,面对眼前展现的一片平芜,会有一种豁然开朗的美感。他的著作吸引人的地方就在这里。

陈寅恪还有一段非常精彩的话,但却常常被人所忽视。这段话是:

凡著中国古代哲学史者,其对于古人之学说,应具了解之同情，方可下笔。盖古人著书立说，皆有所为而发。故其所处之环境，所受之背景，非完全明了，则其学说不易评论，而古代哲学家去今数千年，其时代之真相，极难推知。吾人今日可依据之材料，仅为当时所遗存最小之一部，欲借此残余断片，以窥测其全部结构，必须备艺术家欣赏古代绘画雕刻之眼光及精神，然后古人立说之用意与对象，始可以真了解。所谓真了解者，必神游冥想，与立说之古人，处于同一境界，而对于其持论所以不得不如是之苦心孤诣，表一种之同情，始能批评其学说之是非得失，而无隔阂肤廓之论。

这是《冯友兰中国哲学史上册审查报告》中的话（《金明馆丛稿二编》二四七页）。可能因为讲的是哲学史，史学研究者就未加注意，而研究哲学史的又可能由于陈寅恪是史学家，因而也未加细究了。过去在有关论述陈寅恪的文章中是很少引到这段话的。这段话的要点，在于对古人的学说，或推而广之对古人的生活、思想、感情及其所处的环境，要有一种"了解之同情"。一般来说，了解属于科学认识的范围，同情则属于感情的范围，陈寅恪把这两者结合起来，把了解作为同情的前提，同情作为了解的趋向，因而达到一个新的观念。他提到对古人的思想，要有艺术家欣赏绘画雕刻的眼光与精神，这在今天看来也是很新鲜的。对这点他虽然没有展开来论述，但可以看出，他是既把以往人类的创造作为自然的历史进程，加以科学的认知，而又要求对这种进程应该具备超越于狭隘功利是非的博大的胸怀，而加以了解，以最终达到人类对其自身创造的文明能有一种充满理性光辉的同情。——这，就是贯串在他大部分著作中的可以称为文化批评的学术体系。

<h1 style="text-align:center">三</h1>

陈寅恪有没有学术体系,论者不一,有的说有,有的说没有。说没有的并未加以申述,可以不论,说有的,就笔者所接触到的研究论文来看,似乎大多数是唐史学者,他们往往把陈寅恪所提出的"关中本位政策"作为他论述北朝至唐前期史事的支撑点,也就是把这一具体论点作为他的体系来看待的。

"关中本位政策"确是陈寅恪的一个重要学说观点,他认为北魏末期宇文泰在关陇地区(相当于现在陕西关中和甘肃东部一带)建立的北周政权,是由鲜卑族人为主体的胡汉集团所构成,李渊李世民父子代替隋朝建立唐朝,仍然继承宇文泰的"关中本位政策",以与山东士族为代表的高门贵族相抗衡,这个关中本位政策后来被武则天的一系列用人政策所打破,到唐玄宗以后,关陇、山东两大势力集团又转化为外廷士大夫两个党派的斗争(即所谓牛李党争)。他企图以关陇集团的兴衰和分化为主轴线来说明北朝后期至隋唐数百年间历史演变的原因。

陈寅恪的这个观点对于隋唐史的研究有着深刻的影响,不少历史学著作或明或暗地沿用他的说法。但把它说成是他的整个学术体系,则不免以偏概全。陈寅恪的治学范围是很广的,除隋唐史以外,他还研究魏晋南北朝史、蒙古史、西域民族史,除历史学外,还研究佛学、文学、语言学等等,显然,"关中本位政策"这一具体论点并不能普遍地来说明他所涉猎的这些学术领域,而且,如果我们仔细地研究"关中本位政策"的内容,就不难发现它所包蕴的更深一层的含义。关于这一点,他在其专著《隋唐制度渊源略论稿》中有所阐释。他认为,宇文泰凭借原属北魏的六镇一小部分武力,西取关陇,建立北周政权,与山东、江左鼎立而三。但这时,以物质而论,其人力物力远不及高欢北齐所统辖的境域,以文化而言,则魏孝文帝以来的洛阳及继承洛阳的北齐邺都,其典章制度,实非历经战乱而致荒残僻陋的关陇所可并比,至于江左,虽然武力较弱,却以华夏文化正统自居,而且梁武帝时正是江南政治相对稳定,经济文化较为发达时期。在作了这样比较后,陈寅恪提出:"故宇文苟欲抗衡高氏及萧梁,除整军务农、力图富强等充实物质之政策外,必应别有精神上独立有自成一系统之文化政策,其作用既能文饰辅助其物质即整军务农政策之进行,更可以维系其关陇辖境以内之胡汉诸族之人心,使其融合成为一家,以关陇地域为本位之坚强团体。"(《略论稿》三《职官》)从这一表述中,我们可以看到,他所指的"关中本位政策"实际上是一种文化政策,因此他在另一处即称之为"关陇文化本位之政策"。他认为北周政权的成功,就是由于它的文化政策的成功,陈寅恪把这称之为"维系人心之政策。"由此可见,他提出"关中本位政策",其着眼点是在文化。他曾谈过自己治学的趣向,说"寅恪不敢观三代两汉之书,而喜谈中古以降民族文化之史"(《陈垣元西域人华化考序》,《金明馆丛稿二编》二三九页)。在《隋唐制度渊源略论稿》和《唐代政治史述论稿》中,都反复强调种族和文化问题是研究中古史最要的关键。而种族与文化二者相比较,文化则带有更为本质的属性。他论述了北朝的用人政策,以及当时音乐、建筑等艺术样式所包含的不同民族风格的融合,大胆地提出:"汉人与胡人之分别,在北朝时代文化较血统尤为重要。凡汉化之人即目为汉人,胡化之人即目为胡人,其血统如何,在所不论。"(《述论稿》十六页)他详细考析了北魏时洛阳城的建筑,认为后来高齐修建邺都,隋杨之修大兴也即唐之长安城,都直接受到北魏洛都的影响,而设计邺都的高隆之为汉人,设计大兴城的宇文恺为胡族,"种族纵殊,性质或别,但同为北魏洛都文化系统之继承人及摹拟者,则无少异"。由此他再次申论:"总而言之,全部北朝史中凡关于胡汉之问题,实一胡化汉化之问题,而非胡种汉种之问题,当时之所谓胡人汉人,大抵以胡化汉化而不以胡种汉种为分别,即文化之关系较重而种族之关系较轻。"(《略论稿》七十一页)而且这种情况不仅是北朝,南朝也是那样,他在《魏书司马睿传江东民族条释证及推论》中说:"寅恪尝于拙著《隋唐制度渊源略论稿》及《唐代政治史述论稿》中,详论北朝汉人与胡人之分别在文化,而不在种族。兹论南朝民族问题,犹斯旨也。"(《金明馆丛稿初编》一〇六页)可见,他是认为种族或民族的问题实际上是文化问题,并以此来考察多民族杂处的历史时期所发生的社会现象的。有些西方理论家认为东西方制度的不同,最根本即在于文化。文化在历史发展中地位的重要性,已成为东西方学者的共识。

陈寅恪很自信地说,研究中古史,"若不明乎此(按即种族与文化的关系),必致无谓之纠纷"(《述论稿》十八页)。南北朝与隋唐时期,中国境内各民族的迁徙、冲突、交往十分频繁而且复杂,这是华夏各族大融合的时期,连续数百年的绚烂多彩的文化正是在空前规模的民族大融合的洪炉中熔制而成的。但由于多种民族杂处,又由于几个对立的政权并存,过去的文献中往往强调民族的区别,而没有真正认识在民族融合这一大变动时代文化是怎样起着重大的催化剂的作用。陈寅恪正是抓住文化这一环,使得许多纠缠不清的问题有了清晰的脉络。唐代的统一结束了长期南北分裂的局面,我国各民族的交往和融合也进入了一个新时期,以汉文化为主导,吸取其他民族的优长,使唐文化成为当时世界文化的高峰。这一点在向达先生的《唐代长安与西域文明》中曾有生动的描述。唐代的不少作家虽然冠以汉姓,但其先世实出于其他氏族,我们对此可以作必要的探讨,但不必过多地着眼于此。陈寅恪在《元白诗笺证稿》中就明确地指出:"而依吾国中古史种族之分,多系于其人所受之文化,而不在其所承之血统之事例言之","故谓元微之出于鲜卑,白乐天出于西域,固非妄说,却为赘论也。"(三〇八页)我们前几年有时对某些唐代诗人的先世、出生地作过多的考索,而对他们所承受的文化却注意不够,陈寅恪的这一论述对我们研究唐代的作家是很有启发的。

笔者认为,作为一代史学大师,陈寅恪是有他的学术体系的,这个体系,不妨称之为对历史演进所作的文化史的批评。无论是他的中国中古史的研究,宗教史的研究,语言学的研究,以及古典文学的研究,在根本观点上,无不与他的这种文化史批评相联系。语言学中的音韵问题,应当说是非常专门的学问,而他在《东晋南朝之吴语》和《从史实论切韵》(载《金明馆丛稿》二编、初编)中,就通过一系列语言现象论证了北方侨姓移居南方后南北文化的交流。他早年所写的宗教史名篇《天师道与滨海地域之关系》

（《金明馆丛稿初编》），详细考证了东南沿海流行的天师道，怎样由民间而进入上层士族社会，从而引起东晋南朝政治与文化一系列的变化。全文始终洋溢着文化史批评的意绪。在这篇长文的末尾，作者似乎还意兴犹浓，由东西晋南北朝天师道为某些士大夫家世相传的宗教信仰，注意到书法也为同一时期相同家族家世相传的艺术，如北魏的崔浩一门，东晋的王羲之、王献之父子，因而论述"艺术之发展多受宗教之影响，而宗教之传播，亦多倚艺术为资用"。又进而推论："治吾国佛教艺术史者类能言佛陀之宗教与建筑雕塑绘画等艺术之关系，独于天师道与书法二者互相利用之史实，似尚未有注意及之者。"尤其令人感兴趣的，在这篇文章中，还由于天师道多起于滨海地域，而推论这种宗教思想可能受到某种外来的影响，又进一步引申，说两种不同民族的接触，"其关于文化方面者，则多在交通便利之点，即海滨港湾之地"，"海滨为不同文化接触最先之地，中外古今史中其例颇多"。前面说过，陈寅恪的不少论点多带有预测性和推导性，但由于他有深厚的文化素养作底子，这种预测性和推导性往往蕴含合理的因素，其中某些深刻的见解又常能引发新的课题的开拓。他在这里提出中国历史上滨海地区与外来文化交往接触的关系，在当时是空谷足音，到现在也还值得我们思考。

对于陈寅恪来说，文化史批评不是带有偶然性和局部性，而是一种根本观点，那就是对历史、对社会采取文化的审视。他的研究使某一具体历史时期在文化的整体及其运动中得到更为全面的呈现，使人们更易接近于它的本质。在研究方法中，最近几年有宏观与微观的讨论，有一种相当流行的提法，那就是宏观要建筑在微观的基础上,微观要在宏观的指导下,作为二者关系的正确叙述。有些文章还引用陈寅恪的著作作为例子,说陈寅恪的一些带有宏观性质的论点就是建立在对许多细微考证的基础上的。关于宏观和微观,牵涉的问题很多,本文不想多谈,但以陈寅恪为例,笔者倒是认为,与其说宏观建筑在微观的基础上,毋宁说是建筑在理论的基础上,没有理论的支撑,也就没有宏观,没有文化史批评,也就没有陈寅恪在多种学术领域所作出的远见卓识。宏观与微观互有关连,但没有必然联系。如果要求陈寅恪对他所涉及的每一问题的细微末节都考证得详尽无遗,再来建立起他的理论,那就不可能有陈寅恪了。在唐史的范围内,具体史事的考证,众多材料的掌握,超过陈寅恪的不是没有,陈寅恪却在总体上优越于他们,就因为他有涵盖面广得多的理论体系。他的文化史批评,虽然在某些具体材料考证上还不够精细,甚而或有疏失,但并不妨碍它作为一种历史理论,在近现代历史学和文化学上占有重要的一席。

四

严格说来,陈寅恪并没有关于文学的专门论著,他后期所撰的《元白诗笺证稿》、《论再生缘》、《柳如是别传》,虽然所论多为文人和文学作品,但往往从史的角度考析文学家的生平行事和作品所包含的历史内容,也就是一些研究者所说的以诗证史和以史证诗。这方面影响较大,且较有代表性的是《元白诗笺证稿》,它被称为史文结合的著作。应当说，所谓以诗证史和以史证诗，在陈寅恪论杜甫、庾信等单篇文章中也已运用，不过在《元白诗笺证稿》中用得更为普遍。研究者把这两个"证"作为陈寅恪的独创，评价很高，实际上并没有认识这部《笺证稿》的真正的价值。所谓以诗证史，不过是章学诚"六经皆史"的补充，而以史证诗，则是宋以来就为人所沿用的传统方法，清人在这方面已做出了不少成绩（钱谦益注杜诗就以此为特色）。真正能够体现《元白诗笺证稿》的价值的，就是书中所表现的陈寅恪的文化史批评的基本思想，这也是他对于我国古典文学研究所作的不可忽视的理论上的贡献。

陈寅恪有个基本观念，就是首先要从大的文化背景来考察社会人的行为，包括他们的文学创作。他以元稹的艳诗和悼亡诗作例子，说："夫此两体诗本为男女夫妇而作，故于（一）当日社会风习道德观念，（二）微之本身及其家族在当日社会中所处之地位，（三）当日风习道德二事影响及于微之之行为者，必先明其梗概，然后始可了解。"这就是说，对于艳诗、悼亡诗所表现的男女之间的感情，不能仅仅用诗的本身来说明，也不应简单地以抽象的道德观念来评判，而应该考虑到一个历史时代的整个社会观念，以及这些观念对不同出身、不同处境的作家所产生的不同影响。他在另一篇文章中谈到欧阳修撰写《新五代史》，欧阳修为了表示他对五代藩将跋扈的愤慨，特立"义儿传"一门，"然所论仅限于天性、人伦、情谊、礼法之范围，而未知五代义儿之制，如后唐儿军之类，实源出于胡人部落之俗，盖与唐代之蕃将同一渊源者"。史学家应当客观地考察史事本身的原委，而不应仅限于天性、人伦等等的道德观念，因为这并不能够提供更多的对历史本身的认识。因此他批评欧阳修："若专就道德观点立言，而不涉及史事，似犹不免未达一间也。"（《论唐代之蕃将与府兵》，《金明馆丛稿初编》二七六页）

特别能表现他的文化史批评精神的，是他在《元白诗笺证稿》中关于元稹《莺莺传》的论析。《莺莺传》是唐人传奇中的名篇，写张生与崔莺莺在蒲州普救寺的欢会，后来张生赴长安应试，遂与莺莺离绝。张生不但对莺莺始乱之，终弃之，而且在友朋宴谈之际，还用所谓"恶情说"为自己辩护。对于这篇传奇的思想倾向，历来是有争论的，而争论多立足于道德的评判。作品中的张生是否就是元稹本人，也说法不一，从陈寅恪起，当代学者如孙望先生（见所著《蜗叟杂著》）等，多倾向于这篇《莺莺传》带有很大成分的自叙性质。当然也有不同看法，有的论著批评《元白诗笺证稿》中把文学形象张生与历史人物元稹混同起来。这些问题当然还可继续讨论。不过我认为，首先值得我们注意的，是陈寅恪观察这个问题的角度，这就是他的文化史批评的角度。正因为他从大的文化环境来看待作品中的男女关系，就使我们的认识超出单纯道德的评判，由简单的行为谴责而进入到对那个时期一代知识分子心理的审视。

陈寅恪对这篇作品的分析，一开始即采取他通常的论述方法，就是不作繁细的考证，而是抓住主要的环节，加以推论或引申，并以此作为以后一系列论证的前提。《莺莺传》一名《会真记》，会真一词也见于传中张生所赋及元稹所续《会真诗》。然后考论真字与仙字同义，唐代习称"会真"即是遇仙或游仙，仙字在这里多用作妖艳妇人,或风流放诞的女道士的代称,甚至有以仙字称呼倡伎的。他即由此推断崔莺莺决非出于高门。以此作为前提,论证道:

> 　　若莺莺果出高门甲族,则微之无事更婚韦氏。惟其非名家之女,舍之而别娶,乃可见谅于时人。盖唐代社会承南北朝之旧俗,通以二事评量人品之高下。此二事一曰婚,二曰宦。凡婚而不娶名家女,与仕而不由清望官者,俱为社会所不齿。……但明乎此,则微之所以作《莺莺传》,直叙其自身始乱之终弃之事迹,绝不为之少惭,或略讳者,即职是故也。其友人杨巨源李绅白居易亦知之,而不以为非者,舍弃寒女,而别婚高门,当日社会所公认之正当行为也。

显然,这里并不把始乱终弃单纯看作张生或元稹个人的道德问题。陈寅恪单刀直入地提出,如果这在当时认为是应该谴责的,那末元稹的友人,像杨巨源、李绅、白居易等世称文雅知名之士,为什么并不以为非呢?杨巨源的诗:"清润潘郎玉不如,中庭蕙草雪销初。风流才子多春思,肠断萧娘一纸书。"李绅诗:"伯劳飞迟燕飞疾,垂杨绽金花笑日。绿窗娇女字莺莺,金雀娅鬟年十七。黄姑上天阿母在,寂寞霜姿素莲质。门掩重关萧寺中,芳草花时不曾出。"他们的诗都对莺莺表示同情,但毫无一字触及张生对莺莺的离异,更谈不上谴责,他们只把张、崔的欢会看作风流才子与绿窗娇女的一场艳遇。与此同时,陈寅恪还对中晚唐时的文人集团作了历史的考察。随着科举制度的发展,由进士、明经科出身的人日益增多,特别是进士科,由于登第后能很快地得到升迁,更加成为士人追逐的目标。中唐以后,由于文化的普及,不仅中原及经济发达的江南地区,就是一些偏远地带,也有士人出来应考,而那时应考者的社会阶层又限制不严,使得出身于地主阶级下层或平民的知识分子大批涌现,并造成士人交往的频繁和思想的活跃,他们比较地不拘守于旧时的礼法,表现一定独立的思想。这些在我前几年写成出版的《唐代科举与文学》一书中有所论述。陈寅恪当然也注意到了士人的这些历史变化,他几次提到新兴词科出身阶级(层)。但他同时指出,这些进士词科出身、以文采自负的年轻士人,还不得不受到现实的社会关系以及与仕途密切相关的门第观念的约束。六朝以来的门第观念并不像有些历史书中描述的那样,经过太宗的《氏族志》和武则天的《姓氏录》而一扫干净。门第观念比起一些具体的制度来要强固得多。正是这一点造成了崔、张爱情的悲剧,但问题的深刻性又恰恰在于,无论是传奇中人物张生,或者元稹本人,以及与元稹一起来欣赏这个故事的杨巨源、李绅、白居易等人,并不把崔、张的结局看作悲剧。这些年轻文士们的行为已经打破旧日礼法的某些樊篱,他们想要尝试真正的爱情的欢乐,但他们的这种觉醒是如此的稚弱,以致一接触社会现实种种利害关系所结成的蛛网,就又马上"自觉地"向现实回归。陈寅恪正是由崔、张的爱情波折揭示出当时一批新兴知识分子思想上的深刻矛盾。他对元稹(张生)当然不无谴责之意,但这种谴责是在对一时代文人的社会观念裂变作整体考察之后的理性的批判,并非追究个人的道义的责任。

中晚唐时有不少作家,他们往往有一种爱情上的失落感。白居易早年有个出身平民的恋人,后来由于种种原因分离了,从此失散,未曾重逢,造成他感情上的沉重负担。李商隐有他所爱的女子,这女子由于生活环境的限制,不能与李商隐有正常的爱情的吐露,李商隐只得在"红楼隔望"的绝望心态中,带着"珠箔飘灯"的失意在风雨中离去。韩偓前期有他所爱的歌伎,歌伎的身份使她与韩偓可以在一段时期内有美好的相处,但社会动乱,韩偓终于流落到闽越海角,从此南北分离,韩偓只能唱出"此生终独宿,到死誓相寻"(《别绪》)的凄苦歌吟。这些并非是个别的、孤立的现象。这时男女之间感情上的悲欢曲折与初盛唐时期显然不同。面对乎此,我们不是应该像陈寅恪那样,从大的文化背景来对他们作整体的考察,使我们的文学史研究有新的突破吗?

正由于陈寅恪所持的是文化史批评的观点,所以他对作家的言行往往能从多种角度进行思考。如他在一篇文章中说:"盖研究当时士大夫之言行出处者,必以详知其家世之姻族联系及宗教信仰二事为先决条件。"(《陶渊明之思想与清谈之关系》,《金明馆丛稿初编》二○四页)这是对着东晋南朝的具体环境说的,那时门阀统治盛行,与之联系的,士大夫的进退出处,最重要的是婚、宦二事,特别是婚姻,往往关系到个人的社会地位及政治前途(可参见《文选》所载沈约《弹王源书》)。这点过去历史记载较多,而士大夫与宗教信仰的研究,则要算陈寅恪创获最多了。他关于道教史、佛教史的研究,往往联系着士大夫文人的信仰而进行的,而在这种研究中,又往往触及文士们思想深处的矛盾。如东西晋之间的天师道,作为道教的一支,其教义本来是极为粗浅也十分落后的,但这种愚昧的膜拜鬼神、祈求长生的主张恰正好投合当时日益腐化的上层贵族的需要。"东西晋南北朝时士大夫,其行事遵周孔之名教(如严避家讳等),言论演老庄之自然,玄儒文史之学著于外表,传于后世者,亦未尝不使人想慕其高风盛况,然一详考其内容,则多数之世家其安身立命之秘,遗家训子之传,实为惑世诬民之鬼道"(《天师道与滨海地域之关系》)。据陈寅恪研究,这种天师道又与当时的门第家族相联结,成为有些家族世代相传的宗教信仰,深刻地影响有些成员的思想。沈约就是典型的例子。

沈约是南朝著名的文学家。他历仕宋齐梁三代。他在齐时即受到宠遇,萧衍代齐,沈约又为之预作诏书。后来受到萧衍的猜忌,因语言得罪,恐惧而死。《梁书》和《南史》本传都记他临死前:"呼道士奏赤章于天,称禅代之事,不由己出。"陈寅恪在上述文章中考证沈氏一门历世信奉天师道的事实,然后论道:"沈隐侯虽归命释迦,平生著述如《均圣论》……皆阐明佛教之义,迨其临终之际,仍用道家上章首过之法,然则家世信仰之至深且固不易涤除,有如是哉。"接着又说:"明乎此义始可与言吾国中古文化史也。"这种把沈约思想深处长期潜伏的道教信仰,在叙述其临死前的举动中揭示出来,并说明佛道两种思想对于南朝文士的交互影响,足以见出陈寅恪作为史学大师的功力。

古代的作家往往接受多方面的思想影响,在他们的言行中经常出现矛盾现象。笔者认为,陈寅恪是较早提出古代文士的内心世界充满矛盾对立的一位学者。他的评论给我们的启示,是他把这种矛盾对立放在社会的客观历史进程中来考察,指出这种矛盾着的内心世界并不能简单地归结为善或恶、是或非。譬如白居易六十三岁时所作的一首《思旧》诗,是回忆他的几位友人的:"退之服硫黄,一病讫不痊。微之炼秋石,未老身溘然。杜子得丹诀,终日断腥膻。崔君夸药力,经冬不衣绵。或疾或暴夭,悉不过中年。唯余不服食,老命反迟延。"清代的学者如钱大昕、方举正等人都一再辩称白诗中的退之并非韩愈,而是另一个其字也为退之的友人。陈寅恪则通过有关材料的考析,认为韩愈服食硫黄是有文献可据的,"诸人虽意在为贤者辩护,然其说实不能成立"。韩愈是以独尊儒学、排斥佛老自居的,但他却有服食硫黄以求长生的一面,这里就触及到当时士大夫的一种生活情态,即追求声色之好,陈寅恪称之为"当时士大夫为声色所累,即自号超脱,亦终不能免"。他还举出张籍《祭退之》一诗,诗中叙述韩愈病重,张籍前往探视,韩愈乃命两个侍女,弹琵琶与筝以娱客,"临风听繁丝,忽遽闻再更"。陈寅恪说:"夫韩公病甚将死之时,尚不能全去声伎之乐,则平日于'园花巷柳'及'小园桃李'之流,自未能忘情。"这就是说,韩愈的这种声色之好,与他的服食硫黄,是他的追求感官享乐生活的组成部分,相互之间是完全合拍的,而这些又与他在《原道》、《原性》中所表现的一副道貌岸然的样子形成强烈的反差,而这又恰好统一在韩愈这样有代表性的人物身上。

　　陈寅恪又进一步说:"明乎此,则不独昌黎之言行不符得以解释,而乐天之诗,数卷之中,互相矛盾,其故亦可了然矣。"按白居易有《同微之赠别郭虚舟炼师五十韵》诗,作于他四十七岁被贬江州时(参见朱金城《白居易年谱》元和十三年条)。诗中写他曾听从一位姓郭的道士,搞这炼丹烧药的勾当。这首诗还具体描述了阴阳契合的"姹女丹砂"情形:"二物正近合,厥状何怪奇。绸缪夫妇体,狎猎鱼龙姿。"表现了令人难以置信的低级趣味。在他六十六岁时,又有《烧药不成命酒独醉》诗,说:"白发逢秋王,丹砂见火空。不能留姹女,争免作衰翁。"陈寅恪说:"自其题意观之,乐天是时殆犹烧药,盖年已六十六矣。然则其早年好尚,虽至晚岁终未免除,逮丹不成,遂感叹借酒自解耳。"可见他在中年以后二十年中始终留恋于烧药炼丹,但却在另一首诗中说"唯余不服食,老命反迟延"(见上述《思旧》诗)。这倒并不是虚伪,这种内部性格的矛盾恰恰表现了"唐代士大夫阶级风习"。正好像白居易号称香山居士,晚年又自称笃信佛教,而平居总离不开年轻的侍女奉养,怪不得宋朝人叶梦得在《避暑录话》中不无讥刺地说:"然吾犹有微恨,似未能全忘声色杯酒之累。赏物太深,若有待而后遣者,故小蛮樊素每见于歌咏。"叶梦得仍然从道德的角度作出品评,这是宋人思维的一个特色,而陈寅恪的高明之处,则是看到自相矛盾的性格差异,并不是个别现象,而是那一时代文人群体的一种共性,他把零散的材料统摄起来,综合到一个观念上,如我们前面提到过的他自己的话,像艺术家欣赏古代的绘画和雕刻,抱有了解的同情,这样就使我们的眼光不止触及社会的层面,而且还能深入到一代知识分子的内心世界,察觉他们的欢乐和痛苦,高尚和庸俗,超世和入时。这个时候,我们差不多已经忘记我们所读的,到底是史学著作还是文学作品了。陈寅恪用考证的方法审察了一些内部性格矛盾、精神世界分裂的上层士人,他的笔下这些人物并不使人觉得虚假或空幻,而是显得真实和丰富。他们在中唐社会的出现,是很值得注意的一种文化现象。可惜我们的历史学家和文学史家还没有从这个角度去作进一步的探索。陈寅恪能着力于此,表现了一种可贵的学术追求。

五

从文化史批评的角度来研究陈寅恪,可谈的还很多。譬如他曾以佛教惟识宗在中国传播为例子,论证了外来文化一定要适合本民族的传统特点;他考索了道教在其自身发展过程中怎样吸收其他宗教的长处,与之联系的,谈论了儒佛道三者发展中各自的特性;他在论武则天时的佛教,及明末云南等地的僧人生活时论证了宗教与政治的关系;他考索了敦煌写本《心王投陀经》、《法句经》为"伪经中之下品",而这两种经却为白居易、元稹所津津乐道,勾稽出当时所谓归心佛门的居士实际上是怎样的一种佛学修养;在论有宋一代的学术和王国维的成就时,又十分强调自由与理性对于学术发展有着怎样重要的意义;特别是本文还未曾涉及的他晚年的一部大著作《柳如是别传》,他是抱着怎样的一种文化心态来估量知识分子的行为价值。

又譬如,我们一直把陈寅恪作为史学家来研究,但是否考虑过他的学术准备和学术经历是如何互相关连的呢?陈寅恪幼年侍奉父兄,受中国的传统教育。十三岁时东渡日本学习,除了中间有短暂的假期返国外,一直到十六岁。不久,二十岁时又赴德国,入柏林大学学习,后又入瑞士苏黎世大学。二十三岁回国,而二十四岁时已在法国就读于巴黎大学。二十六岁返国,三十岁到美国哈佛大学,三十二岁离美赴德,在柏林大学研究院,这样,直到三十六岁时受聘为清华大学国学研究院导师,返国。如果从十三岁算起,到三十六岁,共二十四个年头,而他在日本、德国、瑞士、法国、美国等著名学府学习或研究,加起来有十七八年。这就是说,从少年起,经青年而步入中年,他的大部分时间是在资本主义文化为主体的社会度过的。而那时他所学的,并不是历史学,而是语言学。据同时代人回忆,他在欧美,除了学习欧洲一般语言以外,着重学习梵文、巴利文,以及蒙文、藏文、突厥文、西夏文、波斯文、土耳其文,回国后又学习满文。早年时期的语言研究,这种独特的学术准备给了他什么呢? 当然,多种语言的学习和比较,是最容易倾向文化史研究的。语言不仅仅是思维交流的工具,它是人类文化的直接载体。接触语言就是接触文化。这或许是他后来在史学和文学研究中贯串文化史批评的触发剂吧,但具体又如何来说明呢? 又譬如,据有些研究者说,他曾受到过德国著名历史学派兰克学派的影响。据他的姻亲暨同窗俞大维回忆,陈寅恪在欧洲确曾受到德、法、俄等国学者的某些启发。但是陈寅恪在论著中却从未提到过他从西方学者那里接受过什么思想或论点。他的叙述方式,或者说他的学术风格,完全是"中土"式的。他似乎不屑于谈论西方的学术,而他的那种文化史批评又非国粹所固有,这样一种观念与表现的矛盾又如何来解释呢? 果真是他自己所说的"寅恪平生为不古不今之学,思想囿于咸丰同治之世,议论近乎曾湘乡张南皮之间"吗? 生活于 20 世纪,实实在在地受到过现代西方文明的熏陶,却说自己的头脑还停留在 19世纪后期倡导"中学为体、西学为用"的时代,这是故甚其词,还是陈寅恪体系本身矛盾的反映?

以上这些，如果我们都要展开来议论，那就不啻要写一本厚厚的书了。本文的目的实在不是想要详细地讨论陈寅恪学术体系的本身，它实际上只有一个卑小的企图，这就是想对以往的陈寅恪研究提出一个问题。这个问题就是：能不能在已经谈论得很多的关于他的各种具体成就之余，对他的学术思想作一个总的把握？我们自己的学术思维能不能稍微超脱一下，从文化史的角度，来探索一下作为史学家的陈寅恪对人和人生（这个看来不属于历史而实为历史的主体）有怎样的一种思考，而这种思考又能给我们今天以什么？

1989 年 2 月于北京

原载《中国文化》1989 年 12 月创刊号，此据首都师范大学出版社 2010 年版北京社科名家文库《治学清历》录入，另收入《社会科学战线》1991 年第 3 期（题为：陈寅恪文化心态与学术品位的考察）、黑龙江人民出版社 1992 年版《唐诗论学丛稿》、京华出版社 1999 年版《唐诗论学丛稿》、安徽教育出版社 1998 年版《当代学者自选文库·傅璇琮卷》、万卷出版公司 2010 年版《当代名家学术思想文库·傅璇琮卷》

关于《全唐诗》的改编

承蒙《文学遗产》提供宝贵的篇幅,使我得以在这里就《全唐诗》的改编问题作一个学术报导。这个报导的宗旨,一方面是向学术界通报这一长久以来就为人们所关心的这部大书重新整理的最新进展,另一方面也是希望在工作进行的过程中得到海内外学人和有关方面的支持与帮助。

大家知道,清朝于康熙年间以朝廷官府之力编纂而成的《全唐诗》,网罗唐五代将近三百五十年间的诗歌,成书九百卷,载入有传记作家 1893 人,无考作家 353 人,合计 2246 人(不包括联句卷、零句卷和鬼怪诗卷作家数)。《全唐诗》是迄今为止古典诗歌总集中篇幅最大、影响最广的一种,它对于研究我国唐代的历史、文化和文学,有很大的参考价值。但这部巨帙,仅以十人之力,不足两年的时间编成,仓促成书,存在的诸如遗漏、误收等问题也相当严重。在此书编成后,同时期的大学者朱彝尊即写有《全唐诗未备书目》(《潜在堂书目四种》之一),列出了可以补充的一百四十种左右的集子,虽然朱氏所列大多采自志书,但由此也可见《全唐诗》有待补遗者正复不少。因为是御定的书,所以有清一代的朴学虽然兴盛,但学者们多不愿涉足于此。至近代,治唐代文史者,才渐渐就书中的错讹提出讨论,如刘师培《读全唐诗书后》,闻一多《全唐诗校读法举例》,岑仲勉《读全唐诗札记》等。1956 年 12 月 9 日,《光明日报》的《文学遗产》副刊刊登了河南大学中文系教授李嘉言先生的《改编全唐诗草案》,引起了学术界的广泛注意。在此稍后,中华书局进行了《全唐诗》的校订。不过这次校订仅在扬州诗局刻本的基础上,对某些明显的刊刻错误作若干订正,未涉及全书体例。校订工作由王国维的长子王仲闻先生担任,随后由我写了一篇《点校说明》,当时主持中华书局文学编辑室工作的出版界老前辈徐调孚先生把王仲闻先生与我的姓名各取一字,署名为"王全"(徐先生为浙江人,把"璇"谐音为"全")。《点校说明》中根据近代学者的考证,大致概括了书中存在的各类缺点,如误收漏收、作品作家重出、小传小注舛误、编次不当以及其他一些文字讹夺,等等,文中指出:"以上仅举其大端而言,其他细节伪舛处尚多。可见这部《全唐诗》实有重新加以彻底整理的必要。但这尚待进一步的努力。"这个说明是 1959 年 4 月写的,中华书局的校订本是 1960 年 4 月出第一版的。弹指之顷,已经是三十年过去了。但这三十年来,唐诗研究如同整个古典文学研究一样,有很大的进展,特别是近十余年来,关于唐代诗人与作品的考证,取得令人注目的成就,一些颇见工力的专著和论文问世,若干种有相当学术价值的工具书编成,与此同时,有关《全唐诗》的补遗、订误的专书和单篇论文,也络绎印出。粗略统计,有:

王重民《敦煌唐人诗集残卷》,舒学整理,刊于《文物资料丛刊》第 1 辑;《〈补全唐诗〉拾遗》,刘修业整理,刊于《中华文史论丛》1981 年第 4 辑。王先生原有《补全唐诗》一文,于 60 年代前期刊于《中华文史论丛》第 3 辑。综合三文所得,共有作者五十二人(其中二十一人为《全唐诗》所无),诗二三一首。中华书局于 1982 年编印《全唐诗外编》一书,即收入王先生《补全唐诗》、《敦煌唐人诗集残卷》两文,《〈补全唐诗〉拾遗》因时间关系未及辑入。

孙望《全唐诗补遗》二十卷,共得作者二三四人(其中一〇六人为《全唐诗》所无),诗作完整者七四〇首(其中五十五首因作者不同而与《全唐诗》复出),断句八十七句。

童养年《全唐诗补遗》二十一卷又附录一卷。共得作者五二一人(其中《全唐诗》所无者一八六人),诗一一二七首(因作者不同而与《全唐诗》复出者二三三首),词三十一首,断句二四三题(间有复出)、孙童两先生所辑,也已收入中华书局的《全唐诗外编》。

我这里的统计是用陈尚君同志《全唐诗补遗六种札记》一文(复旦大学出版社《中国古典文学丛考》第二辑)。据陈文统计,以上五种,加上日本学者上毛河世宁的《全唐诗逸》三卷,综合六种辑本所得,共有作者九三五人(各补辑本重见者未予剔除),其中三九五人为《全唐诗》所无,共得诗二一七〇首(复出二八八首),断句近三百题。就作者而言,若剔除其重收者,已相当于《全唐诗》所收的三分之一。

以上是就成书而言的,另以单篇论文发表的,就我个人的闻见所涉,有:蒋礼鸿《〈补全唐诗〉校记》(载甘肃人民出版社编《敦煌学论集》),刘逸生《全唐诗校补举例》(《唐代文学论丛》第 3

辑），张步云《唐代逸诗辑存》（《文学遗产》1983 年第 2 期），吴企明《〈全唐诗续补遗〉溯源志异》（《苏州大学学报》1983 年第 3 期，后又经补充收入所著《唐音质疑录》一书，书中又收有《论全唐诗中的伪托诗和重出诗》），项楚《〈补全唐诗〉二种续校》（《四川大学学报》1983 年第 3 期），陶敏《〈全唐诗续补遗〉辨证》、《全唐诗、全唐诗外编佚诗抄存》（分别刊于《湘潭师专学报》1984 年第 4 期，1985 年第 1、2 期），房日晰《〈全唐诗续补遗〉校读》（分别刊于《内蒙古大学学报》1984 年第 4 期、《西北大学学报》1985 年第 2 期），佟培基《初唐诗重出甄辨》（《文史》第 20 辑）、张忱石《全唐诗无世次作者事迹考索》（《文史》第 22 辑），张靖龙《唐五代佚诗辑考》（《温州师院学报》1985 年第 2 期），邹志方《唐诗补录》（《绍兴师专学报》1985 年第 1、3 期），辛德勇《全唐诗补遗十一首》（《文史集林》1985 年第 2 期），陈尚君《全唐诗误收诗考》（《文史》第 24 辑），佟宗颐《唐代僧诗重出甄辨》（《中华文史论丛》1985 年第 3 辑），孙方《唐诗的辑佚及其问题》（《中华文史论丛》1986 年第 2 辑），陈耀东《全唐诗拾遗》（《浙江师范大学学报》1986 年第 4 期），佟培基《晚唐诗重出甄辨》（《文史》第 25 辑），陶敏、郁贤皓《全唐诗作者小传补正》（分别刊于《湘潭师院学报》1986 年第 1、2 期），张忱石《全唐诗的佚诗》（《古籍整理出版情况简报》第 156 期），祝尚书《全唐诗小补》（《四川大学学报》1986 年第 4 期），张靖龙（《全唐诗拾遗考》（《文科教学》1987 年第 1、2 期），《〈景德传灯录〉中的唐五代佚诗考》（《温州师院学报》1987 年第 1 期），吴汝煜、胡可先《全唐诗人名考》（分别刊于《徐州师院学报》1987 年第 4 期，1988 年第 1 期，《南通师专学报》1987 年第 4 期），胡可先《〈全唐诗外编〉杂考》（《贵州文史丛刊》1987 年第 3 期），徐俊《新辑唐人佚诗甄辨》（《古籍整理出版情况简报》第 201 期），吴伽文、孔庆茂《全唐诗拾遗十七首》（南京师大《文教资料》1988 年第 3 期）。以上粗略统计，约二十七篇。其他还有就某一作家的诗而作辑佚甄辨的，为数当更多。这两方面合计，当有五六十篇。这些文章，或在《全唐诗外编》之外更补辑佚诗，或就《全唐诗外编》所收加以考订，有的纠正《全唐诗》小传之误，有的补叙作家的事迹。近年来中华书局文学编辑室约请陈尚君同志做两项工作，一是采酌诸家之说，对《全唐诗外编》误收者加以订误删除；二是吸收已有成果，并就他个人的积累，对《外编》未收者予以补辑。这两项工作都已完成，将由中华书局出版。据陈尚君同志统计，他的这一次辑集，收作者逾千人，诗四千三百多首，残句千余则，另外移正、重录、补题、补序、存目、附录之诗二百余首，共编为六十卷。以卷数而论，约为清编《全唐诗》的十五分之一，这已是一个相当可观的数目了。

以上的情况可以说明两点，一是清编《全唐诗》确实存在不少问题，这些问题不解决，将会严重影响唐诗研究的科学性，不利于唐诗研究在质量上的进一步提高。二是近十年来唐诗研究确实取得了扎扎实实的成就。我们的不少研究者不怕坐冷板凳，潜心于学术研究，埋首于浩瀚的资料的探寻，一点一滴地积累成果，做出贡献。特别令人欣慰的是，以上一些论著的作者，除了极少数前辈老专家外，绝大多数为中青年研究者，他们当中有些并未居住于通都大邑，他们往往要克服工作上、资料上的种种困难才有所获。这种种表明我们现在的唐诗研究，是有着雄厚的潜在力的，是有一支很可观的力量的。如果加以合理的组织，那就不仅对包括《全唐诗》在内的文献资料的整理，就是在整个唐代文学研究上，也会取得较目前更大的成绩。

近些年来，河南大学中文系为《全唐诗》的改编和出版事，一直与中华书局相联系，双方为此进行了多次协商。也正是在以上所述的唐代文学研究和唐诗考订取得较大进展的情况下，河南大学在与有关各方洽商后，重新提出改编《全唐诗》的建议。今年四月中旬，河南大学邀请一些唐诗研究者至开封聚会，商议此事。与会的，有周祖譔（厦门大学）、周勋初（南京大学）、郁贤皓（南京师范大学）、吴企明（苏州大学）、陈铁民（中国社科院文学研究所）、许逸民（中华书局）、陈尚君（复旦大学）以及笔者，共八人。与会的学者与河南大学的同志们讨论了《全唐诗》改编的计划草案，认为现在提出这个方案是适时的，并赞同以河南大学为基地，适当邀集学术界的有关专家参加纂修工作，内外结合，共同组成编纂委员会，并聘请若干位有声望的唐诗研究前辈作为顾问，这将是把改编工作做好的有成效的组织形式。

河南大学早于 1960 年 10 月，即由李嘉言、高文两位教授负责，成立《全唐诗》校订组，着手整理改编工作。三年内完成了《全唐诗首句索引》、《全唐诗重篇索引》等重要资料。李嘉言先生去世后，近十年来，由高文先生主持此项工作，在此期间，他们又完成了《全唐诗简编》、《全唐诗诗句索引》两部篇幅较大的书稿，已交有关的出版社。高文先生是程千帆先生、孙望先生的大学同窗，现虽年逾八十，但仍精力充沛，前几年由他主编，完成《唐文选》一书，已由人民文学出版社出版，最近又有《岑参选集》，由上海古籍出版社出版。河南大学的其他几位先生,如何法周、佟培基、孙方等,都有唐代诗文方面的著述问世。唐诗研究室编著的《全唐诗重篇索引》已由河南大学出版社于 1985 年出版,全书约四十五万字,我因工作需要,时常翻检,感到这一索引是做得很细的,编排是很合理的。《全唐诗首句索引》因字数太多(约二百万字),一时未能出版,从他们已装订成册的一部看来,确实是洋洋大观,这是整个研究室花费不少精力做出的贡献。另外,他们还曾影抄了一部《唐音统签》,并从台湾买得一部联经出版事业公司影印的季振宜的《全唐诗稿本》。这些,都为进一步的改编做了良好的资料准备。

李嘉言先生的《改编全唐诗草案》提出了校订、整理、删汰、补正四大类。应当说,这一草案较之前人的一些零星散札,是一大进展,但草案的基本精神还仍是以《全唐诗》为基础,进行修补,而有些提法现在看来,则费功甚大却并无必要,如说对诗篇,拟"根据前人及时人所撰年谱,或就其他资料及本集中自道其行事者,一一为之考订整理",加以编年,又如辑佚中,说虽无诗句可辑,但如有线索,仍应补辑诗目,等等,这些都不是文学总集应负的任务。李先生在事后的附记中曾说及这篇文章是 1945 年的旧稿。应该说,这一草案大体上反映了当时的学术情况和研究进度。与会的同志认为,我们今天来讨论《全唐诗》的整理,就应体现当前唐诗学界已经达到的水平,我们对改编的要求,应该说已比李嘉言先生当时的设想前进了一大步。我们现在所说的改编,已不能局限于清编《全唐诗》的范围,也不是以《全唐诗》为基础作若干修补,而是要"重新加以彻底整理"(中华书局《全唐诗》点校说明）。一些新编的文学总集，如《全宋文》、《全宋诗》、《全明诗》、《全清词》等等，它们是白手起家，从无到有。《全唐诗》的改编与它们不同，它已经有篇幅不算小的原书，已经有一个不算低的起点。本文在上面曾列举过不少补订考辨的论著，在此之外，近十余年来唐人别集的校订笺注也有很大的成绩，唐诗中的一些大家名家，很多都出版了今人的整理本。显然，如果不充分吸收学术界的这些成果，只作些小修小补的工作，那就不能适应已经充分发展了的客观情况，满足不了研究者的需求，整个工作也不会有什么意义。

那么，《全唐诗》的改编，应该做哪些工作呢？也就是说，真正要取清编《全唐诗》而代之，编纂出符合于我们这个时代学术水平的唐诗总集，应该有什么样的标准呢？

首先，凡是成集的，都应据宋以来较好的刻本重新整理。总集的校订与别集不同，主要是理清版本源流，选择时代较早的，或校刊较精、搜辑较全的本子作底本，再校以二三种有代表性的本子。如张说文集，自明以来传世者虽有好几种，但世传各本均为二十五卷，而且都出自明嘉靖龙池伍氏刊本，而时代较早、纂辑最全者则为旧写本《张说之文集》三十卷，据《藏园群书经眼录》（卷十二），这个旧写本所据为宋刊蜀本。我们如果以三十卷本为底本，再校一二种二十五卷本，应当说张说诗集的校订已相当完备了。底本应保持原貌，参校本各注明版本及卷次，那么这部新编的唐诗总集，就为读者提供上百种迄今为止最为可信的本子，面貌就已焕然一新了。另外，周勋初同志曾撰有《叙〈全唐诗〉成书经过》一文（刊《文史》第8辑），详细研究了清编《全唐诗》如何继承胡震亨《唐音统签》与季振宜《全唐诗》的成果,这是一篇很有分量的论文。据周勋初同志意见,清编《全唐诗》的初盛唐部分基础较好,其中的高适诗,可以说是现存《高常侍集》中最好的一种本子。又据李嘉言先生研究,《全唐诗》中的贾岛诗,乃据明万历朱之蕃校刊《唐贾浪仙长江诗集》十卷本,末又补录十六首,收录最备,校刊也精,他的《长江集新校》即是以《全唐诗》本为底本的。在工作进行中,应将胡、季两书与《全唐诗》所载作细致的比较,凡胡、季两书所收较好,已为《全唐诗》吸收者,即可用《全唐诗》作底本(《全唐诗》在编纂时也并不一味依赖胡、季两书,如张继诗,明末遗民龚贤所编《中晚唐诗纪》所收即多出自胡、季二书,《全唐诗》当即取材于龚书。龚书情况可参《郑振铎中国古典文学论集》)。特别要注意近些年来新印的善本和整理本,如宋蜀刻本《张承吉文集》十卷本,《王无功文集》五卷本,充分吸收现有点校工作的成果。

其次,应将所收诗,不管是成集的,还是单篇零句,都注明材料出处。正如有些文章中所说,文学总集所要求的,一是求全,二是存真。注明材料出处是存真的重要步骤。清编《全唐诗》中,成集的不注明版本根据,单篇零句,有注有不注,即使有注的,也只注书名,不注卷次,而且所注出处也多有问题,即一是并非最早出处,二是所注书中有的并无该诗。又如卷八八二至八八八的七卷标明为"补遗",这所谓补遗大抵可从《唐百家诗选》、《古今岁时杂咏》、《分类唐歌诗》残本等书中找到根源。王安石的《唐百家诗选》自南宋刻后,久未传世,至清康熙中宋荦始加补全刊刻;《分类唐歌诗》残本见阮元《四库未收书目提要》。这三书当为全书已刻印进呈后补阅,不及编入已收各家名下,遂匆促不注出处,聊以塞责。这次新编,一一注明出处,即从"史源"上对所收作品作一次大清理,必能改进我们意想不到的诸多错讹。

其三,是补辑和甄辨。补辑佚诗,是这次改编中的重要一环,本文在前面所列举的专书和文章,大部分都是补辑《全唐诗》以外的诗句。这方面的成绩是显著的。但也应该看到,这些都还是研究者个人就阅读所及而作的一部分发现,今天我们以集体之力有计划地进行搜辑,就应该对以往的文献资料,特别是唐宋两代,作一次"竭泽而渔"的清理,使之能真正符合于一代总集的含义。在这方面,应该提起注意的是,我们不仅要搜辑中国本土的材料,还应借重域外的所藏。陈尚君同志曾告诉笔者,日本大阪市立博物馆编印的"唐抄本"《新纂类林抄》,日本古典文学大系本的《和汉朗咏集》(编成时间相当于我国北宋年间),《唐诗选》,都有唐人逸诗。朝鲜的《东文选》、《东人诗话》、《三国史记》、《三国遗事》等书,也都有唐诗可辑,至于《祖堂集》中有与韩愈交往的大颠诗,白居易诗,此书现经日本及台湾等地印行,已多为研究者所知。唐诗作为唐代灿烂文化的重要组成部分,传播于远东的不少地区,产生过深刻的影响,各国各地区所藏当会有珍贵的资料。我们相信,新编全唐诗歌一事,必将引起海外学人的兴趣,我们期待与他们的合作。

甄辨的工作或许比辑佚更为困难,它是体现一部文学总集学术质量的一个重要标志。《全唐诗》本来就在这方面存在不少问题,正如一些研究者所指出的,《全唐诗》误收了相当数量的唐以前和宋元时期的诗,而在唐代范围内,张冠李戴的现象也所在多有。辑佚应当与甄辨同时进行,才能保证我们工作的科学性。不能贪图求全,以多为贵,而不加必要的甄辨。这里特别要注意的,一是地方志,一是大型类书。从资料的发掘来看,这两类书都有很大的价值,但也不可否认,其中也有种种芜杂错乱的毛病。胡震亨曾认为地志所载前代作品,"诗之伪不可信者,十居七八"(《唐音癸签》卷三三),可能言之过甚,但错误迭出的情况确实相当普遍,徐俊同志《新辑唐人佚诗甄辨》一文,曾着重就近年辑自地志中的唐诗,辨析作者归属中各种各样的错误,所举的例子,既有宋时的《舆地纪胜》、《咸淳毗陵志》等书,又有明清直至民国时期各地编修的府志县志。就类书而言,从影印的《永乐大典》残本辑集佚文佚诗,已是这些年来的风气,但往往抄集之力居多,辨析之功不足。《永乐大典》中一些明显的错误,有些辑佚者也未曾稍加稽核,遂致因讹传讹。如卷三〇〇六录王维《江上别流人》诗,实为孟浩然作,见影宋蜀刻本《孟浩然诗集》卷下、《四部丛刊》影明刊本《孟浩然集》卷一、《全唐诗》卷一五九。又如卷二二六七录张说《沼湖作》,此实为张说友人赵冬曦诗,见《全唐诗》卷九八,原附于《四部丛刊》影明龙池草堂本《张说之文集》卷七,张有《和赵侍御沼湖作》。又如卷八八四四录韦元旦《奉和圣制出苑游瞩应制》,《全唐诗》卷六七已收,作贾曾诗。按《文苑英华》卷一七九、《唐诗纪事》卷一三皆作曾诗,《纪事》注谓:"时为太子舍人,使在东都。"《旧唐书》卷一九〇载玄宗在东宫时,贾曾任太子舍人,韦元旦则未任此职。其他如司空曙诗误作刘长卿,孟郊诗误作孟浩然,柳宗元诗误作韦应物,李频诗误作岑参,等等,陈尚君同志在应中华书局之约,清理《全唐诗外编》时,都曾逐一复核,检查出不少这样的问题。另一部大的类书《古今图书集成》,错误更多,如书中《山川典·伊水部》收李义府《忆伊川有赋》,《全唐诗》卷三一八作李吉甫诗,是。李德裕《会昌一品集》卷九《平泉山居诫子孙记》提及此诗,称"先公每维舟清眺,意有所感,必凄然遐想,属目伊川,尝赋诗曰"。按李德裕为李吉甫子,所记必无误。又如《山川典·河部》收唐太宗《黄河》诗,《全唐诗》卷五五八作薛能诗,《许昌集》卷三也收入,诗中云"润可资农亩,清能表帝恩",明明为臣工的口气,怎么能是唐太宗的诗?类似者不少,尚君同志对此也作了核实的工作。

以上三类是改编中的重点。另外,因《全唐诗》的编排问题,如将郊庙乐章及乐府歌诗另立一类,这样就与有作家姓名的重出,又如联句重出,梦诗、谐谑诗重出,作家与作家之间,也有重复收载的诗篇。其中有的有注,有的无注,造成体例杂乱、编排失当等种种缺失。这些都应制订精确的编例,予以统一的考虑。至于作家小传,则更应根据目前已达到的水平,重新撰写,撰写时应当注明立论根据,做到言必有据,无征不信,不但叙述信实的作家事迹,而且提供可以作为进一步研究的线索。这将是唐代诗人传记的综合,合起来应当成为有独立价值的专著。据笔者所知,现在已经有这方面的大的项目,或已完成,或正在进行,如周祖譔先生应中华书局之约,作为《中国文学家大辞典》的一部分,"唐五代卷",已邀集一些有关学者编写,接近完成;黄永年先生正在主持《全唐诗》、《全唐文》作者事迹汇考的工作。吴汝煜、胡可先同志有《全唐诗人名考》,陶敏同志也有同样性质的专书,他们都已完成。这些综合性的作者事迹考著作,必将对这部唐诗总集作家小传的编写提供学术上的支撑。

而如果我们在今后若干年内较顺利地完成以上几项工作,那么,我们所做的确实不仅仅是《全唐诗》的改编,而是重新编纂一部断代诗歌总集。因此,有的同志建议,这部新编的书应当称之为《全唐五代诗》。

在这篇报导的末了,还想附带讲一点意见。前两年,笔者曾与中国社科院文学研究所沈玉成同志、北京大学中文系倪其心同志合写一篇文章,题为《谈古典文学研究的结构问题》,刊于《文学评论》1987 年第 5 期。这篇文章把古典文学研究大体分为两个方面,即分为基础工程和上层结构。这两类的研究各有特点,都是研究工作所必需的,调整好这两者的关系,需要有对古典文学研究进行宏观设想的整体结构观念,以便使研究布局更为合理,力量投入更为适当,各种理论和方法能更加有效地运用。比较起来,基础工程是各类专题研究赖以进行的基本条件,具有相对的长期稳定的特点和要求,具有长远的效益。文学总体的编纂就是基础工程之一。据笔者所知,目前正在进行的,在韵文方面,尚有《全宋诗》、《全金诗》、《全元诗》、《全明诗》、《全明词》、《全清词》,以及具有总集性质的《清诗纪事》,等等。这样,再加上已经出版的逯钦立先生所编的《先秦汉魏晋南北朝诗》,唐圭璋先生所编的《全宋词》、《全金元词》,以及本文所谈的《全唐五代诗》,那么,到 90 年代中期,我们就将有一系列中国古典韵文断代总集的新编本出现。这是古典文学研究界的大工程,它们的编成和出版,意义是无可估量的。源远流长的中国古典诗歌的丰富内容和独特艺术,将会越来越被中国人民和世界人民所认识。我们希望

《全唐诗》的改编或新编，经过我们这一代研究者的努力，能收到预期的效果，在这系列新编本中占有它应有的位置。

原载《文学遗产》1989 年第 4 期，此据首都师范大学出版社 2010 年版北京社科名家文库《治学清历》录入，另收入大象出版社 2004 年版《唐宋文史论丛及其他》

唐代诗画艺术的交融

一

　　自从唐代的张彦远在他那部颇有影响的《历代名画记》中提出"书画异名而同体"（卷一《叙画之源流》）、"书画用笔同"（卷二《论顾陆张吴用笔》）的看法以来，古代的文艺家和文艺评论家把门撑得更开，由画与书扩大而论及画与诗。宋代文士对绘画与书法、诗歌等不同艺术门类之间的关系更有着浓厚的兴趣，所谓"诗是无形画，画是有形诗"（郭熙《林泉高致·画意》），这样的意思，宋人的笔记、诗文集中不止一次地谈到，似乎已是时代的一种共识。苏轼对王维诗、画的评论是众所共知的："味摩诘之诗，诗中有画；观摩诘之画，画中有诗。"（《东坡题跋》卷五《书摩诘蓝田烟雨图》）如果说这几句话还多少表现苏轼的主观感受的话，那么他在一首诗中斩钉截铁地说"诗画本一律"（《书鄢陵王主簿所画折枝》），这就带有制订法则的味道了。

40 多年前,钱钟书先生就对这个传统评价提出过异议,他在《中国诗与中国画》(载《开明书店二十周年纪念文集》)这篇有名的论文中,详征细剖,辨明中国诗画品评标准似相同而实相反。钱先生的文章最后说:"在中国文艺批评的传统里,相当于南宗画风的诗不是诗中高品或正宗,而相当于神韵派诗风的画却是画中高品或正宗。旧诗和旧画的标准分歧是批评史里的事实。我们首先得承认这个事实,然后寻找解释、鞭辟入里的解释,而不是举行授与空洞头衔的仪式。"中国古代诗画品评标准存在分歧,应是事实,钱先生认为应当从这个事实出发,作细致的探讨,以寻求"鞭辟入里的解释"。但可惜,以后的长时期中,对这个问题的研究并没有实质性的进展。

　　中国古代的诗论、画论中,除了钱钟书先生提出的品评标准分歧以外,还存在不少长期纠缠而未能取得明晰认识的问题。譬如杜甫对于韩干画马的评论,在唐宋时就引起不同的看法与争论。但这些争论在实际上已经超出韩干画马这一具体问题,而是由画而论及文理,正如宋人曾季貍《艇斋诗话》谈到此事时所说,"所谓言岂一端而已"。虽然,关于杜甫评韩干画马的是非得失,元以后并未得以展开,但由此我们可以看到中国艺术史上一个值得思考的问题,那就是中国古代的士大夫常常喜欢在不同的艺术门类之间寻求共同点,而又常常将这个共同点归结到道、气等含有一定思辨色彩的命题止来,但又戛然而止,没有再作进一步的思考,往往只见问题的提出,而没有作进一步的辨析。今天我们如果能将古人关于诗、书、画以及音乐、舞蹈等零散的议论搜集起来,加以概括,并作若干穷根究底的搜索,这对于认识我国艺术理论演进的特点,或者会有一定的好处。

诗、画品评的标准有其相异之处,但诗、画创作的相互影响也同样是事实。韩愈是辟佛的,但韩愈诗风的怪怪奇奇,却又受到唐代寺庙壁画那种诡怪的造型特点的深刻影响(详见陈允吉《论唐代寺庙壁画对韩愈诗歌的影响》一文,载所著《唐音佛教辨思录》)。作为开放的时代,在创作风气上,唐代作家是勇于打破诗与画及其他艺术门类的界限的。这应当说是一条很好的经验。

二

传统中国画在唐代产生了突变。突变首先表现于题材方面。汉魏以降,中国画一直以人物画为主。到盛唐时,人物画已发展到了高峰,而与此同时,从晋代开始兴起的山水画,在唐代得到较大的发展,"山水之变,始于吴,成于二李"(《历代名画记》卷一《论画山水树石》)。李思训父子把传统的青绿、金碧山水的表现力发展到了高峰。吴道子、王维等人又致力于水墨山水画的探索。从此,山水画成为与人物画并立的画种。而到中、晚唐,山水画就逐渐取代了人物画的地位,花鸟画也随之兴起,成为独立的画种。

对于这种变化,美术史家们往往只从绘画自身的发展中寻求解释。但如果从艺术的整体发展看,是不是可以说,这是诗歌影响绘画、绘画进一步诗化的结果。

中国山水画从诞生之时起,就与人物画迥异其趣。人物画在古代主要是用来宣传政治伦理思想的。东汉王延寿《鲁灵光殿赋》说："上及三后,淫妃乱主。忠臣孝子,烈士贞女。贤愚成败,靡不载叙。恶以诫世,善以示后。"三国时曹植也说："观画者,见三皇五帝,莫不仰戴;见三季暴主,莫不悲惋;见篡臣贼嗣,莫不切齿;见高节妙士,莫不忘食;见忠节死难,莫不抗首;见放臣斥子,莫不叹息;见淫夫妒妇,莫不侧目;见令妃顺后,莫不嘉贵。是知存乎鉴戒者图画也。"(《历代名画记》卷一《叙画之源流》)但山水画家们作画却不是为了政教,而是为了自愉。南朝宋宗炳说："余复何为哉,畅神而已。神之所畅,孰有先焉。"(《画山水序》)稍后于宗炳的王微亦云："望秋云,神飞扬;临春风,思浩荡。虽有金石之乐,珪璋之琛,岂能仿佛之哉。披图按牒,效异《山海》。绿林扬风,白水激涧。呜呼,岂独运诸指掌,亦以明神降之。此画之情也。"(《叙画》)

由于对绘画功能的不同强调,六朝人物画论的重心在于客体,核心是"形神论"。因为只有准确地表现出正反两类人物的形貌神气,才能激发起正反两种情感,实现其社会功能。而六朝山水画论的着眼点却集中于创作主体,核心是"神道论"。因为主体之"神"只有通过作为中介的绘画与天地万物之"道"相通,才能达到"畅神"的目的。

由于创作目的不同,人物画与山水画的作者成分也有很大差异。汉以前的作者差不多都是画工。魏晋开始,一些文人士大夫加入了绘画队伍。人物画的作者队伍是"画工"与"文人"的混合,以"画工"为主;而山水画从正式诞生之日起,就是少数"文人"的专利。

可以说，山水画从呱呱坠地之日起，就与诗歌结下了不解之缘，注定要成为它的终身伴侣。

唐代山水画的迅速成长，得力于诗人的提倡、褒扬。诗人们对山水画的偏爱，可以从题画诗中得到说明。据我们粗略的统计，《全唐诗》中题画诗有二百十数首。当然，这并非现存唐代题画诗的总数。南宋孙绍远编的《声画集》中有唐代题画诗 61 首，其中萧翼《题山水障歌》、吴融《观题山水障歌》均不见于《全唐诗》，显系漏收。现将《全唐诗》中的题画诗按题材进行归类，得人物画（包括宗教人物）47 首，山水画 98 首，花鸟画 58 首。诗人题咏山水画的是人物画的两倍还多。

另一方面，唐代山水诗的高度成就对山水画的繁荣也起到了有力的促进作用。在魏晋时诞生的山水诗，到刘宋时的谢灵运手里出现了第一个高峰。随后山水诗的发展较为缓慢。到初唐时，山水诗开始重新崛起；盛唐时，形成了全面繁荣的局面。从整体上看，以谢灵运为代表的六朝山水诗还处于"形似"的阶段，而唐代的山水诗已达到"神似"的境界。唐代山水诗不仅在模山范水、绘形绘色的能力方面超过了前代，而且善于通过景物描写表现主观情意，创造出丰富多采的意境。将山水诗写得富有个性特色，取得一定成就的诗人不下数十家，并且出现了一群致力于山水诗创作的诗人。山水诗的成就给山水画的创作提供了借鉴。画家们可以向诗人学习如何以诗人的眼光去观察自然，如何去捕捉自然与情感的契机，如何融情入景，如何简练含蓄、留有余地以便触发欣赏者的想象而产生意境……山水画要与人物画分庭抗礼以至取代它的地位，除了因题材原因而受到诗人的垂青外，还必须依赖于技艺的成熟。在"人大于山,水不容泛"或状石"如冰澌斧刃,绘树则刷脉镂叶"的情况下,山水画要和高度成熟的人物画抗衡是根本不可能的。唐代山水画的迅速成长和山水诗的成就有不可分割的联系。

同样,花鸟画在唐代的兴起与唐代咏物诗的成就也是分不开的。自然物作为独立的表现对象在文艺中出现,绘画比诗歌早。不管是东方还是西方,最初的绘画都以物为中心。法国西南部和西班牙北部发现的数以百计的"旧石器时代"晚期人类洞窟中,保存着公元前4万至2万年之间的绘画,这些画以野牛、古象、斑马、鹿、猪为主要对象。作者们能正确地把握对象的形态动作,甚至能够表现出对象的精神感情。我国新石器时代的仰韶文化的彩陶绘画,也是以鱼、鸟、蛙等"物"为主要对象。

文字记录的诗歌须待文字出现以后。绘画比文字的历史早,绘画也比诗歌古老。但是,诗歌一诞生,就以人与人的情感为表现中心,"物"在中国古代诗歌中只不过是比、兴的工具。

随着历史的发展,"物"在绘画中逐渐失去了中心地位,变成了人物的陪衬。周秦两汉以至魏晋南北朝,人物画一直占据着统治地位。其间,虽然亦有个别画家善画蝉雀,如刘宋时的顾景秀,爱在扇上画蝉雀,"扇画蝉雀自景秀始也"(《历代名画记》卷六)。此外,还有丁光"擅名蝉雀",毛惠远"善画马",高孝珩"尝于厅事壁上画苍鹰",杨子华"尝画马于壁",刘杀鬼"画斗雀于壁间"。但在南北朝,花鸟画却没有成为独立的画科。但是,咏物诗在六朝时期却成了诗国中的一条支脉。诗人们大量创作咏物诗,模形绘色,巧言切状,曲写毫芥,以体物为妙。实际上,诗人是在追求绘画形的美,不自觉地在与画家争长较短,而忘记了诗抒情写意的根本目的,失落了自我,被批评家称为"形似"之作。

初唐的咏物诗犹承六朝的余绪,多为游戏之作,思想贫乏,感情淡薄。歌舞宴席之上,诗人们往往拟一题同赋,作为饮酒助兴的工具。这种风气,当时很盛行。开国之君唐太宗就很喜欢这种游戏,在他现存的百来首诗中,就有咏物诗20多首。叨陪左右的宫廷诗人们,自然趋之若鹜。中书令杨师道,存诗21首,咏物诗就有11首。虞世南存诗32首,咏物诗8首。上官仪、李百药、杜淹、褚亮、许敬宗、李义府都有咏物诗传世。武则天朝的兵部尚书同中书门下三品的李峤,咏物诗竟有120多首。初唐能画花鸟的画家不多,且多不是专攻,花鸟往往也和人物纠缠在一起,因而花鸟画未能形成与人物、山水并立的画科。

盛唐的咏物诗进入了形神兼备的阶段。李白的咏物诗不多,不算题画诗,只有20来首。这些诗不重视形貌色彩的描绘,重在抒情言志。杜甫的咏物诗约有130来首,题材丰富,体裁多样,善于将形貌色彩的描绘和抒情言志结合起来。以杜甫为代表的盛唐咏物诗多以马、鹰、鹤、松为题材,不仅能准确生动地描写对象的形貌神采,而且能将生世之感、胸怀抱负融入形象之中。盛唐的花鸟画与咏物诗一样都喜爱马、鹰、鹤等题材。花鸟画中的马、鹰、鹤等开始成为画家专攻的题材。

中唐时的咏物诗作者增多,诗的题材范围也更加广阔,表现更加工细。白居易有咏物诗200多首,元稹有六七十首,韦应物有40来首,柳宗元有20来首,刘禹锡有60多首,孟郊有10多首,韩愈、王建、张籍各有20多首。与咏物诗的繁荣兴盛同步,花鸟画也异军突起,成为与人物、山水并立的画科。《历代名画记》记载这时期的画家就有十多人。画马的有韦偃,画牛的有韩滉、戴嵩,李逖"工画蝇蝶蜂蝉之类",梁广"工花鸟",陈庶"花鸟尤善布色",于锡"善画花鸟及鸡",强颖"善水鸟",萧悦"工竹",嗣滕王湛然"善画花鸟蜂蝶",白旻"工花鸟鹰鹘",贝俊、李韶、魏晋孙、蒯廉"并工花鸟"。最著名的花鸟画家要数边鸾,朱景玄评价他:"近代折枝花居其第一,凡草木、蜂蝶、雀蝉,并居妙品。"(《唐朝名画录》)元汤垕亦云:"唐人花鸟,边鸾最为驰誉,大抵精于设色,秾艳如生。"(《画鉴》)后代美术史家甚至把他尊为花鸟画之祖。

从咏物诗、花鸟画发展的历史可以看出,它们之间前进步存在着时空差。咏物诗的发展促进了花鸟画的发展。特别是在一些题材的选择中,可以说正是因为诗歌选择了它,后来才成了绘画的题材。例如被后来称为"岁寒三友"、"四君子"的题材就是如此。六朝诗人即有不少咏竹之作,而竹在唐代才成为绘画的题材。王维画过竹,中唐的萧悦以画竹著名,白居易还为他写了一首画竹歌。自孔夫子慨叹"岁寒然后知松柏之后凋也"以后,诗人即开始咏松,到唐代毕宏、韦偃、张璪才成为画松的名家。梅、兰、菊也有大致相似的经历。

三

唐代绘画的突变还表现在形式和风格方面。唐末荆浩云:"夫随类赋彩,自古有能;如水晕墨章,兴吾唐代。"(《笔法记》)魏晋以来的青绿山水,到李思训父子手里,发展到了高峰。吴道子一变传统山水画重色的画法,将人物画、书法的笔法运用于山水画,"离、披、点、画,时见缺落",使点、线成为山水画的主要表现手段。朱景玄说:"景玄每观吴生画,不以装背为妙,但施笔绝踪,皆磊落逸势;又数处图壁,只以墨踪为之,近代莫能加其彩绘。"(《唐朝名画录》)王维在吴道子的基础上,把水墨山水画向前推进了一步,不但以线条作为表现手段,而且用水墨的深浅浓淡来代替青绿色彩,创造了所谓"破墨山水"。毕宏用水墨画松石,韦偃在毕宏的基础上加以发展,"树石之状,妙于韦偃"。张璪突出地发挥了"墨"的功能,"不贵五彩"。王墨在用墨上更为大胆,"善能泼墨成画,时人皆号为王泼墨"(《宣和画谱》卷十)。

随着形式的变化,艺术风格也出现变化。以"二李"为代表的青绿山水,富丽精工,代表了盛唐繁荣兴盛的气象和上层社会的审美情趣。王维等一批水墨山水画家,大都经历世乱,时乖命蹇,流荡江湖,属于隐士、半隐士一类的人物。王维的山水画虽然还有李思训、吴道子等人的遗风,但他又开创了另一种风格。"王维画品妙绝,于山水平远尤工"(李肇《国史补》),这显然不同于李思训"云霞缥缈"、"楼阁参差"的构图。这种构图适宜于表现平和淡远的胸怀。水墨画家们不追求工细、法度,而凭即兴发挥,追求自然浑成,遗去机巧。所以韦偃"山以墨斡,水以手擦";张璪"用紫毫秃锋,以掌摸色";王墨"醺酣之后,即以墨泼,或笑或吟,脚蹙手抹"(《唐朝名画录》)。

对于唐代山水画形式风格变化的原因,研究者曾作过探讨。有的指出,水墨画产生的思想基础是老庄哲学思想;有的认为,水墨画的产生与唐代书法艺术的兴盛有关;有的从盛唐中唐社会环境及时代精神的变化来把握艺术风格的变化。显然,这些观点都是正确的,也是容易理解的。如果说,新的形式和风格的产生与诗的影响有关,也许有人会觉得离题太远,但如果我们经过认真考察,便会发现这确实是事实。

如前所述,山水画一诞生,宗炳等人便将其立足点奠定在"畅神"的基础上。抒情是抒情诗的首要因素或本质,这实际上是将山水画的幼芽嫁接在诗歌的砧木上。但山水画从六朝到盛唐的李思训,父系的遗传基因仍然起着决定作用,其发展过程可视为绘画再现本质的基本实现。在"二李"手中,原来"人大于山,水不容泛"的问题解决了;"冰澌斧刃"、"刷脉镂叶"、"伸臂布指"的问题也解决了。古典青绿山水的绘画语言已经成熟,画家已能基本真实地再现视觉对象。

绘画语言的成熟并不意味着宗炳等人"初衷"的实现,也许事情正相反。在宗炳、王微的时代,幼稚、粗糙的绘画语言固然难于得心应手地传达出主观情感,因而使画家们显得眼高手低,但那稚拙、古朴的随意涂抹中,毕竟能部分地实现表现的愿望。在"二李"的时代,画家们先用"春蚕吐丝"似的细线勾出山石树木的轮廓,山石轮廓中又勾画脉络细纹,然后层层敷色,"阳面涂金,阴面加蓝",有时一幅画要画上几个月。这样严谨、工细的画法,是很难传达出心中的激情的。似乎可以这样说,越是严谨、工细,情感的自由抒发越困难。再现机制的强化是以表现机制的削弱为代价的。当"二李"将青绿山水画的技法发展完善时,与士大夫自愉初衷产生的矛盾便达到了尖锐化的程度。

这时,诗歌正如丽日当空,赫赫扬扬,进入了辉煌时期,对其它艺术的吸引力、渗透力大大加强,诗歌美学思想对其它艺术形成了巨大的冲击波。齐梁以来的诗歌,追求绮丽。陈子昂批评为"彩丽竞繁,而兴寄都绝"。李白认为:"自从建安来,绮丽不足珍。"他们提倡"清真"、"自然",即要求诗歌有真实的思想情感,艺术表现上反对雕琢,要求天然浑成,如"清水出芙蓉,天然去雕饰"。崇尚真率自然,是盛唐诗歌的主要审美倾向。明代谢榛说:"盛唐人突然而起,以韵为主,意到辞工,不假雕饰;或命句得意,以韵发端,浑成无迹。此所以为盛唐也。"(《四溟诗话》)

　　"二李"的青绿山水,在绮丽方面和齐梁诗的审美趣味是一致的。追求任真率性、自然混成的艺术家,特别是那些诗人兼画家自然要另辟蹊径,探索新的绘画语言。由于绘画与书法所用的工具相同,由于唐代书法的高度繁荣,特别是张旭、怀素为代表的狂草的高度成就,给新的绘画语言的产生提供了契机。水墨画"不贵五彩",不需要严谨的法则,不需要工细的作风,符合自然的审美要求。并且,用点线的刚柔疾徐、欹侧反正,墨色的深浅浓淡、干湿枯润更容易传达出胸中的情感运动。特别是水墨画不要青绿山水那么繁复的工艺,可以即兴挥洒,须臾而毕,突然勃发的灵感、激情可以立即得到表现和宣泄。这些,都使水墨画受到了墨客骚人的欢迎,成为大家喜欢采用、探索的绘画语言。水墨画的兴起,是山水画表现机制的强化,也是山水画的进一步诗化。

　　中晚唐兴起的花鸟画,刚诞生便表现出独特的民族个性。这在很大程度上也是诗歌影响的结果。

　　中国花鸟画的民族个性主要表现在审美时空构造方面。王维画花，多不问四时，往往将桃、杏、芙蓉、莲花同画于一景。他画的一幅《袁安卧雪图》，有雪中芭蕉，因此引起了一场争论。这种突破时空限制，将不同季节、不同地域的花木同绘于一景的画法，直到现在仍被中国画家采用。

王维为什么要这样画？因为他表现的不是物理时空，而是心理时空。不同时空的花木被组织在同一时空中，物即不只是物，而成为一种新的语义构成。王维的目的，正是要通过这种反常的组接，产生一种新义，并且让世人在惊奇中去领悟这种新义。也就是说，他是把画作为抒情写意的手段。古人早就认识到了其中奥妙，例如释惠洪云："王维作画雪中芭蕉，诗法眼观之，知其神情寄寓于物，俗论则讥以为不知寒暑。"（惠洪《冷斋夜话》）

这实际上是绘画的诗化、文学化。超时空是诗歌早已采用的手法。诗歌为了抒情的需要，往往将不同时空的景物组合在一起。所谓"渭北春天树，江东日暮云"者，俯拾皆是。

唐代花鸟画在审美时空构造方面的第二个特点是"折枝花"的形式。即不描绘对象全貌，而只集中描绘某一局部，和现代电影的特写镜头一样。但绘画和电影所达到的空间效果却大不一样。当电影镜头只表现某一局部时，镜头表现的空间显然缩小了。当绘画只描绘对象的某一局部时，表面上是表现空间的缩小，实际上是空间的扩大。因为绘画已经将物理空间虚化，留下一片空白。被描绘的局部不但从整体、而且也从背景中得到解脱，获得了自由而广阔的空间。欣赏者可以发挥自己的想象，给留下的空白补充丰富的内容。

这种部分主义的态度也是诗人早已采用的。由于语言的限制,诗人不可能精细地、一部分一部分地描绘物象,而只能根据主观表现的需要选择对象的特征进行描绘,调动读者的想象,收到"以少总多,情貌无遗"的效果。六朝诗人对诗歌的这种性质还认识不够,因而企图在忠实地再现对象方面与画家争长较短,"曲写毫芥",追求"形似",陷入琐细的泥坑。唐代诗人对此有清醒的认识,他们另辟蹊径,进入了"神似"的艺术境界。因此,唐代兴起的花鸟画受诗的影响,采取部分主义的态度,创造出"折技花"的形式,就是很自然的事了。

四

唐代诗歌也从绘画汲取了丰富的营养。从某种意义上说,没有绘画的滋养,唐诗不可能攀登上古代诗歌发展的顶峰。唐代的著名诗人几乎都有题画之作,说明绘画对诗歌创作的影响多么普遍。

诗人们在观画、咏画的活动中,艺术修养得到提高,对绘画美的感觉得到锻炼而更加敏锐,程度不同地学会了用画家的眼光观察事物,善于捕捉存在于事物中的例如色彩、线条、形状、结构、比例等绘画性因素,因而使自己的作品具有更多的绘画美。

从色彩方面看,唐代绘画使用的色彩较前代更为丰富,用法也更加复杂。而唐诗对色彩的描写则更为丰富,不单有大量表示单色的词汇,如红、丹、朱、殷、绯、橙、黄、白、素、粉皑、绿、青、碧、蓝、紫、翠、褐、绛、灰、斑、彤、胭脂、黑、苍、黧、漆、黛、金、银,而且还有大量表示复色、类似色、同类色的词汇,如橙绿、橙黄、浅红、粉红、淡红、紫红、暗红、深红、紫绿、红橙、红紫、红黑等。唐画和唐诗还善于巧妙地运用色相对比,形成画面美。唐诗中的不少佳句,就是用色彩对比组成的,如:

> 桃红复含宿雨,柳绿更带朝烟。(王维《田园乐》)
> 江碧鸟愈白,山青花欲燃。(杜甫《绝句二首》)
> 两个黄鹂鸣翠柳,一行白鹭上青天。(杜甫《绝句四首》)
> 三山半落青天外,二水中分白鹭洲。(李白《登凤凰台歌》)
> 日落江湖白,潮来天地青。(王维《送邢桂州》)
> 绿树村边合,青山郭外斜。(孟浩然《过故人庄》)
> 雨中黄叶树,灯下白头人。(司空曙《喜外弟卢纶见宿》)

另外,唐诗和唐画一样,都善于运用色彩的表情性,用色调来渲染出情感氛围,用不同的色彩来表现或积极主动的,或消极被动的;或昂扬进取的,或压抑退缩的,或兴奋欢乐的,或忧郁悲哀的各种情感。

自吴道子革新、发展了线条的表现力以后,点线便成为中国画的主要语言。唐代诗人的线条意识也很强。唐诗极善于表现线条美,常用于表现物体轮廓线的名词有:丝、缕、练、带、圆、轮、虹、弓、钩等。另外,唐诗还善于运用形容词和动词表现出线条的运动和气势,如横、折、直、曲、斜、细、粗、萦、绕、连、弯、盘、婉转、回还、流畅等。如:李白"飞流直下三千尺,疑是银河落九天";杜牧"远上寒山石径斜,白云深处有人家";贺知章"碧玉妆成一树高,万条垂下绿丝绦";杜甫"鸣雨既过渐细微,映空摇飏如丝飞";白居易"可怜九月初三夜,露似真珠月似弓"。各种形态的线条被诗人描绘得生动而有韵味。线条在唐诗中,已不单是作为形体的轮廓线而存在,而象在唐代绘画中一样,具有了一种独立的形式美。

对于诗的画面美,唐代诗人倾注了很多心血,借用杜甫的话就是"意匠惨淡经营中"。不少文章都曾指出,唐诗在构造画面方面与绘画表现出惊人的一致性。例如从展子虔《游春图》开始,山水画爱把水放在画面上部与天相接,唐诗中就有不少这样的佳句。再如唐诗总爱描写从门、窗中看到的景物,实际上是将门窗作为画框,将纵深的景物平面化而形成画面。

色彩、线条、构图,作为画对诗的影响,都有迹可循,属于浅层次的范畴,容易为大家所注意。而另一种更为深刻的影响,却常常为大家所忽略。这就是从实践中得到体现的观念。

将王维的山水诗和谢灵运以及李白、杜甫的山水诗相比较,不难看出,谢灵运企图在山水中寄寓他的道家思想,往往在描绘景物之外加一些老庄似的议论;李、杜却喜欢在景物描绘之外来一些抒情;而王维那些脍炙人口的小诗却纯是景物描绘,似乎什么思想、什么感情都不需要传达而又韵味无穷。

研究者注意到了王维的佛教思想,指出了禅宗思维方式对其艺术构思与表达的影响。这些当然是正确的。但为什么其他受佛教影响很深的诗人却达不到这种境界呢?因为王维不仅是诗人,而且还是画家。

作为再现艺术的绘画,虽然也要表现思想和情感,但只能靠描绘物象来表现,因而绘画,尤其是山水面所表现的内容往往是宽泛、模糊、含蓄的。王维正是用绘画意识来作诗,摒弃了语言表现思想、情感的明晰、准确的特点,而采用绘画的再现来作为表现。所以苏轼要赞扬他"诗中有画"。

王维开创了诗歌艺术的新境界,促进了诗歌美学观念的转变。唐末的司空图,提倡"韵外之致"、"味外之旨"、"象外之象"、"景外之景",正是总结了王维一派山水田园诗人的创作经验而提出了新的美学观念,成为后期中国封建社会诗歌的美学原则。严羽发展了司空图的思想,提倡"不涉理路,不落言筌"、"羚羊挂角,无迹可求",王士禛又提倡"神韵说",于是由王维诗所体现的美学趣味便形成了一股思潮,一种流派。由于儒家政治伦理思想的影响,唐以后的诗人们虽然把忧国忧民的杜甫奉为正宗,但在实际创作中,在欣赏趣味方面,却更多地倾向于"神韵派"。"神韵派"的思想基础是佛、老,审美趣味便是"诗中有画"。

与陈华昌合撰,原载《文史哲》1989 年第 4 期,此据万卷出版公司 2010 年版《当代名家学术思想文库·傅璇琮卷》录入,另收入黑龙江人民出版社 1992 年版《唐诗论学丛稿》

读《日本汉诗选评》

　　我看过的日本汉文著作,印象最深的有两部,一是被称为弘法大师的空海所著《文镜秘府论》,另一是圆仁的《入唐求法巡礼行记》。前者把中国古典韵文的格律知识和写作手法介绍给日本学人,却无意中保存了久已在中土失传的好几种唐代诗学著作,给中国学者提供了弥足珍贵的韵文史料;后者记述了作者从山东半岛登陆,怎样步行鲁中平原,穿越太行山,进入五台山佛寺,又怎样从晋北迤逦南行,晋谒唐朝的国都长安,恰好碰到了武宗灭佛,又被赶走,经东南回国,其写封建大帝国的通都大邑到荒野村落,真切生动,比著名的《马可波罗游记》有过之而无不及。

　　这两部书的作者都是僧人,唐朝时都到过中国,深受汉文化的熏陶,有极高的汉文化修养,在中日文化交流中作出过卓越的贡献。因为读过这两部书,早有一个念头,想再读一些彼土文士所写的汉诗,藉以窥见其诗心与文情。最近江苏古籍出版社出版的由程千帆、孙望两位先生选评、吴锦等先生注解的《日本汉诗选评》,大大满足了我久已渴念的夙愿。我觉得,这本书的编选出版,对于进一步沟通中日两国文化交流,对于中国学者研究中国古典诗歌在历史上的域外传播,认识日本古代诗人的汉文化造诣和精致玄微的审美心理,都是极为有益的。

　　日本古代写作汉诗,源远流长,据历史记载,可上溯到我国的初唐时期。在这以后,随着中国古典诗歌的不断演进发展,日本的汉诗创作,也如大江流日夜那样,波浪迭起,面貌日新。据本书注者介绍,"汉诗在日本兴起、发展、繁荣,到形成独特的'日本汉诗'风格,最后终于式微,大约有一千三百年之久"。本书选了大约 200 位诗人 300 多首汉诗,时间从 8 世纪至 20 世纪初,有律诗、绝句,又有古体、乐府,可以说一编在手,佳作尽收于眼底,开卷披览,真有点像《世说新语》所说,如于秋冬之际行山阴道上,"尤难为怀"。

　　通阅全书,可以看出日本诗人浸沉于中国诗域之广且深。显而易见,中国诗人中对日本影响最大的要算是白居易,好些诗特地标出效白傅体,其次则是苏东坡。为什么白、苏二公对扶桑的士人(不止士人,还有王公、贵臣、名媛、僧人)有如此的吸引力?是他们特有的人生态度呢还是一种超脱的艺术风格?这个课题是很值得中外比较文学学者来加以研究的。日本的汉诗写作者,写出了颇有声韵之美的效法初唐歌行的长篇,也有许多精细工巧的律绝,他们似乎还饶有兴味地参加中国诗歌评论中长期争论不休的唐宋之争。一位江户时期的著名学者兼诗人赖襄,有一首《夜读清国诗人诗戏赋》,所评及的清朝诗人,有陈子龙、钱谦益、吴梅村、施闰章、朱彝尊、王士禛、宋琬、冯班、蒋士铨、袁枚,真使人骇异其才学之精博。

　　日本汉诗的成就,给中国的学者提出一个问题:为什么语言不同的两个国家,竟可以使用同一种文字,相同的诗律,创造出既相同而又相异的诗境? 我们东邻的友人有些绝句确有宋人风致,如广濑谦的《春寒》:"梅枝几处出篱斜,临水掩扉三四家。昨日寒风今日雨,已开花羡未开花。"又如"钟声云外寺,树色雨余村","眉雪老僧时辍帚,落花深处说南朝",也都深得唐人风韵。但无可讳言,诗人们虽然尽力仿效唐宋诸贤,写出来的总带有日本气息,与中国的汉诗终究隔了一层。这似乎是只可意会而未可言传,但我相信研究者的努力定可探究出其中的奥秘。古典文学界应当开拓自己的研究领域,打破固有的樊篱,把视界展向域外的汉文化区,这将会带来新的收获和新的见地。

应当特别提到的是闲堂、蜗叟两位前辈的诗评。程、孙两位先生既是渊博的学者,又是极有造诣的诗人,这就使得他们的评语简约而隽永,既具理致,又富情韵,实是古体诗歌评论的别开生面之作。

原载 1989 年 4 月 25 日《瞭望》周刊,此据北京联合出版公司 2013 年版《濡沫集》录入,另收入湖南人民出版社 1997年版《濡沫集》

"壶中天地"的悲哀

——文化史研究小议

　　最近读到一篇好文章,题目是《中唐至两宋士大夫的生活艺术》,刊载于《中国人民大学学报》1989 年第 2 期上。作者王毅,是《文学遗产》的一位年轻编辑,不但对古典文学有研究,而且对园林建筑有浓厚的兴趣和广博的知识,他有一本《园林与中国文化》一书即将出版。

　　这篇文章有一个副标题,是"兼论中国传统文化的衰变",显然,作者是从文化史的角度来论述那一历史时期士大夫的艺术心态和审美情趣的。作者从大处着眼,把中国古代文化划成两大块,称为"渐盛"和"日衰",认为中唐两宋正是其转折处。文章有一个基本观点,就是中唐至两宋阶段,中国封建社会已明显趋向于衰落,而"士大夫们却偏偏能够使自己生活的几乎一切方面都达到了空前绝后的精美",也就是说,他们的精神和生活越来越离开前一时期恢宏的汉唐风貌,而转入"壶中天地",并悠然自得。

　　论点的新颖是使人感兴趣的,但使人更感兴趣的是作者叙述的方式和所引申的想法。前些年文化史的研究曾经热了一阵子，这之中固然也有一些好文章，但以笔者的陋见，很大部分不是稗贩西方五花八门之说而令人眼眩，就是看似宏阔却大而无当，文字的生涩又是其共同的特色。比较起来，这篇文章的中国作风和中国气派就让人觉得亲近多了。

作者抓了一个大题目，却从士大夫日常的生活着手，写他们的诗酒茶食、书画纸砚、文玩谈资、起居游赏，写出他们在这些寻常生活中的心态变化。譬如说，对园林、建筑，汉唐是追求阔大的，中唐以后转向于精微巧妙，李白是"五岳寻仙不辞远"，晚唐的郑谷却是"峨眉咫尺无人去，却向僧窗看假山"。宋人宅园虽小，却尽有层叠巧石、清浅幽径之美。书画的变化更明显，吴道子等人写实的作风让位于宋人的"尚意"，绘画中充溢着士大夫飘逸的情趣，崇尚的是"襟胸洒落，如晴云秋月"的意境。而中唐以后士人对文玩的嗜爱之深也远远超越以前任何时代，他们博雅好古，玩钟鼎彝器，真行草隶——有名的李清照《金石录后叙》真把那时士大夫的文玩爱好与生活追求写神了。中唐至两宋又讲求品茗，从陆羽的《茶经》到宋人各色各样的品茶诗文，把茶的形、色、味、用水、茶具等等记述得如此精细，使人叹为观止。他们饮茶，不止是一种物质享受，而且是一种精神寄托，是与写字、作画、着棋、弹琴一起表现其高情远韵的特殊方式。至于谈禅之玄适，酒食之精巧，服饰之清雅，风月玩赏之脱俗，于此表现了高度完善的封建文化所熏陶出的一种特异的胸次与气质。

文学创作上也何尝不是如此。宋代的诗话、笔记是为人所艳称的，但曹丕《典论·论文》中所大声疾呼的"盖文章者，经国之大业，不朽之盛事"，已越来越远了，代之而起的是资闲谈、备笑乐的随意漫谈。诗中的集古诗增多，与书法家的集古字一起，蔚为一代的艺术风气。欧阳修的《六一诗话》说"唐之晚年，诗人无复李杜豪放之格，然亦务以精意相高"。其实宋人何尝不是如此。宋人的诗词，其正宗是精研和雅、恬逸洒脱。南宋诗人尤袤题其诗集名为"遂初"，即是求归隐；宋代文人虽居廊庙之上，骨子里终有隐士气。

这种种，说明了什么呢？在那种追求精美雅致的背后，有着一种什么样的带根本性的缺陷呢？作者的结论是那样的清醒，也使人感到一种冷峻：士大夫们那种创造高度完善、精美绝伦的文化体系的努力，"使这个肩负着整个社会命运的阶层越来越彻底和自觉地丧失了把目光投向壶天之外的可能"。原来，精美的代价就是视野的缩小，时代使命与人生价值的失落。壶中天地的悲哀也正在此。

陈寅恪先生曾说："华夏民族之文化，历数千载之演进，造极于赵宋之世。"这话大抵是不错的。但那时士大夫所付出的代价，却很少有人作过冷静的剖析。这使我想起前些年对清代考据学的赞美歌颂。颇有一些宏文无条件地赞誉清代汉学的高度成就，甚至认为是"理性"的表现，而竟忘记了在清政府高压政策下，清代的学术是如何由顾亭林等所倡导的"经世致用"、"天下兴亡，匹夫有责"，而转向于皓首穷经，导致几代知识分子关起门来钻古书。

文化史的研究应当具备一把解剖刀，把内在的真相显露出来，而不要被表面的光泽所迷惑。这是我读了王毅这篇文章后所得到的一点启发。

原载 1989 年 8 月 23 日《瞭望》周刊，此据北京联合出版公司 2013 年版《濡沫集》录入，另收入黑龙江人民出版社 1992 年版《唐诗论学丛稿》、湖南人民出版社 1997 年版《濡沫集》、北方文艺出版社 2008 年版《书林漫笔》

读《汪辟疆文集》所想到的

　　承程千帆先生的好意,寄赠给我一部由他整理编录,而由上海古籍出版社出版的《汪辟疆文集》。汪辟疆先生,作为古代文学和古典文献的研究专家,恐怕现在中年以下的学者知道的是极少的了。我第一次读他的书,是 50 年代时由他校录的《唐人小说》(上海古典文学出版社出版),感到这是鲁迅先生《唐宋传奇集》以外研读唐代传奇的最切实用的入门书。书中于每篇作品之后所作的考证,列述作者经历、故事源流和后世演变等等,对于初学者不啻开启进入唐人艺术世界的大门。现在读到这部近 70 万字的文集,真有如过屠门而大嚼,虽当酷暑,也像五柳先生所自赏的那样,"孟夏草木长,时还读我书"起来。

　　汪先生名国垣,字辟疆,又字笠云,号方湖,1887 年出生于江西彭泽。1909 年入当时的京师大学堂,1912 年毕业。他长期执教于过去的中央大学及后来改名的南京大学。1966 年 3 月去世,时值"文革"前夕,但终究没有逃脱劫难——他自清末至一九五四年数十年间从未间断的百册以上的日记全部被掠,残存的仅三册,一册是一位教授在南京夫子庙的冷摊上买回,另外两册是掠夺者于匆忙中遗落。见到《文集》前面影印的两张日记残页,望着那正楷书写、一笔不苟的隽洁书迹,真令人痛惜。

通读文集全书,深感这位学者治学门庭的宏阔。他研究版本目录,又对杨守敬的《水经注疏》颇下一番功夫,写出几篇结实的考订文章;又研究汉魏古诗和唐人近体诗,他的几篇谈李商隐的文章,至今尚能给人启发,他在日记中说的"义山人地寒微,但知有知己之感,实无恩牛怨李之成见",寥寥数语,明达透澈。不过我认为,文集中最好的还是论近代诗派的几篇,特别是《近代诗派与地域》及《光宣以来诗坛旁记》。60年代时我在《中华文史论丛》上读到他的《论高密诗派》,觉得以这样的冷题目作如此细文章,真是高手,现在读到这两篇,益觉其大手笔。汪先生对清诗有通盘的考察,他独具只眼,认为清诗"以近代为极盛",而这又与"世方多难"有关。他特别深究于光宣五十年间的诗人与诗派,所举上百个诗家,列述其事迹与风格特点,真如数家珍。由于家世和交游的关系,汪先生与诗坛前辈及并世名家多有往还酬唱,因此不但他的记述确实可信,他的评论也充满韵味。光宣的诗坛是直接"五四"的,但我们研究"五四"诗歌,往往忽略其前承,似乎那时是石破天惊,忽然产生出白话诗来似的。汪先生这几篇文章,真可为当今研究者所取资。现在对这一阶段的诗歌能如此熟悉,而又具通识的,以笔者所见,也只有钱锺书先生和钱仲联先生两位了。

文集中所记近代诗派,不仅于文学研究者有益,且对研究近代社会与思想,都提供了不少真切生动的材料。如那位提倡"中学为体,西学为用"的张之洞,《光宣以来诗坛旁记》有记道:"文襄（张之洞谥）奖新学，而喜旧文。又一日见一某君拟作，顿足骂道：'汝何用日本名词耶？' 某曰：'名词亦日本名词也。' 遂不欢而散。"把这位"洋务"人物的面貌讽刺得入木三分。

程千帆先生是汪辟疆先生的学生，他在编录文集时也已届 70 余高龄，但在后记中仍口口声声称老师如何如何。前辈风范，令人钦仰。中国近代学人，博洽者有之，专精者有之，由于种种社会原因，他们的著作多有散佚。学术界和出版界真应该组织人力，逐步地将这些著作整理、编印出来。对于学术遗产，似也不应厚古而薄今。不少中国近代学者，在风雨飘摇、世路坎坷中，默默地著书作文，这些应该是我们民族文化积累的极有价值的一部分。

原载 1989 年 10 月 10 日《瞭望》周刊，此据北京联合出版公司 2013 年版《濡沫集》录入，另收入湖南人民出版社 1997 年版《濡沫集》、北方文艺出版社 2008 年版《书林漫笔》

谈古代文学研究中的文化意识

——由《佛教唐音辨思录》所想起的

一

这些年来,人们对古代文学研究有种种不满和责难。对于一门学科发展的现状有所批评,这本来是正常现象,而且也未始不是对学科进一步发展的一种推动。但是,报刊上的某些文章,却无视古代文学研究的实际,不适当地以之与现当代文学研究作生硬的对比,并由此得出古代文学研究陷入僵化和危机的结论,有些还发出"中国有古典文学,但没有古典文学研究"的耸人听闻的论调,这就不能为许多脚踏实地地从事于这一事业的研究工作者所可以接受的了。

但由此我们也感到古代文学研究确实有一个弱点,那就是不少研究者在埋首于古人古书的探讨时,却减少了对今人今著的兴趣,我们的研究者对古代文学现象常能表现出深睿的思考,却对新出现的经验和取得的"业绩"缺乏应有的注意。我们认为,在目前,在对传统研究的同时,特别要注意对现状的研究。对学科现状的科学认识和深刻理解,是学科本身趋向成熟的标志,也是它存在的价值。应当开展对研究的研究,这将是提高研究素质的有效途径。

新时期十年来的古代文学研究应当如何总结,它在行进的过程中有哪些经验,这样的大题目,由于古代文学的范围实在太大,恐怕不是一两篇文章所能叙述清楚。不过,我们注意到,这十年来的古代文学研究,在起初,表现为研究领域的扩大,不少过去不被重视或不敢接触的作家作品或文学现象为人们重新提了出来,作出新的解析,与此同时,文学的实证研究得到加强,资料考据的著作络绎问世,在人们经历了"四人帮"那种随意歪曲篡改史料的恶劣学风之后,这种考据之作不但不因其材料的广泛征引而使人意烦,反而以其实证的作风而引人注目。但很快,古代文学研究向深度发掘,文学内部的发展规律引起人们的重视,对作品的审美感受和概括首先在广大读者群众中受到欢迎,随即又促使研究者的进一步努力。而与此同时,文学与哲学思想、政治制度,以及与宗教、教育、艺术、民俗等等的关系,被人们逐步地认识。这就是说,人们认识到,不能孤立地研究文学,也不能像过去那样把社会概况仅仅作为外部附加物硬贴在作家作品背上,而是应当研究一个时期的文化背景及由此而产生的一个时代的总的精神状态,研究在这样一种综合的"历史—文化"趋向中,怎样形成士人的生活情趣和心理境界,从而产生出作家的独特的审美体验与艺术构思。这样的研究,主要地还不在于研究层面的扩展,而在于研究观念的拓新和研究思维的深进。显然,根据这种要求,人们不仅要考虑文学与其他社会意识形态的亲缘关系,更要探索文学在总的"历史—文化"环境中怎样显示其特色。它不是使文学隐没,而是使文学作为主体更加突出。当然,这样做,也对研究者提出更高的要求,它不但要求研究者有更深的工力,要掌握和判别有关学科及其与文学相交的历史材料,还要求研究者有活跃的思辨能力,能够敏锐地领略文学与其他学科接触时所出现的新的艺术天地和美的序列。

这就是古代文学研究中的文化意识。如果说,这些年来我们的古代文学研究真正有所进展的话,那末,这种文化意识的观念及其在实际研究工作中的运用,是最可值得称道的成就。如果我们要从理论上对古代文学研究的经验进行一些探讨,那末这个文化意识问题就是其中最值得重视的新的课题。

我们的研究者没有辜负读者的殷望,他们在辛勤地工作,并且取得了实绩。为了使我们的讨论不致流于浮泛,我们想从已有的成绩着手;这些成绩,从一定的意义上来说,也是我们古代文学研究界所共有的。在这里让我们与作者共同分享收获的喜悦,增强我们前进的信心,并通过对具体著作的讨论,增进彼此的了解,求得对这一新课题的深识。

摆在我们面前的是上海古籍出版社今年上半年出版的《佛教唐音辨思录》。这是一本论文集,除了两篇谈《诗经》的毛诗序与刘禹锡的以外,其他十二篇都是论佛教文化与唐诗的相互关系的。难能可贵的是,这些论文大抵都写于 80 年代前期,也就是说,在我们不少人对于文化史的问题还未给予足够重视的时候,作者陈允吉先生已在这方面扎扎实实地起步了。他自己说,对于佛教与文学的关键,要抓住这两者的内部联系,他满怀信心地说:"顺着这条思路去进行求索,就能在我国古代文学创作领域中发现一个异常丰富的世界。"应当说,通过他的这些饶有理致的文章,也仿佛使我们重新发现古代文学研究中一个异常丰富的世界。这部著作的意义,已经超出它所论述的佛教与唐音二者关系的范围,而是提供一种新的研究格局,认识和建立这种新格局,无疑将使我们的研究更加活跃,进到一个新的境地。应该说,体现这种新格局的不止是陈允吉先生的这部书,在这方面我们还有好些种颇有深度的专著,但无可否认,《佛教唐音辨思录》对于近几年来日益高扬的文化意识,确实提供了新鲜经验。因此我们这篇文章,也就想环绕书中的某些论述,对古代文学研究中的文化意识问题作一些探讨。我们希望通过对陈允吉先生这部书的评议,进一步开展古代文学研究从观念、思维到具体方法的讨论。

二

《佛教唐音辨思录》中的论文,主要集中于王维、韩愈、李贺三家诗与佛教的内部关系上。而此三家,一个是虔诚的佛门居士,一个是刚猛的反佛"斗士",一个是多少由于病态心理的驱使向佛门求寄托的并不深刻的信奉者。由此可以见出,作者是企图从几个层面,从不同角度,来讨论佛教之于唐音的深刻影响的。对于这种影响,作者着力之处,在于揭示诗歌中塑造的美感形象所体现的理念本质。

宗教作为文化形态，除了信仰以外，是一种思想，而诗歌，所体现的是一种美感形象。作者是怎样来研究这种思想与形象的关系的呢？他用了"渗透"一词。他在答程健问中说："我认为王维所接受的那套佛教哲学思想，作为一种理念性的东西，是渗透到他描绘的自然美形象中去的。"书中有关王维的一组文章，特别是《论王维山水诗中的禅宗思想》一文，十分精彩地论析了宗教思想对于诗歌形象的"渗透"。

王维擅名诗坛，又悉心奉佛，他在这两方面都有相当高的造诣。从这样一个很有代表性的历史人物身上，研讨佛教对于唐代士大夫思想和创作所产生的影响，无疑会极大地丰富我们研究的意蕴。但可惜，过去的一些论著，往往只从他的作品中举出一些直接宣扬佛理的诗句，来说明诗人的佛学思想，而对他另外一些艺术性相当高的山水诗，人们却忽略了其中寓含的禅理，这实际上仍然是文化史研究中的二元观。如果不从这些堪称盛唐诗歌精品的山水小诗着手，则仍然不能完满地解决思想与形象的关系。

我们来看书中对两首山水诗的分析。

王维《辋川集》二十首中的《鸟鸣涧》诗："人闲桂花落，夜静春山空。月出惊山鸟，时鸣春涧中。"这首诗几乎为选家所必取，但对于这样一首人们熟知的五言四句小诗，不少选本，却重复着一种误解。选评者都能看到《鸟鸣涧》诗以一静一动两景构成，然而不少评者都认为静景烘托动景，而动景又是表现出"春夜一幅生机盎然的图景"。在这里，禅理不见了，这首诗似乎与深于佛理的王维这一特定人物无关。而陈允吉先生则表现了可贵的独创精神，他不满足于一般的论述，力求探寻佛教哲学思想，作为一种理念性的东西，是怎样渗透到诗人所描绘的自然美形象中去的。这里，他所审视的是文化史研究中思想与美感形象关系这样带有一定普遍性的问题，这就已超越对于王维几首诗的具体论析了。

为了清楚地研究他对这一问题的表述，这里我们想把他对这首诗的看法完整地抄录下来：

> 诗人在作品中极度地强调了整个意境的空寂之后，转而写到了山涧之中的鸟鸣，似乎也写了点"动"。然而他之所以描写这种声息音响，同样不是表明诗人承认它们是客观事物运动变化的结果，从而肯定这种声音是真实存在的。要了解这种写法的真意所在，我们不妨看一下《大般涅槃经》中的一段话："譬如山涧因声有响，小儿闻之，谓是实声，有智之人，解无定实。"这部佛经的另一地方还说："譬如山涧响声，愚痴之人，谓之实声，有智之人，知其非真。"……他在这首诗中所写的山涧鸟鸣，从其形象中所显示的内在理念而论，同上面摘引的《涅槃经》中两段话的思想，实质上是基本一致的，表明作者并没有把这种"山涧响声"视作"实声"，而是作为"解无定实"的幻觉，放在诗中从反面映衬出"静"的意境。再从全诗的艺术处理看来，诗的前面两句，已经渲染了夜静山空的环境，桂花悠悠飘落，着地悄然无声；而"月出惊山鸟"一句，进而微妙地点缀出春夜山谷万籁无声，以致月亮升起来会把山鸟惊醒。最后的结句描写山鸟的惊啼，精心地衬托出

广大夜空无比的沉寂,从而更其加强了全诗表现"静"的效果。由此可见,王维为了这首写景小诗中寓托佛教寂灭思想,确实是进行了苦心孤诣的艺术构思。(《论王维山水诗中的禅宗思想》)

认为《鸟鸣涧》写出了生机盎然的春夜图的说法,显然只是就诗论诗,把思想与形象割裂开来。这四句,其诗脉分明是以"人"总领全诗,对于山景的描写,无论动静,都是为了表明闲居山林的诗人之感觉与心态。山林是禅宗第一静修处。"人"由"闲"而觉静,更由"静"而悟"空","空"之一字是全诗之眼,因此即以诗法而论,以下的动景也必为反衬空静,从而显示闲居中诗人的空寂心态。为了进一步说明这个问题,不妨再举文中曾引到的王维五绝《辛夷坞》为例:"木末芙蓉花,深山发红萼。涧户寂无人,纷纷开且落。"顺便说一句,有的学术论文和好几种诗歌选本,把这首诗中的"涧户"一词释为"山中的茅屋",其实这里涧户之意应为山涧两崖相向似门户状。这是唐人诗中常用的词语。随举数例,如武则天《游九龙潭》"山窗游玉女,涧户对琼峰";上官昭容《游长宁公主流杯池》"霞窗明月满,涧户白云飞"。涧户与"山窗"、"霞窗"相对,其为门户状之山涧两崖甚明。涧户为"山中茅草屋"的意思也是有的,如杨师道《还山宅》"鸟散茅檐静,云披涧户斜"者或可作如是解。但如果把这一释义放到《辛夷坞》中,则全然破坏了这首名作的意境。而允吉先生的分析是十分精到的,他指出了《辛夷坞》写的是"涧户中的落花",这当然不会是茅草屋中落花。又分析说,此诗所写的"动",不过是诗人自己所说的那种"空虚"

的聚散生灭,把它当作感觉上引起的一种孤立而片断的映象,和作者虚融淡泊的思想感情融为一体,出现在作品宁静的整体意境之中。

显然,这种对全诗空寂虚静境界的领会,是与"涧户"一词的正确释义分不开的。但更主要的是,作者把握了王维对于盛行于当时的南北禅理的悟解(此点可参看书中《王维与华严宗诗僧道光》、《王维与南北宗禅僧关系考略》等文),又深究于诗歌这一具体文学样式,把两者结合起来,这样就更深一层地触及了宗教哲理在感性形象中所体现的内在意义。作了具体诗篇的分析后,又进一步拓开,说:"诗人特别喜爱刻画清寂空灵的山林,表现光景明灭的薄暮,这些从他诗中反映出来的特有现象,都是同他力图在作品形象中表现禅宗色空思想分不开的。"这些话都很有见地。

允吉先生这些论述的贡献,主要在于阐明诗歌形象中所表现的宗教哲理,这种理念性的东西怎样渗透于诗人的艺术思维而体现于作品的内在意蕴。不过这里我们想提出一个问题,像王维这样一位充分讲究艺术表现力的诗人,毕竟不是纯粹的佛门信徒,即使在他已皈向于禅学的后半生,他的诗歌又是怎样冲破色空的观念,而在艺术构思中表现人类对自然美的渴求与向往的呢?佛教哲学无论说得怎么动听,归根结蒂是归于寂灭,它是一种厌世的思想,而诗歌中的那些艺术佳篇,应当说无一不是表现人类对美的创造的向往,这种艺术理想从根本上说是与佛教哲学相对立的。如果王维完全在作品中贯彻这种宣扬空寂的禅理,那末他的包括山水诗在内的许多优秀诗篇必然失去光泽。文学作品的艺术形象与思想本质的关系,确是一个非常复杂的问题,它们之间的渗透,恐怕不仅是理念对形象的注入,有时还有形象对于理念的逆反。王维的这几首写景小诗,固然如允吉先生令人信服地分析的那样"表现了禅宗主观主义的哲学思想",但也无可否认,千余年来经历过不同时代和社会的人们还是喜爱它们,恐怕并不因为是认识到诗中的那种理念或理趣,而是确实因为它们美,这种美,是诗人们对自然美的再创造,是他们欣悦或慑服于自然之美,经过艺术构思,寄寓于山水形象中的一种美好信念,而这种信念与宗教的厌世、出世思想是对立的,这也是诗人与宗教徒的根本区别,就是说诗人们并没有失去对世界和人生的执着之情。又譬如这本论文集中的《王维"雪中芭蕉"寓意蠡测》。确如作者所说,前人谈到王维这幅画,大多是从艺术上对它作了肯定,至于作品究竟表现了什么样的思想内容,则始终没有作过认真而具体的论述。允吉先生的这篇文章,通过对僧传、佛经等文献的征引,以及王维本人作品的考析,认为这幅画实际上是王维一篇碑铭中"雪山童子,不顾芭蕉之身"两句话的意念的体现。在佛理中,因芭蕉之容易速朽,比喻人身之必然灭寂,重要在于领悟其灭寂之理而得到解脱。因此文章说,王维这幅作品,寄托着"人身空虚"的佛教神学思想,"这种神学寓意的实质,不论从认识论或者人生观来说,都是体现出一种阴冷消沉的宗教观念"。允吉先生的考析是很新颖而有启发的,但是否还要考虑到另一面,即王维这幅雪中芭蕉图大约明代以后已经亡佚,自宋代《梦溪笔谈》记载"余家所藏摩诘画《袁安卧雪图》,有雪中芭蕉"起,大多限于评论,未有记实,我们已不能领略这幅名画的具体形象,因此很难对这幅画的具体形象所体现出的审美情趣加以论列。我们是同意允吉先生对画旨所作的总的概括的,但为什么后代一些评论着重于谈论画中的"妙观逸想"(惠洪《冷斋夜话》),"骀荡淫夷,转在笔墨之外"(《汤显祖集·答凌初成》)?沈括甚至认为"造化入神,迥得天意",是"难可与俗人论"的。评论者为什么从一幅神学寓意的画中作出超脱凡近、富于生机的艺术评论呢?这里确实牵涉到意识形态的一些共同点和不同点。我们注意到允吉先生在另一处提到,所谓禅悟,并不纯粹而绝对地在概念判断推理的范畴中进行,它通常要借助于某些具体的感性形象,来说明某种理念性的东西。因此,我们可以说,作为诗人,在他进行艺术构思时,就可能借助佛教哲理的某种有特色的思维方式,作为艺术手段,创造出不同于凡响的意境,像王维的一些自然山水佳句,如"白云回望合,青霭入看无","山路元无雨,空翠湿人衣""逶迤南川水,明灭青林端","湖上一回首,青山卷白云",等等,确实可以见出王维将"色空有无之际"的禅理,经过诗人的匠心独运,以闪烁而朦胧的笔调,在有无缥缈的画面中,写出大自然的化境,使人们的感情超越于日常的琐屑,得到一种升华与净化。而这种感情上的超越,却又与禅学的空寂不同。宗白华先生在《美学散步·中国艺术意境之诞生》中说,诗禅相近,但是二者性质不同,"宗教境界主于神,艺术境界主于美"。这可以看作是山水田园诗之受宗教影响而仍然显示其独立价值的一个最精当的解释。

允吉先生说:"过去有些学者,往往只是去考证作家与佛僧的交游,或从作品中引出一些佛教内容的词句就了事,这好像我们去参观一座寺院,结果仅绕着围墙走了一圈,而未能登堂入室。"

(《答程健问》)从表层的肤浅的比附进到深层的文化背景与文学两者内部联系的融通研究,确是使当前的古代文学研究向深入发展的、虽然困难却亟需解决的问题。思想与形象,神学渗入与审美创新,对二者的关系,我们希望在允吉先生这部论文集的经验的基础上,能展开进一步的讨论和探索。

三

　　社会、文化背景对于文学的影响,要通过什么样的途径? 这是古代文学研究中文化意识的另一个重要问题。近些年来,一些文章和著作,在具体论述作家作品与文学现象时,似乎已经共同有了这样的认识,即往往是社会、政治的变动,意识形态领域的转变,这种种因素交错作用的结果,造就了士人的心态,也就是士人的气质与精神风貌,随即,他们的审美情趣与文学基调也就有了变化,如果这种情况有极大的变动,那就是整个一代学风与文风的变化与发展。这其间的关键,是作家个人的性格特点与思维方式。允吉先生在他的书中,不止一次地谈到了这个问题,他在谈王维时,着重提到作品因受佛教神学理念的深重影响而呈现的"精神面貌";论韩愈时,阐述了"时代的烙印和本人的遭遇"怎样形成了"他乖戾和木强的性格",而这又如何与时代的"新的审美要求""相契合";讲到李贺时,又用了"思想面貌"、"精神面貌"、"思想本质"、"主观精神世界"等词。允吉先生较早地论述了这种观念,即作者的生活方式以及由此而形成的心态,是文化背景融入文学作品的中介。他的贡献在于,他并不是泛泛谈论这一观念,而是结合具体作家进行研究,这样就愈益显示这种观念对研究工作所能起到的方法论的意义。

李贺的某些诗篇,如《天上谣》、《浩歌》、《梦天》等,确实描摹了广阔浩莽的境界和一系列沧桑转换的神奇形象。过去的一些论著,不深究其诗篇所深含的诗人内心世界,片面地肯定诗人对所谓自然运动规律的认识,有的更认定李贺世界观中包含有辩证法思想。允吉先生《李贺与〈楞伽经〉》一文,论述了中唐时代知识分子面对政治动乱的现实,由此产生思想上的苦闷,而这种苦闷的心态,又极易滋长光阴飘忽与人生无常的感情。文中又简析了《楞伽经》的基本思想是论述世界万物的生灭现象与通过"唯心直进"思维证觉来从生死当中得到解脱,然后写道:"我们细致地味索李贺的诗篇,寻绎其间的作意寄慆所在,就可以对他的精神面貌得到一个轮廓性的了解。由于诗人多病早衰,仕途牢落,这两方面的原因,形成了他极其忧郁的性格,对于生死问题,显得特别敏感。他在自己的生活环境中,感受到世界变迁无穷,目睹万物兴荣消歇,念虑人有生老病死,心里郁结着人生短促的悲哀。他在诗中说:'吾不识青天高,黄地厚,惟见月寒日暖,来煎人寿'(《苦昼短》);'旸谷耳曾闻,若木眼不见,奈何铄石,胡为销人'(《日出行》);'日夕著书罢,惊霜落素丝。镜中聊自笑,讵是南山期'(《咏怀》之二);'客饮杯中酒,驼悲万年春。生世莫徒劳,风吹盘上烛'(《铜驼悲》)。可见那种焦虑衰老和死亡的念头,几乎无时不在缠扰着诗人的灵魂。他有时甚至于因为秋风吹落一片桐叶,就会骤然感到惊心动魄;头上掉下几茎华发,也能给他带来无法抑制的忧愁。在李贺的诗集之中,用了许多的'老'字和'死'字,其中'老'字多达五十余个,'死'字也有二十余个,仅在外集一首题为《南园》的短诗里,就出现了三个'老'字。而且他在诗中描写自然美的形象时,非常喜欢刻画衰败的草木,枯萎的花朵,表现所谓'幽兰露,如啼眼'、'蛄枯吊月勾栏下'这样一类景象,赋予自然事物以一种衰败凄冷的特征。这种耐人寻味的用字习惯和审美趣味,作为诗人内心世界的曲折显现,反映在他的思想之中,时常充满着迫蹙于衰老和死亡威胁的幽思。"

由此,作者进一步小结云:"李贺的诗歌与《楞伽经》,虽然它们一者是诉诸于塑造美感形象的文学作品,另一者则是阐发抽象哲理的宗教论著,但是归结到思想本质来说,这两者的内容却有着相通契合的地方……《楞伽经》所提出的那个解脱生死的问题,对于李贺这样一个朝夕焦虑于死亡的人来说,自然会在思想上感到是很容易接近的。"

思想与文学的关系是文学史研究中一个核心问题,美国文艺批评家勒克·沃伦在《文学理论》中曾指出,研究者要充分注意,"思想实际上是怎样进入文学作品"中,而成为作品的"有机组成部分"的,更认为一切将思想图解化的作品,都不能成为真正优秀的艺术作品。确实,将思想图解化的研究倾向在我国的文学研究中曾大量存在。十年动乱前,思想决定艺术形式甚至以思想性代替艺术性的观念,曾使文学研究长期停滞不前。拨乱反正后则产生了两种倾向:一是以文化背景代替了原来的社会背景,使文学成为文化的图解;另一种则将文学的相对独立性、作者的主观意念强调到不适当的地位,而其实是以研究者的主观意念代入作品。这两种偏向看来是与思想决定文学的倾向相反,而实际上在思维形式上却重蹈了简单化的故辙。

思想究竟是如何进入作品而成为其有机组成部分,至今为止尚未有统一的看法;实际上,因文学创作的多样性复杂性,及研究者的视角的不同,恐怕也难以有,甚至不必有统一的结论。然而从大量的文学史现象来考察,我们认为这几年来的研究,包括允吉先生的论述,提出以生活方式与作者心态为中介的意见,至少是大量存在的不容忽视的文学现象。借此我们拟申述一下我们的某些想法。

作为创作主体的文学家,总是既处于纵向的文体演进的长河之中,又处于横向的文化背景、时代精神的冲击之下。作者置身于纵横两线的交叉点上进行创作,同时反过来又影响文学史的进程,并对文化背景、时代精神作出或显或隐的反作用,从而使文学本身也即为文化背景的组成部分。

作者在创作的刹那间是纵横两线交叉的一个点,但是作者本身的性格素养心态又有其自身的发展系列,因此这个点不是消极地对纵横两方面的影响的反应,而是以其自己的思维定式对两者起反作用,即从其特殊的角度利用二者构想文学作品,又在创作过程中对自己的思维定式作重新建构。由于文化背景、时代精神的复杂性,由于文学部类以及同一部类中具体风格的多样性,由于作者自身历史的特殊性与创作瞬间感兴的各异性,文学创作虽然大体而言是在纵横两线交叉中作者的能动反应,而实际上必表现出千变万化的形态。

以上两线一点在实际创作过程中的关系是:横向的文化背

景、时代精神的影响,经由作者这一点,最终落实到文体中,形成特定的文学作品,成为文体演进长河中的一颗水珠,并通过积渐的过程引起文体的纵向演变,因此文学史研究,虽然必须在大文化背景中展开,必须充分重视作者个性,但最终的任务——从史的角度而言——应当是文体的演变史,或说文学的艺术史(思想内容是艺术形象的有机组成部分);而不应是文化史的附庸,或作者传记。

虽然文学史研究的最终落脚点是文学的艺术史,但是作者作为纵横两线的交点,作为使文化、精神进入文体的中介,具有特别重要的地位,因此必须重视这一中介的形态。文化背景、时代精神通过作者进入作品,大体有两种形态。有时是直接地介入,作者自觉地明确地为表达某种理念而创作,如白居易《新乐府》;而更多的情况则为间接的形态,处在特定文化背景、时代精神影响下的作者,不断地以自己的个性感知这种影响,使这种影响积淀在作者的心态之中,并以个性同化这种影响,遂形成作者一定的生活方式或情趣,成为创作之前的潜在的意识或审美趣味,一旦景与情会,产生创作的冲动,兴会标合,络绎奔趋,这种心态便自然地潜注入作品之中,成为其有机组成部分(意蕴,趣味等),如王、孟的大部分山水诗中的清空境界,杜甫夔州七律的瘦峭格调,李后主入宋后词的似淡实深的哀愁,苏东坡后期作品中的旷达气韵等。这两种形态,固然都有其存在的价值,但是就文学的意义而言,就尤重兴会的中国诗歌艺术而言,后一种间接的形态具有更为重要的意义。

总之,以在一时期的文化动态为背景,以作者的生活方式及特定心态为契机,认真分析研究文化因素进入文体的具体形态,从中探索文学的艺术因素的发展变化,或许会使文学史研究进入一个新的境地。我们希望在实际工作中能有较多的这方面的探索，这必将大大丰富和活跃我们的古代文学研究。

我们在这里还愿意提到的是，研究一个时期的文化背景及由此而产生的一个时代的总的精神状态，在文学史研究上当然是必不可少的，但应当看到，所谓文化背景，本身是众多因素的综合，而且是不断变化运动着的，因此在对文化背景的研究中应当注意，尽可能作多方面的考察，既注意某一时期占主导性的文化因素，也尽可能注意其它因素的参互作用。在这个问题上，几乎是无一定规则可循的，而惟有在对诸多因素的尽可能充分的了解，才能得出较为全面的分析。允吉先生在谈到李贺时，正确地指出：李贺的宇宙论和人生观，不仅受到《楞伽经》的影响，同时还从《庄子》中间吸取了许多思想成分；而且说："比较起来，道家和神仙对他所起的影响，也许是更加显著一点。"这一论断是符合于李贺思想实际的。这告诉我们，对于作家所受文化背景诸因素的影响的把握，应当有一定的分寸。

从这点说来，这部论文集中，《从欢喜国王缘变文看长恨歌故事的构成》及有关韩愈的两篇文章（《论唐代壁画对韩愈诗歌的影响》、《韩愈的诗与佛经偈颂》），有些论述似还可以进一步商讨。

诚然，在关于韩愈诗的意象与佛教蔓荼罗画的关系，韩愈以文为诗与佛教偈颂的关系两方面，允吉先生提出了许多新的例证，较之沈曾植、陈寅恪等前辈学者的论述更为丰富、精彩。但当我们把目光从佛教方面的材料扩展开来后仍不免有疑问，如《陆浑山火歌》中关于火的描写及画面层次，除佛画外至少还可以从两个方面溯源，一是汉魏以降的大赋中关于猎火的描写；二是道教方面的大量资料（如陶弘景《真灵位列图》与道教有关酆都阴司的记载与壁画）。至于韩诗所谓散文化的句式，是否脱胎于佛教偈颂，则更可商榷。就一些细节问题而言，如韩诗中铺列动物名词的特点，其实汉魏大赋中尤多；多用何字反复提问者，在《诗经》、《何人斯》、《何草不黄》，楚辞《天问》中早已有此例。《南山诗》用五十一个，允吉先生已提到《小雅·北山》用十二"或"字已开其先例；虽然后来佛经中连用"或"字有多于《北山》者，但早期佛经翻译取格义形式，而多仿儒典，则又焉知佛经的翻译者不是参照了《小雅》的句式呢。再就总体观之，韩愈诗歌句式的散文化，更可以从中国诗史中找到直接的源头。如果推本溯源的话，甚至所谓韩愈"以文为诗"的提法都大可商榷。先秦时期，韵文散文的交错现象十分突出，这是文学草创时期的必然特征。就诗而言，如《五子之歌》云："皇祖有训，民可近，不可下。民惟邦本，本固邦宁。予视天下愚夫愚妇，一能胜予。一人三失，怨岂在明，不见是图。予临兆民，懔乎若朽索之驭六马。为人上者，奈何不敬。"这种体格的诗歌，后代有《优孟歌》、《慷慨歌》、《狐援辞》、《铙歌》，魏晋后自曹操《气出唱》，魏郊庙歌《邕熙》之后，代有仿作。至盛唐又有任华赠李白、杜甫等歌。考虑到韩愈的文学倾向，我们认为其散文化的诗句，似乎有意取法三代两汉诗这类古拙的句法。又所谓"以文为诗"不仅是指句式的参差，还包括章法的文章化，这种倾向从谢灵运到杜甫，可以找到明确的渊源，而在佛氏颂偈中却很少有例证。

对白居易《长恨歌》与《欢喜国王缘》关系一文，首先我们很佩服作者的功力，从变文的演变来论述白居易这鸿篇长制的情节构成，无论是材料发掘和立意，都是很新颖的。但我们觉得，这里有一个时间上的漏洞。作为《欢喜国王缘》前身的《杂宝藏经·优陀羡王缘》虽早于《长恨歌》，但其中并无关键的"人间天上喜相逢"的情节，而有此情节的《欢喜国王缘》，今有写卷一般都认为属于五代，因此第一个疑问自然就是何以断定不是变文吸取了《长恨歌》的情节而使《优陀羡王缘》的简单情节，大大发展了呢？其次方士致魂魄的情节无疑起于汉武帝李夫人事，其本原是属于道教系统的，而很多资料说明后人已将其发展比附于玄宗身上。开成间郑畋所作《津阳门》诗是《长恨歌》外又一篇叙李杨爱情故事的长诗，作者详注本事，其中就注有道士叶净能曾导玄宗游月宫，与此幻术招致美人之事。后来的《叶净能诗话》更将此发展为旖旎动人的传奇性故事。从这些情节，是不难发展出《长恨歌》并传中方士觅致杨妃之事的。陈鸿《长恨歌传》中明言："适有道士自蜀来，知上心念杨妃如是，自言有李少君之术。玄宗大喜，命致其事"。则分明将此事缀属于李夫人故事一系。此外如明皇对杨妃的入骨相思，从杜甫《哀江头》起，已有表现；"在天愿作比翼鸟，在地愿作连理枝"，分明由《孔雀东南飞》中蜕出。

我们无意绝然否认佛经、变文、变相对韩愈、白居易诗的影响，但在读上举三文时，总有作者因着重于佛教研究而越看越像，并因此忽视了大量反证的感觉。佛氏倡言无执，但这些文章却似有执着一事之嫌。

于是问题仍回复到本文在前面所说的文化背景的多元性复杂性问题上来。对某一文化部类之于文学关系之专题研究是必要的，但在这类研究中，似仍应有更宏阔的文化背景观念。与其说韩、白上述诗歌均源于佛氏,毋宁说是当时众多性质相近的文化因素,投射到韩、白的意识层中,而在创作之刹那,综合表现出来为稳妥。譬如韩诗的散化句式,应当是韩、孟派复古思潮的大背景中兼取汉先古诗碑铭、汉赋、佛氏偈颂等因素的融会贯通的创造。我们认为以考据为主的索隐式的论证,除非在确有实据,且能充分排他的情况下,方是行之有效的;而大文化背景通过作者心态的中介,影响于文学,应当是更近于文学创作实际的大量存在的情况。也许这样来观察文学现象,较之索隐所得出的结论来得模糊。然而文学创作,本来就是更多地带有模糊性质的。从创作思维看,如果执定一事作比拟与模仿,恐怕很难出现优秀的作品。创作是如此,研究何尝不是如此。

四

最后,我们想附带谈一点研究风气问题。

我们感到,前几年,无论是对一般文化问题的讨论,或是古代文学研究中文化意识的探求,总似有一种宏阔有余,专精不足的缺陷。这或许是学术发展中一时所不可免的,但对照允吉先生所做的工作,我们觉得我们的古代文学研究真正要有所进展,应当考虑基础的实证的研究。

允吉先生在《后记》中对他的这部书的书名有所解释。

盖辨乃系乎实证,思则期于融通,适今治学方法,瞬息万

变，宏观烛照，诸论俱陈，常欲调合新旧，一如理事。纳须弥
于尘毛芥子，寓义理于考据文章。

这段颇用佛语的自述，说明了作者贯串了全帙的治学态度与方
法，其要义有三：

一曰实证：一切辨思，均以实证为基础，而切忌心造臆测的
发挥。

二曰融通：融通包含两个相互关联的方面，首先是"一如理
事"，使所论之理与所举之事圆融于一，而力避牵强附会。其次，
这理事的融通，又势必有待于对唐音与佛教二造的融通，正如作
者所说，研究佛教与文学的关系，要注意抓住两者的内部联系，而
"弄清这种联系，需要经过严密的科学论证"（《答程健问》）。

三曰"纳须弥于尘毛芥子"，这似乎是对当前有关研究方法讨
论之形象回答。作者力图"调合新旧"，但他更愿意在一个又一个
具体问题的研究中，来同时对方法问题作思索，而并不急于构成
什么理论体系。按此书中所显示的学力来看，如果作者要敷衍为
一种由佛教影响的角度，全面介绍唐代文学的通史式的著作，当
也并不为难，但他却仅以目前这样论文结集的形式奉献给读者，
而并不急于找出一个统一的模式。这种求实的学风，应当说代表
了我们这一代研究者对事业的审慎态度。

"实证"、"融通"、"纳须弥于尘毛芥子"三者，其实是三位一
体的。"辨乃系乎实证"是基础，"思则期于融通"是升华，"纳须
弥于尘毛芥子"则既是实证与融通的前提，使二者能尽可能避免
拘墟之弊，又是实证与融通之自然结果，使人们在具体问题的解

决中,得到超乎具体的启示。因此说到底,他的方法又可归结为对研究对象——佛教与唐音二造,在尽可能多地占有资料的前提下,所作的反复的、入里的辨思,书名"辨思录",正向读者提示了本书的这一特点。

前几年,有一位外国学者,在中国讨论古代文学研究时,曾说了大意如下的一段话,说外国汉学家感到以传统方法研究汉学,外国人总是搞不过中国人的,因此他们更重视新的视角的开拓,以期在总体研究中超过中国学者。这段话有一定的片面性,现在国外有一些成就卓著的学人,且不说其中的华裔学者,他们大多在传统研究方法上有很深的造诣。笔者注意到这几年日本、美国唐诗学界的一些后起之秀,他们除了视角的新颖外,在考订的缜密,资料的翔实上,真有度越其前辈之势,其功力之深与思想之敏锐在国内学者中也为少见。然而上述那位学者的那段话中有一点足以引起沉思,就是我们如何保持和发扬传统治学的优势。吸取新的研究方法,当然是必要的,但如果丢掉了我们擅长的传统方法,而急于从一知半解的新理论中东拼西凑建立体系,就很容易邯郸学步,失其故武,最后将连路也不会走了。天马行空而根本不固的研究方法是一种简捷却危险的方法,其结果势必造成在汉学研究中,中国人落后于外国人的可悲局面;这倒并不是什么危言耸听,而是苗头初露。因有感于允吉先生的治学态度和治学方法,我们觉得,这对于古典文学界如何进一步展开文化史的比较研究,是很值得我们思考的。

与赵昌平合撰,原载《文学评论》1989 年第 6 期,此据万卷出

版公司 2010 年版《当代名家学术思想文库·傅璇琮卷》录
入,另收入黑龙江人民出版社 1992 年版《唐诗论学丛稿》、
京华出版社 1999 年版《唐诗论学丛稿》

学养深厚与纵逸自如

　　这些年来,我越来越感到,钱锺书先生对中国古典文学研究所作出的贡献,他所达到的成就,以及这些贡献和成就在文化学术史上的意义,在古典文学界,并未有真正的认识,因而也未能被充分的理解,而所以如此,是因为缺乏研究。

　　我们的古典文学研究需要提高,提高的一条重要途径,就是要向前辈学者学习。这就是说,要从学术史的角度,对我们的研究实践进行总结,特别是对一些有突出成就,能体现一代学术发展的大师们的学术思想和学术道路作细致的、虚心的研究。这也就是古典文学研究要取得当代意识的一项必不可少的工作。在我们的面前,已经有了《谈艺录》、《管锥编》、《宋诗选注》、《七缀集》这样壁立千仞的著作,我们如果不对它们进行研究,而还不断地在一个低水平上重复已知的认识,怎么有真正的研究可言呢?钱先生在治学上对我们后辈的启示,就是树立一个高标准,使我们懂得,这才是真正的做学问,这样的治学才真正在学术上有意义,这才使一切有志者不致浅尝辄止,而奋进不已。我想,真正静下心来读钱先生的著作,都会有这样的一种感觉。

我觉得,在我们这一辈,或比我们晚一些的,在古典文学研究中,所获有多有少,笔法有新有旧,但似乎总有一种程式,不管搞一个作家论或作品研究,或一个时代、一个命题的探讨,总摆脱不开一种固定的格局。而钱先生却不然,在他那里,似乎已纵逸于一切程式或格局之外。钱先生没有特地写什么作家评论,或什么某某研究、某某诗评,他似乎在行文中偶一涉及,但就是这些看来不经意的寥寥数语,却正是作家、作品研究的精髓所在。这种能超然于程式、格局的学术研究,古人往往用化境加以形容,正是我们要着力研究之点。这可能会突破目前古典文学研究程度不等地存在着的较为单一的缺陷,使研究者视野能有所开阔,从而活跃研究的空气,丰富研究的内容。

　　但钱先生的这种超然于程式,是他深厚的学养之必然,学养不到这一步,勉强模仿,就会显得做作。钱先生把中国文学置于世界文学的总背景下加以观照,自然就目光四射,举重若轻。他又把中国文学放在古今学术的大系统中加以考察,这样就能明其异同,观其通变。在探索某一创作意向时,他又会通各种文学体裁,启人心智,又涉笔成趣。论陶渊明《闲情赋》的"瞬美目以流眄,含言笑而不分"二句,除了引诗文作例证外,还引了《聊斋志异》的《青梅》,《绿野仙踪》第60回写齐蕙娘,《儿女英雄传》的第38回。这样的情况在《管锥编》中到处可见。有些人的诗文笔记,特别是明清人的一些作品,似乎除了钱先生引述过以外,过去再也没有人提起过。经钱先生一加引述,使这些本来似乎无甚意义的作品获得新的价值,也使读者在认识和鉴赏中获得极大的满足,让我们惊奇地发现中国古代文学会有如此丰富的宝藏。

对于古典文学界来说,研究钱先生的著作应该提到我们的日程上来。目前已有一些研究者在做,他们正在取得成绩,但这种研究格局的数量和规模还远远不够,与钱先生的贡献及其在学术史上的意义太不相称。可以毫不夸张地说,无论国外或国内,要研究中国古典文学,要在现有的基点再往前延伸,就必须明白钱锺书的著作已经谈到了什么,而要研讨当代的中国古典文学现状和发展线索,则钱锺书是一个必须研究的学术课题,这个课题将能养成一代新的学风:一种严肃的、境界高尚的治学胸怀,融合中西文化、广博与精深相结合的治学手段,不拘一格、纵逸自如的治学气派。

原载《钱锺书研究》1989 年第 1 期(有副标题:《钱锺书研究》编委笔谈),此据北京联合出版公司 2013 年版《濡沫集》录入,另收入黑龙江人民出版社 1992 年版《唐诗论学丛稿》(有副标题:《钱锺书研究》编委笔谈)、湖南人民出版社 1997 年版《濡沫集》

点校本《五代诗话》序

　　一九八七年十月至一九八八年五月,我应美国密西根州立大学人文学系之邀,到该校进行学术访问。在这期间,我与美籍华裔学者李珍华教授合作,对盛唐时期的文学思想作了一些探索,并就殷璠及其《河岳英灵集》,王昌龄及其《诗格》,写了几篇学术论文,交国内的有关刊物发表。由王昌龄的《诗格》,我们注意到唐代诗学思想的一种特殊表现形式,即由初唐时期上官仪的《笔札华梁》、元兢的《诗髓脑》为滥觞,经盛唐、中唐的发展,而大盛于晚唐五代的诗格型著作。这种诗格型著作,不同于唐以前如钟嵘《诗品》那样有一定的论诗宗旨和思想体系,也不同于唐以后和宋人诗话那样以文艺随笔漫谈诗人之间的交往、诗句的赏析以及某些与诗歌有关的遗闻逸事。它往往采取条目的形式,用数字贯串,成为格式的样子,内容则以传授诗歌的格律(尤其是在唐代逐步得到完整的新体诗——律诗和绝句)以及作诗的基本技巧为主。由于带有传授知识的性质,因此内容比较通俗,又由于采取条目的形式,就容易使人产生破碎割裂的感觉,而为宋及宋以后评论家所轻视。如宋蔡宽夫《诗话》就以讥嘲的口吻说过:

> 唐末五代,俗流以诗自名者,多好妄立格法,取前人诗句为例,议论锋出,甚有师子跳掷、毒龙嘒尾等势,览之每使人拊掌不已。(见郭绍虞《宋诗话辑佚》)

清人所修《四库提要》,更对这一类著作采取一笔抹杀的态度,说它们"率出依托,鄙倍如出一手"(卷一九七集部诗文评类存目《吟窗杂录》提要,又参卷一九五司空图《诗品》提要)。由于受这种看法的影响,这一部分诗格型著作,长期以来得不到重视,除了三十年代至四十年代,个别的前辈学者如罗根泽先生在他的《中国文学批评史》中曾有所叙述外,一九四九年以后,几乎没有专门论文加以研究,出版的几部有影响的中国文学史著作,对它们也没有专门章节论述。

这种现象倒反而引起李珍华先生和我的兴趣。李先生在美国曾长期研究和教学欧洲与美国文化史,而又对盛唐文学有专门的研究。他以其广阔的世界史知识和深湛的文化史研究素养,注意到唐末五代在中国历史和文学中的特殊地位。于是,在我于美国停留的后期,我们曾对五代的文学和那时的文化思想若干问题作过较深的交谈,并拟着手作一些系统的研究。我们认为,首先一步应弄清基本事实,整理出基本材料,然后才能作理论的、概括的研究。对此,李珍华先生表现出极大的热情,在我们游历华盛顿,参观美国国会图书馆时,他就复印了馆藏的《五代诗话》(粤雅堂丛书本),并动手标点起来,遇到错字缺字,校阅其他文献资料,据以正补。我于五月初返国,即携带他的点校木,随后过录到另一复印件上,并作了少许补充。这就是现在奉呈给读者的由王士禛原编、郑方坤删补的十卷本《五代诗话》。

五代在政治上的特点是分裂割据。这时在黄河流域依次存在过年代相当短促的五个封建王朝——梁、唐、晋、汉、周；在长江流域以南至两广地带，按地城分布及时代先后，则有几个地方政权——前蜀、后蜀、吴、南唐、闽吴越、南汉、荆南、楚，再加上北方的北汉（相当于现在山西省的大部），历史上因称这一时期为五代十国。这一时期，往往因为它的时间短促，战争频繁，社会动乱，以及没有出现过大的政治家、思想家、文学家，未能引起研究者的充分注意。而实际上，五代十国是一个相当重要的时期。在中国历史上，宋代无论在经济、政治、文化等方面是明显与唐代不同的，有些历史学家称宋代是中国的近古时期，从此以后中国封建社会进入到后一发展阶段，唐代则可称为中古，而由中古到近古，是由五代这六七十年间完成的。五代，它在各方面说是一个过渡，但这个过渡在历史上却带有关键性质，只有透彻地研究这个过渡时期的政治、经济和文化，宋代及宋代以后的中国社会诸形态才能有清楚的了解。

宋代有些文献记载是注意到唐宋社会的重要不同的，如南宋一部很重要的笔记，王明清的《挥麈录》中说："唐朝崔、卢、李、郑及城南韦、杜二家，蝉联珪组，世为显著，至本朝绝无闻人。"（前录卷二）崔、卢、李、郑是潼关以东的大族，韦、杜是关中的大族，它们代表唐代的门阀世族。王明清说唐朝时这几个大姓世代做高官，联绵不绝，但到宋朝，就没有出过有名人物。这说明唐朝的几个世家大族，到宋朝已完全衰落，而宋朝就再也没有产生过像唐朝崔、卢、李、郑、韦、杜那样能交通声气、把持政权，又连绵世代的门阀。这既是政治的变化,更是土地占有形态的变化——由领主庄园制向一般地主占有制的转变。而这种转变是在五代完成的。

也是从五代开始,长江流域的经济明显超过黄河流域。这不仅表现在农业上,而且表现在商业和手工业上。五代时南方较为安定,战乱较少,又因水路运输的便利,促进商业的发达。而沿着水路,就有新的城市兴起,这些城市所代表的文化形态,明显地与北方黄土地带不同。这对宋以后的文学显然有不可低估的影响。

唐诗是中国诗歌的高峰,宋诗是又一个高峰,它与唐诗比较有不同的风貌,而唐末五代正是诗歌风格的转变时期。宋代不少诗人和评论家已经注意到唐末五代诗歌通俗化的倾向。虽然他们当中有些人不无带着偏见,看到唐末五代诗人语言的浅显而议评其诗格不高。如对北宋颇有影响的唐末、五代初诗人郑谷,欧阳修在《六一诗话》中说他"格不甚高",就因为他的诗句多浅显明白,"以其易晓,人家多教小儿",欧阳修自己也承认"余为儿时犹诵之"。又如宋人笔记《遁斋闲览》说:"唐人诗句中用俗语者,惟杜荀鹤、罗隐为多。"《唐诗纪事》说晚唐诗人卢延让:"延让吟诗,多著寻常容易语。"以致著名的西昆体诗人杨亿在任翰林学士,与皇帝谈起卢诗时,君臣都不得不承认"似此浅近,亦自成一体"(卷六十五)。这种从唐末开始的诗歌语言日常生活化,通俗化的趋向,对宋诗风格的形成,有着直接的影响。五代时除了词以外,在诗和文方面确实没有出现过大家,甚至二流作家也没有,这可能正是过渡时期的特色,它代表一个时期的终结,而又未能有足以表现新时期特色的成熟的作家产生;它所表现的是一种趋向,一种潮流,这种趋向和潮流的发展,是会促进新的文学时代的到来和新一代独具特色的文学家的崛起的。

清代乾隆年间,李调元编《全五代诗》,他在自序中说:"五代诗向无全本,编诗者率皆附之唐末宋初之间。"这几句话确实反映了过去对五代诗的看法,也说明为什么五代诗文研究薄弱的原由。那就是,长时期内是不承认五代文学是作为一个独立的阶段存在的,这时期的作家,不是上属于唐,就是下缀于宋。如宋计有功的《唐诗纪事》、元辛文房的《唐才子传》,就收了不少五代人。清编《全唐诗》,更将五代诗人几乎全部收入,一直编到由五代入宋的诗人如徐铉、孟宾于等。厉鹗的《宋诗纪事》、陆心源的《宋诗纪事补遗》等又采辑了不少五代后期的诗人。五代时代短促,诗人生活年代超越于朝代的更替,这固然是客观的原因,但过去长时期中对五代文学的漠视主要还是观念上对文学变迁阶段性认识不足。

现在要改变这种情况,就是说要改变这种认识,我认为首先还是要理清历史发展的客观进程。文学史研究,如同历史研究一样,在过去一段相当长的时期中,过于强调研究规律,似乎在一部书中,或甚至在一篇文章中,只有能提出或发现什么规律性的东西,才是高水平的研究。当然,如果作为整体的要求,我们研究历史和文学史,以求达到揭示发展过程中的规律,是可以的,但那是何等的不易,恐怕要经过几代学人的努力,积累相当的成果,才能逐步有所收获。而历史研究的任务,有一点却被许多人所忽略,那就是要把历史事实搞清楚。历史上的一个个事件,一次次潮流,历史人物的种种活动,其真相究竟如何,它的来龙去脉,它的矛盾的各个侧面,真实情况是怎样的,这不但对于近现代史是重要的,对于古代史也是重要的,对于政治史是重要的,对于文学史、思想史以及其他意识形态领域的历史,也是重要的。可以毫不夸张地说,不理清基本事实,而议论什么规律或所谓宏观研究,只不过是侈谈。我们的文学史研究如果到现在还不重视历史过程的周密而客观的研究,那只能是原地踏步,即使写出多少大的论著或编出多少大的工具书,都是没有什么用处的。而在文学史上,我们应该进行这样的研究而至今还是十分薄弱的部分,正不知有多少,五代文学只不过是小焉者而已。

　　我想这不应该引起误会,以为我在这篇序言中单纯地来提倡材料考证、文献整理,而反对必要的理论探索。我只不过想为被某些论者贬为"低层次"的研究说几句话,而且我也确实认为,这些年来,古典文学研究还是在踏踏实实地前进,很有几部扎实的著作产生,并不像有些文章所说的陷于危机,或所谓"中国有古典文学,而没有古典文学研究"。天津南开大学中文系的罗宗强同志于今年六月间给笔者的一封信中,谈到他看了目下几篇议论古典文学研究的文章,这些文章"几欲否定一切",他颇不以为然,而"以为近几年古典文学研究,实正在坚实地前进,与彼等之评价全相反"。上海复旦大学中文系的陈允吉同志近日来信,其中说:"对于事物的本质抽象,是始终离不开对具体现象的把握的,我国古代哲学史上很早就提出'理事相即,体用一如',已把事物本体与功用,本质与现象之间的关系讲得十分透彻。现在有些人提倡的所谓'宏观研究',不过是承袭宋明之间空谈性理之积弊,此亦拾人之唾余而气势愈壮者耳,求其有益于学术事业之发展者,实百不得一。数日前趁杂事稍了,取章学诚之《文史通义》随便翻翻，觉得里面有些话说得真好。章氏屡次讲到'道不离器'，告诫读者不可舍器求道。又云'谈理不可徒托空言，必博学以实之，文章以达之'。对照近年那些满纸术语、内容空洞的宏观文章，章学诚这些话真是一剂良药。"古典文学界中许多人是知道罗、陈两位的，他们的论著注重客观材料，但他们并不是专门作考证的。宗强同志有一套古代文学思想史的宏伟计划，已经出版的《隋唐五代文学思想史》真使人耳目一新，书中提出和解决了多少我们朦胧感觉到但还不能清晰认识到的隋唐文学发展中的重大问题，这正是他长期来坚持理论联系实际的结果。允吉同志近些年来致力于佛教思想对唐代诗人影响的研究，他的文章谈到了李贺作品奇特想象背后的佛理渗入，王维诗画中的禅学和诗人终究摆脱不开的世俗观念，唐朝寺院壁画对于韩诗风格的影响，这些文章好像给研究者打开一扇扇窗户，让人们重新认识唐代文学的环境和诗人们的心灵。如同其他一些有创见的论著一样，罗、陈两位都是充分运用材料，提供事实本身，客观地剖析事件的发展过程。如果离开文学史的事实，我们能作出多少宏观的理论研究来呢？

话说得远了，还是让我们回过头来说五代文学。我觉得，从理清基本事实这一角度来说，五代文学需要做的事情实在不少，而前人的记载，谬悖与缺漏之处可谓触目皆是。我本人在这方面用功还不多，现在姑就两件小事，作为例子，来看看摆在我们面前应该做的工作有多少。

贯休是唐末五代最有名的诗僧。他交游广阔，由唐入五代的几位著名诗人，如韦庄、韩偓、吴融、郑谷，与他都有诗什唱酬。他的游踪也甚广，除出生地浙江外，现在江苏、安徽、江西、湖北、湖南,都有他的踪迹,晚年则又定居于蜀。关于他由吴越入蜀的原因,过去的记载就有不少互相矛盾的说法。

北宋中期与欧阳修大致同时的僧人文莹,在其《续湘山野录》中记道:"唐昭宗以钱武肃镠平董昌于越,拜镠为镇海镇东节度使、中书令,赐铁券,恕九死、子孙二死。罗隐撰谢表,略曰……。殆庄宗入洛,又遣使贡奉,恳承旨改回请玉册、金券。有司定仪,非天子不得用,后竟赐之。镠即以节钺授其子元瓘,自称吴越国王。……又于衣锦军大建玉册、金券、诏书三楼,复遣使册东夷诸国,封拜其君长。……禅月贯休尝以诗投之曰:"贵极身来不自由,几年勤苦踏山丘。满堂花醉三千客,一剑光寒十四州。莱子衣裳宫锦窄,谢公篇咏绮霞羞。他年名上凌烟阁,岂羡当时万户侯。"镠爱其诗,遣客吏谕之曰:'教和尚改十四为四十州,方与见。'休性褊介,谓吏曰:'州亦难添,诗亦不改,然闲云孤鹤,何天而不可飞?'遂飘然入蜀,以诗投孟知祥,有'一瓶一钵垂垂老,万水千山得得来'之句。知祥厚遇之。"

这里记贯休投诗的时间不很清楚,似乎在唐昭宗因钱镠平董昌而封其为镇海镇东军节度使及后唐庄宗赐以玉册、金券,以及钱镠自称国王以后,而贯休入蜀,以诗投献者为孟知祥,孟知祥则为后蜀开国主,建国于公元九二五年,这时贯休死已十余年。

南宋计有功的《唐诗纪事》卷七十五贯休条也记此事:"钱镠自称吴越国王,休以诗投之曰:'贵逼身来不自由……'谕改为四十州,乃可相见。曰:'州亦难添,诗亦难改,然闲云孤鹤,何天而不可飞!'遂入蜀,以诗投王建曰……"《唐诗纪事》明确说贯休投诗时钱镠己自称为吴越国王,不过他说贯休入蜀,所投者为王建,王建为前蜀开国主。

元人辛文房《唐才子传》卷十贯休传记此事："初,昭宗以武肃钱镠平董昌功,拜镇东军节度使,自称吴越王。休时居灵隐,往投诗贺,中联曰:'满堂花醉三千客,一剑霜寒十四州。'武肃大喜,然僭侈之心始张,遣谕令改为四十州,乃可相见。休性躁急,答曰:'州亦难添,诗亦难改,余孤云野鹤,何天不可飞!'即日裹衣钵拂袖而去,至蜀,以诗投孟知祥云……"此处把钱镠平董昌、封镇东军节度使与自称吴越王,时间联系起来,而以贯休献诗即在平董昌、受封镇东时,至于入蜀,则与《续湘山野录》所记同,以为后蜀主孟知祥。

清代初期,以博洽著称的吴任臣(顾炎武在《广师》一文中曾说"一博闻强记,群书之府,吾不如吴任臣"),曾汇集文献,作《十国春秋》,是记载五代史事的一部名著,其书卷四十七前蜀有贯休传,中说:"乾宁中,谒吴越武肃王,献诗曰:'满堂花醉三千客,一剑霜寒十四州。'武肃王命改为四十州,乃可相见。贯休曰:'州亦难添,诗亦难改,闲云孤鹤,何天不可飞!'(原注:一云贯休投诗于武肃,甚惬旨,遗赠亦丰。王立功臣碑,列平越将校姓名,遂刊贯休诗于碑阴,见重如此。)"《十国春秋》明确载贯休投诗在"乾宁中"。乾宁为唐昭宗年号(八九四—八九八)。

关于贯休投诗之事,影响至广,《全唐诗》卷八三七即收入此诗,题《献钱尚父》,题下小注,述其本事,大体本《唐诗纪事》,谓"钱镠自称吴越国王,休以诗投之"云云。《五代诗话》卷八于贯休名下也有同样的记载。今人的文章中,也有援以为据的,如一九八八年第二期《历史研究》上喻松青《〈转天图经〉新探》一文,正确考证了《转天图经》的谶文系指钱镠,纠正了以往的一些说法,但其中的一个论据,则仍据《唐诗纪事》的记载,并据以论证说:"可以看出,钱镠生于乱世,独霸一方,并不以此为满足,怀有一统天下的野心。"

经过对史料的考核,我认为,关于贯休向钱镠投诗一事,是根本不存在的,这首诗也出于后人依托,非贯休所作,诸书中之所以出现歧异的说法,最基本的原因也就因为它本身即出于臆造。

今存贯休诗有《四部丛刊》本《禅月集》二十五卷,系武昌徐氏所藏影宋钞本,前有吴融序,末有贯休弟子昙域后序,是现存最早的贯休诗集。贯休生前曾嘱托昙域为编定其诗集,现在这部二十五卷本的《禅月集》首尾完整,似即为昙域所编之本而在后世未曾散失者。在这部诗集中,就没有以上各书所记述的向钱镠投献的诗。

据《通鉴》,董昌于越州称帝在昭宗乾宁二年(八九五),同年四月,钱镠上表称董昌僭逆,不可赦,请以本道兵讨之。六月,以钱为浙东招讨使,击讨董昌。时钱镠为镇海军节度使,十二月,加兼侍中。乾宁三年(八九六),五月,钱镠克越州(今浙江绍兴),斩董昌。十月,从钱镠之请,以镠为镇海、威胜两军节度使,丙子,更名威胜为镇东军。——以上是钱镠攻讨、平定董昌的大略,问题是,乾宁三年前后,贯休是否有可能在钱塘(杭州)?

《新唐书》卷二〇三《文艺传》下《吴融传》云:"迁累侍御史,坐累去官,流浪荆南,依成汭。久之,召为左补阙。"没有记载吴融这次贬官及召回的年月。按吴融有《禅月集序》(《全唐文》卷八二〇),说自己在荆南与贯休交游凡一年有半,"丙辰岁余蒙恩诏归"。丙辰即乾宁三年。《全唐诗》卷六八六载融《南迁途中作七首》，首为《登七盘岭二首》，其一云："才非贾傅亦迁官，五月驱羸上七盘。从此自知身计定，不能回首望长安。"可知赴贬所在五月。由以上两条材料，可考知吴融贬荆南当在乾宁二年五月，而其应召回京则在第二年冬。融有《赴阙次留献荆南成相公三十韵》(《全唐诗》卷六八五)，可证《新唐书》所谓依荆南成汭也是可信的。

吴融一到荆南(江陵)，即与已留居于那里的贯休交酬，直至他于乾宁三年冬回朝，贯休还请他为自己的诗集撰序。吴融《禅月集序》作于己未(八九九)，即与贯休别后的第三年，序中详叙其在荆南与贯休的交游云："贯休，本江南人，幼得苦空理，落发于东阳金华山，机神颖秀，雅善歌诗，晚岁止于荆门龙兴寺。余谪官南行，因造其室，每谈论，未尝不了于理性。自旦(本作是，据《四部丛刊》本《禅月集》改)而往，日入忘归，邈然浩然，使我不知放逐之戚。此外商榷二雅，酬唱循环，越三日不得往来，恨疏矣。如此者凡期有半。……丙辰岁余蒙恩诏归，与上人别，袖出歌诗草一本，曰《西岳集》，以为贶矣。"融另有《访贯休上人》诗(《全唐诗》卷六八六)：'休公为我设兰汤，方便教人学洗肠。自觉尘缨顿潇洒，南行不复问沧浪。'贯休也有《送吴融员外赴阙》(同上卷八三一)。都可见出两人交契之深。

贯休又有《江陵寄翰林韩偓学士》诗(《禅月集》卷十二)："久住荆溪北，禅关挂绿萝。风清闲客去，睡美落花多。万事皆妨道，孤峰漫忆他。新诗旧知己，始为味如何。"据此，则作此诗时贯休在江陵，且为时已久："久住荆溪北"。据岑仲勉先生《补僖昭哀三朝翰林学士记》，韩偓之入翰林，当在乾宁四年（八九七）后，光化元年（八九八）前。这也就是说，贯休在乾宁四年、光化元年间仍居住在江陵，未曾离开过。而据前所述，钱镠以兵讨董昌在乾宁二年六月，平董昌在乾宁三年六月，任镇海镇东军节度使在同年十月，则贯休以诗相贺，或如《十国春秋》小注所言，钱镠以贯休诗刊于平越功臣之碑阴，都于时、地不合。

　　又据《旧五代史》卷一二三《钱镠传》，镠平董昌后，兼镇海、镇东两镇，亦即兼杭、越二镇，但此时北有杨行密，时相侵攻，《旧代史》说此时"镠所部止一十三州而已"。至天复（九〇一——九〇四）中，与杨行密部将田頵战，双方还时有胜负，时"其父宽每闻镠至，走窜避之，镠即徒步访宽，请言其故。宽曰：'吾家世田渔为事，未尝有贵达如此。今尔为十三州主，三面受敌，与人争利，恐祸及吾家，所以不忍见汝。'"由其父所言，则此时钱镠虽有割据之意，但势力尚弱，强敌甚多，不可能明张旗帜，作"四十州"之大言。且其父口口声声称"十三州"，《旧五代史》也说是十三州，何来贯休之十四州？《新五代史》卷六十七《吴越世家》："梁太祖即位，封镠吴越王兼淮南节度使，客有劝镠拒梁命者，镠笑曰：'吾岂失为孙仲谋邪！'遂受之。"可见镠之为吴越王，乃朱梁所授，钱镠终其身不过想建立一个割据政权，以作孙权为满足。《新五代史·吴越世家》又载梁乾化二年，"梁郢王友珪立，册尊镠尚父"。朱友珪于钱镠为后辈，故可称之为尚父，而朱温时决不可能如此。乾化二年为公元九一二年。据昙域所作《禅月集后序》，贯休即于此年卒于蜀，年八十一，当然更不可能远至钱塘作贺诗，由此可见《全唐诗》将此诗诗题作《献钱尚父》是何等的荒谬。至于钱镠自称吴越国王，则在后唐庄宗时，为时更晚，已是贯休卒后好些年了。

以上是徒北宋以后相传已近千年的托名于贯休的一首伪作，现在再谈韦庄的一首佚诗。

韦庄是在唐昭宗天复元年辛酉（九〇一）入蜀的（韦蔼《浣花集序》："辛酉春，应聘为西蜀奏记"），从此即仕于蜀，王建开国后，位至宰相。他的诗，今存约三百二十余首，比起其弟韦蔼《浣花集序》所说的"千余首"，三分之一还不到，可见散佚颇多。《浣花集》是昭宗天复三年（九〇三）所编，那时韦庄还在世，因此韦蔼在序中说"余今之所制，则俟为别录，用继于右"。可见今存《浣花集》都是韦庄入蜀前所作，而且这也几乎是现在所能见到的韦庄诗的全部，韦蔼所谓"余今之所制"，后来并未编集。韦庄入蜀后的创作，词应当是主要的，也是他全部创作中最有特色的部分，但是他的诗，特别是七言律绝，于蕴丽中见清秀，在唐末五代也应推为名家。他入蜀前漂泊各处，随遇触发，写了不少诗，入蜀后主要从事政治活动，官位高了，生活安定了，诗作当是少了一些，但不应一首也没有留存。作为作家的整体研究，他的前后期作品，包括词和诗，应当统一来考虑的。但可惜后期诗作的搜辑，就已有的成绩却未甚理想。人民文学出版社一九五八年出版向迪琮先生辑校的《韦庄集》，对韦庄诗作了较为系统的编次，也未辑有仕蜀以后的诗。

经查《四部丛刊》本《禅月集》，发现贯休入蜀后，曾与韦庄有诗唱和，从贯休诗中，我们可以窥见韦庄后期诗作的一些情况及韦庄的某些生活情趣。如卷十二有《和韦相公见示闲卧》诗，中云："堂悬金粟像（自注：相公常供养维摩居士），门枕御沟泉。且沭虽频握，融帷孰敢褰。德高群彦表，善植几生前。……扶持千载圣，潇洒一声蝉。棋阵连残月，僧交似大颠（自注：韩史部重大颠禅师）。"卷十三又有《和韦相公话婺州旧事》，是关于韦庄早年寓居浙江东阳时，贯休与之交游的回忆。值得注意的是卷十九保留有完整的韦庄一首七律，题作《韦相公庄寄禅月大师》，诗为："新春新霁好晴和，间阔吾师鄙悋多。不是为穷常见隔，只因嫌醉不相过。云离谷口俱无著，日到天心各几何。万事不如棋一局，雨堂闲夜许来么？"此诗之后又有题作《酬韦相公见寄》诗："盐梅金鼎美调和，诗寄空林问讯多。秦客弈棋抛已久，楞严禅髓更无过。万般如幻希先觉，一丈临山且奈何（自注：日到天心乃相公之日，老僧日去山一丈耳）。空讽平津好珠玉，不知更得及门么？"显然，前一首应是韦庄的原唱，后一首是贯休依韵而作的和什。韦庄诗中有"日到天心各几何"句，因此贯休诗中注道："日到天心乃相公之日，老僧日去山一丈耳。"从这两首诗的编次，更可以看出《四部丛刊》本的《禅月集》确是较早的，说不定即是昙域所编之本。唐宋人编集往往把别人的和作都编进去，读者若不细察，就容易误认为都是本人的作品。这首编入贯休集中的韦庄的诗就长期未被人发现。《全唐诗》辑韦庄诗为六卷，前五卷（卷六九五——六九九）即《浣花集》中诗，第六卷（卷七〇〇）为补遗，即漏载此诗，只在卷末的佚句中载"岂是为穷常见隔，只应嫌酒不相过"二句，谓出自《高僧传》，而不知全诗见《禅月集》。中华书局出版的《全唐诗外编》，收王重民、孙望、童养年三位先生所辑唐诗，于韦庄名下也未载此诗。夏承焘先生往年作《韦端己年谱》

（见《唐宋词人年谱》），记韦庄与贯休在蜀中有诗唱酬，亦未及此诗，却云："《禅月集》多和端己诗，端己原作，惟存《闲卧》诗断句数语耳。"其实《禅月集》中贯休仅题云和韦《闲卧》诗，未有韦之断句，未知夏《谱》何所据而云然。但由此也可见夏先生是查阅过《禅月集》的，而竟未检出韦庄之《寄禅月大师》诗，也不可不说是失之眉睫了。

　　以上两点，即所谓贯休献钱镠诗及韦庄的一首佚诗，在五代文学中算不了什么大事，而且也并不难于解决，而竟长期未能发现，这说明我们确实需要从头由清理材料着手，踏踏实实地把五代文学中存在的问题搞清楚。而与此同时，选择一些前人已经下过功夫的著述，如李调元的《全五代诗》，王士禛、郑方坤的《五代诗话》等，作一些必要的整理，加以出版，供研究者参考，在目前有关资料仍感缺乏的时候，也实在是很有必要的。《全五代诗》这里不谈，我现在只就我所了解的《五代诗话》的情况向读者作一些介绍。

　　《五代诗话》十卷，计卷一国主、宗室，卷二中朝，卷三南唐，卷四前蜀、后蜀，卷五吴越、南汉，卷六闽，卷七楚、荆南，卷八宫闱、女仙鬼、缁流，卷九羽士、鬼怪，卷十杂缀。署为王士禛原编，郑方坤删补。王士禛为清初诗坛的大家，他虽主神韵，推崇盛唐，但对中晚唐诗也不偏废。《五代诗话》是他晚年家居时所作，系辑集众书而成，虽是述而不作，但他能注意五代诗，可见他的眼光已非一般宗唐、宗宋的门户之见所能牢笼的了。不过这是一部未完稿。据郑方坤序："向闻渔洋先生有《五代诗话》秘本，未经镂版，见者绝希。近始于历亭朱氏处乞付钞胥，披览之余，知为先生暮年手辑，未及成书，不精不详，其有待于后人之修润者正复不少。"郑《序》说此书未经镂版，倒是不确的，据《四库提要》卷一九七集部诗文评类存目，即有宋弼等补辑本，十二卷。《提要》说："是书士禛原稿，本草创未竟之本，弼所续入，务求其博，体例遂伤冗杂，殊失士禛之初意，而挂漏者仍复不免。后郑方坤重为补正，乃斐然可观，是编精华，已尽为方坤所采，方坤所不采者，皆糟粕矣。"可见宋弼补辑本因质量差劣而未获留传。

王士禛一生著述甚丰，但经查阅有关他的传记资料，都未有记载他曾作过此书。如《渔洋山人自撰年谱》，是他晚年罢官家居时总结其一生所作，初成于康熙四十年（一七〇五），时年七十二，在这之后六年，则为其子笔录其口授而成。后雍正时惠栋为《渔洋山人精华录》作注，并撰《渔洋山人年谱》一卷（此谱后因士禛子所请，由惠栋将有关内容作为补注，分列于《自撰年谱》之后，一并刻于《渔洋山人精华录训纂》中）。无论王士禛自撰年谱，或惠栋补注，都没有提及编纂《五代诗话》一事。其他如王掞所作神道碑，宋荦所作王士禛与其夫人合葬墓志，黄叔琳之《渔洋山人本传》，李元度之《国朝先正事略》，及《清史列传》、《清史稿》，也都只字未及此书。可见这确是一部未完稿，作者本人也不把它列在著述之内的。事实也是如此，这部书在经过郑方坤作较大规模的删补之后，才如《四库提要》所说，"乃斐然可观"。

郑方坤的事迹，见《清史列传》卷七十一。他字则厚（《国朝诗人征略》卷二十四又说他号荔卿），建安（今福建建瓯）人。生卒年不详。雍正元年（一七二三）进士，曾历任河间同知、山东登州知府、衮州知府，有能名。《东越文苑传》说他"博学有才藻，好网罗文献,著《经稗》六卷,《补五代诗话》十卷,《全闽诗话》十二卷,《国朝名家诗钞小传》二卷,《岭海文编》、《岭海丛编》合近百卷,《蔗尾诗集》十五卷,文集二卷"。虽然后人评他的诗"颇好驰骋,不甚规规于法,然才华既富,左旋右抽,妙有真意以驱之,自非饾饤涂泽者所可及也"(《听松庐诗话》),则是他作诗以才气胜。但他一生的学问还是在网罗文献,荟萃众说,在文献的编纂中表现他的学术见解。他的读书面是很广的,看来见解也是很通达的,他的《经稗》六卷,即是采摭说部中有关《易》、《尚书》、《诗经》、《春秋》、三礼、四书的材料,汇集而成,这在当时也是独具只眼的,《四库提要》称许此书"于考据之功,深为有裨"(卷三三经部五经总义类)。

郑方坤补《五代诗话》,于乾隆十三年(一七四八)成书。原书共六百四十二条,删去二百十六条,补入七百八十九条,通计一千二百十五条。可以见出,他所增补的已超过原来的条目,如除去已删的部分,则王士禛原辑只不过占到补本的三分之一。郑方坤在自序中说:"复者芟之,舛讹者订正之,更援褚少孙补《史记》、刘孝标注《世说》之例,抄撮群言,增益其所未备。"为了不掩前人之善,他于书中各条凡保留原来的注"原"字,所增者注"补"字,且各注明所辑之书,这些也都很合于编书的体例。虽然《四库提要》对书中的增补提出不少指摘,但仍然认为:"然采摭繁富,五代轶闻琐事,几于搜括无遗,较之士禛原书,则赅备多矣。"事实确实如此,由于郑方坤博采穷搜,书中辑集了自宋至清的史书,文集、笔记、诗话,凡二百六十多种,又列述了五代时有诗什传世、有姓名可稽的近四百人,分别记载其生平、诗作,评论其优劣得失,这就为研究者提供不少进一步探讨的线索。譬如韩偓的生平，我们一般对其前期了解较多，至于他流寓闽中的行止，则所知颇略。本书卷六韩偓条，除《唐摭言》、《十国春秋》等常见书外，又采辑了宋沈括《梦溪笔谈》、李纲《梁溪集》、明徐㷆《笔精》等书，记载了他在闽中的逸事，这对研究韩偓晚期的生活及创作，都很有价值。我在美国看到过台湾学者写的两部研述韩偓生平及诗作的专著，却都并未提到这几种书，不得不说是一种遗憾。又如五代时著名书法家兼诗人杨凝式，本书卷二引《游宦纪闻》，记北宋人所作传记，这一传记类似年谱，逐年记述杨凝式的事迹、诗作与书法，无疑是对正史的极大的补充。又如《宋诗纪事》卷五收宋初钱昭度诗四首，又零句六联。而本书卷一钱昭度条又据《稗史汇编》、《闻见后录》、《诗话总龟》、《能改斋漫录》、《艺苑雌黄》等补了八、九联零句。卷一钱熙条，据《闽书》载钱熙卒时，其乡人李庆孙悼之以诗，有"四夷妙赋无人诵，三酌酸文举世传"一联。《宋诗纪事》卷七有李庆孙，根据《韵语阳秋》录其零句一联，但《闽书》所引则未收。李庆孙由五代入宋，宋太宗时尚在世。又卷一钱昆条，王士禛原著引《青箱杂记》，谓钱昆作有《题淮阴侯庙》诗（七绝），郑补则又引两条，一为《苕溪渔隐丛话》，说此诗除《青箱杂记》作钱昆诗外，《桐阴诗话》以为黄好谦诗，《江南野录》载谓曹翰使江南时赠妓词，《本事词》谓陶毅使吴越赠驿女词，《冷斋夜话》谓陶毅使江南赠韩熙载歌妓。郑补所引无疑使我们扩大眼界，可以使更多的方面来考虑作品的归属问题。而以上数条，对于今天编纂《全宋诗》也是极有用的材料。应当说，这是一部研究五代文学的重要参考书，而我们过去却长时期未给予足够的重视。

《四库提要》曾批评此书时代断限的不当，说："原本方干、郑谷、唐球诸人，上连唐代，方坤既已刊削，而司空图之不受梁官，韩偓之未食闽禄，例以陶潜称晋，仍是唐人，列之五代，亦乖断限。"我认为这个批评未必确当。郑方坤把司空图列为五代诗之第一人，固然表现了他的封建正统观念，但通观全书，他对于五代诗的断限，并不拘限于朝代的更替，把其上限断至昭宗朝一代的诗人，这是有见识的。我以为我们若作五代文学系年，似可从唐僖宗光启元年（八八五）开始，那时黄巢起义刚平复，但各地节镇却乘机拥兵自立，中央朝廷名存实亡，割据之势已成。而这时，如皮日休、陆龟蒙等与晚唐前期有联系的作家都已去世，余下如韦庄、韩偓、吴融、郑谷、黄滔、杜荀鹤等莫不由唐入五代，他们的诗风也主要对五代、宋初有影响。从这点来看，郑方坤对文学断限的看法是可取的，问题在于对具体诗人的取舍尚有失误，如郑谷，王士禛的原编收入，郑予以删去，则是不应该的。

《四库提要》又说："至潘慎修献宋太宗诗，刘兼长春节诗，宋事宋人，一并阑入，尤泛滥矣。又如苏轼演《陌上花》，晁补之撰《芳仪曲》，李淑题周恭帝陵，宋徽宗书白居易句，虽咏五代之事，实非五代之人，一概增入，则咏明妃者当列之汉诗，赋雀台者应入之魏集，自古以来，无斯体例，贪多务得，方坤亦自言之矣。至于'江南江北旧家乡'一首，《江表志》以为杨溥，马令《南唐书》以为李煜，嘲宋齐丘丧子一诗，《梦溪笔谈》以为老瞽乐工，《渔隐丛话》以为李家明，如此之类，不一而足，前后并载，既不互注，又不考定，亦属疏舛。"这些指摘也需作具体分析。贪多务得，记载互异,确实存在,但对我们今天利用来说,未始不是一件好事。正因为书中收辑了不少宋初材料,使我们对五代入宋的诗人情况了解得更清楚些。至于记载互异,则如上所说,正可供我们从几种歧异的线索作进一步的考索。这都不足以为本书病。问题在于有些引用的材料确实属于明显的错误,而又与正确的记载一起编入,编者又未加考定,这就容易引起混乱。这里不妨举两个例子:

其一,卷五罗隐条,引《唐诗纪事》,谓"邺都罗绍威学隐为诗,自号其文为《偷江东集》"。而同卷另一条引《吴越备史》,却谓"时魏府节度使王智兴学隐诗,自号诗卷为《偷江东集》"。按王智兴,新旧《唐书》有传。他长期镇守徐州,历任许州、河中、汴州等节度,从未作魏博节镇,且他主要生活在中唐宪宗、穆宗时,卒于文宗开成元年(八三六),这时罗隐还未出生。《吴越备史》所记显误。这条属王士禛原编,应该删去而未删的。其二,卷一前蜀后主王衍条,引《全唐诗话》,谓王衍宴饮无度,自唱韩琮《柳枝词》"梁苑隋堤事已空",时内侍宋光溥咏胡曾"吴王恃霸弃雄才"诗以讽之。而同卷后蜀主孟昶条,引《十国春秋》,谓孟昶于乾德四年重阳节,宴群臣于宣华苑,后主唱韩琮《柳枝词》"梁苑隋堤事已空",内侍宋光浦以胡曾"吴王恃霸弃雄才"诗讽之。同一卷之内,所记事同,而一谓前蜀后主王衍,一谓后蜀主孟昶。按宋光浦,据《十国春秋》卷四十六,系前蜀时人,乾德也为前蜀王衍年号,后蜀未有以乾德纪年的。通查《十国春秋》后蜀纪,孟昶根本没有唱韩琮《柳枝词》事,而此事则明明记载于《十国春秋》卷三十七《前蜀后主纪》乾德四年九月。所谓引《十国春秋》记孟昶唱韩琮词事,是王士禛原编弄错的,本应删去,而郑方坤则仍以讹传讹,不可不说是有失察检。

以上是编纂中的问题,李珍华先生在点校中曾拈出同我讨论,我们以为这次整理时不便再作删正,只有在序言中举例说明,希望读者在利用此书时核实有关的材料出处。至于书中采辑各书,则错字实在不少,李珍华先生已尽可能就发现的问题查稽原书,予以改正,但为省文起见,未出校记,只嘱我在序言中作些说明。这里就举若干明显的校改例子,向读者介绍。

卷一南唐李后主条,引《耆旧续闻》:"本江南中书舍人王克正家物,归陈魏之孙世功君懋。予,陈氏婿也。""陈魏"不词,查陈鹄《耆旧续闻》卷三,作"陈魏公",缺一"公"字,已据补。同此类者,又如卷一李后主条引《瀛奎律髓》"李后主号能诗词",原缺"词"字。卷二窦俨条引《玉壶清话》"窦禹钧生五子,仪、俨、侃等,相继登科"。云生五子,而所列只四子名,《玉壶清话》原书在"侃"字下尚有"僖"字,当系漏钞。卷九卖药道人条,引《清异录》载卖药道人歌,中有"人人与个拜□木",所缺空格经查《说郛》本《清异录》,为"项"字。卷四韦庄条引《唐诗纪事》"庄乃讳之,时号'秦妇吟'",查《唐诗纪事》原文,"秦妇吟"下应有"秀才"二字。以上均已补正。

误字则更多。如卷一李后主条引《词苑辨证》载李煜《捣练子》词"云鬓乱,晓妆残",今存李词,各本"晓"皆作"晚"。卷二杜荀鹤条,引《唐诗纪事》载顾云《唐风集序》"讴吟之叟方酣","叟"应作"兴"。卷二冯吉条,引《玉壶清话》"按礼乐,朝会登歌用五端,郊庙奠献用四端",此处"礼乐"应作"乐礼",两"端"字都应作"瑞"。卷二窦俨条引《玉壶清话》"俨素蕴大学","大"应作

"文"。卷九吕洞宾条,引《苕溪渔隐丛话》载山谷词"便方钉宝带貂蝉","方"应作"万";又"中间乐工或按而歌之,辄以经语窜入,有市井气","经"、应作"径"。卷三陈陶条,引蔡宽夫《诗话》"陶见于唐末,而集中乃有赠高间歌,若尔,亦自当年百余岁","间"应作"闲"。高闲,僧名,韩愈曾与之交往。卷三沈彬条,引《零陵总志》"孟宝于云……。""宝"应作"宾",孟宾于为五代末诗人,本书卷三即收列其人。卷三孟宾于条,引《五代文钞》载孟所作《碧云集序》"又夜泊寄诗友……","诗友"应作"友诗"。卷四欧阳炯条,引《边州闻见录》,载欧阳迥词"收红豆,树底纤纤擅素手","擅"应作"抬"。卷五罗隐条,引《笔精》载罗《江南曲》"水国多愁又有晴","晴"应作"情"。

由于本书采摭至广,所列诗人众多,因此抄辑、刻印时,误缺的文字肯定会有不少。我们应当感谢李珍华先生,他在大洋彼岸,在资料不便的情况下,还不惮烦地做这些看来琐屑的工作,给我们带来不少阅读上的方便。他的一丝不苟的学风,对我们也甚有启迪。他命我作序,我就借此谈谈对五代文学研究的看法,不免冗杂,甚以为歉。

原载书目文献出版社 1990 年版点校本《五代诗话》,此据大象出版社 2008 年版《学林清话》录入,另收入黑龙江人民出版社 1992 年版《唐诗论学丛稿》、安徽教育出版社 1998 年版《当代学者自选文库·傅璇琮卷》

洒扫封尘　启迪来者

——读《纪念陈寅恪先生诞辰百年学术论文集》

陈寅恪是一位史学家,但是他的成就的意义和影响并不限于历史学界。如果我们要探讨中国近现代的文化思想史,要研究自清末特别自"五四"以后,一部分上层知识界人士怎样企求将传统的治学格局与西方近代文明相结合,以开拓一条新的学术途径,希望建立一种新的思维模式,那么,陈寅恪无疑是一个不可忽视的代表人物。

陈寅恪的研究,在"文革"及"文革"以前的十几年中,似乎是一个禁区。近些年来,他的著作陆续出版和重印,受到学术和读书界的注意。这不能不说是这几年来我们文化学术界健康发展和开放精神的反映。

1988 年下半年,中山大学曾举行过一次较大规模的陈寅恪学术讨论会。使人高兴的是,继这次会议之后,由北京大学中古史研究中心发起,邀集大陆和港台约 30 多位专家撰文,编辑了一部《纪念陈寅恪先生诞辰百年学术论文集》,由北京大学出版社出版。全书分两大部分,第一部分 6 篇,记述陈寅恪的事迹,研讨其学术成就和学术思想;第二部分 27 篇,大致是就陈寅恪生平曾经涉及过的领域,分哲学、语言学、文学、历史学等几方面,进行专题探讨。这种用论文集的形式纪念某一位有造诣有影响的学者,是一种值得提倡的方式,因为这不仅可以让人们了解这位学者的治学轮廓,更为重要的,是可以使后学者知道,我们应当怎样在前人已经修建的道路上再往前延伸,让后来者有这样一种信念:任何大师的成就都是可以突破的,我们要铺设我们将要行经的那一段路程。

陈寅恪生于光绪十六年(1890),死于 1969 年的"文革"浩劫中,终年 80 岁。这 80 年,他经历了几个不同的时代。他的祖、父两代曾是他们那一时代的改革家,热心参与政治,但受到政治的牵累,在"百日维新"失败后受到革职的处分。父亲散原老人,在后半生以诗文自娱,有盛名于东南,但最终仍逃不脱时代的劫难——在他晚年移居旧都北平不久,卢沟桥炮声起,日本侵略军进城,老人不胜家国之悲,一气之下,绝食而死。比较起来,陈寅恪倒是走着一条平静的学者道路,长期不太过问政治。即使处于中国人民在与国内外敌人进行殊死战斗的激荡年代,他似乎也力争过一种书斋式的生活,搞他的与现实保持相当距离的中古史研究。

但这只是这位学者的表面现象。在灾难深重的旧中国,恐怕没有一个有良心、有正义感的读书人是会真正漠视政治的。我们从陈寅恪留存的旧体诗中,可以真切地感觉到民族的前途,国家的命运,在这位学者心灵上所加的重压。不过对于陈寅恪那样出身于书香门第,早年又长期留学欧美诸国,直接受到过资本主义文化熏陶,具有相当高的中西文化修养的人来说,这种重压表现的,不是直接的呐喊怒吼,而是冷静的、从容的对本土文化的观察和体验,对外来文化追求一种理性的比较和分析。这种学术心态,贯串在他的几乎所有著作中。我认为,我们现在研究陈寅恪,除了研究他所论述过的一个个专题之外,更为重要的,就是要稍稍超脱一点,对他的这种学术心态(包括其长处和弱点),作一些整体性的探索。

闻一多有一首题为《祈祷》的诗,其中说:

> 请告诉我谁是中国人,
> 启示我,如何把记忆抱紧;
> 请告诉我这民族的伟大,
> 轻轻的告诉我,不要喧哗!

这种热烈而深沉的故国乔木之思正是那一时代不少诗人、学者,以各种不同方式挽救民族于危亡以报效祖国的根本动力。陈寅恪又何尝没有这种爱国的赤子之忱,不过他走着适合自己方式的道路。近现代中国知识分子如何从不同的途径,探讨我们固有文化在自己时代的使命——这将使我们更为清晰地认识陈寅恪,也将更为清晰地使后来者认识和选择新时代文化的正确道路和走向。我想,这或许是我们可以从这本新出版的《学术论文集》中得到一定的启示。

原载 1990 年 3 月 24 日《人民日报》,此据北京联合出版公司
2013 年版《濡沫集》录入,另收入湖南人民出版社 1997 年版《濡
沫集》、北方文艺出版社 2008 年版《书林漫笔》

《唐代文学研究》第二辑编者题记

　　《唐代文学研究》第一辑于 1988 年秋出版,接着于是年九月在太原召开了中国唐代文学学会第四届学术讨论会。在这次会上,不少学者对学会的两个刊物,即《唐代文学研究年鉴》及这个《唐代文学研究》(包括其前身《唐代文学论丛》),给予充分的肯定,并对此后的工作,提出若干改进的意见。经过学会理事会的讨论和同意,这两个刊物,其编辑部虽仍分别设在陕西师范大学文学研究所和西北大学中文系唐代文学研究室,但编委会的组成则作了较大的调整。虽然可以看出,两个刊物的编委会,是以中青年学者为主的,这正反映了我们现在唐代文学研究的实际。我们的不少中青年研究工作者,在老一辈专家的指导和熏陶下,得到切实的成长,已经成为我们整个工作中的主干,刊物的编委会,理应反映这一客观实际。我们希望,并且也相信,新的编委会必将联系各方面的研究者,共同努力,把刊物办成真正能体现我国唐代文学研究水平的、具有保留价值的学术文献。

　　中青年学者近些年来已成为我们唐代文学研究界的主干,这一情况在本辑的篇目中也可看出。这一辑共收论文十篇,绝大部分是中青年学者所作。人们不难看到这些论文所显示的工力,而且还可以感觉到论文作者进一步发展的潜力,我们有理由对唐代文学研究的前景表示乐观,那种认为古典文学研究已经陷入僵化、面临危机的说法,至少在唐代文学研究这个领域内,是不合实际的。

当然,这并不是说我们的研究工作已经尽善尽美,没有一点问题了。正好相反,不少学者是清醒地意识到,唐代文学研究要继续前进,还有许多事情要做,有许多障碍需要克服。其中之一,是我们的研究结构还不尽合理,这种不尽合理的状况在本辑篇目中也同样可以看到。

读者不难看出,这一辑绝大部分是资料、考据之作,只有少数几篇属于理论探讨。在一门学科的发展过程中,倒底应着重于理论研究还是资料考证,是不能一概而论的,就唐代文学研究来说,我个人认为,应该是两者并重,不可偏废,而且这些年来,我们在理论和资料上,确实也都是取得实实在在的进展的。在唐代文学研究中,并没有发生两者彼此妨碍的情况,在研究者中,也不存在偏重于理论探讨或偏重于资料考证的,彼此相轻的现象。相反的,我们倒可以举出好些个理论和资料互相促进,不同研究趋向的学者互相尊重,并结成深切友谊的动人的例子。在学科发展中,本来就有资料和理论两个侧面,它们有时得到平衡的发展,有时可能其中之一发展较为突出;依靠研究者的努力,这种学科的生态环境终究是会得到调整的。理论和资料,本不会彼此抑制,而只会互相促进。近十年来众多作家作品的考证和唐人诗文集的整理,不是使得我们的理论研究安置在更加信实的材料基础上了吗?而不少学者关于文学思想史和作家研究在理论上的突破,不也是使资料的辑集和甄别更有计划地向广度和深度开掘吗？不过，从这些年来的实际情况看，资料考据的论著在数量方面确实是较多了一些，我们的研究者似乎以较多的力量投入这方面的工作，因此从总体上说，研究结构有所倾斜。这种后果在短期内还不大容易感觉到，稍长时期来看，就会有可能因减弱理论探讨而使我们的唐代文学研究缺乏应有的深度。当然，我们所要求的理论文章，是从实际出发，是从大量占有材料的基础上对文学现象所作的概括，而不是脱离实际的空论。对于近些年来跨度很大而内容空泛，动辄数万言而实则一无警策的长文，人们确是有所反感的。我们希望宁可题目小一些，讲得实际一些，从一个具体论题的探索能引起人们对较广泛的文学现象的思考。

资料考证的著述虽然比较多，也较有成绩，但也不是没有问题。我们感到考证的题目小了一些，也零碎一些。我们的研究者似乎习惯于对一些具体作家作品中的问题进行专题考索，还不大习惯于对一个时期、一种文学现象作综合的研究，即既有材料的排比整理，也有相应的必要的归纳和概括。这是要花费相当时间的。无论是搞资料，或者是搞理论，真正要能有所成就，就非要有积累不可。没有积累，资料考证或理论阐发，都不过是像雨点落在河面上泛起的小水泡。在这里我们想起了左思《咏史》的两句诗："连玺耀前庭，比之犹浮云。"希望我们的研究者，特别是中青年学者，排除世俗的各种干扰，以我们坚韧的努力，为祖国的整个文化事业奉献我们的精品。

这一辑我们还以较大的篇幅发表了《〈登科记考〉正补》一文。读者可以看到，文章中上百条材料，都是作者以长年的劳动点点滴滴积聚而成的。虽然字数多了一些，范围也超出了文学研究的范围,但我们相信,这对于我们整个的研究是有用处的。今后我们的刊物,还将登载一些虽然较偏僻,但确实有研究参考价值的论著,而不过多地受字数的限制。

最后还要提及的是:一、本刊从第二辑起改由广西师大出版社出版。现在学术著作出版十分困难,而学术刊物的出版则困难更多,其中主要原因是出版学术刊物更赔钱。广西师大出版社能不计经济亏损,毅然承担本刊的出版,而且还能作出一年大体出版两辑的安排,我们在表示感谢的同时,也坚信,广西师大出版社对学术界的这种支持,必将为历史证明是有远见的。我们唐代文学界愿意与他们作进一步的合作。二、本辑的审阅和加工,西北大学唐代文学研究室的同志们作了大量的工作,特别是阎琦、李云逸等同志。他们除了阅稿外,还需与作者、出版社,以及远在南宁的梁超然同志和在北京的我书信联系,这得花去他们不少的时间,影响他们自己的教学和研究。超然同志则在本辑的出版上花费不少精力,正是他出面与广西师大出版社联系,使得本刊从第二辑起有了坚实的出版的保证。我们几个人,超然同志、阎琦同志与我,是合作得很好的。我们日常都忙于本职工作,我们差不多都是用业余时间来编这个刊物的。限于条件,工作中一定会有不少缺点,希望作者和读者指正批评。我们愿意为研究者的成果得以刊布而略尽微力。

1989 年 8 月初稿

1990 年 2 月改定

原载山西人民出版社 1990 年版《唐代文学研究》第二辑,据黑龙江人民出版社 1992 年版《唐诗论学丛稿》录入

《白居易集笺校》评介

对于近些年来古代文学研究的估价,已经逐渐成为古典文学界注意和争论的问题。有些人断言:中国有古典文学,但没有古典文学研究。有的文章认为,在当代新的文化环境中,古代文学研究"始终处于极不适应和异常被动的地位",因而从队伍、观念、出版、成果等几方面给予了根本性的否定。文章认为,"老一代研究者或因年迈体衰力不从心,或因无法接受新的挑战分期分批地悄悄'退役'"。而在观念上,则"固有的传统仍然紧紧地捆绑着古代文学研究者,习惯性思路使他们不肯轻易告别训练已久的基地",而作为作者指责的"固有的传统"、"习惯性思路"的具体目标之一,则又是"笺注、考据之类"。本文无意于对这方面的言论展开讨论,只想指出,就笔者在出版社工作的经历,以及就笔者在专业爱好即唐宋文学范围之内的阅读所及,则应当说,近十年来的古典文学研究,较"文革"前的十七年实有长足的进展,无论就队伍的扩大充实即老中青的共同努力、互相配合、彼此协作,无论就观念的更新、突破,既承袭前人的优良学风而又能吸取新的学术思路而形成的开阔多元的风尚,或无论就成果的丰硕即既有传统的笺注考证又有宏观的理论探索，都使人觉得，我们的古典文学研究正在扎实地前进，并且必将有新的更大的发展。

当前的古典文学研究当然也有它的缺点，但我们应当从整体的估价出发作出全面的概括，而不是作随意性的清谈来渲染一种悲观的气氛。我觉得，对于我们，特别是对年轻的研究者而言，尤其重要的，是要对一批真正有学术水平的著作大力加以肯定，指出它们的经验对于我们整体研究的价值。

我这里所要介绍的，正是一位老年学者花了大半生的心血而写成的一部笺注考据性著作，这就是朱金城先生的《白居易集笺校》。

在唐代文学研究和唐集整理方面，朱金城先生是素以勤劳踏实而又力求创新而为人称道的。他是一位老编辑，自20世纪50年代初进入现在的上海古籍出版社前身上海古典文学出版社起，一直没有脱离过出版界。他今年六十八岁，做了大半辈子编辑，而在繁杂的编辑工作之余，他却孜孜不倦地在唐代文学的园地内辛勤耕耘。他心无旁骛，平生着力于李白与白居易的研究，除了论文和几本专著之外，作为对学术界的奉献并有长久的传世价值的，一是他与瞿蜕园先生合著的《李白集校注》，一是他独力完成的《白居易集笺校》，这两部都是上百万字的大书。《李白集校注》着重总结了清人王琦以后的研究成果，纠正了前人及王注本中的许多错失，对一些长期悬而未决的问题提出了独特新颖而又合理的见解。如李白两入长安的问题，这是新中国成立以来李白研究最大的突破，已为当前学术界所公认，而最早提出这个问题的，则是这部书中的注，后来才有人据此出发写成文章（《中华文史论丛》第二辑稗山《李白两入长安辨》)。由此可见这部书的价值，也由此可见为某些人所看不起而贬为"习惯性思路"的考据文学，如果运用得好，对作家的整体研究会起到怎样一种突破性进展的作用。

《白居易集笺校》正式属稿于 1955 年，那时朱金城先生三十五六岁，正当壮年。历时十余载完成初稿，恰好碰上"文化大革命"，稿子被抄走。"四人帮"被粉碎后，作者又对劫而复返的旧稿加以修订补充，于 1985 年始得定稿。前后 30 年，著者已从青壮之年而成为历经沧桑的老学者，但他本着对祖国历史文化的执著之情，始终不渝地固守着这一本分之地，真使人联想起陶渊明的诗句所抒发的"量力守故辙，岂不寒与饥"，"介焉安其业，所乐非穷通"的襟怀。所可庆幸的是，这部二百多万字的笺校，终于又闯过商品经济的大关，于 1989 年上半年由上海古籍出版社印出问世。卅年辛苦不寻常，中国的知识分子要能做出一点成果，而这成果又要能为世所知，得经过多少的险阻曲折，没有对文化事业的热爱和"君子固穷"的操守，是不易做到的。

近代学者对白集的研究整理作出卓越成绩的有两位，一位是陈寅恪，另一位是岑仲勉。陈寅恪在三四十年代有好几篇文章论述白居易的思想和生活，后又于 40 年代末 50 年代初完成《元白诗笺证稿》的专著。岑仲勉对白集作了系统的考述，他的《论白氏长庆集源流并评东洋本白集》、《〈白氏长庆集〉伪文》等七篇文章，共十万字之多，对白集流传的版本、白居易诗文的真伪作了详细精博的研究和考证。他的另一些著作，如《唐人行第录》、《唐史馀沈》、《贞石证史》等，也对白居易作品中涉及的人与事，作了阐释、论证。朱金城先生正是继承他们的成果,在他们已经达到的相当高的基点上继续前进,对白居易现存三千七百多篇诗文作了全面的校勘和笺证。这是前人未曾做过的工作,是近年来唐代文学研究和文学古籍整理中值得重视的成果。

这部书的笺的部分,是以笺释人名为主的。大家知道,白居易主要生活于中唐时期,他的晚年又正当唐代的历史转入后期。这一时期的政治和文学都非常活跃,但又相当复杂,一些大的政治斗争,如藩镇之乱,宦官擅权,朋党之争,一些大的文学活动,如古文运动,诗歌革新,都发生在这时。白居易经历曲折,他与贞元至会昌数十年间的政坛文坛都有密切的关系,他所交往的以及在诗文中提及的人物很多都是那时的风云人物。考清这些人物的情况,不仅对研究白氏本人有其必要,而且对认识这一时期政坛文坛的变动也有重要意义。但由此也增加笺释的难度,一是人数多,考查不易,二是唐人诗文中往往以行第相称,有时又以官职连称,稍一不慎,就会张冠李戴,结果就会对作品的含义产生根本性的误解。如白居易诗中经常出现"张常侍"的称呼,日本的白居易研究权威花房英树曾认为白集中的张常侍一概指张仲方。而张仲方,则是牛李党争中是牛而非李的重要人物(参拙著《李德裕年谱》)。如果白集中的张常侍都指的是张仲方,就会影响我们对白居易政见的理解。而事实上,白集中好几处的张常侍是另一人,名张正甫(见书中页1596《病中辱张常侍题集贤院因以继和》、页1727《奉使途中戏赠张常侍》笺)。又如白居易一首诗,题为《和杨郎中贺杨仆射致仕后杨侍郎门生合宴席上作》,出现三个姓杨而不同官职称呼的人,不经仔细考核就不能理解诗中的意义。而有时同一人又因前后官职迁徙而有不同的称呼,如尉迟汾,见于白集的,就有尉迟司业、尉迟少监、尉迟少尹三种。《谢李六郎中寄新蜀茶》(页1040)中的李六郎中为元和十二年时任忠州刺史的李宣,而《元氏长庆集》(卷二〇)中的《凭李忠州寄书乐天》之李忠州,则又不是李宣,而是李景俭。这种种,经过著者的细心辨析,通过对白集中人物的考证,其价值已大大超出对个别作家作品的研究。

书中笺证的成就,可以从三方面来说。

第一,吸收成果,而又有所创新。著者对陈寅恪、岑仲勉两位先辈是很敬重的,书中充分利用了他们的成果。但著者并不限于引用,而是有所补充和发展。如《鄂州赠别王八使君》一诗(页1322),《唐人行第录》说王八其人未详,著者根据白居易所作《论左降独孤朗等状》及有关制词,考出这个王八使君为长庆二年任鄂州刺史的王镒。又如《送蕲春李十九使君赴郡》(页2341),《唐人行第录》也说待考,著者根据《唐诗纪事》、李商隐《为汝南公与蕲州李郎中状》、张采田《玉溪生年谱》,以及杜牧的几篇诗文,考出为蕲州刺史李播。陈寅恪的《元白诗笺证稿》对《秦中吟》、《新乐府》诸诗的参释相当精辟,著者笺释中有不少引用,但同时补正其误失,如《立部伎》(页152),肯定陈寅恪所说的“双舞剑”应作“舞双剑”,但陈氏又说“近四川出土古砖,有绘写舞剑器浑脱之状者,可资参证”,著者指出陈氏误剑器为剑,且指出陈氏所说之古砖,乃汉砖,非唐砖。又如《思旧》诗(页2024),既肯定陈寅恪对诗意的阐释,又指出陈氏以崔玄亮作崔群之误。

第二,发掘新资料,作出新解释。如《宿紫阁山北村》(页

27),大家知道是讽刺宦官的,但诗中"口称采造家",向来注家皆不得确解。书中引用《册府元龟》所载:"唐文宗大和元年五月癸酉,左神策军奏当军请铸'南山采造印'一面。"由此得出"可知南山采造系左神策军之直属机构"的确当不易的结论。这不只对理解白诗,就是对研究中唐的宦官直接插足于矿山开采,也极有价值。又如《古炼镜》(页 204),引《国史补》、《异闻录》、《旧唐书·德宗纪》,考唐代扬州铜镜制造业的发达;《谢李六郎中寄新蜀茶》,引清人沈涛《交翠轩笔记》、沈家本《日南随笔》,考火前茶的制作过程及其特点,都相当精辟。又如《寒食江畔》诗(页 1020)末二句"忽见紫桐花怅望,下邽明日是清明",说清代诗人黄景仁《春兴》诗"怪底桃花半零落,江村明日是清明",乃以白诗为蓝本。这种不同时代诗作的参照,属于现在所说的比较文学的范畴,可见著者并不拘守于笺证的旧的樊篱,而是有所创新。

第三,广泛地纠正前人和时人的失误。我觉得朱金城先生有一个很好的学风和气度,他的著作,严守前辈学者的优良传统,引用资料一一注明出处,从不掠人之美,同时对他人的疏失,一以真理为本,不随和,不苟从,随处指出。这在这部校笺中到处可见。如《初到郡斋寄钱湖州李苏州》(页 1331)指明《唐语林》作李穰之误,《严十八郎中在郡日》(页 442)指出《唐语林》以白居易继严休复为杭州刺史之误。又如《金銮子晬日》(页 480)辨《云仙杂记》之误,《赠康叟》(页 1154)辨王士禛之误。至于新旧《唐书》中的误载,书中也在有关处作了订正。又如《问刘十九》(页 1075),考现时选本多以刘十九误指刘轲,《轻肥》(页 92)中"朱绂"、"紫绶",今人所注多误,等等,都很有启发。对于日人花房英树的人名考释及诗文系年，也多有纠正。可贵的是，著者还纠正本人过去的说法，如《送姚杭州赴任因思旧游》（页2205），经考证，系于大和九年，并谓："拙著《白居易年谱》系此诗于大和七年，非是。"这种勇于改正旧说的精神，既是自谦，也是学术上自信的表现。

此书的校勘，是倾向于传统做法的，罗列异同，以备众说。这看起来较为琐细，但根据白集流传本来比较复杂的情况，我个人认为，能以一个较详备的本子作底本，采择异同，类似于集校。以概见各本的面貌，也是有意义的。校勘也不必拘于一法，应视原书的价值及刊刻流传的情况而采取或繁或简的做法。值得注意的是，本书在校勘中也尽量吸取已有的学术成果，使得校勘记不限于一般的列异同校是非，而具有较高的学术水平。著者在前言中曾举出一些例子，如《郡中即事》诗"今朝是只日"之"只日"，马元调本、《全唐诗》本俱作"双日"，日本那波道圆本作"直日"，俱非。考《宋史·张洎传》云"自天宝兵兴之后，四方多故，肃宗而下，咸只日临朝，双日不坐"。可知朝谒当在只日，书中乃据宋绍兴本及卢文弨校改正。又如《哭诸故人因寄元八》诗"好在元郎中"句中之"好在"，为唐人存问之词，马元调本、汪立名本、《全唐诗》本、卢文弨校俱误作"好狂"。此外，如《村中留李三固言》（页337），此诗题下小注，宋绍兴本、马本、汪本皆作固言，《全唐诗》本也同。著者谓应作顾言，"此李顾言与《旧唐书》卷一七三之所载曾相文宗之李固言，仅音声偶同，显系两人"，则不但校字，且笺释人名，可谓发前人所未发。

当然，书中也有可以商榷之处，如以《涧底松》（页216）、《天可度》（页258）等诗为刺李吉甫而赞牛僧孺，这就不免于尚沿袭牛李党争的旧说，而未深究元和前期并不存在牛李党争的事实。又如以《不致仕》（页88）为讽杜佑，也无据。又如页268考崔玄亮进士登第年，谓徐松《登科记考》对此有二说，其贞元十六年一说误，但著者同时所作的另一部书《白居易研究》，在考崔玄亮登第年时，却赞成贞元十六年说，彼此矛盾。书中引《唐宋诗醇》的评语过多，有些评语过于空泛，是不必引的。书中还有些错字，如"韦柳"误作"常柳"（页266），"开元"误作"闻元"（页146），当系此次排校之误。

原载陕西人民出版社《唐代文学研究年鉴》1989—1990年号，此据大象出版社2004年版《唐宋文史论丛及其他》录入

古代文学的整体研究评议

——从《中国中古诗歌史》谈起

一

本文是对一部断代文学史著作的评论，但是我们希望读者不要把它看成是一篇单纯的书评。书的作者是新时期十年中培养出来和成长起来的博士研究生，这一批博士研究生与其他一大批硕士研究生，似乎已构成我们今天古典文学的一代研究者，他们无论从治学道路、批评观念，以及精神气质、学术兴趣等方面，都表现出与其前辈和先行者有着明显的不同，这些不同已日益显露出一种新的发展方向和学术品格。研究他们和他们的著作，应当说与研究古典作品本身有同样的价值，同样的意义。这样说并不是故甚其辞，哗众取宠，我们只要稍作一下回顾，漫长的古典文学历史，只有在"五四"以后，在鲁迅、闻一多、朱自清等第一代学人笔下，才有了一个清晰的面貌和大体可循的线索，就可以理解关于研究者思维方向和批评实践的求索,对于我们认识和推进这一学科本身有何等的重要!

本书作者王钟陵在书前一篇长达两万六千多字的长序中直言不讳地提出:"截至目前为止的中国古代文学史的研究,还仅仅处于前科学的状态之中。"这样说,恐怕是要刺痛甚至得罪一些人的。但是我们觉得,这一表面看来狂妄的语句却蕴含这一代研究者的反思和责任感:这种反思,用本书作者自己的话,是一种"痛苦的反思",这种责任感,则是对学科如何选择道路的严肃的负责精神。这一代研究者,在他们进入学术殿堂之前,已经走了相当一大段的人生道路,而且不少人又有着各自不平的、甚至坎坷的心灵历程。他们有着太多的人生体验,因而也有着足够的学术抱负。生活的不易使他们在古典文学研究中能脚踏实地地去抠一个个实证问题,而做学问上的社会使命感又使他们不满足于传统思维所摆定的指向。于是在新时期的第一个十年中,在古典文学研究界也形成一种冲力,这种冲力,就是要把过去占很大优势的局部研究中挣脱出来,对文学的一个长时期发展阶段作出整体的把握,在这种把握中来表明研究者的力度和深度,反映这一代学人所特有的对文学本身命运的关切和忧思。

说过去的古代文学研究仅局限于细小的、局部的研究,是不确切的。从五十年代起,就有过人民性概念的提出和泛用,有过现实主义和反现实主义斗争作为规律套用在许多文学现象上,后来又有浪漫主义与现实主义两结合的讨论,当然更不必提儒法斗争这样虚幻的命题。但是近十年来提出的整体观念有着一个质的不同,那就是它真正从文学本身的意蕴出发的,作者们涵泳于艺术深潜的诸种美学要素，希望真正发掘它们的内在规律。这就使他们摒弃外加的非文学性的约束，并且也不满足于过去习惯了的单向的研究思路。而他们同时所具备的实证训练，又足以支撑他们作大幅度的理论探索。虽然具体情况各有所不同，他们之中的佼佼者，确实表现出实虚兼修、开拓面较广的学风。

八十年代中期曾有过宏观研究的提出和讨论，许多人感到新鲜，受到吸引。但隔不多久，特别是近时，宏观研究似乎不怎么叫得响了。在有些研究者的言谈中，这种宏观研究似乎已成为虚夸、浮泛的近似词或同义语。我们觉得，对前几年宏观研究的理论探讨和实践要有一种公正的态度。某些文章阐释不够清楚，某些专题论述过于空泛，这些缺点是可能存在的，但宏观研究的方向是不应否定的。宏观研究的实质是要在古典文学研究中提倡理论探索的勇气和理论建设的风气。中国的古典文学，要研究的方面实在太多，研究者可以各据一地，终其大半生的努力，作出他们的贡献，正象一位美国小说家所说，他写成的那么多小说，不出他家乡一个火柴盒大小的地方。古典文学领域中还有不少处女地，有时你只要轻轻一刨，撒下种子，也就会有收获。研究者虽然多，但也可不相为谋，"相忘于江湖。"但这不是我们理想的研究景状，特别不是通向繁荣境界和学术高峰的必由之途。我们需要互相促进、团结合作的研究风气，也需要对过去道路的回顾反思及共同面临的学术现状交换意见，更需要对古典文学研究作出理论与实践相结合的实例，宏观的讨论起过历史作用，现在应该是在"业绩"上作出回答。

本书的作者"主张一种将文学艺术的研究和哲学、社会风习及其所体现的民族的和阶级的心理状况等各方面的研究综合起来,作为根源于一定的经济、政治条件之上的特定阶段民族文化—生活方式的统一性表现来理解的整体性研究方法",并郑重地表明这是作者"殷殷以思之企望"(页162)。在全书七十余万字的结束时,又一次提到,这部书是"着重从民族思维的发展、社会思潮的流变以及审美情趣的变化。审美心理的建构上来把握诗歌史各个阶段的递次的逻辑前进,以展示我们民族四百年心灵史,并注目于艺术哲学之阐发。"(页861)因此,他把这部《中国中古诗歌史》,拟定了一个能打动人心弦的副题:"四百年民族心灵的展示"。这种从审美情趣、审美理想的角度,来全景式地展示民族的心路历程,体现了这一代学人恢宏的气魄和坚实的信心,也是前几年宏观讨论的丰厚收获和向前跃进。我们希望这一篇评论文章,能对古典文学今后发展方向和格局的讨论,对古典文学如何进一步取得更大成绩与突破,提供一个参照。

二

从学术上说,王钟陵的这本书表现了重建科学的文学史观的严肃企向和尝试。书前的长序——"前言",就贯穿了鲜明的反思精神和批判意识。王钟陵为反思的展开找到了理论上的制高点,或者说,提供了一个哲学前提,那就是历史真实的两重存在性原理:客观存在于过去时空之中的第一重存在,和后人对过去存留的理解的第二重存,这两者之交融才统一为真实的历史。而"在我们这样一个史官文化传统根深蒂固的国度里,又特别在古典文学研究范围内,人们往往异常执着于历史真实的第一重存在",却"无视历史的第二重存在。"(6页)因此,以往的文学史著作尽管在材料的整理归类上不掩所长,在一些具体问题上不乏真知灼见,但从整体说来,却缺乏一种能统括全局又洞察底蕴的哲学。历史真实两重性问题当然还可进一步讨论(史学界已经注意及此),但这里所说的传统文化中某些观念对古典文学研究的束缚却确实是治本之言。文学史和一切历史研究一样,如果要达到对研究对象"内在逻辑的流贯而完整的把握"(页2),是必须用先进的哲学来照亮工作的全部程的。这正如"人们在《史记》中,看到了一个哲学家的司马迁之存在"(页9)一样,从王钟陵特意郑重表出的这段话里,自不难看出他的心期所在。

王钟陵尖锐地指出,迄今为止的中国古代文学史的研究"还仅仅处于前科学的状态之中"。而本书对于这种状态的革除和突破的一个显明标志,就是确立了一个中心主题——民族思维的前进步武。由于"一个民族的文化—心理结构,便是这个民族民族性之具体所在",因此,本书旨在进行"以民族思维的发展为内核,以民族文化—生活方式的展开为表现的一种有机的综合"。(页16)从治史的角度而言,这也就是悬历史的统会性为最大的鹄的。诚如美国的莫里斯·曼德尔鲍姆所说:"任何一部专门历史,如有一个中心题材,它就构成这部历史所记载的各个事件的一种联系形式。"(《历史中的客观主义》,引自《现代西方历史哲学译文集》第283页)王钟陵这部诗歌史的全部特色,也是由此而生发。

这里首先表现为研究重心的转移。这个富有哲理色彩的主题,意味着文学史研究从以作家个体为本位,深入到整个民族心理建构的走向。文学史不再是古代文苑传的现代翻版,不再仅仅是若干作家个人生活史的写照,而是在一种文化、一种文明展开的轨迹中探究历史的底蕴,发现规定着这一切发展变化的历史内在的深沉力量。这是真正意义上的整体性,因为整体从来就不是若干个体散乱的累积和叠加,而是具有内在结构和机理的组织。向长时段的历史去探险揽胜,这一点本是古代文学研究先天优于现、当代文学的地方,可惜我们是长久地疏略了它。王钟陵在本书中,一反以往文学史的惯用体例,不是一上来就从具体的作家作品入手,而是在上卷部分用占全书四分之一的篇幅作为“总论”。在总论中,他对整个中古时期审美风气的陵替演变和文学特征的展开流程,作了提纲挈领的鸟瞰,并着重阐发了这种种变化的内在逻辑性。作为这一时期逻辑起点和思想前孕的王充的真美观,是早在汉代就发生了的(这就不以朝代为限了);这种真实之美的思想内蕴,在中古文学中展开为对人格、社会和自然之美的全面而现实的追求;进而则达到了对世界以简御繁、以少总多的审美把握;从这里面又萌生出“隐秀”的理想,透露出向下一个历史时期推移的消息。就文学的走向而言,从魏晋之际“动情”与“理思”的矛盾消长,到南北朝时期转化为理思与外物、与语言表现的主要矛盾,同样呈现出一种由审美主体走向审美客体,又落实到审美表现上的一个有序的系列。要把四百年历史流程中这些深层的逻辑联系以不枝不蔓的清晰图景勾勒出来,如果完全沿用旧有的叙述体例是无法做到的。尤其是民族思维的每一点长足的进步,都未必是个别作家毕其一生所能完成的。如果不从长时段着眼,只是满足于对作家作品作散点式的透视,怎能"破译"民族心理建构的奥蕴?即使在下卷部分,在按照时间顺序评述具体作家时,王钟陵也并不将他们视为一个个自足的、封闭的个体,而是把他们集束、归拢到每一历史区段的次要主题之下,或者说,立足于线和面来审视每一个点。这样,在总的主题之下又有若干个分主题,就成为全书特有的一种叙述方式。例如在论列南齐永明诗人谢朓、沈约、王融等人时,本书紧扣一个"俗"字生发,在"齐代诗风向俗的转变"的统一风会中,剖析不同作家的不同表现,从中总结永明诗歌新变的得失和意义。例如写景诗从高山深壑走进了人境的世俗圈中,诗歌语言消除滞重而走向流转圆美和平易,同时也伴随出现了如游戏诗、女色诗等庸俗无聊的倾向。这不仅是一种共性的把握,而且反过来也大大加深了对作家个性的理解,例如本书论谢朓的"平秀"风格、小谢对大谢的沿革以及"变有唐风"诸问题时每多胜会,其得力处就正在于此。对于六朝文学发展的最后一环,即北朝及隋代文学,过去也往往只着眼于个别作家的新风貌(如庾信等),本书则以"融合南北之长"为主题,在民族融合的视角下对这一段历史行程作了全新的展开。在这里,南北文风的交融不再是一个抽象的过程和结果,而是随着关陇集团势力向全国的伸展分阶段地实现的:首先是少数民族的汉化,其次是北方文学之南化,最后才在对南方文风的有意矫正和批判中完成了这一历史融合的过程。这是一个以"南北融合"为中心的纵向座标,依据着这样一个座标,这个时期各个作家的作用和贡献也得到了重新的认识和估价。例如北地三才邢邵、魏收和温子升,他们的模仿南风一直是被讥弹的,本书却对他们作为文学融合潮流的先行者予以了肯定；关于庾信和王褒，历来研究者们感兴趣的只是他们入北后自身诗风的变化，对他们同时把南方诗风带到北方的事实却失之眉睫，本书不仅将之拈出，并从这一阶段的主要历史任务出发，认为宫廷文风易地之后在北朝的汉化政治进程中起了积极的作用。这个座标也有助于某些事实的纠正和廓清。例如苏绰的"复古"一向被认为是反对形式主义文风的积极尝试，一旦揭示出他不过是适应鲜卑族政权倒退行为的需要，拒绝学习南朝，企图将西魏文学凝固起来时，其逆潮流而动的性质就昭然若揭了。又如隋炀帝杨广一向被视为宫体作者，本书却从他的创作中细心辨析出一个基本特征，即仿佛把北人学南之三个阶段的历史进程，"表现为一种压缩的层垒"，从而判定这是"北人诗从王、庾宫廷诗风中摆脱出来，寻求自立和超越的缩影。"（页851）就这样，每个历史区段都有一个主题来统领，这些主题是特定时期任务、趋向之总括，而所有这些主题的汇聚，又凸现出整个中古时期文学联贯而曲折的流程。音乐中常常有这样的现象，那仿佛是由若干乐章组成的一部气势磅礴的交响乐，它和那种拼凑若干支乐曲的联奏显然有着质的不同。历史的整一性由此得到了极为分明的体现。可以看出，王钟陵追求的是以综合整一的手段再现活生生的历史脉搏，而不是陈列被肢解了的躯体，恩格斯曾指出马克思有"一个伟大的基本思想，即认为世界不是一成不变的事物的总和，而是许多过程的总和。"并且告诫人们"口头上承认这个思想是一回事，而把这个思想运用于每一个别场合和每一具体研究领域，却是另一回事。"（《费尔巴哈与德国古典哲学的终结》）王钟陵在他的研究领域中，出色地实现了重心从"事物的总和"向"过程的总和"的转移,我们相信,这对文学史的研究,会提供结合实际运用马克思主义哲学的实例。

三

本书无论从横向上,还是纵向上,都体现了对历史运动的辩证观照。

既然以洞悉民族的心理建构为主旨,而每一时代的文化又是这种心理的直接呈现,那么研究的视境向广义的文化活动拓展,也就是题中应有之义了。诸如哲学、政治、艺术、社会习俗等等,它们作为不同的文化层面无不是和文学潜通消息的。正是这些诸多因素的交汇,共同构成了时代的精神氛围。王钟陵对于鲁迅先生在半个世纪以前所昭示的、将文学和社会风习联系起来的研究方法,由衷地献上一瓣心香;但他立意在创新,指归在开拓,在本书中尤其强调那些同民族思维相联系的部分。例如,他在汉代从厚葬到薄葬的风习迁移中,看到了汉人意识中愚妄的神学观念的崩塌;从魏晋以来重视早秀和以才艺出人头地的社会风气中,看到了"新变"文学潮流的思想基础;从两晋弥漫一时的朝隐之风和园林建筑的兴起,看到了空间观从汉人一味扩张、一味占有的恢阔充实,向魏晋以降由有限透视无限的精致深远的转变和发展,等等。其中,哲学思潮对于文艺风气更有着巨大的统摄作用。作者认为,作为中古时期占主导地位的玄学,不仅深刻影响了人们对世界的认识和把握,而且以其理思的介入,导致了文学发展中一系列重要的转折和变化。大至审美风会和文学进程，小至诗歌的情趣和语言表现，甚至个别作家的风格特征，都可以从中看到玄学作为一代主潮的面影。例如，有谁曾把陶渊明诗歌的"平淡"风格，和玄言诗"淡乎寡味"的特征相联系，并进而从时人所崇尚的"简淡"的理想人格，"淡亲"的交友之道、"游心于淡"的处事方式，一直穷根究源追踪到作为玄学概念的"淡"？又有谁从谢灵运"兴会标举"、"钩深极微"的山水诗中，指出玄学独标新解之义和名理辨析作为内在思维素质对他的深刻影响？由此洞烛幽微地抉剔出天才诗人和时代深刻的精神联系。对于民族思维、民族心理而言，哲学是其理性的结晶，文学是其感性的显现，它们构成了最重要的两翼，是相辅相成而又相得益彰的。以往的文学史研究往往把视野只局限于文学与朝政关系的一隅而罕及其他，这种偏执于一端的结果，几乎使一部古代文学史成了历代王朝政治的投影和写照。这其实不过是古已有之的"以史证诗"这一治学路径的衍伸。中国向以史学的发达和早熟而著称于世，但真正堪称发达的是像廿四史那样的朝政史，至于对广泛意义上的文化活动内容，不是阙漏便是零散简略，被置于不甚起眼的附庸地位。但就与文学的内在联系而言，其重要性其实是丝毫也不逊于政治的。本世纪三十年代前后，鲁迅、闻一多等一代学者就曾着手于此来开拓研究视野。他们的一批研究成果，之所以至今仍不失发皇耳目的新鲜感，除了说明他们的成功之外，难道不也从反面反映了这种努力嗣后的一度中断和削弱？因此，王钟陵以开放的眼光突破传统的偏狭，重视开掘文学与其他文化因素的诸多联系，可说是对近世以来文学史研究健康趋势的自觉继承和张扬。

在纵向上,本书也不取那种单向的、直线的观照方式。王钟陵认为,历史运动是一种具有双向性形态的运动:"历史不是在理想的状态中前进的。"(页701)"历史的发展如此奇妙,进步和退步常常那样密切地交织在一起,一方面是进步,另一方面却又是退步。进步会以一种退步的形式来表现,退步中又会蕴含着进步的内核。"(页145)"肯定的历史环节会走向否定的结果,否定的历史环节也会导致肯定的结果。"(页527)这种观点的现实针对性是显而易见的,长期以来,文学史研究中往往把精华和糟粕作简单的、表层的区分,实际上却是游离了当时的历史具体状况,结果文学史不过是一种所谓知人论世观的放大,因此也就理所当然地成了精华的陈列史。这和中国古代的诗教传统是一脉相承的,实际是用一些"绝对理念"把文化研究先验化、道德化的历史遗存和嗣响。本书作者深沉的历史感在书中随处可见,他容不得历史的链条中有残缺的环节,即使对那些有着明显弱点和不足的东西,他也从一定的历史联系中来重加审视。例如东晋的玄言诗,由于其"以理代诗"的倾向,自刘勰、钟嵘以来就几乎一直给予贬斥和否定,人们把它仅仅看作是一种失败、一种历史的误会,因而这个"历载将百"的文学史阶段就被轻易地抹去了。王钟陵可以说是把这个缺失了的历史环节加以完整修复和还原的有力者。他在本书中以整整一编的篇幅专论东晋诗,梳理了玄言诗从孕育到蔚然成风的发展线索;从体悟玄理的两条途径为其规定了明确的界说,又深入剖析了玄言诗在情调、趣味以及山水景物刻划诸方面的特征;最后透辟地总结了玄言诗的历史意义,其直接的作用是对山水文学的导向和理思入诗后对诗境的开拓,而它对感伤主义思潮所起的淡退和消释功能,更成为文学风气巨大转变的不可或缺的前提。所有这些内容的阐发,无不是在把玄言诗作为中古文学一个转折环节的思想映照下实现的。如果不是从完整的历史联系上着眼,那么玄言诗的价值大约永远只能被自身有限的文学成就所掩蔽、所沉埋,而无人解会了。又如梁陈时期的宫体诗在历代的文论家、史学家眼里,更被认为是耻辱的泥淖和深潭。近年来有人为其作翻案文章,也还是不离从道德上为其开脱洗刷的路子。难道宫体诗仅有写色情这一内容的规定性,就会具有弥漫朝野的巨大影响?从这个质疑出发,一旦将之作为由永明向初唐诗歌发展中的一环来看待时,其性质就渐趋明朗了,宫体诗"乃是继永明体而后的又一次诗体变革"(页733),其内在规定不仅包括内容的轻艳而且包括了手法之巧密、词采之丽靡、声韵之拘束,以及对七言歌行的大力写作等,可见,"在宫廷诗人扭曲了的艺术追求中,正是有着诗歌史前进的歪斜步伐。"历史研究也就正是在对随意性的克服中获得了谨严的品格而走向科学的。

历史的这种多维向的运动形态,究其渊源所自,乃是由其内部的矛盾性所引起。由于过去历史的结果已是明显的事实,因此对于后人来说,它的明确的指向性就仿佛是由某种单纯的力量推动所致。王钟陵却更喜欢在历史的浪花下面,潜心默识多种潮流的汹涌激荡,从中探测历史的流向是如何为各种不同方向的力量所左右。例如刘宋时期的一代诗风处在谢灵运、颜延之、鲍照三家的牢笼之中,这三体当时就引起了文学思想上的斗争,并且还绵延宋、齐、梁三代,形成一种诗派之间的斗争。特别是颜延之一派和休(汤惠休)、鲍一派之间的相互嗤鄙,更表现了廊庙之体与歌谣之体的斗争。但又正是大谢的山水诗、颜的对偶诗和鲍照的倾侧之文，三者共同构成了对玄言诗革故鼎新的合力，开拓出"声色大开"的诗歌新里程。尔后三体在南朝的消长，导致了谢、颜两体渐告衰歇、鲍体独领风骚的局面，从中又透露出齐、梁两代诗风演变的消息。正当这一场斗争启动不久，新的潮流之争又揭开序幕，齐梁之际出现了与"新变"主潮有异的另外一线，本书称之为"通变派"，其创作上的代表是江淹和吴均，理论上的代表是刘勰和钟嵘。新变派同传统严重对立，通变派则表现出通达古今之变的新意向，并且在庸俗平弱的时风之外，逐渐创立了一种卓然高标的诗格。两者相生相克，后者虽然在当时只是支流，但遥开了隋唐以后终于发展为主线的通变文学潮流的先河。人们对后者是否足以构成一个流派尽可持不同意见，但在当时出现了这一带有矫正时风意的新动向，却是符合文学史实际的。这一发现，历来未经人所道，真可谓是骊珠独得了。王钟陵说："就整个社会来说，各种倾向的并存，倒是较为全面地表现了一定阶段历史前进的各个方面的内容的。这各个方面意见的展开、冲突和融合，便正是思想文化史前进的行程。"（页701）这也就如同恩格斯所指出的：历史"最后的结果始终是由许多个别意志相互冲突中产生出来的。……这样，就有着无数的错综交叉力量，有着无限止的一丛力量的平行四边形，并由这一错综交叉情况中产生出一个总的结果。"（《致约·布洛赫》）历史的不可重复性在这里正昭示了深层的意蕴。如果文学史仅仅是精华的平面呈现，那么不但对历史上一系列重要的变化无从知其所以然，而且最终还难免落入循环论的陷阱。可见，在研究重点从"事实"转向"过程"之后，历史动力学的原理就显得异常重要了。人们有时喜欢把晚近的某些西方思潮和先前的思想成果简单地对立起来，仅以发生时间的早晚作为取舍的价值标准，这种一味趋时、趋新的习气往往妨碍了人们深入掌握各种学说的合理内核，并进而内化为自己的思维方式。实际上，西方新见迭出的学术思想也无不是在对前代或前人的扬弃中演进到今天的。中国近代以来由社会危机的迫在眉睫，对西方文化学术思想的摄取每每流于浮光掠影太匆匆的状况，结果在思维的更新和深邃化方面的进步，较之引入新概念、新名词的"语言灵物崇拜"来说，未免相形见绌。现在是应对此作出清醒反思的时候了。这是王钟陵这部诗歌史给我们的又一个重要启示。

四

怎样把文学史和美学史有机地结合起来，既体现文学发展的史的脉络，又反映一个民族审美理想的逐层展开和渐次深化，这是文学史研究亟需解决的一个理论问题。文学和美学本来有一个共同点，那就是对人们审美意识的关注，不过前者偏重于其感性显示的方式，后者则偏重于其理论形态。美学作为一门专门学科，虽然在我国起步较晚，但近年来也已出现了和文艺研究携手会合的趋势。既然王钟陵立意从民族文化——心理的动态建构的角度来把握文学的进程，而"这种文化——心理建构又必然是一种审美的心理建构"（页30），那么他要使这两门学科"联姻"也就毫不足怪了。事实上,这不是一种无意得之的巧合,毋宁说是出于一种明确的理论企向。因为"对于'人'的微观方面的研究,正是注重对人进行宏观研究的历史唯物主义所亟待加强的方面"(页30),在马克思、恩格斯把人的研究转向和社会历史的研究、和社会经济关系的研究结合起来从而取得了伟大的成就之后,"现在还需要对人性和民族性之具体所在的文化——心理结构作出探索,这是一个新的时代的召唤"(同前)。在通向这一创造性的目标时,对现有学科之间的关系作重新的调整和组合仍是十分自然的。

这种交融,首先在本书上下两卷的内容分工上得到了一种外观的表现。上卷五编十五章,主要从理论范畴上对中古时期审美情趣的孕育、完成和演化作了颇为完整的阐发,强烈的思辨色彩使它具有了美学史的形态;下卷七编三十六章,主要从历史进程上对这一时期的诗歌流变作了具体的描述,显示出文学史的惯有风貌。但更值得注意的是,无论是上卷部分还是下卷部分,都贯串着人类精神运动的基本特点,那就是感性和理性的辨证交织。上卷理应是以构造一个高度抽象的概念、范畴之宫为指归,可是里面再现了多少活生生的历史生活图景,和文学的钩连又是多么紧密!本书开卷之初,在概述汉代的审美情趣时,就向我们展示了一幅色彩绚烂的汉人活动画面,这里有社会生活的广泛拓展,有社会风气的侈靡奢华,当然也有观念形态的纷纭繁复,等等。就是对汉代"虚妄之美"的神学美学观的论列,也是从当时的墓葬艺术、宫室建筑和壁画以及竞献祥瑞的社会风气中加以生动的演示的。在展开中古时期审美观念流转的逻辑过程时,王钟陵所依据的,不仅仅是对理论资料的爬梳和演绎,而且几乎在每一个关键的逻辑环节上,都以生活感受方式的变化作为论述的起点。如讲"以少总多"的审美原则,首先从玄学清谈的简约风尚谈起;讲"隐秀"的审美理想,又先从盛行于魏晋之际的人物品鉴之风谈起,从时人对人格美的追求以及对时空感受方式的变化中来阐幽发微。而每一个逻辑环节的完成,又不限于封闭在理论的邃庐内,而是渗透、落实到文学的进程中去。故而在递次论述审美前孕、原则和理想的三编中,分别设立了"真美观的转化为现实"、"文学走向以少总多的历程"、"文学之趋向隐秀的理想"等三个专章。这样,我们看到的就不是一种游离于感性活动的纯理性的推演,而是活的现实,美学由干枯的骨架变成了丰满的血肉之躯。下卷在叙述具体的作家作品时,又时时投射出审美意识的理性之光,大量文学现象乃成为那一时期审美原则导向下的有秩序的呈现,表现出"一个个继起性因子是如何渗入到某一阶段的文学——心理建构的共时态结构中去的? 某一阶段的文化——心理结构又是由哪些并存性因素所组成? 这些并存性因素间的关系又如何?"(页28)本书对此一般是加以随机的点明,有时候则又集中地进行理论的说明。前者如在评述文学史家多不甚注意的曹操的游仙诗时,从中揭橥出两个规定性,一是脱离了记叙"真实"的领域而具有了想象"真实"的意义,一是抒写中贯注了一种相当真实的感情,然后指出游仙诗正是在"真美"的理性精神荡涤了过分的宗教迷妄之后,才成为艺术的。这样,魏晋之际游仙诗的勃兴就得到了深入的解释。后者如在东晋编中,对"淡"作为一代审美情趣,从理论上作了相当详赡的展开:从玄学概念之"玄淡",到淡思、理思与自然的关系,最后,又以向秀、郭象逍遥义作为玄理的导引,终于出现了玄言诗中恬旷豫畅的新情调。总之,全书上下两卷的结合,呈现出一种以生活的感受方式、理性的自觉意识和文学的感性显现三者交融的辩证表述,这里既有理性对感性的升华和渗透,也有感性对理性的孕育和展开,而对民族审美的心理建构过程的说明乃在这个循环往复的辩证交织中,达到了圆满的完成。

对民族文化——心理建构过程的辩证叙述,离不开相应的概念和范畴。因为只有凭借范畴这个"网上纽结",我们才能认识和掌握现象之网。王钟陵认为,古代文学史研究处于前科学状态的重要标志之一,便是"尚未形成一整套反映民族审美活动发展的科学的概念、范畴和命题的有机体系。"(页26)这实际上也是我国文艺学所普遍面临的课题。诚如荷兰学者佛克和易布思所说:"为了描述和解释那些个别的事实,首先,文学理论就要提供一大批通用的或至少是一般的概念。……如果取消了概念和概括,如果没有'超语言'的术语,对文学的组成因素和文学史的研究便不可能科学化。"(《二十世纪文学理论·导论》)以往古代文学史研究中范畴的严重匮乏,可以从两个方面见出:一是用诸如"人民性"、"爱国主义"之类的伦理范畴,再加上一些简单的修辞格来囊括异常丰富的文学审美活动;一是干脆引进根生在其他民族历史土壤上的某些文艺范畴,作削足适履的套用,如现实主义和浪漫主义。特别是后者,竟成为我们文学史著作中统领千古的最高范畴。平心而论,这些范畴虽不无"他山之石,可以攻玉"的意义,也曾发挥过一些积极的历史作用,但他们又确都有反客为主之嫌。

这种僭夺反过来也说明了主人自己的空虚和软弱。因此,建设民族的审美范畴体系就显得十分迫切而必要了。王钟陵在进行这一工作时,是从民族性和科学性这两个方面同时着手的。一方面,本书所用的范畴,大至"真美"、"以少总多"、"隐秀"等这些高层次的范畴,小至某些次要范畴如"淡"、"俗"、"清峻"、"遥深"、"平秀"、"永明体"、"吴均体"等,大都具有传统的形态和风貌。王钟陵是从治古代文论切入文学史研究的,这个治学道路为他在古代的理论资料中钩稽这些范畴提供了便利。但是,这不是现成的借用、挪用,因为要从无数的概念中作出选择,就必须一一透视它们之于对象的涵盖程度和适用性,尤其对于高层次范畴的确定就更是如此了。例如,"隐秀"在《文心雕龙》的研究中,一般是作为含蓄的艺术风格来认识的,而王钟陵却在它与"秀美"情趣的联系中,在它所由形成的哲学路径中,特别是在中古文学的发展趋向中,看到了它既扎根于现实的创作风气,又高于现实的意义,从而将之上升为时代审美理想的高层次范畴。这种发现是别具慧眼的,也是深刻的。除了从前人的理论结晶中加以选择和抉剔外,还有些范畴则是从当时广义的审美风尚中廓括、提炼而成。例如本书从汉代的文艺风气里提炼出一个特定历史时期的审美范畴——"丽";而从中古时期对人物、文艺、风景的品鉴习尚中,又开掘出一个"秀"字作为中古审美情趣的涵括,等等。总之,范畴之形成都立足于大量的历史事实,而不是仅仅凭借于思辨的演绎,正是这种深厚的历史内蕴,才使它们在概括民族文化现象方面具有了远胜于某些"舶来品"的优越性。另一方面,对这些传统范畴又必须用科学的眼光去加以剖析和阐发。这里重要的不是征引,而是解读;不是以博雅自炫,而是寻求现代把握。从概念"是一种包容多样性于自身之内的统一"这样一个前提出发,王钟陵在他的研究中,始终把解析范畴的多规定性作为一个重要的方法,并且取得了颇多胜解的卓越成果。例如本书把王充的真美观作为开风气之先的逻辑起点,就是从剖视其"真实之美"概念内涵的四项内容入手的,其中对审美真实性的强调、对情感和个性的强调、对文采的强调这三个内孕的要素,又正是后来魏代诗歌中的三个历史规定性,而且由这三要素的展开还构成了整个中古文学的特征和向前的发展运动,全书的逻辑结构因此获得了一个坚实的起点。又如对"永明体",过去往往只注意到其强调声病的一面,本书却结合永明诗人的大量创作和品藻言谈,从中涵括出四项艺术进步,即声韵的研讨和篇幅的缩短、流转圆美和平易的风格、诗境的婉美和巧思,以及自觉的意境诗的形成。其中,"流转圆美"更是对滞重之累的革除,表现出诗歌进入了消化骈偶和使事技巧的新时期。这样,"永明体"这一概念的丰富内涵就得到了全面的阐发,它为唐代近体诗提供的准备也显得更为充分了。再如对鲍照的"险俗"风格,前人虽已拈出却语焉不详,本书则在与谢、颜二体的比照中,勾勒出几个主要特征,诸如世俗寒士的生活内容、急以怨的心理、采用民间的七言诗体、巧于琢词不避危仄,等等,而其源盖出于"才秀人微"四字。于是,不仅鲍照的艺术个性得以鲜明的展示,而且以后"宪章鲍照"的沈约及齐代诗风对他的沿承和分野,也更见清晰和明朗了。所有这些,或发人所未发,或更为系统周详,而这些概念和范畴经此阐析,也从"可意会,不可言传"的原初存在,成为可会可传、可感可知的"此在"了。王钟陵的这种阐释方式,不仅充分继承和利用了积淀在这些传统范畴中的民族智慧,而且还以现代科学的理性思考和实证方法,大大充实和深化了那些了悟式、点评式的直觉认识。悟性智慧和理性智慧的结合,将有助于我们的学术研究不断由必然王国跃向自由王国,结出更为丰硕的果实。

当然,民族化、科学化的审美范畴体系的建立和完善是个庞大的系统工程,还需要做大量艰苦细致的工作,其中也包括广采博收世界各民族的理论成果来丰富、充实和改造我们的传统。可以确信,这项工作的每一步实际进展,都将会有力地推动我们民族文化走向世界,而且它本身就是我们民族思维走向现代化的一个重要组成部分。它的最终完成可能需要好几代人的努力。重要的是,过程已经开始。那么,从现在起就充分意识到这个历史趋向,并勇敢地肩负起筚路蓝缕任务的,难道不就是这一代学人责无旁贷的使命吗?

王钟陵的这部书还有不少可谈的地方,但本文的主意并不是专谈这部书,而是由这部书评议我们今后文学史著作的研究格局和编写原则,希望从这部书总结出一些多少带有普遍性的东西。《中国中古诗歌史》为自己规定了研究民族的文化—心理建构过程的宏大主题,并着重于民族思维的历史发展,而我们知道,民族思维是在多种因素的合力的推动下前进的,我们认识其进程的视角也就应该是多元的、不拘一格的。对于文学史的研究来说,永远不会有、也不应该有统一的不变的范式。但是,一部有分量的学术著作一旦问世,一个新的参照座标就出现了,以往所有的成果都会在这个座标上或升或降地变换原先的位置。近年来人们不是对古代文学的研究现状屡表关切么？最有说服力的答案是：拿出实绩来！从这个意义上说，王钟陵的这部诗歌史既是应战，也是挑战，它的回响是可以期待的。

与钟元凯合撰，原载《文学遗产》1990 年第 1 期，此据万卷出版公司 2010 年版《当代名家学术思想文库·傅璇琮卷》录入，另收入黑龙江人民出版社 1992 年版《唐诗论学丛稿》

吴汝煜、胡可先《全唐诗人名考》序

    1988 年夏,吴汝煜先生的《唐五代人交往诗索引》脱稿,并交付上海古籍出版社之际,我曾应他之约,为这百余万字的书稿写了篇序言。在那篇序言中,我曾对当时刚开始不久的学术著作出版难的问题发表了一些看法。老实说,那时我对出版难的问题虽有所感觉,但感觉并不严重,而且对克服困难的信心还是很强的,因此提出作为我们研究者自身如何提高著作质量,以求在竞争中取胜。我想,我们许多古典文学的研究者是准备献身于我们所从事的这一项事业的,而作为古典文学研究本身,却远不是致富入仕的门径。陶渊明早就说过,"量力守故辙,岂不寒与饥",似乎注定是一条清贫的道路。但他老人家也一再地说:"介焉安其业,所乐非穷通","岂无他好,乐是幽居"。我想,这是包括汝煜先生在内的我们许多古典文学研究者的素愿。正因为此,当索引稿完成之后,汝煜先生又约胡可先同志,利用索引的成果,又开始一项更为艰苦也更为深入的工程,这就是这部《全唐诗人名考》。但与此同时,出版难的问题也更进一步发展了。时到如今,已不是我1988 年所写的在质量上提高、于竞争中取胜的问题,而在一定程度上说,似乎能否达到出版,或能否有较多的印数,是与质量无关的,而且有时越是质量高的书稿却越不易于出版。两千多年前的宋玉所说的阳春白雪、和者盖寡,想不到在今天倒真的印证了。现在,汝煜先生身患重病,我见到江苏教育出版社排印出来的这部《人名考》的校样,真不禁感慨系之。江苏教育出版社出版此书是要负担经济亏损的,我们要向他们表示衷心的感谢,他们做了一件大好事。但我希望,我们以后不要再有因著者病重才开始安排出版这样使人联想很多的情况出现。说到底,我对我们的出版事业以及整个学术文化事业仍抱乐观的态度,我坚信有悠久历史文化传统的中华民族,肯定能在改革开放的新时期中,把我们的国家建设好,把我们伟大的古代文化精华注入于有生命力的现代文化之中,开出璀璨的花朵,结出丰硕的果实。目前的困难终归是暂时的,我们,包括学术工作者和出版工作者,仍要努力工作,为我们共同的美好前景作出我们自己的哪怕微末一点的贡献。

在唐代人物考证中,清代学者做了不少工作。徐松的《登科记考》,赵钱、劳格的《唐尚书省郎官石柱题名考》,劳格的《唐御史台精舍题名考》与《读书杂识》,沈炳震的《新唐书宰相世系表订讹》等等,是综合性的考索,另有几部著名的别集注本,也都分别考查出不少诗文中提到的人名。但在这方面真正对我们有所启发,并奠定人物考证基础的,是近现代两位大学者,那就是陈寅恪先生与岑仲勉先生。陈先生有几篇很精细的考证著作,但总的说来,他是以一定的理论体系来统摄全局见长的,有些史学史著作把他归之于史料学派,并不确切。关于这点,我曾有《一种文化史的批评——兼谈陈寅恪的古典文学研究》谈了一些个人的看法

（刊《中国文化》创刊号，1989年12月）。岑仲勉先生则可以说倾其主要精力用于唐代人物与史事的考证，在这方面，他创获最多，现今可资利用者也最多。他们两位都是史学家，很奇怪的是，后起的史学工作者，在1949年以后，却并未继续他们的工作。无论是研究历史或研究古典文学的人，在1949年至"文革"前的一段长时期中，所着重研讨的差不多都是大问题，而视资料的搜寻考订为琐屑饾饤。1978年以后，唐代文学研究呈全面繁荣局面，有几部理论研究的专著问世，为人瞩目，同时又有更多的考证专书与论文，而这些考证之作，往往涉足文与史两个领域，并不纯粹是文学研究，但从事于斯的差不多都是古典文学研究者，几乎没有专业的史学研究者，这倒是近十年来唐代研究中值得思考的现象。

　　一门学问，越是发展，就越是要综合，要及时概括已有的成果，以便使这些成果有效地传达给同行，使他们从已有的基点出发更向前延伸，而不要在原来的水平上重复已知的结论。正因为此，我在1982年西安的全国唐代文学学会成立的会议上，建议编印《唐代文学研究年鉴》，集合研究者的共同努力，逐年把研究成果记录下来。这一建议为学会所接受，而《年鉴》遂主要由陕西师范大学教授霍松林先生与我负责，从1982年按年出版，现在已出到1987年。现在，汝煜先生与可先生的这部《人名考》，其中一部分也是做这方面的工作。他们把自清代迄今的有关唐代文史方面的学术论著逐一翻检，广泛搜集已有的唐诗人名考订的成果。书前所列的《编号表》，就是他们所搜得的以往成果的目录。可以看出，其中除少数为清人及陈、岑两位前辈著作外，绝大部分是最近十年来的新著，而这些新著，大多数又出于中青年学者之手。我深深地感觉到我们唐代文学研究基础的深厚，也钦佩吴、胡两先生为此付出辛勤的劳动。他们细心地把发表于各地报刊上的论文收集起来，研究它们的论点，肯定它们的成果，吸收到考订中去，并一一加以注明。这种求实的、充分尊重别人劳动的学风是我们学术文化中的优良传统。我们多么需要这种造福于他人的踏踏实实的工作。

本书在积累已有成果的同时，还上溯唐宋时的众多史籍，独立进行研索。据《前言》统计，书中共搜辑他人成果约三千四百四十余人次，自己考出的人名约三千八百六十余人次，合起来总数约七千三百余人次。这些考订，部分曾发表于《徐州师院学报》，我已陆续拜读过，得益不少，有些问题也与作者讨论过。这次又读了排印出来的部分校样，更感到这确是一部切实有用、使大家都会受益的好书，也感到作者在治学态度上给人以不少启发之处。

书中不仅对众多的以行第、别称、官职、谥号相称的人物考出其本名，而且也连带地指出《全唐诗》的错讹。如张九龄《和黄门卢侍御咏竹》，考出侍御为侍郎之误；张说《节义太子杨妃挽歌二首》，考明节义为节愍之误。凡有确凿根据的，作者并不依违两可，而是明确断定是非。如沈佺期《李员外秦授宅观妓》，考订中引用《旧唐书·中宗纪》，《通鉴考异》引《纪闻》，《通鉴》胡注引《旧唐书》，指出当时任补阙、考功员外郎者有李秦授，而无李秦援；又引劳格《郎官考》所引《沈云卿集》之同一诗题，亦作李秦授，又引《太平广记》等的记载，并参以岑仲勉《郎官石柱题名新考订》，然后作出"是李秦援为李秦授之误无疑"的明确的结论。另外有些地方，虽有旁证，却未能达到确证程度者，作者并不遽下断语，而是仅指出可疑之点，示人以继续研讨的余地。如张说《赠工部尚书冯公挽歌三首》，疑此冯公为冯元常，据新旧《唐书》的《冯元常传》所载事迹与诗中所述相对勘，谓均相合，但作者以为"唯其赠官工部尚书，史不载，俟考"。又如沈佺期《李舍人山园送庞邵》，疑此李舍人为李峤，据《旧唐书》本传，峤曾由润州司马诏入，转凤阁舍人，又引严耕望《唐仆尚丞郎表》，李峤于神通元年闰十月以凤阁舍人知天侍，则李峤曾任凤阁舍人是肯定的。但沈诗中仅称李舍人，当时李姓任舍人之职者是否仅李峤一人，而舍人之职称除凤阁外还有其他，故诗中之李舍人是否即为李峤，尚未可必，作者仍以"疑为"表明自己的意向。我觉得这种审慎的态度是值得提倡的。近些年来，古典文学研究中考证之风颇盛，这对于整个研究来说是有益的，但有些考证之作，所持的证据尚不足，就以全称判断肯定是非，强为立说，豫为创见，这使我想起王国维为容庚《金文编》所作序中的一段话，他说：

　　孔子曰"多闻阙义"，又曰"君子于其所不知，盖阙如也"。许叔重撰《说文解字》，窃取此义，于文字之形声义有所不知者皆注云阙。至晋荀勖寻写定《穆天子传》，于古文之不可识者，但如其字，以隶写之，犹此志也。宋刘原父、杨南仲辈释古彝器，亦用此法。自王楚、王俅、薛尚功之书出，每器必有释文，虽字之绝不可识者，亦必附会穿凿以释之，甚失古人阙义之旨。

王国维认为阙义之说,"盖为一切学问言",这话是有道理的。搞考证,其弊有时倒不在下不了结论,而是如王国维所说,虽"绝不可释者",也"必附会穿凿以释之"。我想,我们搞考证的人要尽力克服或避免这种毛病。

我还是想到了陶渊明的另一首诗:"人之所宝,尚或未珍。不有同爱,云胡以亲?我求良友,实觏怀人。欢心孔洽,栋宇惟邻"(《答庞参军》)。我与吴汝煜先生第一次见面,是 1984 年冬在厦门,那时中华书局为组织编写《中国文学家大辞典》,邀约部分专家学者,在厦门大学开会商议。我们时常面对远方的水天一色,畅叙文学研究中的一些问题,有共同的爱好和志趣。但他在徐州,我在北京,除了几次参加学术会议,很少见面,比起陶诗所说的"栋宇惟邻"来,相差实远。但书信是不断的,他给我的信总是那么谦逊、周详。现在他积劳成疾,以后要编写这样的著作恐怕是很困难的了,什么时候我又能为汝煜先生的新著作我所能作的一篇小序呢?默诵"我求良友,实觏怀人",我实已难以为言。

1990 年 1 月 27 日,庚午年初旦

原载江苏教育出版社 1990 年版《全唐诗人名考》,此据大象出版社 2008 年版《学林清话》录入,另收入黑龙江人民出版社 1992 年版《唐诗论学丛稿》、湖南人民出版社 1997 年版《濡沫集》(题为:"岂无他好,乐是幽居")、京华出版社 1999 年版《唐诗论学丛稿》

王洪《唐诗百科大辞典》序

　　这部《唐诗百科大辞典》是计划中的"中国文学百科辞典系列"之一,也是这"系列百科"编写出版的第一部。主编王洪同志在这系列大书的总的前言中说:"搞一套多角度、跨学科、全方位地研究中国文学的大型工具书,是我们编纂这套《中国文学百科辞典系列》之宗旨与理想。"我赞赏主编们的这一见识,更钦佩他们的勇气,因此他们在编成这部《唐诗百科大辞典》,并希望我为这部书写一序言的时候,我实在觉得是义不容辞,因而也就爽快地答应了。

　　近十多年来,我在本职工作之余,以主要的精力用在唐代文学的研究上。自从 1982 年成立全国唐代文学学会以来,我由于在学会中担任一定职务,较多地接触到各地的研究者,又由于我与陕西师范大学教授霍松林先生共同主编《唐代文学研究年鉴》,因而也较为了解和熟悉研究的情况。但王洪同志等在编写这部大书,我却是在王丽娜同志担任书中海外研究分部的主编,约我撰写美国学者李珍华教授和斯蒂芬·欧文教授的词条时才得知的。刚知道时不免吃惊,因为书的主编们,有几位我是知道的,过去曾有所接触，但大部分却是初次知道名字，不免为他们担心，担心他们是否能肩负起这个重担。后来对他们的工作逐步有所了解，看了部分稿件，又通阅了全书的目录，才感到他们是能挑起这一重担的。由此，我还感悟到一种习见需要打破，即我们过去往往把研究者的范围限定得过分狭窄，好像只有上了一定年岁的，在大学或研究机构工作的，发表过有一定影响的论著的人，才算是某一学科的研究者，好像只有他们才能担任较大规模文献丛书的编纂。近些年来中青年学者的崛起，使我们的眼界大为开阔。王洪同志他们所作出的成绩，更使我欣慰地感到，我们的研究队伍确实是在不断的扩大，我们专业研究的基础又是那样地得到充实和加强。我们不但看到了有价值的出版物的问世，而且从中感受到新一代研究者的成长。

这套系列百科辞书，要求多角度、跨学科、全方位，而从这部唐诗百科的框架来看，我觉得是符合这一总要求的。全书共有十三个分部，其中固然有唐诗本身的知识介绍，如唐诗典故、唐诗知识、唐代诗人，以及名作、名句赏析等等，但更有特色的，是编者从社会、历史的宏观角度出发，把唐诗放在一个更为广阔的文化背景之下，以此来规划全书的框架，因此除了文学本身之外，还设立了唐诗美学、唐诗文化、唐诗名胜等部类，这在专业辞书的编写上是使人耳目一新的。在唐代美学分部，固然有人们熟悉的名家名著，但也有不经见的知识性条目，特别是美学术语，除风骨、寄兴、意兴等习见语外，还有"十七势"、"诗家之中道"这样一些从唐代诗文评的实际中概括出来、具有时代和民族特色的美学思想的词语。唐代文化分部，则内容更为繁多，除了音乐、舞蹈、美术、书法等常为人们提及的以外，还设置妓女、服饰、岁时年节、天文历法及科举考试等特具唐代风习的门类，使人在浏览目录时即有一种急睹为快之感。另外，还有一些看似冷僻或艰涩，却有实用价值的分部，如唐诗语词、唐诗官制，都能以平实见长。这些都可以体察到主编们用心之细，他们并不故意以奇猎胜，而是立意在创新与求实的统一，从而给读者以全面的、充实而有用的知识。

　　这部书中的海外研究分部，或许会引起不少人的兴趣。我甚至觉得这是书中最为精彩、最具特色的一部分。前几年我为美国学者斯蒂芬·欧文先生的《初唐诗》中译本所写的一篇序中曾谈到："由欧文先生的著作，使我进一步感到，作为古典文学研究结构中的问题之一，就是我们对国外学者研究中国古典文学现状的了解，是多么的不够。我相信，在美国、日本、欧洲以及其他一些地区，研究中国古典文学的有价值的著作，一定还有不少，它们以不同的视角来审视中国的独特的文学现象，定会有不少新的发现，即使有的著作有所误失，也能促使我们从不同的文化背景来研究这些误差的原因，加深我们的认识。如果我们能有计划地编印一套汉译世界研究中国古典文学的代表作，肯定会受到中国学术界和读书界的欢迎，也将会对我国古典文学研究结构起到积极协调的作用。"读了这部辞典中十余万字的海外研究条目，极大地满足了我的上述这一愿望。这一部分，除了单个的研究者与研究分目以外，还有相当一部分概括性的条目，引人注目。如一开始，就有"美国的唐诗研究"、"法国的唐诗研究"、"俄苏的唐诗研究"，以及我国港台地区的唐诗研究，都能提纲挈领地了解这些国家和地区的研究途径和治学趋向。此外还有不少专题性的词条，如"海外王维研究"、"日本的李商隐研究"，都能引发人们的新鲜感。这部分还特别设立"研究方法"一栏，有"原型说与杜甫诗"、"语言学与近体诗"、"结构主义与唐诗"、"意象统计法与唐诗"、"巴罗克与中晚唐诗歌"等等，都能以确切的材料介绍国外某些代表性学说，只要我们以正确的观点加以辨析，这些思想资料对于我们拓广研究的视野是极有用处的。词条编写的立足点有两个明显的特点：一是当代性，即尽可能介绍近半个世纪以来的新说；二是广泛性，即尽可能包括对中国古典文学有研究传统的地区，特别是以相当数量的篇幅叙述台湾与香港地区的研究近况，使人油然产生一种亲切感，海峡两岸炎黄子孙对我们悠久的文化传统所作的共同贡献，使我们坚信我们伟大祖国的统一事业终将实现。

我觉得，辞典的上述种种框架意向和编写特点，使我们得到一种启发，就是对于研究工作，我们现在似乎要改变一种习惯性的看法。我们往往把研究仅仅视为个人在一个专题内的钻研，然后有所得，乃发而为文，写成专著。当然，这样的研究是非常需要的，它们是我们整个学术大厦的基础。但现在我们的研究工作还应不只是这样，我们需要一种大范围的概括，需要一种总工程师那样能统观和驾驭全局的研究才略，而像百科辞书那样的巨大篇幅，即需要一种学术通才来加以规划和统率。这也是一种研究工作，从一定意义上说来，它比个人在单一专题的潜心研究，更具有将理论、实践、人力安排、物力分配等统一组织和运转起来的研究品格和组织家的气度。学术越是往多方面发展，这样的一种研究活动越是需要。我希望，像王洪同志这样的中青年研究者能在专业研究的基础上培养自己成为那样的学术活动家和组织家。这可能也是时代的需要。

细心的读者不难发现，本书不但注意大的格局，也力求把工作做细做实。如唐代官制，除介绍职事官，还以一定的篇幅叙述散官、勋官，以及官称别名，另附三个表，即文散官阶品表、武散官阶品表、勋官表，构想得细致周详。唐诗名胜，除山川州峡、河流湖泊外，还有宫廷陵寝、寺院庙宇等门类。使人感兴趣的，是编写者对一些常见而又容易致误的地名，往往能用明白的文字告诉读者以准确的知识。如中唐诗人张祜有"两三星火是瓜洲"的诗句，历来为人传诵。在本书名胜分部中列有瓜洲渡一条，说明在唐时为镇，隔岸正对金陵（即今南京），今属江苏省六合县，张祜的这句诗即指此；又说今镇江对岸亦有瓜洲，在扬州市南，异地同名，距金陵较远，为另一瓜洲。这样的注释，对于确切了解张祜的这首诗有帮助，对于我们认识古今地名的变迁也极有启发。另外，唐诗研究分部，除了介绍古代的研究者，书中还以相当多的篇幅介绍"五四"以来，特别是建国以来在唐代文学研究中作出过贡献的著者和作品，这对于了解研究的现状也极有用。当然，这一部分与书中的其他一些部分同样，程度不等地还存在概括不够确切、评介不够恰当的情况。本书的编写者大多是中青年学者，他们又是多面手，在这样一部大书中要掌握这方面的知识，是不容易的，书中难免还有不够成熟之处，这是可以理解的。但在他们面前，学术的道途还远，我们有理由要求他们更严谨一些，使以后这一套系列辞书的编写，更能得以充实和提高。我想这也是广大读者的要求和希望。

1990 年初春

原载光明日报出版社 1990 年版《唐诗百科大辞典》，此据大
象出版社 2008 年版《学林清话》录入，另收入京华出版社
1999 年版《唐诗论学丛稿》

《唐诗论学丛稿》后记

　　"文革"结束后的初几年，就我所接触的一些学术界朋友，不论年轻或年老，都有一种兴奋的心情，觉得一场噩梦已成过去，我们已经失去得太多，我们要用自己的努力追回失去的一切，而我们又相信，只要靠勤奋，我们肯定会重新获得。那时国家的前途与个人的追求看来是那样地吻合，人们真纯地相信，我们应当努力尽自己的一点微力，来奉献给这个重新给大家带来希望的美好的社会。现在回想起来，当时的不少想法是很幼稚的，但正像建国初期那样，在幼稚中包含着十分难得的真挚的愿望。

　　正是在这种气氛中，我连续写了几部专著。《唐代诗人丛考》出版得最早，出版后，我听到了一些赞扬的话。多年来我已经养成一种克制的习性。我觉得这本书只不过适逢其会，只不过许多朋友由于种种原因还来不及拿起笔的时候，我因为在中华书局，这样一个特殊的环境，在"文革"后半期有几年桃源式的生活，避热偷偷地看了一些书，这样就比别人较早地拿出一些东西来。书和人一样，成功与否在很大程度上是决定于机缘的。

　　我觉得，由于主观和客观种种条件的限制，古典文学研究的真正繁荣,在近时期内恐怕是不会达到的。但我坚信,标志着真正繁荣的高水平著作的大量涌现,这种局面必然会到来。而在此之前,我们应当尽各人之所能,多做一些实际工作,力争缩短这一进程,为后来者多创造一些便于攀登高峰的条件。我所写的几本所谓专著,以及所编的几部资料和索引(如《江西诗派和黄庭坚研究资料汇编》、《杨万里范成大研究资料汇编》、《唐五代人物传记资料综合索引》),自问都有为后来者铺路的性质。我希望多做一些实在的事,这不但在自己写作的时候是这样,在所从事的编辑工作中,我总也力求组织一些切实有用的书稿,使我们的学术工作有一个丰厚的基础。

　　收集在本书中的文章,大部分是 1986 年以后写的。在此之前,我集中写作《唐代诗人丛考》、《李德裕年谱》、《唐代科举与文学》,并与张忱石、许逸民同志合编《唐五代人物传记资料综合索引》。从 1985 年开始,组织《唐才子传校笺》的编纂。书中的笺证除了由我自己担任的以外,大部分由我约请各地学术界的朋友撰写。我希望通过这部书,显示我国唐诗学者在作家考证方面的功力,赶上日本学者所已达到的不低的水平。我深感,个人写作专著,毕竟还较单纯,组织学术上相当规模的工程,却有意想不到的繁杂,有时需要花费更多的心力。这样,计划中的项目不得不放弃了。与此同时,我在中华书局所担任的工作也有所加重,我不得不拿出相当多的时间参与制订出书计划与处理编辑工作中的日常事务。工作的需要使我与学术界接触的范围大大越过唐代文学界。与学术界较为广泛的联系,一方面是我的义务,一方面也可以在我的职权范围之内,多组织一些真正有用的书稿,帮助解决出书中的某些困难，而且从中也使自己的学术视野有所扩展，志趣有所提高。顾炎武在与朋友的一封书信中说："人之为学，不日进则日退；独学无友，则孤陋而难成；久处一方，则习染而不自觉。"（《亭林文集》卷四）我有幸在目前这样的岗位上工作，客观环境可以使我避免亭林先生指出的那几种局限。但与此同时，却极大地影响了我的专题研究，使本该早日进行的专题被迫推迟甚至放弃。有人说，编辑工作是为他人作嫁衣裳，这种说法我并不太同意。因为一个好的有心的编辑，在工作中所学到的有时比在学校或研究机构中要实际得多，有用得多。但像我这样，确实花费太多的时间，使我不像早几年那样能集中时间，冥思于一个专题而能稍有所成。处于这样的工作方式，我不得不暂时放弃大的计划，挤零碎时间写一些单篇论文或随札。同时，近些年来，一些朋友在出版他们的著作之际，承蒙他们不弃，要我为他们的书写序。本来，我是服膺于"人相忘于道术，鱼相忘于江湖"这两句话的，但在目前我们这样的文化环境里，为友朋的成就稍作一些鼓吹，我觉得不但是义不容辞，而且也实在是一种相濡以沫。在这些序中，我也表示了对某些学术问题的看法。本书中所收的文章，谈的问题虽然有大有小，但主要是环绕唐诗而展开的，因此起了《唐诗论学丛稿》的名称。在古典文学研究领域，唐诗的研究十年来取得的成绩是较为突出的，我们应该以集体的力量共同来创建真正有高水平的唐诗学。我希望以自己微小的努力为此作出点滴的贡献。

　　我深深感谢南开大学中文系教授罗宗强和复旦大学中文系主任陈允吉两位先生能拨冗为这本小书作序。他们两位在学术上作出的建树和已经具有的影响,是不必我再来费口舌的。序中对我的赞誉是对我的鼓励,序中所着重谈到的对古典文学研究现状的意见,我认为有普遍的意义。我时常说,近十年来,我有两个收获,一是写了几本书,二是结识了不少学术上的朋友;在某种意义上说,第二个收获比第一个更宝贵,更值得忆念。这使我想起顾炎武的另一段话。他在《广师》一文中,因汪琬论及其友人之可师者,乃广其意,列述平生所接触的学友为己所不及者:

> 夫学究天人,确乎不拔,吾不如王寅旭;读书为己,探赜洞微,吾不如杨雪臣;独精三礼,卓然经师,吾不如张稷若;萧然物外,自得天机,吾不如傅青主;坚苦力学,无师而成,吾不如李中孚;险阻备尝,与时屈伸,吾不如路安卿;博闻强记,群书之府,吾不如吴任臣;文章尔雅,宅心和厚,吾不如朱锡鬯;好学不倦,笃于朋友,吾不如王山史;精心六书,信而好古,吾不如张力臣。(《亭林文集》卷六)

亭林处于明清之际世局与学风大变动的时代,他生平标榜两句话,一为行己有耻,一为博学于文。行己有耻是就士人的气节而言,他在一篇文章中特别致慨于某些"随世以就功名"的文士,这些人最初"少知自好",但却"改行于中道,而失身于暮年",于是"改形换骨",成为"不似之人"。博学于文,则是他治学的品格。正因为他有行己有耻作骨干,也就能广泛地从前人的典籍和当世的社会中汲取有用的知识,使他主张的经世致用真正能落到实处。从顾炎武为人为学的大节,来看《广师》中的这段话,可以见出这位一代学者的心胸磊落,气宇阔大。我自然不敢望三百多年前这位大师之项背,但我确实自幸在我的学术活动中,有好几位我所钦慕的、能作联床夜话的学友。能与这样的友人交往,自是幸运,这比出版几本书还值得。

除了罗、陈两位,我还可举出好几位无论学术上、人品上深受我敬重的挚友。我深为我们这一代学人所取得的成就而欣慰。我觉得,古典文学界这一学术群体,实有一种承上启下的意义,时间越长,越能看出他们所起的历史作用。我真想能有机会,像顾亭林那篇《广师》那样,来谈谈我所了解所熟悉的友人。难道我们只能谈王国维、陈寅恪,而不该来谈谈当代学人历经种种风雨之后所形成的各具特色的学术风貌和学术贡献吗?

最后我想说的是,罗宗强先生序中不无伤感地提到吴汝煜先生。汝煜同志长期在徐州师院执教,近十年来他在《史记》研究,在刘禹锡研究,在中唐文学研究等方面,成绩斐然,有目共睹,但不幸仅以五十之年,溘然长逝。这使我想起韩愈一篇至情流露、感人肺腑的书信——《与崔群书》。这封书信念及一些友人的困顿颠沛,忽然迸发出这样几句话:"自古贤者少,不肖者多。自省事已来,又见贤者恒不遇,不贤者比肩青紫;贤者恒无以自存,不贤者志满气得;贤者虽得卑位则旋而死,不贤者或至眉寿;不知造物者意竟如何,无乃所好恶与人异心哉?又不知无乃都不省记,任其死生寿夭邪?未可知也。"这几句真得司马子长《自叙》的真髓。不知怎么,一念及吴汝煜先生,就会想起韩愈的这一段话。当然,韩愈毕竟是一千一百多年前封建时代的人物,对于当时社会的不公正,他最后只能归结于"未可知"。我们的时代不同了。

尽管还会有种种困难,尽管难免会有一些曲折,我坚信,我们时代的贤者会越来越多,不肖者会越来越少,而且贤者的景况会是越来越好,那种"恒不遇"、"无以自存"、"虽得卑位则旋而死"或者是不会再出现的了。但愿我们能安其居,乐其业,用我们的所学奉献于我们的人民。我想这也是我们这一代学人共同的心愿。

1990 年 6 月上旬于北京

原载黑龙江人民出版社 1992 年版《唐诗论学丛稿》,据以录入,另收入湖南人民出版社 1997 年版《濡沫集》、安徽教育出版社 1998 年版《当代学者自选文库·傅璇琮卷》、京华出版社 1999 年版《唐诗论学丛稿》、首都师范大学出版社 2010 年版北京社科名家文库《治学清历》、东北大学出版社 2015 年版《中国当代名家学术精品文库·傅璇琮卷》

读《千家诗全译》

陕西人民教育出版社副总编陈绪万是勤于笔耕的写作者,他已编写过好几本书。年前语文出版社又出版了他的一部新著《千家诗全译》。陈绪万曾谦虚地说,这不算著作。我一看版权页,初版一次即印行了五万册。后又了解到,这本不过十几万字、装订也并不起眼的小书,竟是近年第四届全国中学生读书评书活动中,被评为中学生最喜欢读的作品之一。绪万同志还特地被授予一份证书,这一证书是由国家教委中学司、团中央、中国教育报社等颁发的,也可见评书活动的普及性和代表性。

在众多的古诗选本中,《千家诗》诚非上乘之作,但它有个特点,即它尽量适合于一般文化水平读者的阅读趣味和接受能力,所选诗以五七言绝句为主,适当选一些律诗,各体又以春夏秋冬四季的景物描写与性情吟咏编排,确实很适宜于童蒙教育和大众普及。

但古诗能不能翻译呢?翻译以后还算不算诗呢?这一直是个争论不休的问题。有人说,诗是最精粹的语言,因而是不能翻译的,一经翻译,诗味全失。有人曾打比喻,说读译诗犹如喝白开水,又像是吃别人嚼过的馍,总之,是不值一尝的。

我觉得,陈绪万同志这本译诗的印数之多,以及它在中学生中销行之广,这一事例倒能给上述似乎纯粹属于理论的问题一个实际的答复。

绪万同志的这本《千家诗全译》有注有译,而以译为主。他的译文是很朴素的,注意文意的准确,也就是翻译之要素"信、雅、达"中的信。可以看得出来,他是力求在准确质朴中求清新的。而且我认为,我们看古诗今译,最好是先看今译,后看原作,并且把自己放在大多数的读者群中(譬如广大的中学生),这样来读,就可能会少有些先入之见,而能独立欣赏今译文词的某些优美之处,这对进一步领略原作,也会有意想不到的效果。如这样一首诗:

> 没有花也没有酒过了个清明,
> 冷冷清清好像深山中的野僧。
> 昨天在邻居家讨来的新火种,
> 拂晓在窗前正好点那读书灯。

不看原作,不是也清新可诵吗?这是宋人王禹偁有名的《清明》诗,恕我特意不引原作,使读者对这首译诗有自己的判断。

又如:"一条护田的溪流环绕着绿油油的稻田,两座大山如推开的大门送来青翠山色。"原作是王安石《书湖阴先生壁》的两句:"一水护田将绿绕,两山排闼送青来。"译作把绿和青实译,可能稍失韵味,但考虑到这是为普及而作,译者可能认为这样似可更使诗意显豁,而"排闼送青",化用旧典,确相当传神。

当然,本来明白如话而又意蕴丰富的诗句,译作就显得不够味道了。不过我想,象李白"举头望明月,低头思故乡",张继"姑苏城外寒山寺,夜半钟声到客船",杜牧"南朝四百八十寺,多少楼台烟雨中",这样的诗句,恐怕光是直译,任谁都不大可能传其神韵,这就还需作些赏析的工作。近读《读书》第 6 期王佐良先生《汉语译者与美国诗风》一文,也指出目下台湾一些名译者译美国诗,他们译得最不顺手的也是一些口语体的诗,可见译外国诗,译本国的古体诗,都会碰到类似的问题。这就需要从理论上作些探讨,而不能仅由译者来加以解决。

总之,从陈绪万同志这本今译之得到中学生的欢迎,我们应该可以看到古诗今译之大有可为,这也是古籍整理今后大可着力开拓以便面向广大读者群的一条途径。

原载 1990 年 7 月 18 日第 33 期《瞭望》周刊,据以录入

想起一则"附记"

前些天看《光明日报》5月2日的《史学》副刊,在一个不起眼的地方,不意发现吕叔湘先生一篇文章,题目是《书柴德赓〈史籍举要〉》。吕先生是语言学家,却在历史学的副刊上发表有关史籍介绍的书评,不免引起我的兴趣,就不管这一版面上题目看来重要得多的几篇宏文,专心读了这一豆腐干式的短文。

说是豆腐干式,确也不错,我曾大致数了一下,全文只不过720字光景,加上标题的位置,也不过800多一些。写得极朴素。不过700来字的文章,讲出了全书的主要优点,举出了读者看得明白也看了信服的例证,而行文又清晰、自然,真是一篇难得读到的书评。

吕叔湘先生可以称得上是国内外著名的语言学权威,他的几本论汉语语法的专著,我在大学时是作为教材研读的,工作以后因为忙,读他的专门论文少了,但仍不时读到他在《读书》等刊物上发表的介绍英国文学的小品,感到非常有味道。却没有想到,他能放下大学者的架子,破门而出,写史学方面的小文章,而又写得那么普普通通,似乎很不起眼,却又是那么富有见地。

由此我想起了一件事。几年前，吕叔湘先生写了一篇文章，批评新整理出版的某些古籍中标点上的错误，题目叫《整理古籍的第一关》。这篇文章引起了古籍整理和出版工作者的广泛注意，反应很好。文中引了唐人李济翁《资暇集》中一句话："学识如何观点书。"吕先生把"点书"是作为句读或标点来理解的。河南师范大学中文系有一位中年教师吕友仁，是 70 年代末上海师范学院研究生毕业的，与我相熟，他写了一篇小文章给我，提出与吕先生意见不同的理解，认为李济翁的所谓点书，系指音训而言，其含义是在一个字的某个角上用红笔加个点，以表示该字的正确读音，这是一种标音手段，是当时的习惯做法，而与"句读"无关。

　　吕友仁同志的文章，意见新奇可喜，论证详细平实。他作为晚辈，不敢直接寄给吕先生，只叫我看看。我觉得文章写得很好，未征得他的同意，就告诉吕先生了。吕先生很快从我处要了去，过了不多久，复信告我，说他已将此文推荐给《中国语文》，并已直接与吕友仁同志联系。1989 年第 4 期的《中国语文》刊登了吕友仁的文章，文后吕先生还特地写了一则"附记"，其中说："早些时在傅璇琮同志处看到这篇文稿，很高兴有人指出我引书不加审核，因而误解文义。当初我确是看见别人文章里引用《资暇集》和《日知录》，没有去核对原书就引用了。这种粗疏的学风应该得到纠正。"

　　读了这几句，我真是非常感动。吕友仁怎么能同吕叔湘这位大学者相比呢？但大学者却把这位晚辈的纠误之文主动推荐给语言学的专门刊物上登载，还特地检讨自己写文章时的疏忽，并把这一疏忽提到学风的高度。至此我才进一步体会到古人所说

"学问乃天下之公器"这句话,也真正理解了"盛德"这一词的含义。

原载湖南人民出版社 1997 年版《濡沫集》,此据北京联合出版公司 2013 年版《濡沫集》录入,另收入北方文艺出版社 2008 年版《书林漫笔》、首都师范大学出版社北京社科名家文库 2010 年版《治学清历》(有副标题:忆吕叔湘先生)、万卷出版公司 2010 年版《当代名家学术思想文库·傅璇琮卷》

陈寅恪思想的几点探讨

　　陈寅恪是一位史学家,但是他的成就的意义和影响并不限于历史学界。如果我们要探讨中国近现代的文化思想史,要研究自清末特别自"五四"以后,一部分上层知识界人士怎样企求将传统的治学格局与西方近代文明相结合,以开拓一条新的学术途径,希望建立一种新的思维模式,那么,陈寅恪无疑是一个不可忽视的代表人物。

　　陈寅恪为后人留下了好几部专著和数十篇文章。就他所涉及的专题领域,逐一进行具体的探讨,这是一条路子,也是一种必要的探求的途径。但作为一代大师,陈寅恪的意义绝不限于在专题领域所取得的具体成果,他的著作,作为一个整体,在近现代学术史上,有着超出于具体成果的更值得人们思考的启示。陈寅恪树立了一个高峻的标格,使人们感到一种严肃的学术追求,一种理性的文化心态。如果我们在这些方面进行一些求索,则对陈寅恪研究的深入或许会有所助益。

一

对陈寅恪的研究，先要消除一些误解，误解之一是仅仅把他看作为考据家、资料家。1958年，在中国大陆的思想文化界，有所谓拔白旗的口号，展开了对所谓资产阶级学者的批判，也就在这个时候，提出了在资料的掌握上要"超过陈寅恪"①。言下之意是陈寅恪的思想已不值得一提，他不过在资料的掌握上还胜人一筹。在台湾的学术界，也有类似的看法，譬如前几年出版的一部颇有影响的著作《新史学九十年》，就把陈寅恪归入"史料学派"，并且说，"从著述的实质看"，陈寅恪比傅斯年"更能代表史料学派"，说"他对新史学的贡献，首推史料扩充"（见该书第4卷，235页）。

作为严肃的学者，陈寅恪当然是强调原始资料的重要性，强调对资料和史事进行严密的考证的，但把陈寅恪的学问仅仅归结为考据，那只是看到它的极为次要的部分。陈寅恪曾谈到宋代史学的成就，说"中国史学莫盛于宋"②。又以之与清代相比较，认为"有清一代经学号称极盛，而史学则远不逮宋人"③。有些论著对陈寅恪的这一说法表示不解，并"举证以辟之"④。应该说，陈

<hr>

① 郭沫若《文史论集》，第15页。
② 《陈垣明季滇黔佛教考序》，《金明馆丛稿二编》，第240页。
③ 《陈垣西域人华化考序》，《金明馆丛稿二编》，第238页。
④ 杜维运《清代史学与史家》，《清代史学之地位》。台湾东大图书有限公司，1984年版。

寅恪对清代史家的实际成就是十分推许的。大家知道,他对同时代的史学家陈垣极为钦佩,并引为同调,抗战时期他为陈垣的《明季滇黔佛教考》作序,这时陈垣孤居于日军侵占下的北平,陈寅恪流徙于西南边徼的昆明,他在序中满含故国山河兴亡之情,以民族气节与学术品格相砥砺,说:"先生讲学著书于东北风尘之际,寅恪入城乞食于西南天地之间,南北相望,幸俱未树新义,以负如来。"①可以注意的是,对这位他所极其钦佩并引为知己的学者,他特地将清代的大学问家钱大昕来作并比,说:"盖先生之精思博识,吾国学者,自钱晓征以来,未之有也。"②由此可见,他并没有贬低清代的史家。他之所以认为清代史学远不逮宋人,用他自己的话来说,则为"清代之经学与史学,俱为考据之学"③,而他所推崇于宋人的,则在于"宋贤著述之规模"。这里所谓的规模,在陈寅恪看来,就是像他累次称述的如《资治通鉴》、《建炎以来系年要录》那样会通史识与资料,自成体系,而能在当代和后世产生强烈影响的巨著。当然,对于宋清两代史学的比较评价,清代史学是否即等于考据学,有不同的意见尽可展开讨论,本文只想说明,在陈寅恪看来,单是考据之学是不足以成大家的,在自许"平生治学,不甘逐队随人,而为牛后"④的他说来,决不以考据资料自限,自可想见。陈寅恪所强调的,也是他的难于超越之处,是他的通

---

①《金明馆丛稿二编》,第241页。
②《金明馆丛稿二编》,第239页。
③《金明馆丛稿二编》,第238页。
④《朱延丰突厥通考序》,《寒柳堂集》,第144页。

识,或用他的话来说,是学术上的一种"理性"①。关于这点,后面还要讲到,简而言之,他所说的通识或理性,就是经过他的多方引证和细密考析,各个看来零散的部分综合到一个新的整体中,达到一种完全崭新的整体的认识,使人有可能从他的带有某种预见或推导出发,拓展出新的学术境域,牵引出一种新的见解,犹如拨开史料的丛林,穿越歧说的迂回,给人一种豁然开朗的快感。

还有一个似乎不但涉及他的文化观念还涉及他的政治思想的问题,也容易给人误解。1932 至 1933 年间,他作《冯友兰中国哲学史下册审查报告》,其中说:"寅恪平生为不古不今之学,思想囿于咸丰同治之世,议论近乎曾湘乡张南皮之间"②。这几句话,"不古不今之学"是指他的中古史研究,比较清楚,但后二句却不好理解。《陈寅恪先生编年事辑》记 1961 年其老友吴宓自重庆来广州看望他,吴宓曾在日记中记道:"寅恪兄之思想及主张毫未改变,即仍遵守昔年'中学为体,西学为用'之说。"吴宓是他早年留学美国时结交的好友,后又为清华国学院的同事,这次旧友重逢,陈寅恪是十分珍惜的,他在赠诗中有"暮年一晤非容易,应作生离死别看"的沉重的感叹③。因此,吴宓日记中的记载应该说是真实表达陈寅恪当时的见解的。这就是说,他的所谓"思想囿于咸丰同治之世,议论近乎曾湘乡张南皮之间",具体说来,就是张之洞所概括的"中学为体,西学为用"。

---

①《王静安先生遗书序》,《金明馆丛稿二编》,第 218 页。
②《金明馆丛稿二编》,第 252 页。
③《赠吴雨僧》,《诗存》,第 46 页。

曾国藩、张之洞是近代中国的政治人物,"中学为体,西学为用"主要也是一种政治纲领,那么,陈寅恪是不是也以此来表达他的政治思想呢? 有些研究者是肯定这一点的,如认为张之洞的"中体西用"说,"甚至过了几十年,包括像陈寅恪那样有高度西方文化修养的资产阶级学者也仍然自称其政治思想是在'湘乡南皮之间',这就说明,决不可以低估这种理论的严重影响了。"①

　　如果说,经过了清末民初政体的变化,又经过 1919 年五四运动对西方民主、科学精神的输入与阐释,到了 20 世纪 30 年代,像陈寅恪这样的学者还恪守封建传统文化与政治体系,并说自己的头脑还停留在 19 世纪后期洋务派中体西用时代,这简直是不可思议的。

　　这里我们不得不稍稍加以论析。

　　作为学者,陈寅恪在论著中是从来不谈现实政治的,也从不表露自己的政治见解。除了上述一处引文以外,他再也没有提到过曾国藩。不过从家世渊源来看,他的祖、父两代确与曾国藩、张之洞有过政治上的关联。陈寅恪的祖父陈宝箴,早年入曾氏的两江总督幕,曾调解曾国藩与江西巡抚沈葆桢之间的冲突,得到曾国藩的器识,被誉为"海内奇士"②。陈宝箴与张之洞的关系更深。光绪八年(1882)他擢浙江按察使任,为人诬告罢官,至光绪

---

①李泽厚:《中国近代思想史论》,1978 年所写《后记》。
②参见黄濬:《花随人圣盦摭忆全编》,及陈三立《散原精舍文集》卷五《巡抚先府君行状》。

十二年(1886),因当时任两广总督张之洞的奏调,才又重新出仕,到广州任缉捕局。戊戌(1898年)维新时,陈宝箴任湖南巡抚,在此之前几年他即在湖南设工厂,通汽船,办学堂,积极推行新政。但是他看不惯康有为托古改制的一套,曾上疏请毁其所著《孔子改制考》一书,而主张由老成持重、有经验威望的张之洞来"总大政,备顾问"①。陈寅恪于1965年夏至1966年春所作的《寒柳堂记梦》,也纪及陈宝箴与荣禄、张之洞的关系:"先祖之意欲通过荣禄,劝引那拉氏亦赞成改革,故推夙行西制而为那拉后所喜之张南皮入军机。首荐杨叔峤(锐),即为此计划之先导也。"②杨锐即张之洞的学生。陈寅恪父亲陈三立,虽官吏部主事,但一直陪侍陈宝箴,特别是维新时期,更在湖南佐其父推行新政,因此也与张之洞相熟。光绪三十年甲辰(1904),那时陈宝箴已死,三立闲居南京,曾陪张之洞游燕子矶。时隔十余年,即1917年,他率儿孙辈重游燕子矶,所作的诗中,还特别注明:"甲辰夏从张文襄游此,回首十四年矣。"③可见对张之洞的感情。《寒柳堂记梦》中《清季士大夫清流浊流之分野及其兴替》,还特别写到:"自同治至光绪末年,京官以恭亲王奕? 李鸿藻陈宝琛张佩纶等,外官以沈葆桢张之洞等为清流。"陈宝琛为陈三立的座主,沈葆桢、张之洞均与陈宝箴有故,则陈家当时的政治分野也于此可见。

可以说,陈寅恪所谓"议论近乎曾湘乡张南皮之间",从家世

---

①《巡抚先府君行状》。

②《寒柳堂记梦》第六:《戊戌政变与先祖先君之关系》,《寒柳堂集》,第181—182页。

③见《陈寅恪先生编年事辑》第41页。

渊源来说，是与其祖、父两代对曾、张的交谊有关的；陈寅恪出身于名门世家，长期受传统教育，他不可能摆脱家庭的影响。而另一方面，这也牵涉到对近代中国如何走向富强之路（也就是如何维新）的不同的主张。陈寅恪曾经述及，晚清之言变法者，"盖有不同之二源，未可混一论之"（《读吴其昌撰梁启超传书后》，载《寒柳堂集》）。所谓"二源"，照这篇文中所说，一是郭嵩焘，"颂美西法"；一是康有为，从中国传统的学问着手，"治今文公羊之学，附会孔子改制以言变法，其与历验世务欲借镜西国以变神州旧法者，本自不同"。而陈宝箴是倾向于郭的，文中说宝箴在治军治民的实践中，"益知中国旧法之不可不变"，后结识郭嵩焘，"极相倾服，许为孤忠闳识"。按郭嵩焘曾任清政府的驻英法公使，由于他对资本主义社会有直接的接触，因此他对当时世界的认识，对中国如何向西方学习走富强之路，其见识远超出同辈。他曾说："计数地球四大洲，讲求实在学问，无有能及泰西各国者"①，"其强兵富国之术，尚学兴艺之方，与其所以通民情而立国本者，实多可以取法"②。正因为郭嵩焘那时的"颂美西法"，乃遭到一般顽固保守派的攻讦，梁启超在《五十年中国进化概论》中谈到郭的《使西纪程》"一传到北京，把满朝士大夫的公愤都激动起来了"。这确如陈寅恪上文所说，"当时士大夫目为汉奸国贼，群欲得杀之而甘心者也"。之所以目为汉奸国贼，无非郭氏说出了一些守旧者不敢听、也听不懂的话，那就是西洋也有两千年的文明，

---

①郭嵩焘：《伦敦与巴黎日记》，湖南人民出版社《走向世界丛书》。
②《清季外交史料》卷四，光绪元年十一月，《请将黔抚岑毓英交部议处疏》。

中国"实多可以取法"，而处于国弱民贫、列强觊觎的环境，"此岂中国高谈阔论、虚骄以自张大时哉"（《使西纪程》），如此而已。不过，他的言论思想却受到陈宝箴的赞许，陈三立所作其父行状中说："与郭公嵩焘尤契厚，郭公方言洋务，负海内重谤，独府君推为孤忠闳识，殆无其比。"当时陈三立也曾从郭"论文论学"。陈寅恪由此得出结论说："据是可知余家之主变法者，其思想源流之所在矣。"

陈寅恪并没有详细论述这两派变法主张的分歧，不过参照有关的文献，仍可测知其旨意所在。康有为确不具备郭嵩焘那样广博的西方知识，他对西方事物和文化的了解是浅薄的，不过他从今文经学的"穷则变，变则通，通则久"的朴素变革原理出发，迫于民族危亡的形势，大胆提出政体改革的方案，要求急切掀起一场自上而下的改革运动。而郭嵩焘则如当时许多洋务派人士，特别是其中的知识分子那样，把重点放在输入西方的学理，以开启民智，同时联合一些封疆大吏和地方士绅，举办实业，以富促强，因此力主稳健，不求急变。在改革的方案与价值的取向上，两者确实存在明显的差别。也正因为此，如郭嵩焘那样才投向曾国藩，而陈宝箴等也就依傍张之洞。在这方面，陈寅恪受家庭的影响也是很深的。譬如我们还可指出，张之洞在提出"中学为体，西学为用"的同时，在《劝学篇》中还对当时维新派人士鼓吹的民权说大加挞伐，公然说："方今中华，诚非雄强，然百姓尚能自安其业者，由朝廷之法维系之也。使民权之说一倡，愚民必喜，乱民必作，纪纲不行,大乱四起。"①这里把张之洞中体西用的政治含义表露得很清楚,这就是,尽可以兴办轮船铁路等实业,却必须反对西洋输入的民权平等,而维系中国固有的纲纪。过了半个世纪,当1945年陈寅恪著文谈到戊戌维新时,却又对民主学说在中国的实施表示了极大的悲观:"自戊戌政变后十余年,而中国始开国会,其纷乱妄缪,为天下指笑,新会所尝目睹。……自新会殁,又十余年,中日战起。九县三精,飚回雾塞,而所谓民主政治之论,复甚嚣尘上。余少喜临川新法之新,而老同涑水迂叟之迂。盖验以人心之厚薄,民生之荣悴,则知五十年来,如车轮之逆转,似有合于所谓退化论之说者。"②应当说,陈寅恪立论的基础与张之洞是不同的,张之洞是说中国根本不能实行民权政治,否则必定大乱,陈寅恪则是说戊戌以后,政体虽然起了变化,但民主之说仅作为当权者玩弄的工具,而他又看不到今后民主政治的真正前途。我们从这里可以感到这真诚的学者对民族命运的关切和忧虑,但也不得不惋惜他过多地承受传统的影响因而限制自己的眼界,缺乏对当时强大的民主运动作足够的估计。

上面我们从家世渊源方面论析了陈寅恪的"思想囿于咸丰同治之世,议论近乎曾湘乡张南皮之间"的含义。但是从根本上说来,他的"中学为体,西学为用"是与张之洞不同的,张之洞的中体西用说有着强烈的政治内涵,而陈寅恪则是借用,是用来说明他对中外文化相互交流和影响的看法,正是这方面,陈寅恪

①张之洞《劝学篇内篇·正权第六》。
②《读吴其昌撰梁启超传书后》,《寒柳堂集》第149—150页。

的思想表现出极大地丰富性，也是构成他可以称之为文化史批评的学术体系的重要组成部分，在近代学术文化史上作出独特的贡献。

"思想囿于咸丰同治之世"这两句话是在《冯友兰中国哲学史下册审查报告》的末了说的，此文的前半篇，陈寅恪主要来说明不同文化互相吸收所产生的积极成果。譬如他说，同样研究朱熹，阎若璩在清初以辨伪观念，陈澧在晚清以考据观念，来治朱子之学，都有所创获，但真正对朱学的研究能"成系统而多新解"的，则为冯氏此书，而其主要原因乃在"取西洋观念，以阐明紫阳之学"。也就是说摆脱传统治学的模式，吸收西方近代科学的成果，以中西两种不同思想参照，才能将古典哲学的研究系统化起来。文章的后半篇又着重谈到佛教输入中国，也同样经历与本土思想相适应的过程："释迦之教义，无父无君，与吾国传统之学说，存在之制度，无一不相冲突。输入之后，若久不变易，则决难保持。是以佛教学说，能于吾国思想史上，发生重大久远之影响者，皆经国人吸收改造之过程。其忠实输入不改本来面貌者，若玄奘唯识之学，虽震动一时之人心，而卒归于消沉歇绝。"外来的佛教是如此，本土的儒道两家，在长时期的发展中，都有互相吸收的情况。

对于文中这些学术文化方面的论述，白寿彝先生《中国史学史》有很好的分析和概括，说："这几段话，论述了先秦儒学逐渐演变而成新儒学及儒学与法典相结合而成为支配公私生活的力量；论述了佛教和道教在学说思想方面的影响比儒学要大，而道教以善于吸收因而包罗很广，佛教以外来宗教在得到改造之后才能在中国站住脚跟。陈寅恪先生这些论述的特点，在于纵观中国两千年的历史,阐述了民族文化传统力量的分配和演变、中外文化接触后互相影响的状况。"①

陈寅恪根据上述学术思想史发展演绎的规律,归纳出下面带有通则性的语句:

> 窃疑中国自今日以后,即使能忠实输入北美或东欧之思想,其结局当亦等于玄奘唯识之学,在吾国思想史上,既不能居最高之地位,且亦终归于歇绝者。其真能于思想上自成系统,有所创获者,必须一方面吸收输入外来之学说,一方面不忘本来民族之地位也。

这段话,我们现在看来,似乎也没有什么特异之处,那是因为我们有了近几十年来思想文化界几次重大变化的体验,而陈寅恪则是在 20 世纪 30 年代初说的,人们不得不佩服作者以高度概括的语句所表现出来的卓识。陈寅恪首先肯定,处在当今的世界,要真正能在思想上有所创获,必须吸收输入外来学说,那种故步自封、夜郎自大、不知天地之广、龟缩于封闭体系而自欺欺人是不足语于学术开创的。但外来的学说必须为我所用,以我为主,"不忘本来民族之地位"。吴宓日记中在"即仍遵守昔年'中学为体,西学为用'之说"下加括号注"中国文化本位论"七个字。我们不清楚这七个字是陈寅恪的原话,还是吴宓自己的理解,"中国文化本位论"的概念也还不太明确,它的含义需要科学的界定。不过

①白寿彝《中国史学史》第 1 册,第 133—134 页。

从《冯友兰中国哲学史下册审查报告》一文的主旨来看，以"中国文化本位论"来说明陈寅恪的中体西用说，大体上还是可以使人理解的。这就是说，陈寅恪只不过借用张之洞的术语，来表达他个人对如何接受外来文化的主张，他的这种以我为主、为我所用的文化主张，正是他所倡导的学术理性的表现，对今天也还有极大的认识意义。

二

在近现代中国有影响的史学家中，恐怕没有人像他那样集中注意于文化问题的。我个人认为，对文化作用的重视，对文化发展过程的深入阐发，已构成他的学术体系的核心。笔者另有一篇论文谈到这个问题，即发表在《中国文化》创刊号（1989 年 12 月）上的《一种文化史的批评——兼谈陈寅恪的古典文学研究》。文章认为，作为一代学术大师，陈寅恪有他的学术体系，这个体系，不妨称之为对历史演进所作的文化史的批评。对于陈寅恪来说，文化史批评不是一种偶然性与局部性，而是一种根本观点，那就是对历史、对社会采取文化的审视。他的研究使某一具体历史事件得到整体的呈现，使人们更易于接近它的本质。他是既把以往人类的创造作为自然的历史进程，加以科学的认知，而又要求对这种进程应该具备超越于狭隘功利是非的博大的胸怀，而加以了解，以最终达到人类对其自身创造的文明能有一种充满理性光辉的同情。笔者认为，这就是贯串在他大部分著作中的可以称之为文化史批评的学术体系。

陈寅恪在对历史、社会所作的文化审视中,确实很强调以中国本土文化为立足点,来研究或吸收外来文化。这当是他所一再揭橥的理性精神的表现。譬如他在 30 年代前期所作的一篇文章中,运用他所特有的多种语言学知识的素养,谈到比较语言学的研究,认为各民族的语言各有其语法、语音上的特点,应当从语言本身的历史发展来掌握各自的特性,并从这些特性的彼此异同来作科学的比较,而不能以某一种语言作为固定的标准,以此来衡定本民族语言之是否合于规则。他郑重地说:"从事比较语言之学,必具一历史观念,而具有历史观念者,必不能认贼作父,自乱其宗统也。"(《与刘叔雅论国文试题书》,下同)①正因如此,他对用英语语法理论来套用汉语的《马氏文通》作了尖锐的批评:

> 夫印欧系语文之规律,未尝不间有可供中国之文法作参考及采用者。如梵语文典中,语根之说是也。今于印欧系语言中,将其规则之属于世界语言公律者,除去不论,其他属于某种语言之特性者,若亦同视为天经地义,金科玉律,按条逐句,一一施诸不同系之汉文,有不合者,即指为不通。呜呼!文通,文通,何其不通如是耶?

陈寅恪由此更推广论及文学的比较研究,认为这种比较研究也应当注意历史演变以及不同系统文学观念的异同,"否则古今

---

① 《金明馆丛稿二编》,第 223 页。

中外,人天龙鬼,无一不可取以相与比较。荷马可比屈原,孔子可比歌德,穿凿附会,怪诞百出,莫可追诘,更无所谓研究之可言矣"。这些话说于五十多年以前,我们现在读来也还是那么新鲜。陈寅恪确是那样一种学者,对于他们的认识,不是一次或一代人所能完成的,陈寅恪著作中有着超越于具体史事证述的深刻思考,我们每次接触它们,都会发现一些过去没有觉察到的有意义的内容。同时,上面的这些话,更是充满对于民族文化的信念,他强调应该首先对本土文化有足够的研究,才能站在平等的地位对外来文化的价值有真正科学的识别和取舍。他在 1927 年所作《王观堂先生挽词》中称道张之洞"中西体用资循诱",其实在的含义应即如此。他所借用的中体西用的命题,应该在新的历史条件下,作出符合于陈寅恪学术体系实际的确切的解释。

上述这种民族文化本位的观念,运用到专题研究,确能在旧材料的基础上产生新见解。大家知道,陈寅恪刚到清华国学研究院,研究的重点是佛经与佛教翻译文学,他运用在国外获得的比较语言学这一现代科学知识,潜心于原始资料的寻讨,好比在从未经人开发过的沃土上耕作,随处都能作出令人歆羡的成果。刊载于《清华学报》七卷一期的《莲花色尼出家因缘跋》(1932 年 1月)就是这方面出色的代表。他查阅当时北平图书馆藏敦煌写本《诸经杂喻因由记》第一篇,有记莲花色尼出家因缘的。佛教故事中写及莲花色尼的颇多,这一写本所述即其中之一。但他发现原来所记七种咒誓恶报,写本只记载六种,最初怀疑七字是六字之误,或写本原有脱文,遗去一种恶报。他从这一极易为人忽略的细节入手,进行考证,得出了一个极富理论价值的科学结论。原来鸠摩罗什译众经撰《杂譬喻经》卷下第三十七节，所载故事情节与此写本适相符合，该处载一人娶两妇，大妇无儿，小妇生一男，大妇心内嫉之，以针把此小儿刺死。小妇乃求僧人相助，立誓报仇，使大妇经受种种烦恼痛苦。所设咒誓恶报，都记有七种。据此，文中认为："传写之伪误，或无心之脱漏，二种假定俱已不能成立。仅余一可能之设想，即编集或录写此诸经杂缘喻因由记者，有所恶忌，故意删削一种恶报。"从这一合理的设想出发，他从印度原文资料中找到所缺的一种恶报。他翻检出巴利文涕利伽陀第六四莲花色尼篇第二二四及第二二五偈，述母女共嫁一夫，其夫即其所生之子。又查出其他经文所载此尼出家因缘，与敦煌写本大抵相同，但其中有一事为敦煌写本所无者，即莲花色尼屡嫁，而所生之子女皆离去不复相识，后又与其所生之女共嫁于其所生之子，既经发觉，乃羞恶而出家。

这一故事当然出于佛教宣扬的善恶相报、因缘相循的宗教观念，在原始印度佛教那里，由于社会伦理观念的各异，记述并阐扬这种因果报应并不悖于教化，但这一情节却与汉民族传统的伦理观念相距太远。文中说"佛法之入中国，其教义中实有与此土社会组织及传统观念相冲突者"，这就有逐渐适应的过程。有些适应的过程可以载之于书，如"沙门不应拜俗"、"沙门不敬王者"等，屡见于记载，不必忌讳，"独至男女性交诸要义，则此土自来佛教著述，大抵噤默不置一语"。因为这与汉民族的伦理观念直接相冲突，佛教传译过程中碰到此类记载，只有删削不书。文中说："莲花色尼出家因缘中聚尘恶报不载于敦煌写本者，即由于此。"

结论下得似乎平淡无奇，通篇也似乎是一篇考证文字，但今天的读者不难看出它的文化史研究的意义。两种不同文化的接触，并不是两水分流，必然有一种拒斥与吸收的过程。这篇文章通过一个实例，指明这种斥与收的过程是怎样交织在一起的，而决定的关键则是本民族的文化心理与传统的道德观念。这种将考证演绎与理论阐发糅合在一起，以一个小的实例阐发文化史发展的大道理，在陈寅恪用起来确是十分得心应手，这除了他具备多种语言修养外，重要的就是他在那时已经逐步形成的文化史批评的学术体系。

文化本位论，或者文化史批评，是陈寅恪历史观的轴心，他讲"从史实中求史识"，讲"理性"、"通识"，都离不开这一点。大而至于民族国家的兴衰变革，小而至于个人命运的浮沉升降，他都认为应从文化这一基因加以解释。他曾谈过自己的治学趋向，说"寅恪不敢观三代两汉之书，而喜谈中古以降民族文化之史"①。在《隋唐制度渊源略论稿》和《唐代政治史述论稿》中，都反复强调种族与文化问题是研究中古史重要的关键。而种族与文化相比较，文化则带有更为本质的属性。这种观念，或这种文化心态，在他论述王国维死因的诗文中，就有深刻的表述。对这个问题稍作一些考析，对于我们探讨陈寅恪思想的不同的侧面，或会有些帮助。

王国维自沉于北京颐和园昆明湖，是 1927 年 6 月。那年王国维 51 岁，陈寅恪 38 岁。两人均为清华国学研究院导师，最初居地毗邻，时相过从。陈寅恪的挽词中说"风义生平师友间"，可见两

---

① 《陈垣西域人华化考序》，《金明馆丛稿二编》第 239 页。

人的交谊。王国维的死因有种种说法，时隔六十余年，至今似乎还有探讨的兴趣。笔者以为，诸说中唯有陈寅恪的说法最有理论价值，因为他摒弃各种琐细的枝节，直接从王国维所承受的思想负担着眼，而思想负担中又抓住其不堪忍受的文化精神的痛苦，这就超脱于王国维这一具体的研究对象，具有一定的普遍意义。

陈寅恪对王国维死因的分析，集中于两处，一是1927年王死后不久所作的《王观堂先生挽词》序，一是1934年所作的《王静安先生遗书序》，而以挽词序所论为最详，今节要如下：

> 凡一种文化值衰落之时，为此文化所化之人，必感苦痛，其表现此文化之程量愈宏，则其所受之苦痛亦愈甚；迨既达极深之度，殆非出于自杀无以求一己之心安而义尽也。吾中国文化之定义，具见《白虎通》三纲六纪之说，其意义为抽象理想最高之境，犹希腊柏拉图所谓Idea者。……夫纲纪本理想抽象之物，然不能不有所依托，以为具体表现之用；其所依托以表现者，实为有形之社会制度，而经济制度尤其重要者。故所依托者不变易，则依托者亦得因以保存。……近数十年来，自道光之季，迄乎今日，社会经济之制度，以外族之侵迫，致急剧之变迁；纲纪之说，无所凭依，不待外来学说之掊击，而已消沉沦丧于不知不觉间；虽有人焉，强聒而力持，亦终归于不可救疗之局。盖今日之赤县神州值数千年未有之钜劫奇变；劫尽变穷，则此文化精神所凝聚之人，安得不与之共命而同尽，此观堂先生所以不得不死，遂为天下后世所极哀而深惜者也。

1934 年所作的遗书序,说得简短些:"寅恪以谓古今中外志士仁人,往往憔悴忧伤,继之以死。其所伤之事,所死之故,不止局于一时间一地域而已。盖别有超越时间地域之理性存焉。而此超越时间地域之理性,必非其同时间地域之众人所能共喻。然则先生之志事,多为世人所不解,因而有是非之论者,又何足怪耶?"话虽然不多,与挽词序仍是同一意思。这里所说的理论,也就是文化的意义,不过文中用"超越时间地域"几个词,容易引起误解,以为此种理性或文化可以脱离时间与地域的条件而抽象存在。从上下文义看,这几句的意思仍是指王氏之死并非某一具体的时地因素,而是一种文化因素,这也就是挽词序中所说的纲纪。

不难看出,无论挽词序还是遗书序,陈寅恪的笔端都是满含感情的。这在长篇歌行体的挽词中表现得更明显。如说:"依稀廿载忆光宣,犹是开元全盛年。海宇承平娱旦暮,京华冠盖萃英贤。当日英贤谁北斗,南皮太保方迁叟。""开元全盛"是用杜甫"忆昔开元全盛日"的典故,杜甫以安史之乱后的残破局面来缅怀开元承平之治,可以使人理解,但陈诗以开元盛世来比光(绪)宣(统)衰朝,却令人费解了。何况还说那时海宇承平,英贤荟萃,而总挈学术思想界全局的则是可比之为司马光的张之洞,这些都留有令人寻思的余地。诗末又说:"回思寒夜话明昌,相对南冠泣数行。犹有宣南温梦寐,不堪灞上共兴亡。""回思"句,据其弟子蒋天枢先生注,是指"陈先生曾在清华工字厅与王先生话清朝旧事"。明昌是用元好问诗典,乃金世宗年号,那时正值金之盛世。1926 年陈寅恪刚入清华,与王国维同寓工字厅,所居比邻,学问切磋之余相与话清朝遗事,理所当有,但何至以清季与金之盛时相比,并且还至于南冠而泣,这也使人致疑。

笔者以为,要了解陈寅恪的这些话,还应从他的家庭影响来作若干探索。

陈宝箴虽主维新图强,但前面说过,他与康、梁的开议院、变政体,掀起一场政治运动的主张不同,作为地方大吏与富商士绅的政治代表,他更带有对清政府的依赖性。但终于也因顽固守旧派的全面复辟,与其子三立均受到革职永不叙用的处分。父子两人,带着寅恪等儿孙辈,返归于江西故居,表面上超脱不问世事,实际上郁结幽忧之情不能排遣,"往往深夜孤灯,父子相语,仰屋欷歔而已"①。陈宝箴卒于光绪二十六年庚子六月,那时正值义和团起义及八国联军进攻北京,他死前数日,尚给旅居于南京的儿子写信,"勤勤以兵乱未已,深宫起居为极念"②。可见陈宝箴直到死,仍然以清王朝的孤臣孽子自居。

陈三立经历了辛亥武昌起事及清帝逊位、民国建立的大变化,但现在我们翻阅他的诗文集,真会大吃一惊,他的思想感情竟与亡清遗老完全相同。他在为清室旧臣所作的墓志碑传与序跋中,在眷眷不忘前朝的同时大骂辛亥革命为乱臣贼子,说"辛亥之乱兴,绝羲纽,沸禹甸,天维人纪,寝以坏灭"③;说"邪说诡行,摧坏人纪,至有为剖判以来所未睹,奋臂群呼,国亦旋复,而祸难汹汹,犹不知所届"④。他把清政府的被推翻,称作"国亦旋复",可

---

① 《散原精舍文集》卷五,《巡抚先府君行状》。
② 《散原精舍文集》卷五,《巡抚先府君行状》。
③ 《散原精舍文集》卷十,《俞觚庵诗集序》。按此文作于 1913 年。
④ 《散原精舍文集》卷七,《刘镐仲文集序》。此文亦作于 1913 年。

见其感情所系。更甚者,张勋复辟,在稍懂事理的人看来,其是非美丑本可一目了然,而陈三立却为张勋作墓志,其着眼点亦在于张勋之所谓"眷顾君国,忠悃贯终始"①。不过《散原精舍文集》倒是无意中提供了不少资料,反映出清室旧臣的遗老心态。如:"蒿庵先生官安徽巡抚,引归之,越二年武昌难作,率土骚然,寻改国步。于是先生避乱沪渎,傀椽栖息,髦鬓皓然。蹐天蹐地之孤抱,无可与语,辄间托诗歌以抒其伊郁烦毒无聊之思,宛然屈子泽畔、管生辽东之比也。"②当时确有一批人在清政府中作过官,辛亥革命后无所依托,只得跑到上海,约集一些故老,吟咏酬唱,所谓"迨国骤变,大乱环起,四方人士暨生平相识亲旧,类辟地羁集沪上",而散原老人亦与此辈先后俱至,"居久之,无以遣烦忧,始纠侪辈十许人,时时联为诗社"③。这些"海滨流人遗老,蹒跚番市楼壁之下,足迹不窥境外",而却"举冤苦烦毒愤痛,毕宣于诗"④。上海当时是列强侵略中国的第一块立足点,也是所谓冒险家的乐园,而这些逊清遗老们却把它视为托身之地,近代中国的复杂也于此可见。

陈三立的政治态度后来有了变化,他在 1932 年所作的《顾印伯诗集序》、《吴湘筼文集序》等文,对辛亥起义已均持中立立场,称武昌起事为"革命军起"⑤。不过从整个说来,他的思想情感是

①《散原精舍文集》卷十三,《张忠武公墓志铭》。
②《散原精舍文集》卷七,《蒿庵类稿序》。
③《散原精舍文集》卷十,《书善化瞿文慎公手写诗卷后》。
④《散原精舍文集》卷十,《俞觚庵文集序》。
⑤均见《散原精舍文集》卷十七。

与这些海滨流人、清室遗老相通的。我们应当足够估计他所给予陈寅恪的影响。散原老人把这些遗老们的言行比之为"屈子泽畔，管生辽东"，与陈寅恪诗中所述的"回思寒夜话明昌，相对南冠泣数行"，情绪上是十分接近的。这里面很可能也倾注了陈寅恪的家世兴衰之慨。对于这位受传统影响很深的学者来说，这是可以理解的。

但陈寅恪的经历毕竟已与其祖、父两代不同，他在十三岁即随兄东渡日本，整个青少年时期主要是在资本主义国家度过的。他所达到的中西文化修养，已使他对王国维及其死，最终能摆脱感情上的纽结，而以清醒的理性态度，对其学术成就和文化心态作整体的剖析。这是他超越于乃父及风义兼师友间的观堂先生之处。

陈寅恪对于王国维的学术成就与治学方法，曾概括为三点，即：(1)取地下之实物与纸上之遗文互相释证，(2)取异族之故书与吾国之旧籍互相补正，(3)取外来之观念与固有之材料互相参证。陈寅恪概括出的这三点，都表明，王国维之治上古史、民族史、小说戏曲史，都已突破旧的封建思想体系。要达到王国维的学术成就，不但光靠乾嘉考证之学办不到，就是清末民初其他一些学术流派也难以承担。事实表明，王国维在早期曾广泛接触过西方的哲学理论和文艺作品，并经过西方近代自然科学方法的训练。就是说，正因为他接受了当时西方资产阶级意识形态相当的影响，并以其学术思想来治中国的古代文史之学，作出令人注目的成绩，才引起当时中国学术界的巨大反响和深刻变化，这也就是陈寅恪在《王静安先生遗书序》中所说的"转移一时之风气，而示来者以轨则"。

陈寅恪的深刻之处在于,他揭示了在近代新旧交替的中国社会,一个虽然接受过西方资本主义文化和治学训练的知识分子,即使因此他在好几个学术领域作出堪称拓荒的成绩,但由于他所固有的封建主义体系没有变,随着客观的政治斗争与思想冲突的日益发展,他本人的思想矛盾也日益尖锐,最终不但他的学术业绩,就连他本人,也会被他所据以安身立命的文化精神所葬送。在挽词序中,陈寅恪引用《白虎通》的三纲六纪来解释王国维的文化精神,指的就是王国维的政治观和人生观,合起来也就是世界观。在这里,陈寅恪明确地说,王国维是死于他的封建主义文化体系,也就是死于他不能自拔的封建主义世界观。他满含感情地为之惋惜,同时他又冷静地指出这一种必然,即"终归于不可救疗之局"。这样一种分析,即使过了半个多世纪,现在看来,也是十分深刻的。

三

我们在前面说过,陈寅恪的祖、父两代曾是他们那一时代的改革者。他们热切关心国事,深为中华民族受到外国侵略者蹂躏而扼腕愤慨。第二次鸦片战争,英法联军侵占北京城,火烧圆明园,陈宝箴正因参加会试落第,滞留京师。"一日饮酒楼,遥见圆明园火。锤案大号,尽惊其座人。"①这种民族危亡感应该是他日

---

①《散原精舍文集》卷五,《巡抚先府君行状》。

后力图振兴实业、维新自强的思想触发剂。陈三立入仕之初,即随侍其父游宦各地,他目睹清朝吏治的腐败,往往"醉后感时事,讥议得失,辄自负,诋诸公贵人,自以才识当出诸公贵人上"①。父子二人热心参与政治,但受到政治的牵累,在百日维新失败后受到革职的处分。散原老人在后半生以诗文自娱,有盛名于东南,但仍为中国受到日本军国主义的欺凌而忧心如焚。1932 年 1 月日军攻打上海,十九路军奋起抵抗。这时他正居住在庐山牯岭,闻讯日夜不宁,订阅航空沪报,"报至则读,读竟则愀然若有深忧。一夕忽梦中狂呼杀日本人,全家惊醒"②。终于在他晚年移居旧都北平不久,卢沟桥炮声起,日本侵略军进城,老人不胜家国之悲,一气之下,绝食而死。

比较起来,陈寅恪倒是走一条平静的学者道路,长期不太过问政治。即使处在国内战争和抗日战争的激荡年代,他似乎也力争过一种书斋式的生活,搞他的与现实保持相当距离的中古史研究。

但这只是这位学者的表面现象。在灾难深重的旧中国,恐怕没有一个有良心、有正义感的读书人是会真正漠视政治的。我们从陈寅恪留存的旧体诗中,可以真切地感觉到民族的前途,国家的命运,在这位学者心灵上所加的重压。不过对于像陈寅恪那样出身于书香门第,早年又长期留学欧美诸国,直接受到过资本主义文化熏陶,具有相当高深的中西文化修养的人来说,这种重压

①《散原精舍文集》卷一,《故妻罗孺人状》。
②《陈寅恪先生编年事辑》,第 78 页。

表现的,不是直接的呐喊怒吼,而是冷静地、从容地对本土文化的观察和体验,对外来文化追求一种理性的比较和分析。这种学术心态,贯串在他的几乎所有著作中。陈寅恪走着适合自己方式的道路。数十年来,他孜孜不倦于著述和教书,即使在悼念抗战时期因贫病流离而过早逝世的史学家张荫麟的诗中,感叹"九儒列等真邻丐,五斗支粮更殒躯",或因眼疾久治不愈,而深恨于"天其废我是耶非"①,他都没有想到过要放弃文字生涯。他对学问执着之情正植根于他对祖国历史文化的赤子之忱。

陈寅恪的这种学术心态,似乎还与他早期的求学经历有关。这里试作一些剖析。

戊戌变法失败后的第二年,公元1900年,陈寅恪即随其兄师曾,东渡日本留学。而在此前的一年,陈师曾即已在上海入法国教会学校读书。1904年夏,陈寅恪假期返国,同年冬,又与兄隆恪同考取官费留日,陈三立特地从南京赶至吴淞送别。1909年,陈寅恪又经由上海赴德留学,陈三立又至沪上,赋诗送别,有"分剖九流极怪变,参法奚异上下乘。后生根器养蛰伏,时至倘作摩霄腾"之句②。陈三立当时对西方的认识当然茫然得很,但从诗中可以看出他对儿子出洋留学,确寄予厚望。像陈三立那样,以清室的遗老自居,却力促其几个儿子出国,去接受与故老传统迥异的西学,可以提供我们去进一步认识处于新旧交替中而又急剧变

①此处诗句分别见《诗存》第15页《挽张荫麟二首》,第17页《目疾久不愈书恨》。
②《散原精舍诗续集》卷上《抵上海别儿游学柏灵》,又参见《编年事辑》,第28页。

化的近代中国，人们思想面貌的异常复杂性。这之中，可以看出近代某些知识分子的思想脉络。陈三立作于 1913 年的《庸庵尚书奏议序》，曾谈到甲午战争后，朝野上下，变法之论骤起，但他批评论者"于人才风俗之本，先后缓急之程，一不关其虑"①。他在早期所作的《罗正谊传》②，叙述这位湘潭人尝为郭嵩焘所聘课其子，后又应彭玉麟所聘到暹罗考察，但终不得大用，"乃引归，发愤太息，务张泰西之美，而痛中国之所由蔽，以为富强之术，宜专教育人材，师夷所长，去拘墟之见，除锢蔽之习。"陈三立对此是深表赞同的。

这使我们想起中国近代历史上另一位向西方学习的著名人物严复。严复那时的思想很明确，他认为西方之所以强，乃在于"一一皆本之学术"③。他在《拟上皇帝（光绪）书》中，说要改变中国积弱的局面，重要的是治本而不是治标，"标者，在夫理财、经武、择交、善邻之间；本者，存乎立政、养才、风俗、人心之际"。④正因如此，他在康梁等上下奔走、热心议政的时刻，却始终不参加实际政治活动，而埋头于西方学术文化思想的介绍。他在《原强》中说："善夫斯宾塞尔言曰：'民之可化，至于无穷，唯不可期之以骤。'"⑤他就是着眼于用西方的学理，并企求以长期坚韧的努力，来改变处于封建末世的社会习俗和文化传统。严复的思想当然

---

①《散原精舍文集》卷七。
②《散原精舍文集》卷二。此文作于戊戌前。
③《严复集》第 11 页。
④《严复集》第 65 页。
⑤《严复集》第 25 页。

要比陈三立深刻得多,但俩人在这一点上有不少相似之处。由此可见出,近代社会中确有一部分人主张以渐进的方式,力求在学术文化上树立黜伪崇真的风气①,藉以发明新义,开启民智,通过长期的努力,造成中国富强的文化上和思想上的坚实基础。这应该是一股客观存在的思想倾向。陈寅恪由于家庭环境的浸染,肯定会受到这方面的影响。

同时,我们不能忽略他早期留学欧美诸国时所受西方近代学术思潮的影响。陈寅恪13岁东渡日本学习,除了中间有短暂的假期返国外,一直到16岁。不久,20岁时又赴德国,入柏林大学,后又入瑞士苏黎世大学。23岁回国,而24岁时已在法国就读于巴黎大学。26岁返国,30岁到美国哈佛大学,32岁离美赴德,在柏林大学研究院,这样,直到36岁时受聘于清华大学研究院返国。如果从13岁算起,到36岁,共24个年头,而他在日本、德国、瑞士、法国、美国等著名学府学习或研究,加起来有十七八年。这就是说,从少年起,经青年而步入中年,他的大部分时间是在资本主义文化为主体的社会度过的。其间他在德国逗留的时间最长,有7个年头。陈寅恪在论著中从未提到过他从西方学者那里接受什么思想或观点,但据他的姻亲暨同窗俞大维回忆,陈寅恪在欧洲确曾受到德、法、俄等国学者的某些启发,并转述陈寅恪的话,说"他研究中西一般的关系,尤其于文化的交流、佛学的传播

①严复曾说,西学之"命脉",乃在"于学术则黜伪而崇真,于刑政则屈私以为公"。见《严复集》第2页。这当然是对西方资本主义文化的不免幼稚的想法,但对照于当时一切处于因袭守旧的晚清社会,他的这些话仍有刺激和针砭的作用。

及中亚史地,他深受西洋学者的影响"①。19 世纪末、20 世纪初,德国正是著名历史学派兰克学派形成并占据主流地位的地方。本世纪英国著名史学家古奇,在其享有世界声誉的《十九世纪历史学与历史学家》一书中,把兰克在德国史学界的地位与歌德在文学界中地位相并比,盛赞他是"近代时期最伟大的历史家",正是兰克在历史学上作出的成就,"使德国在欧洲赢得了学术上的至高无上的地位,直到今天他仍是我们所有人的师表"②。这部著作出版于1913 年,可见直到20 世纪一二十年代,西方学术界仍对兰克予以崇高的评价。而那时的德国正是陈寅恪游学的地方。有些研究者曾提到过陈寅恪受兰克学派影响的问题。这方面没有直接证明的材料,不过从治学的路子看,笔者倒是倾向于两者有着一定的关联。

陈寅恪在欧洲,那时他所学的,主要并不是历史学,而是语言学。据同时代人回忆,他在欧美,除了学习欧洲一般语言以外,着重学习梵文、巴利文,以及蒙文、藏文、突厥文、西夏文、波斯文、土耳其文。他是从语言学而转向历史学的。这种独特的学术准备很值得令人思考。而据古奇所述,兰克早年在莱比锡大学,开始学习的是神学和古典语言学,他还学习希伯来文的《旧约全书》。后来,他"从语言学转到了历史的研究"。古奇说:"对于这一漫长的学习时期,他从未感到遗憾,他认为,对于古典知识,年轻人熟

---

① 台湾《历史语言研究所集刊》:俞大维《怀念陈寅恪先生》。
② [英]乔治·皮博迪·古奇《十九世纪历史学与历史学家》,耿淡如译,商务印书馆"汉译世界学术名著丛书",1988 年版,第 215 页。

悉得越多越好。"①而陈寅恪在德国时,曾寄给他妹妹一封信,说到那时对学藏文甚感兴趣,认为藏文与汉语属同一语系,正如梵文与希腊拉丁及英俄德法等之同属一系。这样,从同一语系在音韵、训诂等的比较,作深入的研究,"则成效当较乾嘉诸老,更上一层"。但他认为,语言的研究毕竟不是他注意的重点,他的注意点乃在一历史,二佛教②。我们不敢说陈寅恪与兰克学术道路和学术兴趣一定有传承的关系,那或许是一种偶然的巧合,但其间思想上的联系毕竟是值得作进一步的探讨。

古奇的书中曾对兰克的史学贡献概括为三点:第一,尽最大的可能把研究过去同当代的感情区别开来,描写事情的实际情况;第二,建立了论述历史事件必须严格依据同时代资料的原则,应当重视并善于利用档案;第三,对权威性的资料应当加以鉴定、比较和分析,从而创立了考证的科学。兰克在柏林,曾在档案馆中发现 16 和 17 世纪威尼斯大使的报告四十七册,视为宝藏。这些珍贵的原始资料的发现,使他猛然领悟到:近代欧洲的历史必须借助新鲜的、当代的资料予以重写。兰克的代表作《教皇史》,正是不理会当时社会政治的各种争论,也不带个人的主观热情,"而是平心静气地把教廷作为一个伟大的历史现象来论述"③。《教皇史》的出名正是由于它的客观叙述。正如 20 世纪前半期意

---

① 《十九世纪历史学与历史学家》,第 176 页。
② 陈寅恪《致妹书》,原载《学衡》第 20 期(1923 年 8 月),转引自汪荣祖《史家陈寅恪传》第 53 页,台湾联经出版社,1984 年版。
③ 本段所述,皆据《十九世纪历史学与历史学家》第六章《兰克》。

大利著名史学家克罗齐在谈到兰克时所说的:"他觉得他只能表明'事情真正是怎样发生的';这就是他的整部著作的目标,他坚守这一目标,从而获得了别人所得不到的声誉。"①

与此相类似,陈寅恪对新资料的利用,一开始就很重视。刊载于1930年《历史语言研究所集刊》第一本第二分册的《陈垣敦煌劫余录序》说"一时代之学术,必有其新材料与新问题",只有用此种新材料,来研究新问题,才成为时代学术的新潮流。稍后所作的《王静安先生遗书序》,如前面说过的,他把王氏的治学成就归纳为三点,头一个即为取地下之实物与文献记载互相释证。这种不囿于旧有的材料,努力开拓新史料,力求发现前人未曾涉及的新境界,使学术研究能不断有新的生气和转机,也是陈寅恪揭橥的"史识"的重要内容。

不过我认为,在这方面最值得提出的,是陈寅恪对学术研究所抱的严肃认真、不受世事干扰的态度。古奇曾指出兰克的治学倾向,是"竭力使历史研究脱离政治"②。克罗齐也讲到兰克的信仰者,"他们爱慕文化,但不愿沾染党派的激情"③。陈寅恪是否受到这方面的影响,限于材料,本文不敢作进一步的发挥,但从陈寅恪的一生著述看,他确实是把学术看成他一生唯一的追求,而做学问则必须摆脱各种世务的干扰。他在1929年所作的《清华大学王观堂先生纪念碑铭》中,明确宣告:"士之读书治学,盖将以

①[意]贝奈戴托·克罗齐:《历史学的理论和实际》第七章《实证主义的史学》,第232页。商务印书馆"汉译世界学术名著丛书",1982年版。
②《十九世纪历史学与历史学家》,第247页。
③《历史学的理论和实际》,第232页。

脱心志于俗谛之桎梏,真理因得以发扬。"①俗谛的范围可以包括很广,而陈寅恪最鄙视的是以学问为利禄的工具。他非常看不惯做学问上一种只求"速效"的"夸诞之人",他把这种人之所谓做学问比喻为画鬼,"苟形态略具,则能事已毕,其真状之果有与否",可一概不管。他讽刺这种学风为"声誉既易致,而利禄亦随之"②。他认为具体学术成果可能会被后来者所推翻或代替,但他始终相信严肃的学术研究中那种"独立之精神,自由之思想",将"与天壤而永久,共三光而永光"③。限于他当时的思想条件,他当然还不可能对他所谓的"独立"、"自由"作出科学的界说,并且他以"独立之精神"、"自由之思想"来称赞王国维也未免过当,但他把这种"独立"、"自由"与"俗谛"相对而言,明显是表示一个愿以终身奉献学术事业的研究者应有的高洁的志趣。在这方面,他把学术的分量是看得很重的。他在抗战时期的桂林,处于那辗转流徙的境地,盛赞语言文字学家杨树达安于"持短笔,照孤灯",甘居寂寞不废著述的风概,并有为而发地说:"与彼假手功名,因得表见者,肥瘠荣悴,固不相同,而孰难孰易,孰得孰失,天下后世当有能辨之者。"④这使我们想到曹丕极力提高文学创作的地位,以为是经国之大业,不朽之盛事,"是以古之作者,寄身于翰墨,见意于篇籍,不假良史之辞,不托飞驰之势,而声名自传于后"(《典

---

① 《金明馆丛稿二编》,第 218 页。
② 《金明馆丛稿二编》,第 238 页。
③ 《金明馆丛稿二编》,第 218 页。
④ 《杨树达积微居小学金石论丛续稿序》,《金明馆丛稿二编》第 230 页。

论·论文》）。飞驰之势者，即藉功名利禄而能声势赫赫，高车驷马，招摇过市之谓也。曹丕认为文学作者可不凭声势依托而为自己开辟道路，魏晋时期因而被誉为文学的自觉时代。陈寅恪上述称赞杨树达的话，也同样表现了一种学术上的自觉，一种对从事于民族文化研究的自信。同样作于抗战时期的为邓广铭先生《宋史职官志考证》作的序，也极力赞扬邓先生摒弃世务，"庶几得专一于校史之工事"，并且不无天真地说："不屑同于假手功名之士，而能自致于不朽之域"①。也是出于这样一种学术心态。

应当着重提到的是，前些年，海外有些研究者有时抓住片言只语，或根据陈寅恪旧诗中的某些句子，就断定他的一些学术论著隐喻对现实的讽刺，并进而论定陈寅恪对中共政权深致不满。譬如说他成于 1951 年的《论唐高祖称臣于突厥》一文（刊于《岭南学报》第 12 卷 2 期，1951 年 6 月）为影射中共对苏联的"一边倒"政策，希望毛泽东像唐太宗那样，"改弦易辙，独立自主"。又说陈寅恪晚年完成的七八十万字的《柳如是别传》，乃陈氏的忏悔之作，后悔于大陆解放初没有听从他夫人去香港、台湾的劝告，因而以柳如是比其夫人，自比为钱谦益。钱最先在抗清上动摇失节，后在柳如是的鼓动下，联络郑成功，奔走反清，陈寅恪写此书时有引领遥望台湾国民党之意，云云。

如果从事于严肃的学术探讨，那么对于陈寅恪的学术论著和旧体诗作是否有现实寓意，是不妨作深入研究的。但可惜，有些研究者往往先有固定的看法，然后用猜谜式的方法，把不相干的

①《金明馆丛稿二编》，第 246 页。

事物硬凑在一起。本文不打算逐一对一些具体论点提出讨论，谨就陈寅恪总的治学态度谈一些看法。

大家知道，在国民党统治时期，陈寅恪对时局是深为不满的。1932 年，他在一篇文章中，曾对友人说："吾徒今日处身于不夷不惠之间，托命于非驴非马之国。"①抗战时，他对读书人颠沛流徙、不免饥寒的处境深为感慨，在诗中屡次表示："著述自惭甘毁业，妻儿何托任寒饥"，"读书渐已师秦吏，钳市终须避楚人"。对于当时国民党统治区物价飞涨，纸币贬值，奸商大发国难财，而作学问的人则不免挨饿，他都在诗中流露出强烈的不满："淮南米价惊心问，中统银钞入手空"，"大贾便便腹满腴，可怜腰细是吾徒。"在那种情况下，国民党还为其最高领袖作九鼎祝寿，陈寅恪对此表示严正的态度，而与一些御用文人划清界限："九鼎铭辞争颂德，百年粗粝总伤贫。"

但即使如此，他还是尽可能安心下来，作他的学问。他在寄杨树达的一首诗中，前一句说"蔽遮白日兵尘满"，是那样的战火纷飞的年代，后一句说"寂寞玄文酒盏深"，自甘于寂寞，在学问的研索中求得自慰。陈寅恪有一种极可贵的自律精神，那就是，不管现实是怎样的使人不满，不管自身的遭遇有怎样的不幸，他对于所从事的祖国文史之学绝不能放弃。他于抗战胜利后远涉重洋，到英国医治眼疾，而终于无效，这时他羁旅异国，想到的是他已经动手而尚未完成的元白诗研究，所谓"余生所欠为何物"，"归写香山新乐府"。在由英赴美，于大西洋中，他又吟道："去国羁魂

①《俞曲园先生病中呓语跋》，《寒柳堂集》，第 146 页。

销寂寞,还家生事费安排。风波万里人间世,愿得孤帆及早回。"他觉得他的事业是在中国。只有返国,才能安心:"毁车杀马平生志,太息维摩尚有家。"①

前面说过,在灾难深重的旧中国,一个有良心、有正义感的读书人是不可能漠视政治的。事实说明陈寅恪并不是政治上的麻木者和冷淡者。不过他对政治与学术有自己的看法。他在1945年所作的《读吴其昌撰梁启超传书后》中②,说梁氏高文博学,但"论者每惜其与中国五十年腐恶之政治不能绝缘,以为先生之不幸"。陈寅恪历数梁启超政治表现之可为世人效法者,从而指出,是因为世局太黑暗了,使这位本来可以专心于学术的专家,终于"不能与近世政治绝缘","此则中国之不幸,非独先生之不幸也"。这话是说得很沉痛的,并明确表示士人之不得不分散心力,不能专志于学术,是由于黑暗腐朽的现实。而就他自己来说,则尽管在诗中明白表示对世局的种种看法,直抒胸臆,无所讳饰,但在学术论著中,他则完全从学术探求的本身出发,不作什么影射譬喻,不受世局变化的影响。他曾以欧阳修著《新五代史》为例,说欧阳修之所以在这部史书中特立《义儿传》一目,只不过受北宋当时"濮议"之刺激,"以发其愤慨"。这种"专就道德观点立言",而不考虑史事本身的需要,对于历史家来说,"不免未达一间"③。陈寅恪在这里严格注意,不以个人的政治好恶来影响其学术趋向

---

①以上两段所引诗皆见《寅恪先生诗存》,不一一列举篇名。
②文载《寒柳堂集》,第148—150页。
③《论唐代之蕃将与府兵》,《金明馆丛稿初编》第276页。

和历史评价。所谓陈寅恪的论著隐喻对现实的讽刺,实在是并不了解他的学术心态,没有理解陈寅恪作为一位自树高格的严肃学者,实没有必要也不屑于作这种浅薄的比附。

原载《清华大学学报(哲学社会科学版)》1990 年第 2 期,此据首都师范大学出版社 2010 年版北京社科名家文库《治学清历》录入,另收入中华书局 1992 年版《中华文化的过去、现在和未来》、安徽教育出版社 1998 年版《当代学者自选文库·傅璇琮卷》

《学林漫录》琐记

70 年代末至 80 年代初,我任中华书局古代史编辑室副主任,由于工作关系,使得我在古典文学界之外,又结识了历史学界不少老年和中年学者,交友比过去稍广了。我感到史学界的研究者,专业性似乎比古典文学界为强,对学术课题钻研较深,但他们与古典文学界中一些朋友同样,大多希望在专业范围之外浏览一些虽然也是学术问题但却比较轻松的漫谈式的文章。这时我正好从朋友处看到香港出版的《艺林丛录》,受到启发,觉得不妨也编这样一种不定期的学术小品集子。这正是《学林漫录》初集的"编者的话"所说的缘起:"不少文史研究者或爱好者,愿意在自己的专业领域内,就平素所感兴趣的问题,以随意漫谈的形式,谈一些意见,抒发一些感想。而不少读者,也希望除了专门论著之外,还可读到学术性、知识性、趣味性相结合的作品,小而言之,可资谈助,大而言之,也可以扩大知识面,开阔人们的眼界,启发人们的思想,丰富人们的精神生活。《学林漫录》的出版,正是为了适应这样的要求。"

至于编选的宗旨,"编者的话"说:"《学林漫录》的编辑,拟着重于'学'和'漫'。所谓'学',就是说要有一定的学术性,要有一得之见,言之有物,不是人云亦云,泛泛而谈,如顾炎武所说的'废铜'。所谓'漫',就是上面说过的不拘一格的风格与笔调。杜甫在他定居于成都时,写了一首《江上值水如海势聊短述》的七律,有这样两句:'老去诗篇浑漫与,春来花鸟莫深愁。'是很有意义的。杜甫在他后期,诗律是愈来愈细了,但自己却说是'漫与',似乎是说诗写得不怎么经心了。这是不是故作谦词呢?不是。老杜经历了大半生的戎马战乱,在离乱的生活中积累了丰富的实践知识,稍有闲暇,又读了不少书,只有在这样的深厚的基础上,才能写出'浑漫与'三字,就是说,看来不经心,其实正是同一篇诗中所说的'语不惊人死不休'的。拿杜甫这首诗中的诗句,来为我们这本书的'漫'字作注脚,恐怕是合适的。"

《学林漫录》第一集出版于1980年6月,这一集是我一个人编的,筹备了大约半年,向一些文史界相识的师友组稿。先是向我素所敬仰的启功先生索文,他欣然先写两篇,一是《记齐白石先生轶事》,一是《坚净居题跋》。启先生的这两篇可以说是代表《学林漫录》的两大部分内容,就是记述近代有建树的艺术家、学者、作家事迹的文章,以及包括各种内容的学术小品。这些,在当时,对不少读者来说,都有一种新鲜感,因此颇受文史界以及其他行业中人的欢迎。正如第三集的"编者的话"所说:"读者欢迎已出的初集和二集,大约就在它的别具一格吧。所谓别具一格,从内容上说,就是所收文章的面较宽。举凡当代一些学者、作家、艺术家事迹的记述,诗文书画的考析和鉴赏,古今著作的推荐和评论,以及读书随笔、序跋札记,只要有一得之见,言之成物,均可登载。另外，从文章的风格上，我们主张不摆架子，不作姿态，希望如友朋之间，促膝交谈，海阔天空，不受拘束。"

初集以后，我因其他事忙，就约了古史室的张忱石和文学室的许逸民两位合编，他们当时还不太忙，不像现在都成为各自编辑室的主任，行政、业务事情一大堆。三人共同商量，事情就好办得多。《学林漫录》刊登学者、艺术家、作家的事迹，在当时为其他刊物所少见，而约写的写作者一般都是这些学者们的朋友、学生或家属，亲炙者久，了解更深，行文又自然真挚，读来使人倍感亲切，这是《学林漫录》的一大特色。总计已出的十二集中，所记述的有齐白石、陈寅恪、张元济、朱自清、陈垣、黄侃、邓之诚等四十几位。其中除了王季思先生外，都已作古，而且也已有几位执笔者在近几年内去世，这更使人感到这些文章的可贵，和抢救这些活的史料的紧迫性。

关于这方面，有几件事值得谈一谈。一次，我们几个人闲谈，觉得近代藏书楼中，嘉业堂名气大，但记载不多，鲜为人所知，一般人知道的不过是鲁迅先生所记去买书而吃闭门羹的事。但请谁来写呢？嘉业堂藏书楼初建时，从1925年起曾请周子美任书楼编目主任，直至1932年周先生应圣约翰大学之聘，去上海执教为止，主管书楼事务达八年之久。请周老先生写当然好，但那时周先生任华东师大副教授，已是87岁高龄，双耳重听，执笔为文，诸多不便。后来我们得悉刘承干的嫡长子刘汭万住在上海，喜爱昆曲，正好我们在上海的友人陆萼庭同志也喜昆曲，与这位刘先生有来往，就拜托萼庭同志去打听，萼庭同志推荐了在解放日报社供职的许寅同志。许寅同志是老记者，又是浙江湖州南浔人，与刘家是同乡，真是理想的人选。承蒙许寅同志允诺，他还特地找了刘沂万、周子美等作了详细调查，亲自跑了两趟南浔，写了翔实而潇洒的一篇记实文章：《"傻公子"作出的"傻贡献"》。这可以说是自嘉业堂创建以来记述其历史和现状的最完整、最鲜活的文献了。这篇文章据说真还起了作用，浙江省有关领导看了以后，特地指示拨款修整嘉业堂藏书楼以作为文物和旅游胜地。刘沂万和他的夫人李家瑛女士——李鸿章的侄曾孙女，本来在上海有几处房子，他们老两口在"文革"中被冲到一间只有十平方米的"小楼一角"，在这篇文章刊出后，据说也落实了政策，归还了一部分房子，刘沂万先生被安置在文史馆工作，每月有了固定的收入。

以文章而论，许寅同志也确不愧为记者老手。譬如他写到南浔，在小莲庄吃午饭的情状："在厅堂内小坐，张阿姨请吃饭。这里不愧为鱼米之乡，桌上这几样菜，一看就令人'食指大动'：一盆盐水虾，几乎只只小指粗细，红得透亮，说明其新鲜程度之高；一盆酱蟹，黄澄澄地，小虽小，只只饱满；一条鲢鱼，肉头肥厚，浓油赤酱；一碗清蒸鲫鱼，上铺一层火腿、虾米、笋干；外加一盆碧绿的青椒、深紫的茄子、大红的番茄；色彩鲜艳，香气扑鼻，味道鲜美。一问价格，却相当便宜：海虾每斤不超过一元五角，湖蟹每斤仅七八角，鲜鱼也大抵如此，而且都是集市价格。"看了这一段，真使人想起前人词中所谓"江南好，能不忆江南"。这是1982年写的，看看那时虾、蟹、鱼的价格，对照时下的行情，真也够让人感慨的。

另一是写无锡国专的文章。无锡国学专修学校，成立于1920年，校长唐文治。这是一个颇为特殊的学校，专门培养文史研究人才，类似于现在有些大学中设立的古典文献专业。短短二十几年,这个学校培育出不少人才,有些已是国内外知名学者,如唐兰、王蘧常、吴其昌、蒋天枢、钱仲联等前辈老宿,还有不少也是当今学术界的骨干,特别在东南一带。我们认为无锡国专的办学有一套经验,应当探究。但请谁来写呢?最先曾想请冯其庸同志,他也是无锡国专出身的,但他谦虚地推辞,说他只是解放前几年在那边待过一阵子,又因参加学生运动,对学校情况不熟。由他推荐,请唐史和唐律专家上海教育学院的杨廷福先生写,杨先生为人豪爽,很快答应,并约上海于近代日记有专门研究的陈左高先生,合写《无锡国专杂忆》一文,刊载于《学林漫录》四集。前些年江苏省一些学人据说曾因而拟议重建无锡国专,后虽因他故未能实现,但也可见这篇文章所引起的效应。

《学林漫录》的文章一般只不过二三千字,希望不要给读者以过重的负担。有的还仅数百字,如俞平伯先生《德译本〈浮生六记〉序》(八集),钱仲联先生《重修破山寺碑记》(十二集)。前者是吴小如先生约来的,后者是许逸民同志和我一次与钱先生一起开会,钱先生随便谈起时向他约的。两篇都用文言写,俞先生的序潇洒清脱,一如晚明风格,钱先生的记则奥义丽辞,直追六朝译经。但《学林漫录》所收也有长的,一是曾任上海古籍出版社总编钱伯城同志。一次我到上海,他说他写了老画家颜文梁先生年谱,几万字,当时哪家刊物都不能登,颜先生虽然无论人品画品都可称为近代中国油画界的开拓者,但人老了,知道的人不多了,实在遗憾得很。后来我们经研究,决定在第六集一次刊出。想要了解本世纪二三十年间中国油画的发展,此文是非读不可的。

另一长篇是北大吴小如先生的《京剧老生流派综说》。这是吴先生旧作,比钱伯城同志所作的年谱更长,从谭鑫培一直说到周信芳,共八篇,总计超过十万字。这样当然不可能一集刊完,于是与小如先生商定,每集刊两篇。本以为这样的专门记述不易为众人所注意,却不想引起轰动效应,不但像启功先生那样的大学者赞不绝口,据我的大学同窗白化文同志介绍,北大一位化学系教师,每集必捧读吴先生的这一长篇连载,寝食俱废。更怪的是,据他说,有一位肺癌晚期的在我国工程技术界颇有建树的长者,于平静的回光返照中,对自己的一生是满意的,别无眷恋,只惦记着要看看吴先生对马连良的评议最后究竟如何(见《书品》1987年第 4 期《读〈学林漫录〉》)。

我们几个人还立了一个规矩,那就是从初集起,每一集的书名(即"学林漫录"四字),都分别约一些学者或书法家书写,这样集合起来不啻是当代名人书迹,不但有观赏价值,还有文献价值。初集由我约了钱锺书先生题签,以后几集则是下列诸位先生:启功、顾廷龙、叶圣陶、邹梦禅、黄苗子、许德珩、许姬传、张伯驹、李一氓、赵朴初、王蘧常。这在现今的刊物中,也是别具一格的。

1980 年 6 月出初集,到现在已出版了十二集,内容以第八集最佳。目前还有一集正在排校中,却已是拖了两年,迟迟未能印出,陷入经济危机。从出版的进度与印数来说,《学林漫录》可以说每况愈下,而特别是 1988 年,出现了大滑坡。我曾就各集作了一个统计,初集 1980 年出,印了三万多册,二、三、四集是 1981 年出,五、六集是 1982 年出,七、八集是 1983 年出,九集是 1984 年出,这几集印数都在一万几千册。1985 年倒也是出了两集(十、十一),印数已跌进一万以内了,而 1985 年以后,1986、1987 两年都是空档，1988 年 1 月才出了第十二集，印数只有二千五百册。这当然要亏本，出版部的同志不热心，经营管理的同志也提出意见。而相识的朋友，包括不少作者，是仍然很关心的，见到必问有新出来的否。有的是开玩笑的说：《学林漫录》的"漫"应该改为"慢"了。我们只有苦笑对之。俗语说，不怕慢，只怕站，说不定《学林漫录》就得到此为止呢！前途如何，渺不可测，我们只求在排校中的第十三集还能印出来，希望苦撑一段时期，还能一集一集的编出来，哪怕慢一点。

原载中外文化出版公司 1990 年版《书香集》，此据北京联合出版公司 2013 年版《濡沫集》录入，另收入湖南人民出版社1997 年版《濡沫集》

吴在庆《杜牧论稿》序

  我认识吴在庆同志是因为厦门大学中文系周祖譔教授的推荐和介绍。祖譔兄是我的学长,1951 年我考入清华大学中文系,他正好清华研究生毕业,由于时间短,年纪相差不少,所以在学校中我和他除了他临毕业时全系合影曾一起聚会以外,并无交往。从清华出来,他一直执教于厦大,我则由清华转入北大,北大毕业后曾经短暂留校做了几年助教,嗣后即长期在中华书局工作,地限南北,而又行业相隔,因此就更无往来。不过我仍记得三十年前读过他写的一本《隋唐五代文学史》,字数虽不多,议论在当时看来似乎也没有什么新异之处,却是建国以来较早的一本唐文学通史。大约五年前,偶然有一个机会我重读其中的几章,觉得平实的文笔时时触发引人思考的见解,有些在最近十年才提出讨论的问题在这本书中已经注意到,只不过限于体例和篇幅,并未充分展开罢了。近十年来,祖譔兄与我都在全国唐代文学学会活动,有时每年,有时隔年,都要在一起开会。这些年来他在唐文学研究中当然又作出很多新的贡献,但他第一本书给我的印象却一直未能忘怀,我觉得它很象祖譔兄为人的风格,平实而不乏新见,简略而通达大局。与祖譔兄相处,会有一种厚实的感觉,使人很安心。他的那种淡泊于名利、超然于奔趋的心境是为友朋所心许默识的。

在庆同志是他的研究生,八年前由祖譔兄介绍,我评阅过他所作的杜牧研究的硕士论文,后来即渐渐有文字来往。1982年唐代文学学会成立后,我负责编辑《唐代文学研究年鉴》,我乃约请祖譔兄撰写中晚唐研究情况的文稿,祖譔兄即推荐在庆同志与他合写,共同署名。第二期起,我征得祖譔兄同意,约在庆同志执笔撰写中晚唐或晚唐研究情况的综述。从那时起在庆同志已有关于杜牧及其他中晚唐作家的考论文章在刊物上发表,引起人们的注意。但是他所写的综述,则总是详细介绍别人的文章,很少提到自己,有时提到,也是十分简略而极为客观地一笔带过,倒是已故的吴汝煜先生在论述1987年的中唐文学研究时,特别提到:"在刘禹锡的考证方面,最值得注意的是吴在庆的《卞著〈刘禹锡年谱〉辨补》(《唐代文学论丛》第八辑)。作者立足于本证,从刘禹锡诗文中钩稽史料,在有关刘禹锡的事迹、诗文系年等方面纠正了《刘禹锡年谱》的一些疏失;又为十四首诗歌作了新的系年。文章思虑周密,征引赅博,结论可信。"汝煜先生对刘禹锡诗文的考订也是下过很深功夫的。他为人朴质,不尚虚誉,因此他对在庆同志的文章评价为"思虑周密,征引赅博",我认为其结论也是可信的。

在近代学者中,真正为杜牧研究打下科学基础的是缪钺先生。缪钺先生的《杜牧年谱》和《杜牧传》,是一切研究杜牧的人所必读的。近十年来,在缪钺先生的基础上,不少同志对杜牧作了新的探讨,特别是有关杜牧诗文的辨伪和系年问题,收获更大。就我的浏览所及,如吴企明、张金海、郭文镐、胡可先、王西平及吴在庆同志,他们这方面的成绩都很突出。除了吴企明先生年岁稍大一些,其他几位多是四十岁上下,胡可先先生则更小一些,使人感到我们唐代文学研究力量的雄厚。他们几位的文风稍有不同,有的平稳些,有的大胆些,彼此也都有所争论,但我看在庆同志的文章往往能折冲其间,摘取诸家之所长,而加以充实和提高。特别引起我注意的是,他在《杜牧诗文系年及行踪辨补》一文中,考证杜牧出守黄州的时间,缪钺先生的《年谱》曾辨杜牧文集《上宰相求湖州启》所记月份之误,在庆同志又论述《年谱》此一推算稍有误差,并从而认为杜牧出守黄州在会昌二年三四月间。在此处,他特别加括号注明:"此点郭文镐君致笔者信中首先指出。"对私人通信中他人的论点,在公开发表的论文中加以引用,并表明这一论点的提出乃在写作者本人之先,这种学术上的勇气和度量实在是非常值得称道,非常令人钦佩的。

我觉得,在庆同志的学风和文风,与祖譔兄有许多相似之处。我上面提到的,只是几个例子。这些年来,我因为与祖譔兄在工作上和学术上联系较多,从而也与在庆同志接触多了起来。他们都使我领悟到一种令人怀念和珍惜的交友之道。现在,在庆同志把这些年来所写的有关杜牧的论文结集成书出版,要我为他的这本专著写一篇序。想起我与祖譔兄结识近四十年来的交往,看到他们师生在唐代文学研究中分别作出的业绩,以及表现出来的颇相仿佛的风尚,我觉得应该写出我的一点感受,并借以表明在我们学术界确有一种正气存在,这种正气的意义是远远超出于学者们取得的具体成果的。

　　我认为,在作家作品的考订方面,中晚唐的难度实大于初盛唐;晚唐与中唐比较,晚唐的难度更大。一个很重要的原因,是在于史料的复杂。晚唐的史料并不缺乏,而却真伪混杂,作家之间的事迹材料又彼此纠缠。以杜牧来说,他的文集除了其甥裴延翰所编的二十卷本《樊川文集》以外,宋以后出现了好几种续编,如《樊川别集》、《樊川外集》、《樊川诗补遗》、《樊川集遗收诗补录》等等。但这些别集、外集、补遗、补录,却数量不等地混入他人之作。南宋诗人兼诗评家刘克庄,在其所著诗话中就说过:"樊川有续别集三卷,十八九是许浑诗。"他说这些补编之中,十有八九是许浑的诗,可能有所夸大,但现存杜牧集子中掺杂许浑之作,经学者们的考索,数量确实不少。要辨析哪些是杜牧诗,哪些是许浑的诗,必须考明两人的生平,而问题在于许浑的事迹还有许多不清楚的地方。因此近些年来,研究杜牧往往同时也研究许浑(譬如我知道郭文镐同志已写了几篇许浑的考证文章,有的他特意寄给我看,我对他的用心之细是很佩服的。文镐同志这些年来也一直在出版社工作,编务极忙,但他并不放松研究,相反,他还因编辑工作之便结识了好些志同道合的研究者)。往往有这样一种情形,真正要弄清晚唐作家的事迹或作品的真伪,就要牵涉到另一个作家,则不得不先把第一个作家暂时放下,研究这第二个;而深入到第二个,则又碰到与另一个作家又有纠结,则势必又要去翻检那第三个的材料,并加以印证这第三个材料的确实性。这样,摊子就越铺越大,使人有治丝益棼之感。另一方面,晚唐的历史材料本身又极复杂,如唐代武宗的实录大部分佚失,宣宗以下的实录并未修成,这样,史家所依据的原始材料即残缺不全,修史者又不分大小巨细,也无心顾及真假。对此清人赵翼《廿二史札记》在评及《旧唐书》时就作过分析,而唐史学界长时期来对晚唐史料缺乏整理,这方面的工作往往被迫由治文学史者来担任。这就更增加对晚唐作家作品考订的工作量,也使得表面看来作出的成绩不如初盛唐。而实际上,就我个人所见到的,唐诗学界对晚唐的考证,所下的功夫是很深的,取得的成就是非常实在的。除杜牧外,像对李商隐、温庭筠、许浑、张祜、韩偓、韦庄、罗隐等,都有极为丰硕的创获,它们有的已超出文学史的范围,对唐史的研究也有相当的助益。

当然,收在在庆同志这本书中的,还有好几篇理论上的阐发,如论杜牧的思想、杜牧艺术风格的特点及形成的原因,杜牧对后世的影响,等等,多有很好的见解,有不少发前人所未发。但是,我认为,构成本书基础的,也是构成在庆同志中晚唐文学研究基础的,是他对作家事迹的考证,他对作品的系年及真伪的辨析。历史研究的第一步,是应当先把事情的真相搞清楚,这应当是不言自明的,但却往往为人所忽视,或为人所鄙薄。笔者最近看到一篇文章,是论这十年来文史学界的考据的。文章口气很大,说:"历史似乎注定了 80 年代风靡一时的考据家不能有多大的作为",因为据说他们只是"消极地考证和确认一些支离破碎的事实",他们"漫无目的和方向,但事考证,不问其他,鄙视历史理论的建构,纯粹的为考证史料积累知识而积累知识"。因此,文章判定,这样的研究"既没有社会意义,也没有什么学术价值"。我不大清楚,这个我们共同经历过的 80 年代有没有产生过"风靡一时的考据家",这些考据家有哪些考据文章或专书,他们又是如何的"漫无目的和方向"。据我看来,不论整个唐代文学,或晚唐文学,关于作家作品的考证,成绩是显著的,目的和方向是明确的,这就是为整个唐代或晚唐文学的研究提供真实可靠的材料依据,使文学史的理论探讨有坚实的科学凭依。考证如何为理论提供事实的支撑,理论如何在考证的基础上作出令人信服的阐述,我认为在庆同志的这本书是能够作出回答的。我们的唐代文学研究界确实需要这样踏踏实实的著作,而切不要放言高论而远离实际。

1990 年 9 月

原载厦门大学出版社 1991 年版《杜牧论稿》,此据大象出版社 2008 年版《学林清话》录入,另收入湖南人民出版社 1997 年版《濡沫集》(题为:思虑周密　征引赅博)、京华出版社 1999 年版《唐诗论学丛稿》

罗宗强《玄学与魏晋士人心态》序

　　宗强兄是我的畏友。我说这话,一是指他的学识,一是指他的人品。就学识而言,自从 1980 年出版他的第一部著作《李杜论略》以来,短短十年,他在学术上的进展是如此的惊人,无论是审视近十年的中国文学思想史的研究,还是回顾这一时期古典诗歌特别是唐代诗歌的研究,他的著作的问世,总会使人感觉到是在整个研究的进程中划出一道线,明显地标志出研究层次的提高。这不是指他的作品的数量,比较起来,他的专著,他的单篇论文,在我们这一代学人中,数量不能算是最多的,我是指这些论著的质量,特别是他的几本为数不多的专著,总是为学术界提供精品,无论从立论上、研究方法上,以及整个行文的风度上,总表现出由深沉的理论素养和敏锐的思辨能力相结合而构成的一种严肃的学术追求。

　　就人品而言,最能体现他的精神风貌的,我以为是本书后记中最后的一句话,就是"青灯摊书,实在是一种难以言喻的快乐"。同样的意思,也表现在他为《文史知识》1990 年第 10 期治学之道专栏所写的《路越走越远——研究中国古代文学思想史的体会》

中的结束语:"我能说的惟一一点经验,就是我在涉足于自己的研究领域时,虽步履艰难而始终感受到无穷乐趣,这或者就是甘于寂寞的力量之所在。"话很短,但感情很重,只有充分了解他研究生毕业以后很长一段的坎坷经历,才会真切体味出这些话的分量。他自己说,自从上大学至今,三十五年来,能够真正坐下来读书作文的,只是近十年来的事。我曾听他讲述过如何在赣南山区跋涉流落的行迹,听了使人心酸,但宗强兄讲起这些来,无论感情和语调,都是平和的。他分析古代文学思想演进的轨迹,是很推崇道家思想的影响和贡献的,但他的为人,我总感到与儒家为近,特别是对友朋,温厚之至,而对自己,却似乎恪守君子固穷的古训,表现出类似于清峻的风格。

　　这使我想起近代大学者陈寅恪先生的一些话。陈先生 1929 年作《清华大学王观堂先生纪念碑铭》,其中说:"士之读书治学,盖将以脱心志于俗谛之桎梏,真理因得以发扬。"作为一位真正的学者,陈寅恪先生一生是以此自律的。俗谛的范围可以包括很广,他最鄙视的是以学问为利禄的工具。他总是把学术的分量看得很重。他在抗战时期的桂林,处于那样一种辗转流徙的境地,特地为语言文字学家杨树达先生的《积微居小学金石论丛续编》作序,盛赞杨先生"持短笔,照孤灯",甘居寂寞不废著述的风概,并有为而发地说:"与彼假手功名,因得表见者,肥瘠荣悴,固不相同,而孰难孰易,孰得孰失,天下后世当有能辨之者。"这几句话,表现了一种学术上的自觉,一种对从事于民族文化研究的自信。在同一时期,他在寄杨树达先生的一首诗中,前一句说"蔽遮白日兵尘满",是那样的战火纷飞的年代,后一句说"寂寞玄文酒盏深"，自甘于寂寞，在学问的研索中求得自慰。像陈寅恪先生这样的一种学术心态，是为"五四"以来我国不少知识分子所共有的。也正因为此，近三四十年来虽有不少人经历种种坎坷曲折，只要他们能有机会做学问，他们总是如陶渊明所说的"量力守故辙"，为学术事业作出自己力所能及的贡献。

前面说过，宗强兄的第一部著作是《李杜论略》，出版于1980年，写作当在此前几年。他自己对这部书不大满意，那是因为他是站在今天的高度。这部书出版后我曾看过，后来我与霍松林先生共同编《唐代文学研究年鉴》，还请人写书评刊入《年鉴》。但那时我正忙于其他工作，只是粗粗泛览，印象不深。最近因为要写本书《玄学与魏晋士人心态》的序，重新阅读那本《李杜论略》，感到这本书出版后所得到的反应与它所达到的成就，是太不相称了。学术著作与文艺作品一样，它的意义有时是不易为人所理解的。1980年或稍前一二年，我们刚刚从"文革"所扫荡过的荒漠上起步，那时还只有少数一些学术著作出现，就像严冬刚过，在初春的寒风中冒霜先开的小花，寥落不受人们的注意。又因为人们厌恶前一时期假大空与伪饰的学风，乃一反其道，对实证的研究感兴趣，于是一些偏重于材料考辨的著作格外受到重视和好评。这是可以理解的。而《李杜论略》在当时的出版，现在看来，却以其准确的理论把握和细腻的审美体系，挺立于当时的古典文学界。书中对李白、杜甫从政治思想、生活理想、文学思想、创作方法、艺术风格、艺术表现手法等几方面作了极为细致的比较，从而也探讨了李、杜各自的创作特色。我曾查阅过在这前后的论著目录，并根据自己的回忆，当时还很少有对李、杜作这样深入的研究的。特别是书中提出：一种审美趣味之形成思潮，自有其深刻的社会历史原因，一种普遍的审美趣味常常伴随着相应的理论主张。作家和评论家们在创作上普遍追求某种倾向时，也在理论上进行着同样的探讨。因此，探讨一个时期的文艺思潮，有必要从理论和创作实践两个方面进行考察，作出评价，特别是对当时的代表人物的研究尤其必须如此（见该书第103页）。这种从理论和创作实践两个方面来考察文艺思潮，也是他在五六年后写成出版的《隋唐五代文学思想史》立论的基调：

> 文学思想不仅仅反映在文学批评和文学理论著作里，它还大量反映在文学创作中。作家对于文学的思考，例如，他对于文学的社会功能和它的艺术特质的认识，他的审美理想，他对文学遗产的态度和取舍，他对艺术技巧的追求，对艺术形式的探索，都可以在他的创作中反映出来。某种重要的文学思想的代表人物，有时可能并不是文学批评家或文学理论家，有时甚至很少或竟至于没有理论上的明确表述，他的文学思想，仅仅在他的创作倾向里反映出来。一个文学流派的文学思想，就常常反映在他们共同的创作倾向里，而一个时代的文学思潮的发展与演变，大量的是在创作中反映出来的。因此，研究文学思想史，除了研究文学批评的发展史和文学理论的发展史之外，很重要的一个内容，便是研究文学创作中反映出来的文学思想倾向，离开了对文学创作中所反映的文学思想倾向的研究，仅只是研究文学批评和文学理论的发展史，对于文学思想史来说，至少是不完全的。

我之所以引这一大段话,一方面借以说明,《李杜论略》是人们怎样地还在古代文学思想史、批评史以及古代作家作品研究中摸索行进时,已经提出极可宝贵的一种新的思路,而可惜没有为许多人所认识。另一方面,是想说明宗强兄是怎样地从这一可贵的思想萌芽出发,坚忍不拔地(用他自己的话说是步履艰难地)前进,终于对古代文学思想史的研究格局有了成熟而明确的思考。

许多年来,不少学者研究我国古代文学思想和理论批评,总是把材料局限于一些文论和批评著作,把古代文学思想史与古代文论研究混同起来。这样时间一长,材料就显得雷同,立论不免单一,学科的发展受到影响。《隋唐五代文学思想史》对于研治中国古代文学思想史、批评史,是一个突破,它的意义不仅是扩展了文学理论批评研究的范围,而且是为文学思想史的研究树立一个高的标准,把文学思想史的研究真正安放在科学的基础上。把创作中反映出来的文学思想与理论批评著作结合起来,这些年来其他学者也在作,而《隋唐五代文学思想史》则以专著的形式,系统地论述三百年间文学思想演进的轨迹,以实际的业绩说明这种研究思路具有规范的性质,这就极大地促进了这门学科的发展。

但宗强兄不以此为满足,他又以此为起点,继续思考着如何深化研究思路,开拓研究格局。他从古代文学的实际出发,在写作《魏晋南北朝文学思想史》的过程中,终于又得出一种新的研究设想,即作家心态变化的研究。这一次也是深入到文学思想发展原因中去寻讨,认为要真正确切地阐释文学思想发展的主要原因,必须研究士人心态的演变轨迹,而影响士人心态的原因又甚为复杂,有政局变化的原因,有社会思潮的原因,以及不同生活环境和文学修养的相互作用。作为这一思考的成果，就是现在呈现在读者面前的这一部《玄学与魏晋士人心态》。这一思路，当同时体现在他的《魏晋南北朝文学思想史》中。我认为，这是他治学经历的又一新的阶段，也将是标志文学思想史学科的又一新的进展。

士人心态的研究，实在是一个综合工程，它在许多方面已突破文学的范围，它牵涉到当时的政局、哲学、社会思潮，牵涉到士人本身的许多方面，如他们各自不同的政治和经济地位，他们生活的环境，所受的教养，以及更为特殊的一些心理因素，等等。这差不多可以成为一门独立的学科。海外有些研究者，也有以中国古代的士为研究对象写成专书的。但就我的见闻所及，这些书程度不等地存在着图解式的研究框架，往往把不同时代不同身份不同教养的士人，作简单的概括，归纳出几个统一的概念范畴，有时又把简单的事情复杂化了。比较起来，宗强兄的工作则"实"得多。他的目的很明确，研究士人心态，是为了更深一层地探讨文学思想演变的原因，研究文学创作所包含的生活理想和艺术追求形成的社会因素与作家的心理因素，而他的立足点又在大量史料的搜辑与辨析上，对牵涉到形成士人普遍心态发展的具体事件，其前后因果和发展脉络，作细致的、个案式的清理与研讨。可以想见，这一工作的难度是相当大的。它不但要求研究者有较高的理论素质，还要求有较强的审美感受能力，能够从政局、社会思潮的迅变和剧变中敏锐地把握士人心态的走向起伏，并从这些心态变化所引起的艺术情趣中去细腻地辨认其审美风尚的性质与价值。同时，还要求研究者不但有宏观把握的能力，还要有细致地审核材料的严谨学风与功力。另外,不言而喻的,是要求有一种真正做学问的气质,如陈寅恪所说的,要有一种"脱心志于俗谛之桎梏"的志尚。我觉得,宗强兄于此三者都是胜任的(他的《唐诗小史》艺术感受的新鲜与细微,简直可以作为美学著作来读)。我想这不是我亲其所好的阿私之言,这部《玄学与魏晋士人心态》就是明证。我的本职工作是出版,年来又因种种原因,事情杂乱,几乎达到杜甫所说"束带发狂欲大叫,簿书何急来相仍"的程度。但接到宗强兄所寄的这部书的复印稿,一天繁忙之余,于灯下翻开书稿,读了几页,心即平静下来,读着读着,感到极大的满足,既有一种艺术享受的美感,又得到思辨清晰所引起的理性的愉悦。

譬如书中讲到嵇康被杀的最根本的原因,作者不同意嵇康因与魏宗室联姻而与司马氏集团对立的旧说,认为嵇康执著于"越名教而任自然","这样执著,就使自己在整个思想感情上与世俗,特别是与当政者对立起来,就使自己在思想感情上处于社会批判者的立场上"。又说"嵇康却是处处以己之执著高洁,显名教之伪饰。而伪饰,正是当时名教中人之一要害","嵇康的执著的存在,对于伪饰的名教中人实在是一种太大的刺激。他之为司马氏所不容,乃是必然的事"。这种从当时当政者与嵇康两种截然相反的思想感情尖锐对立来分析嵇康被杀的悲剧结局,无疑是深刻得多的。又如论西晋名士心态,将其归纳为:"贪财,用心于和善于保护自己,纵欲,求名,怡情山水和神往于男性的女性美。""他们希望得到物欲与情欲的极大满足,又希望得到风流潇洒的精神享受。"这与一些治美学史者好谈晋人风流,比之若神仙中人,何啻深浅之别。书中又并不将此归结于士人本身,而追溯到因政无准的而导致士无特操。又如东晋士人，过去史书上描绘的，大多是宁静、高雅、飘逸，一种洋溢着这样意趣的人生境界。而书中指出："这种追求潇洒风流、高情远韵，寻找一个宁静精神天地的心态，千古以来一直被看作是一种高雅情趣，是一种无可比拟的精神的美。但是，如果考虑到其时的半壁河山，考虑到中国士人的忧国忧民的固有传统的话，那么这种高雅情趣所反映的精神天地，便实在是一种狭小的心地的产物，是偏安政局中的一种自慰。"从偏安的局面，遂论及士人的人生理想、生活情趣，以至他们的审美趣味，以及一代文艺思潮的形成，既合乎逻辑，又生动具体。

我认为，由这几个极少的例子，已足可看出士人心态的研究对于文学思想史与一般的作家作品研究的意义。这是宗强兄经过几年的思考，继《隋唐五代文学思想史》之后对学术界所作的贡献。我有这样一种感觉：有像《玄学与魏晋士人心态》这样著作的出现，有像宗强兄学识修养与人品操守那样的学者在不断工作，作出成绩，是不是标志着我们古典文学研究正在走向成熟呢？我谨借此表示这一虔诚的愿望。

1990 年秋冬之际，于北京

原载浙江人民出版社 1991 年版《玄学与魏晋士人心态》，此据大象出版社 2008 年版《学林清话》录入，另收入湖南人民出版社 1997 年版《濡沫集》（题为：理性考索所得的愉悦）、大象出版社 2004 年版《唐宋文史论丛及其他》

读冷僻书

　　我长期在出版社工作,因为职业上的缘故,与一些不同学科的研究者多有所接触,承蒙他们不弃,常常收到他们的新著。久而久之,读这些所赠的书,就成为一种癖好。为什么呢?说来也有点意思,我虽然身在出版社,职业是编书,但近些年来却很少跑书店。就以我工作地点最近的王府井新华书店而言,这几年来书确实添了不少,一走进店堂,使人目迷五色,我似乎觉得是到了新潮时装店,找不到适合我穿的中老年服装,往往乘兴而去,废然而返,后来就渐渐不去了。倒是不时接到的赠书,却如远道而至的故人,不拘形迹,可以放怀而谈。它们好些是冷僻书,其中不少是我所不懂的,或者是过去所未曾闻见的。既然是友人相赠,自然得略为披览,却想不到大有所获。我觉得读冷僻书,犹如吃青皮橄榄,或喝毛尖绿茶,初似生涩,终有一种回味。不像赶时髦,趋热门,热闹一阵子,脑子里空空如也,什么也没有剩下。

　　文物专家王世襄先生以他两大厚本明式家具研究而饮誉中外,去年冬天却想不到在三联书店出了一本小册子,名《北京鸽哨》。别看轻这总共只八十几页、不到五万字的小书,却是"绝活"。鸽哨者,即系于鸽子尾巴上的壶卢,又名哨子。不要以为这只是纤末细小的东西,却是倾注了好几辈民间匠人心血的精致的手工艺品。这种玩艺儿,我国南北都有制作,但以旧日北京为最精。北京现在是高楼林立,车如流水,已经很难领略到晴空中群鸽飞翔时传出的忽远忽近、倏疾倏徐那种清响的情趣了,书中所描述的鸽哨品种,如葫芦类、联筒类、星排类、星眼类,等等,以及自晚清以来民间艺人的种种精品,读来使人似乎顿然超越于日常的琐屑,回复到一种悠闲的岁月。世襄先生在自序中说他从小就好于"秋斗蟋蟀,冬怀鸣虫",而养鸽放飞,更是常年癖好,"今年逾古稀,又撰此稿,信是终身痼疾,无可救药矣! 不觉自叹,还复自笑也"。寥寥数语,不是正显示了这位渊博学者的一颗童心吗? 这对于为纷扰的世事感到困乏的许多人来说,又是多么的难能可贵。

去年的阳历岁暮,我又有幸得到傅熹年先生所赠《藏园群书题记》一厚册。这是与《北京鸽哨》完全不同风格的纯学术性专著,却同样是冷僻书。熹年先生为整理其祖父藏园翁的藏书题跋,花了不少工夫。他的"整理题记"是1981年写成的,书却是1989年下半年才印出。其间种种曲折,不必细说,总之是受到经济因素的制约,最终的全部稿费充购书之用了结;而即使如此,上海古籍出版社肯定还是要赔不少钱的——全书85万字,印了3000册,出版社至少得赔上万元钱。虽然拖了几年,终于印出,也为学术界做了一件大好事。增湘先生数十年间累积的题跋,得此一编,成为完帙,实在方便读者。我在接到书的当晚,一口气读了有关唐宋人别集、总集的题跋,真如过屠门而大嚼,抬头不觉已过了午夜。

阳历元旦刚过,又收到两部书,那就是江苏古籍出版社的《李审言文集》和中华书局陈抗同志所赠《商周古文字读本》(语文出版社),这两部书也称得上是冷而又冷的。

李审言,名详,江苏兴化人,清末民初的一位学者。编印他的文集,确是大大出乎我的意料,因为即使搞中国古典文学,年龄在50上下的人,知道李详名字的也已相当的少了,至于40以下的中青年学者,我敢担保,百分之八九十恐怕是没有听说过这名字的。李详写得一手好骈文,从其乡先辈汪中(容甫)入手,上追汉魏六朝,其治学则以《文选》为重点,尤精于李善注的研讨,而骈体与选学,恰恰是"五四"以来所反对、鄙薄的,因而李详的著作也就长期受到冷落了。我自己也只是在六十年代初为了查证杜诗的几条注和汪中《哀盐船文》的几个字义,翻阅过他的零星篇章。这次通览全书,想不到他除了选学、杜诗以外,还对陶潜、庾信、王安石的诗文,以及《世说新语》、《文心雕龙》、《颜氏家训》,都下过功夫,其中之详赡精切堪与我所读过的北方大学者高阆仙先生几部笺注相颉颃。这部文集约90万字,近1500页,精装两册,印数仅两千,可以想见,江苏古籍出版社也是要赔不少钱的。

所谓古文字,就是自汉字产生以来至小篆的文字,大致包括甲骨文、金文、陶文、玉石文、简帛文等等。近些年来,这些古老的文字,引起不少人的兴趣,以致古文字学成为文献学中的一个热点。但这门学科专著多,供初学者学习的范本少,而这一《商周古文字读本》却以文选、通论、常用词解释的有机组合,提供读者学习古文字以从感性到理性的完整的知识,使得我这个门外汉也领受到一种涉足陌生境地所产生的新鲜感与喜悦感。

俗话说,熟能生巧。套用这句话,年终与岁首,读了这四部书,感到冷能避俗。

原载湖南人民出版社 1997 年版《濡沫集》,此据北京联合出版公司 2013 年版《濡沫集》录入,另收入北方文艺出版社 2008 年版《书林漫笔》

《唐才子传校笺》编余随札

  《唐才子传校笺》全书共四册,总计约一百四十万字。第一册出版于 1987 年夏,等到第四册出版,已经是 1990 年的岁暮了,其间竟占了四个年头,我们现在出版一部稍具规模的学术著作,真有想不到的艰辛!但我还是感到幸运,像这样字数不算少的一部书,而且自始至末都是资料考证,别人看了可能会觉得枯燥无味,或如有些人认为的不过属于低层次的格局,也总算经历了近些年来出版业所受到的市场经济的冲击,终于印了出来。抚摸这四册书,我在感到相当疲乏之余,也略为舒坦地松了一口气,心中充满了一种难以名状的感激之情——既感激数年来与我合作的二十几位学术上的知友,也感激印刷厂那些无间寒暑,终日托着铅盘,站着一个字一个字捡而奖金又所得无几的工人师傅。我做过三十余年的编辑工作,而且现在还在做着,或许正因此比学校或研究机构的同行们更懂得一本书出来是多么的不易,有多少人,包括工人师傅、校对、编辑人员,默默地为它付出辛劳;也许正因此,我总是感到,一个人,像我们那样,能力有大有小,水平有高有低,总应该写出或编出对别人多少有用的书,如同木匠做成一只碗柜,泥瓦匠砌成一间厨房,总算是尽自己的一点本分。

"前言"中说,这本书"是想在专题著作和古籍整理中探求如何使个人专长和集体协作能有效地配合,同时也包含有一个这样的希望,就是不满足于传统意义上的笺证,而是想通过现在那样的笺证的方式,科学地集中和概括作家生平事迹研究的线索,希望这本书能作为有唐一代诗人事迹的材料库"。应该说,这样的设想是在筹备的过程中逐步明确的,而在最初,我之所以立志于想搞《唐才子传》的整理,毋宁说是感情的因素多于理智的因素。

70年代初,我在湖北咸宁文化部干校劳动,有一天听到消息,说是马茂元先生本来是要作《唐才子传笺证》的,已作了一部分,"文革"开始,他身心受到极大的摧残,悲愤之情不能抑制,一气之下就把《笺证》的手稿都烧了。茂元先生是我钦敬的唐诗学前辈,50年代至60年代前期正当他的中年,以他对古典文学的深厚修养,来为《唐才子传》作笺证,一定是会很精彩的。可惜一场浩劫,使马先生这一善良愿望与纯正的学术志向成为终生之恨。80年代初,他把"文革"前的旧作结成《晚照楼论文集》出版,《后记》中说:"为了替计划中撰写的一部断代分体文学史——《唐诗史》做好准备,我先行着手编著《唐才子传笺证》。企图借辛氏之书引出线索,旁征博采,辨析异同,将有关唐代诗人的传记资料,全面地系统地加以考订,从而对唐诗风格流派之形成及其传统继承关系,进一步作深入的探讨。经过两年时间,已写出初稿约二分之一。收在这本集子里的《读两〈唐书·文艺(苑)传〉札记》、《唐诗札丛》,就是它的副产品。"可见马先生对唐诗的研究有一通盘的考虑,而为《唐才子传》作笺证,则是他整体计划中重要的一环。

这里提到的《读两〈唐书·文艺(苑)传〉札记》，与我还有一段姻缘。这篇文章是"文革"前马先生寄交给《文史》的，还来不及刊出，运动开始，这篇文章随同《文史》的其他文稿都积压在那时的《新建设》编辑部（当时《文史》是由《新建设》与中华书局合编）。"四人帮"倒台后，中华书局积极谋划恢复《文史》的出版，在筹建初期，我与现在已调至中国社科院历史所任研究员的吴树平同志到原《新建设》编辑部一间蜘结尘封的房间清理旧稿，在一大堆乱纸中发现马先生这篇文稿。当时我也正在搞唐代诗人的考索，一见此文，欣慨交加，遂一边函告马先生，一边就在刚复刊的《文史》上刊出。我自己觉得这只不过出于职业的道德心，履行作为一个编辑的职责，却想不到马先生又写信给我，又托人带话，说这篇文章如放在他家里，"文革"中肯定也被毁了，而且他自己一时竟也想不起来，对我再三表示感谢。

咸宁地处楚泽，广漠的平野常见大湖返照落日的奇彩，但茂元先生焚稿的消息使我在这屈子行吟的故土上仿佛看到先行者上下求索而悲苦憔悴的影子。那时身在干校，命运如何，前途谁托，丝毫未能知晓，但我却萌发搞《唐才子传》的强烈的冲动。大约 1980、1981 年间，我到上海出差，专程去看望茂元先生，他已卧病在床。后来他的《晚照楼论文集》印出，特地寄给我，还附一信，中谓："前大篠来沪，礼辱先施，幸接光仪，至慰渴念。恨在病中，不克回访。……寄奉拙著一册，敬乞指教。周振甫、程毅中两兄处，乞代致鄙忱。另有一事相烦：内有奉夏老一册，亦请便中代陈。"《晚照楼论文集》的书名，是夏承焘先生题签的，因此茂元先生叫我代送。这几年茂元先生身体愈益衰弱，这使我更从感情上觉得有一种无可推卸的责任,把前辈学者的未竟之志在我们这一代中完成。

促成我搞这部书的,还另有一个感情上的因素,即是日本学者所已作出的成绩的挑战。1972年8月,日本出版了布目潮渢和中村乔两位先生的《唐才子传之研究》。布目潮渢生于1919年,中村乔生于1936年。他们编著此书,可以代表日本老一代学者与中年一代学者研究的集结。他们的工作分校勘、译文、注、资料探原四项。按《唐才子传》十卷,明初编《永乐大典》时尚为完帙,曾全部收入该书"传"字韵内。但此后《大典》续有散失,至清乾隆编《四库全书》,《大典》"传"字韵各卷均佚,十卷单刻本此前在国内也久已失传。四库馆臣只得从《大典》残存各卷杂引《唐才子传》处"随条摭拾,裒辑编次",成书八卷,只搜得二百四十三人,附传四十四人,比起原书立专传者二百七十八人,附传一百二十人来,少四分之一,只是一个断简零篇的辑佚本。但日本却保存有元代刊行的十卷足本,这是目前所见最好的版本。日人曾先后据以刊刻了好几种本子,较好的有日本南北朝后半顷(14世纪后期,约当我国明初洪武年间)刊行的五山版,现在日本汲古书院影印内阁文库藏本。另有日本正保四年(公元1647年)上村二郎卫门刊本,与享和二年(公元1802年)的《佚存丛书》本。《佚存》本传入中国后,中国学者曾以《四库》的八卷本与之对校,刊刻过几种本子。但由于日本保存的版本最早,刊刻较多,因此日本学者有优越的客观条件,所作《唐才子传》版本的考证,大多富有参考价值。虽然他们利用中国学者的成果和中国的文献记载还不够充分,但从已有的成绩看,已居领先地位。布目潮渢和中村乔两位先生的另一工作"资料探源",是见出日本学者的功力的。他们利用两《唐书》《唐诗纪事》、晁陈二志,以及某些诗文别集,查考《唐才子传》记述的材料出处,应当说所用材料大多是常见的,但有一些是需要辗转勾稽才能查出。从 80 年代中期我国唐代文学研究的水平看,这样一种的"资料探源",我们是完全可以做到的,而且可以做得更好,但我们的力量分散,还未能把研究力量集中起来,因此使得关于《唐才子传》的研究,在此以前,日本学者一直走在前列。《唐才子传》是中国古典文学的一部名著,作为本国的文化遗产,我们中国的学者把它整理出高水平的本子,应该说是一种义务。一种学术上的民族自尊心,使我感到要在短时期内拿出在国际上也能得到承认的著作。

上面提到的马茂元先生作为《笺证》的副产品的两篇文章,一篇到王之涣,一篇到陈子昂,可见马先生在开初两年内大约作到盛唐前期。我自己,在 70 年代后期和 80 年代中期,对于大历以前摸过较多的史料,中后期,除了环绕牛李党争和李商隐之外,大部分还没有下过功夫。当时我与一些友人商议,笺证的工作,大致包括这样三项:一是探索材料出处,二是纠正史实错误,三是补考原书未备的重要事迹。考虑到书中所收作家有近四百人之多,按照上述要求,那无异是对唐五代诗人作全面的生平考证。辛文房以一西域人,为一代诗人写传,确有非凡的气魄,他写这部书,应当说是一项开拓性的工作。那时他所能看到的材料还不少,唐宋人所作的几种登科记,还有一部分流传于世,他当能看到,因此徐松作《登科记考》,关于进士登第年就把《唐才子传》作为立论的依据(此点请参阅我另一部书《唐代科举与文学》第一章《材料叙说:唐登科记考索》)。但辛氏写这部书,正如我在《校笺》的《前言》中所说,其主旨似乎在因人而品诗,重点是标其诗格,而不在考其行迹。因此他虽然也搜辑了不少史料,但在排比史料与写成文字时,却十分随意,疏误随处可见。因此我在构想整理方案时,逐步明确这样的三点:

第一,彻底清理本书的材料来源,从史源学的角度,要求做到两点:一是查考辛氏所用材料的最早出处,以及这些材料曾经经历过怎样的流传过程,其间有无变异;二是考核材料的正讹真伪,从生平事迹的整体考察,来确定哪些材料经过检验是可以成立的,哪些是有问题的。因为在此之前,我看到我们的一些研究者,不去查核唐宋时的史料,而仅引用《唐才子传》,不加复核,就往往把它的错误记载作为论证的依据。我们希望通过材料清理工作,能够改正这种情况。

第二,以此为线索,补考出辛氏未加记载的重要事迹,作为到目前为止的这将近四百位诗人生平研究的一次集结。我认为,从作家传记的角度来衡量《唐才子传》,辛氏的贡献毕竟是极有限的,记述不但多有错误,而且过于简略。如果我们只做材料考源与辨误的工作,花了不少力气,所得有限,毕竟太可惜。因此我想,不妨把《唐才子传》只作为架子,利用和发挥我们的学术潜力,借此来做唐代诗人生平考证的工作。当然限于笺证的体例,我们也不能铺开来做,成为一篇篇作家考的专题论文。我们可以把考证浓缩,提供基本的材料线索和概要的考析过程,使得研究者可以此为起点,作进一步的开拓与深入,这就是《前言》中所说的,"希望本书能作为有唐一代诗人事迹的材料库,使书中的笺证既是现有研究的成果，又是无限的学术进程中一个新的起跑点"。

第三，以上两点的工作要求，使得作这部书的笺证具有作家生平考证专著的性质，而所考又上起初唐，下至五代末，时间跨度大，人数众多。一个人，穷毕生之力，或许能够做成这样一部书，但学术发展的客观要求毕竟不能这样的等待，况且一个人的修养为各种条件所限，也不大可能对所涉及的每位作家都有很深的研究。这些年来唐代文学研究的进展极为迅速，我们完全可以集合有关专家，分工合作，以集体之力来承担起这一工程。而我或许因工作关系，与不少研究者多有交往，比较熟悉他们的学术优长与治学特点，因此我不自揆地担任起创议，组稿，协调关系，统一体例，以及最后发稿等工作。有几位本来在某一方面已有专著，如郁贤皓先生之于李白，周勋初先生之于高适，陈铁民先生之于王、孟等盛唐诸家，等等，我则请他们担任各自专长的部分。有的则是在我的《唐代诗人丛考》出来后，曾与我商榷，纠正我的错误或补充我的不足的，这次就请他们撰写有关诗人的笺证。如上海古籍出版社赵昌平先生曾写过《关于顾况生平的若干问题》（《苏州大学学报》1984 年第 1 期），补正我《顾况考》一文的好几处误失。现在在中国社科院文学所的蒋寅先生，在他做研究生期间，曾以戴叔伦为题写作论文，后又写成《戴叔伦作品考述》等文发表，对我关于戴叔伦后期任抚州刺史时的考述，多所匡正。安徽大学中文系周义敢先生有《张继诗考辨》（《中国古典文学论丛》第 3 期），对我的《张继考》也多有补充。不管他们都比我年轻，像蒋寅先生当时还不到三十岁，我认为他们就是某一方面的专家，也就商请他们作有关诗人的笺证。中晚唐及五代，一个作家的事迹往往与其他作家相连，又由于那一时期史料的混杂，事迹考辨工作往往要几个作家同时进行。这样我就将中晚唐部分成卷地请徐州师院吴汝煜、苏州大学吴企明、广西民族学院梁超然等先生担任，唐末五代则请厦门大学周祖譔先生与他原来的研究生而现在在唐诗学界已卓有名声的吴在庆、贾晋华两位担任。

这种以个人专长与集体协作有效配合的方式，确实收到明显的效果。第一册出来后，北京大学的王瑶先生写信给我，称赞此书"罗致各方力量，合力完成，确系功德无量之举"，并说这种组织方式与体例安排"富时代特色"。复旦大学王运熙先生来信说，这样做"为唐诗研究提供了扎实的基础"。《书品》1988 年第 2 期刊出任尔先生的书评《数据库·信息网·方法论》，还以周勋初先生所作高适传笺证为例，特别提出，由于各篇由各有关专家执笔，所作的笺证还起到方法论的示范作用。

应当着重提出的是，全书的校勘由徐州师院的孙映逵先生一人担任，做得非常精细。映逵先生原有《唐才子传》的校注稿，交上海古籍出版社，后由于我的请求，把他的校勘成果全部投入现在的这部书中。他对《唐才子传》的版本源流了解得十分清楚，校记本已作成，后来我把中国科学院图书馆所藏的日本汲古书院影印内阁文库本（即五山本）复印一份给他，他又不惮烦地重校了一遍。现在这个《校笺》本，采用黎庶昌珂罗版影日本所藏元刊十卷本为底本，而以五山本、正保本、《佚存丛书》本、《四库》本、三间本、《指海》本相校。正如我在《前言》中所说，"由于采择的底本较好，错字较少，因此校勘的文字并不多，但细心的读者当会发现，这字数不多的校勘记是包含校者大量的劳动的"。我认为，我们研究中国古代的学问,掌握理论当然是不可少的,吸收一些新方法也是需要的,但我们还应立足于我们自己的学术土壤,要有传统的治学方法的训练,这是一种基本功。校勘就是这种基本功之一,而目前恐怕是很不为人所看重的;不但不看重,大有鄙夷不屑一顾的样子。映逵先生所作的这一校勘,使这一部书在文字方面有一个扎实的依据,我相信,校记中体现的淳朴的学风定会有积极的反响。

我还要说的是,我与合作的这些位学者,在工作进行中,及在工作完成以后,友谊不断增进。顾炎武在一篇文章中曾说过"人相忘于道术,鱼相忘于江湖"的话,可能是有激而发的。在当今的学术潮流中,加强彼此之间的交流,而又互相尊重,是十分必要的。孙映逵先生后来又独立完成《唐才子传校注》一书,将由中国社科出版社出版,他命我作序,我在序中表达了我对他那种朴质敦厚、脚踏实地的学风的钦敬。吴汝煜先生由作中唐作家的笺证,进而作《唐五代人交往诗索引》,以及与胡可先先生合作编写《全唐诗人名考》,我都应邀为两书写了序。吴在庆先生继续以杜牧为中心展开研究,贾晋华先生因着力于本书第十卷的笺证,积累了相当多的资料,拟进一步写作五代文学史的专著,他们两位并已与我合作,搞晚唐五代文学编年。可见,搞一个较大的项目,是能够带动研究的一定开展的。

现在全书四册已经出齐,我诚恳地等待着读者的批评。这部书既是期望作一个唐代诗人的材料库,当然希望材料能不断得到补充和更正。就现在所知,已有几处可以补正。如卷一张子容传:"后值离乱,流寓江表。尝送内兄李录事归故里云:'十年多难与君同，几处移家逐转蓬。白首相逢征战后，青春已过乱离中。行人杳杳看西日，归马萧萧向北风。汉水楚云千万里，天涯此别恨无穷。'"现在笺证中说："按《全唐诗》张子容名下无此诗，当系失收。观'十年多难'句，则子容安史乱平后尚在世。"实则《全唐诗》卷一五一载此，为刘长卿诗，题《送李录事兄归襄郡》，李录事即李穆。此点周本淳先生于数年前出版的《唐才子传校注》已纠正辛氏之误，并疑"后值乱离"以下皆刘长卿事。又如卷五张登传："尝晚春乘轻车出南熏门，抵暮指宜春门人，关吏捧版请书官位，登醉题曰：'闲游灵沼送春回，关吏何须苦见猜。八十老翁无品秩，三曾身到凤池来。'其猖迫如此。"笺证中说此段文字未详所本，并指出这与前面所已引用的权德舆《唐故漳州刺史张君集序》（《权载之文集》卷三三）所载不合。周勋初先生在其主编的《唐诗大辞典》附录《唐诗文献综述》中曾指出辛氏此误，说："查《诗话总龟》卷十七引《古今诗话》，知此实为宋人张士逊事。徐自明《宋宰辅编年录》卷四：'（康定元年）五月壬戌，宰相张士逊拜太傅、邓国公，致仕'，'士逊自景祐五年三月拜相，至是年五月罢，凡三入相，仅三年。'辛文房所看到的，当是《古今诗话》的原文，该处正作张邓公，而偶有残夺，讹作登字，辛氏遽而录入，遂成大错。"按勋初先生所考是。此亦见《湘山野录》，著者文莹为熙宁时人，其书似稍早于《古今诗话》。厉鹗《宋诗纪事》亦载作张士逊诗。此事吴汝煜先生亦曾写信告我，希望我在校样上改正，但时已付型，来不及改，对已故去的汝煜先生，我甚感遗憾。

书中材料的补充是大有可为的。如卷一郑虔传，就可补千唐志斋所藏郑虔的《大唐故汾州崇儒府折冲荥阳郑府君（仁颖）墓志铭》，此为《全唐文》所未载，据此并可考见郑虔于开元十五年曾任左监门录事参军。浙江台州石门县还留存有《石门郑氏宗谱》，载有郑虔的生卒年。另据复旦大学陈尚君同志见告，晚唐时人路公望的《北户录》及所附注文，有郑虔佚文。我后查阅此书，果然发现标明郑公虔曰等文字七八处，虽属残句，仍极可贵。

　　另外，按照体例，笺证的文字凡是引用现有成果的，须注明出处。卷四王季友传，其中说："家贫卖屦，好事者多携酒就之。"这是本杜甫为王季友所写的《可叹》诗"贫穷老瘦家卖屦，好事就之为携酒"，应当说有所据。历来也都据杜甫此诗来考见王季友的生平。我曾看到台湾东海大学教授杨承祖先生发表于台湾《历史语言研究所集刊》第五十四本第一分册（1983年）之《杜诗用事后人误为史实例》一文，文中指出杜诗这里并非实写，而是暗用谢承《后汉书·刘勤传》事。我觉得所考新奇而可信，就举以告作此笺证的储仲君先生，仲君先生更进一步有所考核，但因那时海峡两岸交流尚有很大的阻隔，因此我在统稿时未注明杨承祖先生的文章。去冬在南京大学参加唐代文学国际学术讨论会，杨先生也来了，彼此切磋学问，一见如故，我就把此事告诉了杨先生，他听了甚为欣然。我想，以后重印时是应当把这点补上的。同时，台湾也有好几位治唐代文学很有成就的学者，我希望他们能根据这些年来台湾的研究成果，来补正本书的不足，更好地开展海峡两岸学术文化的交流。

　　　　1991年元月初旬于北京西郊六里桥寓所

原载《书品》1991年第1期，此据首都师范大学出版社2010

年版北京社科名家文库《治学清历》录入,另收入安徽教育出版社 1998 年版《当代学者自选文库·傅璇琮卷》、京华出版社 1999 年版《唐诗论学丛稿》、北方文艺出版社 2008 年版《书林漫笔》、万卷出版公司 2010 年版《当代名家学术思想文库·傅璇琮卷》

《中国古典文学少年启蒙丛书》序

　　这套《中国古典文学少年启蒙丛书》，是打算将我国具有悠久历史而又绚烂多彩的古典文学作品系统地介绍给广大青少年，通过注释、今译和赏析，努力克服语言和文化知识方面的一些困难，让青少年能直接接触古典文学的精华，使他们从少年时代起就对我们伟大祖国的光辉文明有清晰的了解和深切的印象。

　　广大青少年在当前改革、开放的新时期中，思想非常活跃。他们迫切需要了解社会，了解自身，他们希望了解世界的历史和现状，也希望了解中国的历史和现状。中国是一个文明古国，又处在变化发展十分剧烈的当今世界中，青少年一定会从现实的千变万化、五光十色中来探索我们民族过去走过的道路，想了解这个有数千年历史的传统文化怎样给现实以投影。我们觉得，在这当中，古典文学会首先引起他们的注意和兴趣。

　　据说，几年前，北京有一所工科学院，它的专业与唐诗宋词没有多大关系，但学校却为学生开设了一门唐诗宋词的选修课，结果产生了原来预想不到的效果。学生们读完了这门课程，激发了爱国心和民族自豪感。他们知道世界上除了托尔斯泰、雨果、海明威之外,在我国历史上早就有了屈原、李白、杜甫、陆游、辛弃疾等许多非常伟大的文学家,早就有了无数优秀文学作品。这就向我们启示:在古典文学界,除了专门论著之外,还应做大量的普及工作。我们应当力求用通俗、生动、准确、优美的文笔,向广大群众、广大青少年介绍我国丰富的文学遗产,介绍我国数千年的历史长河中涌现出来的众多优秀作家、艺术家,介绍我们古代作品中的精品,使他们懂得我们民族的文学中自有它的瑰宝,足可与世界各国的文学相媲美,使他们开阔眼界,增长见识,提高文化素养和审美趣味。这对于培育爱国主义思想,加强对祖国和民族的爱,提高道德情操,丰富精神文化生活,都会起很大的作用。列宁曾说过,只有用人类创造的全部知识财富来丰富自己的头脑,才能成为共产主义者。在一定的条件下,知识是可以转化成觉悟,转化成品格的。有着较高文化素养的人,对于正确与错误,高尚与卑鄙,善与恶,美与丑,更易于作出准确的价值选择。而文化素养中,文学是不可或缺的部分,它往往能在潜移默化、对世界美好事物的多方面领略和摄取中影响人的内心和精神面貌。这是文学的社会功能的特点,也可以说是它自己的规律,这就是它往往是一种整体性的修养的培育。

这套古典文学少年启蒙读物,就是从上面所说的宗旨出发,一是介绍知识,二是提供对古典佳作的一种美的选择,美的品尝。如果广大青少年能从中得到某些启发,从而有助于自身文化素养和情操的提高,就将是我们最大的满足。

这套读物是采取按时代编排的做法,远起上古神话,下及《诗经》、楚辞、先秦散文、秦汉辞赋、乐府古诗、唐诗宋词、元明清诗文及戏曲小说。这样成系统地类似于教材编写的做法,能否为青少年所接受?有些朋友曾经有过怀疑。我们认为:第一,这是一次试验,我们想用这种大剂量的做法来试试我们处于新时期中青少年的胃口和消化能力;我们对他们的接受能力和审美水平有充分的信心。第二,我们采取既有系统而又分册出版的办法,在统一编排中照顾到一定的灵活性,青少年可以根据性之所近,选择对自己感兴趣的一部分阅读,不必受时代先后的束缚,兴趣有了提高,可以逐步扩大阅读范围。第三,广大教师和家长们一定能给予正确的指导。目前中小学语文课本中古典作品分量太少,这套读物正好对此作必要的补充,青少年当可以在语文课之外获得更多的知识,而老师们和家长们的正确引导和指点,无疑会进一步消除阅读中的难点,从而提高阅读的兴趣。如果老师们和家长们能事先浏览,再进而作具体的帮助,则这套读物当更能发挥其系统化的优点。

对作品的注释,考虑到青少年读者的特点,将尽可能浅显,这是克服语言障碍最基本的一环。今译的目的,一是补注释之不足,使读者对文意能有连贯的了解,二是增加阅读的兴味,使读者对原作的思想和艺术有一个整体的感受。另外,我们还尽可能帮助读者作一些分析,以有助于认识和欣赏作品的思想意义和艺术价值。同时,结合每一时期的文学发展和文体演变,书中还作了一些文学史知识介绍。这些介绍是想对学校教学因课时所限作若干辅助讲解,青少年如能对这些方面的知识有一个大致的掌握,对进一步了解古典文学的历史发展和不同风貌,一定会有较大帮助。

最后应当说明的是,参加这套读物选注工作的,大多是中青年作者。他们在繁忙的本职工作之余,从事于此,有时往往为找到一个词语的正确答案,跑图书馆翻书,找人请教,表现了认真的负责态度和普及文化知识的可贵热情。这套读物的顾问,都是古典文学研究界的著名学者。值得向读者告慰的是,作为顾问,他们可不是挂名的,都是地地道道的参与者,他们都分别审读过注释、译文和赏析、介绍文字,有时还亲自动手修改。至于整个丛书的计划、约稿、审阅加工,则黄道京、郝尚勤同志花了不少的心血。当然,这套读物每册的水平是不齐的。有些注释和介绍,可能还会有错误和不准确之处,所选的作品有的也可能还不一定适合青少年阅读的习惯,我们希望在今后的工作中不断加以改正。同时,我们也希望学校的老师们、广大家长们,以及青少年们,能提出改进意见,使这套读物能逐步有所提高,为更多的读者所接受和喜爱。

另外,这套丛书能与广大青少年读者见面,是和陕西人民教育出版社的大力支持分不开的,他们为此付出了辛勤的劳动。在这里谨向他们表示深深的谢意!

原载陕西人民教育出版社 1991 年版《中国古典文学少年启蒙丛书》,此据东北大学出版社 2015 年版《中国当代名家学术精品文库·傅璇琮卷》录入,另收入大象出版社 2008 年版《学林清话》

陈振濂《宋词流派的美学研究》序

　　我与振濂同志相识,约已十年。最初是一位搞书法的同志介绍,知道振濂同志是一位有才华的年轻的书法研究者,遂彼此通过几次信,但仍疏于形迹,所知不多。后来在《光明日报》的"历代书法名作欣赏"专栏,连续读到他每篇不满千字的文章,新奇而精湛的见解,出以清丽的文笔,引起我极大的兴趣。此后我曾写信给他,问他是否有意结集出版,他答以已应陕西人民美术出版社之约,这就是后来印装得颇为优雅的《历代书法欣赏》一书。前年,我与中华书局的同仁谈起,拟搞一套雅俗共赏的中国古典艺术品鉴的书,大家不期而然地提到振濂同志,于是约他承担数十万字的《中国书画篆刻品鉴》的撰写。近些年来,振濂同志无论学术研究和社会活动都极为繁忙,但他还是承应中华书局的约稿,并给我寄来他近年来的几本新著,如《书法学综论》、《空间诗学导论》,以及其他一些单篇论文。这些年我一来忙于出版社的事务,二来忙于几部大书(如《唐才子传校笺》、《全宋诗》)的编著和校阅,很少留意其他文艺门类的新作,振濂同志的这几部书,以一种新颖而富于理论深度的视角,向我提供了一位年轻研究者所作的可贵的多方面的开拓。不久前,振濂同志又告诉我,他有一本四十多万字的《宋词流派的美学研究》又将问世,并嘱我为这部著作写一篇序言。我真想不到,他真有勇气涉猎于几种学术门类,并以其过人的精力和才识,作出令人注目的成绩。

去冬今春,为友人的专著写了两篇序,这两本专著一是南开大学罗宗强教授的《玄学与魏晋士人心态》,一是南京大学程章灿博士的《魏晋南北朝赋史》。在这两篇序中我都谈到了古典文学研究如何走向成熟的问题。我有一个想法,即当正在来临的90年代中,依靠年长一辈学者深厚的学术优势,及80年代随着改革开放的大环境而培养起来的一批硕士、博士研究生特有的一种学术朝气,中国的古典文学研究,必将以深沉的思考与敏锐的探索相结合,较早地从整体上走向成熟。当然,这还只是一种想法,要真正得到科学的认识,还需要论证,这不是一两篇短序所能承担的。现在我读了振濂同志的部分著作,得到一个新的启示,觉得真正要使古典文学研究走向成熟,光靠本学科还是不够的,还需要其他学科的支持,形成一种比较的、交叉的研究。西欧的文艺复兴是人类文化的一次大的繁荣,繁荣的一个特征是文化艺术各部类的全面昌盛,以及各部类之间的紧密渗透与联系。不少研究者都谈到那时一些艺术巨人具备有多种才具的非凡气质。当然,历史条件各有不同,我们自然不能像彼一时期巨匠们那样来要求今天的研究者,但经验是可以借鉴的。在前十年中,我们已经出现了一些优秀著作,它们利用别门学科的成果来研治古典文学,既开阔了研究空间,又加深了对文学特征的认识。就词学而言,前几年对于音乐与词体兴起、变化关系的探讨,使词的研究出现新的生机，就是一个例证。

关于这一点，我认为振濂同志在其《空间诗学导论》书前的一段对话中有很好的说明："文学艺术之间有着相近似的性格，而且它们在表面形式上的不同很可以为我们提供崭新的思考线索。比如我在对中国画与书法的空间性格进行理论上的确认时，我自信它们是可视的、客观存在的；但当我发现它们之间还有一种深层的时间推移序列存在时，曾经为这种新收获很感振奋。这种收获立即迫使我反过来对诗作同样的剖析：在时间推移这一文学基本性格确立的同时，诗有没有也属潜在的深层的空间性格？也许正是这么一个偶然冲动，构成了我这本书的最初撰写理由。"

他因中国画与书法的某些艺术特征而引发对诗歌特征的思考，他称之为"一个偶然冲动"，这或许是谦词，但这种学术上的突然领悟是真实的，它是学术实践的一种飞跃。振濂同志的优势也即在于他能在同时兼治的学科中得到彼此之间的互相发明和补充。而且我想说明的是，他不像前时期文化热中的一种泛泛之谈，他是确实下过功夫的。发表在《文学遗产增刊》第十六辑上的他的那篇《略论贺铸词的艺术特色》，具体分析了贺铸词的炼字、结尾、对比、意象组合等等，又善于运用他在画学上的特长，真是细致入微。我想，以他所具备的这些不同方面的学养，来涉足于宋词流派的研究，肯定能为我们的词学研究带来新的思考。

关于宋词的流派，以及宋词分婉约、豪放两派，已经是一个很老的问题。振濂同志这部著作中提到南宋的俞文豹在《吹剑续录》中说及苏轼与柳永词风的各异，认为是论宋词分豪放、婉约两派最早的权舆。我看是否还可把时间提前一些，即南宋初期的王灼,他的《碧鸡漫志》卷二,从师友渊源、创作法则("家法")的传承上来考察北宋词坛的词人阵营、群体、派别,指出苏轼、柳永各开一派,尽管他也没有用"派"这一名词。尔后南宋中叶的王炎(1138—1218),就比较明确地把词分离出"豪壮词"与"婉转妩媚"两大风格类型,并主张"惟婉转妩媚为善,豪壮语何贵焉"(《双溪诗余自序》)。明代的张綖即直接其说,而分宋词为婉约、豪放两体,而以"婉约为正"。虽然清代和近代学者有提出宋词分二派、四派之说,但影响最大、左右本世纪唐宋词研究思维格局的还是婉约、豪放两派说。

我个人以为,这两派说已经有好几百年的历史,自有其合理的一面,但是,作为一种学术研究,历经数百年还摆脱不了前人所设定的理论模式,始终以传统的结论或见解为研究的起点,在前人所规定的研究格局内思考问题,这样要取得真正符合科学意义的进展和突破,总是很难的。本书是不满意两派说的,振濂同志提出三派说,即在婉约、豪放之外,另增以北宋欧阳修为代表的清通派。他的这一说当然也是一家之言,或许也会引起诘疑。本书的可贵在于它不是单从概念出发,全书视野较为广阔,并能抓住词的本体特征来论派,这就使人能超出过去的思维定式,从书中的具体论述中来把握宋词风格的实际。正如作者在第一章所说,"我们有必要用实际的宋词作品来衡量一下这些批评的可靠性"。这就是说,我们的思维方式、研究格局不能局限于过去的流行模式,而应着眼于大量存在的第一手材料,也就是我们理论的根据——整个的唐宋词作。

流派研究,仅是词学研究的一种视角,一种方式,因而它不可能穷尽词学的各个方面。我们尽可从多种方式或不同侧面来进行词的研究。20世纪二三十年代以来,我们已经有了很好的材料基础,这种基础工作现在还在进行着,已经形成一套系统工程。如以词的总集来说,唐圭璋先生为我们作了范例,他以个人之力编纂成了《全宋词》和《全金元词》。前几年,张璋先生编成了《全唐五代词》,由上海古籍出版社出版,中华书局也已约请南京师范大学的曹济平、萧鹏、王兆鹏同志重编《全唐五代词》。饶宗颐、张璋先生的《全明词》,南京大学古文献研究所的《全清词》,都将络绎出版。词人、词集的个体研究,作品的艺术探索,这些年来都有新的进展。不过我认为,目前对词学研究来说,最薄弱的还是群体研究。词史的实际表明,大作家的影响固然不能漠视,但风气的转变还是由一个群体来共同完成的。缺乏群体的思考与整体的观念,就无法理清发展的脉络。譬如说,南宋中叶辛弃疾去世后的词坛,似乎至今仍是一笔糊涂账。即使是辛弃疾在世的中兴词坛,论者也只注意辛、陈、陆、刘、姜等少数几个大家名家。有的词史、文学史把辛弃疾与刘克庄、刘辰翁拉到一起来论述,却把同时的姜夔排除在外,又将姜夔、吴文英与宋末的周密、王沂孙、张炎放在同一章节,更缺乏史的观念,使得南宋词坛的发展阶段和过程模糊不清。

这些问题,我曾与另一青年词学研究者王兆鹏同志说起过,上面所说的有的也就是他的想法。兆鹏同志是1990年毕业的唐圭璋先生指导的博士研究生,他的博士学位论文题目叫《宋南渡词人群体研究》,是南京大学程千帆先生、中国社科院文学研究所沈玉成先生与我共同担任答辩委员的。他在这篇论文中提到用范式来取代现行的风格研究,我觉得可能是唐宋词群体研究的一个突破。所谓范式,是指惯例性的规范、标准,是作家在他的作品中所建立的一种审美规范,既包括作品本体上的形式特征,也包含创作主体的审美理想及其把握与表现现实世界与心灵世界的方式。从这一设想出发,他把唐宋词归纳为三大范式——"花间范式"、"东坡范式"、"清真范式"——的相互交替和更迭。这三大范式之说是否还有婉约、豪放两派说的影子,读者尚可讨论,但我觉得,从群体研究来说,它还是朝规范化的研究向前迈进了一步。

兆鹏同志的论点,他或许另外会以适当方式表达得更为清楚和充分,我在这里借这篇短序作一介绍,是想表明,词这个已流传千百年的文学体式,在其发展过程中既产生了众多的佳作,也留下了不少长期纠缠不清的问题,到了今天,随着一批有才华的青年研究者的崛起,是应该也有可能作一系统清理的时候了。我相信,振濂同志的这部书,当为这一系统清理工作提供有价值的思考线索和思想资料。

由此我还想到一个问题,就是我们古典文学研究界的一个弱点,即对现状研究做得很不够。古典文学研究颇有"鱼相忘于江湖,人相忘乎道术"(顾炎武语)的味道,各干各的,不相为谋。比较起来,现当代文学研究,则热闹得多,热闹之一,是对现状的研究,劲头较大。我们应当开展对研究的研究。不认真研究学科的现状,是很难有真正的发展的。为什么宋词流派的研究,长期以来老是在两派说的周围徘徊?其原因之一即是对这一现状思考不够,争辩不够,以致到现在仍需花如许笔墨加以论析。词派的研究是如此，其他的问题也有类似之处。我真希望我们的古典文学研究，把一些长期未得解决而又影响较大的问题，开列一批清单，作一些分析，然后组织一定的力量，逐一加以清理。我也希望振濂同志的这部书能引起讨论，把词派的研究进一步引向深入，从而对现状的研究有所推动。

我过去读振濂同志关于书法方面的论著，总感到他的文字运用有一种鲜明的个性色彩，为其他书法学著作所未有。后读到黄庭坚评苏轼书法的几句话，则似若有所悟。黄庭坚在《跋东坡书远景楼赋后》中说："予谓东坡书，学问、文章之气，郁郁芊芊，发于笔墨之间，此所以他人终莫能及尔。"振濂同志的文章所以耐读，是他所论虽为书法，而其背后则有厚实的蓄积，因此使人觉得有一种意趣。意即学问，趣即才情（山谷所谓文章）。这部《宋词流派的美学研究》，也是一个明证。我相信今后有更多的中青年研究者，能打破学科的樊篱，勇敢涉猎于广阔的不同的领域，这就可以期望在不远的将来出现前所未有的文化繁荣的新局面。

我对词，仅是爱好，未有专治。说了老半天，恐怕难免宋人程颢之讥："介甫谈道，正如对塔说相轮。"高塔尚远，何议相轮。未能副振濂同志之雅望，实在惭愧。

1991 年 2 月于北京

原载江苏教育出版社 1994 年版《宋词流派的美学研究》，此据大象出版社 2008 年版《学林清话》录入，另收入安徽教育出版社 1998 年版《当代学者自选文库·傅璇琮卷》

程章灿《魏晋南北朝赋史》序

　　程章灿君的博士学位论文《魏晋南北朝赋史》，完成于 1989 年夏，那时他将近二十六岁。在写成后不到两年的时间内，这部论文又为江苏古籍出版社接受出版，这是我所知道的，在现在中国古典文学界中，出版几十万字专著的最为年轻的研究人员。这似乎是一个标志，表明我们的古典文学研究正步入一个新的阶段，一批在 80 年代中后期毕业的硕士研究生、博士研究生参加到这个研究行列中来，他们带来了一种特有的学术朝气，带来了近十年来随着改革开放的大环境而培育起来的开阔而敏锐的理论思维，而他们又大多在前辈学者的指导下，受过严谨学风的熏陶，因此又有着令人不得不首肯的扎实的基本功。这一切，我觉得，预示着我们古典文学研究正在较早地在整体上走向成熟。

　　章灿君是南京大学程千帆教授和周勋初教授的研究生。1989 年夏，我应程、周两位先生之邀，为章灿君博士论文写评阅意见及任答辩委员。我在评阅意见中对论文的总评价是："材料详备，学风笃实，能充分吸取传统治学的优点，又能兼采新时期文艺理论的长处，因此其整体论述，实而不固，华而不泛，史论结合，时出新意。"当时,中国社会科学院文学研究所的曹道衡、沈玉成、徐公持先生,山东大学龚克昌先生,他们四位所写的同行专家评议,与我的看法一致。当然,评阅意见限于体例,不能写得很多,更不能充分展开对一些学术问题的评论。这次我又承邀为本书写序,用几天的时间将原来的论文重读一遍,感到一种前此未曾有过的特殊的享受,深深地觉得我们的古典文学研究,在为自己开辟更广阔的发展空间中,确实还大有可为。

近年来报刊上不断有文章提出,长时期来辞赋受到不应有的冷落,赋体文学研究受到不应有的忽视。而所以致此的原因,则是由于人们在观念上对赋的评价过低,认为赋特别是作为赋体文学代表的两汉大赋,不过是润色鸿业的宫廷文学,是追求铺张扬厉、华艳靡丽的形式主义作品。这些文章的意见当然是对的,但造成辞赋研究为人忽视的原因是否仅仅如此呢?这里我想提一些个人的看法,以求教于方家。

我觉得,研究同创作一样,繁荣的局面是要靠作品来支撑的。没有一定数量的有水平的作品产生,谈不上创作的繁荣;没有一定数量的有水平的论著问世,则这一领域的研究不会引起人们的重视,也势必形成冷落的局面。在古典文学界,近十年来,像《文心雕龙》研究,唐宋诗研究,《红楼梦》研究,等等,之所以受到人们的注意,甚至成为热门,究其原因,也还在于在那些学科中不断地产生有较大突破和创新的论著。就科学的意义上说,研究客体是无所谓重要不重要的,重要的是研究进程中表现出来的突破与创新的程度。我对辞赋没有专门的研究,但由于工作的缘故,也陆陆续续读过一些文章与专著。我觉得,辞赋研究冷落的局面是否还可以从研究本身找一找原因呢？以我个人的浏览所及，除了少数几家论著之外，在过去相当长的时期内，我们关于这方面的研究，不免有些陈陈相因，缺乏新鲜感，比起别的领域来，就显得停滞和冷落。

从这样的一种学术背景来看章灿君的这部《魏晋南北朝赋史》，就更易见出这部书给我们的研究带来的值得珍视的某些东西。章灿君是一位年轻的研究者，他的这部书给予我们的，与其说是某些具体的结论，还不如说是这位年轻的涉猎者，在步入辞赋这一瑰丽而辽阔的天地中所表现出的一种开拓胸怀，一种力求重新认识这一境域的探索精神。

在第一章中，作者对全书曾有一个概括的说明，说这部书"试图通过对魏晋南北朝赋史的宏观把握，鸟瞰二至七世纪赋史发展的来龙去脉；分析历代社会心理和文学思潮对赋体发展的影响；追寻赋体在拓宽自己的题材领域、表现空间和丰富提高艺术表现手段方面的前进足迹；同时探讨赋与同时代其他文体（尤其是诗）的关系，考察人们对赋的观念评论的变迁，并希望透过这一段赋史，观察作为其背景的中古文学和文化现象"。根据全书的论述，也可知道作者想作两方面的考察：一种是历史的考察，纵向的是上溯赋体的起源，它怎样从民间走向上层，怎样从两汉步入魏晋，而在魏晋南北朝又怎样按其自身的演进而划分成几个阶段，横向的则是社会生活、时代思潮给予赋的影响，赋怎样在与其他文学样式交叉影响下前进，而摆脱过去作家作品论的单一模式；另一种是把赋真正作为文学而加以美学的考察，而不是把它仅仅作为文体作文献上的考述。因而作者把文笔深入到赋家的内心，探寻他们的审美心理,他们的感情世界,赋体文学在形象地把握宇宙万物中与其他文学样式相较,怎样显示其优越性和不足。这种对赋体文学所作的历史的美学的考察,使得这部书具备较高的学术层次,也会使人感到辞赋的研究确有值得探讨、值得付出精力的科学价值与艺术价值。如果要说贡献的话,那么这部书的贡献倒不一定在研讨魏晋南北朝赋本身(虽然其中不乏精彩的论述),而是它对文学爱好者的吸引,使他们觉得千百年前古老体式的辞赋,也是与他们的感情相近的,辞赋的世界并不是枯燥乏味的沙漠,而是他们可以亲近的,可以得到多种愉悦的人间。

　　本书的研究,还有两点使人感兴趣。一种是充分运用计量史学的方法,把作者大量搜寻到的材料,用统计、数字、表格列出,这样做不仅仅是使读者醒目,我认为更重要的是加强我们作文学研究时的科学观念。我们研究的是文学作品,我们作的是文学研究,但这种研究也必然要求一种科学的精密与准确。审美研究与科学上的精密与准确的要求,二者不是互相排斥,而应当是彼此促进的。周勋初先生在一篇文章中曾特别提到程千帆先生在长期研究实践中形成的"将批评建立在考据基础上的方法",他以千帆先生的《韩诗〈李花赠张十一署〉篇发微》、《与徐哲东先生论昌黎〈南山〉诗记》等学术论文为例,说明作者怎样运用近代物理学有关光谱分析的知识、有关光的反射原理,来阐释韩愈诗的艺术特色与创新手法(见《古诗考索读后记——兼述作者学诗历程》)。这是一方面把考据向现代化推进,一方面把艺术鉴赏与科学分析结合,加强古典文学研究的精密度与准确度。勋初先生本人治学也兼具这种风格。我还感到,南京大学中文系和古典文献研究所近十年来养成一种颇为引人注目的学风，就我个人的体会，也可以说是一种在文学的审美研究中加强现代科学思维训练的学术品格。章灿君在书中所做的这种计量史学的尝试，固然得力于过去他在北京大学所学的世界史专业，更主要的恐怕还是他在硕士、博士研究生期间受益于程、周两位先生所倡导而形成的这一学术氛围。

书中另一个使人感兴趣的是，作者对某一时期某一作家赋的观念的研究，不局限于过去通常所作的仅限于一些理论著作，而是尝试着从作品本身加以探索。如对于潘岳，作者就认为，潘岳虽然没有直接的赋论赋评方面的著述，但通过分析他在赋作中的艺术追求，我们仍可了解和把握他的赋论观点。类似这样的分析，还可在其他有关章节中见到。我觉得，这样做，不仅扩大了我们对某一时期某一作家赋的观念的题材范围，而且是更切近文学思想的实际，更容易直接把握赋在观念上的发展和演进。我个人以为，文学思想研究在这方面所作的努力，当首推罗宗强先生的《隋唐五代文学思想史》。这本书明确地认为：文学思想不仅仅反映在批评和文学理论著作里，它还大量反映在文学创作中。作家对于文学的思考，例如他对文学的社会功能和艺术特色的认识，他的审美理想，他对文学遗产的态度和取舍，他对艺术技巧的追求，对艺术形式的探索，都可以在他的创作中反映出来。结合文学创作来研究作家的文学思想和一个时代的文学潮流，充分运用这一方法来论述几个大的历史段落，这是罗宗强先生对近十年来文学思想史研究所作的贡献。现在章灿君运用这一方法来研究赋体文学，虽然还只是一种尝试，却使人立即产生新鲜感。我相信,辞赋研究将创作与批评结合起来,定会使研究更为丰满,更有理论深度。

关于这本书,要说的还有很多,有许多吸引人的段落和论点,如论赋起源于楚地民间文化,如何一步步走向文人化、宫廷化,对此应如何作出历史的评析;蔡邕对建安赋家有明显影响,但又不能以貌似相近而等量齐观;论建安赋的观念更新与批评自觉,并以自然、社会、人三大类的内容来描述建安赋所表现的斑斓的情感世界;魏晋之际的政治局势与文化环境,造就了一批以追求个体精神的绝对自由,以审美沉思和理性批判见长的赋家;论东晋山水赋怎样以文体特长领先于同时代的山水诗;论不同时期赋的比较不能简单以价值批评为标准,应考虑不同的文化环境,等等,都有不少精彩处,这篇短序不能一一介绍,读者当会有更多的发现。

我觉得,近年来我们的辞赋研究已经有了很好的开展,马积高先生的《赋史》,曹道衡先生的《汉魏六朝辞赋》,龚克昌先生的《汉赋研究》,体现了年长一辈学者治学的传统特点和长处。我们的辞赋研究还应从材料辨析和整理着手,我曾邀约马积高先生撰写一部史料学的著作《历代辞赋》,将由中华书局出版。而在目前情况下,我们更需要对辞赋作一种容易使人亲近的研究,这种亲近的研究,也就是我在上面所说的历史的、美学的考察。魏晋南北朝赋是赋史的一个重要阶段,在此之前有蔚为壮观的两汉赋,在此之后的有绚丽多姿而情深志长的唐赋,有清新自然、更接近日常生活的宋赋。辞赋研究同诗歌研究、戏曲小说研究一样,都有引人入胜之境,《魏晋南北朝赋史》已提供了这样的例证。我相信,继本书之后,当有更多的辞赋研究的佳作络绎问世,辞赋研究的繁荣也将指日可待,这也必然促进我们整个古典文学研究在本世纪最后十年走向昌盛,走向成熟。谨序。

1991 年 2 月,于北京

原载江苏古籍出版社 1992 年版《魏晋南北朝赋史》,此据大象出版社 2008 年版《学林清话》录入,另收入湖南人民出版社 1997 年版《濡沫集》(题为:一种开拓的胸怀)、大象出版社 2004 年版《唐宋文史论丛及其他》

陶敏《全唐诗人名考证》序

　　我曾为吴汝煜、胡可先先生《全唐诗人名考》作序,现在,我又为陶敏同志的这部《全唐诗人名考证》作序。为这两部性质相近而各有特色的著作的出版,能尽我的一点微力,表达我对著者的钦佩之情和谢意,我觉得这是我的荣幸。

　　吴、胡两位的《全唐诗人名考》约六十余万字,陶敏先生的《全唐诗人名考证》八十余万字。它们都是有益于学林的好书,不过比较而言,前者以相当的篇幅总括已有的成果,而以平实见长;后者则颇着眼于力破陈说,以独创新见引人注目。我曾在好几处说过,在近代治唐史学者中,倾其主要精力用于人物与史事考证的,创获最多,可资利用的成果也最丰硕,要算岑仲勉先生。我觉得,在目前,真正按照岑先生的治学格局走而心不旁骛的,于中青年学者中,一是复旦大学的陈尚君,再一位就是本书著者陶敏。陈尚君先生曾以《全唐诗误收诗考》(《文史》第二十四辑)一文,使人们叹服其资料掌握的广博和论析的精细,他的《全唐诗补编》、《全唐文补编》、《登科记考补正》一系列唐代史料的辑补工作,使人们感到他的功夫的厚实。而陶敏先生,则真正是沉潜于史料的海洋，用他自己的话来说，他是不限于一家一集，既广泛占有资料，又穷究史源，而其笔力所向，则集中于攻人物考证，看来范围稍窄，却所获极精，也正因为拿出来的是精品，因而使人感到内涵的深广。

这里不妨举几个例子。

例一：《全唐诗》卷七二三收有李洞《上灵州令狐相公》七绝一首："征蛮破虏汉功臣，提剑归来万里身。笑倚凌烟金柱看，形容憔悴老于真。"本书认为唐末无以姓令狐为宰相而领灵州者，首句"征蛮破虏"云云，亦与灵州不合。此诗《文苑英华》卷二六二题作《赠高仆射自安西赴阙》，云安西，亦与"征蛮"不合，且安西自贞元三年陷蕃后唐朝廷即未曾除授官吏。经考证，此处安西当作安南，而高仆射即为高骈。据《新唐书》本传，高骈于咸通中为安南都护，大破南诏兵，"拔安南，斩蛮帅段酋迁，降附诸洞二万计"，乃以安南都护府为静海军，授骈为节度使，后又加检校尚书右仆射。李洞这首诗，即于高骈为检校尚书右仆射自安南还朝时所作。这样，就不仅考证出人名，而且纠正了《全唐诗》和《文苑英华》的文字之误。

例二：《全唐诗》卷一二七载王维《和宋中丞夏日游福贤观天长寺堂即陈左相宅所施之作》。此诗自清人赵殿成注，至现代学者如陈铁民、张清华先生所作年谱，杨军先生所作诗文系年，都定于天宝时所作，即以陈希烈时任左相。但他们都未注意到诗的首二句"已相殷王国，空余尚父溪"的用典。诗盖谓陈希烈于天宝中为左相兼兵部尚书，深受唐玄宗的信任，而安史之乱兵陷京洛，陈希烈竟相安禄山，犹太公望被周武王尊为"尚父"而竟相周之敌国殷;今陈希烈乱平后被杀,唯余旧溪,受人凭吊。诗题中之宋中丞即宋若思,也是在安史乱起后任为御史中丞,至德二载(公元757年)尚在位。此诗当作于肃宗时,绝不可能作于天宝中。如此,则不仅考姓名,而且订作年,于旧说也多所匡正。

与此类似的,又如例三:《全唐诗》卷二〇一岑参《崔仓曹席上送殷寅充石相判官赴淮南》。此处"石"为"右"之讹,前人的意见一致,但右相为谁,却众说不一。岑仲勉《读全唐诗札记》谓"右相即中书令,崔圆曾为之,罢相后出镇淮南,寅盖充圆之判官"。李嘉言《岑诗系年》则以为是元载,陈铁民等《岑参集校注》谓指刘晏,他们都认为诗即作于代宗广德元年(公元763年)。这些说法表面看起来似都有一定道理,但他们却偏偏忽略了殷寅生平的资料。据徐松《登科记考》卷九,殷寅天宝四载(公元745年)进士登第。又颜真卿《殷践猷碣》(《全唐文》卷三四四)载:"三子:摅、寅、克齐等"。又谓寅曾任永宁尉,后因事贬为澄城丞。这篇墓碣又说寅"久疾将殁,顾瞻太夫人,欲诀不忍"。则殷寅死于其母之前,而其母乃卒于乾元元年(公元758年)。又据《旧唐书·杨国忠传》:"会(李)林甫卒,遂代为右相。……凡领四十余使。"李林甫天宝十一载十一月卒,时岑参正在长安,诗题之右相盖指杨国忠。殷寅既卒于乾元元年之前,则诗作于广德元年即不可能,右相指崔圆、元载、刘晏等说也无从着落。

对陶敏先生来说,他的工夫不仅仅在对资料的广泛搜辑,还在于他对这些资料的精思。如《全唐诗》卷四九二载殷尧藩《送白舍人渡江》,一般都以此诗为殷与白居易交往之证,但引用者却未注意到诗中"铁锁已沉王浚筏,投鞭难阻谢玄兵"一联。此处反用历史故实,用来描述南北对峙,南方对北方作战获得大胜,中唐时期何来此种情势? 陶敏先生于此产生疑问,乃进而搜寻资料,终于在明人史谨的《独醉亭集》卷中发现此诗,而"白舍人"三字则为作伪者所加,诗之末句"回首钟声隔凤城"之"钟声",史谨原诗作钟山,改作之迹更为明显。《唐音丁签》所说宋本殷集实为明人伪造,陶敏先生由此更考得《全唐诗》中殷之《春游》即为元人虞集《城东观杏花》,《帝京二首》等三诗为明吴伯宗诗,《暮春述怀》等十六首为明史谨诗。他又有《全唐诗殷尧藩集考辨》一文,载《中华文史论丛》第四十七辑,是近年来唐诗学界考辨唐集的力作之一。

陶敏先生并不专注于某一家的考证,正由于他能博采众书,融会贯通,遂能收左右逢源之功。如他对孟浩然诗中张明府、张郎中,储光羲诗中张侍御的考证,即十分精彩。孟浩然有《同卢明府饯张郎中除义王府司马海园作》《奉先张明府休沐还乡海亭宴集》等诗,储光羲亦有《同侍张侍御宴北楼》诗。由于孟浩然与张子容有交往,有诗相赠答,因此有些研究者以为孟浩然诗中的张明府、张郎中即指张子容。本书据两《唐书》的有关纪传,《金石补正》卷五四之《张点墓志》,《唐会要》,《两浙金石志》卷二《唐徐峤张愿诗刻》,《唐文拾遗》卷二六之崔归美《张曛墓志铭》,考证出孟浩然这些诗中之张明府、张郎中及张侍御("御"应作"郎"),都为张愿。陶敏并不专门研究孟浩然,但张愿的考出却大大有助于对孟浩然交游的了解。

这部人名考,在不少地方对唐诗文字的校勘提供极有价值的参考。以前我校点《河岳英灵集》,卷下王昌龄诗,宋刊本有题为

《郑县宿陶太公馆中赠冯六元二》,而四部丛刊影明本,此诗诗题中"太"作"大"。"陶太公"未始不可通,且又是二卷本的宋刊,较三卷本的明刻当更接近于殷的原编,因此对太、大二字如何抉择颇为犹豫。后来见到陶敏先生的这部文稿,我特别翻阅了王昌龄此诗的考证,方始冰释。陶敏先生认为此处应作大,大为陶翰的行第。陶翰开元十八年进士第。又据《宝刻丛编》卷十华州:"《唐华岳真君碑》,唐华阴丞陶翰撰,韦胜书。玄宗开元十九年,加五岳神号曰真君,初建祠宇,立此碑。"又据陶翰《饯崔朔司功入计序》及《新唐书·玄宗纪》,知开元二十年冬陶翰即在华州。而王昌龄诗云:"子为黄绶羁,予忝蓬山顾","昨日辞石门,五年变秋露"。王昌龄开元十五年进士登第,后为秘书省校书郎,故云蓬山,而黄绶即指时任华阴丞的陶翰,其时也正好在开元二十年。这样,我在校记中即确定太应作大,并特地注明此用陶敏同志的成果。

限于篇幅,我只能举这几个例子,而且很可能这几个例子还不足以充分代表本书的功力。细心的读者当不难发现,书中对于《全唐诗》的考证是多方面的。有考定姓名的,有订正姓名讹误和地名讹误的,有考定作诗年月的,有纠正《全唐诗》误注的,有改正前代记述的。可以毫不夸张的说,自岑仲勉先生《读全唐诗札记》以后,还没有一部书像本书那样,以人名考证为中心,对《全唐诗》作如此广泛而又如此专注的核查,而它所获得的具体成果,比之于《读全唐诗札记》,实有过之而无不及。

人们或许以为本书的作者定是一位埋首于唐诗数十年,大半生与古籍打交道的老先生,殊不知陶敏真正钻研唐诗,还不到十年的时间,而在之前他却有一段极不寻常的崎岖坎坷的经历。

他于 1938 年 12 月生于湖南长沙一个教师的家庭，自小即喜爱唐诗宋词以及《三国》、《水浒》等古典小说。1955 年秋考入武汉大学中文系，当时他听了沈祖棻先生的唐人七绝诗讲解，刘赜先生的文字学、音韵学，黄焯先生的《诗经》研究，刘永济先生的楚辞研究，席鲁思先生的荀子研究、《史记》研究。这些虽非系统而却以精博见长的讲授开启了这个来自潇湘之滨的青年的求知心，使他面对古老丰厚的文化油然而生一窥宝藏的壮志。但这棵早春的幼苗却遇上一场意想不到的风雪，终于受到摧抑而得不到正常的发育。1958 年的反右补课，把陶敏稀里糊涂地补了进去，此后二十多年岁月他就与古典文学绝缘。1959 年 9 月毕业后分配在辽宁师范学院，坐了半个月的冷板凳就下放到农场劳动，喂了一年多猪，养了几个月鸭子。1961 年 4 月，学校与吉林四平联合收割机厂协商，居然将他去换了农业机械。此后，陶敏就在四平这家工厂呆了十八年，史无前例的"文化大革命"中，陶敏又被加以新罪名而受到揪斗，于是又重新劳动，后又至农村插队三年。1972 年调回四平收割机厂，先后当过教员、车间材料员。这样，直至 1978 年甄别改正时，曾去武汉大学调查，却未在学校及他个人档案中发现他当年之所以划为右派的任何证明材料，而整整二十年的大好时光就如此地过去了。不过自此他也就调回湘潭师专（后改名湘潭师院）工作，总算拨云雾而见青天了。

在近十年中，陶敏先生专注于唐代诗人的考证，发表了四十多篇文章，约三十余万字。又与郁贤皓兄合作整理《元和姓纂》，全书二百万字，已在中华书局出版。他又有一部《刘禹锡集编年笺注》稿六十万字，待印。这些都为这部人名考作了准备，打了基础。

人们不难想见，以陶敏先生上面所说这样的经历，在唐诗考证中作出如此的成绩，他在这不到十年的时间内要付出多少的辛劳。陶敏先生曾对我说他走的不过仍是中国传统的路子，不过由于他搞的窄，所以有可能搞得细一些。他说的很朴素，但却很有道理，很有见地。有些搞大学问的，固然可以把摊子铺得很开，但我还是相信庄子的话："鹪鹩巢于深林，不过一枝，偃鼠饮河，不过满腹。"（《逍遥游》）面对学术的海洋，我们一般的人，还是就性之所近和力之所及，在一定的范围内搞得精一些、深一些为好。过去的十年，古典文学研究也确实是五花八门，陶敏先生并不去赶热闹，老老实实地读书，一个人名一个人名地考过去，而终于写成八十余万字的实实在在的著作。我始终认为，搞资料的搜辑和考证，是一种造福于他人的、使大家受益的工作。正如清代学者王鸣盛所说："予任其劳而使人受其逸，予居其难而使人乐其易。"（《十七史商榷》自序）我们搞唐代文史的人，不是到现在还感受到岑仲勉先生几部考证之作的好处吗？我深信，陶敏先生这部著作的出版，不仅仅是向我们提供许多我们可称引的具体成果，还将有助于唐代文学研究界已经形成的踏实学风的进一步发扬。

1991 年春

原载陕西人民教育出版社 1996 年版《全唐诗人名考证》，此据大象出版社 2008 年版《学林清话》录入，另收入湖南人民出版社 1997 年版《濡沫集》（题为：坎坷的经历与纯真的追求）、京华出版社 1999 年版《唐诗论学丛稿》

傅璇琮文集

驼草集

第四册

中华书局

蒋长栋《王昌龄评传》序

　　蒋长栋同志在湖南怀化师专中文系执教。他于 1989—1990
年间作为访问学者,到北京师范大学进修,接受邓魁英先生的指
导,写成了《王昌龄评传》的初稿。由邓魁英先生的推荐,蒋长栋
同志曾到我工作的场所中华书局,就王昌龄生平的若干问题与我
交谈过一次。由于时间匆促,意见的交换并不充分,但我已感到
长栋同志对有关材料作了细致的思考。他表示将参照这次交谈,
对文稿作再次修改。今年年初,邓魁英先生特地告诉我,说长栋
同志的《王昌龄评传》即将出版,希望我为书稿写篇序言。去年年
底,今年年初,正好碰上我杂务丛集,又有几篇必须要写的文章得
及时交出,再加上我所参加编纂的《全宋诗》,又是校样,又是发
稿,弄得我焦头烂额,恨不得把自己一分为三。但邓魁英先生是
我素所敬重的学友,她的踏实的学风和深厚的功底,二三十年来
一直为我所钦仰。她的嘱托我是不能推辞的,于是我就抽时间断
断续续把长栋同志的这部书稿读完,并将读后感借这一机会写
出,至于是否符合序言的要求,在我自己确实不敢有什么把握。
　　我在前些年曾提出一个建议,希望有计划地编印一套古典作

家评传,以作为古典文学研究的基本工程之一。我觉得要提高我们的古典文学研究水平,先要做一些扎实的工作,其中之一,是把文学史上有一定成就和影响的作家,一个一个地写出评传。这些年来,作家评论的文章确实已经不少,有关生平记述和考证的也有一定的数量,但我总感到,相当多的作家,他们的生平事迹,对我们许多人来说,还是若明若暗,即使研究得较多的作家,似乎热闹得很,但要问究竟哪些问题解决得差不多了,哪些问题还不得解决,未能解决的症结何在,头绪还是不大清楚的。

我总认为,我们目前的古典文学界,还是追求表面热闹的多,务实的少。前一阵子讨论文学史应当怎么写,确实很热闹,五花八门的意见很多,但问题是要落实:根据你的高论,能否在文学史写作中具体运用呢?我是赞成南开大学罗宗强先生的意见的:文学史应当怎么写?你爱怎么写就怎么写。这确是一语透顶的话。文学史应当怎么写,这确实没有一定的成法,问题是要符合文学史的实际,符合作家作品的实际。离开大批的作家作品,无论你主体意识如何超越,宏观体系如何高妙,终究是站不住的。

因此,我认为,我们需要一批脚踏实地做学问的人,肯下苦功夫把历史上多少知名的作家做一番实实在在的研究,把他们的生平及其各个环节搞清楚。我们要做到,写出来的论点是经得起推敲的,作出来的判断是有材料依据的。不管以后对某一位作家的评论有何新的变化,我们所写的基本生平轮廓是不可能推翻的。一个学科基本材料和知识的稳定,是学科发展必需的前提。可以设想,我们如果有一二百个这样的作家评传,则整个古典文学研究的面貌必将大为改观,这样的基本工作必将大大有助于对文学史整体进行理论概括,促进我们古典文学研究水平从资料到理论的全面提高,那也就是古典文学研究真正繁荣局面的到来。

从这样的一种学科发展的需要和学术背景来看长栋同志的这部《王昌龄评传》,那么对它的长处和意义就会看得更清楚些。对于王昌龄,我于70年代后期曾做过一些考察,但自从写了《王昌龄事迹考略》,后来又收入《唐代诗人丛考》,在此之后,即未暇及此。而与此同时,大洋彼岸的美国密歇根州立大学李珍华教授却一直在思考王昌龄的问题。李珍华先生早就有《王昌龄》专著于1982年在美国波士顿吐温出版社出版。1987—1988年间我到密歇根州立大学作学术访问,得有机会与李先生共同研究,对我们二人过去的论点作了重新检查,由我执笔,写出了《王昌龄事迹新探》和《谈王昌龄的〈诗格〉》,分别刊载于《古籍整理与研究》第五期及《文学遗产》1988年第六期。而与此同时,国内学者近些年来对王昌龄及其作品也有一些论著发表。蒋长栋同志正是充分注意到学术界的新的进展,在广泛吸取已有成果的基础上,对已有材料进行独立的思考,而终于写出这二十余万字的详尽传记。这是我们古典文学研究中作家评传的新收获,也是王昌龄生平事迹探讨的一个集结与新的起点。

著者的努力和贡献是显而易见的。有关王昌龄生平的记述确实不多,我过去曾经说过,这些材料竟是异常的少,少到几乎无法把他的生平经历能稍为连贯起来,而且即使在一些已经很少的记载中,也还颇有分歧。面对这种情况,本书作者采取看来最简单实则最可靠的办法,即直接从诗人的作品中探求。书中不少地方，都从对作品的细心辨析中发现前人所未曾注意之处，又联系开元天宝时期的政治形势，以与作品相印证，从而论证诗人的行迹与思想的发展。书中论王昌龄的河北之行，此一时期边塞诗创作的特色，此后的河东及陇西之游对他创作思想的影响，他的两次贬谪如何与当时上层政治斗争相联系，都有很好的论述。当然，其中对某些行迹的确定，读者可能还会有不同的意见，但无论如何，这部评传确实把王昌龄的一生串联起来了，把我过去所说的"几乎无法把他的生平经历稍为连贯起来"的论断改变了。在记载、考析事迹的同时，还对王昌龄的作品加以系统的论述，使他的诗作的意义更加明晰，帮助读者对王昌龄的各类诗有一个完整的把握。长栋同志长期从事教学工作，从教学实践中摸索出好的经验，用之于科研领域，使得叙述更有条理，更易为众多的读者所理解和接受，这也是本书的一个特色。

　　我稍为感到不足的是，长栋同志是湖南省黔阳县人，长期在故乡一带工作，而王昌龄晚年也正好在黔阳及附近地区度过的。如书中所述，他第二次贬龙标，心绪并不悲观颓伤，他在贬谪途中和谪居时期所写的作品，色彩很明朗，湘西明丽的山水定会对他的诗情有所影响。在这方面，长栋同志为什么不铺开来作些描写呢？1986年秋，我因参加韵文学会诗学讨论会，在怀化住了几天，后又应邀去黔阳，游览相传为王昌龄所住之处的芙蓉楼。黔阳县内的青石板路面，街两旁旧时建筑的店铺，在在引起我对儿时江南小镇的亲切回忆。在夕阳返照青山、远望一片黛色的湘西特有景色中，我缅想王昌龄当时不知是怎么一步步来到这个地区的，后来又是如何安于这山山水水，把自己融化于自然和宇宙。我觉得,这一部分应该是长栋同志可以发挥自己的优势之所在,写得有感情些,也可以写得轻松一些。

1991 年 4 月

原载中州古籍出版社 1991 年版《王昌龄评传》,此据大象出版社 2008 年版《学林清话》录入,另收入湖南人民出版社 1997 年版《濡沫集》(题为:作家传记应当怎么写)、京华出版社 1999 年版《唐诗论学丛稿》

王洪《中国文学宝库·唐诗精华分卷》序

  王洪同志在主编《中国文学百科辞典系列》之后,又着手主编另一套规模更大、更引人注目的系列丛书——《中国文学宝库》。这是一部大型的文学选集,按诗歌、散文、戏曲、小说分类,几乎包括中国文学的各种样式,而所收的时代,又上起先秦,至于当代,不仅有按传统分类的《诗经楚辞精华分卷》、《先秦散文精华分卷》,而且有更使人感兴趣的《现代诗歌精华分卷》、《当代诗歌精华分卷》。根据现在的设想,这套书全部出齐则将有二十几个分卷,三千万字左右。

  这样一套贯通古今、融会各种样式的文学选集,在我们出版界、读书界似还未有过;而编印这套书,对出版界、读书界似也是一个促进。王洪同志是一位青年学者,与他一起共同从事这一项目编撰的,也是与他年岁相仿佛的一批学术工作者。他们是近几年文史学界中崭露头角的佼佼者,有极大的闯劲与实干精神。他们似乎以他们的实力想试试我们的出版界,有没有勇气与魄力来承担这样一部前所未有的宏阔规模的文学大书,也想来试一试我们的读者群,特别是广大的青年人,是否有足够健康的脾胃来消化这样大剂量的精神营养液。我相信,处在改革开放新时期中我们的出版界与读书界,面对这蓬勃发展的大好文化形势,我们是有信心和气度来迎接这套《文学宝库》的问世的。

由这套系列书的编纂和出版,使我不得不想起列宁论俄国大作家列夫·托尔斯泰的文章。列宁关于列夫·托尔斯泰,曾写了一系列科学性与战斗性极强的论文,它们写于本世纪头十年间,时隔八十余年,现在读来仍然给人以很多启发。列宁说:"托尔斯泰去世了,革命前的俄国也成了过去,——它的弱点和无力曾经被这位天才艺术家表现在他的哲学里和描绘在他的作品里。但是在他的遗产里,却有着没有成为过去而是属于未来的东西。俄国无产阶级要接受这份遗产,要研究这份遗产。"(《列·尼·托尔斯泰》,见《列宁论文学艺术》,人民文学出版社 1960 年版第 293页)在同一篇文章中,他又说:"甚至在俄国也只是极少数人知道艺术家托尔斯泰。为了使他的伟大作品真正为全体人民所共有,必须进行斗争,为反对那使千百万人陷于愚昧、卑贱、苦役和贫穷境地的社会制度进行斗争,必须进行社会主义革命。"(同上书第288 页,重点号为原有。)

列宁是第一个对托尔斯泰作品与思想的全部复杂性给予明晰辨析和科学论证的人。他从当时的革命实际出发,指出托尔斯泰作品的极大的弱点,但是他明确提出,托尔斯泰和他的时代可以成为过去,而他的作品却有着属于未来的东西。也正因为此,无产阶级对于托尔斯泰的遗产,一是要接受(而不是排斥),二是要研究(而不是盲从)。列宁又说,即使像托尔斯泰这样世界第一流的作家,在旧社会,知道他的人也是为数不多的。他表现了俄国特定时期农民的思想情绪，但农民与这位大作家还是相隔甚远。而要使他的伟大作品真正为全体人民所共有，就必须首先进行社会主义革命，推翻旧的剥削制度。我想，从列宁的这些论断中应当得出这样的推论，即，在推翻了旧制度、建立了新制度以后，伟大的古典文学作品应当为全体人民所共有，这应当被看作是革命的成果之一。胜利了的人民群众，成为历史的主人，理应享有人类在历史上所创造的一切思想文化成果，作为继续前进、创造新的社会主义文化的必要准备。

我想，列宁论的是历史上的一位具体作家，但我们完全可以把这些论述作为如何对待古典文学作品的一般原则来看待。中国古典文学，历史悠久，灿烂辉煌，世所公认。但在过去，这些文学瑰宝不能为广大人民所共有，只有在新中国建立之后，人民群众才有可能在摆脱压迫和奴役以后，逐步得到文化上的提高，有条件亲近这些文学珍宝。但是，在今天，人民群众有可能享有古典作品，这只是具备了一定的客观条件，而真正做到享有古典作品，对于社会来说，还要做不少工作。一个是全民教育程度的提高，养成必要的文化素质，另一个则是要将这些古典作品，通过各种努力，消除语言文字等的隔阂，使古代的作品普及化，能为大众所理解和欣赏。

从这样一种较为宏观的历史角度来看，我觉得，王洪等同志编撰这一套《中国文学宝库》，无疑是一件严肃的工作，那就是把本来应属于人民的文化珍品和精神创造，经过他们的努力，来重新还给人民，使我们的人民能尽可能来获得对文学瑰宝欣赏、享受的权利。作为一个出版者，一个古代文学研究的专业工作者，我对王洪同志等一大批中青年学人,确实要表示感谢和钦敬之情。这些话似乎说得远了些,但我觉得还是应当说。因为有不少像我这样的专业工作者,常常忘了我们的本行,这就是我们应当把优秀的传统文化尽可能为我们的人民所正确认识和充分享有,而不仅仅是只钻研一些学术上的专题(这些专题在学术的整体上当然也是必要的),何况在当前改革开放的时代风气中,我们广大的群众,特别是我们的青少年,他们迫切希望了解世界,也迫切希望了解我们自身。在他们满怀信心大步走向未来的时候,在他们遇到困难需要鼓起勇气克服险阻的时候,他们也确实需要了解我们过去的道路。这时候,我们优秀的传统文化将会极大地满足他们精神上的渴求。面对这种情况,我们的专业工作者有义务分工合作,以集体的力量来从事普及工作,展现我们灿烂的古代文明,使它在当代生活中得到进一步的发扬。

把话说回,结合这套书,我想再补充几点看法。我觉得,这套书比起过去已出版的同类著作,颇有创新。首先一点是所选作品多。正如王洪同志在总序中所说,他是想搞一套全集与一般选集之间有较大容量的选本丛书,这也就是尽量把中国文学宝库内的珍藏呈现出来,做到名实相符。以这部《唐诗精华分卷》来说,我们过去也有一些选本,但所选的作品远远不及此书,譬如说,在有些书中,似乎初唐只是一个简短的楔子,选不了几个作家,而现在初唐诗人竟有二十几位,使人们对于这占整个唐代近三分之一时代的八九十年诗坛有较全面的了解,而历史上一些传诵的佳作也能重新得到确认。对于大作家,书中也是充分提供篇幅,如李白八十二首,杜甫八十九首,王维三十三首,王昌龄二十首,刘禹锡三十一首,白居易三十四首,李贺二十二首,杜牧二十九首,李商隐四十七首。这样的篇幅确能充分展示诗人们各自的特色,而这样的数目,则是近些年唐诗选本所没有的。

本书编撰的特点,其次是打通古今。过去的选本,一般总是或选古代,或选现代,古今鸿沟似不可逾越。而本书既有古代,又有现代和当代,真正当得起是中国文学。这也确实体现了90年代的审美标准。我们现代的读者,特别是有文化的青年群,他们恢宏的气度早就将古今贯通,本书的编者正好感觉到和把握住时代审美的潮流。我想这或许也是所谓搞古代研究要具备当代意识吧。打通古今的又一表现,是在每首作品之后的"集评"中,不但收集古代的材料,还特别选载当今有代表性的评论。以这部《唐诗精华分卷》而论,我就看到前辈学者闻一多、林庚、施蛰存、沈祖棻先生及美国斯蒂芬·欧文先生等精辟的品评,足以见出编者眼光的宏阔和眼力的精当。不过我看这方面似还可以放开一些,多选一些,如何其芳同志对唐诗曾作过精彩的评析,据我所知,中国社科院文学研究所选注的《唐诗选本》(北京人民出版社出版),有一些评语即出自他的手,其本身即是很美的散文佳作。

第三个特点,是编撰者为使这些丰富的文学珍宝尽量为读者所掌握,起动了各种足供认识和理解的普及手段,并加以综合利用。一首作品,既有注释,又有集评,还有译文,最后有编撰者个人的看法(总案)。诗的翻译是最不讨好的。不少人认为诗一经翻译,诗味全失,倒人胃口。本书编撰者明确认为古诗今译并不是为了再创造,不是要译成新诗,而是要帮助读者进一步理解原意。正如王洪同志在总序中所说,是"提供了引领读者步入中国文学艺术殿堂的一条途径"，其着眼点还是为了群众。正因为此，他们采用以散文形式译诗，我觉得这是目前颇可效法的一种译诗方式，因为它的目的是在准确传达诗意，以便让读者理解原意后自己去体会诗味，不去作越俎代庖的多余之举。这实在是很明智的。

由上面三点看来，这套书的编撰，确实是一种学术工作。我觉得我们要消除一种误解，以为只有写专著是学术，搞普及不是学术。其实，像朱自清先生写《经典常谈》，作《古诗十九首》讲解，写的是普及文字，其本身却是学术工作。没有一定的研究基础，是不可能做好普及工作的。从这部唐诗分卷，显然可以看出，编撰者是颇为熟悉这十余年来唐诗研究的行情的，对于诗人事迹的记述及诗意的演绎，充分吸收了近些年来的学术成果。

王洪同志作为主编，在书前的总序中评论了中国文学的分期，给人一个整体的认识。中国古代文学的分期问题，这些年来也有所讨论，学者们可以本着"双百"方针，充分展示自己的意见。总序从宏观的角度，重点论述唐宋之际的分界，指出从宋代开始中国文学进入一个新时期。类似的观点在近几年的一些文章中也有过，这些问题需要展开来讨论，这里不拟详谈。我倒是觉得王洪同志这些论述的可注意之点，不在其论点本身，而是立论的方式，即他往往能对一些传统的、习以为常的说法注入新见，如谈论宋人的以文为诗、以议论为诗，触发出一个文学新时期的开始。这牵涉到我们搞文学研究工作的思维敏锐性与美感深度问题。由此我也希望在各篇的分析中，在深入浅出的同时，也能如总序那样以小见大，注意鉴赏文字的理论格局。

最后，谨祝这套书也像《中国文学百科辞典系列》一样获得成功，为广大的读者所喜爱。

1991 年 7 月 20 日寓北京

大学芍园校阅《全宋诗》之际

原载朝华出版社 1991 年版《中国文学宝库·唐诗精华分卷》，此据大象出版社 2008 年版《学林清话》录入，另收入京华出版社 1999 年版《唐诗论学丛稿》

卢纶家世事迹石刻新证

　　今年五月，我应西安联合大学与蓝田县人民政府之邀，参加王维诗歌研究讨论会，会议期间，还同与会者一起考察了王维的辋川故迹，其间结识了蓝田县中学教师王文学同志。王文学同志对王维生平有不少新的探讨，尤其可贵的是他对辋川的地理环境作了较长时间的实地调查，并一一与王维的诗相印证参照，有不少新的发现，并纠正了过去一些论著仅仅靠文字记载而产生的疏失。我觉得这是我们古典文学研究能不断得到开拓的一种很好方式。我们的一些前辈学者曾在这方面作过某些尝试，但限于条件，过去将古代作家作品的研究与实地考察相结合，注意是不够的，因而取得的成绩还不够大。这些年来已有不少开展，就唐代文学而言，据我所知，如湖北安陆的同志对李白在安陆的活动作了系统研究，浙江临海的同志对郑虔晚年被贬谪台州的事迹作了大量的调查，大大丰富了我们对这些诗人的认识。专业工作者走出书斋，不局限于书本的记述，而走向广阔的实际，定会有意想不到的收获。我特别希望我们的青年学者能在这方面真正有所开拓和创新。

会议期间,王文学同志向我提供了一个信息,说 1990 年 5 月在长安县韦曲北塬发现一块墓志,志主名卢绶,是卢纶之弟。王文学同志说墓志所记卢绶的生平可以证实我在《唐才子传校笺》中关于卢纶生年的推测。这消息引起我很大的兴趣,我请求王文学同志设法把墓志的拓片给我寄一份。王文学同志果然满足了我的要求,从他的友人戴君处得到一份寄我。由于上海复旦大学中文系陈尚君同志正在纂集《全唐文补编》,我即把这一拓片也寄他阅看。我们两人交换了看法,认为这块墓志为进一步考察卢纶的家世和事迹提供了好几处前所未有的材料,值得引起学界的注意。

　　为便于说明问题,先将卢绶墓志校录于下:

大唐故卢府君墓志铭(志盖)

　　唐元和五年三月廿四日,河中府宝鼎县尉范阳卢府君终于邠州新平县长乐里第,享年六十。府君前娶大理少卿王遂女,无子终。今夫人南阳张氏,右仆射献甫女,哀护凶事。其子简方、简容、简知、简用,洎女子六人,或提或抱,或哭或呱,归葬于京兆府万年县凤栖原。自先祖讳尚之,事魏至青州刺史。始分房第四,其家藉今为著,世书以故不称本系,不具传继可也。青州府君四世至冯翊韩城令讳羽客,以五言诗光融当时。生监察御史讳茂礼,监察府君生河中永乐令讳钊,永乐府君生济州司马讳祥玉,济州府君生魏郡临黄尉讳之翰。临黄府君二子:长户部郎中府君讳纶,缵韩城府君诗业,尤有显名;次宝鼎府君讳绶。始以邠州节度辟,试太子通事舍人。

居无何,罢去,吏部补宝鼎尉。既考,自遂于邠州东郭双安泉间,有桑田数农之制,家僮三四十指,府君视树艺,夫人亲缲食,不以色卑人,而服时醴稞矣。居六七年,州长吏迹故从事有能,亟请佐政,若督绳曹史,时强起从之,盖不憙也。府[君]生未毁齿,失临黄府君荫,事户部府君,以恭顺闻,其后抚慈诸孤,以仁闻,试吏府幕,以劲正闲雅闻,为县尉,以廉慎剸制闻,家居,以和静闻,假权事事,闻如为县尉。大凡理身以辞让卑安为根柢,未尝诒贵以颜,而况言乎!然不至达官,天之理闇矣。将葬,户部府君次子进士简辞敬纪宗系、日月,职官之所践,封识之乡县,以铭石于玄堂,有哀痛之志,而无文言。

从志文中,可以对卢纶的家世与事迹有进一步的了解。就家世而言,可考知的有:

(一)卢纶有亲弟名绶,这是过去有关卢纶传记所未载的。绶卒于宪宗元和五年(810),年六十,则生于天宝十载(751)。志谓绶前娶大理少卿王遂女。按《旧唐书》卷一六二、《新唐书》卷一一六有《王遂传》。此王遂为高宗时宰相王方庆孙,曾任太府卿,因事出为柳州刺史。宪宗讨淮西,遂为宣州刺史;淮西平,改沂州刺史,因严酷而为部卒所杀。此王遂生卒在卢绶稍后,当非其舅氏。而任大理少卿之王遂,在《新唐书》卷七二《宰相世系表》二中,乃乌丸王氏之后,给事中焘子,时当在玄宗、肃宗时。卢绶后娶之妻,乃张献甫女。张献甫,《旧唐书》卷一二二、《新唐书》卷一三三有传。以军功出身,德宗时,曾从浑瑊征讨有功。贞元四年,为邠州刺史、邠宁庆节度观察使,贞元十二年,加检校左仆射。是年五月丙申卒,年六十一,废朝三日,赠司空。张献甫是当时有重名的地方节镇,但卢绶似乎并未因此而得到什么好处。他始以邠州节度辟,可能即在此时为张献甫之东床。但仅至宝鼎尉,终其一生只是县一级的小官。

（二）志文云:"青州府君四世至冯翊韩城令讳羽客,以五言诗光融当世。"此韩城令羽客颇堪注意,因志文提及卢纶时,即特别提出"缵韩城君诗业,尤为显名",以卢纶的诗艺为上继羽客。但卢羽客两《唐书》无传,清人所编《全唐诗》亦未载录。陈尚君同志给我来信,指出《全唐诗》卷七七四《结客少年场行》一诗作者虞羽客当即卢羽客。按《全唐诗》此处所载乃本《乐府诗集》卷六六。检影宋本《乐府诗集》确作虞,而其前为孔绍安、虞世南,后为卢照邻、李白。此当因卢、虞形近,涉前虞世南而误。吴琯《初唐诗纪》卷五九云:"按其音调,当作初唐。"羽客至纶凡五世,溯其时代,亦当在隋唐之际,可断为一人。有意思的是,在我与张忱石、许逸民两同志所编的《唐五代人物传记资料综合索引》中,将此羽客编于卢姓之下,对《全唐诗》是误,而对于诗之作者,尚君同志不无幽默地说是"可谓因误而得其实"了。《结客少年场行》诗云:"幽并侠少年,金络控连钱。窃符方救赵,击筑正怀燕。轻生辞凤阙,挥袂上祁连。陆离横宝剑,出没骛征游。蒙轮恒顾敌,超乘忽争先。摧枯逾百战,拓地远三千。骨都魂已散,楼兰首复传。龙城含宿雾,瀚海接遥天。歌吹金微返,振旅玉门旋。烽火今已息,非复照甘泉。"《全唐诗》此卷标为"世次爵里俱无考"。虞羽客之所以列此,因本无虞姓而名羽客者。现在由卢绶墓志的发现,乃可订正《乐府诗集》、《全唐诗》之失,从而也使《结客少年场行》一诗有了年代可征。这也为我们研究初唐边塞、游侠诗增加了可贵的例证。

(三)志文谓羽客生监察御史茂礼。此茂礼,《新唐书·宰相世系表》不载,劳格《唐御史台精舍题名考》亦未考见。又志文称"河中永乐令讳钊",而《新表》作永宁令钊,疑亦应以志文为正。这都可将史传文字与石刻互证。同样,志文称卢绶之子有简方(长子)。此简方当即《新唐书》卷一八二《卢钧传》后所附之卢简方,而《新传》却谓"卢简方,失其系世,不知所以进",可见宋初修唐史时,简方的世系也因志石未出土而不得其详。此简方当卢钧于大中时镇太原,表为节度府判官,累迁江州刺史,历义昌、大同节度使,后徙镇武昌军而卒。

关于卢纶的生平,我在《唐代诗人丛考》、《唐才子传校笺》中曾有考述,后刘初棠同志在《卢纶诗集校注》(上海古籍出版社1989年9月版)附录《卢纶简谱》中进一步有所补充,更为详密。我在《唐代诗人丛考·卢纶考》中曾信从《极玄集》所载"天宝末举进士"之说,并谓据《晚次鄂州》诗题下注"至德中作",及诗中"三湘衰鬓逢秋色"句,则此时当已成人,不可能为十岁左右之孩童。及后作《唐才子传》之卢纶传笺证,采赵昌平同志说,重新肯定卢纶之生年约为748年(天宝七载)。现从卢绶墓志知绶生于天宝十载,这是确数,纶为其兄,则生于天宝七载,于情事正合。如依《唐代诗人丛考》之说,谓纶生于737年(开元二十五年),或甚至在此之前,则未免差得太远。

又志文说"府[君](按此君字原无,当系上石时漏刻,今以意补之)生未毁齿，失临黄府君荫"。则绶五六岁时丧父，正当安史乱初。卢纶有长诗《纶与吉侍郎中孚……兼寄夏侯侍御审侯仓曹钊》曾说"禀命孤且贱，少为病所婴。八岁始读书，四方遂有兵"。又《赴池州拜觐舅氏留上考功郎中舅》诗谓"孤贱易蹉跎，其如酷似何。衰荣同族少，生长外家多"。结合志文，皆可见其父约卒于天宝末。《新传》云"避天宝乱，客鄱阳"，即其父卒，又因兵乱，无所依，乃赴江西外家韦氏(外家韦氏据刘初棠同志考)。《旧传》称"奉亲避地于鄱阳"，疑"亲"乃指其母，即父卒后随母南下寓居外家。

石刻材料多可补证史传。如此篇志文称绶卒于元和五年三月，"将葬，户部府君次子进士简辞敬纪宗系、日月、职官之所践"云云。户部府君指卢纶，而称简辞为进士，则元和五年时简辞尚未登第(唐人习称举子未登第者为进士)。《旧唐书》卷一六三《卢简辞传》载"简辞，元和六年登第"，则史书所记与志文正合。又我过去考卢纶事迹，未曾采及《金石萃编》材料，该书卷七九华岳题名："大历六年二月二日，纶赴(下缺)，前华州参军(陆)渐，前陆浑县令陆永，前同官主簿陆涓，将仕郎守阌乡县尉卢纶，前国子进士赵酅。历览前贤题名，庚子(下缺)。"可见当时卢纶之官职(《唐才子传校笺》引《华岳题名》提及此事，应改引《金石萃编》)。

又唐人选唐诗《御览诗》后有陆游跋文一篇(亦见《渭南文集》卷二六)，称："按卢纶墓碑云：元和中，章武皇帝命侍丞采诗第名家，得三百十一篇，公之章句，奏御者居十之一。"此卢纶墓碑即《金石录》卷十第一千九百十所载："唐兵部尚书卢纶碑。卢言撰，崔倬正书，大中十三年正月。"顾校谓此"兵部"前应补"赠"字，乃因其诸子贵而赠官(按查中华书局古逸丛书三编影印宋龙舒郡斋刻本之《金石录》,也未有"赠"字)。卢言即《卢氏杂说》作者(周勋初先生有《卢言考》一文,曾详考卢言事迹及著述,多有发明,可参)。因考卢绶墓志,遂及《金石萃编》及《金石录》,以见石刻文字之有益于作家事迹之考证者。

1991 年 7 月 25 日,于北京六里桥寓所,时当酷暑。

原载《文学研究》1992 年第 1 辑,此据大象出版社 2004 年版《唐宋文史论丛及其他》录入

于平实中创新

——记台湾学者罗联添先生的治学成就

    在台湾的古典文学研究领域中,罗联添先生是耕耘极为辛勤,因而收获也极为丰硕的一位学者。特别是在唐代文学研究方面,我以为罗先生是年资较深一辈学者的代表,他的治学思路的平实通达,他所追求的谨严的学风,都与大陆年龄相若的学人有极为相似之处,而同时罗先生又有着自己的特点。

    我也是搞唐代文学研究的,与罗先生算是同行,而在一段时期内又着力于资料考证,因而对罗先生的不少考证文章感兴趣。但在 80 年代前期,限于条件,所看到的台湾书刊毕竟不多,对台湾学者作出的成绩只能有一鳞半爪的认识。近数年来,随着我国改革开放事业的前进,海峡两岸的学术文化交流也得到较大的发展,大陆的学者不但能及时看到台湾地区的不少学术专著,而且与台湾的学者通过学术会议有共同切磋学问的机缘。因此,我现在算是有条件来介绍罗先生的治学经历和学术成就,我想,这对于海峡两岸的学术界促进了解和增进友谊都会是有益的。

    罗先生生于 1927 年,福建永安人,1948 年 8 月至 1952 年 6

月就读于台湾大学中国文学系,随后即在台大中文系执教,现为台大中文系与台大中国文学研究所教授。他曾任台湾学生书局刊行的《书目季刊》的主编(8卷4期至15卷4期,1975.9—1982.3),又曾被推选为台湾的唐代研究学者联谊会会长,现在仍任台湾的唐代研究学会常务监事。从这一简单得不能再简单的经历介绍中,可以看出,他完全是一位所涉不出学界的读书人,他的志趣爱好,似乎完全在于学问的探讨上。

关于唐代文学,罗先生研究的重点在中唐,特别是韩愈与古文运动,更是其着力所在,这方面创获尤多。又由于古文运动,遂旁及中唐时的几个重要作家,如白居易、柳宗元、张籍、刘禹锡、李翱、独孤及等,他都有专文、专著问世。因古文运动而又涉及隋唐五代的文学理论,他遂又从材料的辑集与理论的阐发着手,对这一时期的文学思想作全面的考索。另外,又从文史结合的路子,对唐代科举制以及与中唐作家关系密切的牛李党争等若干问题,作了有意义的探索。另外,对唐宋时期若干著名笔记和诗文集,又作了校勘、整理和介绍,显示其古典文献学的扎实的功底。可以看出,罗先生在治学布局上,是很讲究点和面的结合的,是很讲究层次和条理的,是作了精心的、科学的构想的。

1958年,他发表了《柳子厚年谱》(《学术季刊》6卷4期)和《刘梦得年谱》(《文史哲学报》8期)两文,可以算是研治中唐时期作家的开端。

60年代,他全面铺开对中唐几位大家的研究,兼及文献整理,显示其文史结合,从史传入手研究作家事迹,进而研究其作品的治学道路。其中有:①对张籍生平的考察,如《张籍年谱》(《大陆

杂志》25 卷 4—6 期,1962.8—9),《张籍之交游及其作品系
年——张籍年谱附录之一、二、三》(《大陆杂志》26 卷 12 期,
1963.6),《张籍轶事及诗话——张籍年谱附录之四、五》(《大陆
杂志》27 卷 10 期,1963.11)。②继 50 年代刘禹锡事迹之研究,有
《刘宾客嘉话录校补及考证》(《幼狮学志》2 卷 1—2 期,1963.1—
4)。③白居易研究,有《白香山年谱考辨》(《大陆杂志》31 卷 3
期,1965.8),《白居易中书制诰年月考》(《大陆杂志》32 卷 2—3
期,1966.1—2),《读白居易的秦中吟》(《思与言》5 卷 4 期,1967.
11),《白居易作品系年》(《大陆杂志》38 卷 3 期,1959.2),《白居
易散文校记》(《文史哲学报》19 期,1970.6)。白居易生平及作品
的系年考证,似乎是他在 60 年代最为用力之处。④韦应物与司
空图,他们一个是上接盛唐而为中唐的开端,一个则已进入晚唐,
似乎是就现有材料进行整理,作为面上的拓展的:《韦应物事迹系
年》(《幼狮学志》8 卷 1 期,1969.3),《唐司空图事迹系年》(《大
陆杂志》39 卷 11 期,1969.12)。⑤研究文献的整理汇辑。在台湾
的条件下,罗先生很注意海内外研究动态的掌握,并及时汇编成
书目文献材料,显示当代文学研究富于实用性的特色,在此时期
他编有《近六十年来日韩欧美唐代文学论著集目》(《书目季刊》3
卷 3 期,1969.3)。

　　70 年代,他集中研究韩愈,并兼及前后的古文大家,卓有成
果。这十年间也是他的学问臻于成熟的时期,奠定了他作为台湾
唐代文学研究界代表的地位。①70 年代前期,仍承继前十年对中
唐时期古文家的研究,似乎有意打外围战,把与韩愈有关的作家
先搞清楚,然后集中攻古文运动的主将韩愈。如关于李翱的二

篇:《李翱研究》(台湾《"国立编译馆"馆刊》2 卷 3 期,1973.12),
《李文公集源流、佚文及伪文》(《书目季刊》8 卷 3 期,1974.12);
关于独孤及的二篇:《独孤及考证》(《大陆杂志》48 卷 3 期,1974.
3),《毗陵集及其伪文》(《书目季刊》7 卷 4 期,1974.3)。②韩愈
研究。除《韩愈家庭环境及其交游》(台湾《"国立编译馆"馆刊》3
卷 2 期,1974.12),《韩愈事迹考述》(同上,4 卷 1 期,1975.6),
《韩文渊源与传承》(《书目季刊》10 卷 1 期,1976.6),《韩文辞句
来源与改创》(同上,10 卷 3 期,1976.12)几篇文章外,还出版了
专著《韩愈传》(台北河洛图书出版社,140 面,1977),及更具规模
的《韩愈研究》(台北学生书局,409 面,1977)。这些论文与两本
专著使台湾关于韩愈研究的层次有了明显的提高。③关于隋唐
五代文学理论:这似乎是在韩愈研究稍告一段落后,作为古文理
论的前后串联而作的一种纵向探索。他发表了专论《隋唐五代文
学理论的发展与演变》(台湾《"国立编译馆"馆刊》6 卷 2 期,
1977.12),随即出版了专题资料集《隋唐五代文学批评资料汇编》
(台北成文出版社,289 面,1978)。④唐代诗人事迹及文献资料
的考证与比勘,这方面有《唐代文学史两个问题的探讨》(《书目
季刊》11 卷 3 期,1977.12),《唐诗人轶事考辨》(台湾《"国立编译
馆"馆刊》8 卷 1 期,1979.6),《唐宋三十四种杂史笔记题解》(《书
目季刊》12 卷 1、2 期合刊,1978.9),《唐代三条文学资料的考辨》
(《书目季刊》13 卷 1 期,1979.6)。⑤继前十年所编文献研究书
目,这十年间又编印《中国文学史论文选集》(台北学生书局,4 册
1758 面,1978—1979),是一种较大规模的学术成果的汇辑。此外
还有两篇关于柳宗元山水游记与议论文的评析,是作为普及古典

文学知识向广大读者推广的。

80年代,罗联添先生进一步深入研究了韩愈与古文运动、白居易的思想及其作品的评析,同时又对与文学的发展有较密切关系的唐代科举制、中晚唐时期的牛李党争等若干问题作了考查,又将文学的审美趣味与校勘结合起来,对唐代诗文集中某些有争议之点作了富有启发性的探讨。①韩愈与古文运动,除了对已出版的《韩愈研究》加以增订并于1988年11月再版(457面)外,还写有专文:《张籍上韩昌黎书的几个问题》(《台静农先生八十寿庆论文集》,1981.11),《唐宋古文的发展与演变》(《中华文化丛书·中国文学的发展概述》,1982.9),《韩愈原道篇写作的年代与地点》(《毛子水先生九五寿庆论文集》,1987.4),《宋儒对韩愈原道篇批评及其回响》(《书目季刊》22卷3期,1988.12),《论韩愈古文几个问题》(南京唐代文学国际学术讨论会,1990.11)。②白居易研究:出版了《白乐天年谱》专著(《中华丛书》1989.7),以及《长恨歌与长恨歌传一体结构问题及其主题探讨》(《傅乐成先生纪念论文集》,1985.8),《白居易与佛道关系重探》(《第一届国际唐代学术会议论文集》,1989.2),《白居易诗评论的分析》(《第二届国际汉学会议论文集》,1989.6)。③有关唐代科举与文学的,有《杜甫"忤下考功第"的年岁与地点》(《书目季刊》17卷3期,1983.12),《论唐人上书与行卷》(《郑因百先生八十寿庆论文集》,1985.6),《唐代进士科试诗赋的开始及其相关问题》(《中国历史学会史学集刊》17期,1985.5)。有关牛李党争的,有《唐代牛李党争始因问题再探讨》(台湾《"国立编译馆"馆刊》14卷2期,1985.12)。④有关诗文校勘的,有《唐代诗文集校勘问题》(台湾《"国立编译馆"馆刊》12卷2期,1983.12)。另外,还有对唐宋文化、李白事迹的考述,如《从两个观点试释唐宋文化精神的差异》(《唐宋史研究——中古史研讨会论文集》,香港大学亚洲研究中心出版,1987),《李白事迹三个问题的探讨》(《台大中文学报》第3期,1989.12)。

我在上面之所以不惮其烦地按时间顺序,开列罗联添先生的论著目录,一是由此可以看出,这是一位多么勤奋而又能注意有效地组织课题而作出成果的学者。差不多从50年代起,中间没有任何大的停顿,他总是把他的时间和精力专注于学术上,心不旁骛,连续地做出成绩,这是令人钦佩,也令人歆羡的。二是由于人为的阻隔,海峡两岸的学术文化交流长期未能畅通,我们对台湾学者的成果未能有具体的了解,现在从罗联添先生的论著目录中,我们就可以之与大陆学者的成果,作一番参照和比较。

就参照和比较而言,我们当会惊奇地发现,罗先生所研究的课题,大陆学者几乎也都研究过,有不少的结论是彼此相同的。但我觉得,罗先生在唐代文学研究上的起步比较早,而且没有中辍,他的研究计划有层次地展开,连贯性极强,也便于研究课题的逐步拓展,而大陆则因某些客观的社会因素,其间有较长时期的学术停顿,这样就显得在不少课题上由罗先生先占了一步。但我们毕竟是一个国家,台湾学者在学术上所作出的贡献,在整体上也是我们海峡两岸学术界共同的成果。而且无可讳言,大陆关于古典文史研究毕竟有较雄厚的力量与基础,70年代末、80年代初以来,大陆的文史学界,无论老年前辈,还是中青年学者,都有一批突破前人的、极富创见的著作问世,这在唐代文学研究中表现得尤其明显。近十年来大陆学者在罗先生涉猎过的领域,多有新的补充和发展。而且,我们当会注意到,海峡两岸的学术交往是逐步打开的,1987年前只有零星的讯息交流,两地的学者,虽然在研究同一课题,但在工作进行中,彼此竟全然未能得知任何音讯。我个人觉得,学术信息之能得到交流总比阻隔为好,由于特殊的社会因素所造成的一定时期学术隔膜的状态,当然有其缺陷,但从另一方面看,也未始没有好的一面,这就是,无论彼此的结论有同有异,学术见解有是有非,但由于在互不得知的情况下进行同样的工作,在学术思路上倒可以不受彼此的影响,而表现在最终成果上,有时倒可以起互相补益的作用。

罗联添先生在他的研究进程中,在其条件所许可的范围内,总是尽量吸收大陆学者的新见。如1977年12月刊出的《唐代文学史两个问题的探讨》,论及唐人传奇与温卷的关系,曾以肯定的态度引及大陆学者吴庚舜于60年代所发表的《关于唐代传奇繁荣的原因》一文(《文学研究集刊》第一册)。在70年代所写的其他一些文章中,引及钱仲联《韩昌黎诗系年集释》、赵贞信《封氏闻见记校证》。不过那时所引还较零星,且都为五六十年代印行的。80年代所写,则多引及时间较近的论著,如《唐代诗人集校勘问题》引及万曼《唐集叙录》,卞孝萱《李益年谱稿》;《论唐人上书与行卷》、《从两个观点试释唐宋文化精神的差异》引及傅璇琮《唐代诗人丛考》;《白居易与佛道关系重探》引及朱金城《白居易年谱》;《李白事迹三个问题的探讨》引及王瑶《诗人李白》、郭沫若《李白与杜甫》、詹锳《李白诗文系年》,以及1982年出版的《唐代文学论丛》刊物的文章;《论韩愈古文几个问题》引及程千帆《以文为诗说》、阎琦《韩诗论稿》。但尽管如此,两地的学者在过去相当一个时期中,彼此阻隔,交流极少,他们是独立地进行各自的研究工作的,这就不免有所重复,但同时又各有所侧重,共同在学术上作出贡献。

这里不妨举几个例子。

《刘宾客嘉话录校补及考证》刊于《幼狮学志》2 卷 1、2 期,1963 年 1、4 月,其写成则在 1962 年 1 月。稍后,北京中华书局编印的《文史》第 4 期(1965.6)刊出了唐兰先生的《刘宾客嘉话录的校辑与辨伪》。这是唐兰 1950 年的旧作,1963 年应《文史》之约而修订成稿。这两篇都是用力甚深的古文献整理的佳作。两位作者在彼此消息隔绝的情况下进行同样的工作,所用的方法也大致相同,即对以顾氏文房小说本为底本的《刘宾客嘉话录》加以校勘、辨伪和辑补,所得的结论又大都相同。罗文的发表早于唐文三年,而作为前辈学者,唐兰于 1950 年即已写有初稿。现在看来,罗先生对《刘宾客嘉话录》的整理,条理较清楚,所用的方法也较科学。《刘宾客嘉话录》是唐人的一部笔记,史料价值很高,但此书错字、脱句、误倒、窜入的情况相当严重,总计全书记叙人事113 条,误窜的竟有 60 多条,占全书二分之一强。自清代的《四库全书总目提要》曾指出一部分冒入的以来,迄无人作过系统的整理。罗先生的工作分为三部分:(一)校补:以顾氏本为主,以说郛本、学海类编本为辅,参校《太平广记》、《唐语林》、《唐诗纪事》等书所引,校其讹误,补其脱编。(二)辑佚:凡《太平广记》、《唐语林》等书所引而为今本《嘉话录》所无者,均录出,并校其讹误。(三)考证:考辨其伪,并考辨其所记人事是否真实可信。这是近数十年来对《嘉话录》所作的最有条理也最系统的清理。唐兰先生所作大致相同,但对正文的校证,未及罗文清晰。不过唐文也有为罗文所未及的,如罗文正文中第 53 节"金凤皇"、第 54 节"蒋潜",唐文考出出自《续齐谐记》,罗文则未指出为他书冒入。《嘉话录》中有不少夹入唐刘𫗧《隋唐嘉话》条文,罗、唐两位均尽可能加以辨析,其中"东方虬"、"洛阳僧"两条,罗文注意到《太平广记》引录,系出自《国史纂异》,唐文则进一步考定此《国史纂异》即《隋唐嘉话》之异名(中华书局 1979 年出版的程毅中点校本《隋唐嘉话》进一步考定此点)。唐文又有专节考证今本《嘉话录》致误的原因与时间,引宋人《道山清话》及《玉海》艺文类所录《宋两朝艺文志》,谓韦绚原书宋初尚有完整旧抄本,故王谠作《唐语林》尚能引及,后真宗大中祥符年间三馆被火,书残,借太清楼所藏抄补,而太清楼所藏又为残书,校辑者遂杂取他书以补之,遂致谬滥。这一点也为罗文所未及。我们今天如整理此书,则罗、唐两位先生的成果都应珍视和汲取,他们都是独立研究所得,各有特色,这也是弥足珍贵的。

又譬如,关于唐代举子行卷与传奇的关系,南宋《云麓漫钞》谓:"唐之举人,先藉当世显人,以姓名达之主司,然后以所业投献,逾数日又投,谓之温卷。如《幽怪录》、《传奇》等皆是也。盖此等文备众体,可以见史才、诗笔、议论。"近现代学者多据这一记载来说明唐代进士行卷之风促进传奇的繁荣。罗联添先生对这一相沿已久的说法提出质疑,他的《唐代文学史两个问题的探讨》一文参照大陆学者吴庚舜的文章(见前),再增举例证,得出明确的结论,认为裴铏《传奇》、牛僧孺《幽怪录》并非投献的温卷,其他流传的传奇作品绝大部分是作者撰于擢进士或进入仕途以后，也不是温卷。传奇和温卷实在牵不上关系。罗文刊于 1977 年 12 月。1980 年 8 月上海古籍出版社出版了程千帆先生的《唐代进士行卷与文学》，对唐代进士行卷作了系统的论述。我曾于此前数年见到过程先生的原稿，程先生写作此文约在六七十年代。当然还未能见到罗先生的文章。程先生是看到过吴庚舜的文章的，但他不同意吴文的看法，举出《国史补》及《南部新书》所载元和十年裴度为藩镇派遣的刺客击伤，其仆人王义为保护裴度而以身殉职，这一年，多数进士撰写《王义传》作为行卷。后来我在《唐代科举与文学》一书中也引及此事。我现在细审二者的关系，认为罗先生的考述较为合理，唐人举子以传奇行卷，并无直接证明的材料，元和十年举子们所作的《王义传》，也没有一篇传下来，《王义传》是否属于传奇，也还有待于证明。因此，以写作《王义传》来说明传奇行卷，不仅是单文孤证，而且其本身也是难以成立的。

从《唐代牛李党争始因问题再探讨》一文（1985.12），我们得知台湾文史学界于六七十年代曾对牛李党争的起因与发展有过讨论，也产生过一些论文和专著。大陆方面关于牛李党争的探讨约始于 80 年代初，起步较晚，且大多集中于理论上的阐发，具体问题的考辨不是太多。我曾在牛李党争方面下过一些工夫，并集中力量对一些具体史实进行考析，于 1982 年写成《李德裕年谱》一书（齐鲁书社出版，1984.10，712 面）。限于条件，我当时还不可能见到台湾学术界的有关论著。关于牛李党争的起因，我同意岑仲勉先生的主张，认为不是始于元和三年的制科对策之争。我们用的方法与罗先生上述的文章是相同的，即认为"欲知此次对策究竟是攻击李吉甫还是攻击宦官,最确切的方法是研究策文的内容"。此次对策,皇甫湜、牛僧孺、李宗闵三人,只有皇甫湜文流传下来。因此我与罗先生同样,集中分析了皇甫湜的对策,但所得的结论却有不同。我认为,皇甫湜对策中提到"陛下寤寐思理,宰相忧勤奉职",并建议皇帝应"日延宰相与论文理",是肯定宰相,而将批判的锋芒集中于宦官。罗先生逐项节录了皇甫湜对策的要点,认为策文指斥宦官,措辞最为激烈,但并非集矢宦官,也讽刺了皇帝、宰相及藩臣将帅。我的上述观点曾得到大陆一些同行的赞同,我现在还是认为基本论点仍可成立,但觉得罗先生的说法更为全面,可以补充我的不足。至于罗先生从杜牧所作墓志与李珏所作神道碑,论证牛僧孺元和三年策文集中指斥李吉甫,我则认为尚可商榷,因二人作碑志时,李德裕已被贬,牛党正得势,时势造成曲文,不足为据。不过,从这一问题的探讨中,我觉得,在互不了解信息、各自独立研究的情况下,倒可以促使研究者发挥各自的特点,使不同的意见给学术界以有益的思考。

我曾经想过,罗先生论述过的不少问题,后来大陆学者从不同的方面也多作过探索,其间有相同的结论,也可能有分歧的意见,但罗先生的论著仍能给人以有意义的启示,这是什么原因呢?后来我读他的《论韩愈古文几个问题》一文,得到了启发。他说他论这些问题,主要目的是期望对问题能"澄其源而清其流",我觉得这句话颇能道出他的治学特色,也是他的著作能给人以启示的原因所在。澄其源,就是探寻问题的原始材料究竟如何,应当对原始材料作准确的搜讨与把握,而不应该以后起的或已起过变化的材料当作原始材料。清其流,就是从最初的起因出发,不带任何个人爱好与偏见,把由原始材料生发的种种解释、议论、记载,按照事物的本身发展加以清理,惟有这样,才能对课题的纵向发展与横向联系有一个历史的、全面的概括,而由此得出的结论,才会有充实的材料基础。罗先生的文章,大多能追讨问题的起因,从材料的源头加以澄清,由此加以科学的推理,得出令人信服的结论,而于平实中创新。

譬如在《论韩愈古文几个问题》一文中,讨论苏轼提出的韩愈"文起八代之衰",列举例证,说明自苏辙开始,宋人有张耒、魏了翁、王柏,元代有吴澂,明代有胡应麟、方以智、归庄,清代有王鸣盛、章学诚、方东树,直至曾国藩,都无不这样说。那么苏轼的"起衰"之说是否有当呢?文章汇辑了李翱《祭吏部韩侍郎文》、李汉《昌黎先生文集序》,以及韩愈卒后朝廷诏书中所说"承八代百家之微"。由此得出结论:"此可证韩愈'文起八代之衰'说法,原其根本,乃出于韩门弟子","又见载于唐代官方文书",则苏轼所谓"文起八代之衰",实有其根据。应当说,所谓"文起八代之衰",实在是一个习焉不察的说法,但经他作此"澄源清流"的考查,人们前后的认识就有了深浅的不同,从而把这一问题的研究向前推进。又如作于1985年的《论唐代古文运动》,从澄其源出发,举出例证,说明唐人运用"古文"一词实不甚普遍,遍检柳宗元全部诗文,也未见"古文"一词。"古文"一词至韩愈始用,但也不多。至于"古文运动"一词,清代以前未曾有过,这一名词是1928年胡适《白话文学史》始用,30年代以后几部文学史著作也就相沿用了起来。由此出发,罗先生对中唐时期韩愈等几个人提倡写作古文,能否称得上是"运动",甚表怀疑。我认为这是代表罗先生研究韩愈的新见,是很值得继续探讨的。他的这一新见解,正是由于他运用澄源清流方法之所得。

罗先生著作甚丰,方面又广,我只不过作为唐代文学研究的同行,尝试着作一粗浅的介绍,希望大陆的学者能从他的成就中得到有益的启示,也希望大陆学者有关的研究成果也能为台湾学者所认识,促进彼此的交流,为更好地研讨中华文化作出共同的贡献。

1991 年 9 月　北京

原载广西师范大学出版社 1993 年版《唐代文学研究年鉴》1992 年号,此据首都师范大学出版社 2010 年版北京社科名家文库《治学清历》录入,另收入大象出版社 2004 年版《唐宋文史论丛及其他》

关于中国古典文学学术史研究的思考

一

　　文学史研究的范围是不断扩展的，这是文学史学科本身发展的必然要求，也是研究者观念拓新和理论思维水平提高的表现。在近十余年来古典文学研究取得相当大进展的情况下，不少同志感到有展开学术史研究的必要。我们现在试图对与此有关的一些问题稍作梳理，提出我们考虑的几点看法，以期引起古典文学研究界的注意和讨论。

　　中国古典文学的研究，应当包括两个方面：一方面是对历代文学创作与文学思想的发展、演进过程的研究，即通常所说的古典文学史研究；一方面是对历代关于文学创作和文学思想的研究的研究，这就是中国古典文学学术史研究。

　　这两方面的研究显然是不能偏废的。但长期以来，中国古典文学学术界比较注意于对历代文学创作和文学思想的研究，而相当忽视古典文学学术史的研究。我们虽然也曾有过诗经学、楚辞学、杜诗学、唐诗学、红学等的提出和展开,但显而易见的是,这样的研究其广度和深度远远比作家作品研究落后得多。这种现象,从科学研究本身来说,显然未能全面反映古典文学历史演进的客观状况和整体面貌;从研究现状的要求来说,也影响了当前古典文学研究的进一步提高与深入。在中国古代,文学学术史和文学创作史一样历史悠久,成果累累,它们之间互相影响,互相推动,互相补充,共同构成中国古典文学的丰富遗产。

然而,这几十年来,我们的古典文学研究在很大程度上对历代文学学术史的宝贵遗产是相对漠视的,有的甚至嗤之以鼻。有些研究者崇尚于"向西看",热衷于以西方思想、西方观念、西方方法为准则,去归纳、评价和衡定中国古典文学。在我们的古典文学研究领域中,包括某些文学思想史、文学批评史、文学理论史的研究论著,一个很突出的倾向,就是以谈西方文学研究的体系、思想、概念和方法为时髦,人们几乎无暇考虑,中国古典文学研究是否已经或应该有自身的特色? 自身的体系? 这种体系特色是什么? 有些论著所汲汲探求的,是怎样用西方文学研究的体系、思想、概念和方法,去理解、阐释中国古典文学独树一帜而又丰富多采的现象。例如,本世纪五十年代关于中国文学史的主线是现实主义和反现实主义命题的提出和讨论,近几十年来一拥而起的用西方现代文学理论诠释中国古典文学的热潮,等等,都可以说是"向西看"的产物。

我们并不否认,积极引进国外具有进步意义和科学价值的思想、观念和方法,对于开拓我们古典文学研究的领域,扩展古典文学研究的视角,促进古典文学研究的发展,的确具有迫切的必要性。不这么做,我们就将作茧自缚,局限于闭关自守的可悲处境,而闭关自守,故步自封,就意味着落后,就要被文化发展的巨浪所淘汰,这是历史的深刻教训。

但是,任何一个民族的文化走向世界化的基础,只能是高度的民族化;失去了民族化的文化,是不可能自立于世界民族之林的。这就好比一个人只有保持和突显自己的个性特征,才能在社会群体中占有一席之地;倘若他一味地邯郸学步,他就只能失掉自己。中国文化和世界各国文化之间的交流,也是不应该并且不必要以“向西看”为基点的。各国文化之间的相互交流,有两个基本的条件:一是对自身文化深切的认识和热爱,二是对他国文化的清醒的体察和理解。这两个条件缺一不可,而尤以对自身文化的深切认识和热爱为首要条件。因为,倘若对自身的文化只是一知半解或者弃若敝屣,你拿什么跟他国文化对话呢?

从另一方面看,学术史的研究有助于开拓古典文学研究的领域,同时也有助于提高研究者的素质,后者对一门学科的发展更是至关重要的。学术史研究的一个重要方面,就是科学地总结已有成果,作为继续前进的基地,这种成果总结出越多,越准确,越科学,我们的基础就会更扎实,研究的品位就会更高。对研究者来说,进行古典文学学术史的研究,知识的准备和积累要更充分、更丰厚。不能浅尝辄止、急功近利。他不但要有一般文学史、文学理论的知识,更要有丰富的历史、文化、社会、民俗等各方面的知识、只有知识准备更充分、更丰厚,才会促进学科研究在整体上向高层次的发展。近、现代古典文学研究所取得的丰硕成果,同研究大家如王国维、胡适、鲁迅、顾颉刚、郑振铎、陈寅恪、闻一多、郭沫若等人的渊博学识是分不开的，这就是有力的证明。

而且，一门学科对知识的要求越高，它就越具有高度的科学性，也就越具有更大的研究潜力。就古典文学研究本身来说，开展学术史的研究，有助于克服近几年来颇为流行的各种不良学风，这对整个学科学术水平的提高是大有好处的。

二

那么，中国古典文学学术史的主要特点是什么？我们觉得，至少有这么几点是比较突出的。

第一，中国古典文学学术史和中国文学发展史一样，是中华文明史的有机组成部分，它含蕴着并表征了中华民族的文化精神和艺术精神。

中华文明是早熟的文明。因此，相对于世界上其它国家来说，中国古典文学学术史产生得早，独立得早，成熟得也早，而且一直未尝中断过，它所取得的成果在世界学术史上也是相当突出的。这应该是我们中华民族的骄傲。

中国古典文学学术史发端于先秦。大约在魏晋南北朝时期，即公元三至六世纪，随着"文学的自觉时代"的到来，中国古典文学学术史就基本上成为一门独立的学科，并趋向于成熟了。正是在悠久的历史进程中，古典文学学术史含蕴了中华民族深厚的文化精神和艺术精神，成为这种文化精神和艺术精神的重要表征。

古人云："太上立德，其次立功，其次立言。"当文人们把"立言"作为使生命不朽的有效途径的时候，如司马迁所谓"鄙没世而文采不表于后世也"（《报任安书》）、曹丕所谓"文章者，经国之大业，不朽之盛事"（《典论·论文》），在他们对文学创作和文学思想的研究中，就不仅融入了自己的思想、感情和精神，而且囊括了一个时代的社会风貌、文化追求。正如一个时代有一个时代的文学创作一样，一个时代也有一个时代的文学研究，因此古典文学学术史无疑也是中华文明的历史进程的一个重要侧面。古典文学学术史在中华文明的历史进程中，占有着什么样的地位？发挥了什么样的功能？它和中华文明的方方面面有着什么样的关系？所有这些，不但决定着古典文学学术史的突出风貌，也从一个侧面显示出中华民族深厚的文化精神和艺术精神，构成民族文化传统的一个重要组成部分。

第二，中国古典文学学术史的开展是由中国特殊的文学观念所决定的。在中国古代占主导地位的文学观念实际上是一种囊括一切文献的"大文学"、"泛文学"观念，它促成了中国古典文学学术史的开放型、宽泛型结构。

在西方，从亚里斯多德的《诗学》开始，就运用科学分解的逻辑方法，精确地确定文学艺术在人类浩瀚的知识天地中不可移易的位置。而在中国古代，运用"文"、"文章"或"文学"等概念的时候，都并非精确无误地指称西方或现代意义的"文学"，其内涵既有着不确定性和复杂性，其外延也有着相当大的可伸缩性。一般地说，在中国古代的文学观念中，广义的文学可以包括哲学、史学等所有书面著作，几乎相当于精神文化的代称；狭义的文学，也往往包括各种属辞运思、稍具文采的诗词文章，比起我们今天用"文学"一词称定具有形象性、抒情性或虚构性等特征的语言作品来说，古代所谓"文学"无疑要宽泛得多。

这种"大文学"、"泛文学"的观念，也许与中华民族特有的文化传统和思维方式有关。整体性、混合性的原始思维方式，伴随着中国原始社会宗法血缘关系的遗传，成为中国传统的艺术思维方式，这个问题是很值得另写专文来谈的。本文要想说明的仅仅是，这种"大文学"、"泛文学"的观念对中国古典文学学术史产生了极为深广的影响。这首先在于它促成了中国古典文学学术史开放型、宽泛型的结构，犹如陆机《文赋》所说的："伊兹文之为用，固众理之所因。恢万里而无阂，通亿载而为津。俯贻则于来叶，仰观象乎古人。"葛洪《西京杂记》所说的："赋家之心，包括宇宙，总揽人物"。刘勰《文心雕龙》所说的："文之为德也大矣，与天地并生"，"言之文也，天地之心哉！"文学既然是一种源自宇宙之初，体现自然之道，旁及天地万物，同时使天人相互沟通的精神文化现象，文学研究又怎能不包罗万象，涵泳古今，俯仰天地呢？

这种开放型、宽泛型结构，首先表现在古典文学研究几乎将古代一切有文字记载的文献资料作为自己的研究对象。在它的视野中，几乎没有什么纯文学和泛文学的严格区别，纯文学的基本特征如讲求抒情和辞采等，完全可以而且必然要渗透、贯穿到泛文学中去。于是，诗词骈赋、戏曲小说固然是文学，策论表奏、箴铭诔赞、碑碣志状、笔记书信等等也无不可以是文学，关键不在于它是什么文体、有什么功用，而在于它是否讲求抒情和辞采文学特征。不是强调文学的纯粹性、排他性，而是强调文学的包容性、根本性，为文学提供更有力的存在根据，这正是中国古典文学研究的突出特色。

这种开放型、宽泛型结构，还表现在即便是对纯文学现象进行研究时，人们也从不采取封闭式、内敛式的研究方法，而是偏好开放式、外向式的研究方法。在历代的古典文学研究中有一个渊远流长的优良传统，这就是把作品文本和作家、环境、社会、历史、文化传统等等统统打成一片，融汇贯通，作综合性、整体性的研究。因此，文学研究就必然地和其他各个学科，如哲学、史学、心理学、伦理学、政治学、社会学、文化学、民俗学等等，发生了千丝万缕的联系。

第三，在"大文学"、"泛文学"观念的制约下，古代文学研究和经学研究、史学研究以及文献学研究结下了密不可分的因缘关系。

在中国古代，文学研究不仅是在经学研究、史学研究和文献学研究内部逐渐发展、成熟起来的，而且始终是经学研究、史学研究和文献学研究的一个组成部分。最浅显的例子，如《诗经》首先是经学研究对象，其次才是文学研究对象；《史记》首先是史学研究对象，其次才是文学研究对象，而注疏方法原本是文献学的基本方法，后来才引入文学领域，文学文献研究一直是文献学的一个重要分支。

因此，中国古典文学学术史的基本材料，应当注意从历代的经学研究，史学研究、文献学研究的成果中勾辑、发掘和整理。研究材料的特殊性，也使得在文学研究独立、成熟以后，经学、史学和文献学的研究方法，也成为文学研究中各自独立而又相互渗透的基本方法,促进文学研究的深入发展。

例如,经学研究强调"述而不作",即注重对经典著作的阐释、补充和发挥,而不提倡另起炉灶,自创新说。影响所及,在文学研究中,对经典著作的阐释、补充和发挥就格外发达,而自立一体却不多见。换句话说,中国古代的文学研究往往是在述旧中创新,在论古中标今的。

再如,"知人论世"是中国古代作家研究的一大特点,它更具有史学色彩,因为自从司马迁的《史记》开创了作家传记的研究方法以后,为历代文学家立传、作年谱,就成为中国古代文学研究的一个重要组成部分。而且,把文学家放在一定的时代背景、社会环境、生活经历和人际交往中,来考察他的思想,行为和创作,也成为中国古代文学研究的一个卓有成效的传统。

又如,"疏不破注,注不破传"是文献学研究的一大准则,它对中国古典文学研究的影响可谓既深且广,至今不衰。人们对文学著作的本文习惯于采取一种近乎神圣的看法,力求以注疏方式阐发其内在的含义。特别是对一些视为经典的著作,如《诗经》、楚辞、陶渊明诗、杜甫诗、唐宋八大家文、《西厢记》、《琵琶记》、《水浒传》等,历代有无数的学者耗费了巨大的心力加以整理、校注和评点,乐此不疲。这种研究格局,好处是对研究对象进行精雕细琢的研求,但也不可否认有流于繁琐细屑之弊,一定程度上束缚人们的思想。

也许可以说,在中国历代古典文学研究中,经学的、史学的和文献学的研究,远远比单纯文学的研究,成果要丰富得多,成就也要突出得多。中国古典文学研究的利弊得失,与历代学术文化发展密切相关。

第四,由于中国古代的文学和学术始终依附于政治教化,因此中国古典文学学术史就往往具有鲜明的政治指向性和政治功利性。

在中国古代,学术研究往往是为政治教化服务的,是政治教化的有力武器,本身就是政治教化的有机组成部分。中国社会,中国文化,从意识形态的角度来看,无疑是一种政治性的社会,政治性的文化。政治渗透到意识形态的各个领域,并在道德、宗教、学术、文艺等各个领域中弥漫扩散。《史记》卷一三〇引述司马谈的话说得十分明白:"夫阴阳、儒、墨、名法、道德,此务为政治者也。"先秦诸子无一不指归政治教化,这怎能不成为后世一切学术文化的楷模呢?特别是在汉代"独尊儒术"以后,儒家思想几乎成为君临天下的学术思想,二千年来文人士大夫的意识观念无不受到儒家思想的浸染和熏陶,因此,儒家政治教化的文学观念不能不强有力地制约着历代的古典文学研究,成为古典文学学术史的主导观念。

在西方中世纪,教会把一切学术都纳入神学的范畴,哲学成为"神学的婢女",科学是"宗教的仆人",这同中国古代把一切学术都纳入政治教化的情况颇为相似。但是中西方的学术发展有一点根本的区别,那就是:在西方,真正的学术研究总是以冲破神学的束缚,寻求自身独立自由的天地为起点和终点的;而在中国,学术研究却始终笼罩着政治教化的圣光,自觉地打着为政治教化服务的招牌,并以此为荣耀,以此为正道。

因此,中国古典文学学术史,在它的演进历程中,总是受到当时的政治氛围、政治思想的影响和制约，并且在社会政治教化舞台上扮演着特定的角色。例如，汉朝"以孝治天下"，特别讲究政治道德教化，所以对《诗经》的评论就染上了浓厚的政教色彩。从孔子"诗可以兴，可以观，可以群，可以怨"的比较通达的见解，到《诗大序》"先王以是经夫妇，成孝敬，厚人伦，美教化，移风俗"的赤裸裸的标榜，不仅仅是一种文学思想的萎缩，更重要的是一种政治道德教化的需要，反映了汉朝统治者对于古代文化遗产的要求。这样的例证还可以举出很多，如唐初对南朝新体诗的贬抑，宋初对晚唐五代文风的矫正，明初对文学的载道明理功能的极端提倡，等等，都是为着巩固新政权的需要，具有强烈的政治意图。

古典文学学术史对政治的这种强烈的依附性，造成了双重结果：一方面，保证了学术研究的现实性和实用性，在中国古代那种纯粹象牙塔里的学问是很少的，也是价值不高的；另一方面，它也削弱了学术研究的独立性和超越性，限制了学术研究多向度、多层面的深入发展。但是不管怎样，中国古典文学学术史的这种鲜明的政治指向性和政治功利性，总是它的一个不可抹杀的特色，使它在世界文学研究中独具风貌。

第五，中国古典文学学术史在文学研究的表述方式、操作方法和成果形式上，也具有与众不同的独特形态。

首先，在表述方式上，中国古典文学研究往往重领悟和感受，带有较多的直观性、经验性。这首先与中国人的思维方式有关。中国古人面对一个事物，不愿意对它进行掰开揉碎的分析，以为这么做就破坏了事物的整体性，不可能真正地把握事物；而只有对事物作整体的直观，才能与事物融为一体。换句话说，对一个事物的真正深入的研究,不在于对它的分析、归纳、演绎,而在于对它的静观、感受、领悟。因此,中国古代总是把文学现象看作一个有内在生命律动的有机整体,文学研究的目的就是把握对象的整体生命,而文学研究的表述方式当然也就是直观式的、领悟式的。整体的直观领悟方式就在文学研究中占有了重要的地位。

这种整体的直观领悟的表述方式,表现在具体的文学研究中,就是用审美的艺术思维方式去进行文学批评。古人在对具体的作家作品进行评论时,从来不作分肌擘理的解剖,而是或运用总体的感觉判断,或采用形象化的描述,或借助相类似的意境,或直接抒发自身的感想,来表达对作品的总体感受,从而引导读者步入文学作品的艺术堂奥。即使是对具体的文学作品的笺注,古人也常常不作详细的解释,而是采用旁敲侧击、举一反三的方法,或者罗列典故出处,以说明字词的含义;或者引用其它作品的片段,来申发语句的意蕴。总之,在古代的文学研究中,研究者也是美感创造的参与者,他们总是以自己的感觉、经验、想象参与文学作品美感的建构。所以,古代文学研究具有强烈的艺术意味,某种意义上它也是艺术。这可以说是中国古典文学学术史的一个优良传统。

其次,在操作方法上,中国古典文学研究表现出外部形态的多样化和内部形态的单一化的奇妙组合。这方面,表现了古代学术史领域一个几乎带根本性的弱点。在外部形态上,中国古典文学研究的操作方法无疑是丰富多彩的:有的是一语破的的名言隽语,如"诗言志","诗三百,一言以蔽之,曰:思无邪"等等;有的是精雕细刻的考证笺释,如《诗经》注,楚辞注,《文选》注,杜诗注等等;有的是因人、因文而发的品评赏鉴,如曹丕的《典论·论文》,钟嵘的《诗品》,钟嗣成的《录鬼簿》以及数以百计的诗话、词话、赋话、文话等等;有的是有感而发、随文标注的评点文字,如各种各样的戏曲、小说作品;有的是文学作品的总集、选集、别集的辑录、遴选和编辑;有的是漫无统纪或稍加编排的随笔杂记;如此等等,不一而足,中国古典文学研究操作方法的多样化,在世界文学研究领域中是罕有其比的。但是,所有这些操作方法基本上都是被大致相似的文学观念所支配,这些操作方法在内部形态上大都是单一的。

再次,在成果形式上,中国古典文学研究往往较为零散,而缺乏系统性。像《文心雕龙》、《原诗》、《闲情偶寄·词曲部》这样自成系统的文学研究著作,在中国古代可谓凤毛麟角。绝大多数的文学研究著作是随思、随感、随录的札记体文章,散见于文学家的交谈、书信、序跋、笔记、杂论、眉批、笺注等形式之中,有的甚至隐含于文学家的文学作品、哲学著作或史学著作之中。像《文选》、《文苑英华》、《文章正宗》、《文章辨体》、《唐诗品汇》、《古诗归》、《唐宋八大家文钞》、《古文辞类纂》等文学作品总集,虽然表面上自成系统,内在主要的研究形式却无非是注疏评点式的,在整体上仍缺乏系统性。这种只言片语、散金碎玉式的文学研究成果形式,实际上是随意性、领悟性的思维方式的结果,也是随笔式、杂感式的研究方法的产物。而中国古典文学学术史的有机体系,就深藏于这种零散纷杂的成果形式中。

直到五四以后,中国古典文学研究进入了现代时期,古代文学研究的这种形态上的特色才开始逐渐发生变化。随着思维方式的变更和新的研究方法的引进,大量思辨性、系统性的文学研究论著问世,开创了古典文学研究的新局面。但是,由于传统思维方式潜移默化的影响,由于传统研究方法根深蒂固的势力,时至今日,直观性、随意性、零散性的古典文学研究还随处可见。具有较强的思辨性、系统性的古典文学研究论著仍屈指可数。有人说迄今为止的古典文学研究仍然处在"前科学"阶段,这种论断不一定准确,但联系传统的研究模式,我们还是应该引起足够的警惕。

第六,与以上一点相联系的,中国古典文学学术史的发展形态,与西方文学研究离心性、波浪型的发展形态不同,基本上是一种向心性、累积型的发展形态。

从总体上看,西方文学研究的历史,是不同的研究者各自以其不同于前人的理论基点为依据,构成面貌各异的研究体系,"长江后浪推前浪"的历史;而中国古典文学研究的历史,则是不同的研究者拘守共同的理论基点,在不同的角度、不同的层次、不同的领域展开对象一致或本质相同的研究,共同构筑完整的古典文学研究体系的历史。

这种发展形态上的向心性、累积型的特点,使中国古典文学研究在一些基本的方面得到了细致入微、玲珑剔透的雕琢,如文学资料的考证,作家风格的品评,作品意蕴的涵泳,艺术创作的甘苦,文学本质的体认,等等。但是从整体上看,中国古典文学研究的气度尚欠阔大,格局仍显狭窄,方法未免因袭,领域有待开拓。学术史发展的这一特点,可以使我们进一步体认到,研究观念对前人的突破与持续不断的更新,对学科的进展有着如何决定的意义。

古典文学研究进入现代的历史，从某一方面说，正是观念更新的历史。本世纪二十年代古典文学研究得以面目一新，是与五四时期的思想解放，引进西方近代民主科学观念，批判封建传统意识的进程同步的。五十年代古典文学研究的繁荣兴盛，是与马克思主义历史唯物论的普及和运用分不开的。近十几年来古典文学研究正在取得新的突破，这也是观念更新的必然结果。人们力图从理论与实际的统一中，进一步掌握马克思主义观点，解放思想，实事求是，在文学本质、文学价值、文学倾向、文学功能、文学特征、文学方法等各个问题上，进行多方面的探索，在深度和广度上大大开拓了古典文学研究的格局。他们的探索是否成功另当别论，但是他们开辟了研究领域，拓展了研究思路，却是功不可没的。

三

上述中国古典文学学术史的主要特点，并不是先天具备或一成不变的，而是在历代的古典文学研究实践中逐步形成和不断发展的。

自有文学之日起，就有了对文学的研究。中国古典文学学术史发端于先秦时期，虽然那时的文学研究还是浑沌的、模糊的，并且具有很强的现实功利性。当人们吟诗言志或借诗议论的时候，当孔子编辑《诗三百》的时候，他们已经是出于现实的、政治的或个人的需要、在阐释文学作品了。这一时期的文学阐释活动有两个突出的特点:它是一种直接以社会应用为主要目的现实性活动,也是一种尚未形成自觉意识的群体性活动。但是,这一时期提出的一系列理论观点,如"诗言志"、"兴观群怨"、"乐而不淫,哀而不伤"、"知人论世"、"以意逆志"、"言不尽意"等等,却沾溉后世,遗泽非浅,成为中国古典文学研究的一些主要观念。

到了两汉时期,一方面,文学研究主要以经学或史学的面貌出现,成为由一部分学者和文献整理者所从事的学术阐述活动;另一方面,文学研究几乎完全成为政治教化的附庸,在现实社会的政治教化中扮演着它的特殊角色,从而奠定了数千年来文学研究与政治教化的因缘关系。特别是像《毛诗序》这样的文学理论著作,完整地表述了儒家政教文学思想的基本观念,对后代产生了不可估量的影响。

随着魏晋南北朝时期文学自觉时代的到来,文学研究开始成为一项具有自己的独立研究对象、自己的独特概念范畴、自己的逻辑体系和研究方法,并划分为若干方面和不同层次的全新的学科。这一时期的文学研究由于直接涉及各种理论问题,在某种意义上,比起文学创作更为鲜明充分地体现出文学自觉的意识。同时,文学研究与文学创作在那个时代结合得相当紧密,研究者们往往将文学研究(尤其是理论批评)本身视同文学创作,以尽可能优美的语言来撰写批评文章乃至理论著作,因而文学研究很少具有纯学术性的意味。这一时期的文学研究已不再集中于几部经典或一两种文体,而是包括了前代和当代的各种体裁种类、各种风格形式的文学作品。人们力图尽可能全面地认识和评价各种文学现象,研究者在整理总结古代文献和文学创作的同时,也责无旁贷地关注于当代文学创作的实际。而且,这一时期文学研究还具有前所未有的思辨色彩和理论建树,产生了诸如《文心雕龙》这样体大思精的理论著作。

唐代是中国诗歌的黄金时代,所以唐代的文学研究就不能不在诸多方面受到诗歌创作的制约和影响。初唐编修的数量众多、篇幅浩繁的类书,如《北堂书钞》、《艺文类聚》、《初学记》等,就大多是作诗的工具书,同时体现了编者的研究观念和研究方法。唐人在文学观念上,也常常把研究对象的艺术风貌作为自己创作的表现对象,于是文学研究便成为可以充分发挥研究者的想象力和创作性,灌注着主观感情的艺术方式。贺贻孙《诗筏》就说:"唐人作唐人诗序,亦多夸词,不尽与作者痛痒相中。"这种"夸词",就是文学想象力在文学研究中的活泼表现。其实,不仅是诗序,即便司空图的《诗品》,不也是对于文学作品艺术风格的一种主观的形象描述吗?这与魏晋南北朝时期注重思辨的研究风貌,显然是大异其趣的。另外,强调政治教化的儒家文学思想,也有了长足的发展。

相对于唐人,宋人的文学研究意识更为自觉、强烈而清醒。同当时的经学、史学、金石考古等学问的繁荣相适应,宋代文学研究的学术性大大增强。宋人的文学批评,一般多有较强的理性色彩和较高的理论水平。此外,宋人为作家编纂年谱,为别集撰写笺注,以及其它的历史典章、语言文字、风俗文化等方面的考索辨证,大多具有开创性,并取得了相当高的成就,也给后代的文学研究开辟了一个大有作为的广阔天地。宋人还创造了诗话、语录这类独特的文学批评样式,把中国传统的直观性、经验性、感受性的文学研究表述方式发挥到淋漓尽致的地步。同时,宋人把禅学的思维方式引进文学研究中,发挥了玄妙神秘的以禅喻诗的批评方式,特别是严羽的《沧浪诗话》借用禅学的观点阐述诗歌的艺术特征,在文学研究的传统模式之外另辟蹊径。

元明时期的文学研究基本上是宋代风气的延续,但是在研究对象上扩展到小说和戏曲文学这种被前代学者所忽略的"小道"、"末技",词学研究也较宋代出现了崭新的面貌;在研究视角上,对历代文学发展的规律,历代文学特征的勾勒和比较,以及历代和当代文学流派等方面的研究,也有了新的开拓;在研究方法上,由于继承了宋人诗文评注的方式,并加以改造和发展,形成了如火如荼的评点之风,所以对文学作品的艺术技巧的研究取得了相当可观的成绩。当然,明代文学研究的风气和明代的学风一样,是较为空疏的,《四库全书总目》诗文评类总序就说:"明人喜作高谈,多虚矫之论。"这也对文学研究产生了不良的影响。

清代是中国学术史上的集大成时期,文学研究也体现了集大成的特点。举凡历代文学研究所涉及的对象,所采用的方法,所表述的观念,在清代的文学研究中,都不仅包罗无遗,而且还大多作了广度和深度的发掘。尤其值得重视的是,清人受学术气氛的影响,有些研究者除了考证工作外,还比较注重理论性和系统性。叶燮在反思前代文学研究时就指出:"历来之评诗者,杂而无章,纷而不一,诗道之不常振于古今者,其以是故欤?"因此,像叶燮的《原诗》、李渔的《闲情偶寄·词曲部》、章学诚的《文史通义》等自成系统著作,上承《文心雕龙》,表现出在文学研究上的自觉创新意识。当然,由于封建文化根深蒂固,传统的文学研究方法仍然占统治地位,并且脱离现实的纯学术倾向和愈趋繁琐的考证风气恶性发展,清代的文学研究并没有发生根本性的突进。

这种根本性的突进,在近代由梁启超、王国维等人揭开了序幕,而其正戏的热闹表演却是在五四运动以后。在西方文化和中国传统文化的激烈碰撞中,近、现代中国古典文学的研究者们一方面继承了中国古代文学研究的丰富遗产,一方面引进和吸收了西方先进的学术思想、学术观点和学术方法,从而开创了古典文学研究的新局面。这时期的文学研究家们,往往都有宏阔的气度,敏锐的眼光,大胆的魄力,渊博的学识和活泼的思维。例如,闻一多先生的唐诗研究,就是从整个文化研究着眼,着力探讨唐诗与唐代社会及整个思想文化的关系,探究唐诗是在什么样的社会环境中发展的,诗人创作的特点怎样与其生活环境和文化氛围发生密切的联系,等等。总之,他是站在一个新的高度,以历史的眼光观察和分析唐诗的发展变化,冲破了传统学术方法的某种狭隘性和封闭性。这种历史文化研究,这种对文学发展的规律性的浓厚兴趣,这种对文学现象的哲理性思考,我们在胡适、鲁迅、顾颉刚、陈寅恪、郑振铎、茅盾、郭沫若等人身上,不也都能看到吗?

值得特别指出的是,马克思主义在中国的传播,给现代的中国古典文学研究带来了春风和雨露。中国的古典文学研究历来就有"知人论世"的传统,而马克思主义则为人们提供了一种真正科学的"知人论世"的指导思想,这就形成了一种具有中国特色的马克思主义的文学研究观念和文学研究方法。马克思主义的上层建筑和经济基础理论、阶级分析方法、唯物辩证法等基本观点,为人们重新认识中国古典文学遗产,提供了指南。从本世纪四十年代以来,这种马克思主义的文学研究观念和文学研究方法,在中国古典文学研究界一直占据主导地位。当然,怎样在古典文学研究领域中更好地运用马克思主义的基本原理和基本方法,力避形式主义,仍然有待于我们的不断努力和探索。

总的说来,中国古典文学学术史的研究对象就是自古迄今中国古典文学研究的历史,它旨在描绘和评述历代文学研究家对古典文学创作和文学思想的研究中,所涉猎的领域,所进行的活动,所采用的手段和方法,以及所体现的思想和观念。

一般地说,文学研究无非包括两方面的内容:一是考订和还原文学历史事实,二是对文学历史事实进行感受、理解、阐述和评价。因此,任何时代的文学研究大致都具有这样三个相互联系而又各自独立的结构层次:

第一个层次是文学资料的整理和考订。人们运用建立在目录学、版本学、文字学、训诂学、音韵学等学科基础上的校勘、标点、辑录、考证、笺注等研究方法,编辑文学作品的总集、别集、选集、注本、译本,编纂文学家辞典、文学书录、作品提要、文学语言辞典、文学典籍索引等工具书,撰写作家传记和年谱,考证作品系年和本事。

第二个层次是文学现象的记述和评论。包括作家、作品的专题研究;作家集团、文学流派、文学思潮的专题研究;文学样式如诗歌、散文、戏剧、小说,文学体裁如抒情诗、叙事诗、讽刺诗、古体诗、近体诗、辞赋、词、曲等,文学题材如政治、山水、爱情、隐逸、战争等的专题研究;等等。对文学作品的鉴赏也可属于这一层次。

第三个层次是文学规律的探索和总结。可以对各种文学现象的发生、发展、性质、特点及其内在联系作深入的分析、阐释和批评；可以对断代的或通代的文学运动过程作高屋建瓴式的描述；可以进行文学与其他学科，如音乐、美术、建筑、宗教、民俗、政治、经济、哲学、道德以及自然科学的交叉研究；可以作文学自身的比较研究，如中外文学比较，民族文学比较，古今文学比较，文学母题比较，等等；也可以进行文学方法论的研究，包括文学的创作方法、鉴赏方法和研究方法；还可以在对文学现象和文学规律的涵泳之中，提炼和升华出文学观念、文学思想和文学理论。

科学的中国古典文学学术史，无疑应当囊括这三个结构层次。

相对于其它两个层次，迄今为止，中国古典文学资料的整理和考订显然是一马当先，得到了长足的发展。我们的前人证古典文学资料的整理和考订上无疑取得了卓绝的成就，为我们开辟了宽广的道路，树立了光辉的典范。中国古典文学研究在文学资料的整理和考订方面，不仅做出了突出的贡献，而且创造了一整套自成体系行之有效的研究方法，值得我们很好地总结和发扬。

固然，学术史的研究不等于史料学，它要比史料学范围广泛，也更具理论性。但是，史料的研究无可疑义地应当构成学术史研究的重要一环，也是其赖以建立的基础。在这方面还有许多工作要做。尤其是在近十几年来社会上短期行为、投机取巧等极端功利主义蔚然成风的时候，我们更有必要呼吁和提倡坐冷板凳、搞真学问的脚踏实地的治学态度，大力开展文学史料学的研究。

在文学现象的记述和评论方面，历代的古典文学研究也涉及了十分宽广的领域,它所表现出的开拓性和包容性是令人称道的。例如,《诗经》研究早在先秦就提出,在其后各个时代长盛不衰,形成一门十分热闹的"诗经学"。与之相似的还有"楚辞学"、"文选学",以及围绕一个作家的"杜诗学"和围绕一部作品的"红学"等等。又如,钟嵘的《诗品》已经注意到由作家风格入手追溯其渊源或师承关系,并以同一渊源或师承关系者视为一"宗流",即一种诗歌的风格流派。这种文学流派论尽管有着很大的主观随意性,但毕竟开启了一种研究思路,促使人们注意对作家、作品的风格和流派的辨析和审定。中国古代文学风格论、文学流派论的发达,是十分引人注目的。再如,对各种文体的类别、源流及其特征的探讨,在中国也由来已久,大而如文、笔之辨,诗、赋之辨,诗、词之辨,词、曲之辨,小而如四言、五绝、五律、七绝、七律诗体的产生和流变,都早已提到了研究的议事日程上来。

就好像开垦荒地一样,前人在几乎每一种文学现象的荒地上大都刨过几镐,翻过几犁,虽然还有许多荒地远未培育成良田,但他们汲汲不懈的开创精神和探索精神却十分可贵。今天我们完全有必要很好地继承这一份遗产,并且发扬这种开创精神和探索精神,培育出更多更好的良田。

说到对古典文学规律的探索和总结,这至少在中国古代的文学研究中是个薄弱环节。当然,并不等于说这里只是一片荒芜,满目蒿榛,历代的文学研究者们也曾对文学规律作过一些可贵的探索。例如,历代史书的《文苑传》对一定时期文学的发展过程及其规律的勾勒,刘勰的《文心雕龙》、叶燮的《原诗》、章学诚的《文史通义》等著作所体现的博大精深的文学史观,宋元以降唐诗学的兴盛,等等,都标志着历代文学研究者对文学现象的规律性的深入思考。而文学与政治、文学与哲学、文学与道德的交叉、双边关系,更一直是历代文学研究的热门话题。不同时代文学的比较和评价,文学方法论的因袭和更新,文学观念的不断丰富,文学理论的花样翻新,所有这些,都显示了历代文学研究者对探索文学规律的热忱,他们提出的许多真知灼见至今仍然闪耀着熠熠光彩,也是值得我们今天十分珍惜的宝贵财富。

但是必须承认,迄今为止我们对古典文学规律的探索和总结,相对于国外的某些研究来说,无疑是相当散碎,相当薄弱的,和灿烂辉煌的古典文学创作的成就相比实在很不相称。这在古代,主要是因为人们对抽象的、系统的理论分析和探究缺乏浓厚的兴趣;在近、现代,一个重要原因,也许是人们对学术理论的研究和探索还缺乏实事求是的科学态度和愚公移山的顽强精神。

在学术研究中,一般地来说有两条路径:一条是理性的思辨的方式,一条是经验的实证的方式。这两条路径应当互相补充,不可偏废。但是,在过去一段时期内,在古典文学研究领域中,人们已经太习惯于"主题先行"的所谓理性思辨方式,即首先信手拈来或随意构置一个现成的理论框架,然后把古典文学现象往这个框架里装。有鉴于此,我们认为目前很有必要大力提倡脚踏实地的研究方法和学术作风。与其用中国古典文学现象去证明某些似乎无需证明的理论,不如扎扎实实地从纷繁复杂的中国古典文学现象中归纳总结出某些带规律性的东西,在此基础上,对古典文学学术的历史演进作出宏观的把握和具体的分析。这是一项十分艰苦的工作,但这种从实际中总结出来的理论,却更能站得住脚,因而也更有价值。

一九九一年十一月

与郭英德、谢思炜合撰,原载《文学评论》1992 年第 6 期,据以录入

关于《中国古籍整理出版十年规划和"八五"计划》制订工作情况说明

　　现在,我代表第三届全国古籍整理出版规划会议筹备组,对《中国古籍整理出版十年规划和"八五"计划》(讨论稿)的制订工作情况略作一些说明。

　　这次提供会议审议的讨论稿,在前面"说明"的第一项中,曾提到这一《十年规划和"八五"计划》,是由国务院古籍整理出版规划小组主持,邀请全国各地专家讨论、研究,经过反复修订而制订出来的。实际情况确实如此,讨论稿确是经过一定的调查研究,广泛征求各方面的意见,又经过几次大的修改,才初步确定下来。

　　匡亚明同志在接受国务院任命为第三届古籍整理出版规划小组组长后,即于1991年9月上旬召开在北京的小组成员、顾问会议,并明确提出:当前急需抓的两件大事,其中之一即是酝酿制订古籍整理出版十年规划和"八五"计划。根据匡老的讲话精神,规划起草小组即着手进行一系列的准备工作。

　　准备工作大致分三个方面,一是了解和研究第二届古籍整理出版规划小组制订的九年规划（1982—1990 年）完成的情况，对未完成的部分，分别轻重缓急，选择部分有重要价值的转入"八五"计划。二是向国家教委高校古籍委员会了解各高等学校古籍整理研究机构及一些专家学者正在进行的项目。三是向各地专业古籍出版社以及出版有古籍的其他出版社了解出版计划及有关选题。经过这几方面的调查了解，初步拟订了包括文学、历史、哲学、宗教、语言文字、综合及普及读物等门类的选题书目。

从这一选题书目中可以大致了解目前古籍出版的情况，并且这些项目完成的可能性也较大。但也正由于这一书目主要是据各出版社的现行计划而拟订的，就显得重点不够突出，系统性不强，体现不出新的十年时期对古籍整理出版的更高要求，因而也就不可能很好反映规划的意义。针对这一情况，匡老及时提出新的规划要努力具有学术性、计划性和指导性。也就是说，规划应列入那些真正具有学术价值的选题，既要突出重点，又要照顾全面，在项目质量的要求上要有高标准；同时，要对古籍整理出版工作的历史和现状作出实事求是的评估，既要保持工作的连续性，将前一规划尚未完成的重点项目继续保留下来，也应淘汰那些并不成熟或价值不大的旧选题，补充一批具有重要价值的、或社会急需的新项目，分别轻重缓急，克服盲目性；而所谓指导性，也就是规划要对今后古籍整理出版的方向起到指导的作用，力求把古籍整理出版工作提高到一个新的水平。

与此同时，在匡老的亲自主持下，草拟了规划的第一部分，即新中国建立以来古籍整理出版的成就和制订本规划应说明的若干问题，从理论和实践的结合上对新中国建立以来的古籍整理出版工作作了系统的、科学的阐述,并进一步指出在新的历史时期古籍整理出版的发展方向和前景,特别强调要加强古籍整理的理论研究。在古籍整理这一传统学科内,我们固然要对前代学者的成就作出全面的总结,弄清其精华所在,并加以继承,但最主要的是我们要充分认识马克思主义对古籍整理的指导意义,以及辩证唯物主义和历史唯物主义方法论在古籍整理出版工作中的作用和价值,从而建立起有时代特色的古籍整理理论基础。

由于提高了对古籍整理工作中的理论认识,因此在进一步修订项目中思想就明确得多。首先是既列入了一些规模较大、价值较高的重点工程,也补充了相当一批真正下过功夫,在整理工作中确实有所突破的中小型项目,使大而全与小而精能更好地配合。其次是增补了一些新的门类和选题。如原来出土文献是分属于历史和语言文字类的,但近些年来考古发现有了巨大的进展,正如有些专家所强调指出的,这些年来的出土文献,其中一些已在相当程度上改变了某些学科的面貌,如云梦睡虎地秦简公布之后,有关秦代及其前后有关的历史文化研究从根本上发生了变化。有鉴于此,在修改过的项目中,就把出土文献单列一类,与文史哲等并立。另外,古籍中蕴藏着相当丰富的科学技术的史料,涉及到农学、医学、数学、天文学、物理学、化学和工程技术等自然科学领域。过去在这方面的整理工作是较为薄弱的。如据统计,中医古籍现存有一万二千多种,过去的十年大致出版了五百种,这与现实需要极不相称。至于其他天文历算、土木水利等,出版的更少。修改稿将科技古籍也专立一类,其中有不少大型的重点项目,如《中国科技典籍通汇》、《中国古代科技要籍丛刊》、《中国天文史料汇编》、《农业古籍丛刊》、《中医珍本丛书》,等等,都有相当的规模和较高的学术价值。而将科技古籍列入规划,这也是过去两届古籍整理出版规划所未曾有的,体现了新的时代特色。修改工作的第三点,是注意到项目承担者或主持人的学术准备,这次规划中的不少项目,其承担者或主持人是以功底扎实、成绩卓著的中年学者为主力的,他们在老一辈专家的支持下,带动一些年轻人,以集体的力量从事于一些大项目的整理,说明我们古籍整理工作本身确实已在一定程度上体现了老中青相结合的承先启后的连续性。有些项目,由于一时还没有合适的整理者或出版者,就实事求是地注明待定,以便通过情况的交流,作合理的选择。

应当着重说明的是,在项目修改的过程中,不少专家、学者给了我们热情的关怀和切实的帮助。1992 年 2 月下旬,匡亚明同志与周林同志、王子野同志,曾连续三天邀请在北京的专家学者及部分出版工作者,召开座谈会,分别就文学、历史、哲学、语言文字、科技等项目听取意见,参加座谈会的有近四十位学者,其中有北京图书馆馆长任继愈,中国社会科学院历史研究所研究员林甘泉、李学勤,考古研究所所长徐苹芳,《中国社会科学》杂志编审庞朴,北京大学中文系教授袁行霈、裘锡圭及哲学系主任楼宇烈,中国科学院自然科学史所研究员潘吉星,中国中医研究院医史文献研究所所长余瀛鳌,中华书局编审赵守俨等。《古籍整理出版情况简报》第 256 期刊出了这几次座谈会一些专家学者的发言纪要。在这前后,规划小组办公室还以走访和写信的方式,征求意见,《古籍整理出版情况简报》也连续几期以笔谈的形式,刊载了北京、上海、天津，以及广东、湖南、湖北、陕西、贵州等地学者对规划修订的意见，他们有北京大学教授吴组缃、金克木、金开诚、陈贻焮，广东中山大学教授王季思，中国人民大学教授戴逸，中国社会科学院研究员余冠英，南京大学教授程千帆，武汉大学教授唐长孺，复旦大学教授王运熙，陕西师范大学教授黄永年等著名学者。此外，规划起草小组也曾在南京、西安等地召开小型座谈会征求意见。几十位专家学者和出版工作者积极参与了规划的修订工作，使得规划中所拟的项目有了较为广泛的基础和科学的根据。

在集思广益的基础上，1992年3月下旬，由刘杲同志主持，再次约集北京、上海等几位专家及出版工作者，对规划的项目作了通盘考虑，并作了适当的修订。有的类目，从名称到项目都作了调整。原来各个大类如文学、历史、哲学等都列有"工具书"，这次修订中也都将它们集中归入综合类。这一次修订特别对学术著作和普及读物作了较大的改动。与会者认为，文献整理与学术研究是密切不可分的，没有一定的研究作为基础，整理是做不好的，但古籍整理与专题研究还应有所区别，为了集中力量在一定时期内把我国的一些基本古籍整理出来，我们的这一十年规划和"八五"计划还是以不列研究性著作为好，因此把原来计划中的诸如"中国文化史丛书"、"中国敦煌学史"、"黄河文化"等删去。关于普及读物，参加修订的同志认为，近些年来古籍的普及工作确有很大的发展，其中也确有一部分质量较高的普及读物，但也不可否认，也有不少仓促成书、水平低下的书籍。而且，文学、历史、哲学及科技古籍，如何搞普及，也因学科各异而在具体做法上要有所区别。有些古籍,是否需要全部译成白话,也有不同的看法。总之,古籍的普及工作还需要有一个探索和观察的过程,现在还很难在规划中确定具体的项目。因此,在修订时除极少数情况较明、质量较有把握外,其他大致采取列类目而不列具体整理者、出版者的方式,如历史类列"尚书选译"、"国语选译"、"二十四史(分史)选译",哲学类列"管子今译"、"墨子今译",等等。这样做,既能突出重点,起到一定的示范作用,也留有一定余地,以便在实践中使质量较好的读物能经得起时间的考验,而逐渐成为定本。

经过这一次的修订,就形成了现在提供大会审议的这份讨论稿。其中的项目部分共分八个门类,即文学类(177 种),史学类(297 种),哲学类(121 种),宗教类(28 种),语言文字类(61 种),出土文献类(18 种),科技类(256 种),综合类(54 种),共 1012种。这是属于"八五"计划的重点书目。"十年规划要点(草案)"中曾提出:"在今后十年内,国务院古籍整理出版规划小组平均每年选列古籍整理出版重点书目 150 种至 200 种,十年内共计 2000种左右。"这次"八五"计划列 1012 种,每年平均也即 200 种或稍多一些。有些规模较大的项目,"八五"期间未能完成的,可以滚动到下一个五年计划中去。"九五"计划则准备在 1994 年着手制定。

最后应再说明的是,这一十年规划和"八五"计划的制订,虽然经过一定的调查研究,又作了反复的修改,也难免会有不足之处。具体的项目如何能体现前面第一部分阐明的指导思想和整理出版方针,做到真正具有学术性、计划性、指导性和权威性,仍是一个问题。有些项目恐怕还有重复之处,或者价值不大,还可能有应列而没有列入的。总之,这次《规划》(讨论稿)中所有不足和疏漏之处,都恳切希望在座的各位专家、学者同志们充分发表意见。规划起草小组将根据这次全国性会议所讨论和提出的意见,对规划再作修改,使它既符合我们目前整理和出版的实际,又具有一定的指导性,然后按程序报请国务院审批公布,使之能更好地推动整个古籍整理出版和研究工作的发展。

原载 1992 年 6 月 20 日第 259 期《古籍整理出版情况简报》,为 1992 年 5 月 25 日第三届全国古籍整理规划会议上的讲话,此据首都师范大学出版社 2010 年版北京社科名家文库《治学清历》录入,另收入大象出版社 2004 年版《唐宋文史论丛及其他》

学术理性的启示

　　我于 1958 年夏进中华书局，作为一个普通的编辑，审读、加工了不少书稿。我始终觉得当编辑是一个乐事，从来不相信"为他人做嫁衣裳"的话。编辑的劳动不纯粹是支出，稿子无论合用不合用，经过阅读，付出了劳力，同时也增加了知识，长进了学问。

　　可惜自 80 年代初以来，由于种种偶然的因素，我逐渐脱离了具体的编辑岗位，进入了所谓的领导层，同时也就失去了安静地阅读、加工书稿的乐趣。在我的记忆中，我作为责任编辑，编发的最后一部书稿，就是启功先生的《启功丛稿》，时间是在 1981 年 5月。那时我虽已担任中华书局古代史编辑室副主任，还能抽出时间发一些书稿。这部将近 28 万字的著作，5 月份发，同年 12 月印出，加上送启功先生校阅一次，我校读两遍，整个排校、印装过程是相当紧凑的，按现在的速度算是够快的了。

　　但是说实在话，当初我虽说对启功先生的这部《丛稿》读过不止三四遍，但限于自己的学识，体会还是不深。过了 10 年，正如白居易所说，年岁渐长，阅事渐多，近日重读这部著作，产生出一种从未有过的亲切感，享受到一种在学识追求上得到极大满足的愉悦。

启功先生是海内外知名的大书法家,这大家都知道,但对于他的书法的体味、研究,却不是很多人都能做到,而对于他的著作,如他关于古代书画碑刻的考证,他对于中国古代文学与语言的论述,却更非一般匆匆浏览就能指说一二。启功先生作为著名书法家、文学史家、文物鉴定家,他的涉及中国文化几个重要方面的卓越成就,督促我们不能只限于赞叹、仰慕,而要进行踏实的钻研、探求。

在古代文学方面,近些年来,利用出土文献与考古发掘,来研究作家作品与某些文学现象,已引起重视,文学与历史、艺术等交叉研究,即所谓比较文学,也成为热门。但恐怕很少人会想到,启功先生在 30 年前,即已郑重提出,并作出极为扎实的范例。他的《碑帖中的古代文学资料》写于 1961 年,在当时古典文学研究中不啻为空谷足音。我觉得,年轻的研究者倘有志涉足于古代文学这一领域,这篇文章是不可不读的。启功先生在这篇文章中明确提出:“碑帖中的材料,门类不一,例如除可供研究文字学和书法艺术的资料外,还有许多关于古代历史、文学史和工艺美术等等方面的资料。”接着文章具体论证了古代碑刻资料对文学研究的作用,即 1. 作品的校勘,2. 集外作品的补编,3. 作家、作品的史实考证,4. 创作技巧的研究。启功先生所举的实例,上起晋代的《左棻墓志》,王羲之的《兰亭序》,下至明代董其昌的《剑合斋帖》,例子之繁富,考辨之精当,是我所读过的同类文章中所少见的,极富启发,现姑举一例。文中说:“其他像《忆旧游寄谯郡元参军》诗,有黄庭坚的草书写本,异同也不少。……这《忆旧游》一诗,校注《李集》的人却还没有利用过。”事实确实如此。如李白诗中有

"君家严君勇貔虎,作尹并州遏戎虏。五月相呼渡太行,摧轮不道羊肠苦。行来北凉岁月深,感君贵义轻黄金。……时时出向城西曲,晋祠流水如碧玉。"这里"北凉"二字,黄庭坚草书写作"北京",应当说是正确的,因为这几句写北上太行,到太原游览,又说这位元参军之父这时正好作尹并州。唐时太原称北京。这点为李白集作注的清人王琦已注意到,他说北凉即张掖郡,在西北,而此诗"上文言并州、太行,下文言晋祠,中间忽言北凉不合,当是北京讹耳"。可惜他没有看到黄山谷的写本,只能疑其误。翁方纲的《复初斋文集》卷二十九跋文,因看到山谷写本,即指出"行来北京岁月深,集本作凉,非"。启功先生作此文时,校订李白集者,还没有利用前人已有的资料。限于篇幅,我在这里,只能就平日读书所得,举此一例,但于此已可表明,启功先生在文中所举的不少例子,可供我们进一步研讨发挥的正复不少。古典文学在与出土文献、考古发掘作互相结合、比较的研究,是大有文章可作的,它可以使我们的理论探讨更有一个坚实的事实依据。这一点,在近年来秦汉史研究因山东、湖南、湖北、甘肃等地陆续发掘的帛书、简牍而呈现十分活跃的状态,可以得到证明。

启功先生在利用碑刻材料时,能以其深厚的学识素养,广泛引用书面文献,使他的结论建立在众多信实的材料基础上。如《坚净居艺谈》中的《颜书竹山联句》,引近人岑仲勉《贞石证史》,又引欧阳修《集古录跋尾》,指出岑氏之说尚可商榷。《李后主临江仙词》,二三千字的短文,引用了宋人《苕溪渔隐丛话》、《诗话总龟》、《耆旧续闻》、《墨庄漫录》、《宣和书谱》,明人的《剑合斋帖》、《淳熙续帖》,以及近人唐圭璋、王仲闻两家的李煜词校注本。

这里还应提到的是《山水画南北宗说辨》一文。此文初稿作于1954 年，1980 年为编集《丛稿》，作了重订。这是《丛稿》中一篇重头文章。文章从梳理材料着手，逐层驳斥了董其昌所说的，唐宋以来，画家也如禅宗那样分南北二宗，北宗以李思训父子着色山水为祖，南宗以王维为祖。经过令人信服的论证，启功先生明确指出："我们在明末以前，直溯到唐代的各项史料中，绝对没有见过唐代山水分南北两宗的说法。……更没见有拿禅家的南北宗比附画派的痕迹。"应当说，对董其昌的所谓画分南北宗之说，近代学者虽也有人提出疑问，但从来没有人像启功先生那样作过如此全面的论证，经过这篇文章的分辩、论析，应当说是有了科学的结论了。但可惜，近些年来，古典文学研究界有些关于王维的论著，还是依袭旧说，以王维之所谓南宗画引申来论其诗歌艺术，这样其论据的前提即建立在非事实的沙滩上。

最后还应提到的是，启功先生无论是作长篇专论，还是短篇题跋，他都能把复杂的学术问题，以朴素简括的文字，说得明明白白，行文如行云流水，而又间以风趣幽默，使人在得到学术进益的同时，又享受到读书的乐趣。这是启功先生人品与文品的统一。这样的学风，正是启功先生光风霁月般的人品的映照，更值得我们深入的研求。

原载《文史知识》1992 年第 7 期（有副标题：读《启功丛稿》一得），此据北京联合出版公司 2013 年版《濡沫集》录入，另收入湖南人民出版社 1997 年版《濡沫集》、北方文艺出版社 2008 年版《书林漫笔》

漫谈宋代文化史研究的材料建设

宋代文化史研究的意义,我想是无容置疑,也是不劳多说的,现在的问题是怎样有效地进行。说是"有效",我的意思是要避免文化史研究中极易产生的空对空的现象。文化本来是一个相当宽泛的概念,我们如果不从一个个具体的课题着手进行研究,就很容易过了若干年,热闹了一阵,回过头来一看还是停留在原来的起点上。

我们几个对陈寅恪先生的学问感兴趣的朋友常常谈起陈先生的一篇长篇专论《天师道与滨海地域之关系》。南京大学的周勋初同志总是说这篇文章写得漂亮极了。我觉得它实际上是有关东晋南朝一篇幅度很广而立论深刻的文化史专文。文章首先从天师道起源于山东、吴越一带滨海地区这一易为人忽略的现象说起,然后逐渐说到天师道如何从民间传入到官僚、贵族、皇室,引发上层的权力倾轧及社会动乱,接着又逐个考察东晋南朝的一些世家大族,如琅邪王氏,高平郗氏,吴郡杜氏,会稽孔氏,义兴周氏,陈郡殷氏,丹阳葛氏、许氏、陶氏,东海鲍氏,吴兴沈氏,这些士族的代表人物无一不受天师道的传习和影响。如著名文学家沈约,表面上以阐释儒、佛自许,但临终之际,却仍采用道家的上章首过之法。文章概括地说:"东西晋南北朝时之士大夫,其行事遵周孔之名教(如严避家讳等),言论演老庄之自然,玄儒文史之学著于外表,传于后世者,亦未尝不使人想慕其高风盛况,然一详考其内容,则多数之世家其安身立命之秘,遗家训子之传,实为惑世诬民之鬼道,良可慨矣。"文章从天师道的传习路线考察,竟至挖掘出当时上层士族行为与心理矛盾的一个深秘,这些表面上风流偬傥的士大夫,头脑深处却为极愚昧浅薄的鬼道迷信所盘踞。因此陈寅恪很有自信地说:"明乎此义,始可与言吾国中古文化史也。"这篇文章还论述了天师道的传播与书法艺术发展的关系,而且敏锐地提出了滨海地域为不同文化接触最先之地,容易接受外来的影响,促进文化的交流与发展。这些,都使他的论文有足使后人探究的理论深度和学术思路。

但陈寅恪的立论是有着大量的文献材料作依据的。除两晋南北朝的正史外,他大量引用了《真诰》、《抱朴子》、《水经注》、《世说新语》、《太平御览》、《异苑》、《广弘明集》、《高僧传》、《风俗通义》、《云笈七签》,以及为数众多的唐宋人笔记。没有这些材料,就不可能作出这种种引人思考、令人信服的新颖见解。

话说回来,我觉得,我们现在要进行宋代文化史的研究,也得先作材料上的准备,要有计划、有分工地作材料上的积累。我想到的有这样几方面:

一、科举。科举开始兴盛于唐朝,但真正得到发展是在宋代。唐朝每年选取的进士不过二三十名,明经多一些,也不过一百来名。宋代每科的进士一般是几百名,再加上诸科、特奏名,总要上千名,甚至几千名。到了宋代,科举才真正与知识分子的生活道路联系起来。但我们现在还缺乏像清人徐松《登科记考》系统地记述唐代历年科第状况那样的书,对宋代科举的具体情状可以说还是若明若暗。而对宋代科举的情况不了解、不熟悉,则有些与作家生活有关的事情就易发生误解。如大家知道李清照与其后夫张汝舟离异事,《建炎以来系年要录》卷五十八绍兴二年九月是这样记载的:"右承奉郎、监诸军审计司张汝舟属吏,以汝舟妻李氏讼其妄增举数入官也。"什么叫"妄增举数"?张汝舟何以因此而属吏定罪?过去一些论著,有的说是贪污受贿,更多的则是含糊不清,一笔带过。其实这所谓"举数",即与宋朝科举制特殊规定有关。原来宋朝科举中有特奏名一项,即举子累试不中,到了一定的年龄和次数,可以不再经解试和省试,直接参加殿试,而殿试时不管合格与否,都赐予及第、出身,授予官职。举数即参与省试、殿试的次数。现在留存的宋代几种登科录,进士及第人名,都注明有一举、二举、五举等字样。也正因此,政府对此有严格的规定,《宋史·选举志》说,举子所报家状及试卷,"署年及举数、场第、乡贯,不得增损移易。"而这位张汝舟,当是考了几次未中,于是在试卷中作弊,妄增举数,蒙混过关,被授予官职。这当是作为妻子的李清照清楚此事,等二人关系变恶,李清照即以此告他,张汝舟当然只好服罪。这只是举极小的一个例子,科举与文人的关系有不少值得探索的地方。据我所知,国家教委考试中心正在组织编撰中国历代考试制度资料,宋代部分已委托邓广铭先生主编,由张希清同志具体负责,而杭州大学历史系龚延明同志于研究宋代官制稍告一段落后,正倾其全力作《宋登科记考》的工作。

当然,有关宋代科举的材料,可搞的还有不少,希望这些系统的辑集在近几年内部能有所成。

二、刻书。宋代刻书风气极盛,印刷事业与城市经济的发展提供了有利的物质条件。这对宋代文化是极有关系的。北京大学古文献所编纂的《全宋诗》,在《编纂说明》中曾以诗文集的刊刻为例,说:"宋代司库州军郡府县书院都有刻书,除了医书、史书、地志外,就要算刻本朝人的诗文集,所刻者大多为其所在乡里,或历官之处,如宣和四年吉州公使库刻欧阳修《六一居士集》五十卷,绍兴十年宣州军州学刻梅尧臣《宛陵集》六十卷,绍兴十七年黄州州学刻王禹偁《小畜集》三十卷等;宋时又有所谓家塾本,数量也很多。……这些公私所刻,再加上杭州、四川、福建等地的书坊大量印行,宋人别集的编刻,据现在所知,在六百家以上,大大超过唐集。"文学如此,医学、农业及其他科技等书,随着刻书事业的兴盛,也当更加大量印行。但是,关于宋代刻书的材料,现在还缺乏系统的搜集与编纂,我们现在要引用有关的情况,还须从《书林清话》等少数几十年前所编的书中翻检,这对我们目前所要进行的文化史研究是极不相称的。

三、文人生活。文人生活与文化的密切关系,当然是不言而喻的。我觉得与文人生活有关的,除科举外,还有学校,这方面的材料我们还相当缺乏。又譬如为后人所艳称的翰林学士,我们往往唐、宋并提,实际上宋代的翰林学士与唐代有很大的不同。唐代的翰林学士,在中后期,职位相当重要,称为"内相"。宋代翰林学士,初期尚受到重视,但到后来,权限就日益不及唐朝,特别是元丰改官制以后,学士院成为正式机构,学士品虽高,但政治作用却下降,被置于相权控制之下。因此即使像苏轼那样,也终于受到政治斗争的牵连,而累起累贬。至于传统所谓宋代文人待遇优厚的说法,也应有具体的分析。北宋中期以后,直至整个南宋,党争不断,文人遭难遇祸者不在少数,甚至有些年份连作诗都要被禁,可谓历史上所未有。这种种情况,都应该有系统的材料汇辑和分析。我相信,经过材料的辑集,有关宋代的文人生活将会被重新研究与认识。

四、城市生活研究。宋代城市发展是经济史的一个特点,其实城市发展对于文化的影响恐怕是更大的。我们过去有一种看法,认为封建社会主要是农民与地主的对立,则研究的重点应放在农村,这样就长期忽视对城市的研究。实际上随着经济的发展,即使在封建社会,城市的地位与作用也越来越显著。马克思就说过:"城市本身表明了人口、生产工具、资本、享乐和需求的集中;而在乡村里所看到的却是完全相反的情况:孤立和分散。"(《马克思恩格斯选集》第1卷第56页,人民出版社1972年版)宋代城市生活,如酒楼、倡伎即与音乐、词曲有关系,说书与小说有关,至于像南宋几个城市集中的刻书中心,更与文化的发展有关。我们应在《东京梦华录》、《都城纪胜》、《梦粱录》、《武林旧事》以外,更广泛的搜辑城市生活材料,这对于认识宋代文化的特质有极大的帮助。

五、文学年表。我总觉得我们对年表的作用还是估计不足。实际上详尽的、准确的年表或编年材料,对于系统地认识文学发展过程,梳理互相交错的文学现象,有非常大的好处。譬如过去曾有一度误解的王禹偁反对西昆体,就是没有搞清楚王禹偁与杨亿、刘筠的生活年代与活动经历。好的年表或编年材料,将会清楚地提供我们:在哪些年份,有哪些作家退出了文坛,而同时又有哪些有才华的新秀脱颖而出;在同一时期,在不同的地区有哪些作家在进行活动,他们的创作彼此有什么影响;作家间的交往,有些只是一般的唱和,有些则明显带有创作群体的意识,这些又是在哪些年月中进行的。这些,都可在年表或编年材料上,如电视屏幕那样得以显现。我相信,这对于我们把握错综复杂的文化现象,加深我们对发展过程的研究,是极其有利的。

当然,文化史研究的材料准备,要做的还有很多,但如果我们在以上几方面都能在今后几年内作出成果,这必将大大推动我们整个的研究,使我们的文化史研究工作也像我们的经济发展一样,隔几年就能上一个新台阶。

原载《中国典籍与文化》1992 年第 2 期,据以录入

中国唐代文学学会第六届年会"十年工作报告"

（1992年，福建厦门）

这次大会筹备处叫我准备一个"中国唐代文学学会十年工作情况"的汇报。我们第一届的中国唐代文学学会是1982年在汉唐古都西安召开的，时隔十年，今天我们在东南沿海的开放城市厦门举行学会成立十周年纪念会同时举行唐代文学年会。我们从西安经过十年的历程，来到东南沿海，而且召开国际学术讨论会，我想起了近代史学大师陈寅恪先生一篇文章的一些话，陈先生在《天师道与滨海地域之关系》一文中讨论东晋南朝关于天师道与南朝士大夫的关系。他曾经提到，两种不同民族之间的关系，在文化方面的接触，最方便的地方就是海滨。他说，海滨为不同文化接触最先的地方。这是古今中外的历史上很多例子可以说明的。我觉得陈寅恪先生很了不起，在六十年前就已经提到滨海地域跟两种文化接触交流的关系，而且从历史发展当中来说明问题。我觉得我们唐代文学学会从西安出发，经过十年的历程来到厦门，在滨海地区来召开唐代国际学术讨论会，是很有意思的。

十年来,唐代文学学会成果累累,人才辈出,而我们的成就确实是与海内外学术交流有很大的关系。刚才我们的会长程先生也提到这个问题,希望我们多发展海内外交流信息,这方面跟今后我们的学术研究、学会的工作有很大的关系。这次在厦门开这个会是很有意义的,因此,我想起了陈寅恪先生这些话。

另外,我想到我们十年间学术史上,学会的会长、顾问、理事当中,有十一位先生去世了,这是十年当中的很大损失,他们是:萧涤非先生、傅庚生先生、任中敏先生、马茂元先生、夏承焘先生、孙望先生、华钟彦先生、杨公骥先生、易文元先生、杨植霖先生、吴汝煜先生,他们十一位先生在十年中去世了,我们对他们表示怀念。他们对学会工作做出了贡献,他们的成果成为我们学会共同的财富,我想,这是我们回顾学会十年工作时应该提到的。

下面我分三个部分谈谈学会的情况。

一、历次年会的大概情况介绍

中国唐代文学学会成立大会暨第一次学术讨论会是 1982 年 5 月上旬在西安召开的,那是全国性的会议,有 180 多位代表参加,可说是人数最多的一次会议了。我想,应当提到,在这次会议之前几个月,在陕西师大召开的人数也有 100 多人参加的全国唐诗讨论会,是由陕西师大霍松林先生主持召开的。然后接着就是我们召开的这次唐代文学学术讨论会。两个会时间隔得很近,都有全国不少著名学者参加,我想可以说,是这两次会议共同奠定了我们学会的基础；这也开创了我们唐代文学学会一贯尊重学术、崇尚团结的优良风气和学风。这一点，我想大家都有共识。我们唐代文学学会成立大会上决定出版两个会刊：《唐代文学研究年鉴》和《唐代文学论丛》。这两个刊物现在一直坚持下来（会刊的情况我下面再专门介绍），这在其他文学学会是比较少见的。成立大会上还决定会址在西北大学。西北大学在西安，西安是唐代国都长安；秘书处设在西北大学中文系唐代文学研究室。这是第一届成立大会的情况。

第二届年会 1984 年 8 月在兰州召开。第二届年会学术讨论的中心议题是唐代边塞诗。我想在兰州这个地方召开唐代边塞诗讨论会，从地域来说是很合适的。大家知道，唐代边塞诗是整个唐诗很重要的组成部分；兰州是唐代中原地带通向西北的交通要道。因此这次年会在讨论后又组织去考察河西走廊和敦煌文化遗址。我觉得这也是唐代文学学会活动的一个特点，就是说每次年会除了进行学术讨论以外，还进行了实地考察。这样的活动既丰富了我们对有关文献的知识，同时也启发了、提高了唐诗艺术的美感。到过这个地方跟没有到过这个地方是很不一样的。我们在兰州考察了河西走廊，走过了酒泉、武威、张掖、嘉峪关一直至敦煌。诗说"西出阳关无故人"，我们去看了阳关的遗址。后来第三届年会是在洛阳召开的，我们去看了洛阳龙门石窟跟白居易在香山遗迹。第四届年会是在太原举行的，会议组织去看了五台山。从太原到五台山还经过一些地方，是王昌龄、王之涣等诗人到过的，一些盛唐边塞诗人、北方本地诗人活动过的地方，这就增加了我们的感性认识。1990 年的年会也是国际学术讨论会，是在南京大学举行的。我们也进行了考察,大会组织到扬州去,扬州也是唐代许多诗人经常到过的地方。所以,我想这是唐代文学学会活动的很大的一个特点,把文献研究跟实地考察结合起来,这是应该特别提出来的。

第三届年会于1986年4月在河南洛阳举行。第三届年会就唐代文学与洛阳、中州的关系,展开了很有意义的讨论。当时是河南一些单位来举办这个会,结合洛阳地域特点,讨论了唐代文学与洛阳、中州的关系,可说是为地区的文学研究作出新的探索。在洛阳会上有些学者还进一步对白居易的思想和诗歌的艺术以及新乐府的成就展开了讨论。

第四届年会,1988年9月在山西太原举行。这次会议又选出了新的一届理事会……哦,刚才忘了,在1984年兰州会议上改选了理事会,推选程千帆先生当会长,由霍松林先生、胡国瑞先生、王运熙先生还有我当副会长。第四届年会1988年9月在山西太原举行。我们学会是四年改选一次,这次会上继续推举程千帆先生当会长,霍松林先生、王运熙先生和我当副会长。

第五届年会是在南京大学举行的,同时又是唐代文学国际学术讨论会。由南京大学、南京师范大学、苏州大学共同主办的。这次会议除了海峡两岸及香港地区学者以外,还邀请了日本、美国、韩国等国家唐代文学研究卓有成就的学者参加。会上不同地区、不同国家的代表介绍了本地区、本国唐代文学研究的情况,交流了信息、扩大了眼界。可以说是代表了唐代文学研究发展的新阶段。

这次在厦门举行,我们继续了过去的优良传统和学风开好这个会。

这是几届学术年会大概情况的简要介绍。

二、各地学术活动情况

中国唐代文学学会是一个全国性的团体,在学会成立之前、成立之后,特别是学会成立以后,各个地区都开展了一些学术活动,这是对唐代文学学会的一个支持,同时也可以说是唐代文学学会成立以后,在它的推动之下,各地的学术活动有所发展的标志。在中国唐代文学学会成立之前,有一些地区已经开展了一些作家作品研究的学术活动。譬如说在唐代文学学会成立之前,四川成都杜甫草堂就在 1981 年成立了杜甫研究学会,而且召开了第一届年会。唐代文学学会成立以后,一方面有些地方成立了分会组织,比如辽宁省有唐代文学学会分会,到 1986 年已经举办过四届学术年会,大约他们是每年举行一次。西北地区有唐代文学学会甘肃分会,在天水等地方举行过几次年会,结合唐代诗歌与西北地区的一些活动,譬如杜甫在陇右的游迹,结合类似的活动开展一些这方面的学术研究。另外更多的是在唐代文学学会影响带动之下,结合地区的特色开展作家作品的具体研究,举办各种学术讨论会,有的还正式成立了学会。譬如 1982 年 7 月在四川江油举办了李白逝世 1220 周年纪念暨李白纪念馆开馆大会。1984 年 4 月在成都召开了杜甫夔州诗歌学术讨论会;同年 10 月在江油又召开了李白学术讨论会。1985 年 8 月在广西柳州成立了柳宗元学术研究会,那已是很早了。他们计划在明年(1993年)8 月,在柳州举行柳宗元国际学术讨论会,柳州市的代表很希望大家明年能参加他们的国际学术讨论会。1985 年 5 月在安徽马鞍山市举行了中日两国学者联合的李白诗词研讨会,这是中日两国学者在李白研究上的学术交流。1986 年 4 月在成都又举行了杜甫两川(东、西川)诗学术讨论会,同年 11 月在汕头举办了韩愈的学术讨论会,有日本、新加坡等国学者及港台地区的学者参加,这可说是第一次韩愈国际学术讨论会。1987 年 11 月在马鞍山市正式成立了中国李白学会。李白的研究这些年来成果是很丰富的,这是跟马鞍山市、江油地区学者的贡献分不开的。1988 年在湖南平江有杜甫在湖湘的学术讨论会;同年 6 月在四川射洪有首届陈子昂学术讨论会,今年在那里又举行第二届陈子昂学术讨论会。1988 年 3 月在广东韶关举行了张九龄学术讨论会,同年 6 月在安徽九华山又举行了中国李白学会第二届年会。今年据不完全的资料也有几次学术活动,4 月在孟县举行了韩愈国际学术讨论会,夏秋有四川射洪陈子昂学术讨论会。据悉,在我们这次会议以后广西平乐还要举行李商隐学术讨论会。

我这些资料是很不完全的,就从这些并不完全的资料里可以看出唐代文学学会分会及各地区具体作家的学术讨论会差不多每年都有相当规模相当深入的研讨活动。这是跟整个古典文学的研究相适应的,标志着唐代文学研究走向深入、走向成熟。

三、学会两个会刊的介绍

这里我想介绍学会的两个会刊。因为这两个会刊能很具体说明唐代文学学会十年来所走过的道路。

　　《唐代文学研究年鉴》、《唐代文学研究》是 1982 年也就是第一次学会成立大会上提出创办的,创办《年鉴》是为了及时交流学术信息,总结成果。这个动议立即得到与会代表的赞同。因此,成立了编辑部,编辑部当时设在陕西师范大学,组织成立编委会,霍松林先生同我具体参加了编纂工作。最初是陕西人民出版社出版,后来有几期由陕西师大出版社出版。从 1989 年开始,经我们学会常务理事梁超然先生的努力,改在广西师范大学出版社出版。这个《年鉴》一直没有断过,除了 1989、1990 两年合辑之外,每年出版一辑,每一辑都有 30 万字左右,有时甚至超过 30 万字。回顾唐代文学学会十年工作时,这是一个很具体的成绩。现在我们回过头看这十年出版的《年鉴》,确实感到它尽可能地积累了不少有用的史料,使得研究成果能及时、准确、详尽地为人们所掌握。《年鉴》大致上有这么几个部分:一是"一年研究情况综述",分初唐、盛唐、中唐、晚唐各时期的研究综述,还有一年间重点作家的研究综述。二是"论文摘要"、"新书选评"。据不完全材料统计,从 1982 年到 1990 年这几年当中《年鉴》发表的论文摘要有 169 篇,唐代文学研究专著新书的介绍 110 种。这还是到 1990 年为止的材料,我想 1991、1992 年会更多。从这里面反映了唐代文学研究有代表性的论著。此外,有港台地区唐代文学研究的介绍。《年鉴》从 1983 年开始差不多每辑都有港台地区唐代文学研究的介绍。如 1983 年《年鉴》有台湾出版的《杜诗丛刊》的简介,1985 年《年鉴》有台湾学者关于唐代文学的论著简介,1986 年《年鉴》有台湾地区唐代文学近著简介,1987 年《年鉴》有最近台湾唐代文学研究综述，1988 年《年鉴》有台港唐代文学研究动态。这表示《年鉴》很注意海峡两岸的唐代文学研究信息的交流。另外，还有国外包括美国、欧洲、前苏联的唐代文学研究情况，都约请有关专家写文章介绍。《年鉴》里还有已故专家介绍以及在世研究学者的介绍。已故专家介绍我们曾组织了几篇文章介绍了陈寅恪、闻一多、李嘉言、岑仲勉、向达、王仲闻。我们都约请了有关专家撰写比较有系统的文章，全面地总结介绍这些去世的唐代文学、唐史专家研究成就。对在世专家的介绍我们有意识地开辟了这个栏目。我曾经统计了一下，在这几期《年鉴》上介绍的专家依先后次序是：林庚、傅庚生、马茂元、任中敏、缪钺、余冠英、胡国瑞、詹锳、王运熙、陈贻焮、周绍良、孙望、程千帆、朱金城、王拾遗、钱仲联、周祖譔、唐圭璋、朱东润、王达津、吴调公、金启华、周勋初，我们介绍了这些专家的学术成就。就是说，《年鉴》除了提供本年的学术信息之外，还注意了比较有成就的学者专人的介绍。通过《年鉴》我们比较全面地反映了唐代文学研究情况。

《唐代文学研究》这个刊物是研究学刊。研究学刊的情况是这样的：学刊在学会成立前就出版了一期，最初叫《唐代文学》，1981 年 4 月出版的，当时由《西北大学学报》和西北大学唐代文学研究室合编，出版后反映很好。一方面因为这个刊物是在西安出的，西安是唐代的古都，大家很关注；另一方面"文革"结束后大陆的学者都在学术上积极开展研究，迫切需要一个学术园地。因此，在唐代文学学会成立之后，把刊名改为《唐代文学论丛》，作为学会的会刊，基本上每年出一本，在学术性、理论性研究有所加强。《唐代文学论丛》一共出版了十本（包括原来的《唐代文学》），共发表了400多篇文章，约有250—300万字。这个数字是很可观的，它集中了许多理论性、探讨性的文章，在国内外是很有影响的，一些考证文章也受到重视。在这之后，太原会议上《唐代文学论丛》改名为《唐代文学研究》，进一步加强它的研究性，已经出版了两辑，第一辑是太原会议的论文，第二辑在南京会议时出版。现在也都由广西师大出版社出版，这样，我们学会两个会刊都由他们担当起来，他们的任务是很重的。大陆的学者都会理解，广西师大出版社除了在人力上付出之外，还要承担经济上的负担。我想，我们学会应当对他们表示感谢！《年鉴》和《研究》是要继续办下去的。这是我们学会两个会刊的情况。

关于唐代文学可以做多方面的工作，大量的普及性、知识性的工作也是很需要的。如近年来唐诗鉴赏性的文章，在读者当中特别是青年读者当中很受欢迎。把我国唐诗的精华介绍给今天的读者，让他们对唐诗所蕴涵的思想价值和艺术价值获得丰富的认识，这本身就是一项开创性的文化建树。另外，如唐诗今译，当然对这个工作还有不同的意见和认识，但我想，将唐诗翻译成白话文，这对古代文学同当代读者的沟通是有意义的尝试。不过，我想《唐代文学研究》和《年鉴》可以做另一方面的工作，就是尽可能发表一些专门性的文章，或者说读者面窄一些的研究文章，这当中有理论开拓，也可以有资料考证。这方面的研究文章，比较一般轰轰烈烈的什么热、什么潮的文章来说是要寂寞一些的；但我想学术工作就是要安于寂寞，对学术工作者来说，能相安于寂寞，未始不是一种美德。从这十年来说，成果的出现就是很多学者甘于坐冷板凳做出来的成绩。

这里把中国唐代文学学会十年来的情况给大家作一简单的汇报。我讲得很不全面。谢谢大家!

原载广西师范大学出版社 1996 年版《唐代文学研究年鉴》1993—1994 年号,此据大象出版社 2004 年版《唐宋文史论丛及其他》录入

喜读《中国文学家大辞典·唐五代卷》

　　由周祖譔先生主编的《中国文学家大辞典·唐五代卷》,赶在今年 11 月中旬厦门举行的中国唐代文学学会成立十周年年会及唐代文学国际学术讨论会前出版。当书送到会议时,立即受到海内外学者的重视,被誉为十年来唐代文学研究的一大基础工程和丰硕成果。我由于工作关系,较早读到这部书稿,会议期间及会议以后,也曾与一些同行交换过意见,得到启发和教益,又进一步抽读部分内容。今特借《书品》的宝贵篇幅,谈谈我读后的一些感想。

　　新中国成立前大约有几部文学家辞典,比较为大家所知道的是谭正璧先生编撰的《中国文学家大辞典》,此书近十年来还重印过,由此也可见出读者对这方面工具书的迫切需要。但无可讳言,谭先生这部书毕竟编成于新中国成立以前,且以一人之力完成,确实存有不少缺陷,主要是所收人数过少,材料不够确切,与当前的研究水平远不相适应。也正有鉴于此,中华书局在十年前即着手组织一套多卷本《中国文学家大辞典》,聘请一些著名学者担任各个历史阶段分卷的主编,邀约在该领域内有成就的研究者就各自所长撰写条目,以充分发挥集体合作的优势,并力求反映当前学术研究的新成果。除这部《唐五代卷》外,已发稿的《清代卷》由苏州大学钱仲联先生主编,《先秦汉魏晋南北朝卷》由中国社科院文学研究所曹道衡、沈玉成先生编撰。全套书共七卷,其他四卷(宋、辽金元、明、近代),均可在几年内陆续完成。这套书已由新闻出版署确定为"八五"期间国家重点图书。

这部字数为一百万零八千字的《唐五代卷》,确有许多特点可谈。限于篇幅,这里只能谈一些我认为主要的几点。

第一是所收人数多。全书条目,约为 4010 条,这是谭著《中国文学家大辞典》唐五代部分的五倍,也远超过《中国大百科全书·中国文学卷》中的唐五代部分作家人数。前年出版的由周勋初先生主编的《唐诗大辞典》收作家 3800 条,其中有不少为参见条,比较起来,这部《中国文学家大辞典·唐五代卷》要多出八百多人。勋初先生所编为综合性辞书,人数方面原并不求其全,但由此也可见这部《唐五代卷》在所收人数方面,确已超过以往任何一部工具书。

为什么能收那么多人呢?这是因为它有一个较为宽泛的收录原则,这就是:举凡《全唐文》、《全唐诗》及《全唐诗补编》中所见的作者,基本上均予收录;虽无作品传世,但两《唐书》的《文苑》、《文艺》传、《唐诗纪事》、《唐才子传》曾有记载,及唐、宋公私书目中曾著录其有诗文别集及有关文学著作的,也予收录。这两类加起来已经够多的了。此外,凡外国人于唐五代时曾一度寓居中国,甚至在唐朝做官,而用汉语写作诗文的,也尽量收载,如日本人有:与李白、王维有交往的晁衡;德宗时入长安,后带回不少汉籍,撰有讲述六朝至初唐诗歌体制、声韵的《文镜秘府论》作者空海;文宗、武宗时曾涉足齐鲁晋陕,广泛记述唐代社会政治、宗教、文化、习俗的《入唐求法巡礼行记》作者圆仁。新罗人则有曾入晚唐高骈幕府的《桂苑笔耕集》作者崔致远。除了外国人,还有不少少数民族诗人,譬如:名悉腊(吐蕃人,中宗、玄宗时使唐多次,与朝臣唱和,事迹见两《唐书·吐蕃传》,《册府元龟》卷一一〇、九七四、九八一、九七九,《唐诗纪事》卷一),论惟明(吐蕃人,德宗时曾任节度使,德宗于朔方军乱平后返京,曾献诗呈贺。两《唐书》无传,事迹散见他人传中,又见《元和姓纂》卷九,《奉天录》卷四),杨泰师(渤海国人,肃宗乾元二年为渤海国聘日副使至日本,与日本朝臣作诗唱和,事据《渤海国志长编》卷一八),段羲宗(南诏宰相,前蜀后主乾德中曾奉使至成都,所作汉诗文颇娴熟,今存诗五首,事见《鉴诫录》卷六),杨奇鲲(南诏宰相,中和元年出使唐,至成都为高骈所杀。能诗,孙光宪称其"词甚清美",事见《北梦琐言》卷一一,《新唐书》卷二二二《南蛮》传),李赞华(契丹主阿保机长子,初立为太子,其父死,其弟德光为帝,遂泛海奔后唐。工辽、汉文,善书,知音律,存诗一首,事见《新五代史》卷七二、七三,《通鉴》卷二七七至二八〇,《辽史》卷七二本传)。

书中对文学作家,也具宽泛的概念,并不局限于诗文的写作,而将外延扩展于诗文研究者、史传作者,以及文艺作品的传播者。他们有《诗经》笺注者成伯屿(开元间人,著有《毛诗指说》、《毛诗断章》,《毛诗指说》分《述兴》、《解说》、《传授》、《文体》四篇,《文体》篇列举毛诗各篇句法长短、篇章多寡、措辞异同、用字体例等,《四库提要》以为"颇似刘氏《文心雕龙》之体"),许叔牙(著有《毛诗纂义》十卷,御史大夫高智周以为"凡欲言《诗》者,必须先读此书");《文选》注者公孙罗、曹宪、李善、"六臣";《史记》注者司马贞(著《史记索隐》)、张守节(著《史记正义》);类书作者刘庆(天宝末人,编《稽瑞》一卷,录上古至六朝祥瑞之事,四言韵语,各注出处,所引多今已失传之唐以前古书),于立政(唐初名臣于志宁子,编有《类林》十卷,已佚,敦煌遗书中有四个残卷;其书缀辑经史子书,所引亦多为已佚之唐以前古书);乐书作者段安节(著有《乐府杂录》一卷);传记作者李繁(著《相国邺侯家传》十卷),彦悰(贞观僧人,订补《大唐大慈恩寺三藏法师传》共十卷,又著《唐护法沙门法琳别传》三卷),冥祥(撰《大唐故三藏玄奘法师行状》,与《大唐西域记》、《大慈恩寺三藏法师传》同为研究玄奘西行及译经的重要史料);杂史作者杜儒童(著《隋季革命记》五卷,多为《通鉴》所取资),令狐澄(著《贞陵遗事》二卷,记宣宗朝遗事十七则),韩昱(著《壶关录》,记隋末李密、王世充事,也多为《通鉴考异》引录);杂著作者冯鉴(五代蜀人,著书四种:《续事始》五卷,《修史要诀》三卷,《广前宣录》七卷,为刘轲《帝王镜略》作注),房德懋(唐初王府官,编《事始》三卷),李涪(晚唐时宗室,著《刊误》二卷,以考证典章制度为主,亦兼论时事,中有评李商隐诗)。此外还收有译经僧,如玄奘,又如译《华严经》、《大乘入楞严经》的宝叉难陀,译《大日经》的善无畏;义解僧,如释《金狮子章》的法藏;以及史家如柳芳、陈岳、俗讲僧文溆,等等。

一个包含唐朝诗文作者、外国作者、少数民族作者、文学研究者、史传及杂著作者、文化高僧这样广泛的搜辑范围,必然形成一个大文学概念的人物数据库,蕴含大量有用的信息,这是符合当今编纂辞书的新要求的,将带给使用者以极大的方便。

这部辞典的第二个特点,是引用材料极其广泛,运用时又极谨严。书中每一条目都注明出处,有时出处不止一项,又往往能将出土文献与传世典籍互证,力求做到言必有据,无征不信。其材料引用之广,是同类著作中所少见的。这里不妨就几个方面举一些例子:

利用墓志:如李正卿(见《千唐志斋藏志》中李褒撰《唐故绵州刺史江夏李公墓志铭》),张翔(见《千唐志斋藏志》中独孤良弼所撰墓志),王熊(开元四年任潭州都督,善画湘中山水,画风似李思训。事迹据《唐宋墓志》中《王玄起墓志》、《李氏墓志》,又参《朝野金载》卷二,《历代名画记》卷十,《唐诗纪事》卷一三),郑绩(武后时应贤良举对策,《全唐文》卷三五一载其判文一首,事迹据《文博》1989 年第 4 期刊出的 1988 年西安出土之贺知章撰《大唐故中散大夫尚书比部郎中郑公墓志铭》),严识玄(永淳间进士及第,有诗文传世,事迹据《隋唐五代墓志汇编·陕西卷》中张希迥所作墓志铭),崔泰之(崔知温子,事迹据《千唐志斋藏志》中墓志铭,又参《旧唐书·崔知温传》、《新唐书》卷七二《宰相世系表》二下)。

利用敦煌材料:如悟真(敦煌僧人,大中五年由沙州归唐,后又为河西释门都僧统。《敦煌歌辞总编》存《百岁篇》,生平据敦煌遗书所存作品考知),张景球(张义潮族人,咸通间为归义军节度判官、掌书记。敦煌遗书中存其所撰墓志、别传等十余篇,事迹据其作品考知),翟奉达(敦煌人,五代时为州博士,长于历学,敦煌遗书中存其所撰同光四年、天成三年等《具注历》。事迹据向达

《唐代长安与西域文明》中《西征小记》、《记敦煌石室出晋天福十年写本寿昌县地境》），张敖（唐末尝为河西节度使掌书记，曾撰《新集吉凶书仪》二卷，事迹据《敦煌古籍叙录》、《敦煌遗书总目索引》）。

利用方志材料：如丘光业（吴兴人，唐末国子博士丘光庭之弟。《宋史·艺文志》著录其诗一卷，今已不存。事迹据清光绪《乌程县志》卷一二），丘光庭（罗隐有诗酬赠。著作甚多。事迹据《乌程县志》卷三一，又参余嘉锡《四库提要辨证》卷一五）。

利用域外材料：如徐隐秦（著《开元诗格》一卷，据日僧圆仁《日本国承和五年入唐求法目录》，载《大正藏》第五五册），王智章（元和初空海自唐返日时携有其诗一卷，今不存，据空海《遍照发挥性灵集》卷四《献杂文表》，波仑（武后时译经僧，《日本国见在书目》收其集一卷，今不存），富炜（世次不详，《日本国见在书目》著录《进士富炜杂文》一卷）。

另外，有些是从单篇诗文考证而得的，如贾区，此人与贾岛齐名，有集，诗僧齐己曾见之，后佚失，亦无诗传世，事迹乃据《全唐诗》卷五九五于武陵《宿友生林居因怀贾区》，卷八三三齐己《读贾区贾岛集》考知。总之，近些年来编纂的工具书，引用材料能到如此地步，就我浏览所及，这还是第一部。

这部《唐五代卷》的第三个特点，是考析的精细。史实的考证辨析固然不是辞书的主要任务，它只要汇集已有的材料与成果，加以必要的整理与综合，给读者以稳实的结论即可。但本书所做的却大大超越于此，这一方面是近十余年来唐代文学研究在资料辑集与考证上成绩粲然，另一方面参加本书编撰的几位同志确实于此有深厚的修养，因此在史实的梳理、考析上，能极大地施展其所长。往往几百字，等于是一篇学术随札，极其浓缩，读了以后似乎忘记是在查辞典，却仿佛是在看一部清人学术笔记，给人以理性思辨的愉悦和享受。

不妨随手举几个例子。

女诗人姚月华，《全唐诗》卷八〇〇收诗六首。条目中考证出，其《怨诗寄杨达》二首出《才调集》卷一〇，《怨诗效徐淑体》出《乐府诗集》卷四二，此三诗可信为其所作。另三首诗，《有期不至》为白居易作，《楚妃怨》为张籍作，另一首不详，疑亦他人诗混入。又考《艳异续编》卷四有《姚月华小传》载其与书生杨达离合事，《琅嬛记》引作《月华本传》，又见《情史类略》卷三，《名媛诗归》卷一〇。所引之书虽多，细核其事大致为后人据其诗附会而成。

李愿，令狐楚《御览诗》收诗二首，皆咏妇女生活，《全唐诗》卷三一四即收此二诗。中唐时另有一李愿，为名将李晟子，元和、长庆间累历节度使。我过去与张忱石、许逸民同志合编《唐五代人物传记资料综合索引》，曾将此二李愿作为同一人。现在这部辞典中引用了韩愈贞元十七年《送李愿归盘谷序》，又记述元和时韩愈、卢汀并有诗赠之，可见此李愿为一文士，又与令狐楚同时，则《御览诗》所载二诗，以此李愿所作的可能性较大，任武将之李愿不大可能写出此类吟咏妇女的诗篇。唐时还另有一李愿，为唐宗室，见《新唐书·宰相世系表》。条目中又说《全唐诗补编·续补遗》卷六又收李愿诗二首，亦难以断其归属，并谓"或云宋同名生之作"，持审慎态度。这就对唐时三李愿作了全面的辨析，并对今人补遗之作的时代归属也作了有启发性的推测。短短几百字，内容之充实于此可见。

类似的情况，如唐末有二陈峤，一未仕，一仕闽为殿中侍御史。这在《唐五代人物传记资料综合索引》中已加区分，本书可贵之处即找出更为原始资料加以印实，前者查据《南部新书》，《综合索引》仅据《全唐诗》卷七九五、八七一，后者据黄滔之《黄御史公集》卷六《司直陈公墓志铭》与《祭陈侍御》二文。又如神迥为越州大禹寺僧，代宗宝应时人。能诗文，词笔宏瞻，所作《朗师真影赞》、《法华经文句序》，为时所贵。《宋高僧传》卷二九有传，又参同书卷一五《唐越州称心寺大义传》及皎然《诗式》卷四。《全唐诗》卷八五一载其诗，缺题，而小传却误据《续高僧传》，称为"临晋人，姓田，贞观间流化岷峨，为道俗宗仰"，把不同时地的二人误合为一。

这类考辨旧说之误的，随处可见，细心的读者不难发现，这部辞典中有时虽短短数行，或仅仅考证一人名之异，却引录好几条材料出处，有些还是不常见的冷僻书，如果没有平时的积累，是绝不可能临时凑集的。如《唐诗纪事》卷五八载霍总咸通间为池州刺史，则已为晚唐。现在书中考出武元衡有《同张惟送霍总》诗，而武元衡卒于宪宗元和十年（815）。霍总又有《蝗旱诗》，穆员也有《蝗旱诗序》，作于兴元元年（784）。由此二例，即可证咸通之说为不确。又如崔元范，《唐诗纪事》卷五九载诗一首，仅谓以监察御史为浙东幕。《全唐诗》小传记在大中时。今据《云溪友议》卷上及他书所记考出李纳授浙东之时间，确定崔元范入浙东幕在大中七年左右，且崔元范乃由浙东幕入为监察御史，非以监察御史为浙东幕。又如房由，为唐初兵部郎中房德懋之玄孙，天宝十三载登进士第，累历郎官之职，与戴叔伦、郎士元为友，事迹据《新唐书·宰相世系表》、《郎官石柱题名考》，《千唐志斋藏志》收其《卢自省墓志》。《全唐诗》卷二〇九收其诗一卷，但沿《唐诗纪事》之误署作房向。这些在以往的《唐诗纪事》研究者中都未曾指出过。又如盛小丛，大中时越州歌伎，《全唐诗》卷八〇二收其诗一首，此诗实为其所歌唱，非其所作，事见《云溪友议》卷上；吴豸之，天宝十三载任大理评事，《全唐诗》卷七七七收诗二首，但误署为吴象之，可据《旧唐书》之吉温、韦陟等传，及《郎官考》、《御史台题名考》等书考得之。这些看似小事，但读书若不细心，是不能发现的。这确是本书的一大特色。

应当特别提出的是此书附录一，这是《全唐诗》已收，但据考查并非唐人，为便于读者查阅，仍予立目，而作为附录，单立一类，仍考其事迹，并说明误收入《全唐诗》之由。所收共五十四人，虽然人数并不太多，却极见功力，应当是一篇高水平的学术文章，其征引材料之细，使人叹服。如徐介，《全唐诗》卷七七五收其《耒阳杜工部祠堂》诗一首，列为世次爵里无可考者。现经查核，此徐介为宋仁宗时人，事迹散见于《麈史》卷中、《青琐高议》前集卷九、《忠惠集》卷九。又如麻温其，《全唐诗》卷七七二也列为世次爵里无可考者。经考核，此麻温其为宋太宗至仁宗时人，事迹散见于《渑水燕谈录》卷三、《景文集》卷三一、《齐乘》卷六。这"附录一"大部分为陈尚君同志所作，他于数年前已有专文发表在《文史》上，北京大学古文献研究所在编《全宋诗》，在辑宋人佚诗时曾从中得到不少有益的线索。

这一百余万字的工具书，不像时下有些辞书那样，集合数十人甚至上百人的庞大队伍，连主编在内，一共只有九个人。除周祖譔先生年岁稍大外，其他都是中青年专家，好几位过去曾受我之邀约，参加过《唐才子传校笺》的撰写，于唐代文献极有钻研。据我所知，分工也各就所长，如初唐归金涛声同志，盛、中归吴汝煜、吴企明同志，晚唐归吴在庆、贾晋华同志，佛学以陈允吉同志为主，陈尚君、卢苇菁同志分担部分条目。陈尚君同志承担了不少过去无可考、难于找到书证的条目，出力尤多。陈允吉同志精于佛学与诗歌关系之探讨，他所写的诗僧条目，难度极高，但却写得极精当，有些甚至可以当美文来读（如法藏条）。贾晋华同志近年来着力于中唐文人集团的研究，她在这部书中撰写的两浙唱和诸人之条目，汇集了她的研究所得，颇具特色。主编周祖譔先生统揽全局。据我所知，他于各位撰稿人所写条目，都经仔细校阅，有的还复核原书，作了大量的补充。如尚君同志所写丁儒一条，最初仅用《闽书》中材料，祖譔先生利用了泉州新发现的《白石丁氏古谱》中记载，全部重写，但仍署陈尚君同志之名。这种同志间彼此信谅、互相合作的风气，在目前实应大力倡扬。以中华书局文学编辑室为例，尚君同志所写严识玄条，排出校样后，文学室的徐俊同志又据陕西新出墓志代为改写；文学室的几位同志为赶时间，加班替此书编制目录、索引。我觉得这种友情比出一本、两本书贵重得多，是能使人长久怀念的。

当然，书中也有些许不足之处，吹毛求疵，谨提出一二处供参考。如页617夏鸿，说是开成时进士第，与王继勋友善，有诗唱和，《全唐诗》卷七六三存其诗一首，事迹见《唐诗纪事》卷五二。

仅只一处,似无问题。但一查王继勋(页45),却记为后晋开连元年任泉州刺史,二年入南唐,载其生卒年为912—956年。诗见《全唐诗》卷七六三。二人时间相隔有百年。何以为此,尚待核查。又如页241严识玄条,"雍正司法参军",司误为同;页433张绚古,绚当据《郎官考》作洵。不过这些终究是细枝末节,写出来聊备书评文体之一格云尔。

原载《书品》1992年第4期,此据大象出版社2004年版《唐宋文史论丛及其他》录入

略谈陈三立

——陈寅恪思想的家世渊源试测

陈寅恪是一位史学家,但是他的成就的意义与影响已远超过历史学界。他在近现代中国文化思想史上,是一个很有代表性的人物。所谓代表性,就是自清末以来,随着中国社会各方面发生的剧变,一部分上层知识界人士感到旧有的一套治学路数,无论是古文经学还是今文经学,都无法对历史和现实作出合理的解释,他们谋求开拓一条新的学术途径,建立一种新的学术思路,而结果,则是企求将传统的治学格局与西方近代文明相结合。在近现代的有成就的学者中,这样的一种文化追求与治学心态,确乎是有代表性的。

我们知道,陈寅恪很早就接触了西方近代学术思潮。他十三岁即东渡日本学习,除了中间有短暂的假期返国外,一直至十六岁。二十岁时又赴德国,入柏林大学,后又入瑞士苏黎世大学。二十三岁回国,二十四岁时又就读于巴黎大学。二十六岁返国,三十岁到美国哈佛大学,三十二岁离美赴德,在柏林大学研究院,这样,直到三十六岁时受聘于清华大学研究院返国。如果从十三岁算起,到三十六岁,共有二十四个年头,他在日本、德国、瑞士、法国、美国等著名学府学习或研究,加起来则有十七八年。这就是说,从少年起,经青年而步入中年,他的大部分时间是在西方文化主体的社会度过的。而在德国的时间最长。十九世纪末、二十世纪初,德国正是著名历史学家兰克学派形成并占据主流地位的地方。本世纪英国著名史学家古奇,在其享有声誉的《十九世纪历史学与历史学家》一书中,把兰克在德国史学界的地位与歌德在文学界中的地位相并比,盛赞他是"近代时期最伟大的历史家"。正是兰克在历史学上作出的成就,"使德国在欧洲赢得了学术上至高无上的地位,直到今天他仍是我们所有人的师表"(商务印书馆中译本1988年版,第215页,"汉译世界学术名著")。研究者已指出,陈寅恪虽然在其论著中从未提到他从西方学者那里接受了什么思想或观点,但从治学的路子看,他是受到兰克学派影响的。这是研究陈寅恪学术思想不可忽视的一面。

另一方面,我们还应注意到他深受本国传统思想的浸染和影响。这包括很多方面,可以撰写几个专题来论述,这里我想只对他的家世渊源作一些分析,而着重谈谈陈三立的思想。

我们知道,陈寅恪的祖父陈宝箴,父亲陈三立,都是他们那一时代的改革者,深为中华民族受到外国侵略者的蹂躏而扼腕愤慨。陈宝箴作为地主要员,特别是1894年中日甲午战后,任湖南巡抚,一种深刻的民族危亡感使他力图振兴实业,讲求维新自强,他的得力助手就是其子三立。父子二人热心参与政治,但受到政治牵累,在百日维新失败后受到革职处分。比较起来,陈寅恪倒是走着一条平静的学者道路,长期不问政治。即使处于国内战争和抗日战争的动荡年代,他似乎也力争过书斋式的生活,搞他的与现实保持相当距离的中古史研究。

但这只是这位学者的表面现象。陈寅恪除了他的学术著作外,还写有不少旧体诗。他的诗能熔铸唐人李商隐与宋代江西诗派于一体,有其独特的既深情又冷峻的标格。从这些旧体诗中,我们可以真切地感觉到民族的前途,国家的命运,在这位学者心灵上所加的重压。不过对于像陈寅恪那样出身于书香门第,早年又留学欧美诸国,直接受过西方文化的熏陶,具有相当高深的中西文化修养的人来说,这种重压不是表现为直接的呐喊怒吼,而是表现为冷静、从容地对本土文化的观察和体验,对外来文化追求一种理性的比较和分析。这种学术心态是如何养成的?我想可以从陈三立的思想发展中得到一些线索。

二

陈三立在清末民初,一直以诗文名家,有盛名于东南。如1924年(民国十三年),印度大诗人泰戈尔访华,时陈三立七十二岁,正寓居杭州,徐志摩等特地从北平前往杭州,介绍他们两位见面、合影。如吴宗慈《陈三立传略》所说:"华、印两诗人,各为其本国之泰斗,比肩一帖,接迹重洋,诚近代中印文化沟通之佳话。"(《国史馆馆刊》创刊号)1925年,《甲寅》杂志第一卷第五号至第九号,刊载汪国垣(辟疆)《光宣诗坛点将录》,将陈三立以"天魁星及时雨宋江"当之,可见当时人视之为执中国诗坛之牛耳。

1936 年陈三立已依随陈寅恪移居北平。那年伦敦国际笔会曾邀请他和胡适与会,以胡代表新文学,他代表传统文学,终因陈三立时年已八十四,不能远涉重洋而止(参据郑逸梅《艺林散叶》)。在后世一般人印象中,散原老人只是一个足迹仅涉山林、只以诗文自娱的诗翁,而不太了解他前半生还是一位站在时代前列、颇有新见的改革家。

　　陈三立,字伯严,号散原,江西义宁州(今江西修水县)人。1853 年(咸丰三年)生。这时其父宝箴已中辛亥(咸丰元年)恩科举人,回乡从祖父伟琳治团练,与太平军作战。咸丰十年(1860),陈宝箴入都会试,落第,留京师。这年正值第二次鸦片战争,英法联军侵入北京,火烧圆明园。陈宝箴饮于城中酒楼,遥望火光,拍案大号,尽惊四座。随后他又参预曾国藩幕府,以军功擢知府。陈三立少年时仍按照传统的路子,读书作文,应州县考试,后即随父长期在其湖南官署居住。1880 年(光绪六年),陈三立二十八岁,陈宝箴改官河北道,三立又随行。1882 年(光绪八年)回江西南昌应乡试中式。1883 年(光绪九年),陈宝箴于上年由河北擢浙江按察使,却因涉河北任内狱事罢官,复居长沙,三立又随父到长沙。此后一段时期,与湘中诸名士游处。这时正值中法战争,于时政多有议论。如《郭嵩焘日记》光绪十年六月十五日记:"便过王逸吾、陈伯严……伯严出示吴蓂阶信,直谓粤防一无可恃,虎门天险亦甘心弃之,不料一时重臣,昏愦至于此极。"

　　1886 年(光绪十二年),三立三十四岁,春会试中式,但是年未应殿试,至 1889 年(光绪十五年己丑)才成进士,授吏部主事(见陈隆恪等《散原精舍文集》卷首识语)。因有感于清末官场腐败,他虽想有所作为,但浮沉郎署,难有施展,仍然回长沙侍亲。1890年(光绪十六年)十月,陈宝箴任湖北布政使。此年陈寅恪生于长沙。第二年,陈三立赴武昌宝箴官署。此时张之洞任湖广总督,聚集一批洋务人材,购机器,办工厂,兴铁路。陈三立与当时的新派人士汪康年等交游,在武昌等地观看工厂,坐火轮车,又约为诗酒之会。三立虽未入张之洞幕府,却常为其座上宾客。如钱基博《现代中国文学史》谓:"之洞督鄂之日,尝聘三立校阅经心、两湖书院卷,先施往拜,备极礼致。"易顺鼎《诗钟说梦》:"南皮师为海内龙门,怜才爱士,过于毕沅。幕府人才极盛,而四方宾客辐辏。余与伯严,追逐其间,文酒流连,殆无虚日。"刘成禺《洪宪纪事诗本事簿注》记当时张之洞宾客分好几等,"而梁鼎芬、陈三立、易顺鼎,位在一、二名流之间。"

1894年中日甲午战争,清政府因战争失败引起进一步的割地赔款,这对知识界触动极大。当时陈宝藏已由湖北改迁直隶布政使。马关条约签后,1895年5月,他曾致电张之洞,请诛李鸿章以谢国人。同年9月,陈三立至上海,与康有为、黄遵宪等会晤,参预筹备上海强学会事。梁启超《创办时务报源委》:"乙未九月,康先生在上海办强学会,张南皮师首倡捐一千五百两为开办经费。"(见《知新报》第六六册)又吴德渊《致汪康年》:"二十八日午刻得手书,欢喜无量,当时即约黄公度、陈伯严、邹、夏、叶诸君,集于学堂前厅,面酌此事。公度极佩公公会章程。……沪上同人踊跃如此,安知春梦不从此大醒,愤闷之余,为之一乐。"(见《汪康年师友书札》)

也就在这一年秋,陈宝箴被任命为湖南巡抚。陈宝箴长期居于湘中,对当地民情甚为熟悉,又激于时势风云,积极推行新政。

陈三立此时也返湘,协助其父,并推荐梁启超任湖南时务学堂总教习。陈寅恪《读吴其昌撰梁启超传书后》云:"先是嘉应黄公度丈遵宪,力荐南海先生于先祖,请聘其主讲时务学堂。先祖以此询之先君,先君对以曾见新会之文,其所论说,似胜于其师,不如舍康而聘梁。先祖许之,因聘新会至长沙。"(见《寒柳堂集》)此时湘中人材云集,如梁启超、王闿运、黄遵宪、皮锡瑞、熊希龄、谭嗣同等都密集长沙,讨论时事,商议创设南学会事(见皮锡瑞《师伏堂未刊日记》)。又皮名振《皮鹿门年谱》:"光绪二十四年戊戌。德宗锐意新政,湘省既设报馆,兴学堂,会嘉应黄公度遵宪任长宝道兼署臬司。元和江建霞标、宛平徐研甫仁铸,相继为学政。正月更与陈右铭中丞及子伯严、熊秉三、谭复生、戴宣翘诸公,创设南学会于长沙。留公居湘,延任学长。分学术、政教、天文、舆地四门,公主讲学术,黄公度讲政教,谭复生讲天文,邹沅帆讲舆地。"南学会宣扬民权学说与科学思想,引起了守旧派极大的惊恐。王先谦自订年谱光绪二十四年记:"陈右铭中丞宝箴△任湖南,余素识也。向以志节自负,于地方政务,亦思有所振兴。会嘉应黄遵宪来为盐法长宝道,与中丞子三立、庶常熊希龄合谋,延有为弟子梁启超为新设学堂总教习。江标、徐仁铸相继为学政。学会、报馆同时并兴,民权平等之说,一时宣扬都遍,举国若狂。"湖南变法,陈三立谋划尤多,当时与谭嗣同、陶葆廉、吴保初有"四公子"之称。如徐一士《一士类稿》:"(三立)其父右铭翁在湖南巡抚任,励精图治,举行新政,丁酉、戊戌间,湘省政绩烂然,冠于各省,散原之趋庭赞画,固与有力。当是时,散原共谭壮飞、陶拙存(葆廉,陕甘总督模子)、吴彦复(保初,故广东水师提督长庆子),

以四公子见称于世,皆学识为一时之俊者,而陈、谭二公子之名尤著。"

但是正当湘省新政轰轰烈烈开展之时,八月份北京变法宣告失败,清廷下令,陈宝箴父子均革职,且永不叙用。这是陈三立一生的转折点。他随即陪侍其父归江西修水老家居住。三立为其父所写行状,以极沉痛的笔调描述他们这一段的生活情景:"往往深夜孤灯,父子相语,仰屋欷歔而已。"(《散原精舍文集》卷五《先府君行状》)1900 年,义和团事起,八国联军入京,慈禧太后带着光绪西逃陕西,就在这世难亟变之际,陈宝箴在焦虑抑郁中去世。此后,陈三立移居南京,并经常来往于武昌、南昌、庐山、上海等地,虽然其间他曾一度与其家乡江西修建铁路事情,但始终远离政治,以超然于世的诗人自许。只是他仍关心国家与民族的前途。1932 年他住庐山,正值"一·二八"事变,日军发动对上海的进攻,据吴宗慈《陈三立传略》:"忆民国二十一年壬申,日寇侵占上海闸北,沪战遂作。先生居牯岭,而日夕不宁,于邮局订阅航空沪报,每日望报至,读竟,则愀然若有深忧。"而宗九奇《陈三立传略》记此事,更谓:"每日望报至,至则读,读毕辄愀然形于色,郁郁不语。一日深夜,忽于梦中狂叫,喊杀日寇。"1933 年秋冬,移居北平城中。1937 年 7 月芦沟桥炮声起,日本侵略军进城,八十五岁的老人不胜家国之悲,一气之下,绝食而死。

三

　　陈三立年青时自许甚高,他随侍其父游宦各地,目睹清朝吏治的腐败,往往"醉后感时事,讥议得失,辄自负,诋诸公贵人,自以才识当出诸公贵人上"(《散原精舍文集》卷一《故妻罗孺人状》)。封建政治的腐败与列强的侵略,一种民族危亡感使他投身于维新变法的大潮流中。但是他与其父在湖南推行的新政,和康梁的变法,看似相同,所走的路子却各异。这点,陈寅恪有明确的分析。陈寅恪在《读吴其昌撰梁启超传书后》一文中,认为"当时之言变法者,盖有不同之二源,未可混一论之也。"他认为其祖、父二世之变法思想,实行之于郭嵩焘,"而郭公者,亦颂美西法,当时士大夫目为汉奸国贼,群欲得杀之而甘心者也。至南海康先生治今文公羊之学,附会孔子改制以言变法,其与历验世务欲借镜西国以变神州旧法者,本自不同。故先祖先君见义乌朱鼎甫先生一新《无邪堂答问》驳斥南海公羊春秋之说,深以为然。据是可知余家之主变法,其思想源流之所在矣。"

　　陈寅恪是指出戊戌变法时期的维新主张有不同思想渊源的第一人,也是对郭嵩焘思想作出积极评价的第一人,充分显示出他过人的史识。我们要研究陈三立的思想,一定要探讨陈氏与郭嵩焘的关系。

　　郭嵩焘1818年出生于湖南湘阴,字伯琛,号筠仙。郭嵩焘一生的经历与思想,可以用陈寅恪上述的"颂美西法"四个字来概括。郭嵩焘曾于1876年（光绪二年）出使英国，是近代中国走出国门、担任驻外公使的第一个人，也是第一个从整体上认识西方社会，肯定资本主义从总体上优于封建主义，因而进一步对封建社会"人心风俗"提出全面否定与尖锐批判，并提出要以夷变夏的大胆设想。由于他与西方社会有直接的接触，因此对当时世界的认识，对中国如何向西方学习走富强之路，其见识远超出同辈。他曾说："计数地球四大洲，讲求实在学问，无有能及泰西各国者。"（郭嵩焘《伦敦与巴黎日记》，湖南人民出版社《走向世界丛书》）正因为郭嵩焘"颂美西法"，乃遭到一般顽固保守派的攻讦。梁启超在《五十年中国进化概论》中谈到郭的《使西纪程》"一传到北京，把满朝士大夫的公愤都激动起来了"。譬如当时以清流名士自许的李慈铭，在其日记中就斥责《使西纪程》"记道里所见，极意夸饰，大率谓其法度严明，仁义兼至，富强未艾，寰海归心。……凡有血气者，无不切齿。"（光绪三年六月十八日）这确如陈寅恪所说"当时士大夫目为汉奸国贼，群欲得杀之而甘心者也"。之所以目为汉奸国贼，无非郭氏说出了一些守旧者不敢听、也听不懂的话，那就是西洋也有数千年的文明，中国"实多可以取法"，而处于国弱民贫、列强觊觎的环境，"此岂中国高谈阔论、虚骄以自张大时哉"（《使西纪程》）！如此而已。

但郭嵩焘的言论思想却受到陈宝箴的赞许，陈三立所作其父行状中说："与郭公嵩焘尤契厚，郭公方言洋务，负海内重谤，独府君推为孤忠闳识，殆无其比。"而郭嵩焘早在出使英国之前的1871年（同治十年），即推许陈宝箴"才气诚不可一世"，"因其文而窥知其所建树，必更有大过人者"（《题右铭文集》，见其日记）。陈三立于 1880 年（光绪六年）寓居长沙时，郭嵩焘曾阅其所撰古文一卷，称为"根柢深厚"。陈三立同年为郭作《郭侍郎荔湾话别图跋》，中云："湘阴筠仙郭先生使海外既归之明年，以荔湾话别图册命三立为之辞。"对郭出使归来后所受到的"谤议讥讪，举世同辞，久而不解"表示深切的同情（《散原精舍文集》卷三）。我们如果对照上引李慈铭的日记，以及郭归国后到达湖北，欲乘轮船返湘，引起湘省士绅的大哗（见郭日记光绪五年三月十五日），那么当时还只有二十八岁的陈三立，其见识之迥乎流辈，也就可想见了。

郭嵩焘着重从整体上认识西方，尤其着重于教育。他认为"英国富强之业一出于学问"，而西方之所以强盛，"其源皆在学校"。郭嵩焘如当时一些洋务派人士，特别是其中的知识分子那样，把重点放在输入西方的学理，以开启民智，这与康有为所主张的急于掀起一场自上而下的政治运动，二者在改革方案与价值取向上确实存在明显的差别。郭嵩焘的主张，在近代中国的确代表一种倾向，如稍后的严复也认为西方之所以强大，乃在于"一一皆本之学术"（《严复集》第 11 页，中华书局版）。他在《拟上皇帝（光绪）书》中，说要改变中国积弱的局面，重要的是治本而不是治标，"标者，在夫理财、经武、择交、善邻之间；本者，存乎立政、养才、风俗、人心之际"（同上第 65 页）。他在《原强》中说："善乎斯宾塞尔言曰：民之可化，至于无穷，唯不可期之以骤。"他就是着眼于用西方的学理，并企求以长期坚韧的努力，来改变处于封建末世的社会习俗和文化传统。陈三立作于 1913 年的《庸庵尚书奏议序》，曾谈到甲午战后，朝野上下，变法之论骤起，但他批评论者

"于人才风俗之本,先后缓急之程,一不关其虑"(《散原精舍文集》卷七)。他早期所作的《罗正谊传》(同上卷二),叙述这位湘潭人尝为郭嵩焘所聘课其子,后又应彭玉麟之聘到暹逻考察,但终不得大用,"乃引归,发愤太息,务张泰西之美,而痛中国之所由敝,以为富强之术,宜专教育人材,师夷所长,去拘墟之见,除锢敝之习",陈三立对此是深表同情的。严复的思想当然比陈三立深刻得多,但他们(包括郭嵩焘)在这一点上有不少相同之处。由此可见,近代社会确有一部分人主张以渐进的方式,力求在学术文化上树立黜伪崇真的风气(严复曾说西学之"命脉"乃在"于学术则黜伪崇真",郭嵩焘说"实事求是,西洋之本也"),藉以发明新义,开启民智,通过长期的努力,造成中国富强的文化上和思想上的坚实基础。这应该是一股客观存在的思想倾向。

正由于如此,尽管陈三立在戊戌变法失败后,被革职闲居,但还是力促其子出国学习。1902 年,陈寅恪随其兄师曾,东渡日本留学。而在此前的一年,陈师曾即已在上海入法国教会学校读书。1904 年夏,陈寅恪假期返国,同年冬,又与兄隆恪同考取官费留日,陈三立特地从南京赶至吴淞送别。1909 年,陈寅恪经上海赴德留学,陈三立又至沪上,赋诗送别,有"分剖九流极怪变,参法奚异上下乘。后生根器养蛰伏,时至倘作摩霄腾"之句(《散原精舍诗续集》卷上《抵上海别儿游学柏灵》)。我们知道,陈三立虽被清廷革职,但仍以孤臣孽子自许。辛亥革命后,他为一些清室故臣所作序跋、墓志中,对清之覆亡表示痛惜,而对武昌起义却抱对立情绪。但尽管他当时对西方的认识还茫然得很,尽管他仍以遗老自居,却尽可能送几个儿子出国,去接受与故老传统迥异的西学,并且还寄以厚望,这可以提供我们去进一步认识处于新旧交替中而又急剧变化的近代中国,人们思想面貌的异常复杂性。

陈寅恪由于家庭环境的浸染,肯定会受到这方面的影响。陈寅恪一生,始终把学术当作唯一的追求,却又认为做学问必须摆脱各种业务的干扰。他还用"独立之精神"、"自由之思想"来称赞王国维。这些,都可看出郭嵩焘、严复、陈三立思想倾向的影响。

原载《中国文化研究》1993 年第 1 期,据以录入

黄珮玉《张孝祥研究》序

　　近十数年来，无论在中国大陆，还是在港台地区，词的研究似乎已成为宋代文学研究的热点，而豪放派的词人与词作，又更受到人们的赞赏与关注。这当然是可以理解的，豪放派词人胸襟开阔，情调高扬，特别是从南北宋之际开始，又因他们的词作系念于国家的安危、生民的哀乐，对于常有忧患意识的中国知识分子来说，这一切是更能牵动他们的感情的。（当然，在具体的研究中，人们其实对婉约派词也表现出深沉的爱好，另外又有一种想摆脱豪放、婉约的传统模式而独创清丽一格的词，也是深受欢迎的。）我因为工作缘故，也出于个人爱好，对有关的论文和专著确也是关心的，从中也受到触发和启示。但久而久之，却有一种不满足的感觉产生。读着一些看似新奇的论点，细究起来总觉得浮在纸面上，看了几篇之后，种种宏论也就随着一些闪烁的词藻而终于轻飘地消逝。这样的感觉已非一年二年，而现在，读到黄珮玉女士这部沉甸甸的关于张孝祥的专著，过去那种不满足似乎得到一种理性的解答，那就是：我们的研究，我们的学术，真正要有所前进，还得靠实学，只有如此，我们才能得以走向整体的成熟。

关于张孝祥,过去不是没有研究文章,但说来很可怜,除了安徽宛敏灏老先生那篇几万字的《张孝祥年谱》外,实在见不出有像样的专门著作了。尽管如此,种种宏论,各式各样的赏析文字,竟是接连不断地在一块远非厚实的基础上生发出来。我们的研究能够在这种状况下达到繁荣昌盛吗?

黄珮玉女士的这部《张孝祥研究》,给人一种充实感。我觉得,它所蕴含的学术上的意义,已远超过书中论述的一个个具体的论点,尽管这些论点也都有极堪学人注意的独立的价值。

全书对张孝祥的生平、词、诗、文、书法、文集版本作了全面的探讨。著者对每一章节都倾注全力,从字里行间可以看出,著者是写得很累的,但唯其如此才使读者获得一种来之不易的厚实感。著者似乎不放过张孝祥生平的每一个细节,有时为了一个很小的细节,也会安排一长串材料。我知道著者是没有考证癖的,但似乎一种学术上的责任感迫使她去穷搜究讨,这种不厌其烦的心态不是更能表现出一种以全身心拥抱文学历史的热情吗?

有不少地方确实发前人所未发。如张孝祥与汤思退的关系,过去的一些文献记载总抱有一种为贤者讳的态度,实际上是视此为张孝祥一个不小的疵点。书中引用详确的材料,说明张孝祥实在与汤思退没有政治上的牵连,更从张孝祥一生的大节着眼,清晰地表明张孝祥与汤思退之间在事关和战的大局上明显地划出一道界线。又如从绍兴二十九年罢官至建康留守,过去的研究对这几年实在未有触及,以至形成张氏行迹中的一段空白。著者则从为人忽略的常见材料中,写出那一时期宋金采石之战前夕,张孝祥出于对国事的忧虑和关怀,奔走大江南北,向一些主战派人士进言,希望朝廷能作积极防御的准备。更使人感兴趣的,是著者还利用前些年在江苏省江浦县出土的其子张同之墓志,勾稽出这位豁达大度的诗人兼政治家,在年轻时还有一段爱情婚姻的悲剧。陈寅恪在概括王国维的学术成就时,曾提出三点,其中之一即是结合历史文献记载与地下出土文物作综合的考察。著者在论述张氏的爱情悲剧时,确是很好地继承和运用了近代中国学者开创的传统治学方法的。

我真佩服著者身居香港的繁华之地,而能沉潜于原始资料的搜讨。顾炎武在《日知录》自序中曾说:"尝谓今人纂辑之书,正如今人之铸钱,古人采铜于山,今人则买旧钱,名之曰废铜,以充铸而已,所铸之钱既已粗恶,而又将古人传世之宝舂挫碎散,不存于后,岂不两失之乎?承问《日知录》又成几卷,盖期之以废铜,而某自别来一载,早夜诵读,反复寻究,仅得十余条,然庶几采山之铜也。"这番话表现了顾炎武对当时有些人以贩卖现成旧材料自诩的讽刺,以及对自己治学的严格要求。黄珮玉女士确实也是如此。她所引用的宋代史籍、文集、笔记、类书、方志,既有常见书,也有生僻书。即以她所考的张孝祥之子同之事迹,所引之书,根据我所记录,以论述之先后,即有弘治《滁州志》、《宋会要辑稿》,陈傅良《止斋集》制词,《历阳典录》,桐城《浮山志》,陆游致张同之诗二首,以及周必大《文忠集》、张镃《南湖集》中诗各一首。应当说,对张同之的考述,并非全书最为用力之处,但即使如此,所引之书已非一般,由此也可见著者是以怎样一种严肃的态度来从事于此的。

我曾说过,我们应当有一套中国古典作家传记丛书,凡在中国文学史上有过贡献,有其特色的作家,从屈原开始,到清末,分别写出传记。写这样的传记,要立足于信实,要吸收已有的成果,又经过撰写者的独立研究,对作家的生平事迹写得清清楚楚,不回避矛盾,也不强作解人,从材料出发,而这些材料又是经过核验的,无论今后对作家的思想、艺术评价有何等样的变化,要做到这套传记所写的基本事实是推翻不掉的,而无论评价是如何的花样翻新,它们对这些作家生平的再探索必须以此为依据。要做到这一点是不容易的,但不是不可以达到的,如果我们真正做成了,则将是一项中国文学史研究的基本工程,在世界上也会产生影响。与此同时,我们还应从事专书的研究,这是深层研究所必须做的一着。专书的研究,实际上是对研究者功力的一种考验,也是我们整个研究的不可或缺的支撑。如果我们对宋代有代表性的作家及其著作分别作了专题性的研究,就会使我们的整个研究基础较前更为充实,也会使年轻的研究者得到严谨学风的熏陶。

从这样的一种研究格局出发,作为一个大陆的古典文史研究者,我确实感到应当感谢黄珮玉女士这部著作的出版,它会使我们的研究者进一步思考学术上的责任,以及如何使自己的每一部著作都能有一个较高的品位。

最后,我还想说的是,黄珮玉女士是我在北京大学中文系求学时的先后同学。我 1955 年毕业,她 1957 年毕业。但在校学习期间,我已记不起来是否曾与她说过话。她在校时曾在中文系学生会担任过工作,性格开朗,有组织能力,我曾见到她有条不紊地主持过中文系的全体同学会议。毕业后我留校当助教,不久就历经坎坷。她则任教于西安、广州等地,彼此不通音讯。"文革"后她到北京时曾来看过我，匆匆一聚。1992年、1993年春我两次到香港作学术访问，她都来带我在香港游览。她本在香港出生，后在大陆求学、工作，"文革"后回香港定居。在一般人印象中，她可以安安稳稳过富裕日子了，却不料她为了事业的追求，竟辞去职位，专心致志地写书。人间得失本无一定，从世俗的眼光看，她可谓失去得太多了，但在这些年中，她先有张元幹研究的专著问世，现在又拿出篇幅更大的张孝祥研究，这到底是失还是得？二张是词史上的关键人物，没有张元幹和张孝祥，也就不会有辛弃疾。从这个意义上来说，我们要研究宋词，要研究豪放派词和大词人辛弃疾，就不能绕过黄珮玉的这两部书。但是，我总觉得，珮玉女士实在是生活得太累了，她总是倾全力于事业，以致忘却自己的生活，对于个人来说，实在是失大于得。这在香港社会，实在是非常艰辛的。我不善于安慰人，对于这位已饱经沧桑的老同学来说，也不必再作文字上的慰藉，我只能说，学术工作恐怕就是要安于清贫与寂寞的，而且对于我们这样的人来说，能相安于清贫与寂寞，也未始不是一种美德，一种超越。这算是这篇短序临结束时聊以互勉的话吧。

1993年暮春

原载三联书店香港有限公司1993年版《张孝祥研究》，此据大象出版社2008年版《学林清话》录入，另收入湖南人民出版社1997年版《濡沫集》（题为：学问追求与世俗超脱）

曹道衡《中古文学史论文集续编》序

　　道衡先生于 1985 年在中华书局出版他的《中古文学史论文集》时,我正任中华书局副总编,分管文学编辑室的业务。在此之前,中华书局也出版过一些学术论文集,但著者都是七八十岁或已去世的老学者,如游国恩、余冠英、王季思,以及孙楷第等久负盛名的前辈耆宿。那时道衡先生只不过五十开外,按照中华书局的惯例,似还轮不到编印个人学术论文集。文学编辑室诸同仁遂为此事与我商量,我们一致认为此例当破,遂毅然付印,结果反应极佳,赞誉中华书局不但为中古文学研究做了一件好事,也对像道衡先生那样潜心于书斋、超然于竞途的学者稍给予精神上的慰藉。

　　现在,我忝为中华书局总编,却接到道衡先生告知,说他应台湾文津出版社之请,拟将近年所作之文续编成集,并嘱我为文集作序。我很惭愧在我主笔政之际未能将道衡先生有关中古文学研究论文编成续集在中华书局出版,但也欣喜台湾的出版界同仁有学术眼光,能将大陆的高水平著作及时介绍给台湾学界,也预祝道衡先生的新著能为海峡两岸的文化学术交流作出新的贡献。

我于中古文学，虽有爱好，却无研究。50年代时曾在北京大学随先师浦江清先生治两宋文学，后又在中华书局于编务之暇辑成《黄庭坚和江西诗派》、《杨万里与范成大》两部研究资料汇编。因探索唐宋诗之异同乃对唐代文学发生兴趣，这是六七十年代之际事。又受到陈寅恪先生《隋唐制度渊源略论稿》通贯几代史事的治史方法的启发，乃又从唐代上溯魏晋，写了几篇考证文章，不久却又因种种原因，重理唐宋文史。可以说我对魏晋南北朝文学是浅尝辄止的，但也因职业和兴趣的原因，对这一段的文学研究，一直颇为关注。也正因此，道衡先生的文章，在其发表之初，我即大多拜读，现在结集成书，又使我能有机会来思考这一时期文学研究的历史和现状。

中古文学的研究，在整个中国古典文学研究中，确是较为冷寂的。过去也有些文章探究其原因，往往归结为这一阶段的文学比之唐宋明清来，无论内容与形式，均有种种不足。这种说法可能有一定道理，但我觉得与实际总还隔了一层。我想研究人数的多少与研究成果的丰歉不一定成正比，而一个时期文学成就的高低也不一定即决定研究水平的高低。我有一个想法，魏晋南北朝文学，或通常所说的中古文学，较之唐诗宋词，明清小说，其研究难度相对来说似乎较大，因而出成果也较不易。一个人研究某一唐代诗人、宋代词家，或者元明清的某一部戏曲、小说，可能在不太长的时间内即能有所成，但在相同时间内来研究中古时期的某一作家作品而要有所得，却难得多。人往往有避难就易的习性，如果能俯拾即得，为什么还要去跋涉长途呢？这样，中古文学就自然难以形成热门或热点，正像自然科学中有些领域和课题，虽然本身或许蕴含较大的价值,但由于研究难度高,不能短期见效,它就始终只能为少数人在实验室、在野外默默地进行着。

那么中古文学研究之难又在何处呢?这当然也不是短短几句话就能够说全的,而且也是仁者见仁,智者见智,各有所见,难以一概。我觉得中古文学研究之难,主要不在于如后代那样需用全力搜寻大量的不经见的材料,而是要在较高的学识素养上来细心研索材料,又要兼具文学、史学、经学的根柢,把研究对象放在社会文化的整体历史背景下加以观照。本世纪以来凡在这一领域作出较大成就者,如刘师培、鲁迅、陈寅恪、唐长孺等,都莫不如此。在当今,我认为曹道衡先生即是继这些前辈学者,在中古文学研究中创获最多、最有代表性的一位。

我想我的学力实还不足以来概括道衡先生的治学业绩,这里只就我所见及的谈几点他在中古文学研究中的创新之功。一是他对整个北朝(包括十六国)文学的研究,从搜集零散的材料到董理成系统的脉络,使我们对北朝的辞赋、诗歌,以及整个学术文化,有一个清晰的、合乎历史发展实际的认识。这是很不容易做到的,而只有做到这一点,才能对当时整个南北朝文学有整体的把握。二是他对不少作家作品以及某些文学事件的考证,可以作为科学的结论而为人们所引用。时代较早的,如关于《两都赋》、《二京赋》的写作年代和主旨,然后,从东汉末及建安,依次而下,如桓谭、曹丕、曹植、陆机、陆云、干宝、郭璞、鲍照、江淹、裴子野、王琰、何逊、王褒、邢劭、任昉等,有关他们的生平、行迹、交游、著作,都有精细的考证。应该说,有关这一时期作家作品的考证文章,这些年来确也不少,但有些文章每使我想起王国维的两段话,一是《毛公鼎考释·序》:"自古释古器者,欲求无一字之不识,无一义之不能,而穿凿附会之说以生。"又一是他为容庚《金文编》所作序中云:

> 孔子曰"多闻阙义",又曰"君子于其所不知,盖阙如也"。许叔重撰《说文解字》,窃取此义,于文字之形声义有所不知者皆注云阙。至晋荀勖写定《穆天子传》,于古文之不可识者,但如其字,以形写之,犹此志也。宋刘原父、杨南仲辈释古彝器,亦用此法。自王楚、王俅、薛尚功之书出,每器必有释文,虽字之不可识者,亦必附会穿凿以释之,甚失古人阙义之旨。

以我所见,一些考证这一时期作家作品的文章,所持证据尚不足,即强为立说,并自诩为创见。我想,我们搞考证的,其弊有时倒不在下不了结论,而是如王国维所说,虽"绝不可识者",也"附会穿凿以释之"。对比之下,道衡先生的考证,既精细,又通达。他的有些推论,应当说是有充分根据的,如本书《论王琰和他的〈冥祥记〉》,援引《隋书·经籍志》等书,推论王曼颖为王琰之子,又从而证实王琰生活的年代,甚富新见,且极有论据,但他还是作为推论看待,仍不作为结论。

我感到,我们的古典文学研究进展到现在,各种论点、说法已有不少,需要有人作一种科学归纳的工作,把能够成立的,符合于文学史实际的,就作为定论肯定下来。这是我们古典文学研究所必需做的学术积累的工作。这也像自然科学那样,应当在前人成果的基础上往前开拓,能作为定论的点越多,就标志这一学术发展水平越高。我相信,如果有人对中古文学研究来做这方面的工作,则道衡先生论著中可以作为科学结论而列入学术成果积累的,当居首列。

其三,道衡先生治中古文学,还不限于具体问题的考证,而还在于达识。他往往把某一作家或作品与社会历史、学术文化贯通联系,从而使人们对此问题的认识进入一个新的境界。如本书论陶渊明,从其文风与为人考察晋宋之际有一江州文人集团的存在,他们与长江下游及浙江地区的高门大族文人有明显的不同,又如论《雪赋》与《月赋》,能与作者身世遭遇及政治变故联系起来,分析二者风格的差异。著者对经学素有根柢,正因为如此,书中对《大狗赋》作者贾岱宗的时代,才能纠前代典籍之失,并进一步讨论伪《古文尚书》流行北朝的时间,由此还解决了南北学术交流的一个大问题。我由此想到,中古文学研究之相对冷寂,未始不是好事。因为这段文学研究所要求的知识水准高,这才不至于滥。我们可以在报刊上看到有关唐宋诗词、明清小说的不少陈词滥调,因为这类文章容易做,而相比之下,这样的文章在中古文学研究中就少得多。中古文学研究能保持学术领域中的严肃性,是很不容易的。我想,这是与在这一领域中有像道衡先生那样具有高标格的研究者,有很大的关系。

当今在大陆治魏晋南北朝文学,学识、人品为我钦仰者,道衡先生和天津南开大学中文系主任罗宗强教授。他们治学的侧重各有所不同,但兼具专精与宏通,则为学界所认同。我所庆幸的,是我于数年前曾为罗先生的《玄学与魏晋士人心态》一书作过序,今又能为道衡先生的第二本论文专集写序。两位先生的学术成就都迥然出于我之上，我谨当追随他们之后，继续就力之所能，为学术界尽一点微力。这也就是我之所以不避僭越而敢于写这篇序文的私意所在。

1993 年 5 月, 北京

原载台北文津出版社 1994 年版《中古文学史论文集续编》，此据大象出版社 2008 年版《学林清话》录入，另收入湖南人民出版社 1997 年版《濡沫集》（题为：潜心于书斋　超然于竞途）、大象出版社 2004 年版《唐宋文史论丛及其他》

《唐人选唐诗新编》序

　　本书题名为《唐人选唐诗新编》，是因为 1958 年 12 月中华书局上海编辑所(现在的上海古籍出版社前身)曾编印过一部《唐人选唐诗(十种)》，这部书的出版对唐诗研究曾起过积极的作用。在这之后，已经三十多年过去，中国的唐诗研究已有很大的发展，根据已取得的研究成果，我们完全有可能在过去的基础上重新来编一部《唐人选唐诗》，以满足当前唐诗学界和唐诗爱好者的需要。

　　本书编集唐人选唐诗共 13 种，即：

　　一、《翰林学士集》，许敬宗等撰；

　　二、《珠英集》，崔融编；

　　三、《丹阳集》，殷璠编；

　　四、《河岳英灵集》，殷璠编；

　　五、《国秀集》，芮挺章编；

　　六、《箧中集》，元结编；

　　七、《玉台后集》，李康成编；

八、《御览诗》,令狐楚编;

九、《中兴间气集》,高仲武编;

十、《极玄集》,姚合编;

十一、《又玄集》,韦庄编;

十二、《才调集》,韦縠编;

十三、《搜玉小集》,佚名编。

以上大体按编撰者的时代先后排列。今存的《搜玉小集》所选虽是初唐诗,但已是一个残本,且未知其编者姓名,故列于最后。据研究者考述,唐人编选的诗歌总集,现在可知的有 130 多种(见陈尚君《唐人编选诗歌总集叙录》),今存者约十余种。我们觉得,如《窦氏联珠集》《元和三舍人集》等有合集的性质,有些则是酬唱集,与选集的含义稍远。过去编印出版的敦煌写本唐诗,似为抄录,而非编选,这次也不列入。

我们这次所做的工作,一是补充了新材料,如《翰林学士集》,过去未曾给予充分的注意,实则其中包含有初唐时君臣唱和的丰富的材料;《丹阳集》《玉台后集》,二书早已亡佚,过去仅知书名,此次重加辑佚;《珠英集》也在前人辑佚的基础上根据敦煌遗书重加整理。二是改选了较好的本子,如《河岳英灵集》用接近殷璠原编的宋刻二卷本,而不用后起的明刻三卷本;《中兴间气集》《极玄集》也都改用时间较早的影宋抄本。三是重新根据有关版本及材料作了校记,改正了原书或过去刻本中的一些错误,如传自日本的《又玄集》,向无校记,实则错误不少,亟应校正。这是这次整理中用力较多的一项。不过我们这次对各集所作的校勘,主要是进行版本校,不再与所收诗的别集加以通校,因为这将不胜其繁而失却各书本身系统比勘校核的意义。

各集所用的底本情况如下:一、《翰林学士集》,以贵阳陈氏光绪间影写刊本为底本。二、《珠英集》,敦煌遗书写本残卷(即分藏于巴黎的伯三七七一与伦敦的斯二七一七)。三、《丹阳集》,辑自上海图书馆藏明刻本《吟窗杂录》及复旦大学图书馆藏明万历刻本吴琯《唐诗纪》等书。四、《河岳英灵集》,以北京图书馆藏莫友芝据毛扆校本过录之宋刻二卷本作底本。五、《国秀集》,以《四部丛刊》影印明刻本为底本。六、《箧中集》,以刻入徐乃昌《徐氏丛书》中的影宋钞本为底本。七、《玉台后集》,辑自《后村诗话》《郡斋读书志》《乐府诗集》《永乐大典》,及吴琯《初唐诗纪》《盛唐诗纪》等。八、《御览诗》,以北京图书馆馆藏毛晋汲古阁刻本为底本。九、《中兴间气集》,以北京图书馆藏毛氏汲古阁影宋抄本为底本。十、《极玄集》,以上海图书馆藏影宋抄本为底本。十一、《又玄集》,采用古典文学出版社据日本享和三年(1803)江户昌平坂学问所刊本(日本内阁文库原藏)影印本。十二、《才调集》,以《四部丛刊》影述古堂影宋钞本为底本。十三、《搜玉小集》,以北京图书馆藏明汲古阁刊本(有临何焯批校)为底本。

本书于各集前都写有《前记》,扼要说明编选者生平、成书时代、价值与存在的问题、版本流传,及此次整理情况,供读者参考。

本书《翰林学士集》《丹阳集》《玉台后集》由复旦大学中文系陈尚君先生编撰,《珠英集》由中华书局文学编辑室徐俊先生编撰。龚祖培先生曾提供《又玄集》《才调集》的校记草稿。对三位先生的真诚合作与积极支持,谨致深切的谢意。

1993 年 7 月

原载陕西人民教育出版社 1996 年版《唐人选唐诗新编》,此据东北大学出版社 2015 年版《中国当代名家学术精品文库·傅璇琮卷》录入

《唐才子传校笺》第五册前记

　　20 世纪 80 年代中期,我曾邀约二十几位研究者,共同进行《唐才子传》的校勘和笺证工作。从笺证的内容说,要求做到这样三点:(1)探索材料出处;(2)纠正史实错误;(3)补考原书未备的重要事迹。也就是说,希望彻底清理此书的材料来源,从史源学的角度,查考辛氏所用材料的最早出处,以及这些材料曾经经历过怎样的流传过程,其间有无变异,同时还拟进一步检核材料的正讹真伪,从生平事迹的整体考察,来确定哪些材料经过检验是可以成立的,哪些是有问题的。另外,即以此书所述为线索,补考出辛氏未加记载的重要事迹,作为到目前为止的这将近 400 位诗人生平研究的一次集结。

　　应当说,这是一个高标准,真要做到这几点,实在很难。当时我作为一个创议者是作了"取法乎上"的思想准备的。全书 140 万字,共 4 册,于 1987 年夏至 1990 年冬陆续印出。出版后听到的反应还是比较好的,并且获得了 1991 年国家新闻出版署评定的首届优秀中国古籍整理著作二等奖。但在这期间,我自己在复阅中也发现了一些错误和疏漏,也收到一些朋友的信札,谈及书中的问题。我在第一册的《前言》中曾说过："希望这本书能作为有唐一代诗人事迹的材料库,使书中的笺证既是现有研究的成果,又是无限的学术进程中一个新的起跑点","希望随着研究的不断进展,今后将不断修改和更新笺证的内容"。我曾经想过,以后在重印时,不妨仿照夏承焘先生《唐宋词人年谱》,把一些商榷意见,编成"承教录",附于书后,既可供读者参考,也可作为研究进展的一个标志。

1991 年 7 月,我把载有我所撰写的《〈唐才子传校笺〉编余随札》一文的《书品》(1991 年第 1 期)寄给湘潭师院的陶敏同志,并征求他对此书的意见。他随即复信,摘举了书中几个例子供我参考。对陶敏同志治学的专精,我是逐步了解到的,他在 80 年代中后期所发表的几篇唐代诗人生平考证的文章,很使我惊异。这时,复旦大学中文系的陈尚君同志也正从事于《全唐诗》与《全唐文》的补编,并拟进一步做《唐集考》的工作。他们两位对唐代诗人与作品的文献资料有全面的考虑,掌握的资料范围很宽,用功极勤且细。因此我就请他们两位集中一定时间,对已出版的四册作一次检核,结果就是他们现在写成的 30 余万字的补正。

显然,这样有 30 余万字的考证文字,已不是原来设想的"承教录"的形式所能容纳,因此我征得陶敏同志和陈尚君同志的同意,以此作为《唐才子传校笺》第五册出版。细心的读者当可发现,陶敏同志与陈尚君同志所作的补正,不仅仅是对前四册笺证的纠误补缺,其本身即具有独立的学术价值。没有这第五册的补正,则前四册对诗人生平事迹的考证,就将是极不完全的。

我认为,这第五册除了对原笺的缺误作了极有科学价值的补充、修正外,其本身还有方法论的意义。就我在阅读过程中所感到的,有这样几点:(1)我们在考证诗人生平时,一定要注意利用文物考古的材料。这一点,陈寅恪先生早已提出过,他总结王国维的治学成就,概括为三点,即"取地下之实物与纸上之遗文互相释证","取异族之故书与吾国之旧籍互相补正","取外来之观念与固有之材料互相参证",并且说,这三点真正做到了,就"足以转移一时之风气,而示来者以轨则"(见《王静安先生遗书序》,《金明馆丛稿二编》)。近几十年来,出土的唐代文献材料非常丰富,谁能够真正用力于此,必然大有所获。这次补正稿,就充分利用新发现的唐代碑志,补充和改正了原有的对若干唐代诗人生平的考述,有些是十分重要的创获。具体例子就不一一列举了。我在阅读近些年来的诗人考证文章,凡用及出土文献的,莫不有新鲜之感,一洗过去仅引用若干旧注旧说而长篇发挥那种陈陈相因的陋习。(2)掌握材料的面要尽可能广,并且要尽可能将前后材料贯通起来。研究唐代,不能只限于读唐代的书,宋元明清的记载都要顾及,最好还能利用域外的材料。如李峤传,载李峤有《杂咏》诗,张庭芳为作注,原笺仅引《敦煌古籍叙录》,以为逸亡已久,现在补正稿中指出日本藏有三个系统之七种抄本《李峤杂咏注》,实未尝佚,就使人大开眼界。又如张继传中说"尝佐镇戎军幕府,又为盐铁判官;大历间,入内侍"。原笺以为此数句未知所本,怀疑为辛文房臆度之辞。补正稿据曹汛同志提供的线索,考出此系辛氏误录宋初内侍张继常之事迹,《诗话总龟》卷二四引《杨文公谈苑》曾记"内侍张继常为镇戎军钤辖",能读书作诗,"中间入内都知,佐郡"。辛氏误读此一段,并将"张继常"名读破,作为张继事迹。此处宋人一条极普通的材料就解决了《唐才子传》中这一颇不易攻破的难点。又如原笺好几处引戴叔伦诗以证实一些诗人与他的交游,而据补正所考,《全唐诗》中之戴叔伦诗不少出于明人伪作。这种考订,如没有勤搜博求的功力,是很难做到的。(3)考证之作,切忌轻易下断语,须慎之又慎。原笺中不少处说到某唐人诗集,宋时即不见记载,补正中即举出《遂初堂书目》《秘书省续编到四库阙书目》等为例,证明宋时一些书目即有著录。又如张仲素传中,原笺否定《旧唐书》仲素河间人的说法,认为其本贯为宿州,所据为光绪《宿州志》中有"苻离五子"的记载(谓张仲素即五子之一)。而实则这所谓"五子",除张仲素,其余都非真实姓名,而是修志者误读白居易诗,将诗中本系用典而误作人名了。

最后还应提及的是,我本拟与原来各位作笺注的同志联系,也请他们就所发现的作出补正,以与陶、陈两位所作并合。但鉴于陶、陈两位所作已较集中和完整,从技术方面考虑,单以他们两位所作作一整体,更便于读者阅读和使用。学术乃天下之公器,我相信我们这一时代的研究者是更有这一气度的。补正固然出于陶敏和陈尚君同志的手笔,但也可视为我们唐诗学界共同的成果。我希望在这之后,随着研究的日益深入,将会有新的补正,使这部书得以不断充实和提高。

1993 年 8 月

原载中华书局 1995 年版《唐才子传校笺》第五册,此据东北大学出版社 2015 年版《中国当代名家学术精品文库·傅璇琮卷》录入,另收入安徽教育出版社 1998 年版《当代学者自选文库·傅璇琮卷》、京华出版社 1999 年版《唐诗论学丛稿》、首都师范大学出版社 2010 年版北京社科名家文库《治学清历》、万卷出版公司 2010 年版《当代名家学术思想文库·傅璇琮卷》

力求务实创新　切忌急功近利

　　新中国成立以来,古籍的整理、研究和出版,是取得很大成绩的。早在1958年,即成立以齐燕铭同志为组长的古籍整理出版规划小组,那时的小组成员,如范文澜、翦伯赞、陈寅恪、陈垣、顾颉刚、冯友兰等,人数虽不多,却都是国内外著名的第一流学者。第一届古籍小组主要抓了三件事,一是制订了文史哲三大类的整理规划,这个规划现在看来虽然过于庞大,不易在短期内完成,但因出于对古文献素有研究的专家之手,因此制订得极为细致周到,就其系统、全面而言,以后的类似规划还没有超过它的。二是抓重点项目,如二十四史、《资治通鉴》等基本史籍的点校,《册府元龟》、《太平御览》等大型类书的影印,为古籍整理的科学性起了示范的作用。三是在北大设立古典文献专业,培养专门人才。那几年(即60年代前期)培养出来的同志,现在已成为我们古籍整理研究和出版队伍的领导和骨干力量。我从1958年起在中华书局工作,切身感觉到,第一届古籍小组的经验是很值得我们认真研究和汲取的。

　　改革开放以来,这十几年中,古籍整理出版应该说取得更大的成就。单以 80 年代而言，就出版古籍四千余种，成倍超出新中国成立后前三十二年出版古籍的总和。大型重点项目正在陆续整理和出版。文史典籍的出版，逐步理出了学科或门类发展的脉络和体系，反映出古籍整理出版工作正逐步具有计划性和系统性。一支颇有潜力的老中青相结合的古籍整理研究队伍已经形成。专业古籍出版社由新中国成立初期的少数几家发展为现在的十八九家。这些，都为我们今后工作的开展打下坚实的基础。

但是不可否认，近些年来，我们古籍整理的质量是有所下降。严肃的、有功力的整理著作越来越少，而应时的、急就章式的出版物却大量涌现。假如要问，我们现在古籍整理出版中究竟主要是什么问题，我个人以为，主要是质量下降问题。

这些年，社会上追求什么热的风气似乎也反映到古籍整理中来。例如古书的白话翻译，就很热闹一阵子。古书今译，是普及传统文化的一项不可少的工作，但不是说什么书都要译，更不能几个月、半年就要译一部书。现在是要译就要译大而全的。十三经全译，《尔雅》怎么译？听说有的地方还要译《康熙字典》，真是匪夷所思。对古书作注已很不容易，要把每字每句都译得准确，非有深厚的训诂工夫不可。但现在有些人就把此事看得太容易，结果，有的译本可说是错误百出，有的甚至碰到难懂的地方，竟至干脆暗中略去不译。

还有一种是辞书热。编辞书本来也是一件好事，但在有些人手中，却又成为牟利的手段。几个人一商量，看到什么好销，马上动手，东抄西凑，美其名曰"大全"、"集成"，如果仔细查核，还不是从一些已出版的几部基本辞书中抄来的。另外是影印热。不选择版本，不进行必要的加工，拿来就印，甚至连最起码的页码都不标，前面最基本的说明也不写。

可能会有人说我保守陈旧，我总深深为目前这种急功近利的风气担忧。我觉得当前应大力倡导务实的学风，从整理者到出版社的编辑，都应继承我们前辈谨严的优良作风。有的年轻同志也不是不想做好工作，而是对古籍这一行当还不太懂。因此我建议编一部《古籍整理基础知识概要》的书，继承传统中好的做法，总结近现代的新的经验，把我们的实践经验加以科学的概括。

讲到创新，我想趁此讲一下古籍整理研究手段现代化的问题。把计算机技术引入中国古籍整理领域，在一二十年以前，对大多数人来说，恐怕还是一种幻想或梦想，而现在，经过不少学者的努力，已经有百种以上、近亿字的古籍进入机读。电子计算机技术的迅速发展和普及，为古籍整理出版和研究工作展示了极为广阔的前景。特别是中文信息工作的长足进步，使电脑这一最现代化的技术与中国古籍这一古老文明得以结合。如果我们现在要求创新的话，其中一个重要课题即是研究如何加快古籍整理出版手段现代化的步伐。这不单单是为了提高整理的速度，计算机的推广应用，还必定会使我们的整理研究在质量上出现新的飞跃。我们要创新，就要遵循科学规范的路子，而不要为某些小利所迷惑。

原载 1993 年 12 月 4 日《文汇报》，此据大象出版社 2004 年版《唐宋文史论丛及其他》录入

《宁波市志》序

　　我从小在宁波长大,在宁波城区念完小学和中学,以后到北京上大学,毕业后留在北京工作,很长一段时间内未有机会返乡,近数年才因工作之便,得有机会归里。而恰恰在这些年间,在改革开放形势下的故乡发生了极大的变化。年青时谙熟的、经常徜徉其间的几条小路,不少变成了人车辐辏的通衢大道,而好几座大桥伴随高楼耸立于三江(奉化江、姚江和甬江)之上。刚巧新编《宁波市志》孜孜七载告成,在我担任总编辑的中华书局出版,使我这个远离本土的游子能有机会来尽一点报答桑梓之情。

　　我们宁波有两个特点,一是它作为沿海港口城市,向外开放的历史是很早的,而其对外贸易的重要地位,历经宋、元、明、清和民国,特别是今天日益明显。早在唐代,日本遣唐使舶曾在明州靠泊和返航。公元992年(北宋淳化三年)明州设置市舶司,这是有历史记载的明州对外通市最早的年代,至今已逾千年。1277年(元至元十四年)庆元(宁波)设市舶提举司,是当时全国四个市舶提举司之一。而到1293年(至元三十年)温州市舶司,1298年(大德二年)上海、澉浦的市舶司先后并入庆元,由此可见庆元口岸在元代的地位。明代，1370 年（洪武三年）设置广州、泉州、明州等处市舶司，并确定宁波主要是接待日本来华商船。入清，1685 年（清康熙二十四年）设浙海钞关行署于府城，是当时四个海关之一。鸦片战争后，宁波被迫辟为"五口通商"之一，1844 年正式开埠，延续到民国。可是由于闭关自守、外敌入侵、经济落后、国力衰弱等诸多历史原因，使宁波这个古老商埠和港口兴衰交替，但总的来说长期处在停滞、衰落之中。中华人民共和国成立后有所发展，70 年代后期和 80 年代初，镇海港的新建，北仑深水良港的发现、开拓和建成，使 1990 年的宁波港发展成为具有设计吞吐能力五千万吨的现代化港口。港兴城荣，随着 1984 年宁波进一步对外开放，电力、重化和乡镇企业等工业勃兴，外贸迅增，使宁波崛起于东海之滨。1990 年全市工农业总产值比 1985 年将近翻了一番。二是宁波作为历史文化名城，不仅古迹遍布，文物众多，全国重点文物保护单位就有五个，有七千年河姆渡文化，而且人文荟萃，文风鼎盛，有良好的学术传统。北宋的杜醇等"庆历五先生"，南宋的杨简等"淳熙四先生"师承陆九渊心学，开创"四明学派"。明代，余姚王守仁开创"阳明学派"，他的"致良知"说，被称为王学，后来演变为王学七派，一度风靡半个中国，还流传到日本、朝鲜。清初，余姚黄宗羲开创浙东学派，力主"经世致用"，其影响最大在史学，故又称"浙东史学"，万斯大、万斯同兄弟等师事黄宗羲，其后邵晋涵、全祖望、章学诚等继之。数百年间，史家前后相望。对方志学的理论有重大贡献的章学诚，就认为方志既是"一方之全史"，就要本着"经世致用"的观点，要"切于一方之实用"。正因如此，他力主地方志的修纂，除了采自前代典籍外,更须采自当代的实际材料,应当反映时代风尚和地方特点。俞福海先生主编的《宁波市志》正是在方志编纂中发扬了"贵致用、务博综、尚实证"的浙东学派的严谨学风,编纂者以正确的观点,完备的体例,翔实的资料,朴实的文字,记述了宁波的历史和现状,因而具有明显的时代特色和地方风貌。诸如将海港口岸、文物、学派与著述单列成卷,正是为了反映宁波港口城市和历史文化名城的性质和地位。《宁波市志》在继承、吸收旧志优点的同时,已在总体上超而过之。在我们宁波人民向现代化迈进的宏伟事业中,它必能充分发挥其积极的、促进的作用。对久居在外的宁波人来说,读后将会更感亲切并引起对自己生活痕迹的怀念,激发对哺育自己成长的宁波土地和人民的报效情意。正因如此,我能为家乡的第一部新志书作序,实不胜荣幸。

1993 年岁末

原载中华书局 1995 年版《宁波市志》,此据大象出版社 2008 年版《学林清话》录入

戴伟华《唐方镇幕僚文职考》序

　　我与戴伟华同志原不认识。1989 年下半年,在京的几位古典文学研究同行倡议编一套《大文学史观丛书》,并推选我担任主编。有位朋友介绍戴伟华同志的《唐代幕府与文学》,建议列入此套丛书。我一看题目,觉得与我过去在《唐代科举与文学》自序中所谈的相合,就很快决定列入这套丛书首批印行的五种之中,后即由现代出版社于 1990 年 2 月出版。自此之后,伟华同志即与我通信,彼此时常谈一些学问上的事情。后来他说,他有志于在唐代方镇幕府与文学的关系上作进一步的探索,而要想深入,必须在史的方面下功夫,于是决定着手作唐代方镇文职僚佐考。我赞同他的计划,在通信中就编纂等一些问题彼此切磋。我原以为这件工作总得做上十年八年,不想伟华同志锐志奋进,在短短几年内即完成这四五十万字的大书。但随后在出版上又遇到种种困难,几经磨折,现在终于有机会得以问世,总算皇天不负苦心人。他来信要我作序,我觉得在当前出版难、写书难,特别是搞考证资料难这样一种文化环境下,我是理应为这部著作说几句话的。这不但是为伟华同志本人,也是为了在目前这样一种特殊的学术氛围中相濡以沫。

我在写完《唐代科举与文学》之后,于 1984 年为该书作序,其中说:"我在研究唐朝文学时,每每有一种意趣,很想从不同的角度,探讨有唐一代知识分子的状况,并由此研究唐代社会特有的文化面貌。我想从科举入手,掌握科举与文学的关系,或许可以从更广的背景来认识唐代的文学。如果可能,还可以从事这样两个专题的研究,一是唐代士人是怎样在地方节镇内做幕府的,二是唐代的翰林院和翰林学士。这两项专题的内容,其重点也是知识分子的生活。"我这里提到的唐代社会两类知识分子,一属于知识分子的高层,即翰林学士,那是接近于朝政核心的一部分,他们宠荣有加,但随之而来的则是险境丛生,不时有降职、贬谪,甚至丧生的遭遇。他们的人数虽不多,但看看这一类知识分子,几经奋斗,历尽艰辛,得以升高位,享殊荣,而一旦败亡,则丧身破家。这是虽以文采名世而实为政治型的知识阶层。而另一类在节镇幕府任职的文士,则是数量众多,情况复杂。他们有的后来也跻身庙堂,但大部分则浮沉世俗,是在当时很有代表性的知识分子群体。这两类知识分子是很值得研究的,可惜我后来牵于人事,未能有充裕时间从事于斯。

正因为此,我在看到伟华同志的《唐代幕府与文学》一稿时,觉得竟有志同道合者在,不禁为之跃然。伟华同志有志于深入这一领域,且决定从治史着手,这既表明他勤奋,也确显示他的见识。因为考唐代方镇,吴廷燮的《唐方镇年表》虽已花了一番工夫,但可补正者正复不少。无论如何,方镇终究是方面大官,史料记载较多。现在要考其属下僚佐,而且要尽可能确定其年份,可以说比考方镇要难得多。首先对唐方镇僚佐的职掌作具体考述的，当首推台湾学者严耕望先生于本世纪 60 年代所作的《唐代方镇使府僚佐考》，载于《新亚学报》第七卷第二期及《庆祝李济先生七十岁论文集》。现在是要考列各方镇使府内各僚佐的姓名及任职年份，其所下的功夫就远非一二篇论文所能比。我觉得伟华同志之难能可贵处，不仅在于甘坐冷板凳来遍检各类史书、文集、笔记、杂纂，以及新出土的碑志，还在于能细心考绎其间的差异，纠正不少文献记载上的错讹。今谨就翻阅所及，举数例如下：

例一，邠宁韦丹，韩愈所作墓志、杜牧所作遗爱碑及《新唐书》本传，皆云韦丹曾佐邠宁幕府，但未言任何幕职。今据《金石萃编》所载《姜嫄公新庙碑》文末所署，考知韦丹在幕府任节度判官。

例二，邠宁张抗，《文苑英华》卷八九九《殿中监张公（九皋）神道碑》载次子张祝，而碑文载其余子之名皆从手，《新唐书·宰相世系表》也正作抗。

例三，平卢李戡，《新唐书·宰相世系表》作平卢节度判官。《新唐书》本传载"平卢节度使王彦威表为巡官"，此正与《樊川文集》卷九《唐故平卢等节度巡官陇西李府君墓志铭》合。

例四，河阳韦玠，《全唐文》卷六四九元稹《授韦玠等京兆府美原等县令制》："敕河阳节度参议兼监察御史韦玠……可守美原令。"而《册府元龟》卷六九九《牧守部·谴让》："穆宗长庆元年六月知怀州河南节度参谋兼监察御史韦玠奏"。二者比勘，其所任官职应从《册府元龟》作节度参谋，而非节度参议，其从事之节镇应从《全唐文》作河阳，而非河南。《全唐文》与《册府元龟》正可彼此校正。

例五,忠武军段瓘,曾在王茂元幕。《樊南文集》卷二有《为濮阳公陈许奏韩琮等四人充判官状》,其中即提及段瓘。《全唐文》卷七五九有段瓘小传,称"王茂元帅陈,表为判官",此不误;但所载《举人自代状》,却正是李商隐上述奏状,《全唐文》误属段瓘。

书中尽可能利用经过整理出版的唐代墓志,但并不盲从,而是细心核阅原文,稽考有关史籍,以纠正编著者的错失。如前几年出版的《隋唐五代墓志汇编》,此书虽汇集了不少新出土的墓志拓片,但由于编者粗心大意,著录时可说是错误百出。就伟华同志所指出的,如天平军崔成相,《隋唐五代墓志汇编》洛阳卷第十四册有《崔君夫人李氏墓志》,《汇编》编者谓此志为崔德裕作。按此文署"堂弟特进行太子少保分司东都卫国公德裕撰"。墓主为李氏,则其堂弟当然也姓李,怎么可能姓崔呢?所署官职勋阶也正与李德裕相合。且此志中明明记有"夫人赵郡赞皇人……祖赠太师赞皇文献公讳栖筠",也可与两《唐书》之李栖筠、李德裕传对看。书中考崔成相事,同时也纠正《汇编》著录之误。类是者又如凤翔孙纾,《汇编》洛阳卷第十五册《孙君妻李氏墓志》,有云"再从侄孙前凤翔节度掌书记试秘书省校书郎纾撰"。此处并可参《汇编》第十三册之《孙简墓志》,称"第五男前京兆府渭南县尉集贤校理纾书",可见《李氏墓志》撰者为孙纾。而《汇编》编者却误作李纾,另于《孙简墓志》处之孙纾,又将其姓名写作孙理纾,其原因乃误读文中之"集贤校理纾书",以"理纾"为其名。《汇编》之误不一而足,于此也可见伟华同志读书之细与考校之精。

我在这里之所以不惮其烦地举这些看似琐细的例子,是想说明,真正做学问,是不能大而化之的。研究唐代幕府与文学,光是一般性地讲讲,一二篇文章也就够了,但若想在这方面作深一层的研讨,就得作史料的搜辑与分析。治史对于治文,是能起去浮返本的作用的。我们看了本书所考出的各方镇僚佐姓名,就能看出有些大镇,如并州、幽州、淮南、宣歙、荆南、西川等,不但僚佐的人数多,且人才也特别集中,这就无异于当时的文士分布图,可以见出当时(特别是中晚唐)人才流动的有趣的走向。这必定会丰富我们对唐代节镇幕府与文学关系的认识。

当然,考方镇僚佐,确有一定的难处,这方面的史料较为零散,不易考见某一方镇在其任期内究竟集中多少文士,现在所列出的僚佐也不一定即能确切反映当时的实际人数;且有不少材料所记较为浮泛,不易考定其任何职,在何年,因此一不小心,就容易搞错。不过无论如何,这部著作已经提供一个扎实的基础,足可供人们作进一步的研讨。伟华同志还年轻,一定能以此为新的起点,在文史结合上勤奋探索,做出不断的贡献。

1993 年岁末于北京

原载天津古籍出版社 1994 年版《唐方镇幕僚文职考》,此据大象出版社 2008 年版《学林清话》录入,另收入湖南人民出版社 1997 年版《濡沫集》(题为:史文结合的又一新例)、京华出版社 1999 年版《唐诗论学丛稿》

会心处不必在远

——读王世襄《说葫芦》

　　王世襄先生新著《说葫芦》，写就于 1992 年 1 月，1993 年 8 月于香港出版，并由香港中华书局发行。全书精装一厚册，除文字说明外，尚有彩色图 188 幅，黑白插图 26 幅。每件实物都有详实的文字说明。全部中文文字都有英译。可以说是近些年来有关文化艺术与工艺美术专著从内容到装帧形式都臻于上乘的极为难得的精品。

　　王世襄先生的书，我读得不多，读过的有《明式家具研究》、《刻竹小言》、《鸽哨》、《蟋蟀谱集成》以及这部《说葫芦》。读王先生的书，总有这样一种感受，就是如《世说新语》所记简文入华林园所说的一段话："会心处不必在远，翳然林水，便自有濠濮间想也，觉鸟兽虫鱼自来亲人。"确实如此，凡读过王世襄先生以上这几部书的，都自然会有一种一竹一木、一虫一鸟"自来亲人"之感。

　　这是什么道理呢？道理可能不大容易说清楚，但这种感受，这种情思，我认为是真挚的，而且有一种精神上自我享受的雅致。

　　就以这本《说葫芦》来说吧。此书分上下两卷。上卷七章，讲葫芦的各种装饰方法和实物;下卷五章,讲几种鸣虫如蝈蝈、蛐蛐、油壶鲁等的畜养和欣赏。我们现在在大都市生活,不要说用葫芦来做成各种装饰物,恐怕连吃新鲜葫芦也是不太多的了。至于蝈蝈、蛐蛐、油壶鲁,不要说见到它们的样子,一般人连它们的叫声也不一定能听得到了。每天一早起来,忙于吃早点,收拾东西,接着是挤车、赶路,下午下班,又忙于买菜、接孩子,哪来这种闲工夫,挣钱还来不及呢,是不是? 现代化的生活,固然使我们获得不少新的知识与享受,但那种忙碌与浮躁,真也不知道丢掉了人间原有的多少乐趣。读王世襄先生的书,使我们进入返归自然的境界,让人再次享受童年天真的欢悦。也仿佛使人感悟到陶渊明所说"纵浪大化中,不喜亦不惧"那种明智的超脱。

我非常欣赏启功先生为此书所写序言的最后几句话,说王世襄先生的书,"一本本,一页页,一行行,一字字,无一不是中华民族文化的注脚"。就以这本书来说,从古到今,葫芦最大量的还不是作为价廉可口的蔬菜,最多做成实用舀水的壶、瓢,但我们的祖先,却用勒扎、刀刻、针划、刃押、火烫等手艺,做成各种盘、碗、瓶、盂、罐,各种乐器,以及鼻烟壶、首饰、鸣哨等等器物。看了书中一幅幅精美的图片,使人难以想象这些竟是出于过去颓垣败墙间的葫芦。中华民族璀璨文化充溢于人世间的一木一石,让人由衷地对祖国历史传统产生一种亲切而厚实的感情。

我不懂葫芦,小时虽也捉过蟋蟀玩,但比起王先生来则实在是算不得一回事。但我却极为欣赏王世襄先生对每件实物、每一图片所加的说明,这些说明,都可以单独成篇,远可以与《世说新语》比美,近乃超越于《浮生六记》。如不信,不妨抄几则以飨读者,也作为本文的结语。如 289 页记"官模子扬帆出海图蝈蝈葫芦",云:"大江水阔流急,舳舻相接,双桅张帆,似将出海远航。江边树木楼阁,堤岸石阶,纤悉可数。唯纹细景繁,须旋转谛视,始得其全。"——按此可见写景之清远。

239 页记"紫红大蝈蝈葫芦",云:"三十年代初,虫估吕虎臣设葫芦摊于东安市场,与星命馆向心处相对。其最高层囊匣成行,此葫芦位居正中,号称镇摊之宝。几次问鼎,以索价奇昂,无力致之。不意 20 年后,于挂货铺复见,付值不过虎臣所索之什一。原装锦匣犹存,而虎臣谢世有年矣。"——按此寓人事沧桑于恬淡笔墨之间,使人起悠然之思。

又 46 页记畜虫葫芦所用之模子,有云:"官模子瓦范烧成未用者,往年亦曾在冷摊觅得。十年浩劫,被当作手榴弹于谩骂声中掷碎,惜哉!"——此又可见此老之幽默会心处。

原载湖南人民出版社 1997 年版《濡沫集》,此据北京联合出版公司 2013 年版《濡沫集》录入,另收入北方文艺出版社2008 年版《书林漫笔》

张宏生《江湖诗派研究》序

　　这部《江湖诗派研究》原是张宏生君的 1989 年博士毕业论文。论文答辩的时间原定于六月初，在此之前我受程千帆、周勋初先生的邀约，作为论文答辩委员，阅读了正文的大部分章节。但说也奇怪，那时虽然也安下心来读了，但却如四灵之一的赵师秀诗中所说，"慷慨念时事，所惜智者昏"，我当然不在智者之列，但却也昏昏，现在回想当时的读后感，竟茫茫一片。时隔数年，这部论文现在作为专著，在我工作的中华书局出版，我这次确实是静下心来通读了全部校样，竟如同读一部从未寓目的新书一般，感到既陌生而又亲切，并惊异于论文作者在几年之前对文学史的理解竟已至如此成熟的程度。

　　我之所谓对文学史的理解至如此成熟的程度，是近于陈寅恪先生所说的"其对于古人之学说，应具了解之同情"。也就是说，要对于"其所处之环境，所受之背景"，须"完全明了"，这样"始能批评其学说之是非得失，而无隔阂肤廓之论"（见《冯友兰中国哲学史上册审查报告》）。陈寅恪先生这里说的是对中国古代哲学史研究的态度，我觉得对中国古代文学史，也应有此种"通识"。

对江湖诗派，自宋元之际的方回起，至清朝官修的《四库提要》，及一些诗评家（如李调元《雨村诗话》），无不以尖刻的词句，加以讥刺甚至辱骂，什么"江湖诸人纤琐粗犷之习"，"江湖末流寒酸纤琐"，"江湖一派以纤佻为雅秀"，"油腔腐语，编凑成集"，等等。古人的这些评论，似乎还影响到前些年出版的一些文学史著作。这些评语，其语气似颇为尖锐，实则仍不免失之于隔阂肤廓。

本书却不然，对于环绕江湖诗派的种种问题，均力持客观分析的态度。作者对江湖诗派的研究，有一个总原则，这就是书中所说，"南宋中后期出现的江湖诗派，不仅是一种文学现象，而且是一种社会现象和文化现象，因此，研究江湖诗派，也应将其置于一定的社会、文化范围中去考察"（页323）。这就是说，对江湖派诗人在南宋中后期所表现出的特殊生活方式，这一诗歌流派的特殊风格，都应放在一定历史时期的社会、文化的大环境中去加以体认，这就有可能超越于某些传统观念的个人感情好恶，使人们可以真正具备"艺术家欣赏古代绘画雕刻之眼光及精神"（同上，陈寅恪语）。

如江湖诗人的所谓谒客身份，书中不仅在正文中专辟一章，即第二章《文化传统的倾斜》，作专门的论述，还在附录中以大量材料，分类考析行谒的内容和方式，谒客阶层的形成，谒客的出现与幕府、荐举制的关系，当世显人和谒客自身对行谒的态度。不知他人读后感觉如何，我个人是，学句时髦话，是读得非常过瘾的。从来还没有把江湖诗人的谒客身份如此详细地讨论过。行谒的直接目的当然是乞钱，但为什么至南宋中后期在诗人中竟形成如此一个群体，以致可以说是一个阶层，这之中究竟有什么社会原因？行谒对当时的诗人心理产生哪些失衡，他们又是做出怎样的努力使之平衡？书中都有不少有趣的描述。由此，人们就自然而然地同意作者这样的结论："由于江湖谒客的出现是南宋社会的政治、经济等因素作用的结果，因此，他们身上所反映的诸特点，可以使我们从一个侧面加深对宋代、尤其是对南宋社会的理解"（页350）；"以往学者研究宋代知识分子，往往只注意了其正面形象，而经常忽略那些与宋代正统的文化精神相悖的部分。我们的探索便是试图弥补这一缺陷，以期加强对宋代知识分子的全面理解"（页42）。

当然，江湖派毕竟是一个诗歌流派，我们的研究最终还应落实到文学的分析上。书中并未忽略这一点，而是着重在这方面花了力气。书中第三章至第七章，分别就主题取向、审美情趣、时空与意象、诗歌渊源，以及代表诗人的作品评介，作了极为全面的称得上是美学的考察。我说是美学的考察，是说书中对作品的分析并不停留在一般的词句鉴赏上，而是对作品如何表现诗人的内心世界作既细腻又宏观的深切体认和整体把握，是一种与读者的诗情交流与理性共识。如过去一直以为江湖诗人只追求纤巧，被人讥议为琐屑甚至卑下。确实，江湖派诗人的境界是有狭窄的弊病，但正如作者所说，对此应作具体分析，不要仅作简单的价值评判。书中论这些诗人由于在艺术追求中往往把眼光投入琐碎的生活片断，视野不免局促，就使整体上缺乏超越性，但从具体艺术美感来说，这种追求仍有其不可代替的魅力，由于形象更加直观，感觉更加细腻，就从而在常见的物象中，进一步挖掘出清新自然之美。书中又论到，江湖诗人到处游谒，不遑宁居，因此对于时间的流逝,往往别有一种敏感。书中第三章《羁旅之苦》一节,写到这些诗人由于经常处于羁旅漂泊之中,因此最为刺激他们心灵的,莫过于清晨和深夜。书中指出这一点,并由此而展示江湖派诗人独有的审美情趣与艺术取向,论述颇富新鲜感,足以见出作者艺术触觉之细致与敏锐。

根据书中所考,可以列为江湖派诗人的,有 138 个。当然,具体哪些诗人是否真正属于这一诗派,还可讨论,但不可否认,这么多诗人组成一个流派,而前后活动期又在半个世纪以上,这在中国古代文学史上,即使算不上绝无仅有,也是极为少见的。过去的一些论著,往往说他们只管个人琐细的眼前利益,而不关心国家大事,实际上评论者没有看到当时的国家所给予这些诗人的是怎样一种重压,江湖派诗人的心灵创伤不仅来自于生活贫困所受到的世人的白眼,而更主要的是来自于这一时代和社会的令人窒息的压力。

本书作者认为江湖诗派的形成当以嘉定二年(1209)划线,这年陆游去世,《江湖集》编印面世。此说是言之成理的。而可以注意的是,在此以后,正是南宋军事、政治、经济全面恶化直至最后崩溃的时期。开禧二年(1206)伐金失败,标志南宋政权直线走向衰亡。嘉定元年(1208)三月宋金和议,宋朝廷承受了改金宋叔侄为伯侄的屈辱,而且大量增加给金朝的岁币,使得本来就十分严峻的财政危机更加速发展。嘉定和议签订仅六年,宋金又发生秦州之战,又四年,金南侵,宋下诏伐金,此后一直到金为蒙古所灭,宋金战争不止。绍定三年(1230),蒙古军攻破南宋剑外和州,四年,攻破四川的兴元及洮州。绍定六年,南宋和蒙古联合灭金;金亡后,强大的蒙古国即成为南宋的直接威胁力量。不久,蒙军攻入四川,端平二年(1235),蒙军又举兵南下,攻破唐州、信阳,第二年,入襄阳。淳祐元年(1241),蒙军占领四川大部。蒙古国的铁骑步步进逼,在军事上完全掌握主动,南宋只是一个等待被吞食的弱兽。可以想见,这样的一种恶劣形势,持续半个世纪,对人们,特别是对下层士人,会造成怎样一种忧郁压抑而又惊惶不安的心理。

大量军费开支,以及战争的直接破坏,使南宋社会矛盾更加严重。吴潜在端平年间曾上疏:"开禧、嘉定,相继用兵,州郡所蓄,扫地殆尽。"(《许国公奏议》卷一《应诏上封事条陈国家大体治道要务凡九事》)徐鹿卿于淳祐中(1241—1252)赴任建康,历述所走过的南康、池阳、太平等地,"流离殍死,气象萧然"(《清正存稿》卷一《奏乞科拨籴本账济饥民札子》)。嘉熙、淳祐间,杜范上疏,说东南一带,已是十室九空,"浙西稻米所聚,而赤地千里;淮民流离,襁负相属,欲归无所,奄奄待尽"(《宋史》卷四〇七《杜范传》)。老百姓处于这样的水深火热之中,而宋朝廷仍横征暴敛,江湖派的代表诗人刘克庄,在他担任官职时曾说:"夫财用窘迫,乃今世通患;居官者苟可取盈,无所不至。"(《后村先生大全集》卷七九《乞免循梅惠州卖盐申省状》)应该说,刘克庄是一个尽职的官吏,他在居官之日,曾多次为当时的财政困窘提出解决的办法,如文集卷五一《备对札子》建议"罢编户和籴之忧",以为是"裕国宽民之要方"。在这一札子中,他又激烈地指责"颛阃之臣,尹京之臣,总饷之臣,握兵之臣,拥麾持节之臣,未有不暴富者";又说:"昔之所谓富贵者,不过聚象犀珠玉之好,穷声色耳目之奉,其尤鄙者则多积坞中之金而已，至于吞噬千家之膏腴，连亘数路之阡陌，岁入号百万斛，则自开辟以来未之有也。"当然，他针对此而提出的"追大吏乾没之赃"的措施，也与上面的"罢编户和籴之忧"同样，根本未能行通。

我在这里举刘克庄的例子，是想说明江湖派诗人并非天生不关心政治，相反，他们中有好几位，在居一定官位时对朝政的腐败是慷慨陈词，而处于平民百姓时也曲折地表达对世事的忧虑和愤慨。但政治迫害（如江湖诗祸）和社会黑暗使他们对现状起一种冷漠感。这使我想起陈寅恪先生《读吴其昌撰梁启超传书后》一文。他说梁氏死后，"论者每惜其与中国五十年腐恶之政治不能绝缘，以为先生之不幸"。实则这五十年来中国之政治，极丑怪之奇观，而梁氏"少为儒家之学"，"深感廉耻道尽，至为痛心"，因此不免对政治总要介入其间，故虽"高文博学"，而终不能安心于学问。最后寅恪先生深致感喟："此则中国之不幸，非独先生之不幸也。"我觉得，造成江湖派诗人对世事之冷漠，也正是这一时代、社会之不幸，而不能苛求于诗人本身。关于这一点，书中也有较好的阐述，我只就平日读书所及，略作些许补充。

我还想说的是，张宏生君在《后记》中特别提到导师程千帆先生治学对他的启发，说："程千帆教授的治学，资料考证与艺术分析并重，背景探索与作品本身并重。研究问题时，往往从某些具体对象入手，然后从中抽象出一些规律来，尤其注重作品本身的体验。"关于千帆先生的治学成就，周勋初先生在《〈古诗考索〉读后记》中已有很好的阐述，我这次重读勋初先生这篇文章，又读程千帆先生的《闲堂自述》，对程先生的学术成就与治学思路有进一步的体会。

1983 年,我与程先生一起在桂林参加全国哲学社会科学"七五"规划项目基金资助评议会,就在那次会议上,程先生提出他的"唐宋诗歌流派研究"的计划,我即从心底里钦佩程先生的识见与魄力。程先生很早就提出"将考证与批评密切地结合起来"的治学路数,而"唐宋诗歌流派研究"正是这一治学思路的进一步发展与具体落实。莫砺锋君的《江西诗派研究》,蒋寅君的《大历诗风》,和张宏生君的这部《江湖诗派研究》,在千帆先生的指导下,并通过自己的努力,正是很好地体现了《闲堂自述》中的学术概括:"在诗歌研究方面,我希望能够做到资料考证与艺术分析并重;背景探索与作品本身并重;某一诗人或某篇作品的独特个性与他或它在某一时代或某一流派的总体中的位置,及其与其他诗人或作品的关系并重。我宁可从某些具体对象入手,然后从中概括出某项可能成立的规律来,而不愿从已有的概念出发,将研究对象套入现成的模式,宁可从具体到抽象,从微观到宏观,而不是反过来。在历史学和文艺学这些基本手段之外,我争取广泛使用其他学科的知识,假如它们有助于使我的结论更为完整和正确的话。"

我有一种感觉,千帆先生提出的"唐宋诗歌流派研究",以及莫、蒋、张三君体现了千帆先生治学思路的这三部著作,将在我国的古典诗歌研究学术史上占有特定的位置,其意义及经验必将日益为学界所认识和汲取。程先生在 30 年代曾受到南京几位国学大师的教益,"厚德载物",他的学问基础的深厚即来自源远流长的传统。而程先生在此后又逐步接受了科学的世界观,并且恰切地运用了中外关于研治人文科学的新理论,这样他就在传统的治学路数上融会入现代科学的成果。特别是他在 70 年代后半期直至现在,他的传统与现代科学成果结合的治学思路已较原来的考证与批评结合更富时代性,在学术层次上更有所发展。这不但体现在程先生近十余年来问世的几部专著上,也表现在他与勋初先生一起,陆续培养出已斐然有成的好几位博士、硕士研究生身上,因而形成南大古典文学研究那种沟通古今、融合中西、于严谨中创新的极有生气的学风。我由此又想起王瑶先生在一篇文章中说过去清华大学学派时的一段话,他说:"清华这一学派的主要特点是对传统文化不取笼统的'信'或'疑',而是在'释古'上用功夫,作出合理的符合当时情况的解释。为此必须做到中西贯通,古今融会,兼取京派和海派之长,做到微观和宏观的结合。"清华的这一学风,是由王国维、陈寅恪、闻一多、朱自清、冯友兰等学者的长期积累而逐步形成的,这已是我国现代学术思想上一项极可珍贵的财富。不知怎么,在想到这些时,联系现在的古典文学研究,我就不禁联想起千帆先生,想起他的传统与现代科学成果相结合的学术道路与治学经验,薪传不息,我们民族的学术发展必将应上古代学人的一句名言:日新之谓盛德。

　　1994 年 2 月 10 日,甲戌岁旦于北京六里桥寓所

原载中华书局 1995 年版《江湖诗派研究》,此据大象出版社
2008 年版《学林清话》录入,另收入湖南人民出版社 1997 年
版《濡沫集》(题为:从一本书看一代学风)、大象出版社
2004 年版《唐宋文史论丛及其他》

《韩愈研究论文集》序

　　由中国唐代文学学会、中国社会科学院《文学遗产》编辑部、河南省社会科学院、河南省社会科学联合会、河南省对外文化交流协会、中州古籍出版社、河南大学、郑州大学、河南师大、信阳师院以及孟县人民政府联合举办的"韩愈国际学术研讨会",于 1992 年 4 月 20 日至 25 日在河南孟县举行。参加这次会议的,除了中国大陆及港台地区的研究者以外,还有来自美国、日本、韩国、新加坡、马来西亚、瑞典等国的学者。现在提供给读者的,是这次讨论会的论文结集,由中州古籍出版社出版。

　　80 年代中,曾于韩愈的贬谪地潮州汕头召开过首次有国外友人参加的韩愈学术讨论会。时隔六七年,又在韩愈故里孟县举行参加人数更多、讨论问题更广泛、成果更丰硕的第二次学术会议。我觉得这从一方面反映了我们国家十余年来随着改革开放的健康发展,文化学术与经济建设同步发展而又相互促进的极可喜的形势。这些年以来,有关传统文化的学术讨论会,每年至少总有十几起,而这些学术会议,好多是由地方上联合文化团体及企业集团,共同出资、联合举办的。我个人不大赞成"文化搭台,经贸唱戏"的口号,这口号把文化与经济的关系说得过于简单化,近于狭隘的实用主义。但也应当承认,从总体上说,文化的发展是要依靠经济实力增长的,只有经济发展了,一些大的文化工程才能陆续展开。而文化的发展,也必然会提高人的思想素质,这也会促进经济的全面发展。

由地方上举办学术会议,还不只经济上的意义,我觉得这反映了我国人民对历史文化的执着之情。这种感情是十分宝贵的,从某种意义上说,是超出经济、政治的某种限定的。我参加孟县的会议,不过短短几天,但从与当地的不少人接触中,深深感到韩愈这一古代的思想家、文学家,不管自古以来,对他有过多少次的争论,但他却一直存在于孟县的故老之中。孟县的农民亲切地称呼他为"韩老爷",把他作为自己的邻里来看待。他们可能还没有读过他的一篇文章、一首诗,但我们中国那种尊重传统、尊重学问人的极可珍贵的感情,却是一直在人民群众中延续着的。

这次会议的论文,涉及面很广,我通阅了全部论文,获益良多。这本论文集主要在三个方面为韩愈研究作出了新贡献。一是以文化整体为背景,探讨了韩愈思想在整个中国思想史上的意义,我觉得这是从陈寅恪先生《论韩愈》以来对韩愈思想的最集中的一次总体探索。二是提供了域外的韩愈研究的情况,这方面的文章虽然只有两篇,但却很有份量。中国古典文学在世界上的传播与研究,是一个极有学术意义的大题目,需要一个个具体的论述加以充实和支撑。因此这两篇谈及美国与韩国情况的论文,不只对韩愈研究有意义,而且对探讨中国文学在世界的影响有很大的参考价值。三是从民俗、民情的角度来研讨韩愈作品中某些富有特色的描写，如韩愈与潮州文化，论韩愈《送穷文》与驱傩、祀灶风俗的关系，这都能使人耳目一新，使人们自然地产生一种开拓新的研究领域的亲切感和迫切感。

虽然这本论文集中谈及的面相当广泛，但其中一个基本思想，也就是这次会议的学风，则是实事求是，是力求从韩愈作品的实际出发，而不是从预先设定的政治概念出发。在过去一个长时期中，韩愈研究之所以未能取得应有的成绩，就是忽略学术研究的客观独立性，过分受到某种政治气候或政治运动的影响甚至干扰。改革开放以来，实事求是的思想作风也使得学术研究得到健康的发展。我觉得，我们这次的讨论会，以及这本论文集，之所以能在韩愈研究上有所进展，是与这一点分不开的。

由于篇幅的限制，我在这篇序文中不可能对过去韩愈研究中的问题充分展开来谈。但有些问题还想借此略为谈谈个人的看法。如韩愈与柳宗元的关系，过去有些论著，为了抑韩扬柳，总是把他们说成水火不相容的对立双方，我觉得这些论著在不少地方是不合实际的。譬如韩愈有《答刘秀才论史书》，有些论著就举出柳宗元《与韩愈论史官书》，认为柳宗元严正驳斥了韩愈为个人荣利而畏首畏尾、不敢写历史真实的卑怯心理。现在韩、柳两篇文章具在，读者不妨平心静气来看一看，果真如过去一些论著所慷慨陈词的那样吗？韩愈的信是答复刘秀才的，而从韩愈的信中所透露的，那位刘秀才是想要韩愈借修史来表现唐代建国以来的一大批所谓圣君贤相，韩愈不愿意，因此说："唐有天下二百年矣，圣君贤相相踵，其余文武之士，立功名跨越前后者，不可胜数，岂一人卒卒能纪而传之耶?"韩愈实不愿作这些表扬好人好事的文章,因此进一步又说:"且传闻不同,善恶随人所见,甚者附党,憎爱不同,巧造语言,凿空构立,善恶事迹,于今何所承受取信,而可草草作传记,令传万世乎?"试想,在那个社会里,谁能树立私党,造作语言,凿空构立? 还不是那些有权有势的达官贵人? 韩愈的笔锋显然是指向这些人的。韩愈说:"仆虽骏,亦粗知自爱,实不敢率尔为也。"这样的心境,不是已相当明白,使人可以理解了吗? 至于柳宗元信中所引的那一段,也即使一些人起而抨击的一段话,是这样说的:"孔子圣人,作《春秋》辱于鲁卫陈宋齐楚,卒不遇而死。齐太史氏兄弟几尽,左丘明纪春秋时事以失明,司马迁作《史记》刑诛,班固瘐死,陈寿起又废,卒亦无所至,王隐谤退死家,习凿齿无一足,崔浩、范晔赤诛,魏收夭绝,宋孝王诛死,足下所称吴兢,亦不闻身贵而今其后有闻也。夫为史者,不有人祸,则有天刑,岂可不畏惧而轻为之哉!"如果不是孤立取此一段,而联系全篇来看,应当说韩愈这里是一种愤激之词,是正话反说,是说从古以来中国的社会中,历史学家真要做到"据事迹实录",且加褒贬,则非倒霉不可。其笔锋所向,指向何处,不也可了然于心吗? 我们还可以举其另一篇书信来看,在他写给好友崔群的信中,有一段说:"自古贤者少,不肖者多。自省事以来,又见贤者恒不遇,不贤者比肩青紫,贤者恒无以自存,不贤者志满气得。贤者虽得卑位,则旋而死,不贤者或至眉寿。不知造物者意竟如何,无乃所好恶与人异心哉? 又不知无乃都不省记,任其死生寿夭邪? 未可知也。"这样回肠荡气的文章,真使人想起司马迁的《报任安书》。读者不妨把这一段文与论史官书比看,当能作出自己的判断。柳宗元的信,也是有为而发的,并非专对韩愈而逐条驳斥,而且我们今天读来,还可感到柳宗元的信,既勇于立论,又笃于友情,对此不能作深文周纳的论析。

又如韩愈所作《柳子厚墓志铭》,过去有些论者以为韩愈乘柳宗元已死,借为其作墓志,夹杂私心意气,对柳宗元加以攻击。所持的论据,实指文中的"子厚前时少年,勇于为人,不自贵重顾藉,谓功业可立就,故坐废退"。认为这是对柳宗元参与永贞革新的讥嘲。其实无论是从这几句还是从全篇来看,韩愈对柳宗元参与王叔文集团的政治活动,所用的字句是相当客观的,譬如前面说的柳宗元年轻时"俊杰廉悍,议论证据今古,出入经史百子,踔厉风发"。后来"顺宗即位,拜礼部员外郎,遇用事者得罪,例出为刺史,未至,又例贬州司马",没有对王叔文有所贬斥。至于"不自贵重顾藉",也不过是说其"勇于为人",不只为一己的身份地位着想。而其全篇,则充满对柳宗元的怀念之情。文中说柳宗元被贬后,"居闲益自刻苦,务记览为词章,泛滥停蓄,为深博无涯涘,而自肆于山水间"。这是对他永州时期文学创作的充分肯定。后又说他废退后,"又无相知有气力得位者推挽",慨叹其"材不为世用,道不行于时"。这不是对柳宗元才识及遭遇的深刻同情吗?文中又说,如果柳宗元被斥不久,即被用于朝,仕位虽然恢复了,"其文学辞章,必不能自力以致必传于后如今,无疑也。虽使子厚得所愿,为将相于一时,以彼易此,孰得孰失,必有能辨之者"。这样说也是合于实情的。这也使我们想起韩愈写的另一篇《送孟东野序》,这篇文章提出"物不得其平则鸣"的著名论点,进一步认为一些有才情的作家,几乎是由于"穷饿其身,思愁其心肠",遂"自鸣其不幸"，因而取得文学上的成就。因此最后说："其在上也奚以喜，其在下也奚以悲。"孟郊是他的好友，长期居于下位，"有若不释然者"，韩愈也特地以此相慰劝。

更使人读之不能忘怀的是，记元和十年（公元815年）柳宗元与刘禹锡召回朝，又远贬，刘禹锡最初是远放播州刺史，柳宗元主动上诉，说"播州非人所居，而梦得亲在堂，吾不忍梦得之穷，无辞以白其大人，且万无母子俱往理"。柳宗元请求以自己已任的柳州换播州，"虽重得罪，死不恨"。刘禹锡遂因此得以改为连州。韩愈特为此写了以下一段议论："呜呼！士穷乃见节义。今夫平居里巷相慕悦，酒食游戏相征逐，诩诩然强笑语以相取下，握手出肺肝相示，指天日涕泣，誓生死不相背负，真若可信；一旦临小利害，仅如毛发比，反眼若不相识。落陷阱，不一引手救，而反挤之，又下石焉者，皆是也。此宜禽兽夷狄所不忍为，而其人自视以为得计，闻子厚之风，亦可以少愧矣。"这段话真是充满了感情，也可以说是韩愈自己人生经验的总结。友谊最可贵的是理解与信任。理解是有过程的。我们不能说韩愈与柳宗元，在交友中没有一点误解。但可贵的是两人都能逐步走向理解。以上这一段话是韩愈对柳宗元人品的最高赞誉，也是他俩友情在人生道路上，历经种种曲折，而取得的理性的升华。

最后，我还想提一下的是，学术会议有时召开倒容易，但会议之后要出版论文集则可说是难上加难。这之中，一是需要有人肯花费时间对论文细加审阅、选录，二是得要找出版社多次协商。这本论文集得能在会议之后两年内印出，河南省社会科学院的张清华先生是功不可没的，他与孟县的一些同志这两年来一直为此事奔波操劳,终于与中州古籍出版社合作,编印出这本论文集。我想借此代表与会者向他们表示深切的谢意。

1994 年 4 月

原载中州古籍出版社 1996 年版《韩愈研究》第一辑,此据大象出版社 2008 年版《学林清话》录入,另收入湖南人民出版社 1997 年版《濡沫集》(题为:对作家的研究首先要理解)、京华出版社 1999 年版《唐诗论学丛稿》

柳晟俊《唐诗论考》序

　　1987 年春,我在为美国哈佛大学斯蒂芬·欧文教授的《初唐诗》中译本作序时,曾谈到,在中国以外研究中国古典文学的有价值的著作,一定不少,它们以不同的视角来审视中国的独特文学现象,定会有不少新的发现。因此我当时即建议,希望能有计划地编印一套汉译世界研究中国古典文学的代表作,这肯定会受到中国学术界和读书界的欢迎。当然,由于种种原因,这样一套汉译丛书现在还不可能编印出来,但是我看到由王洪同志任执行主编的"中外学者学术丛书"陆续出版,其意图乃在荟萃中国和外国学者的佳作,对中国古代文学从各个不同方面进行研究,我觉得这在一定意义上即是对当前建立开放型文学研究的有益的探索。我们应当应大力倡导开放型的研究,而所谓开放型研究,应包括面向世界和面向多种学科这两个内容。前者要求知己知彼,尤应知晓国外的思维方式、理论体系、批评方法、概念术语;后者要求兼采众长,树立综合观照的心态,其他学科、其他艺术中凡能充作参考者,则尽量猎取,为我所用。我们要想中国古典文学走向世界,就应充分运用和提供这种开放型研究的范例。

现在，王洪同志主编的这套丛书又将出版韩国学者柳晟俊教授的《唐诗论考》，我认为这就为这种开放型研究提供了又一个示范。柳晟俊教授在韩国即已打好汉文学的扎实基础，后又到台湾接受博士研究生的训练、深造，近些年来又与中国大陆学者频频交往，他的治学经历即可说明他已兼采这几个不同地区不同学风之所长，而形成他自己富有特色的研究中国古典文学的风格。

　　应当说，韩国已有上千年研究中国文学的历史。不过，在过去长时期中，研究中国文学与研究中国历史、中国哲学混合在一起，统称为"汉学"。在二十世纪四五十年代，在韩国的大学中，才逐步有中国语言文学系的设立。据我所知，在柳晟俊先生执教的汉城外国语大学，就在1954年开设中语系，迄今已有四十年的历史了。去年10月，我到韩国几所大学访问，也应邀到外国语大学作学术讲演，发现外国语大学就有好几位研究中国文学、历史很有造诣的学者。

　　根据我们知道的情况，现在韩国的中国文学研究在人数上，已经超出了除日本以外的任何域外国家，其研究水平近一二十年来也有显著的提高。就以唐代文学而论，去世不久的汉学者金达镇翁，把七百多首唐诗译成韩文，出版了《唐诗全书》。对唐代传奇小说的译介与研究，近年来也有很大的进展，有好几位学者如车柱环、丁范镇等先生在这方面作出了引人注目的成绩。而在这之中，特别是80年代以来，发表论著最多的就要推柳晟俊教授了。他很早就从事唐代大诗人王维的研究，后又对陈子昂、李益、杜牧、李商隐等诗人作了更新的研究，其间他又写了有关韩国朝鲜时代汉文家的论文。现在在中国出版的《唐诗考论》只是他众多著述的一小部分,但就从这一部分中也可看出他的丰硕成果和治学特色。

我觉得柳晟俊教授治学很有中国传统学风的特点,就是笃实于课题本身,尽量掌握各方面的材料,不故作惊人之语,而在平实中创新。令人吃惊的是,他的学问面还非常之广,对清代戴震的音韵理论和反理学思想,对近世朴学大师黄侃的声韵学,都能有通盘的掌握和清晰的梳理。近些年来,我也看到过一些外国学者论述中国古典文学的著作,受到不少启示,但我觉得真正在中国学问本身下功夫的还不是太多,柳晟俊教授能从乾嘉之学下手,兼顾博通与专精,这是很不容易的。

本书中使我感兴趣的,还有第二编"唐诗与韩国汉诗之比较",特别是论述王维对李朝诗人的启示与影响,以及探讨王维与李朝时期大诗人申纬两人诗风的比较。我觉得,国外中国文学研究是比较文学的天然园地。介绍外来文学,用本国读者熟悉的理论和方法加以解释和分析,用他们所熟悉的作家和作品加以类比和反衬,是一条便捷的途径,能够取得以近譬远、以易解难的效果。所以,国外的研究或多或少都带有比较的特点。我们过去讲中外文学比较,往往侧重于与欧美等国的比较,而不大注意与邻近国家的比较,其实与邻近国家的比较,更有切实的意义。在公元 3 世纪,中国文学即是通过朝鲜传入日本的(见日本《古事记》和《日本书纪》)。新罗立国期间,与唐代交往十分密切。柳晟俊教授在本书的"罗唐诗人交游之诗目与其诗",就辑集了极丰富的资料,以显示唐代诗人与新罗诗人的友谊与诗艺切磋。李朝时期先是对唐代李白、杜甫、王维,后是对宋代苏轼、黄庭坚等诗作的研讨和仿作，形成一代的风气。柳晟俊教授细致地对王维诗、画、禅三方面与申纬作了比较研究，使我们感到这两种相近文化是如何在亲切的气氛中相互影响，而又如何彼此受益。

最后，我祝愿中国与韩国的学者在日益密切的学术交往中结成诚挚的友谊，让这种友谊进一步推动我们更广泛深入地研究两国传统文化的悠远历史与深切情谊。

1994 年夏

原载中国文学出版社 1994 年版《唐诗论考》，此据大象出版社 2008 年版《学林清话》录入，另收入湖南人民出版社 1997 年版《濡沫集》（题为：有朋东来，切磋诗艺）、京华出版社 1999 年版《唐诗论学丛稿》

《才调集》考

一

　　唐人选唐诗,见于著录的,据现今所知,约一百三十余种,今存者有十余种(参陈尚君《唐人编选诗歌总集叙录》一文)。本世纪50年代,现在的上海古籍出版社前身中华书局上海编辑所,编印了一部《唐人选唐诗(十种)》,除敦煌石室发现的唐写本诗选残卷外,其他九种均为有代表性的诗歌选本。这部书的印行曾起到材料普及的作用,对研究者带来较大的方便。但随着唐诗研究的深入,此书的缺点和不足也愈益明显,现在亟需一部辑集较齐备、校勘较精细的本子来代替它,以适应目前唐诗研究的需要。

　　此书最大的缺点是底本选择不严,校勘不细。如《河岳英灵集》,编者不选择较接近殷璠原编的宋刻二卷本,却选择后起的明人重编的三卷本,书后虽附有毛斧季、何义门的校记,却又缺漏极多①。又如《极玄集》二卷，说是用元至元刊本，实非如此，而上海图书馆藏有明毛氏汲古阁影写宋本，作一卷，与《新唐书·艺文志》、《崇文总目》、《直斋书录解题》同，所谓二卷，显系后人所析。

又如《搜玉小集》，所用为汲古阁刊本，毛晋在跋语中已约略指出此书所载诗篇与人名"彼此相混"，以及文字讹夺的缺失。毛晋说"未及悉举"，而这次整理时却一无校正。其实《搜玉小集》篇幅虽短小，问题却相当多。如就篇目而言，原为三十七人，诗六十三首，毛晋删去名存诗缺者三人，但诗却有六十一首。正如《四库提要》所说"人缺其三而诗仅缺其二，不足分配三人，必有一人之诗溷于他人名下矣"。这里所谓一人之诗混于他人名下，即今本《搜玉小集》中题名为崔湜的《大漠行》应为胡皓诗，《文苑英华》卷三三三即录有胡皓的《大漠行》，《全唐诗》卷五四虽将此诗列崔湜名下，却于题下注曰"一作胡皓诗"。此诗误入崔湜诗中，所以出现"人缺其三而诗仅缺其二"的怪事。又如书中载有杜审言《赠苏管记》（"北地寒应苦，南庭戍不归……"），而在《文苑英华》卷二四九、《唐诗纪事》卷六、《全唐诗》卷六六均题作《赠苏味道》。《全唐诗》中另有杜审言所作的《赠苏绾书记》："知君书记本翩翩，为许从戎赴朔边。红粉楼中应计日，燕支山下莫经年。"诗意正与《赠苏管书记》诗题相合。可知《搜玉小集》中之《赠苏管记》应即为《赠苏味道》，诗名互混，又"绾"讹为"管"，并脱"书"字，遂成《赠苏管记》这样文义不通的题目。这种种明显的讹误，

---

①参李珍华、傅璇琮《河岳英灵集研究》一书，中华书局，1992 年版。

竟无一字校正。

我们今天应该在古籍整理与唐诗研究已积累丰富经验的基础上,一部一部地对今存的唐人选唐诗加以校勘清理。这样的工作虽然很琐细,很辛劳(如果联系到我们目前图书馆借阅上的种种不便,则"辛劳"二字有时还不足以形容其十一),但总得要有人去做。正如清人王鸣盛所说,"予任其劳而使人受其逸,予居其难而使人乐其易"(《十七史商榷》自序)。校勘整理也是对整个研究工作的非常必要和极为有力的支撑。这里拟再以《才调集》为例,谈谈这方面的问题。

二

《才调集》载诗一千首,是现存唐人选唐诗中分量最大的一部。编者署名为"蜀监察御史韦縠"。关于韦縠的生平事迹,可资考证的材料太少。《直斋书录解题》卷十五著录有"《才调集》十卷",注明编者是"后蜀韦縠"。清初吴任臣编著的《十国春秋》卷五六"后蜀九"有韦縠传,说他"少有文藻,梦中得软罗缬巾,由是才思益进。仕高祖父子,累迁监察御史,已又升□部尚书。"后又说他编《才调集》一事。这是迄今所见关于韦縠生平事迹最详的文献记录。吴氏的《十国春秋》征引了唐宋人的笔记杂著数百种,有相当高的史料价值,他的记述显然应予以重视。与他同时的著名学者、诗人王士禛在《才调集选》序文中也明确地说韦縠是"孟蜀监察御史"。可是《四库提要》评介《才调集》时却说"縠仕王建为监察御史",未知所据,不可信从。

此书署"蜀监察御史韦縠集",由此可以测知其编选的时代。根据《十国春秋》所述韦縠仕宦的概略,则书当编成于五代孟蜀时,而且是韦升为□部尚书之前。看来韦縠不大可能会由五代入宋。《唐诗纪事》卷六一宋邕条,记宋邕《春日》诗,谓"伪蜀韦縠取此诗为《才调集》"(按此诗在《才调集》卷四)。计有功称韦縠为"伪蜀",说明在计有功眼中,韦縠确为前代的人。

宋代此书已流行较广。除《崇文总目》、《遂初堂书目》、《直斋书录解题》等官私书目都有著录外,诗话中也屡屡称引,如南宋曾季狸《艇斋诗话》就曾有好几处述及《才调集》中的诗。而据现在所知,《才调集》已有南宋时的刻本(详后)。

明清之际,这部书颇受重视,许多名人对它极感兴趣,并且多有评论,尤其是对它的体例与选诗标准,评价极高。引人注目,最突出的是冯舒、冯班兄弟二人,出于贬抑江西诗派的目的,因而对《才调集》极为推崇,既加以评点,又探究其微言大义,说得玄而又玄。如卷六下冯班评曰:"此书多以一家压卷,此卷太白,后又有李玉溪,此有微意,读者参之。""李白二十八首"下又说:"序言李杜元白,今选太白,不选子美,杜不可选也,选李亦只就此书体裁而已,非以去取为工拙也。"其侄冯武在比较了唐、宋、元的一些唐诗选本,指陈其得失后说:"惟韦縠《才调集》才情横溢,声调宣畅,不入乎风雅颂者不收,不合于赋比兴者不取。犹近《选》体气韵,不失三百遗意,为易知易从也。"王士禛也认为《才调集》选诗标准是"大抵以风调为宗"。纪昀尽管对二冯兄弟的评点有不同看法,但对《才调集》也推许甚高。《四库提要》说"縠生五代文敝之间,故所选取法晚唐,以秾丽宏敞为宗,救粗疏浅弱之习,未为无见"。乾隆初,《才调集》就有人为之作注,紧接着又有人补注。乾隆二十九年(1764)宋邦绥在补注的刻本"叙"中说:"唐御史韦公縠所选《才调集》十卷,选择精当,大具手眼,当时称善,后人服膺。国朝冯默庵、钝吟两先生加以评点,遂为学诗者必读之书。"乾隆五十八年(1793)宋思仁又在另一个刻本"叙"中说:"縠生五代文敝之际,惟以秾丽秀发救当时粗俚之习,故所录多晚唐而不及少陵,义各有当。《四库全书》称其于诗教有益,洵定评也。"一直到清末,《才调集》仍盛行不衰。光绪二十年(1894)江苏布政使邓华熙在《才调集补注》的"叙"中先评论了其他的唐人选唐诗,认为都有所失,然后才说:"惟韦御史此集取诗千首,无体不备,无美不臻,韦生五代文敝之后,特撷初盛晚唐之菁华而甄录之,故所采尤为精审。"这些评论都把《才调集》列为唐人选唐诗之冠。直至现在,在一些论著中,也还沿袭旧说,称其选诗"崇尚晚唐",以及"温李诗风"、"闺情别怨"、"风格秾丽"等等,似乎这些都能概括《才调集》选诗的标准。

以上所引对《才调集》的评论和看法,归纳起来主要有这几个方面:一是认为《才调集》体例恰当完备,二是选择诗篇精当,三是编选者的审美趣味与品鉴标准十分明确。而且其中寄意玄深,读者当小心仔细地发掘其"微言大义"。这些评论和看法,是否符合书中的实际呢?如果一般地浏览,则也很可能得出上述的认识。这里需要作实际的考察,根据经得起核查的材料,对上述一些过于热情的赞许作出冷静的鉴定。

三

首先看看这部书的体例。韦縠的"叙"说:"暇日因阅李杜集、元白诗。其间天海混茫,风流挺特,遂采摭奥妙。"根据文意,似乎他读李白、杜甫、元稹、白居易等人诗集的时候下了很大的功夫,然后才认真选出其中最具"奥妙"的诗篇。选录了李、杜、元、白的诗是说得明确的,可是十卷《才调集》中有李、元、白,却无杜。这是为什么呢? 冯班说:"杜不可选也。"但是为什么不可选,未有任何解释。其次,冯班说此书每卷前标"古律杂歌诗"是颇为得体的做法,实际却非如此。姑按冯氏的定义来检寻,十卷之中没有任何一卷是古诗、律诗、杂体、歌行四种体裁齐备的,而且每卷也没有一个统一的排列次序。又如冯武《凡例》说此书:"以白太傅压通部,取其昌明博大、有关风教诸篇,而不取其闲适小篇也;以温助教领第二卷,取其比兴邃密、新丽可歌也;以韦端己领第三卷,取其气宇高旷、辞调整赡也;以杜樊川领第四卷,取其才情横放、有符风雅也;以元相领第五卷,取其语发乎情,风人之义也;以太白领第六、第七卷,而以玉溪生次之,所以重太白而尊商隐也;以罗江东领第八、第九卷,取其才调兼擅也。"这里且不说内容(如卷五白居易的《闻龟儿咏诗》、《醉忆元九》、《忆晦叔》,即为"闲适小篇",卷四杜牧之的《题扬州》、《悼吹箫妓》、《题赠二首》等何来"有符风雅"),只说此书的形式。卷七"七律杂歌诗一百首"下冯班说:"此卷无压卷(开头为李宣古,仅有一首诗——引者注),李玉溪已在前也。"这真是不知所云。冯武的意思是让李白领第六、第七卷，是"重太白"、"尊商隐"。实际是卷六选李白二十八首，其次李商隐四十首，卷七却并无二李之诗，何以能以前卷之诗来领此卷呢？且冯班说"李玉溪已在前"，那末为什么不把李商隐放在第七卷之首作为压卷呢？又罗隐也只在卷八有诗（十七首），卷九无诗，为什么一人能独领两卷？卷十开首所载妇女之诗，算不算领卷？再如卷二载有"无名氏诗十三首"，卷十又载有"无名氏诗三十七首"，两处诗的体裁又无区别，为什么要将无名氏诗分载两处，编者的意图完全令人不解。又如一书之中将同一诗人的诗分置于两处，甚至两处以上。卷一有"白居易十九首"，卷五又有"白居易八首"，两处都有七言绝句。卷一有"薛能七首"，卷七又有"薛能三首"，卷一为三首七绝、四首七律，卷七为三首七绝。卷四有"项斯一首"，卷七又有"项斯一首"，两处都是五律。卷一有"李端一首"，卷七又有"李端一首"，卷九还有"李端一首"，卷一为五绝，卷七为七律，卷九为五律。如此之例还有不少。为什么同一诗人的同一体裁的诗篇要分置两处或两处以上？编者的意图也完全令人不解。又如卷一有"贾岛七首"，卷九又载有"僧无本二首"。僧无本就是贾岛，他前期为僧，名无本，后还俗，以贾岛称。两处载诗的体裁看不出什么区别。是不是编者将他为僧时作的诗与还俗后作的诗分置呢？从诗的内容看也并非如此。为什么要将他一分为二，而称呼不同？为什么录入的其他僧人的诗没有这种情况？再如卷三有"温飞卿六十一首"，卷四有"杜牧之三十三首"，卷八有"于武陵九首"，为什么其他诗人都称"名"，这三人独称"字"？这种违背统一体例的情况都不可解。又如《四库提要》评《才调集》时已指出其体例上的某些错误:"如李白录《阳春赋》是赋非诗,王建录宫中调笑词是词非诗,皆乖体例。"凡此种种,都证明《才调集》体例存在着问题,编者多有考虑失当之处,可能正如胡震亨所说此书是编者"随手成编,无伦次"(《唐音癸签》卷三一),并没有考虑谁人压卷、谁人殿后的那种"微意"存在。

其次,《才调集》所收诗篇,其考核是否准确,选择是否精当,《四库提要》已指出某些错误,但同时又指错了好几处。如指出卷一刘长卿《别宕子怨》是隋薛道衡的《昔昔盐》,即"空梁落燕泥"那一首名诗,而《提要》却把刘长聊误作刘禹锡。这一首误选的诗冯舒就已指出。又如卷七有"贾曾一首",诗题为《有所思》,即"洛阳城东桃李花,飞去飞来落谁家",实为刘希夷作的《代悲白头翁》。这一首署名贾曾的诗只载有诗的前半部分,从开头到"岁岁年年人不同"即止,中缺"已见松柏摧为薪,更闻桑田变成海"两句。这首诗开、天间的唐人选唐诗《搜玉集》、《正声集》已选入,作者是刘希夷。《大唐新语》卷八还特别说到刘希夷这首诗《正声集》是以压卷之作入选的。唐宋人记载此诗的,从未涉及过贾曾,何况这首诗在《才调集》中又错乱到这种地步。又如卷八李嘉佑下有《赠别严士元》("春风倚棹阖闾城")七律,这本是刘长卿的一首佳作,高仲武《中兴间气集》已选入,并且有高氏对刘长卿的评语,评语中特别提到此诗的"细雨湿衣看不见,闲花落地听无声"两句,高仲武与刘长聊几乎是同时代的人,选诗当然比《才调集》可靠。又如卷三张籍下有《苏州江岸留别乐天》("银泥裙映锦障泥")一首七律。《全唐诗》卷三八五张籍下收有此诗,卷四四七白居易下也收有此诗,诗题是《武丘寺路宴留别诸妓》。显然这是白居易的诗。《全唐诗》重出的错误就出自《才调集》。诗中有"渐消酒色朱颜浅,欲话离情翠黛低","莫忘使君吟咏处"等句。根据诗意,如果说是张籍留别白居易所作,则题与内容不合。相反,如果说是白居易留别妓女所作则完全吻合,诗中指歌妓的明显特征有"银泥裙"、"朱颜"、"翠黛"等词语,联系全篇诗意更能说明问题。另外,尾联有"使君"一词,是白居易自谓的一个惯用语。例如"两州何事偏相忆,各自笼禽作使君"(《答杨使君登楼见忆》),"席上争飞使君酒,歌中多唱舍人诗"(《醉戏诸妓》),"风景不随宫相去,欢娱应逐使君新"(《九日思杭州旧游寄周判官及诸客》),"姓白使君无丽句,名休座主有新文"(《答次休上人》),"好与使君为老伴,归来休染白髭须"(《代诸妓赠送周判官》)。张籍没有作过州刺史一类的官,自称"使君"不合身份,他称指白居易又与诗意没有联系。又如卷四"施肩吾二首"下有《夜宴曲》("兰缸如昼买不眠")一首七律;卷七又有施肩吾《夜宴词》,两处所载实为同一首诗,仅文字略有不同。又如卷七"王涣十三首"下有《惆怅词》,中有"梦里分明入汉宫"咏昭君一绝,卷八"朱庆余一首"下又有《惆怅诗》,就是这一首咏昭君的七绝。两处仅有一字异文,即王涣名下的"紫台月落关山晓"的"月"字,朱庆余名下作"日"字。这一首为王涣《惆怅词》咏李夫人、阴丽华等美人系列中的一篇,而且是最有名的一篇,文献中多有称引,决非朱庆余所作。又如卷七"张祜六首"下有《病宫人》("佳人卧病动经秋")一首七律,卷九"袁不约二首"下又有《病宫人》一首七律。两处文字全同。又如卷十"无名氏三十七首"下有《三五七言诗》"秋风清,秋月明"一首杂体,其实是李白的作品,李白集中载有此诗。又同卷"无名氏三十七首"下有"春光冉冉归何处"一首七绝,《全唐诗》卷五四六严恽下录有此诗,题作《落花》。严恽与杜牧、皮日休、陆龟蒙等友善,《唐才子传》卷六杜牧传下有"同时严恽,字子重,工诗,与牧友善,以《问春》诗得名"的记载。皮日休有《伤进士严子重》一诗,诗前小序说:"余为童在乡校时,简上抄杜舍人牧之集,见有与进士严恽诗。后至吴,一日,有客曰严某,余志其名久矣。遽怀文见造,于是乐得礼而观之。其所为(《唐诗纪事》此下有"文"字——引者)工于七字。往往有清便柔媚,时可轶骇于常轨。其佳者曰:'春光冉冉归何处……'余美之,讽而未尝怠。"

以上所举错乱失考等处,均为显明易见之例,是不该出错的,但却错了这么多。由此可见此书编者粗疏之一斑。那些赞美此书诗篇选择精当,什么编者"大具手眼"云云,实在太不切合实际。

下面让我们再来看一看《才调集》诗篇的来源,就会进一步认识它的特点。

四

应该说,《才调集》编者对入选的诗篇基本上并未加以认真的考核,而是为千、百、十之数而收诗,是先划定一个框框,确定一个总数、分卷数而收诗,有时甚至是勉强凑合的。而且,很可能是在较短的时间内完成此书的编撰工作,最突出的表现是其中的拼凑、抄袭的痕迹。

除了上述漏载杜甫,将同一人诗分置几处,两载无名氏诗,名与字称谓不统一,诗篇失考等例子外,我们还可以从其他方面加以证明。根据我们此次的清理,可以看出,此书抄录了许多前人诗选所载的诗篇,而同时又抄错了不少。究竟抄袭了哪些前人的诗选,限于资料,已无从确考。唐人选唐诗或合前代诗选者,自唐初释慧净《续古今诗苑英华》、刘孝孙《古今类序诗苑》以下,如前所说,当在百种以上。有的入选的数量还相当大,如大中时校书郎顾陶的《唐诗类选》,编选者用了三十年的功夫,选录了一千二百多首唐诗。这些都可能成为《才调集》抄录的对象。另外,韦毂为蜀监察御史。唐末五代,尤其是前蜀时,蜀地选编唐诗之风很盛,而且录诗的数量还相当多,较著名的如王仁裕有《国风总类》五十卷,后主王衍有《烟花集》五卷,王承范有《备遗缀英》二十卷。这些诗选都出现在韦毂周围,也完全可能成为《才调集》抄录的对象。但是许多唐人选唐诗今天已经失传,使得我们今天要考清其来源增加不少难度,不过我们从韦庄的《又玄集》中却找到了有力的证据。

《又玄集》在中国很早就失传,明末清初仅有膺本流传。直至本世纪 50 年代,日本京都大学清水茂教授才将江户昌平坂学问所刊本《又玄集》制成胶片,惠寄杭州大学夏承焘教授,随后古典文学出版社据以影印,人们才得以重睹其真迹。《又玄集》载"名诗三百首"(据韦庄自序),其中就有一百首见于《才调集》,尤其是诗僧与妇女的诗相同者更多。当然,仅凭此说《才调集》抄录《又玄集》,理由还不充分。问题在于许多地方诗的排列次序两书也完全相同。如《又玄集》卷下有刘方平《秋夜泛舟》、《春怨》二首,《才调集》卷七也有,排列次序同,诗题同。又如《又玄集》卷下有于渍《古宴曲》、《思归引》、《辛苦吟》三首,《才调集》卷九也载有这三首,排列次序同,而且也仅有这三首。又如《又玄集》卷下有高蟾《下第后献高侍郎》、《金陵晚眺》二首,《才调集》卷八也有这两首,排列次序同,而且仅此两首。又如《又玄集》卷下有张夫人《拜新月》、《拾得韦氏钿子因以诗寄》二首,《才调集》卷十也有这两首,排列次序同,而且仅有这两首。又如《又玄集》卷下有张文姬《溪口云》、《沙上鹭》二首,《才调集》卷十也有这两首,排列次序同,而且仅有此二首。

退一步说,如果这种现象仍可以用偶然巧合解释的话,那么还可以举出更为明显的例子,即不仅可以证明《才调集》抄袭《又玄集》,而且可以证明抄者因粗心而抄错了的例子。如李德裕有一首《故人寄茶》("剑外九华英")五古,载于《又玄集》卷中。《才调集》卷三也有这首诗,作者却是曹邺。何以如此呢?原来《又玄集》卷中选录的李德裕诗正好接在曹邺之后,这一首《故人寄茶》正好上接曹邺的《送人归南海》。抄诗者从《又玄集》抄录时,一不小心,就把李诗看成曹诗了。又如武瓘有一首《劝酒》("劝君金屈卮")五绝,选载于《又玄集》卷中,《才调集》卷八也有这首诗,作者却是于武陵。根据二书的关系考查,根据《才调集》张冠李戴的类例推测,果然又是抄错的一例。《又玄集》武瓘这首诗之上正好接于武陵的《长信宫》,再上一首为于武陵的《感怀》。恰好这两首诗正载于《才调集》的《劝酒》诗之上。这些错乱归属一时难定,却直接导致了在《全唐诗》中的重出。又如《才调集》卷七陶翰之下有《新安江林》("江源南去永")一首五律。这本是章八元的一首名诗。《中兴间气集》已选录章八元此诗，题作《新安江行》，并且高仲武对章八元的评语还有"如'雪晴山脊见，沙浅浪痕交'，此得江山之状貌也"（引自述古堂影宋本《中兴间气集》）。《唐诗纪事》卷二六章八元下也有此诗，且也载高仲武评语。其中举例"雪晴山脊见，沙浅浪痕交"一联正是这首诗的中间一联。查《又玄集》这首诗也选录在章八元下，题作《新安江村》。此诗之上正好又是陶翰的《古塞下曲》。显然又是《才调集》误抄，而且因"村"、"林"形近又把诗题抄错了。幸好章八元此诗多为世人所知，《才调集》的错乱才没有以讹传讹地沿袭下来。又如《又玄集》卷中有曹邺《老圃堂》（"召平瓜地接吾庐"）一首七绝，《才调集》卷七也有这首诗，作者却是薛能。查《又玄集》这首诗正好上接薛能的《江南春望》一诗，显然又是《才调集》误抄所致。

更有甚者，《才调集》抄《又玄集》还闹出了笑话，把《又玄集》中的错误也照抄下来。如《又玄集》卷下僧太易下有两首诗，一是《赠司空拾遗》，二是《宿天柱观》。《才调集》卷九僧太易下也仅有这两首诗，排列次序和诗题都与《又玄集》相同。实际上第二首并不是僧太易所作，为便于详考，特录于下：

宿天柱观

石室初投宿，仙翁喜暂容。花源隔水见，洞府过山逢。
泉涌阶前地，云生户外峰。中宵自入定，不是欲降龙。

这首诗已选入了《中兴间气集》，作者是僧灵一，并且高仲武评语专评灵一此诗说："自齐梁以来，道人工文多矣，罕有入其流者,一公乃能刻意精妙,与士大夫更唱送和,不其伟欤!如'泉涌阶前地,云生户外峰',则道猷宝月曾何及此?"高氏与灵一几乎是同时代的人,选诗当然可信,这首诗为灵一所作无疑。此诗不仅当时已有名,而且后代有关唐诗的文献称引不绝。根据我们推测,韦庄当是知道灵一为此诗的作者,只是在过录成集时漏掉了"僧灵一"三字而窜到了僧太易之下。根据韦庄《又玄集》的情况来看,他是参考了《中兴间气集》的,有些诗篇是与《中兴间气集》相同的。《又玄集》是唐人选唐诗中高水平的一种,其中某些诗篇前人已选又再选,这完全无可非议,这也就是所谓"英雄所见略同"。灵一这一首诗的情况当也是如此。

灵一是唐代诗僧中最有名气者之一,与大历、贞元间著名诗人严维、皇甫冉等交游甚密。《唐才子传》卷三"道人灵一"传下说:"其乔松于灌莽,野鹤于鸡群者,有灵一、灵澈、皎然、清塞、无可、虚中、齐己、贯休八人。"将灵一置于首位。韦庄为唐末著名诗人,他选《又玄集》时是"自国朝大手名人以至今之作者,或百篇之内,时记一章;或全集之中,唯征数首",选诗选得精,选得严,集中的情况与序文完全符合。对灵一的名气他是不会不知道的,而《又玄集》三卷中就只有这一首诗是灵一之作,根据入选诗僧的情况来看也可证明韦庄是以灵一之诗入选的。另外,从《又玄集》的体例形式看也可证明。入选诗僧的诗的排列情况是僧无可以下,清江、栖白三人各选了两首,僧法振以下每人只选一首,僧太易在法振以下,唯独他有两首,这有乖韦书体例,如果将脱漏掉的"僧灵一"补上,就一切都怡然理顺了。今本《又玄集》脱误很多,是在流传过程中造成的。但这一处脱误却是较早发生,因为《才调集》抄

《又玄集》时已是如此。再举一个同样性质的例子,同上一例互相参照来看就可更加明白。《又玄集》卷中刘禹锡下有《鹦鹉》一首七律,《才调集》卷五刘禹锡下也有这一首《鹦鹉》七律,特录如下:

鹦 鹉

陇西鹦鹉到江东,养得经年嘴渐红。
常恐思归先剪翅,每因馁食暂开笼。
人怜巧语情虽重,鸟忆高飞意不同。
应似贵门歌舞妓,深藏牢闭后房中。

《又玄集》中刘禹锡之下为白居易,《才调集》也如此。《又玄集》中刘诗《寄乐天》("莫嗟华发与无儿")和《和送鹤》("昨日看成送鹤诗"),与白诗《送鹤上裴相公》("司空怜尔尔须知")等几首七律相连,《才调集》中也是如此。其实,这一首《鹦鹉》诗为白居易作,白集与《全唐诗》白居易下都载有这首诗,而刘禹锡另有一首诗,就是和这首诗的,特录如下,可使问题不证自明。

和乐天《鹦鹉》

养来鹦鹉嘴初红,宜在朱楼绣户中。
频学唤人缘性慧,偏能识主为情通。
敛毛睡足难销日,斗翅愁时愿见风。
谁遣聪明好颜色,事须安置入深笼。

两首诗题材同,体裁同,韵同,意同,诗题也非常清楚,是一对如合符节的倡和诗。至于《又玄集》中弄错的原因是什么，这里已没有深究的必要，我们的目的是在证明《才调集》的抄袭。

五

《才调集》编者的意图主要不在于选诗，更谈不上选择精审，或者编者的主要意图就是汇总、集结诗篇，那个署名"蜀监察御史韦縠集"下的"集"字可能正是编者的主要意图。既然是汇集，而且汇集又较仓促，那就难免东抄西凑，难免出错。后人不明其主要特点，而妄加一些"考核精审"、"大具手眼"、"无美不选"的评语，进而大谈其选诗标准，冠以种种美词。现在看来，这些赞美之辞，都只是空中楼阁。《才调集》在唐人选唐诗中是不同于《河岳英灵集》、《中兴间气集》、《箧中集》、《极玄集》、《又玄集》等书的。这些选集能充分体现编选者的审美趣味、艺术标准。我们可以对这些选集从美学、文艺理论、文学史的角度进行研究。有的选集还明确地提出较有系统的理论标准。《才调集》则不然，其叙文与内容相去甚远。韦庄选《又玄集》时纵使是著名诗人，也仅选一二篇。《才调集》十卷之中仅从刊式上看已是轻重失调，分布不均。有的几个人占一卷，如卷二、卷三、卷六；有的很多人才成一卷，如卷七、卷九；有的诗人录入数十首，有的却只有一首，又并非以名气大小、按一定的标准来决定选录。为何韦庄一人独占六十三首诗？是不是与编者当时得到诗篇的难易有关？是不是得多少则录入多少，凑成一百首则为一卷，即胡震亨所说的"随手成编"？

另外,更为严重的是有很多诗人的诗一篇都没有收入,又并非因时代所限而没有收入。就以冯武《凡例》中所述为例,说《才调集》是崇尚温李诗风的,但宋代西昆体诗派如钱、刘、杨、晏诸人却是将温飞卿、李商隐、段成式三人均奉为宗祖,而偏偏《才调集》中没有段成式的诗篇。又如《才调集》选沈佺期而不选宋之问诸人;有王泠然、贾曾而无苏味道、崔曙、崔融、王翰、王湾等;有王维、王昌龄、李颀、崔颢、高适、岑参,而无张说、张九龄、薛据、丘为;有孟浩然而无储光羲;大历十才子以及与其诗风近者又无皇甫兄弟、吉中孚、苗发、夏侯审等;中唐"三俊"有李德裕、元稹而无李绅;有张籍,无韩愈;有张祜无崔涯、徐凝。纵使以《才调集》选诗"宗晚唐"而论,所缺亦夥。似乎不当选的选了,当选的又没有选。选李频而不选方干,选罗隐、罗邺而不选罗虬;选陆龟蒙而不选皮日休(卷三陆龟蒙下有《蔷薇》一绝实为皮日休作,陆另有和作,题《和重题蔷薇》,此又证明其粗疏)。以上仅是举例,并非清理其全部存在的问题,还有很多类似的情况不可能在本文中具述,由此也可见《才调集》确实没有固定的选诗标准。

当然,我们并不一概否定《才调集》的成就及其在唐诗选本中的历史地位。由于它成书早,收入的诗篇多,无论书中还存有如上面所说的种种错失,却还是客观地保存了许多有价值的诗篇。就文献的角度说,《才调集》是有相当高的价值的。正如《四库提要》所说:"然颇有诸家遗篇,如白居易《江南赠萧十九》诗(应为《江南喜逢萧九彻因话长安旧游戏赠五十韵》——引者注)、贾岛《赠杜驸马》诗,皆本集所无。又沈佺期《古意》,高棅窜改成律诗,王维《渭城曲》'客舍青青杨柳春',俗本改为'柳色新';贾岛

《赠剑客》诗'谁为不平事'句,俗本改为'谁有'(《四部丛刊》本作'谁有')。如斯之类,此书皆独存其旧,亦足资考证也。"像这类的例子集中相当多。如钱起《阙下赠裴舍人》一首七律,《中兴间气集》选有,《才调集》也有,其中第一联《中兴间气集》作"二月黄鹂飞上林,春城紫陌晓阴阴",而《才调集》下正好二句顺序相反。通观全诗,格律严整,要以《才调集》所载方合律,否则首联与颔联就失黏了。当然,《才调集》中也有不少文字上的错误,则是需要通过版本的查勘而加以校正的。

六

关于《才调集》的版本,还有不少尚未认识的问题。今天广为流行的《四部丛刊》影印述古堂影宋抄本就有一些问题很值得探讨。我们先从宋本说起,然且再来谈《四部丛刊》本。

《才调集》现在可考的版本为南宋临安陈氏书棚本。后代的《才调集》版本,不论是刻本、抄本,还是影抄本,都出自书棚本,这是《才调集》版本系统的一大特点;而且自宋以下,官、私书目著录的《才调集》都是十卷本,这又是它的另一大特点。书棚本流传到明代尚存,徐玄佐家藏有一本,但嘉靖中便逸去了后五卷,成了残本。到了万历时,徐玄佐得到了钱复正(一作钱伏正、钱复真)家藏旧抄本(抄自书棚本),于是请人据以影抄后五卷。共抄了一百一十六幅、二千零七十三行,然后与家中的宋刻本前五卷相配成书。"装池甫毕,展卷焕然,顿还旧观矣"(见徐跋语),是为徐本,成于万历十二年(1584)。徐本对以后《才调集》的版本影响很大。另外,隆庆时,沈春泽(雨若)据孙研北家藏旧抄本(抄自书棚本)新刻一本,是为沈本。沈本万历时被人铲改新印,错讹很多,这就是所谓万历本。据现在所知,沈本今存者有三处:一是上海辞书出版社图书馆,一是南京图书馆。以上两处是足本,另外济南图书馆尚有一残本。此外,上海图书馆还有一个清沈宝莲录何义门校过的沈刻本。据万历三十五年(1607)冯舒看到的沈本已是"窜讹处不可胜乙",可能还是假的。傅增湘说万历的覆刻本"为俗人窜易,缪误至不可读"(《藏园群书题记》卷十九)。崇祯时,冯舒将徐本与借得的孙抄,连同从钱谦益处借得的焦状元(竑)抄本(亦抄自书棚本)校正了沈本,并且加了评语圈点。与此同时,冯班又从钱谦益处借得徐本,中脱一面,几年后收赵清常抄本(仅有后四卷)补完。崇祯十一年(1638)又出现了一个朱文进收藏的宋刻残本,第八卷已全失,却有第九、第十卷,冯班携徐本校勘,又参校其他抄本,校完后请人重新影写了一部。沈本系统还有一个后出的刻本,即以万历本为底本,以徐本前五卷、叶本(与钱抄同)第六卷、朱本第九、第十卷以及焦抄、钱抄、孙抄等版本参校,"改正千余字,重梓者二十余叶"(见渔父夕公跋),姑且称为渔父本。这个本子有钱功甫等人的校语。最后一个重要的本子即清康熙四十三年(1704)新安汪氏的垂云堂本。这个本子以汲古阁毛氏所刊,其中有二冯批校语之本(可能就是冯舒校正的沈本)为底本,以影宋本、钱校沈本参校新刻一本,是一个精校本。现在回过头来说《四部丛刊》本及其他。据钱曾《读书敏求记》所云,他收藏有三个《才调集》版本,一为陈解元书籍铺椠本,一为钱复真家藏旧抄本,一为影写陈解元书棚本。从语意上看,似乎钱曾还有书棚本足本,这是不可能的,他说的"宋椠本"只可能是残本。因为明清之际曾与《才调集》有所接触的人都未曾见过宋椠完帙,尤其是二冯兄弟、陆贻典、毛晋父子、赵清常等以及其族祖钱谦益,都是与钱曾交游极为频繁亲密的人,他们都未曾见这宋刻足本,钱曾晚生于上述诸人,更不可能例外。另外,所谓"影写陈解元书棚本"也是有问题的。这个影写本,就是今天流行的《四部丛刊》本。今天的人只知道是《四部丛刊》影印述古堂影宋本,却没有去深究它的形成与来源。其实,述古堂这个影写本先为汲古阁毛氏收藏,即傅增湘看到的书中印有"宋本"、"甲"、"毛晋私印"、"子晋"、"汲古主人"、"大布衣"、"钱曾"、"述古堂图书记"、"钱曾之印"、"遵王"、"钱氏校本"、"虞山钱曾遵王藏书"、"贤者而后乐此"、"求赤读书记"、"钱孙保印"、"友竹轩"、"筠"、"雪苑宋氏兰挥藏书记"等藏书印记的本子(见《藏园群书经眼录》卷十八)。这些印记分别钤于"叙"、卷一之首、卷二末、卷三之首、卷五末、卷六之首以及卷十末。傅氏认为这个本子是"汲古阁影写宋刊本",这个看法未必正确。如果说很可能是汲古阁和影抄本那是可以的,因为汲古阁的确影抄了不少唐人诗集,但又不能完全排除他人影抄后为汲古阁收藏的可能。另外说这个本子的底本是"宋刊本"也不正确。它的底本是徐本或徐本系统的本子,即前五卷为宋刻书棚本,后五卷为影写抄本的本子。二者合为一书,就是汲古阁或他人影写的底本。证据非常清楚,道理也非常明白,完全用不着辩解。通过考察《四部丛刊》本,我们发现有很多处缺字,而前五卷与后五卷缺字的地方有明显不同的特征,即前五卷缺字处全为墨钉,而后五卷缺字处除有三个字为墨钉外,其余众多的缺字外都为空白。为什么会前为墨钉后为空白呢? 显然这就是刻本与抄本的区别。前五卷为宋刻,据以影抄,墨钉也照抄,不留空白。后五卷宋刻残,据抄本影写,抄本与影写本不同,抄时可灵活处理,看见刻本上的墨钉,用不着像影抄那样照抄下来,而可以用有几个字的墨钉则空几个格的方式抄写,既省事,也丝毫不影响内容,或降低抄本质量。这样,抄本在抄写刻本的过程中便把缺字的墨钉变成了空格,而影写本据抄本影写,抄本本来就是空格,就不可能再影写为墨钉了。其间几种本子的转换关系非常清楚。至于后五卷仍存有三字墨钉,则肯定为抄本上偶然抄有三个墨钉之故。既然《四部丛刊》本依据的是这样一种版本,那么,说它是影写"宋刊本"就不妥了。不过,用习惯上的称谓说它是影宋本似乎也不致不可以,因为《才调集》各种类型的版本都导源于一,都祖述书棚本,其中没有作伪造假的成分。垂云堂本中的校语就是把徐本及徐本系统的本子称为"宋本"的。下面将《才调集》的版本系统列表以示。

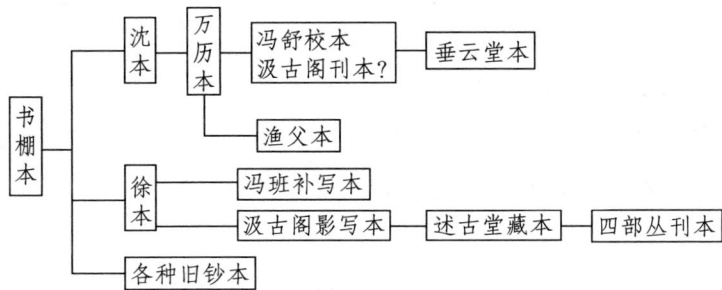

```
                            ┌─ 冯舒校本
                  ┌─ 万历本 ─┤  汲古阁刊本? ─── 垂云堂本
         ┌─ 沈本 ─┤         └─ 渔父本
         │        └──────────┘
书棚本 ───┤        ┌─ 冯班补写本
         ├─ 徐本 ─┤
         │        └─ 汲古阁影写本 ── 述古堂藏本 ── 四部丛刊本
         └─ 各种旧钞本
```

垂云堂本与《四部丛刊》本各为一个子系统的版本。二本略作比较,文字方面垂云堂本有许多优长之处。仅举几例说明:如目录卷三、卷七下的"薛逢",《四部丛刊》本都作"薛逢";又卷四"曹邺二首",《四部丛刊》本作"曹邺三首",实为二首;又卷七有"李频六首",《四部丛刊》本无此四字;又卷八"曹松",《四部丛刊》本作"曹崧","章碣"作"章竭";又如卷四赵光远《咏手》"背接红巾掬水时"一诗下校语:"掬,宋本缺",《四部丛刊》本无;又卷八韩琮《骆谷晚望》"秦川如画渭如丝"一诗下校语:"丝,宋本缺",《四部丛刊》本无;又卷九胡曾《题周瑜将军庙》"委质吴王社稷安"一诗下校语:"质吴,花,宋本缺",《四部丛刊》本无。

傅增湘对汲古阁刻本曾有过这样的评语:"毛子晋汇刊唐选时,觅得善本,参考唐贤旧集,更订重刊,然未睹宋椠,榛芜满幅,未能净扫也。"(《藏园群书题记》卷十九)说毛晋未见过宋刊足本是可以的,说他未见影宋本,则未可。至于说毛晋曾据所藏唐集善本校勘,则是事实。我们曾将北京图书馆所藏汲古阁刻唐人选唐诗八种通校《四部丛刊》本比较,凡汲本与《丛刊》本有异,而以汲本为优的,则大多同于唐人别集(据《四部丛刊》所收之唐人别集)。垂云堂本确有优胜,有为他本所不及的,如卷二温庭筠《醉歌》,《四部丛刊》本有"唯恐南园风雨花",垂云堂本及《四部丛刊》之温集"花"皆作"作",是,因下句"碧芜狼藉棠梨花"又重一"花"字。汲本前句之"花"字作"落",亦与文意不合。又如卷四张泌《秋晚过洞庭》,《四部丛刊》本有"九愁凝绝锁烟岚",前四字义不可通,各本皆同,垂云堂本作"九疑愁绝",与诗题之洞庭时地均合。但比较起来,汲本所长处还较垂云堂本为多,往往垂云堂本与《四部丛刊》本有异而以垂云堂本为长者,汲本亦同,而汲本又另有独胜处，且不独与唐人别集同，且与《唐文粹》、《文苑英华》、《乐府诗集》等前代总集同，似毛氏均曾取以勘刻。如卷一宋济《塞上闻笛》，汲本于题下注"一刻高适"。按此诗《河岳英灵集》、《国秀集》均载于高适名下，宋济为贞元间人，当非其作。卷三高遵《题太尉平泉庄》"水泉草木好高眠"，"水"，汲本作"平"。按此为咏李德裕平泉庄，参见诗题，则作"平泉"为是。又如卷二温庭筠《碌碌词》"野草白根肥"，汲本"白"作"自"，《乐府诗集》同，作"自"是。同卷顾况《悲歌六首》自序"延州审其音"，"延州"汲本作"延陵"，《唐文粹》同，是。同卷卢纶《送南中使寄岭外故人》，汲本题作《逢南中使因寄岭外故人》，《文苑英华》同，义较胜。

使人感到奇怪的是，50年代编印的《唐人选唐诗（十种）》，于《才调集》仅附毛晋跋，而全书未有校语，但少数几处似乎作过改动。如目录卷七温宪三首下应有李频六首，所用之底本即《四部丛刊》本却漏略，《唐人选唐诗十种》补上；卷七张佑应作张祜，已改；卷七项斯一首下应有崔峒一首，亦补，等等。但绝大部分未改，甚至目录中的明显错字，如钱翊之翊应作翃，朱仿之仿应作放，崔公逵之逵应作达，等等，都一仍《四部丛刊》本之误。

由此可见，《四部丛刊》本尽管源头正，与明清之际诸人所称宋本暗合，但缺字太多，而且错误不少，因此亟待校勘。只有提供一个既可靠、又方便的版本，《才调集》才能更好地为今天众多的读者和研究者所使用。

与龚祖培合撰，原载广西师范大学出版社 1994 年版《唐代

文学研究》第五辑——中国唐代文学学会成立十周年国际学术讨论会暨第六届年会论文集,据以录入

《搜玉小集》考略（节要）

　　现在通行所见的《搜玉小集》，系原中华书局上海编辑所1958年据毛晋汲古阁刻本排印的《唐人选唐诗（十种）》本，1978年上海古籍出版社又据1962年10月重印本重新出版。《唐人选唐诗（十种）》除开头的敦煌残卷外，大体按编选的时代先后排列，《搜玉小集》排在最后，而在此之前为《才调集》。按《才调集》系韦縠于后蜀时纂成，如此则《搜玉小集》之编撰当在五代末或宋初了，实际上则不然，它的编成应在唐开元、天宝之际。又《搜玉小集》分量虽小，但留存的问题却不算少，我们今天应加以认真的校勘整理。

　　《搜玉小集》并未见于《新唐书·艺文志》，《新唐书·艺文志》于诗文总集类仅著录有《搜玉集》十卷，《崇文总目》同。二书均未载编者姓名。《通志·艺文略》亦云："《搜玉集》十卷，唐人集当时诗。"不过郑樵所记只是据前人著录，并非亲见其书。依据宋人文献材料考察，此十卷本的《搜玉集》在北宋中叶后当已亡佚。南宋时的两大藏书家，即晁公武与陈振孙，晁氏的《郡斋读书志》未记其书，陈氏《直斋书录解题》（卷十五）则著录《搜玉小集》

一卷,谓"自崔湜至崔融三十七人,诗六十一首"。自此以后,公私藏书目录所记则仅有《搜玉小集》而无《搜玉集》①。

《搜玉小集》与《搜玉集》,由于《搜玉集》早已亡佚,别无其他材料可据,二者的关系究竟如何,未能确知。《搜玉小集》是否节取《搜玉集》而成书,也难于论定,我们只能从今存《搜玉小集》来考论其书。

陈振孙说《搜玉小集》所收乃"自崔湜至崔融三十七人,诗六十一首"。今存各本《小集》,第一人确为崔湜,最后一个也确为崔融。经过毛晋的整理,诗人人数为三十四人,诗为六十一首。虽然毛晋所考尚有疏误(见后),但人数与篇数与《直斋书录解题》基本相符,所收诗人,大部分属初唐时期,少数几个,如裴漼(《新唐书》卷一三〇),许景先(同上书卷一二八),韩休(同上书卷一二六),以及王諲、余(徐)延寿等,均生活至开元初、中期。无开元中后期及天宝时诗人。《直斋书录解题》将《搜玉小集》列于《国秀集》之后,《窦氏联珠集》、《御览诗》、《河岳英灵集》之前,此点亦可注意。从这些方面看来,则《搜玉小集》当编成于开元后期或天宝前期。

《搜玉小集》不以诗人时代先后排列,同一诗人有收二篇或二篇以上者,则分散编排,如崔湜,《奉和御制白鹿观》列第一篇,《塞垣行》列第五,《酬杜麟台春思》列第十九;又如崔融,《西征军行遇风》列第四,《韦长史挽歌》列第五十七,《咏宝剑》则居最后。

---

① 据陈尚君《唐人编选诗歌总集叙录》,《宋史·艺文志》及《晁氏宝文堂书目》卷上所收《搜玉集》,均指《小集》。

所载诗篇,如以题材分,则似先为应制诗,次为边塞歌行、古诗,又次为闺情怀人,又次为岁时应景,又次为行旅述怀,但又互有混杂,很难看出编选意图和选诗标准。所收诗固有一些名篇,但也有一定数量的平平之作。清人何焯(义门)对此书的评论是颇为苛刻的,说"此书集唐初人诗之不佳者,既鲜气质,复乏调态。述作之手固将喂鹿,场屋之士亦宜覆瓿也"①。对一些具体诗作的评价亦复如此,如说《大漠行》"不成片段",贺朝的《从军行》"散缓无力",郑愔的《塞外》"亦散缓",卢照邻的《王昭君》"不如不作",等等。何氏所评不为无见,但应当说作为现在存世已不多的唐人选唐诗来说,《搜玉小集》仍有其文献价值,有些诗篇确因其所选而流存于后世,有些则在文字上提供不少可供研讨的异文。

上海古籍出版社据以排印的汲古阁刻本,问题不少。首先是诗人人数与诗篇数。《直斋书录解题》说是三十七人,诗六十一首。明代高儒《百川书志》著录则为三十七人,六十三首。北京图书馆善本部又有郑振铎收藏的明刊本《唐人选唐诗六种》,内《搜玉小集》一种,书前所载目录也为三十七人,诗六十三首,但又记云:"内崔湜、宋之问、张谔、李峤、崔融并多一首,而胡鹄、崔颢、王翰、陈子昂之诗皆缺,尚当考之。"而毛晋在刊正之前所见之本,有崔颢诗误入崔湜,魏徵、陈子昂诗误入宋之问的,即人为三十四,诗为六十一,可见明代流传的本子,诗篇混杂情况已相当严重。毛晋重加厘定,把误入者分出,想恢复原三十七人的目次。但因胡皓、王翰、李澄之三人之诗已佚,故在刊行时,删去三人姓名,成

---

① 见北京图书馆善本部藏汲古阁刻《唐人选唐诗八种》傅增湘临何焯批校本。

今本之三十四人，诗六十一首。这就是说，毛晋删去名存诗缺者三人，但诗却有六十一首，则成为《四库总目提要》所说的，"人缺其三而诗仅缺其二，不足分配三人"，因此《提要》怀疑必有一人之诗混杂于他人名下。应当说，《提要》的怀疑是有道理的，虽然它并未进一步考出谁人之诗混杂于何人名下。按汲本《搜玉小集》中有崔湜的《大漠行》，《文苑英华》卷三三三载此诗（中华书局影印本题作《大汉行》，"汉"字显误），署为胡皓作。《全唐诗》卷一〇八胡皓下即有此《大漠行》；卷五四崔湜下虽也列此诗，却于题下注云"一作胡皓诗"。《搜玉小集》中此《大漠行》当是胡皓诗，毛晋如不是因疏忽而未加更正，则不会出现"人缺其三而诗仅缺其二"的现象。《四库总目提要》所谓必有一人之诗混杂于他人名下，即胡皓《大漠行》误作崔湜诗。

诗篇归属尚有问题的，又有徐璧之《催妆》诗。此诗《唐诗纪事》卷一三载为徐安期作，又见于《全唐诗》卷七六九之徐安期名下，《全唐诗》此卷为世次爵里无考，即收入此卷之作者，编者认为其生平、时代乃均无可考见的。《全唐诗》于徐安期名下仅载此一首。很可能《全唐诗》与《唐诗纪事》都采自《搜玉小集》，而计有功所见之《搜玉小集》，《催妆》一诗为徐安期作，因而采入时即署徐安期名。《全唐诗》采自《搜玉小集》与《唐诗纪事》，而于徐安期又无事迹可考，于是列入世次爵里无考一类。可以注意的是，《全唐诗》于此卷中又收有徐璧《失题》一诗："双燕今朝至，何时发海滨。窥檐向人语，如道故乡春。"诗写得尚有情致，但仅此一首。《催妆》诗之作者究竟是谁，且徐璧与徐安期是一人还是二人，限于材料，也还难下断语。

又如所收《人日剪采》诗，作者署为余延寿。此诗也见于《唐诗记事》卷一七，《四部丛刊》本作者载为徐延寿，而汲古阁刻本作余延寿。按《新唐书·艺文志》四，别集类，于包融诗下记殷璠所辑《丹阳集》诗人，有"江宁处士徐延寿"。《嘉定镇江志》卷一八、《至顺镇江志》卷一九皆作"徐延寿"①。《文苑英华》未载《人日剪采》诗，但卷二九三却有余延寿的《南州行》。储光羲有《贻余处士》(《全唐诗》卷一三八)，储居丹阳，与江宁接邻，此余处士似即为延寿。徐、余形近，且都见于宋元文献，难于遽下定论。

以上三例，胡皓诗混入崔湜名下，可以确定；《催妆》诗属徐璧还是徐安期，《人日剪采》诗作者姓余还是姓徐，都还未能断定。但不论如何，都应出校说明。可惜排印本于此均失校。

另外，如《燕歌行》作者屈同，《文苑英华》卷一九六同。但《国秀集》卷下、《元和姓纂》卷一〇皆作屈同仙，《全唐诗》卷二〇三亦作屈同仙，但校云"一作屈同"。似作屈同仙为是。又如《怨辞》作者张纮，《唐诗纪事》卷一三、《全唐诗》卷一〇〇均作张纮，《全唐诗》校云："一作法"，而同卷所载《闺怨》诗又于题下注"《搜玉集》作张炫诗"。则此诗作者之名又有法、纮、炫三种不同的记载。

以上是诗作者的问题，其次是诗篇篇名的问题，这里也有应加考校的，可以举两个例子。

书中收有杜审言《赠苏管记》。此诗又见于《文苑英华》卷二

①参傅璇琮、张忱石、许逸民编《唐五代人物传记资料综合索引》，中华书局，1982。

四九、《唐诗纪事》卷六、《全唐诗》卷六二,诗题则均为《赠苏味道》,不叫《赠苏管记》。不过《文苑英华》与《全唐诗》另载有杜审言的《赠苏管书记》一诗:"知君书记本翩翩,为许从戎赴朔边。红粉楼中应计日,燕支山下莫经年。"诗意与诗题正合。由此可知,所谓《赠苏管记》诗,诗题应是《赠苏味道》,而"赠苏管记"四字则又抄自"赠苏绾书记",不过抄时脱漏"书"字,又误"绾"为"管",遂成此文义不通之题目。另一例为李峤《太平公主山亭侍宴应制》,《唐诗纪事》卷一〇载作《安乐公主山庄》。按《文苑英华》卷一七六载有《侍宴安乐公主庄应制》,以此题作诗者有宗楚客、赵彦昭、卢藏用、苏颋、萧至忠、岑羲、李乂、马怀素、韦元旦、李回秀、李适、薛稷、沈佺期、刘宪,李峤也是其中之一。《搜玉小集》所载此诗,即在此题之下。如此,则李峤此诗诗题中之"太平公主"误,当校改作"安乐公主"。

另外,诗篇虽不误,却可以用他书参校而有助于对诗意之理解的。如徐彦伯《送公主和戎》,此公主是谁,仅此诗题未能得知,而《文苑英华》卷一七六题作《奉和送金城公主适西蕃应制》,《唐诗纪事》卷九题作《送金城公主》,由此可知此公主为金城公主,由此还可进一步考知诗的作年。又如苏味道《观灯》,《文苑英华》卷一五七、《全唐诗》卷六五皆作《正月十五夜》,似更切合诗意。

文字的异同,脱漏应加校勘者就更多。如宋之问《温泉庄卧疾寄杨七炯》,"反景入岩谷"句下,据《文苑英华》卷二四九、《唐诗纪事》卷六、《全唐诗》卷五一,应有"幂幂涧畔草,青青山下木,此意方无穷,环顾怅林麓"四句,为排印本所无,排印本于诗末则有校语,谓:"考'反景'句下有……四句宜补",但却于所引四句中，"涧畔草"、"怅林麓"六字空缺。不知此校语为排印时所加还是引汲本原文？据我们查核的北京图书馆善本部藏汲古阁刻《唐人选唐诗八种》本，此六字是并不空缺的。

文字差异较大的有：杜审言《赠苏味道》（即前所考之误作《赠苏管记》者）"胡兵战欲尽，虏骑猎犹酣，雁塞何时入，龙城几度围"，《文苑英华》卷二四九作"胡兵战欲尽，汉卒尚重围，云静妖星落，秋深塞马肥"，有三句完全不同。又如李峤《汾阴行》"不见即今汾上水"，此"上水"二字，《文苑英华》卷三四八、《唐诗纪事》卷一〇，以及《全唐诗》卷五七，皆作"水上"。此为全诗最后二句："不见即今汾水上，唯有年年秋雁飞。"为传世名句，如作"上水"，则诗意大减。又如宋之问《桂阳三日述怀》："不求汉吏金囊赠，愿得家人锦字书。""汉吏"，《文苑英华》卷一五七、《全唐诗》卷五一皆作"汉使"。此诗记述贬谪远地之苦，向往京城游乐之盛，又值适逢北来之使臣，以金囊相赠，故有此二句。若作"汉吏"，则意味索然。

《搜玉小集》仅一卷、六十余首诗，分量不算大，版本也不算复杂，但如果不加认真整理，不作必要的校是非、勘异同的工作，就会留存有上述的种种错漏的情况。由此可见，对一些有代表性的古代著作，在研究的同时，应逐一地对其版本源流、文字异同进行必要的清理，这种基础性的工作是不能回避的，越是做在前边，对整个研究就越有利。

与李珍华合撰，原载广西师范大学出版社 1994 年版《唐代文学研究》第五辑——中国唐代文学学会成立十周年国际学术讨论会暨第六届年会论文集，据以录入

中国唐代文学学会第七届年会开幕词

（1994 年, 浙江新昌）

中国唐代文学学会第七届年会暨唐代文学国际学术讨论会,今天在历史文化名城浙江新昌隆重举行了。这里,我谨代表这次会议的主办者,即中国唐代文学学会、新昌唐诗之路研究开发社、中外合资浙江越州制药有限公司,向前来参加会议的各位专家、学者,特别是远道而来的国外来宾及港台地区诸位先生,表示热烈的欢迎。

我们在新昌召开这样的大型国际学术会议,工作难度是相当大的,会议的筹备者和组织者付出了极大的精力和心血。特别是新昌的党政领导对这次大会给予极大的支持,新昌的各界人士对我们这次大会也表示热情的关注,这里我也谨向新昌的各级领导和各界人士表示深切的感谢!

中国唐代文学学会成立于 1982 年,我们先后在西安、兰州、洛阳、太原、南京、厦门召开六届年会,每届年会都有中外学者共聚一堂,热烈、友好地讨论唐代文学研究中共同感兴趣的问题。每一届年会都能把唐代文学研究推向前进,引向深入。应当说,中国唐代文学学会成立十多年以来，我们已经形成一种很好的学风，那就是踏踏实实地在做学问，兢兢业业地出成果；考证与义理并重，宏观与微观结合，彼此尊重，互相支持。我们唐代文学研究界有不少功底深厚、学术渊博的老一辈学者，更有一大批富有朝气活力、思想敏锐、富有开拓精神的中青年专家。两年一次的年会，都能有学术新著提高我们的学术品位，更有不少新的专题论文开阔我们的视野。我们一定要把这一优良学风继续保持下去，把我们的学术会议一次比一次办得更充实、更丰富、更有学术上的吸引力。

我们这次学术会议在新昌举行，又有它新的意义。近十年来，浙东唐诗之路已受到中外人士的日益重视。怎么来认识浙东在唐代乃至整个中国文化史上的地位与作用，这对广大唐代文学研究者和爱好者来说，真是一个亟待开发、并且必定有丰硕成果的课题。唐代时期的浙东经济、文化都已十分发达。它是当时丝绸生产、冶金企业，以及造船、造纸、制陶、产茶的重要基地。唐代有三百多个诗人生长在浙东，居住在浙东，漫游在浙东，创作在浙东。大诗人李白就四次来到浙东，三次游剡中，两次登天台山。不论是盛唐，或是中晚唐，都有名篇佳句吟咏浙东的奇山异水。浙东在东晋时代，其人文环境就充满诗意，谢灵运的山水诗，晋宋名士的剡溪游，都使后人难以忘怀。后来宋元明清，浙东的学术文化都有新的突破与繁荣。而在这一历史悠久的文化发展中，唐代则是一个使人瞩目的高峰。我们的唐代文学研究，应当把传统与现代结合起来，把文献钻研与实地考察结合起来。我相信，我们这次来实地考察浙东的自然风光与文化环境，必定更能加深对历史的认识与理解，而我们对浙东唐诗之路的研讨与弘扬，也会促进地区经济和文化的发展。

这里，我想应该再次感谢越州制药有限公司及总经理王华润先生。我们这次会议的经费得到越州制药有限公司的慷慨资助，这应当说是我国改革开放十多年以来的新气象。随着经济建设的健康发展，我国人民的物质生活与文化生活有很大的提高，这就必然促进经济建设与文化学术同步发展而又相互促进。这次会议的召开，也提供了在社会主义市场经济体制建立过程中，企业经济与文化建设如何更好配合的生动例子，值得我们深入思考和研讨。

原载广西师范大学出版社 1997 年版《唐代文学研究年鉴》1995—1996 年号，此据大象出版社 2004 年版《唐宋文史论丛及其他》录入

柳宗元学术史上的力作

　　——评高文、屈光的《柳宗元选集》

　　上海古籍出版社于1993年出版高文先生与其弟子屈光合著的《柳宗元选集》。上海古籍出版社对此书是作为他们已在进行的古典作家选集来出的。我在通读之后,觉得这部书不仅是一般的选本,而是在柳宗元研究史上颇值得称道的专门著作,它在不少方面已超出一般意义上的字句诠释,而能从学术史的角度提供给读者的历史、文化,当然也包括音训等方面的切实有用、开拓创新的知识与见解。

　　高文先生今年已届八十五高龄,他是我们古典文学界的老前辈。他与南京大学的程千帆先生是同学,他们都对旧学有深厚的根底,而又能新旧贯通,对传统作新的科学的探索。

　　柳宗元学术研究史大致经历了北宋刊行阶段、南宋训注阶段和明清校评阶段。

　　柳宗元集最初由宗元好友刘禹锡编订,唐时已经流行。五代兵火,图籍遭到浩劫。北宋穆修少时只见到柳集残本,访求多年,晚年才见到一个全本。穆修酷爱柳文,悉心考订,使柳集于仁宗天圣元年(1023)重又得以完编刊行(穆修《唐柳先生集后序》)。苏舜钦说穆修晚年家贫,向亲友求助,才刻印了数百册,并亲自到汴京相国寺设肆出售。穆修刊印柳集,标志着柳宗元学术研究史的开端,此后,就续有人刊印。北宋徽宗时人沈晦曾见到四种不同版本(包括穆本在内),并以穆本为底本,参考互校,于政和四年(1114)刊印一种新的柳集(沈晦《四明新本河东先生集后序》)。

到了南宋,刊印柳集之风不衰,读柳之人日多。由于柳文难读,释音训义的工作便应运而生。首开释音之风的是张敦颐,他在给韩愈文集注音之后,于高宗绍兴丙子年(1156)按沈晦本的编目顺序,作《柳文音辨》一卷,对柳集中奥僻之字进行音释(张敦颐《韩柳文音释序》)。张敦颐还只是释音,首开训义之风的是潘纬。张敦颐作《韩柳文音释序》后十一年,即孝宗乾道丁亥年(1167),潘纬撰《柳文音义》三卷,以建宁本柳集为编排顺序,独立成书。潘纬既释音又训义,对古字难字,"先之以诸韵、《玉篇》定其音,次之以《尔雅》、《说文》训其义,而又参之以经传子史,究其用字之源流"。书成后,潘纬自己说:"庶几观其书者,难字过目,无复含糊嗫嚅之态。"(潘纬《柳文音义序》)惜此书未传于后世,仅《宋史·艺文志》著录其书为三卷。元刊本《增广注释音辩唐柳先生集》题"宋童宗说注释、张敦颐音辩、潘纬音义",但我们现在已无从知道其中的潘纬音义是否即保持其原貌。潘纬作《柳文音义》后十年,即孝宗淳熙四年(1177),韩醇又以沈晦本为底本替柳集作注,此即为《诂训本柳先生文集》,这是现存最早的宋人所注的柳集本子。此后,柳集即进入辑注阶段。书商为了读者阅读方便,将名家的训注或评论汇集刻于一起,以小字夹于柳集原文中。

《新刊增广百家详补注唐柳先生文集》(即今所称百家注本)和魏仲举刊印的《五百家注柳先生集》(即今所称五百家注本)就是这类辑注本。五百家注本的刊行年代待考,百家注本刊行于宁宗庆元六年(1200),上距韩醇的诂训只有二十三年,这也反映了这一时期柳学发展之快。

明清为校评阶段。这一时期,柳集版本已相当多,但良莠不齐,讹错难免,校勘便成为柳宗元学术研究的突出问题。明蒋之翘《唐柳河东集》,在辑录旧注的同时,对原文作了认真的校勘,成绩斐然。清代学者又有所进展,何焯批校的《增广注释音辩唐柳先生集》、陈景云的《柳河东集点勘》、吴汝纶的《柳州集点勘》都取得了各自的成就。

对宗元作品的评论,在北宋已可在一些文集、诗话、笔记中见及。如苏轼评宗元《辩伊尹说》:"宗元意欲以此自解说其从二王之罪也。"(《经进东坡文集事略》卷五七),葛立方评宗元《放鹧鸪词》:"乃作于诏追之时,有自悔前失之意。"(《韵语阳秋》卷一六)乃是评论其某些作品的主旨。苏轼评宗元《与崔策登西山》:"子厚此诗,远在灵运上。"(《东坡题跋》卷三)是评论作品的成就。逮及明清,此类片断的评论即发展为系统的评论。茅坤的《唐宋八大家文钞》选评五十余篇柳文,而清代学者何焯的《义门读书记》评论近三百篇柳文。明清学者们的批评观点当然未必尽是,但他们在柳宗元学术研究史上的贡献是不容忽视的,不但他们的某些具体成果可以直接为今人所继承,而且他们的治学思路还可以在方法论上对今人有启迪。

新中国成立以来,柳宗元文学研究和学术研究在继承前人成果的基础上都有较大的发展。论文的数量大大超过过去,有些专著从政治、哲学思想、文艺见解、文学成就等方面对柳宗元作了较深的研索。当然,历史的经验是值得总结的,有些论著片面强调为现实政治服务,把柳宗元的思想不恰当地取以"古为今用";有些则把柳宗元与韩愈作生硬的比较,毫无必要地翻古人之案,尊柳抑韩,日为创新。在这种情况下,对柳宗元的作品加以踏实的整理和科学的阐释,就显得十分必要和及时。

这里值得一提的,是中华书局 1979 年出版的点校本《柳宗元集》,这是第一个排印本柳集,是近十位学者的研究成果。此本多方面吸收了前人的校勘成果,每篇后附校勘记,记录了诸多版本的异文,读者手持一本即等于同时掌握多本,极为方便。可以说是柳集的校勘工作一个阶段性的成果。

在简略地回顾了过去的道路以后,再来看高、屈两位的《柳宗元选集》,就可以发现这部《选集》在柳宗元学术史上具有的难能可贵的科学精神和创新特色。

首先,《选集》是一部集前人成果之大成的好书。一部有较高学术价值的学术著作往往是仔细研究并认真吸取前人的成果的,这已是学术史的通例。《选集》充分吸收了前人的成果,表现在下述三方面。第一,在校勘方面,《选集》以世彩堂本为底本(见《前言》),同时广泛参照他本。《至小丘西小石潭记》写鱼有句:"日光下澈,影布石上,佁然不动;俶而远逝,往来翕忽。""佁"字,底本作"怡",《选集》改作"佁",作注并出校曰:"佁然,痴呆貌。《说文》:'佁',痴貌。读若駭。'佁',世彩堂本一作'怡',据《文苑英华》改。"这段文字向读者说明了三个问题:宋时有的版本就作

"佁",世彩堂本只校不勘,此其一。《选集》虽未找到作"佁"的宋本,但看到《英华》作"佁",因据此而改,这仍是继承了宋人刻校的成果,此其二。引《说文》释义,意在说明据《英华》而改字的理由,此其三。众所周知,校勘工作的实质并不在于罗列不同版本的差异,而在于提出自己的见解并说明持论的依据,研究者的功力也正体现在这些地方。综观上下文,读者不难辨识《选集》改得有理有据。类似之处,《选集》中还能举出许多。第二,《选集》的继承前人成果还表现在注释方面。凡有旧注,《选集》必作参考。《袁家渴记》有句"其树多枫柟石楠"。《选集》首引宋童宗说注:"石楠亦木名。"次引高步瀛《唐宋文举要》:"石楠当作石南。"并照录高氏所引《证类本草》和《图经》的原文。《选集》不但继承古人、近人的成果,而且注意继承今人的成果。如《永州龙兴寺息壤记》有句:"《史记·天官书》及《汉·志》有克长之占,而亡其说。"《选集》照录《史》、《汉》原文:"《史记·天官书》:'水澹泽竭,地长见象。'《汉书·天文志》:'水澹地长,泽竭见象。'"并指出"二书所记似有出入"。对于这一出入,《选集》引章士钊《柳文指要》说:"中间所用字,位置有颠倒。或谓《汉书》次第是,吾意不然,盖此八字,共说地长之象,以水澹泽竭为其总因,若以《汉书》所列,则地因水澹而长,泽竭又见何象乎?"一般地说《选集》引《史》、《汉》原文,已尽注者之职,其间出入并非宗元原文,可不必深究,但《选集》不愿意给读者留下疑窦,而引章氏之辨析。这充分说明《选集》的态度是极为认真的,对今人的研究成果是极为重视的。《选集》在注音释义时,同样充分注意前人的成果。《渔翁》诗句:"欸乃一声山水绿。"注曰:"一音 ao ai,一音 ai nai;一曰湘中摇橹之声,一曰湘中棹歌声。"并在评笺中引了四位宋人对此二字音义的解说。从某种意义上说,《选集》的注释带有辑注的性质。第三,《选集》继承前人成果表现在评笺部分。《选集》在每篇注释后,都附有评笺,酌引宋元明清乃至今人的评论。这不仅展现了学术观点发展的轨迹,而且也展现了不同时代学者们的学术情趣和学术成就。如《梓人传》评笺中引了古代十三位学者的评论,代表了古人的研究成果,而且我们又可以看出宋明学者的情趣主要集中在作品的立意和立意所本方面,而清代学者的评论发展为对章法、结构、技巧等问题的研讨。

综如上述,科学地吸收前人的成果是《选集》学术价值的一个引人注意的方面。

如果一部学术著作仅停留在对前人成果的引述或阐释,那么即使再细密,其学术价值也是有限的。学术著作的学术价值应主要体现在创新方面,表现出自己的创建。在人事、舆地的考据,用典征事,词语出处及难字释义等方面,《选集》多有突破已有成果之处,显示出注者的坚实的学术功力和勤苦的治学精神。

在人事、舆地的考据方面第一是补充旧注之不足。《段太尉逸事状》原文有句"(焦令谌)一夕自恨死",宋孙汝听注引《段公别传》云:"大历八年,令谌犹存者,盖公之得于传闻,其实令谌不死。"这里孙汝听只引述而未作考证。对此,《选集》引《通鉴》大历八年十月,注明:"焦令谌任泾原节度使马璘的兵马使。"便补充了这一不足。第二,修正旧注之误。《段太尉逸事状》有句"太尉为泾州时"。宋孙汝听注:"大历十二年,邠宁节度使白孝德荐秀实为泾州刺史。"一般说来,读者对此注不至于怀疑。而《选集》引

《唐方镇年表》和《通鉴》证明:代宗广德二年(764)至永泰元年(765)白孝德在邠宁节度使任,而广德二年八月回纥、吐蕃十万兵马进犯邠州,郭子仪遣其子郭晞领兵万人救邠州,白与郭闭城拒守,敌退。郭晞驻军邠州,因有纵士卒行凶事。是年十一月泾州刺史段秀实自请补都虞候以平郭晞士卒之暴,白孝德许之。《选集》这一考证,证明了段秀实以泾州刺史补都虞候、折服郭晞,事在广德二年,纠正了孙注之误(见《选集》第201页各注)。第三,自作考订。《段太尉逸事状》篇末宗元自叙收集段秀实逸事时所经路径,有"过真定,北上马岭"句,旧无注。章士钊《柳文指要》卷八云:"近人注此篇云:'真定不详,疑为马岭山南地名。'"亦未考证文中"真定"究竟为何地,而只说"真定属常山,赵地,即今河北正定府"。《选集》则以《元和郡县图志》为据,考证"马岭,在今甘肃庆阳县西北,唐县名"。又曰:"真定,疑为'真宁'之误。真宁,唐宁州真宁县,即今甘肃正宁县。宁州在泾州东一百五十里、庆州南一百三十里、邠州北一百四十里,属邠宁节度使辖区。"在考证了这两个地名后得出结论:"此二句中真宁、马岭及上句所列地名均为肃、代宗朝吐蕃、回纥屡屡骚扰之地,即段秀实曾任职的抗敌前线。"遂成铁案。

这里仅以《段太尉逸事状》为例,说明了《选集》在考据方面超越前人,读者不难发现这类创见在《选集》中是随处可见的。

其次,《选集》的创新特色表现在用典征事的注释方面。柳州诗文用典,不细心则不易发现。《秋晓行南谷经荒村》诗句"机心久已忘,何事惊麋鹿?"旧无注。《选集》引《庄子·天地》,注曰:"机心,智巧变诈之心计。"又引《列士传》,注曰:"伯夷、叔齐七日未进食，天遣白鹿乳之，夷、齐思念此鹿肉食之必美，鹿知其意，不复来，夷、齐遂饿死。"此注实得之。

再次，《选集》的创新表现在查找词语出处方面。宗元多用古人语，旧注无涉者，《选集》尽量查出。《柳州城西北隅种甘树》诗句："几岁开花闻喷雪，何人摘实见垂珠？"旧无注，《选集》注为：《初学记》卷二八《果木部·橘九》引周李元操《园中杂咏·橘树诗》："白华如霰雪，朱实似悬金。"宗元若有知，对此注亦当首肯。

又次，《选集》的创新表现在难字的释义方面。宋人每每慨叹柳文难读，尤以校勘训注者为甚，北宋沈晦"唯柳文简古雅奥"（《四明新本河东先生集后序》），是较早较有代表性的言论。宋人注柳集已在难字释义上下了工夫，但在今日观之，这项工作还远没有完成，《选集》所作的工作比旧注深入得多。《选集》释义表现出其基本原则是引最早的字书、韵书或注疏。如《种树郭橐驼传》有句："他植者虽窥伺效慕，莫能如也。"旧无注，《选集》引《说文》："慕，习也。"进而释为"效慕，模仿实验"。就避免了今天有的选本将"慕"注为"羡慕"的差错。《钴𬭁潭西小丘记》句："举熙熙然回巧献技，以効兹丘之下。""効"字旧无注，而《说文》无効字，《选集》引《玉篇》："効，俗效字。"接着引《礼记·曲礼上》注："效，犹呈也。"进而释为"呈献"。柳文中许多字若不深究细微，极易误注。如《石渠集》句"揽去翳朽，决疏土石"，"翳"旧无注，《选集》据《诗经·皇矣》的传和疏，注为"树木枯死，倒伏于地"。释为名词性。这是对的，因为两句对偶，"翳朽"对"土石"，"翳"必为名词，若释为动词"掩盖"，便错了。

最后，《选集》的创新特色体现在通读全集，引汲连类。过去的注本往往就句论句，不及其他，而《选集》则兼顾各篇。如《始得西山宴游记》句："因坐法华西亭，望西山，始指异之。"宋孙汝听注："法华，寺名也。"而《选集》引宗元文《永州法华寺新作西亭记》和《构法华寺西亭》诗的有关原文，说明法华寺在永州地最高，西亭为宗元所建，并指出"因寺及亭高，故有下句望西山。"读此注，便觉豁然开朗。

宋王禹偁有言曰："韩柳文章李杜诗。"李、杜、韩、柳代表了唐代文学的最高成就，这是历史的结论。李、杜诗在清代已有了全集注本，而韩、柳集注至今尚未出现。就柳而言，《选集》所取得的学术成就必将给未来问世的全集注本提供借鉴，因此说《选集》在柳宗元学术史上又具有启后的地位。我们热切地期待着全集注本的问世。

高文先生是老一辈学者，屈光同志是他的关门弟子，亦已年届五旬。两代学者花费了数年精力才撰就了这部二十二万字的书，其间的甘苦非一般人所能体味。南宋人陆之渊曾说柳文"古文奇字比韩文不啻倍蓰，非博学多识前言者，未易训释也"。所以当潘纬完成《柳文音义》的撰写，给陆之渊看时，之渊特为作序赞曰："成一家之言，将与柳文并行不朽无疑矣。非刻意是书者，未必知论著之不易也。"（均见陆之渊《柳文音义序》）在结束这篇书评时，我愿借用陆之渊的话说，这部《柳宗元选集》将与《柳宗元集》并传于后。

原载《历史文献研究》1994 年新第 5 辑，此据大象出版社2004 年版《唐宋文史论丛及其他》录入

拓展各学科史研究，丰富国学内容

袁行霈先生主编的《国学研究》，第一卷出版后，即受到学术界的注意，对于当前的国学研究起了良好的推动作用。现在又编印出第二卷，内容更加充实，而且更贴近当代学术研究的现实，在注重学术性的同时，又富有当代性，这是很值得我们效法的。

现在，对于国学研究与传统文化研究，在概念的理解上，报刊上似乎有些不同的看法。不同的看法展开讨论或争论，我觉得这是正常的，对学术研究本身也是有利的。对这方面，我没有很深的研究，谈不出什么新的看法。不过从一般的理解上，国学研究是更倾向于实一些，更多地接受或继承传统治学的路子。我觉得这是国学研究的特点，也是它的优点，而且也可能是它虽历经曲折但终于能存在和发展下去的学术本身的根据。

国学研究的意义，我想是无容置疑，也是不劳多说的，现在的问题是怎样有效地进行，就目前来说，是怎样避免文化史研究中极易产生的空对空的现象。文化或国学，本来是一个相当宽泛的概念，我们如果不从具体的课题着手进行研究，就很容易过了若干年，热闹了一阵，回过头来一看，还是停留在原来的起点上。

作为国学来说，我想是否可以探讨一下，我国的传统学术道路是怎样发展下来的。前些日子我读了中国社科院历史研究所刘起釪先生的《尚书学史》和清华大学思想文化研究所廖名春先生的《周易学术发展史》，很受到启发。我觉得我们很需要具体学科的学术史研究，这将是提高研究素质的有效途径。总结以往的学科发展史，这方面本身就有丰富的内容。譬如《诗经》，所谓孔子删诗是一个阶段，汉儒说经是一个阶段，宋是一个阶段，清又是一个阶段，各有特色，更不用说"五四"以后逐步用马克思主义观点加以研究，更是崭新的阶段。我们应当有《诗经》学，看看前人走过的探索的道路，他们的成功在哪里，不足又在哪里，有哪些可以作为成果肯定下来，不要再在原水平上重复，有哪些则还需要继续探讨，指出继续前进的方向。一门学科之可以建立学术史，是成熟的标志，而它的建立又可以进一步推动研究的深入。在中国传统学科中，可以建立学史的是有不少的。各自总结本学科的研究史，就会大大丰富我们国学整体研究的内容，由此而总结出的现在还可行之有效的传统治学方法，并科学地吸收国外的或自然科学研究的新方法，就会使我们的国学研究或传统文化研究真正建立在科学的、民族的深厚基础上。

原载《北京大学学报（哲学社会科学版）》1994 年第 6 期"弘扬中国过去 面向世界未来——《国学研究》第二卷出版座谈会发言选登"，据以节录傅璇琮先生所言部分

《天台山历代诗选》序

　　1994年11月下旬,中国唐代文学学会第七届年会暨唐代文学国际学术讨论会在浙江新昌举行。会议期间,杭州大学中文系吕洪年教授向我介绍了刘长春、朱封鳌编注,韦彦铎校注的《天台山历代诗选》一书,并云此书将由出版社出版。因为我是浙江人,曾数次到过天台,因此吕先生希望我为这本诗选写一序言。这些年来我工作的头绪较多,除担任中华书局总编辑外,还兼任国家古籍整理出版规划小组秘书长,受组长匡亚明同志的委托,处理小组的日常工作,又受匡老的嘱托,筹备《中国古籍总目提要》的编纂,因此常常安心不下来,个人的科研也受影响。但我还是欣然同意撰写本书的序,这之中,我想我们民族传统的乡情是起了主要作用的。

　　我的宁波老家藏有一部李善注的《昭明文选》,因此我在上小学时就常常得便拿来翻看,大部分的篇章当然是看不懂的,但感到辞藻很美,读起来有一种特别的愉悦。有一次翻到孙绰的《游天台山赋》,他的那篇小序以及文章开头的"太虚辽廓而无阂,运自然之妙有;融而为川渎,结而为山阜",实在感到有些沉闷,但忽然"赤城霞起而建标,瀑布飞流以界道"这二句,使我眼睛一下子亮了起来。从此以后,就一直记着这天台南门的赤城山。80年代中,我参与编纂北京大学古文献研究所的《全宋诗》,就常常翻检《嘉定赤城志》,为其所收的优美山水诗文而神驰情往。1990年冬,我有机会与日本及港台地区的唐代文学研究者赴台州参观,主人特地安排我们去赤城山一游,远望赤褐的石壁,近眺苍翠的山路,使我仿佛又回到小时候雨夜读《文选》的情景。

以上所写,可能感情色彩浓了一些,不大符合序文的惯例。但读者当可感到,这一"穷山海之瑰富,尽人神之壮丽"的环境,千百年来孕育了一种怎样秀异的文化,使得一个人,从幼小乃至过了不惑之年,都可能为之倾倒。

我听说,1990年、1993年,天台县曾两次召开过"天台山文化研讨会"。我未能躬逢其盛,参与讨论,因而也无从知道讨论的具体内容。但我认为这样的讨论会是极有意义的,也希望讨论能继续下去,并用适当的方式向国内外介绍。孙绰的有些话是对的,他认为天台山这"山岳之神秀"之所以少为人知,就是因其"所立冥奥,其路幽迥","举世罕能登陟,王者莫由禋祀"。现在,处在我们这样改革开放的新时期,天台山完全有条件打破交通阻塞及各种人为隔阂,向外界呈现其融诗情、哲理于一体的自然——人文景观。我觉得,这本《天台山历代诗选》就是天台山加快向外开放的一种很好的方式。

就在1994年11月新昌举行的唐代文学国际学术讨论会上,我忝为唐代文学学会的会长,在开幕式上讲了这样一些意见:近十年来,浙东唐诗之路已受到中外人士的日益重视。唐代时期的浙东，经济、文化都已十分发达。它是当时丝绸生产、冶金企业，以及造船、造纸、制陶、产茶的重要基地。唐代有三百多个诗人生长在浙东，居住在浙东，创作在浙东。大诗人李白三次游剡中，两次登上天台山。不论是初盛唐，或是中晚唐，都有名篇佳句吟咏浙东的奇山异水。浙东在东晋时代，其人文环境就充满诗意，谢灵运的山水诗，晋宋名士的剡溪游，都使后人难以忘怀。我们的唐代文学研究，应当把传统与现代结合起来，把文献钻研与实地考察结合起来。

我在这篇开幕词中着重讲了唐代，固然是因为这次是唐代文学研究的会议，但也是因为在唐代之后，有关浙东诗文的材料，我还不够熟悉。现在读了这本诗选，除了唐宋两朝，还读到明清时期及当代不少出色的诗章，确实大开眼界。我深深感到，天台众多的名胜景点，如国清寺、桐柏观、赤城、桃源、石梁、琼台，等等，为中华民族的整个文化增添了多少深邃的意蕴。这实在是值得我们今天花大力气去深入开掘的，而这本诗选，也正是开了一个好头。

刘长春同志原为天台县县长，又是作家、天台山文化研究会会长；朱封鳌同志为《天台县志》总纂、学者；韦彦铎同志为中学高级教师、文史专家。他们作为本地的干部，一定十分熟悉天台的历史和现状。我想，要使天台文化为世人所知，要让更多的人为天台的自然——人文景观所吸引，这本书还仅仅是开头的几步之一。天台正在努力争取撤县建市，经济建设的步子会迈得更大更快，我希望文化建设也随之更为蓬勃发展，天台的同志们一定会编写更加丰富多彩的介绍天台文化的书出来，以饱人们的眼福。

在这里,我建议,天台的同志们是否可以在现有的基础上,辑集过去史志及有关材料,把历史上著录过的天台籍人的著作,以及有关天台历史、地理、方物、民俗的记述搜集起来,编撰一部《天台艺文志》,录其书名、著者、各书的大致内容与主要价值,以及版本流传情况等等。这样一部集古今著作之大成的要录,定可以使今人进一步了解天台在中华文明创造中所作出的不可替代的贡献与业绩。我作为乡人,于此是至所企盼的。谨为序。

1995 年 1 月 31 日,乙亥年岁首,于北京六里桥寓所

原载黄山书社 1996 年版《天台山历代诗选》,此据大象出版社 2008 年版《学林清话》录入,另收入大象出版社 2004 年版《唐宋文史论丛及其他》

《续修四库全书》编纂前记

　　《续修四库全书》是经新闻出版署和国家古籍整理出版规划小组批准的国家重点出版项目。其收录范围,包括《四库全书》以外的现存中国古籍,即补辑乾隆以前有价值的而为《四库全书》所未收的著述,以及系统辑集乾隆以后至民国元年(1912 年)前各类有代表性的著作,共收书五千余种。这是继 18 世纪清朝编修《四库全书》之后,又一次在全国范围内对中国古典文献进行较大规模的清理与汇集。《四库全书》所收书,据史学家陈垣 1922 年对文津阁本所作的统计,共 3462 种,另有存目 6793 种①。《续修四库全书》所收书,其种数约相当于《四库全书》的一倍半。《续修四库全书》与《四库全书》配套,将构筑一座基本古籍的大型书库,中国古代即 1912 年以前的重要典籍,可大致齐备。这对于保存和弘扬中华民族的优秀传统文化,无疑是一件有益的工作。

---

①《编纂四库全书始末》,见《陈垣学术论文集》第二集,中华书局 1982 年 2 月版。又中华书局 1965 年 6 月影印乾隆六十年浙江杭州所刻的《四库全书总目》时统计,《四库全书》所收书为 3461 种,79309 卷;列于存目的有 6793 种,93551 卷。

清朝政府于乾隆三十七年（1772）正月，开始向各地征集图书，次年，又命于《永乐大典》中缀辑散篇，依经史子集搜辑遗籍，由此肇始，集中大批财力物力，组织当时在各学科领域最有成就的学者，以十年的时间，编纂成中国历史上规模最大的一部百科性丛书。

　　对于这样一部由清朝政府组织纂修的大型丛书，20世纪初以来，已有不少人提出批评。批评的集中点，一是清政府"寓禁于征"，凡书中内容被认为有"违碍"、"悖逆"的，概予摒弃，禁止通行，直至销毁，在征集图书及修纂过程中，约共禁毁书籍3000种①。二是删改原文，特别是南北宋之交以及宋末元初、明末清初的著作，凡认为对金、元及清人有诋侮处（如称虏、贼、夷狄、犬戎等），多加改窜，甚至成段成篇地删除②。

　　应当说，这些批评是符合实际的，上述两点造成了这部有历史价值的大书无可弥补的错失。现在看来，还有一个缺陷，即当时限于社会条件，还不可能更广泛地搜集各地藏书，也由于受正统观念的局限，一些被视为小道的有价值的民间文学创作及戏曲、小说，被排除在全书之外。

---

①陈乃乾于民国年间所编的《索引式的禁书总录》（富晋书社，1932），据光绪时姚觐元《禁书总目》，及所得江西、湖北、广东各目及分次奏缴总目，载全毁书目2453种，抽毁书目402种，销毁书版50种，销毁石刻24种。
②《陈垣学术论文集》第二集《旧五代史辑本发覆》，列忌虏、忌戎、忌胡、忌夷狄、忌犬戎、忌蕃忌酋、忌伪忌贼等。又参见《四部丛刊续编》影印旧钞本《嵩山文集》后张元济跋，鲁迅《病后杂谈之馀》（《鲁迅全集》第六卷《且介亭杂文》）。

当然,在过了二百多年之后,特别是中国社会已经历了重大的根本性变化,我们现在完全可以站在 20 世纪发展的高度来整体衡量清修《四库全书》的得失。《四库全书》虽有种种错失和不足,但整个说来,它对中国文化学术的发展是功大于过的。首先,清政府通过各种不同的渠道,系统征集图书,如:各省采进及私人进献,内府藏书的拣选,通行本的采购,其规模之大远远超越前代。特别是从《永乐大典》中辑出清代已佚之书,不仅保存了元明以来不少颇有文献价值的著作,还为乾隆以后的古籍辑佚开创良好的风气和提供有益的经验。中国古书的流传、保存有一个值得注意和重视的现象,即凡是编辑成丛书的,往往不易散佚,特别是官修大书。通过纂修《四库全书》,把分散的群书集为一体,二百年来虽历经战乱,但还是完好无损。这就是历史本身作出的回答。

《四库全书》修成后,先是缮写四部,分藏内廷的文渊阁、圆明园的文源阁、奉天故宫的文溯阁、承德避暑山庄的文津阁。后来又抄写三部,庋藏于扬州文汇阁、镇江文宗阁、杭州文澜阁,"俾江浙士子得以就近观摩誊录,用昭我国家藏书美富,教思无穷之盛轨"(乾隆四十七年七月八日谕)。也就是所谓"非徒广金匮石室之藏,将以嘉惠艺林,启牖后学,公天下之好"(乾隆四十一年六月一日谕)①。这样做,在一定程度上促进了学术的传播与繁荣。至于《四库全书》的编纂体例,一则汲取前代四部分类法的长处,

---

①此二谕见中国第一历史档案馆所编《纂修四库全书档案史料》,将由上海古籍出版社出版。

注重"辨章学术,考镜源流";二则折衷于诸家目录之间,重新合理安排部类,考校原书,详为厘定。尤其是为各书撰写提要,"先列作者之爵里以论世知人,次考本书之得失,权众说之异同,以及文字增删,篇帙分合"(《四库全书总目·凡例》)。当时参与纂修和撰写提要的,多为各学科有成就的学者,如戴震、邵晋涵、翁方纲、周永年、姚鼐等,因此二百卷的总目提要,实际上是对乾隆以前中国典籍的一次系统分类和全面总结。在这之后,要想了解先秦至清前期二千多年的中国学术、思想、文化,是离不开《四库提要》这一治学门径的。

《四库全书》虽是一部大书,仍不免有所遗漏。嘉庆初,当时任浙江巡抚的阮元,即因职务之便,在江南陆续采购《四库》未收书170多种,向朝廷进呈,并仿《总目》的体例,与当地著名藏书家鲍廷博等参互审订,对每一部书都写有提要,这就是著名的《四库未收书提要》,后为其子阮福编入阮元的《揅经室外集》。这可以说是乾隆以后对《四库全书》拟加补修的开端。

清光绪十五年(1889年),翰林院编修王懿荣上书,提议"重新开馆,续纂前书"。王氏申述的理由是:(一)自乾隆以来,"时经百载,开通日广,文物日新,厥有市舶泛来前代流传海外之书";(二)"又有乾隆以后,通才硕学,网罗散失,采集遗佚,复古再成之书,说经补史,重注重疏、精校精勘之书,以及天文、算学、舆地、方志、政书、奏议、私家撰著,卓然经世之书,层见叠出,或先得者残而重收者足,或沿称者伪而改题者真";(三)"考据之门,后来居上,艺数之流,晚出愈精。若此之类,上溯旧例应行著录者,其为萃美,庶几前编"①。王懿荣的意见,应当说是大致符合乾隆以后学术发展的状况的。自此之后,如章梫、喻长霖、孙同康等也都有续修之议②。当然,鸦片战争以后,中国社会发生急剧的变化,西方的科学技术与社会政治学说不断输入,有些人为维系世道人心,想重新用中国本土学术来抵制外来的影响,如喻长霖提出:"今海宇大通,群言庞乱,后生小子,震于泰西富强之说,卮言日出,大道将歧,非续编书目,明定宗旨,排斥邪说,不足以靖群议之嚣,而齐一天下之耳目。"③这是光绪三十四年(1908年)上奏的,已是戊戌变法之后、辛亥革命前夕,却还有人抱编集旧籍以"排斥邪说"的态度,可见晚清时主张续编《四库全书》的,也还有不同的思想动因,值得现代学者加以分析和探讨。

"五四"之后,续修建议再起。先是1919年,叶恭绰等赴欧考察回来,动议影印《四库全书》。金梁则认为"书不易续,目则易修",建议将"二百年来新出书籍","始存其目,以待后来"。二者皆以时局动乱未果。1924年,上海商务印书馆提出影印文渊阁《四库全书》的计划,并拟以多销赢余,"请海内通人,选择四库存目及未收书,刊为续编"。一时间邵瑞彭、黄文弼、李盛铎、伦明等人,群起响应。李盛铎还因此而特地谒见当时北洋政府执政段祺瑞,商议续编办法,提出所收书拟分作三种类型:(一)《四库全书》将具有民族思想及历代反对君主思想诸书悉摒弗录,此类著

①《王文敏公遗集》卷二。
②可参看杨家骆编《四库大辞典》。
③喻长霖《惺諟斋存稿》文钞一。

作弥有价值,均应收入;(二)乾隆以后刊刻诸书,以年代稍后未列入《四库全书》的,应予续编;(三)凡有价值而稍次的,则录其大概,列入后部①。商务印书馆的影印计划,终因当时各种人为事故及军阀混战而搁置,续编的动议、计划也随即流为一纸空文。

1928年,东方文化事业总委员会下属北平人文科学研究所,曾拟利用日本退还的庚子赔款,将续修之事列为课题,并开始购求古书。但因当时日本逐步侵略我国东北、华北,时局动荡,1937年日本侵华战争及1941年太平洋战争起,续修之事也就拖沓十余年,逐步停息,只剩下当时北平地区一些中国学者为续修而撰写的相当一部分乾隆以后著述提要,算是长达几十年间各种动议不断破灭而终于留下来的一定的实绩②。

今天,也就是20世纪90年代中期,续修《四库全书》的向往终于成为了现实。

续修《四库全书》之所以必要,最主要的客观依据,是乾隆以后近二百年间的文化发展和学术积累。近代国学大师王国维对有清一代的学术作了极高的评价,说:"自汉以后,学术之盛,莫过于近三百年。此三百年中,经学、史学皆足以凌驾前代,然其尤卓绝者则曰小学。"③清朝是中国封建社会的最后一个王朝,在它的

①可参看杨家骆编《四库大辞典》。
②1972年,台湾商务印书馆曾根据日本京都大学人文科学研究所所藏的部分提要油印件,编印《续修四库全书提要》,著录书籍10080种,约占原稿总数的三分之一。原稿全部现藏中国科学院图书馆,1993年北京中华书局曾出版该馆所编的《续修四库全书总目提要(经部)》。
③《观堂集林》卷八《周代金石文韵读序》。

前期和中期，农业、手工业生产和商品经济可以说达到中国封建时代的最高水平，那时国力强大、版图辽阔，文化事业也随之兴旺发达。在其后期，也即鸦片战争以后，受资本主义列强的军事侵略和经济掠夺，割地赔款，社会危机加深，但文化学术却因受国势陵替的刺激和西方思想的冲击而另辟新境。王国维所说的三百年，最有特色的应是清代中期的乾嘉之学和后期的新学。《四库全书》是乾隆中期纂修的，那时参与纂修的一大批学问家，如纪昀、戴震、邵晋涵、周永年、姚鼐、翁方纲、朱筠、彭元瑞、程晋芳、任大椿、孙希旦、王念孙、庄存与、谢墉等，都是乾嘉之学的佼佼者，而他们的著作一种也没有收入到《四库全书》中去。这当然是当时纂修体制所决定的，但由此也可看出，要研究中国传统学问，不把如此众多的上述代表人物的著作加以汇集整理，就根本不可能有效地进行。

王国维提到清代的经学、史学足以凌驾前代，这是有根据的。中国古代经学的发展经历了不同的阶段，而清代则是极其重要的带有总结性的阶段，特别是在经书文字的解释和名物制度的考订上成果累累，而这些成果，大多数是产生在乾隆时期及以后的一百年间。梁启超《中国近三百年学术史》曾列举清代治《左传》《公羊》《穀梁》《尔雅》《尚书》《论语》《孟子》《诗经》《周礼》《仪礼》《礼记》等学人，及治小学的王念孙、王引之父子，以及治《说文》的四大家段玉裁、桂馥、王筠、朱骏声，这些学者灿若群星的著述都是《四库全书》所未及收的。史部如对前代各史所作的补志补表，钱大昕、王鸣盛、赵翼诸大家的考史之作，特别是嘉道间兴起的西北地理之学，以及现代中国考古学前身、道咸间日益兴隆的金石学,都莫不有其时代的特点。至于王国维所没有提到的子、集两部,乾隆以后也有不少高水平的著作。清人对先秦诸子所下的功夫是很深的,我们可以举出如卢文弨、谢墉之校《荀子》,孙星衍之校《孙子》《吴子》,顾广圻之校《韩非子》,严可均之校《慎子》《吕氏春秋》等,又如魏源的《老子本义》、郭庆藩的《庄子集释》、孙诒让的《墨子閒诂》、洪颐煊的《管子义证》、王先慎的《韩非子集解》等等,可以说乾隆以后百余年间是中国古代诸子学的又一个发达时期。至于集部,包括那一时期哲学、思想等人文学著作,则随着中国社会的大变动,更有新的嬗变和飞跃,表现出由传统向现代学术的发展。

可以想见,以上众多的著作,如果不加以汇集与分类编纂,就无法兼容并收。这次《续修四库全书》的纂修,其主要的部分就是《四库全书》成书后至 1912 年以前的典籍,是对这近二百年间学术文化发展进行一次新的归纳和总结。

民国初期议及续修《四库全书》时,就有人谈到续修应解决两大问题,"有在修书之前未经发见者,有在修书后未及收录者,前者宜补,后者宜续"①。《四库全书》基本上包括了乾隆以前中国古代的重要著作,尤以元代以前的书籍更为完备。但由于种种原因,清以前的书应收而未收的,还有不少。我们这次补辑乾隆以前的书,大体上即包括两大部分:一部分是《四库全书》及存目均未著录的,另一部分是列于存目而仍有一定价值的。兹分别举例介绍如下。

①伦明《续修四库全书刍议》,参见《四库大辞典》。

南宋人魏了翁，是一位理学名家，史称其谪居靖州时，著《九经要义》263 卷①。明张萱重编内阁书目，载《九经要义》尚存《仪礼》7 册、《礼记》3 册、《周易》2 册、《尚书》1 册、《春秋》2 册、《论语》2 册、《孟子》2 册，则明时内阁仅存七经，其间当尚有缺佚。《四库全书》所录为《周易要义》10 卷、《尚书要义》17 卷(《提要》谓原目 20 卷，缺卷七、八、九共 3 卷。文渊阁本实存 14 卷，缺卷七至九、十二至十四等 6 卷)、《仪礼要义》50 卷(存 48 卷，缺卷三〇、三一两卷)、《春秋要义》31 卷(《提要》谓原本 60 卷，存 31 卷。实存 27 卷)，即仅录四经。今所知者，阮元《四库未收书目》载有《礼记要义》33 卷②。另有《尚书要义》3 卷，可补《四库》著录本之所缺。而清莫友芝《邵亭知见传本书目》卷二还载有《毛诗要义》20 卷③。这样，此次《续修四库全书》即可补入宋人所著书两种。又如宋人自吴棫、郑樵开始，对伪《古文尚书》已有辨疑，是宋人疑古风气的组成部分。在这之中有蔡傅《书考辨》2 卷，明言为《尚书》考辨之作，《四库》失收，此次补入④。又《四库》著录南宋人黄度《尚书说》7 卷(度，《宋史》有传)，称"所注有《书说》、《诗说》、《周礼说》，《诗》与《周礼》说今佚，唯《书说》尚存"。而据我

①见《宋史·艺文志》。《宋史》本传称其有《要义》百卷，恐不确。
②傅增湘《藏园订补邵亭知见传本书目》(中华书局 1993 年傅熹年整理本)卷二载《礼记要义》33 卷，谓涵芬楼有宋淳祐十二年魏克愚刊本，即丁日昌持静斋旧藏本，缺卷一至卷二。光绪丙戌江苏书局用姚氏咫进斋所藏影宋钞本校刊，亦为 31 卷。
③《藏园订补邵亭知见传本书目》谓此系影宋钞本，傅氏藏。今有清光绪八年独山莫氏影宋刊本，藏华东师范大学图书馆，书名作《诗经要义》。
④蔡傅《书考辨》，今存同治十二年刻西京清麓丛书续编本。

们这次普查所得,南京图书馆即藏有《周礼说》5卷。又如宋刘克《诗说》12卷,为南宋论《诗经》宗尚吕祖谦一派,谢枋得《诗传注疏》3卷,其书多为元人称引,都是宋人说《诗》值得注意的著作,我们这次也补《四库》所未收①。为篇幅所限,这里仅举经部的《易》《书》《诗》《礼》几类例子,其他宋、元、明等朝的著作,可补者还有不少,不一一详举。

另外,有些书虽经《四库》著录,但由于当时还未能对全国藏书进行普遍查核,因此有不少重要著作的存世最佳刻本未能选人,其间尚有所收书内容不甚完整的情况。如《四库全书》虽收有内府刊本《周易注疏》(魏王弼、晋韩康伯注,唐孔颖达疏),经我们这次调查,南宋初两浙东路茶盐司刻本的《周易注疏》13卷,是中国历史上产生的第一个经、注、单疏合刻本,其学术价值为清修《四库》本所不能比拟。故此次续修,对这类于研究中国传统文化关系极大的文献,尽管《四库》已收,仍酌予收入。除宋刊《周易注疏》、《周易正义》(即单疏本)以外,尚书类中收有南宋初两浙东路茶盐司刻本《尚书正义》20卷,它非但是该书的第一个经、注、单疏合刻本,而且是当年杨守敬从日本购回的(今藏北京图书馆),属举世孤罕。又如元刊本宋陈大猷《尚书集传》12卷、《或问》2卷,清修《四库全书》时只见到《或问》2卷,谓《集传》12卷已佚,"存者唯此二卷",甚表遗憾。现在我们查到元刊本12卷,即列入《续修》中。又如苏辙于中年时撰有《诗集传》20卷,然在

①此二书均见《藏园订补郘亭知见传本书目》卷二,又谓刘氏《诗说》原十二卷,缺第九、第十两卷。

宋代被目为文人解经,非治学正宗,未被重视。至明代焦竑,始发现其学术价值,并刻入《两苏经解》,但卷第却合为十九卷。清修《四库全书》时,此书的宋淳熙筠州公使库刻本即藏于京郊圆明园,近在咫尺,四库馆臣却根本不知,反误用明本。经部的情况如此,其他史、子、集等部都有类似的情况。以集部而论,如《四库》别集类著录唐王绩《东皋子集》三卷,提要中引及《新唐书·艺文志》《直斋书录解题》等,说是原为五卷,乃其友人吕才所编,而今本实只三卷。殊不知五卷本的王绩集实存于世,北京图书馆即藏有《王无功文集》五卷,系清陈氏晚晴轩抄本,书前有吕才序,也为清修《四库》时所未及见的①。又如与明代戏曲家极有关系的梅鼎祚集,《四库》存目中仅著录《梅禹金集》20卷,有诗无文。经我们调查,北京大学图书馆、中国科学院图书馆、山西大学图书馆等均藏有梅氏《鹿裘石室集》65卷,明天启三年刻本,为其诗文全集②。以上只能举例,于此也可见出在全国范围内进行版本普查,并汲取近世公私藏书目录的成果,对于提高《续修四库全书》的质量,具有何等必要性和迫切性,这也是我们在编纂中力求严谨的责任所在。

如何评价《四库全书》存目,这是一个学术问题,应该掌握充分材料,进行全面的探讨。近些年来已有学者对此进行研究。限于篇幅,我们在这里当然不可能对存目所收书作全面的论析。从纂修的角度看,我们认为当时修书馆臣主要还是从学术和资料着

①参见清朱学勤《结一庐书目》卷四。
②日本内阁文库也藏有此集足本。

眼,决定取舍。对同一个人的著作,也区别对待,如王夫之的《尚书稗疏》和《尚书引义》,一加著录,一入存目,并不因为王夫之的政治态度而一概排斥。当然,《尚书引义》所论今天看来也尚有可取之处,我们这次为了有助于全面研究王夫之的学术思想,还是辑入《续修》之中。又如明张献翼《读易记闻》,已编入《四库》,其《读易韵考》被认为"纰漏殊甚",即列为存目。又如清人余萧客,其《古经解钩沉》,《四库》于经部五经总义类著录,认为"采掇旧诂,最为详核";而其另一书《文选音义》,则被指为"罅漏丛生,如出二手",列于集部总集类存目。江藩《汉学师承记》也记余氏晚年悔其少作,另撰《文选杂题》30 卷,于病革时托付其弟子,以代替《音义》一书①。经部中那些乡塾课蒙之本及为科举应试所编的浅俗之作,被列入存目,也都有其一定的合理性。当然,也有已见于著录的全集,其单刻为避免重复而列于存目的。对于存目的书,提要也不是一概贬斥,其间也有肯定其某些可取之处的,如评明唐鹤徵《周易象义》,称"虽自出新解,而于经文亦足相发";对于明陆梦龙《易略》,肯定其"不取河图、洛书之说,则颇有卓见"。当然,当时修书诸臣,大多立足于汉学,对宋学多有所讥评,去取之间有失持平(如宋王柏的《书疑》《诗疑》皆入存目,理由即因"攻驳毛、郑不已");在对明代别集的处理上,也否定太多,以致多数明人诗文集列入存目。存目的分类也间有不当之处。如同为《四六珠丛汇选》10 卷,既收入子部类书类,又收入集部总集类,当系成于众手,各不相谋。

---

① 参见骆鸿凯《文选学》源流第三,中华书局 1936 年版。

应当说，当时参与《四库全书》纂修的学者，对一些书籍是列入四库还是列入存目，取舍之间是有一定的学术衡量的。大体说来，存目中的书，比起《四库全书》，无论学术价值还是资料价值都相差甚远，而且其中还有不少重复。我们今天完全可以对现存存目的书作实事求是的评估，选择一部分仍有研究价值的著作编入《续修》之中，以见出中国学术发展的整体面貌。这也是《续修四库全书》保持学术系统性、完整性所不可或缺的。

总之，《续修四库全书》的编纂，专一注重于学术，而不滥收资料。因此，如宗谱、家乘、历书、乡试录、会试录、登科录、缙绅录等，虽有一定的史料价值，但因种数过繁，此次就暂不收录。对于兵书、医籍、药典、方剂之书，亦遴选从严，以免冗杂。对于佛教典籍，则仅收中土著述之精者。丛书原则上也不收。这些方面我们在一定程度上是吸取了《四库全书》纂修中某些好的经验的。

关于编纂中的一些具体问题，请参阅本书《凡例》，此处不再多谈。

编纂这样一部大书，我们是充分估计其工作难度的。但我们也看到目前进行这项工作的有利的一面。当前我国社会稳定，经济发展，学术繁荣，具备编纂这样一部大书的最有利的社会环境。古籍的整理研究和出版事业得到空前的发展，也积累了丰富的经验。一部网罗国内各藏书单位丰富收藏的《中国古籍善本书目》已经编成，即将由上海古籍出版社出齐。国家古籍整理出版规划小组直接主持的《中国古籍总目》，已经集合起大批古籍研究专家，特别是各图书馆的版本目录学家，正在对全国存世的古籍进行全面普查，并将逐步编印出完整的古籍品种及主要版本的总目录。这些都可为《续修四库全书》提供充分的资料准备和扎实的工作基础。

我们的编纂工作,第一步即是进行普查。我们首先以北京图书馆(包括分馆)、中国科学院图书馆、北京大学图书馆、上海图书馆、天津图书馆、辽宁省图书馆、山东省图书馆、湖北省图书馆、南京图书馆、浙江图书馆、复旦大学图书馆等11家图书馆12个藏书单位作为重点普查对象。根据上述单位的藏书,再参照《中国古籍善本书目》、编纂中的《中国古籍总目》等目录著作,就能大致掌握各部类现存古籍的品种及其版本。在此基础上,我们邀约本书学术顾问及各学科专家,直接参与拟订选目,然后广泛征求意见,再专门召开各部类讨论会,请有关专家对所拟选目及其版本加以论证。经过这样几次反复,才确定选目初稿。初稿送交出版社后,还要在拍摄照片过程中,进一步考虑版本状况,如不合用,便及时予以调整。总之,我们力求做到,在品种上,凡编入《续修四库全书》中的,都是有一定学术价值的著述,不使有重要价值的书有所遗漏,也避免收入水平低下的书籍;而在版本上,则务使入选的书堪称善本,以资信据。

另外,我们还约请有关专家,在确定书目后,对编入的每一种书撰写提要。提要除概略介绍著者生平及各书版本外,还拟对思想内容与学术源流作扼要的评论。提要将另行汇集出版。我们希望《续修四库全书提要》能站在学术发展的时代高度,反映最新学术研究成果,成为了解我国古代特别是18、19世纪近二百年间文化学术发展的基本参考。

我们在工作过程中,始终得到学术界的积极支持与广泛合作。现在,在这套大书开始陆续出版之际,谨向关心、支持、帮助过我们的学术界朋友,致以衷心的谢意。

深圳南山区人民政府,在发展经济的同时,为《续修四库全书》的编纂出版提供经济上的有力支撑。上海古籍出版社于20世纪80年代影印文渊阁《四库全书》后,即提出续编《四库全书》的构想,他们有编辑、出版大型古籍整理项目的丰富经验。中国出版工作者协会牵头,深圳南山区人民政府与上海古籍出版社参加,聘请有关学科专家和部门负责人组建本书工作委员会和编纂委员会,是这项巨大文化工程的共同策划者和参与者。

编纂《续修四库全书》这样一套大书,我们极感难度大、责任重。工作委员会和编纂委员会是谨慎小心、勤勉从事的,力求确保学术质量。但编纂这样一部几乎广及中国传统学术所有方面的大型丛书,难免会出现差错,我们诚恳地企望海内外学人和广大读者予以批评、指正。

1995 年 3 月

原载上海古籍出版社 1996 年版《续修四库全书·经部》,此据东北大学出版社 2015 年版《中国当代名家学术精品文库·傅璇琮卷》录入,另收入首都师范大学出版社 2010 年版北京社科名家文库《治学清历》

《中国文学大辞典》序

　　《中国文学大辞典》是由上海辞书出版社组织编纂,并列入国家重点图书规划的大型辞书。现在这部五百余万字的大书,经过百余位专家学者的辛勤劳作,共同努力,历时十余年,终于问世。我作为曾参与本书编撰的工作者之一,回顾这些年来的编写历程,目睹这一劳动成果得以呈现在广大读者面前,确实是备感欣慰。

　　"十年辛苦不寻常。"这部《中国文学大辞典》的编纂,不仅融会了众多文学史专家长期积累的研究心得,而且也在大型专科辞书如何适应现代学科发展与读者需求上,提供了新的经验。

　　在80年代初期,在构思本书规模、框架时,曾有一种多卷本的设想。出版社的编辑与一些高等学校的研究者商讨,曾初步形成两千万言、多卷本的格局。作为源远流长、丰富多彩的中国文学,特别是长达二三千年的古典文学来说,这样的规模不是不可,但是根据现有的研究状况以及目前处于多样化求知环境的读者意向,过大的规模对广大读者来说恐不太合适。且从辞书的收词、释文等规范化要求来说,过于宽泛的构想容易造成收词较散,譬如说把左思的《咏史》诗八首，陶渊明的《饮酒》诗二十首，每一首都立为一个词目，看似详尽，实为拖沓。因此后来在取得各分卷主编与编写者的理解与支持下，上海辞书出版社决定压缩规模，把多卷本改为一卷本，对框架、体例、立目、释文等，从更高层次上加以调整并充实，从提高质量的总原则出发，突出大、精、新三个特点，努力使这部《中国文学大辞典》在当今辞书林中显出其不同寻常的秀枝劲干。

"大"是容易理解的。虽然不是多卷本，一卷本的"大"仍可包罗宏富，纲目齐备，而且经纬分明，结构合理。从纵向上说，它上起远古，历先秦、汉魏六朝，中经唐、宋、元、明、清，直至20世纪90年代；从横向上说，它包括作家（含理论家）、风格流派社团、别集、戏剧作品、小说、笔记、总集、名篇、文学人物、期刊、名词术语、研究著作、资料汇编、工具书等十余个门类，可以说是既反映中国文学数千年的发展全貌，又力求突出文学进程的历史轨迹。这里我想就构思、布局的角度来谈一谈提高与普及的问题，即作为一部大型的专科辞书，如何兼顾研究者与较广泛的读者群这两个不同的层面。

大家知道，中国古典文学有悠久的历史，中国古典文学的研究也同样有悠久的历史，我们过去往往只注意前者而忽略后者。应开展对研究的研究，这将是提高研究素质的有效途径。这也就是近些年来开始为人们注意的学术史、学科史的研究。一门学科至可以建立学术史，是成熟的标志，而它的建立又可以进一步推动研究的深入。各自总结本学科的研究，就会大大丰富古典文学整体研究的内容，由此而总结出现在还可行之有效的传统方法，并科学地吸收国外的或自然科学研究的新方法,就会使我们的研究方法真正建立在科学的、民族的深厚基础上。这部《中国文学大辞典》的一个引人注意的特点,就是有意识地安排学术史的条目。它选择中国文学史上较有广泛历史影响的作品,如《诗经》、楚辞、《昭明文选》、敦煌文学、《红楼梦》,设有综论性和专题性的词条,阐述其学科发展的历史。"楚辞学"条目,提出楚辞研究曾出现四个高潮,即汉代、宋代(南宋)、清代及"五四"以后新时期,并举出每一个高潮时期的代表性著作,回顾前人走过的探索道路,他们的成功在哪里,不足又在哪里,有哪些可以作为成果肯定下来,有哪些则还要继续探讨。"《文选》学"词条,则不以时代分,而是指出过去的《文选》学大致分为训诂考据、摘录辞章、增广续补三类,而其中训诂考据类数量最多,也较有价值;在论到宋代的《文选》学研究时,辞典指出宋代有关这方面的专著不多,较有价值的研究成果则散见于沈括《梦溪笔谈》、姚宽《西溪丛语》、吴曾《能改斋漫录》、葛立方《韵语阳秋》、叶梦得《石林燕语》、王应麟《困学纪闻》等笔记、诗话中,并时有精见。我觉得,辞典条文文字虽不多,但如果对《文选》学的研究没有下过功夫,是决说不出来的。这应当是这部辞典重学术性、注意于提高的一大特点。

而与提高相对称的,则是以一定的篇幅注意于文学史知识的普及,以满足广大读者求知的渴望。这里应特别提出的是设立名篇、文学人物、小说戏剧故事等类目,使读者可以从多种侧面来了解古典文学的丰富内容。值得指出的是,名篇(诗、文、词、散曲)的条目着重于背景介绍,创作缘起、内容特点的概括,以与一般的鉴赏文字相区别。还有些条目除了准确叙述原意外,还力求以当代意识作新的阐释，使古代的作品更能与现代生活贴近，如对文学人物贾宝玉的解释。这样，学术史的条目与知识性的条目有机地融会于这部大书中，就既能使一般读者扩大知识面，又可以适应专业工作者研究和教学上的需要，确实很好地体现了提高与普及并重的极佳构思方案。

至于这部辞典的"精"和"新"的特点，我想读者打开书本，查阅有关条目，定会有自己的感受。精与新是分不开的，求精才能体现新，而一本辞典充分吸收学术新成果，反映本学科发展的前沿水平，才能构成精的主要内容。这方面的例子可以说是举不胜举。

本书的历代部分作家小传都注明出处，以显示严谨求实的学风。这种无征不信、言必有据的做法，应是辞书编撰的基本要求，也是一项高标准，尤其是在当前往往辗转抄袭、快速成书的不良风气下，更应大力提倡，以树立正气。本书各分卷作家条目的撰写都有其特点，而其征引材料的信实与广泛，则是共同的。以唐代而言，除了基本史书如新旧《唐书》、新旧《五代史》外，就我浏览所及，政书类有《册府元龟》、《唐会要》、《唐郎官石柱题名考》，金石及类书有《宝刻丛编》、《金石萃编》、《玉海》，史料笔记有《唐摭言》、《云溪友议》、《唐诗纪事》，目录类有《郡斋读书志》、《直斋书录解题》、《贞元新定释教目录》，书画类有《历代名画记》、《宣和书谱》。值得提出的是，作家生平事迹的记述还大量引述了民国时期以来及至近一二十年新编的出土墓志，如《芒洛遗文》、《千唐志斋藏志》、《唐代墓志汇编》。近十余年来唐代文史研究固然成果不少，可资参考者亦多，但编撰者如不细加检寻、拣选，以上的材料根据是不可能获得的。清代的作家,除了一般的史书如《清史列传》、《碑传集》、《清史稿》外,还引用了不少地方志,这是其他辞书所极少见的,如袁于令,引及《光绪苏州府志》、《民国吴县志》;冯舒,引及《民国重修常昭合志》;黄翼圣,引及《民国太仓州志》;马之瑛,引及《安庆府志》,等等。而且都注明卷数,出于第一手材料,不是转引他书,这一点是极可宝贵的。

至于充分利用今人成果,也随手可见。各分卷主编与撰写者,大多是该学科的专家,他们长期沉潜于专科领域,既能搜辑旧籍,又能鉴别新说,确使读者看后有一种继续探索与创新进取的意趣。如唐代诗人孟郊,列了今人的两种年谱;李贺,既列有今人所作的年谱、评传,又列有关于其诗歌的评论资料与索引。宋人如王禹偁,列有当今学者徐规的《王禹偁事迹著作编年》;柳永,列有词学大师唐圭璋的《柳永事迹新证》。又如提及南宋人李壁《王荆文公诗笺注》一书时,除注明中国所刻版本外,还特别提及:"另有日本蓬左文库藏高丽排印本,文字较元明刻本为多,上海古籍出版社据以影印,1994年出版。"这一日本藏本是复旦大学王水照先生前些年刚从日本得到的,撰写者及时将这一域外刻本写入条目。这些都极大地增加知识信息量。有些看似极不显眼的作家,撰写者也能发人所未发地提供不经见的材料,如清初诗僧读彻(1588—1656),恐一般文学史著作也不会提及,但本书立有专条,并说其字苍雪,陈乃乾有《苍雪大师行年考略》。能写到如此之细,实在使人钦佩。

以上多就微观而言,至于大的方面,如古代、近代、现当代及民间文学、少数民族文学的结构安排,其篇幅、字数都较匀当;清代、近代、现当代文学,特别设置社团流派与报刊,显示文学发展的时代特色;每一时期的古代文学,均列有通论性的学术专著及有代表性的资料、工具书;注意我国古代理论批评史的特点,特地安排概念、术语的阐析,以及词牌、曲牌的注释,等等,都可见出本书在编纂过程中不断总结经验而表现出的精思与匠心。

最后我想说的是,以上所述本书在大、精、新三方面所体现的独创性,当然是百余位撰写者辛勤劳动的结果,但上海辞书出版社在这部大辞典的整体编纂上是起主导作用的。从发凡起例、确定规模,组织人力、提供样稿,以及每一词条的审阅、修改、补充,直至在校样出来后的校阅、修订,都蕴含着上海辞书出版社从社级领导到编辑室同志的才识与操劳。《中国文学大辞典》的编纂为学术界和出版界通力合作、取得成功提供了新鲜的经验。当然,本书在词条的具体编写上,定会有不当之处,我们诚恳地企望广大读者给予指正。

1995 年 5 月于北京

原载上海辞书出版社 1997 年版《中国文学大辞典》,此据东北大学出版社 2015 年版《中国当代名家学术精品文库·傅璇琮卷》录入,另收入大象出版社 2004 年版《唐宋文史论丛及其他》、首都师范大学出版社 2010 年版北京社科名家文库《治学清历》、北京联合出版公司 2013 年版《濡沫集》

齐燕铭与古籍整理出版二三事

　　1958 年,全国古籍整理出版规划小组成立,当时任国务院副秘书长的齐燕铭同志即担任古籍小组组长。那时的小组成员,大约将近 20 人,有范文澜、翦伯赞、陈寅恪、陈垣、郑振铎、顾颉刚、冯友兰等,人数虽不多,却都是国内外著名的第一流学者。我从 1958 年夏天起由商务印书馆古籍编辑室调至中华书局,那时中华书局总经理兼总编辑金灿然同志也即古籍小组成员。作为古籍整理出版的专业出版社,那时的中华书局可以说是在齐燕铭同志直接指导下开展工作的,金灿然同志就中华书局的总体规划以及某些具体选题,都经常向齐燕铭同志请示,燕铭同志也时常写信给灿然同志,或在中华书局呈送的报告中加以批示。但那时我作为一个年轻的普通编辑,对这些情况是不了解的。我只记得 1963 年,章士钊先生给燕铭同志一份材料,是南京高二适校录唐人刘宾客文集的书稿,燕铭同志即转给灿然同志,让他找人看看。当时灿然同志即要我审读此稿,我查阅了一些资料,对高校本写了否定的意见,并代为起草了一封给燕铭同志的信函。那时我对燕铭同志,只知道他在二三十年代曾从吴承仕(检斋)先生治国学,在北京上大学,似乎还在大学教过书,仅此而已。"文革"当中,有一次,造反派曾把齐燕铭同志扭到中华书局来批斗,我记得当时他站在批斗台上,回答问题,态度从容,思路清晰,凡是涉及金灿然同志在执行出版方针中的所谓罪行,他都包揽过去,说这一切都应由他负责。结果,也斗不出什么名堂,就草草了事,押送回去。

现在回想起来,燕铭同志任组长的第一届古籍小组,可以说是抓了三件大事。第一件是制订文史哲三大类的整理规划,这个规划现在看来似过于庞大,实际上也确实难于在短期内完成,但因出于对古文献素有研究的专家之手,因此制订得非常细致周到,不但开列书名、作者,还列出所用的版本,有些书所列版本还不止一个。我个人觉得,这一规划对今天还有很大的参考价值。第二是抓重点项目,如二十四史、《资治通鉴》等基本史籍的点校,《册府元龟》、《太平御览》等大型类书的影印,为古籍整理的科学性起了示范的作用。第三是在北京大学设立古典文献专业,培养专门人才。那几年(即六十年代前半期)从北大古典文献专业毕业的同志,现在很多已成为我们古籍整理研究和出版队伍的领导和骨干力量。

从对一些稿件处理上,可以看出齐燕铭同志尊重历史的公允态度和实事求是的科学作风。

大约 60 年代初中华书局拟印行清人笔记《永宪录》,发现其中有一段涉及台湾问题,与《明通鉴》等书中提法有所不同。是照原书印出呢,还是略为改动几个字,当时曾向齐燕铭同志请示,燕铭同志特地为此写了一封信专门谈了这个问题,这封信很值得介绍,今将全文引录于此:

台湾沿革，俞正燮《癸巳类稿》卷五台湾事辑言之最详。大约其地本荒岛，除土人外，陆续去者均中国贫民，即《明史》所谓往往聚而为盗者也。黄宗羲《行朝录》称招饥民开垦始于郑芝龙，其后又为荷兰人侵据。顾祖禹《读史方舆纪要》又称：红夷于天启二年请求互市，总兵俞咨皋移之北港（即鸡笼山），则荷兰之居澎湖似曾邀得中国同意者，由此言之，其地属中国可知。以往姑不具论，清代已将台湾列入版图。凡各种记载，所言先后不同，排比而观，本无抵牾（荷兰人、日本人皆曾侵占台湾，观各记载，荷日不过海寇性质，当地居民固仍为土著与中国贫民）。《明史》称何楷陈靖海之策，此策《明史》楷传不载，可觅《明文在》一检。

又在中华书局的报告上批道：

　　仍照原文付印，不必改字，无碍于事。

　　上面这封信真可称得上是一篇学术笔记，既有鲜明的政治思想观点，又有扎实的文献史料。"原文付印，不必改字"，表现了尊重历史的科学精神。

　　还有一件是编印王国维集的事。1958 年 7 月，中华书局曾为重印《王静庵遗书》事向外界征求意见，当时曾提出三种方案，一是照原样整部重印，不删不补；二是先抽印《观堂集林》、《观堂别集》两种，因此两种皆为学术性论文，可供参考的资料较多，但删去此两集中的诗词及几篇寿序、墓志；三是删去《静庵文集》、《苕华词》、《人间词话》及有关戏曲的八种，从当时的认识出发，认为"其中论及美术、教育及叔本华哲学的，其观点很不正确"。

齐燕铭同志也收到这一征求意见信，他仔细地阅看了所寄商务版《观堂遗书》总目，用红笔圈了 17 种，并在旁边批示："以上十七种可先印，以后可印二编或三编。"现在不妨把他所圈的 17 种书目列出，以见齐燕铭同志当时对王国维著作选择先后的看法：《观堂集林》24 卷，《两周金石文韵读》1 卷，《史籀篇疏证》1 卷，《殷礼征文》1 卷，《简牍检署考》1 卷，《宋代金文著录表》1 卷，《今本竹书纪年疏证》2 卷，《蒙鞑备录笺证》1 卷，《圣武亲征录校注》1 卷，《乾隆浙江通志考异残稿》4 卷，《观堂别集》4 卷，《观堂古金文考释》5 卷，《释币》2 卷，《国朝金文著录表》6 卷，《古本竹书纪年辑校》1 卷，《古行记四种校录》1 卷，《黑鞑事略笺证》1 卷，《长春真人西游记校注》2 卷。

在这之外，燕铭同志还另写一信，表示了他对重印的几点意见，意见写得很具体，也很有启发，今引录于下：

一、目前应择要标点印行，非切需者自可到图书馆借阅，无须立即重印。因此选择宜严。二、将来标点本总宜"全"，总不应使《王忠悫公遗书》专美于前，而新中国对于这样一个学者倒无全集出版。三、由于以上两点，所以我主张分辑出版，留待以后陆续出全。四、因此原编各种，可以少出、迟出，但出版时，除别人所作的序、传等，均以不删为是。如别集中致北大某教授书，足见王氏政治态度，尤不宜删，像这样文章实谈不上什么毒素。《苕华词》近又翻阅一过，毒素似也不比苏辛词更多许多。总之，此种资料书，不是青年读物，以存真为好。

写了这四点后，燕铭同志以幽默的口气又写了这样两句："以上意见也许类似保守，但从长远看来可能正确。"

现在，时间已过去了三十多年，我们回过头来看看燕铭同志的这几条意见，不得不佩服他的远见卓识。对王国维的著作，他首先坚持的一条，是应该出版，不过从步骤上，可以先出选辑，后编全集。他特别强调，新中国对于王国维这样一位学者，是应编其全集的，不能让过去的《王忠悫公遗书》专美于前。在编印时，对王氏本人的论著不能删，对王氏思想应有客观的分析，不应随便扣以"毒素"的帽子。

齐燕铭同志很重视古籍整理研究人才。1960年，吴则虞先生为哲学研究所作《论衡集释》，为此他搜辑了清人惠栋、卢文弨直至近人黄晖、刘盼遂等人的有关著述。他大约曾从黄晖的书中见其引及齐燕铭同志对《论衡》所作的校记，因此特地请金灿然同志转给燕铭同志一封信，信中说："尊校已见黄书征引，渊洽精当，莫名赞叹。黄书征引谅非全璧，学随年积，创获必多，渴求录副见示，俾收入《集释》内，以惠学人。"此信是8月15日写的。现在文书档案中有燕铭同志于8月17日给灿然同志的信，说："张校《论衡》四册和我的一本笔记（《论衡》札记）送去请收。我的一本笔记大约是1927—1928年所记的，后来有的写在书上，有的写在别处，有的抄在这本子里，有的找不到了，所以后来残缺不全。工夫下得少，颇多臆改之处，本想再用《淮南》、《说苑》、《潜夫论》等书校一遍，当时因有别的事也未做。可参用之处不多。如有同志要用,用后请仍还我,亦家有敝帚之义而已。"信很短,但情真意深,可以见出燕铭同志真是古籍整理研究的行家里手,以及他对同道学者的支持与帮助。

从以下几件事例中,可以进一步看到燕铭同志对一些学者治学路数与学术成果的充分理解和真心尊重。

1961年1月,金灿然同志曾就向陈寅恪先生约稿,出版其文集一事向齐燕铭同志请示,信中说:"请考虑可否正式向陈约稿。从争鸣上讲,似可以约,但据说他的稿子是不能动的,约了可能有些麻烦。"在当时的情势下,灿然同志的这一担心是完全可以理解的。燕铭同志在接到此信后即在上面写了一段话:"可由中华提出向陈约稿,只告他文中如有涉及兄弟国家和东南亚国家的,请其慎重处理,以免引起不必要的麻烦。此外问题随其任何论点均不必干涉。"在那时,能作出这样的决断,确实表现出学术上的灼见和勇气。

1959年,中华书局曾提出整理《大唐西域记》计划草稿,征求意见。齐燕铭同志看到后,第一句话就提出:"此书整理应征求陈垣同志的意见。"

1960年,陈叔通先生转给齐燕铭同志一份张宗祥的著作目录,并送上张所著《本草经新疏》、《论衡校勘记》两稿。燕铭同志马上转给中华书局,并说:"此人著述真多,值得注意。应如何答复,请研究告我。"

叶恭绰先生曾编有一部《五代十国文》交科学出版社,科学出版社审阅后认为书稿质量有问题,数次与叶先生交涉,好几年未能出版。叶先生为此向齐燕铭同志写信,科学出版社就写了一个详细报告,谈及稿中存在的问题,还说到此稿虽是叶恭绰署名,实际上是叶请好几个人代编的,体例不一。出版社还找到其中一位主要的编纂者曹家琪,转述了曹家琪对此稿的看法:"(1)收录不全;(2)校勘不精;(3)编纂方法不善;(4)根据定本不一。"燕铭同志是同意这一报告的,他还特地写了一句:"其中所说的曹家琪似是一能作编书工作的人,可以注意。"曹家琪一般的人恐怕不大知道,后来他有一篇《资治通鉴纂修考》长文在《文史》开头几期上发表,写得很有分量。由此也可见出燕铭同志的细心,能从这样一篇谈及具体书稿处理的报告中注意到可用的人才。

另有一件事也很有意思。1963 年夏,张舜徽先生来北京治病,住在北方饭店,他说"房金每日五元,以一教书之人,如何能负担此数"。因此特地写信给齐燕铭同志,"甚盼执事转告有关部门代找一招待所暂住,以解决食宿问题",并寄上一份他已完成的著作目录。燕铭同志当时并不认识这位张先生,但接到信后,马上替他安排了住处(教育部招待所),并给金灿然同志写了一张条子,说:"看著述目录,是有学力的人。请你们联系一下,具体了解。"中华书局随即派编辑去找了张舜徽先生,我记得我也去见过张先生,后来他的《清人文集别录》即由此在中华书局出版的。

原载《古籍整理出版情况简报》1995 年第 3 期,此据北京联合出版公司 2013 年版《濡沫集》录入,另收入湖南人民出版社 1997 年版《濡沫集》、《出版史料》2006 年第 3 期(题为"齐燕铭与古籍整理纪略")、北方文艺出版社 2008 年版《书林漫笔》

陆游与王炎的汉中交游

宋孝宗乾道八年(1172)三月,应四川宣抚使王炎之辟,陆游到达宣抚使司治所汉中,为干办公事兼检法官,同年十一月二日离去。汉中八月,在陆游一生中,占据很重要的位置,而王炎是这一时期陆游交游中的关键人物。现在,我们对王炎一生作一些粗略考察,希望有助于对陆游这一时期及以后有关诗篇的了解。

王炎,字公明(见周必大《玉堂杂记》卷二),相州安阳人。曾祖尚恭,熙宁间官至光禄卿;父绚,曾知兴国军;从兄竞,尝官尚书礼部侍郎(周必大《省斋文稿》卷二九《兴国太守赠太保王公绚神道碑》、《建炎以来系年要录》卷一六一绍兴二十年十二月己巳及卷一六二绍兴二十二年十一月戊午纪事、王质《雪山集》卷十三《上王公明寿》)①。

王炎青年时,曾经到庐山东林学道,"闭户面壁,终夏不出",赢得老宿的赞扬。见《渭南文集》(以下简称《文集》)卷十七《静

①《王绚神道碑》谓炎兄弟二人,弟名圭。《系年要录》谓竞为炎之兄,按:当为从兄。

镇堂记》。这样有意识地刻苦磨炼自己,对他以后办事果决作风的形成,起了一定的作用。

绍兴二十二年(1152)间,炎为蕲水令(《系年要录》卷一六三、《挥麈录·后录》卷十一)。王之道《相山集》卷十二有诗赞扬他:"才业如君真独步,文章政事尽堪传。"后为司农丞。绍兴二十六年三月,为言者论罢(《系年要录》卷一七二、《中兴小纪》卷三七)。二十九年,为湖州通判(《系年要录》卷一八三)。

绍兴三十一年六月,汪澈以御史中丞为湖北、京西宣谕使(《宋史·高宗纪》)。汪澈过九江,王炎主动"见澈论边事",汪澈"辟为属,偕至襄阳抚诸军"(《宋史》卷三八四《汪澈传》)。史称汪澈"论事忠鲠,荐达人才"。王炎能受到汪澈的赏识,说明其军事才干有过人之处;而王炎当国步艰难之际,亦愿以其才智为国家效劳。

乾道元年(1165),王炎为两浙转运副使。二年五月,知临安,十一月,以职事修举,除秘阁修撰(《咸淳临安志》卷七三、《宋史》卷一七三《食货志》)。临安繁剧,为南宋各地之冠,说明王炎精于行政事务。三年五月,奏"近来士大夫议论太拘畏",如朝廷派员"至淮上相度城壁",他们"纷然不以为宜"。其意盖为隆兴二年(1164)虽与金人定和议,然恢复大计不可变,防御仍不可丝毫松弛。宋孝宗赞成王炎的看法,认为"儒生之论真不达时变",而王炎为通达时务(《皇宋中兴两朝圣政》卷四六)。其识虑高人一等。同月知荆南。在荆南,籍义勇民兵八千四百人,每岁于农隙教阅一月,省钱粮甚多(同上卷四七)。这对于战备防守均有极大的意义,其效益均不在经济方面。

事实证明，王炎是具有多方面才能的干才。正因如此，他在数岁之间，位至公辅（参《静镇堂记》）。据《宋宰辅编年录》卷十七、《宋史·宰辅表》，乾道四年二月，王炎以试兵部尚书赐同进士出身，除端明殿学士，签书枢密院事；五年二月，除参知政事，兼同知枢密院事；三月，以左中大夫为四川宣抚使，依旧参知政事。

这时，王炎在士大夫中间，已有很高的声望。由于参知政事是副首相，以参知政事而为四川宣抚使，是朝廷的一项重要任命。王炎的友人——李石、晁公溯、王质、蔡戡等皆以把握机遇、建立功名相期（《方舟集》卷十二《上王宣谕启》，《嵩山居士集》卷三十、卷三六与王炎柬、札，《雪山集》卷九《上王参政启》，《定斋集》卷九《贺王参政启》）。

王炎宣抚四川，其主要任务是：在今陕西南部、甘肃东部、四川北部布置防务，积蓄人力、物力，以图进取。根据绍兴和议、隆兴和议，宋、金西段，以大散关为界。上述地区乃对金斗争的前沿地区。

此项使命十分艰巨，而又十分复杂。第一，朝廷内部明显的、暗藏的主和派会进行反对的活动，宵小之徒会乘机破坏，甚至设置陷阱。面对着这样的现实，王炎志意坚决，义无反顾，知难而上。《文集》卷八《谢王宣抚启》说"践危机而志意愈坚"，正说明王炎这时的心情。

第二，当时士大夫中间，有一些人主张"当今之计，莫若以仁义纪纲为先"，要人们"格心正始，以建中兴之业"，以为用兵非急务（《宋史》卷四三四《薛季宣传》）。这对王炎来说，是一股不小的阻力。王炎毅然冲破这种阻力，亟以恢复自期。

王炎宣抚四川,即招陆游入其幕府。上面说到的《谢王宣抚启》,乃此时答炎所作。说明王炎在此以前对陆游已有很深的了解。陆游答应了,然而没有去。此启次乾道五年十二月所作《通判夔州谢政府启》后,作于炎受命后不久。

据《宋史·宰辅表》,乾道七年七月,除王炎枢密使,依前四川宣抚使。周必大《玉堂类稿》卷二《王炎除枢密使加封邑制》,乃此时所作。制词褒扬王炎之功:

> 粤贰政于中台,即宣威于全蜀。虑无遗策,事不辞难。和众安民,得欣心于将帅;补军搜乘,厉武节于边疆。邦储裕于廛鄽,国马蕃于互市。

这是秉承宋孝宗的意思写的,《省斋文稿》卷十四《王炎除枢密使御笔跋》说得很清楚:

> 乾道七年七月二十六日,国忌假,薄暮,快行。忽宣锁,既至,院御药甘泽赍御札来,除王炎为枢密使,依旧宣抚。又出方寸纸,载"和将帅"、"足财用"、"招军买马"等事。传旨云:晚,不及召见,令谕褒用炎之意。(下略)

现在,我们根据现有资料,对宋孝宗所称王炎政绩作一些具体考察。

《宋史》卷一七三《食货志》:"[乾道]七年,王炎言:'兴元府山河堰。……绍兴以来,户口凋疏,堰事荒废,遂委知兴元府吴拱修复,发卒万人助役,宣抚司及安抚、都统司共用钱三万一千余缗,尽修六堰,浚大小渠六十五里,凡溉南郑、褒城田二十三万三千亩有奇.'诏奖谕拱。"(《宋会要辑稿》第四九三六页、四九五四页皆载此事,前者谓溉田493万30亩有奇,后者谓为乾道七年五月十二日事)

吴拱是绍兴名将吴玠的儿子,父子皆立武功于西陲。王炎、吴拱共同致力于山河堰的修复。山河堰是一项规模相当宏伟的工程,三万一千余缗不是小数字。这件事,从一个侧面有力地说明四川宣抚司"和将帅"、"足财用"的政绩。当然,这里也应着重提出:王炎、吴拱关心发展农业生产,既为老百姓办了实事,也有利于防务。

"招军买马"的目的,是扩大并提高战斗力,积蓄战斗力量。

在四川宣抚使的辖区内,在接近金人的前沿地区兴州、洋州、大安军等地的乡村中,有自行组织起来的、以保卫地方为目的的抗金武装"义士"。王炎很看重这支武装,乾道六年二月二十八日,奏准朝廷,"令安抚司依时差官前去"按试,考察"所习武艺有无精熟"(《宋会要辑稿》第六七六八页)。"义士"相当于现在所说的民兵。

在四川宣抚使所属关外成、西和、凤州有"忠勇军",是地方正式武装。他们"原系保甲","各自备鞍马器甲,修置营寨",屡经战斗,立有功绩。对于这支队伍,乾道七年正月十七日,王炎奏准朝廷,决定"差官训练教阅",与"见屯御前军马一般出入",提高他们的待遇;对于因疾病裁汰下来的人,给他们妥善安置(《宋会要辑稿》第六七九三页)。

陆游称王炎四川宣抚使幕府为征西大幕。那么,四川宣抚使治所就是征西司令部。在征西司令部里,有一支特殊的战斗部队——"义胜军"。这支部队,"系招纳契丹、女真、汉儿(当是指契丹化、女真化的汉人——作者)"组成。乾道六年闰五月十四日,王炎奏准朝廷,派员"专一训练"他们及"诸军见管归正北人";考虑到包括风俗习惯及语言在内的许多情况,只有他们内部的人才熟悉,为了表示对他们的尊重,王炎决定从他们中间"选择抽差"一将,以沟通感情,加强联系。应该说,这件事本身即说明王炎具有大将风范,值得特别提出(《宋会要辑稿》第七〇五二页)。

　　金人来自北方,善骑射。建立一支足够数量、训练有素的骑兵,是对金斗争必不可少的措施。王炎认为,买马是一项急迫的任务。乾道六年十月九日,王炎奏准朝廷令茶马司收买骒马二千匹、马翁二百匹。七年二月,买骒马一千匹。乾道七年五月十三日,应王炎之请,朝廷除都大提举川秦茶事买马赵彦博直秘阁,以职事修举(《宋会要辑稿》第七一六二、七二一三、四七八七页)。

　　应该说,这里所举的事,只不过是当时实事的一小部分。但就是这些,也足能说明王炎为恢复大业做了大量的工作。

　　其实,王炎宣抚之功,除宋孝宗说及的以外,还要几点值得提出。

　　第一,裁损事节。王炎在接受四川宣抚使的任命时,就奏准朝廷,在他所管辖的事务内,有可以"省减事节"者,有权"参酌裁损"(《宋会要辑稿》三一八五页)。这样做的目的,是为了减少冗员,节省开支,提高工作效率,有明显的针对性。

第二,移治汉中。四川宣抚使的治所原在益昌,王炎考虑到"帷幄制胜,汉中为便"(《舆地纪胜》卷一八三引王炎语),于是移治汉中(《静镇堂记》)。汉中更接近斗争的前线,迁治汉中,是为了适应形势的需要。

第三,延揽人才。如据李心传《建炎以来朝野杂记·乙集》卷二《乙酉传位录》,高祚(子长)应王炎之请,于乾道七年正月末离临安经荆南赴汉中,以右朝请郎充宣抚司主管机宜文字。《剑南诗稿》(以下简称《诗稿》)卷三有《次韵子长题吴太尉云山亭》。祚为历阳人,张孝祥《于湖居士文集》卷二九《高侍郎夫人墓志铭》称祚为孝子。范成大《石湖诗集》卷十八《闻威州诸羌退厅,边事已宁,少城筹边楼阑槛修葺亦毕工,作诗寄权制帅高子长》有"横槊诗成满袖风"之句,则祚乃风流儒将,时祚权四川制置使。

综合以上所述,宋孝宗此时任命王炎为枢密使,表明他的头脑是清醒的,是准备有所作为的。王炎当然明白,枢密使是国家最高军事长官,新的任命表明朝廷有意加速恢复事业的步伐,他决心不辜负朝廷的希望,进一步积极采取措施。

王炎把在过去的基础上广泛招揽人才的做法放在首要的位置。他尝言:"形势地利,须人以为重"(《陈亮集》卷十九《与章德茂书》引)。参加征西大幕的达"十四五人"(《文集》卷三一《跋刘戒之东归诗》),和高祚一样,他们皆一时之英。除陆游外,其代表人物有:

章森:字德茂,广汉绵竹人。陈亮称之为"西州之英,负一世之望,汉廷诸公莫之敢先","英雄磊落"、"开豁亮直,足以起士气"(《陈亮集》卷十九《与章德茂侍郎》)。家富藏书,"学无不通,而尤深于诗"(《省斋文稿》卷二八《章氏近思堂记》)。尝使金。屡知建康、荆南、兴元诸重镇。

张縯:字季长,唐安人。隆兴元年进士。乾道末官临安,即"声誉震于京师"(《诚斋集》卷六八《答张季长少卿书》),为"众彦所钦"(《文集》卷四一《祭张季长大卿文》)。著书数百卷(《诗稿》卷七二《哭季长》自注),今存者仅文数篇,诗多首。縯与陆游为至交,一生仕不甚显。嘉泰间,陆游入朝修史,欲荐之于朝,以"力微"未成。

阎苍舒:苍舒字才元,蜀州晋原人。苍舒关心边事,尝与周必大论之(周必大《书稿》与苍舒书)。淳熙间使金,过汴京,赋《水龙吟》,有"五十年都城如旧,而今但有伤心烟雾,萦愁杨柳"之句,感慨万端(刘昌诗《芦浦笔记》卷十)。周必大《书稿》与张縯书谓苍舒"笔札妙天下",《皇宋书录》亦云其工书。尝知兴元,《宋史·艺文志》著录其《兴元志》二十卷,不传。卒谥恭惠(《宋会要辑稿》第一六五八页)。

周颉:颉字符吉,长兴人(《万姓统谱》卷六一、《浙江通志》卷二四八)。绍兴十五年进士(《浙江通志》卷二四八)。仕至右司郎中,绍熙间,退居二浙,与史浩、汪大猷、沈枢、郑丙诗简倡酬,人竞传之(周必大《平园续稿》卷二五《郑丙神道碑》)。有《适庵集》二百卷,不传。

范仲芑:仲芑字西叔,世为成都望族,曾祖百禄,从祖祖禹,均以直闻。仲芑与弟仲艺(东叔)奋发有为,系蜀中知名士,张孝祥谓仲芑"白玉比粹温",仲艺"俊逸百马奔"(《于湖集》卷四《劝范东叔饮》)。淳熙元年十月,仲芑官侍御史,风采凛然,声徽藉甚。

见《文集》卷十四《郑范西叔序》、《省斋文稿》卷三八祭仲芭文。

征西大幕是参谋部。他们在帷幄中咨谋军事（《诗稿》卷二一《和周元吉右司……》）。陆游就曾积极向王炎建议：在陇右积蓄力量，自陇右取长安，以经略中原，撤换骄恣不法的将领吴挺，由吴拱代之，以整肃军纪，防患于未然（《宋史·陆游传》）。

参加征西大幕的成员是一支战斗队。他们或者"踏营渭北夜衔枚"（《诗稿》卷十一《忆山南》），或者"昼上巢车望虏尘"（《诗稿》卷二八《忆昔》），或者"寝饭鞍马间"，"扬鞭临散关"（《诗稿》卷二八《怀昔》），或者"宿师南山旁"，"土床轵薪炭"（《诗稿》卷五九《十月喧甚……》）。他们都是战士，都以在这崭新的生活中能为国效力而自豪。

在我国封建社会漫长的历史中，一个统帅周围，集中大批参谋人员，为统帅出谋划策，并不少见。但这些参谋人员能有和谐的、宽松的环境，足以施展其智慧和才华，却并不多见。从陆游的诗里，我们觉得王炎是注意到了这一点的。仅就这一点而论，在古代社会中也值得大书特书。

其次是加紧积粟练兵。《诗稿》卷二三《冬夜读书》说到"千艘粟漕"，足见积粟之多，运粟之忙。卷十八《秋怀》说到"朝看十万阅武罢，暮驰三百巡边行，马蹄度陇雹声急，士甲照日波光明"，卷二一《和周元吉右司……》说到"阅兵金鼓震河渭"，说明军容甚盛，军威甚肃，军纪严明。

三是奏褒忠义及边政有功者。乾道七年十一月二十六日王炎奏准承奉郎曹伟明"先因陷虏，收藏本朝告札，不受伪命，军兴归朝，备见忠义"，差为凤州推官。八年二月七日，王炎奏准朝廷，黎州知州宇文绍直能抚存远人，所买之马，多是良细，令再任一次。同年二月，朝廷从王炎之请，赠利州路转运判官兼权四川宣抚使司参议官孙叔豹为左朝奉郎，以叔豹"措置边防，宣力颇多"（《宋会要辑稿》第七〇二八、三七五〇、二〇三〇页）。

四是开展对金占区的工作。王炎宣抚四川，其宣抚的范围，不仅仅是南宋统治区内部，还包括金占区。如向金占区宣谕朝廷旨意，号召遗民起义，策动金文武官员归正并作好归正工作等。《诗稿》卷十八《昔日》自注："予在兴元日，长安将吏以申状至宣抚司，皆蜡弹，方四五寸绢，虏中动息必具报。"足见双方早有联系，此项工作有很大开展。

形势在发展，人们对恢复事业的信心在不断增强，但就在这时，朝廷方面的态度却有了微妙变化。

乾道八年七月，陆游应王炎之请，作《静镇堂记》。"镇静"得名于孝宗亲诏四川宣抚使中所云"静镇坤维"一语。《易》坤卦为西南之卦，《淮南子》说"坤维在西南"，这里是指西方，即四川宣抚使辖地。"静镇坤维"是朝廷对待西事的新方针，强调的是防御，较之《王炎除枢密使加封邑制》所云"西顾未宽，则藉精神而折千里；群方庶定，则还英俊以强本朝"带有一点进取意味的方针后退了。王炎自然不会不知道这点，他以"静镇"为名，是要在尊重朝廷的名义之下，继续为进取作准备，乃是出于策略考虑。

宋孝宗对王炎的态度果然急遽倒转。《宋史·孝宗纪》：乾道八年九月乙亥，诏王炎赴都堂治事；戊寅，以虞允文为四川宣抚使。而且是"促诏"（《王绹神道碑》）。王炎离汉中，幕府星散。九年正月辛未，王炎罢枢密使，奉祠。

王炎苦心经营川、陕近四年，有很多重大建树。王炎的友人范成大就盛赞他宣抚四川"四年西略可万世，孤撑独立扛千钧"(《石湖诗集》卷十五《寄题潭帅王枢使佚老堂》)。范成大之言是客观公正的。

王炎的罢归，陆游当时只是无可奈何地归之于"世事多乖"(《诗稿》卷三《简章德茂》)。他能说什么呢？个人的力量太渺小了，天下事有几件能符合自己心愿的呢？在以后的岁月中，陆游数十次提到征西大幕，但从未提到过王炎，也从来不直接表达对王炎罢归的看法。《宋史·陆游传》全文860字，而叙陆游与王炎交往的文字为124个，达七分之一。根据内容，可以认为，这是两篇札子的节文。陆游很多极普通的文字都传了下来，但这二文没有传下来。汉中八个月，是陆游一生中最为辉煌的时期，而《诗稿》中这一时期的作品，不过寥寥十余首。据陆游自述，他这一时期，有100多首诗，结集为《山南杂诗》，在舟行过望云滩时，坠落水中(《诗稿》卷三七《感旧》其一自注)。王炎有词见《回文类聚》、《阳春白雪》，他大约也能诗。《山南杂诗》中当有涉及王炎者。陆游诗相当完整地传到了现在，而纪录战斗生活的《山南杂诗》却偏偏遭了厄运。在迷离闪烁之中，我们感到陆游有很多话没有说出来，不便说出来。

那么，王炎究竟为什么自汉中罢归呢？

在封建社会中，很多历史事实表明，守边将帅将他的工作进展越顺利，实力越来越强，功绩越来越大，影响和声望越来越显著时，朝廷却往往始则疑虑，继则不安。随着事态的发展，有的干脆予以召回，任意加上一个什么罪名，把他杀掉；有的则解除职务，废置不用,幸运一点的,则给予优厚俸禄,把他养起来。

王炎的突然被召回,有类于此。就是说,他的被召回,正是因为功大,朝廷对他不放心。他那么信任尊重由"契丹、女真、汉儿"组成的义胜军,他手下那么一个由陆游、章森等人组成的活跃的智囊团,这都十分令人敏感。上引范成大《寄题潭帅王枢使佚老堂》"孤撑独立扛千钧"句后有"危言岌岌愁鬼神"之句,这句诗透露出来了这个消息。

王炎的被召回,是自毁长城,表明南宋小朝廷的毫无作为。这是一幕历史悲剧。从此,宣告了宋孝宗进取政策(更准确地说,是意图)的终结,代之以维持现状的苟安政策;而这对盼望恢复的士大夫和广大人民群众、对南望王师的遗民来说,是沉重的打击,这些,都生动、形象地反映在陆游的诗篇里。

这幕悲剧的形成,还由于朝廷宰辅大员之间没有和衷共济。上引《王炎除枢密使御笔跋》"令谕褒用炎之意"句后,尚有一段文字:

> 初,炎与宰相虞允文不相能,屡乞罢归,允文荐权吏部侍郎王之奇为代。……暨宣炎[除枢密使]制,宰相以下皆莫测云。

孝宗的除命,排斥了虞允文的意见,加深了王、虞的隔阂。王炎得不到虞允文的支持,他的宣抚使位置实处于不稳定状态,潜藏着危机。

可以看出,王炎的罢归,与虞允文有关系。王炎罢去,虞允文代之,幕府即星散。说明王炎广泛招揽人才的做法,虞允文并不赞成。

王炎也有责任。既然说"不相能",说明王炎并未能主动真诚地争取虞允文的帮助,遂使隔阂日益加深,终至不可收拾。

关于虞允文、王炎的关系,如果说周必大是在事情的发展过程中所记,带有一定的局限性,那么,下面所引辛弃疾的话,则是在虞、王死后所写(虞允文卒于淳熙元年二月),就比较客观了。

辛弃疾在《水调歌头》(《稼轩词编年笺注》卷一)小序中说到淳熙五年离知江陵府任时,友人饯别,记云:"时王公明枢密薨,坐客终夕为门户之叹。"

"不相能"的发展就是各立"门户"。虞、王"门户"之争,以王炎的失败而告终,而一代英才竟也成为门户斗争的牺牲品。

历史常常令人惋惜,也使人深思。绍兴三十一年,虞允文在采石之战中,大破金兵,立下了赫赫战功,何等气概。然而,虞允文有一个致命的弱点——"讳缺失"(《宋史·薛季宣传》)。他听惯了歌功颂德的话,听不得不同意见,久而久之,不免讲起"门户",排斥异己,为国家铸成了大错,为个人留下了缺陷。辛弃疾及其友人的慨叹确是由此而发的。

因此,我们想到,如果虞允文、王炎以及与他们有纠葛的人,都以国事为重,捐弃前嫌,致力于恢复大业,则国事未尝不可为,陆游进取长安、经略中原的建议,未尝不可以实现,然而他们没有这样做,坐失良机,这也是辛弃疾及其友人所以为之终夕慨叹而不能自已者。

据《宋宰辅编年录》卷十七,王炎过了一段退居生活以后,于淳熙元年（1174）十二月知潭州。二年五月，有人说他"欺君"，于是又被罢官，贬至"袁州居住"。三年十二月，"欺君"的罪名总算解除了，朝廷任命他知荆南，他以"疾辞"（周必大《玉堂类稿》卷七《赐中大夫提举临安府洞霄宫王炎再辞免资政殿大学士恩命不允不得再有陈请诏》，作于淳熙四年二月以后至六月七日以前），朝廷同意了。五年，死去，年六十五。

他的死，没有人写挽词、祭文。这大约是因为，与以前王炎就任四川宣抚使时相比，朝廷的大气候变了，已不讲什么恢复了。还有，王炎"欺君"的罪名虽然得到了解除，但人们心中总不免留有余悸。在这种情况下，人们也就不便说什么了。

不仅没有人写挽词、祭文，除《宋宰辅编年录》和《玉堂类稿》外，还没有一篇关于王炎汉中罢归后的事迹的粗略记述，甚至连传闻都没有，《宋史》也未为他立传。一个为恢复事业竭尽心力的人，凄凉、冷落到如此地步，是值得令人沉思的。王炎的遭遇是一个悲剧。汉中罢归后的几年，只是悲剧的余韵。

了解了以上情况，我们就可以知道陆游为什么不提王炎。因为王炎自汉中罢归，是一件政治事件，而自己又与此事件有关，自己的言行偶一不慎，就会贻人口实，铸成大错。了解了以上情况，我们就可以大胆怀疑前面提到的与王炎有关的两篇札子是有意删去，而《山南杂诗》说坠落水中，很可能即是托词，极有可能是陆游有意删去的。

陆游的精神受到压抑，我们读他征西大幕的诗篇，深刻地感受到这一点。这些诗篇，有意识避开王炎，大体上单纯回忆个人的那一段经历，发抒一点属于他个人的叹老嗟衰一类的感情，陆游的用心可谓良苦。但是，人们读过这些诗篇以后，不由得要想一想，征西大幕是王炎举办的，没有王炎，就没有征西大幕。从这个意义上说，陆游所有的征西大幕诗篇，不都是怀念王炎的吗？不过表达得曲折一点罢了。作为一个有爱国真情的诗人，陆游的深意也许深藏在这里。

《诗稿》卷八十二《初夏杂咏》其五有两句诗：

北首心空壮，东归愤不摅。

这首诗写于宋宁宗嘉定二年，也就是陆游告别人世的那一年。"东归"是指淳熙五年自四川回到山阴。这里，回忆了四川那一段生活，在四川生活中，汉中又占着十分重要的位置。这里拈出一个"愤"字，值得我们特别注意。报国的宏图没有实现，心里充满着愤慨。这就强烈地表现了对王炎自汉中罢归的深思。"东归"包括自四川归来以后。作者写这首诗时，王炎已经在低调的政治气候中死去几十年，凄苦的忆念，使当年的报国豪情，在历史的长河中更为壮烈。

与孔凡礼合撰，原载《杭州师范学院学报》1995 年第 5 期，据以录入

文化意识与理性精神

1995 年是清华大学中文系建系 70 周年暨复建 10 周年,《清华大学学报》特辟"清华人文传统和学术风格笔谈"一栏,我觉得是很有意义的。我于 1951 年秋考入清华中文系,第二年夏即因院系调整,合并到北大。在清华虽然只有一年,但这一年的学习生活却至今不能忘怀,可以毫不夸张地说,我这一辈子的治学道路即是从清华这一年起步的。

清华的中文、外文、历史、哲学等系虽然在 1952 年撤销了,但清华特有的学术风格并未消失,在一定意义上说,随着这些系的学者在不同的工作岗位上从事于教学和研究,清华的人文传统在更大的范围内得以发扬。我在一年级听过李广田、王瑶、陈梦家、孙毓棠等先生的课,又因当时所谓思想改造运动,有幸旁听过金岳霖、张奚若、梁思成、冯友兰等先生的检讨,在北大及毕业以后,又得到钱锺书、余冠英、浦江清、吴组缃等先生的教谕。各位先生,包括在此之前的闻一多、朱自清,及再早的王国维、梁启超、陈寅恪等前辈学者,他们的专业领域各有不同,学术路数各有特色,但我感到其中总有一种共同的、在近现代中国学术发展中很值得探讨、很值得珍视的东西。

这种共性是什么？我想很难用一两句话就能概括。宏观微观相结合，似乎过于笼统。疑古、释古，也似乎只就研究范围的某一方面而言（如特别是对过去历史的态度）。我建议，是否可就清华人文学系，从 20 年代起在学术上有突出成就的学者，有计划地逐一对他们进行具体的研究。我想，这样的学者至少总得有二三十位。如果我们对这二三十位学者治学道路和著作成果一一加以剖析和总结，并联系他们所处时代的学术风气和思想环境，我们就会对清华的总的学术风格有更进一步的了解。

我曾对陈寅恪和闻一多先生的学术思想作过一点探索，写过几篇文章，也细读过朱自清先生的著作，特别是他关于古代文史研究的论著，再结合大学时听课所得，清华的学风使我受到教益的，可以说有这样三点：一是视野开阔，不局限于某一细小局部，能从一个时代的文化总体来把握所研究的课题，整个研究思路总蕴含有一种清晰的文化意识。二是能着眼于当前的现实，具有鲜明的当代意识，而又能沟通古今，并不牵强于什么厚古薄今或厚今薄古。三是对中华的历史和文化有强烈深沉的爱（如闻一多在一首诗中深情地吟咏：请告诉我谁是中国人／启示我，如何把记忆抱紧／请告诉我这民族的伟大／轻轻的告诉我，不要喧哗），但在清理传统时总保持一种理性的自觉，这种理性精神是清华学风中最可珍贵的。

原载《清华大学学报（哲学社会科学版）》1995 年第 4 期，此据北京联合出版公司 2013 年版《濡沫集》录入，另收入湖南人民出版社 1997 年版《濡沫集》

翟胜健《曹雪芹文艺思想新探》序

　　翟胜健同志是我的老同学,我们同于 1951 年考入清华大学
中文系。他从天津进京,我从浙江北上,刚告别中学生活,但一进
清华园,却似乎一下子进入了一个既陌生又诱人的新的天地。我
们在清华一年,共同听过李广田先生的文艺学引论,王瑶先生的
大一国文,陈梦家先生的语言文字概论,孙毓棠先生的中国通史。
同时我们还时常去余冠英、吴组缃、浦江清诸位老师家,聆听他们
的教谕。我们年辈过晚,当然没有听到王国维、梁启超、陈寅恪以
及闻一多、朱自清等几位大师的讲课,但清华一年的学习生活是
我们至今不能忘怀的,可以毫不夸张地说,我们此后的治学道路
即是从清华这一年起步的。

　　清华的前辈学者,他们的专业领域各有不同,学术路数各有
特色,但我感到其中总有一种共同的、在近现代中国学术发展中
很值得探讨、很值得珍视的东西。清华的学风最使人得到教益
的,根据我的体会,大致有这样三点:一是视野开阔,不局限于某
一细小局部,能从一个时代的文化总体来把握所研究的课题,整
个研究思路总蕴含有一种清晰的文化意识;二是能着眼于当前的

现实,具有鲜明的当代意识,而又能沟通古今,有一种"史"的通识;三是对中华的历史和文化有强烈深沉的爱,但在清理传统时总保持一种理性的自觉,这种理性精神总能使人无论对传统或现代,产生一种真切的求知欲和对学问追求的责任感。

时隔四十余年,我今天读到胜健同志的《曹雪芹文艺思想新探》,更感到清华学风对我们这一代人的深切影响。胜健同志的这部专著,当然是他长期辛勤治学的成果,但确也明显地体现出上面所说的清华学风的某些特色。

当今,在中国古典文学的众多作家作品中,恐怕没有比曹雪芹和《红楼梦》更引起人们的兴趣和关注了。从20世纪初以来,各种各样的论著就已经不少,红学已成为古典文学学术史的重要一环。80年代以来,红学更是热闹非凡,近些年来又派生出所谓曹学,对曹雪芹的祖籍、家世争论得颇为激烈。我认为,学术史的研究是可以多方面的,在探讨过程中也可能出现岔道,我们不能要求探索的道路都像高速公路一样笔直,并且不许其他行人、车辆进入。但是各种各样的探索,归根结底,都应该集中于作品本身。可以毫不夸张地说,无论各种各样的高论如何能惊动四座,人们在散席后自己去翻阅《红楼梦》,会立刻被其中的各色各样人物所吸引,而这些高论也即随之如轻烟一抹,杳然散失。"秦淮残梦忆繁华",这可能是许多人读了这部小说后留下的惆怅之情,这种情怀可能各人感受深浅不一,但总比某些高深莫测的议论真切得多了。

这也就是我读了胜健同志这一著作后得到的最大的满足。胜健同志是真正进入到曹雪芹这部巨著的胜境中去的,他对于小说中人物、情节等细节熟悉的程度,真使人吃惊。而他又不满足于细节,而能从各种细节中抓住要环,给人提示其中的要义。如第一章"因空见色,由色生情",论述了曹雪芹的色空观一方面源自佛经,具有"似有还无"、"万境归空"等内涵,另一方面又有自己的特点,即以"情"为核心,并进而指出其文艺、哲学等思想根源。特别是对"因空见色,由色生情,传情入色,自色悟空"十六字的阐释,不像现在有些论著那样,或过于空泛,或故作玄奥。书中联系《红楼梦》第二十五回贾宝玉"逢五鬼"后癫头和尚所颂的两偈,进一步指明:这"十六字"实际上乃概括了《红楼梦》全书的内容,"石头"的一生经历,进而与太虚幻境薄命司内诸册辞一起,总括了贾宝玉与金陵众钗共历的幻海情缘。

第二章《拘魂摄魄,生动传神(上)》,着重论述了曹雪芹的"一字传神",读来颇饶兴味。作者从小说第五十六回回目"时宝钗小惠全大体"着手,提出:何谓"时宝钗"?特别是"时"字,好几种本子所写不一,有作"贤"的,有作"识"的,作者认为这些都未能表达曹雪芹的原意。书中画龙点睛地引了脂批的一段话:"宝钗此等非与凤姐一样:此是随时俯仰,彼则逸才逾蹈也。"然后说:"由此可知,'时'者,'随时俯仰'是也。意思是说:薛宝钗为人处世圆滑,随时应变,不像王熙凤那样飞扬跋扈,'逸才逾蹈'。这正符合薛宝钗的主要性格特征,真是绝妙的'一字传神'之笔。"

胜健同志遂以此为契机,生发开去,指出林黛玉的"传神一字"为"孤",探春为"敏",迎春为"懦",宝玉为"痴",尤二姐为"苦",柳湘莲为"冷",晴雯为"勇",紫鹃为"慧",史湘云为"憨",王熙凤为"辣"。值得注意的是,作者在论述这一字传神时,详细列举了不少引人入胜的情节，特别是对王熙凤的"辣"，指出这不是一般的"辣"，而是具有干练泼辣、风趣辛辣、心狠手辣、嘴甜腹辣、粗俗酸辣等多种特征。这既是对作品人物的细微剖析，更是勾起人们对往日阅读这部佳作时所获美的享受的回忆。

《红楼梦》确是一部封建社会的百科全书，正因如此，研究者就应具备丰厚的历史文化修养，这样才能真正领略曹雪芹作为一代巨人的博古通今的造诣。胜健同志在这方面正发挥了他长时期积累所达到的知识面广阔的特长。如第四章《勇于创新，摆脱旧套（上）》，首先，通过对林黛玉《明妃》诗及薛宝钗评论的分析，阐述了曹雪芹"勇于创新"的文艺思想。薛宝钗在评论中为何说王安石、欧阳修的咏昭君诗"俱能各出己见，不与人同"？一般研究著作，或略而不谈，或即使提及，也十分简略，本书则通过对文学史上大量咏昭君诗的分析品评，进行了深入的考察。书中所引举的古人诗作，如北周时期的庾信《昭君辞》，隋炀帝宫女侯夫人之绝命诗《遗意》，唐朝李白的《王昭君（二首）》，储光羲的《明妃曲》，张仲素的《王昭君》，戎昱的《咏史》，白居易的《王昭君（二首）》，李商隐的《王昭君》，徐夤的《明妃》，宋朝曾巩、李纲、陆游三人以《明妃曲》为题的诗作，吕本中的《明妃》，元朝虞集的《昭君出塞图》，张翥的《昭君怨》，明朝陈子龙的《明妃篇》，清朝王夫之的《明妃曲》，等等，有的固然是传诵的名篇，大多则是很少为人提及的。缺乏古典文学和古典文献的广博知识，一时是拼凑不起来的。又如《红楼梦》第六十三回中有关"当今之世"（实指当时的清王朝）乃"大舜之正裔"的论述，更是曹雪芹"博古通今"的突出表现。此论出自何典？根据何在？并不广为人知，许多研究著作也未论及。胜健同志则在书中征引《孟子》"离娄"、"万章"诸篇及《尚书·虞书》中"尧典"、"舜典"等典籍作了详尽的阐释。这些,既能使人在小说阅读中得到美学享受,又能增进理性思索的愉悦。

　　胜健同志的这部《新探》,十六万字,读起来真使人有落英缤纷、美不胜收之感。这里只能写出我的一点点感受。我还要说的是,胜健同志1955年自北京大学中文系毕业后,不久即到内蒙古大学执教,长达二十余年,"四人帮"粉碎后,始又返京,现为北京大学分校中文系教授,同时又在较长一段时期内担任校、系党政领导职务。他过去虽发表过不少论文,这部《新探》似是他的第一部学术专著,但从此书的立意谋篇、行文遣句来看,无疑是一部相当成熟的学术专著。由此可见,胜健同志不是不能写,而是由于一方面党政工作繁忙,另一方面有他自己的主见。我们中华学人确有其传统的特点,那就是治学者对自己的学术起点有较高的要求,把自己的坐标定在一个自己能够看重的位置上。胜健同志对自己的要求正是这样的。不过现在这部《新探》已蒙北京大学出版社出版了,我想他的研究定会在已有的高度上继续下去,我与别的同学好友一道,热切地盼望读到他的第二、第三部新著。

1996 年 2 月

原载北京大学出版社 1996 年版《曹雪芹文艺思想新探》,此据大象出版社 2008 年版《学林清话》录入,另收入大象出版社 2004 年版《唐宋文史论丛及其他》

关于《李德裕集》的一封信

建国同志：

　　近日晤傅熹年先生，他借给我其祖父傅增湘先生手校之两部《李德裕文集》，一为《四部丛刊》本，一为《畿辅丛书》本。《四部丛刊》本前有藏园老人题记云：

> 丙寅七月四日至七日据涵芬楼藏旧人校本校。
> 　　丁卯二月至三月二日据李木斋藏旧写本校（朱珪旧藏本存文集一至十，别集五至十，外集一至四）
> 　　丁卯二月十日据别一抄本校别集三至五。
> 　　以上均朱笔校。
> 　　又据明抄本校别集三、四、七、十各卷。用蓝笔。
> 　　明抄多缺佚，诸卷鲜有完者。

据此，则藏园所校旧抄本共有三种，即一、涵芬楼旧人校本，此本不知下落。如藏于商务，恐在上海已为日本飞机炸毁。二、为李盛铎（木斋）所藏旧写本。李氏藏书过去藏于燕京大学，后为北京大学接收,现当存于北大图书馆。待查该馆目录,我有熟人,可查到。三、为别一抄本,情况不详。这三种本子所校都用朱笔,我看书中所校,部分不清楚,即所校所改究竟是何种抄本,未加注明。据所记,李木斋之旧写本源于清朱珏所藏,最好查一下《朱珏文集》,有否述其事者。你处或不易查到,请记下,或我有便时翻阅,你以后提醒我。另,用蓝笔所校明抄本,则明确指明此抄本之时代,但具体情况亦不详。唯云此明抄本多缺佚,所校仅四卷,则确为残本。我准备将此本复印下来,以备参校;缺陷是复印件朱、蓝不分,均为黑色,当设法标志出以志区别。

另,藏园翁于卷首郑亚序文后有一跋语,今亦抄录于下,供参。

椒微师(按:即指李盛铎)藏旧写本残帙,存文集卷一至十一,别集卷五至卷十,外集卷一至卷四,半叶十二行,行二十一字,为大兴朱竹君家物。卷中宋讳缺笔,当出于旧刊。取此本校勘,是正极多,与近时朱竹石校宋刻本多合,乃知此嘉靖本至为疏陋,而市贾乃咸索高价,何耶?丁卯禊日沅叔手识。

卷中初校涵芬楼本,今以朱本合之,皆用朱笔,其相同者不别著也。

又,全书最后亦有一跋,语较详,今亦抄录之:

丙寅七月初六夜三更校毕。

关于《李德裕集》的一封信 | **1133**

此校本《李文饶集》，涵芬楼所庋，不审为何人笔。有闽中萧寥亭梦松诸印，于嘉靖本之讹误，是正甚多；与黄尧翁校宋本亦多合，是亦源于旧本矣。然余考《仪顾堂题跋》借月湖丁氏影宋本及苏州新刻本，其举正各条有一篇脱至数十百字者，而此本皆无之，则其所出非宋本明矣。明代士大夫喜刻古籍或藉为羔雁之资，沿讹袭谬，不复致评。如此集嘉靖刻，向为世所重，而细绎其中乃疏漏不可究诘，后之读者影宋本不可得，得朱氏吴门新雕亦胜于嘉靖本万万也。蒐翁校宋残帙，余曾假李椒微师所藏迻录，然与朱本又复岐异（朱本亦言出于宋本）。嗟乎！天水遗刊渺不复觌，皕宋连筐复归海东，倘天假之缘，月湖传本复出，庶几一扫榛芜哉。丙寅七夕傅增湘书于藏园池北书堂。

此本亦见于已出版之《藏园群书题记》，由傅熹年先生整理。于此可见，藏园对《四部丛刊》本评价很低，对皕宋楼所校之月湖丁氏影宋抄本评价极高。这次我们有幸得到此本胶卷，亦可慰藏园翁之所愿。又据傅熹年先生告，翁万戈先生所藏宋本文集，今北京印刷研究所已接受，且于今年六月可印出。如此，则我们可获得《李文饶文集》之最佳本全矣。这是最好的条件。

你在安徽《古籍研究》上所发的文章我已读，同意你的意见。你说我们此次以《四部丛刊》本为工作本，《皕宋楼》本为最佳底本，我想是对的。不能以《四部丛刊》本为底本，因藏园已校出不少讹误。我们这次校可作为集校，即以影宋抄本为底本，他本文字有异者固然要出校，他本（如《四部丛刊》本）文字有讹有漏者，亦出校。此一以见影宋抄本之佳善,二则《四部丛刊》为通行之本,一般人多据之,亦可正视听。即我们这个本子一出,一是为定本,二是可藉此以见其他诸本之概况。……

今天是"五一",上午有空,外面又大风,故写此四张纸,以当面谈。

祝好

傅璇琮　96.5.1

又,《畿辅丛书》本有傅熹年先生题记:"藏园老人据朱文钧藏明抄本校"。

原载《古籍研究》1996 年第 3 期,据以录入

陈寅恪史事新证

近日读到三联书店出版的《陈寅恪的最后二十年》(陆键东著),很受启发。这部书最大的特点,也是最有意义的,是搜集了不少档案材料,及有关人物的书信、日记、谈话、回忆,好些是第一次公之于世的,对研究陈寅恪晚期的人生态度和学术思想,极有参考价值。

我过去也写过几篇关于陈寅恪研究的文章,自谓对他前期的几部著作和有关隋唐史的文章多少有所把握,对他五六十年代所写的《论再生缘》与《柳如是别传》,虽心向往之,有所研索,但总想多了解一些这位大学者当时的人生思考和学术心态,而又苦于材料不多,且公之于世的又大多一般,因此总是未敢贸然着笔。读了《最后二十年》,不敢说都解决了问题,但确比过去了解得具体了。对陆键东同志的辛勤搜求之功,是应该表示谢意的。

我从 1958 年起即在中华书局工作,《最后二十年》有几处提及中华书局,自然引起我的兴趣。书中提到 1961 年 3 月上旬郭沫若曾去陈府访问,说郭的过访,令北京学界再次瞩目这位传统史学大师。又说同年 5 月上旬中华书局总经理金灿然到广州参加学术会议,曾专程去拜访了陈寅恪,提出请将《论再生缘》一稿修改后交中华书局出版。页 320 引 1961 年《陈寅恪近况》,说"陈也有此意,但目前尚未着手修改",云云。

从这一叙述中,似乎金灿然去访晤陈寅恪,是受到郭沫若的影响,或可能是郭回到北京后曾对金灿然有所建议。但我从中华书局的档案材料中获知,在此之前,中华书局已在准备编印陈的文集。我在 1995 年初曾写过《齐燕铭同志与古籍整理出版》一文,刊于国家古籍小组办公室编的《古籍整理出版情况简报》同年第 3 期。该文曾述及齐燕铭对出版陈寅恪著作的态度,但限于篇幅,未能详述,今因《最后二十年》读后,补充一些材料于下,以供参阅。

1960 年 8 月 22 日,金灿然曾给当时国务院副秘书长、古籍整理出版规划小组组长齐燕铭一信,信中说:

> 杨荣国同志这次在京时曾谈到关于陈寅恪的两件事情,兹写上供您参考。(一)杨建议我们考虑印陈寅恪的文集(包括解放前后的论文)。杨说陈先生在被批判后,表示不再教课。如印他的文集,一要不改,二要印快,三要稿酬高。(二)陈研究《再生缘》后写成一部稿子,以书中主角自况。这部稿子曾经在广东油印,印数少,售价定得很高。后来香港有人把这部稿子拿去出版,书前加了一篇序,说像这样的稿子,在大陆上是不能出版的,等等。陈知道此事后,心情很沉重。

按杨荣国此时任中山大学历史系主任。从金灿然这封信中可知1960年8月杨即建议编印陈寅恪的文集。信中所述关于《论再生缘》的情况,也是杨告知的。

齐燕铭在接到此信后,于当日即批示:"陈文集要否印应请广东省委文教部门考虑。"可见齐的态度是积极而又慎重的。在这之后,金灿然即与杨荣国通讯谈此事,现在中华书局文书档案中保留有金于12月12日给杨荣国的信:

> 荣国同志:出版陈寅恪文集问题,广东省委的意见如何?最近我曾口头请示过周扬同志,周扬同志表示可以出,也曾问过郭沫若同志,郭老也认为可以出。如果广东省委同意出,请把你们对出版的要求和作法告诉我,以便正式向中宣部请示。又,陈寅恪先生最近的政治、思想情况如何?在香港出版了《论再生缘》以后他有什么反映,请寄一书面材料,直接送给中宣部许立群同志或送给我转交都可以。

这封信所提供的信息很重要。从中可见,关于出陈的文集,金灿然是请示过周扬、郭沫若的,他们二人都表示同意,则周、郭去广州会晤陈寅恪前已知此事。另外,在那种年月,要出版一位有一定影响的学者的著作,是需向中宣部请示的,并且还要叫人写有关政治、思想情况,这对于了解具体环境下的学者生涯,是很有意思的。杨荣国在接到信后,于同月21日复信:

> 金灿然同志:两函均奉悉。关于陈的材料,写好后即直寄许立群同志处,请释念。至于著作出版问题,中央同意,则

由贵局和陈进行商酌如何？

杨荣国所写关于陈的材料，当时不知内容如何，待查。金灿然在接到杨信后，即令中华书局那时的历史一组从《史学论文索引》中把陈的著作查出，开一目录，并说此事要在新年前办完。现在这份目录还保留着，我看所收陈的文章篇目是相当全的，可见金灿然对此事抓得很紧。但他又在杨的信上写道："在上级未正式决定前，出版陈的论文集问题，不要在群众中宣谈。"金灿然是一位相当重视学术，也极为爱才的文化领导人，但在当时他确实也有顾虑，这也可以见出那一时期特殊政治情势下的一种特殊心态，恐怕现在一些年轻人是不大容易理解的了。

金灿然随即于 1961 年 1 月 6 日再次给齐燕铭写信，说：

> 关于出版陈寅恪论文集一事，我曾口头请示过周扬同志，他表示可以；也曾问过郭老，郭老赞成。最近接杨荣国同志信，附上。为慎重起见，我们就手边的材料查了一下陈到底发表过哪些文章，篇目附上（不全）。请考虑可否正式向陈约稿。从争鸣上讲，似可以约，但据说他的稿子是不能动的，约了可能有些麻烦。

齐燕铭于 3 月在金的信后作了政策性的批示：

> 可由中华提出向陈约稿，只告他文中如有涉及兄弟国家和东南亚国家的（因中国古代史常有把这些国家做为藩属和

文中带有污辱话的情形,今天发表容易引起对方不快),请其慎重处理,以免引起不必要的麻烦。此外问题随其任何论点均不必干涉(对少数民族似关系不大,因国内问题总好讲清楚,当然也要看讲话的分寸)。又约稿可否通过杨荣国与之面谈,比写信好。

齐燕铭的这段话,应当说是相当通情达理的。50 年代末、60 年代初,有一种特殊的国际环境,在历史研究和古籍整理中十分注意于对周边国家的关系,中华书局编辑部当时还特地起草过一个题为《关于整理出版古籍中涉及我国同友邻国家关系的情况和处理意见的请示报告》,长达好几千字,可见非同一般。这在当时是一个大问题,因此齐燕铭不得不提及,但是他还是提到其他任何论点均不必干涉,这确实表现出齐的卓识和勇气。

接着就是《最后二十年》所述金灿然于该年 5 月上旬去广州拜访陈寅恪,向他组约《论再生缘》稿。但是很奇怪,在这之后,中华方面就再也未提出版陈寅恪文集事,中华是否去函与陈联系,还是通过杨荣国与陈洽商,或陈是如何答复,现在都无材料,只知后来陈的《金明馆丛稿》由中华书局上海编辑所(即"文革"后的上海古籍出版社)联系编印。但在 1966 年 3 月中华书局总编室的《情况反映》中,还有一份中华上编所提供的材料,说他们在审稿过程中,发现"作者从资产阶级唯心史观出发,完全无视封建时代被统治阶级对统治阶级的剥削、压迫所进行的斗争,而以婚姻集团、地域关系和宗教信仰作为历史演变的根据"。这样的评价,处于当时的政治环境,是可以理解的。

《最后二十年》曾述及 1961 年 3 月郭沫若会晤陈寅恪,陈曾向郭建议组织力量整理出版宋人所编的古籍《文苑英华》(页319)。我起初曾怀疑后来中华书局影印《文苑英华》,是否即是郭返京后传达陈的信息。后来翻阅有关材料,才知中华于 1961 年初即决定动手影印此书,当时在中华工作的著名版本目录学家陈乃乾曾于 1961 年 1 月 10 日给金灿然信,提出"《文苑英华》如果决定了要印,有两点要先解决"。一是《文苑英华》全书一千卷,现存宋版只存一百四十卷,而且其中十卷还在台湾,因此先要确定是用明版配宋版,还是全部用明版。二是要考虑利用傅增湘的校勘记,这就需要有专人加以校勘整理,陈乃乾提出从上海借调善于做校勘工作的胡文楷。由此可见,影印《文苑英华》是中华书局自己独立决定的,但在那时提出要影印此书,而且要组织人加以整理,则确与陈寅恪不谋而合,南北共识,这倒也是一段佳话。

据手稿,此文作于 1996 年 5 月 13—14 日。原载湖南人民出版社 1997 年版《濡沫集》,此据北京联合出版公司 2013 年版《濡沫集》录入,另收入北方文艺出版社版 2008 年版《书林漫笔》、《读书文摘》2011 年第 6 期

书香飘入百姓家

1996 年 3 月，浙江宁波市由《宁波日报》、新江厦商城、市图书馆、天一阁共同发起，举办宁波市首届十佳藏书家庭评选活动。经过两个多月的紧张工作，这一评选活动终于在 5 月下旬圆满告成。由于我是宁波人，又在出版社工作，长期与书打交道，因此《宁波日报》特地邀请我参加 5 月 31 日在宁波举行的十佳藏书家庭颁奖仪式，以及同时举行的"家庭藏书与文化建设"座谈会。我这次在宁波虽短短几天，却受到很大的启发。

据介绍，评选活动开始时，四家发起单位根据全市居民家庭藏书情况，规定藏书量在 1000 册以上者可以报名，结果全市范围内有 182 人报名。其中既有机关干部和大中小学教师，也有工人、农民、个体户、自由职业者，涉及各个行业各种职业。评选工作人员逐户登门走访，详细记录，最后评选委员会根据藏书数量、藏书条件、藏书特色、藏书历史，逐项评估打分，评出十佳藏书家庭。

之所以说是藏书家庭，而不说是藏书家，据说根据现代中国的生活条件，如果得不到家庭的理解与支持，要有一定的藏书是很难想象的。家人的理解与支持,实是家庭藏书的基础。如这次被评为"十佳"之一的童可权,为宁海中学一位教师。他藏书6000多册,可以说蔚为大观,但这全靠他的妻子鼎力相助。他的妻子善于裁缝手艺,80年代中期她只身西赴兰州,北上哈尔滨,又南下广州,设摊裁剪衣服,用十指辛苦挣来的钱供这位教书先生来大笔购书,毫无怨言。

另有一位入选"十佳"的,是一位照相馆经理,名杨曙光。他藏有7000余册书,还一年订阅30几种杂志。他家一间14平方米的大间和一间7平方米的小间全堆满了书,夫妇俩只好挤在另一小房间住。幸好他的妻子张可可也是书迷,因此住房虽挤,却也自得其乐。今年3月中旬,张可可还在《宁波日报》上发表一篇题为《读〈红楼〉考据》的文章,文中引用了周汝昌的《红楼艺术》、张爱玲的《红楼梦魇》,以及清人甫塘逸士的《续阅微草堂笔记》等,真不容易。杨曙光自己也说,他是搞摄影的,他所藏文史哲类的书似乎与其专业关系不大,但他认为,如果不能体验唐诗宋词的意境,不能进入莎士比亚、黑格尔的世界,是不能感受到艺术的魅力的,这样对摄影艺术也就不可能有所提高或升华。作为一个普通摄影师,有这样一个文化家庭,有这样一种文化意识,也可以说是改革开放以来我们国家在现代化道路迈进上一个极为可喜的标志。

藏书首先是购书,而购书则首先要有一定的经济基础。目下不难看到某些"大款",为了装点门面,买几套豪华精装本,在装修一新的客厅中摆几只大书柜,以附庸风雅。这次宁波市评出的"十佳",无一例外都是普通的工薪阶层,收入是不高的。他们为了买书，多年以来总是节衣缩食。"十佳"之一的李建成，是宁波市钢锯厂的工人，他爱好中国书法艺术，总想把这方面的书买齐了。他说："有时为了配齐一套好书，我消耗了很多心血。"平平常常的一句话，我们可以想象到这位工人同志在购书过程中饱尝到多少艰辛。

但收获仍是很大的。宁波师院中文系主任贺圣谟，自述"从青年时代起即有意设计一个中国的文学研究者、文学教学工作者的理想藏书结构：博罗古今、以用为主"。至今积书十六橱（架），有不少初版新文学作品，国内研究文学的同行常向他索借。另一位"十佳"童银舫，是慈溪匡堰镇一位办事员，他长期钟情于地方文化研究，曾参与过7年编地方志的工作，其所藏7000余册书中，地方文献及慈溪人著作即将近一半，这对研究慈溪的历史文化必将提供珍贵的资料。另外，这次虽未列"十佳"的宁波市珠算协会邱美清老先生，多年积蓄，专藏古今珠算书籍，数量达300种之多，这也可说是独有的藏家。

我们中国在历史上，曾出现过数以千百计著名藏书家。藏书家最突出的贡献，是保存并传下大量的珍贵典籍。清人洪亮吉在《北江诗话》中曾把藏书家分成五类：考证家、校雠家、收藏家、鉴赏家、掠贩家。其实藏书家从事的不是单一方面的工作，而是关于人类学术文化多方面的工作。宁波是有长久藏书历史的文化名城，建置于明代、后被誉为"南国书城"的天一阁，即是浙东学术文化的卓越代表之一。当然，我们现在一般平民的藏书与过去藏书家凭藉其所拥有的土地资财购书有很大的不同，但在新的历史时期，鼓励人们多藏书，藏好书，以有助于多读书，读好书，不断提高家庭文化素质,也是精神文明建设的一大课题。

唐朝诗人刘禹锡有诗云:"旧时王谢堂前燕,飞入寻常百姓家"。我想不妨用此二句,以我这次宁波之行的感受,改写为:"旧时天一阁前香,飘入寻常百姓家"。

原载湖南人民出版社 1997 年版《濡沫集》,此据北京联合出版公司 2013 年版《濡沫集》录入

《中国古典文学史料研究丛书》总序

　　中华书局文学编辑室于几年前即提出编辑《中国古典文学史料研究丛书》的计划,但由于种种原因,这套丛书的起步并不太快。经过几年的准备,穆克宏先生的《魏晋南北朝文学史料述略》,作为这套丛书的第一部,将在今年出版。如何使这套史料研究丛书能加快进行,以适应当前古典文学研究和教学的需要,文学编辑室徐俊、顾青两位主任曾几次与我讨论,现经商议,确定由我担任丛书的主编,负责整体构思与组稿。作为中华书局总编,我也有责任把这一不算太小的文化工程承担起来,希望在以后几年内这套丛书能粗具规模。现在已经组约的,有中国社科院文学研究所曹道衡先生的《先秦两汉文学史料》,湖南师范大学中文系马积高先生的《赋体文学史料》,湘潭师院中文系陶敏先生的《隋唐五代文学史料》,还有带有学术史性质的杭州大学中文系教授洪湛侯先生的《诗经学史》,其他尚在陆续联系中。我们相信,只要我们取得学术界的广泛支持,中华书局的这套书,定将会有不小的规模,在古典文学研究中起到应有的作用。

　　中国古典文学研究,从整体上说是一个极其庞大的工程,这里面就有一个对工程整体结构进行了解、分析和设计的问题。20世纪80年代中期，我曾与北京大学中文系倪其心教授及已故的中国社科院文学所沈玉成研究员就此进行磋商，后即以《古典文学研究的结构问题》为题，撰文在《文学评论》1987年第5期上刊载，表述了我们的看法。我们认为，全面切实探讨古典文学研究的结构，取得整体了解和认识，是进行宏观控制、微观审视的依据。有了整体结构观念，便可更真切了解近几十年来古典文学研究在基础工程和上层结构各方面，有哪些成果和成就，还有哪些薄弱环节和空白领域，哪些方面应当突破和开拓，哪些门类可开辟新分支，等等，从而可以更科学地择定重点项目和课题。

古典文学研究的结构，大体如同建筑工程，可分为基础实施和上层结构两个方面。基础实施是各类专题研究赖以进行的基本条件，具有相对的、长期稳定的特点。其具体内容，如：(1)古典文学基本资料的整理，包括文学作品总集、历代作家别集的校点、笺注、辑佚、新编。(2)作家、作品基本史料的整理研究，包括撰写作家传记、文学活动编年、作品系年，以及写作本事、流派演变的记述与考证等。(3)基本工具书的编纂，包括古代文学家辞典、文学书录、诗词曲语词辞典、戏曲小说俗语辞典、文学典籍专书辞典或索引、断代文学语言辞典等。

上层结构范围较广，很难全面罗列，就现在想到的，大致有：(1)作家作品的专题研究，文学样式、文学流派的专题研究，以及文学通史、专史的撰著。(2)作品的批评鉴赏，包括古典文学各种方式的普及工作。(3)古典文学与其他学科的交叉研究，如音乐、美术、建筑、宗教、民俗、服饰以及自然科学的交叉渗透。(4)古典文学比较研究,如中外文学的比较研究,汉民族与兄弟民族文学比较研究,以及古今文学比较、同一主题创作的历史比较。(5)新分支学科的开辟,如充分利用新中国成立以来的考古成果,从文学研究角度从事考古成果的分析研究,开辟一门文学考古学。又如搜集古典作家作品的图录、碑刻、手迹等文物,分析它们在作家创作、作品传播、文学发展中的作用和价值,以及它们自身的特点,开辟一门古典文学的文物研究。(6)方法论的研究,包括传统的、现代的、一般的及具体方法的研究。(7)学科史研究,包括古典文学研究学术史及古今杰出学者的研究。

从以上并不完全的叙述来看,我们的古典文学研究,应当说内容是十分宏富的。基础实施与上层结构的结合,必更能发扬古典文学的精华,深入探索艺术规律,繁荣学术研究,促进当代创作,为建设精神文明作出自身的贡献。

古典文学史料研究,主要涉及收集、审查、了解、运用史料问题,因此它的主要研究对象是上述的基础实施,但应当说它是涵盖以上两方面的内容的。它的触及面可能还要广,举凡与作家作品有关的史书(如正史、别史、杂史等)、地理、各种体裁的笔记、社会民情的记载等等,都应有所述及。而且它还与其他一些学科有所交叉,特别是与目录学、版本学、校勘学、史料检索学等,关系更为密切。古人说,六经皆史。可以毫不夸大地说,古代包括经史子集中的典籍,都与文学史料有关。而且文学史料还应包括今人的研究成果,提供新的学术进展线索。我们的史料学研究不能只看古人,更应注视现实,及时反映新的成就。这样做,一方面固然增加研究和撰述的难度,但同时对于应用者来说,则是由此获得仅靠一己的努力不可能在短期内得到的众多、有效的资料,这将是古典文学研究可持续性发展的基本工程,也是我们这一代学人对于 20 世纪学术的回顾和总结,对于 21 世纪学术的迎候和奉献。

时至 20 世纪 90 年代,各种文学史著作已是一个热点,不断产生。这些著作当各有其特点。我们想,我们这套史料丛书,将是各种体裁、各种观点的文学史著作所不能替代的,不管写怎样的文学史,不管研究哪一时代的作家和作品,不管是教师和学生(包括大学本科生、硕士生、博士生),都将参考这套史料书。我们抱着为研究者、教学者服务的态度,希望在学术工作中做一点真正有用的实际的工作。

从史料学的建树来说,哲学、历史学已经走在文学的前头。早在 1962 年,冯友兰先生就出版其所著《中国哲学史史料学初编》(上海人民出版社)。这本书虽不到 20 万字,却是新中国成立以来文史哲类史料学的开山之作。书中概述了商周至民国初期的各类哲学史籍,语言明晰,条理清楚,而又评价得中,表现了一位哲学大师高深的学术造诣。嗣后有张岱年先生的《中国哲学史史料学》(三联书店,1982 年)、刘建国先生的《中国哲学史史料学概要》(吉林人民出版社,1983 年)。历史学方面,有陈高华、陈智超诸位先生的《中国古代史料学》(北京出版社,1983 年),这是通史性质的。其他还有断代的史料学,如黄永年、贾宪保先生的《唐史史料学》(陕西师范大学出版社,1989 年),冯尔康先生的《清史史料学初稿》(南开大学出版社,1986 年),张宪文先生的《中国现代史史料学》(山东人民出版社,1985 年)。另外如谢国桢先生的《史料学概要》(福建人民出版社,1985 年)、翦伯赞先生的《史料与史学》（北京大学出版社，1985 年）、荣孟源先生的《史料与历史科学》（人民出版社，1987 年），则是通论性的。比较起来，古典文学这方面的成果则较少。我现在看到的只有两种：一是潘树广先生主编的《中国文学史料学》（黄山书社，1992 年），一是徐有富先生主编的《中国古典文学史料学》（南京大学出版社，1992 年）。这两本都是通论性质的，前者分"史源论"、"检索方法论"、"鉴别方法论"、"文学史料分论"（按文体分）、"编纂方法论"、"现代技术应用论"，后者分"文学史料类型""文学史料鉴定""文学史料整理""文学史料检索"。这样通论性的著述当然是需要的，但我们想，为了使读者具体掌握文学史料，还是按时代、按作家作品系统地论述，较切实有用，因此我们拟分两种类型：一种是以时代分（但不拘泥于某一朝代），一种是以文体分。既概括地叙述各种史料，以史料介绍为主，也可以从学术史角度，论述历代的治学思想和研究实绩（如洪湛侯先生的《诗经学史》），把史料学与学术史结合起来。这将是当代古典文学研究的一种特殊的治学路数。我们相信，这样的一种治学路数必将为 20 世纪中国学术史增添新的内容，树立一种新的标格。

1996 年 6 月

原载中华书局 1996 年版《中国古典文学史料研究丛书》，此据东北大学出版社 2015 年版《中国当代名家学术精品文库·傅璇琮卷》录入，另收入《文学遗产》1997 年第 2 期、安徽教育出版社 1998 年版《当代学者自选文库·傅璇琮卷》、首都师范大学出版社 2010 年版北京社科名家文库《治学清历》

唐人选唐诗题记

河岳英灵集

  《河岳英灵集》二卷,殷璠编选。殷璠生平已不得其详。南宋时《嘉定镇江志》卷一八载:"殷璠,丹阳人,处士,有诗名。"《至顺镇江志》卷一九同。宋刻本《河岳英灵集》首页首行"河岳英灵集"五字下署"唐丹阳进士殷璠"。按《新唐书·艺文志》四诗集类著录《包融诗》一卷,称融与储光羲均为润州延陵人,并提到同时曲阿丁仙芝等,共十八人,都有诗名,"殷璠汇次其诗,为《丹阳集》者"。包融、储光羲及丁仙芝等,都是润州(治所在今江苏镇江)人,殷璠当与他们生同时,居同里,故能就近编纂其诗。

  据现在所知,唐人较早提及殷璠者,乃晚唐诗人吴融,他有《过丹阳》一诗:"云阳县郭半郊坰,风雨萧条万古情。山带梁朝陵路断,水连刘尹宅基平。桂枝自折思前代(自注:李考功于此知贡举),藻鉴难逢耻后生(自注:殷文学于此集《英灵》)。遗事满怀兼满目,不堪孤棹舣荒城。"(《全唐诗》卷六八四)此处之李考功系指李希言,李希言曾于肃宗至德二载自礼部侍郎兼苏州刺史充节度采访使,于江东考选进士,顾况即于此时在苏州应试及第。此诗称殷璠为文学,是记述其仕历的唯一材料。据《新唐书·百官志》,唐时于上州设文学一人,从八品下。润州在唐为上州,则殷璠当即在润州曾任文学之职,也就在润州或丹阳编选《河岳英灵集》。

殷璠在叙中说:"璠不揆,窃尝好事,愿删略群才,赞圣朝之美,爰因退迹,得遂宿心。"据此,则他可能很快即辞去文学这一品位极低的官职,长期退隐,而专心于他所喜好的诗选工作,《嘉定镇江志》因称为处士。

《河岳英灵集》所选皆为开元、天宝时诗人。现存各本《河岳英灵集》的叙及《文镜秘府论》南卷《定位》所引,其记述选诗的起讫年限,谓"起甲寅,终癸巳"。甲寅当为开元二年(714),癸巳当为天宝十二载(753)。但《文苑英华》卷七一二所载殷璠叙,作"终乙酉",则应是天宝四载(745)。又《国秀集》后宋徽宗大观年间曾彦和跋,谓"殷璠所撰《河岳英灵集》作于天宝十一载"。作于天宝十一载(752),则所选当在此年之前。据研究者考定,乙酉之说不可信。如书中所选李颀《听董大弹胡笳声兼语弄寄房给事》,高适《封丘作》,李白《梦游天姥山别东鲁诸公》、《忆旧游寄谯郡元参军》等诗,皆作于天宝四载以后,而评语中叙及的王昌龄、贺兰进明后期的事迹,也只能在天宝四载以后,不能在此之前。至于宋人曾彦和之说,别无所据,他可能因"终癸巳"句而错算了一年。根据现有的材料,应以癸巳说为是。

殷璠叙中说此书所收，计诗人二十四，诗二百三十四首，分为上下卷。《文苑英华》卷七一二所载叙，作三十五人，一百七十首。以今存各本统计，及《文镜秘府论》南卷《定位》所载，诗人之数都是二十四，较为一致；《文苑英华》作三十五人，出入太大，恐不足信。诗篇则各本及《文镜秘府论·定位》所载，都为二百三十四，但以今存各本统计，仅二百三十首。清《四库全书总目提要》称殷璠在张谓评语中曾举出《代北州老翁答》与《湖上对酒行》的篇名，而所选诗则只有《湖上对酒行》而无《代北州老翁答》，因此"疑传写有所脱佚"，所言有一定道理。可惜具体脱漏哪些诗篇，现已无从考知。

殷璠自叙谓全书"分为上下卷"。《新唐书·艺文志》、《直斋书录解题》以及《中兴馆阁书目》都作二卷，可见北宋前期至南宋中期，《河岳英灵集》流传于世的，都为二卷本。

今所见二卷本《河岳英灵集》，北京图书馆善本部藏有两种，一为季振宜藏，一册，首尾有缺页，抄配，又缺《叙》、《集论》、目录。每页十行，每行十八字。另一为清末莫友芝所藏据毛扆过录者，二册，卷末有"丙寅初冬邵亭校读一过"十字。丙寅当为同治五年（1866）。此书亦为每页十行，每行十八字。此次经通校，可以确定系出于同一刻本，即宋刻。两书中，崔署的署字缺末笔，诗中如敬、恒、贞、廓等字，亦皆缺末笔。此皆避宋帝讳。廓字避宋宁宗扩（1195—1224）嫌名，则其书之刻不会在此之前，这时距南宋之亡（1279），已经不远。

在此之后，即不见有两卷本著录。明人书目，如高儒《百川书志》，著录《河岳英灵集》，作三卷。则明代中期，流传于世者，已为三卷本。明末毛晋汲古阁刻亦为三卷本。莫友芝《郘亭知见传本书目》卷十六称其所藏南宋本，"字句与毛本小有异同"，其实二者差异甚多。较大的如宋本孟浩然《欲渡湘江》、《渡湘江问舟中人》二诗，毛晋刻本皆移作崔署诗；王昌龄《咏怀》、《观江淮名山图》，毛晋刻本与莫氏藏本，文字不同者十有八九。傅增湘《藏园群书题记》谓："宋本序后有《集论》一首，孟浩然诗有《送张子容》一首，均为汲古阁本所无。诸家评语中，如崔颢、孟浩然文颇有异，綦毋潜小序尤迥然不合。其他单词只字，更难以偻指计，盖自明代翻刻以后，沿讹袭谬，已匪一日矣。"（卷十九）

毛晋之后，其子扆又曾翻刻过一次，亦为三卷本，毛扆又从一旧抄本相校。此本后为黄丕烈所得，今藏北京图书馆善本部。书末有毛扆题字，云"壬戌五月廿一日从旧抄本校一过"。毛扆生于1640年（明崇祯十三年），壬戌当是1682年（清康熙二十一年）。从黄丕烈跋，可知毛扆所谓旧抄本，即为两卷本，这是毛晋未得见而为毛扆所得者。但毛扆并未据此旧抄本翻刻，而仅用以校汲古阁刻本，且所校又颇为疏略。

与毛扆大略同时而稍晚的何焯（义门），也曾见过两卷本，并作过认真的批校。北京图书馆善本部藏明崇祯元年毛氏汲古阁刻《唐人选唐诗》八种，其中《河岳英灵集》有傅增湘临何焯的批校。经校核，发现何焯所据以与汲本相校的，亦即两卷本的宋刻本，但未知何焯所据校的宋本，后归向何处。

《四部丛刊初编》所收《河岳英灵集》，系据近人沈曾植所藏影印。沈氏云，此虽明刻，实复宋本。经细加核对，发现凡宋本与汲、毛两本异者，沈氏藏本多同于汲、毛本而异于宋本。至于同为三卷,则更属明本系统。

关于《河岳英灵集》的版本系统,大致可概括为以下几点:(1)殷璠自编的本子原为二卷,此种二卷本一直流传到南宋。(2)宋元之际或元明之际,二卷本已极少流传,几至失传。而自明代前期开始,有三卷本出现。三卷本在流传过程中亦几经翻刻,各本之间也颇有不同。三卷本与二卷本,分卷不同,字句有不少差异,但诗人、诗篇的总数是相同的。(3)二卷本属宋本系统,三卷本属明本系统。三卷本有可能据宋时某一刻本翻刻,因此在文字上保留了某些合理部分,不能因其明本而忽略之。

此次整理,以二卷本作底本,因为这是较早的,也是较接近于殷璠自编的本子。同时用汲古阁本(简称汲本)、毛扆校本(简称毛本)、沈氏藏本(因已为涵芬楼影印,收入《四部丛刊初编》,因简称《丛刊》本)通校。何焯是曾据某一宋本相校的,可以概见清初版本流传之一例,故亦注出,以备参核。《唐诗纪事》中有引殷璠评语的,当是计有功在当时曾见到《河岳英灵集》的一种本子,他所引述的,可以作为版本看待,因亦取校。

国 秀 集

《国秀集》二卷,芮挺章编选。芮挺章事迹不详。传世之《国秀集》前有序一篇,叙述编选缘起,谓:"近秘书监陈公、国子司业苏公尝从容谓芮侯曰:'风雅之后,数千载间,词人才子,礼乐大坏,讽者溺于所誉,志者乖其所之。……自开元以来,维天宝三载,谴谪芜秽,登纳菁英,可被管弦者都为一集。'芮侯即探书禹穴,求珠赤水,取太冲之清词,无嫌近溷;得兴公之佳句,宁止掷金。道苟可得,不弃于厮养;事非适理,何贵于膏粱。"此篇序言未署姓名,而称编者为芮侯。最早以此序属楼颖者,为宋人曾彦和,现存各本《国秀集》后有"元祐戊辰"龙溪曾彦和跋,云:"《国秀集》三卷,唐人诗总二百二十篇,天宝三载国子生芮挺章撰,楼颖序之。"元祐(1086—1094)为宋哲宗年号,可能曾彦和于北宋后期所看到的本子,其序有楼颖署名,并载芮挺章为国子生。按《国秀集》前目录,于所选诗人姓名上各载其官职,未有官职者注明其身份,如处士、进士等。楼颖、芮挺章各冠以"进士"。据唐代科举习称,这是已被贡举但尚未登第的举子(已登进士第的称"前进士")。国子生即是在国子监所属如太学、国子学、四门学等就读以备应试的士子,因此也可称进士。

按《国秀集》,北宋及北宋前公私书目都未著录(包括《新唐书·艺文志》、《崇文总目》)。南宋时陈振孙《直斋书录解题》始著录(《郡斋读书志》未载),云:"《国秀集》三卷唐国子进士芮挺章撰。集李峤至祖咏九十人诗二百二十首。天宝三载国子进士楼颖为之序。"则再次肯定作序者为楼颖。

序中又说:"尚欲巡采风谣,旁求侧陋,而陈公已化为异物,堆案飒然,无与乐成,遂因绝笔。今略编次,见在者凡九十人,诗二百二十首,为之小集,成一家之言。"此处说尚欲增广辑集,但"陈公"已死,无人讨论,只能就原所纂辑,略加编次。如能考定此秘书监陈公、国子司业苏公,则能大致测定此序的写作时间。

《新唐书》卷二〇二《文艺传》下有苏源明传,称其"工文辞,有名天宝间"。曾任东平太守,后为国子司业。"安禄山陷京师,源明以病不受伪署。肃宗复两京,擢考功郎中、知制诰"。后以秘书少监卒。《新传》未载苏源明任东平太守、国子司业的年月,而这可由苏源明本人的诗文考知。《全唐诗》卷二五五载其《小洞庭洄源亭宴四郡太守诗》,诗前自序谓"天宝十二载七月辛丑,东平太守扶风苏源明,觞濮阳太守清河崔公季重……于洄源亭"。同卷又载其《秋夜小洞庭离宴诗》,自序有云:"源明从东平太守征国子司业,须昌外尉袁广载酒于洄源亭,明日遂行,及祖留宴。"由此可知苏源明于天宝十二载(753)七月前在东平太守任,七月后征调入京为国子司业。而开元末至天宝时陈姓曾任秘书监而又著名者,据史籍所载,所可知者仅陈希烈。《旧唐书》卷九七《陈希烈传》:"开元中,玄宗留意经义,自褚元亮、元行冲卒后,得希烈与凤翔人冯朝隐,常于禁中讲《老》《易》。累迁至秘书少监。"天宝时与李林甫同在相位,杨国忠执政后,希烈失势。安禄山军攻占长安,陈又受伪职,肃宗复京城,"六等定罪,希烈当斩,肃宗以上皇素遇,赐死于家"。其时为肃宗至德二载(757)十二月。

据此,则楼颖此序当作于至德二载以后。又今本《国秀集》目录所载王维官职为尚书右丞。按王维之任尚书右丞,两《唐书》本传未有明确记载,但大致在肃宗乾元、上元间(759—760)。

据上所述,我们可以推定,芮挺章编《国秀集》,当在天宝三四载,但其稿尚存于友人楼颖处,楼颖本拟续补,因循未果,约在肃宗乾元、上元间,就由楼颖为之撰序,并编写目录。可见《国秀集》虽着手编于《河岳英灵集》之前,但其定稿却在《河岳英灵集》之后。且终唐之世,是否流传,也不甚清楚,《新唐书·艺文志》未曾著录,也在一定程度上说明其流传不广。

序中称所收诗为开元以来至天宝三载,但实际所收,刘希夷为高宗武后时人,杜审言、沈佺期都卒于开元之前。卷上之董思恭亦不及开元(参《旧唐书·文苑传》上)。而与刘、杜、沈同时者,尚有四杰及陈子昂等,却未收。取舍体例,颇不明确。开元、天宝时诗人,如李颀、常建、孟浩然、张九龄等,所选也都非佳作。曾彦和说"挺章编选,非(殷)璠之比",自是公平之论。

何焯于此书颇有讥议,如李峤处批云:"李令风流婉丽之词尚多,芮氏正复还珠买椟。"宋之问处批云:"宋诗尽有佳者,又其诗格与此集最合,不知何以翻取此数篇。"杜审言处批云:"此集序云始于开元,而延清(按,即宋之问)死于先天之初,必简(按,即杜审言)死于神龙之末,皆不及明皇之代。"何氏所议不无道理,但所收八十余人中绝大多数是进入开元之世的,可为我们研究开、天诗坛的参考。特别是有二十五位诗人(杜俨、沈宇、黄麟、郭向、郭良、王乔、阎宽、徐九皋、李牧、杨重玄、程弥纶、屈同仙、豆卢复、荆冬倩、梁洽、郑绍、朱斌、苏绾、梁德裕、芮挺章、张万顷、常非月、张良璞、孙欣、王羡门),所录之诗大多为一二首,除《国秀集》外即不见记载。清人编《全唐诗》,即据此录入,其小传亦即采自《国秀集》目录。由此可见,如无《国秀集》,则以上二十五人,不独其诗未能传于后世,即其姓名亦将湮没无闻。《国秀集》在文献上的价值应当得到肯定。

曾彦和于哲宗元祐年间跋此书,谓"此集《唐书·艺文志》洎本朝《崇文总目》,皆阙而不录,殆三馆所无。浚仪刘景文顷岁得之鬻古书者,元祐戊辰孟秋从景文借本录之,因识于后"。是则后来传世的《国秀集》皆出于曾彦和抄录之本,而刘景文所购之本是刻本还是抄本,已不详。据傅增湘《藏园群书题记》卷十九,称此书"宋时有陈解元本,世未之见,今所传者,以嘉靖本为最古"。按陈解元本确已不传。上海古籍出版社印行之《唐人选唐诗》,《国秀集》乃用《四部丛刊》本,出版说明则谓"《四部丛刊》影印秀水沈氏藏明翻宋刻本",而商务印书馆之《四部丛刊初编》,于《国秀集》扉页后则注谓"借江南图书馆藏明刊本景印"。于此也可见《国秀集》今传于世者,已无宋本。

北京图书馆善本部所藏明本有:

(一)明嘉靖三十六年周日东抄本,作一卷,实包括三卷内容。一册,八行十五字,无格。有周日东、赵辑宁、丁丙跋。《藏园群书题记》所记之嘉靖本,据傅氏云:"曾见两本,皆无序跋,其年月不详,然要是正、嘉间刻本也。"则与此嘉靖间抄本有异。

(二)明刻三卷本,三册,十行十八字,白口左右双边。未详明何时所刻。

(三)明刻三卷本,二册,九行十五字,白口四周单边。傅增湘谓彼藏有明刊大字本,为九行十五字,乃万历以后本。此本似即与傅氏所藏之本同。

(四)郑振铎藏并跋之《唐人选唐诗(六种)》本,九行十五字,白口四周双边。

(五)崇祯元年毛氏汲古阁刻《唐人选唐诗(八种)》本,有傅增湘跋并录何焯批校题识。傅氏谓何焯所校未署明为何本,其订正处不多,然检所改正者,如祖咏《题苏氏别业》,不作"蓟门";褚朝阳诗"飞阁青霞里",不作"青云","黄河一带长",不作"黄云";

徐九皋诗"金微映高阙",不作"金徽";沈佺期诗"披庭月露微",不作"开窗";皆与明本不同,而于义为长,知其源更古于明刻。

以上五种,再加上《四部丛刊》影印本,则共有六种明本。此次整理,即以《四部丛刊》本为底本。此本从大体而言,确有优胜处,如李峤《饯薛大夫护边》:"登山窥代北,屈指讨辽东。"嘉靖本、汲本"代"均作"伐",又嘉靖本、汲本、万历本"讨"均作"计",于义皆不可通。宋之问《同姚给事寓直省中见赠》"兰省得人芳",嘉靖本"省"作"清"。按"兰省"与下句"柏台"相对,均喻指官署,"兰清"则不词。其他类似者尚有,不列举。

但其他明本亦有长于《四部丛刊》本者。一是补空缺。《四部丛刊》本有十余处空缺,绝大部分可据他本补齐。如宋之问《同姚给事寓直省中见赠》"寓直恩□重",万历本、汲本于空缺处作"光"字。卢僎《初出京邑有怀旧林》"时步苍龙□",万历本、汲本于空缺处作"硖"字。孙逖《张丞相燕公挽歌词》之二"传庆□千秋",汲本于空缺处作"百"字。又如杜审言《春日江津游望》"□□常不让",嘉靖本、汲本于空缺处作"谷王"。按《老子》:"谷神不死,是谓玄牝。"又庾信《道士步虚词》:"要妙思玄牝,虚无养谷神。"皆以谷神喻虚怀深藏之意。杜审言当亦借用其意,故下句云"深可戒中盈"。二是正误。《四部丛刊》本有不少显著误字,可据其他明本改正。如沈佺期《三日侍宴梨园》"昼鹢中流动","昼",万历本作"画"。按《淮南子·本经》:"龙舟鹢首",注:"鹢,大鸟也。画其像著船头,故曰鹢首。"陈张正见《泛舟横大江》诗:"波中画鹢涌,帆上锦花飞。"据此则作"昼鹢"于义不通。又如张说《苏许公璟》"青松拱旧荣"。汲本"荣"作"茔",是。卢僎《奉和李令㠒从温泉宫赐游骊山韦侍郎别业》："多惭郎署在，轻继国风余。"汲本"轻"作"輙"，是。崔颢《赠轻车》："烽火从北来，边域闲当早。"此处"闲"字显误，汲本"闲"作"闭"。又卷中"河阴令康定之"，汲本"定之"作"庭芝"。按《唐郎官石柱题名考》卷二二及《全唐诗》卷一一三即作"庭芝"。又《唐摭言》卷一"乡贡"条："光宅元年闰七月二十四日，刘廷奇重试下十六人，内康庭芝一人。"则作"庭芝"为是。但也有各本皆误的，如各本目录卷下于"进士万楚二首"下为"侍御史于季子一首，校书郎吕令问一首，校书郎敬括一首，监察御史韦承庆一首，进士祖咏二首"。正文中则吕令问、敬括、韦承庆诗皆缺，于季子诗一首《南行别弟》后即接祖咏诗。实则于季子之《南行别弟》为韦承庆诗，此当是在早期流传过程中，于季子姓名后即缺一页，此缺页中当有于季子诗一首，吕令问一首，敬括二首，及韦承庆之姓名，接下之页第一行当即为韦承庆诗，而因载韦承庆姓名之页已佚，后人不察，即将此诗属于季子。此页之残当在明前，故各本皆误。为存版本流传原貌，今仍将此诗属于季子名下，而于校记中加以辨析。

序云"见在者凡九十人，诗二百二十首"，曾彦和跋所载诗人、诗篇数亦同，但又说"贺方回传于曾氏，名欠一士，而诗增一篇"，可见宋时已有增损。《四部丛刊》目录所载诗篇数也有与他本不同者，如卷上张鼎二首，汲本校云"今缺一首"。按正文所录各本确仅为一首。又如同卷赵良器二首，汲本"二"作"一"，并校云"今多一首"，正文各本皆为二首。今按《四部丛刊》目录所载，三卷共八十八人，亦未足九十之数，再缺吕令问、敬括、韦承庆（实应缺于季子）三人，则今存《国秀集》所载诗人为八十五人，诗为二一八首。

箧 中 集

　　《箧中集》一卷，元结编。书前有元结自序，称："天下兵兴，于今六岁，人皆务武，斯为谁嗣？已长逝者，遗文散失；方阻绝者，不见尽作。箧中所有，总编次之，命曰《箧中集》，且欲传之亲故，冀其不忘于今。凡七人，诗二十四首。时乾元之三年也。"乾元三年（760），元结四十二岁，时任监察御史里行，充山南东道节度参谋，随军于泌南（今河南省泌阳县南）。时节度使为来瑱（元结事迹，请参孙望《元次山年谱》）。

　　《箧中集》所收七人，为沈千运（四首）、王季友（三首）、于逖（二首）、孟云卿（五首）、张彪（四首）、赵微明（三首）、元季川（四首）。时沈千运已卒（按《唐才子传》卷二沈千运传谓"肃宗议备礼征致会卒而罢"，未知何据。元结序又云"自沈公及二三子，皆以正直而无禄位，皆以忠信而久贫贱，皆以仁让而至丧亡"，则沈千运之卒当在此前，时当在至德、乾元间）。王季友尚在世，但未入仕（清赵揩《金石存》卷四《上元元年华岳题名》，有"处士王季友"，时为上元元年十二月，上元元年亦即乾元三年。宝应中仕为华阴县尉，见岑参《送王七录事赴虢州》、《送王录事却归华阴》诗。广德中入京为司议郎，见于邵《送王司议季友赴洪州序》。以上参见《唐才子传校笺》卷四）。于逖或已卒（于逖于天宝中曾从李颀、高适等游，李颀有《答高三十五留别便呈于十一》诗，谓"寄书寂寂于陵子，蓬蒿没身胡不仕"，此后即未见记载，或即终身不仕）。孟云卿尚在世（杜甫于乾元元年六月由左拾遗出为华州司功参军，临行有《酬孟云卿》诗；同年冬末，杜甫由华州赴洛阳，途中于湖城东遇云卿，有《湖城东遇孟云卿复归刘颢宅宿宴饮因为醉歌》。后杜甫于代宗大历二年在夔州，尚有寄薛据孟云卿诗，云"荆州过薛孟，为报欲论诗"，则大历时孟云卿尚在荆州。详参《唐才子传校笺》卷二）。张彪未知是否在世（张彪事迹可考知者甚少，今所能考知其大略者即杜甫《寄张十二山人彪三十韵》，称"静者心多妙，先生艺绝伦"，"数篇吟可老，一字买堪贫"。杜此诗作于乾元二年秋，在秦州，而观诗意，张彪此时似隐居嵩山。乾元三年未知是否在世）。赵微明亦未知其生卒（赵微明身世，仅见于窦泉《述书赋》注"赵微明，天水人"）。元季川尚在世（《唐诗纪事》卷三二谓"季川，大历、贞元间诗人也"，其他不详，参《唐才子传校笺》卷三张众甫传）。据此，则元结编《箧中集》时，确知其已卒者，仅孟云卿一人；确知其尚在世者，为王季友、孟云卿、元季川；未能考定其是否在世者，为于逖、张彪、赵微明，唯序中称时已丧亡者为"沈公及二三子"，则此三人于元结编集时或亦已没世。

元结序中又称"已长逝者，遗文散失；方阻绝者，不见尽（近）作"。按七人之诗，流存于世者，各寥寥数首，或即因遭战乱而散失。之所以能流传于后世，亦即仰赖于元结所编之《箧中集》。

《箧中集》，《新唐书》卷六〇《艺文志》四集部总集类著录为一卷。稍后王安石编《唐百家诗选》其书卷六全录沈千运七人诗，次序与篇数与今存《箧中集》尽同。《直斋书录解题》卷十五总集类也著录为一卷，并记述沈千运等七人姓名，谓收诗二十四首。

可见《箧中集》自元结编成之后，即未曾散佚。

今所见《箧中集》最早之本为影宋抄本。丁丙《善本书室藏书志》云："《箧中集》一卷，影宋抄本。…… 前有乾元三年自序。……末有临安府太庙前大街尹家书籍铺刊行一条，实影宋本耳。"此本后为随庵徐乃昌所得，刻入《徐氏丛书》，末有徐氏取赵玄度藏明刻冯己苍评点本、汲古阁本及《唐百家诗选》相校而作的校记。上海古籍出版社编印的《唐人选唐诗（十种）》，即据《徐氏丛书》本排印，书后附徐氏校记。

按《箧中集》尚有几种明刻本。北京图书馆善本部藏有：（1）冯舒、黄丕烈校并跋的明刻本，（2）缪荃孙校并跋的明刻本（缪氏即用影宋本相校），（3）郑振铎藏明刻本《唐人选唐诗》六种，（4）汲古阁刻本。此汲古阁本有何焯校，系傅增湘所临。《藏园群书题记》卷十九记《箧中集》，录何焯跋，何氏称曾于康熙辛卯从汲古阁得见一旧抄本，后有宋曾慥端伯、曾豹季貍及明初会稽唐肃、肃之子志淳四跋，脱误甚多，四跋亦无所见。傅增湘谓："义门所校为汲古阁旧抄本，有唐肃父子跋，则亦明抄本矣。义门称其脱误甚多，然今观各篇，所正定佳字亦多可取。"按此书固为明抄，但既有曾慥、曾豹跋，所校之文字亦与各本有异而足资参考者，则其所据或为南宋本。

今仍以影宋抄本为底本，而以北京图书馆所藏几种明刻本相校，冯舒校本称为冯校本，缪荃孙校本称缪校本，郑振铎藏《唐人选唐诗》六种称郑藏明刻本，汲古阁刻本称汲本，何焯据汲古阁旧抄本校称何校。《唐百家诗选》可视为北宋中期所见之本，因亦取以校核（所用为康熙四十三年宋荦、丘迥刻本）。《文苑英华》、

《唐诗纪事》也录有诸人诗,可视为宋时流行的本子,也作为参校。

经过比较,影宋抄本确有胜过明本的。如书前元结自序,文末署"时乾元之三年也",明刻诸本即皆无"元"字。其他具见校记。但明本也有优于宋本的,如序中宋本云:"方阻绝者,不见尽作。箧中所有,总编次之。"明刻本作:"方阻绝者,不见近作。尽箧中所有,总编次之。"元氏盖谓已去世者,遗文多有散失,而在世者又因战乱而阻隔,未能见其近时所作,只得尽箧中所有,汇编成集。《唐诗纪事》卷二二"沈千运"条引此序,也作"不见近作"。又如沈千运《濮中言怀》末二句,宋本为"顾此忘知己,终日求衣食",冯校本、郑藏明刻本、汲本,"忘"皆作"烦"。按诗中前已叙己五十开外仍贫守田园,儿女尚幼,生计为难,因此说烦劳于知己,希望能有助于衣食之费。《唐百家诗选》、《唐诗纪事》也都作"烦"。

《唐百家诗选》、《唐诗纪事》所录《箧中集》诸人诗,当是宋人所见之本,其中有可据以改正的。如沈千运《感怀弟妹》,影宋抄本作"东风杏花折",明刻诸本同。《唐百家诗选》、《唐诗纪事》"折"作"坼"。按坼意谓裂开、分开,《易·解》:"雷雨作而百果草木皆甲坼。"即此诗杏花因东风送暖而开放之意。校中即据以改正。

上海古籍出版社编印《唐人选唐诗(十种)》,其中的《箧中集》并未作新校,仅以徐乃昌之校记附于集后,而实则徐氏校文缺漏疏失甚多。徐氏谓曾校以《唐百家诗选》,今据此书校核,徐氏有多处漏校。即以元季川《古远行》一诗而言,"羁留当时思"句,徐校谓"明刻作羁独",实则《唐百家诗选》已作"羁独",徐氏却未提。又如同诗"人无茅舍期"之"茅"字，《唐百家诗选》作"第"；"岁月悲今时"之"悲"，《唐百家诗选》作"非"，徐氏均未校出。又如沈千运《感怀弟妹》"今日春风暖"，冯校本、郑藏明刻本、汲本、《唐百家诗选》本，"风"均作"气"。按下句为"东风杏花折"，则上句以作"气"为是，否则两句重"风"字，虽系古诗，也不当如此。此处徐氏亦未校出。与此相类的，如张彪《北游还酬孟云卿》诗题中之"还"字，冯校本、郑藏明刻本、《唐百家诗选》、《唐诗纪事》皆作"远"。按还、远虽系一字之差，却牵涉到对全篇的理解，不可忽视，徐氏未校。又如王季友《别李季友》"闭匣二千年"，缪校本、郑藏明刻本、汲本及《唐百家诗选》，"千"皆作"十"。按作"十"似较合情理，此处徐氏亦失校。类似者尚有，如孟云卿《今别离》今有校记四条，《悲哉行》今有校记三条，而徐氏于此二诗皆无校语。

　　有若干处徐氏所校竟不知其何所指，且校亦非其所当校。如沈千运《感怀弟妹》"岂知园林主，却是林园客"，徐氏于此二句下云："明本、毛本、《唐百家诗》作林园主，当从。"按从字面看，未知其所校为上句之"园林主"抑或下句之"林园客"，及覆核缪校本及《唐百家诗选》，其上句为"岂非林园主"，则所校当为"园林主"，但此句之"知"又作"非"，却未校。更可怪者如赵微明《思归》"寸心宁死别"，徐氏校云"《唐百家诗》作死别，当从"。按影宋抄本原文即作"死别"，且各本均同，未有异文，不知何故作此校记，令人费解。可见用前人校勘成果，必须覆核，才不致为其所误。

御 览 诗

　　《御览诗》一卷,令狐楚编选。令狐楚,《旧唐书》卷一七二、《新唐书》卷一六六有传。此书书前结衔为"翰林学士朝议郎守中书舍人"。考《旧唐书》本传,楚与皇甫镈、萧俛同登德宗贞元七年(791)进士第。"(宪宗)元和九年,镈初以财赋得幸,荐俛、楚俱入翰林,充学士,迁职方郎中、中书舍人,皆居内职。时用兵淮西,言事者以师久无功,宜宥贼罢兵,唯裴度与宪宗志在殄寇。十二年夏,度自宰相兼彰义军节度、淮西招抚宣慰处置使。宰相李逢吉与度不协,与楚相善。楚草度淮西招抚使制,不合度旨,度请改制内三数句语。宪宗方责度用兵,乃罢逢吉相任,亦罢楚内职,守中书舍人。元和十三年四月,出为华州刺史。"(《旧唐书》本传)据此,则此书之撰进,当在元和九年至十二年间(814—817)。

　　此书《新唐书·艺文志》未著录。陈振孙《直斋书录解题》卷十五总集类载:"《唐御览诗》一卷。唐翰林学士令狐楚纂刘方平而下迄于梁镮凡三十人、诗二百八十九首。一名《唐新诗》,又名《选进集》,又名《元和御览》。"(按晁公武《郡斋读书志》未录此书)陈氏所言,当本陆游跋语(见本书书后附录,又见《渭南文集》),中云:"右《唐御览诗》一卷,凡三十人,二百八十九首,元和学士令狐楚所集也。按卢纶墓碑云:'元和中,章武皇帝命侍丞采诗第名家,得三百一十篇,公之章句,奏御者居十之一。'今《御览》所载纶诗正三十二篇,所谓居十之一者也。据此,则《御览》为唐旧本不疑。然碑云三百十一篇,而此才二百八十九首,盖散逸多矣。"则南宋前期所见之本,为三十人,诗二百八十九首。

《御览诗》最早有南宋陈解元书籍铺本,但据傅增湘《藏园群书题记》卷十九,谓此本"今各家书目皆不载"。清初人是见过此书的。何焯曾借得魏禧、冯班校本以校毛晋汲古阁本,后又从钱楚殷借得二冯手校本。他在校跋中说:"康熙戊子,过虞山,赵安成以孙岷自录本见赠,后题云冯定远空斋校本本于赵清常,后从半临堂借临安本校一过。"(据《藏园群书题记》卷十九转录)笔者曾以此数语请教傅熹年先生,熹年先生函示谓:"其半临堂不知何人,临安本当即是陈解元书籍刊本。详读文义,据'定远云……'一句,校半临堂本者仍是冯班,先祖后题云孙江曾借半临堂临安本校过云云,恐有误解。然编集时忠于原稿,熹年不敢妄改也。"可见冯班是见到过陈解元书籍铺刊本的,此书清初尚有传本,可惜此后即湮没无闻。

现在所能见到的最早的本子是明万历时赵均抄本,此书藏北京图书馆善本部,一册,每页八行,每行十八字,无格。有黄丕烈于清嘉庆四年(1799)二月三日跋,云:"此《唐御览诗》,为寒山赵灵均所校而笺注其异同者,非复本书旧观矣。余友陶蕴辉识是灵均手迹,持以示余,余以青蚨十金易得。盖灵均所写,余固未灼见,而楮墨颇饶古趣,列诸名抄秘册中,当亦得一位置地也。"此抄本之前有赵均于万历四十七年己未(1619)的题词,并未交代出于何本,只说他从其友人林若抚得之,并就他所能得到的唐人诗集,及《才调集》、《万首唐人绝句》、《唐诗品汇》等校其异同。

在这之后,即毛晋汲古阁刻本。这是迄今所见最早、也较为通行的刻本。值得注意的是,无论赵均抄本或是汲古阁本,所收诗人数及诗篇数都相同,即三十人,二百八十六篇。覆核陆游跋及陈振孙著录,诗人人数相同,而诗则少三篇,并非二百八十九篇。这究竟是到明代又少了三篇,还是陆、陈所记即已有误,不得而知。何焯的校记中,在霍总的《关山月》上端,有眉批云:"此书所缺二十一首,疑从此脱简。"何焯所说的此书,应即汲古阁本,则他所谓的"所缺二十一首",即卢纶墓碑所记的三百一十篇,减去陆、陈所见的二百八十九篇之数。霍总在《御览诗》中编次较后,在他之后仅杨凭(十八首)、杨巨源(十四首)、梁锽(十首)。何焯此处所说有何凭据,不得其详,我们从赵均抄本及汲古阁刻本中的确看不出脱简的痕迹,何况现在所见,已非二百八十九首,而是二百八十六首,又少了三首。

何焯曾参校魏禧、冯班、徐圣阶等校本,而冯班又校过南宋陈解元书籍铺本,因此他的校语虽然不多,但很有价值。如书前目录李端《送客赴洪州》,何校"洪"作"荆"。此诗正文及《全唐诗》均作"洪"。按诗中云"水传云梦晓,山接洞庭春",又云"帆影连三峡,猿声在四邻",所写皆系荆州四周景色,与洪州无涉;李端另有《送从叔赴洪州》(《全唐诗》卷二八四),则云"鸣桡过夏口,敛笏见浔阳",显为洪州地望。《又玄集》即作《送人往荆州》,何焯可能即据《又玄集》校。又如卢殷《埘口逢友人》:"艰难别离久,中外往还深。已改当时法,空余旧日心。"(《全唐诗》卷四七〇同)何校云"法当作发"。虽未注所据,却颇有见地。

《御览诗》所收三十位诗人,都是肃、代和德宗时人,即主要是大历和贞元时代的诗人。有些人虽生活在元和,但收诗极少,如张籍只一首。诗体基本上为五七言律绝，风格以轻艳为主。何焯对此曾大加讥评，其跋语谓："此书又在《间气集》之下，大抵大历以还恶诗萃于是矣。"又云："此书所采大都意凡文弱，流淡无味，殆可当准敕恶诗耶!"类似的批评明代即有，赵均于抄本前的题词中即云："说者谓其篇中多情至之语，此诗入御，不当如是，以此病之。"对此赵均倒为之有所辨解，说："昔尼父删《诗》，不废郑卫，二南首章，《关雎》、《鹊巢》，犹且哀乐洋洋盈耳，何况吾人渐渍，能不从此入耶? 盖诗缘情起，不由此入，沁人心骨，必不精至，令狐学士盖有深思在也。"赵均誉之"有深思在"，倒未必然。关于此书的总体评价，《四库全书总目提要》尚称公允："其诗惟取近体，无一古体，即《巫山高》等之用乐府题者，亦皆律诗。盖中唐以后，世务以声病谐婉相尚，其奋起而追古调者，不过韩愈等数人，楚亦限于风气，不能自异也。"又云："故此集所录，如卢纶《送道士》诗、《驸马花烛》诗，郑锴《邯郸侠少年》诗，杨凌《阁前双槿》诗，皆颇涉俗格，亦其素习然也。然大致雍容谐雅，不失风格，上比《箧中集》则不足，下方《才调集》则有余，亦不以一二疵累弃其全书矣。"（卷一八六）

从文献角度看，《御览诗》也有其一定的价值。有些名望不大的诗人，其诗即赖此书以传，如李何诗一首，郑锴诗四首，《文苑英华》、《唐诗纪事》等皆未载，《全唐诗》卷七六九所载，即全采自《御览诗》，入世次爵里无考类。如《御览诗》不载，则李何、郑锴连姓名也未为世所知。又如刘皂载其《旅次朔方》诗："客舍并州数十霜，归心日夜忆咸阳。无端又隔桑乾水，却望并州是故乡。"此诗《文苑英华》未载，《唐诗纪事》卷三六刘皂名下未载，而载于卷四〇贾岛名下,题《渡桑乾》,文字有小异。《全唐诗》卷四七二刘皂下载,题亦作《旅次朔方》,当本《御览诗》,而卷五七四贾岛下亦载,题《渡桑乾》。一般因《长江集》、《万首唐人绝句》等皆归属贾岛,故后世大多以此诗为贾岛作。贾岛为范阳人,不当云旅次朔方,又不当云"归心日夜忆咸阳"。《御览诗》是最早以此诗归属于刘皂的,此点很值得注意。

上海古籍出版社编印的《唐人选唐诗》,其《御览诗》即用汲古阁本为底本,未有校,书后录毛晋跋语(上海古籍出版社在排印时似尚有误字,如目录纥干著《古仙词》,"词"误作"诗";页二三四杨凝《送友人入蜀》首句"剑阁迢迢梦想间","剑阁"误作"阁剑")。现仍以汲古阁本为底本,而以赵均抄本相校,并过录其校语,其有异同者,再参校《文苑英华》、《唐诗纪事》、《全唐诗》等。

中兴间气集

《中兴间气集》两卷,高仲武编。高仲武生平事迹不详,据《中兴间气集》自序,此书当编于贞元初。《中兴间气集》自序云:"起自至德元首,终于大历暮年。"又云:"唐兴一百七十载,属方隅叛涣,戎事纷纭,业文之人,述作中废。粤若肃宗、先帝,以殷忧启圣,反正中原。"这里的"先帝",应指代宗。安史之乱平定于代宗即位之后,因此以肃宗、代宗并称,而唐建国一百七十年,即至贞元初,故称代宗为先帝。据此,则高仲武当生活至德宗时。

《中兴间气集》所选者二十六人,皆为肃、代时人。按纬书《春秋演孔图》:"正气为帝,间气为臣。"《中兴间气集》得名,或即本此。

高仲武的序中又说:"古之作者,因事造端,敷弘体要,立义以全其制,因文以寄其心,著王政之兴衰,表国风之善否,岂其苟悦权右,取媚薄俗者。今之所收,殆革前弊,但使体状风雅,理致清新,观者易心,听者竦耳,则朝野通取,格律兼收。"这里所说的"前弊",当是指序中所举的在他之前的几种唐诗选本,即"《英华》失于浮游,《玉台》陷于淫靡,《珠英》但纪朝士,《丹阳》止录吴人。"高仲武虽然标榜儒家的诗教说,但其重点在于"体状风雅,理致清新",尤其是后一方面,其"观者易心,听者竦耳"也当是指诗歌的辞藻、音律。这部诗选正好是大历诗风的反映,这是它的特点,也是其价值所在。晚唐时,郑谷曾有诗云:"殷璠裁鉴《英灵》集,颇觉同才得旨深。何事后来高仲武,品题《间气》未公心。"(《续前集二首》之一,《全唐诗》卷六七五)。郑谷确认《河岳英灵集》的价值,这是对的,但他把《中兴间气集》否定太过,恐未见妥当。在唐代,选录能代表一定诗风的作品,选者又具有一定诗歌史发展眼光的,应当说要算是《中兴间气集》和它的前行者《河岳英灵集》了。

《中兴间气集》受《河岳英灵集》的影响是很显然的。《英灵》分两卷,《间气》也分两卷。前者选诗至天宝十二载,近乎天宝末,后者则从至德元载开始,也似乎有意按时间顺序接续。《英灵》所收绝大部分为五言,《间气》收诗一百四十余首,七言(包括五七言杂体)不过十一首,不到十分之一。特别是《英灵》人各有评,而《间气》也是如此,虽然内容和深度不一,但体例非常接近,先是总论大体,后则列举佳句,不过高仲武摘句较多。这也反映了大历时期追求雕琢的诗风。

上海古籍出版社之《唐人选唐诗》,其《中兴间气集》系用明嘉靖刊本(即《四部丛刊初编》本)作底本,书后附孙毓修临何焯据影宋抄本所校之校记。按此明嘉靖本,傅增湘曾指斥为"夺伪太甚"(《藏园群书题记》卷十九),而孙毓修校亦有疏漏,因孙氏并未见过影宋抄本,他所据仅是他人所临何焯校本,几经周折,难免漏略。

今所知《中兴间气集》较早的本子有:(1)北京图书馆藏清初毛氏汲古阁影宋抄本,一册,十行十八字,白口左右双边。《述古堂书目》《读书敏求记》曾记述之。光绪间,费屺怀曾刻于苏州,傅增湘谓亦即此影宋抄本。然《藏园群书题记》又谓"费本所摹有毛子晋、汪阆源两家藏印,而无遵王印,恐别一影本也。"经此次与北京图书馆所藏之毛氏影宋抄本核对,费氏刻本与毛氏影宋抄本基本相同,仅少数有异(详后),可视为同一版本。(2)明万历本,北京图书馆藏,二册,九行十五字。傅增湘亦藏有一万历本,亦九行十五字,当即此本。(3)明嘉靖本,即《四部丛刊初编》影印本,系嘉兴沈氏藏本。傅增湘以为此嘉靖本与万历本字句正合,可视为同一系统之版本。(4)汲古阁刻唐人选唐诗本。北京图书馆藏有过录何焯据影宋抄本之校语。傅增湘以为汲古阁本似从嘉靖本出,故义门以影宋抄本校之,其差别之处乃繁夥不可悉举。经此次勘核,汲古阁本异于影宋抄本者,往往与嘉靖本同。

据上所述,则今存《中兴间气集》诸本,以毛氏汲古阁影宋抄本为最完备,可作为宋本看待,时间亦最早。万历本、嘉靖本、汲古阁唐人选唐诗本皆为明刻本之系统。此次整理,即以此影宋抄本作底本,以嘉靖本、汲古阁唐人选唐诗本(简称汲本)参校,高仲武之评语又参校《唐诗纪事》。计有功当见过当时之另一刻本,其所引之高氏评语,有多出于现存各本者,有与各本有较大之差异,故亦可视为版本校。

影宋抄本之优于嘉靖本、汲本者,大致为:

(一)全。如高氏评语,嘉、汲本无而仅见于影宋抄本者,有张众甫、章八元、郑常、孟云卿、刘湾五人。又如李季兰,嘉、汲本虽有评语,但不全,缺李与刘长卿相讥谑一段。《唐诗纪事》卷七八所引高氏评语,亦无此。但《太平广记》卷二七三引《中兴间气集》则载此数语,《直斋书录解题》卷一九载《李季兰集》,亦云:"唐女冠,与刘长卿同时,相讥调之语见《中兴间气集》。"则李昉、陈振孙所见之《中兴间气集》确有李、刘相讥谑之记载。所录之诗,有仅见于影宋抄本而嘉、汲本未载者,如李嘉祐《送从弟永任饶州录事参军》,嘉、汲本无。章八元,影宋抄本作二首,嘉、汲本仅一首。皇甫曾《寄张众甫》、《寄露禅师》二诗,嘉、汲本无。郑常诗三首,嘉、汲本无(嘉、汲本根本未列郑常)。孟云卿有二诗,亦为嘉、汲本所未载。当然,亦有嘉、汲本有而为影宋抄本所无者。影宋抄本原列诗一三四首,今合嘉、汲本所载,共一四二首。

(二)影宋抄本是而嘉、汲本误者。如刘长卿《送严士元》,嘉、汲本"严"作"郎"。郎士元亦为知名诗人,但此诗《文苑英华》卷二七〇题作《送严员外》,《唐诗纪事》卷二六题作《送严士元》,《刘随州诗集》题《别严士元》,诸书皆作严,未有作郎者,中唐时确有严士元其人,见《元和姓纂》卷五,又《直斋书录解题》卷五典故类载《秦传玉玺谱》一卷,云"博陵崔逢修,协律郎严士元重修",又载《国玺传》一卷,《传国玺记》一卷,谓"《传》,无名氏所记,止唐肃宗。《记》,称严士元,与前大同小异"。则严士元确为中唐时人。其他具见校语,此不赘。

影宋抄本与嘉、汲本有异者,往往与《唐诗纪事》同。如皇甫冉评语之前半部分,影宋抄本与嘉、汲本差异甚大,而《唐诗纪事》卷二七所引高仲武云,则与影宋本同。又如皇甫冉《送李录事赴饶州》"积水长天随远客"句,《唐诗纪事》同,嘉、汲本则客作道。皇甫冉《秋日东郊作》"临歧终日自迟回"句,《唐诗纪事》同,嘉、汲本自作独。又如杜诵评语"杜君诗平调不失",嘉、汲本皆无平字,而《唐诗纪事》卷二八引高仲武云,及宋彭叔夏《文苑英华辨证》引《中兴间气集》,则皆作"平调不失"。此类者尚多。此当为计有功在南宋时所见之又一宋本,与今存之影宋抄本相近,此亦可证此影宋抄本之时代。

应当提出的是,亦有今存各本皆误,而《唐诗纪事》所载独不误,可据以改正者。如郑丹评语,今存各本皆云:"宝历中献二帝两后挽歌三十首,词旨哀楚,得臣子之致,虽不及事,朝廷嘉之。"按《唐诗纪事》卷二八引高仲武评,宝历作宝应。宝历为敬宗年号,而郑丹为大历时人,相距五六十年。丹诗今存者即《中兴间气集》所载之两诗,一挽玄宗,一挽肃宗,即所谓"献二帝两后挽诗"者。玄宗卒于宝应元年四月甲寅,肃宗卒于同年同月丁卯,肃宗卒,宦官李辅国即率兵杀张后。郑丹此诗必作于玄、肃父子去世后不久,时当在宝应,决非时隔五六十年再作此挽诗。此当为《唐诗纪事》作者计有功在南宋时所见之一本作宝应,故据以载入者。

光绪间费氏所刻本，所载诗篇与评语，皆与影宋抄本同。上述凡影宋抄本与嘉、汲本有异者，费氏刻本亦皆与影宋抄本同。即使影宋抄本显误者，费氏本亦同误而未改。如卷上苏涣评语中"崔中丞瓘遇害"，影宋抄本瓘原作灌，误，两《唐书》及《通鉴》凡记此事者皆作瓘，而费氏本亦正作灌。又如卷下郎士元评语影宋抄本有"自家刑国"句，不可解，嘉、汲本刑作形，亦不通。孙毓修校谓当作邢，因郎士元为中山人。而此处费氏本又与影宋抄本同。亦有少许不同者，如郎士元《郑碏宅送钱大夫》，嘉、汲本皆作《别郑碏》，费氏刻本与影宋抄本同，唯碏作仪。又如窦参《登潜山观》"终当远尘俗"句，"远尘俗"三字影宋抄本无，可据嘉、汲本补，而费氏本则此句五字全为空缺。颇疑费氏实亦从影宋抄本出，而重刻时却又有所异并疏漏。

极 玄 集

《极玄集》一卷，姚合编选。姚合于《极玄集》前自题云："此皆诗家射雕之手也。合于众集中更选其极玄者，庶免后来之非。凡二十一人，共百首。"此处明确说明姚合是从当时他所能见到的诗集中选取一百首诗，作者二十一人，但未指明分卷。最早提及其卷数的是韦庄《又玄集》序，说："昔姚合选《极玄集》一卷，传于当代，已尽精微。"自后《新唐书》卷六〇《艺文志》四著录："姚合《极玄集》一卷。"《崇文总目》卷五、陈振孙《直斋书录解题》卷一五总集类，以及《宋史》卷二〇九《艺文志》八也载《极玄集》一卷。

至元辛文房作《唐才子传》，卷六姚合传还称其书为一卷。可见自唐末至元代，《极玄集》传世者，即为一卷本。

傅增湘《藏园群书题记》卷一九题《极玄集》，谓"此集所刊本不分卷，然世久不传，惟述古堂有影宋抄本。"此影宋抄本何焯于康熙时曾据以校汲古阁刻本，其校跋云："康熙戊戌十月望，借蒋西谷架上述古堂宋本影抄《极玄集》勘校。"此影宋抄本藏园老人似亦未曾寓目，今藏上海图书馆，不分卷，本书即以此作底本。

上海古籍出版社编印的《唐人选唐诗》，谓《极玄集》所据系元至元刊本。此似不确。所谓元至元刊本，即元至元五年建阳蒋易刊本，分上下两卷。但蒋易刊本现在实已不传，现存只有明人的重刻本及何焯据蒋易本过录的校本。《藏园群书题记》云："易字师文，即刻《皇元风雅》三十卷者。此书刻于白鹤书院，附姜白石评点及跋语。明万历丁亥有武林邵重生刻本。汲古阁重梓时未言所据何本，然观其手跋，则姜白石点本子晋实未曾见，其所称近刻，或即武林邵氏参较者耶？此外虞山瞿氏有又玄斋抄本，为明秦酉岩手录，然录有蒋易跋，是亦出于建阳本矣。义门校此集于康熙戊辰，先得元本于虎丘僧寺，惟下卷颇有脱弃。嗣越三十年戊戌，又假得述古堂影宋本于蒋西谷家重校，始臻完善。"

据此，则《极玄集》的版本应有两个系统。藏于上海图书馆的影宋抄本，为一卷本系统。此书每页十行，每行十八字，凡朗、玄、桓等字皆缺笔，以行款审之，当仍出自南宋临安陈宅书籍铺本。此一卷本极少流传。元建阳蒋易所刻为二卷本，附有姜白石评点及评语，可能也正因此，而得到较广泛的流传。今姜白石评点本已不可得见，傅增湘说毛晋刊刻时也未曾见，不过姜氏的跋语，明刻本还是录入的："唐人诗措辞妥帖，用意精切。或讥其卑下，非也。当以唐人观之。又云：吾所不加点者，亦非后世所能到。"明代的几种刻本、抄本，都是二卷本，即从蒋易本而来，但蒋易的元刊本，除了何焯曾见过外，后来也就湮没无闻。

以影宋抄本与明本相较，差别还是很显著的。最大的不同，是明以后的通行二卷本，所收二十一人诗，各人名下均有小传。这些小传一向以为即姚合所撰。《四库全书总目提要》曾谓："总集之兼具小传，实自此始，亦足以资考证也。"过去论及中唐及大历诗人，多引以为据。但影宋抄一卷本，却无小传，今存南宋以前文献，也未有引录或提及《极玄集》之小传者。从各传内容看，也大多可从唐宋典籍中找到其出处，如李端下录大历十才子名，即据《新唐书·卢简辞传》。且小传所记也颇有与史实相出入者，如记钱起官"终尚书郎、太清宫使"，"太清宫使"似即沿宋人《诗史》（见《诗话总龟》前集卷十引）；又谓李嘉祐"大历中泉州刺史"，亦误。此均不类当时人所为，而是后人在将该书析为二卷时，采掇通行所能见到的资料，剪辑而成（按此节曾参陈尚君《唐才子传校笺补正》稿本，谨致谢意）。另外，明二卷本，上卷依次为王维、祖咏、李端、耿湋、卢纶、司空曙、钱起、郎士元、畅当，下卷依次为韩翃、皇甫曾、李嘉祐、皇甫冉、朱放、严维、刘长卿、灵一、法振、皎然、清江、戴叔伦。宋本不分卷，而以韩翃在畅当前。又，姚合自题明云三十人，诗一百首。毛晋汲古阁刻本跋谓："按武功自题云，此皆诗家射雕手也，凡廿一人，共百首，今已缺其一。"汲古阁刻本及前此的几种明本，确都为九十九首。问题出在最后的戴叔伦诗上。明本载戴叔伦诗七首，其中《赠李山人》五律一首，为影宋抄本所无,而影宋抄本有《送谢夷甫宰郧县》五律一首,又为明本所无。此书在流传过程中,诗篇诗人当有所增减(如《唐诗纪事》谓"取王维等二十六人诗",《唐才子传》谓"选王维、祖咏等一十八人诗"。又何焯所见元至元刊本,于戴叔伦《除夜宿石头驿》诗眉端批云"自此首到末,元板本皆失去",而此诗及之后的六首诗,明本都收。又刘长卿《登思禅寺上方》诗,何焯亦批云:"自此至《赋得啼猿送客》十三首,元板本皆已失去",这些,上海古籍出版社的本子则都收载,但又无说明;可见所谓据元至元刊本,实不确)。如果我们保留《送谢夷甫宰郧县》诗,又把《赠李山人》诗增补进去,则戴叔伦诗即为八首,非七首,而全书恰为百首之数。

以文字而论,宋本也有优长处。如司空曙《春日野望寄钱员外》五律,三四句"无复少年意,空余华发新","华"字明本皆作"白",但第六句又有"白社"字,不应相重。《文苑英华》卷二五四载此诗虽属耿湋,但字仍作"华",《唐诗纪事》卷三〇亦同。又如钱起《宿洞口馆》诗,明本"馆"皆作"观"。按《文苑英华》卷二九八题作《宿洞口驿》下注"集作馆",即本集作"馆"。《唐诗纪事》卷三〇、《全唐诗》卷二三九都作"馆",《全唐诗》并校云"一作驿",显然都是作为驿站、候馆之意。经校核,凡宋本与明本有异的,宋本往往同于《文苑英华》、《唐诗纪事》。

当然,宋本也有不当处。如刘长卿《送郑十二归庐山》:"忘机卖药罢,不语杖藜还。""忘机卖",影宋抄本作"无机买"。按此处当用《后汉书》卷六六《张霸传》典,谓霸子楷,字公超,通严氏春秋、古文尚书,门徒尝百人,宾客慕之,"家贫无以为业,常乘驴车至县卖药,足给衣食,辄还乡里"。如此,则作"卖"是,《文苑英华》卷二三一亦作"卖"。

凡宋本是、明本非，或宋本非、明本是，或两通的，有了影宋抄本，都可使我们更全面了解《极玄集》的情况。现在即以此影宋抄本为底本，校以北京图书馆所藏的莫棠跋、杨守敬题款的明刻本（简称莫跋明刻本），郑振铎藏明刻《唐人选唐诗》六种本（简称郑藏明刻本），明又玄斋秦西严抄《唐诗极玄》本，及傅增湘过录之何焯校汲古阁《唐人选唐诗》（八种）本（简称汲本）。影宋抄本无诗人名下小传，为便于参考，今仍据汲本等补。汲本间有题下校语，为有助于勘核，也出校录载。

《极玄集》一书所选多五律，其诗歌风格也正合于南宋时尚，因此书贾刊版时请诗学名家姜夔评点，也因而得以风行，这对于江湖诗派的创作风气是会有影响的。何焯评论，前后不一，云"此书去取大不可解，诗多寒瘠，唐风由选者而衰。"又说："此书所采不越大历以还诗格，然比之《间气集》颇多名句，若刊其凡近，风味正似贾长江也。""戊辰春日，阅《姚秘监集》，乃知其生平作诗体源全出于此，虽所诣不为高深，要不似今人入门便错杂不伦也。"

《极玄集》在晚唐即已受到重视。贯休《览姚合极玄集》云："至览如日月，今时即古时。"（《全唐诗》卷八三三）齐己也将《极玄集》与皎然《诗评》并提，其《寄南徐刘员外》即谓："昼公评众制，姚监选诸文。"（同上卷八四一）而从文献角度看，此书所录诗，多为宋计有功《唐诗纪事》所取，并注明"右姚合取为《极玄集》"云云，于今日校核唐人诗作，颇有裨益。

又 玄 集

《又玄集》三卷,韦庄编选。韦庄《又玄集序》末署为:"光化三年七月二日,前左补阙韦庄述。"此据《全唐文》卷八八九,今存《又玄集》韦庄自序则仅云"时光化三年七月日"。按韦庄于昭宗乾宁元年(894)登进士第(《直斋书录解题》卷十九韦庄《浣花集》),后仕于朝。光化三年为公元900年,次年天复元年(901)春即入蜀任王建掌书记,后即仕于蜀,为门下侍郎、同平章事。《极玄集》则为韦庄入蜀前在长安时所编。

《又玄集序》中又说:"昔姚合撰《极玄集》一卷,传于当代,已尽精微,今更采其玄者,勒成《又玄集》三卷。"则是承继姚合的《又玄集》而作。但序中又说:"自国朝大手名人,以至今之作者,或百篇之内,时记一章;或全集之中,唯征数首。但掇其清词丽句,录在西斋;莫穷其巨脉洪澜,任归东海。"又似乎是全面选录有唐一朝的名家佳作。书中所选,初唐有宋之问,盛唐有李白、杜甫、张九龄、王维等十九人,历中唐、晚唐至郑谷、罗隐,最后选诗僧如皎然、无可、清江等十人,还选有妇人能诗者如李季兰、薛涛、鱼玄机等十九人,应当说是相当全面的。其中所选,也多为诗人之代表作,如高适一首选其《燕歌行》,张九龄一首选其《望月怀远》,李贺三首选其《雁门太守行》、《剑子歌》、《杜家唐儿歌》。但也有非其佳作的,如李颀选其《渔父歌》一首,白居易选其《答梦得》、《送鹤上裴相公》等二首,实在算不上韦庄自立的"清词丽句"的标准。且诗人排列的次序也相当混乱，如卷上以杜甫、李白、王维为首，后即接司空曙、李贺等中唐诗人，之后又是早于李、杜的开元时诗人张九龄，之后又是卢纶、钱起，在这之后又是李华、岑参等盛唐名家，看不出其明确的选录标准和排列依据。

《又玄集》三卷，仅《宋史·艺文志》著录，在此之前，宋代公私书目皆未有记载。《唐诗纪事》曾有几处记及《又玄集》，如卷二九于鹄《江南曲》、卷三〇韩翃《送故人归鲁》、卷三六刘皂《长门怨》、卷四一章孝标《归海上旧居》、《长安秋夜》、卷四五朱湾《秋夜燕王郎中宅赋得露中菊》、《赋得白鹤翔翠微送陈偃下第》、《长安喜雪》、卷六〇曹邺《老圃堂》、《送人归南海》、卷六七徐振《雷塘》、《古意》等诗，都注明韦庄曾选入《又玄集》，这些诗在今本《又玄集》中，上中下三卷中都有。又吴曾《能改斋漫录》卷五记《又玄集》载杜甫、杜诵诗，卷六记《又玄集》载裴度诗，刘克庄《后村诗话》卷二谓《又玄集》载任华二篇《杂言》寄李、杜，这都与今本《又玄集》合。可见南宋时《又玄集》尚完整存世。元人辛文房《唐才子传》卷一〇韦庄传，称"庄尝选杜甫、王维等五十二人诗为《又玄集》，以续姚合之《极玄》，今并传世"。按据韦庄自序，《又玄集》选录作者一百五十人，诗三百首，《唐才子传》云"五十二人"，差距甚远。且"杜甫、王维等五十二人"，正与今本《又玄集》卷上姓名、人数相合，是辛文房所见仅为上卷一卷，还是仅以上卷为例，尚不能论定。总之，自元代以后，中国即未有《又玄集》传世，书目中亦皆未有记载。本世纪 50 年代，日本京都大学清水茂教授函告杭州大学夏承焘教授，谓日本有享和三年（1803）江户昌平坂学问所刊之官版本，今内阁文库尚有其书。嗣后，清水茂教授即应夏承焘教授之请,将此官版本影成胶片相赠,随后古典文学出版社据以影印。上海古籍出版社之《唐人选唐诗》,即据此影印本断句排印,末附夏承焘先生为此所撰之后记。

此本《又玄集》之文献价值是显而易见的。此书当于南宋时流传到日本,在中国亡佚较早,清人编《全唐诗》时未曾得见。因此,有些诗可补《全唐诗》之不足,有些长期未能解决之问题,得此可迎刃而解。如晚唐时张为《诗人主客图》中"瑰奇美丽主"下载赵嘏诗句"一千里色中秋月,十万军声半夜潮"。此为历来传诵之名句,但其后《唐诗纪事》及宋人诗话、笔记,直至清编《全唐诗》,皆仅载此二句残诗,且亦仅据《诗人主客图》,以此二句之诗题为《钱塘》。而今本《又玄集》却有其全篇,题为《忆钱塘》,虽因刊刻之误,错作李廓诗,不难改正,则千百年来之名句现在获睹全豹,实有赖于此本。

今本《又玄集》在文字校勘上也有其价值。由于此本较早传往日本,中国在元以后即未见传本,故能保留独立的、不受后世刊刻影响的原貌,有些因而能纠正长期流传的讹误。如今传各本《御览诗》载李端《送客赴洪州》,洪州在江西,而诗中却云"水传云梦晓,山接洞庭春",又云"帆影连三峡,猿声在四邻",所写皆为荆州四周景色,与洪州无涉,而《全唐诗》等皆题作洪州。何焯在校《御览诗》时曾提出"洪"应作"荆",但未提供任何根据。而今本《又玄集》载李端此诗,即题作《送客赴荆州》,解决长期存在的误字问题。

但今本《又玄集》确还留有不少错误。古典文学出版社据日本清水茂教授提供的胶卷影印,后上海古籍出版社加以断句排印，都未作校勘，书中的问题长期存在，未有纠正。

书中的问题大致是：

（一）目录与卷内所载不合。如目录中有姓名而卷内没有，卷下目录中有徐振、许棠、赵氏，卷内有诗而未列作者姓名。又如卷内有诗而目录不载，卷下"女郎崔公达"后有"女郎宋若昭"等三人，目录中无，极不统一。今将目录与卷内正文比勘，缺者均加补正，作校记说明。

（二）诗之作者张冠李戴。如卷上李端下有《秋日》诗，实为耿湋作，而书中却未列耿湋。卷下僧太易下有《宿天柱观》诗，实为僧灵一作，而书中未列灵一。又如卷中有卢中丞之《送李先辈赴职郑州因献》。按此诗之前为赵嘏《忆钱塘》诗，之后为《寄归》、《长安晚秋》诗。查《全唐诗》卷五四九即载赵嘏《送李蕴赴郑州因献卢郎中（《全唐诗》校云一作中丞）俶》。则此当系编刻时，误将诗题中之卢中丞作为诗之作者，又割裂诗题之前部分，无中生有地列"卢中丞"其人。又如卷中原列刘禹锡《鹦鹉》一诗，而实则此诗为白居易所作（《全唐诗》卷四四七），刘禹锡另有和作，题《和乐天鹦鹉》（《全唐诗》卷三六〇）。此处应作白居易诗。又如卷一署名孟郊之《岁暮归南山》，实为孟浩然诗。而已载之孟浩然三诗，其第三首《送张舍人往江东》，却又当为李白作。又卷下张乔下列四首诗，其实第三首《雷塘》、第四首《古意》应是徐振诗，《唐诗纪事》卷六七徐振下即载此二诗，并云"右二诗韦庄取为《又玄集》"，可见南宋时计有功所见之《又玄集》，此二诗是列于徐振名下的，此为后来刊刻致误。其他类似者还有，具见校记，此不列举。

（三）诗篇分合不当。如卷下"女郎蒋蕴"下《赠郑女郎古意》一首，此应为二首，即首句"昨夜巫山中"至第四句"独伴楚王语"为一诗，题为《古意》，自第五句"艳阳灼灼河洛神"以下皆为七言，题《赠郑女郎》，皆见《唐诗纪事》、《全唐诗》。又如同卷"女郎张琰"下《春词》一首，也应是二诗（《全唐诗》卷八〇一即题为《春词二首》，又见《唐诗纪事》卷七九）。

（四）重见。如卷上刘皂《长门怨》，卷下刘媛又有《长门怨》，两诗仅首句刘皂名下作"泪滴长门"，刘媛名下作"雨滴梧桐"，其他均同。

（五）缺字、误字。缺字如陈羽《宴杨驸马山亭》"酒开金□绿醅醲"，所缺可据《全唐诗》补"瓮"字。李廓《夏日途》"树□炎风路"，所缺可据《全唐诗》补"夹"字。又韦蟾《送卢潘尚书之□武》，据《唐诗纪事》卷五八、《全唐诗》卷五六六，缺字为"灵"。至于误字，则甚多，不能一一列举，仅举其显著者。如韩琮《暮春送客》"流尽年老是此声"，"老"应作"光"。李贺《杜家唐儿歌》"杜即生得真男子"，"即"应作"郎"。崔颢《古游侠》"销落金锁甲"，"销"当作"错"。刘长卿《余干旅舍》"孤城向水阔，独鸟背人飞"，"阔"应作"闭"。刘长卿《送李丞之襄州》，"李丞"应作"李中丞"。张众甫《送李司直使吴》"使臣方拥传，王事送辞家"，"送"应作"远"。刘禹锡《寄乐天》"雪里高山头自早"，"自"应作"白"。李涉《京口送客之淮南》"君去扬州见桃李，为传风雨渡江难"，"李"应作"叶"，此用王献之《桃叶词》的典故。

以上这些，绝大部分当是流传、刊刻过程中造成的错误。日本保存此书，及后来此书复返中土，对于进一步研究唐人选诗及唐诗的辑佚、校勘，都帮助甚大，但对其中的讹误，也应加以细心的校核。

韦庄自序说选作者一百五十人，诗三百首。如按今本目录未加比勘时统计，为一百四十二人，诗二百九十七首。今据考核，实得一百四十六人，诗二百九十九首。

才 调 集

《才调集》十卷，后蜀韦縠编。韦縠生平资料甚少，清吴任臣《十国春秋》记之稍详，云："少有文藻，梦中得软罗缬巾，由是才思益进。仕高祖父子，累迁监察御史，已又升□部尚书。"（卷五六《后蜀》九）《唐诗纪事》卷六一宋邕条，记宋邕《春日》诗，并谓"伪蜀韦縠取此诗为《才调集》"，则《才调集》当作于韦縠仕后蜀时。

韦縠自叙，谓"暇日因阅李、杜集，元、白诗，其间天海混茫，风流挺特，遂采摭奥妙，并诸贤达章句，不可备录，各有编次。"则似编选时曾泛阅李白、杜甫、元稹、白居易等大家及唐代诸名家的集子。明清之际，此书颇受重视。著名诗评家冯舒、冯班兄弟特加评点，极为推崇，冯班认为此书所选诗人，卷次编排，多有"微意"。王士禛以为《才调集》选诗标准"大抵以风调为宗"。《四库全书总目提要》则说："縠生五代文敝之际，故所选取法晚唐，以秾丽宏敞为宗，救粗疏浅弱之习，未为无见。"乾隆二十九年（1764）宋邦绥在此书补注的刻本《叙》中，更进一步称赞为"选择精当，大具手眼，当时称善，后代服膺"。

实则此书的编例多有问题，上述的一些称誉之词与书中的实际内容并不一致。自叙中虽然提到"李、杜集，元、白诗"，但却并未选杜甫的诗。冯班说"杜不可选也"，但为什么不可选，未有任何解释。书中一人之诗有分见于二处、三处的，如卷一有白居易十九首，卷五又有白居易八首；卷一有薛能七首，卷七又有薛能三首；卷四有项斯一首，卷七又有项斯一首；卷一、卷七各有李端一首，卷九又有一首。卷二有无名氏诗十三首，卷十又载无名氏诗三十七首。这些无论从诗体与内容来看，都无如此安排的必要。明胡震亨说此书系编者"随手成编，无伦次"（《唐音癸签》卷三一），所说颇有一定道理。

此书所选诗，在作者归属方面有好几处明显的错误，如卷一刘长卿《别宕子怨》，实为隋薛道衡之《昔昔盐》，即著名之"空梁落燕泥"诗。卷七贾曾《有所思》，即"洛阳城东桃李花，飞去飞来落谁家"诗，乃刘希夷之《代悲白头翁》，但中间缺"已见松柏摧为薪，更闻桑田变成海"二句。卷八李嘉祐名下有《赠别严士元》（"春风倚棹阖闾间城"七律），实为刘长卿作，《中兴间气集》即已收入刘长卿名下，且有评语。卷三张籍名下有《苏州江岸留别乐天》，实为白居易诗，原题为《武丘寺路宴留别诸妓》。又如卷八朱庆余《惆怅诗》，与卷七王涣《惆怅词》"梦里分明入汉宫"重，应属王涣。卷七张祜名下有《病宫人》，与卷九袁不约《病宫人》重。卷十无名氏三十七首中的《三五七言诗》，应是李白诗。同卷无名氏之"春光冉冉归何处"，应是严恽之《落花》诗。这些，都可见编选者粗疏之一斑。

此书有不少直接抄自《又玄集》。如《又玄集》卷下有刘方平

《秋夜泛舟》、《春夜》二首,《才调集》卷七也收此二首,排列次序、诗题均同。《又玄集》卷下有于濆《古宴曲》、《思归引》、《辛苦吟》,《才调集》卷九所载也仅此三首,排列次序相同。《又玄集》卷下有高蟾《下第后献高侍郎》、《金陵晚眺》,《才调集》卷八也仅收此二首,排列次序相同。其他如张夫人《拜新月》、《拾得韦氏钿子因以诗寄》二首,张文姬《溪口云》、《沙上鹭》二首,《才调集》均同于《又玄集》。不仅如此,《才调集》还因编选者之粗心而抄错的。如《又玄集》卷中载李德裕《故人寄茶》"剑外九华英"五古,《才调集》卷三收此诗,作曹邺诗。此乃因《又玄集》列李德裕于曹邺之后,《故人寄茶》之前即曹邺《送人归南海》,《才调集》抄写时漏抄李德裕之名,遂以此诗归曹。又如《才调集》卷七陶翰下有《新安江林》,《中兴间气集》即已收录于章八元名下,且有对此诗的评论,《又玄集》也载此诗,而此诗之前即陶翰之《古塞下曲》,编选者又漏略章八元名,且章之原诗题为《新安江行》,抄时又以"行"讹为"林"。此类例子不一而足,详见本书校记。

　　《才调集》是现存唐人选唐诗中选诗最多的一书,每卷一百首,全书十卷共一千首。尽管在编选中有种种缺失,但仍有其一定的文献价值。正如《四库全书总目提要》所说:"然颇有诸家遗篇,如白居易《江南赠萧十九》诗(按应为《江南喜逢萧九彻因话长安旧游戏赠五十韵》,《提要》误),贾岛《赠杜驸马》诗,皆本集所无。又沈佺期《古意》,高棅窜改成律诗;王维《渭城曲》'客舍青青杨柳春',俗本改为'柳色新';贾岛《赠剑客》诗'谁为不平事'句,俗本改为'谁有'。如斯之类,此书皆独存其旧,亦足资考证也。"《才调集》的文献价值当然还不止《四库全书总目提要》所说的,读者自可作进一步的探讨。

《才调集》最早的版本,现在可以考知的为南宋临安陈氏书棚本,此后不论刻本、抄本,或影抄本,皆莫不出此;且自宋以下,所有官私书目著录,均为十卷本,这些都是《才调集》版本源流的特点。书棚本至明代尚存,徐玄佐家即藏有一本,但嘉靖中逸去后五卷,至万历时,徐氏又获钱复正家藏旧抄本(亦抄自书棚本者),遂请人据以影抄后五卷,即与家藏之宋刻本五卷相配成书。此为徐本,成于万历十二年(1584)。又隆庆时,沈春泽(雨若)据孙研北家藏旧抄本(亦抄自书棚本)新刻一本,是为沈本。沈本万历时被人挖改新印,错讹很多,此即所谓万历本。傅增湘曾谓此万历本"为俗人窜易,缪误至不可读"(《藏园群书题记》卷一九)。崇祯时,冯舒将徐本与借得的孙抄,以及从钱谦益处借得的焦竑抄本(亦抄自书棚本),校正了沈本,并加评、点。与此同时,冯班又从钱谦益处借得徐本,中脱一页,后又以赵清常抄本(仅有后四卷)补完。另外又有朱文进本、渔父夕公跋本。最后一个本子为清康熙四十三年(1704)新安汪氏垂云堂本。这个本子以汲古阁毛氏所刊,其中有二冯批校之本为底本,以影宋本、钱校沈本参校新刻一本,是一个较好的本子。

《四部丛刊》之《才调集》,即所谓影印述古堂影宋抄本。称影宋抄本未必确切,当系汲古阁所藏之影抄本,其底本即为徐本或徐本系统的本子,即前五卷为宋刻书棚本,后五卷为影写抄本。此次整理即以此为底本。但《四部丛刊》本尚有不少脱误,此次即以垂云堂本及北京图书馆藏汲古阁本《唐人选唐诗(八种)》通校。

搜玉小集

《新唐书·艺文志》四总集类及《崇文总目》均著录《搜玉集》十卷,未载编者姓名。《通志·艺文略》亦云"《搜玉集》十卷。唐人集当时诗"。但《搜玉集》约北宋中叶以后即已亡佚,南北宋之际从未有人记述,郑樵所载只是根据前人的著录,并非亲见其书。南宋时大藏书家晁公武于其《郡斋读书志》中未载,陈振孙于《直斋书录解题》(卷十五)只著录《搜玉小集》一卷,谓"自崔湜至崔融三十七人,诗六十一首"。此一卷之《搜玉小集》即流传下来,今存各本,第一人为崔湜,最末为崔融,诗人人数及诗篇数也与《直斋书录解题》所载近似,当即为陈振孙所见之本。至于《搜玉小集》与《搜玉集》的关系如何,尚未能确知。今本《搜玉小集》所载,如裴漼(《新唐书》卷一三〇)、许景先(同上书卷一二八)、韩休(同上书卷一二六),及王諲、余(徐)延寿等均生活至开元中。《直斋书录解题》列《搜玉小集》于《国秀集》之后,《窦氏联珠集》、《河岳英灵集》之前,则其编成,当在开元后期至天宝前期。

此书所收为初唐至开元前期诗人,排列次序似先为应制诗,次为边塞歌行、古诗,又次为闺情怀人之什,又次为岁时应景,又次为行旅述怀,但具体排列上都颇为混杂,看不出编选意图和选诗标准,也可能从十卷本的《搜玉集》节取而成。《直斋书录解题》记诗六十一首,而明高儒《百川书志》著录则为三十七人,诗六十三首。此书北京图书馆善本部藏有郑振铎收藏之明刊本《唐人选唐诗六种》本及冯舒校跋之明刊本（与《箧中集》、《中兴间气集》合一册），与汲古阁刻之《唐人选唐诗八种》，在文字上仅有极少差异。郑藏之《唐人选唐诗六种》本，书前目录有记云："内崔湜、宋之问、张谔、李峤、崔融并多一首，而胡鹄、崔颢、陈子昂之诗皆缺，尚当考之。"又据毛晋汲古阁本总目录注文，毛氏所见之本，崔颢诗误入崔湜，魏征、陈子昂诗误入宋之问，则此本为三十四人，诗六十一首（诗篇数与陈振孙所记合）。毛晋重加厘定，将误入者分出，恢复原三十七人目次。但因胡皓、王翰、李澄之三人之诗已佚，故在刊行时，删去三人姓名，成今之三十四人，诗六十一首。毛晋于此书有考订之功，功不可没，故此次整理，即以汲古阁刊本（北京图书馆藏临何焯批校本）为底本，以郑振铎藏之明刊本相校，同时又校以《文苑英华》、《唐诗纪事》诸书。

但毛晋之整理本，亦尚留有不少问题。就篇目言，原为三十七人，诗六十三首，毛晋删去名存诗缺者三人，但诗尚有六十一首。正如《四库全书总目提要》所说："人缺其三而诗仅阙其二，不足分配三人，必有一人之诗溷于他人名下矣。"这确是毛晋的疏忽处。今本《搜玉小集》中有崔湜之《大漠行》，《文苑英华》卷三三三载此诗（题作《大汉行》，汉字显误），署为胡皓作，《全唐诗》卷一〇八胡皓下即有《大漠行》，卷五四崔湜下虽也列此诗，却于题下注云"一作胡皓诗"。《搜玉小集》中此《大漠行》当原署胡皓作，如此则不会有"人阙其三而诗仅缺其二"，《四库全书总目提要》之所谓必有一人之诗混杂于他人名下，即胡皓之《大漠行》误作崔湜诗。

诗篇归属有问题者，尚有徐璧之《催妆》诗。此诗《唐诗纪事》卷一三载为徐安期作，又见于《全唐诗》卷七六九之徐安期名下。《全唐诗》卷七六九属世次爵里无考类，徐安期名下仅此一首，很可能计有功即采自《搜玉小集》，而他所见之《搜玉小集》，《催妆》诗署为徐安期作，《全唐诗》编者采自此二书，而又无事迹可考，即列入世次爵里无考一类。可以注意的是，《全唐诗》于同卷中又载徐璧《失题》一诗："双燕今朝至，何时发海滨。窥檐向人语，如道故乡春。"颇具情意。徐璧也只此一首。《催妆》诗究竟属谁，徐璧与徐安期究系一人还是二人，限于材料，还未能下断语。

今本《搜玉小集》篇名之误者，如杜审言之《赠苏管记》，此诗又见于《文苑英华》卷二四九、《唐诗纪事》卷六，诗题作《赠苏味道》，《全唐诗》卷六二同。《文苑英华》与《全唐诗》并载有杜审言之《赠苏绾书记》诗："知君书记本翩翩，为许从戎赴朔边。红粉楼中应计日，燕支山下莫经年。"诗意与诗题正合。由此可知，所谓之《赠苏管记》诗，诗题应作《赠苏味道》，而"赠苏管记"四字又抄自《赠苏绾书记》，抄时脱"书"字，又讹"绾"为"管"，遂成此文义不通之诗题。又如李峤之《太平公主山亭侍宴应制》，《唐诗纪事》卷一〇载作《安乐公主山庄》。按《文苑英华》卷一七六载《侍宴安乐公主庄应制》，以此题作诗者有宗楚客、赵彦昭、卢藏用、苏颋、萧至忠、岑羲、李乂、马怀素、韦元旦、李回秀、李适、薛稷、沈佺期、刘宪，李峤此诗即其中之一，如此，则《搜玉小集》中李峤诗题之"太平公主"应为"安乐公主"。

50年代排印之中华书局上海编辑所版《唐人选唐诗（十种）》，《搜玉小集》系用汲古阁刻本，其中空缺字亦未及改正。如宋之问《温泉庄卧疾寄杨七炯》，诗末录毛晋校语，云："考'反景'句下有'幂幂□□□，青青山下木，此意方无穷，环顾

□□□'四句宜补。"其实北京图书馆善本部藏汲古阁刻《唐人选唐诗八种》本,即有所空缺之六字,分别为"涧畔草"、"怅林麓"。《全唐诗》卷五一所载,文字亦全。其他字句异同处俱见校记,不一一列举。

原载陕西人民教育出版社 1996 年版《唐人选唐诗新编》,此据安徽教育出版社 1998 年版《当代学者自选文库·傅璇琮卷》录入,另收入《中国韵文学刊》1996 年第 1 期(题为:《唐人选唐诗》考述四则),文字略有增损

傅璇琮文集

驼草集

第五册

中华书局

祝贺《中国古籍善本书目》编成

　　《中国古籍善本书目》经过数千名图书馆工作者和专家学者近20年的辛勤劳动,编纂工作于1995年初全部完成,经部、史部、子部和丛部已由上海古籍出版社出版。这是一项重大的文化建设工程,也是一项具有历史意义的文化积累。

　　古籍的保存、搜集、整理和出版,建国以来,虽然几经曲折,从整体上说,仍然有很大的发展。即使在1975年"文化大革命"的浩劫中,我们敬爱的周恩来总理,仍然发出"尽快编纂全国古籍善本书目"的指示。这一指示极大地启示了我们热爱祖国,热爱祖国优秀的传统文化。正是遵循周恩来总理的这一指示,广大图书馆工作者在各级有关部门领导下,对我国珍贵古籍进行有史以来第一次大规模的清理与编录。现在完成的这部目录,著录了中央国家图书馆、地方图书馆、文化馆、学术团体图书馆等所藏的善本书,共约六万种,涉及的藏书单位将近八百个。在工作过程中,发现了不少好书,抢救了大批古籍,不同程度地改善了古籍保存的条件,培养造就了为数众多的精通古籍版本目录的图书馆专业人才。《中国古籍善本书目》的编纂,为我国古籍整理与图书编目事业,提供了极为宝贵的经验。

我国的改革开放和现代化建设正在健康地向前发展。我们要用邓小平同志提出的建设有中国特色的社会主义理论指导我们的工作,加强物质文明建设和精神文明建设,就必须继承和发扬中华民族优良的思想文化传统,激发爱国主义热情,增强中华民族的凝聚力。而要正确认识和理解我国历史悠久、内容丰富的传统思想文化,就必须掌握传统思想文化的文字载体——古籍。我国的古籍数量繁多,有人形容为浩如烟海。世界上有几个文明古国,但历史文献有如此丰富,保存有如此完整的,只有我们中国。因此可以说,中国古籍也是全人类的宝贵财富。要使这一宝贵财富真正为社会主义现代化建设服务,就要对它们进行认真的研究,而研究的第一步,就必须从整体上掌握古籍流传与保存的情况。古籍编目的科学意义和社会作用也就在这里。

古籍编目并不单纯是一种技术性的工作。我国古代著名的目录学著作,从汉朝刘向的《七略》、班固的《汉书·艺文志》起,一直到清朝的《四库全书总目》,都是传统学术的综合研究。它们的作者大多能体现这一时代的学术成就,反映一个时代的文化发展。我们现在的这部《中国古籍善本书目》,主持编纂工作的顾廷龙先生,潘天祯先生,冀淑英先生,就是对传统文化有深湛研究的著名专家,编委会和不少从事于本书编纂工作的同志们,也多是这一学术领域有成就的学者。《中国古籍善本书目》的编纂、出版,既能使中国的珍贵古籍经过广泛调查与合理编排,供海内外学术界有效地利用,其本身又作为一项学术研究成果,对我们如何进行版本鉴定,如何在传统编目基础上对古籍分类进行科学的归纳，都有极大的学术参考价值。

　　现在，在古籍小组的直接主持下，参照《中国古籍善本书目》的经验，正在着手编纂《中国古籍总目提要》。《中国古籍总目提要》收录的范围将不限于善本，凡公元1912年（即民国元年）以前的各类书籍都尽可能加以编录，并对所收的书籍撰写提要。《古籍总目提要》的编纂，将有助于全面了解中国历史文献的确切情况，使得对传统文化的研究更有针对性，更便于制订古籍整理研究出版的总体规划。《中国古籍总目提要》的规模虽然要比《中国古籍善本书目》大，但应该说，它是继续《中国古籍善本书目》的事业再向前进行的，参加《中国古籍总目提要》编目的同志，有不少就是《中国古籍善本书目》的编委，《中国古籍总目提要》的分类和著录，也都充分吸取了《中国古籍善本书目》的长处。

　　改革开放以来，我国的古籍整理出版工作也同其他文化建设事业一样，正在蓬勃发展。许多优秀的古籍，经过科学的整理和研究，获得出版，在我们的社会生活中起着广泛良好的影响。实践证明，古籍中有取之不尽的宝藏为社会主义现代化建设服务。希望这一关系到继承祖国宝贵文化遗产、关系到我们子孙后代教育的文化事业能进一步得到社会各界的更大关注和帮助，使古籍整理出版工作得到更好的发展。

原载湖南人民出版社1997年版《濡沫集》，据以录入

中国唐代文学学会第八届年会开幕词

（1996 年,陕西西安）

经过一年来的认真准备,中国唐代文学学会第八届年会暨唐代文学西安国际学术研讨会,今天终于如期在西北大学举行了。我们这个学会的成立大会,首届全国性的唐代文学学术会议,也是由西北大学承办的,时间是 1982 年 5 月。80 年代以来,唐代文学可以说是古典文学研究中一个成就卓著的领域,取得了远过前人的巨大成绩,而这一成绩的取得是与这十余年来唐代文学界所形成的学术群体专心治学与精诚合作分不开的。这当中,我们唐代文学学会应该说起了核心的作用。

今天故址重游,不能不使人倍加怀念我们的前辈师长。如我们学会的第一届会长、山东大学教授萧涤非先生,以及备受人们尊敬的南京师范大学教授孙望先生,1982 年都曾前来参加会议,同大家一起进行学术探讨,游览文化名胜。但过后不久,两位先生就相继去世,未能再参加学会会议。十余年来,离我们而去的老一辈学者,还有傅庚生、华钟彦、马茂元、裴斐等先生。他们都对唐代文学研究作出很大的贡献,值得我们后学者永远怀念。学会上一届会长程千帆先生,因年事已高,不便前来。这一届的三位副会长,王运熙、周祖譔、罗宗强先生,也都因事未能前来。这次未能与会的尚有武汉大学的胡国瑞先生,南开大学的王达津先生,西北大学的安旗先生,上海古籍出版社的朱金城先生,西南师大的谭优学先生。我们谨向程千帆先生等致以亲切的问候,祝他们健康长寿,在学术上继续起模范和指导作用。

这次还有台湾、香港、澳门地区的学者前来参加会议,我们向他们表示热烈的欢迎。罗联添先生、邝健行先生,已是多次参加我们的会议,可以说是我们学术上的知交。这次还有几位年轻的学者第一次到西安来,我相信西安蕴涵的丰富传统文化,一定会使我们华夏子孙增强共识和情谊。韩国、日本也有好几位老朋友前来,共叙旧情。希望我们的唐代文学年会真正成为中外文化交流的窗口。

我们这次会议,共有三项内容,一是学术讨论,二是学会领导机构的换届选举,三是到法门寺、乾陵、长安南郊等地进行学术考察。会期一共五天,应当说是相当紧凑的。

在学术讨论方面,我们这次想作一些改革,就是在一般的学术报告和议论外,集中半天时间,在全体大会上进行学术信息的交流。大家知道,这些年来唐代文学研究,发展是很快的,开拓了不少新领域。除了作家作品研究在过去已有成就上再作深一层探索外,有些学者对某一时期文学作新的整体的研讨,如初唐时期五、七言诗的发展,开元与天宝诗风的比较,大历时期长安、洛阳地区与江南吴兴诗人群体,牛李党争与中晚唐文学,五代时期的诗风演变,等等。80 年代以来由于唐代墓志的发掘,新的石刻资料对作家生平研究提供了非常珍贵的线索。在作家作品考证上,也能开拓视野,摸索新路,有重大的发现与进展(如关于"二十四诗品"的考证与讨论)。另外,我们除了整体的唐代文学学会以外,还以作家为单元,分别成立了王维、李白、杜甫、韩愈、柳宗元、李商隐等学会,对唐代重要作家进行深入、具体的学术讨论。正因为学术活动从多方面展开,就更需要进行学术交流。大会将介绍中国李白研究会及学会各分会近些年来的活动,介绍《唐代文学研究》及《唐代文学研究年鉴》的编纂情况,介绍香港、台湾等地区的研究情况,介绍《全唐五代诗》的编纂进程,以及这次会议的承办者——西北大学中文系这些年来在唐代文学研究方面取得的成果。以后我们将在两年一次的年会上更多地开展信息交流,并据此进行讨论,这也是加强学科建设的一个步骤。我们还有一个建议,就是以后在召开年会时,希望与会代表能够把个人近些年来出版的著作带到会上来,搞个展览,这也是进行学术交流的一个很好的方式。

唐代文学学会的领导机构,即理事、常务理事、副会长、会长,每四年改选一次。这次就要进行换届选举。在1992年厦门会议上,我们作了一个决定,即凡年满70周岁者,就不再进入理事行列。这是程千帆先生提出来的,目的在于使理事会的年龄逐步年轻化,使学会办得更有朝气。今年王运熙、周祖譔两位先生都提出他们已届70,希望不再选为副会长,我们将尊重王、周两位先生的意见,并使学会的组织活动更为规范化。我个人希望我们学会的领导机构,逐步年轻化,使这些年来在科研上取得较好成果的中青年学者参加到理事会中来,使理事会真正成为"理事"的机构。

　　与往常一样，这次我们还要进行考察活动。这也是我们学会的一个值得肯定的好的传统。如第二届年会在兰州举行，会后组织大家到敦煌去，经过河西走廊，增加对丝绸之路与西域文明的感性认识。第三届年会在洛阳举行，我们到龙门石窟参观，考察白居易墓，游览嵩山、少林寺。第四届年会在太原举行，一部分人到五台山，一部分人参观了大同石窟。第五届年会在南京举行，会议组织大家到扬州去。第六届年会在厦门举行，代表们去了泉州，观赏开元寺等古迹。第七届年会在浙江新昌举行，大家饱览了剡中山水，增加了开拓浙东唐诗之路的信心。我们这样做不是一般的游山玩水，而是将文献资料与自然景观、人文景观结合起来，增加对唐诗艺术的历史认识与审美体验。

　　最后，我想提出的是，我们学会应特别感谢广西师大出版社。《唐代文学研究年鉴》与《唐代文学研究》在遇到出版困难的时候，广西师大出版社能不计经济亏损，毅然承担这两种学术性书刊的出版，这不只是对古典文学研究界的支持，更表现出了出版社同志对弘扬优秀传统文化的远见卓识。我们学会一定要把《唐代文学研究年鉴》、《唐代文学研究》办好，把它们办成文化精品，以不辜负广西师大出版社对我们的支持与期望。

　　　　原载广西师范大学出版社 1998 年版《唐代文学研究年鉴》
　　　　1997 年号，此据大象出版社 2004 年版《唐宋文史论丛及其
　　　　他》录入

李德裕及《会昌一品集》研索

一

中晚唐的历史和文学,是在较前期更为复杂的社会斗争中发展的。研究这一时期的文史,或许会比研究初唐和盛唐更能引人入胜,但另一方面,其研究的难度则更大,这不但因为社会和文学情况较初盛唐更为繁杂,而且有关史料记载的舛伪更易使人迷惑。而这种种,差不多都与牛李党争有关。

过去的历史书,往往把藩镇、宦官、朋党作为唐朝中后期政治腐败、社会动乱的三大表现。而所谓朋党,具体所指即是牛李党争。不少人把牛李党争完全看成为封建官僚争权夺利之争,无所谓是非曲直,有些初读历史的人认为朋党之争头绪杂乱,索性不去理它。有些研究唐代文学的人,一碰到有些作家夹杂在那时的党争中,也感到头痛,觉得不知怎么评价为好。

我们认为,牛李党争并不是什么偶然事件,它是当时历史条件的产物。它也不是单纯的个人权力之争,而是两种不同政治集团、不同政见的原则分歧。清人李塨《阅史郄视》卷二即说过:"夫唐相自李绛、裴度而后,可人意者惟李文饶一人而已,乃以党邪制之,惜哉。"关于这一点,傅璇琮与周建国都已有一些论著行世。傅璇琮著有《李德裕年谱》①,又有《李商隐研究中的一些问题》②,《牛李党争与唐代文学研究》③;周建国有《关于唐代牛李党争的几个问题》④,《试论李商隐与牛李党争》⑤,《郑亚事迹考》⑥,《关于李德裕晚年史料的一点考订辨误》⑦等。限于篇幅,在这里不可能对此展开来加以论述。概括地说,我们认为:

李德裕在一些重大政治问题上的主张和行动,在历史上是有进步意义的,他是一个要求改革、要求有所作为的政治家。北宋时"庆历革新"的名臣范仲淹就从这点着眼,对李德裕作了充分的肯定,说他"独立不惧,经制四方,有真相之功,虽奸党营陷,而义不朽矣"(《范文正公集》卷六《述梦诗序》)。稍后的李之仪《书牛李事》中云:"武宗立,专任德裕,而为一时名相,唐祚几至中兴,力去朋党"(《姑溪居士集》卷十七)。叶梦得在《避暑录话》中更明确地说:"李德裕是唐中世第一等人物,其才远过裴晋公,错综万

---

① 山东齐鲁书社,1984。
② 《文学评论》,1982(3)
③ 《文史知识》,1983(2)
④ 《复旦学报》,1983(6)。
⑤ 《文学评论丛刊》,第 22 辑,北京,中国社会科学出版社,1984。
⑥ 《文史》第 31 辑,北京,中华书局。
⑦ 《文献》,1994(3)。

务,应变开阖,可与姚崇并立。"(卷二)南宋的洪迈,也说"李德裕功烈光明,佐武宗中兴,威名独重"(《容斋五笔》卷一《人臣震主》)。真德秀《读书记》六十一卷,记历代名臣贤相,至唐则止于李德裕(参《四库全书总目提要》子部儒家类二)。真德秀这样的处理是有一定道理的。如果我们把李德裕的政见放在历史的联系上来看,可以说,会昌政治是永贞革新的继续。削夺藩镇和宦官之权,革除朝政的种种弊端,对当时社会上的一些腐败现象进行整顿,这是德宗末期以来要求改革之士的共同愿望。顺宗时永贞革新是一个高潮,宪宗元和前期是又一个高潮,第三个高潮就是武宗会昌时期。会昌以后,唐朝就再也没有出现这样的高潮,唐王朝就在腐败中走向灭亡。这就是清人毛凤枝在《关中金石文字存逸考》卷九《剑南西川节度使李德裕题名》中所说的:

> 赞皇既负不世之才,又遇有为之主,使能竟其用,则河北藩镇可以次第削平,中兴之功当以武宗为最。不幸武宗享国未久,宣宗嗣立,以奉册之微嫌,蹈骖乘之故辙,牛李之党乘间挤之,卒致贬死,岂不惜哉!余少读《通鉴》,每见赞皇之料事明决,号令整齐,其才不在诸葛下,而宣宗即位,自坏长城,赞皇功业不就,唐祚因此日微。

应当说毛凤枝的话是有见地的,他看到唐朝在李德裕功业未就后即一蹶不振。但他尚着眼于具体的人事纷争,而未看到那时的总的历史趋势,唐中期以后,腐朽势力越来越强大,革新力量无不以失败而告终。会昌、大中之际是这两大势力最后的一次大搏斗,结果以李德裕的贬死而宣告革新力量的失败。

二

中晚唐文学上的几位大家,除了韩愈、柳宗元因去世较早以外,其他如白居易、元稹、李绅、李商隐、杜牧,都牵涉到党争。过去的一些研究者,也往往把他们列为牛党或李党。另外又如李翱、皇甫湜、孙樵等,也都在作品中涉及这一斗争。对牛李党争性质的正确评价,有助于对当时一些作家政治态度和作品思想内容的研究。

牛李党争中,核心人物是李德裕。中晚唐文学的复杂情况,需要从牛李党争的角度加以说明,而要研究牛李党争,最直接的办法则是研究李德裕。

北宋的王安石曾指出有一种"阴挟翰墨","以厌其忿好之心"的人,利用执笔为史的机会,对前世"雄奇隽烈"之士曲尽谤讪之能事,以致"往者不能讼当否,生者不得论曲直"(《王文公文集》卷八《答韶州张殿丞书》)。李德裕的情况就是如此。他生前处于激烈的党派斗争中,在他贬死以后,有些人又多"阴挟翰墨",假造出许多情节,甚至伪撰李德裕的诗文,对他进行攻击、诬蔑。我们认为,对李德裕的研究,除了论析其政治主张与实践,考证有关史料的真伪外,基本的一点,则应认真整理、校订其文集,使其作品尽可能详实地供世人研讨。

李德裕曾有两次自编其诗文集。第一次是武宗会昌五年

（845），李德裕尚在相位。《会昌一品集》卷十八有《进新旧文十卷状》，未注年月。首云"四月二十三日，奉宣令状臣进来者"，则在四月下旬。又云："臣往在弱龄，即好辞赋，性情所得，衰老不忘。属吏职岁深，文业多废，意之所感，时乃成章。岂谓击壤庸音，谬人帝尧之听；巴渝末曲，猥蒙汉祖之知。谨录新旧文十卷进上。"按本年清明，德裕曾撰《侍宴诗》录进（《一品集》卷十八，又卷二十《寒食日三殿侍宴奉进诗一首》；系年见傅著《李德裕年谱》）。此当是武宗得《侍宴诗》后，又令德裕编录所作进奏。虽云"新旧文"，但既谓"击壤庸音"、"巴渝末曲"，当也有诗作。除会昌时所作外，尚有会昌前的作品。但这十卷本并未传下来，宋时所传的别集十卷，则为后人所编，其间是否有一定关系，待考。

　　第二次是在宣宗大中元年（847）。其时，德裕已罢相，宣宗恶之，起用牛党白敏中辈主政，故李氏文集的编写与朝局之翻覆大有关系，今传李德裕文集或名《李文饶文集》或名《会昌一品集》，或名《李卫公会昌一品集》，皆为正集二十卷，别集十卷，外集四卷本。文集别集卷六有李氏大中元年九月致其亲密同僚桂管观察使郑亚书信一封。这封《与桂州郑中丞书》即德裕请郑亚为其文集作序之书。书中自述编集目的，文集内容，云：

　　　　某当先圣御极，再参枢务，两度册文，及《宣懿太后祔庙制》、《圣容赞》、《幽州纪圣功碑》、《讨回纥制》，五度黠戛斯书，两度用兵诏制，及先圣改名制、告昊天上帝文并奏议等，勒成十五卷。贞观初有颜、岑二中书，代宗朝常相，元和初某先太师忠懿公，一代盛事，皆所润色。小子词业浅近，获继家声，武宗一朝，册命典诰，军机羽檄，皆受命撰述，偶副圣情。
伏恐制序之时，要知此意，伏惟详悉。谨状。

李氏自编其会昌执政时的一代政治文献，用心颇为深远。郑
亚为李党中坚，《全唐文》中仅存其文两篇，然其早岁即有文名，数
岁之中，连中进士、制科、书判拔萃。《旧唐书·郑畋传》谓亚"聪
悟绝伦，文章秀发。李德裕在翰林，亚以文干谒，深知之"。及德
裕晚年以文集相托，亦可谓是文章知己了。郑亚收到德裕从洛阳
寄来的文集十五卷及书信后，先命幕僚李商隐代拟序文。李商隐
《太尉卫公会昌一品集序》称："故合诏诰奏议碑赞等，凡一帙一十
五卷，辄署曰《会昌一品集》云。纪年，追圣德也；书位，旌官业也；
不言制禁，崇论道也。"此中所述德裕文集内容卷数与德裕书信中
所述相一致。今通行本《李文饶文集》则均以郑亚自作的序文置
之卷首。郑序据李序改写，将原稿骈文改为散文，序旨突出歌颂
会昌之政，可谓深得德裕来书中"伏恐制序之时，要知此意"的弦
外之音。李德裕、郑亚都曾有志于修史，都编修过相当数量的史
书。他们编会昌一代文献，既是对大中君相务反会昌之政的反
抗，也有存一代史实之意。集的留传使后人得以从中了解李德裕
及其同僚在会昌年间的功业，就这一点论，他们是颇有史识的。
清代徐树谷笺注李商隐文集，以为郑亚序文"典严正大，较原作更
得体"。从郑序看，郑序不只序其集，而且对李集又加编排。其
云："故合武宗一朝，册命典诰、奏议碑赞、军机羽檄，凡两帙二十
卷，辄署曰《会昌一品制集》。纪年，追圣德也；书位，旌官业也。
岁在丁卯（847），亚自左掖，出为桂林。九月，公书至自洛，以典诰

制命示于幽鄙,且使为序,以集成书。"其中旨意,明乎牛李党争及晚唐史实者当不难辨识。郑序《会昌一品制集》的内容与李德裕来书及李商隐序所述相一致,但李书及李序称文集为十五卷,而郑序已改为二十卷。其间异同已无可细考。唯嗣后史籍及公私书目所载李德裕会昌文集均作二十卷,今所传影宋本以下亦皆作二十卷。尤可注意者,《旧唐书·李德裕传》已称"有文集二十卷",可见在唐五代即以文集二十卷行于世了。《新唐书·艺文志》别集类载:"李德裕《会昌一品集》二十卷,又《姑臧集》五卷,《穷愁志》三卷,《杂赋》二卷。"正可谓李氏会昌文集二十卷乃源流有自,郑亚之编,实为嚆矢。

至今通行的李德裕文集均作正集二十卷,别集十卷,外集(即《穷愁志》)四卷,共为三十四卷。这三十四卷本在宋代就已流行,郑亚所编《会昌一品制集》亦即正集二十卷。

李德裕文集别集的著录较迟。南宋晁公武《郡斋读书志》,陈振孙《直斋书录解题》始著录李氏别集。《直斋》记载为十卷,《晁志》记载为八卷,但另载平泉诗一卷,古赋一卷,合起来恰是十卷。现存十卷别集所收诗文,最早是德裕于元和年间在河东幕府时所作,最晚是大中三年冬卒前不久所作,宪、穆、敬、文、武、宣等各朝都有,大致是:卷一、卷二为赋,卷三、卷四为诗,卷五为奏状,卷六为书信与神道碑,卷七为记及祭文,卷八为箴铭赞等杂体文,卷九、卷十为有关平泉的记、赋及诗。这十卷所收,既有伪作,也有漏略,限于篇幅,此处不能细加考辨。别集为何人所编,则无记载,编定的时间应在北宋。范仲淹《述梦诗序》云:"景祐戊寅岁(1038),某自鄱阳移领丹徒郡,暇日游甘露寺谒唐相李卫公真堂,其制隘陋,乃迁于南楼,刻公本传于其侧,又得集贤学士钱绮翁书云,我从父汉东公尝求卫公之文于四方,得集外诗赋杂著共成一编,目云《一品拾遗》"(《范文正公文集》卷六)。此《一品拾遗》未著卷数,亦未见藏书家著录。今读《直斋》卷十六别集类,谓《会昌一品集》二十卷,别集十卷,外集四卷,与现存各本之分集,卷数悉同;又谓"别集诗赋杂著",则与范仲淹所记载钱绮翁曾寓目之《一品拾遗》为"集外诗赋杂著"相一致。私意以为钱绮翁从父汉东公所编《一品拾遗》对后来《直斋》、《晁志》所记李氏别集亦似有一定关系,而《一品拾遗》对北宋人编李氏别集亦似有一定影响。

李氏别集的著录比别集为早,《新唐书》卷六十《艺文志》四载李德裕《穷愁志》三卷。而《晁志》亦谓《穷愁志》三卷。陈氏《直斋书录解题》则称外集四卷,比《新书志》、《晁志》所述多出一卷。此后影宋本以下多作外集四卷,其中应有伪作混入。如外集卷四之《冥数有报论》,为《旧唐书·李德裕传》所收。此后,《文苑英华》卷七四〇,以及影宋本《李文饶文集》外集均收录此文。但此文与外集卷四中的《周秦行纪论》皆为伪作。《周秦行纪论》一篇,岑仲勉《隋唐史》和傅璇琮《李德裕年谱》都已作过辨证,此不赘述,至于《冥数有报论》一篇,竟以德裕口吻自述:"余乙丑岁,自荆楚保厘东周,路出方城",其时有隐者某氏预卜德裕"此官人居守后二年,南行万里"。"乙丑"为会昌五年(845),李德裕此时权势极盛,而该隐者竟然能够精确预知其二年后将被贬逐到万里南荒之地,此显然是作伪者根据后来的事实加以编派所致。且李德裕出镇江陵荆楚之地,在会昌六年四月,非会昌五年,事详宋敏求《唐大诏令集》卷五三所录崔嘏撰写之《李德裕荆南节度平章事制》。此外，外集中还有一些疑似之间的篇什，对此则应采取疑则存之的态度，本着多闻阙疑的原则，不宜遽下论断，以审慎为佳。

三

现存李德裕文集尚有一些珍贵版本存世，集合诸本之长，重新整理出版一本完备的李德裕文集，已是推动当今李德裕研究，乃至中晚唐文史研究深入发展的一项迫切任务。清代藏书家陆心源在《仪顾堂题跋》卷一〇中论及明刊《李文饶文集》颇有讹夺，尝借月湖丁氏影宋抄本校明嘉靖本，其中校补甚多。陆心源另外又收藏过一种晚明叶石君手跋本。《皕宋楼藏书志》卷七〇："叶氏手跋曰：'戊子年夏，假得太原张孟恭所藏苏州文衡山宋本校，洞庭叶石君记。'"笔者有幸读到叶跋本的胶卷，知在陆氏所记之语前，叶跋尚有"崇祯庚辰冬十月名山藏，收藏次年冬十月重装"十九字。盖因"戊子年"已是清顺治五年，而上书"崇祯庚辰"，下只书"戊子"干支，陆氏讳之，而略去上十九字。此两种藏本前有郑亚序，后有绍兴己卯（1159）袁州刊板序，陆氏均断为嘉靖刊本。《仪顾堂题跋》述其推断理由是："余先有明万历刊本，后从上海郁氏得嘉靖刊本。嘉靖本前有郑亚序，后有绍兴己卯袁州刊板序，万历本则缺，此外无大异同。"陆氏所藏此两种校本原藏皕宋楼，后为日本岩崎氏静嘉文库所得，此为今存李德裕文集三十四卷本中最早的本子。笔者曾将两种校本略加比较，相同之处较多。唯叶石君手跋本校补简略，其价值远逊于陆氏用月湖丁氏影宋抄本所校者。遍视现存李氏文集，当以陆氏用影宋抄本所校之本为最早且完善的本子。陆氏曰："甚矣，影宋本之可贵也。"傅增湘校本《李文饶文集》卷末的题记，曰："嗟乎！天水遗刊渺不复觏，皕宋连箧，复归海东。倘天假之缘，月河传本复出，庶几一扫榛芜哉！"今得此本，用为李集整理之底本，既可使我国珍贵文献在海外的遗存重新引入，亦可慰前贤之所愿，意义甚大。

现传本李集以《四部丛刊》集部《李文饶文集》最为通行。此本乃上海涵芬楼借印常熟瞿氏铁琴铜剑楼明刊本而成，前有郑亚序，后有南宋绍兴己卯袁州刊本后序。书名下方大题作"会昌一品制集"，共二十卷。又《别集》十卷，《外集》四卷，卷数、版式与皕宋楼所藏两种嘉靖本相一致。因之，整理李集，陆氏皕宋楼用影宋本所校之本为最佳的底本，而《四部丛刊》本却是很好的工作本，凡陆氏校补均可借此而过录，既可使明本讹夺由此得以校正，而宋本之原貌亦可由此得以保存。

此外，《四库全书》本《会昌一品集》二十卷，《李卫公别集》十卷，《李卫公外集》四卷，其卷数、编排与明刊本相一致，大体是沿明本之旧。四库馆臣编此集时，可以参校的材料尚多，内府所藏旧抄《唐文》、《全唐诗》均可参校，故其中不少校改与陆氏借影宋本所校多有相合处。然四库馆臣校不甚严，至有因违碍而窜改原文者。如文集卷十三之《请遣使访问太和公主状》原文"降主虏庭"，改为"降主北庭"；卷十四之《公卿集议谨具……如后状》原文"诸虏"改为"诸藩"，"杂虏"改为"杂藩"均是显例。明文原作脱文及墨钉处，《四库》本的校补既有与陆校相合者，亦有臆补处。因《四库》本亦为通行之本，援之参校，辨其是非，亦颇有必要。

现在通行的另有畿辅丛书李集,国学基本丛书本李集,均据光绪丁亥深泽王用臣本。王用臣本实际上已对李集作了一番校勘,遗憾的是编者未写出详细校勘记,致使今之学者采用此本时不能明其校改之所据。实际上,此本与明刊本有异,其每于字句下摭录异文,以"一作某"标识之。考其引据所由,不外乎《旧唐书》、《全唐诗》、明刊书、《四库》本、《全唐文》等等。其未写出详细校勘记固是一大缺失,其中也有一些错校臆改处。岑仲勉《李德裕〈会昌伐叛集〉编证上·编证略例》自言以《畿辅丛书》为底本,但同时指出:"畿本之短,在过于主观,往往改易旧本,失原来面目,如以赞皇自注合后人校注,混称曰原注,其一例也。"①岑氏之论甚精辟,有见地。今之文史学者多有援引畿本者,故务须谨慎。

此外,李德裕文集中如今存世的唯一原刻宋本,现由北京文物出版社作为《常熟翁氏世藏古籍善本丛书》出版,实为当今唐代文史研究中的一件大事。此本曾为清代藏书家黄丕烈所得,后归翁同龢珍藏,现由退隐于美国纽汉普什尔州莱姆的翁万戈先生慨允影印出版,虽为残本,弥足珍贵。此《会昌一品制集》存卷一到卷十,为正集之半。版式半页十三行,行二十三字,白口,左右双边,蝴蝶装。

这是一个校刊价值很高的残宋本,与皕宋楼所藏用宋本校补之明刻半页十行,行二十字者显然分属不同版本。此书前有北京图书馆版本专家冀淑英先生撰写的《影印〈会昌一品制集〉说

①《岑仲勉史学论文集》,350页,中华书局,1990。

明》。冀先生说："今此宋刻重显于世，取校明刻，与陆校多合，此外可正者尚多。"不过，冀文所举残宋本与陆校不同诸条，其中有些仍是相同的。因冀先生未能读到皕宋楼本，而仅据《仪顾堂题跋》所记加以对比。须指出的是陆校原本不误，而陆氏在《仪顾堂题跋》中叙录有误，如卷二《异域归忠传序》，明本讹作"其比四夷悉谓诚臣"，陆氏题跋作"具比四夷是谓诚有"，而实际上陆校与残宋本同作"具此四夷是谓诚臣"。又，卷七《赐王宰诏意》"用兵之难"一篇，明本脱。陆氏题跋云此文三百九十二字，残宋本此篇三百十六字。而实际上陆氏抄补恰为三百十六字。诸如此类，正可说明皕宋楼本与残宋本相合之多，二者俱极可贵。

二者也确有不同处。如卷七之编次，残宋本第四篇《赐王宰诏意》"卿顷莅泽州"，皕宋楼本及别本均置此篇于卷末。又，残宋本第十、十一篇同题《赐王宰诏意》，前篇（"用兵之难"），后篇（"将帅大略"），时序切当。据考，前篇作于会昌四年二月二十五日后数日之内，即二月底，后篇作于三月上旬。而明本以下皆缺前篇，陆氏校补则两篇前后颠倒，不如残宋本之妥当。又，残宋本第十六、十七篇为《李回宣慰三道敕》、《置孟州敕旨》。据考，前篇作于会昌三年七月，后篇作于同年九月戊申（二十二日）。而陆氏所引影宋本、明本等均前后倒置，愈见得残宋本之可贵。又，残宋本卷十《论朝廷事体状》有云："故曰亏令者死，益令者死，不行令者死，留令者死，不从令者死，五者死而无赦。"影宋本以下此段文字均脱"益令者死，不行令者死，留令者死"十三字，今得残宋本始得读其全篇。此本内有黄丕烈嘉庆四年题识云："此残宋刻《会昌一品制集》十卷，卷中有旧抄配入，为甫里严豹人家物，而余购之重付装池者也。先是余得抄本《会昌一品制集》二十卷，为沈与文所藏，已明中叶本矣。又得旧抄《李文饶集》，则不止《会昌一品制集》，与明刻本合，而亦无甚佳处。惟此宋刻较二本为胜，残本实至宝也。"今将此本通读一过，深知黄氏之言非虚言也。

四

经过历代学人长期研究整理，当代研究者在总结前人成果的基础上应以正误补缺为己任，理应为读者提供一本更完备的李氏文集。从现有的资料看，即使是较完备的陌宋楼本仍有许多不足，不仅残宋本可援以校补，经过清人认真整理的《全唐诗》李诗、《全唐文》李文也可援以校补，并且历代总集、史籍、诗文评等著作中可补宋本缺漏者甚多。此外，李德裕文集正集中有关会昌伐叛的篇什，岑仲勉先生《会昌伐叛编证集》收文87篇，均作了校注考证。岑先生对文章所涉及的史实背景、人名、地名等专门知识十分精通，故李集各种版本中互有异同而不能解决的一些问题，常可依据《会昌伐叛编证集》的校注考证得以决疑。诸如此类的研究成果，都是如今整理工作中可资借鉴的重要材料。

我们正在着手编纂一部新的《李德裕文集》，这一新编的《李德裕文集》由四个部分组成。

第一部分按宋本旧次对三十四卷本《李文饶文集》详加笺校。笺的部分以每篇写作年月及历史背景为主，考证有关的人物、事件、地理等，广泛汲取历代研究成果，以见信实。不作字句之注，以免枝蔓。校的部分，以存宋本旧貌为主，同时尽量摭录异文，多闻阙疑，以资比较。

第二部分是辑佚。李德裕文集之外，陆心源《唐文拾遗》《唐文续拾》已辑补佚文数首。而《唐大诏令集》《唐会要》，以及近数十年出土的碑志中尚有李德裕佚文若干篇，整理中都可辑补。至于李诗，《全唐诗》曾有所辑佚。《四部丛刊》本李集后附录《李卫公集补》据《全唐诗》录补诗数首、句若干。然真伪混杂，须加厘正。

此外，李德裕于文宗、武宗朝两度执政。《资治通鉴》、两《唐书》，以及唐宋人著作里记录了他的大量朝堂奏对、政治主张。其中有些奏对原系李氏《文武两朝献替记》《会昌伐叛记》等的佚文或残文，是研究李德裕和晚唐历史的宝贵资料。现在整理李集应将这些有关李德裕的朝堂奏对、政治主张细加辑录，作为第三部分。

第四部分可将李德裕文集所收诗文按编年排成一个目录，并将有关附录、辑佚的信实可靠资料一并补入。这样一个更为完备的李集编年目录，于知人论世必大有裨益。

这样一部《李德裕文集》，不仅将古代文献在海外的遗存重新引入国内出版，而且由于广泛参校善本，正误补缺，可为中晚唐文史研究及李德裕研究的深入，提供信实可靠的史料。

五

或许在今人看来，李德裕只是一位重要的政治人物，却算不上什么重要的文学家。但在历代文人学者的心目中，其不仅是重要的政治人物，而且也是文学名家。李氏文集正集中的政治性应用文，别集中的诗赋杂著，外集中的评事注世之作，都曾受到历代文学家的高度评价。

李德裕会昌执政时所撰诏敕、册命、奏议等甚多。其数量之大，为唐人文集所仅见。"其筹边之策，经世之文，俱略备于此矣"（清陈鸿墀《全唐文纪事·体例》）。史载，每有诏敕，武宗多命德裕草之，德裕请委翰林学士，武宗则谓"学士不能尽人意，须卿自为之"（《资治通鉴》卷二四七）。文章能达意尽意，又能直攫人心，是政治性应用文有没有感染力的重要条件，也是很难达到的高标准。德裕凭着丰富的政治经验和卓越才艺，对接受文章的各类人物了如指掌，所言每能切中利害，动人心魄。《通鉴》会昌三年四月载朝廷拟讨伐泽潞事，云"上命德裕草诏赐成德节度使王元逵、魏博节度使何弘敬，其略曰：'泽潞一镇与卿事体不同，勿为子孙之谋，欲存辅车之势。但能显立功效，自然福及后昆。'丁丑，上临朝，称其语要切，曰：'当如此直告之是也！'"此中草诏语现见于文集卷六之《赐何重顺诏》，诏敕对河北藩镇晓以利害，提出严正忠告，显示了讨伐叛镇的决心，充分表现了会昌君相的个性与才略。史称："元逵，弘敬得诏，悚息听命。"会昌时期，河北藩镇能悚息听命，实为晚唐政治史的一大奇迹。诏敕是朝廷政策的体现。文如其人，《一品集》中外攘夷狄、内伐叛乱的诏敕非常之多。它们正是德裕坚强个性与雄才大略的反映。李氏政治性应用文中还有一些表现出深厚抒情风俗的文章，如其代武宗所作的《赐太和公主敕书》，写景抒情，委曲婉转，实可比美丘迟《与陈伯之书》。文云："姑远嫁绝域二十余年,跋履险难,备罹屯苦。朕每念于此,良用悯然。……今朔风既至,霰雪已零,绝国萧条,固难久处,旃墙罽幕,何以御冬,肉饭酪浆,且非适口。"仅就此中悬拟虚构的场景描写论,其又岂在"暮春三月,江南草长,杂花生树,群莺乱飞"之下哉!明王世贞尝曰:"得文饶《一品集》读之,无论其文辞剀凿瑰丽而已,即揣摩悬断,曲中利害,虽晁、陆不及也。"(《弇州山人稿·读会昌一品集》)历代文评家常将汉唐政论文名家晁错、陆贽来同德裕相比,王世贞以为李文之委曲动人更在晁、陆之上,堪称知言。郑序追溯唐代训诰之业,列举颜师古、岑文本、李峤、崔融、张说、苏颋、常衮、杨炎诸人文章之美,于德裕文章功业更是推崇备至。清孙梅《四六丛话》卷六"制敕诏册"承袭郑序之说,回溯自颜、岑以来凤池翰苑文章之美,"尤推陆贽、李德裕"。

　　一代有一代之文学,一代亦有一代之文学批评标准。以今人的眼光看,德裕前期数历方镇及两次罢相后所作诗赋杂文在集中最具有文学性,历代对李氏诗赋杂文的赞评甚多,《李德裕年谱》大中三年条下别列《有关李德裕文学的评论》专条,其中已引皮日休《松陵集》、孙光宪《北梦琐言》、周密《齐东野语》、王士禛《香祖笔记》、罗振玉《石交录》等评赞李氏诗文的资料,此不赘述。清末梁启超曾主编《中国六大政治家》,将李德裕与管仲、商鞅、诸葛亮、王安石、张居正相提并论。其中李岳瑞著《李卫公》一书曾专章注李德裕文学,谓:"其诗古体出入陶、谢,律体颉颃文房、子厚,清新泽雅,固晚唐一大家也。"又谓:"若其文学,亦卓然唐一大家也。生平论文,以明白详实,曲情事理为之,而不屑于声调藻绘之末。……其注文大旨,具见于所为《文章论》中。"参稽皮日休、周密、王士禛、罗振玉诸家之论,此论实非无根之谈。因之,今人在对晚唐杰出的政治家李德裕进行研究时,无疑也应对其文学成就给予足够的重视,如此方能得其全人。

与周建国合撰,原载广西师范大学出版社 1996 年版《唐代文学研究》第七辑——中国唐代文学学会第八届年会暨国际学术讨论会论文集,据以录入;李德裕文集整理情况,可参看专著《李德裕文集校笺》

文化精品与学术窗口

——评《唐代文学研究》

　　《唐代文学研究》是广西师范大学出版社近些年来出版的品位较高的出版物,现在虽然还只出到六辑,却已受到海内外学人的极大关注。

　　建国以来,在中国学术界,专门的断代文学研究书刊能连续编纂出版的,这还是唯一的一种。它是中国唐代文学学会的会刊。唐代文学学会成立于1982年,在开始几年,曾以《唐代文学论丛》的名义,辑集有关唐代文学研究的论文,包括一部分普及性的诗文鉴赏文章,由陕西人民出版社出版。从1988年起,改名《唐代文学研究》,从内容上作了较大的调整,主要是加强学术性,着重发表理论研究和资料考证性的文章,改由广西师大出版社出版。

　　出版这样专业性极强的学术著作,对于出版社来说,是要承受经济压力的,因为印数少,要赔钱。广西师大出版社能不计经济亏损,毅然承担这一学术性书刊的出版,这不只是对古典文学研究界的支持,更表现了出版社同志对弘扬优秀传统文化的远见卓识。

最近,党的十四届六中全会通过的《关于加强社会主义精神文明建设若干重要问题的决议》,提出要加强社会主义精神文明建设。关于出版,《决议》明确指出:"要及时反映国内外新的优秀文化成果,重视出版传统文化精品和有价值的学术著作。"我觉得,广西师大出版社出版《唐代文学研究》,是符合《决议》这一基本要求的。

最近有两位在古典文学研究中作出显著成绩的中青年学者,分别著文谈及 80 年代以来的唐代文学研究。上海复旦大学中文系副主任陈尚君教授在《问学纪程》一文中说,国内唐代文学近20 年取得远迈前人的巨大成绩,而这一成绩的取得又与 80 年代以来唐代文学界所形成的学术群体专心治学与精诚合作分不开。中国社会科学院文学研究所副研究员蒋寅博士,在今年第三期《书品》上发表《文献整理与唐代文学的学科建设》一文,文章一开头就说:"80 年代以来,唐代文学可以说是古典文学研究中一个成就卓著的领域。"

我觉得,这两位学者的看法是实事求是的。正因为这些年来唐代文学界取得了丰硕的成果,就更可见出这已出的 6 辑《唐代文学研究》的分量。《唐代文学研究》及时提供研究中的高质量之作,因此人们要想了解这些年来唐代文学研究的新进展,就绝不能避开这六辑共收 300 余万字的精心之作。

为《唐代文学研究》撰稿的,除了大陆和港、台地区的作者以外,还有欧洲、美洲、亚洲等国的著名学者。他们来自德国、荷兰、美国、加拿大、日本、韩国、新加坡、马来西亚、澳大利亚等国。因此可以说，随着唐代文学日益走向世界，这六辑《唐代文学研究》已可充分反映海内外学人的最新治学成果。他们从不同视角、不同文化心态，来观察、探索唐代文学这一丰厚宝藏，这就为促进中外文化交流、让世界更好地了解中国，提供了良好的环境和机缘。据悉，日本、韩国、美国及东南亚的唐代文学研究者，颇注目于它，他们有的每期必购，有时不能及时买到，则辗转托人，期于必得。国外及港、澳地区的一些图书馆，向唐代文学学会秘书处所在地西北大学文学院函购或提出交换的，则更为频繁。《唐代文学研究》已成为我们近些年来古典文学界向外开放的一个新窗口了。

今年9月新出的第六辑《唐代文学研究》，还有一个特色，颇值得一提。这一辑将近70万字，其中相当一部分是论浙东山水与唐代诗人的。这是因为中国唐代文学学会第七届年会于1994年11月在浙江新昌举行。新昌的自然风光与人文景观吸引了不少海内外学人，而为年会所提供的论文中，就有不少论及浙东唐诗之路，如《试论"唐诗之路"的历史渊源》、《唐代诗人与剡中风光》、《浙东唐诗之路与日本平安朝汉诗》、《论唐代浙东的僧诗》、《李白三至越中考索》、《论方干的浙江山水诗》，等等。光看这些题目，就非常吸引人了。文献研究结合实地考察，把一个地区的文学、书画、民俗、宗教、园林建筑、社会经济作综合的探索，这是当前学术研究的一个新开拓，《唐代文学研究》在这方面也提供了值得借鉴的样本。

最后，我还要补充的是，广西师大出版社不只出版《唐代文学研究》，还出版一种《唐代文学研究年鉴》。《年鉴》是唐代文学学会于1982年成立时提出编纂的，1983年以来每年编印一册，每册

30 万字左右。这十余年来从未间断过，为唐代文学也为整个古典文学研究积累了有益的资料。《年鉴》80 年代是在西安出版的，后来由于经济原因，出版有了困难，在这紧要时刻，广西师大出版社闻讯后又立即伸出友谊之手。在这里，我作为一个唐代文学研究者，也作为出版界同行，深为广西师大出版社这些年来为文化建设事业所作的努力与贡献，感到钦佩，并引以为荣。

原载 1996 年 10 月 30 日《中国文化报》，此据北京联合出版公司 2013 年版《濡沫集》录入，另收入湖南人民出版社 1997 年版《濡沫集》

《书品》：与著者读者沟通的桥梁

时间过得真快，记得 1990 年底，1991 年初，中华书局编印的《书品》创刊 5 周年时，曾组织过一次笔谈，这些笔谈文章，读来很有味道，印象很深，好像还是昨天一般，不想一晃 5 年又过去了。唐朝诗人李商隐咏金陵在南朝的变迁，曾有一诗句，说"三百年间同晓梦"（《咏史》），很值得人玩味。300 年尚且如此，则 5 年更算不上什么了。但近来翻阅这 5 年来《书品》的文章，使人吃惊的是，中华书局竟还是出了那么多值得人评说的书，可见，尽管人事倥偬，文化还是能在时间上站得住脚的。

5 周年笔谈，我很欣赏中山大学历史系教授蔡鸿生先生的文章，他的题目是：《读〈书品〉，学品书，一乐也》。这真是一语破的，道出不少人读《书品》后的共同感受。这一乐，乐在哪里呢？据我的体会，一是《书品》所品的中华版的书，或《书品》的评介文章，大多意趣高雅，不落俗套。中华书局所出的书，很多专业性较强，大多数人会觉得面太窄，达不到畅销的商业标准。但就我所接触的文史界朋友，倒觉得这些书是真正有用的。出版社应有文化学术意识。在目前市场经济的情况下，出版社当然不能忘记经营，而且要着意把经营搞好。但出版物并非是纯粹的商品，也不能简单地说把出版社推向市场。特别是我们搞的是社会主义市场经济，那么文化与学术应当是出版社的灵魂。

中华书局是具有 80 多年历史的一家出版社，在本世纪，经历过不同的历史阶段。但无论是哪一个阶段，中华书局总是与文化界、学术界有着广泛而深切的联系与交往。不同年龄段的著者与读者，一说起中华书局，总会产生一种带有时代情味的意绪。这是因为，中华书局这一老的出版社，在其 80 多年的风雨历程中，并不忘记文化意识与学术意识。也正是这一点，得到文史学界不少友人的好感与好评。

譬如《书品》1990 年第 1 期北大吴小如先生在《读〈游国恩学术论文集〉》一文中，对中华"不惜冒亏本风险而终于印成此书"，认为"其尊重学术、尊重前辈学者的远见卓识，实在令人感佩"。杭州大学吴熊和先生在《书品》1991 年第 3 期，写《〈词话丛编〉读后》，也认为中华能再版唐圭璋先生的修订本《词话丛编》，这实在是"对不久前去世的唐圭璋先生的最好纪念"。对老一辈学者是如此，对中年学者，正如中国社科院近代史所蔡美彪先生在评介中华所出陈高华《元史研究论稿》时所说的，"80 年来，特别是近 40 年来，中华书局为出版供学术研究之用的古籍和当代学人的学术著作，做了大量的工作，为我国学术事业的发展，做出了独特的贡献"。蔡先生评许为这是有"大家风度"（《书品》1992 年第 2 期）。上海古籍出版社一位老编审、著名唐代文史研究者朱金城，看到中华出版清人劳格的《唐尚书省郎官石柱题名考》，竟感慨万分,认为此书的出版"使我多年来的愿望成为现实",说"中华书局编辑部的卓识与远见,尤其令人敬佩"(《书品》1992 年第 3 期)。无怪乎罗继祖先生难免带有很大情绪地说,"出版界不景气不知从哪一年开始的,一时全国黄色淫秽书刊在逐利书商贪婪的操纵下满坑满谷,流毒无穷",而赞许"中华书局在这样的风气里,不顾一切,照样埋头出他们所担负的所整理好的古籍"(《书品》1991 年第 3 期)。我在这里不是王婆卖瓜,自卖自夸,情况确实如此。最近文学编辑室的同志告诉我,90 余高龄的北京师范大学教授钟敬文先生,特地托人带话,说他还没有在中华出过书,颇感遗憾,他的一本论民俗文化的 10 余万字论文集,宁愿不要稿费,还自己买 1000 多册书,也要拿到中华来出书。日前陕西师大史念海先生写信给我,其中说:"犹忆数年前,尊驾莅临西安,曾嘱撰写有关历史地理学史一书",并说"亦曾将尊嘱转告白寿彝先生,寿彝先生亦亟赞成,并告以早日应命"。史先生一再说此书写成后愿在中华出版。这些前辈学者殷切期望之情,既是对中华学风的肯定,也是对中华工作的关切与鞭策。

以上是蔡鸿生先生所说的"乐也"之一。其二,则是《书品》的文章所说的多是实话,无论是赞许或批评,都不作虚语,更无时下流行的广告语言,动不动就"天下第一"、"全球最佳"。尤其值得人读的,是一些批评文章。在自己办的刊物上,登批评自己出的书的文章,有时一期还不止一篇,有时还连续登,我想这在现在似还无第二家。奇怪的是,尽管有批评,这些书还是照样有人买,有人读。因为批评者的意见是中肯的实事求是的,他们虽是批评,但认为书还是好书,缺点或错误,有个整体估量的问题,这在有识者是心里明白的。至于有时候报纸上登一条有轰动效应的文章，把某一本书的错误作不适当的夸大，这也不要紧。出版社应当有一种气量，应经得起批评，经受得住无端指责，甚至攻击和谩骂。古人云，学术乃天下之公器。一个学者，一个出版社，他（它）有多少分量，是有公论的，要有杜甫所说的"不废江河万古流"的器识与度量。我想，这也是《书品》之能得人好感的一个很重要的原因。

最后还要说一点的是，《书品》上有不少篇文章是中华编辑部的人写的。我做过30多年编辑，深知编辑工作的甘苦。"文革"前中华书局总编辑金灿然同志说过一句名言，说编辑好像理发师，一部书稿来了，好像进来一个要理发的人，头发蓬松，胡子满脸，经过编辑仔细审读加工，书稿干干净净印了出来，好像这位客人头发整齐，满脸红光，出了店门。因此，一位责编是最仔细的第一个读者，他是最有发言权的评论者。我看了《书品》上几位编辑同志的文章，深为文风的于平实中创新而欣慰。

我曾说过，回顾本世纪的出版史，凡是能在历史上占有地位的出版社，不管当时是赚钱或赔钱，它们总有两大特点，一是出好书，一是出人才。我们一提起过去的商务，总会自然想起张元济、沈雁冰、郑振铎、傅东华；一说起开明，就会想起夏丏尊、叶圣陶、徐调孚、周振甫。五六十年代的人民文学出版社，古典部有冯雪峰、周绍良、顾学颉、王利器、舒芜；而中华书局当时则有张政烺、陈乃乾、宋云彬、杨伯峻、傅振伦、马非百、王仲闻。出版社要具备文化学术意识，就得在编辑部中有专门家、学者，他们可以不受某种潮流的冲激，甘心于为文化学术事业而操劳一生。因此不妨提倡,编辑应当把学者化作为自己进取的目标。读者当可从《书品》中看到中华书局的编辑,是怎样把自己定位的。

我想,这就是《书品》创刊十周年时人们得出的一个共同感受——《书品》,与著者、读者起沟通作用的桥梁,希望它永远坚固。

原载湖南人民出版社 1997 年版《濡沫集》,此据北京联合出版公司 2013 年版《濡沫集》录入

启　示

——读顾颉刚一封论《尚书》今译的信

前些日子我在中华书局的文书档案中看到顾颉刚先生一封亲笔长信，读后很受启发。我曾翻阅过顾潮同志为其父所作的年谱（《顾颉刚年谱》，中国社会科学出版社，1993），书中未曾提及此信。因此我想把信的主要内容介绍给今天的读者，或许对目前的某些学风会有一定针砭的作用。

此信是写给当时的中华书局总编辑金灿然的，时间是1959年6月25日。顺便提一下，反右以后，1958、1959年，政治运动还是连续不断，这也波及到当时年已届六十六七岁的顾老先生。从《年谱》可以看出，这两年顾先生无论公私两方面都极忙。1958年他已受命点校《史记》，2月份又有几天出席国务院古籍整理出版规划小组成立会议（当时齐燕铭为组长）。从2月起，一直到年底，就连续参加政治运动，如2月到8月，"参加民进整风，作交心资料及检讨书十万言"。按十万言，可以说是一本专著了，不知尚存否，这倒是一份有价值的当代文化史材料。据《年谱》，3至4月，又"参加历史所整风，写大字报及检讨书"。11月至12月，又出席民进中央会议,写发言稿《从抗拒改造到接受改造》。而 12 月,历史所又展开对资产阶级史学的批判,顾又被作为重点。不过好在于 1959 年初,他应历史所、中华书局之约,整理《尚书》,稍能回到书斋中来。但运动还是不断,3 月,当选为全国政协第三届委员,在 4 月召开的政协会议上,他作了《我在两年中的思想转变》发言,据说在这次发言中,他谈了这些年来"以运动太多,不能从事业务,此知识分子同有之苦闷,而予暴露之",得到周恩来总理的注意。但过了半年,11 月,又不得不"参加历史所反右倾主义运动"。

我之所以罗列上述材料,是想说明,当时知识分子想搞一点学问,就环境来说,是何等的不易,这在今天年轻的读者恐怕是难以想象的。这对了解我所要介绍的这封信可能也会有所帮助。

上面说过,顾颉刚先生就历史所、中华书局之约,正式开始整理《尚书》,这当也是上级领导之命,光是历史所、中华书局是决定不了的。但不管怎举,顾先生对此是欣然接受的。所以他的信在开头时就说:"翻译《尚书》为现代语,这是五四运动后我所发的大愿,40 年来没有一天忘掉,只是为了生活的动荡始终没有正式进行。解放初,我在上海诚明文学院担任'尚书研究'课,为了教学的需要我又翻了几篇;那时书籍分散,仅就手头所有凑集成文,不自满意,故未发表。许多朋友们知道我这件事,都劝我把这事做完,因为如不译为今语,一般人对这部书就不能读;可是学校功课一停,我又忙于别事,不能做了。现在这件事已定为我在科学院的工作,我欣幸这个愿望会逐渐接近实现。"在那时的政治环境中,我们可以想象到,顾颉刚接受这一"任务",是何等欣喜,这倒不是藉此可以逃避政治,而是表现了一个知识分子对自己民族文化高尚的责任感和理性的使命感。

正因为如此,他慎重提出:"但这是一件非常细致和复杂的工作。"这封信的主要内容,即是基于这样的认识而提出的。

首先,他认为,要译成今语,必须先认定《尚书》本身的文字。这本是古籍整理中极易理解的常识性问题,但目下的一些今译者,对此却往往漠然视之,他们可以随手拿来一个本子,不管正误如何,就可立即翻译。顾颉刚先生则是一本正经地说:"我们必须先决定了是不是这个字然后可以决定该不该这样解。"他说,《尚书》中有错简,有缺文,有衍文,有误文,又有注文混入本文的。在汉朝,又有今文和古文的问题。随后他举例说:"例如《盘庚》里的'心腹肾肠',似乎很讲得通,但这是后出的古文本,在较早的今文本里是作'优贤扬'的,意义太不同了,究竟应当用哪个本子,应当怎样去解释它呢?"

我想,信中提出的这个问题,其意义已超出于《尚书》整理的本身,而是涉及学术的严肃性与规范性的问题。正如顾先生接着提出的:"我们如不仔细校勘一番,岂不是放弃了前代学者的优良传统,岂不是会被世界各国的汉学家所嗤笑?"因此他认为:这一基础工夫是省不得的。

在确定了文字以后,接着就是正确理解和解释的问题。信中的第二点就详细阐述了这一点:"《尚书》是我国最早的历史文献,离开现在已有 2000 年到 3000 多年的时间,'语法'或'成语'早已变了样子,所以其中诘屈聱牙的殷盘、周诰在西汉时已读不懂,这只稍看司马迁的《史记》,对于这些文字只能作一些空泛的叙述,或竟避而不书,书而多误,不能用汉代的语言文字译出,就可明白。"顾颉刚先生行文有一个特点,他往往能把深奥的学术问题用浅近明晰的语言表达出来,他的《古史辨》文章是如此,后来连续在《文史》刊物上发表的《尚书》译解是如此,这里的几句话也是如此,确实表现了一位学术大师的本色与风度。

对《尚书》文字的理解,自汉儒起,就各有各的说法,有些是言之有据的,有些则以意为之,今天就需细心辨析。要辨析,就要看书。关于这一点,信中提出一个具体的方案:"这项工作为有这样大的困难,所以最好先有一个充分的读书时间,把大量的书读了,再来作翻译。但我知道,我的工作时间不可能太长,所以只得'重点'地读书。依据现在的计划,该重点读的书约有 50 余种。"在此信后即附有这 50 余种书目,从孔安国、孔颖达起,历宋元明清,直到近现代学者王国维的《观堂集林》,郭沫若的《金文丛考》、《青铜时代》,于省吾的《尚书新证》等。我想,光是把这些书浏览一遍,就已很了不起了,这要花多少时间。在商品大潮中,从某些人看来,这样做岂非傻瓜。应当说,开出这 50 余种书单,是表现了一个真正做学问者的气度和责任感的。

信的第三点,着重提出,《尚书》的翻译,不能仅凭一己主观的理解。信中说:"从前我翻译《盘庚》、《金縢》的时候只候 32 岁,年轻胆大,凭着一股勇气,几天之内就译出来了。现在呢?年纪大了已不止一倍,读书越多,胆子越小。而且这是中国科学院的工作,自有其当代的学术水平,也有其国际的汉学水平,不容许我轻率从事,否则就对不起党和人民政府以及一般读者对我的期望。所以我计划,每译成一篇,即由你局油印分发给各专家评定,这是

《尚书今译》的群众路线，非走不可。"信后附了一个名单，有历史学家（郭沫若、范文澜、尹达、侯外庐等），有文字学家（唐兰、容庚、于省吾等），有版本目录学家（赵万里、陈乃乾、顾廷龙等），有地理学家（谭其骧、史念海等），有语言学家（王力、魏建功、高名凯等），有自然科技史家（钱宝琮等），共四十余人。《尚书》今译走群众路线，这确也是新鲜事。

信的第四点，说自己年龄已是 67 岁，健康又不太佳，因此提出请中华书局提供一至两名助手，帮他搜集材料。这也是情理中事。

信的最后说："总之，整理《尚书》不是一件可以急见功效的事：必须集中了版本校勘之后方始可以写出一个定本；必须把各时代的解释细细研究之后方始可以有所取舍，确定经文的意义；经文有了确定的意义之后方始可以着手标点和翻译。又《尚书》是哪种社会的上层建筑，它成书之后又在封建社会里起过怎么样的作用，我们该把这些情况列举出来，为中国历史增加些资料；《尚书》是怎样编定的，各篇的文字和它们的出现有些什么问题，它的事件先后和写作先后又有些什么样的矛盾，我们也该细细地批判，为古籍校订学增加些资料。"这一段话不啻是研治《尚书》的入门之学，确实为顾先生数十年间的治学经验之谈。

我已把信抄录了很多，但我还想抄录一段，这段话就不止是治学了，而更见出一位真正对学问、对事业负责的读书人的人品："我自知，自己功力不够，工作上存在许多缺点，好在有几十位专家在，只要我诚心诚意去请教，未必不能讨论出一点道理来。我相信，在全国人民的要求下，将来各种重要古籍都得译为今语，我这个工作虽然做得慢一点,对于你局的整理古籍工作也许可以奠定一部分的基础;而我个人到了晚年,能在科学院的领导和你局的协助之下作出一点贡献,更是莫大的光荣了。"

我想,这就是一位文化工作者的良知。文化学术上的成就,不必靠广告效应,不必求吹捧评奖,它自能在历史上显示出其价值和力量。

原载 1996 年 11 月 27 日《中华读书报》,此据北京联合出版

公司 2013 年版《濡沫集》录入,另收入湖南人民出版社 1997

年版《濡沫集》、北方文艺出版社 2008 年版《书林漫笔》

细活与精品

——从两本冷僻书谈起

日前见到中华书局所出的两本新书，一本名《帛书老子校注》，高明撰；一本名《出三藏记集》，苏晋仁点校。这两本都属于中华书局80年代以来所编的两套系列丛书，前者为《新编诸子集成》第一辑，后者为《中国佛教典籍选刊》。

按照现在时髦的炒热书标准来看，这两本可以说是名符其实的冷僻书。光是看书名，一般人恐怕也未必能全懂。但很奇怪，这两种书印数倒不算少，《帛书老子校注》印5000册，《出三藏记集》印4000册，比起前些年一些专门性的学术著作和古籍整理书，印数已是相当可观的了。

我一向认为，如果想真正读点书，如果想真正搞点学问，最好不要去追求什么热，这种热，看似热气腾腾，一会儿就灰飞烟灭。时下新编的大书多得是，什么"大全"、"集成"，什么"汇编"、"集览"，什么"世纪性丛书"、"全球性系列"，你仔细去翻查一下，不少就是东抄西捡得来的。正如顾炎武所说，当今人纂辑所谓新书，正像有些人铸钱那样，不是从原始铜矿中采来，而是贩买来旧钱,稍作改铸,既已粗恶,又将古人传世之宝割裂挫碎,不存于后,实在可惜。我看,顾炎武的话,对于我们现在出版界存在的散、滥现象来说,是很值得人们深思的。

刚才提到的两本冷僻书,就不是如此。为使读者能有一个大致的了解,请允许我在这里稍作一些解释。

《老子》是中国最古老的哲学典籍之一,但传世的《老子》一书,各种校注本虽然众多,但都属魏晋以后。1973 年在湖南长沙马王堆第三号汉墓出土了帛书《老子》甲、乙本,提供了西汉初期的两种抄本,这是我们目前所见最古老的两种《老子》本子了。这两种本子,在当时只不过是一般的学习读本,其中有不少衍文脱字、误字误句,而且出土时又因自然损坏,文字又有残缺。但是它毕竟是时代早,较多地保存了《老子》的原貌。通过校勘,可以证明,后世所传的《老子》各本,文字多有讹误,被后人改动之处甚多,往往因一字之讹,意义全非。据校注者介绍,如今本“无为而无不为”一句,世传各本不止出现一次,已成老子学说中的名言。但在帛书《老子》甲、乙本中,根本无此一句,而只有“无为而无以为”。“无为而无不为”应当说并不出于《老子》,而是汉初黄老学派的产物。于此一例,即可见出帛书《老子》的价值与意义。

现在这一校注本,是以三国曹魏时王弼注本为主校本,另取敦煌本、道观碑本、历代刊本计 33 种为参校本。除校勘外,再作异文辨证、经义解释。我曾计算一下该书所用的参考书目,从唐陆德明《老子道德经音义》起,到今人王重民《老子考》、楼宇烈《王弼集校释》,共有 160 种之多。这一简单的数字,就可想见校注者所下功夫的繁重与艰辛了。

《出三藏记集》是南北朝齐梁时僧佑的一部著作。这是一部奇书。其书共 15 卷，记述了汉以来移译的佛典，译人姓名，翻译过程，译场规模，传播源流与内容大意，更有好几卷译人传记。要了解佛经早期的翻译史，这是一本必读书，后世有名的几部书，如费长房的《历代三宝记》、智升的《开元释教录》等，都无不取资于此，以踵事增华。但很奇怪，清朝修《四库全书》，却未单收此书。

　　现在这一校点本，收集和参阅各种佛经藏本及后世的有关著作，加以细心的校勘标点，非常方便于今人阅读。读者只要读一下序言中摘出的传世好几种本子的断句错误，就可见出点校者的学识了。书后附经名、人名、地名、寺名、年号索引，就有 121 页之多，可见其认真细心之程度。点校者苏晋仁先生，现年已 80 多岁，一生从事于僧传的研究。我曾读过他发表于《世界宗教研究》1985 年第 1 期上的《佛教传记综述》一文，此文对传世与已佚的僧传，作了全面的考查，颇见工力。有了这样的学养，再加十许年的实实在在的操作，就不难想见此书所蕴含的宝藏了。

　　记得 1958、1959 年间，出版界对于"慢工出细活"，是狠加批判的。当时是着眼于多、快，认为细活有什么了不起，慢工更在批评之列。时下虽然没有对这句话有所议论，但实际上仍对此是看不上的。所幸的是，我们毕竟还有这样的细活，这样的细活确实是出于慢工。由这样的慢工制造出来的细活是真正堪称精品的。

　　我又想，这两本书，如果拿到图书评奖会上去，多半是评不上的，因为一是内容实在过专，过专未免冷僻，使人无心一顾；二是所谓校勘、注释、索引，不是当今造书、作学问的热点。但我敢说，这两本书比起一些广告效应的书来，是更能在时间上站得住脚的。学术书,不必看奖牌,而应看在一定学科领域内是否被人引用以及所占的学术位置。这才是真正学术著作的品位,也是它不可代替的骄傲。

原载 1997 年 1 月 2 日《光明日报》,此据北京联合出版公司 2013 年版《濡沫集》录入,另收入湖南人民出版社 1997 年版《濡沫集》、大象出版社 2004 年版《唐宋文史论丛及其他》

文学编年史的设想

　　前些年,关于文学史研究的讨论正成为热点的时候,我与南开大学中文系罗宗强教授在一次会议上碰见,谈起此事,他说了一句很有风趣的话:"文学史应当怎么写,这何必要讨论呢?你认为应当怎么写,就怎么写好了。"我与宗强先生是学术上的挚友,于学问之事,是无所不谈的。当时他说了这几句话后,我们彼此都呵呵大笑,也未再细谈。此后我却时常回味这话,觉得很有意思。今天应《江海学刊》之约,谈谈对文学史研究的展望,我觉得宗强先生这番话是很值得再提的。

　　本世纪以来,关于中国文学史的撰写,且不说外国人,仅仅本国学者,就不止写了几十部。建国以后,前三十年间似乎少了一些,80年代以来,特别是近七八年间,突然多了起来。这其间,有通史的,有断代史的,有分体史的,有断代兼分体的(如《魏晋南北朝赋史》、《唐诗史》等)。通史也有各色各样的,有以平实见长的,有以材料繁富而擅场的,也有因观点新颖而称誉的。这些都是好现象。学术上的事,是靠自身而存在的。三国时曹丕早就说过:"是以古之作者,寄身于翰墨,见意于篇籍,不假良史之辞,不论飞驰之势,而声名自传于后。"(《典论·论文》)用现在的话来说,一个人写了一部书,不必追求广告效应,不必依靠行政手段,你的书如果真正有水平,自然能在时间上站得住脚。我觉得文学史的研究和撰写也应当作如是观。

现在,我想趁讨论这一问题的时机,介绍我目前正在做的一项工作,即关于文学编年史的构思与撰写。

1978年冬,我在完成《唐代诗人丛考》一书时,曾写过一篇自序,我这里想引用其中的一段话:"我们现在的一些文学史著作的体例,对于叙述复杂情况的文学发展,似乎也有很大的局限。我们的一些文学史著作,包括某些断代文学史,史的叙述是很不够的,而是像一个个作家评传、作品介绍的汇编。为什么我们不能以某一发展阶段为单元,叙述这一时期的经济和政治,这一时期的群众生活和风俗特色呢?为什么我们不能这样来叙述,在哪几年中,有哪些作家离开了人世,或离开了文坛,而又有哪些年轻的作家兴起;在哪几年中,这一作家在做什么,那一作家又在做什么,他们有哪些交往,这些交往对当时及后来的文学具有哪些影响;在哪一年或哪几年中,创作的收获特别丰硕,而在另一些年中,文学创作又是那样的枯槁和停滞,这些又都是因为什么?"我当时写这几句话,是曾想到做文学编年的工作的。我觉得研究文学应从文学艺术的整体出发,而文学编年史则可能会较好地解决整体研究的问题。如以唐代文学为例,我们如果分段进行唐代文学的编年,把唐代朝廷的文化政策,作家的活动,重要作品的产生,作家间的交往,文学上重要问题的争论,以及与文学邻近的艺术样式如音乐、舞蹈、绘画、建筑等的发展,扩而大之如宗教活动、社会风尚等等,择取有代表性的材料,一年一年编排,就会看到文学上"立体交叉"的生动情景,而且也可能会引出现在还想不到的新的研究课题。

前几年,我曾邀约几位学友尝试做这项工作。这项工作的难度是很大的。首先你得把唐代上百位的作家行踪搞清楚,把他们创作的诗文时间作确切的系年,把作家间的交往作对应的考察,这无异于先要替一个个作家编写出个人年谱,再把这众多的个人年谱汇总成作家群的活动记录,更不要说有些作品的真伪、有些作家生平记载的不确,需要重新予以辨析。这之中,我们当然可以吸取已有的成果,但不少是要从头做起的。所幸的是,经过几年沉潜的努力,唐五代将近三百五十年的编年史初稿已接近完成了,总字数将在二百万字以上。

这里,我谨向读者介绍其中的两段,看看这样来做编年史,对于我们整个文学史研究,是否能增加些什么。

晚唐的部分是我与厦门大学中文系吴在庆先生合作撰写的。前些时候,他应约把文宗大和七年编年单独拿出来发表于《艺文述林》(福建师大中文系、上海文艺出版社合编,上海文艺出版社出版,1996 年 11 月)。大和七年(公元 833 年)是十分平常的一年,在唐代文学史上没有什么特别之处。但既然刊登出来了,也不妨以此为例,看看中晚唐文学中平淡的一年是什么样的情景。

这一年,白居易六十二岁,在洛阳,春天先是任河南尹,四月间以病免,授太子宾客分司,更为闲职。刘禹锡也六十二岁,在苏州刺史任。一北一南,经常作诗唱和。二人有时还与时任河东节度使、年已六十八岁的令狐楚唱酬,成为当时年老一辈文坛耆宿活动的特点:"章句新添塞下曲,风流旧占洛阳城。昨来亦有吴趋咏,惟寄东都与北京。"(刘禹锡《和乐天洛下醉吟得太原令狐相公兼见怀长句》)这年春,僧人宗密自苏州返洛阳,临行前刘禹锡有诗送之;宗密到洛阳,白居易也有诗赠之,称"紫袍朝士白髯翁,与俗乖疏与道通。官秩三回分洛下,交游一半在僧中"(《喜照密闲实四上人见过》)。僧人似乎已成为这两位诗家情思沟通的信使了。宗密,见《宋高僧传》卷六,事迹又见裴休《圭峰禅师碑铭》,本年五十四岁。是年秋,刘禹锡又有诗寄白居易,诗中感伤元稹、崔群等人之久已丧逝,白即有诗答之。此年,刘禹锡将他与令狐楚唱和诗编为《彭阳唱和集》,与李德裕唱和之作编为《吴蜀集》,又自编《刘氏集略》,并辑李绛遗集为二十卷。这种种,都足以见老一代诗人的情态,以及在交往中所寄寓的落寞心境。

这时,年辈比他们稍晚的李德裕,年四十七岁。此年二月,以兵部尚书守本官同中书平章事;七月,拜中书侍郎,正式执政。李德裕是一个有作为的政治家,也是有见解的文学批评家。本年他在政治上有所改革,在科举制上主张进士试应通经术,试议论,停试诗赋,并由朝廷下令,批评"近日苟尚浮华,莫修经义"(《册府元龟》卷九〇《帝王部·赦宥》)。李绅本年正月,本已由寿州刺史授太子宾客分司,无实权,当经李德裕推荐,七月,改为浙东观察使。这样,就使得张祜、崔涯等较年轻的诗人前往越州(绍兴),共相唱和。

本年姚合在金州刺史任,六月间,诗僧无可在金州与姚合游,有《陪姚合游金州南池》、《金州别姚合》等诗。贾岛也自长安往金州谒姚合,行前喻凫有《送贾岛往金州谒姚员外》诗。不久,贾岛又返长安。这时马载也在长安。而本年二月,李余等登进士第。赵嘏年二十八,应试落第。

从以上所述,我们已可大致看到当时诗人在南北空间的行踪点,那就是,年岁较长的如白居易、刘禹锡、令狐楚分别在洛阳、苏州、太原,中年的如贾岛、姚合、喻凫、马戴等,诗风大致相近,居住并往来于长安、金州(汉水流域)一带。而李德裕正想有所作为于朝廷,李绅则又约集一些诗人于浙东。这样,大和七年的文坛就一目了然了。第二年,即大和八年,这幅诗人行踪图又会因行迹的变化而有所改观,我们将可翻开新的一页。

以上是中晚唐时极为平常的一年,让我们现在来看看开元盛世。著名的唐人选唐诗、编于天宝年间的殷璠《河岳英灵集》,在其叙述中曾谈及初盛唐的诗歌发展概略:“武德初,微波尚在。贞观末,标格渐高。景云中,颇通远调。开元十五年后,声律风骨始备矣。”现在不少研究者即据此把开元十五年定为盛唐诗兴起的标志,“开元十五年”,在唐诗史上已成为一个典型的年代了。那末我们来看看开元十四、十五两年的情况(按初盛唐文学编年是我与湘潭师院中文系陶敏先生合撰的)。

开元十四年(公元 726 年),正月,张嘉贞自工部尚书出为定州刺史,玄宗亲自赋诗送之,诏百官祖饯,作诗,张说为作序(《张燕公集》卷一六《送工部尚书弟赴定州诗序》),说是“春带余寒,野衔残雪”,“倾城出饯,会文章以宠行”,可以见出开元时期君臣赋诗、以文会友的情景。

是年三月,进士考试,一下子录取了好几个有发展前景的诗人:储光羲、崔国辅、綦毋潜等。綦毋潜登第后即授校书郎,留长安。而王维这年春也自济州归。李白则由金陵赴扬州,夏又由扬州游越中:"舟从广陵去,水入会稽长。竹色溪下绿,荷花镜里香。"(《别储邕之剡中》)秋日,王昌龄自塞外归,经萧关、泾州返扶风,有著名长篇《代扶风主人答》。

是年冬,赵颐真赴安西副大都督任,张说、张九龄、孙逖、卢象都有诗相送。从这些诗中,可以见出身居长安之众人对西域的向往。

以上可以看到,这一年一下子就有那么多诗坛名人在南北各地跃动。接下去看开元十五年。三月,王昌龄、常建等登进士第,王昌龄授校书郎,留长安。张九龄除洪州刺史,自北往南。储光羲在洛阳。綦毋潜虽居长安,但思游越中,作诗寄储光羲,储以"春看湖水漫,夜入回塘深"之句答之(《酬綦毋校书梦耶溪见赠之作》)。此年春,孟浩然也至洛阳,与綦毋潜交往。而夏日孟又返襄阳,与襄州刺史独孤册唱和。

五月,徐坚等撰《初学记》三十卷成,上之朝廷。本年,张怀瓘所作《书断》成,其书三卷。这两种,一是类书专著,一是书法名作,由此也可从一个侧面见出开元文风之盛。

本年,李白始居安陆,娶故相许圉师孙女,并作《代寿山答孟少府移文》以言志。

本年有两位文人大家过世。一是与张说齐名的苏颋,年五十八。张说为作挽歌。有集四十卷,韩休为之序,张九龄称其为文阵之雄(参《开元天宝遗事》卷下)。一为比部郎中郑绩,年五十六。郑绩是一位学问家兼藏书家,藏书一万卷,曾编纂《新文类聚》一百五十卷,《古今集》二百卷,《甲子纪》七十篇。贺知章为撰墓志(墓志于 1988 年在西安灞桥区出土)。

我想,从开元十四年、十五年的文学大事记,已足可见出开元时期文坛的盛况了。这还只是两年,如果我们从开元十五年一直追踪到开元末(开元二十九年),就不啻身历盛唐诗坛之胜景了。这种逐年的编排,比一般性的论述,给人的感觉当具体和生动得多。

当然,编年史只是文学史研究的一种,它并不能代替其他体裁、其他方式的研究,只是因为目前古典文学界对此还未予重视,因此我借此向学界提出。我已约请中国社科院文学研究所曹道衡先生着手搞自秦统一起到魏晋南北朝隋的编年史,请重庆师院中文系熊笃先生搞元代编年史。如果我们能落实这一计划,即从秦统一全国开始,一直到公元 1911 年(即清王朝结束),有一个长达两千余年的文学编年通史,人们可以一年一年地看到古代文学发展的具体历程,这将是我们文学史研究规模宏大的基础工程。我愿这一工程能在这世纪之交启动,并在不远的将来胜利完成。

1997 年 1 月 8 日,北京

原载《江海学刊》1997 年第 3 期,此据万卷出版公司 2010 年版《当代名家学术思想文库·傅璇琮卷》录入,另收入京华出版社 1999 年版《唐诗论学丛稿》、安徽教育出版社 1998年版《当代学者自选文库·傅璇琮卷》、北方文艺出版社2008 年版《书林漫笔》

纪念匡亚明先生，做好古籍整理工作

　　匡亚明先生因病于 1996 年 12 月 16 日离开了我们，作为在他直接领导下的国家古籍整理出版规划小组的工作人员，我们的心情十分悲痛。

　　匡亚明先生是我党 1926 年入党的老党员。在长达七十余年的革命生涯中，他长期从事党的宣传、理论和教育工作，在马克思主义理论研究、中国传统思想文化研究、高等教育理论研究与实践方面，都有卓越建树。在他的文化思想中，数十年来始终有一个基本的观点，那就是，中国革命的胜利是马克思主义的基本原理同中国的具体实际相结合的结果。而所谓中国的具体实际，则应该包括两个方面，一个是当前的革命和建设实际，一个是中国三千年或者五千年的实际，也就是传统文化的实际。我们的社会主义现代化建设事业是在传统文化的土壤上进行的，不能脱离这个土壤，也就不能无视传统文化的实际。基于这样的认识，匡亚明先生对传统文化的作用一直很重视，不论是在戎马倥偬的战争年代，还是在"文化大革命"的非常时期，他都没有停止过对传统文化的研究，也没有停止过对如何对待传统文化这一问题的思索。尤其是改革开放以来,在建设有中国特色社会主义现代化的今天,他对传统文化的思索更加深入,也更加成熟。他指出,"现在我们国家正处在一个新的继往开来迈向四化的关键时刻。继往就是继民族优秀传统之往,开来就是开社会主义现代化建设之来。对中国传统思想文化从广度和深度上进行系统研究,实现去粗取精的要求,正是继往开来必须完成的紧迫任务"(《中国思想家评传丛书序》)。这一思想贯穿了他的一生,也成为他主持国家古籍整理出版规划小组工作以来,用以开展工作的指导思想。

匡亚明先生是 1991 年 6 月由国务院任命为国务院古籍整理出版规划小组组长的。1992 年 5 月,在匡亚明先生主持下,召开了第三次全国古籍整理出版规划会议。在这次会议上,匡亚明同志明确提出了古籍整理与研究的方针,他认为"继承和弘扬中国优秀的传统文化是一个系统工程,表现在三个不同层次的成果上,第一是古籍的整理出版,没有这一成果,就谈不上继承与弘扬;第二个是学术研究,从研究中得出理论性、条理性的研究成果;第三个是实践的成果。因为学术研究的成果最终还是要为人民服务,为社会服务"(《以"三心"创"三成果"》)。后来匡亚明先生在《传统文化与现代化》发刊词中,再一次强调:"中国优秀传统思想文化的继承和弘扬,主要靠三个层面的系统工作来实现,即一是古籍(包括出土文物)的整理出版,二是对古籍(包括出土文物)的系统研究,三是把研究的精确成果和社会主义现代化建设实践相结合,使之在实践中得到验证。"其实早在 1982 年 10 月,在《关于研究孔子问题》一文中就已指出:"在我国,建设社会主义精神文明,必须继承中国历史上思想文化的精华。"(见《求索集》

页73）匡亚明先生在这里提出的三个层面的工作,是对古籍整理、研究最全面的理解和概括,也是对"古为今用"方针的科学和具体的阐述。这里指出,古籍整理不能只限于对古书的断句标点,而应该与整个传统文化研究结合起来;另一方面,古为今用不应该牵强附会,作简单的类比,而应该以对古籍的深层研究为依据,批判地总结历史的经验和教训。这就使得中国优秀传统思想文化的继承与弘扬,既有科学的基础,又有明确的方向。

五年以来,小组办公室的工作就是在匡亚明先生直接而具体的领导下,遵循他的这一方针展开的。除了制订中国古籍整理出版十年规划和"八五"计划外,我们组织全国十余家大型图书馆和一些研究机构,编纂《中国古籍总目提要》,现在编纂工作已全面铺开,待工作完成后,全国现存古籍的品种、数量、内容、分布等情况将会以一个比较清晰的面貌展现在我们面前。我们又创办了《中国古籍研究》年刊,每期六七十万字,主要从文献整理、资料考辨的实证角度,建立一座储存史料与考证结论的信息库。匡亚明先生同时十分重视古籍的出版工作,在他的倡议下,古籍小组于1993年春召开十余家古籍出版社负责人会议。数年来古籍小组每年拨出专款资助有价值的古籍整理项目的出版。这些可以看作属于"三成果"中第一个层次的工作。在全国专业古籍出版社和其他出版社协助下,我们评选、资助出版了《中国传统文化研究丛书》,每年一辑,每辑十种,现已评出三辑,凡三十种。所收均为以古籍(包括出土文物)为依托对传统文化各个专题进行的有理论、有系统的研究专著。这是属于第二个层次的工作。1993年春天创办的综合性学术文化双月刊《传统文化与现代化》,其稿约首条开宗明义地写道："其宗旨是立足于古籍研究,在马克思主义指导下,坚持批判继承,古为今用的方针,弘扬中华民族优秀的传统文化,为建设有中国特色社会主义的物质文明、精神文明服务。"也就是说,我们的主观意图,是使传统文化研究的精确成果和社会主义现代化建设的实践相结合,让古老的传统文化不仅仅是书架上的陈列品,而且成为今天我们的生活中生机焕发的活生生的精神财富。这是我们在第三层次上所作的努力。

可以这么说,不仅小组办公室几年以来的工作框架体现着匡亚明先生的思想,而且,其中的每一件具体成果无不凝聚着他的关怀与指导。1992 年在制订中国古籍整理出版十年规划和"八五"计划时,针对初步拟定的各学科选题书目重点不突出、系统性不强,体现不出新的十年时期对古籍整理出版的更高要求,因而也不可能很好反映规划的意义的情况,匡亚明先生及时提出新规划要努力做到具有学术性、计划性和指导性的总原则,并亲自主持草拟了规划的第一部分,即新中国成立以来古籍整理出版的成就和制订本规划应说明的若干问题。从理论和实践的结合上对新中国成立以来的古籍整理出版工作作了系统而科学的阐述,并进一步指出在新的历史时期古籍整理出版的发展方向和前景。由于提高了对古籍整理工作的理论认识,在项目的进一步修订中思想就明确得多,譬如原来出土文献是属于历史和语言文字类的,鉴于近些年来考古发现的巨大进展,及其对某些学科研究的重要作用,特地将之单立一类,以与文史哲等并列。古籍中蕴藏着相当丰富的科学技术史料,涉及到农学、医学、数学、天文学、物理学、化学和工程技术学等自然科学领域。过去在这方面的整理工作是较为薄弱的,这次将科技古籍列入规划,并在规划第一部分中明确写入:"古代中国富于发明和发现,以'四大发明'为代表的中国古代科技成就是世界公认的。古籍中蕴藏着无数科学技术的史料……是一座有待开发的宝藏。在继续重视文、史、哲古籍的整理出版的情况下,对科技古籍与史料也必须予以充分重视和开发。"又在第二部分的"十年规划要点"中强调:"在今后十年内,要加强科技方面和少数民族古籍整理出版的规划工作。将众多科学技术史籍史料,加以整理或影印出版,对于今天的研究和建设会起到重要的作用。"将科技古籍列入规划,这是过去两届古籍整理出版规划所未曾有的,体现了新的特色和时代的要求。这是匡亚明先生所主张的"要从传统文化中找到至今仍然有生命力的东西,为社会主义精神文明和物质文明建设服务"在一个方面的具体落实,与匡亚明先生80年代中期起主编的《中国思想家评传丛书》中体现的重视古代科学家、重视古代科学文化成果的精神是一致的。1993年2月,匡亚明先生为新创刊的《传统文化与现代化》撰写发刊词。在发刊词中,他反复强调,小组创办的这个刊物,应该"作为理论联系实际的桥梁","将学术研究的积极成果引入生动丰富的社会主义建设,这将是一个更为艰巨复杂的工作","本刊有志于在这方面做出自己的贡献"。这之后,他多次对刊物的工作作出指示,其重心都落在怎样发挥传统文化在现代化建设中的作用上。1995年末,办公室同志去南京汇报工作,匡亚明先生再次明确指出,杂志一定要在"与"字上下功夫,要进行一些论证,要说明现代化里面到底有哪些内容与传统文化有关。要紧紧抓住两头,一头是传统文化,一头是现代化。关键是要为建设社会主义现代化服务。对于古籍总目及提要的编纂,匡亚明同志也一直十分重视。1992 年,他在总目提要编纂办公室送审的《中国古籍总目提要编纂方案》上批示,"看了方案之后心情很振奋,这项工作很重要,也很有基础,有希望。一定要将它做好"。他甚至连编纂中一些具体的细节问题都考虑到了。凡此种种,既有具体的指导意义,更有规范方向的作用,为我们五年以来全面、迅速、顺利地开展工作提供了保证,也必将继续指引我们做好今后的工作。

匡亚明先生长期从事党的文教领导工作,具有马克思主义理论家、教育家特有的高瞻远瞩的眼光与高屋建瓴的本领。他不仅对传统文化的作用有自己独到的看法,对如何研究传统文化有一套精辟的理论,并基于这些看法,运用这些理论指导了小组的各项工作,而且以国家古籍整理出版规划小组组长的身份,对国家古籍整理与传统文化研究事业有着长远的战略性的思考。1994年 12 月 29 日,他在小组的工作报告上作如下指示:"建议大家考虑下列两个问题:1. 1981 年曾提出,古籍整理出版工作大概百年基本完成,即到 2080 年大体完成。完成标准是什么? 如何分期实施? 完成后要不要由国家建立一个较大较全的'中国古籍博物馆'(暂定),供国内外人士参观、学习、研究之用? 2. 整理出版的目的是为了保存和研究。如何有计划有重点地开展研究工作? 如何使优秀传统思想文化(包括伦理道德)通过不同渠道结合当前实际,使之成为有中国特色的社会主义组成部分(包括优良民风习俗)? 可否请各同志相互想想谈谈,最后形成一个较完备的建议,谨供党中央和国务院领导参考? 如何?"国家古籍整理出版规划小组学术委员会特地于 1995 年 1 月 27 日举行会议,讨论匡亚明先生的这两点建议。大家认为,匡亚明先生的建议极为重要,也非常及时。古籍整理工作是百年大计,应该认真抓下去,把它抓好。应该对古籍整理出版情况作一通盘考虑,在此基础上制订出今后基本完成的标准,并提出一个全面的远景规划方案。这一工作正由古籍小组邀集各学科专家分头进行,以符合 1995 年底在听取办公室同志的汇报时匡亚明先生所表达的期望:"我们总要向后人交卷的,我们应该交出一份让后人比较满意的答卷。"

"供党中央和国务院参考","向后人交卷",这就是匡亚明先生以八十六岁高龄毅然承担起国家古籍整理出版规划小组组长重任的动力所在,这两句话也将一个优秀共产党员、忠诚的共产主义战士对党对人民高度的责任感昭示无遗。五年的实践证明,匡亚明先生没有辜负党和国家对他的重托,鞠躬尽瘁,死而后已,为我们树立了光辉的榜样。我们一定要遵照他的遗愿,将小组的工作做好,为国家的古籍整理出版事业贡献出自己的力量,以此告慰匡亚明先生的在天之灵。

原载《古籍整理出版情况简报》1997 年第 1 期,此据首都师范大学出版社 2010 年版北京社科名家文库《治学清历》录入,另收入大象出版社 2004 年版《唐宋文史论丛及其他》

古典文学的"历史—文化"研究

——《日暑丛书》序

　　东方出版社与吴先宁同志共同合作,经周密考虑与多方联系,约集近数年来获得博士学位的古典文学研究者,组织出版一套中国文学史研究系列著作,第一批共十二种,起名为《日暑丛书》。我觉得这一丛书的名称很有特色,它不但是比喻中华古典文学还如日中天,灿烂辉煌,照耀我们正在进行现代化建设的祖国大地,而且象征我们这一代年轻的研究群体视野开阔,思想敏锐,全身心地投入这一蓬勃向上的精神领域,努力开创一个更加光彩夺目的学术天地。

　　80 年代以来,中国古典文学研究确实进入一个崭新的转型时期。这是本世纪前 80 年所未曾有过的。所谓转型,我认为最主要的,是对古代文学由单纯的价值判断而转向文学事实的清理,也就是由主观框架的设施而向客观历史的回归。这是我们古典文学研究界在观念上的一大跃进。前几年在学术界曾提出"重写文学史"的口号,可惜口号虽然提出,讨论并未具体展开。但我们的研究实践却明确回答了这一问题。那就是文学史的研究,应当注意史的发展线索,文学史研究的基本单位,不是简单排列的一个个作家,而是连续不断向前推进的不同时段。这就不是作家评论的程序汇编,而是文学群体的有机活动系列,包括作家之间的关系(如新老作家的交替,文人集团的友谊与冲突),作家群体的形成与消散,文学思潮的兴起与衰落,创作风格的变化,不同文体的代兴。这之中,群体与时段的研究,是这些年来最出色的成绩。有谁在这方面下了功夫,他的著作就能使人耳目一新。因为即使历史上最杰出的作家,也不是孤立的人,在他的周围,有一个流动着的文学环境,有一个层次不等的群体,即使是大师级的人物,他也是属于同时同地的艺术家族的。

这种趋向,在古典文学研究界,特别是在年轻研究者中,已经形成一种冲力,那就是要从过去占很大优势的局部、个体研究中挣脱出来,对文学的长时期发展阶段作出整体的把握,在这种把握中表明研究者的力度与深度,反映这一代学人所特有的对文学命运的关切与忧思。

转型期的另一表现,就是重视"历史—文化"的综合研究。古代文学研究要向深度发掘,当然要着力于文学内部发展规律的探求,但这种探求是不能孤立进行的。这些年来,文学与哲学思想、政治制度,以及与宗教、教育、艺术、民俗等关系,已被人们逐渐重视。人们认识到,不能孤立地研究文学,也不能像过去那样把社会概况仅仅作为外部附加物贴在作家作品背上,而是应当研究一个时期的文化背景及由此而产生的一个时代的总的精神状态,研究在这样一种综合的"历史—文化"趋向中,怎样形成作家、士人的生活情趣和心理境界,从而产生出一个时代以及一个群体、个人特有的审美体验和艺术心态。正如19世纪法国文艺评论家丹纳在《艺术哲学》中所说的,"个人的特色是由于社会生活决定的,艺术家创造的才能是以民族活跃的精力为比例的"。当然,我们这样做,不仅要考虑文学与其他社会意识形态的亲缘关系,更要探索文学在总的"历史—文化"环境中怎样显示其特色。它不是使文学隐没,而应是使文学作为主体更加突出。

这就是古典文学研究中的文化意识。如果说,这些年来我们的古典文学研究真正有所进展的话,那么,这种文化意识的观念及其在实际研究工作中的运用,是最可值得称道的成就。如果我们要从理论上对古典文学研究的经验进行一些探讨,那么这个文化意识问题就是其中最值得重视的新的课题。

我觉得,从以上两方面的研究新格局和新思路来看这套丛书,可以说现在这十二种著作正是从总体上体现这一时代的学术风貌与年轻一代的创新气度。这十二种书,从先秦时期的《诗经》、楚辞开始,一直至明清时期各种体裁的文学创作,都是从思潮、流派、群体出发,有意识地对文学史的线索进行清理,重在清理事实,而不简单地品评高下,不单纯立足于点的深化,而在于线的连续;与此同时,又善于从政治、经济与文化的相互关系中把握恰当的中介环节,使我们接触到那一时代、社会所特有的色彩和音响。

自80年代中期起,在古典文学研究界有为数不少的博士研究生、硕士研究生培养出来和成长起来,这已构成我们今天古典文学界的一代研究者,他们无论从治学道路、理论观念,以及精神气质、学术兴趣等方面,都表现出与80年代以前有着明显的不同,这些不同已日益显露出一种新的发展方向和学术品格。我有一个想法,就是:我们对传统研究的同时,应特别注意对现状的研究,而现状研究中一个重要环节,就是对这十余年来这一研究生群体的研究,研究他们和他们的著作,与研究古典作品本身有同样的意义,同样的价值。特别是这 90 年代以来的一批博士研究生,他们之中不少人更注意广泛吸收当代社会科学的新鲜知识,形成更为独到的研究视野和观念,而另一方面又努力对作为研究对象之一的文学史料作沉潜的研索,这种勤奋的实证训练是足以支撑他们作大幅度的理论探索的。当然,在这之中,需要对现实社会中的市场冲激与贫富差距有理性认识,要有左思《咏史》诗中所说的"连玺耀前庭,比之犹浮云"的心理准备。我想,这十二种著作产生的本身,就足以表明我们这一代年青学人为学术而奉献的文化素质。

这套丛书的总序应由丛书主编吴先宁同志来写的,我推辞再三,但吴先宁同志与东方出版社还是希望我借此谈谈对古典文学研究现状与前景的看法。吴先宁同志是曹道衡先生指导的博士生,编委中傅刚同志的博士导师也是曹道衡先生,而曹先生则是我的学术至交。编委中的钱志熙同志,他的硕士学位论文和博士学位论文,我都分别在杭大和北大参与评议。过常宝同志关于楚辞的博士学位论文,也是我应聂石樵先生之邀到北师大去主持答辩的。黄仕忠同志虽在中山大学,但与我早有文字交往。我很感谢他,我在 1962 年所考的关于《琵琶记》作者高则诚卒于明朝立国之前一说(《文史》第一辑《高明的卒年》),得到他的赞同并给予进一步的补充论证。因此可以说,我有缘与这几位年轻博士生

有学术交情,因此也就不自量力,为这套将能受到读书界注意和
欢迎的《日暮丛书》撰写此篇小序,谨请作者和读者批评指正。

1997 年 3 月

原载东方出版社 1997 年版《日暮丛书》,此据万卷出版公司
2010 年版《当代名家学术思想文库·傅璇琮卷》录入,另收
入安徽教育出版社 1998 年版《当代学者自选文库·傅璇琮
卷》(题为:《日暮丛书》总序)、大象出版社 2008 年版《学林
清话》(题为:《日暮丛书》序)

《中国古典文学学术史研究》序

　　1996 年 9 月中旬,在新疆乌鲁木齐市召开了"世纪之交中国古典文学及丝绸之路文明"国际学术研讨会。这次会议是由中国社会科学院文学研究所、中国社会科学院中国边疆史地研究中心、新疆师范大学、新疆大学、中华文学史料学会联合主办的。与会代表共约九十人。会议以文学(中国古典文学)、史学(丝绸之路学)两个分会场进行了学术研讨活动。本书所收是关于中国古典文学的,共收论文三十余篇。

　　20 世纪,对于中国社会来说,是变化最巨大、最剧烈、最深刻的时期,是以往任何历史时期所不能比的。随着社会的变动,人们的思想,以及人文科学、社会科学、自然科学,也都经历了极其曲折、复杂的变化。这些变化带给我们的,不只是风雨历程的情感萦绕,更应是掩卷沉思的理性探索。这也是我们的古典文学研究所面临的一项世纪性课题。

　　从这一角度出发,则这次乌鲁木齐市的会议,以及这本论文集,就有非同一般的意义。它给予我们的,不只是历史的回顾,更多的是进一步发展的前瞻。在会议期间,我曾听了部分发言,这次重读所收的全部论文，确实受到很大启发与教益。我深感我们的古典文学研究者确已站在 20 世纪学术发展的高度，有能力整体把握这一领域的研究思路和治学方位，有信心把这一学科推向一个新的更加成熟的境地。

这次会议所提供的论文，是以 20 世纪中国古典文学学术史为中心议题的，而实际上所涉及的面则相当广泛，有讨论"文学史"学的，有讨论中国古典文学研究如何与世界汉学接轨的，有讨论新时期古典文学研究的传统范式如何向现代化转型，以及展开多元化研究格局的，更多的则由不同文体的研究轨迹，不同作家作品的研究脉络，近现代有代表性研究家的治学道路，来探索中国古典文学研究近百年来不同阶段的发展。由此我有一个建议，我们是否可以作一个全面的回顾，把这一百年来古典文学研究所涉及的问题，作一个既有具体实例又有理论分析的清理。我姑且加一题目，名为"20 世纪中国古典文学研究百题"，即初步确定为一百个专题，把每一专题的前后研究情况，实事求是地做一番梳理工作，使现代的人知道，对于这一专题所涉及的内容，曾经发生过哪些争论，已有的成果如何，还有哪些问题需待解决。这样做，既可避免当今常见的低水平重复，把我们的研究规格提高一步，又可使我们更好地了解研究的整体面貌。我想，这或许也是我们这一代学人对于新世纪学术发展的一种奉献。

这次会议在乌鲁木齐市召开，会议期间，与会的代表曾去吐鲁番和北庭一些地方参观。我们不但浸染于西域文明的历史魅力，而且深感当今新疆各地汉族与兄弟民族在文化上的亲切交流与广泛合作。由此我感到，中国的古典文学研究，确实应当把各兄弟民族的文学发展作为一个重要内容,这已是摆在我们面前的一项迫切任务。我们不妨组织一次较有规模的兄弟民族文学讨论会。这一研究课题在新的世纪是极有发展前景的。

　　会议的组织者安排邓绍基同志和我作为这一会议的学术委员会召集人,又要我们两人为论文集写序。对这一大题目我确感难负众望,只能谈一点个人感想,以求正于各位研究者与广大读者。

1997 年春于北京

原载新疆人民出版社 1997 年版《中国古典文学学术史研究》,此据大象出版社 2008 年版《学林清话》录入,另收入大象出版社 2004 年版《唐宋文史论丛及其他》

陈尚君《唐代文学丛考》序

　　陈尚君先生于1977年进入复旦大学中文系,次年秋,以专业第一、总分第二被破格录取为研究生,自此即受到年已届八十三高龄、仍担任系主任的朱东润先生亲自指导。朱先生颇欣赏其独立思考的能力,到晚年更寄予厚望,在与人谈及时,认为尚君先生将给复旦带来光荣。朱东润先生对青年学子的要求是很严格的,他能对尚君先生作如此的赞许,确实表现出极为难得的伯乐风范与大家气度。在这里,我借用朱先生的这句话,窃以为,以尚君同志十余年来在唐代文学基础研究也就是文献资料考证上所作出的业绩与贡献,他也必将为中国的唐代文学研究带来光荣。

　　我这样说并非故作惊人之语,尚君先生已经发表和出版的论著,以及这本论文集,是最好的证明。这本论文集列入"唐研究基金会丛书",是北京大学中文系葛晓音教授与我推荐的,很快得到学术委员的认同。之所以推荐,也是葛晓音教授提出的。葛教授的重点是治魏晋南北朝隋唐文学,着重于文学发展趋势的把握和诗歌审美流程的探索,极有新见,但是她很看重尚君先生的文献资料考证工作,认为他的著作凡是治唐代文学的,都应必备。我想这是能代表我们唐代文学研究界的共同认识的。

本书名曰《唐代文学丛考》，实际上以唐代文学的考证而言，尚君先生的学术成果是远不止这 40 余万字的论文集的。为便于读者了解他的治学情况，我想在这里稍作一些介绍。

1982 年，中华书局曾汇集王重民、孙望、童养年三位先生有关《全唐诗》补辑的著作，出版《全唐诗外辑》一书。出版以后，随着唐诗研究领域的拓展与深入，陆续发现《外辑》收录佚诗仍未完备，且考订亦有未确之处，需要进行一次全面的校订和续补。这项工作就由尚君先生毅然承担起来。他一方面对前人已做的唐诗汇录辑佚进行系统的总结和梳理，另一方面对唐人著述总目和今存唐宋典籍，作全面的调查。他所查阅的书，其面之广确实是惊人的，不止是唐人著述，凡宋元以来的总集、金石、方志、谱牒、说部，以及敦煌文献、佛道二藏、域外汉籍，都巨细无遗地加以搜辑，据他自己估计，先后检书超过五千种，仅方志就有二千多种。这种竭泽而渔式的网罗，其收获即为辑得逸诗四千六百多首（其中新见作者八百多人），相当于前此各家所得总和之两倍多。与此同时，又对《外辑》作不少校订工作，即（1）复校原书，改正误字；（2）补引书证，提供较早出处；（3）考订作者事迹，增补原辑遗缺；（4）删芟误收唐前后人诗以及与《全唐诗》重出之诗。这样，就于 1992 年以《全唐诗补编》的名义由中华书局出版，可以说是清代中期以后唐诗辑佚的最大成果。

《全唐诗补编》完成后，接着就作《全唐文补编》。从 1986 年着手，至 1991 年初步完成（后又陆续修订），其间查阅了不少正史、政书、类书、地志、石刻等书。在周绍良先生主编的《唐代墓志汇编》之外，又录得唐人遗文六千二百多篇，编为一百六十卷，相当于前人所得唐文四分之一强，且其中有大量极珍贵而稀见的文献，对唐代各方面的研究有很大参考价值。

中华书局于80年代前期曾计划组织一套多卷本《中国文学家大辞典》，其中唐五代卷由厦门大学周祖譔教授主编。尚君先生于此书承担了不少过去无可考、难于找到书证的条目，出力多，用功深。这里不妨举几个例子。如女诗人姚月华，《全唐诗》收其诗六首。尚君先生考出其《怨诗寄杨达》二首出《才调集》卷十，《怨诗效徐淑体》出《乐府诗集》卷四十二，而另外三首诗，《有期不至》为白居易作，《怨楚妃》为张籍作，另一首亦疑为他人之诗混入。又如"李愿"条，令狐楚《御览诗》收其诗二首，《全唐诗》同。中唐时另有一李愿，为名将李晟子，元和、长庆间累历节度使。我与许逸民同志等合编的《唐五代人物传记资料综合索引》误将此二人合为一人。尚君先生所写的这一条，引用韩愈于贞元十七年《送李愿归盘谷序》，及元和时韩愈、卢汀所赠诗，证实此李愿与令狐楚同时，当是《御览诗》所载二诗之作者，与李晟之子非同一人；同时又据《新唐书·宰相世系表》，考出另有一李愿。类似的情况，如唐末有二陈峤，一未仕，一仕闽为殿中侍御史。这在《唐五代人物传记资料综合索引》中已加区分，但尚君先生所写此条之可贵处，为找出更早出处加以印实，前者据《南部新书》，后者据黄滔之《黄御史公集》卷六《司直陈公墓志铭》与《祭陈侍御》二文。又如房由，为唐初兵部郎中房德懋之玄孙，天宝十三载登进士第，与戴叔伦、郎士元为友。尚君先生所记其事迹，出处为《新唐书·宰相世系表》《郎官石柱题名考》《千唐志斋藏志》之《卢自省墓志》，并考《全唐诗》卷二〇九收其诗一卷，但沿《唐诗纪事》之误署作房白。这一点在以往《唐诗纪事》研究者中都未曾指出过。我之所以在这里不厌其烦地举这些例子，意在说明，辞典系成于众手，个人的独特成就往往不易见出。尚君先生在这里已不仅仅是写辞条，而是在史实的梳理、考析上，作出一篇篇浓缩的学术笔记，这在辞典的编纂上是极为少见的。

我于80年代中期曾邀约二十多位研究者，共同进行《唐才子传》的校勘和笺证工作。从笺证的内容说，要求做到这样三点：(1)探索材料出处；(2)纠正史实错误；(3)补考原书未备的重要事迹。这就是1987年至1990年陆续印出的四册《唐才子传校笺》。出版后听到的反映还是比较好的，但也发现一定数量的错误和疏漏。于是我就请尚君和陶敏先生作一次全面的检核，结果就是他们两位写成的三十馀万字补正，作为《唐才子传校笺》第五册出版。正如蒋寅先生在《文献整理与唐代文学的学科建设》一文所说，第五册"补正"，"最大限度地展示了陶、陈两位多年积累的资料和考订成果"，"展示了唐代文献研究的最新水平"，并说"他们的工作不仅使《校笺》的资料进一步完备，也使诗人生平事迹的考订更臻精密"（《书品》1996年第3期）。

尚君先生在文献考订上不限于文学，还做史学方面的工作，譬如他为清人徐松《登科记考》作了补订，补录唐代科举人事七百多则，相当于徐松原书的五分之一。这是近人所作订补工作分量最重的一种（此文已在《唐代文学研究》第四辑上刊出）。又如《新唐书·艺文志》著录唐人别集五百零五家，五百三十七部。尚君先生又作《新唐书艺文志补——集部别集类》，根据史书、方志、笔记、唐宋人文集等记载,新补四百零六家,四百四十六部,所补约为原来的六分之一。此外,他还计划从事于《旧五代史》的重辑,这将比陈垣先生之作有更大的进展。

从近十余年来尚君先生著述,来看这本论文集,对他的治学路数与研究风格当有一个全面的了解。我觉得,尚君先生治学,一是勤而博,一是细而精,这两者往往是结合的。就是说,要搞一个专题,总要在这一专题所涉及的资料范围内,尽可能求全求实,同时在资料搜集考辨的过程中,细心发现前人未曾注意的问题,抉隐发微,提出新见。我认为这样做学问,特别是现在,是很值得使人思考的。

譬如本书中的《全唐诗误收诗考》,这篇文章最初发表于1985年中华书局所编的《文史》第二十四辑。在这之前编辑部曾将此稿送我审阅,我一看就觉此文出手不凡,在当时研究清编《全唐诗》,这是最有分量的一篇。关于《全唐诗》误收诗,宋代陈振孙,明代胡震亨,清乾隆时《四库全书总目提要》,清末刘师培,以及当代学者钱钟书先生等,都有所提及,但对误收情况作全面清理的,只有这一篇文章。此文收入本书时作了增订,近五万字,考出唐以前人所作,宋及宋以后人所作,而混入《全唐诗》的,诗七百八十二首,又句五十三,词三十四首,所涉作者一百一十五人,全文引书逾三百种,可见用力之勤。又唐人编选的诗歌总集,今存者约十余种,尚君同志在《唐人编选诗歌总集叙录》中,广泛收集材料,力图列出全部唐人所编诗歌总集目录,并对各书的名称、卷数、编者、编纂过程及著录存佚情况予以辑录考订,共考出一百三十七种,较今人已论及者多出八十余种,在各集考订中,并提供大量今人未曾注意的材料。又如唐开元、天宝时人殷璠的《丹阳集》即为唐人选唐诗的一种，其书久已亡佚，《殷璠〈丹阳集〉辑考》则从宋代的《吟窗杂录》等书中辑录殷璠自序、诗评，并考证所收十八位诗人的生平事迹，使我们对殷璠于《河岳英灵集》以外另一部已亡佚的诗选了解到大致面貌。近年我编撰《唐人选唐诗新编》，即请尚君先生将此重辑本列入《新编》中。另外，《唐诗人占籍考》是一篇颇有新意之文，文中根据现有研究成果，作了唐代诗人的地域分布及唐前后期变化的统计，对探索唐代文化地理极有参考意义。这一题目是可以作为一部专著来写的。

以上是这本论文集中以勤而博见长的（当然其他篇还有，如考劳格读《全唐文》札记等，限于篇幅，不一一列举）。我想再提一下以下几篇以细而精见长的，可能更引人入胜。

本书中《杜甫为郎离蜀考》、《杜甫离蜀后之行止原因新考》两篇，考察杜甫后期的行止、思想及诗歌风格，可以说是发前人所未发，是建国以来研究杜甫生平创作最值得玩味之文。过去一般认为杜甫在成都依严武幕，严武奏请杜甫为节度参谋、检校尚书工部员外郎；后严武卒，杜甫无所依靠，即离蜀东下。这几乎已成为定论。尚君同志经过文献资料对比、分析，认为杜甫于永泰元年离开成都草堂携家东下，时严武尚未去世；杜甫只是在途中才闻严武死讯，因此他之离蜀与严武之卒无关。而杜甫在严武幕时仅为节度参谋，并不带郎职，只是在他离幕后，严武奏请朝廷任命他为检校工部员外郎，并召他赴京。杜甫是带着返回长安、效忠朝廷之心离蜀东下的。考出这一点，对了解杜甫后期在夔州、江陵、湘中的思想与创作风格，十分重要，即使人换一新的视角。尚君先生对杜甫离蜀前后的诗篇作了细心考察，同时充分吸收史学研究成果，重新审视岑仲勉等史学家的看法，提出新见，对一般人容易忽略的检校郎官之为虚衔究竟始于何时作了踏实的考析，这对唐代的职官研究也是有助益的。

尚君同志确是很会做翻案文章，这些文章使人读了自然产生一种会心之感。如《全唐诗》收有张碧诗二十首，过去一向认为张碧乃中唐德宗贞元时人，因孟郊有《读张碧集》诗，是一铁证。本书中《张碧生活时代考》，即从此诗着手，考出此诗实为五代马楚时徐仲雅作，如此，则张碧就应是唐末或五代时人。这看起来并不算大问题，但能考出诗非孟郊作，推倒过去公认的说法，这确是读书得间之功。又如《温庭筠早年事迹考辨》一文，也很有特色，文中对温庭筠一首有名长诗《感旧陈情五十韵献淮南李仆射》，考出此李仆射并非李德裕，而应是李绅，订正了夏承焘先生《温庭筠年谱》的权威之说，因而得能重新考订温之生年，并进而考定其漫游南方和从军出塞之时间与路线，分析其在开成、会昌间与当时政治斗争的关系。

当然，这几年来最有影响之作是对《二十四诗品》的辨析。这应当说是尚君先生近年来最有力度的考证文章，引起唐诗学界和文论学界的极大震动。尚君先生在未写成文时曾与我口头谈起过，我本能地感到这确是石破天惊之说。我是赞同他的看法的。我觉得这篇《司空图〈二十四诗品〉辨伪》，主要解决了两个大问题，一是全面考察了唐宋元明长时期内对《二十四诗品》记载之有无，并有力检出元明间人所作《诗家一指·二十四品》（尚君同志初考为景泰、天顺间怀悦作，北大学者张健同志认为有可能出于元代虞集）；二是确证苏轼的那段话与《诗品》无关，仅是指司空图在《与李生论诗书》中列举其所作的两句一韵的二十四个例子。我觉得，《二十四诗品》究竟是否司空图所作，还可以进一步讨论，但我们应从材料本身在历史上存在的客观事实出发，而不应以所谓诗歌理论历史发展的主观推断为据。

从这里，我倒有一个想法。过去往往对史料考证不够重视，认为考证只不过是限于文献资料本身，无关宏旨。不说别的，仅从上述尚君先生的几篇考证文章，就可看出，资料的考证往往与作家作品的整个思想发展，与某一时期文艺观念的演变，有着密不可分的交叉联系。而考证，从治学路数来说，并非只是所谓饾饤之学，实是一种细密、清晰的理性思考，没有对某一学科的整体的把握和考察，没有具备一种综合的科学思维方式，是根本不可能进行有效的工作程序的。

综观尚君先生的治学路数，我觉得有三点值得提出：（1）熟练掌握目录学，对唐宋典籍的存佚状况可说已烂熟于心，据此即能较自如地工作，对所涉课题作竭泽而渔式的网罗，力争全面掌握史料；（2）有较明确的史源意识，在研究中能做到溯本寻源，有理有据，追求博证而不一味炫博，力求提出新见而又"实事求是，多闻阙疑"（清劳格语），充分尊重前人和今人已有之作；（3）治学兴趣广泛，虽专以考证为主，但对唐代的各种人事典籍，对唐前和宋代的典籍，多有兴趣，不局限于少数大家，也不仅局限于文学方面（这点我特有体会，每次与他见面，所谈多涉古今中外，不少佛学和医书的知识我多是从他得来的），这样就更能发现为人忽略的问题，而又能从多方面加以论证。

尚君先生自 70 年代末进入复旦大学,学习、工作、研究,至今已有二十年。我想他得益于复旦师友的治学风尚当是不小的。50 年代初院系调整后,复旦中文系集中了不少有个性、有成就的名学者,他们之中有好几位的著作我很早就拜读。我念中学时即读过陈望道先生的《修辞学发凡》,朱东润先生的《张居正大传》。50 年代前期在清华、北大上学时,读过郭绍虞先生的《中国文学批评史》,刘大杰先生的《中国文学发展史》,赵景深先生的几部戏曲、小说论著;后来又读过王欣夫先生关于文献目录学的书,王运熙先生的《六朝乐府与民歌》,蒋天枢先生的《陈寅恪先生编年事辑》,陈子展先生关于《诗经》、《楚辞》的直解。以大学中文系而言,我读复旦学者的书算是最多的了。我在清华中文系念过一年,深感清华自二三十年代所形成的学风在近现代中国学术发展史上有独特的地位与贡献,但可惜 1952 年院系调整后即流散了。而此时复旦则处于兴盛期,这一点就当时南北几所有名的大学来说,是很突出的。我不敢轻易对复旦学风有所评议,不过我觉得复旦中文系几位前辈学者,学术个性都极鲜明,不依袭旧说,议论通达,力争创新,而又重实证,重传统。所治之学可互不相同,各抒己见,但又能和衷相济,兼容并蓄。对年轻学子,要求极严,而又鼓励他们读书得间,不囿师说。因此我觉得,复旦学风确使人有宽松的学术环境与严格的学术准则之感。我想这对尚君同志的治学是有很大影响的。

当然,尚君先生自 80 年代以来进行学术研究,正值我国唐代文学研究处于繁荣兴旺时期,这对尚君先生做学问也是有助益的。这点我们大家都清楚,我就不多讲了。

我自 80 年代中期认识尚君先生,即不时见面、通信,还合作过一些项目,不敢说知之深,只觉得有一种学术之缘。但我不敢说能把握他的治学路数,我只能谈谈个人的一些感想,谨求教于唐代文学研究界与尚君先生本人。

1997 年春于北京

原载中国社会科学出版社 1997 年版《唐代文学丛考》,此据大象出版社 2008 年版《学林清话》录入,另收入《复旦大学学报(社会科学版)》1998 年第 1 期(题为:陈尚君教授与唐代文学研究)、安徽教育出版社 1998 年版《当代学者自选文库·傅璇琮卷》、京华出版社 1999 年版《唐诗论学丛稿》

《宁波风光画集》序

　　八十多年前,也即 1916 年 8 月,孙中山先生在宁波所作的一次讲演中,提出:"宁波风气之开,在各省之先。"回顾十余年来宁波在改革开放和现代化建设中所展现的辉煌业绩,重温孙中山先生的这句赞赏兼勉励的话,我们不得不钦佩这位伟大的革命先驱者这一远见和卓识。

　　今年是宁波作为国家确定的计划单列市,并建立进出口口岸的十周年,宁波市外经贸委特地编纂出版这本《宁波风光画集》,我觉得这对于把我们宁波建成社会主义现代化国际港口城市的宏伟目标,表现宁波深厚的历史内涵和鲜明的现实特征,是一项极有意义的文化举措,也是向中外友人提供表现我们时代精神的艺术精品。

　　作为历史文化名城,宁波具有丰厚的历史文化积淀和强大的文化优势。70 年代在余姚河姆渡发现的震惊中外的文化遗存,表明我们宁波地区的经济和文化,在新石器时代就有相当的发展。新中国成立以来的考古发现,证明浙东地区和中原地区一样,都同样存在着灿烂的原始文化,应当构成中华民族古代文化发源地的一部分。几千年来,直至现在,宁波的文化发展已经呈现方面广、层次高的格局，如为大家所知的，有以保国寺为代表的建筑文化，以天童、阿育王寺等四大丛林为代表的佛教文化，以青瓷窑地为代表的陶瓷文化，以天一阁为代表的藏书文化，还有具有商贸特色的如会馆、行庄、海运等民俗风情。至于自80年代改革开放以来创建的港口城市欣欣向荣的景象，更是众目共睹的具有现代国际意义的都市文化。另外如宁波籍的以及在宁波地区进行文艺、学术创作活动的历代文化名人，更可看出宁波文化在历史上达到的程度。

宁波市外经贸委这次别出心裁的，是邀请上海、杭州、宁波等地著名画家，以传统的国画艺术形式，来表现上述繁荣发展的自然景观和人文景观。这就使人们既观赏那托起朝阳的北仑港和镇海炼化厂，百舸争流、高楼林立的市中心三江口，还有如"溪深树密"、"幽花水香"（王安石诗）的天童山，群山环拱、茂林修竹的雪窦寺，以及夕阳春深的东钱湖，秀色可餐的它山堰，使人们在这一幅幅富于情韵的艺术珍品中，感到人世间和自然界本有的诗意和美感，似乎重新认识宁波的山山水水，大街小巷，产生一种领悟的喜悦，好像超越自我而达到新的境界。我想，这就是宋代范仲淹诗所说的"满面南风指四明，山长水曲不胜情"。这也就是我们宁波人呈献给中外友人的诗情画意。

1997年6月

原载宁波市外经贸委编1997年版《宁波风光画集》，此据大象出版社2008年版《学林清话》录入，另收入大象出版社2004年版《唐宋文史论丛及其他》

中国古典文学走向世界的启示

一、世纪之交的一项重要课题

历史告诉我们,无论是东方还是西方,无论在古代还是现代,世界各国瞩目中华文明时,无不对中国古典文学投以青睐的目光。因为这份丰厚的遗产,不仅荷载着中华文明的精华,而且它自身尤有一种卓尔不群的美质。它在国外的传播和影响,已经形成一种异彩纷呈、底蕴丰富的文化现象,为世界文学关系史增添光辉壮丽的一页。而在中外文化交流频繁、日益深入的当今时代,建立开放型的文学研究也已经成为历史的必然。我们作为古典文学和比较文学研究者,理应适应时代的要求,认真把握中国古典文学的这段外播历史,发掘其内容,总结其规律,使之在文学研究现代化的大潮中,发挥应有的作用。

在人们面向 21 世纪的今天,回顾一下本世纪的中国古典文学研究,当会产生一种学术上的迫切感,那就是这种研究不能总是囿限在传统的文献范围做文章,新一代学人应当把视野扩展到全世界,应当从历史角度回溯中国古典文学由近而远地走向世界的轨迹,而且应站在当代学术发展的高度,来审视不同的文化传统是怎样来触及和研究中国古典文学这一特异的文化现象。近几百年来,特别是本世纪以来,东西方学者对中国文化固有精神和价值的探索,实际上可以说是两种或两种以上不同文化的互相认识和补充。这也构成了近代世界史上文化交流的丰富繁复的图像。尤其是作为东方大国的中国,它的悠久的历史文化被世界所认识,以及这种认识的日益深化,这本身就是文化史上令人神往的课题。而对于中国学者来说,更是开拓学术领域,提高学术境界,使之成为中国文学的传统研究与世界现代文明相协调、相接轨的必要途径。

在上个世纪之交中西文化首次激烈碰撞的潮流中,我国新学先驱王国维曾经高瞻远瞩地预言:"异日发扬光大我国之学术者,必兼通世界学术之人,而不在一孔之陋儒。"(《奏定经学科大学文学科大学章程书后》)1907 年,鲁迅《摩罗诗力说》一文全面介绍英、法、德、俄等国具有自由、民主思想的文学家之后,特别提出:"国民精神之发扬,与世界识见之广博有所属。"鲁迅强调,处于20 世纪之初的中国,从思想文化来说,再也不能闭关自守,而应面向世界:"顾使往昔以来,不事闭关,能与世界大势相接,思想为作,日趋于新,则今日方卓立宇内,无所愧逊于他邦,荣光俨然,可无苍黄变革之事,又从可知尔。"(《鲁迅全集》第一卷《坟》)又过了将近三十年,1934 年 6 月,陈寅恪在论到王国维之所以能成为"大师巨子",其著作之所以能"转移一时之风气,而示来者以轨则"，因其治学有三大特点，其中第三点就与吸收外国思想观念有关，这一点又特别与文学研究直接相联系："三曰取外来之观念，与固有之材料互相参证，凡属于文艺批评及小说作品之作，如《红楼梦评论》及《宋元戏曲考》、《唐宋大曲考》等是也。"（《金明馆丛稿二编·王静安先生遗书序》）

由此可见，研究本国或本民族的文学，必须把目光投向更广阔的领域，要及时吸收国外的新思想新观念，把本国本民族的文学放入世界的大范围中，既要探索中国的古典文学如何由近及远传播到国外，又要掌握不同国家不同地区的学者如何从不同的角度来研究中国文学，这已成为本世纪我国好几代学人的共识。当今的世界是开放的世界，任何一个国家、一个地区要想发展，都必须借鉴、吸收人类文明的一切优秀成果。文学研究也不能例外，而且应当成为当前世纪之交古典文学研究一个不能回避的学术课题。鉴于此，我们目前正与一些志同道合的学者，组成科研小组，从事于名为"中国古典文学走向世界"的专题研究，以期在建立开放型文学研究中贡献自己的一份力量。

中国古典文学的外播与国外对中国文学的研究，是一种历史悠久、横贯东西、异彩纷呈、底蕴丰富的文化现象，我们应如何着手进行考察，才能窥见其全貌，捕捉其精蕴，从而获得有益的借鉴？

我们认为，要想全面而又系统地把握这一文化现象，应该采用历时研究与共时研究两种方法。所谓历时研究，就是从纵向角度去梳理中国古典文学向外传播的历史。众所周知，它在同质文化圈和异质文化圈里的传播情况，是互不相同、各有特色的。不同对象应该不同对待,具体问题需要具体分析。但无论遇到的是哪一种情况,我们都应该采用渊源学、媒介学和流传学的视角,分别描绘出外播的热点与重心、触媒与契机、途径与方式、际遇与影响。民族文学向国外传播的历史,并不完全等同于客观存在的实际事件,而是我们对于与之相关的客观存在的理性认识。因此,任何一种有关文学外播历史的描述,都必然与文化观、历史观有着密不可分的联系。只有站在时代的高度,本着实事求是的精神,才能体察世界文化与文学如百川汇海,既见融合又见分立的总趋势,才能明辨异国他邦对中国文学何以采取亲疏、迎拒态度的深刻原因,才能透过文学与文化交流那种错综复杂、千姿百态的表面现象,去把握其潜在的客观规律。

所谓共时研究,就是从横向角度去清理国外研究中国古典文学的成果。由于国外学者的主客观条件与我们不尽相同,因此,我们必然会对某些作家作品、某些文学问题持有不同的见解。他们也常常采用中国古今学者的定论成就,但即使论述的是同一个问题,在那种特殊的学术环境里,也不乏其独有的见解,弘论博识,以及可备一说的论断。显而易见,如果单纯地依靠纵向梳理中国文学外播史的方法,便不可能完善地总结这些可资借鉴的研究成果。而在具体的操作过程中,如果一味地述而不作,引而不论,当然也不可能取得良好的效果。应该说,针对那些纷纭、新奇的论点,辨明它们是正确还是错误,全面还是片面,公允还是偏颇,积极还是消极,也是十分必要的。中国的学者应该作出自己的判断,表现出自己的气质。由此看来,这项工作实际上还具有披沙拣金、采珠集玉的性质。

基于上述设想,我们准备撰写一套"中国古典文学走向世界"丛书,共有十本著作,分作纵向研究和横向研究两个系列。前一系列包括三种,它们是:

　　　　《中国古典文学外播史》东方卷
　　　　《中国古典文学外播史》西方卷
　　　　《中国古典文学外播史》俄苏卷

　　这里所说的"西方"基本上是个文化概念,与地理区划不尽相合。后一系列包括七种,其下又分体裁类和专题类。体裁类是:

　　　　《国外中国古典诗歌研究》
　　　　《国外中国古典散文研究》
　　　　《国外中国古典戏曲研究》
　　　　《国外中国古典小说研究》

　　专题类是:

　　　　《国外中国古典文论研究》
　　　　《西论的移植:方法与视角》
　　　　《中籍的英译:理论与实践》

　　我们希望通过这样一纵一横、纵横交织的探索,最终能够对中国古典文学走向世界这一文化现象,作出较为系统深入、全面细致的描述。

二、中国古典文学外播简况

虽说民族文学走向世界是人类文明发展史上的必然趋势,但像中国古典文学这样外播如此广泛而持久、影响如此巨大而深远的,实在并不多见。也许只有古希腊和古罗马文学庶几可比——不过,用西方汉学家的话来说:"希腊衰微了,罗马倾覆了,中国却跟我们同在,而且它的文学作品,直到今天依然如潮水般地涌现着……"①纵观中国古典文学的外播历程,不难看出,实际存在着近播邻国和远播欧美两大潮流。它的流播所至,影响所及,也正是所谓同质文化和异质文化或者说东方文化和西方文化两个领域。

中国文学的外播,同任何民族文学的外播一样,始自与近邻的文化交流。韩国史书有箕子入朝诗书从焉的记载(《东国通鉴》),这就是说,早在殷周之交,它就借助车马舟楫之便,传入了山水毗连的邻邦。此后它又东渡扶桑,南至菲越缅泰诸国,对于远东文化圈的形成起了促进作用。中国文学在邻国的播扬之中,以东浙日本最为引人注目。公元三世纪(日本应神天皇十五年),

---

①引自霍克思(David Hawkes)就任牛津大学中文教授的演说《古文:古典的、现代的和文雅的》(1961),后辑入约翰·明福特(John Minford)和黄兆杰所编霍氏同名论文集(香港,1989年)。

儒家经籍由百济传入了日本,这是它继续东播的肇始①。那时日本还没有本国文字,从外舶来的中国文学便成了唯一的书面文学,也成了以汉字为书写媒介的"汉文学"的催生剂。日本文学不仅借用语言符号,而且刻意模仿中国古代诗文的内容与形式:袭取意匠,因承手法,摹拟题目,采撷成句。随着文学思潮的兴替,汉文学作家追随中国文苑新说,步武文坛巨子者,代不乏人。甚至侍宴应制、聚饮唱和、登临抒怀、伤时感事等文人习尚,也以中国为摹本。后来出现的以假名创作的日本本土文学——和文学,仍然与中国保持千丝万缕的联系。明治维新以后,西方文学纷至沓来,中国文学的地位相对而言有所下降,但它的传播却借助现代学术而有了新的广度和深度。总之,中国文学对日本和其他邻国所产生的巨大影响,在世界文化交流史上实属罕见。正如有的西方学者所说:"即使拉丁语和希腊语,也未能像汉语对远东的影响那样,占据支配的、正统的地位。"②

中国与欧美相距迢遥,其间且有关山和海洋阻隔,中国文学的西播自然起步较晚。一方面,我国汉代曾经开拓西域,发使"黎轩"(《史记·大宛传》),但并没有把文学带到欧洲去。另一方面,虽然早在公元前希腊和罗马的历史学家就已经提及中国,后来柏朗嘉宾、马可波罗等人的报导也给西方人以多种遐想,但直到16世纪西班牙学者门多萨撰写《大中华帝国史》之时,西方史籍才稍稍涉及中国的语言和文学。1590年,西班牙人在菲律宾完

①日本史书《古事记》和《日本书纪》对此事有记载。
②孔雅瑟《亚洲文学》,载于《淡江评论》第3卷第2期(1972年)。

成了明代童蒙读物《明心宝鉴》的西译,迄今所知,这是中国文学正式西播的肇端。明末清初以前,西方传教士陆续来华,得以亲受中国文化的熏陶。他们出于传播宗教的目的,大量翻译儒经和其他经典,客观上却为中国文学的西播打下良好的基础。而且通过这些传教士,在中西文学交流史上出现了许多趣闻和佳话。例如,法国启蒙思想家伏尔泰移植中国话剧,德国伟大作家歌德称赞中国小说,英国东方学家威廉·琼斯爵士翻译《诗经》,都直接间接地与传教士的译介活动有所关联。进入本世纪以后,全球性的人文环境发生了巨大的变化——如两次世界大战对西方传统信念的震憾,中国作为独立之邦的复兴,西方现代派对异国艺术的孜孜追求,比较文学平行学派的隆然兴起等——这一切都给中国古典文学和传统文化的西播带来了前所未有的新机运,使它继而影响到西方的现代文学。诸如意象派、垮掉派、赛珍珠、布莱希特以及其他作家与中国古典文学的结缘,便是它在西播历程中的新篇章。异质文学姿态别具,彼此间易于截长补短,有着极强的互补性。鉴于这一点,我们完全可以预见,中国文学在西方的影响一定会日益广泛,日益深入。

中国古代典籍在世界各地的流传,几乎无不是通过学者的译介、注释和研究而完成的,所以,它外播伊始就与传入国的学术息息相关。经过长期的积累,在国外许多国家首先形成了综合研究中国文化的"汉学"(即"中国学");后来渐渐分化,甚至文史、语文的综合研究也渐渐解体;中国古典文学研究终于脱颖而出,并形成了自己的治学风格和学派传统。但中国古典文学内容丰富,卷帙浩繁,学者们又不得不力求更加精细地分工,去专攻某代文学,某类文学,甚至某个作家。在历代文学的研究中,从大家巨擘到中小作家,从文人作品到民间文学,国外汉学界几无例外地拥有一些各擅胜场的专门家,取得了相当丰硕的研究成果。这标志着国外中国古典文学研究已经开始走向成熟。不仅如此,时至今日,世界各地的中国古典文学研究,已经大致形成了日韩、俄苏和西方三个学术实体,加上我们自己的学术,堪称四大板块。诚然,中国学术仍然无可争辩地是整个学术的主体部分,但其他板块在许多方面也堪与主体学术相媲美。这又不能不说是中外文化交流史上值得注意的现象。

既然国外学术已经发展到了如此成熟的阶段,我们就不应该无视它的存在,而应该采取积极态度,认真加以梳理、总结,引为丰富自己、壮大自己的借鉴。下面我们打算通过几个实例,对其借鉴意义作一说明。

三、影响研究:展示文学交往史的历程

一国文学走出国门,在另一国传播、渗透,并产生影响,与另一国文学建立实际联系,是世界文化交流史上常见的现象。而探索、梳理这些因素关系,便构成了影响研究。所以,法国比较文学的先驱者基亚说,影响研究旨在建立"国际文学关系史"。这种研究注重材料,讲求考据,以实证主义为哲学基础。它所触及的范畴是产生影响的全过程,也就是从播出到传递、接受的各个环节,从而形成侧重点互不相同的渊源学、媒介学和流传学。

实例一:日本学者小西甚一的《芭蕉与唐宋诗》。

论者说,江户时代著名俳谐诗人松尾芭蕉沿承杜甫、李白、寒山、苏东坡、黄庭坚等人,形成了自己独特的诗风,这是学术界的共识。但他并非直接接受中国诗人的影响,而是通过禅林学人的解说。从天和期到贞享期芭蕉风格的形成,以禅的模式理解唐宋诗乃是重要的契机。这是 17 世纪日本诗坛的一般动向,芭蕉卓有成效地表现出了这一点①。

实例二:美国学者劳伦斯·柴索姆的《费诺罗萨:远东和美国文化》。

论者以史实证明,美学家费诺罗萨在日本讲学期间,师从汉学家森槐南学习汉语和汉诗,撰有《汉字作为诗歌媒介》一文,与中国古典文学结下一段奇缘。他死后,其手稿落入西方现代派鼻祖艾兹拉·庞德手中,他整理发表,并为之宣扬,对西方诗歌创作产生了巨大的影响②。

上述二例即分别描述了中国文学外播的轨迹。第一例是:

唐宋诗→五山学僧→松尾芭蕉

第二例稍复杂些:

---

① 小西甚一的文章有白维国的中文译本,载于周发祥编《中外比较文学译文集》(北京,中国文联出版公司,1988 年)。
② 柴索姆的著作 1963 年于纽黑文、伦敦两地出版。

中国诗歌→日本学者→费诺罗萨→庞德→西方现代派

诸如此类的传播链中蕴藏着丰富的文化内涵和文学内涵,只有依靠影响研究才能把它们挖掘出来。

概而言之,开展这一研究首先有利于对中国古典文学作出总体评价。常常听人这样说:"中国古典文学是人类文学宝库中的一块瑰宝。"其依据何在?显然论者在作出这种断言时,是把中国文学置于世界文学的背景上而加以考察的。然而,就目前国内外有关的研究而言,似乎还有许许多多重要方面、重要问题有待进一步深入探讨。而影响研究发微掘隐,溯往追来,正是为上述断言提供坚实基础的途径之一。在国际文化交流日益频繁的今天,全面而深刻地了解中国古典文学以何种形象面向世界,以何种地位自立于世界文学之林,这无疑是十分必要的,也是具有重要意义的。

其实,开展这一研究有利于全面描述文学现象。我们撰写文学史,往往只描述它在本土的发展变化,至多注意到外来文学或文化对它的影响,而较少重视它对外国文学的影响。这样一来,一些跨越国界而延续的文学现象,就会给人以一种面目不清的感觉,因而对之描述也会给人以一种探奥未尽的感觉。譬如说在印度、中国和日本之间,存在着一条交换小说题材的传播链,叙及此事时,似乎不应该只考察印中两国的情况,而应该连带考察日本的情况,对此也加上一笔①。"五四"以后,有不少古典文学研究

---

① 当代学者已对此事做了考察,这是一种可喜的收获。参见王晓平《佛典·志怪·物语》(南昌,江西人民出版社,1990年)一书。

者勇于解脱自己,放眼世界,现在则似乎把中外文学关系史割让给比较文学研究者了。

详而言之,影响研究还能揭示文学交流史上的其他一些具体问题。例如:

(一)揭示实际影响。从表面来看,中国文学对周边国家的影响似是个单纯输入的问题,其实不然,如果仔细观察,就会发现具体情况又有很多变化。小西甚一的文章证实了这一点。日本学者一般认为,松尾芭蕉接受唐宋诗,是直接通过"唐诗选"之类的选本。但小西氏说,芭蕉是通过禅僧注本而受到了影响。因此,他的诗作主要是歌咏自身的实际感受,杜甫和李白诗所提供的只不过一种机缘而已。若断定"唐诗选"等书直接左右了他的创作,便是试图建立一种伪影响。由此可知,中日文学间的异同之点,往往表现为同中之异,或异中之同,而不是单纯的相同或相异。显然在考察文学史时,不可忽视某一作家与同代人的交往。陈寅恪先生创"今典"之说①,与日人考证有异曲同工之妙。

(二)揭示外来文学特质。在文学交流史上,接受者多半不是一成不变地全盘接受外来文学,而是根据自己的美学思想进行加工。费诺罗萨任意拆解汉字的偏旁部首,就此任意发挥,以生发

---

①陈氏说,一般认为庾信写《哀江南赋》,取名于《楚辞》"魂兮归来哀江南"句,实际上他更直接受到了同代人沈炯《归魂赋》的影响。对他来说,《楚辞》是"古典",沈炯是"今典",读者如果忽略"今典",庾赋断难读懂,可见"今典"比明显的"古典"更为重要(见《读哀江南赋》)。美国华裔学者王靖献对此有所考辨。参见他的《历史学家陈寅恪诗歌研究方法之演进》,载于《中国文学》第 3 卷第 1 期(1981 年)。

汉字形体内所谓的诗意,庞德更是推波助澜,以讹传讹。结果他们创造出了一种非中非西、亦中亦西的事物,即西化的中国文学,也就是比较文学所谓的"幻象"。我们不能用保真尺度去衡量其价值,因为其价值在另外的地方:失真的"幻象"犹如写意画,播出国借此会更加明晰地观察到自己文学的特质,接受国则可借此来捕捉外来文学的神髓,并糅进自己的想象。那种异于己的特质,往往是新型文学的生长点。

(三)寻求完整的传播链。有时传播运动并非有往而无还,一去即中止,还有可能出现后续的"回返影响"。这就是说,一国文学传入他国后,引起他国文学的变化,后来自己又受到变化了的他国文学的影响。有不少学者看到,西方现代派对我国现代诗歌有所影响。美籍华裔学者奚密说,卞之琳身为介绍现代派的先驱,在创作诗歌时,处理意象、诗境和代言人,运用反讽、暧昧等技巧,无疑也受到了西方的影响。她试图描述的是这样一条传播链:西方现代派→卞之琳→其他中国诗人。参见奚密《现代中国诗歌》(纽黑文,1991年)。鉴于庞德是西方现代派鼻祖,而现代派诗歌和中国古诗又都有跳跃、暧昧等特点,我们完全有理由说,上述两条一来一往的传播链,在某种程度上有着一定的联系。这种联系可简化如下:

中国古典诗歌→日本学者→费诺罗萨→庞德→西方现代派→中国现代诗人(如卞之琳)

这正是中国文学对外影响及其所受回返影响的全过程。回返影响由于荷载着更多的有关西方文学的信息,使中国文学的本色隐而不彰,这往往使人忽略它的所从来。深入而细致的影响研究,目的就在于寻求首尾完整的传播链。

四、平行研究:丰富文学研究的视角

实例三:捷克学者普实克的《薄伽丘及其同时代的中国话本作者》。

论者说,中国话本小说的写实手法有很高的艺术造诣,《十日谈》远远不及。后者结撰故事,通常是根据轶事、妙语或奇闻,以高潮骨架、喜剧情节为焦点。故事主角往往脸谱化,缺乏个性。话本小说则不然。如《任孝子烈性为神》,从一开始,就对主角的性格和社会地位做了细致的描述,主要情节也以细腻而准确的笔触进行铺展。人物形象鲜明、真实,与薄伽丘笔下的人物不同。篇中以言行写人物的所思所想,刻画得活灵活现。话本作者的兴趣转向了社会下层,是个巨大转变,由写英雄、帝王、贵族,到写普通人,甚至下层妇女也开始崭露头角。这种现象在当时的世界文学中是很奇怪的。话本作者堪称现实主义作家,话本故事堪称"细节真实"(莫泊桑语)的作品,它们几乎预示着欧洲到 19 世纪才逐渐形成的现实主义原则①。

实例四:美国学者韩南的《中国早期的短篇小说:方法论初

---

① 普实克(Jaroslav Prusek)的文章有江原的中文译本,载于上引周编注。

探》。

　　论者旨在研究 16 世纪《宝文堂书目》编成之前的白话小说。为了说明这些小说的特点，他虽然也做了中西小说的比较（如与笛福、菲尔丁相类比），但一如副题所示，主要还是试图建立一种研究白话小说的方法论。他引进了诺思罗普·弗莱的"叙事模式"（根据主要的行为能力分作超常型、常人型、高模仿型、低模仿型和反讽型），以及"单一情节"、"缀合情节"、"上层结构"、"描述"、"展示"、"形式写实主义"等概念。他以这些西方理论概念为依据，确定中国小说的特点与性质。例如他说，在《水浒传》中，写武松的章节自成缀合情节体系，但与其他体系相串联；体系间的总链即偶遇后终成挚友的常见母题；此外，尚有高于并控制缀合情节的组织在焉，它便是上层结构，即英雄聚义、反叛始末。再如，他认为《金瓶梅》采用了单一情节，首次解决了中国小说整体与部分间的矛盾；主要人物虽取自《水浒传》，但其形象全然不同，"大于生活"的武松已被删除，原为反讽型的一些人物升为低模仿型；人物类型的升格，是早期和晚期小说普遍的不同之处，像杜十娘、花魁娘子这样的人物形象，在早期小说里是难以见到的。

　　平行研究是关于实际接触和影响的两国或多国文学的比较，中西文学常常构成它的考察对象。众所周知，中西文学的性质、构成和特点有同有异，研究者或者通过证同，寻求共性，归纳出通则或模式，或者通过辨异，区别并突现两者的个性。第三例即属于重在辨异的一种。普氏对中国话本小说的评价很高，竟然使之跻身于 19 世纪西方现实主义小说的行列。如果此说成立，那么，我们就应该重新考虑这样的问题：在世纪之交和本世纪初叶，中国的小说创作究竟向西方学习了些什么,而且在这一借鉴过程中,我们自己的古典小说究竟起到了什么样的作用。

更重要的是,由于平行研究的考察对象没有实际的历史关联,因此这一研究的重心发生了转移,转到了作品的"文学性"上来。也就是说,它旨在把作品当做作品,而不是当做史料或其他什么来研究。一些文学因素或与文学直接相关的问题,如主题、题材、文类、技巧、风格、神话、文学运动、文学史分期等,成了平行比较的主要内容。这些研究在长期实践以后,大多已获得相对的独立性,从而形成了许多亚类:

平行研究:主题学、文类学、类型学、运动与时期研究、比较诗学

虽然,上述第三例当属比较文类学。经过辨异证同,中西小说遂变得面目清晰,特点突出,使读者加深了对它们的共识。除文类学外,其他亚类均可在国外的中国古典文学研究领域内找到实例,因限于篇幅,我们不能一一举例说明。

比较诗学,尤其是中西比较诗学,是个相当重要的亚类。所谓"诗学",即文学理论;"比较诗学"是关于不同国家文学理论的研究。中西文化乃异质文化,它们所孕育的文学理论呈现着明显的差别,不过也有不少论说表达方式迥异,而内容相同。因此,中西文论的平行比较正广泛引起研究者的兴趣,有人甚至期望建立"共同诗学"。西方学者近来倾向通过中西比较诗学,更好地把握中国传统批评家的观点,以便更深入地了解中国文学。

第四例所体现的移植西方理论以研究中国文学的方法论,尤其值得注意。甚至要这样说,移植西方理论是西方汉学最为引人入胜的范畴之一。根据比较方式,平行研究还可区分出以下类型:

$$
平行研究
\begin{cases}
直接比较
\begin{cases}
作品与作品 \\
理论与理论(即比较诗学)
\end{cases} \\
间接比较——理论与作品
\end{cases}
$$

西方理论是从西方作品归纳、总结出来的,因此西论中用可以说是通过西方理论而构成的中西作品的一种间接比较。我国现代学者如王国维、胡适、闻一多等,曾卓有成效地从事这种实践。建国后在文艺研究中主要运用马克思主义文艺观(它解决了文艺批评中的许多重大问题,但奉行者有时却因而排斥其他文艺理论),直到进入文学新时期,一些青年学者在改革开放的大潮推动下,才重又开始了移西就中的尝试。我们应该看到,西方汉学家因得到时空之便,这种尝试不仅未见中辍,而且规模愈来愈可观。西方大多新兴的理论和方法,如意象研究、诗语分析、神话与原型批评、新批评、结构主义、现象学、符号学、文类学、叙事学、比较文学等,均在中国古典文学研究中派上了用场。它们所提供的新视角,打开了一块块新的天地。作品间和作品内部各组成因素间的一些重要关系,如宏观与微观、系统与单元、内在与外在、局部与整体、意蕴与结构、表层与深层、历时与共时、动态与静态、并置与连续、时间与空间等,均获得了新的透视。这些信息如果反馈过来,当能在我国学术研究中提供有益的借鉴。

五、跨学科研究:扩大学术探索的视野

实例五:德国学者卫德明的《〈天问〉浅论》。

论者说,屈原《天问》是否为壁画题跋的抄录与设问,本是一桩公案,学者们对此一致持否定意见,如"先王庙宇公卿祠堂,何至于在江南野外放逐之地;庙壁祠墙,又何能任意涂写"(刘大杰《中国文学发展史》)。不过,即使持有种种理由可予以否定,也应该问个明白:究竟为何产生了《天问》一诗。他认为,比较宗教学的观点能够帮助解决这一问题。印度诗集《梨俱吠陀》、冰岛诗集《埃达》等均包含涉及宇宙和神话知识的诘问,一方面探讨其内容,一方面探讨其渊源。这些文学类似祭祀仪式上的提问。屈原熟悉故乡的祭祀和神话,就不断地从这个源泉中汲取灵感。这些问题具有宗教性的感染力,好像深深触动了这位身处逆境且忧心忡忡的诗人,他把痛苦的发问与自身的命运联系在一起①。

实例六:法籍华裔学者程纪贤的《关于中国诗歌语言及其与中国宇宙论关系的几点看法》。

论者认为,在中国传统的宇宙观中,"虚实"、"阴阳"和"天地人"三组概念占据着重要地位。而中国诗歌语言在探索符号世界的奥妙时,总是根据它们来营造自身。语汇层次由"虚实"所决

---

① 卫德明的文章有李世隆的中文译本,载于尹锡康等编《楚辞资料海外编》(武汉,湖北人民出版社,1986年)。

定。词语有虚实之分,雅句应虚实均衡,以使气韵通畅;实词使诗句坚实、肯定,虚词则使之游移,较多暗示。虚词省略会引生歧义,而歧义能够打破句中单一的线性意义,丰富词与词之间的联系,以防止语意变得狭窄。句法层次由"阴阳"所决定。就对仗而言,它表明诗中结构与意义难以用释义法解说清楚。如"行到水穷处,坐看云起时"二句,字面意思很简单。如果两句同时看,就会发现每一对偶组合的隐蔽意义:"行、坐"意味着运动和静止,"到、看"意味着行为和思考。"水、云"意味着宇宙变化,"穷、起"意味着死亡和再生,"处、时"意味着空间和时间。在象征层次,意象组合以"天地人"为根基。"天地人"三者间的关系强化了宇宙的应和观念,而象征意象使维系万物的隐秘关系明朗化。古人用"比"、"兴"来说明这种关系。"比"基本上是从人出发至自然的过程,"兴"则离开自然回归到人。建筑在这两种辞格上的诗行,便组成了自然的动态循环①。

跨学科研究也称"科际研究",旨在沟通文学与自然科学、社会科学以及其他艺术间的联系。这一研究的比较对象极为繁杂,广涉数学、物理、哲学、历史、宗教、语言学、社会学等多种学科,和音乐、绘画、雕塑、舞蹈、电影、建筑等多种艺术门类。在它们之间,也构成了多处复杂的关系②,有些则是人为地建立起来的平

---

① 程纪贤的文章载于林顺夫和宇文所安(Stephen Owen)编《抒情语吻的活力——汉末至唐代诗歌》(普林斯顿,1986年)。
② 孕育关系如宗教是文学的源头之一;媒介关系如文学借语言而表情达意;渗透关系如神话成为文学因素;融合关系如诗剧与音乐结合而成为歌剧;影响关系如音乐给象征派以滋养。

行比较或阐释关系。研究对象的性质决定着研究方法的采用。跨学科研究主要采取如下三种方法:第一种是移植理论,即用其他学科或艺术的理论来阐释文学作品或文学现象(反之,也有移植文学理论而他用者,但较罕见);第二种是平行比较,探讨文学和其他艺术作品或现象间的异同;第三种是事实考证,探讨文学和其他科学、艺术间的种种关系。跨学科的触角已经突破了文学疆界,进入了文化领域,从而使比较文学具备了文化学科的性质。但这并不意味着它已侧重其他学科,而把研究重心放在了文学之外,恰恰相反,它关注的重点仍是文学。

上面引述的两种跨学科研究,是西方汉学领域里的显例。

其实,跨越学科以研究文学的现象无处不在,说先秦文学而及于哲理(如侯思孟的《孔子和中国上古的文学批评》),说民间词而及于法乐(见饶宗颐、戴密微的《敦煌曲》),说咏物词风而及于马夏画派(见林顺夫的《中国抒情传统的转变》)等,本来就是极其自然的事。学科之间既需要建立联系,互相支持,又需要交换视角,互相发明。卫氏的文章从宗教仪式着眼,为探寻《天问》的创作缘起,提供了一种设想;兼之论者从其他的民族文学找来佐证,进而增加了说服力。而程氏的文章,则试图用宇宙观把诗歌创作几个层次的艺术构思统一起来,让人觉察到同属一种文化的各个领域的互相沟通,给人以新颖别致之感。

学科之间有时存在着十分复杂的关系,文学和语言学这两个学科的关系,即是最为复杂又最为密切的一种。现在,试总结于下:(1)媒介关系——文学借助语言而表达;(2)类比关系——法国叙事学家把作品比做语句,认为作品的结构犹如语句的结构;

(3)直接借用关系——将语音学、语法学、语义学、修辞学等直接用于文学研究;(4)间接借用关系——现代语言学为结构主义、符号学等流派的形成打下了理论基础,而这些新兴流派的理论与方法又反过来广泛用于文学研究;(5)交叉关系——一般认为,风格学是介于两者之间而且与两者密切相关的一门学科。有趣的是,在国外(尤其是西方)的汉学研究中,这些关系有的得到了详尽而透彻的剖析,有的得到了鲜明而深刻的反映①。跨学科研究虽然古已有之(如论诗画关系),但及至本世纪经平行学派的倡导迅速发展之后,显然在文坛上已有重大的突破,因而对于扩大学术研究的视野必将起重要的作用。

与周发祥合撰,原载新疆人民出版社 1997 年版《中国古典文学研究回顾与瞻望论文集》,此据万卷出版公司 2010 年版《当代名家学术思想文库·傅璇琮卷》录入,另收入《传统文化与现代化》1993 年第 3 期(题为:海外中国古典文学研究综论)、安徽教育出版社 1998 年版《当代学者自选文库·傅璇琮卷》

①参见周发祥《西论的移植:方法与视角》(即将由江苏教育出版社出版)一书中的有关章节。

理性的思索和情感的倾注

——读朱东润先生史传文学随想

一

在老一辈的古典文学研究专家中,朱东润先生是我几十年来一直十分敬佩的一位。读朱先生的著作,总会感到一种人格的力量,又能受到做学问的一种极难得的启示和陶镕,那就是对中国古代的历史,既要有理性的思索,又要有情感的倾注,这样才能使传统的研究蕴含一种"秋冬之际"、"山阴道上"的眷恋情怀,又能有一种"仲春令月,时和气清"的舒朗气息。

朱东润先生的治学面是相当广博的。在先秦时期,他有《诗三百首探故》;两汉魏晋南北朝时期,有《史记考索》、《汉书考索》、《后汉书考索》;唐至清,有关于杜甫、梅尧臣、陆游、元好问、张居正、陈子龙等人的传记;古籍整理方面,有《左传选》、《梅尧臣集编年校注》、《陆游诗选》;在文学批评史方面,有《中国文学批评史大纲》;在小说方面,有《宋话本研究》、《水浒人名考》。我觉得,我们的老一辈学者,做学问的面是很宽阔的,博大与精深,往往是造就大学者两个互为联系的条件。在这方面,朱东润先生的著作和治学道路,是很值得我们深思的,在研究 20 世纪学术史时,我们确实需要从中吸取有益的经验。

朱先生在研究某一领域时,总是先详尽占有资料。我们阅读他的作品,总有一种实学的感觉,觉得他的话是有来头的,不像时下一些好发高论者,总使人有一种"游谈无根"之感。但朱先生治学可贵之处更在于从中表示个人的见解,而这种见解是力求在材料考证和梳理基础上所作的一种拓新。我过去看郭绍虞先生的《中国文学批评史》和罗根泽先生的《中国文学批评史》,都确有所得,它们都有不少材料,可供深入钻研。后来读朱先生的《中国文学批评史大纲》,就突然有一种涉足活水的喜悦,像纪昀、阮元那样学术人物,也列入批评史上来讲,确实拓展了批评史的天地。又譬如我最近才读到《史记考索》等三部书(华东师范大学出版社1996 年 12 月版),我个人认为写得最好的是《后汉书考索》,其中有不少吸引人的新见。如书中认为,范晔与司马迁、班固不同,并不把开国皇帝即写成少有大志,他认为在范《书》里,"光武只是一位逐渐发展而不是少有天授的人物",又说"光武只是一个很平凡的人,他底成功,也只是平凡人底成功"。书中又肯定王鸣盛的意见,即范《书》里"宰相多无述","公卿不见采",进而论述:在范《书》列传里面,我们看到后汉这一朝各式各样的人物,而不仅看到一群显宦;"换言之,这是一部人物大观,而不是一部缙绅录。这是范《书》底特色,我们也不妨借此估定范《书》底价值。"在《范晔作书的动机》一章,特别提出范晔认为只有儒家,"才能养成这一批担当国家大事死而后已的人物"。又说:范晔所着重之学,"决不是世儒章句之学,以及曲学阿世之学","他所重的,恰是那种把学问见诸事业的人"。这部名为"考索"的著作,却是笔法超脱,思路开阔,十分难得的史评。

我觉得朱先生写书还有一个不大为人注意的,就是他的好几部著作,往往是写成了并不就拿出来,好些是放着,大约是准备再加修改的。如《后汉书考索》写于抗战时期大后方,1942年,稿成之后,未尝示人,1949年又重写一过,还是放着;《汉书考索》初稿写于1951年,稿本自署"未定稿"。这两部书都一直藏在家中,直至朱先生过世后才得以问世(据朱邦薇同志《后记》)。朱先生对中国古代白话小说颇有研究,但我们过去是不大知道的,只是最近看到复旦大学中文系编、复旦大学出版社出版的《中西学术》(2),和上海古籍出版社1996年12月出版的《中华文史论丛》(第55辑),才得读到《宋话本研究》和《水浒人名考》。这两篇文章都写于50年代,材料翔实,但朱先生却一直没有拿出来。这里面可以见出老一辈学者做学问的一种内养功夫,他们自己有一种充实感,就不急于以一二部书来炫耀人。我觉得这倒不必以"淡泊名利"来称誉朱先生,我们自能从中受到学术节操的熏陶。

二

我想,朱先生的书最能吸引人的当是他的几部传记文学著作。这一点是得到当代学人公认的。王运熙先生说:"在这方面,朱先生开拓了一个新的研究领域,取得了丰硕成果,值得我们钦佩和学习。"(《道德文章　永留人间》)骆玉明先生明确肯定:"朱先生可以说是中国现代传记文学的主要开创者。"(《百年万丛事　词气浩纵横》)陈谦豫先生引述朱东润先生自己的话:"我的衷心愿望,倒是想当一名忠实的传记文学家","到我死后,只要人们说一句:'我国传记文学家朱东润死了!'我于愿足矣。"(《想当一名忠实的传记文学家》)这些评论道出了当代学人的共识。朱先生在史传文学上留给我们的是一笔丰厚的思想遗产,我们要怀着深挚的感谢之情接受,更要用求索之心研讨。

可以说,朱先生在史传文学方面,早就有一大志,就是如何吸取西方近二三百年来在传记创作上的现代科学精神,以补当时中国本土学术的某些不足,"替中国文学界做一番斩伐荆棘的工作"。朱先生早年留学英国,他在 20 年代即留心阅读西方名人传记,在《张居正大传》的自序中就重点提到鲍斯威尔的《约翰逊博士传》、斯特拉哲的《维多利亚女王传》、莫洛亚的《狄士莱里传》、勃路泰格的名人传等。这几部书,除了《维多利亚女王传》由卞之琳翻译,40 年代初曾在香港商务少量印行,近年又经译者修订,由商务印书馆重印外,其他似尚未有中译本。商务印书馆 90 年代初开始有计划地编印《世界名人传记丛书》,现在已有两批,共 30 种,也还没有朱先生提到的鲍斯威尔、莫洛亚、勃路泰格的书。由此也可见朱先生在英国接触西方原著,时间既早,方面又广。

朱先生确是在史传文学研究和创作上做了不少准备工作。他除了阅读西方作品以外,还系统地研究中国古代各种体裁的传记文学,写了好几篇探讨性论文,如《中国传叙文学与人物》、《传叙文学之前途》、《大慈恩寺三藏法师传述论》、《传叙文学与人格》,并于1942年完成十余万字的专著《八代传叙文学述论》。

经过中西比较研究,朱先生当时得出这样的一种认识,即"在近代的中国,传叙文学的意识,也许不免落后"。具体的说,是:"《史》、《汉》列传底时代过去了,汉魏别传底时代过去了,六朝唐宋墓铭底时代过去了,宋代以后年谱底时代过去了,乃至最进步的著作,如朱子《张魏公行状》、黄榦《朱子行状》底时代也过去了。横在我们面前的,是西方三百年以来传叙文学的进展。"从这里可以看出,朱先生对中国古代传记文学确是下过功夫的,对其发展脉络具有整体的把握。他说"我们对于古人底著作,要认识,要了解,要欣赏"。朱先生并不是那种浅薄的民族虚无主义者,他在这里并非对我国古代史传文学一概否定。如上面提到的《史记考索》、《汉书考索》、《后汉书考索》,就是同一时期写的。他在提到《维多利亚女王传》时,即特别提及这本书"很有《史记》那几篇名著底丰神"。但朱先生认为,时至20世纪中期,我们要从事于传记文学的创作,毕竟不能只简单地仿效过去时代的列传、墓志、年谱、行状。如果不能摆脱过去时代的局限和束缚,那就是"古人支配今人"。朱先生说"我们决不承认由古人支配我们底前途"。我觉得这表现了朱先生一种独立而清醒的学术意识,在现在看来也是富有启发性的。

正如朱先生所说,"世界是整个的,文学是整个的",因此对中西作客观的比较,学习和吸取西方有学术价值的创作成就,这应该是文化学术发展在20世纪的必然趋势。王国维早在本世纪初就说过:"异日发扬光大我国之学术者,必兼通世界学术之人,而不在一孔之陋儒。"(《奏定经学科大学文学科大学章程书后》)鲁迅1907年所写的《摩罗诗力说》也说:"国民精神之发扬,与世界识见之广博有所属。"朱先生在传记文学上所作的中西比较,倒是启示我们:研究本国或本民族的文学,必需把目光投向更广泛的领域,要及时吸取国外的新思想新观念,把本国本民族的文学放入世界的大范围中。这应当说已成为本世纪我国好几代学人的共同认识。

三

正如朱先生引佛家语"阅尽他宝,终非己分",他阅读和研究西方著作,只能是一种准备,一种过渡,终不能代替自己的创作,他希望用自己的实践来作一种开拓。于是从40年代开始,就一连串有好几部传记著作送到中国读者的面前,那就是40年代的《张居正大传》、60年代初的《陆游传》、70年代末的《梅尧臣传》、80年代初的《杜甫叙论》、80年代中的《陈子龙和他的时代》,还有尚未发表的《元好问传》,以及"文革"刚结束不久,写于70年代初期而1996年才出版的现代人传记《李方舟传》。

朱先生在传记文学写作中一个很大的开拓,也即对过去列传、墓志、年谱、行状一个明显的突破,就是着重对传主时代的研究,并用极大的篇幅充分展示时代的特色,特别是当时的政治情势,他认为这是传主所据以活动的场所和施展才能的舞台。这应该说也是他对西方著作长处的吸取而表现的理性的思索。

　　张居正是明代中期一位大政治家,在过去的一些中国通史著作中,讲到明万历时期的政治、经济,总要提到他的一条鞭法。但张居正作为一个人,他如何在那一时期的政治舞台上出没,在朱先生写的《张居正大传》以前,还没有人提供一个完整的既是政治家又是一个16世纪中国特殊环境中人物的形象。正如朱先生自己所说,"居正底一生,始终没有得到世人底了解"。而要了解张居正,就必须了解他的生活的时代,以使今天的人们认识到:"他只是张居正,一个受时代陶镕而同时又想陶镕时代底人物。"

　　《张居正大传》就以很大的篇幅,写出那一时期皇帝的专制与昏庸,朝臣的钻营与争斗,表面上的盛世酝酿着一场大乱的爆发,"到处都是谄谀逢迎的风气,政治的措施只能加速全社会底腐化和动摇"。书中说:"这就是张居正出生的时代。"朱先生说:"最困难的是一般人对于时代大局的认识。"我相信,通过《张居正大传》,人们对明代中后期的政治大局会有一个清楚具体的认识,也从而使人们更能了解这一个张居正。

　　《陈子龙及其时代》自序,有一段话很值得回味:"历史是无情的,它能培养人才,也能摧毁人才。当然,我们不是说历史是有意识的起这样的作用,而是说在某个特定时期,人才得到很好成长的环境,或是在某个特定时期,人才不但得不到培养而且会遭到压抑或打击。这是每个学习历史的人所经常遇到的问题。当然,任何人没有坐待时代支配的义务,但是在环境对他的成长不利的时候,即使他尽了最大的努力,有时还会遇到打击或挫伤。可是,一个有志之士,即使遇到不断的挫伤以后,决定不悲观失望、灰颓丧气,他得付出更大的努力,纵使遇到十次的失败,他还得争取第十一次的胜利。"

这篇自序写于 1983 年初,人们不难想见,这一段话是饱含朱先生在"文革"十年所遭受的血泪苦难之情的。但也正由于此,也升华了朱先生对时代的理性思考,而对我们来说,也可更进步体会朱先生在传记文学创作中为什么如此注重于时代的研索和描述。中国古代固然已有"知人论世"之语,但毕竟过于概括,朱先生对此实是一个巨大突破。

也正因此,《陈子龙及其时代》,差不多有一半以上的篇幅写明代后期的政治情势与军事斗争,其中尤其详细铺叙建州卫努尔哈赤几代对明代边镇的侵袭,明统治者在昏庸、专制下所表现的连续失策及至最后覆灭。自序中说:"他(陈子龙)是时代中的人物,他的一生的经历都和他的时代息息相关,因此我在这本作品当中,把他的时代写得比较多一些,这样的写法,在国外是经常见到的,不过在国内,由于数百年来八股文字的传统,可能有人认为离题太远,因此我在书名中特别提到他的时代,表示我对这个传统的正视。"西方的传记确是以较多篇幅记述传主时代的,如法国著名作家安德烈·比利(1882—1962)所写的《狄德罗传》,在书前《告读者》中,就说狄德罗的一生"是符合他的时代,也是为了他的时代",因此作者认为"很有必要给予他曾生活于期间以及他那高贵灵感所激励的社会以一席重要地位"。作者还幽默地声称:"本书如果称为'狄德罗和他的时代'也许过于狂妄,但是,如果称为'狄德罗和他的社会'还是相当合适的吧。"(商务印书馆,1984 年张本译本)这一席话与《陈子龙及其时代》的提法正好是一个巧合,由此也可见出学术上理性思索的相通之处。

在《杜甫叙论》自序中,朱先生说他曾考虑过写一本关于杜甫的比较完整的传记,但多少年来都没有动手,这是因为有些问题需要解决,其中之一即是"李姓王朝和吐蕃王朝、回纥王朝的关系"。在记叙杜甫生活和诗作时,他总是把这三者的关系作为大背景来处理的。他把唐帝国的动乱视为杜甫走向人民的关键。《梅尧臣传》写于"文革"前夕,出版于"文革"刚结束不久,可能也受到政治环境的影响,朱先生写作此书时,更注意作家身世、作品创作与时代的关系,说:"他的丰富而深刻的感情和他的身世存在着密切的联系。倘使我们对于他的时代和身世,没有切实的体会,怎样理解他的作品呢?"(《梅尧臣传》序)也正因此,书中写梅尧臣在任建德县令时,总是关心朝中的政治斗争。后来无论在京中任小官,还是在湖州任地方官,书中总是详细叙述宋与西夏的战争,以及这一战争的胜败如何萦绕这位看似超脱现实的清寒的诗人,使人更为全面地认识梅尧臣。在《陆游传》为陆游的《南园记》、《阅古泉记》作辨析时,也总是联系当时政治,特别是宋金战事,指出陆游是在关心国情的思想指导下与韩侂胄接近的。这些,都是想通过时代大环境来更好地理解人的内心活动。

四

在重视时代把握的同时,朱先生还强调要掌握传主作为历史人物的分寸,既不能过于颂扬,又不应过分要求。"进行创作的时期,对于传主不会不产生热情,但是这些自发的热情,往往会使我们失去应有的衡量";"我们进行批判,也不要忘去传主只是数百年以前的人物,我们不应向古人提出现代的要求"。这是写于1965年4月的《梅尧臣传》自序,那时正处在大动乱的前夕,极"左"思潮已逐步弥漫,朱先生能这样提出自己的看法,确实是很不容易的,表现出极为宝贵的冷静思考与学术良知。

张居正是明代中期有大功的政治家,对他的功绩应该予以充分肯定,但朱先生在书的序言中明确表示:"传叙成为颂扬的文字,便丧失本身的价值。"因此他在叙述张居正的政治生涯时,总是注意当时上层政治斗争的复杂性,在严嵩当权,与徐阶争斗时,张居正的态度有时是暧昧的,他要保护自己。后来徐阶当权,内阁中又有高拱、李春芳等勾心斗角,他更依违其间,因为他是"热恋政权"的。书中说"自隆庆元年入阁以后,直到万历十年身死为止,在这长长的十六年之中,他没有一天不在积极地巩固他底政权,也没有一天曾经放弃他底政权"。这样来看待历史上手操朝政的政治人物,应当说是合乎情理的,因此40年代所提供的这一个张居正形象,到现在还保持鲜活。

卞之琳先生在《维多利亚女王传》中译本重印前言中,提到斯特莱切在这本传记中表露了他对传记写作的看法。书中第七章第三节写到维多利亚女王的丈夫死后,她要臣下为其丈夫一再立传,后来出了几本皇皇巨著,表彰他尽善尽美,但问世后并未产生她所预期的效果:"世人见陈列出来给他们赞叹的人物倒像是道德故事里的糖英雄,而不像有血有肉的同类,耸一耸肩,一笑,或是轻薄的一哼,掉头而去了。"这当给朱先生以深刻的印象,他在

《张居正大传》的序言中虽没有明白提及斯特莱切这段描写,但序中再次强调,如果抱定颂扬传主的宗旨,那末"他们所写的作品,只是一种谀墓的文字,徒然博得遗族底欢心,而丧失文学的价值"。朱先生的几本传记文学作品,总是力求贯彻这一主张的。《陈子龙及其时代》虽然一再表示他要写出陈子龙先是名士,后是志士,最终成为一名斗士,但在自序中仍然提出:"子龙是不是有缺点呢?他不是超人,不可能没有缺点的。因为要忠实于传记文学,我没有权利把他写成超人。"也正因此,已经问世的几部传记,传主都是有血有肉,现代的读者也能充分理解的活人。

在谈到朱先生传记文学的写法时,有一个重要之处决不能忽视,那就是书中对话的运用。这是朱先生特有的艺术手法,是现代中国传记文学的一大创新。他在写作《张居正大传》时,就运用得极为纯熟。他说"对话是传叙文学底精神,有了对话,读者便会感觉书中的人物,一一如在目前"。我是有切身体会的。我第一次读《张居正大传》,是在1948年,那时我虚岁十六岁,初中三年级,在宁波读书。因为时常向开明书店的《开明少年》投稿,稿费所得即邮购出版社的书。那时我不自量力的函购了《张居正大传》,一捧到厚厚的四百页的大书,实在不敢读,而且也确实读不太懂,但在大篇记述文字和引文之后,忽然出现几句对话,立刻吸引了我,那几句简短而传神的对白,忽然使我接近了那个时代。这种阅读的喜悦感,至今仍印象深切。

可贵的是,朱先生所写的对话,不像时下一些号称传记佳作的书,加油加醋,凭空捏造,以求得广告效应。朱先生是以严肃的学术准则来对待的,他自己说在写《张居正大传》时,"只要是有根据的对话，我是充分利用的，但是我担保没有一句凭空想象的话"。

作为文学性传记，朱先生经常用抒情性的笔调来写，使人得到美的享受。梅尧臣是皖南人，请允许我抄录一段《梅尧臣传》第一章开头的一段：

> 从皖南峄山山脚宛转北向的宛溪，经过宛陵城下，和绩溪东来的句溪合流，带着欢腾的浪花，直奔小阳镇，这时称为水阳江。水阳江浪涛滚滚，过了黄池以后，再会合青弋江，下至芜湖入江。这一大段地区，是自古以来有名的宣城郡。六朝时候，多少豪门贵族、诗人文士都愿意到宣城当一任地方长官，那时称为宣城太守，他们的主要目的，是到这里来，享受这山水胜景。

人们翻开书本，读到这第一段充满诗情画意的文字，是自然而然地会把这山水佳景与梅尧臣的诗歌风格联系起来。

又如《杜甫叙论》在记叙《旅夜书怀》一诗"细草微风岸，危樯独夜舟。星垂平野阔，月涌大江流。名岂文章著，官应老病休。飘飘何所似，天地一沙鸥"时，写道：

> 杜甫已经到了走投无路的时候了。文章也写，诗歌也写，但是在这茫茫一片的江上，向上是灿烂的群星，向下是一江的皓月，可是自己呢，正是走投无路，不知道到哪里去，也实在没有可去的地方。自己是天地间的一只沙鸥，荒寂、孤

独,天地虽大,栖身无所。

这一段真是倾注了朱先生作为学者兼诗人的感情的,不只真切地传达了原诗的情意,而且再创造地显示了特有的艺术美感。

我以为,朱先生的几部传记文学,是有不同的风格的。《张居正大传》以凝重著称,《杜甫叙论》与《陈子龙和他的时代》有一种悲壮的情调,《陆游传》在清丽中带有意气风发,而《梅尧臣传》则确有宋诗风格——淡泊与舒闲。

朱先生的传记作品还有一种神来之笔,那就是在讲述历史时,忽然会把过去的生活拉到现代来,增进人们的时代意识与生活情趣。如《杜甫叙论》第七章讲杜甫在巴蜀因战乱而流徙,东奔西走,非常痛苦,作《严氏溪放歌行》一诗。书中在引了这一首诗后,写道:"在读到这首诗的时候,我仿佛听到近代乐曲里的《二泉映月》。在那首曲子里作者只是凄凉地存在,谱奏他那惨痛的生活。他拉的是二胡,但是在那愁苦的一拉一送之间,活活地把他的生活在两条弦子里抒奏出来。"在谈到杜甫《王命》、《征夫》、《西山》《遣忧》等诗所写吐蕃军队趁地方军阀混战,因而打开松州的大门,从西山打过来,而内地的军队,自己相杀还忙不过来,更顾不到西边人民的生活,书中又插了这样一段话:"也许有人还记得关东军占领东北的情况吧!'我的家在东北松花江上!'多少中国人民是流着热泪奏这些歌的!一千二百年后又来一次痛苦的歌声!"朱先生这样把历史与现实叠在一起描写,不但并不使人感到生硬勉强,反而加强人们的历史情怀与现实感受。

他有时还援引外国文学名作。在记述杜甫到江陵,为自己的生计不得不对地方长官作违心歌颂时,书中说:"杜甫是不是乐于为此呢?当然不是。对于这样的滑稽悲剧,他是理解的,也是痛恨的,但不是深恶痛绝,他还要靠扮演这幕悲剧吃饭,因此一边是痛恨,一边还要继续扮演,这正如雨果《笑面人》所写的那位主角的独白一样,心上是极端的沉痛,但是脸上还是刻板的喜悦。"这也真是神来之笔。朱先生能达到如此化境,是与他对中外文化的深厚素养分不开的,这也确实激励我们要努力提高自己的文化素质与艺术涵养。

五

末了,我想附带说几句。朱先生确是有儒家风度的学者,一身正气,因此他所选择的传主对象,差不多都是关心国计民生的有为之士。他强调关切现实,拯救危亡,尊崇气节与品格。这都是可以理解的。但可能受特定环境的影响,有时不免太强调某种政治标准。譬如论杜甫《茅屋为秋风所破歌》,诗中的"安得广厦千万间,大庇天下寒士俱欢颜",说杜甫"只是说寒士,不是广大的饥寒交迫的人民",又说这个士"只是骑在人民头上的人,士是可以向上爬的"。又指责杜甫把孩子(村童)诬为"盗贼",因而说:"杜甫只是处在一个阶级社会,他关心的是统治阶级,特别是和他一样的下层的士,而不可能是广大的人民。"这与他把杜甫和李白相比,以杜甫更接近人民而高于李白,看似矛盾,实是一致。朱先生的传记作品,有一种过分重视某种政治参预的倾向,这点如何评价,还可作进一步探讨。

　　听说朱先生对陈寅恪先生写《柳如是别传》不以为然,认为以80万言为一妓女立传,实在不值得。话虽这么说,朱先生还是读过这80万言的著作的。《陈子龙及其时代》末尾曾引述《柳如是别传》第三章的文字(虽然他对陈说并不同意)。陈寅恪先生是详细考述过陈子龙于崇祯年间与柳如是的交往的。据陈先生所考,陈子龙最早在崇祯五年即与柳氏相识,后在松江同居,感情甚深,最终则于崇祯八年秋分离,但此后两人的诗词中仍有深挚的怀念之情。柳如是则因与陈子龙等名士交往,"不仅为卧子之女腻友,亦应认为几社之女社员也";"继经几社名士政论之熏习,其平日天下兴亡匹'妇'有责之观念,固成熟于此时也"(《柳如是别传》第三章,第282页,上海古籍出版社1980年版)。陈、柳交往,对柳如是是一种识见的提高,对陈子龙也是一种诗情的交流。陈子龙的早年生活应该是多方面的,他与柳如是的合与离,也从一个侧面反映明代末期江南士人的生活风习。朱先生的书只以不到一页的文字作了极为一般的交代,陈寅恪先生则以二百多页的篇幅详作疏证,两位先生的看法实有较大的差距,这一学术现象也是可以探讨的。

原载《文学遗产》1997年第5期,此据万卷出版公司2010年版《当代名家学术思想文库·傅璇琮卷》录入,另收入安徽教育出版社1998年版《当代学者自选文库·傅璇琮卷》、首都师范大学出版社2010年版北京社科名家文库《治学清历》

记钱锺书先生的几封书信

　　最近,浙江文艺出版社寄赠我一本《钱锺书散文》,这是汇编最全的钱锺书先生的散文集。钱先生的散文,连同他的小说《围城》,我在年轻时就爱读的,但由于专业的缘故,我读得最多的还是他的几本学术著作,如《谈艺录》、《管锥编》、《宋诗选注》等。不过这本散文集中收了好几封致友人的书信,却引起了我难以忘却的回忆。

　　我自80年代起就因工作缘故与钱先生常有交往,他先在中华书局出版《管锥编》,后又修订重印《谈艺录》。《管锥编》第五册出版时,由于我们中华书局出版发行工作做得不协调,连钱先生自购的二十本书,出版后三个月,才送去十本,其余十本,虽钱先生屡催,一直未有着落。不得已,他就写信给我,告知此事,却出之以极其幽默的语气:"亲故索书如追逋,作者避债未筑台。旷日持久,推诿词穷。足亦必当遭此窘境,当能深体下情。"我接到此信,大吃一惊,马上请有关部门迅速妥善办理,当时内心的歉疚之情至今难忘。

　　我对钱先生是心仪已久的,但过去长时期总是不敢去拜访他,更不敢贸然写信。直到我的第一部学术专著《唐代诗人丛考》于1980年1月出版后,才偕同中国社科院文学所的沈玉成同窗学友到钱先生家去,把这本书奉送给他。钱先生过后则又特地写了一封信给我,说:"前蒙偕玉成兄枉过,神交二十余年,终获快晤,亦老来一幸事也。顷奉赐《唐代诗人丛考》,急稍披寻,其精审密察,功力更胜于《江西诗派》之仅以渊博出人头地者。君于兹事,殆冠时独步矣。"信中说"神交二十余年",则应当是50年代末、60年代初,那时我还不到三十岁,但仍编有《杨万里范成大研究资料汇编》《黄庭坚与江西诗派研究资料汇编》。这当给钱先生的印象很深,信中所说的《江西诗派》,即指此而言。由此也可见钱先生对晚辈的提携与扶掖。

钱先生对我年轻时埋头读书、跑图书馆,得以编出这七十余万字的资料书,是很赞赏的。有一次在他家里,他就说:你的这本《江西诗派研究资料》,我是放在身边书架上的;我的《谈艺录》,说的都是古人,提到现代人的,只有两个,一个是吕思勉,一个就是你的这本书。当时我听了脸忽然红了起来,以为钱先生是故意开玩笑。后来我的一本《李德裕年谱》于1984年10月在齐鲁书社出版,因书名由钱先生题写,故出书后我立刻给钱先生送去。钱先生当然还是称赞我,说"足下著作,严密缜栗,搜幽洞隐,有口皆碑,年力方强,撰述必且又新日富也"。同时又提到他曾在口头上说过的话:"拙著428页借大著增重,又416页称吕诚之丈遗著,道及时贤,惟此两处,亦见予之寡陋矣。"此处的"拙著"即《谈艺录》,书中的第428页确实引了我的《黄庭坚与江西诗派研究资料汇编》。接此信,读此数语,我总有一种愧疚之情。

每当我有新出版的书送钱先生，他总是极口赞誉，我心里明白这是前辈勉励督促之意。但钱先生对学术是执着认真，绝不敷衍了事的。80年代中期，北京大学古文献研究所计划编纂《全宋诗》，我曾参与其事。当时大家讨论，认为此书主编非钱先生莫属。于是由我与古文献所所长孙钦善同志到钱先生家去，力请他主持这一大工程。钱先生说得很委婉，但很坚定，说他只能自己写书，绝不出门当主编，更不能挂虚名。当时我们自然很失望，但我心里是真正佩服钱先生这一严谨学风和高洁人品的。

后来《全宋诗》前五册出来，我收到钱先生一封信，可以说是给予严厉的批评。当时钱先生身体已不大好，每天服中药，他说因此而吃不下饭，睡不好觉，说"老病废学"。但他还是仔细翻阅了第一、第二册，举了好几个不该有的错失。这里不妨摘引其中一小段：

> 如唐宋人名句，全集可征，而误读笔记，过信类书，别嫁主名（如卷三范质"大署去酷吏"一联乃杜牧《早秋》五律中联是也）；而搜检之诗句，出处未得其朔（如卷三杨朴《村居感兴》引《后村题跋》，然后村明言"放翁跋"，盖本之《渭南文集》卷二九《跋杨处士村居感兴》，又《老学庵笔记》卷十有异文，是也）；补入断句实已见作者全诗中（如卷四六田锡"秋色……"本《浩然斋杂谈》，实已见卷四二田氏《桐江咏》，只一字异，是也）；补入一人之断句实已见另一人集中全诗（如卷一〇一补丁谓"子美集开诗世界"据《海录碎事》，实已见卷六五王禹偁《日长简仲咸》，乃传诵之王氏名句，是也）。

我在这里不厌其烦地写录钱先生的这段文字，是为了让读者具体地感受这位大学者对编书做学问的一丝不苟、从严求实，更可以见出钱先生的博识专精：他所举的这几个例子，并不是专门翻书得来的，而完全凭他的记忆，这在当代学者中可说是凤毛麟角了。而在信的最后，他仍以其特有的雅兴写道："自恨昏眼戒读书，寒舍又无书可检，故未能始终厥役，为兄作校对员耳。不足为外人道也。"

有一次，我因读《管锥编》，发现一些引文上的问题，就不自量力地写信给钱先生，却引来钱先生实实在在的自我批评，说：

> 奉惠函，甚感读书不苟。适以中寒，后患齿疾，遂稽作报，歉仄歉仄！比因就医凿齿易牙，杜门谢事，重寻拙著一、二册，误字漏字固置之，援据疏讹，赏析浅率，已见数十事，愧汗无已。即就《太平广记》卷论之，如660页误以《瀛奎律髓》卷四七作《朱子语类》卷一四〇；744页《唐语林》补遗作"王绪"，虽或作臆改，而刘克庄尚可以自解。此类尚望精博如先生者随时指正，万一重版，得以纠正，不敢掠美也。

读者可以看出，钱先生对他人所编的《全宋诗》之误从实指出，而对于他自己的著作更苛刻要求。这种风度真能使人廉立。

但钱先生一直是幽默处世的。就在这同一封信中，就我提到的一处有关唐人常建诗事，提出不同意见，认为我不懂当时的人情世故，于是风趣地说："先生为人笃实，为学朴至，故不知世之诗人文人虚诞诬妄，先天生性，后天结习，自古已然，至今未改。"于是随手举了两例，一是有位鲁迅研究专家，"未尝得见鲁迅一面，仅通函敬慕而已，今则著文自记曾登鲁门拜访，同去者某某（其人流亡台湾，十年前逝世）"。另一例为："弟今春在纽约，得见某女士诗词集印本，有自跋，割裂弟三十五年前题画诗中两句，谓为赠彼之作，他年必有书呆子据此而如陈寅恪之考《会真记》者！"后又云："上月三联书店遣范用同志相访，要弟写《回忆录》，弟敬谢不敏；正因弟虽粗解把笔，而无诗人文人自欺欺人之本领，不宜写自传。一笑。"

有一次钱先生写了他的旧作两诗寄我，还特地附了一封信，说香港一些报纸刊登他的诗，"事先既不征询，事后亦不送阅，大有李铁牛背人吃肉之风"。又提及一些人拿了他的诗，自以为与著者相识，仿作如诗，投寄报刊，因云："弟向谓自传不可信，回忆录亦不可信，今切身经受，愈觉吾言非要，身外是非谁管得，隔洋听唱×××耳。"

读者可以看出，我所介绍的钱先生的这几封信，真可谓堪与顾炎武《日知录》、钱大昕《十驾斋养新录》比美，又能与《世说新语》、《东坡志林》同调，实乃当世之奇文。

原载 1997 年 12 月 29 日《人民政协报》，此据北京联合出版公司 2013 年版《濡沫集》录入，另收入《新华文摘》1998 年第 5 期、大象出版社 2004 年版《唐宋文史论丛及其他》、北方文艺出版社 2008 年版《书林漫笔》(题无"书"字)、万卷出版公司 2010 年版《当代名家学术思想文库·傅璇琮卷》、首都师范大学出版社 2010 年版北京社科名家文库《治学清历》

"何时一尊酒,重与细论文"

——杂忆《学林漫录》

    中华书局曾于80年代编辑、出版一套别具一格的学术随笔,共十三集,名曰《学林漫录》。这套书后来未能继续编印,使得文化界、读书界不少人深为惋惜。使人欣慰的是,这十三本书近日将一次性重印,并还有可能再编下去。80年代末我曾写过《学林漫录琐忆》一文,收于姜德明先生主编的《书香集》(华夏出版社)。最近因整理书箱,发现一些与此有关的信札,故特撰此短文,以抒缅怀之情。

    《学林漫录》的具体编辑工作由我和当时古代史编辑室张忱石、文学编辑室许逸民两位同志共同担任的。初集的"编者的话"由我起草,其中说:"不少文史研究者或爱好者,愿意在自己的专业领域内,就平素所感兴趣的问题,以随意漫谈的形式,谈一些意见,抒发一些感想。而不少读者,也希望除了专门论著之外,还可读到学术性、知识性、趣味性相结合的作品,小而言之,可以资谈助,大而言之,也可以扩大知识面,开阔人们的眼界,启发人们的思想,丰富人们的精神生活。《学林漫录》的出版,正是为了适应这样的要求。"1979年筹备组稿时,我先是向素所敬仰的启功先生求助,他欣然交下两篇,一是《记齐白石先生轶事》,一是《坚净居题跋》。启先生这两篇可以说是代表《学林漫录》的两大部分内容,即一为记述近现代有建树的艺术家、学者、作家事迹,二为包括各种内容的学术漫笔。这些,对不少人来说,都有一种新鲜感。《学林漫录》初集于1980年6月出版,就在同月6日,启功先生即给我一信:"陈老纪念文,尚未着笔,本月必交卷。"果然,启先生不几天就把稿子寄来,这就是刊于第二集的《夫子循循然善诱人——陈垣先生诞生百年纪念》一文。

我还保存了谢国桢先生的几封信,其中之一是1979年11月6日写的,说:"昨日电谈至快。兹附去拙文两篇,即希审阅后,以当补白如何?"另一信是1980年3月24日写的:"《学林漫录》何日问世?亦望示及,无任感盼。"可见谢老对《学林漫录》的出版十分关注。此时,谢老已为八十高龄。他的《说沈涛的著述》一文亦于初集刊出。初集的作者,除了启功、谢国桢两位先生外,还有王永兴、王绍曾、吴小如、王仲荦、周振甫、钱伯城、黄裳、郁贤皓、朱金城、金性尧、陈友琴、杨廷福、蒋天枢、郑逸梅、黄苗子、刘叶秋、舒芜、王利器、刘世德、邓绍基、卞僧慧等,真是名家荟集,美不胜收。

我这里想提出的是,黄裳先生对《学林漫录》特别予以支持。一听说出此书,就把《关于柳如是》一文寄给我(刊于初集)。他写此文时,陈寅恪先生的《柳如是别传》还未出版,黄裳先生当然未能见到,但黄先生的论点,大多与寅恪先生不谋而合,依我私见,有些还较《别传》更为通脱。我曾请他写关于钱谦益一文,他来信说:"承命新题,确亦重要人物,但研究太少,读此翁著作不够,不敢贸然下笔,况陈寅恪先生巨著将出,必于此人有所论列,更宜谨慎也。"但他还是写了明清之际文人的一篇极为精彩的文章(即《鸳湖曲笺证补记》),并在信中说:"曾少读吴梅村,新中国成立后颇有人论梅村诗,惟无较深之看法,至为可惜。此文请指教。"《学林漫录》初集印出后,黄裳先生于同年10月间特地给我一信,说:"刊物印刷装帧皆佳。尊撰'大政方针'极是。近来'正经'学术刊物甚多,然质量殊不足与招牌相符。原因可能是人才廖落,后继者少。鲁迅有言,不妨大家降一级试试看,即试写此种小文,不端架子,反能可有新意。"我想,黄先生这番话,不仅对当时,即使对今天也是值得人们思考的。

《学林漫录》的组稿信发出,不少前辈学者确是"不端架子"而寄赐文章。黄苗子先生于1979年9月间给我一信中说:"前嘱关于《酉阳杂俎》一文,一时尚无法整理。先检附此稿,系从旧笔记中整理出者,送请察阅。"这就是初集中的《画史识微》一文。舒芜先生不但自己撰文,还特地推荐同为"五七战士"的安徽两位学者:吴孟复、程仁卿。令人遗憾的是,程先生一文未及刊出,即已去世,舒芜先生后来信深致惋惜之情。我本想请冯其庸先生写关于无锡国专一文,冯先生于1980年12月来信说:"承惠《漫录》,随手翻阅,觉琳琅满目,美不胜收。"但他解释说他入无锡国专不久即离开参加革命工作,不好写,就谨重推荐上海杨廷福先生写。《漫录》四集刊载了杨廷福、陈左高两位的《无锡国专杂忆》后,引起极大反响,后来九集刊出黄汉文的《无锡国专杂忆补正》,开头说,读了杨、陈两位之文后,"如临故地,如温旧事,如聆师训,如对旧友"。我想,不少学友对此是会有同感的。

不少学者的信都对《学林漫录》表示关切之情。如苏仲翔先生信云:"特寄上一份博粲,此种体裁,未悉尚合时宜否? 如获发表,固所愿也。"陈友琴先生信云:"《学林漫录》不知最近有出版消息否? 顷缮《李清照及其漱玉词》拙文一篇,请是正。"特别是初集刊载了蒋天枢先生《〈烟屿楼文集·记杭堇甫〉辨证》一文后,他给我来信,说此文原系在复旦大学所作的学术报告,复旦的人不知,又收入学报增刊,他闻讯后急令其抽出,已来不及,特此告知,希望不寄稿费。蒋天枢先生后来还寄来一文(《旧校本〈世说新语〉跋》,七集)。现在重读诸位先生的书札,真有一种"高山仰止"之感。

1997 年 12 月 31 日,写成于年夜。

原载 1998 年 1 月 21 日《中华读书报》,此据首都师范大学出版社 2010 年版北京社科名家文库《治学清历》录入,另收入大象出版社 2004 年版《唐宋文史论丛及其他》

感　召

前些日子听说《叶圣陶文集》已经出版了,想来卷帙一定繁富,可惜无缘拜读。近来因偶然的机会,从我所在单位中华书局的文书档案中,获睹几件叶圣陶先生手迹的复印件,读后受到一种人格与文品的感召,久久不能平静。特记于此,谨以自勉。

从 1958 年起,中华书局即致力于《永乐大典》散佚本的辑集,至 1959 年,已从国内外公私所藏收集到 720 卷。为供学术界研究、观摩,中华书局于该年 9 月选印其中一册,全照原书大小式样,影印仿制出版。这一仿制本前面有一篇出版说明,由编辑部一位同志起草,当时中华书局总编辑金灿然同志即特地将这篇出版说明送请叶圣陶先生修改。

这篇出版说明篇幅不长,大约只有一千二百来字,由 720 字一张的稿纸誊写,共 32 行。使人惊异的是,几乎每一行都有叶老修改的笔迹。叶老修改,每一个虚字、每一个标点都不放过。譬如文中说《永乐大典》"辑入古今图书七、八千种",叶老把"七"字下的顿号删去,并在旁边批注:"此顿号无论如何不能要。"有一句"未毁者几全被劫走",叶老改为"未毁的几乎全被劫走"。原稿

"劫"字写成"刧",叶老特地勾出来,用毛笔正楷写成"劫"。最后一段原稿说:"要说明《永乐大典》这一类型的百科全书,这一册的内容是具有代表性的。"粗看似也说得过去,但被叶老划去了,并特地在文末写了三行字:"一册的内容具有代表性,可以知道全书的体例和规模,我觉得想不通,恐怕一般读者也想不通。因此,代表性的说法不如删去。如果必须保留,就该说得明白些,说明从哪几点可以见出这一册的代表性。"经这几句一点,真使人豁然开朗。

叶先生当时的工作是很忙的。他在给金灿然同志的一封信中说:"我在最近两三个月内,忙碌殊甚,每日上下午非开会即商量文稿,傍晚归来,颓然无复精神。"但他还是对这样一篇极为平常的文稿作那样仔细的审阅和修改,一点"大名人"的架子也没有。

1959 年至 1960 年间,中华书局准备重印朱自清的《经典常谈》。这是朱先生以通俗的笔法介绍古代经典文献的著作,解放前即出版,无论专业研究者还是一般读者,都爱读。这次中华书局重印时,拟请叶老写篇序。由叶老为此书作序,当然是最合适不过的了。中华书局文书档案内保存了叶老为此事给金灿然同志的一封信,信中说:

> 作序之事,非我所宜。您应了解我,古籍云云,我之知识并不超于高中学生。人皆以为我知道什么,我实连常识也谈不上。此一点恐不能叫人相信,以为我谦虚。您与我相识十年,且非泛泛之交,当知我言非虚也。苟我稍有真知灼见,则

佩弦为我之好友,于其遗著,有不肯欣然作序乎？至希亮詧。

我想,读了这几行信中语,就不必再说什么了。叶老的人品,真如光风霁月,能使人胸中连一点灰渣尘屑也可以去除得干干净净。叶老说他于古籍,其知识并不超于高中学生,因而不敢为朱自清先生的《经典常谈》作序,我相信这是叶老真诚的谦虚,也是真正学者的一种自爱。现在,社会上有些人,被捧为什么"大师",有时却连起码的常识性错误也会在笔端中流出,却颐指气使地训斥别人,对照叶圣陶先生的这几行文字,不知会有什么想法？

原载湖南人民出版社 1997 年版《濡沫集》,此据北京联合出版公司 2013 年版《濡沫集》录入

历史的沉思

最近抽空读了两本有关中国近代史方面的书，一本是晚清容闳的《我在美国和在中国生活的追忆》，一本是美国人 A. 柯文的《在中国发现历史》，副题为"中国中心观在美国的兴起"。这两本书一起读，感到很有意思。不同时代、不同文化背景的两位学人，对中国近代社会所作的认真的思考，倒使我们可以从日常繁琐的事务中稍有超脱，起一种悠然的历史的遐想。

容闳的书原是用英文写的，1909 年在美国出版，商务印书馆于 1915 年出了中译本，取名为《西学东渐记》。这是研究中国近代思想史所必读的书。我最早接触这本书是 1949 年下半年宁波刚解放不久，我还在中学读书，从学校图书馆尘封中捡到这本书。中译本用的是文言文，但接近于林琴南译《茶花女》那种文体，我当时虽是高中一年级，倒是大体上读了下来。解放初对"美帝国主义"的仇恨当然很深，而容闳的这本书却使我知道了美国生活的另一面，但也使我疑惑，觉得像容闳那样眷恋故土，一心希望国家富强的志士仁人，却认为只有西方教育才能救中国，这倒底对不对呢？

现在的中译本是由王蓁同志翻译的，比起原来的译本当然有极大的提高，用现代汉语译也更接近于原作的精神。但不知怎的，我总觉得原来的书名《西学东渐记》似乎更能表达容闳作书时的用意；"西学东渐"这一简单的词组，真能勾勒出那一整个的时代，以及那一时代不少忧国伤时之士的深切情怀和血泪向望。

1828年容闳出生于澳门以西一个小岛（现属广东省中山市）上的穷苦人家，1839年进入英国传教士郭施拉夫人创办的学校，后又升入一所英国商人在澳门建立的马礼逊学校。后来容闳随这所学校迁往香港，中间曾因父亲去世，生活困难，辍学在一家印刷厂做工。由于他勤奋向学，刻苦上进，受到学校的重视，遂于1847年他16岁时由马礼逊学校的教师美国人勃朗带到美国学习，并且进入美国第一流学校耶鲁大学。他于1854年毕业时面临人生道路的选择。这时他已是美国公民。就在这时，他思想中极可珍贵的火花闪现了，他说："教育已明显地扩展了我的心灵境界，使我深深感到自身的责任。"他为了求学，远涉重洋，由于勤奋克己终于达到了渴望已久的目的。他真诚地自问："把所学用在什么地方呢?"

就在这人生道路上的关键时刻，他作了今天使人读了尚为之感奋的决定："我决定使中国的下一辈人享受与我同样的教育。如此，通过西方教育，中国将得以复兴，变成一个开明、富强的国家。此目的成为我一展雄心大志的引路明灯，我尽一切智慧和精力奔向这个目标。"

容闳始终是一个真诚的人，他的这一番话完全是出于内心，一点虚伪、做作都没有，而且此后他一生就是这么做的。他在当时完全相信美国所代表的西方生活方式与思想远胜于他"无时无刻不渴望她走向富强"的故国。虽然他"无时无刻不在怀念她",但这样的社会却在在使他失望。他回国以后所接触到的现实,最使他伤心的,是"整个官僚组织千疮百孔,由上到下都行贿成风,美其名为馈赠,实际上就是贪污纳贿"。他认为清朝政府必然走向没落的主要原因,即在于"腐败","一切都是交易,出价最高者就可以得标","整个机构是一个庞大的欺诈舞弊的组织"。

容闳根据当时的现实,说:"中国的历史,和她的文化一样,至少有两千年之久,就像一潭死水,充分表现出陈陈相因的民族特色。"正因此,他在童年时一见到郭施拉夫人,就本能地感觉到:"一个全新的世界已经展现在我的面前。"

容闳凭他的英语能力,凭他的学识,回国以后,在洋行中做事,经商致富,是一帆风顺的路。事实上也有人保荐他做买办。但他终于谢绝,说:"买办固然是个赚钱的好差事,但终归奴仆性质。"他在回国后曾对他母亲说过,"大学教育的价值远超过金钱"。而后来在不同职务中,他总是把这一信念牢记心中:"至少有一个中国人是把洁白的名誉和诚实的品格看得比金钱更重。"

正因如此,他不屈不挠地努力,说服曾国藩和其他一些实权人物,争取向美国派遣留学生。当清朝廷根据容闳的建议,决定分批向美国派遣12至14岁120名学生时,真使容闳感奋不已,竟高呼"在中国历史上开创了一个新纪元"。他天真地以为,这样一来,可以"从而建立起以西方文明为基础的东方文明,使旧中国变为新中国"。

近代社会确有不少人是主张向西方学习的,但多数着重于兴工厂、办洋务、开宪政，等等，只有少数人着眼于教育。第一个出使于英国的郭嵩焘，根据其亲身经历，曾说"英国富强之业一出于学问"，而西方之所以强盛，"其源皆在学校"。严复也认为西方之所以强大，乃在于"——皆本之学术"（《严复集》第 11 页，中华书局版）。曾参加变法维新而被革职的诗人陈三立，在一篇传记中，转述传主的话，"以为富强之术，宜专教育人材"（《散原精舍文集》卷二）。

但结果怎样呢？容闳所极力主张的向美国派遣的留学生，终因官场的倾轧，封建当权派的无知与偏执，未到年限即被中途召回，这批学生遂即也就星流云散。

容闳毕生所追求的事业是以失败而告终的。现在看来，在他那个时代，那个社会，这种失败是必然的，而且也是最平常不过的了。现在问题是，他的那套想法究竟对不对呢？他的那套教育设想，即"将西方教育与东方文化交融在一起"，并以为这是"使中国走向改革和复兴的最适宜的办法"，到底有没有价值呢？

似乎是来回答这个问题，本世纪 80 年代初美国一位研究中国史的专家 A. 柯文写了一本《在中国发现历史》，以极富思辨色彩的文笔来回答应当怎样看待近代中国发展的走向，决定中国发展走向的到底是哪一种力量。

对中国读者来说，这本书确有两方面的价值，一方面它较全面地介绍了战后美国研究中国近代史的一些代表学者，他们治学的方法、成果和趋向；另一方面作者明确地提出了"中国中心观"，并对其他有关的论点进行分析和批评，这对我们进一步认识中国近代社会发展中西方的影响有极大的参照作用。

柯文以整整三章的篇幅分别论述和批判了三种西方中心的模式,这三种模式分别为"冲击—回应"模式,"传统—近代"模式,帝国主义模式。它们的具体内容有所不同,但它们有一个共同点,即是认为,中国社会内部是始终不可能产生近代工业化的前提条件的,只有西方入侵,才引起中国社会内部的变化。此书第二章一开头,即用形象的语言来表述这三种模式的共同主张:"一个停滞不前、沉睡不醒的中国,等待着充满活力、满载历史变化的西方,把它从无历史变化的不幸状态中拯救出来。"作者在另一处说,美国历史学界,直到二次大战后的五六十年代,仍然本着"从19世纪继承下来的一整套假设",那就是:"认为中国是野蛮的,西方是文明的;中国是静态的,西方是动态的;中国无力自己产生变化,因此需要外力冲击,促使它产生巨变;而且只有西方才能带来这种外力;最后认为随着西方的入侵,'传统'中国社会必然让位于一个新的'近代'中国,一个按照西方形象塑造的中国。"

作者是对美国同行所作的批判,但读了这些文句,却使人感到美国史学界自我批评的勇气;正因能这样正视自己,不隐讳自身的短处,才有真正的活力。

其实,作者认为三种模式是美国学者的"一整套假设",也不尽然。上面说过,像容闳这样赤诚为报效祖国而奔走呼号的中国读书人,即坦诚地主张"以西方文明为基础"来建立"东方文明"的。他认为这样才能"使旧中国变为新中国"。他在甲午中日战争后,曾向张之洞建议,一方面要聘请外国人士在外交部、陆军部、海军部和财政部担任顾问;另一方面还可挑选一些青年有为的学生在这些外人手下工作。容闳天真地以为"这样可以使政府根据西方方式改造中国的行政机构,使他们根据西方的原则和概念进行改革"。

可见,这所谓西方模式,确实并非美国人的假设,而是 19 世纪一批中国知识阶层的真诚的追求。当然,历史的进程到底也证明这些都不过是美丽的幻想。

柯文的"中国中心观"有好几处,最主要的一点是:"从中国而不是从西方着手来研究中国历史,并尽量采取内部的(即中国的)而不是外部的(即西方的)准绳来决定中国历史哪些现象具有历史重要性。"

这种说法,在我们今天看来,似乎算不上什么新鲜和深刻。我们会说,我们不是老早就这么看的吗? 但我想,一种认识,看起来似乎再简单明白不过了的,认为人人都能理解的,但在某个特定时期,就会硬是不被承认,直至那一时期过去,人们迎来另一时代环境,回头一看,才明白原来早就应该如此。我们自己的经历,譬如"文革"时期的一些提法、做法,事后回想,不也正是如此吗?

时代决定意识。美国史学界的中国中心观的这种趋向,反映了二战后整个西方社会发展的一种新情况。随着民族运动的兴起,第三世界的力量与作用日益明显。过去,西方总是以自己为核心来看待他种文化,把西方的经验看作是所有国家、民族走向现代化的普遍道路。战后资本主义世界的各种矛盾,在美国特别是越战后对社会心理所造成的震动,迫使他们中的一部分有识之士,从自造的文化囚笼中走了出来,使他们看到了一个在自身之外的广大世界,使他们感到这一块世界确有他们所不及之处,于是,西方中心论就在烂熟了的西方文化体系中日趋瓦解。第三世界文化创造的被认识，这应该是本世纪后 50 年世界文化新进展的一大标志。

实事求是地说，柯文的"中国中心观"，在这本书的正面阐述中还不是很充分的，有些地方又稍嫌枝节、散漫。但是，任何一本历史书都不可能解决它所面对的历史时期的所有问题，正好像我们不能要求一个历史人物来解决他所面对的所有社会问题一样。主要应看他怎样提出问题。容闳在 19 世纪腐朽没落的封建末世，提出向西方学习，要用西方资本主义的教育来造就新一代的读书人，这虽然是空想，却可以给人以启示。柯文在当前整个世界文化的转型期，提出不能以西方模式套用非西方民族的历史，要重视各民族自身的传统，这看起来与容闳的想法正好相反，但也仍给人以有意义的思索。历史就是这样使人们在沉思中提高自己的。

原载湖南人民出版社 1997 年版《濡沫集》，此据北京联合出版公司 2013 年版《濡沫集》录入

卢文弨与《四库全书》

乍一看,这个题目很怪,读者可能发问,卢文弨与《四库全书》有什么关系?

卢文弨与《四库全书》确实没有什么关系。问题出在:前一阵子文史学界似乎有一股《四库》热,炒清朝所修的《四库全书》做文章。有某一位大学问家,讥斥别人不读书、不查书,说乾隆时修《四库全书》,集中了全国学者几千人,随后举了几个人名,其中有卢文弨。这位学问家的说法,引起了一些人的议论,《中华读书报》今年 6 月 21 日陈四益先生《读书真不易》一文曾有所驳正。不过我想,卢文弨也是清朝一位大学问家,名气不小,请他参加修《四库全书》,总不至于信口而谈吧。这些年来自己看书作文,养成了一种不好的考据癖,不免查些书,随即写下了这篇读书心得。

我先查了《四库全书总目》前面所刊乾隆四十七年七月开列的所谓"办理《四库全书》在事诸臣职名"。这是《四库全书》修成以后历次参与其事的总名单,一共 330 人,这里有只领空衔的皇子,有管理行政的大臣,真正修书的学者不过一半左右,所谓几千人,不知语从何来? 而在这一长串的名单中,独独没有卢文弨。这难道是当时搞名单的人把他漏掉了? 那末为什么竟没有人提出加以纠正呢?

我于是书性大发,把卢文弨的《抱经堂文集》二十四卷,冒着酷暑,翻阅了一遍。又连类而及,查核了与卢同时的几个学者的集子,如翁方纲的《复初斋文集》,段玉裁的《经韵楼集》,臧庸的《拜经堂文集》,吴骞的《愚谷文存》,以及《清史稿》、《清史列传》,终可以下一断语,即:卢文弨虽生活在乾隆盛世,并且与《四库》馆中学人如戴震、王念孙、翁方纲、谢墉等都有交往,但他自己却确确实实没有进入过《四库全书》馆,始终未参与其事。

翁方纲是有名的金石学家和文论家,段玉裁是有名的小学家,臧、吴二人自称是卢的学生,他们于经学史学都极有根柢。翁、段写有卢的墓志,臧写有卢的行状,吴则为《抱经堂集》作序。概括诸人所述,卢的生平大致是:

卢文弨字绍弓,浙江杭州人。生于清康熙五十六年(1717),乾隆十七年,以一甲第三人成进士。按当时制度,一甲前三名即可授翰林院编修。二十九年,升翰林院侍读学士。三十年,充广东乡试正考官。三十一年,会试同考官,提督湖南学政。过了两年,不知怎的,他忽然对学政发表一些意见,不合朝中某些人的心意,竟被"降调还都"。于是第二年,他就索性辞官回杭州。吴骞说得很明确:"俄因言事,议左迁。旋请养归,遂不复出,林居余二十年。"

卢文弨是乾隆三十四年辞官归里的,"林居余二十年",则至少已是乾隆五十四年。而《四库全书》开始修纂，是在三十七年，至四十七年大致完成。这就是说，在这十年中，卢文弨都不在北京。

那么卢文弨这些年在做些什么呢？传记资料表明，他这些年历主钟山、崇文、紫阳、晋阳等书院，一边讲课，一边校书，完全是自己做学问。这从他的文集中也可得到证实。为避免繁琐，我不一一举其文章的卷第、篇名，大致是：乾隆三十八年至四十二年，在金陵（南京）钟山书院，四十三年至四十五年，在杭州崇文、紫阳书院，四十六、四十七年，在太原晋阳书院。这些，都可从其所作序跋题记中找到根据。

卢文弨一般不讲大理论，不像有些学问家动辄以宏观阔论惊世骇俗。他一生埋头校勘群籍。他自己说："余今年七十有六矣，目眵神昏，而复自力为此亦不专望于子孙，第使古人之遗编完善，悉复其旧，俾后之学者亦获得见完书。"这样的工作，恐怕要被一些人瞧不起的，认为坐图书馆、藏书楼，搞搞目录版本，算不上什么学问。但历史是最好的见证人，卢文弨一生校定的古籍，镂版行世的如《经典释文》《逸周书》《贾谊新书》《春秋繁露》等等，都是流传不衰的佳书，他的《群书拾补》，其精审的校勘更是某些浮言空论所不能望其项背的。

古人说：学术乃天下之公器。学术上之是非，只能靠实实在在的工夫才能辨析，绝非一时意气之盛所能取胜。写至此，忽然想到《南齐书·王僧虔传》所引王僧虔诫子书中的几句话，姑引于此，借以作结："汝开《老子》卷头五尺许，未知辅嗣（王弼）何所道，平叔（何晏）何所说，马（融）、郑（玄）何所异，《指》《例》何所明,而便盛于麈尾,自呼谈士,此最险事!"

原载湖南人民出版社 1997 年版《濡沫集》,此据北京联合出版公司 2013 年版《濡沫集》录入,另收入北方文艺出版社 2008 年版《书林漫笔》

热中求冷

《中国文化报》的编辑陆璐,写信给我,说她负责的"文化生活"版近期内新开辟"人生旋律"栏目,要我写一篇短文。一见"人生旋律"四字,不知怎地,就忽然联想起目下所谓"潇洒走一回"的时髦语。我从1958年开始就一直做编辑,每天无非是伏案看书,执笔改稿,而且做的又是古籍编辑,面对的无非是圈圈点点,早已被人讥嘲为"饾饤之学"。这样的生活,实在无"旋律"可言,因此苦于无从下笔,不敢交稿。

但年岁毕竟大了,可能是人生通病,年纪越大,越爱回头看,觉得有些事,细嚼起来倒还有味道。这样,慢慢地也领悟出人生经历中的一些道理。

我于1955年在北京大学中文系毕业后,即留校做助教。开头几年似乎过得还不错。正好碰上所谓"向科学进军",又所谓"风华正茂",年轻人在一起,颇有点"指点江山"的劲头,头脑发热。忽然,1958年初通知我,说因1957年夏中文系几个人想搞同仁刊物,我也在内,就补划我为右派。随即从北大贬出,到商务印书馆当编辑。

到商务那会儿，也不过是二十五六岁的青年，但那时自我感觉似乎忽然已入中年。那时商务在北总布胡同 10 号，整个布局由几个四合院组成。我所在的古籍编辑室，正好是北屋西头，面对的是一个颇为典雅幽静的小院子。室主任吴泽炎先生打算在由云龙旧编的基础上重编《越缦堂读书记》，他可能觉得需要一个助手，也或许看我刚被从大学贬出，得收收心，就叫我帮他做这一项事，步骤是将由云龙的旧编断句改成新式标点，并再从李慈铭的日记中补辑旧编所漏收的部分。

李慈铭也可算是我的乡先辈，小时读《孽海花》，对书中所写的他那种故作清高的名士派头，感到可笑，但对他的认识也仅此而已。现在是把读他的日记当作一件正经工作来做，对这位近代中国士大夫颇具代表性的人物及其坎坷遭遇了解稍多，竟不免产生某种同情。我是住集体宿舍的，住所就在办公室后面一排较矮的平房，起居十分方便。一下班，有家的人都走了，我就搬出一张藤椅，坐在廊下，面对院中满栽的牡丹、月季花，就着斜阳余晖，手执一卷白天尚未看完的线装本《越缦堂日记》，一面浏览其在京中的行踪，一面细阅其所读的包括经史子集各类杂书，并在有关处夹入纸条，预备第二天上班时抄录。真有陶渊明"时还读我书"的韵味，差一点忘了自己罪人的身份。

那时商务总编是陈翰伯。他也是文人，对像我这样的人似乎不放在心上，有点听之任之的味道。在商务只几个月，后来改入中华书局。商务那段短暂而悠闲的生活，算是"此情可待成追忆"（李商隐《锦瑟》语）了。这种"热中求冷"，或许也可算是"人生旋律"吧。

1958 年 7 月到中华书局，马上转入纷繁紧迫的编书生涯。刚到中华，在文学编辑室，即碰到新编唐诗三百首。在 1958 年的大浪潮中，对古人一切都要推倒重来，说是乾隆年间蘅塘退士的《唐诗三百首》，美化封建社会，毒素很大，我们要新编一本三百首来加以消毒。于是反其道而行之，要揭露其黑暗面，重点收录所谓民间谣谚，及相传为黄巢的反诗，再加上白居易、杜荀鹤等反映民生疾苦的作品。不只选诗，还要在注中表现批判的观点。我从北大出来，总算学过一些新理论，就把我作为主要劳力，晚上加班，星期天上班，赶在当年国庆节前出书。那时编辑室一位副主任，自称"三八式"干部，解放前曾在邓拓同志手下做过事，有老交情，于是就请邓拓当顾问，请他阅稿，又请他写"前言"。当时大家都洋洋自得，认为牌子硬，书一出来，马上向上级献礼，真是热昏了头。

　　殊不料福兮祸所伏，1966 年上半年批"三家村"，把《新编唐诗三百首》也端出来了，说是邓拓借选诗，把唐诗中描写黑暗的作品大量选入，是借此攻击大跃进、总路线，把一个好端端的新中国描绘得暗无天日，一塌糊涂。那时我正好在河南安阳农村搞"四清"，春夜寂静时，读到《人民日报》的这一揭批文章，真是目瞪口呆。因为我是参与者，知道诗是编辑室内的人选的，只不过选后给邓拓看看，怎么忽然变成邓拓选的了，而且是邓拓借此而作为反党反社会主义的工具。我一看就知道，这篇文章的作者是谁，他是明白前后过程的，但却要曲意为此。安阳是殷墟的旧地，甲骨文是我们文明的老祖宗，我倚伏于中原大地上一家农舍昏微的灯光下，面对这篇檄文，真感慨于我们古老的历史传统中一种可怕阴森的东西。

　　人生旋律中热、冷两方面,确可以来回转换,关键是自己如何把握。限于篇幅,不得不打住了。临了,还想说一点,1969年至1973年我随文化部到湖北咸宁"五七"干校,最后一二年,人走得差不多了,由热转冷,劳动战地变成休闲场所,晚饭后我有时找萧乾、楼适夷诸先生聊天,后即转入屋内,点起煤油灯看书。咸宁地处楚泽,广漠的平野常见大湖返照落日的奇彩。晚间我遥望窗外,月光下的远山平湖,仿佛看到这屈子行吟的故土总有一些先行者上下求索而悲苦憔悴的影子。这时心也就渐渐平静下来,埋首于眼前友人从远地寄来的旧书中。

　　　　　原载湖南人民出版社1997年版《濡沫集》,此据北京联合出
　　　　版公司2013年版《濡沫集》录入,另收入北方文艺出版社
　　　　2008年版《书林漫笔》

张清华《韩学研究》序

　　河南省社科院文学研究所张清华先生自 80 年代中以来,即以主要精力投入于韩愈研究。除了专题论文外,于 1987 年完成五十余万字的《韩愈诗文评注》(中州古籍出版社)。1992 年 4 月,在河南孟州召开"韩愈国际学术研讨会",并成立中国唐代文学学会韩愈研究会,张清华先生被推举为副会长兼秘书长;会后计划编印《韩愈研究》(第一辑),为出版此书,清华先生又不顾疲累,奔波操劳。而在这期间,他又超然于仕途,沉潜于书斋,对韩愈进行全面的研究,终于又撰成这部约七八十万字的《韩学研究》,由江苏教育出版社出版。这十余年来,清华先生于韩愈研究事业,不论是在学会的操作上,还是在学术的研讨上,其功不可没,是有目共睹的。

　　《韩学研究》一书,于韩愈的生平、思想、学术、文学,以及对后世的影响,论述得非常全面。全书分上、下两册。上册为"韩愈通论",分上、下两编,上编论思想,又分列哲学思想、政治思想、文学思想、教育思想、伦理观念与道德情操等;下编论文学,又分列韩愈与古文运动、散文、诗三节。下册为"韩愈年谱汇证",每一年之下分为"时事"、"文坛述要"、"韩愈事迹",以辑集文献资料为主,间有考证。书的最后,则有孟州韩愈博物馆尚振明先生整理的"韩愈家谱",及韩愈后裔所撰的"韩氏家乘考"、"韩文公后裔家族世系表"等。近十余年来,有关韩愈的研究论著,已出版不少,但就范围之广,论述之全,材料之齐来说,这部《韩学研究》可以说是较为突出的。清华先生在书中还吸取了前人和时贤的不少研究成果,并不时出以新见,材料扎实,议论通达,这样的治学风尚,在目前是很值得倡导的。

书名《韩学研究》,特标出"韩学"二字,我觉得很有意思。在我的印象中,正式提出"韩学"这一学术概念,并予以科学解释的,是撰写于本世纪50年代初陈寅恪先生的《论韩愈》一文。陈先生文章的第一段虽然还把韩愈定在"唐代文化史"的"特殊地位"上,但在具体评论中是超出唐代一朝的范围的。文章的最后一段话很值得我们思考:

> 综括言之,唐代之史可分前后两期,前期结束南北朝相承之旧局面,后期开启赵宋以降之新局面,关于社会政治经济者如此,关于文化学术者亦莫不如此。退之者,唐代文化学术史上承先启后转旧为新关捩点之人物也。

以中国封建王朝的体系而论,唐朝是一个独立的时期,但从整个社会经济、政治、思想、文化的发展来说,唐朝确实可分为两个阶段:前一阶段是结束南北朝的分裂局面,建立统一的国家,无论经济、政治等都有新的开创,但这种开创大抵仍属于中古社会时期;后一阶段则不同,它的各方面都能与宋以后相连,它已进入封建社会的后期,各方面都发生新的变化。韩愈正是生活在中唐这个前后转换的关键时刻,他既适应时代的变化,提出符合当时社会要求的各种主张,而又以其睿智的历史眼光,在哲学思想、文学创作等方面,作系统拓新之举,"开启来学"。陈寅恪先生认为在同辈文士中,官位有比他高的,名声有比他大的,但以整体成就能"不绝于世"来说,是无人能与他相比的,所谓"诚不可同年而语"。这不只是同辈,即以唐代前后期来说,以文学而论,在此之前如李白、杜甫,在此之后如李商隐、杜牧,都有突出的成就,有些方面还超出于韩愈,但他们的成就只是在某一方面(如诗歌),韩愈则在诗、文、哲学、伦理、教育等都有"承先启后、转旧为新"的历史贡献,这就很不一样。应当说,在文化学术史上,像韩愈这样的人物,是不多见的。尽管在历史上,对韩愈有褒有贬,争论不一,但其历史地位是客观存在的。而且,正因为有褒有贬,议论不休,更可证明他是一个有历史影响的人物。

陈寅恪先生从六个方面论述韩愈的历史文化贡献:

一曰:建立道统,证明传授之渊源;

二曰:直指人伦,扫除章句之繁琐;

三曰:排斥佛老,匡救政俗之弊害;

四曰:呵诋释迦,申明夷夏之大防;

五曰:改进文体,广收宣传之效用;

六曰:奖掖后进,期望学说之流传。

这六个方面的提法和具体阐释,我们今天仍可从学术角度,进行探讨,但陈寅恪先生有一个说法是极为坚定的,他认为韩愈的地位价值是如此重要,"而千年以来论退之者似尚未能窥其蕴奥"。之所以如此,依我的私见,一是过去还没有如《论韩愈》那样,对韩愈的文化、学术成就作多方面的整体探讨,而只是从某一方面,即只是从儒学、思想、政治、教育、诗文等作单线的研究;二是过去的研究缺乏历史贯串,特别是像陈先生所指出的,韩愈一方面总括儒家道统之说,而一方面又"开启宋代新儒学家治经之途径",这后一点尤其重要。

我认为,正因为如此,根据本世纪以来,特别是近二十年以来我国的学术发展,在韩愈研究上,是应该提出建立"韩学"的时候了。这将促使我们对韩愈的研究从两个方面开展:一是整体把握,二是历史演绎。我们不能把韩愈的思想仅局限于儒家范围,韩愈自己就说过:"余以为辩生于末学,各务售其师之说,非二师之道本然也。孔子必用墨子,墨子必用孔子,不相用,不足为孔墨。"(《读墨子》)这几句话曾受到程颐、朱熹的非议,我们今天看来,这应当显示出韩愈的一种大家气派。更有甚者,在《送孟东野序》中提出"物不得其平则鸣"的著名论断,而所举"善鸣者",除伊尹、周公、孔子是"鸣之善者也"外,还提到杨朱、墨翟、管、晏、老、庄、申、韩、张(仪)、苏(秦)。可见韩愈一方面承认儒家道统,所谓"建立道统,证明传授之渊源",但同时并不为正统所囿,这是他所以能启示后学的一个很重要因素。我们今天研究韩愈,也当开拓视野,从整体来对这位大学者、大思想家、大文学家作学术史的探索。韩愈是有不少名言的,除了人们所熟知的以外,其他如:"取其一不责其二,即其新不究其旧";"贤不肖存乎己,贵与贱、祸与福存乎天,名声之善恶存乎人";"文章之作,恒发于羁旅草野";

"仆少好学问,自五经之外,百氏之书,未有闻而不求,得而不观者",等等,都很值得在 20 世纪学术发展的高度,作新的科学的诠释。因此,我认为,"韩学"的建立,对于我们今天来说,可以说适其时也。

目下,在舆论界,确有一种趋时之风,即建立什么张、王、李、赵等学之类。我们现在提出"韩学",完全是出于学术史研究的实际需要,是一种严肃的学术要求。当然,韩学具体包括哪些内容,如何进行,根据目前学界情况,可以作哪些分工,等等,这完全可以如实讨论。我相信,这在我们唐代文学界,特别是在韩愈研究者中,是完全可以做到的。

由张清华先生的《韩学研究》,想到"韩学"的问题,谨借此陈述一些不成熟的意见,仿陈寅恪先生《论韩愈》一文的结语:"以求当世论文治史者之教正。"

1998 年元月 9 日,
北京丰台六里桥寓所

原载江苏教育出版社 1998 年版《韩学研究》,此据大象出版社 2008 年版《学林清话》录入,另收入京华出版社 1999 年版《唐诗论学丛稿》

《唐宋八大家文钞校注集评》序

　　《唐宋八大家文钞校注集评》是由陕西师范大学中文系高海夫教授任主编,并邀约西北大学、陕西师大、三秦出版社等单位二十余位学者共同合作,经过五六年的辛勤劳作,终于完成字数近六百万、颇具规模的古籍新注本。令人惋惜的是,当各位学者初稿写就、统一定稿之际,高海夫先生不幸以病去世(1997年元月17日)。现在这部大书即将出版,执行主编薛瑞生、淡懿诚以及参与定稿的阎琦同志,希望我为此书写一序言。我与高海夫先生交往不多,只在过去召开唐代文学会议时见过几次面,但从高先生的著作中,从与他的弟子接触中,我觉得高先生治学严谨而通达,处世执着而淡泊。这在此书的校注风格中也有所体现。为怀念这位于此书有开创之功的学者,也为向读者介绍这部数百万字大书的特色,我也就勉力著笔,虽然我深知实不副所望。

　　首先,我认为将《唐宋八大家文钞》介绍给今天的读者,以了解我国古代散文发展的一个高峰成就,是选择确当的。《唐宋八大家文钞》的编撰者茅坤(1515—1601)是明中叶时人,在他之前,在明代文坛上有所谓秦汉派,也就是李梦阳等人为代表的明七子，他们主张文必秦汉，诗必盛唐，"西京而后，作者勿论矣"，"文自西京、诗自天宝而下，俱无足观"。面对这种风气，唐顺之、茅坤等人则大力提倡唐宋古文。唐顺之曾选取韩愈、柳宗元、欧阳修、王安石、曾巩、苏洵、苏轼、苏辙八家之文，辑为《文编》一书，共六十四卷。而茅坤在此基础上，更为扩展，选辑韩愈文十六卷，柳宗元文十二卷，欧阳修文三十二卷，王安石文十六卷，曾巩文十卷，苏洵文十卷，苏轼文二十八卷，苏辙文二十卷，共一百四十四卷。这样做，不但表现了茅坤对中国散文发展的历史眼光，而且为当时及此后散文创作提供了明确的创作范例。这部书，明清时也曾有人对其中的缺失提出批评，如王夫之、黄宗羲、纪昀等，但纪昀于《四库全书总目提要》的一段评语，在今天看来也还不失为公允之论："然八家集浩博，学者遍读为难，书肆选本，又漏略过甚，坤所选录，尚得烦简之中。集中评语，虽所见未深，而亦足为初学者之门径，一二百年以来，家弦户诵，固亦有由矣。"《明史·茅坤传》也说："其书盛行海内，乡里小生无不知茅鹿门者。"

明清时期，城市的商品生产已很发达，但书籍终究是一种独特的文化现象，有其自身的规律，这就是它本身的价值。明代后期，有些书印数很多，市场很大，特别是一些艳情小说及科场习作，往往板刻盛行，风行一时。但曾几何时，不少书也就灰飞烟灭。只有本身有文化内涵的，才能在历史上站得住脚。《唐宋八大家文钞》之所以广为乡里小生所知，盛行海内，家弦户诵，确有其本身的因素。

关于唐宋这八位大家的散文成就，高海夫先生的前言已有论列，不少文学史著作也多谈到，我在这里就不再复述。我个人以为,《唐宋八大家文钞》之所以在历史上能站得住,一是作家选得准确,二是作品选得完实。唐宋两代散文,除了这八位作家外,确实还有不少有成就者,如唐前期的王勃、李白、李华、萧颖士、独孤及,中期的陆贽、裴度、权德舆,中晚期的李德裕、陆龟蒙、皮日休、罗隐;宋代则更多,特别是南宋,散文及四六文体均甚有特色。但真正要选取散文的创作能反映时代生活、表现其整体成就的,这韩、柳、欧、王、曾、三苏是无可替代的。这也就是自这部《文钞》问世后,唐宋八大家从此在历史上成为中国古代散文总体代表的一个重要原因。另外,此书所选这八位作家的文章,篇数应该说是相当多的,清《四库提要》说烦简适中,实际上自明以来,直到现在,在散文选本中,还没有一部在数量上超过这部《文钞》的。即使单个作家的选集,我们现在编《韩愈文选》,能有十六卷,编《欧阳修文选》,能有三十二卷,编《苏轼文选》,能有二十八卷的吗?而且所选的作品,除一般抒情记事的艺术性文章外,还包括奏议、书状、志铭、表札、制文等政治性、实用性文字,这是符合我国传统的散文范围的,也就是现在所说的"大散文"。这就是说,此书不但篇数多,而且样式全,我们有此一编,就能了解我国散文最发达时期的各种体式的文章。

从古籍整理的角度来看,这部书的注释是很有特色的。我认为特别要提出的,是一种难得的下苦功夫的精神。据说在撰写之初,高先生对参加校注者就要求很高很严,并亲自执笔写出例稿以示范。成稿之后,高先生已在病中,仍强支病体初审以过。正当准备精审时,昊天不仁,却强使他久卧病榻。弥留之际,对家事无所甚嘱,却念念不忘此书,留下"要反复修改,精益求精"的遗言。至不能言，仍掐指以数，于八而止，终于赍志而没。这种痴于学术，为学术事业死不瞑目的精神，是令人听之动容的。此后为完成先生遗命，执行主编薛瑞生、淡懿诚又会同阎琦对全稿再次通审，毅然决定将其中数十卷推倒重来，进行精修细改，这不由使人联想到海尔集团当着全体职工的面挥泪砸毁了自己不合格产品的做法，其精品意识是显而易见的。经过编者与作者年余的日夜辛劳，这部书终于修定成帙，付梓出版了。我不敢说这部大书就是精品，这个结论要众多专家与读者来下，还要经过时间的筛选与检验。但在目前古书重印，今注今译，不免抄袭成风，伪劣相尚之际，这部《校注》的出版当能树立精心出细品的标格。

前面说过，由于茅坤所选的面较广，他所选的不限于一般抒情性散文，很大一部分是各类实用性文字，这些文章往往是当今选家所不选的，这次作注就等于白手起家；再加这八位又都是学问大家，文中用典极多，除经、史外，还多旁及本朝时事，这就极大地增加注释的难度。前人及今人也有一些整理、校注本，其成果可以参考，但无可讳言，其中也颇有误失，本书采取是者从之，错者正之，漏者补之，据云其纠错补失达数百处。而且，本书的注文，凡及典故、史事的，都力求注明出处，言必有据，表现了注释工作的独立性、原创性。

因时间关系，我未能通览全书，但从已阅的一部分来看，自感得实益者甚多，使我想起五六十年代时读北京大学中文系游国恩先生主持、吴小如先生等参与的《先秦文学史参考资料》《两汉文学史参考资料》那样，有一种真正学到手的充实感。限于篇幅，我只能举几个例子，谈谈我的感受。

书中凡注故典、今典，都力求以第一手资料为据，不是简单地抄抄工具书或转引他人之作，这样不但能帮助读者准确理解原意，还能纠正某些工具书及古今注本之误，甚至发现原书作者之误。如欧阳修《谢校勘启》云："非元凯之解经，孰知门王（一作"五"）为闰。"典出《左传》襄公九年：晋伐郑，"十二月癸亥，门其三门。闰月，戊寅，济于阴阪，侵郑"。杜预（元凯）注云："以长历参校上下，此年不得有闰月戊寅，戊寅是十二月二十日。疑闰月当为'门五日'，'五'字上与'门'合为'闰'，则后学者自然转'日'为'月'。晋人三番四军更攻郑门，门各五日，晋各一攻，郑三受敌，欲以苦之。癸亥去戊寅十六日，以癸亥始攻，攻辄五日，凡十五日，郑故不服而去。明日，戊寅，济于阴阪，复侵郑外邑。"准此，当知文中"门王（五）为闰"实乃"闰为门五"之误。又如《谢进士及第启》，有句云："间出之有异人，文章炳乎汉德；选知言于九变，东都下深诏之辞。"其"选知言于九变"出《汉书·武帝纪》元朔元年春三月诏："诗云'九变复贯，知言之选'。"颜师古注引应劭曰"逸诗也"。这里欧阳修又误武帝诏为"东都（东汉）"诏。又如苏轼《鲁隐公论二》云："郑小同为高贵乡公侍中，尝诣司马师。师有密疏未屏也，如厕还，问小同：'见吾疏乎？'曰：'不见。'师曰：'宁我负卿，无卿负我。'遂酖之。"自南宋以来，颇具权威的郎晔《经进东坡文集事略》仅于此注云："出《魏氏春秋》，小同即郑玄之孙。又附见玄本传注。"《魏氏春秋》今不存，然查《后汉书·郑玄传》注引《魏氏春秋》文，"司马师"则作"司马文王"，即司马师之同母弟司马昭。东坡于此弟冠兄戴，而郎晔亦以误传误了。又，《论边将隐匿败亡宪司体量不实札子》云："秦二世时，陈胜、吴广已屠三川,杀李由,而二世不知。"郎注云:"《史记》:二世使人案三川守李由与盗通状,至则楚兵已击杀之矣。"然据《史记·陈涉世家》载:"吴广围荥阳。李由为三川守,守荥阳,吴叔(即吴广)弗能下。"《史记·项羽本纪》云:"沛公、项羽乃攻定陶。定陶未下,去,西略地至雝丘,大破秦军,斩李由。"其时陈胜、吴广均已死,乃知东坡文与郎晔注均误。其余各家原文引典与前人注文误者亦时有所见。注中对这些误失能加以考出,是很有意义的。

此书不惟重视引录第一手资料以释今故典,而且十分重视对有关人文事实的考证,这对帮助读者理解文意与写作背景乃至作者当时的心境是十分重要的。如柳宗元《答韦中立论师道书》,被视为韩愈《师说》的姊妹篇,是一篇十分重要的文章。其中有这样一段话:"独韩愈奋不顾流俗,犯笑侮,收召后学,作《师说》,因抗颜而为师。世果群怪聚骂,指目牵引,而增与为言辞。愈以是得狂名,居长安,炊不暇熟,又挈挈而东,如是者数矣。"一般注家可能仅注难字难词以疏通文意而已,《校注》却不惟如此,而是将重点放在对最后两句的笺证上,按云:"韩愈《师说》作于贞元十八年(802),时愈为四门博士。十九年,愈拜监察御史,同年冬末因上疏言事,贬阳山(今属广东)令。永贞元年(805)徙江陵府法曹参军,次年(元和元年)召拜国子博士,因遭飞语,自请分司东都。自元和二年至元和六年,韩愈先后任国子博士分司东都、都官员外郎守东都省、河南令。虽俱在东都(洛阳),似与其作《师说》关系不大,亦未'如是者数矣'。柳宗元为了替自己'不敢为人师'作解,或有意夸大了韩愈'抗颜为人师'以及作《师说》的副作用。"

《校注》对八大家文较为普遍地采用了这种做法，只要有资料可证的，都以人文事实以实之。在我看来，这样的注释，就将文章注得题无剩义，因而才显得胜义明出了，其学术价值是显而易见的。

《校注》之尤有学术价值者，乃是对一些文章系年，赠主的考证。搞古籍整理的人都深知为古人诗文系年是一件颇为繁难而又不易见效果的事情，往往遍翻史乘却所得无几甚或一无所得，即有所得，也是翻遍数万字甚或数十万字的资料，写到纸上才几行甚至几句而已。然而令人可喜而又可敬的是主编、执行主编与作者们都在这方面肯下死工夫，笨工夫，因而不仅纠正了前人在系年上的一些错误，而且能对前人未曾系年的一些作品予以系年。如苏轼《代张方平谏用兵书》，清人王文诰《苏文忠公诗编注集成总案》被认为东坡诸《谱》之冠，却谓神宗熙宁十年（1077）二月诰下，东坡以尚书祠部员外郎直史馆徙知徐州，四月过商丘，谒张方平于乐全堂，代张作此书。现在注中据《宋史》外国传、种谔传、刘昌祚传，考书中所言实为元丰四年（1081）之事，王文诰系年误。元丰四年，苏轼经过乌台诗案之后死里逃生，被贬黄州，为罪官，还敢代人上书言事议政，这对苏轼研究不是很有参考价值么！又如欧阳修《论逐路取人札子》，南宋人孙谦益等编、周必大跋之《欧阳修全集》谓作于治平元年（1064），现据文中所言事实及《宋史·选举志》与欧阳修行实，改编于治平四年（1067）。《校注》也还有纠正今人之误失者，如欧阳修《谏议大夫杨公墓志铭》，墓主为欧阳修岳父杨侃，文中提及墓主善为赋（《宋文鉴》收其《皇畿赋》）。但今人的一部赋史著作却谓杨侃其人"生卒年及籍贯均未详"，实则杨侃"初名侃，后避真宗皇帝旧名，改曰大雅，字子正"，

《宋史》卷三百有传。又如苏洵《修礼书状》一文,注中引《续资治通鉴长编》、宋人胡柯所作欧阳修年谱,考出此文写作年月,以订正今人对《嘉祐集》校注的失误。

应该说,纠正前人或今人系年之误,还是比较容易的。因为前人或今人毕竟还提供了依据,从依据中发现了矛盾,也就发现了纠正错误的途径。而对那些前人或今人根本未曾涉及的作品予以系年,就不那么容易了,需要更加睿智的眼光与功力。如苏轼《上皇帝书》(系另一书,非《万言书》),东坡诸《谱》均不载。因文中有"至日"及"十二月五日"数字,当然可由此断定必作于冬日在十二月五日之年。然后查《两千年中西历对照表》,知苏轼生齿区间十二月五日冬至者为宝元二年(1039)、嘉祐三年(1058)、熙宁十年(1077)、绍圣三年(1096)。宝元二年东坡始四岁,嘉祐三年东坡丁母忧归蜀,绍圣三年东坡贬居惠州,均不可能写此书,故知写于熙宁十年,时东坡在徐州任。又如苏辙《上刘长安书》,孙汝听《苏颍滨年表》不载,古今学者均未曾提及。校注者据文中内容,断其为应进士或应制科试时投献名公以求引荐之作;又据宋人常以所居官之地尊称对方之习,断其书是写给一刘姓而曾知永兴军路(治所在长安)者。然后查《北宋经抚年表》,知此期是刘姓知永兴军者惟刘敞一人而已。《年表》载:"嘉祐五年(1060)九月知制诰刘敞知永兴,八年(1063)八月召还。辙于嘉祐二年中进士后即返蜀丁母忧;四年十月终制,与父洵兄轼出川,翌年正月至京,三月授河南府渑池县主簿,嘉祐六年应制科。"故知此书必写于嘉祐五年(1060)九月以后(此前刘敞未知永兴军路,不能称"刘长安")或六年初应制科试之前。这样用扎实的资料考据来为作品编年并定赠主的办法,显然是科学的,可信度极大的。当然,他们的结论是否为学界所公认,是否无懈可击,那是另一回事,但他们所下的功夫以及学术方法与学术思路却无疑是值得肯定的。

尤其值得一提的是对曾巩《答孙都官书》一文作年与赠主的确定。在八大家之中,对曾巩的研究是一个薄弱环节。这孙都官是谁,文作于何年,过去都未曾有人提及。现在注中根据曾巩文集中的诗篇,王安石文集中的墓志铭(《广西转运使孙君墓碑》),同时人余靖文集中的序文(《孙工部诗集序》),考出此孙都官为孙抗,此文作于仁宗皇祐三年(1051)前后,即孙抗任广南西路转运使前。这一约九百字的题注无异于一篇精练的考证文字,发前人所未发,不但有助于对文意的了解,还能增进对当时西南民族关系的认识。

注文的细致有时是令人惊讶的,如苏轼的一篇上神宗皇帝万言书,注文有三百六十八条。又书中所载《宋史·王安石传》,注中所引的史料,据我初步统计,依次有《曾巩文集》、《避暑录话》、《石林燕语》、《宋史·职官志》、《宋史·选举志》、《欧阳修文集》、《续通鉴长编》、《王荆公年谱考略》、《续通鉴长编拾补》、《十朝纲要》、《挥麈录》、《靖康要录》。读者可以想见,光是查检这十几部书,注者就要花多大精力。

这部近六百万字的《校注》,除了其学术价值之外,还有一个特色,就是兼及普及性,也可以说是古籍的普及书。但我认为,这绝非一般普及读物,而是普及与提高相结合的高层次的古籍整理著作。现在古书注本,包括各种鉴赏、赏析作品,数量繁多,五花八门,令人目迷五色,应接不暇。我曾听到有读者说:"凡我懂的你都注,凡我不懂的你都不注。"这是一种,还有一种是不懂装懂,以意为之,如注"赤地千里"为"千里大地一片红色"的。这样的笑话实不罕见。我以为对古籍的整理,古书的普及,现在应该作深层次的研讨,不要停留在简体横排体现普及方向这样表面性的言论上。古籍的整理可以有几种做法,如影印、校勘、标点、笺注、考释、辑集,等等,这种传统的整理方法和治学格局,是不能废止的,即使到21世纪,仍然要做,这代表我们传统文化研究的不断深入与拓展。同时,普及也应注意不同的层次,不能把普及仅仅归结为白话翻译、汉语拼音,或加一些艳文丽词的装饰语作现代商业性的包装。要有一种在专门研究基础上向具有中层文化水平以上的人所作的普及,这可以是普及的中间环节,由此可以再作浅近一些的普及,这样的普及才具有严格的知识传授的意义。我觉得,这部《唐宋八大家文钞校注集评》实可为我们提供作这方面研讨的很有代表性的实例。

当然,这部成于众手的数百万字的大书,也不是没有可议之处。如因各人行文习惯不同,因此语言风格不同,尽管编者费了好大力气力图使之互相"靠拢",其差异还是明显的。繁简差别也较大。当然对此也不能划一,应该是当详则详,当略则略,但也不可否认,有的该注的词却失注了,有的可不注的却注了。甚至有些注释所引史料过繁,影响阅读,这也都可作进一步的讨论。还有一点,也可能是因为个人喜好与专业的关系,我对注文中有关人文事实的笺证性资料很感兴趣,这不仅对专家学者有参考价值,而且对一般读者理解文义也大有好处,可惜却没有在全书中贯彻始终,有些该笺证之处被忽略而过了。还有哪些优点与缺失,我因未能通读全书,就只能请专家与读者去评论了。

拉杂书此,容有失当,也谨供评议。

1998 年 5 月上旬,于北京香山,

时为北京大学举办汉学研究国际会议。

原载三秦出版社 1998 年版《唐宋八大家文钞校注集评》,此据大象出版社 2008 年版《学林清话》录入,另收入大象出版社 2004 年版《唐宋文史论丛及其他》

《百年学科沉思录》序

1997 年 8 月中旬，在哈尔滨—牡丹江召开"20 世纪中国古代文学研究回顾与前瞻"研讨会。这次会议是由中国古代文学学会筹委会、《文学遗产》编辑部与黑龙江大学主办的。出席会议的有中外学者将近一百人，确是一次具有广泛代表性的国际学术盛会。会后，一些代表对论文进行了修改补充，也有些代表将会议发言整理成文，由《文学遗产》编辑部与黑龙江大学中文系共同编纂，选录三十五篇论文，汇编为《百年学科沉思录》一书，由人民文学出版社出版。

这次会议，开幕式在哈尔滨的黑龙江大学举行，而学术讨论则在牡丹江的镜泊湖畔一个普通的招待所进行。奇异的湖光山色更增加了与会者的探索兴致和审美情思。在短短几天中，大会发言凡四次，有二十八位代表就一些共同感兴趣的问题作了重点发言；在分组讨论中，不少学者更是自由交谈，畅所欲言，时有切磋交锋，更有"何时一尊酒，重与细论文"之感。我有幸应邀参加了这次会议，听到不少精辟的见解，很受启发，这次遵命为论文集作一小序，就再次通读全书，又深受教益。

会议的宗旨,对这次学术讨论的要求是很高的,那就是:系统总结 20 世纪中国古代文学研究的经验与教训,明确今后研究方向,更好地继承古代文化遗产,发扬中华民族优秀人文传统,促进社会主义精神文明建设。黑龙江大学中文系韩式朋教授曾就这次会议写过一篇详细综述,刊载于《文学遗产》1998 年第 1 期。韩教授将这次讨论内容概括为四个方面,即:第一,对百年来古代文学(各种文体)研究的回顾;第二,对文学史学发展嬗变的回顾;第三,对新时期古代文学研究方法的回顾与评述;第四,关于古典文学研究的前瞻(结合"回顾"适当展开)。

　　我觉得,韩式朋教授的这篇综述,是大致反映了这次会议的讨论内容的。这部论文集所收的文章,作者们也是认真翻阅了大量资料,在各自的专业范围内总结百年来的研究历程,提出研究中的诸种问题和开拓未来的研究领域。总结过去,开拓未来,这应当是处在世纪之交的我们古典文学界的双重任务。但我个人认为,这次哈尔滨—牡丹江的会议,以及这部论文集,从这双重任务的要求来说,从会议宗旨提出的"系统总结 20 世纪中国古代文学研究的经验教训"来说,只能说是开了一个头,或者说开了一个好头。真正要全面探讨 20 世纪中国古典文学研究的全过程,总结经验教训,瞻望未来发展,是要做不少实实在在的工作的。正如本书的书名《百年学科沉思录》所标示的,需要沉思,而这一沉思,则不是一两天甚至一两年所能思出来的。沉思须要摆脱各种外部干扰,各种人为矛盾,而还需要有一定的时间距隔,这样才能平心静气、客观公允。试想,对 20 世纪初古典文学研究的几位大家如梁启超、王国维,以及后来的陈寅恪等,90 年代的评价与 50

年代初的评价,究竟何者更客观,更符合实际:真正的历史评价是需要时间积累的。我相信,再过五十年,也就是21世纪的中期,那时来评价我们20世纪的学术历程,肯定会比我们现在站得高,看得全。当然,这样说,并不是说我们要放弃这一世纪之交的课题,而是说我们不必把这一课题想望得过高,我们可以把我们目前所做的工作也作为学术史料的一部分,留给后人,这也就是无限的学术进程中一个新的接力点与起跑点。

我们现在正处于改革开放和现代化建设的新时期,正在向全世界展示出中华民族全面振兴的灿烂前景。而我们走过的这一百年,对于中国社会来说,也确是变化最巨大、最剧烈、最深刻的时期,对于学术研究者来说,也是最牵动感情的时期。上半个世纪有连续不断的战争,下半个世纪的前三十年又有频繁掀起的政治运动,这样的社会环境对于学术发展所起的严重影响,可以留待一定的时间对此作历史的估量,但是我们作为20世纪的人,确曾看到一批又一批的学者,尽管身处逆境,历尽坎坷,但仍不畏艰辛,以难以相信的毅力处理难以容忍的境遇,坚忍不拔地从事文化事业,写出一篇篇、一本本专文、专书,为我们民族的文化积累作出可贵的贡献。这是很不容易的。陈寅恪先生一生是执着于做学问的,他在50年代前期曾满含感情地写下这样两句诗:"文章我自甘沦落,不觅封侯但觅诗。"(载《论再生缘》,见《寒柳堂集》)他晚年曾告一友人说:"默念平生固未尝侮食自矜,曲学阿世,似可告慰于友朋。"(《赠蒋秉南序》,见《寒柳堂集》)我觉得,陈先生所感慨、所谈论的,实是一种学术奉献精神,这是20世纪中国学人的骄傲;这种不顾各种残酷的环境仍然坚持学术、独立不阿的气质,是我们作世纪学术总结时首先要珍视和倡导的。

20世纪学术史的回顾,确有不少课题可做,因为中国古典文学本身就有世界少有的丰富内涵。我对这方面缺乏研究,不敢铺开来谈,但我有一个感觉,我觉得20世纪中国古典文学研究,如果要找一个词来概括最基本经验的话,那就是创新。20世纪初,由梁启超、王国维等带头,促使中国古典文学研究由传统向近代化或现代化转变,这已经是当前学界的共识。这个转变是怎么来的? 它的基本特点是什么? 我认为就是梁、王等人在他们所涉及的学科领域内力求创新的精神。没有创新,就不可能从传统的治学格局中冲破出来。在这以后,凡是能在学科建设中有所建树的,都莫不基于创新。为什么自80年代以来,我们古典文学界能取得令人瞩目的成绩? 也是靠这一时期前辈学者、中年学者,特别是八九十年代崛起的一批硕士生、博士生,力求打破已有的格局,创设新思路,这已经成为我们面向新世纪的新的发展方向和学术态势。创新,不只是表现在理论阐发上,即使如文献考证这一传统学科,20世纪以来,特别是近二十年以来,也都有一种新的科学建构。可以说,创新,是走向21世纪的希望所在,不单自然科学是如此,社会科学、人文科学包括我们古典文学研究也是如此。我们要有一种高品位的不断创新。这应是我们百年回顾需要汲取的精神财富。

当然,创新不是炒新,现在社会上确有一种以炒代创的现象。有些所谓新开辟的专题,实际上不过是以往研究的重复。有些大肆宣扬的新见,只不过是原已清楚的史事,换一些词句,重新组装一番而已。现代学科的健康发展,需要严谨的科学思考,我们这百年中凡有建树的著作,在创新的同时莫不伴有求实——这应当也是我们百年学术史值得总结的一条，也是我们走向未来、开拓新境必须遵守的学术规范。为了避免低水平的重复，以及杜绝抄袭现象，在古典文学界是否可做一种知识材料库的工作，把已有的成果，包括理论阐述的，文献考证的，作一次系统的梳理。我们应当发挥学界的群体优势，把古典文学研究作整体推进，构建符合新世纪要求的科学思想库。

我自 50 年代中期以来，一直从事于古典文学研究与古籍整理出版工作，至今已有四十余年，时间不算短了，所接触的前辈学者、同辈学者和新一辈学者，为数也不少，但由于各种社会因素，我真正能安下心来读书做学问，还只是 70 年代后期的事。因此我在古典文学研究园林中只是一个普通的园丁，实不配为这部涉及百年学科这一大范围的论文集写序，只是借这一难得的机会谈谈我个人的意见。同时，我以为，这一有关学科研究的论文集能在人民文学出版社出版，也十分合适。人民文学出版社于 50 年代初成立，至今也将近半个世纪，我国现当代文学的发展与人民文学出版社是不可分开的；同样，古典文学研究的历程也与人民文学出版社密切相关，50 年代出版的一套古典文学读本丛书，包括余冠英先生的《诗经选注》、《汉魏六朝诗选》，冯至、浦江清等先生的《杜甫诗选》，钱锺书先生的《宋诗选注》，等等，对我们一代人是起了培育、辅导作用的。因此我也想借此机会表达学术界的敬意，并希望人民文学出版社为我们多出精品好书。

1998 年 6 月，北京

原载人民文学出版社 1998 年版《百年学科沉思录》，此据大

象出版社 2008 年版《学林清话》录入, 另收入大象出版社
2004 年版《唐宋文史论丛及其他》

独立不阿的人品　沉潜考索的学风

——纪念邓广铭先生

　　我于 60 年代前期曾见过邓广铭先生。那时我在中华书局编辑部,本在文学编辑室,后因中华书局拟加快"二十四史"的整理出版,1963 年下半年,当时总编辑金灿然同志对编辑部人员作了部分调整,把我调到古代史编辑室,担任《宋史》的点校和编辑工作。因为工作需要,我就有时到北大向邓先生请教。但不久就搞起政治运动,1965 年秋,我随大流到河南安阳农村搞"四清",接着 1966 年"文革"风暴起,一切正常的文化事业也就停止。但想不到 1967—1968 年间,忽然说要恢复"二十四史"整理,于是除了中华书局编辑部本身外,还请来了几所大学的专家学者,那时邓广铭先生也被邀请作《宋史》的点校。这几位学者(还有如高亨、唐长孺、王仲荦等)都住在中华书局旧址翠微路二号的西北楼宿舍。邓先生刚来,我到他房间去看他,他还兴致很高。食堂离住处还有一段路,他也每天三餐自己拿着碗到食堂,与我们一起排队,领取饭菜。这段时间虽然不长(大约一年左右,后因 1969 年去"五七"干校,工作中止),但处在那一时期总的动乱中,总算也是乱中偷闲，忙中作乐，我时常向邓先生讨教点校中的一些问题，过得相当愉快。

邓先生的几部著作，我是很早读过的。我于1955年毕业于北大中文系，留校作浦江清先生助教。浦先生那时教宋元明清文学史，我一边担任教学辅导，一边研读宋代的几个大家文集。1958年夏我调到中华书局，在当时的政治环境中，我不便于写文章，就重点搞资料工作，于1959年至1962年，先后编成《黄庭坚与江西诗派研究资料汇编》和《杨万里范成大研究资料汇编》两书，并作范成大佚文的辑集。在此期间，我就抽时间读邓先生《〈宋史·职官志〉考正》、《稼轩词编年笺注》、《辛稼轩年谱》，以及他所作的王安石、岳飞、陈亮等人传记，邓先生在文献资料上所下的功夫，其搜集之广博，考析之深刻，对我启示极大。那时我还不到三十岁，但我觉得我此后的治学道路，邓先生著作的影响是不可没的。

后来我读到陈寅恪先生的几篇文章。陈寅恪先生一生也多坎坷曲折，但他始终坚持以学术自守，"默念平生固未尝侮食自矜，曲学阿世，似可告慰于友朋"（《赠蒋秉南序》，载《寒柳堂集》）。他非常看不惯做学问的一种只求声誉、到处挂名的"夸诞之人"，他讽刺这种学风为"声誉既易致，而利禄亦随之"（《陈垣元西域人华化考序》，载《金明馆丛稿初编》）。因此他在抗战时期为邓广铭先生的《〈宋史·职官志〉考正》作序，极力赞扬邓先生摈弃世务，"庶几得专一于校史之工事"，并且极为郑重地说："不屑同于假手功名之士，而能自致于不朽之域。"（载《金明馆丛稿二编》）

正因为读了陈寅恪先生的文章，更加深了我对邓先生人品、学品的认识。前一时期读了邓先生的《治史丛稿》（北京大学出版社,1997年6月),邓先生在自序中曾引用清人章学诚对马端临《文献通考》的评论,并说"章学诚所最反对的,则是一个撰述者在其撰述的成品当中,既不能抒一独得之见,又不敢标一法外之意,而奄然媚世为乡愿"。邓先生用极重的笔调写道:"我以为,对于今天从事研究文史学科的人来说,也应当把这些话作为写作规范";并且再次强调:"至于'奄然媚世为乡愿'的那种作风,更是我所深恶痛绝"。我觉得,这几句话,确实体现了邓广铭先生一生的学术追求和令人钦敬的学术风范。邓先生那种独立不阿的人品和沉潜考索的学风,是很值得当今学界研思的。

由此我想起了两件具体的事。这两件事都与书有关。

1986年,北大中文系古文献研究所得到高校古委会的经费资助,开始编纂《全宋诗》。我当时被邀为主编之一,经常参与编纂工作。邓广铭先生则受聘为全书的学术顾问。1989年,前五册编成,编委会就请邓先生题写几句话,下面即是邓先生那年2月7日的一段题词:

> 这部《全宋诗》,搜采广博,涵容繁富,名家巨制,散篇佚作,全部荟萃于斯。而考订之精审,比勘之是当,亦远非《全唐诗》所可比拟。不惟两宋诗坛之各流派各家数均可借此而探索其源流,而三百余年之社会风貌,学士文人之思想感情,亦均借此而得所反映。因此,这部书不仅是攻治宋诗以及宋代文学史者之所必须披读,亦为攻治宋史者所必须备置案头的参考读物。

《全宋诗》前五册出版后,北大古文献研究所于1991年12月28日召开一次座谈会,邀请在京一些学者对此书作一些评论。许多先生是肯定这一成果的,当然也提了一些意见。在我印象中,邓先生的意见提得最实在,最见功力。如邓先生提到,此书第三册第1835页所收李宸妃《卜钗》,出于清人所编《历代名媛杂咏》,应是清人之作,非宋李宸妃诗。按这确是我们编纂中的疏失,但一般人如不细心察看,是查不出来的,由此可证邓先生在《治史丛稿》自序中所提到的章学诚《文史通义》的两句话:"高明者多独断之学,沉潜者尚考索之功,天下之学术不能不具此二途。"邓先生确实兼具独断之学与考索之功。

　　邓先生对《全宋诗》中范仲淹诗的整理颇致不满,他认为小传中将范的仕宦经历不分先后堆在一起,看不出升迁贬谪。又说小传的版本说明中提及以宋本《范文正公集》作参校本,但整理者是否真正看过这宋本,值得怀疑,如宋本末首是《落星寺》,但现在这《落星寺》诗却据方志补入(按整理者系据宋王象之《舆地纪胜》)。邓先生又提到北宋夏竦的两首诗,一是《奉和御制读隋书》,诗中有夏竦自注,几次提到杨玄感,四库本因避康熙名讳,改作杨感,现在整理本未予补正;二是《奉和御制读五代汉史》,注中有"杜重威引契丹,临城谕之",应作"杜重威引契丹主临城谕之",当据《五代史》补"主"字。

　　邓先生的这些意见,使我想起钱锺书先生。在《全宋诗》编纂工作刚开始,我曾与北大古文献研究所所长孙钦善同志去钱锺书先生家,敦请他出任主编,钱先生谦和地谢绝了,但表示支持这项规模较大的文化工程。前五册出版后,钱先生给我一信,具体开列书中的问题（此事我已写有一文，题《记钱锺书先生的几封书信》，刊于《人民政协报》1997 年 12 月 29 日，又转载于《新华文摘》1998 年第 5 期）。这些，都可见出我们这一时代真正有学问的前辈，一方面对有意义的事业出于真心的支持，同时又对学术负责，不惮烦地自己动手翻检书籍，提出严格的要求。（按，北京大学出版社于 1995 年《全宋诗》第二次印刷时，已根据邓先生的意见作了相应的改正。）

另一本书是司马光的《涑水纪闻》。此书是邓广铭先生与张希清同志合作整理，于 1989 年 9 月在中华书局出版，列入"唐宋史料笔记丛刊"。大约在 90 年代初，有一年北京市要评选优秀图书奖，北大拟申报这部书，但需有校外一人写推荐意见。当时邓先生提出：这份意见请傅璇琮同志写。我当时听了确受宠若惊，因我自知我的学力实为不配。但既受此嘱咐，我就仔细阅看了全书。这部书我过去在搜辑宋人诗文时曾看过，但看的是丛书本（大约是《学津讨原》或《学海类编》本）。现在的新整理本，邓先生特地在书前写了一篇《略论有关〈涑水纪闻〉的几个问题》长文，把《涑水纪闻》当初的撰写，及后来的收藏、流传、印刻作了系统考述，并联系南宋初期的政治情况，及与南宋时几部史书（如江少虞《宋朝事实类苑》、李焘《续资治通鉴长编》）相比较，具体论述这部司马光生前尚未定稿的书所具有的特殊史料价值。我觉得，邓先生这篇文章，作为此书的前言，不单可为宋人史料笔记的整理，也可为古籍整理研究，提供一个既是高水平又具有实际操作性的范本。

《涑水纪闻》的校勘确实花了不少工夫，用以参校的书，除了现存的几种主要抄本、刻本及《续资治通鉴长编》、《五朝名臣言行录》、《三朝名臣言行录》外,据我初步统计,仅第一卷,就用了下列十种书:《锦绣万花谷》、《宋朝事实类苑》、《类说》、《宋会要辑稿》、《宋史》、《古今事文类聚》、《太平治迹统类》、《三朝圣政录》,以及《说郛》中所收书。其他卷中还有《古今合璧事类备要》、《赵清献公文集》及《永乐大典》那样的大书。

尤其值得提出的是,邓先生对张希清同志于此书所付出的劳力,所作出的贡献,一再提及。在点校说明中,他明确地说,这部《涑水纪闻》的校勘工作是张希清同志做的,说"他在接手之后,首先把《纪闻》的各种抄本和刻本都进行了一番对比"。又说,尤袤《遂初堂书目》著录有《温公琐语》一书,为宋代其他书目所不载,现在尚有明人的一个抄本,这次即以此为底本,并与《三朝名臣言行录》及《说郛》所引录的加以对勘,附于整理本《纪闻》之后,"这项辑校工作也是由张希清同志作的"。又说,《涑水纪闻》、《温公日记》和《温公琐语》三书,原来全无标目,而《宋朝事实类苑》从《涑水纪闻》引录近二百条,则加了标题,现在整理时,即参照此例,将这三本全部拟制标题,并依先后次第编为序列号码,这也"一律由张希清同志"作的。最后还说,由张希清同志编制全书《人名索引》,"以求对参考此书的人提供一些方便"。我们知道,张希清同志原是邓先生指导的研究生,一直在北大历史系任教,他们的师生情谊是很深的,而邓先生在与张希清同志合作搞这一项目时,一是共同署名,二是邓先生具体叙明张希清同志所做的工作,绝不掩人之功,掠人之美。这与时下有些名人动辄以主编自居,自己并不动手,却不提他人,名利全归己,比较起来,邓先生这样做,真可谓有针砭之力。

最后我还想提一下的是,1991年,匡亚明先生接受国务院任命为第三届古籍整理出版规划小组组长,并于1992年5月在北京香山召开全国古籍整理出版规划会议。邓广铭先生以古籍小组顾问参加了这次全国性会议,并作了重点发言。今据这次规划会议的《辑要》(1992年9月编印),录邓先生的发言如下,于此可以见出邓先生对我们传统文化研究所作的理论阐述与宏观审视,借以作为本文的结语:

> 我们是在建设具有中国特色的社会主义文化,大量吸收外来文化必须与中国传统文化相结合,唐代玄奘的唯识宗之所以后继无人,就是因为没有与传统文化相结合,失去了生根开花的基础。毛主席就是把马列主义与中国革命实际、与传统文化相结合的典范。我们中华民族的文化在世界处于领先地位,英国李约瑟博士的《中国科技史》对中国文化作了很高的评价,我们有责任把传统文化研究好,与社会主义建设相结合,决不可妄自菲薄,我们的工作是社会主义建设所需要的,前途是光明的。

1998年6月,于北京六里桥寓所

原载河北教育出版社1999年版《仰止集——纪念邓广铭先生》,此据首都师范大学出版社2010年版北京社科名家文库《治学清历》录入,另收入大象出版社2004年版《唐宋文史论丛及其他》

《当代学者自选文库·傅璇琮卷》自序

　　承安徽教育出版社盛意,把我的有关论著列入《当代学者自选文库》之中,这对我实是不虞之誉,真如在最近接到上海文艺出版社出版、由王元化先生任名誉主编的一套四大厚册新书《释中国》,选录本世纪初至 90 年代约一百十余位学者的学术研究论文,其中有我《进士试与社会风气》,把我这篇文章与王国维《殷周制度论》、梁启超《中国历史研究法》、陈寅恪《论韩愈》等名著并列,实感汗颜。

　　我曾不止一次说过,80 年代以来,我虽然写了一些书,但总是想为学术界做些实事。我真正做研究工作,并非在大学或研究机构,而是在出版社。我自 1958 年由北大进入中华书局,一直没有离开过编辑部。编辑工作确实有所谓"为他人作嫁衣裳"的味道,但真正投入者会有大学、研究机构所不易具备的求实、广学、高效三者兼备的机能。这之中最主要的是求实。我曾说过,我所写的几本专著,以及所编的几部资料和索引,自问都有为后来者铺路的性质:"我希望多做一些实在的事,这不但在自己写作的时候是这样,在所从事的编辑工作中,我总也力求组织一些切实有用的

书稿,使我们的学术工作有一个丰厚的基础。"(《〈唐诗论学丛稿〉后记》)

我于 1951 年秋入清华大学中文系读书,1952 年秋高校院系调整,北大、清华、燕京三校合并,我改入北大。1955 年毕业后留校做浦江清先生讲授的宋元明清文学史助教,自以为从此可以在教学、科研上坦途前进,不料 1958 年初,因所谓办"同人刊物",与乐黛云、褚斌杰、裴斐、金开诚等一起被打成右派集团,我即于 1958 年 3 月被贬出至商务印书馆,同年 7 月又至中华书局。当时中华书局总编辑金灿然告诫我:要在工作中好好改造。他在延安时曾与范文澜一起编写过《中国通史简编》,知道爱惜人才,因此并不安排我去下放劳动,而是把我圈在书稿中,一会儿交我经顾颉刚先生校点过的清人姚际恒《诗经通论》,叫我写一篇出版说明,一会儿把北大中文系的《魏晋南北朝文学史参考资料》交我审读。我那时还不过二十五六岁,就上自《诗经》,下至黄遵宪《人境庐集外诗》,忙个不停。我那时天真地立下一个志愿:我要当一个好编辑,当一个有研究水平的专业编辑。

按照我当时的政治处境,是不能写文章往外发表的。于是我白天审读、加工稿件,晚上看我要看的书。当时我处理陈友琴先生的《白居易诗评述汇编》,我提议,由中华书局搞一套"中国古典作家研究资料汇编",领导同意这一方案,于是把陈先生的这部书改名为《中国古典作家研究资料汇编·白居易卷》,后来又相继组约《陶渊明卷》、《陆游卷》,及编辑部自己编纂的《李白卷》、《杜甫卷》,我自己就搞《黄庭坚与江西诗派卷》、《杨万里范成大卷》。我平时从中华书局图书馆借书,夜间翻阅,每逢星期天,则到府右街的北京图书馆看一天书，中午把早晨所带的馒头伴着图书馆供应的开水当一顿午饭。我的近二十万字的《杨万里范成大研究资料汇编》和七十余万字的《黄庭坚和江西诗派研究资料汇编》就是在这种情况下编出来的，这也就是我真正做研究工作的起点。我没有荒废时间。

我那时就想尝试一下，在出版部门，长期当编辑，虽为他人审稿、编书，当也能成为一个研究者。我们要为编辑争气，树立信心：出版社是能出人才的，编辑是能成为专家学者的。

这些年来，我确实也受到学界友人的鼓励和赞许。如南开大学中文系罗宗强先生为我的《唐诗论学丛稿》作序，说"《唐代诗人丛考》出版时，我们刚摆脱古典文学研究的单调浅薄的模式不久，这部著作一下子便把唐文学的研究推进到一个新的层次"。1998 年第 4 期《文学遗产》有董乃斌（中国社科院文学所）、赵昌平（上海古籍出版社）、陈尚君（复旦大学中文系）三位"关于 20 世纪唐代文学研究的对话"，陈尚君说："傅璇琮《唐代诗人丛考》的出版，对于唐代文学研究起了很大的推动作用。他受陈寅恪、岑仲勉治唐史的影响，追求广泛、全面地占有文献，在考订中注意分别史料的主次源流。"赵昌平则认为近二十年来唐代文学研究"有更深更广的开掘"，这就是"史料学带上了文化学意义，傅璇琮先生的考证，就是借鉴了丹纳关于地域文化和诗人群体的艺术理论"。中国社科院文学所蒋寅研究员在评陈尚君、陶敏所作的《唐才子传校笺补正》时说："傅璇琮先生对学科建设怀有强烈的责任感，从 80 年代中期以来他一直有计划地组织领导着唐代文学研究的学术活动，他对唐代文学学科建设所作的贡献，应该说要超

过实际获得的荣誉。"（《书品》1996年第3期）

我不是想借他人的话来作自我宣扬，上面说过，我是想为我们的编辑同行争气。我是一个编辑，编辑当然首先要把本职工作做好，审读稿件，把住质量，开阔视野，组织选题，但同时还要提高本身的文化素质和学术修养，尽可能使自己在某一专业领域发展。学术研究与审读书稿，是互为影响，互补互长的。中国的出版社，与外国一些纯粹商业店家不同，它还带有一定文化学术机构性质。我曾说过，回顾本世纪的出版史，凡是能在历史上占有地位的出版社，不管当时是赚钱或赔钱，它们总有两大特点，一是出好书，一是出人才。我们一提起过去的商务，总会自然想起张元济、沈雁冰、郑振铎、傅东华；一说起开明，就会想起夏丏尊、叶圣陶、徐调孚、周振甫。50年代的人民文学出版社古典部，有冯雪峰、周绍良、顾学颉、王利器、舒芜；而中华书局五六十年代则有张政烺、陈乃乾、宋云彬、杨伯峻、傅振伦、马非百、王仲闻。出版社要具备文化学术意识，就得在编辑部门中有专门家、学者，他们可以不受某种潮流的冲激，甘心于为文化学术事业而执着一生。

列为本书第一篇的《高明的卒年》，就是我在工作中得到重要线索作出的。大约1960—1961年间，我负责审读孔凡礼先生的《陆游卷》资料，他所辑集的资料中有清陆时化《吴越所见书画录》卷一高明、余尧臣《题〈晨起〉诗卷》两文。他是作为后人对陆游《晨起》诗的评论而收辑的，但我在阅稿过程中却注意到高明（则诚）这篇文章是过去有关其诗文辑集的材料中未曾见的，这也算是对其佚文的补辑，尤其是余尧臣的一篇，其中说高明作这篇题记为元至正十三年,越六年即病逝于四明(今浙江宁波)。我由此考出高明的卒年在元至正十九年(1359),这离明代建国即洪武元年(1368)还有九年,而过去的记载,从明代的《南词叙录》、《留青日札》、《闲中古今录》,至现代人著作,包括一些文学史书,都说这位《琵琶记》的作者曾应明太祖朱元璋之召征修元史,后以老病辞归。这在过去差不多已成定论。

我这篇文章刊于当时中华书局刚创办的《文史》杂志第一期(1962年)。刊出后曾为一些文学史论著所引用,但也遭到驳难。使我感到欣慰的是,我的这一说法近几年来已逐步得到学术界的认可,杭州大学的徐朔方先生和中山大学的黄仕中先生都赞成此说,并进一步补充了论据。去年黄仕中先生把他的新著《琵琶记的研究》一书(广东教育出版社1996年10月版)寄赠给我,书中关于高则诚的卒年还专设一章加以考辨。我并不是专门研究戏曲的,但高则诚卒年的考定应当说是这些年来戏曲史研究一个不小的创获,而就我说来却是于无意中得之的,得益于编辑的阅稿工作。这就是说,为他人作嫁衣裳,自己也并非一无所得,而且有时所得还要超过这所"嫁"之"衣"。

本书所收文共三十四篇,大致是按写作的时间先后编排的,但其间也考虑到有些文章内容相近,为便于读者查考,虽时间先后不一,仍排列在一起。这样,大致分为七组。第一组共两篇,除上述的《高明的卒年》外,还有《〈杨万里范成大研究资料汇编〉重印后记》,算是我在"文革"前60年代初治学的反映。这篇后记中有录自《永乐大典》的杨万里之子杨长孺所作《石湖词跋》一文,其中述及杨、范的交谊及南宋当时人对范成大词的评论,是他处少见的,自我录出后,我见到已为一些文章所引用,这也使我感到欣慰。

第二组共五篇,主要是有关《唐代诗人丛考》之文。这里选录《李嘉祐考》一文,对大历时期作家群作了整体的考察和分析,指出当时南北诗人,"大致可以分为两大群,一是以长安和洛阳为中心,那就是钱起、卢纶、韩翃等大历十才子诗人,他们的作品较多地呈献当时的达官贵人。一是以江东吴越为中心,那就是……刘长卿、李嘉祐等人,他们的作品大多描写风景山水。当然,这其间也有交错,如卢纶、司空曙也写过南方景色,皇甫冉、严维也曾在洛阳做过官。但据诗歌史的材料,大致可以分为这两大群,两个地区,诗歌的内容和风格也有所不同"。这样做也是作家群研究的一种尝试,后来有些评论者对此给予肯定。扬州大学于1995年10月曾举办过一次"世纪之交的中国古代文学研究"学术讨论会,会上也论及我的这一说法,认为"他的工作给群体研究奠定了基础,从而也为文学史面貌的揭示带来转机"(《扬州大学学报》〔社会科学版〕1996年第2期)。

第三组,从时间上是接着《唐代诗人丛考》来的。我于1978年11月写成《唐代诗人丛考》自序,接着我想作中晚唐研究,但感到中晚唐就文献材料来说,较初盛唐复杂得多,其间有不少作品真伪需要清理,不能如前期那样可以一个一个作家分别考述。因此我与友人合作,索性对整个唐五代的人物作一个综合性的传记索引。我们收辑了八十三种唐宋人的著作,大约花了两年的时间编成了一部一百三十多万字的大书:《唐五代人物传记资料综合索引》。我的这篇万余字的序言写于1980年6月,除了论述全书体例外,还对所辑的八十三种史书作了介绍,可以视为简要的唐代文献史料概述。接着我就作《李德裕年谱》,我在此书的序言中曾说:"牛李党争中,核心人物是李德裕。中晚唐文学的复杂情况,需要从牛李党争的角度加以说明,而要研究牛李党争,最直接的办法则是研究李德裕。"当时我作《李德裕年谱》,确是冒一定风险的,因为李德裕主要还是历史人物,他的一生牵涉到不少政治活动,而我又不是专门治唐史的,何况牛李党争又甚为复杂,因党争之故而造成晚唐史实的真伪更使不少人头痛。但我当时还是立志于作成这部四十多万字的年谱,自序中引了法国作家雨果的一句话:"艺术就是一种勇气。"真正的学术研究,同艺术创作一样,是需要探索和创新的勇气的,当然,这还需要下真功夫作冷静、细致的史料考辨。这方面占用了我不少时间,我差不多整整两年,除了《李商隐研究中的一些问题》外,没有写过别的东西。我很感谢罗宗强先生对我这一工作的评论:"在对纷纭繁杂的史料的深见功力的清理中,始终贯穿着对历史的整体审视,而且是一种论辨是非的充满感情的审视。这其实已经超出一般谱录的编写范围,而是一种历史的整体审视了。"(《唐诗论学丛稿》序)我在作完年谱之后,曾想对李德裕的《会昌一品集》作系统的整理,但苦于没有时间,十年之后,才与安庆师院周建国同志合作,于近年完成《李德裕文集校笺》,将由河北教育出版社出版。我们希望,作这部校笺,不只是对李德裕的著作作一次历史性的清理,而是想通过我们的工作,表示在当前古籍整理出版上如何体现真正下功夫以出精品的要求。

限于篇幅,我就不可能对所收文章详作介绍了,只能概而言之,好在本书的附录载有两位年轻博士刘石和张仲谋同志的文章,他们出于对当今学术发展的研究来评我的治学思路,也可以见出八九十年代中青研究者与过去不同的鲜明风格与特异文采。

第四组是有关唐代科举与文学的文章,我是想通过科举来了解唐代知识分子的生活道路与心理状态,以进而探索唐代文学的历史文化风貌。第五组四篇文章,论述闻一多、陈寅恪、朱东润三位前辈学者的治学特点。第六组,主要考索唐代特有的诗论著作体式《诗格》及唐人选唐诗。我于1996年出版一部《唐人选唐诗新编》(陕西人民教育出版社出版),是想对50年代出版的《唐人选唐诗(十种)》作较大的更新。

最后一组则是几篇序言和后记。80年代以来,我曾应学术友人之嘱,为他们的著作写了一些序言。我曾说过:"本来,我是服膺于'鱼相忘于江湖,人相忘乎道术'这两句话的,但在目前我们这样的文化环境里,为友朋的成就稍作一些鼓吹,我觉得不但是义不容辞,而且也实在是一种相濡以沫。在这些序中,我也表示了对某些学术问题的看法。"这些序,大部分已收于我的另外两部书中,即《唐诗论学丛稿》与《濡沫集》,这里所收的是两书未收的近年之作。最后两篇,是我近几年来从事的两个大选题,一是以"唐五代文学编年史"为基础提出中国文学编年通史的设想(关于这一点,苏州大学文学院潘树广教授最近由安徽文艺出版社出版的《古代文学研究导论》中还提到:"傅璇琮倡导的'文学编年史的研究'更为全面,从最阔大的视野考察一时代社会生活对文学的影响");二是与中国社科院文学所周发祥先生合作,编一套"中国古典文学走向世界丛书",立足于世界的范围来研究中国文学本身的价值及对外传播（此书已陆续由江苏教育出版社出版）。

总之，我总是希望，在学术研究中，一要求实，二要创新，并力求出原创性的作品，这样才能真正在历史上站得住脚。

最后，我要感谢责编唐元明同志，他在审稿、看校样的每一环节中，都能全力投入，认真细致，我的书稿中过去未及改正的排校错误，这次也由他提出，加以更正。

1998 年 8 月，于北京

原载安徽教育出版社 1998 年版《当代学者自选文库·傅璇琮卷》，据以录入

唐代长安与东亚文化

　　由杭州大学日本文化研究所举办的"遣唐使时代的东亚文化交流"国际研讨会,今天如期在杭州举行,我感到有非同寻常的意义。中国和日本都有数千年的悠久历史,文化交流源远流长,共同开拓、创造了东方文明。中国历史发展到唐代,无论在经济、政治、文化等各方面,都达到高度的繁荣,与周围国家,特别是与日本、新罗等国,交往频繁,尤其是文化交流,更在高层次的水平上进行。这一很有特色的文化现象已日益为当今世界所认同,并成为文化史上令人神往的课题。这也共同构成了近代世界史上文化交流的丰富繁复的图像。

　　中国历史学界有一位老辈学者向达先生,素以研究敦煌学著称,他于 20 世纪 50 年代中期把他数十年间论述唐朝与西域诸民族的交往,以及关于敦煌文献的研究论文,汇成一集出版,名为《唐代长安与西域文明》(人民出版社,1957 年 4 月)。这一书名是颇吸引人的。我觉得,唐代除了西边的丝绸之路以外,东边的海上交往也是那一时代具有璀璨文化色彩的通道。中国现代的史学大师陈寅恪先生,在 30 年代时曾写过宗教史名篇《天师道与滨海地域之关系》，其中特别提出，两种不同民族的接触，"其关于文化方面者，则多在交通便利之点，即滨海港湾之地"；又说，"海滨为不同文化接触最先之地，中外古今史中其例颇多"。陈先生的不少论点多带有预测性和推导性，但由于他有深厚的文化素养作底子，这种预测性和推导性往往蕴含合理的因素，其中有些深刻的见解又常能引发新课题的开拓。他在这里提出中国历史上滨海地区与外来文化交往接触的关系，在当时是空谷足音，在现在已为不少学术成果所证实。我认为，在唐代，由海上交往所引发的文化拓展，比丝绸之路，其范围更广泛，影响更深远，是很值得我们作进一步科学研讨的。因此我这篇讲话稿，套用向达先生的书名，题为《唐代长安与东亚文化》，以期望处在世纪之交我们中日学者研究领域的新进展。

我们今天中日两国学者，济济一堂，以文会友，这使我们想起唐代不少著名诗人与日本学人互相唱和、切磋诗艺的学术情谊。日本遣唐使中不少人与中国各方面人物有广泛的交往，结下深挚的友情。阿倍仲麻吕（晁衡、朝衡）于唐玄宗天宝十二年（753）归国时，著名诗人王维时在长安，特地作诗相送（《送秘书晁监还日本国》，《全唐诗》卷一二七），王维在诗序中称颂他"名成太学，官至客卿"，而且还以春秋时期的孔子、季札相比。当时赠诗者还有赵骅、包佶等（均见于《全唐诗》）。阿倍仲麻吕在途中遇险，后又辗转从安南返回长安。大诗人李白在听到险情时，特地写了《哭晁卿衡》诗（《李太白文集》卷二五），其中"明月不归沉碧海，白云愁色满苍梧"，抒发深沉的哀思。

这是盛唐时期，中唐、晚唐都有这种以诗相赠的交往。中唐时素与白居易等交往的徐凝,有《送日本使还》诗(《全唐诗》卷四七四),末二句"相望杳不见,离恨托飞鸿",情致颇深。(按:此诗,有的论著将其列于送阿倍仲麻吕之时,误。徐凝为中唐后期人,与天宝时期相距约百年)《入唐求法巡礼行记》著者圆仁,返回本国时,中国诗僧栖白有《送圆仁三藏归本国》五律一首(《全唐诗》卷八二三)。晚唐时中国江南两大诗人陆龟蒙与皮日休,也以互相唱和之作赠日本友人。皮日休曾有《送圆载上人归日本国》(《全唐诗》卷六一四),在第二首《重送》一诗中还特别提到:如果我不是贫穷而且有病,这次我一定也乘船伴大师远游("不奈此时贫且病,乘桴直欲伴师游")。然后陆龟蒙即作了《和袭美重送圆载上人归日本国》(同上,卷六二六)。他自己还有一首:《闻圆载上人挟儒书泊释典归日本国更作一绝以送》(同上,卷六二九),说"从此遗编东去后,却应荒外有诸生"。

不但日本学人,新罗也有不少在唐朝与中国诗人有文学交往,如大家知道的崔致远,十二岁时就离家西游,其父嘱咐他一定要在长安考取进士,后他终于在僖宗乾符元年(874)登进士第,同科有安徽诗人顾云。崔致远长期在淮南节度幕府供职,与东南一带诗人如杜荀鹤、周繇、周繁、罗隐等来往,成为当时东南诗人群体之一。又如唐德宗贞元十六年(800)四月,唐朝廷派遣司封郎中兼御史中丞韦丹出使新罗,离长安时不少朝士相送,当时在文坛颇有影响的权德舆除了作《送韦中丞奉使新罗》诗(《权载之文集》卷四)外,还写有序文一篇(同上,卷三六)。与韩愈齐名的诗人孟郊也有《奉同朝贤送新罗使》(《孟东野诗集》卷四),其中说"送行数百首,各以理奇工"。送行之诗达数百首,可见其盛况。

当然，这是送中国的使臣，但由此也可见当时中国对与新罗交往的重视。

文化交流的主体是人。文化人的诗文赠答，不只是感情的交流，更是不同民族的文化接触和比较，甚至一定程度的融合。这方面是有不少工作可做的。我建议，把自隋唐以来，中日、中朝，以及日朝之间文化人（包括作家、艺术家、学者、僧人等）的交往材料，作系统的搜辑与研究，将会极大丰富东亚文化交流史的内容。

文化交流和融合，相互吸取优势和特色，这在中日文化史研究中也有不少课题可做。众所周知，相当于盛唐和中唐时期，日本编有三部汉诗集，即天平胜宝三年（751）编撰的《怀风藻》，嵯峨天皇弘仁五年（814）编撰的《凌云集》，弘仁九年（818）编撰的《文华秀丽集》。这三部汉诗集对日本文学的发展，影响是不小的。值得注意的是，这三部诗集的序，其中的语句和观念，多有与唐人相通之处。如《怀风藻序》中有云："调风化俗，莫尚于文；润德光身，孰先于学。"十分强调文化教育之功。而唐太宗李世民在贞观末曾作《帝范》以赐太子李治，其中《崇文篇》，即有"弘风导俗，莫尚于文；敷教训人，莫善于学"。又如《怀风藻序》所说的"腾茂实于前朝，习英声于后代"，也可在《崇文篇》中找到类似的思想："端拱而知天下，无为而鉴古今，飞英声，腾茂实，光于天下不朽者，其唯为学乎？"可见成于8世纪中期的《怀风藻序》，是吸取了7世纪中期《崇文篇》的某些观念的。又如《文华秀丽集序》中说及的"或气骨弥高，谐风骚于声律；或轻清渐长，映绮靡于艳流"，日本学者波户冈旭曾指出"气骨"之说实出于唐天宝时殷璠《河岳英灵集》中的《集论》；而"或轻清渐长"二句，有些中国学者指出谓可参见初唐四杰之一卢照邻的《南阳公集序》所说的"北方重浊"、"南国轻清"。

应当提出的是,平安时期的"崇文"文学观与中国唐初政治家所倡导的崇文观,内容上尚有不同的侧重。比较起来,日本学者更强调音律和形式之美,以及情调的赞赏。由此可见,不同民族在文学观念和创作意向上,彼此既有所汲取,而又各自有所选择。

由《怀风藻》等三部约相当于唐时期的日本汉诗集,我想到,中国方面似应加强对日本汉诗的研究。据日本学界统计,从奈良时代到明治时代,先后问世的日本汉诗总集与别集达 769 种、2339 册。以每册收诗百首计算,总数当超过二十万首。这一数量是相当惊人的,而且其中还有不少名句佳作,不少汉诗作者,写出了颇有声韵之美的效法初唐歌行的长篇,也有许多精细工巧的律绝。我很欣赏一些颇有宋人风致的绝句,如广漱谦的《春寒》:"梅枝几处出篱斜,临水掩扉三四家。昨日寒风今日雨,已开花羡未开花。"又如"钟声云外寺,树色雨余村","眉雪老僧时辍扫,落花深处说南朝"。中国晚清时期一位大学问家俞樾,由于得到日本友人的帮助,曾编有《东瀛诗选》,正编四十卷,补遗四卷,共收入日本汉诗作者五百多人,诗五千二百多首。虽然后来日本学者曾对此书有"选择失当"、"篇幅过大"的讥议,但应当说俞樾编此书实为中日汉籍交流史上极为难得之举。我们今天应有一部规模适中、编选精当,且有详细诠释的日本汉诗选,这对于进一步沟通中日两国文化交流,对于中国学者研究中国古典诗歌在历史上的域外传播,认识日本古代诗人的汉文化造诣和精致玄微的审美心理,都是极为有益的。

日本遣唐使的一大历史功绩，就是携带大量中国书籍到日本，这一方面促进日本文化的发展，另一方面则保存了中国的不少珍贵文献。在这之后，中国的宋元时期，中日贸易发达，又有不少中国典籍输往日本。应当说，从日本所保存的中国书籍来说，无论数量和质量，都大大超过敦煌、吐鲁番文献的。日本所藏的中国典籍，在新的 21 世纪，对中国传统文化研究将会起更大的作用，这也是中日文化交流研究中值得投入更大力度的课题。

　　就我个人以往的研究来说，我从日本所存汉籍方面，是得益不少的。如 80 年代中期我邀约中国十几位唐代文学研究者作《唐才子传》的校笺，其笺证的内容，大致包括：一、探索材料出处；二、纠正史实错误；三、补考原书未备的重要事迹；而校勘部分，则希望提供迄今为止最为详确的校定本。这部校笺本，自 1987 年起到 1995 年，共出版了五册，将近二百万字，出版后受到国内外的好评。可是大家知道，元人辛文房的这部《唐才子传》十卷，自明代中叶后即在中国失传，清乾隆年间修《四库全书》，从《永乐大典》辑集佚书，也只有八卷。而这部十卷本却完整地保存在日本，日本学者对此书的整理也下过不少工夫。我们之所以能在新时期作成这一校笺本，就是依靠日本所保存的完整原本的。

　　又如中国的盛唐著名诗人王昌龄，史书上曾记载他有一部论诗专著《诗格》。清人所修《四库总目提要》曾讥斥此为伪书，后来《提要》之说即被认为定论。我于 1987 年详细翻阅空海大师的《文镜秘府论》，从中勾稽出书中所引的王昌龄《诗格》材料，以与明人《格致丛书》所辑相比较，写成专文《谈王昌龄的〈诗格〉》（刊于《文学遗产》1988 年第 5 期，后又载于拙著《唐诗论学丛稿》，台北文史哲出版社,1995年),论证王昌龄确实著有《诗格》,现存的《诗格》不能完全认为伪书,这一论点也已为学界所赞同,而我的主要论据则是出于《文镜秘府论》的。

90年代初我开始作《唐人选唐诗新编》(按:此书已由陕西人民教育出版社于1996年出版)。其中《翰林学士集》,共收唐太宗时君臣唱和诗五十一首,清代所编《全唐诗》只有其中的十二首。这部书对研究唐初宫廷唱和的盛况,具有很大的参考价值。但中国早已失传,只有在日本保留,晚清时有人影写携归。这次我请复旦大学陈尚君先生作了整理。又如唐末诗人韦庄编有《又玄集》,共三卷,收初唐至晚唐一百四十六人,诗二百九十九首。此书曾在《宋史·艺文志》著录,但从南宋以后即未见全本,中国一直不存。20世纪50年代,日本京都大学清水茂教授把日本所藏影成胶片寄赠杭州大学夏承焘教授,中国才见全书。此书所收诗,有不少是中国未见的,可补唐人诗篇的不少。如晚唐时张为《诗人主客图》中"瑰奇美丽主"下载赵嘏诗句"一千里色中秋月,十万军声半夜潮",此为历来传诵的名句,但其后南宋计有功的《唐诗纪事》,及宋人诗话、笔记,直至清编《全唐诗》,都只载此二句残诗,而现在从这一《又玄集》中,我们却看到了全篇。千百年来之名句得有全璧,赵嘏如在地下有知,也应感谢日本的文化学术界。

另外,我与一友人合作,近数年来整理中晚唐时名相兼文人的李德裕著作,编撰《李德裕文集校笺》一书(即将由河北教育出版社出版)。此书就用日本所藏惟一的影宋抄本作底本,这是目前所见最好的本子。

以上只是从我个人的研究出发，大致介绍日本所藏中国典籍的可贵。就唐代文学来说，还有不少文献资料可作进一步探讨的，如初唐时李峤《杂咏》诗的张庭芳注，《文馆词林》，白居易集的手抄本，等等。中日两国所藏典籍的考索，应是文化交流研究的大题目，这方面，近二十年来，中日两国学者已有不少成果。希望有一个系统的研究计划，在今后若干年内能逐步得到落实，这将是一个跨世纪的东亚文化交流史的大工程！

本文为 1998 年 8 月杭州大学"遣唐使时代的东亚文化交流"国际研讨会发言稿，此据北京联合出版公司 2013 年版《濡沫集》录入，另收入日本勉诚出版所 1999 年 4 月"遣唐使时代的东亚文化交流"国际研讨会文集、大象出版社 2004 年版《唐宋文史论丛及其他》、北方文艺出版社 2008 年版《书林漫笔》、万卷出版公司 2010 年版《当代名家学术思想文库·傅璇琮卷》

我和古籍整理出版工作

一

我于1933年11月出生于浙江宁波。宁波古称明州,自唐宋以来即为沿海对外贸易港口,特别是1840年鸦片战争以后被列为五个对外开放城市之一,与海外交往更为频繁。宁波至上海的轮船,一夜的时间即可到达,交通方便。因此我念初中时虽还在新中国成立前,即解放战争时期,我自己就订阅了当时上海的《大公报》和开明书店出版、由夏丏尊、叶圣陶等先生主编的《开明少年》、《中学生》等杂志,较早地得悉当时国内政治、文化情况。

我那时虽然还是初中学生,但已向《开明少年》、《中学生》投稿。当时开明书店有一规定,像对我们这样年轻学子,刊登稿件后并不付现钞,而是寄赠向开明书店购书的书券。这对我正好,因为当时我需要的正是书。我记得我那时用购书券就买了一本大书,即朱东润先生写的厚达四百多页的《张居正大传》。说老实话,作为初中生的我,是看不懂这部专著的,但很奇怪,那时我还是通读了一遍,书中颇有现代特色的人物对话,给我印象很深。这也促使我在以后把朱先生的所有传记著作都读了,还在前年专门写了一篇学术性的纪念文章:《理性的思索与情感的倾注——读朱东润先生史传文学随想》(《文学遗产》1997 年第 5 期)。可以说,我在六十余岁写这篇文章,是植根于十五六岁在宁波中学求学时的课外读书生活的。

二

1951 年秋,那时我离高中毕业还有一学期,我就按当时的情况投考大学,第一志愿即清华大学中文系。由浙东一个偏远城市来到北京,由一个普通中学来到名牌大学,人忽然变了样子,什么都感到新奇。

但清华当时是比较宽松的,似乎有以前留下的一种民主风气。我们一般是上午上课,下午自由活动。我吃了午饭,有时好好睡一觉,就到清华颇有西欧建筑风格的图书馆阅报看书。清华图书馆地下一层有一很大房间,陈列有各省的省报。据说中文系的王瑶先生是每隔一二天都要到那边把各地报纸浏览一遍的。我们受他影响,也时常去看报。当时生物楼旁有一音乐厅,放有一二十架钢琴,可自由进去弹,也有人教,不收钱。外语课,当时已设有俄语,但也有英语课,可自己选择;当时我因受传统影响,觉得俄语语音太复杂,不好听,还是继高中所学,选修英语。那时对考试的分数似不怎么放在心上，第一学期结束后，到第二学期开学，我偶尔见到在工字厅一条走廊上贴有各系考试的分数单，我看见我的中国通史分数为95分，倒也有些高兴，但也仅此而已，未与人说，同学也不互相议论，好像未曾见过似的。

我们一年级的课，老师讲得也很轻松。诗人陈梦家先生当时教语言文字概论，他每次来上课，总先要讲路上乘车时碰到什么人，这几天看了什么书，星期天有时还请我们到他家（当时住燕京大学的燕南园）去玩，夫人赵萝蕤先生出来招待我们喝咖啡。王瑶先生教大一国文，有一次讲沙汀的一篇记述四川茶馆的小说，就大讲四川茶馆怎么怎么好，乐得我们满堂大笑。李广田先生教我们文艺学引论，有一次他参加国庆盛典回来，就到我们宿舍，随便聊天，当时他还兼中文系系主任。教中国通史的历史系两位教授，先秦至唐是孙毓棠先生教，宋至清是丁则良先生教。两位先生风度不同，孙先生颇有英国绅士气度，一件短大衣，西装皮鞋，典雅而谦和；丁先生则是中山装、布鞋，说话质朴而间有风趣。但可惜这几位老师后来大多遭到不幸，丁则良先生不久分配到东北，在政治运动中自杀。陈梦家、孙毓棠先生1957年被划为右派。李广田先生于"文革"中在云南大学投河而死。

除了上课外，当时还有一种特殊机缘，就是1952年上半年，随着"三反""五反"运动，知识分子思想改造也作为运动搞起来了。我们学生，是可以自由去听一些教师的自我检讨的。我当时有幸听过金岳霖、冯友兰、张奚若等老先生的自我批评（当时似还不叫批判），大开眼界，我觉得他们讲得很真诚，自我检讨、自我批评中又结合各自的学科，讲得很专，像在做学术解剖，这与以后的光戴大帽子而无实在内容的空洞批判,真有天壤之别。我那时好像不是在听政治批判,而是在上学术思想交流的课,这是在一般课堂上听不到的,因此也养成我探索不同学科治学路数的兴趣。

可惜在清华只待了一年,1952年秋,当时学苏联经验,进行高校院系调整,清华变成单一的工科大学,北大不设工科,成为文理科综合大学,燕京大学取消。我们就并入北大,地点则为燕京旧址。应当说,这次调整后,北大中文系的师资力量是大大增强了,但我感到,学习的宽松气氛却大大不如头一年的清华。首先是太看重分数,当时实行五分制,似乎非得优(5分)不可,得个良就要流眼泪的。其次是政治运动越来越多,我们班上不断有同学遭到批判,党团骨干就是班上的领导、统帅。1955上半年,快要毕业的时候,我就遭到前所未有的政治审查。原来1952年秋院系调整后,外语课一律学俄语,不许再学英语,于是我就从二年级起改学俄语,从最初级的拼音学起。但不知怎么,我对俄语很感兴趣,而且学习成绩还不错,并当上了课代表。学了两年后,我得到一本俄文的苏联文学史教学提纲,这提纲是以苏共十九大的精神来写的,在当时算是有新精神、新观点。我就试着翻译成中文,投给高等教育出版社,出版社认为我的语法方面有些错误,但中文较流通,在几份同类译稿中选择了我的,并正式出版。这是我生平第一次也是惟一的译著。此后,我也译过苏联报刊上的有关文艺理论文章,投寄给上海新文艺出版社,我的通讯地址则写当时教我们俄语的一位老师宿舍。不料1955年上半年反胡风运动起,说是上海的新文艺出版社是胡风反动集团的一个重要据点,对他们进行了审查。大约从来稿中见到我的姓名,认为我有与胡风集团联系的嫌疑,于是追藤摸瓜,找到了北大。北大党委专门派人找我谈话,进行政治审查,我在班上也受到政治孤立,在情绪上受到极大的打击。

这次审查后来总算是不了了之,随即就到了毕业阶段,我被分配为留校任古典文学助教,这在我们班上是惟一的一个。后来我即具体做浦江清先生所讲授的宋元明清文学史助教。浦先生也是从清华过来的,治学的面很宽,他的关于屈原生卒年考证文章在 50 年代前期《历史研究》第 1 期刊出,影响很大。新中国成立前写的《花蕊夫人宫词考》、《八仙考》都卓有学术声誉。他对我也是很宽的,我经常在他晚饭后到他家聊天(当时他住燕东园)。浦先生于 20 年代在南京一所大学学英语,后来到清华做陈寅恪先生助教,说是学梵语。我曾问浦先生,那时他怎么向陈寅恪先生学的。他说:陈先生学问太高,我们不敢学,那时主要还是我们一些年轻助教一起谈学问;谈学问主要是互相交谈最近看了什么书,这部书写得怎么样,看过这部书的就可加进去议论,没有看过的只好不说话,回来赶忙找这部书来读,补上这一课。浦先生说,那时他们就是这样做学问过来的。这对我的印象很深,不能忘记,似乎能悟到一定的道理。

那时《文学遗产》刚创办,每一周或两周在《光明日报》刊出,一整版。主编陈翔鹤先生很注意于培养年轻研究者,并鼓励我们写书评,对当前出版的学术著作或文学选本进行评论,那时我班同学刘世德、金开诚、沈玉成和我都在《文学遗产》上刊登过文章。但总的说来,在毕业后的头两年中,一边搞教学,一边还要应付当时接连不断的政治学习,还没有真正进入研究领域,而接着就发生了反右斗争。

<h1 style="text-align:center">三</h1>

1958年初，因所谓办"同人刊物"，当时北大听从周扬的意见，把中文系的八个年轻助教、研究生打成右派反动集团，其中有乐黛云、褚斌杰、裴斐、金开诚和我。我即于当年3月从北大贬出至商务印书馆，六七月间又分配到中华书局，至今整整四十年，除了"文革"十年，及1987—1988年有半年时间去美国密西根州立大学讲学外，没有离开过编辑部。我自己一直认为，我真正进入研究工作，并在学术领域作出一定的成绩，是在出版社，我的学术研究，与商务印书馆、中华书局这样有历史文化传统的出版社是分不开的。

我进商务的时候，商务有一古籍编辑室，室主任为辞书编辑专家吴泽炎先生（即商务出版的新修订本《辞源》实际主编）。吴泽炎先生打算在由云龙旧编的基础上重编《越缦堂读书记》，他可能觉得需要一个助手，也或许看我刚从北大贬出，得收收心，就叫我帮助他做这一项事，步骤是将由云龙的旧编断句改为新式标点，并再从现存的李慈铭的日记中补辑旧编所漏收的部分。

李慈铭是绍兴人，也可以说是我的浙江同乡，小时读《孽海花》小说，对书中所写的他那种故作清高的名士派头，感到可笑，但对他的认识也仅此而已。现在是把读他的日记当做一件正经工作来做，对这位近代中国士大夫颇具代表性的人物及其坎坷遭遇了解稍多,竟不免产生某种同情。那时商务是在东城北总布胡同 10 号,整个布局由几个四合院组成,都是平房。我们在的古籍编辑室正好是北屋西头,面对的是一个颇为典雅幽静的小院子。我曾在一篇文章中记述当时的情景:

> 我是住集体宿舍的,住所就在办公室后面一排较矮的平房,起居十分方便。一下班,有家的人都走了,我就搬出一张藤椅,坐在廊下,面对院中满栽的牡丹、月季花,就着斜阳余晖,手执一卷白天尚未看完的线装本《越缦堂日记》,一面浏览其在京中的行踪,一面细阅其所读的包括经史子集各类杂书,并在有关处夹入纸条,预备第二天上班时抄录。真有陶渊明"时还读我书"的味道,差一点忘了自己罪人的身份。(《热中求冷》,《濡沫集》页 96—97,湖南人民出版社 1997 年12 月版)

我就这样细细阅读了当时被人漠视的李慈铭日记,这在大学恐怕是不大可能的。正因为如此,使我对晚清社会及文人生活有了具体的了解,开始有兴趣读近代人的诗文集和笔记杂著。那时商务的古籍编辑室人虽不多,但专业空气很浓。赵守俨先生特地把由他整理的俞樾《癸巳类稿》、《癸巳存稿》给我看,后来他又起草写《唐大诏令集》出版说明,在编辑室内传阅。我觉得这篇出版说明把《唐大诏令集》成书经过及文献价值与某些缺失,说得清楚实在,我当时就感到,这篇文字,在当时北大,恐怕是很难有人能写出来的,这确是专业编辑的实功夫。

这年六七月间，商务的古籍编辑室取消，成立《辞源》编辑室，吴泽炎先生留下来专职主持《辞源》的修订工作，我们大部分人则转移到中华书局。当时中华书局总经理兼总编辑为金灿然同志，他在延安时曾与范文澜先生一起编写过《中国通史简编》，应当说也是一位行家。我刚到中华，他就告诫我：要在工作中好好改造，把工作做好。他确实是爱惜人才的，并不像当时流行的动不动把右派放到农村中去劳动，而是把我圈在书稿中。他与一般职工一样，中午也坐在食堂吃饭。一次他与我同桌，问我："你们北大中文系像你这样的，还有没有？"我就举出几个，他随手就记下来。后来，褚斌杰、沈玉成就从北大调来，他们当时都是戴着右派帽子的，从西郊斋堂的劳动场所调来读古书。

我到中华，最初是在古代史编辑室，当时室主任是姚绍华先生，他是新中国成立前的老中华书局留下来的。我印象很清楚，我刚来到，就交给我明末李永茂于崇祯十五、十六年在兵科给事中任内的两件疏稿：《邢襄题稿》和《枢垣初刻》。这是抄本，由河南开封孔宪易提供，中华书局得到后请人整理断句，已排出校样，但尚缺一篇出版说明。不知怎么，这篇出版说明竟叫我这个二十五岁的戴帽子的年轻人来写，而我在学校时又不是搞历史的。但我当时还是硬着头皮写了三千字，开头一段是这样写的：

　　崇祯十五年松山战役以后，清军对明的包围形势已经形成。皇太极曾说："取北京如伐大树，先从两旁斫，则大树自仆。……今明国精兵已尽，我四围纵略，北京可得矣。"就在这年十一月，清兵分道入关，先陷蓟州，深入畿南，直趋曹、濮,连下山东八十余城,鲁王以派自杀(见《明史》卷二十四)。明朝政府面对这样紧张的局势,一面派人督师抗击,一面遣六科给事中分别察理近畿各府城守情形,李永茂当时即奉命视察顺德府(府治在今河北邢台市)属的城守,并以其察理所得的闻见及对防守的意见,奏报朝廷,结集成为《邢襄题稿》。永茂后以崇祯十六年正月事毕返京,上奏对待李自成农民起义军和清兵的攻守策略,约三十几疏,为《枢垣初刻》。

我之所以抄录这一大段,是我当时有一想法,就是一部书的出版说明,尤其是较冷僻的书,应当在一开始就要用浅近明白的文字交代这是一部什么样的书,不管你在写作之前已查阅过多少资料,但不能把这些资料堆积出来,而应当将这些资料,经过理解、概括,用自己的笔写出来。这也是我第一次用我自己所学的中文某些优势来处理历史文献资料,也从而克服我对历史的畏难情绪,并培育我文学与史学相结合作综合研究的兴趣。

大约8月份又把我调到文学编辑室,一起搞《新编唐诗三百首》(此书后在"文革"中受批判,说是邓拓为此书所写的序言借机反对1958年的三面红旗,实在是无稽之谈)。此后当时文学室主任徐调孚先生又交我一部稿,即经顾颉刚先生校点的清人姚际恒《诗经通论》,叫我写出版说明。《诗经》我只在大学上文学史课时学到一些,那时只看过一些选本,从来没有通读过。这次为写出版说明,我几乎用了两个月的时间,不但通读《诗经通论》,还参读郑振铎《中国文学通论》一书所论毛诗序,以及朱熹的《诗经集注》,清代的其他几部所谓疑古之作(如方玉润等)。我觉得,关于《诗经》，我是在中华书局补了北大所未学过的几部名著的。

就在这时，王国维的次子王仲闻先生被临时雇用到中华书局来。这位王先生本在邮电部门工作，说是1957年划为右派，又有国民党的问题，于是右派加反动派，开除公职。他对唐宋诗词极熟，不知是谁介绍，来中华作临时工，具体是作清修《全唐诗》的点校工作，作了两三年，作得极细。印行时，1959年4月，徐调孚先生又叫我写一篇《点校说明》。我在说明中论述了《全唐诗》的问题：一、误收、漏收；二、作品作家重出；三、小传、小注舛误；四、编次不当；五、其他（多处讹夺，如《唐诗记事》误为《诗话总龟》，《唐摭言》误为《北梦琐言》，"来护儿"夺为"来护"等）。最后下一结论，为："可见这部《全唐诗》实有重新加以彻底整理的必要。但这尚待进一步努力。"这时我还不过二十六岁，在此之前没有研究过唐诗，而此时也正在作宋代作家作品的资料辑集，但我还是根据王仲闻先生的点校材料，作了一定的概括。这也算是我今后研治唐诗的意料不到的开端。

徐调孚先生新中国成立前在开明书店就是名编辑，并且作过《人间词话》校注，翻译过《木偶奇遇记》，很有名气。他看稿极认真，而对人极宽厚。写这篇《全唐诗》的点校说明时，我与王仲闻都还有政治问题，但他还是在篇末署了"王全"，王即王仲闻，全即璇，因徐先生是浙江人，又长期在上海工作，那边是把璇念作全的。由此可见徐调孚先生在当时政治环境下也并不没人之功的气度。（附带说一下，王仲闻先生在1962年说是经调查，在档案中没有1957年划右派的材料，就不算右派，而他过去在邮电部门，是集体加入国民党的，因此也不算什么问题。此后几年在为唐圭璋先生《全宋词》加工过程中，著有三四十万字的《读词偶得》一书，中华曾请钱锺书先生看过，钱先生誉为奇书。但王先生在"文革"中又被街道红卫兵迫害，出走不知所终，其《读词偶得》一书也随之亡佚。）

我之所以在这篇介绍自己治学经历的文章中写这些年轻时旧事，是想说明一个情况，一个人，即使长期在出版社工作，不在大学或研究所，也能学有所成的，我记得那时我就立下一个志愿：我要当一个好编辑，当一个有研究水平的编辑。我那时就想尝试一下，在出版部门，长期当编辑，虽为他人审稿、编书，当也能成为一个研究者，我们要为编辑争气，树立信心：出版社是能出人才的，编辑是能成为专家学者的。

我想，编辑当然首先要把本职工作做好，审读稿件，把住质量，开阔视野，组织选题，但同时还要提高本身的文化素质和学术修养，尽可能使自己在某一专业领域发展。学术研究与审读书稿，是互为影响、互补互长的。中国的出版社，与外国一些纯粹商业店家不同，它还带有一定文化学术机构性质。我曾说过，回顾20世纪的出版史，凡是能在历史上占有地位的出版社，不管当时是赚钱或赔钱，它们总有两大特点，一是出好书，一是出人才。我们一提起过去的商务，总会自然想起张元济、沈雁冰、郑振铎、傅东华；一说起开明，就会想起夏丏尊、叶圣陶、徐调孚、周振甫。50年代的人民文学出版社古典部，有冯雪峰、周绍良、顾学颉、王利器、舒芜；而中华书局五六十年代则有张政烺、陈乃乾、宋云彬、杨伯峻、傅振伦、马非百、王仲闻。出版社要具备文化学术意识，就得在编辑部门中有专门家、学者，他们可以不受某种潮流的冲击，甘心于为文化学术事业而执着一生。

四

按照我当时的政治处境，是不能写文章往外发表的。于是我白天审读、加工稿件，晚上看我要看的书。当时我处理陈友琴先生的《白居易诗评述汇编》，我建议，由中华书局搞一套《中国古典文学研究资料汇编》，领导同意这一方案，于是把陈先生的这部书改名为《中国古典文学研究资料汇编·白居易卷》，后来又相继组约《陶渊明卷》、《陆游卷》、《柳宗元卷》，及编辑部自己编纂的《李白卷》、《杜甫卷》。我因在北大从浦江清先生求学时已对宋代诗文感兴趣，立志于从事宋诗研究，于是想先从资料积累着手，着手搞《黄庭坚和江西诗派卷》和《杨万里范成大卷》。我平时从中华书局图书馆借书，夜间翻阅，每逢星期天，则到府右街的北京图书馆看一天书，中午把早晨所带的馒头伴着图书馆供应的开水当一顿午饭。我的近二十万字的《杨万里范成大研究资料汇编》和七十余万字的《黄庭坚和江西诗派研究资料汇编》就是在这种情况下编出来的，这也算是我做文献资料研究的起点。我没有荒废时间。80年代前期，南京大学中文系莫砺锋同志在程千帆先生指导下作博士论文《江西诗派研究》，就说因参考我的这部资料汇编，得到不少线索，省去不少时间。我自己后来翻阅这两部书，也感到惊讶，我当时怎么能查阅那么多的书，有些书我自己也好像觉得从未见过似的。

大约 1960—1961 年间,我负责审读孔凡礼先生的《陆游卷》资料,他所辑集的资料中有清陆时化《吴越所见书画录》卷一高明、余尧臣《题〈晨起〉诗卷》两文。他是作为后人对陆游《晨起》诗的评论而收辑的,但我在阅稿过程中却注意到高明(则诚)这篇文章是过去有关其诗文辑集的材料中未曾见的,这也算是对其佚文的补辑,尤其是余尧臣的一篇,其中说高明作这篇题记为元至正十三年,越六年即病逝于四明(今浙江宁波)。我由此考出高明卒年在元至正十九年(1359),这离明代建国即洪武元年(1368)还有九年,而过去的记载,从明代的《南词叙录》、《留青日札》、《闲中古今录》,至现代人著作,包括一些文学史书,都说这位《琵琶记》作者曾应明太祖朱元璋之召征修元史,后以老病辞归。这在过去差不多已成定论。

　　我这篇文章刊于当时中华书局创办的《文史》杂志第 1 期(1962 年)。刊出后曾为一些文学史论著所引用,但也遭到驳难。使我感到欣慰的是,我的这一说法近几年来已逐步得到学术界的认可,杭州大学的徐朔方先生和中山大学的黄仕中先生都赞成此说,并进一步补充了论据。去年黄仕中先生把他的新著《琵琶记的研究》一书(广东教育出版社 1996 年 10 月)寄赠给我,书中关于高则诚的卒年还专设一章加以考辨。我并不是专门研究戏曲的,但高则诚卒于明建国之前确是破过去自明以来的成说,而就我来说却是于无意中得之的,得益于编辑的阅稿工作。这就是说,为他人作嫁衣裳,自己也并非一无所得,而且有时所得恐还要超过这所"嫁"之"衣"。

五

　　我用大半的篇幅谈了"文革"前的治学经历，是想说明，正如我在前面说过的，我真正做研究工作，并非在大学或研究机构，而是在出版社。出版社的编辑工作，确实有所谓"为他人作嫁衣裳"的味道，但真正投入者会有大学、研究机构所不易具备的求实、广学、高效三者兼备的机能。在专业性较强并有一定学术环境的出版社，只要自己努力，是能够在学术上有所成的。即使在商品经济体制下，我想这种情况也是不会改变的，中国的出版社，应该说已与大学、研究所一起，成为有较强发展前途的学术研究基地。我希望以后能多注意报道出版社出来的专业人才，提高编辑人员的社会地位和文化影响，去除过去遗留下来的对编辑工作的偏见和误解。

　　正因为如此，"文革"之后，我的政治问题得以彻底纠正，本有机会调回大学，但我还是留了下来。70年代末，北大中文系要我与褚斌杰同志回去，结果，中华书局只放了褚斌杰同志，我仍留下来。80年代中期，清华大学恢复中文系，他们鉴于我在新中国成立初在清华念过一年书，提出要我去当系主任。1985年秋，清华举办闻一多学术研讨会，会议期间王瑶先生还特地对我说："你还是回清华吧，我们共同把中文系复兴起来。"但交涉多次，也未办成，我的态度似也不太坚决，最后商议由清华中文系聘我为兼职教授。我已立志于一辈子做编辑了，中华书局在我之先的就有周振甫先生。

"文革"后我的第一部专著是《唐代诗人丛考》(1978年写成,1980年出版)。其实这部书的最早蕴酿还是在"文革"以前。我曾说过,60年代初,我因病住院,随身携带那时新翻译出版的法国丹纳《艺术哲学》。从丹纳的书我得到很大的启发,我觉得研究文学应当从文学艺术的整体出发,这所谓整体,包括文学作为独立的实体的存在,还应包括不同流派、不同地区互相排斥而又互相渗透的作家群,以及作家所受社会生活和时代思潮的影响。这牵涉到总的研究观念的改变。因此我在《唐代诗人丛考》中,除了考索作家事迹外,着重注重两个方面:一是注意于数量较多的中小作家,而过去的研究视角只落在少数几个大家身上,于是文学史往往成为孤立的点的联缀,而不是永流不歇的作家群体的发展。二是注意不同地区的作家群分布,从中探索不同的创作风格。我是第一次对大历时期诗人提出南北的两大群体,即一是以长安和洛阳为中心的钱起、卢纶、韩翃等,一是以江东吴越为中心的刘长卿、李嘉祐、皎然等。

在这之后我的一些著作,在同行中大家也都比较熟悉,限于篇幅,我也不一部一部地展开来谈了。我曾不止一次说过,80年代以来,我虽然写了一些书,但总是想为学术界做些实事:"我希望多做些实在的事,这不但在自己写作的时候是这样,在所从事的编辑工作中,我总也力求组织一些切实有用的书稿,使我们的学术工作有一个丰厚的基础。"(《唐诗论学丛稿》后记)

譬如在《唐代诗人丛考》之后,我本来接着想作中晚唐文学研究的,但中晚唐的文献材料较初盛唐复杂得多,其间有不少作品真伪需要清理。因此我与友人合作，索性对整个唐五代的人物作一个综合性的传记索引。我们收辑了八十三种唐宋人的史传著作，大约花了两年的时间编成了一部一百三十余万字的大书:《唐五代人物传记资料综合索引》。在此基础上，我就接着作《李德裕年谱》，以李德裕为中心，对牛李党争做了全面的清理，并对中晚唐的有关作家提出一些新的看法(如对元稹、李商隐、杜牧等)。

80 年代，我还写有《唐代科举与文学》一书，是想通过科举来了解唐代知识分子的生活道路与心理状态，以进而探索唐代文学的历史文化面貌，这也是我文化研究的另一尝试。接着又作《唐才子传校笺》，邀约国内十余位学者对《唐才子传》书中近四百个作家，作一次传记材料的梳理，努力从高层次上总结目前已取得的作家事迹考证的新成果，以体现中国学者当前唐代文学研究的水平。这种求实的工作是得到学术界肯定的，中国社科院文学所研究员蒋寅同志在评陈尚君、陶敏所作的《唐才子传校笺补正》时说:"傅璇琮先生对学科建设怀有强烈的责任感，从 80 年代中期以来他一直有计划地组织领导着唐代文学研究的学术活动，他对唐代文学学科建设所作的贡献，应该说要超过实际获得的荣誉。"(《书品》1996 年第 3 期)

90 年代，我为中华书局文学编辑室组织了两项较大的选题，一是邀约南开罗宗强先生主编《中国文学思想通史》。罗先生关于中国文学思想史的研究是很有特色的，我相信这套通史的编撰、出版，必将提高中国古典文学研究的整体理论水平。另一是与当时文学编辑室两位主任徐俊、顾青同志商议，由我任主编，编一套《中国古典文学史料研究丛书》，我在总序中提到:"这将是古典文学研究可持续性发展的基本工程,也是我们这一代学人对于本世纪学术的回顾和总结,对于 21 世纪学术的迎候和奉献。"中华书局如果今后数年内在这两套书的出版上形成相当的规模,我相信一定会引起中外学术界的注意和重视。

近几年来我个人的研究,主要有三项:一是继《李德裕年谱》之后,与安庆师院中文系教授周建国同志合作,作《李德裕文集校笺》。我们选择目前李德裕文集最好的本子——日本静嘉堂文库所藏原陆心源收藏并校勘的影宋钞本为底本,对李德裕著作作一次历史性的清理,包括编年、辑佚,以及对史事的考证。我希望通过这一工作,体现古籍整理需要真正下实在工夫以出精品的要求。因李德裕是河北人,故此书将由河北教育出版社出版。

另一是我在作完《唐代科举与文学》后,很想进一步考察宋代的科举。但宋代科举史料繁富,我一人力不胜任,正巧我的好友、杭州大学古籍研究所所长龚延明同志在撰成《宋代官制辞典》后,拟另作一新的课题,征求我的意见,于是我们二人共同商讨,从事《宋登科记考》的编纂。此书包括科举大事记编年与历榜登科名录两大部分。宋代科举取士人数是历朝最多的,据现有材料统计,约十万人。而至今为止收罗宋代人物最多的是台湾学者王德毅等所编的《宋人传记资料索引》,共收二万二千多人,而记载登科人则只有六千余人,仅占两宋登科人十六分之一。而我们的这部《宋登科记考》,已考出登科者五万多人。这可以说是填补中国科举史研究的一项空白。此书编纂的总构思,是我和龚延明同志共同商定的,而工作的基点则放在杭大。历经五年努力,已接近完稿,总字数将达四百五十万。

第三项是唐五代文学编年。我在作《唐代诗人丛考》前，即已思考做文学编年的工作。我一直认为，研究文学应从文学艺术的整体出发，而文学编年史则可能会较好地解决整体研究的问题。如以唐代文学为例，我们如果分段进行唐代文学的编年，把唐代朝廷的文化政策，作家的活动，重要作品的产生，作家间的交往，文学上重要问题的交流或争论，以及与文学邻近的艺术样式如音乐、舞蹈、绘画、建筑等的发展，扩而大之如宗教活动、社会风尚，等等，择取有代表性的材料，一年一年编排，就会看到文学上"立体交叉"的生动情景，而且也可能会引出现在还想不到的新的研究课题。当然，编年史只是文学史研究的一种，它并不能代替其他体裁、其他方式的研究，只是因为目前古典文学界对此还未予重视，因此我就着手于此。唐五代文学编年，是我提出编撰原则与体例，与湘潭师院的陶敏、李一夫，厦门大学的吴在庆、贾晋华商讨合作，并经过几次反复修改，也历经五六年，现在已有初稿，正由我统一定稿，全书将有二百二十万字。另外，我也已约西北师大赵逵夫教授作先秦文学编年，中国社科院文学所曹道衡研究员作秦汉魏晋南北朝文学编年。如果我们能有一部从先秦至清末（即1911 年）的文学编年通史，人们可以一年一年地看到古代文学发展的具体历程，这将是我们文学史研究规模宏大的基础工程。

1998 年 8 月，北京。

原载朝华出版社 1999 年版《学林春秋》，此据北方文艺出版社 2008 年版《书林漫笔》录入，另收入大象出版社 2004 年版《唐宋文史论丛及其他》

唐初三十年的文学流程

一

唐诗或唐代文学,一般分为初、盛、中、晚四个时期。盛、中、晚,其间的起讫年限,当今唐诗学界尚有不同意见,但初唐,起于高祖武德元年(公元 618 年),止于中宗景龙四年(公元 710 年)——睿宗景云元年(公元 710 年),则看法大致相同,因第二年即唐玄宗先天元年(公元 712 年),后年开元元年(公元 713 年),就开始历史上著名的"开元之治",也就是进入盛唐之世了。

这初唐九十四年,又可分为若干阶段,有分为三个阶段,或两个阶段的,各有不同说法,当然也各有一定依据。我个人认为,这初唐九十余年中,唐高祖武德九年(公元 618—626 年)、太宗贞观二十三年(公元 627—649 年),是自成一个阶段,这个阶段无论就政治、文化与文学来说,其中心人物即为唐太宗李世民,其起辅佐与纽带作用的是魏徵。第二个阶段则自高宗永徽元年(公元 650

年)起,至公元 701—711 年。当然这六十余年中还可分前后两期,如有些文学通史或断代史、分体史所论述的,但这所谓的前后两期实不易截然划分,因在这六十余年中对文学起政治上支配作用因而在诗歌发展中起明显消极影响的是一个武则天,这也是唐诗的盛唐之音在贞观之后六十年才得以奏响的重要因素(此当另文详述)。

我很同意罗宗强先生的看法:"贞观年间,唐太宗李世民和他的重臣们对文学的影响,不仅在当时文风的变化上,而且他们的文学思想,还深远地影响着有唐一代文学的发展。"①"唐文学的繁荣虽有各种各样的原因,但重要的原因之一,就在于这个朝代的建立之初,就已经奠定了一个比较正确的指导思想。这个比较正确的指导思想使唐文学的发展有了一个较好的开端。"②

唐武德九年,贞观二十三年,这三十二年,在初唐文学上所占的时间为三分之一,在整个唐代的历史上也仅占九分之一,但这三十二年是很不平常的,它不但在政治、经济上起新一朝代的兴起、奠基作用,而且在文学上有开拓、创新意义。这一点,过去三四十年前的论点是截然相反的,那时不少论著认为这唐初三十余年不过是袭齐梁的余风,受宫体诗的浸染。近二十年来渐有变化,有新的认识。但比较起来,这三十余年的文学过程的研究,比起唐代的其他时期来,则相对薄弱,涉及的文献材料甚少,所论的作家不过寥寥几个,总之所下的功夫不多。可能有人认为这三十

①《隋唐五代文学史》(上),高等教育出版社,1993 年 3 月版,第 32 页。
②《隋唐五代文学思想史》,上海古籍出版社,1986 年 8 月版,第 38 页。

余年时间毕竟太短,一闪而过,算不得什么。但我们如果把这三十二年放在当代的时间流程作一比喻,如从建国 1949 年起,三十二年,则为公元 1949—1980 年,对我们来说,即相当于整个 50 年代,60 年代前期,"文革"十年,"文革"后的四五年。这段时期无论从政治运动或文学活动来说,经历是很不平常的。由此可以设想,这一千多年前的三十二年,也当有其值得探讨的历程。文学理论所概括的,文学历史所探索的,归根到底是具体人的文学活动。人的文学活动,在不同年份里,有不同的景象,有几年,似乎像是平静淡泊的细流曲涧,有几年,却可能突然出现浩瀚奔腾的巨波大浪。我们今天来研究历史上的文学活动,最好尽可能客观地再现当时的实景,而再现当时的实景,一个办法是整体展现社会的全景,即当时的政治、经济、风尚、习俗,以及多种文化景象,一个办法是按时间的自然流程展现当时的文学和人一年一年、一月一月的行程和痕迹。

二十年前,也就是 1978 年 11 月,我在《唐代诗人丛考》的自序中曾对文学史写作表述过一些想法,我想借此引录一段,以作为本文构思的一个意向:"我们的一些文学史著作,包括某些断代文学史,史的叙述是很不够的,而是像一个个作家评传、作品介绍的汇编。为什么我们不能以某一发展阶段为单元,叙述这一时期的经济和政治,这一时期的群众生活和风俗特色呢? 为什么我们不能这样来叙述,在哪几年中,有哪些作家离开了人世,或离开了文坛,而又有哪些年轻的作家兴起;在哪几年中,这一作家在做什么,那一作家又在做什么,他们有哪些交往,这些交往对当时及后来的文学具有哪些影响;在哪一年或哪几年中,创作的收获特别丰硕,而在另一些年中,文学创作又是那样的枯槁和停滞,这些又都是因为什么?"①

当时我想到的,是用一种编年体的方式,首先是把中国东西南北不同地区作家的不同活动,放在同一个时间环境中,然后又把这一文学整体,按时间流程,一年一年地往前推移,好似电视屏幕上,有些消失了,有些出现了,很可能这些变动的实景会引发我们原先意想不到的思考。

本文就试着大体按这种方式,来描画这唐初三十年文学的具体流程。

二

唐开国的第一年,也就是唐高祖武德元年(公元 618 年),有怎样的一种文学图景呢?

在这一年的前一年,隋炀帝杨广还在扬州行宫行乐,而这时天下实际已四分五裂,农民武装以及地方豪强,都纷纷割据一方。就在这年(公元 617 年)七月,李渊起兵于太原,西图关中;十一月,攻占长安,立隋代王侑为天子,遥尊炀帝为太上皇,改元义宁,而自封为大都督内外诸军事、大丞相,并进封唐王,以长子建成为唐国世子,次子世民为秦公,三子元吉为齐公。此时北方中原一带,则王世充奉隋越王侗据洛阳,李密率领一支农民劲军据洛北,

_____

① 《唐代诗人丛考》,中华书局,1980 年 1 月版,第 3 页。

互相对峙。

李渊占据关中的帝王之州,有一种政治地理的优势,自然抱统一宇内的意图,于是就在公元 618 年正月,命长子建成为左元帅,次子世民为右元帅,督诸军十余万人,东进以与王世充争夺洛阳及山东之地。这是唐帝国开国之初的头一个进军出击举措。

就在这时,扬州发生震惊朝野的军事政变,即隋右屯卫将军宇文化及联合一些武将,把炀帝杀死,名义上立秦王浩为帝,实际上由他控制军政大权,并随即率兵北上。

就在这次军事行动中,几个有影响的文士即遭难而死,未能进入新的朝代。一个是虞世基,也就是贞观时文坛领袖之一虞世南之兄。虞世基在陈时已官至尚书左丞,博学有高才,善草隶,为陈朝首屈一指的诗人徐陵赏识,徐陵以其弟之女嫁给他。虞世基入隋历官内史舍人、内史侍郎,史传称其五言诗"情理凄切,作者莫不吟咏"①。另一个被宇文化及杀害的为许善心,也就是贞观及高宗时称名一时的许敬宗之父。他也是由陈入隋的,在陈时十五岁即被徐陵称为神童,隋时仕至礼部侍郎,著有《灵异记》十卷,并仿阮孝绪《七录》作《七林》,著作多种②。另在宇文化及北上途中死去的有庾自直和崔赜。庾自直在隋时官起居舍人,曾编有总集类著作《类文》三百七十七卷③。崔赜则素与当时名学者姚察、刘炫等相善,史传称其所著词赋碑志十余万言,及《洽闻志》七卷、

①《隋书》卷六七《虞世基传》。
②《隋书》卷五八《许善心传》。
③《隋书》卷七六《庾自直传》,及《旧唐书·经籍志》下。

《八代四科志》三十卷，可惜未及施行，都因"江都倾覆，咸为煨烬"①。

约在这一年去世的还有著有著名传奇著作《古镜记》的作者王度，年约三十八岁②。

因为炀帝被杀，天下无主，国内形势更加动荡，李渊就于这年五月即皇帝位，国号唐，纪元武德，定都长安。李世民也于六月任尚书令，封秦王。这时他还只有二十一岁，即开始"长风破浪会有时"的政治、军事生涯。

唐朝开国，随着军事形势的进展，渐渐地吸引了周围地区的文人。如陈宣帝第十七子陈叔达，自幼能诗，为徐陵称赏，仕隋为绛郡通守，这时就在长安由丞相府主簿为黄门侍郎，年四十五③。颜之推之孙颜师古，在隋时薛道衡曾赏悦其才，后十年间居长安，唐军入城，即在李世民府第为敦煌公文学，唐开国，任起居舍人，时年三十八④。另一个由陈入隋的文士孔绍安，李渊即位时，马上由洛阳奔赴长安，还赋诗以石榴为喻，说："只为来时晚，开花不及春。"这年四十二岁⑤。褚亮在陈，年十八时徐陵曾与他商榷文章，深为惊异，他的诗也受到江总的赞赏。陈亡入隋，唐开国时，

①《隋书》卷七七《崔赜传》。

②见王绩《王无功文集》卷四《与江公重借随纪书》，《全唐文》卷五二八顾况《戴氏广异记》，及今人孙望先生《蜗庐杂考·王度考》。

③《旧唐书》卷六一、《新唐书》卷一〇〇《陈叔达传》，又参见《陈书·高宗二十九王传》。

④《旧唐书》卷七三、《新唐书》卷一九一《颜师古传》。

⑤《旧唐书》卷一九〇上、《新唐书》卷一九九《孔绍安传》。

他与其子遂良正好在陇西薛举幕府。武德元年十一月,李世民进军西北,破灭薛举子仁杲,褚亮、褚遂良就入李世民的府第,任文学、参军等职,这时褚亮年五十九,褚遂良年二十三①。

与此同时,也另有一些文士分别进入太子建成及齐王元吉府第,如贺德仁年六十二,萧德言年六十一,陈子良年四十四,都为东宫学士,他们也都是由陈入隋的。另一个在江南时曾受江总器重,以《月赋》一文见称于时的袁朗,则入李元吉幕,为齐王府文学。庾抱虽不久即卒,但开国初也在李建成府为太子舍人,"时军国多务,公府文檄皆出于抱"②。

另外,还有散处于其他地区的。如李百药曾被隋炀帝贬为桂州司马,后吴兴郡守沈法兴在炀帝被杀后起兵攻占毗陵,即辟李百药为府掾,这时李百药年五十四③。唐初的两大文化名人,虞世南和欧阳询,本随炀帝在扬州,三月之后,被迫随宇文化及北上至山东境内。这时虞为六十一岁,欧阳为六十二岁。虞世南为越州余姚人,属文祖述徐陵,学书师事智永。欧阳询则为潭州临湘人,初学王羲之书,后变其体,笔力坚劲④。

由此可见,这时的大部分文士,都奔赴长安,其他则因受地

①《陈书》卷三四、《旧唐书》卷七二《褚亮传》,《旧唐书》卷八〇、《新唐书》卷一〇五《褚遂良传》。

②《旧唐书》卷一九〇上、《新唐书》卷二〇一《庾抱传》,又参见《续高僧传》卷三《慧净传》。

③《旧唐书》卷七二、《新唐书》卷一〇二《李百药传》,又《通鉴》卷一八六武德元年八月。

④虞世南,《旧唐书》卷七二、《新唐书》卷一〇二有传;欧阳询,《旧唐书》卷一八九上、《新唐书》卷一八九有传,又参见《法书要录》卷八。

理、政治等条件所限,还散处于南北各地(如孔颖达、陆德明这时还在洛阳王世充军中)。而在这之中,有才气、有名望的,大多出自于南朝的陈(这点很值得研究)。就在这一年,脱颖而出的,则是魏徵。

据《旧唐书·魏徵传》,魏徵为钜鹿曲城人,没有门第背景,少孤贫,但落拓有大志。后出家为道士,但好读书,多所通涉,见天下渐乱,就属意于纵横之说。李密率瓦岗寨农民军进据洛阳北面,魏徵即应征为其元帅府记室,与许敬宗共掌文翰。本年十月,李密为王世充所击溃,即西降于唐,魏徵也随李密入关。但魏徵不甘心于作一般官吏,他向唐朝廷上言,愿再出关,招抚山东豪杰。就在十一月,他慷慨出马,并在出潼关时,写了《述怀》一诗:

> 中原初逐鹿,投笔事戎轩。纵横计不就,慷慨志犹存。杜策谒天子,驱马出关门。请缨系南粤,凭轼下东藩。郁纡陟高岫,出没望平原。古木鸣寒鸟,空山啼夜猿。……岂不惮艰险,深怀国士恩。

此诗阔大的胸怀,非凡的抱负,具有一种不同寻常的刚毅气质。清人沈德潜认为《述怀》诗"气骨高古,变从前纤靡之习,盛唐风格,发源于此"(《唐诗别裁》卷一)。唐开国的第一年,有这样的诗出现,确实预示唐诗"潮平两岸阔,风正一帆悬"的广阔前途。

三

以上就是初唐第一年的文学形势图,也就是当时的文人分布图。随着时间的推移,这种图形又有所变化,而这种变化,又与当时的战争情势密切相关,其中心人物,则是李世民,特别是武德四年(公元621年)十月开设文学馆,形成在那一动乱时间的一个文化小高潮。

武德二年(公元619年)闰二月,盘旋于河北、山东一带的农民军首领窦建德,于聊城击灭宇文化及部队,原在宇文化及幕中的虞世南、欧阳询即转入窦的军中。"初,群盗得隋官及山东士子皆杀之,唯建德每获士人,必加恩遇"①。同年十一月,窦建德又西进,攻陷黎阳,原在徐勣军中的魏徵也为所俘。这样,在窦建德军中,虞世南任黄门侍郎,欧阳询为太常丞,魏徵为起居舍人。有意思的是,唐初以隐逸著称的诗人王绩却于此时也一度往依窦建德中书侍郎凌敬门下。贞观时吕才《王无功文集序》云:"隋季版荡,客游河北。时窦建德始称夏王,其下中书侍郎凌敬,学行之士也,与君有旧,君依之数月。"窦建德于武德三年正月称夏王。可见武德二年、三年,窦建德不仅军事势力强,而且也有一定文化影响。

但这种情况马上起了变化。武德三年李世民率军东进围攻

---

① 《旧唐书》卷五四《窦建德传》。

王世充，王世充困居洛阳，势不能敌，即求救于窦建德，双方联合，与唐军对垒。武德四年五月，李世民乘窦军轻敌，用计策先加击灭，王世充也就被迫出降。这是唐军在中原作战的一个关键性战役，奠定了统一全国的基础，故于这年七月下诏，"以天下略定，大赦百姓，给复一年"①。

李世民不但赢得了军事上的胜利，也为唐王朝造成文化上的吸引力。这时，虞世南即入为秦府参军；魏徵入磁，李建成马上把他引为太子洗马。王世充平，则孔颖达、陆德明也就西入长安，而曾与虞世南、庾抱等结为文友的荆州人刘孝孙，也自洛阳入唐为虞州录事参军，他后来于贞观中曾为《续古今诗苑英华》一书撰序，在初唐诗歌思想上颇有建树。

这时，上文提过，曾任窦建德中书侍郎的凌敬，在窦军败后，也拟西入长安。这年秋，他先游历洛阳，"洛城聊顾步，长想遂留连"，目睹战后故都"平原悴秋草，乔木敛寒烟"，不免有所感慨，"彷徨不忍去，杖策屡回遭"（《游隋故都》）②。这可能代表当时一部分文士的心绪。在这之前，他曾与王绩议论天下大势，王绩对他说："以星推之，关中福地也。"后来王绩也来长安，见到凌敬，对他说："曩时之言，何其神验也。"③屡次想归隐的王绩这时也有如此看法，这也可见一般文士对新王朝的依附心理。

就在被誉为"福地"的长安，李世民即于武德四年十月，以秦

①《通鉴》卷一八九。
②《全唐诗》卷三三。但《全唐诗》题作陆敬诗，陆当为凌之误，见岑仲勉《读全唐诗札记》。
③五卷本《王无功文集》吕才序，见北京图书馆藏清陈氏晚晴轩抄本。

王府的名义,于长安宫城之西开设文学馆:"武德四年十月,秦王既平天下,乃锐意经籍,于宫城之西开文学馆,以待四方之士。"①这时列于文学馆的,有十八学士,其中有杜如晦、房玄龄、于志宁、薛收、褚亮、姚思廉、陆德明、孔颖达、虞世南、许敬宗等,后来还补收杜淹、刘孝孙,差不多都是一流文士。李世民以秦王的名义而下的《置文馆学士教》,着重提出:

> 或背淮而至千里,或适赵以欣三见。咸能垂裾邸第,委质藩维,引礼度而成典则,畅文词而咏风雅。②

从这几句话可以看出,李世民当时聚集文士,确无地域、门户之见。这十八学士,除了一部分著籍关中外,不少是南方来的("背淮而至千里"),也有从河北来的("适赵以欣三见"),这为他在贞观时融合南北文风的主张开了一个良好的头。李世民在贞观时好几次说过:"朕往为群凶未定,东西征讨,躬亲戎事,不暇读书";"(朕)少从戎旅,不暇读书"③。但就在这种"躬亲戎事"的环境中,他还能设立文学馆,而这时他不过是一位二十四岁的青年,就能吸引、聚集当时相当数量的知名之士,确实不易。后来他于武德八年因事至泾州,还特地召见被唐高祖李渊因听人谗言,在江南平后被贬为泾州司户的李百药,并赠以诗:"项弃范增善,

---

①《唐会要》卷六四。
②《全唐文》卷四。
③《贞观政要》六《悔过》,一〇《慎终》。

纣妒比干才。嗟此二贤没,余喜得卿来。"①可见他对文才的爱惜之情。

唐高祖李渊是一个平庸之主,军事上主要依靠其子李世民,政治上没有什么作为,文化上除了武德七年由欧阳询、令狐德棻编撰一部《艺文类聚》外,其他也没什么可提。武德五年十二月,曾命萧瑀、陈叔达、令狐德棻等修撰魏、周、梁、齐、陈、隋史,终因未有明确的修史主旨,"绵历数载,竟不就而罢。"②怪不得王绩虽在齐王李元吉府中住了一些时日,最终还是"病归言志"③。武德的后几年,就这样平平淡淡地过去了。

四

武德九年(公元 626 年)六月的玄武门之变,对唐代政治是一个转折的关键,对唐代文学也是一个发展的契机。玄武门之变,李世民与其兄太子建成、其弟元吉火并,取得胜利;同年八月,几年来一直支持建成、元吉的唐高祖李渊不得不让位,李世民正式登基即位,开启了唐帝国的新的局面。

就在李世民登上皇位的第二个月,即九月,他就命令于门下

---

①《册府元龟》卷九七。
②《唐会要》卷六三。
③《王无功文集》卷三《久客斋府病归言志》。按,此诗题中"斋"字当作"齐"字,即李元吉齐王府。

省的弘文殿聚书二十余万卷,在弘文殿殿侧专门设立一个弘文馆,"精选天下贤良文学之士虞世南、褚亮、姚思廉、欧阳洵、蔡允恭、萧德言等,以本官兼学士,令更宿直。听朝之隙,引入内殿,讲论文义,商量政事,或至夜分而罢"①。这一举动比武德四年的开设文学馆,意义更大,当时文学馆的建立还只是以秦王府的名义,而现在的弘文馆则是堂堂正正的中央机关,更有影响力;另外,当时的文学馆难免有与李建成、李元吉抗争的政治策略作用,如《新唐书·袁朗传》所说的:"武德初,隐太子(建成)与秦王、齐王相倾,争致名臣以自助,太子有詹事李纲、窦轨……,秦王有友于志宁、记室参军事房玄龄……,齐王有记室参军事荣九思……。"现在则李世民登上皇帝宝座,就需要有一个对国家政事(包括文治)统筹规划的参谋班子,也即"讲论文义,商量政事",其作用与地位明显不同,无怪当时一位诗人孔绍安对蔡允恭之能入弘文馆,甚为羡艳,写诗赞颂云:"畴昔同幽谷,伊尔迁乔木。赫奕盛青紫,讨论穷简牍。"②

唐太宗李世民一上来对文化思想即采取宽松的作法,他一方面于即位那年十二月,诏立孔子后人孔德伦为褒圣侯,命虞世南特地撰写《孔子庙堂碑》③,以示尊重儒家;同时对佛道采取放松政策:武德九年二月,李渊曾下诏沙汰天下僧尼、道士、女冠,长安只留佛寺三所,道观二所,诸州首府各留一所;玄武门之变后,这

<hr />

① 《唐会要》卷六四。
② 《全唐诗》卷三八孔绍安《赠蔡君》。
③ 《金石萃编》卷四一《孔子庙堂之碑》。

一命令作罢。在这样的环境中,贞观元年,二十八岁的玄奘即西行赴印度求法①。也在这一年,于阗国以"丹青奇妙"著称的画僧尉迟乙僧也来到长安,据说后来长安城中慈恩寺塔前功德,光泽寺七宝台后面所画降魔像,都出自他的手笔,"千怪万状,实奇踪也"。当时人就认为"尉迟乙僧,阎立本之比也"②。这都给唐代的中西文化交流带来良好的影响。

贞观二年(公元 628 年),又发生了一件很值得思考的事。大家知道,李世民是很注意于隋朝亡国的教训的,他几次提及"水可载舟,亦可覆舟"。他考虑文风,考虑诗艺,首先注重于政教的作用。但他对此并不绝对化。贞观二年六月在制订雅乐时所发表的音乐见解,是很好的例子。贞观初李世民命祖孝孙、吕才等整理隋代传下来的乐调,注意于合南北之长,即"梁陈尽吴楚之声,周齐皆胡虏之音。……平其散滥,为之折衷"③。二年六月,乐成奏上,御史大夫杜淹就说:"前代兴亡,实由于乐。"杜淹认为,陈之将亡,有《玉树后庭花》,齐之将亡,有《伴侣曲》,这就是所谓亡国之音,"以是观之,实由于乐"。李世民表示不同的意见。他说:"不然,夫音声感人,自然之道也,故欢者闻之则悦,忧者闻之则悲,悲悦之情,在于人心,非由乐也。"他这里强调审美主体的主导作用,认为声音之于人,其悲其悦,主要取决于人处于何种具体环

① 见《广弘明集》卷二二玄奘《请御制三藏圣教序表》。关于玄奘生年及西行之年,记载多歧,今从杨廷福《玄奘年谱》,并参梁启超《中国历史研究法》第五章。
② 《唐朝名画录·神品》下,又《续高僧传》卷三。
③ 《通典》卷一四。

境。他进一步阐释说:"将亡之政,其民必苦,然苦心所感,故闻之则悲耳。"这样,人对于乐调的反应,取决于政治兴亡的大环境。他最后开玩笑地说:"今《玉树》、《伴侣》之曲,其声俱存,朕能为公奏之,知公必不悲耳。"①李世民这里承认乐在一定条件下是能起感染作用的,但主要决定于政治大环境及人作为审美主体的主导作用,不能把政治得失甚至亡国罪责单纯归因于音乐。这是三十一岁的李世民在开国之初对文艺与政治关系的纲要式论断,不止是对研究贞观时期的文治政策,就是研究中国古代美学思想,也是很有意义的。这种宽松的文治,对贞观时期的文风是有相当影响的,后来卢照邻在《南阳公集序》中就说:"贞观年中,太宗……留思政涂,内兴文事。虞(世南)、李(百药)、岑(文本)、许(敬宗)之俦以文章进,王(珪)、魏(徵)、来(济)、褚(遂良)之辈以材术显,咸能起自布衣,蔚为卿相,雍容侍从,朝夕献纳。……变风变雅,立体不拘于一涂;既博且精,为学遍游于百氏。"②

就在这前后几年,也恰好是作家自然交替的时刻。"初唐四杰"之一骆宾王约生于武德六年(公元 623 年),贞观三年(公元629 年),他七岁,即传说作了那首有名的七言咏鹅诗。贞观七年(公元 633 年)左右,另一位"四杰"之一的卢照邻出生。可见骆、卢二人的青少年是在贞观时期度过的,这当有助于了解他们文学思想形成的环境。而在这几年,开国初由隋入唐的几位名家,如孔绍安、庾抱、蔡允恭、贺德仁、袁朗、杜淹,及《经典释文》撰者陆

---

① 此事见《贞观政要·礼乐》,《唐会要》卷三二,及《通典》卷一四。
② 《卢照邻集》卷六。

德明,都相继去世。王绩原先在长安,与吕才交往,后来又以疾罢归龙门,过着与世隔绝的生活。此后比较突出的,即以虞世南、许敬宗、李百药、褚遂良等为主体、以长安为文学环境的宫廷诗风。

当时唐太宗君臣,及大臣与文士,宴游唱和之风是很盛的。除了散见于《全唐诗》之外,日本还保存有唐写卷子本《翰林学士集》一卷,清季由陈矩影写携归。此集共收太宗君臣唱和诗五十一首,其中许敬宗最多,凡十二首,其次为太宗九首,其余为上官仪、杨师道、褚遂良、长孙无忌等十五人,各存四五首或一二首。《全唐诗》所收者仅为其中的十二首,其余皆为中国长期失传,这对于研究唐初宫廷唱和的盛况,很有参考价值①。

过去一般对这些上层唱和之作多持否定态度,而且还认为这就是沿袭南朝梁陈时靡艳诗风。对于这一文学现象似应结合当时的整个社会环境来看。譬如《翰林学士集》中《四言曲池醑饮座铭》,现在可以考知即作于贞观四年二月,作者除给事中许敬宗外,署名者有沛公郑元璹、武康公沈叔安、鄪王友张文琮、兵部侍郎于志宁、燕王友张后胤、越王文学陆揩②。其中沈叔安诗有云:"天地开泰,日月贞明。政教弘阐,至治隆平。"张后胤诗有云:"公侯盛集,醑醮梁园。莺多谷响,树密花繁。"许敬宗诗有云:"日月扬彩,爟烽撤候。赐饮平郊,列筵春岫。"这看似只为一片颂扬之

① 见《唐人选唐诗新编》(傅璇琮编)中陈尚君校辑《翰林学士集》前记。陕西人民教育出版社,1996 年 7 月版。

② 按越王泰、燕王祐于贞观二年二月徙封,贞观四年二月甲寅大赦,赐酺五日,而鄪王元亨则卒于贞观六年六月,均见于《旧唐书·太宗纪》,从人所署官职,此一诗题当作于贞观四年二月。

声,但仍有其实际内容。就在这一月,唐定襄道行军总管李靖大破颉利突厥于阴山,唐朝所占地自阴山至大漠,这是唐开国以来在西北的一次大胜仗,因此朝廷特地"露布以闻","赦天下",自此,西北诸族皆尊唐太宗为"天可汗"①。许敬宗诗所谓"日月扬彩,燧烽撤候",很可能即为此而发的。又贞观初唐朝廷即大力发展中央国学、太学、四门学等,增加学员,"其书、算等各置博士,凡三千二百六十员。……已而高丽、百济、新罗、高昌、吐蕃诸酋长亦遣子弟请入国学。于是国学之内,八千余人,国学之盛,近古未有"②。于此可见沈叔安诗所谓"政教弘阐,至治隆平",也非空泛之言。这些,与梁陈时君臣一味以歌伎陪饮、咏声色之好,无论内容与格调是完全不同的。

从大的空间来说,当时的诗歌创作,也并非只是长安城中一些上层大臣,还有其他地区的一般诗人。除了大家所知的居住于山西龙门的王绩外,我们还可举出几个。如曾在齐王元吉府中的陈子良,后因事贬官入蜀,任相如县令,卒于贞观六年③。他有几首诗很有特色,如《于塞北春日思归》:"我家吴会青山远,他乡关塞白云深。为许羁愁长下泪,那堪春色更伤心。惊鸟屡飞恒失侣,落花一去不归林。如何此日嗟迟暮,悲来还作白头吟。"《伤别》:"落叶聚还散,征禽去不归,以我穷途泣,沾君出塞衣。"

还有崔信明、郑世翼,《唐诗纪事》卷三曾记有:"有崔信明者,

①见两《唐书·太宗纪》,《通鉴》卷一九三。
②《唐会要》卷三六。
③参见《唐诗纪事》卷四,《法苑珠林》卷六五引《冥报记》。

尝矜其文，谓过李百药。世翼遇之江中，谓曰：'闻公有枫落吴江冷，愿见其余。'信明欣然，多出众篇。世翼览未终曰：'所见不逮所闻。'投诸水，引舟去。"这是一段诗歌佳话，"枫落吴江冷"即因此而传世。崔信明于贞观六年应诏举及第，曾作几任地方官。他的诗传世的虽仅《送金竟陵入蜀》五律一首，但这首五律中的"猿声出峡断，月彩落江寒"及"枫落吴江冷"单句，是确有诗情的。郑世翼为人倨傲，他于贞观十年左右因"坐怨谤，配流巂州，卒"（《旧唐书》本传）。《全唐诗》卷三八载其诗五首，都是五言，其中《巫山高》一首颇有格调："巫山凌太清，岩崿类削成。霏霏暮雨合，霭霭朝云生。危峰入鸟道，深谷写猿声。别有幽栖客，淹留攀桂情。"

从这里我们可以看到，在贞观前期，就全国范围而言，有长安上层人士的赞颂升平之音，有山西、塞北、江淮、蜀江等普通文人抒怀写景之作，贞观的诗坛也确非单调一色的。

五

既云文学流程，最好是一年一年地记录作家的文学活动及当时朝廷的文化措施，但这样做就非一篇论文所能容纳。近些年来，我与几位友人在作整个唐五代文学的编年史，已将定稿的初盛唐文学卷，即公元618至755年（天宝十四年），就将近六十万字，则平均以每年五千字计算，唐初三十二年就有十六万字。因此，本文只能大体按时间顺序，择其重要的文学事件，加以论列。

　　我们在唐开国第一年即武德元年,已介绍被誉为开盛唐之音的魏徵《咏怀》诗,但在此后整个武德年间,魏徵却未有特别的表现,原因是他从窦建德军归唐,为李建成引入其太子府第;李世民开设文学馆,当然不可能有魏徵,因此魏徵未被认为是李世民政策班子中的核心人物。但李世民登上帝位后,魏徵却以其卓识与直气受到器重,被授为秘书监。秘书监虽未有政治实权,却能起典籍整理的文化建树作用,其历史意义是一般的行政长官所不能比拟与替代的。

　　贞观五年九月,以魏徵领衔,虞世南、褚亮、萧德言等参预,受太宗之命,编成《群书治要》五十卷,上奏。此书的编撰,是唐太宗立国的一贯主张,就是"欲览前王得失",吸取教训,巩固政权。他在贞观二年就对房玄龄说过:"为人大须学问。朕往为群凶未定,东征西讨,躬亲戎事,不暇读书。……君臣父子,政教之道,共在书内。古人云不学面墙,莅事惟烦,不徒言也。"(《贞观政要·悔过》)后几年又曾说:"少从戎旅,不暇读书。贞观已来,手不释卷,知风化之本,见政理之源。"(《贞观政要·慎终》)这种在即帝位后立即自觉进行文化补课,在中国封建帝王中,是极为少见的。《群书治要》所采,"爰自六经,讫于诸子,上始五帝,下尽晋年"①。正如魏徵在序言中所说:"本求治要,故以'治要'为名。"②此书受到清中叶著名汉学家阮元的重视,被誉为"洵

_____

①《唐会要》卷三六。
②魏徵《群书治要序》,《全唐文》卷一四一。

初唐古籍也"①。

　　与此同时进行的，是规模更大的一项文化工程，即修唐以前的梁、陈、北周、北齐与隋五朝历史，《梁书》《陈书》由姚思廉撰，《周书》由令狐德棻撰，《北周书》由李百药撰，魏徵为"总加撰定"，并亲自主持与现政权关系更密切的隋朝国史的编撰——《隋书》。如果与稍后进行并于贞观二十二年完成的《晋书》合计，则中国历史上史籍巨著"二十四史"，有四分之一是在唐贞观时期不到二十年间撰成的。

　　修理这几部史书，不仅仅是从探索政治得失着眼，书中还从文学创作的兴衰及历史变迁总结经验教训。魏徵与令狐德棻、李百药都共同对梁陈宫体诗加以严厉抨击，但他们对南北朝一些有成就的作家，还是肯定其文学成就的，如魏徵在《隋书·经籍志》四中说："宋齐之世，下逮梁初，（谢）灵运高致之奇，（颜）延年错综之美，谢玄晖之丽藻，沈休文之富溢，辉焕斌蔚，辞义可观。梁简文之在东宫，亦好篇什。"更为重要的是他们提出南北融合的主张，即："江左宫商发越，贵于清绮；河朔词义贞刚，重乎气质。气质则理胜其辞，清绮则文过其意。理深者便于时用，文华者宜于咏歌，此其南北词人得失之大较也。若能掇彼清音，简兹累句，各

――――――――――

① 见阮元《四库未收书提要》，《研经室外集》。按，《群书治要》，《宋史·艺文志》未著录，则至宋元之际已失传，阮元所见是日本影本，已缺三卷（卷四、十三、二三）。阮元在提要中说："所采各书，并属初唐善策，与近刊多有不同。如《晋书》二卷，尚为未修《晋书》以前十八家中之旧本。又桓谭《新论》、崔寔《政要论》、仲长统《昌言》、袁准《正书》、蒋济《万济论》、桓范《政要论》，近多不传，亦藉此以存其梗概，洵初唐古籍也。"

去所短,合其两长,则文质斌斌,尽善尽美矣。"(《隋书·文学传序》)这点,已有不少论著叙及,本文不再多述。我这里想补充的是,这种对南北文风取长补短之见,是一种多民族文化融合的必然趋势,这在唐代立国不到二十年就提出来,确实表现出一种远见,极为难得。又譬如,天宝时殷璠编选盛唐人诗,其叙中称"武德初微波尚在,贞观末标格渐高,景云中颇通远调"。而令狐德棻在《周书·王褒庾信传》论中,提出"和而能壮,丽而能典"的标准,其中之一即是"其调也尚远"。一百年前后,其文思相合如此,也可见出唐初这些上层大臣的文化涵养。

在此之后,连续有好几部与文学有关的书编撰。如贞观十五年十月,由尚书左仆射高士廉主持,魏徵、许敬宗、吕才、房玄龄等参预的《文思博要》一千二百卷完成①。高士廉在该书序中说:"帝听朝之暇,属意斯文。……以为观书贵要,则十家并驰;观要贵博,则七略殊致。"②则此书之修撰,也出于唐太宗的旨意。本年左右,曾为秦王文学馆学士的刘孝孙,请长安纪国寺僧人慧净编纂一部近现代诗选:《续古今诗苑英华》十卷。所谓续,即续《古今诗苑英华》,此书相传是梁昭明太子萧统与其幕府文士刘孝绰共同编集的。慧净这部书,辑梁至唐初一百五十四人诗五百四十八首,是唐初规模最大的一部诗选,也是当时开唐人选唐诗的先例。刘孝孙为此书写了一篇长序,对南北朝后期作者温子昇、邢劭、徐陵、庾信、王褒、沈炯,评价都很高。可见唐初的诗评家,对

①《唐会要》卷三五。
②高士廉《文思博要序》,《全唐文》卷一三四。

前朝诗歌,并不一概否定,他们是抱公允、开放的态度的,这点也值得注意。

与此同时,弘文馆学士褚亮与其他学士一起编选了诗歌摘句《古文章巧言语》一卷。高宗时元兢的《古今诗人秀句序》曾提及此书,说"皇朝学士褚亮,贞观中奉敕与诸学士撰《古文章巧言语》一卷"①。可见此书也是奉太宗之命而编的。元兢在序中虽对此书所选诗句不甚恰当有所评议,但仍可看出此书所选有不少南朝诗人的佳句(可惜书已不传)。

另外,贞观十六年,又有两部颇具学术价值的书编成,一是太宗子魏王李泰的《括地志》五十卷②,始修于贞观十二年,是一部当代地理志。可惜书已不传,现在只有辑本。另外,也在这一年,孔颖达奏上其奉敕复审之《五经正义》一百八十卷。这也是我国封建社会中期对汉以后儒家经书作整理校注的一次阶段性成果。

贞观后期,文坛上的人物,又有较大的变化。如:贞观十五年,欧阳询卒;十六年,刘孝孙卒;十七年,魏徵卒,曾以作赋著称的谢偃卒;十八年,王绩卒;十九年,岑文本、颜师古、慧净卒;二十一年,高士廉、褚亮、杨师道卒;二十二年,孔颖达、房玄龄、李百药卒。而在此之前,虞世南已于贞观十二年卒。这样,由隋入唐,在唐三十年文学舞台上曾活跃一时的人物,逐渐离开人世。而与此同时,贞观十二年或稍后,乔知之生;十六年,骆宾王十九岁,赴京洛应举,行前曾上书兖州长史求荐,表示自己即将走上"迁乔之

---

① 见日遍照金刚《文镜秘府论》南卷《集论》。
② 见《唐会要》卷三六,又《唐大诏令集》卷四〇《魏王泰上括地志赐物诏》。

路"，而卢照邻也已十岁，正在扬州向《选》学大师曹宪求学；十九年，李峤生；二十一年，《书谱》作者孙虔礼生；二十二年，苏味道生。而时隔两年，即太宗卒后第一年，唐高宗永徽元年（公元650年），王勃与杨炯出生；永徽二年（公元651年），刘希夷生。——这样一个简表，表明一个文学时代的结束，另一个时代的开始。

而在这前后交替中，李世民还坚持其对文学、书法以及佛学等的爱好之情，这是较为难得的。如贞观十八年二月十七日，他宴群臣于玄武门，乘兴作飞白书①。同年五月，又为飞白书写于扇上，赐长孙无忌、杨师道等②。八月，作五言组诗《帝京》十首③，其"秦川雄帝宅，函谷壮皇居"之句向为后世所称。就在这一年，相传他又命萧翼到越州设法赚取王羲之《兰亭》真迹④。贞观十九年，玄奘自印度返回，携回经论六百余部，二月，太宗特地于洛阳接见玄奘，并命于弘福寺译经⑤。二十二年八月，又为玄奘所译经论撰写《大唐三藏圣教序》，颇称颂玄奘取经译经之功，谓"方冀兹经流施，将日月而无穷；斯福遐敷，与乾坤而永大"⑥。同年，《晋书》修成，太宗为撰其中的宣、武二帝及陆机、王羲之传四论，在《王羲之传》论中，表露了他对王氏书法艺术的向往追慕

---

①《唐会要》卷三五："十八年二月十七日，召三品已上赐宴于玄武门，太宗操笔作飞白书，群臣乘酒，就太宗手中相竞。"

②《墨薮》卷二："贞观十八年五月，太宗为飞白书，……笔势惊绝。"

③《玉海》卷二九："《帝京篇》五言，太宗制，褚遂良行书，贞观十八年八月。"

④见《法书要录》卷三何延之《兰亭记》。

⑤《续高僧传》卷四《玄奘传》。

⑥见《全唐文》卷一〇。又参《全唐文》卷七四二刘轲《大唐三藏大遍觉法师塔铭》，《大慈恩寺三藏法师传》卷六。

之情："玩之不觉为倦，览之莫识其端，心慕手追，此人而已。"这种充满感情的艺术评价，正好为唐初三十年文学划上一个完好的句号。

原载《文学遗产》1998 年第 5 期，此据京华出版社 1999 年版《唐诗论学丛稿》录入，另收入安徽教育出版社 1998 年版《当代学者自选文库·傅璇琮卷》

陈良运《周易与中国文学》序

　　陈良运先生的《周易与中国文学》，是于 1994 年秋向国家古籍整理出版规划小组申报，希望列入《中国传统文化研究丛书》。这套《研究丛书》，是南京大学名誉校长匡亚明先生任国家古籍小组组长期间提出编纂的。当时根据匡亚明先生的提议，特别为此成立了一个由十五位学者组成的学术委员会，因我当时任国家古籍小组秘书长，就被指定为学术委员会主任，并聘请中国社科院考古所原所长徐苹芳研究员、北京大学中文系袁行霈教授任副主任。此套书的"编辑说明"曾强调指出："中国传统思想文化是一个极其广博的领域，它所蕴含的中华古老文明，怎样与现代的自然科学、社会科学与人文科学相接，已经引起中国和世界学人的关切和重视。改革开放以来，已有不少学者，解放思想，开拓进取，站在当今学术发展的高度，进行真正符合科学意义的独立的研究，取得了丰硕的成果。"

　　我觉得陈良运先生的这部著作是合乎《中国传统文化研究丛书》编辑说明的要求的，当时读了之后，确有创新开拓并符合科学求实精神的良好印象，好几位学术委员也有同感。但不料，在这之后,在与出版社联系的过程中,这部书稿不知在哪一环节中忽然丢失了。这给我很大的震惊。我做编辑工作已有四十年,这四十年的经历告诉我,著者的书稿应比自己的什么都重要。我也遇到过类似情况,一时找不到投寄来的稿件,当晚就吃不下饭,睡不好觉,连续几天都没有心思说话做事;后来终于找到了,心情豁然开朗,全身轻松,真想向天参拜。我是能真切理解良运先生当时的心情的,就写信给他,希望他重新执笔,并为了表示歉疚、慰勉之情,就不自量力地许诺,说此书新写成后,我当为大著写一篇序。

我真佩服良运先生执著于学术的坚贞之情与刚毅之气。他在这几年之内终于又写成这部专著,不但字数有所增加,而且构思更为精密,思路更有拓展。我觉得此书的出版,不但为中国古代文学研究、文学思想研究提供了填补空白的佳作,其写作的坎坷历程,也为我们这一代学人标立"天行健,君子以自强不息"的学术品格。

我对《周易》是爱好的,说也奇怪,我对其中的忧患意识特别感到亲切。可能这与我曾长期处于逆境有关,我常把《周易》所说"终日乾乾,夕惕若"作为座右铭。我总觉得作《周易》者,无论经文与系传,确都有一种深切的忧患意识。这从某一点上,是合乎我们华夏民族的传统意识的,也是一种可贵情思。但总的说来,我对《周易》缺乏研究,缺乏整体把握,因此为这部专著作序,确是步履维艰,甚感为难。为此,我曾前后读了两遍,作了札记,并对书中所引西方学者及中国现代学者的论著,一一另纸札录。

《周易》的研究,近十余年来有很大的进展。易学已成为传统学术研究的一门显学。易学确有相当广泛的研究领域。根据目前的研究情况，不但它的主体是哲学思想，而且涉及科技、医学等众多学科。但可惜，关于《周易》与中国文学，还未得到重视。据我所接触到的，把《周易》作为专节叙述的，是刘大杰先生的《中国文学发展史》。在这之后，包括近几年出版篇幅较大的一些文学史著作，只把《周易》作为《诗经》之前诗歌溯源的例子提到几句，至于其中的文学思想，更无一笔涉及。我们对中国文学思想、文学观念的研究，似乎受鲁迅先生所引及的魏晋是文学自觉时代这一论点影响太深，好像这已成为一条界限，在这之前，中国文学就没有观念、思想可言。我个人认为，我们现在应当重新对此加以考虑。

前几年，学术界有"重写文学史"的口号，近年又提出"重写学术史"。我以为这确是当今学界不满足于已有成就、亟欲突破现状的要求。但我觉得，"重写"的前提是"重研"，你要重写什么，首先要对历史和现状进行一种新的研究和探讨，这样，"重写"才有新的思路与实的内容，否则只不过是某些流行歌曲，唱了一阵子，也就如流水行云，飘然散失。

在我的印象中，对《周易》的文学思想有正确重视并有意将其思想与后代文学联系的，是刘勰《文心雕龙》。刘勰在该书《序志》篇中就特别提出，他这部书的体系结构，就是"彰乎大《易》之数，其为文用，四十九篇而已"。可惜在刘勰之后，就没有一部书真正从文学发展的角度来研究《周易》。可能学者对陈良运先生此书中的某些论述有不同看法，这在学术研讨中是正常现象，但不管如何，我认为，这部《周易与中国文学》确是继刘勰之后，第二部全面探讨《周易》文学思想的书，无论如何，这在学术史上有其不可移易的地位。

整理一下我两遍读后的印象，深感这部书在结构方式、论述重点、古今中外沟通等方面，有它的独特之处，试择要述之：

一是作者紧紧扣住《周易》原本展开论述，不像当下有些研究古代学术的新著，常离开原本的文字而作属于自己个人的"形而上"发挥，有意摹仿"六经注我"的做法。本书内篇八个专题是探讨《周易》原始文本中所蕴含的文学原理，作者不是按今天的文学理论命题先立其目再去寻找例证，而是老老实实地限定在卦爻辞和《系辞》、《文言》、《彖》、《象》二传的文字中钩索尚未明确但确又包蕴了某些文学观念的内涵。举个例子：善于、深于观察生活是从事文学创作者的基本功，可《易》之《观》卦却只有"童观"、"窥观"、"观我生"、"观其生"等不甚了了之词，作者在古代学者王弼等启示下，肯定地指出从观物到"观我生"是先人"认识世界的一大飞跃"，同时也就很自然地引申到文学家必须"观察世道人情、国计民生"，方能在笔下真实地反映或表现现实人生。作为文学理论范畴之"观"，便立之有据了。我还想特别指出的是，陈良运先生将《周易》之"道"界定为"创造之道"，初看似用现代人意识附会而使人怀疑或惊讶，但当他排列出《易传》关于"发于事业，美之至也"种种言论，你不能不折服我们的先人确实是世界上最早具有自觉创造意识的伟大民族之一。如果说内篇八个专题皆是如此这般"沿波讨源"、提升隐含的文学观念的话（每个章、节标题都予以明示），那么外篇十个专题便是由源览流了。前面我说过，刘勰是第一个重视并发挥《周易》文学思想的人，而良运先生则是直接前承刘勰而更深入且系统地阐述《周易》对中国文学发展方方面面的影响，以致使构成中国古代文学理论的种种主要观念范畴一一成型，从而凸现了理论体系的大致轮廓。这里，几乎每个章节都涉及到《文心雕龙》的论述，但前者已论及的，他论述得更深切更有条理，且糅进了后来者补充发挥的新见解。如论"自然之道"即归纳了刘勰尚未明确归纳的"文学表现"，而且从并不太知名的南宋包恢的文论中引述出"大道本体之宏"等论述，从而加强了"自然之道"作为文学本体之说的论证；前者尚未展开的论述他拓了一个新层面，如《文心雕龙》有《神思》一篇但未进入美学层次展开，陈良运先生依据孔颖达对"神无方"的阐释，描述了文学艺术中"神"之美学风采，大大开人眼界。这十个专题，题题与内篇所论相衔（以副标题体现这种衔接关系），内外照应，前后浑然一体，由此可见作者细密的匠心。

二是就《周易》本身也好，引申到文学也好，作者的论述层层深入。由于他从不离开原本原文作散漫的浅尝辄止，而是尽量地开掘原文的内涵和外延，因此使他能见到前人所未见到之处，言前人所未言之处，我觉得论《周易》"情理品位"一章可作典型范例。《周易》的忧患意识使我特别感到亲切，但从未作整体研究，读了《深沉的忧患意识》一节之后，倒不在乎对此种意识产生的寻根溯源有多少新见，使我备感兴趣的是作者逐一揭示《易经》深藏与表现忧患意识常规的或出人意外的方式，尤其是后者。他发现，《易》的忧患意识之所以深沉，不在于那些表现逆境状况的别卦中忧患重重，令人意外又很值得深思的是在形势大好的顺境中，在《丰》《鼎》等以名示吉的卦中，竭力探寻可能导致功亏一簸的蛛丝马迹。而在示以大功告成的《既济》卦中，因爻之当位而实无蛛丝马迹可寻，却是条条爻辞都在示警！深掘至此，不能不令人幡然有所悟，良运先生接着引述了唐太宗与魏徵的对话和毛泽东在中共七届二中全会上的重要报告，从而深刻地阐释了"思患而预防之"之理。此节所论，至于当今还有不可轻忽的现实意义！《睿智的理性精神》一节我想也会使读者心眼发明，《系辞》提出的"九卦三陈"，历史上曾有谁像作者这样使用如此新颖又十分明晰的解读方式？他将原是交错的陈述，排列成九行，每行三段，一下子就将纵横关系理清楚了，原来，"横向：显示九卦之每一卦的'德'之修养，由内之底蕴到外观之表征，再指明其作用；纵向：显示德之修养向纵深推进而成大业。纵横合而言之，其修养程度由外在的表征向内在的涵养不断深化，其能发挥的作用和所得的效果则是由小而大，由个人而及社会，由完善自身到行使治国驭民的权力。"对"九卦三陈"之义，历来的《易》学家解读者何止千计，但若不像如此打破原有语序而重新组合，我想绝不可能阐释得如此清晰。这样的论述，实已超出文学之用，可助所有学《易》者解读如此千古难题。同是在这一章中论《周易》之情，而《易经》是找不到一个"情"字的，为了不止于《易传》而窥探远古之人的情感状态及其表现，我以为作者细心之处不在于从卦爻辞中找到了三组例句，而是惊异于他从《豫》、《兑》两卦中找到了古人辨析情之品位高低优劣的确凿证据。一字之解如"鸣"、"盱"、"由"、"冥"、"和"、"孚"、"来"、"商"、"引"等，已是历代《易》学家所能，但悟到这就是古人对各类情感的评价而可启发"吟咏情性"的文学家，我不知在此书问世之前曾有此种说法否？当我读到这些层层深入的论述,真有大快朵颐之感。

三是我对全书所引外论专作了一个统计,特作札记的就有三十多处,引中国古今人物言论则远不止此。我关注这些引述的用意在于验证一下,当今研《易》者之比古代研《易》者,眼界与胸怀开阔、宽广得多了。我注意到良运先生对黑格尔的态度,他毫不胆怯地说黑格尔的目光被巍峨的喜马拉雅山挡住了,因而不知中国早有"自觉的象征",同时他又引黑格尔另一段话,恰到妙处解释了"符号象征产生的必然性",这是中国历代注家论者都未能说得如此清楚的问题。参照国外有关论著,"他山之石,可以攻错",启迪我们破解古人留下的思维难题,走出以"古"解"古"的传统圈子,确是当今学者的一份幸运。如用索绪尔的语言理论和布留尔关于原始人语言状态的论述,用以观照《易经》语言,我认为就有意想不到的效果;用罗素和桑塔耶纳关于"理性"的论述,将"九卦三陈"的理性价值提高到世界性级别而不自作虚夸;而桑塔耶纳对于"无限之美"、"无言之美"却认为"不可思议",同样引用瑞士著名心理学家荣格关于中国人的思维没有"因果链"之说,恰能证明西方人未能深入发现中国人"隐含在感悟状态中"的"因果链",而《易经》中有此大量的证据。解读古人而不拘于古训,引述洋论而不迷信洋人,我以为这才是古今中外沟通的康庄大道,拘束和迷信都会造成堵塞,能够用今用洋参证,不是勉强附会而有画龙点睛之效,也是我前面提到"重写学术史"前提之"重研"一项重要的功课。

读陈良运先生这部专著尤其是读完"外篇",不禁产生了一些感慨,若不深入透彻地了解我们代代先人积累遗传下来的文化学术瑰宝,我们便不能有不可摇撼的民族自豪感。曾习闻某些嘲弄性言论:"不要老是说,外国有的中国早就有!"的确外国很多高科技的东西中国现在也还没有,但属于精神性的东西,哲学、美学、心理学、文学艺术范畴内的不少的东西,确是中国早就有,就连外国人不承认也不行(如本世纪初欧美意象诗派,就老老实实地承认"意象"是从中国学来的),难道我们自己反不肯承认吗?就如本世纪曾在欧洲热闹一时的被称为可与生物学上达尔文"天演"说媲美的"移情"之说,中国确实是在刘勰的时代就出现并走向成熟了,《文心雕龙·物色》完全可以为证,良运先生特标"东方最先出现的移情说",上与朱光潜先生30年代著的《文艺心理学》相呼应。难道为了表示中国人的谦虚而将"移情"说的发明权拱手让给里普斯?再如将中国"灵感"论的起源上溯到老子的"微妙玄通",则我们不但不落后于德谟克利特等古希腊哲人,"通灵感物"作为"灵感"说初义之界定,实比他们更具科学性。中国学者有责任也有义务发扬光大我们自身的学术传统,向世界展示中国学术的优势,为世界学术所作出的贡献。在这一方面,首先要让众人了解,如《周易》,世界上之所以不重视其文学思想,是因为他们不了解。要使今人了解《周易》,还须应用现代科学发展形成的新认识,不能只局限于传统观念。只有用新的科学认识才能对《周易》中合理因素加以阐发,这也是传统研究的当代意识。

改革开放以来,随着中国现代化建设的健康稳步发展,我们正在向全世界展示中华民族全面振兴的灿烂前景。在这一大环境中,中国传统的文化学术价值也正在受到愈来愈多的世界人民的认识,不少西方学者已经比过去更深切地理解和领会中国学术对世界学术的意义。在整个世界文化学术研究中,如果没有中国的文化学术,那么这种研究就将缺少重要的一环。这一点,我想我们如果真正细读良运先生这部《周易与中国文学》,将更有一种对民族文化学术的自尊和自信。当然,在历史上,东西方学术由于各自的社会环境不同,各自形成不同的学术轨迹,两者之间确有不小的差异。这就需要我们进一步拓宽视野,吸取西方近现代较有科学意义的学术观念和研究方法,一方面充分阐释我们古老文明的价值,另一方面也有必要把我们的民族文化学术放在世界学术的大范围内,作公平客观的比较。这也是我读了本书后在治学路数上所得的一点启示。

另外,我还想提到的是,本书最后附录一篇专文:《一部超越时空的诗体启示录——〈焦氏易林〉赏析》,很值得注意。《易林》的著者焦延寿,是西汉中后期人,著名《易》学家京房的老师。此书收录4096首四言诗,这在四言诗的创作上,可以说是空前绝后的。这部书,明代的杨慎、钟惺曾给以一定的评价。现代诗人兼学者闻一多先生选辑的《易林》120首,题为《易林琼枝》,置于他选辑的《风诗类钞》、《乐府诗笺》、《唐诗大系》之间,很明显,闻一多先生是把《易林》与《诗经》、汉魏乐府、唐诗同等看待的。当代学者钱锺书先生在《管锥编》中,将《焦氏易林》立为专题。但现在的一些文学史著作,却从未提及一句。陈良运先生近年来潜心于此书的研究,写了好几篇学术专论,特别是对余嘉锡、胡适两位先生认为《易林》非焦延寿所作的论点逐一作了考证,否定这一被认为权威之说的定论,我曾细读,颇有同感,我觉得其立论之新、考析之细,与陈尚君先生的论《二十四诗品》非司空图所作,均为近些年来古代文学的考证力作。良运先生明确提出:"真正自觉地创作哲理诗,我以为第一位就是焦延寿","焦延寿是中国诗歌史上第一位现实主义诗人"。我希望这一说法能引起学术界的充分注意。

1998 年 10 月,北京

原载百花洲文艺出版社 1999 年版《周易与中国文学》,此据大象出版社 2008 年版《学林清话》录入,另收入大象出版社 2004 年版《唐宋文史论丛及其他》

中国唐代文学学会第九届年会开幕词

（1998 年,贵州贵阳）

中国唐代文学学会第九届年会暨国际学术研讨会,今天如期在贵州省有名的风景点花溪举行。我们唐代文学学会是第一次来到祖国的西南地区召开会议,这次大多数与会者也是首次来到贵阳。唐代的诗人、作家,似乎没有什么有名的人物到过贵州。唐代的贵州,称黔州,古称夜郎,往往是贬谪之地。李白因永王璘事件,被流放夜郎,中途遇赦召回,这对李白个人算是幸事,但对我们唐代文学,也可说是一件憾事:如果李白来到贵州,贵州的奇异山水一定能吸引这位大诗人,使我们可以读到富有特色的名篇佳句。使我们欣慰的是,改革开放以来,贵州的经济建设得到很大的发展,人民生活富裕,文化得到迅速、普遍的提高。昨天是我们会议的报到日,又值中秋佳节,不少与会者游览了贵阳市附近的名胜,又漫步花溪公园,大家感受新鲜,情绪饱满。这里我代表中国唐代文学学会,代表来自各地的专家学者,向承办这次会议的贵州大学,表示衷心的感谢!

我们这次会议,也得到贵州人民出版社的有力支持,贵州人民出版社不但给予经费上的资助,而且特别向与会者赠送书籍。我们知道,贵州人民出版社这些年来出版了不少好书,"中国古代经典著作全译丛书"已出版了二三十种,海内外很有影响。我也在这里对贵州人民出版社在文化建设上所做出的贡献表示深切的敬意与感谢!

中国唐代文学学会1982年在西安成立,到现在已有十六七年。我觉得我们这个学会是极有学术规范的。第一,我们坚持有序的学术活动,那就是每两年举行一次年会,进行学术讨论;每四年进行理事会和学会领导的改选。我们的这一选举活动完全按民主程序进行。从学会成立时起,就创办《唐代文学研究年鉴》以及《唐代文学研究》(初期名《唐代文学论丛》),相当全面地反映了80年代以来唐代文学研究的进程,这是一种十分宝贵的学术积累。在当代整个古典文学研究中,《唐代文学研究年鉴》能如此长期坚持下来,是独一无二的。这也可说是我们的一种学术奉献,也给予我们一种精神上的自慰。在这里,我们要感谢广西师范大学出版社对我们的积极支持。广西师范大学出版社不但坚持出版我们这两个会刊,还承担经济亏损的风险,出版了一些唐代文学研究的新著。希望我们今后进一步加强与广西师范大学出版社的合作。

第二,我们中国唐代文学学会在举行历届年会中,不断加强与高等院校、研究机构的合作与联系。如1982年,在西安,与西北大学合作,西北大学还是我们学会秘书处的所在地,从1982年起一直坚持到现在。1984年在兰州,与西北师范大学合作;1986年在洛阳,与河南省社会科学院合作;1988年在太原,与山西大学合作;1990年在南京,与南京大学、南京师范大学合作;1992年在厦门,与厦门大学合作。1994年在浙江新昌,与当地民间企业联办,这也是一个新的尝试。在这之后,1996年在西安,又与西北大学合作;这次在贵阳,与贵州大学合作。这说明,我们唐代文学学会,是立足于学术,而又面向社会,扩展我们的活动面的。

第三,中国唐代文学学会由于坚持学术活动,已经形成几代人的学术群体。80年代前期,前辈学者如萧涤非先生、孙望先生、王达津先生等还在世,他们的著作和治学风尚对我们有很大的启示。现在健在的程千帆先生等老一辈学者,对我们还继续给予指导。特别值得提出的是80年代、90年代培养的一批又一批硕士研究生、博士研究生,已成为我们研究队伍的骨干,也是我们唐代文学将来取得更大成绩的希望所在。我们几代人的学术群体,已形成良好的学术风气,那就是团结、求实、创新、奉献。关于这一点,已有不少人论及,我这里不多说。大家可以从这次会议,感受到过去少有的一种勇于开创的气氛。

唐代文学研究自80年代以来,确实成果累累,这已成为学界的共识。今年第4期《文学遗产》特地刊出唐代文学研究三人谈(董乃斌、赵昌平、陈尚君谈,戴燕整理),很值得我们一读。我们现在,一方面要回顾和肯定已有的成果,另一方面也要如实地研讨我们的不足。我们还有不少需要改进之处,绝不能自满。最近由广西师范大学出版社出版的《李商隐研究论文集》,著名作家王蒙先生在序言中提出:"李商隐现象是对我们文学研究的挑战。"很值得我们深思。我们唐代文学研究要做的事情还很多,特别是在沟通古今、面向现实、拓宽思路、加强多学科联系方面,更应有所加强。从这一点说，我们唐代文学研究，前景是开阔的，正如盛唐时著名诗人王湾所颂："潮平两岸阔，风正一帆悬。"

原载广西师范大学出版社《唐代文学研究年鉴》1998年号，此据大象出版社 2004 年版《唐宋文史论丛及其他》录入

讲究实学　不尚空谈

——推荐《明诗话全编》

　　1991 年冬至 1992 年春,在匡亚明同志领导下,我曾参与制订全国古籍整理出版"八五"计划和十年规划,当时江苏古籍出版社所报的重点项目中,即有吴文治先生主编的《中国历代诗话全编》。1992 年 5 月,在北京香山召开古籍整理出版规划会议,全国有一百余位专家学者参加。在讨论中,曾有人对书名提出疑问,认为既然所辑大部分并非传统意义中的诗话,而是辑自诗文集、笔记、史书、类书中论诗之语,则似改为"历代诗论"较为合宜。那时规划的修订工作是由我具体主持的。我觉得,这一意见有一定道理,但我总感到,文治先生这样做,对古代文学思想特别是诗歌理论研究含有一种创新开拓之意,是很值得思索和倡导的,因此经过一番解释,仍按原名列入规划。现在又经过五六年,由"八五"转入"九五",这一全编中的明代卷即将问世,作为古籍整理园地的一名耕耘者,也作为文治先生多年之交的好友,对此我确有一种"来之不易"的欣慰之情。

　　大家知道,诗话是我国古代诗歌理论批评的一种特有形式,这种形式在北宋中期创立后，不但对中国，而且对一些友邻国家如古代朝鲜、日本等都产生过极大的影响。这一文学现象本身就很值得探究。诗话是一种笔记体。宋人许颉在《彦周诗话》中曾对其内容作过这样的归纳："诗话者，辨句法，备古今，纪盛德，录异事，正讹误也。"后来章学诚在《文史通义》的《诗话》一章中，则又把历代诗话分为"论诗及事"与"论诗及辞"两大类。自宋至清，诗话本身也有其发展过程，由最初的"资闲谈"而逐步演进为辨理之作。但不管如何，中国古代诗话，其本身即有一种极大的艺术感染力，人们读诗话，不一定即想从中得到某种知识的传递，而是在不经意的翻阅中不知不觉地获得一种美的启悟，一种诗情与理性交融的快感。这种中国特有的对审美经验的表达，是十分丰富的，是当之无愧的有在世界上的独特的地位。

但也应该看出，作为文学批评、诗歌理论的一种样式，诗话本身也有它一定的局限性，这种局限性，最主要的是诗话终究是一种笔记体、随笔体，这种自由随意而每一则文字又甚少的写作方式，对于完整表述文学思想，总使人感到缺乏系统性与思辨性。中国古代文学发展的事实也昭示我们，不少作家、文论家，他们是采取多种方式来表达他们的文学思想的，除了常见的议论之外，还有如序跋、书信以及史传文等，有些诗人似更喜欢在诗作中表露其创作见解。我们现在应当从整体来研究古代文论，不受诗话体的局限，对有关著述予以全面的收集、梳理，并作有机的整合、建构，这应当是我们当代文论研究科学化、思理化的要求。80年代以来，在理论研究方面，史的叙述方面，已经逐步深入开展，这就要求我们在史料的辑集与整理上应有相应的较高学术层次的格局。

现在文治先生从我国诗歌理论发展的总体上加以把握,把"全编"工作上起先秦,这是有眼光的。清人杭世骏《榕城诗话》的汪沆序就曾提出:"予惟诗话之作,滥觞于卜氏(按即子夏)《小序》,至钟仲伟(嵘)《诗品》出,而一变其体。"在系统收集诗话体著作的同时,又广泛搜辑其他文体中的论诗篇章,这就不仅突破文体结构,而且对调整我们研究者的知识结构也是很有益处的。八九十年代,我国古代文论研究取得重大的进展。由古代文论的研究发展为当代文艺理论的建设,正是传统文化现代化的一项有意义的课题。我们一方面要加强理论阐发,一方面要有计划地规划史料工作。

我总觉得,我们现在要进一步推动文学史研究,古代文论研究,最主要是要提高研究者的素质,而要提高研究者的素质,就要讲究实学,不尚空谈。就目前文学史研究的实际状况看,我认为,加强史料学的研究,恐是当务之急。在这方面,文治先生的这套《中国历代诗话全编》,正能起正本树标的作用。因此我希望,在继明代之后,其他各卷在今后几年内也能陆续印出,这才是真正的传世之作。

原载《中国图书评论》1998 年第 11 期,据以录入

《唐诗论学丛稿》重版后记

　　1990 年初,我应黑龙江人民出版社文史编辑室主任任国绪同志之约,把我自 80 年代初以来的部分文章合编成集,起名为《唐诗论学丛稿》。此书大体上分为两部分:第一部分是发表在各报刊上的论文,主要是有关唐诗及唐代诗人的研究和考证;第二部分是为友人著作所写的序言,这些序言大部分也是涉及唐代文学方面的。当时南开大学中文系主任罗宗强教授、复旦大学中文系主任陈允吉教授曾应我的请求,特为此书写了很有分量的序言,使我倍感友情的关怀和学术的鼓励。

　　这部分稿是 1990 年初编成,罗、陈两位先生序是同年 3 月写就,但书却延至 1992 年 11 月出版。大约任国绪同志受到一定经济上的压力,当时印数只有一千册,而且纸张极其粗糙;尤其是排校质量太差,有些地方几乎每页都有几个错字。我拿到书,实在不敢送人。我是能体谅任国绪同志的难处的,但自己在情绪上总较为低落。我总想有一天能再加修订,以较好的面目重版问世。

　　现在经王洪同志联系,京华出版社以极大的热情来出版我的这一新版《唐诗论学丛稿》,使我很感欣慰。京华出版社的规模并不大,我曾到他们那里作过客,坐过一个多小时,几间极平常的办公室,十分简朴的设备,却到处堆满了书,很有文化气氛。他们的经济实力也并不强,但这些年来却出了相当数量的学术著作,表现了一种极为难得的文化品位。这在目前说来是很了不起的。

我这次对篇目重新作了调整,把过去一些讨论性的文章去掉,删去十三篇,接近一半的篇数。另作若干补充,特别是增加1990年以后的新作,反映90年代我在学术上的一些探索。全书分三个部分:第一部分为有关唐代文学的专论;第二部分为替友人著作所写的序,也是有关唐代诗文的。唐以前的,如我为罗宗强先生《玄学与魏晋士人心态》、曹道衡先生《中古文学史论文集续编》、程章灿先生《魏晋南北朝赋史》所写的序,唐以后的,如我为张宏生先生《江湖诗派研究》、江西人民出版社《黄庭坚研究论文集》等所写的序,这里就不编入了。以上两部分,各篇均按写作时间先后排列。

另外,即第三部分,这里想多说几句。在"文革"期间,我曾随当时文化部所属的部分单位,去湖北咸宁"五七"干校劳动。1969年9月下去,1971年有些同志陆续回调,我则仍留在向阳湖畔。但后期的干校,生活却过得很轻松,人少了,劳动减轻了,留给自己的空闲时光多了起来。正如我在一篇文章中所说,"云梦大泽的平芜广野,似乎也给读书提供一个舒展宽松的气氛"。我那时就在下午和夜间,埋头读书,杨伯峻先生特地从北京给我寄来裴注《三国志》和范注《文心雕龙》,我就主要看魏晋时期的书,想学习陈寅恪先生,由唐上溯到魏晋南北朝,看看这期间的渊源关系。1973年5月返京,仍在中华书局编辑部。当时山东大学历史系王仲荦先生在中华书局参加"二十四史"整理工作,那几年正在校点沈约《宋书》,我作为责任编辑,就阅读和加工这部书稿,时常和王先生讨论问题,大有"时还读我书"的乐趣。这时外面虽不断有政治运动,但我只管自己的一张书桌,面向墙壁,右边是一个书架,一上班,就坐下,拿起笔,看书写字。正因为心很平静,也不考虑现在写稿将来是否能够发表,更不考虑有没有稿费,就接连写了几篇有关魏晋时期作家的考证文章。后来亡友沈玉成先生从文物出版社调至中国社科院文学研究所,分工搞魏晋南北朝文学。我们有一段时期共同合作,曾合撰过一篇长文《建安文学系年》(只刊出一半,另一半不知下落),另一篇《中古文学丛考》也是我们共同写作的,在上海古籍出版社的《中华文史论丛》刊出。为供学者参考,这次也将四篇有关魏晋作家研究的文章编入,作为本书的第三部分,也算是我过去坎坷历程的部分痕迹。其中难免疏误,敬请方家指正。

1998 年 11 月 24 日,时当大雪之后,

于北京六里桥寓舍。

原载京华出版社 1999 年版《唐诗论学丛稿》,据以录入,另收入首都师范大学出版社 2010 年版北京社科名家文库《治学清历》

《唐五代文学编年史》自序

　　二百余万字的《唐五代文学编年史》，经过近十年的努力，终于完成，现由辽海出版社出版。这一项目是我与陶敏、李一飞、吴在庆、贾晋华几位学侣共同承担撰写的。现在，我们好像经过长途跋涉，总算卸下了重担，轻松地吐一口气，来回顾这三百五六十年作家群的起伏变化，如同观看一部长篇电视连续剧，不禁产生一种学术追求上的欣慰之感与学术合作中的互勉之情。

　　关于唐五代文学编年史的编撰体例，是我于1987—1988年间应美国密歇根州立大学之邀，与该校李珍华教授共同进行王昌龄研究时起草的。1988年5月回国后，我即与湖南湘潭师范学院中文系陶敏先生，福建厦门大学中文系吴在庆、贾晋华先生磋商，建议共同从事于这一项目。他们几位，自80年代以来，在唐代文学研究上，功夫扎实，学识闳富，并与我一起作过合作研究。由我倡议发起的《唐才子传校笺》，吴在庆先生担任第九卷晚唐部分，贾晋华先生担任第十卷五代部分，陶敏先生则后来与复旦大学中文系陈尚君先生一起作整个《校笺》的补正，即于1995年出版的《唐才子传校笺》第五册。后来由我主编并在陕西人民教育出版社出版的"唐诗研究集成"系列丛书,其中有一部95万字的《全唐诗人名考证》就是陶敏撰写的,我应邀为此书作序,对陶敏在唐代诗人事迹考证与文献研究的精细、开创之功,甚表钦佩。吴在庆则自80年代中期以来集中于晚唐文学的探索,出版了《杜牧论稿》《唐五代文史丛考》两书。晚唐作家作品情况十分复杂,材料真伪难辨,吴在庆这两部书所作的辨析之功,已为学界首肯。贾晋华最初作《皎然年谱》,又撰《大历年浙西联唱:〈吴兴集〉考论》等专论,与上海古籍出版社总编赵昌平先生分别对肃宗、代宗时期吴中诗派作了深入的探索,进一步拓展了唐代诗人群体与地域的研究。在课题进行过程中,陶敏又约湘潭师范学院中文系李一飞先生一起作中唐部分编年。一飞先生为人踏实,他所写的文章虽然不太多,但其求实求精之风使人有深刻的印象。这几位友人在学问上多有胜我之处,我们也有共同的治学路数,因此,相互合作做这一规模较大的课题,我感到是可以对学术界负责的。

关于文学编年史,过去我曾有几篇文章谈到过,这里拟将这些论点贯串起来,以便于读者作综合审察。

我于1978年完成《唐代诗人丛考》后,曾写有一篇《前言》,其中有这样一段话:"我们现在的一些文学史著作的体例,对于叙述复杂情况的文学发展,似乎也有很大的局限。我们的一些文学史著作,包括某些断代文学史,史的叙述是很不够的,而是像一个个作家评传、作品评论的汇编。为什么我们不能以某一发展阶段为单元,叙述这一时期的经济和政治,这一时期的群众生活和风俗特点呢?为什么我们不能这样来叙述,在哪几年中,有哪些作家离开了人世,或离开了文坛,而又有哪些年轻的作家兴起;在哪几年中,这一作家在做什么,那一作家又在做什么,他们有哪些交往,这些交往对当时及后来的文坛具有哪些影响;在哪一年或哪几年中,创作的收获特别丰硕,而在另一些年中,文学创作又是那样的枯槁和停顿,这些又都是因为什么?"

我的这一想法,是受法国 19 世纪文艺理论家丹纳《艺术哲学》启发的。60 年代初,我读傅雷先生的中译本(人民文学出版社出版),其中有这样一段话,当时感到极为新鲜,很有吸引力:

> 艺术家本身,连同他所产生的全部作品,也不是孤立的。有一个包括艺术家在内的总体,比艺术家更广大,就是他所隶属的同时同地的艺术宗派或艺术家家族。例如莎士比亚,初看似乎是从天上掉下来的奇迹,从别个星球上来的陨石,但在他的周围,我们发现十来个优秀的剧作家……在画家方面,卢本斯好像也是一个独一无二的人物,前无师承,后无来者。但只要到比利时去参观根特、布鲁塞尔、尔鲁日、盎凡尔斯各地的教堂,就发觉有整批的画家才具都和卢本斯相仿。……到了今日,他们同时代的大宗师的荣名似乎把他们湮没了;但要了解那位大师,仍然需要把这些有才能的作家集中在他的周围,因为他只是其中最高的一根枝条,只是这个艺术家庭中最显赫的一个代表。(第一编《艺术品的本质》)

我觉得,研究文学确实应从文学艺术的整体出发。所谓整体,包括文学作为独立的实体的存在,还应包括不同流派、不同地区可能互相排斥而实际又互相渗透的作家群,以及作家所受社会生活和时代思潮的影响。这样做,就会牵涉到总的研究观念的改变。但具体如何着手呢? 我后来想到了编年史。我觉得文学编年史将对整体研究起一种流动观照和综合思考的作用。这也是对于长时期以来文学史著作体例所感到的一种不足。当然,文学史著作有它自己要完成的任务,它不能完全为文学编年史所代替,两者可以并存,而当前的情况下,建立编年史的研究则应引起学界的注意,它确实有其他文学通史、断代史、文体史所不能代替的特点与优势。

我的这一想法,也是受"四人帮"垮台后我国当代文学发展的现实之启示。可能当时书籍出版还没有现在这么繁杂,使人目不暇接;也可能80年代中我个人的时间还较充裕,因此有余闲也有兴趣阅读70年代末以来的文学新作。当时就从当代文学的实际想到古代文学史的写作。我觉得,我们写当代文学史,如果还是像老样子,一个作家写完了再写另一个作家,一个个排着队来写,肯定会把丰富多彩、生机翁郁的当代文学弄得暗淡漠然,使人感受不到蕴含于作品中的那种强烈的时代精神和当代意识。如果我们逐年地作综合的记录,把政治发展、经济改革、人们思想情绪的变化、作家们复杂多样的经历及其创作活动作总体、流动的考察,就会清晰地看出新时期文学在这十来年中前进的步伐。唐代文学也是如此,初唐文学将近一百年,虽有进展,但由于种种政治、社会原因,进展缓慢。盛唐开始,只不过十年光景,突然像火山爆发那样发出那么多诗的熔岩;而盛唐的高潮过后,又有一个回顾、思索的曲折时期,然后又产生贞元、元和时以古文运动和韩、白两大诗派为标志的另一高潮。这些,从我们现在提供的较为详细的编年史中会看得很清楚。80年代时曾出版过陆侃如先生的旧著《中古文学系年》,虽然还有可以改进之处,但毕竟给研究者提供一种思索上的选择。我们如果分段进行唐代文学的编年,把唐朝的文化政策、作家的活动(如生卒、历官、漫游等)、重要作品的产生、作家间的交往、文学上重要问题的争论,以及与文学邻近的艺术样式如音乐、舞蹈、绘画和印刷等门类的发展,扩而大之如宗教活动、社会风尚等等,择取有代表性的资料,一年一年编排,就会看到文学上的"立体交叉"的生动情景,这也必将引出原先意想不到的新的研究课题。

当然,我们也应看到,这项工作的难度是很大的。首先你得把唐五代数百位作家的行踪搞清楚。一定要有作家事迹研究的基础,才能再加概括和综合,编年史也才有符合实际的内容。其次,还要把各个作家创作的诗文时间作确切的系年,把作家间的交往作对应的考察。这无异于先要替一个个作家编写出个人年谱,再把这众多的个人年谱汇总成作家群的活动记录,更不要说有些作品的真伪、有些作家生平记载的不确,需要重新予以辨析。这中间,我们当然可以吸取已有的成果,但不少是要从头做起的。这就需要沉潜于书斋,超然于世事,有一种学术奉献的心愿与知难而进的毅力。

前面说过,我们的体例是把众多的作家活动,包括其仕历、创作、交友等等,一年一年地加以排列,而我们还不仅限于以年为单元,每一年还再分为正月、二月等等,按月排列,类似于《资治通鉴》的体裁。这样做,确如唐代史学理论家刘知几所说:"虽燕、赵万里,而于径寸之内,犬牙相接"(《史通》外篇《杂说》上)。清代顾炎武《日知录·作史不立表志》中曾引述朱鹤龄一段话,强调史书立表的重要,说"年经月纬,一览了如"。这种方式,首先是把中国东西南北不同地区作家的不同活动,放在同一个时间环境中,然后又把这一文学整体,按时间流程,一年一年、一月一月地往前推移,好似电视屏幕上,有些图景消失了,有些出现了,使人容易看到当时文学活动的原貌和实景。

这里附带作一说明:五代时,除了北方中原地区先后出现的梁、唐、晋、汉、周以外,当时东南有吴、南唐、吴越、闽,中南地区有荆南、楚、南汉,西南有蜀(前蜀、后蜀),各自立国。每一地区各有作家和文学活动,这些作家有时也往来于不同地区。为便于编撰,也为便于读者了解不同地区的实际状况,我们于一年之下,以政权行政区为单元,再按时间顺序叙述。这样做,既可从中了解不同政权范围内的作家活动,也可从大的范围内宏观观察这五代十国的文学进展全局。

另外,我们此书有别于史书的编年史(如《左传》《通鉴》等)体例,即不采取通贯叙述的方式,而采取纲和目互见互联的办法,先用概括的语句叙述一件事,作为纲;然后引用有关材料,注明出处,表示言必有据,同时还作若干补充,使事件经过有较为丰富的具体内容。因此,严格说来,我们这样做还只是一种"长编",还未能如程千帆先生序言中所倡导的《通鉴》淝水之战、淮西之战那样的笔法。但我们相信,有心者必可利用本书的资源(或云能源),作出富有才情的唐代文学流程图景,这将使这一代文学更能吸引人去钻研、探讨。

本书分初盛唐卷、中唐卷、晚唐卷、五代卷。初唐由于材料相对来说不太多,故与盛唐合为一卷。盛唐与中唐,中唐与晚唐,年代如何划分,目前还有不同说法。我们则大致结合历史与文学的情况加以划分。安史之乱起,肃宗、代宗时,李白、杜甫虽还在人世,但总不能说这时的社会还处于盛世。因此,我们将初盛唐卷的下限放在天宝十四载(755)安禄山起兵时,中唐卷则起始于天宝十五载也就是肃宗至德元年(756)安史之乱在北方全面展延时;中、晚唐则更不容易在哪一年作确切的切割,只能作大致的划分,即中唐卷的下限在敬宗宝历二年(826),晚唐卷则始于文宗大和元年(827);晚唐卷止于唐末,即哀帝天祐三年(906);五代卷起始于朱温代唐立梁的开平元年(907)。赵匡胤于公元960年代周立宋,是为宋太祖,但那时全国还未统一,特别是在这之后南唐尚有著名词学大家李煜还在进行创作活动。按理说,唐五代文学编年史可以在公元960年结束的,在这之后,从整体上说,即开始宋代文学史,但目前宋代文学编年史还未编就,因此,我们考虑五代十国的特点,把时间延至978年,即吴越最后献土为止;而960年至978年间只记南方文学情况,不记北方中原宋朝范围内的作家活动。另外,有些涉及具体文字处理的,如某些碑传、墓志铭,篇名全称较长,为节省文字,我们适当地使用简称,这就不在这里一一细述了。

　　前面说过,作这样一部编年史,史料上辨析的难度是很大的。举凡作家的生年、卒年,活动经历,作品创作年月,有些不可考,有些则过去记述有误。我们是尽力作一定梳理的,但难免有疏漏之处。我们诚恳地希望唐代文学研究同行和广大读者给我们以指正和补充。我们希望过一段时间对本书作一次全面的修订和补正，使它逐步成为一部信史，以作为同行和读者案头必备之书，这确实是我们最大的心愿。

使我感到欣慰的是，这一文学编年史的设想，已逐步得到学术界友人的认同和支持。苏州大学文学院潘树广教授在最近出版的《古代文学研究导论》（安徽文艺出版社，1998年版）中，还特别提到："傅璇琮倡导的'文学编年史的研究'更为全面，从最阔大的视野考察一时代社会生活对文学的影响。"西北师范大学中文系主任赵逵夫教授得到信息后，给我写信，说他已安排三个博士研究生，一起作先秦一段的文学编年史，这就类似于目前史学界正在进行的夏商周工程了。中国社会科学院文学所曹道衡研究员也已着手作秦汉魏晋南北朝隋文学编年史；唐以后，自宋至清，出版社与有关学者也在协商中，大致也已有眉目。如果我们能落实这一设想，就会有一部从先秦一直到清王朝结束，时间长达数千年的文学编年通史，人们可以一年一年地看到中国古代文学发展的具体历程，这将是我们文学史研究规模宏大的基础工程。

南京大学程千帆先生应我们晚辈之请，特为本书作序，这是对我们治学的一种激励。就我个人来说，近二十年来，在唐代文学研究上之所以有一点业绩，都是在程先生指导、鼓励下取得的。程先生序中对我个人的赞誉，我实在愧不敢当。我曾不止一次说过，我最大的心愿是为我们学界做一些实事，而我最大的收获则是不少师友对我的信知。

我们要感谢辽海出版社的领导能下这样的决心，不计经济负担，来出版这部二百余万字的学术著作。责任编辑于景祥同志曾是程千帆先生的研究生,深知学术甘苦,经历几年的编辑生涯,又备悉出版过程中的编校艰辛。没有辽海出版社领导的大力支持,没有于景祥同志的切实相助,这部书是不可能在短期内顺利面世的。

1998 年 12 月初

原载辽海出版社 1998 年版《唐五代文学编年史》,此据东北大学出版社 2015 年版《中国当代名家学术精品文库·傅璇琮卷》录入,另收入首都师范大学出版社 2010 年版北京社科名家文库《治学清历》、万卷出版公司 2010 年版《当代名家学术思想文库·傅璇琮卷》

文学古籍整理与古典文学研究

（一）

　　《文学遗产》创刊四十年以来，除了刊载古典文学研究的专题论文外，还十分重视文学古籍的整理，发表过不少有关诗文总集、别集、小说和戏曲作品整理以及各类专题资料汇辑的建议与评论。这些文章，已经成为整个古籍整理研究的极可珍贵的资料，对于现在古籍整理出版如何进一步开拓思路、提高质量，仍有积极的参考价值和借鉴作用。特别是一些大项目的建议和设想，经过研究者的多年努力，今天已经见诸行动，有了具体的成果。如 1956 年李嘉言先生曾提出《改编全唐诗草案》，引起学术界的深切关注和热烈讨论，现在新编《全唐五代诗》，已由苏州大学、河南大学、南京大学等校在全国范围内组织有关专家编纂。有关编纂《全宋诗》、《全宋文》的动议，前几年也由北京大学古文献所的《全宋诗》、四川大学古籍所的《全宋文》的陆续编印问世，得到完满的落实。

四十年以来,我们古典文学的研究,虽然几经曲折,但整个来说,还是取得很大成绩的。在这些成绩中,文学古籍的整理和研究,应当说占有显著的地位。

古典文学研究,作为一门独立的学科,应当说有其完整的结构。这种结构,大体如同建筑工程,可分为基础工程和上层结构两个方面。基础工程是各类专题研究赖以进行的基本条件,具有相对的长期稳定的特点。其具体内容,大体有这样三个范围:1.古典文学基本资料的整理:包括各类文学作品总集、历代作家别集的点校、笺注、辑佚、新编。2.作家、作品基本史料的整理研究:包括作家传记资料的辑集,文学活动的编年,写作本事、流派演变的记述和考证等。3.基本工具书的编纂:包括古代文学家辞典、文学书录、题解,诗词曲语词辞典,戏曲小说俗语辞典,文学典籍专书辞典或索引,断代文学语言辞典等。

从以上三方面来看,应当说,文献的整理对文学研究是有很大促进作用的,它不但为深入研究奠定扎实的资料基础,而且有时还能影响研究方法或研究方向的开拓。当然,在这个基础上建筑的上层结构,则能进一步总结文学创作的经验,探索艺术发展的规律,发扬古典文学的精华,使之为当代创作提供借鉴,为建设精神文明做出贡献。

(二)

四十年来,特别是 80 年代以来,文学古籍的整理和出版,逐步理出了学科或门类发展的脉络和体系，反映出这项工作正逐步具有计划性和系统性，这应当说是当前文学古籍整理研究一个值得重视的趋向。

这首先反映在一些大项目的组织整理上，特别是有关一个时代文学总集的编纂，近十余年来有着引人注目的发展。文学总集的出版，最初仅停留在对过去时代编纂成书的典籍选择较好的版本加以影印或一般性的点校，如五六十年代出版的清严可均的《全上古三代秦汉三国六朝文》，丁福保的《全汉三国晋南北朝诗》，以及《文苑英华》、《全唐文》、《全唐诗》等。在这方面开创一个新局面的是逯钦立的《先秦汉魏晋南北朝诗》，这是著者花了大半生的精力，经多次修改补充方始成书，于 1983 年由中华书局出版。此书共 135 卷，除《诗经》、《楚辞》而外，凡先秦汉魏晋南北朝各代的成篇诗歌及零句，都加采录，特别是详注出处及版本异文，不但大大超越了明冯惟讷的《诗纪》及近人丁福保同类性质的书，而且为在这之后的新编总集创立了良好的范例。

在这之后，正在整理或已陆续出版的诗、文、词总集，其编纂方法上大致有这样共同的格局：第一，广泛搜辑现存的各类资料，务求做到搜采广博，涵容繁富，无论名家巨制，或散篇佚作，尽可能汇集，力求减少遗漏。同时对所采辑的作品，一一注明出处，以示征信。第二，在普查的基础上，考清版本源流，然后选择较好的底本和有代表性的参校本。校勘工作则不但校文字的异同、是非，更在于考析作品的真伪和时代归属，这方面的工作更能见出整理者的功力与该书的价值。如正在整理中的《全唐五代诗》，即考出清人所修的《全唐诗》有不少宋人的作品，甚至有成卷的明人诗集混入其中。又如《全宋诗》的编纂,就特别注意防止误收。误收有两方面,一是把其他朝代的诗当作宋诗,二是把他人的诗误列于此一作者名下。如清人厉鹗《宋诗纪事》卷四寇准名下载《春恨》诗,注谓出自《古今合璧事类备要》前集。而经考核,此诗实为唐人来鹄《寒食山馆书情》七律中的四句,已见于《全唐诗》卷六四二。又如《六一诗话》所谓惠崇"马放降来地,雕盘战后云",实为北宋另一僧人惠昭《塞上赠王太尉》五律中的二句,见《清波杂志》卷十一。第三,对所收作家,努力在前人已有成就的基础上查检核实,撰写小传,力争做到无征不信,言必有据。

可以想见,新编的文学总集,只要以这三方面作为标准,就必定能大大超越前人,并且能启示当代,树立严谨的学术风气,开创新的研究格局。事实也证明,这些年来一些规模较大的文学总集的编纂,不但出成果,也出人才,培养出不少极有发展前途的、基础扎实的年轻研究者。

就具体成果而言,这些年来整理出版的项目也已大为可观。以诗来说,除上面提到过的《先秦汉魏晋南北朝诗》、《全唐五代诗》、《全宋诗》外,有翁独健、陆峻岭主编的《全元诗》(即可出版一、二册),复旦大学古籍所等的《全明诗》(已出版三册),以及正在筹备中的《全清诗》。词总集的辑集,唐圭璋先生创获最巨,他于 30 年代即从事于《全宋词》的编辑,50 年代中华书局又请王仲闻先生订补,于 1965 年出版新的修订本。70 年代又出版其《全金元词》。在宋词之前,上海古籍出版社于 80 年代出版张璋的《唐五代词》,现在湖北大学古籍所又在从事于新的校辑本。宋词之后,则有饶宗颐、张璋的《全明词》(即将由中华书局出版),南京大学古文献所的《全清词》(中华书局已出顺康卷前二册)。这样,中国古代词的总集,从唐开始,直至清末,都已齐备。文的方面,清人严可均有《全上古三代秦汉三国六朝文》,搜罗颇广,但校辑上有不少问题,现在已有一些研究者在做增补修订的工作。唐五代文的编纂也在进行。四川大学古籍所的《全宋文》已出版五十几册,全书将达一百数十册,是迄今为止最大的新编文学总集。北京师范大学古籍所的《全元文》,将由江苏古籍出版社于今明两年内陆续印出。《全明文》已出版两册(上海古籍出版社)。至于规模更大的清文,也在酝酿筹备中。诗、文、词之外,戏曲方面有王季思先生主编的《全元戏曲》,小说方面有江苏古籍出版社的《中国话本大系》等。

如果总集的编纂以广博著称的话,则古代作家别集的整理则以精深见长。这些年来,我们已有不少颇有研究深度的作家诗文集、戏曲小说集的校辑和笺注,更有正在进行中的几个大作家的汇注汇校汇评本,如詹锳先生主编之李白集、萧涤非先生主编之杜甫集,以及陶渊明、韩愈、柳宗元、王安石、苏轼、关汉卿等作者的诗文集、戏曲集等。可以想见,这些大作家集新的整理本完成问世,必将使研究工作有新的开展。

有关作家作品专题资料的辑集,也是近四十年来文学古籍整理的重要组成部分。从五六十年代的《陶渊明研究资料汇编》、《杜甫研究资料汇编》起,已出版的作家作品研究资料,有三曹、李白、白居易、韩愈、柳宗元、李贺、苏轼、黄庭坚和江西诗派、李清照、陆游、杨万里和范成大、《水浒传》、《金瓶梅》、《红楼梦》等。正在编纂中的还有杜牧、欧阳修、曾巩、秦观、辛弃疾、姜夔等。这些专题资料,除了辑集作家传记及文学活动资料外,还大量采录有关作品的考订、评论、释义及版本流传情况,是从经史子集大范围的群籍中,爬梳搜剔,精细采集的。这是一种高水平的著述,也是文学研究的基础性工程。五六十年代,在翦伯赞等老一辈史学家推动和组织下,曾系统地编辑一套《中国近代史资料丛刊》,包括鸦片战争、中法战争、太平天国、中日战争、义和团、洋务运动、辛亥革命等。80 年代初,一位美国学者曾说,这一套书培育了美国整整一代研究中国近代史的史学家。这句话是不过分的。我们希望,古典文学研究界和专业古籍出版社共同合作,在已有的基础上,能更全面地规划一下这套专题资料的编纂与出版,这必将使广大研究者特别是年轻一代深受其益。

(三)

回顾这些年来的文学古籍整理工作,我个人觉得还有些问题值得引起注意。

一、总结历史的经验。文学古籍的整理,不但与研究,而且与文学创作、文学思潮都有密切的关系。如以宋诗而论,我们知道,宋诗是中国诗歌史上继唐诗之后又一个新的高峰,但这一高峰的形成,是与宋人对唐诗的编集、刻印分不开的。元明以后刻印的唐人别集,几乎都经过宋人的整理。唐代一些大家的集子,如杜诗、韩文的校辑,在宋代都是专学(元好问所见宋人杜诗注即有六七十家,他称之为杜诗学,见《遗山集》卷三六《杜诗学引》)。在年谱学史上,宋人所作的杜甫和韩愈年谱,都是有首创之功。无论北宋和南宋,都编纂有较大规模的诗文总集,如北宋初期李昉的《文苑英华》和姚铉的《唐文粹》,南宋洪迈的《万首唐人绝句》,都对宋人研习前代文学提供详实的资料。据南宋人周必大说,北宋初期唐人集子流传极少,像陈子昂、张九龄等一些名家作品,也是一般人看不到的,正由于此,当时修《文苑英华》时,即把柳宗元、白居易、李商隐、罗隐等人的诗文"全卷收入"(《文苑英华辨证序》)。宋人的这些努力,促进了唐诗的传播,开阔了人们对唐诗的认识,也提高了宋代诗人本身的文学素养。宋诗之所以继唐诗之后有新的开拓和发展,与宋人对唐诗所作的大规模整理、流布有密切的关系。到明代,情况有很大不同。明人尊唐黜宋的观念很盛,有人认为"宋人书不必收,宋人诗不必观"(杨慎《升庵诗话》引何大复语),乃至"苟称其人之诗为宋诗,无异于唾骂"(清叶燮《原诗》)。受这种评论风气的影响,明人编印、刊刻唐集即很多。被誉为"考明一代著作,以此书为最可据"(《四库提要》语)的《千顷堂书目》,著录有关唐诗的编选将近五十种,而有关宋诗的只三种。到了清初,以对明代诗风的反拨为契机,正如《四库全书总目》卷一九三王士禛《精华录》提要所说:"当我朝开国之初,人皆厌明代王、李之肤廓,钟、谭之纤仄,于是谈诗者竞尚宋元。"在这种文学思潮变异的情况下,出现了吕留良、吴之振等的《宋诗钞》、曹庭栋的《宋百家诗存》,以及陈焯《宋元诗会》一百卷,法式善《宋元人诗集》二百七十卷,再后就是著名的厉鹗《宋诗纪事》一百卷。而这些较大规模的宋人诗集的编印,又反过来影响清代宋诗派的形成与发展,乾隆时翁方纲等人的肌理说及后来同光体诗,都莫不与当时宋集的大量刊刻有关。

这只是就宋诗而言,其他如戏曲、小说在元、明时期的发展也都有类似的情况。由此是否可以得到某种启示,即我们现在的文学古籍整理,一方面当然仍须与研究紧密结合,另一方面是否应与现代的创作贴近,更好地利用古籍为现实服务,尽可能用现代人喜闻乐见的形式使文学古籍更好地走向大众。最近漓江出版社出版的几种古典小说评点本,即是请当代作家王蒙、李国文等作的,引起学术界与广大群众的极大兴趣,这是很值得我们思考的。

二、要处理好几种关系。如大型项目与中小型项目都应重视,都要力争提高质量,出精品。如上所述,这些年来,文学古籍整理中有不少大项目产生,有些项目带动了研究向广度和深度发展。而且大项目由于投入的人力多,有周密的计划和完备的体例,这就更能发挥集体的力量,有助于养成团结合作的学术风尚。但与此同时,我们还应鼓励"小而精"的项目,不能顾此失彼,只看重"大而全"而忽略"小而精"。应使二者保持必要的平衡,满足社会各界不同的需要。各种规模、各种层次的古籍,都要讲究质量。"小而精"固然要讲究精,"大而全"也要讲究精,因为"精"就是高质量,而我们文学古籍整理出版的生命线就在于高质量,就在于精。

文学古籍整理中也有一个普及与提高的关系问题。我们固然要注意对研究者提供有学术价值和文献价值的专书,但同时要选择一些思想健康、艺术优美的古代名作,加以注释或评译,介绍给广大的读者。在这方面也有不少好书产生,如人民文学出版社从 50 年代中期起就有计划地编印一套古典文学读本丛书,80 年代以来,上海古籍出版社出版有古典作家作品选集,巴蜀书社有作品欣赏评论丛书,岳麓书社有韵文三百首系列,浙江文艺出版社有"中国古典诗歌基本文库",等等。现在的问题是,我们的普及读本在文化层次上有故意向下降的倾向,什么都来个白话今译,有些则认为连白话今译也太高了,索性来个口语拼音翻译,配上连环画。我们的普及应当引导读者向高层次发展,而不应该逐步下降以求媚俗。

这里附带一个问题是目前古籍整理出版的重复现象。重复是难免的,而且重复也并不绝对是坏事。历史上,如《诗经》、《楚辞》,李杜诗、韩柳文,注家不知有多少,其中难免有次品,但也有不少佳品。如现在《红楼梦》的校注本有好几种,各有特色。你整理某一作家作品,并不能限制别人对同一作家作品再进行整理;你编某一时代的作品,并不能禁止别人也做类似的工作,只要各有其特点,各有超越就行。在翻译界也是如此,如果只允许一部翻译作品,那么翻译水平就永远不可能提高。我们应当允许并提倡在高水平上的"重复",这种"重复"实际上是学术上的竞赛和争鸣。问题出在目前有一些纯粹出于追求经济效益,只赶进度而不顾质量,如重复出版不少明、清时代格调不高的通俗小说,以及千篇一律的所谓赏析性书籍。低水平的重复是无助于学术事业的发展的。

原载文化艺术出版社 1998 年版《〈文学遗产〉纪念文集:创刊四十周年暨复刊十五周年(1954—1963,1980—1995)》,

此据万卷出版公司 2010 年版《当代名家学术思想文库·傅璇琮卷》录入,另收入大象出版社 2004 年版《唐宋文史论丛及其他》、首都师范大学出版社 2010 年版北京社科名家文库《治学清历》

缅怀钱锺书先生

　　钱锺书先生逝世已一个多月。以他这样一位大学者、大名人，其丧事之简，是近数十年来所未有的。他生前的遗言是："遗体只要两三个亲友送送，不举行任何仪式，恳辞花篮花圈，不留骨灰。"这倒不仅仅是一种"彻底唯物主义者"的表现，而是体现钱先生独到的人品和识见，他把世事看得极为透彻，而又把学问看得极为纯真，他把自己的一生与学术奉献联在一起，因此可以作如此超脱之语。正如新华社所发的电讯所说的那样："六十年来，钱先生致力于人文社会科学研究，淡泊名利，甘愿寂寞，辛勤研究，著作等身，饮誉海内外，为国家民族做出了卓越的贡献，培养了几代学人，是中国的宝贵财富。"

　　正因如此，更增加人们对他的怀念。这是人的一种自然真情。而怀念钱先生，最好的是读他的书。钱先生是去年12月19日病逝的，12月20日刚好是星期天，我上午在家，接到中国社科院文学所邓绍基老友的电话，告诉我这一消息。我放下电话，不知做什么好，很自然地从书架上取下《宋诗选注》、《管锥编》、《谈艺录》来看。这时看钱先生这几本书，就跟过去不一样，书中的一字一句,都与自己的感情连在一起,平时理会不到的,这时好像一下子悟了过来。

第二天,也就是 12 月 21 日,上海《文学报》记者徐春萍同志给我打来长途电话,说他们为纪念钱锺书先生,想采访几位学人,在《文学报》上刊登。当时我就谈了一些意见,后来《文学报》于 12 月 24 日用整整一个版刊出采访谈话录,除我外,还有上海的王元化、柯灵、罗洪诸位先生。我的其中一段话是:"中国的古典文学研究需要提高。提高的一条重要途径,就是要向前辈学者学习。钱先生在治学上对我们后辈的启示,就是树立了一个高标准,使我们懂得这才是真正的做学问,这样的治学,才真正的有意义,使一切有志者不致浅尝辄止,而奋进不已。《管锥编》、《谈艺录》、《宋诗选注》称得上是壁立千仞的著作。"

钱锺书先生的治学范围是相当广的。过去一般人认为他是专治宋诗,后来《管锥编》一出来,人们就看到书中专章论及《周易》、《诗经》、《左传》、《史记》以及汉魏晋南北朝文和诗,一直到唐代的传奇小说《太平广记》。钱先生于 1978 年 1 月在《管锥编》自序补记中还说到,尚有论《全唐文》等五种待继续整理。大家知道,撰于 40 年代的《谈艺录》,重点探讨宋诗和清诗,而《七缀集》的几篇论文,又论及"通感"的文艺思想,以及中国诗与中国画的关系。可以毫不夸张地说,无论国外或国内,要研究中国古典文学,要在现有的基点再往前延伸,就必须明白钱锺书的著作已经谈到了什么,而要研讨当代的中国古典文学现状和发展线索,则"钱锺书"是一个必须研究的学术课题,这个课题将能养成一代新的学风:一种严肃的、境界高尚的治学胸怀,融合中西文化、广博与精深相结合的治学手段，不拘一格、纵逸自如的治学气派。

钱锺书先生学风上的一大特点，是对晚辈的赞赏和扶掖，这在我们50年代成长起来的人来说，无论是在社科院文学所以内或以外的，都有同感。我于1955年自北大中文系毕业，即在北京工作，久闻钱先生大名，但一直不敢与钱先生接触。"文革"结束不久，钱先生把《管锥编》交给中华书局出版，并约请周振甫先生做责任编辑，我才逐渐与钱先生有所联系，时常通信。但可惜我那时并不留意，钱先生好些信我已散失，现在保存下来的不过十来封。但从这些信件中，确实可见出一代宗师对后辈学人的关注之情。

"文革"后我的第一部学术专著是《唐代诗人丛考》，撰成于1978年11月，于同年12月交付中华书局发排。其中有一篇《崔颢考》，讲到崔颢有一篇《王家少妇》（又题作《古意》），全诗为："十五嫁王昌，盈盈入画堂。自矜年最少，复倚婿为郎。舞爱前溪绿，歌怜子夜长。闲来斗百草，度日不成妆。"这是盛唐时的一首名作。据唐李肇《国史补》所记，崔颢时有美名，当时号称李北海的李邕想见见他，开馆待之。但崔颢一见李邕，即献出这首"十五嫁王昌"诗。李邕大怒，斥之为"小子无礼"，不予接待。此事成为一段有名的轶闻，宋元时期的《唐诗记事》、《唐才子传》都有记载。我对李邕这一举动颇有疑问，就写信给钱先生求教，他很快回信，开头很客气，谓："惠书奉悉。尊考王昌事至精且确，自惭谫陋，无以相益。"接着是一大段：

观六朝、初唐人句，王昌本事虽不得而知，而词意似为众女所喜之"爱悖悖儿"，不惜与之"隔墙儿唱和到天明"或"钻穴隙相窥"者；然皆"隔花阴人远天涯近"，只是意中人、望中人，而非身边人、枕边人也。崔诗云"十五嫁王昌"，一破旧说，不复结邻，而为结婚，得未曾有。李邕"轻薄"之诃，诚为费解，然胡应麟谓"岂六朝制作全未过目"，亦不中肯；盖前人只言"恨不嫁"、"忆东家"，并未有"嫁"而"入堂"之说。李邕或是怪其增饰古典，夸夫婿"禁脔"独得（如《儿女英雄传》所说："难得三千选佛，输他玉貌郎君；况又二十成名，是妾金闺夫婿"），语近佻挞耶？

我的《崔颢考》中有关王昌一段本是极平凡的几百字，却引来了钱先生极精彩的考析，真是意外之获。由此亦可见，钱先生在探索某一创作意向时，他往往能会通各种文学体裁，启人心智，又涉笔成趣。如论陶渊明《闲情赋》的"瞬美目以流眄，含言笑而不分"二句，除了引诗文作例证外，还引了《聊斋志异》的《青梅》，《绿野仙踪》第六十回写齐蕙娘，《儿女英雄传》的第三十八回。这样的情况在《管锥编》中到处可见。有些人的诗文、笔记，特别是明清人的一些作品，似乎除了钱先生引述过以外，再也没有人曾经提起过。经钱先生引述，并放在文学比较的大环境中，使这些本来似无甚意义的作品获得新的价值，也使读者在认识和鉴赏中获得极大的满足。

我对钱先生确是心仪已久的，但过去长时间总是不敢去拜见他。我上面的一封信是 1979 年 6 月写的，但虽然写了信，并未到他家去过。直到《唐代诗人丛考》于1980年春出版，才偕同中国社科院文学所的沈玉成同窗学友到钱先生家去，把书送他。钱先生过后则又给我一信，说："前蒙偕玉成兄枉过，神交二十余年，终获快晤，亦老来一幸事也。顷奉赐《唐代诗人丛考》，急稍披寻，其精审密察，功力更胜于《江西诗派》之仅以渊博出人头地者。君于兹事，殆冠时独步矣。"信中说"神交二十余年"，当是指我于1959年至1961年编撰、1963年出版的《杨万里范成大研究资料汇编》，以及同时编撰而于1978年才印出的《黄庭坚与江西诗派研究资料汇编》。这当给钱先生印象很深，信中所说的《江西诗派》，即指此而言。那时我因1957年的问题，不能写文章，只得编资料，其时还不到30岁。钱先生当是知道我的这些情况，"神交"云云，可见他对晚辈的理解和奖掖。

钱先生对我的这两本资料书是很看重的。有一次在他家里，他就说：你的这本《江西诗派研究资料》，我一直放在身边书架上的；我的修订本《谈艺录》，说的都是古人，提到现代人的，只有两处，一处是吕思勉，一处就是你的这本书。当时我以为是钱先生随便说说罢了，也只是笑着点点头。后来我的一本《李德裕年谱》于1984年10月在齐鲁书社出版，因书名为钱先生题写，故出书后就给钱先生送去。钱先生回了信，赞誉此书"严密缜栗，搜幽洞隐"，同时又提到他曾在口头上说过的话："拙著428页借大著增重，又416页称吕诚之丈遗著，道及时贤，惟此两处。"他又幽默地说这是他的"孤陋寡闻"。新版《谈艺录》的第428页确实引了我的《黄庭坚与江西诗派研究资料汇编》。钱先生在谈及此书时，把页码都标出来，这是他治学的一贯认真作风，从《管锥编》、《谈艺录》都可看出,每一处引文,都要注明版本、卷次、页数。这与时下有些名人所谓堂堂专著,材料大多从第二手间接转引,真是有天壤之别。

使我感动的还有,《管锥编》第一册出版于1979年8月,钱先生拿到书当在是年冬。钱先生随即送我一本,还在扉页上写下这样几句话:"璇琮先生精思劬学,能发千古之覆,吾之畏友。拙著聊资弹射而已。"当时接到这本书,看到这几句话,真是惶恐无已。这样一代大师,能对像我这样的后辈作如此揄扬的话(那时我只不过四十七岁),可见钱先生卓然不拔而又宅心积厚的气度。

1982年,在李一氓同志主持下,召开第二届全国古籍整理出版规划会议,钱先生应邀来参加了开幕式。不过他只来一次,散会时却给我一本书,原来是香港中文大学饶宗颐教授的词集《晞周集》,是饶先生送给钱先生的,上面写"默存词长哂正,饶宗颐呈赠"。而钱先生却转赠了我,在扉页上写了三行字:"此选翁近刻,功力深稳,宜其雄长海外也。即以转贻璇琮我兄赏之。"这本自刻词集,我一直珍藏着,从中可以看出老一辈学者难得的交友雅致。

但钱先生对后辈的赞赏,绝不是一般的敷衍之辞,而实含有勉励督促之意。他给我的信,总是环绕学术的。我这里再举一例。80年代中期,北京大学古文献研究所计划编纂《全宋诗》,我应邀参与其事,当时大家讨论,以为此书主编非钱锺书先生莫属。于是由我和北大古文献所所长孙钦善同志到钱先生家去,力请他主持这一大工程。钱先生说得很委婉,但很坚定,说他只能自己写书,绝不出门当主编,更不能挂虚名。当时我们自然很失望,但我心里是真正佩服钱先生这一严谨学风和高洁人格的,这与时下有些所谓学界泰斗到处挂名当主编、顾问，比较起来，更体现出钱先生的直道纯志。

后来90年代初，《全宋诗》前五册出版了，不久我就收到钱先生一封信，可以说是给予了严厉的批评。当时钱先生身体已不大好，每天服中药，他说因此而吃不下饭，睡不好觉，信中说"老病废学"。但他还是翻阅了前两册，举了好几个不该有的错失。为不使引文过长，便于读者阅读，我就把钱先生信中的文言衍译成白话，择要举几点：

钱先生指出，有些唐宋人的名句，完全可从全集征引，但现在却误读笔记，过信类书，弄错了作者，如书中卷三范质"大暑去酷吏"二句，实为晚唐诗人杜牧《早秋》五律中的一联。有些辑集的诗句，未去查最早的出处，如卷三杨朴的《村居感兴》，书中引的是《后村题跋》，而实际上后村（刘克庄）明言是"放翁跋"，即本之于陆游《渭南文集》卷二九《跋杨处士村居感兴》，另外《老学庵笔记》卷十也记有此事，但有异文。有些看似辑补断句，但实际已见于同一作者全诗，如卷四二田锡"秋色……"，说是辑自南宋末周密的《浩然斋雅谈》，实则已见于《全宋诗》同一书中田锡的《桐江咏》，只不过有一字不同。又，补入一人的断句，实已见于另一人集中全篇，如补丁谓的"子美集开诗世界"一句，说是据类书《海录碎事》，实则已见于北宋王禹偁《日长简仲咸》中，是为世所传诵的王氏名句。

从以上的几个例子，读者可以具体感受到这位大学者对编书做学问是何等的一丝不苟、从严求实。如果说这是苛求，那么也是一种对学术极端负责的态度。他不挂虚名当主编，但见到书中有问题,还是不回避,如实提出。而且从这里还更可以见出钱先生的博识专精:他所举的这几个例子,并不是专门翻书得来的,而完全凭他的记忆,这在当代学者可说是凤毛麟角了。而在信的最后,他仍以其特有的幽默和雅兴写道:"自恨昏眼戒读书,寒舍又无书可检,故未能始终厥役,为兄作校对员耳。不足为外人道也。"

最后我还想提一下,有一次,我读《管锥编》,发现引文上的一些问题,就不自量力地写信给钱先生,却引来钱先生实实在在的自我批评,除了我所举出的以外,他还举了其他类似例子,如说:"即就《太平广记》卷论之,如 660 页误以《瀛奎律髓》卷四七作《朱子语类》卷一四〇;744 页《唐语林》补遗作'王缙'。"

除了承认别人对他提出的几点以外,还再举出对方未曾注意但确也是错误之处,而引为自戒,这种风度真能使人廉立,针砭士风。

1999 年 1 月 16 日　北京

原载 1999 年 2 月 3 日《宁波日报》,此据首都师范大学出版社 2010 年版北京社科名家文库《治学清历》录入,另收入人民文学出版社 1999 年版《文化昆仑:钱锺书其人其文》、大象出版社 2004 年版《唐宋文史论丛及其他》、北方文艺出版社 2008 年版《书林漫笔》

楼中日月长

——推荐《湘绮楼日记》

《湘绮楼日记》，1997 年由岳麓书社组织有关专家点校出版，它与稍前也由该社出版的《湘绮楼诗文集》是为姊妹篇，均纳入国家古籍整理出版"八五"与"九五"规划。

王闿运是晚清的湖湘文化名人，当然其影响并不限于湖湘，我们现在要研究清末民初的文化学术、诗文创作，王氏著作是必读的研索资料。其日记上起清同治八年（1869），下讫民国五年（1916），其时间跨度之大，在此一时期同类著作中为数甚少，而且这正是中国社会剧烈变动时期，王闿运以其特有的身份与学识，记录这将近半个世纪的社会变化，这对于了解和研究清末民初这一特殊时期的文化、学术及历史、政治，都很有文献资料价值。

王氏日记在民国十六年（1927）曾由商务印书馆印过一次，但作者误记、手民误植者在在有之。岳麓书社这次组织整理，就其遗佚部分后尽可能加以补正，对商务版的错字又予以改正和校勘。整理者的谨严态度和深厚学力，在此书充分体现，可以说是近几年来古籍整理研究的精品之作。

本书装帧和版式也都很讲究,给读者以赏心悦目之感,说明出版社对此有整体的考虑与细心的策划。

原载《中国图书评论》1999 年第 1 期,据以录入

武则天与初唐文学

唐诗,一般分为初、盛、中、晚四个时期,初唐,则大致为唐高祖武德元年(618)至中宗景龙四年(710)。初唐文学长达九十三年,又可分为两个阶段,第一阶段是武德、贞观年间(618—649),是以唐太宗李世民为中心,开展政治、经济、文化等的开拓、创新;第二阶段即从唐高宗即位永徽元年(650)起至中宗景龙四年(710),这期间,武则天实际掌权则为其立为皇后的永徽六年(655),至被迫传位于中宗的长安五年(705)正月。

对武则天在这半个世纪的历史作用如何评价,过去史学界意见不一。20世纪60年代初,郭沫若先生创作话剧《武则天》,并写了几篇文章,把武则天兴起的告密之风,以及所谓不拘资历、不问门第的科举改革,说成是"特出的政治措施"①。"文革"十年中,武则天又被宣扬为唐朝法家思想的代表。前几年,一些电视剧又极力渲染她是勇于作为的女皇帝。我认为,这些都是虚誉或虚妄之辞,经不起史料的审核。至今为止,我认为对武则天作出公允

①郭沫若《武则天》,附录一《我怎样写〈武则天〉》,人民文学出版社,1979年。

评价的,还是以史料翔实著称的老一辈唐史研究专家岑仲勉先生,他在《隋唐史》第十三节《武则天之为人》中有一个总体评价:"近人对则天有恕辞,然即使撇去私德不论,总观其在位廿一年(684—704)实无丝毫政绩可言。"①

历史评价当然会涉及文学评价。本文想从文学的角度,就具体史实,作一些考察。主要论述两个问题,一是辨武则天对科举制的所谓"革新",因为唐代科举与文学发展是有密切关系的②;二是武则天统治时期特殊的政治环境对当时文人造成一种极不正常的谀媚之风与矛盾心情。

一

关于武则天之重视进士科,因而促进文学之发展,在古代,可以中唐时杜佑《通典》之说为代表:"国家自显庆以来,高宗圣躬多不康,而武太后任事,参决大政,与天子并。太后颇涉文史,好雕虫之艺,永隆中始以文章选士。及永淳之后,太后君临天下二十余年,当时公卿百辟,无不以文章达,因循遝久,寝以成风。"(卷十五《选举》三)近代则以陈寅恪先生为代表,他在《唐代政治史述论稿》中多次强调武则天在科举制度中的改革,并进而认为武则天称帝,以周代唐,实是一种"社会之革命",如:

①岑仲勉《隋唐史》,高等教育出版社,1957年;中华书局,1982年新一版。
②参拙著《唐代科举与文学》,陕西人民出版社,1986年。

及武后柄政，大崇文章之选，破格用人，于是进士之科为全国干进者竞趋之鹄的。……故武周之代李唐，不仅为政治之变迁，实亦社会之革命。（上篇《统治阶级之氏族及其升降》）

自武则天专政破格用人后，外廷之显贵多为以文学特见拔擢之人。（同上）

进士之科虽设于隋代，而其特见尊重，以为全国人民出仕之惟一正途，实始于唐高宗之代，即曌专政之时。（同上）

唐代贡举名目虽多，大要分为进士及明经二科。进士科主文词，高宗、武后以后之新学也；明经科专经术，两晋、北朝以来之旧学也。究其所学之殊，实由门族之异。（中篇《政治革命及党派分野》）

这里之所以引述陈寅恪先生好几条这方面的言论，是因为他的这些意见对治唐史者很有影响，一些通史著作，从 20 世纪 50 年代起，至近年出版的新著，多有类似的说法。

但无论是杜佑，还是陈寅恪，他们只是作判断性的概述，并没有具体史实的论证，有时所引材料，还是不符合事实的。如陈寅恪论进士、明经为新学、旧学之分野，还举了唐末康骈《剧谈录》的一则记载，说宪宗元和时李贺善为歌篇，为时所重，而元稹以明经及第，想交结李贺，登门拜访，李贺拒不接见，并令仆人传话："明经及第，何事看李贺？"元稹只得"惭恨而退"；后元稹任礼部郎中，"因议贺父名晋，不合应进士举"，以为报复。此事自朱自清先生《李贺年谱》以来的有关著作，都已明确考出，元稹明经擢第时，李贺还只有四岁;李贺于宪宗元和五年(810)冬以应进士举赴长安,元稹在此之前已出为江陵府士曹参军,不可能有报复之举,且元稹从未任过礼部郎中。《剧谈录》所记此事纯为小说家之言,是不能作为史料印证的。

这里既然涉及明经,那就对进士、明经是否为新学、旧学之别作一些分析。

在唐代,作为"常贡之科"(《通典》语),或"岁举之常科"(《新唐书·选举志》语)的,有六科,即秀才、明经、进士、明法、明字、明算。但正如清代著名史学家王鸣盛所说,"终唐之世为常选之最盛者,不过明经、进士两科而已"①。而作为科举试的明经科,与进士科一样,在唐代,也起始于高祖武德五年(622)。五代时王定保《唐摭言》载:"高祖武德四年四月十一日,敕诸州学士及白丁,有明经及秀才、俊士,明于理体、为乡曲所称者,委本县考试,州长重覆,取上等人,每年十月随物入贡。至五年十月,诸州共贡明经一百四十三人"②。根据有关材料,明经与进士,都在同一时间考试,且前期都属吏部考功司考,开元二十四年后统一由礼部考③。

明经与进士有两大不同,一是考试的项目,二是录取的人数,但这两点都与所谓新学、旧学无关。试分别言之。

《新唐书·选举志》记明经考试的项目为:"凡明经,先帖文,

---

① 清王鸣盛《十七史商榷》卷八一《取士大要有三》。
② 五代王定保《唐摭言》卷十五《杂记》。
③ 详见拙著《唐代科举与文学》第五章《明经》。

然后口试,经问大义十条,答时务策三道。"就是说三场考试,第一场帖文,第二场口试,第三场试策文。所谓帖文,照现在的说法,就是填充。《通典》卷十五《选举》三,解释为:"帖经者,以所习经掩其两端,中间开唯一行,裁纸为帖,凡帖三字,随时增损,可否不一,或得四得五得六为通。"唐朝规定,经书分大中小三种,如《礼记》、《左传》为大经,《诗经》、《周礼》、《仪礼》为中经,《易》、《尚书》《公羊》、《穀梁》为小经。明经中还分通二经、三经、五经的,所谓通二经,就是大经、小经各一,或者中经二;通三经者,为大、中、小经各一;通五经者,大经都通,其他各一。《论语》、《孝经》则无论是通二经、三经、五经,都须考试。武则天在这方面,稍有变更,即她于上元元年(674)十二月,为迎合高宗的意旨,奏请王公百官都习《老子》,每年的明经举,《老子》也如《论语》、《孝经》例一体考试①。唐朝自高祖起就攀附李聃为其祖先,尊崇老子,武则天此举实无崇新意味,其意图一是迎合高宗,二是拉拢李唐氏族;而且《老子》试只是加试,并不排除儒家经典,总的来说仍以儒家经典为主。至武氏称帝后,就于长寿二年(693)下令停习《老子》,令应试者考她所作的《臣轨》,可见这完全出于实际政治需要。而今所传之《臣轨》也无非论述臣须忠于君、君臣为一体的儒家之道,如开首《同体章》:"夫人臣之于君也,犹四支之载元首,耳目之为心使也。相须而后成体,相得而后成用。故臣之事君,犹子之事父,父子虽至柔,犹未若君臣之同体也。故《虞书》云'臣作

———————————

① 参《旧唐书·高宗记》。

朕股肱耳目'。"①

　　明经的第一场考试是如此,那么被标为新学的进士,又是如何考试的呢?过去论及武则天所谓变革的,从未具体涉及此点,只把进士试笼统地标为词学。原来唐初进士试,是只考所谓时务策的,如《新唐书·选举志》说"凡进士,试时务策五道",这就是所谓试策。现在《文苑英华》卷四九七和卷五〇二还保留唐太宗贞观元年的两道策问,一是关于审理案件,提出如何宽猛相济,缓急折衷,一是关于选拔人才,提出如何不次擢用才能之士。这都带有贞观初期新王朝谋求治理国家的时代特点。这年登进士第者有上官仪,《文苑英华》以上两处都载有他的对策,这两篇策文确还是堆砌辞藻,颂扬圣政,但总有一定陈时政的现实影子。而这种情况就在高宗后期,武则天实际掌权时起了变化。《唐会要》有一则记载,说:"调露二年(680)四月,刘思立除考功员外郎。先时进士但试策而已,思立以其庸浅,奏请帖经及试杂文,自后因以为常式。"②第二年,也即永隆二年(681),就下诏正式施行。宋初的钱易即谓:"进士试帖经,自调露二年始也。"③又《唐六典》卷四《礼部》:"凡进士先帖经,然后试杂文及策。"进士与明经,都是三场试,每场定去留,那么第一场是至关重要的。由此可以看到,恰恰是在武则天掌权时,进士考试有向明经靠拢的一步,即同样采取帖经的方式,而所谓经,当然是儒家经典。由此,则所谓"明经

①唐武则天《臣轨》,粤雅堂丛书本。
②《唐会要》卷七六《贡举中·进士》。
③宋钱易《南部新书》戊卷。

科专经术,两晋、北朝以来之旧学也",岂非永隆二年是进士试向后倒退、向旧学接近了吗？这是过去论及武则天与科举制关系时从未触及的,其实是常见的史料。

我们再来看第二场。明经第二场是口试,即经问大义十条。所谓经问大义,就是对儒家经书的答问经义,即不用填充方式,而用问答题,问经书中的义理。如《唐六典》卷二《吏部·考功员外郎》,举出《周礼》、《左氏》、《礼记》、《孝经》、《论语》等经,"皆录经文及注意为问,其答者须辨明义理,然后为通"。中唐时权德舆的文集中还保留有《明经诸经策问七道》,是他于德宗贞元十七至十九年(801—803)知贡举时所出的试题①。这虽然仍以儒家经书为据,但比起第一场帖经是进了一步的。

进士的第二场则有较大的不同,这就是上面所引调露二年刘思立所奏中的"试杂文",及永隆二年敕文的"试杂文两首"。这里所谓的杂文,具体何所指,清人徐松在《登科记考》中有一个解释,是颇得其要的。其书卷一永隆二年条说:"按杂文两首,谓箴铭论表之类,开元间始以赋居其一,或以诗居其一,亦有全用诗赋者,非定制也。杂文之专用诗赋,当在天宝之季。"徐松这段话说得扼要明白,也有依据,但过去不大受人注意,总认为永隆二年开始就立刻以诗赋取士。颜真卿《颜君(元孙)神道碑铭》②,记颜元孙于垂拱二年(685)登进士第所试文,即一为《九河铭》,一为《高松赋》,这是永隆二年实行试题变更后的第三年。当然,从近几年

①唐权德舆《权载之文集》卷四〇。
②《全唐文》卷三四一。

出土的墓志材料中，也可看到在这前后也有以诗赋同时为题的，如《唐代墓志汇编》开元三六三《梁峙墓志》，记"制试杂文《朝野多欢□》、《君臣同德赋》及第，编在史馆"。据志，梁峙开元二十年卒，年七十三，则二十岁时为调露元年（679）。西晋时张协《咏史》诗有"昔在西京时，朝野多欢娱"之句①。此当即以《文选》中诗句为题而试之以诗的。不过《登科记考》载调露元年不贡举，志中在此之前说"逮乎冠稔，博通经史"，则其登第之年当在二十岁以后的数年间。据徐松《登科记考》历年所载进士试题，在这之后，仅有赋题而未见诗题，开元二十年（734）乃有诗赋各一，即《武库诗》、《梓材赋》。可见以诗赋为进士考试的固定格局是在玄宗开元、天宝之际，并非在高宗、武后时期。而那时唐诗已有一百余年的历程，应该说，这不是进士试促使唐诗的繁荣，而是唐诗的繁荣对当时社会产生广泛的影响，自然而然地也对考试制度起了促进的作用，即扩大试题的范围，转向诗赋为中心，而这已进入盛唐时期，与武则天无关。

岑仲勉先生《隋唐史》对此也有说法："吾人对此，首应讨论者两科（即明经、进士）所习，是否可以旧学、新学为分野？考诗体溯源于三百篇，赋体两汉极盛，初唐诗格仍上继齐梁，乌得谓之新学？"②

明经、进士第三场考试都是答时务策，不起实际作用，就可略而不谈。

---

①梁萧统《文选》卷二一。
②岑仲勉《隋唐史》第十八节《进士科抬头之原因及其流弊》。

以上说的是明经、进士的考试项目,现在谈这两科的录取人数,这也牵涉到登第后的任职问题。

　　唐初明经、进士的录取人数没有明确规定。可能囿于史料,徐松《登科记考》于初唐九十余年中,明经登第人数与具体姓名均未载,但从唐高祖起,明经所录人数确要比进士多。如高祖武德五年诸州所贡举子,秀才六人,俊士三十九人,进士三十人,惟独明经一百四十三人。录取人数,明经与进士的比例,有多至十比一的,如《通典》记:"其进士,大抵千人得第者百一二,明经倍之,得第者十一二。"①贞元十八年(802)更明确规定:"明经、进士,自今以后,每年考试所拔人,明经不得过一百人,进士不得过二十人。"②明经所取人数不仅比进士多,而且在中唐以前,在官位的升迁速度上,有时也并不在进士之下。德宗贞元时欧阳詹就以此劝勉友人:"渔者所务唯鱼,不必在梁在笱。……目睹进士出身,十年二十年而终于一命者有之;明经诸色入仕,须臾而践将相者有之。"③韩愈也有类似说法,他说由明经"登第于有司者,去民亩而就吏禄,由是进而累为卿相者,常常有之,其为获亦大矣"④。从两《唐书》列传来看,至少在唐前期,明经出身做到宰相的,为数不少,仅以高宗、武后朝而论,就有杨再思、祝钦明、王畯、张文瓘、徐有功、裴炎、李昭德、陆元方、狄仁杰、杜景俭、韦安石、唐休璟等十数人,至于任六部尚书、侍郎等大员的就更多。进士登第后在

---

①唐杜佑《通典》卷十五《选举》三。
②《唐会要》卷七六《贡举中·缘举杂录》。
③唐欧阳詹《欧阳行周文集》卷八《与郑伯义书》。
④《韩昌黎文集校注》卷四《送牛堪序》。

擢升上明显优于明经的,是在中唐以后。南宋时吕祖谦说:"唐初间,进士、明经都重,及至中叶以后,则进士重而明经轻。"①由此可见,武则天并不以明经是旧学而加以排斥,而完全由是否为其所用而决定取舍的。当然,从现有材料看,明经得第后,经吏部试合格,大部分还是被授为县丞、县尉、县令,或州县的参军、主簿之类,就是说,普遍地为州县基层的地方官员。对唐代封建统治来说,进士科着重选文词人才,起草制诰等文件,明经则是培养、选拔吏治人才,侧重点各有不同。基层地方官吏对于国家政权整体来说,也是不能小看的。由此也可见,所谓武则天专权时,只有进士科才成为"全国人民出仕之惟一正途",甚至以此被誉为"社会之革命",是不符合实际的。

唐代的科举考试,包括进士、明经在内,从唐高祖起,虽然录取人数多寡不定,但一般都是每年举行的,只是偶尔有事停试。如高祖武德五年起,至太宗贞观二十三年,共二十八年,停试者只两次。而唐高宗一朝,自武则天立为皇后、掌管实权的永徽六年(655)起,共二十八年,停试者有九次,其中如咸亨二年、三年(671、672),仪凤元年、二年、三年、调露元年(676—679),有连续两年、四年停举,这种情况,即使战乱频繁的唐末五代时期也是未见的。厦门大学历史系韩昇教授应南京大学中国思想家研究中心之约,将撰写《武则天评传》,他曾于1998年10月给我写信,也谈到此点,说:"前两年曾将唐朝科举录取的基本情况制成一表,则武则天时代科举的特点很明显,一是中止年份最多。唐朝科举

---

① 见元马端临《文献通考·选举考》五引。

相当正常,即使在末年,仍开场科举,但自从武则天击垮长孙无忌的龙朔年间起,就停办十年次,这是很罕见的。"如果按照陈寅恪先生等的意见,进士代表新兴庶族阶层,则武则天为击垮长孙无忌等所谓关陇贵族集团,即应大力举办进士试,却不料作如此不规范的举动。

韩昇教授信中谈到的第二点,是"录取人数起落很大"。事实确实如此,有些年,进士录取只二三人,有时又多至五十几人(永淳二年五十五人)、六十几人(武周垂拱三年六十五人)。这里确如韩昇教授信中所说的是"实用政治特色"。这也是可以理解的,如后来中宗代周,刚即位时,神龙元年进士试即取拔六十一名,玄宗先天二年刚登极,取进士七十一名。这里不妨举清朝雍正、乾隆时作为旁例。据乾隆时李调元所作《淡墨录》记:"癸卯九月会试,礼部请定取中进士名数,上定一百八十名,仍谕总裁朱轼、张廷玉,此外不拘省份,不限额数,有可取佳卷,选出另行具奏。"①癸卯即雍正元年(1723)。又:"乾隆元年丙辰,庶吉士六十七人。是科为今上登极首科,故馆选独多。"②这都是新帝即位之初,为笼络人心之举。但都没有像武则天那样任意为之,所取人数起落之差极大的,这里似很难说他对进士作为新兴庶族的社会意义真有所体认。

关于武则天之重视科举,过去还有一种说法,说是武则天突破先例,亲自主持科试,名为殿试。如说"殿试"是武则天时"萌

①清李调元《淡墨录》卷九《进士不限额数》条。
②同上卷十二《选庶吉士之多》条。

芽"的①,"武则天为了对抗敌对势力,发展科举制度,开创了殿试"②。这一点,大概都是沿袭司马光《资治通鉴》载初元年亦即天授元年(690)所记:"二月辛酉,太后策贡士于洛城殿。贡士殿试自此始。"后来杜佑《通典》也以为"殿试人自此始"。

这里牵涉到唐代和宋代科举制的一些基本史实,现代有些研究者却对此忽视。唐代进士、明经科试,在玄宗开元二十四年(736)前,是由吏部考功员外郎主持,二十五年起一般由礼部侍郎主持,称知贡举。进士、明经及第后,对知举者称门生。唐朝并无进士、明经等由皇帝主持考试的殿试情况发生,更未形成制度。殿试是起始于北宋太祖开宝六年(973)。《宋史·选举志》载此年李昉知贡举,所取的几个进士后为太祖所黜,于是重新在殿中进行考试,"殿试遂为常制"。这是封建帝王把选人权集中于自己手中的表现,与宋朝整个君权集中的形势有关。这里要注意的是,唐朝于一般贡举外,还有一种制举试,也是一种选拔士人入仕的制度。制举的一个特点,就是它与进士、明经不同,考试的科目与时间都是不固定的,即《新唐书·选举志》所说的"其为名目,随其人主临时所欲",也就是根据一定时期的政治需要,设置科目,出试题。据《新唐书·选举志》,制举是所谓"天子自诏";《通典》又说:"试之日或在殿廷,天子亲诣观之。"③就是说,制举是以天子的名义,征召各地知名之士,由州府荐举前来京师应试,虽然阅文

---

① 《汪篯隋唐史论稿》,126 页,中国社会科学出版社,1981 年。
② 白寿彝总主编《中国通史》第六卷,385 页,上海人民出版社,1997 年。
③ 唐杜佑《通典》卷十五《选举》三。

试官仍由朝廷委派,但名义上则是天子亲试。所试皆为策文,无帖经或箴铭诗赋等杂文。

　　唐代制举,高祖时就有,如崔仁师就于"武德初应制举,授管州录事参军"①。从太宗起,制举试士一直受到皇帝的重视,好几代皇帝都实行过所谓"殿试"。徐松《登科记考》卷一贞观十八年引《册府元龟》,记太宗曾将"诸州所举十有一人","引入内殿,借以温言,略访政道",又"令于内省,更以墨对"。高宗显庆四年(659)二月己亥,"亲策试举人,凡九百人"②。玄宗于开元、天宝年间有七八次亲试举人。中唐大历时的一次制举试,代宗亲临,终日危坐③。后来德宗不仅亲临,还亲自阅卷④。可见这是制举试的一种常例,无所谓革新或所谓突破先例。

　　问题即在于,天授元年武则天策贡士于洛城殿,究竟是进士试还是制举试?徐松《登科记考》于该年未有记载。按中唐时刘肃《大唐新语》卷八记:"则天初革命,大搜遗逸,四方之士应制者向万人。则天御洛阳城南门,亲见临试,张说对策为天下第一。则天以近古以来,未有甲科,乃屈为第二等。……拜太子校书。"据此,则这次武则天在洛阳亲自临试,欣赏张说的对策,列为二等,授以太子校书之职。与张说同时的张九龄,在其所作的《燕国公赠太师张公墓志铭并序》中记:"初,天后称制,举郡国贤良,公时大知名,拔乎其萃者也。起家太子校书,迄于左丞相,官政四十

①《旧唐书》卷七四《崔仁师传》。
②《旧唐书·高宗纪》上。
③《册府元龟》卷六四三《贡举部·考试一》。
④唐苏鹗《杜阳杂编》卷上。

有一。"①自载初元年至张说卒之开元十八年，恰为四十一年。《文苑英华》卷四七七载张说《对词标文苑科策》题下注为"永昌元年"（689），误，当为载初元年②。由此可知，武则天该年在洛阳所谓亲试的，是制举，而并非进士、明经的贡举。而制举试是不能称殿试的，且在她之前、之后，都有帝王主持过这种仪式，并无"发展科举制度"的意义。

二

高宗永徽元年（650）至中宗景龙四年（710），是初唐文学的第二时期。这一时期，有新的作家兴起，人数要比前一时期多，作品（主要是诗作）风格也多样化，诗体如七古、七律、绝句等都有新的发展，这都为开元、天宝盛唐诗的全面繁荣准备了条件。但不可否认，这六十年，对唐代诗歌的演进来说，时间也确实过长了一些，这里有一个历史代价问题。古今都一样，有些时段，社会的发展，内容很充实，有些时段，当时看来很热闹，后来一回顾，竟成为一段空白。我这里不想全面论述这一时期的文学情况，如本文开头所说，是想探讨武则天在这段时间对于文学发展的影响，讨论当时严酷的政治环境与文人心理及创作的关系，想用具体的事实对过去一些有关论述作若干澄清。

---

①唐张九龄《曲江集》卷十八。
②参见傅璇琮主编《唐才子传校笺》第一册《张说传》笺证，中华书局，1987年。

这个时期也可分为几个阶段,第一阶段是高宗李治接替其父太宗李世民登位的永徽元年(650)起,至麟德元年(664)武则天诛杀当时以龙朔体为特征的文坛主将上官仪止,共约十五年。这一阶段,从上层政局看,则是以武则天谋夺皇后为中心而展开的。武则天十四岁时入太宗宫中,被立为才人。在太宗宫中十四年间,曾与太子李治有所接触。太宗卒,武先是入寺为尼,后即为高宗召入宫中,授以昭仪,随即与皇后王氏、妃萧氏争宠,终于在永徽六年(655)赢得皇后尊位,王后、萧妃被迫而死。这年她三十三岁,高宗二十八岁。武则天这时的打击对象,主要还在朝廷上层,如在她立皇后之前一个月,即永徽六年九月,把反对她立后最坚决的尚书右仆射褚遂良贬出为潭州都督。显庆元年(656)正月,即立皇后后的第三个月,就把高宗原所立的长子太子忠废为梁王,徙于西南的梁州,而立她所生只不过四岁的李弘做太子。这位梁王忠后来于麟德元年(664)以与上官仪交结的罪名,被迫自裁。显庆四年(659)四月,唐太宗时留下的大臣长孙无忌,原来也曾反对过武氏立后的,这时就为人告以谋反,贬出黔州安置。同时又连及褚遂良及大臣柳奭、韩瑗。这年七月,这几个人都被杀或逼死,其家属也多流放岭南,途中被杀。

接下来,武后又杀了上官仪。上官仪曾以文才受唐太宗赏识,参与修撰由太宗领衔的《晋书》。高宗时为秘书少监,也是一个文职。龙朔二年(662)十月由西台侍郎同东西台三品入相。他本是一位顺从时政的官员,想不到过了两年突然遇到意外事件。《资治通鉴》卷二〇一麟德元年(664)曾特记此事:

初，武后能屈身忍辱，奉顺上意，故上排群议而立之；及
得志，专作威福，上欲有所为，动为后所制，上不胜其忿。有
道士郭行真，出入禁中，尝为厌胜之术，宦者王伏胜发之。上
大怒，密召西台侍郎、同东西台三品上官仪议之。仪因言：
"皇后专恣，海内所不与，请废之。"上意亦以为然，即命仪草
诏。左右奔告于后，后遽诣上自诉。诏草犹在上所，上羞缩
不忍，复待之如初，犹恐后怨怒，因绐之曰："我初无此心，皆
上官仪教我。"

上官仪就因此被诬以谋逆而下狱处死。

　　而这十五年，在文坛上最有影响、对唐诗发展在艺术技巧上
有较大推进的，也就是上官仪。因为这十五年间，正好是初唐文
学新旧两代人尚未完全衔接的相对空白阶段。太宗贞观后期，活
跃于当时文坛的，如欧阳询、刘孝孙、魏徵、谢偃、王绩、岑文本、高
士廉、杨师道、房玄龄、李百药等都相继去世。高宗继位的永徽元
年（650），初唐四杰的王勃、杨炯刚刚出生，另外两位，卢照邻也只
十八岁，骆宾王稍大一些，二十七岁，还未能在创作上有所表现。
永徽二年（651），七古名篇《代悲白头吟》作者刘希夷一岁。永徽
四年（653），崔融生。显庆元年（656），宋之问、沈佺期约本年生。
显庆五年（660），陈子昂、贺知章、徐坚生。龙朔二年（662），卢藏
用生。三年（663），刘知幾生①。可见在初唐后五十几年中的活

----

① 详见《唐才子传校笺》第一册及傅璇琮、陶敏撰《唐五代文学编年史》初盛
　唐卷，辽海出版社，1998年。

跃人物,这一时期还都是孩童或青少年。上官仪则正好是由太宗向高宗时期交替过渡的人物。

《旧唐书》卷八〇《上官仪传》称其"本以词采自达,工于五言诗,好以绮错婉媚为本。仪既贵显,故当时多有效其体者,时人谓之上官体。"关于上官体,过去一般都受杨炯《王勃集序》的影响,而予以否定的评价。《王勃集序》中有一段谓:"尝以龙朔初载,文场变体,争构纤微,竞为雕刻,糅之金玉龙凤,乱之朱紫青黄,影带以徇其功,假对以称其美,骨气都尽,刚健不闻。"①杨炯的这一议论,有其特殊背景,这里暂不论。实际上,上官仪的诗作是为唐代当时人称颂的,如与其同时的元竞,在《古今诗人秀句序》中说:

> 余以龙朔元年,为周王府参军……尝于诸学士览小谢诗。……美哉玄晖,何思之若是也。……余于是以情绪为先,直置为本,以物色留后,绮错为末,助之以质气,润之以流华,穷之以形似,开之以振跃,或事理俱惬,词调双举,有一于此,罔或孑遗。历时十代,人将四百,自古诗为始,至上官仪为终。②

在这里,元竞明显标出其选诗标准是"以情绪为先,直置为本",并重视"质气"、"流华"、"形似"、"振跃",特别标出以谢朓诗为准则,而将上官仪作为本朝诗的最后一个入选,以继承自古诗

①《杨炯集》,徐敏霞校点,卷三,中华书局,1980年。
②日本空海《文镜秘府论》南卷引。

以来的这一传统。刘知幾的儿子刘餗曾记载:"高宗承贞观之后,天下无事,上官侍郎仪独持国政,尝凌晨入朝,巡洛水堤,步月徐辔,咏诗云:'脉脉广川流,驱马历长洲。鹊飞山月晓,蝉噪野风秋。'音韵清亮,群公望之,犹神仙焉。"①这里所举的四句诗,确实体现初唐时期朝政还未紊乱时朝士的淹雅朗远心绪和艺术情调。宋魏庆之《诗人玉屑》卷七引李淑《诗苑类格》,曾介绍上官仪的"六对"、"八对"之说,由此也可见上官仪对诗律的讲究,对唐代律诗的演进也起了一定的作用。

就是这样一个人,竟被卷入极不正常的政治漩涡而死。对武则天来说,不管像上官仪那样,其文笔词采如何,该杀的照样要杀。文人的命运毕竟是脆弱的,文学最终还是要服从于政治。

《通鉴》于上官仪被杀的记载以后,接着就说:"自是上(指高宗)每视事,则后(指武后)垂帘于后,政无大小,皆与闻之。天下大权,悉归中宫,黜陟、生杀,决予其口,天子拱手而已,中外谓之二圣。"《通鉴考异》并引《唐历》,中云:"后随其爱憎,生杀在口。"这种任用周兴、来俊臣等酷吏,大开告密之门,在此后二三十年中是愈演愈烈的。

唐高宗于 683 年死,武则天于 690 年正式登帝位,改唐为周。这里不妨举她即位前两年,即 688、689 两年的一些实例,看看当时政坛与文坛的实况。

这两年是诛杀、流放的高潮。688 年(垂拱四年)四月,首先

① 唐刘餗《隋唐嘉话》卷中。刘餗为刘知幾子,其事附见两《唐书·刘知幾传》。

从太子通事舍人郝象贤开刀，说其家奴告他谋反，于是酷吏周兴推鞫，全家都杀尽，还发掘其父、祖两代坟，毁棺焚尸。当时有一位监察御史任玄殖上奏，认为郝无反状，这位任某也就马上免官。这郝象贤一案是有来头的。郝象贤的祖父郝处俊，安陆（今湖北）人，并非什么关陇豪门集团，出身一般，唐初做过地方官吏（滁州刺史）。他于贞观中登进士第，任著作郎，后为滕王友，"耻为王官，遂弃官归耕"。高宗前期，逐步升迁，做到宰相①。上元二年（675），高宗苦于头痛，想让武后正式摄知国政，谋于宰相，郝处俊是表示异议者之一。《通鉴》（卷二〇二）认为是"太后有憾于处俊"而处置郝象贤的。想不到时隔十四年，人隔两代，还要作如此报复，其心态可想而知。

接着就因唐宗室如绛州刺史韩王李元嘉、青州刺史霍王李元轨等起兵，兵败被杀。据《通鉴》（卷二〇四）所记，当时仅仅推治越王李贞一家的党与，就有"当坐者六七百家，籍没者五千口"，且要马上行刑诛杀，幸亏狄仁杰上奏，以为"彼皆迕误"，总算未被灭口，但还是统统流放到丰州（相当于今内蒙古河套西北部一带），而狄仁杰也由此而降官外出为复州刺史（复州在今湖北境内）。

689年（永昌元年），诛杀、流徙的更多，仅据《通鉴》所载，粗略统计，较大的杀、贬案件有九起，几乎每月都有。而被杀、被贬的不只是唐宗室，这里不妨举几个例子。如元万顷，他曾是武则天宠信的北门学士："时天后讽高宗广召文词之士入禁中修撰，万顷与左史范履冰、苗神客，右史周思茂、胡楚宾咸预其选。……朝

---

① 《旧唐书》卷八四《郝处俊传》。

廷疑议及百司表疏,皆密令万顷等参决,以分宰相之权,时人谓之北门学士。"①就是这样一个于七世纪六七十年代在武氏宫中起过作用的人,也在 689 年被人告以有"异图",判死,只在临刑时被赦,流放岭外。另外两个北门学士,范履冰,也被杀于本年;周思茂,则于上年(688)即下狱死(见《旧唐书》本传)。另有一位武将,时任右武卫大将军黑齿常之,也被诬以谋反,被下狱缢死。黑齿常之原为朝鲜百济人,显庆五年(660)苏定方讨平百济,黑齿降唐;后在西部与吐蕃、突厥等征战中,屡立战功。此人完全与唐宗室或关陇集团无关,也为周兴等诬构。更有一奇怪的事,远在四川的一个地方官彭州刺史刘易从,也忽然为人告以谋逆,于是在这年九月,令在当地诛杀,"将刑于市,吏民怜其无辜,远近奔赴,竞解衣投地曰:'为长史求冥福。'"②就在此时,任右卫胄曹参军的陈子昂上疏,认为现在是"大狱增多,逆徒滋广","亦有无罪之人挂于疏网者"。他还大胆提出:"夫狱吏不可信,多弄国权,自古败亡,圣王所诫。陛下万代之业,千载之名,固不可使竹帛书之有亏于此也。"③陈子昂当然只能把责任归之于"狱吏",但他还是提出不要将这几年的滥杀冤狱将来被载之于史书,流传于后世,这在当时是相当不易的。

　　而在大兴冤狱的同时,又大力提倡符兆祥瑞。688 年,武后侄武承嗣使人凿一白石,石上刻"圣母临人,永昌帝业"八字,外面再

---

① 《旧唐书》卷一九〇中《文苑传》中。
② 《通鉴》卷二〇四,又《旧唐书》卷七七《刘德威传》。
③ 《陈子昂集》卷九《谏刑书》,《通鉴》系之于永昌元年末。

用紫石夹杂药物涂没。四月,让一雍州人唐同泰献上,说是在洛水获得。武则天大喜,命其石为"宝图",立即提升这个唐同泰为游击将军。五月下诏,她将亲自赴洛水拜受这"宝图",并且命各州都督、刺史都要集中来洛阳参加这一仪式,同时自加尊号为"圣母神皇";同年七月,把这"宝图"又改名为"天授圣图","天下大酺五日"(《旧唐书·则天皇后记》)。这年十二月,由她宠爱的僧人怀义主持修造的明堂建成:"高二百九十四尺,方三百尺。凡三层:下层法四时,各随方色;中层法十二辰;上为圆盖,九龙捧之,上施铁凤,高一丈,饰以黄金,中有巨木十围,上下通贯。"号为"万象神功"。怀义则因此封为梁国公、左威卫大将军。当时一位侍御史王求礼曾将此明堂比之为殷纣琼台、夏桀瑶室,还说纣、桀所筑"无以加也"①。第二年,即永昌元年(689),正月,就大飨这万象神功,武后坐明堂上,受百官朝贺。这一切,都是为次年(天授元年)正式登皇位而作各种物质和舆论准备的。

而这时的文人又是如何呢?垂拱四年(688)十二月,武后至洛水拜受"天授圣图"。诗人苏味道就有《奉和受图温洛应制》诗②,中云:"雾开中道日,雪敛属车尘。预奉咸英奏,长歌亿万春。"另一有名诗人李峤也有同题之作③,吹捧得更厉害:"七萃銮舆动,千年瑞检开。文如龟负出,图似凤衔来。"把一明显伪造品,吹嘘为"龟负出"、"凤衔来",是千年不遇的瑞兆。李峤还有一篇

①《通鉴》卷二〇四。
②《全唐诗》卷四六五。
③《全唐诗》卷六一。

《为百寮贺瑞石表》①，云："伏见雍州永安县人唐同泰于洛水中得瑞石一枚，上有紫脉成文，曰'圣母临人，永昌帝业'八字。臣等抃窥灵迹，骇瞩珍图，俯仰殊观，相趋动色。"文末又云："臣等遇偶休明，荣参簪笏，千年旦暮，邂逢累圣之期；百辟歌讴，喜属三灵之庆，无任凫藻踊跃之至。"这虽然说是为"百寮"代笔，但毕竟是谀媚太甚，当时就为人所讥②。与李峤交友颇深，同在朝中任职的崔融，也有《进洛图颂表》③，说是"奉某年月日敕，令臣撰《洛图颂》一篇并序，谨诣宣义门奉进"。《新唐书》本传曾称崔融"为文华婉，当时未有辈者，朝廷大笔，多手敕委之。其《洛出宝图颂》尤工"。可惜这篇颂文并未传下来，是不是其本人认为颂谀太过，故意不传？表中所云"陛下圣烈丰懿，应期首出，珍符炳铄，旷代罕闻"，已是如此，则颂文更甚。

明堂建成后，武则天于永昌元年（689）正月亲享，大赦天下，改元永昌，大酺七日。这时，早年曾与王勃齐名的文人刘允济，就献上《明堂赋》一篇④。前面说过，当时侍御史王求礼曾把这一明堂与殷纣、夏桀之筑相比，而刘允济却比之于黄帝、夏禹："合宫之典，郁乎轩丘；重屋之仪，崇于夏禹。"文末大为赞叹："浃群山于雨露，通庶品以风雷，盛矣美矣，皇哉唐哉！"此赋一上，立刻得到武

---

① 《全唐文》卷二四三。
② 《册府元龟》卷四八二："李峤，则天朝为侍御史，雍州人唐同泰献洛水瑞石，峤上《皇符》一篇以美其事，有识者多讥之。"
③ 《全唐文》卷二一七。
④ 《全唐文》卷一六四。

后嘉赏,亲书制词褒美之,并升迁为著作郎①。这一刘允济,后又依附张昌宗、易之兄弟,但终于因此而贬出。

这里值得注意的是,时任麟台正字的陈子昂,一方面也作《洛城观酺应制》:"圣人信恭己,天命允昭回。苍极神功被,青云秘箓开。垂衣受金册,张乐宴瑶台。云凤休征满,鱼龙杂戏来。崇恩逾五日,惠泽畅三才。"②但同时又感于武则天好符命之事,在《感遇》(其九)诗中又云:"圣人秘玄命,惧世乱其真。如何嵩公辈,诙谲误时人。先天诚为美,阶乱祸谁因。"③他委婉地表示,这种行动是会种下祸乱之根的。

我们如果只看上述苏味道、李峤、崔融、刘允济等诗文,而不将这两年诛杀、贬逐、流放的恐怖环境联系起来,确也会使人以为这是太平之世,并认为当时文坛名家是真心拥护武周革命的新政的。当时政治上是怎样一种气氛,也可举两个例子:一为天授元年(690)四月,衡水人王弘义,曾游赵、贝两州,见当地乡老作香火祭祀,就举告说正在谋反,官吏马上就捕杀二百人,王弘义本人也授为游击将军,并很快升迁为殿中侍御史,来管理洛城内案件。《通鉴》(卷二〇四)记此事,并云:"朝士人人自危,相见莫敢交言,道路以目。或因入朝密遭掩捕,每朝,辄与家人诀曰:'未知复相见否?'"二为长寿元年(692)五月,当时罗织告密之风仍盛,有几位补阙、御史为此上言,其中侍御史周矩的奏言中有云:"今满

①《旧唐书》卷一九〇中《文苑传》中。
②《陈子昂集》卷一。
③同上。

朝侧息不安,皆以为陛下朝与之密,夕与之仇,不可保也。"可见从以上所述的 688 年、689 年,至 692 年,这种"人人自危"的气氛一直存在着。这种局面,要使文学有健康、正常的发展,做到慷慨任气,直抒胸抱,有可能吗? 如陈子昂,后来也被告以交结逆党,入狱;最后因父老远乡(四川射洪),又被当地县令迫害,死于狱中,年仅四十二岁。有人说是武三思使当地官吏加以陷害的。

应当说,太宗贞观年间的文风是为唐代文学开了一个好头的。我很赞同南开大学罗宗强教授的意见:"贞观年间,唐太宗李世民和他的重臣们对文学的影响,不仅在当时的文风变化上,而且他们的文学思想,还深远地影响着有唐一代文学的发展。"①"唐文学的繁荣虽有各种各样的原因,但重要的原因之一,就在于这个朝代的建立之初,就已经奠定了一个比较正确的指导思想。"②这一开端本来可以得到正常的继续,唐高宗前十五年,新的作家群还未起,但像上官仪那样的老作家还能维持一段局面,如上面所说的既注重声情又研求格律的龙朔体;以后为四杰与陈子昂继起,正如闻一多先生在《四杰》一文中作诗意的比喻:唐初的诗歌,通过王、杨、卢、骆,"由宫廷走到市井","从台阁移至江山与塞漠"③。这本是一个开阔的前景,但为时不久,只不过十来年,却又回到宫廷,而且腾扬起一片虚假颂谀之声。初唐诗歌是有其进展业绩的,我在这里并不是加以全盘否定,只是想以此作

①罗宗强《隋唐五代文学史(上)》,32 页,高等教育出版社,1993 年。
②罗宗强《隋唐五代文学思想史》,38 页,上海古籍出版社,1986 年。
③闻一多《唐诗杂论》。

为一个实例,说明自古以来,文学创作虽有其自身的规律,但其起衰兴落的整体是与政治大环境分不开的。我不想作古今的简单类比,但初唐时期这一特殊阶段,作为本世纪的现代人,我想是极可以理解的。初唐文学共占九十几年的时间,在整个唐代(618—906)占三分之一多。贞观以后,要过六十年,才开始有盛唐之音。武则天的时间约为五十年,比开元、天宝时期还多了好几年,比韩愈、柳宗元、白居易等活跃的贞元、元和时期多了十五年,而其文学的含金量却稀薄得多。

这里附带再说几句。过去往往把武则天作为女子立国做皇帝视为历史创举,实际上武则天当权仍然是封建皇权统治的一种形式,并不代表什么妇女利益(实际上她还杀了不少女子)。有些著作说她代表庶族地主利益,嫉视豪门大族。我认为,在作历史评价时,最好从具体史实出发,避免虚空的概念演绎。这里不妨再举一个实例:太平公主为武后所生,高宗开耀元年(681)七月,选光禄卿薛曜之子薛绍为婿。薛曜是高门大族,其曾祖为隋时宰相、大名鼎鼎的薛道衡。道衡子薛收,为唐太宗时重臣,与虞世南并称。收子元超,也为太宗所看重,高宗时做过宰相。薛曜为元超子,于圣历中曾参预修撰《三教珠英》,其妻为太宗女城阳公主①。可见武则天把亲生女儿嫁给薛家,就是看重门第的。薛绍有兄薛顗,弟绪。在选薛绍为婿时,武则天听说顗妻萧氏,绪妻成氏,非贵族出身,就想把萧氏、成氏从薛家赶出,说:"我女岂可使与田舍女为妯娌邪!"后来有人对她说:"萧氏,是萧瑀的侄孙女,

---

① 《旧唐书》卷七三《薛收传》。

为国家旧姻。"(按萧瑀也是唐开国大臣,其子锐尚太宗女襄城公主)武后一听如此,即作罢①。

　　本文就以此作结。这一事例说明什么,我想读者是可以作出自己判断的。

1999 年 2 月

　　原载《燕京学报》1999 年新第 7 期,此据大象出版社 2004 年版《唐宋文史论丛及其他》录入

---

①《通鉴》卷二〇二,参两《唐书》薛绍等传。

傅璇琮文集

驼草集

第六册

中华书局

郁贤皓《唐刺史考全编》序

　　郁贤皓先生二百二十万字大著《唐刺史考》撰成于 1985 年 2 月,1987 年 2 月由江苏古籍出版社与中华书局香港分局同时出版国内版和国际版。在这之后,郁先生仍孜孜不倦地继续对此进行研究,经十年的苦索细研,又将其书修订增补出版,名为《唐刺史考全编》。这十年间,郁贤皓先生确实搜集了不少新资料,特别是新出土、新编印的唐碑墓志,而于遍稽典籍的同时,又加细心排比,辗转考订,新考出两千多个刺史的任职年代及有关情况,订正了原书中一百多条疏误,资料更充实,考索更细密。因此这一《全编》,实际已是一部新著,而对读者来说,则研读、使用更为方便,确有眉目一新之感。

　　《唐刺史考》一书于 80 年代中期面世以后,即受到海内外学界的关注,除中国大陆外,台湾、香港地区,以及日本、韩国、美国,都有学者撰文为之介绍,并给予极高的评价。在众多评论中,一般都称赞这是一部具有学术价值的大型唐代文史工具书。当然,说这部书是工具书,也是基本符合全书内容的,而且近二十年来,随着传统人文学科全方位的发展,人们越来越迫切地要求在较短的时间内掌握、利用较多的和有用的知识资料,这样,有关文史方面的各类工具书就应运而生。应当说,这些年来,人们对编制工具书的观念也已有极大的改变,很多人都认识到,编制工具书,特别是专业性较强的工具书,不单纯是技术工作,而且需要一定的研究基础,在工作进行过程中是必须与学术研究紧密结合的。我们的一些前辈学者和在本学科中作出突出成就的当代学者(如郁先生就是其中一位),就常常自己动手编制工具书,促使自己的研究更加精细,更符合科学规范。陈垣先生早年作过《中西回史日历》和《二十史朔闰表》,后又编《释氏疑年录》。他编《释氏疑年录》,引书数百种,费多年时间,对自晋至清初二千八百名僧人的生卒年作了记载、考索,并提供所据的材料线索。这样一位有淹博学识和精湛修养的史学家,不惮于烦琐细碎来作工具书,这实际上是为后世做成一种极为宝贵的可供文史研究持续发展的基础工程。

我认为,郁贤皓先生的《唐刺史考》,其学术意义还不止于工具书。我敢于说,这部书是有极丰富的学术创新含义的,很值得我们从学术史和文史研究总体发展上来作一番回顾和探索。我对唐刺史的建置沿革缺乏研究,对唐代文史未有全面掌握,且限于序言体例,也不能像论文那样全面铺开来谈,这里仅就自己所接触到的,谈谈个人的一些想法。

中国历史学,是世界上罕见的绝佳学术领域,它不但数量众多,世界上任何一个国家都难于相比,而且体裁繁富,几乎包罗历史写作的各种形式。即以传统的正史为例,如《史记》,就包括本纪、表、书、世家、列传;《汉书》则基本继承《史记》的体例,设本纪、表、志、列传。可以注意的是,这两部中国早期经典式的史书,都设有表,《史记》有十篇,《汉书》有八篇。表是中国史书中很有特色的设置,它大体以时间(年代)为经,以人物(主要是职官)为纬,把某一段较长时期的众多人物以表格的形式列置出来,有其他部分所不能代替的作用,这就是人物多,文字省,极大地优越于本纪和列传,而且显示出时间顺序与地域分布的整体清晰面貌。这是一种中国早期就产生的颇具民族特色的史学构思。正如唐代极有识见的史学理论家刘知幾所说,这一创设,"虽燕、越万里,而于径寸之内,犬牙可接;虽昭、穆九代,而于方寸之中,雁行有序。使读者阅文便睹,举目可详,此其所以为快也"(《史通》外篇《杂说》上)。

可惜的是,自《后汉书》起,好几代史书,都未设表。宋代是中国古代文化的一个高峰期,正如陈寅恪先生所说,"华夏民族之文化,历数千载之演进,造极于赵宋之世"(《邓广铭宋史职官志考证序》,载《金明馆丛稿二编》)。北宋的欧阳修、宋祁编撰《新唐书》,重新设立表,自此以后,宋、辽、金、元、明各史都列有表,成为史书撰写的必备体制。这是很有见识,也是极可研讨的史书修撰经验。

《新唐书》设有《宰相表》、《方镇表》、《宗室世系表》、《宰相世系表》。这几个表的设立,是结合当时的历史实际情况的,而且撰写者确也花费相当功夫,如《宰相世系表》的撰者吕夏卿,就"博采传记杂说数百家,折衷整比,又通谱学"(《宋史·吕夏卿传》)。南宋洪迈也说《新唐书·宰相世系表》"皆承用逐家谱牒"(《容斋随笔》卷六)。可见编撰这几种表,是以数量极多而且极为难得的史料作依据的。正因为如此,也由于这几种表难免尚有疏误之处,就引发了清代众多的新表及考证之作,成为清代及近现代史学中一块丰郁的园地。

但是也应该看到,自清中叶以来唐史人物表研考,多偏于中朝,如沈炳震《新唐书宰相世系表订讹》,劳格、赵钺《唐尚书省郎官石柱题名考》、《唐御史台精舍题名考》,徐松《登科记考》,以及近现代史学家岑仲勉两种翰林学士壁记校补,严耕望《唐仆尚丞郎表》等。只有吴廷燮《唐方镇年表》,把范围延伸至各地方镇节度。但唐代方镇并不能涵盖唐代历史全部(唐玄宗前节镇未设),且此书资料搜罗不全,所记多有误漏。在这种情况下,于本世纪80年代出现郁贤皓先生的《唐刺史考》,可以说是一个不小的突破。

首先,这部书所列州刺史(郡太守),起自唐高祖武德元年(618),迄于唐哀帝天祐四年(907)。唐代州郡设置也是包笼全国的,太宗时王子魏王李泰的《括地志》,把全国分为十道,三百六十州,中唐时杜佑的《通典》,则分十五道,三百二十八郡。把这包含全部唐代历史的近三百年、笼盖全部疆域的三百几十个州郡的地方行政长官,尽可能考出其大部分人名,并列出其任职年代及有关行迹,这实在是大大扩展了唐史人物研究的范围。这种全时全地的地方行政长官考索,前人从未做过(清代劳格曾做过杭州一地的刺史考),是一种学术领域的突破。这不但对于唐代作家研究,而且对于唐代地理、疆域、官制、军事,以及过去视为难点的少数民族地区行政设置等研究,都能提供系统而信实的史料依据。

其次,过去几种唐代人物表,其所取材料,大多限于通常所用的史书,以及常见的一些总集、类书等。这部《唐刺史考》,其收书范围之广,实使人惊叹,除上述几类文献外,还包含数十种唐人诗文别集,《元和姓纂》、《古今姓氏书辨证》、《通志·氏族略》等姓氏书,《朝野佥载》、《唐国史补》、《太平广记》等众多杂史、笔记、小说,《元和郡县志》、《太平寰宇记》、宋元方志以及明清时期各重要方志等地理志、地方志,《金石录》、《宝刻丛编》等碑碣墓志及题跋资料,《续高僧传》、《宋高僧传》等佛藏典籍,特别可贵的,是除了过去已有的墓志拓片外,还尽可能搜罗和利用近二十年来新出土的墓志碑传资料。应当说,这几乎是齐全的唐史史料。这是已有的人物年表著作所不能做到的,也是史料搜辑、整理中的一次较大规模的跃进。大约 50 年代后期,我有一次曾随同中华书局影印部陈乃乾先生去看望陈垣先生,当时我还不过二十几岁,谈话之中,陈援老见我虽是一个年轻编辑,但尚能在学问中有所求进,就对我说了一句:"搞我们这一行,要做学问,最要紧的,是竭泽而渔。"这话给我印象很深,也促使我在以后的治学中有所遵循。现在来看这部《唐刺史考》,搜集资料如此广泛,我觉得确可符合前辈学者"竭泽而渔"的高标准。这也是治学高品位、负责任的一种体现。

我对这次新补的材料尤感兴趣,这里不妨举几个例子,可以具体看看这次新补新考材料的引人入胜之处。

在雍州、洛州、怀州卷增韦泰真(韦知道)。据前几年出版的《隋唐五代墓志汇编·洛阳卷》第六册《大唐故使持节怀州诸军事怀州刺史上柱国临都县开国男韦公(泰真)墓志铭并序》,考明光宅元年至垂拱元年韦泰真在洛州长史任,垂拱元年至二年为雍州长史,垂拱二年为怀州刺史,均补原编之缺。又参《千唐志·大唐延王府户曹参军李君故妻京兆韦夫人墓志之铭并序》,考明原著录的韦知道即韦泰真,二者仕历相同,并可订正《新表》四上东眷韦氏的“真泰”应为“泰真”之误(按这与中华书局最近出版的赵超《新唐书·宰相世系表集校》所考同,可谓有真知灼见者能不谋而合)。

又原书只据《太平御览》于华州卷著录赵冬曦,据《册府元龟》于濮州卷著录其开元二十三年任,据《宝刻丛编》于虢州卷著录赵冬曦,据《太平寰宇记》于亳州卷著录开元二十六年任。今据所出土之《赵冬曦墓志》,考出赵氏自开元十九年起至天宝九载止,先后任合州、眉州、濮州、亳州、许州、宋州六州刺史,弘农(虢州)、荥阳(郑州)、华阴(华州)三郡太守。按赵冬曦于开元初曾坐事流岳州,与时亦在岳州的张说多有诗唱和,亦为盛唐时颇可注意的一位文学人物,从现在新考,其人之行迹则较为清楚。

又如原据《延祐四明志》在明州卷著录“应彪”,长庆三年任;又据白居易《扬子留后殷彪金州刺史……制》在金州卷著录“殷彪”,长庆元年任,作两个人处理。前些年从江苏镇江焦山碑林发现已残石刻有:“长庆初拜金州刺史兼侍御史,又迁明州刺史”,考知此石刻实为殷彪墓志,这是郁贤皓先生在实地考察中首次发现的,由此证知《延祐四明志》之“应彪”乃“殷彪”讳改。同时据此志还考出殷彪约在元和十二年至十四年曾为申州刺史。另外,又据《解少卿墓志》(大和九年十一月八日)称:“元和岁,监察殷公领嘉禾煮海务……后殷公台迁省转,为牧为郎,亦在嵯帅,改扬子留后……殷公作鄞江守……不料殷公薨于鄞川。"对照白居易所撰制词及《殷彪志》,考知《解少卿墓志》中的"殷公"即殷彪。

我曾说过,我们在考证唐代历史人物和唐代诗人时,一定要注意利用文物考古资料。这一点,陈寅恪先生早已指出,他总结王国维治学成就,概括为三点,第一点即为"取地下之实物与纸上之遗文互相释证",认为这一点与其他两点真正做到了,就"足以转移一时之风气,而示来者以轨则"(《王静安先生遗书序》,载《金明馆丛稿二编》)。近几十年来,出土的唐代文献材料非常丰富,谁能够真正用力于此,必然大有所获。读郁先生利用新出土文献,并据以补充、改正原著,确使人有新鲜之感,这样做,可以一洗仅引用若干旧注旧说而长篇发挥的那种陈陈相因的陋习。其实我们可以充分利用新中国成立以来的考古成果,从文学研究角度来从事考古成果的分析研究,开辟一门文学考古学。如果这样做,则这部《唐刺史考全编》就能提供十分丰富的素材;这也说明郁贤皓先生能细心注意旁支学科的吸收、利用,及治学路子的开阔。

我自己做学问,特别是近二十年来,深感研究古典文学必须文史并治。我在为一位友人著作所作的序中曾说:"治史对于治文,是能起去浮返本的作用的。"我近年来常看到一些学者写到某个时代文学的文章,往往写得很有情致,词藻也很美,但文中所举的例子,有些却并非属于这一时代,读后不免使人感到遗憾。研究诗词,固然应深研作品本身,体味其艺术韵味,这是必须的,但不能忽略其时代和社会。有时赏析一首诗、一阕词,可以不顾周围环境,但要研究一个作家、一个时期的文学创作,就不能孤立,必须有史的眼光和见识。我觉得,近二十年来我们唐代文学研究有一个值得肯定的好经验,就是不少研究者对唐史是深有功底的,在研究文学时,还同时对唐代史料作细致、深密的审核、考察。我敢说,这方面,我们唐代文学研究要比唐史研究,有较多的成果。目前唐史研究似乎偏重于大的方面,如政治、经济、军事、宗教等等,而不大注意文献资料以及具体人物事迹的考证,这比起一些前辈学者,如陈寅恪、岑仲勉、唐长孺、王仲荦等先生,似有很大的差距,比较起来,这些年来唐代文学研究倒是能与这些学者接轨的。郁先生是搞古典文学研究的,但他却立志于从事唐刺史考这一历史专题,而且作出使人信服的成就,这应该说也是我们唐代文学研究界可引为自豪的。

我与郁贤皓先生初次相见是1982年4月在西安举行的中国唐代文学学会成立大会期间。但在这之前,我们已有文字之交,早在1980年即已开始通信,那时我对他的李白研究之创新见解就甚为钦佩。西安的那次唐代文学会议,在一次大会发言中,我特别提到了郁先生正在做的《唐刺史考》工作,并说这样的学术性很强的书稿,是最适合于中华书局出版的。使我感到高兴的是,我的这一表态引起与会者对郁先生这一研究课题的注意与重视。在这之后,我经常在信中问起他工作的进行情况。当然,后来由于种种原因,此书未在中华出。1987年夏,我接到郁先生所赠之书,立刻写了一封信,说:"得见大著,欣慰非常!"又说:"兄之此著,可谓传世之作,有功文史","弟意凡有志于唐代文史稍作深入者,《唐刺史考》实未能须臾离开也"。这是十几年前说的话,现在重新回顾,面对《全编》问世,感到这部书更是与我们"未能须臾离开也"。谨以此作为鄙序的结语。

1999 年 3 月于北京

原载安徽大学出版社 2000 年版《唐刺史考全编》,此据大象出版社 2008 年版《学林清话》录入,另收入大象出版社 2004 年版《唐宋文史论丛及其他》

近代学术之源泉

——谈《嘉定钱大昕全集》

最近看到江苏古籍出版社出版的《嘉定钱大昕全集》(全十册),极为欣慰,感到我国古籍整理出版又上了一大步,这对近些年来古籍整理滑坡、质量日趋低劣的情况,是一次极大的针砭。

钱大昕是清代第一流的大学问家,也可以说是最大的学问家,陈寅恪先生早已指出,并以陈垣之"精思博识"与钱大昕相比。钱大昕治学精,著述宏富,经史子集,各部都有。这就增加当今整理工作的难度,而扬州大学陈文和先生等潜研于书斋,超然于世途,不畏艰辛,迎难而上,这就是一种极为难得的学术奉献精神。

整理者首先考订、梳理了钱氏著作的源流,并充分吸收近年来学术研究的成果。如先指出钱大昕著述第一次结集为嘉庆十一至十二年间钱氏家刻本《潜研堂全书》,然后将这次《全书》中所收各书作前人著录和历次版本的考订,非常清楚。然后又指出,第二次结集是光绪十年长沙龙氏家塾刻本《嘉定钱氏潜研堂全书》,指明这次所收,较前一种多收五种书,然后又将这五种书作著录和版本的考述。最后,就说这次整理是钱氏全书的第三次结集,也是规模最大的一次,在龙氏刻本基础上又增加十三种(当然其中一种是别人所作的钱氏年谱),然后又对这十三种加以考订。这样做是极符合整理工作的科学规范的,也表明整理者确实下了调查研究的真功夫。

但整理者还不仅限于此,又指出:1.《潜研堂文集》、《诗集》、《诗续集》中部分内容另以单篇问世的,或为其他丛书所收,于是又对这几种作了著录。2. 钱氏著作,又见于前人著录,但现今未见的,就一一列出,以备查考。这也是一种向社会的调查。3. 说明有些书,钱大昕曾参预,但限于篇幅,这次未收(如《乾隆鄞县志》、《嘉庆长兴县志》等)。4. 最后,录出这次新辑的诗文,作为补编。近人对钱氏著述有加以整理研究者,如陈垣《钱竹汀手简十五函考释》等,也作为辑录收入。

这样做,确是一种对工程的全面调查与科学规划,极为负责,也表现了一种高水平的学术眼光。这不但为今人提供钱大昕全集的完整资料,而且值得学术界对这次整理、出版工作本身作一次研讨,总结经验,以促进目前古籍整理研究水平的提高。

我还想再说一点,这次整理,除了书名、篇名有专名线,人名、地名也有专名线。这样做,是增加工作难度的,但标以品位的提高。五六十年代,如点校本“二十四史”、《资治通鉴》就是这样做的。但近十余年来,人、地名专名线已不见了,这一是为省力,二是为省钱。我希望这也应引起注意。我还想再说一句,现在古籍的普及本、选注本,是可以用简体字,但全书、全集等整理,仍应用繁体字。我们不能向下滑坡,迁就低水平,而应向上引导,让读者多认识繁体字,使传统文化与现在接轨,不要使传统文化与现在脱节。应当看到一种隐忧：现在认识繁体字的人是越来越少了。我们从事古籍整理、研究和出版，应当有自觉的文化责任感，不能完全向钱看。书籍不能完全等同于商品。

我想引用陈寅恪先生《杨树达积微居小学金石论丛续稿序》中几句话，他说杨树达先生作学问，"寂寞勤苦，逾三十年，不少间辍，持短笔，照孤灯"，非常清苦，但"与彼假乎功名，因得表见者，肥瘠荣悴，固不相同，而孰难孰易，孰得孰失，天下后世当有能辨之者"（《金明馆丛稿二编》）。这是很值得我们深思的，愿与学术界、出版界同行共勉！

原载《中国典籍与文化》1999 年第 2 期（题为：近代学术之源泉——当代学者谈《嘉定钱大昕全集》），据以节录傅璇琮先生所言部分

毕宝魁《韩孟诗派研究》序

　　大约十多年前在太原召开的第四次唐代文学学术讨论会上，我结识了毕宝魁同志，并对他提供会议的《王维生年考辨》论文很感兴趣。关于王维生年，学术界认为向有定论，不必再议，而毕宝魁同志则从王维诗句实际出发，进行细致的考辨，提出新见。我觉得学术研究应有思辨精神，特别对年纪较轻的研究者，我们更应珍视。后来我与他作一些具体讨论，他也作了一些修改、补充，我把这篇文章推荐到北京图书馆出版社主办的《文献》学刊上发表，发表后引起学术界的重视。

　　在这之后，宝魁同志的研究大致分为两路。一是关注东北文学的历史发展，后来撰成《东北古代文学概览》一书。此书勾勒出东北古代文学的大致轮廓和发展脉络，材料宏富、考证翔实、结构清楚、新见迭出，拓展中国文学史地域性研究，表现出难得的开拓精神。另一方面则仍沿着唐代文学研究的路子走，近几年来出版了《王维传》、《李商隐传》，这次又推出《韩孟诗派研究》。他并不完全依照传统模式的格局，而是努力在作家作品研究上渗入时代的意识，并把专业研究与拓宽普及面结合起来，力求使优秀的传统文化更易于为现代人所接受。我觉得这样的治学格局在现在是很值得探索和倡导的。

韩愈研究一直是个热门,有褒有贬,这种褒贬过去往往受现实政治的影响,而对研究者来说,则视野不免有所偏,对韩愈作品的探讨很不全面。近二十年来,情况大有改变,中唐诗歌的流变也受到唐代文学研究界的关切,已有好几部专著问世。

本书是正式把韩愈倡导的诗派作为专题来研究的,比较全面地把韩愈诗派的形成过程,如时间、地点、主要人物、队伍形成情况等作清晰的论述,并将韩愈诗派放在特定的社会政治背景和文化背景下进行研究,使人有具体的历史感。书中重视从资料出发来作理论概括,在充分占有和运用资料的前提下,阐释韩愈诗派的特点,使人有充实感。如引征韩愈、孟郊诗近百首,李贺、贾岛诗有五六十首,卢仝、刘叉等人诗也在二十首左右,这对读者认识这一诗派的总体诗风很有帮助。

对诗派的研究,现在有些书往往偏重于作所谓的宏观把握,不对作品作具体分析。宝魁同志是一向重视求实学风的。书中对韩愈《感春五首·其三》一诗之考释评析甚为透彻,对卢仝《与马异结交诗》进行全篇讲析。这样的做法,过去同类著作是少有的。对有些有争议的问题,如李贺参加河南府试及参加进士考试受阻之时间,贾岛初见韩愈的地点与时间,都提出自己的看法。这些看法当然还可讨论,但这种独立探讨的做法,以及问题提出的视角,是能给人以启发的。

中国古代文学的研究,近二十年来成果已经不少,特别是唐代文学研究,似乎更受到学界的赞誉。但随即就产生一个问题:

这种研究如何更往前推进,如何引向深入。这个问题如不引起注意,并探索新的路子,则很可能就维持现状,重复写作,来回虽有走动,实际仍是原地踏步。

从宝魁同志的这部书,我想到,我们要把现有的研究再往前跨进一步,就要扩大作家作品的探索面,并把作家的活动与当时的社会生活更好更细地结合起来,使人觉得这一作家确是一个活的人,有个性的人,有这个时代、这个社会特色的人。要努力显示古代文学的原貌,使我们今天能走近它的时代。正如闻一多先生所说:"我是把古书放在古人的生活范畴里去研究",他研究的《诗经》,总是努力要"带读者到《诗经》的时代"。前辈的这些话是很值得我们思索的。

但可能有人认为这是一种空想,或是一种幻想,不切实际,但我觉得我们是不妨从这方面试着做一做的。我在 80 年代撰写《唐代科举与文学》,就不是按照学科性的写作方式,而是从唐代人所写的作品(包括诗、文、笔记、小说),把唐代士人的种种情况通过科举考试这一共同关心的社会现象,做整体的描述。这里不妨以韩愈为例,谈一些我的看法。过去把韩愈往往写成儒家正统人物,是思想界、文学界的领袖,好似现在一些社会名流那样,摆出一副架子。实际上韩愈是一个平常的人,容易理解的人,有自己头脑的人。譬如他在早期,即德宗贞元时写给友人崔群的一封信,其中说:"自古贤者少,不肖者多。自省事已来,又见贤者恒不遇,不贤者比肩青紫;贤者恒无以自存,不贤者志满气得。贤者虽得卑位,则旋而死,不贤者或至眉寿。不知造物者意竟如何,无乃所好恶与人异心哉?"这篇《与崔群书》是不大为人注意的。尤其是这段话，似还未有人说起过。我在一篇短文中引录这段话，说读到这几句，自然会想起司马迁的《太史公自叙》。韩愈一开头就说，自古以来，就是好人少，不像样子的人多，而至现在，则贤者往往没有好的境遇，即使谋得一个低级位置，过不久也就死了，而不贤的人却总是能做到大官，而且志满气得，长命百岁。这，天意何在呢？试问：韩愈这里发牢骚已发到什么程度？另外，贞元十九年，关中大旱，朝廷下令，说为减轻京师负担，明年暂停科举考试，韩愈这时任国子四门博士，自称还不算"朝官"，但却给皇帝上了一份奏状，以为不宜停试。就事论事，还不算什么，但韩愈在这份奏状的后部分却忽而引出一个高调，说"今者陛下圣明"，即使古代的尧、舜也及不上，但朝中群臣，其贤"不及于古"，"又不能尽心于国"，于是突然下了八个字"有君无臣，是以久旱"。这确是触目惊心的。试想，当今的皇上德宗能比得上古代圣君尧、舜吗？这大家心里都明白。"无臣"是怎么造成的，不是这个"君"的责任吗？"有君无臣"实际上是对当时朝政的全盘否定，这在史无前例的十年"文革"中，是会作为"现行反革命"而被抓起来的。

　　韩愈的有些行为也是值得提一提的。李翱所作《韩公行状》，说韩愈于元和时官职升迁，任国子祭酒。有一位教官（直讲），"能说礼而陋于容"，而当时在国子监当学官的"多豪族子"，看不起这位直讲，不屑与他同桌吃饭。韩愈知道后，就让差吏把这位直讲请来，说"与祭酒共食"。大家知道，国子学是当时设在长安的最高学府，入学的，"以文武三品以上子孙，若从二品以上曾孙，及勋官二品、县公京官四品带三品勋封之子为之"（《新唐书·选举志》）。也就是，国子学的学生差不多都是高干子弟，那么在里面教书的也多是"豪族子",当然看不起这位非"豪族子"而"陋于容"的直讲。但韩愈作为最高学府的校长（国子祭酒），却能做出如此异常的举动。

韩愈还有不少超常的举止，其他如孟郊、李贺、卢仝等也有值得注意的特异行为，限于篇幅，这里不能多讲。我觉得，他们的这种生活方式、心理状态，与其诗歌风格是有有机的关系的，很值得我们今人思考。

韩愈是很讲究道统的。他在《原道》中说："尧以是传之舜，舜以是传之禹，禹以是传之汤，汤以是传之文、武、周公，文、武、周公传之孔子，孔子传之孟轲，轲之死，不得其传焉。"研究者一般以为韩愈这里是以孟子传人自居的。北宋时苏轼称韩愈"文起八代之衰，而道济天下之溺"，也含有此意。陈寅恪先生《论韩愈》一文，认为"退之者，唐代文化学术史上承先启后转旧为新关捩点之人物也"，并认为韩愈一方面总结儒家道统之说，而另一方面又"开启宋代新儒家治经之途径"。但有个现象值得注意，宋代以程、朱为代表的新儒学，并不承认韩愈的道统地位。宋代理学家认为韩愈虽然提倡道统有功，但他本人的思想并不纯正，因此，一般把他排除在道统传承之外。朱熹在《大学章句序》里明确提出："河南程氏两夫子出，而有以接乎孟氏之传。"南宋的黄榦在《朱子行状》中，更进一步把朱熹列进去，说："由孟子而后，周、程、张子继其绝，至熹而始著。"因此说韩愈下接宋以后新儒子，对宋代新儒子有开启之功，事实是否为此，尚待商榷。但这不能贬低韩愈，我个人认为，这反而可以说明韩愈思想确非儒家道统所能局限，这恰恰是韩愈可贵之处。也是宋儒所不能理解，或虽理解而不能接受的。

　　这是我读了宝魁同志这部著作后所得到的启示而产生的一些感想。宝魁同志尝试着想把学术著作与普及结合起来,将严谨的学术成果转化为轻松愉快的文学作品,尝试着走一条学者兼作家的道路,这一想法颇有时代意义,在本书中有很好的体现。书中列韩愈为诗派的旗手,孟郊为先锋,李贺为大将,卢仝、刘叉为怪将,贾岛等为偏将,可能有些研究者对此会有意见,但这未尝不是学术研究走出自己小天地的一条新路。宝魁同志还在进行辽宁省教委“七五”重点科研项目“东北文学史”研究,他正当事业有为之年,这样把学术面作适当的拓宽,从整体上说对自己的治学格局是有利的。希望宝魁同志创新、求实之作络绎问世。

1999 年 6 月于北京

　　　原载辽宁大学出版社 2000 年版《韩孟诗派研究》,此据大象
　　出版社 2008 年版《学林清话》录入

从多方面了解韩愈

前些日子,我为辽宁大学中文系毕宝魁同志的《韩孟诗派研究》写一篇序,序中对这部书于韩愈、孟郊诗歌流派的全面阐述作了充分的肯定,同时提出这样一个问题:中国古代文学的研究,近二十年来成果已经不少,特别是唐代文学研究,更受到学术界的赞誉。但是,目前的研究如何更往前推进呢? 如何把现有的研究引向深入呢? 这个问题如不引起关注,并探索解决的路子,则很可能就会维持现状,重复写作,来回虽有走动,实际仍是原地踏步。

我认为,我们要把现有的研究再往前推进一步,就要扩大作家作品的探索面,并把作家的活动与当时的社会生活更切实更细致地结合起来,使人觉得这一作家确是一个活的人,有个性的人,有这个时代、这个社会特色的人。能不能这样提一下:争取把古代文学恢复它的原貌,使我们今天能走近它的时代。过去闻一多先生就说过,“我是把古书放在古人的生活范畴里去研究”;同时他还提出,应当尽可能用考古学、民俗学、语言学等方法,“带读者到《诗经》的时代”(见所著《风诗类钞·序例提纲》)。前辈的这些话是很值得我们思索的。

可能有人认为这只是一种空想，或是一种幻想，不切实际。但我觉得我们是不妨从这方面试着做一做的。我在 80 年代撰写《唐代科举与文学》一书，就尝试着不按照专题学科性的写作方式，而是采取描述的方式，一方面广泛搜辑唐代人所写的材料（如诗、文、笔记、小说），另一方面则讲述唐代应试的举子到京都后的种种活动（包括文士之间的诗歌唱酬，以文向达官贵人送呈、走门路，以及在妓院的行乐，等等），以及进士的出身与地区，进士的行卷与纳卷，放榜与宴集，举子情状与科场风习，把唐代士人的种种情状通过科举考试这一共同关心的社会现象，作广泛、整体的考察，使我们仿佛走进了那个时代，迎面所接触的是那个社会所特有的色彩和音响。

这里不妨以韩愈为例，来考虑一下是否可从多方面来了解、研究古代的某一个作家。过去把韩愈往往写成儒家正统人物，一提起韩愈，就会联想到他在《原道》中所说的"君者出令者也，臣者行君之令而致之民者也"那种道貌岸然的样子。实际上韩愈是一个极富个性、极有头脑的人，他在前期处于低级官员的地位，往往发"不平则鸣"的言论，到现在也还值得我们思考。

譬如德宗贞元十九年，关中大旱，朝廷下令，说是为减轻京都负担，明年暂停科举考试。韩愈这时任国子四门博士，自称还不算"朝官"，但却给皇帝上了一份奏状，以为不宜停试。就事论事，这也不算什么，但韩愈在奏状的后部分忽而发挥议论，引出一个高调，说"今者陛下圣明"，即使古代的尧、舜也及不上，但朝中群臣，其贤却"不及于古"，"又不能尽心于国"，于是突然下了八个字："有君无臣，是以久旱。"试想，当今的那一皇帝（德宗）能比得上古代圣君尧、舜吗？这大家心里都明白。"无臣"是怎么造成的，不是这个"君"的责任吗？整个朝廷，只有一个君是好的，那么这还算什么呢？"有君无臣"，实际上是对当时朝政的全盘否定。

在这之前他还给友人崔群写过一封信，其中有这样几句话："自古贤者少，不肖者多。自省事已来，又见贤者恒不遇，不贤者比肩青紫；贤者恒无以自存，不贤者志满气得；贤者虽得卑位则旋而死，不贤者或至眉寿：不知造物者意竟如何，无乃所好恶与人异心哉？"很奇怪，这篇《与崔群书》过去不大为人们所注意。我在一篇短文中引录过这段话，说读到这几句，自然会想起司马迁的《报任安书》。韩愈一开头就说，自古以来，就是好人少，不像样子的人多，而从他自己懂事以来，则贤者总是没有好的境遇，即使好不容易谋得一个低级位置，过不久也就死了，而那些"不贤者"，却总是能做到大官，而且志满气得，高寿长命。韩愈向上天发问：你们这样做不是与天下众人非一条心吗？可见，韩愈这里发牢骚已到了什么程度。

大家知道，韩愈对科举是很热衷的，他接连考过几次进士试，及第后又到吏部应试，谋取一官半职。但他对其应试的诗文，抱什么态度呢？这方面他倒是很清醒的。他说："退自取所试读之，乃类乎俳优者之辞，颜忸怩而心不宁者数月。"他又说："使古之豪杰之士，若屈原、孟轲、司马迁、相如、扬雄之徒进于是选，仆必知其辱焉。"（《答崔立之书》）他说，如果让古代杰出的人物如屈原等来作这种科试程文，他们也必定会感到屈辱的。这是为什么呢？韩愈在另一篇文章中点明了一个意思。他说，现在进士、明经等应试，之所以能入仕做官，是因为"其人率皆习熟时俗，工于语言，识形势，善候人主意"。这几句话真是够大胆的。他并且说，正因如此，影响文风，"故天下靡靡日入于衰坏，恐不复振起"（《答吕𬭤山人书》）。

韩愈的有些做法也值得一提。李翱所作《韩公行状》，说韩愈于元和时官职升迁，任国子祭酒。有一位教官（直讲），"能说礼而陋于容"，而当时在国子监当学官的"多豪族子"，看不起这位直讲，不屑与他同桌吃饭。韩愈知道后，就命差吏把这位直讲请来，说"与祭酒共食"。大家知道，国子监是当时设在长安的最高学府，入学的，"以文武三品以上子孙若从二品以上曾孙，及勋官二品、县公京官四品带三品勋封之子为之"（《新唐书·选举志》）。也就是说，国子监的学生，差不多都是高干子弟，那么在里面教书的当也多是"豪族子"，看不起这个直讲，对他们来说，也极为平常。但韩愈作为最高学府的校长（国子祭酒），却对此看不惯，为表示异议，就请这位直讲与他一起吃饭，这在当时也是不容易的。

韩愈是很讲究道统的。他在《原道》一文中，从尧、舜讲起，说尧、舜传给夏禹，夏禹传给殷汤，汤传给周的文王、武王、周公，"文、武、周公传之孔子，孔子传之孟轲，轲之死，不得其传焉。"研究者一般以为韩愈这里是以孟子传人自居的。北宋时苏东坡称韩愈"文起八代之衰，而道济天下之溺"，也含有此意。陈寅恪先生《论韩愈》一文，认为韩愈是"唐代文化学术史上承先启后转旧为新关捩点之人物"，并认为韩愈一方面总结儒家道统之说，而另一方面又"开启宋代新儒家学治经之途径"。但有个现象很值得注意，宋代以程、朱为代表的新儒学，并不承认韩愈的道统地位。

宋代理学家认为韩愈虽然提倡道统有功,但他本人的思想并不纯正,因此,一般把他排除在道统传承之外。朱熹在《大学章句序》里明确提出:"河南程氏两夫子出,而有以接乎孟氏之传。"南宋的黄幹在《朱子行状》中,更进一步把朱熹列进去,说:"由孟子而后,周、程、张子继其绝,至熹而始著。"因此说韩愈下接宋以后新儒学,对宋代新儒学有开启之功,事实是否如此,甚为可疑。但这倒不是贬低韩愈,我个人认为,这反而可以说明韩愈思想确非正统儒家所能拘限,这恰恰是韩愈可贵之处,是宋儒所不能理解,或虽有理解而不能接受的。

当然,韩愈生活还有另外一面,譬如他晚年也服食硫黄以求长生,白居易有诗说"退之服硫黄,一病迄不愈"(《思旧》)。陈寅恪《元白诗笺证稿》论证这里的"退之"就是韩愈。陈寅恪还举出,韩愈病中,张籍前往探视,韩乃命两个侍女,弹琵琶与筝以娱客,"临风弹繁丝,忽遽闻再更"(张籍《祭退之》诗)。陈寅恪说:"夫韩公病甚将死之时,尚不能全去声伎之乐,则平日于'园花巷柳'及'小园桃李'之流,自未能忘情。"不过这是韩愈生活后期做了大官之后。但这也能提供我们,一个文人,官场地位改变了,生活情趣也会改变,待人接物也会两样。这也是我们从多方面了解作家所得到的有益启示。

原载 1999 年 7 月 28 日《人民政协报》"学术家园"版,此据大象出版社 2004 年版《唐宋文史论丛及其他》录入

陶文鹏等《宋词三百首新译》序

　　把古代作品翻译成现代语体文，五六十年代时给人印象较深的，有余冠英先生的《诗经》和乐府选译，郭沫若先生的屈原赋今译，其他似不多见。80年代中期以来，特别是近五六年，古书今译则已成为一个热门，历史书、哲学书、医书、佛道书、武术书，以及文学类的诗词、戏曲、小说、笔记，等等，都有今译著作出版。

　　这使我想起80年代的一件很有意义的事。那是1981年7月上旬，陈云同志的秘书王玉清同志到中华书局来传达陈云同志关于古籍整理工作的谈话记录，其中说："古籍整理还不光是解决标点、注解，这还不行。现在孩子们念书还没有接触这些东西，所以不懂。要做到后人都能看懂，要译成现代语气。"稍后不久，1981年9月17日，中共中央书记处就根据陈云同志的意见，发了《中共中央关于整理我国古籍的指示》，其中第二点就说："整理古籍，为了让更多的人看得懂，仅作标点、注释、校勘、训诂还不够，要有今译，争取做到能读报纸的人多数都能看懂。有了今译，年轻人看得懂，觉得有意思，才会有兴趣去阅读。今译要经过选择，要列出一个精选的古籍今译的目录，不要贪多。"

这里明确提出要开展"古籍今译"的工作。这几句话是说得十分规范的，既指明古籍今译的读者对象、必要性、目的性(使年轻人通过今译去阅读原著)，又提出今译不要盲目铺开、贪多，应该精选。这已经是十八年以前的事了，现在重读这几句话，确实感到很有现实意义。

古书今译对年轻人的影响，使我回忆起少时的情景。我在读高小一年级时，一次忽然发现家中后屋桌子下一只旧书箱，我打开来拿出几本书，头一本是《昭明文选》，随便翻到孙绰的《游天台山赋》，赋前小序及文章开头的"太虚辽阔而无阂，运自然之妙有；融而为川渎，结而为山阜"，实在感到沉闷，但忽然："赤城霞起以建标，瀑布飞流以界道"，这二句，使我眼睛一下子亮了起来。但这部书终究还只限于旧注(后来我才知道是李善和五臣注)，书中的辞藻虽然感到很美，但总还是看不懂，就搁在一边了。另一套书却吸引了我，那是两本平装书，上下册《秋水轩尺牍》。这是清代道光、咸丰年间绍兴一位师爷(幕僚)写的书信集。按文学档次来说，《秋水轩尺牍》当然不能与《昭明文选》相比，但这本30年代出版的书，却有"新式标点，言文对照"，每篇都有白话翻译。就是这白话翻译吸引了我，我在小学时就把这两本书都看完了，倒很欣赏其词句，长大后在给友人写信时，用什么"伏枥如故"、"差堪自信"之类，就是引用少时所读的这部尺牍的。

现在读到陶文鹏、吴坤定、宋金龙三位学者的《宋词三百首新译》，不禁联想起80年代初陈云同志高瞻远瞩的指示和40年代中自己读书的情景，真觉得此书书名所谓"新译"，颇值得探究。我一直认为，古代文学作品今译，特别是诗词今译，难度是很大的。难度有两方面，一是翻译与所谓学术探讨不同，学术探讨可以就自己理解的进行讨论、分析，说实话，有些学者不一定对所论述的作品，都能一字一句解释得通，但翻译却一字一句都不能放过。我曾听到一位教师讲起，他说，让他开屈原研究的课，他敢开，但要他开《离骚》讲解的课，就不大敢了。为什么呢？因为讲屈原研究，主动性在我，可讲的就讲，不易讲的可以避开，而讲《离骚》，则是硬功夫，一字一句，绕不过去。我觉得这位先生的话很有启发。如果我们现在写一本《宋词概论》，甚至《宋词史》，是可以不受字句束缚的，但要对这三百首宋词作今译，就绝不能腾空飞跃，非一个字一个词扣住不可，这是地地道道的实功夫。

另一方面的难度，可能还更大。古书今译，应该是古籍整理研究的组成部分，它涉及文字学、版本学、校勘学、训诂学，等等。但这些，都属于益智，而诗词的翻译，还有移情的一面。文学，特别是诗词，我们现在作今译，其所表达的不仅仅是思想，更重要的还有不同的时代环境、地理环境、生活环境、文化环境形成的艺术心态、素质及特殊的艺术技巧、审美感受。这应当是诗词今译的特殊性，而词比起诗来，这方面的特殊性更大。作为长短句的词体，更注意韵、律，而词所蕴含的情感又更细腻、曲折。王国维特别提出词的境界说，阐发有我之境、无我之境，就是依据词与诗不同的艺术追求而说的。

从以上两方面难度而言，我过去是一直不大赞成对诗（包括词）进行今译的，因为我总觉得，古诗一经现代语体的翻译，其原有的诗意、诗味也就淡却、消失了。但现在读到陶文鹏等三位先生的这部宋词选译，却使我原来的看法有所改变。一方面我觉得译者的文字功底不错，全书从总体上说，辞藻是很美的；另一方面，这部书确有如书名所标出的有创新之意。著者在翻译时很注意韵、律，有不少是特地安排押韵的。有些篇的翻译，还专意追求一种格律体，如过去闻一多先生的诗那样九字体、十一字体，极为整齐。著者从诗的艺术特质出发，在信、达的基础上，不拘束于直译，而追求诗情的传递、抒发。如晏殊《浣溪沙》（一曲新词酒一杯），就通首是一句化为两句，而不是通常的一句与一句对应。周邦彦的名篇《兰陵王·柳》，委婉曲折，而又格调整齐，现在的译文也是重彩浓墨，表现出周词的特质。而杨万里的《昭君怨·咏荷上雨》，都是两句一段，形式变化，看来极为轻松：

> 一叶扁舟荡漾在荷花丛中，
> 躺在舟中的我，正午做了个梦——
>
> 梦里，美丽的西湖烟水迷濛，
> 满湖清香扑鼻而来，沁人心胸⋯⋯

　　读者看了这几句，我倒有个建议，就是我们不一定固守于一句对一句，而可以单独来欣赏今译的作品，作通篇的艺术欣赏，掌握其特有的诗意诗情。把今译当作独立的新诗来赏析，这可能是更高意义上的文化翻译，这也是本书所具的"新"。
　　古籍今译，古诗今译，是一个很值得探讨的课题，它不但是一种理论研究，还是一种现代创作技巧、手法的探索；再提高一步，是否还涉及到通过今译，把古典诗歌的优秀传统与当代诗歌创作的发展前景联系起来。这也是中国古典文学研究如何与当代文学沟通,当代文学创作如何吸取、融化传统经验——这已是我们面向新世纪文学研究与创作的大课题了。我学识浅陋,不能也不敢多谈,谨借此向读者与学界请教。

1999 年 8 月,北京

原载北京出版社 2000 年版《宋词三百首新译》,此据大象出版社 2008 年版《学林清话》录入,另收入大象出版社 2004 年版《唐宋文史论丛及其他》

张忠纲《全唐诗大辞典》序

近二十年来,唐代文学研究可以说是中国古典文学研究中一个成就卓著的领域,取得了远过前人的显著成绩,这已经成为学界的共识。《文学遗产》编辑部从 1998 年起,曾组织有关学者对古典文学一些有代表性学科,进行"世纪学科回顾"的对话,在好几期的对话中,不少学者都对唐代文学研究作了充分的肯定和赞扬,认为"唐代文学研究在最近的一二十年里,确实取得了令人羡慕的成绩和影响,在整个古代文学研究领域,也可算得上地位显赫"。1999 年第 4 期关于明清诗文研究三人谈中,更有学者指出:"唐代文学研究能在二十年内迅速取得显著成绩,与文献整理的丰厚成果分不开。"

作为唐代文学研究的一员,我对此确实感到欣慰,受到鼓舞。好几年以前,我在一篇文章中,曾对 70 年代末、80 年代初以来唐代文学研究的成就概括为四个方面,即:一、填补了不少空白,尤其是注意到对某一历史时期文学加以综合的考虑,力图从中探求文学发展的带有规律性的东西,表现出相当的深度和力度。二、对作家作品的考订更加细密,表明不少研究者在踏踏实实地做工作,努力使理论研究基础更加扎实牢靠。三、开拓研究领域,研究者注意到文学与音乐、舞蹈、绘画等艺术门类的比较研究,有些论著则以文学为中心而扩展到对佛学、考古学、历史地理学、科举制度以及社会风尚的研究,扩大了学术领地,也深化了对文学本身特征的认识。四、对文学艺术性的分析,突破传统的词句赏析的范围,而是从整体的审美要求出发,对思想和艺术作统一而细腻的探讨,并且注意到与其他艺术样式的比较,与外国文学的比较,拓展了研究领域。

这是我在 80 年代后半期写的,应该说,近十年来,唐代文学研究更有突破性的进展,取得的成果比 80 年代更多更大。问题是,在这样已经极有高度的层次上,我们怎样再向上攀登呢? 这是一个大问题,恐怕不只是唐代文学研究,整个古典文学研究也面临这一现实情况。我接触一些学友,彼此谈起来,也都很关心这个问题。

这个问题不是一下子就能解决的,也不是靠一二篇文章就能说得清楚或所谓指明方向的,这需要从多方面探讨,更需要具体实践,因为学术研究的经验告诉我们,讲空话,大而虚,只能炫耀一时,过时即灭,说不定还朝不保夕,"事如春梦了无痕"。

从唐代文学研究来说,我想到两点,一是要考虑普及,二是要总结成果。所谓普及,我的想法是,我们搞唐代文学,不能总是把范围只局束于专业研究圈子之内。唐代文学既然是我们华夏文化的瑰宝,就应当把它介绍给今天的广大读者群,让今天的读者和我们的后世能充分认识、欣赏和掌握这一瑰宝。这是有不少事可做的,不妨说大有可为。几年前江苏教育出版社曾向中国唐代文学学会建议,编一部唐诗名篇的文字与照片合璧的图书,即选择一二百首描写山水和人文景物的名篇,作精要的介绍,并与中国摄影学会合作,把诗中所写而现在尚存的景物作艺术照相,诗图配合。这一设想极好,工作正在进行。这应当说是对我们普及工作的极大启发,说明我们在唐代文学研究上,除了专题研究以外,还有不少范围更广、意向更新的事情可做。至于总结成果,就是说,我们的成果既已不少,就应该有一个检核、确定的程序,说明哪些是成果,哪些还有不足,以避免重复劳动。这方面,自然科学应该说是做得比较好的,科技方面必须在已有成果上前进,否则就是浪费。

从这两点来说,我认为张忠纲先生现在主编的这部百万字以上的大书《全唐诗大辞典》,确给我们作了示范之功的。有关唐代文学的专业辞书,这些年来,已先后有周祖撰先生主编的《中国文学家大辞典·唐五代卷》,周勋初先生主编的《唐诗大辞典》,郁贤皓先生主编的《李白大辞典》,均为得到学界肯定的力作。现在张忠纲先生主编的这部《全唐诗大辞典》,从规模、篇幅来说,是超过已出的几部辞书的,而从整体结构、布局来说,则又颇有新意。我个人以为,其最大的特点,是注意普及与专业研究的结合,也就是我前面所说的,既着意把唐诗的基本知识(如诗人、作品、诗体、流派等)尽可能系统、全面地介绍给广大的读者,又充分吸收近二十年来研究的新成果,展示新时期唐代文学研究的进程与特色。譬如以清代所编《全唐诗》来说,过去研究者主要指出其缺失,一为漏略不少诗作,二为误收非唐人诗篇;现在这部辞典,就注意把这几年来有关《全唐诗》的补辑成果汇入,又注意在介绍作家作品中，把非唐人之作明确提出，这就把专业研究成果融入工具书中，使更多的读者、研究者减少翻检之劳，能非常方便地掌握已有成果，免去极有可能的误失。

编辞书，不论是一般性的字典、词典，还是学科性较强的专业工具书，工作是相当繁重的，而且有些地方还十分琐碎，一不小心，就会有错。我听说，古代西方的希腊、罗马时期，是把犯人分配去编辞典的。这可能是一个笑话，但倒颇有意思。编辞书，搞工具书，确是一种苦力。像这部《全唐诗大辞典》，我想众多撰写者一定先要爬梳不少材料，有时翻书查书，只不过找出或核实一个地名、年号、生年、卒年，几个字，而却要花二三个小时，有时甚至还费更多时间，来回跑图书馆、资料室。这我是有亲身体会的。编辞书，一定要有顾炎武在《日知录》自序中所说的"采铜于山"的气度，以及"早夜诵读，反复寻究"的精神。这也是一种学术的奉献。

我这里再附带说几句。这部《全唐诗大辞典》有不少辞条述及中国唐代文学学会及学会的一些学术活动、著作。作为唐代文学学会的参与者，我对此是极为感谢的，我觉得这也显示编撰者对当代学术发展极为难得的关注。中国唐代文学学会成立于1982年，应当说，这十多年来，我们已经形成一种很好的学风，那就是踏踏实实地做学问，兢兢业业地出成果；考证与义理并重，宏观与微观结合；彼此尊重，互相支持。而在这之中，唐代文学学会是起了核心作用的。唐代文学学会的活动又极为规范，每两年举行一次年会（学术讨论），每年编印一本《唐代文学研究年鉴》，每一年或两年编辑出版《唐代文学研究》论文集。特别是《年鉴》和

《研究》,十多年来一直能坚持下来,可以说是为古典文学界提供难得的丰富文献史料,是本世纪人文学界所少有的。而且,我们唐代文学研究界有不少功底深厚、学术渊博的老一辈学者,更有一大批富有朝气活力、思想敏锐、富有开拓精神的中青年专家,因此唐代文学研究的实力是很充厚的,前景则可以用"潮平两岸阔,风正一帆悬"来作形象的比喻。这在本书撰稿人行列中已有充分的反映,定会受到读者的注意。这也是一部集体编写的大书其质量保证的所在。

1999 年 8 月　北京

原载语文出版社 2000 年版《全唐诗大辞典》,此据大象出版社 2015 年版《书林清话》录入,另收入大象出版社 2008 年版《学林清话》

张高评《宋诗特色研究》序

　　80年代中期，北京大学古文献研究所开始编纂《全宋诗》，我应邀参加编纂整理工作，在这时，始得悉台湾学者也正在从事这一项目。当时我很惊讶，因《全宋诗》的规模是远远大于《全唐诗》的，北京大学古文献研究所之所以有决心、信心来做这项工作，是因为得到国家教委高校古籍整理研究工作委员会的大力支持，才能组建一个机构，并有足够的经费，得以联系各方学者共同合作，而台湾的学者，据说是全凭个人来作的，这实在是难以想象。后来又听说，台湾的这项工作，是成功大学中文系教授张高评先生发动起来的，这是我第一次听说张高评先生的学术声名。

　　1990年秋，我去成都参加四川大学举办的宋代文化学术研讨会，得识张高评先生。在这之后，我就陆续读到他的论著，几次在大陆举行的学术会议上见面叙谈；他后来还特意把我的《黄庭坚与江西诗派研究资料汇编》介绍去台湾重印，这是我的著作在台湾印行的第一部。1999年9月初，我应台湾清华大学之邀，去该校中文系讲学，张高评先生知道后，于12月上旬，约我到成功大学作一次讲演，还陪我在台南一游，说台南是郑成功打退荷兰侵略者、收复台湾的起点站,因而也是台湾文化的发源地,很值得一看。我对台南的特有风情很感兴趣,在那边虽只停留三天,但回到北京后总是不能忘怀,这之中也确含有我们二人在学术上的交往之情。

在台南时,张高评先生就对我说,北京大学孙钦善先生约他将其历年来的宋诗研究,集其精粹,重撰一书,列入《宋代学术研究丛书》,由沈阳的辽海出版社出版。张高评先生希望我为他的这部新著写一序言。我当时听后,确有愧不敢当之感,因我近二十年来,除了参与编《全宋诗》,对宋代文学未用过力,而张高评先生的宋诗研究,实已体大思精,由我撰序,洵不相配。后来张高评先生把这部《宋诗特色研究》寄给我,我仔细拜读,则深有启发,相信这部专著面世后定会受到大陆学界的关切、注意。这里我仅以自己的力之所及,对张高评先生的治学路数,略述两点心得。

一是张高评先生对宋诗的研究,一开始就能抓住要害,站得高,望得远。我很赞同书前序言所说:"十余年来,笔者研究成果,大抵针对宋诗特色致力最多。如此宏观的探讨,是一种'先立其大',擒贼先擒王的策略。对宋诗的研究有此大方向、大轮廓,方不致放浪迷失而无所归属;进而因根振叶,穷源究委,立论方有依据。"近二十年来,我们海峡两岸,宋代文学,特别是宋诗研究,之所以开展较快,获有较多的成果,是与张高评先生这里所说的树立大方向、大轮廓的研究路子极有关系。自明朝以来,直至20世纪五六十年代,有不少谈宋诗者,往往局限于唐宋之争,把眼光专注于一褒一贬。这样的研究只能停留在浅层,不可能深入。张高评先生抓住宋诗特色这一大方向、大轮廓,再进一步从"会通化成"、"新变代雄"、"创意造语"等几个方面对宋诗特色进行面广而意深的探讨。本书的第三个专题,其《宋诗研究的面向和方法》,竟一下子提出一百四十多个研究选题,就是从特色研究的学术创意而来的。这给我们启示,新世纪的文学研究,包括古典文学研究,一定要注意学术理论化态势。20世纪初我国古典文学研究之所以能从传统的格局走向近现代,即归功于当时几位大家在学术思维、理论范畴上的突破与创新。我们作为文学的专业研究者,在研究具体作家作品的同时,确还应当对文学发展在理论上有所探索,既要注意历史的文学进程,又应思考当前的研究现状。

这部《宋诗特色研究》给我另一个启示,就是学术信息的丰厚。书中探讨的重点是宋诗,但其涵盖的学术面,则上起《诗经》、《春秋》,下迄近代诗文,即以宋代而言,又从宋代文化整体着眼,会通于诗话、笔记、书画、杂剧以及儒、道、禅等,来与诗歌作多方面的纵横比较研究。值得注意的是,张高评先生除了古代典籍外,还广泛采录现当代的中外著作,使人大开眼界。我觉得,对新世纪学术研究来说,信息量将是促进发展、提高品位的重要因素,谁在这方面做得富有成效,谁就将居于先行者之列。这之中特别要提及的是,张高评先生对当今大陆的学术成果极为关注,这部《宋诗特色研究》所引用的大陆著作,其面之广实使人惊异,除宋代诗文外,还涉及哲学、美学、史学、伦理学、逻辑学、语言学,等等。这些年来,我因工作关系,还是较为注意大陆的新版社科图书的,但张高评先生所引及的好些书,我却连书名都没有听说过,而这些书看来是颇可值得一读的。如《春秋书法与宋代诗学》一文中,引有华中师范大学出版社于1993年出版的《宋代笔记研究》一书(张晖著),因目下上海师范大学古籍研究所正在编纂一部较大规模的宋代文献——《全宋笔记》,我就介绍给该校古籍研究所所长朱易安教授,朱教授说他们也未曾见到过此书,马上托人去找。

更使人叹为观止的是,张高评先生所引述的,除专著外,还有不少刊登于学术刊物的单篇论文,而这些刊物,其面之广,竟扩及于大陆的东西南北。我曾大致翻检,作了记录,发现除通常所见的《中国社会科学》、《文学评论》、《文学遗产》及北京的几所大学学报外,还有如东北的《北方论丛》(哈尔滨),华北的《河北师大学报》、《内蒙古师大学报》、《阴山学报》(包头),西北的《西北大学学报》、《人文杂志》(西安)、《新疆大学学报》,南方的《江海学刊》(南京)、《扬州师院学报》、《上海社会科学》、《上海教育学院学报》、《安庆师院学报》、《广西师大学报》、《华中师大学报》,西南的《四川大学学报》,等等。

我觉得这里向我们提供一个值得思考的问题,就是在人文社科领域中,如何促进海峡两岸学术成果的交流。在这一方面,张高评先生是开启了良好风尚的。我在台湾清华大学中文系执教一学期,对台湾文史学界接触面较广,感到台湾学界对大陆的学术成果是很关切的,特别是一些年轻的博士研究生,在他们的论文中总要引录不少大陆的专著与论文。我每一读及,一种华夏同胞互学共进的欣慰之情即油然而生。

安徽省社会科学院文学研究所所长陈友冰先生,于1999年下半年在台湾中研院文哲所进行合作研究。他于2000年1月返回合肥,即促进这方面的工作。安徽省社会科学院于2000年3月成立海峡两岸唐宋文学研究交流中心,张高评先生与我受聘为中心的研究员。安徽省社科院文学所并制订一项出版《现代中国唐代文学研究丛书》计划,准备由两岸学者合作,于今后两年内编一部《现代中国唐代文学研究论文选》和一部《现代中国唐代文学研究著作提要》,这将更好地总结我们两岸学者的现代学术成果。张高评先生在台湾,对宋代文学研究是做了不少工作的。他除了个人著作外,还编了好几部当地学者有关宋代文学研究的论文集。因此我建议,趁张高评先生这部《宋诗特色研究》在大陆的出版,我们可以继安徽省社科院的《现代中国唐代文学研究丛书》以后,接着再编一部《现代中国宋代文学研究丛书》,以回应张高评先生推动两岸文化学术交流的挚切之情。

2000 年 4 月,北京

原载长春出版社 2002 年版《宋诗特色研究》,先发表于 2000 年 7 月 19 日《中华读书报》(题为:两岸学者,互学共进),此据大象出版社 2008 年版《学林清话》录入,另收入大象出版社 2004 年版《唐宋文史论丛及其他》

方勇《南宋末年遗民诗人群体研究》序

2000 年 3 月下旬,我应王水照先生之邀,至上海参加复旦大学中文系主办的宋代文学国际研讨会,会上晤见方勇同志,他提及于 1997 年 6 月完成的《南宋遗民诗人群体研究》,经修改后,将由人民出版社出版,希望我为此书写一篇序。前几年在北京时,我与方勇同志曾见过几次面,那时他正在北京大学中文系博士后流动站,从我的学兄褚斌杰教授研究先秦文学。方勇同志曾赠送我已出版的两部书,即他所辑校的《方凤集》,以及他与中国社科院文学所陆永品研究员合著的《庄子诠评》。那时他曾与我谈起《南宋遗民诗人群体研究》的出版问题。说实在话,那时我对此书的出版并不十分关心,因为我还是受传统观念的影响,以为南宋遗民诗人,无非是高尚其节,不求出仕,过去已谈得不少了,恐难于写出新意。这次在复旦的会议上见面,方勇同志提出写序的要求,我对年轻人的这种学术切磋的心情是充分理解的,不好推辞。但我确还很担心,对此书的写法没有底,再加上我当时手头确还有几件事(如 3 月底至浙江大学与龚延明教授商议今年将完稿的合作项目《宋登科记考》,4 月上旬至宁波参加由宁波市文化局主办但聘我为主编的《浙东文化学术编年》编纂会议），因此便客气地说待我拜读拜读。不意方勇同志很快就把稿子寄来。5月中旬我正好有一段空隙，白天忙一些杂务，夜间一个人坐在书房里，于灯下逐页细阅，我突然对时间产生了奇怪的错觉，觉得我自己似乎不是在20世纪末、21世纪初，而是进入13世纪后半期经过一场大战乱后那种"青芜古路人烟绝，绿树新墟鬼火明"、"回首西湖湖上路，新蒲细柳为谁妍"的特殊境地。想不到方勇同志此书竟有如此魅力。

我也同时想起闻一多先生在《风诗类钞》中的一句话："缩短时间距离，带读者到《诗经》的时代。"这就是如何提供一种综合的文化考察的视野，把昨天的历史用一种整体、流动的眼光，加以开发，使得我们可以把历史与现实联结，从而使古代广阔的文化背景给现实一种新鲜的启示，也可以使过去长期积累、但封存于书库的多种史料和各种论说，作全面的有活力的清理。这，也是我对方勇同志这部书的一个总的印象。

正如方勇同志自己所介绍的，这部书着眼于把南宋遗民文化作为中国传统文化在特定历史时期的独特表现来加以考察，又选择"群体"角度进行研究，以便全景式地展示宋末诗坛的全貌。全书内容大体分两大部分，第一部分是对南宋遗民诗人群体构成和群体特征的研究，第二部分是对诗歌作品的研究，这两部分各有他书所未及的特色。我觉得，从这样的大视野来看，《南宋遗民诗人群体研究》当然可以看做是一部古典文学史或断代专题史著作，但对历史研究来说，其方法论的意义是更应重视的。过去的文学史，包括文学通史和宋代文学史，述及宋末时，无非提出文天祥、谢枋得、谢翱、林景熙、汪元量,以及词人周密、张炎等,作个体的介绍、评论,但遗憾的是看不到南宋亡后,浙江、江西、福建,以及江苏、广东等地文人活动的全景。

文学史的研究,说实在话,无非一是史料,一是史识。史料是固定的,你可以搜集到,他也可以搜集到,但史识却不一定,而且史料的选择往往决定于史识。对于史家至关重要的有些史料、"证据"、"事实",往往在一个特定的命题中才有效,与此命题相抵触的材料则会有意无意地忽略、遗漏或排除。而另一方面,有些看来极平常、极一般的材料,由于研究者特有的见识与方法,它们一下子会显得非同一般,极为精彩。方勇同志确实非常勤力、细致地翻检史料,引录大量的总集、文集,以及笔记、方志、族谱,正因为这些材料进入其互动相倚与群体网络的结构体系,就显得更为活跃,更有生气。

我很佩服这位年轻的研究者对材料作胆大心细的排比,这样,就在 13 世纪最后二十几年,在南方出现了好几个遗民诗人的地域群体,如以杭州为中心的临安群,诗社联袂的绍兴(会稽、山阴)群,浙东的台州、庆元群,浙江西南的浦阳群、严州群,以庐陵为中心的江西群,以建阳、崇安为中心的福建群,以及广东的东莞群——这,好像我们突然在宋末元初发现好几块文学的新大陆;这些本来在历史上存在过,而后来又随着时间的消逝而逐步流失的颇为突兀的文学图像,经过七八百年,又重新出现在当代人的面前。这就是古典文学研究视野拓宽、观念更新所带来的极有现代意义的成果。我于二十年前写成的《唐代诗人丛考》,在谈及中唐大历时期时,曾对当时作家群作了整体的考察和分析,指出当时南北诗人,"大致可以分为两大群,一是以长安和洛阳为中心,那就是钱起、卢纶、韩翃等大历十才子诗人。他们的作品较多地呈献当时的达官贵人。一是以江东吴越为中心,那就是……刘长卿、李嘉祐等人,他们的作品大多描写风景山水"(《李嘉祐考》)。我的这一群体研究尝试,后来的有些评论者对此给予肯定,甚至赞誉"给群体研究奠定了基础,从而也为文学史面貌的揭示带来转机"(《扬州大学学报》1996年第2期关于世纪之交中国古代文学研究学术讨论会报道)。但我这样做确还是初步的,而且这还是二十年以前,观念和方法多受束缚。90年代以来,古代文学的整体、群体研究已有很大的进展,即以南宋而言,就有张宏生的《感情的多元化选择——宋元之际作家的心灵活动》(1990年)、《江湖诗派研究》(1994年),王兆鹏的《宋南渡词人群体研究》(1992年),欧阳光的《宋元诗社研究丛书》(1996年)。我觉得,方勇同志此书的突破点,就是以地域分布与互动相倚网络来凸现南宋遗民诗人各种复杂心态,而在论述诗人的群结、唱和等创作活动时,又注意于每一地区独特的历史文化、自然环境,以及常为人忽略的经济区域差异。正是由此作综合的考察,就既显示出南宋遗民诗人处于当时江南环境下具有共性的民族危机感和悲愤意识,又反映出某种不均衡的生活方式和心理追求。应该说,作这样的群体研究,才显得扎实、创新,而不致流于浮泛、蹈旧。

本书对作家诗歌研究,也有两点值得注意。一是提出"宗唐得古"的创作追求,也就是南宋后期未曾出现,而于元初在江南一带形成的对陶渊明、杜甫诗歌精神、风格的新体味和新探索,特别提出"对于杜甫'诗史'的认识,宋人比唐人更为深刻",这对于我们从学术史的角度来研究这两位诗人，颇有启发。二是提出南宋遗民诗人创作实践的历史意义，指出南宋遗民群体中虽还未出现一流诗人，但他们的集体成就，一扫南宋后期诗坛的卑弱"衰气"，而使有宋一代诗歌有一个光辉的总结。这使人对宋诗的演进发展，有一个完整的认识。

我还要说一点的是，方勇同志对文献整理、考证，是颇有传统实学功夫的。如附录一《月泉吟社考论》，指出由吴渭主盟的浦江月泉吟社，为了抵制元廷的所谓征士举措，于至元二十三年（1286）十月，以《春日田园杂兴》为题，向各地征诗，至次年正月收得诗 2735 卷，经评定，选中 280 名，又挑选 60 家诗共为一集，后刻版行世。这样一种有组织的大规模联合创作活动，在整个古代甚至近代也是极为罕见的。但可惜，即使这 60 名作家，除个别外，均不得而知，清代初期大学问家、浙东人全祖望也曾表示极大的遗憾。而方勇同志却考出了十三个人，实为难得。我想，这也有助于对已出版的《全宋诗》作者的补订。

　　　　2000 年 5 月，于北京六里桥寓舍

原载人民出版社 2000 年版《南宋末年遗民诗人群体研究》，此据大象出版社 2008 年版《学林清话》录入，另收入大象出版社 2004 年版《唐宋文史论丛及其他》

《中华古诗文名篇诵读》序

　　三秦出版社，作为一个专业古籍出版社，近二十年来出版过不少学术水平高、专业性强的古籍和研究著作，其中特别是有关关中地区的文物考古图籍，受到海内外学者的赞誉和欢迎。现在，出版社的同志经过仔细筹划，并与西安高等院校的专家学者合作，推出一套四册的《中华古诗文名篇诵读》，将更会引起社会各方面的关注。

　　这部《中华古诗文名篇诵读》，其重点，一在名篇，二在诵读，我认为很值得向读者作一些介绍。先说诵读。在 80 年代后期和 90 年代前期，有关古典文学的普及读物，大多着眼于鉴赏、赏析，即注重于词句的诠释，艺术的分析，思想的评论，风格的琢磨。这对于古代诗文的普及是起过推动作用的。现在提出"诵读"，应当说将更进一步把久远的文化同现代人的距离拉近，让我们贴近一个源远流长、光辉灿烂的文化天地。

　　诵读至少有两个含义，其一为出声朗读。《周礼·春官·大司乐》："以乐语教国子：兴、道、讽、诵、言、语。"这段话牵涉到上古时代高等教育一整套音乐和语言能力的训练。关于其中的诵，东汉时学者郑玄注云："以声节之曰诵。"所谓"以声节之"，就是要读出声音来，还要读出字词间搭配的声调节奏，体现出抑扬疾徐之美。对于我国古代诗文名篇佳作，默读，即不出声的阅读，当然可以，但如以诵读，即出声的朗读，则更具感染力。不仅古典诗、词、骈文、辞赋，就是后世称作散文（或古文）的，也是如此。著名文史专家和语言学家启功先生，在他的《诗文声律论稿》一书中，就专用一节谈到散文（或古文）的声律和节奏。实践证明，诗词文赋的诵读，可以更深一层地体会作品的含义，更深一层地体会作家的细腻情致和他们遣词造句的良苦用心。

诵读的第二个含义是背诵。古代诗文名篇，都是古代作家丰富人生体验的总结，是他们对社会万象，包括经国治邦、伦理道德、人生修养、山水情操等诸多方面精心的概括。我们常常会有这样的体验：每逢面对一种场景，一种人生遭际，一种社会现象，当我们试图去描述它并进而予以概括的时候，便会想起古人诗文的某一片段，似乎古代作家早已代我们作好相应的描述和概括，而且其精练准确，几乎无可代替。对古代作家的名篇佳作，由诵读而背诵，由背诵而积淀于记忆之中，复从记忆中抽取、选择古诗文的某一片段，以加强个人的感受和表述，这一过程，"若游鱼衔钩，而出重渊之深"（陆机《文赋》），何尝不正是一种提高思维能力的实践呢？

诵读的效益，有时是难以想像的，这里不妨举现代两位大科学家的话来作佐证。诺贝尔奖金获得者杨振宁先生，于1999年3月在中国青少年发展基金会举办的"中华古诗文经典诵读工程"座谈会上有一个书面发言，其中说道："在我上小学一年级的时候，我父亲教我背诵了几十首唐宋诗词。……七十多年来，在人生旅程中经历了多种阴晴圆缺、悲欢离合以后，才逐渐体会到'高处不胜寒'和'鸿飞那复计东西'等名句的真义，也才认识到'真堪论生死'和'犹恐相逢是梦中'是只有过来人才能真懂的诗句。"

数学大师苏步青先生说："我是研究数学的。……整天和数学公式打交道，大脑容易疲劳，生活也比较枯燥，倘若通过文史学习，包括诗词的阅读，来调节一下，这对于本行的钻研不无好处。"苏步青先生一再强调："让学生背诵一些优秀的旧体诗还是大有好处的"；"理工科的大学生搞点形象思维，读点诗词，对打开思路，活跃思想是很有好处的"（以上见苏著《数学与诗》）。

这里还可举一个例子：1999 年 10 月 7 日为纪念孔子诞辰召开的一次"国际儒学研讨会"上，中国青少年发展基金会组织了六十四个七八岁的孩子，为与会者表演背诵《论语》，当朗朗童声响起时，"国际汉学家"们激动得热泪如流。他们说，中华文化的根如果能这样牢牢地扎在孩子们的心中，中华文化的振兴和中华民族的强大，确是指日可待。

这些现实的事例，应从一个方面证明，蕴藏在传统文化中的生命力，只要得到适当的开掘，就能焕发出真实而鲜亮的光彩。

这套《中华古诗文名篇诵读》的重点，其二即是"名篇"，从编选到文字撰写，甚有特色。一是所选作品涵盖面之宽，上起先秦，下迄近代 20 世纪之初，传统的诗、词、曲、散文、辞赋皆有录入，文体兼顾，历代有代表性的作家作品都注意选入。过去像"三百首"、"千家诗"等选本，也是受读者爱好的，但它们往往局限于某一种文体，只选录数量少、易于上口、较为浅显的作品。我在这里当然不是主张要选入较为艰深的作品以供读者诵读；事实上，本套书所选作品，大都是遵循了南朝作家沈约所说的"文章当从三易"主张的，即："易见事，一也；易识字，二也；易诵读，三也。"（见《颜氏家训·文章》引）我所说的深，指思想含义感情抒发相应可以深一些，以避免尽管文字平易但内容浮薄、感情平庸之作的录入。本套书所选作品应该说很好地体现了这一点。第二个特点是作品的注释和（阅读）提示的撰写，能做到通俗易懂，准确恰当。提示文字中有些字句带有鉴赏性，有助于读者对作品的理解和欣赏，但又不限于赏析，常常还着重于知识的丰富和提高。本书没有采用今译的方法，是值得肯定的。对于古代文史重要典籍，采用今译的方法是可行的，但是对于古典文学，尤其是诗、词，一经今译，诗、词中原有诗情意蕴，反而消失。本书撰写者在注释中以串讲、意释帮助读者理解原著，复在提示中指示要义，是很好的。第三个特点是所选作品固然都是名篇佳作，却既有历来传诵、读者较为熟悉的，也有不是太为人所知、但确有特色的作品。这是一种新的、别开生面的尝试。譬如不要让读者老是走熟路，也可以引导他走一些稍为僻静但景色仍然引人入胜的小径。

现在，关于素质教育，中央领导在说，很多有识之士也在不断地说。我想，素质教育应该不单是针对在校学生而言，也是对全社会所有成员而言；换言之，素质教育是关乎全民族素质提高的大事。曾有学者指出，素质教育可包括四个方面：丰富的知识素质，全面的能力素质，良好的品质素质，健康的心理素质。本套诵读丛书，对以上四个方面都将起到积极的促进和潜移默化的作用。

三秦出版社地处于开发大西北的中心城市西安,现在他们本着创新的精神,又拓宽视野,约请众多专家来从事这一社会面颇广的图书,这不但对于读者来说,会得到一部质量可信、图文并茂的精美之作,而且对于营造西北地区良好人文环境的大局,也能产生有益的效果。这是我作为一个古典文学的爱好者、研究者,所热切期望的。

原载三秦出版社 2000 年版《中华古诗文名篇诵读》,此据东北大学出版社 2015 年版《中国当代名家学术精品文库·傅璇琮卷》录入,另收入大象出版社 2004 年版《唐宋文史论丛及其他》、大象出版社 2008 年版《学林清话》、首都师范大学出版社 2010 年版北京社科名家文库《治学清历》

徐俊《敦煌诗集残卷辑考》序

　　徐俊君在即将完成《敦煌诗集残卷辑考》时，就嘱我为此书写一序言。1999 年 9 月初，我应台湾清华大学之邀，赴该校中文系讲学，我本想将已排出的校样带去，于教学之余阅看并即撰序。但当时校样未能出齐，徐俊又有一种执著过细的本性，还想在校样中再作修改，就说等回来再看吧。我于 2000 年 2 月初返京，徐俊就给我厚厚一叠已经排好但还有他不少改动字迹的校样，我接过来，就好像接过一副重担。

　　说实在话，我对撰写此序，是感到很为难的。因为我虽然研究唐代文学已有二十余年，但对敦煌遗书文献，包括诗歌辑录，虽有所接触，但未曾多阅细看，没有下过功夫。我有一个习惯，为友人作序，虽然不过一二千、二三千字，但总要翻阅全书，有时不止看一遍。接过本书的校样，正值春节刚过，我用了整整一星期的时间，不做别的，数万字的前言细读了两次，近一千页的正文逐页翻了一遍，刚刚经历了半年教学，好像一下子又从课堂进入了专题研究的书房，眼界顿开，随手即有所获。

　　如我这几年较留心于唐代翰林院与翰林学士，想从文化与政治的综合考察对这一部分知识分子作些研讨,其中就涉及李白于唐玄宗天宝初入长安为翰林供奉事。关于李白任翰林供奉,唐代的人就有种种说法,有的把李白即说成翰林学士,有的说他直接参与政事,制作诏书。我以为这些都是不确切的。这次我在此书上编法藏部分中,看到伯 2567、伯 2552 所录唐诗丛钞,有李白《宫中三章》,即其《宫中行乐词八首》之前三首,原卷题下所署作者为"皇帝侍文李白",这对我忽似一大发现。据考此卷传钞时间为天宝十二载(753)以后,顺宗李诵即位(805)之前。可见这一距李白时间很近的钞录者,确把李白仅仅视为"皇帝侍文",这是最为切合李白当时身份的。又如同卷页七八录李白一诗题作《从驾温泉宫醉后赠杨山人》,据徐俊校考,宋本《李翰林集》卷八、清编《全唐诗》卷一六八,均题作《驾去温泉后赠杨山人》。我认为从诗中所写,及李白当时的身份,应是李白作为一个"皇帝侍文",随从玄宗游骊山,酒后作诗赠一友人。詹锳先生主编的《李白全集校注汇释集评》也注意及此,谓当以敦煌本所题为是(卷八,页1347,百花文艺出版社,1996 年 12 月)。

以上所说只是我通阅全书所得的极小一点,也只是结合我目前所做的课题而言的。徐俊对敦煌诗集残卷的辑考,我认为功绩有二,一是总结已有的成果,辑录至今为止所能得到的最多最全的敦煌诗歌,可以体现世纪性的成就;二是提供新的文献整理的思路,既力求恢复原件钞录的准确面貌,又力图运用多种科学研究手段,特别是强调敦煌写本之间、敦煌写本与传世文献之间的互证,开拓对敦煌文献清理、研究的视野。

正如作者在前言中所说的,在全面普查已经公布的敦煌文书的基础上,经过对四百多个敦煌诗歌写本的整理、缀接和汇校,此书上编《敦煌诗集残卷辑考》共厘定诗集诗钞 63 个,诗 1399 首(包括重出互见诗 71 首),下编《敦煌遗书诗歌散录》辑录诗歌 524 首(句)。二者合计为 1923 首。这一数字确实大大超过已有的各种辑本。而且所辑的诗,包括诗的作者,都通过大量的文献辑比和严密考证,作了精细的校勘,有不少已经可以成为结论。人们今天拿到这部书,除了已辑集整理的王梵志诗以外,敦煌遗书中的诗歌,可以说这是既全而又可信的一个定本了。当然,这并不是徐俊一个人的功劳,他充分吸收了 20 世纪几代学人的学术成果。而且上一世纪自二三十年代起,中国学者连续到海外辑录有关资料,特别是八九十年代,几种大型的文献(如英藏、法藏、俄藏,以及国内部分藏品)以集成方式影印出版,给敦煌诗的全面整理研究提供了坚实的基础。学术和文化研究的突破,确是离不开文献资料的。

至于书中体现的新的文献整理思路,我想,这在前言和正文的校录中随处都能察觉,我的这一序言不是论文,不能作详细的介绍和阐释。我这里只能提出几点。如徐俊是很注意敦煌诗歌写本所显示的地区、时代和民间文本的诸种特色的。对敦煌诗歌的时代分段,人们一般是按中原王朝的兴替分为先唐、唐五代、宋初三个阶段,而他则强调与敦煌历史发展的一致,划分为吐蕃占领以前的唐朝时期(即唐德宗贞元二年以前)、吐蕃占领时期(即吐蕃于贞元二年攻占沙洲、敦煌以后的七十余年)、沙洲归义军时期(即唐宣宗大中二年张议潮率领沙洲民众起义、驱蕃归唐,直到北宋仁宗景祐三年为西夏所灭)。这就不受中原王朝兴替的传统约束，更便于展开有关中原文化在敦煌地区传播及敦煌本土文化自立发展的研究。

又如上世纪初敦煌遗书的发现、流布，是有其特殊的历史环境的，这就是因为经过几次劫掠，分藏于不同地区，这样，有些原是一个卷子的钞件，却被割裂为两种或数种不同的文献。而过去对敦煌诗歌的整理，又往往只就《全唐诗》的补辑着眼，不作整体考虑。如最早有计划地从事敦煌唐诗写本辑录的王重民先生，他在《补全唐诗·序言》中就明确地说，敦煌诗在《全唐诗》中已十存八九，他的计划是，凡见《全唐诗》者校其异文，凡不见《全唐诗》者另辑为一集，以补《全唐诗》之逸。王先生在这方面是作了不少贡献的，但他的工作有两大遗憾，一是受客观条件的限制，并未作全，特别是数字统计不确（如说《全唐诗》已十存八九）；二是这样做便把敦煌写本原件隔开，以致造成种种缺失。如伯2492、俄藏 Дx. 3865 唐诗文丛钞其21首诗，原是一个写卷，但因一为法藏，一为俄藏，王重民先生只看到法藏所录的白居易诗，定名为"白香山诗集"，而且又主张这是当时单行的《白氏讽谏》原本。现在徐俊把法藏与俄藏缀接，恢复原来写本的原貌，人们就可以看清楚，这一写本所录不止是白居易的《新乐府》诗，还有元、白唱和诗，岑参《招北客词》，以及德宗时女冠诗人李季兰诗。这样，既否定原来单据法藏所作的结论，还进一步考知李季兰佚诗的写作时代背景（见本书页21至27所考）。书中类似的情况不少，如页171缀合伯2762、斯6973、斯6161、斯3329、斯11564等五个残卷，考出唐佚名诗十八首原为一卷，从而推断诗作的时间，均极为精彩。徐俊在前言中明确提出，"敦煌文学写本的整理应该以最大限度地保留其原有的可供研究的信息为目标"，这应该说是既符合传统的文献观念，更具有开拓新的学术发展的科学思路。

在述及整理、考录时，徐俊提出"广泛与传世文献相结合的原则"。"传世文献"一词我最初觉得不太好理解，我想，这当是指中原地区尚存于世的各类典籍。当然我是赞成这一提法的。陈寅恪先生在论及王国维的治学贡献时也曾提到："取地下之实物与纸上之遗文互相释证"，"取异族之故书与吾国之旧籍互相补证"（《王静安先生遗书序》，见《金明馆丛稿二编》，页219）。敦煌诗歌相当一部分是中原地区流传过去的，有一部分则是本土作品，但总的都是中华文化。我们今天作考证、研究，确应作综合的考察。如果不具备传统文化的素养，是很难作出真确的、高层次的考释的。本书在这方面作了不少努力，既博且精，时出新见。如页276考伯3597所录的《白侍郎蒲桃架诗》，今人多认为即是白居易诗，有的学者虽提到一作姚合诗，但认为不可靠。徐俊考出宋代史绳祖《学斋占毕》卷四记有当时所传姚合诗集即有《洞庭蒲桃架》诗，这一发现即可断定此诗的确切作者。又如伯2567、伯2522唐诗丛钞拼合卷中所录孟浩然《寄是正字》诗，过去的孟集及某些总集对"是正字"所载有异，今人也往往沿误传误，徐俊则依据《新唐书·艺文志》予以订正。这些都可见出，我们作古籍整理，推而广之，作古代文化研究，确需要有博厚的根基，而这又是不可能一蹴而就的，需要长期的积累。

徐俊在后记中说，他编撰这部书，如果从普查写卷算起，已有十三个春秋，而开始动笔写作至去年，也已整整十年。他感慨地说："人生有几个十年呢，这本书竟耗费了我十多年全部的业余时间!"我说,这不是耗费,这是值得的,也是必须的,没有这十多年,能有如此厚实的成果而为当代及后世所引用吗?人生确应珍视这几个十年,徐俊是真正在中华书局曾有过的学术氛围中充实自己,并已立足于难得的敦煌学术行列。这样的十年,应是为人企羡的。

我不可能再多举例子,虽然我在笔记中还写有不少。我在这里想再说一点,那就是,徐俊在校辑、考录时,真是参阅了 20 世纪中外学者不少著作,这从书后所附"征引及主要参考文献"有 26 页之多,可以想见。对有些有争议的记载和说法,根据徐俊所提供的论据,有的我认为可以下断语的,但他还是表示维持原说,不遽加改变(如页 461 关于"荀鹤"二字的校释),这种慎重的做法使人感到一种谦和之气。不过徐俊还是有硬脾气的,他认为是就是,认为非就非,即使是有很大名气的前辈或当今学者,他一方面很尊重,但另一方面碰到实在难以成立的具体论点,他还是明白表示"误"、"不确"。我认为这是治学的一种正气,一种与虚假、作伪绝然对立的正派作风。是为序。

原载中华书局 2000 年版《敦煌诗集残卷辑考》,此据大象出版社 2008 年版《学林清话》录入,另收入大象出版社 2004 年版《唐宋文史论丛及其他》

回望：二十五年前《万历十五年》的面世

这部书稿,最初是由黄苗子先生与我联系的。1979 年 5 月 23 日,黄先生给我一信,说:"美国耶鲁大学中国历史教授黄仁宇先生,托我把他的著作《万历十五年》转交中华书局,希望在国内出版。"苗子先生颇有识见地提出,"这样做将对国外华人(此二字为《出版参考》编者所加——编者注)知识分子有好的影响",又说陈翰伯同志也有这一看法。黄先生的信最后说:"现将全稿送上,请你局研究一下,如果很快就将结果通知我更好,因为他还想请廖沫沙同志写一序文(廖是他的好友)。这些都要我给他去办。"

黄苗子先生希望快一些把"结果通知"他,但在那一时期,实在是快不了的。

我当时在中华书局任古代史编辑室副主任,接到稿件后,倒是马上通读,并于 6 月 16 日写了一份审稿意见。意见一开头是作了肯定的:

> 万历十五年为公元 1587 年,约当明代中期偏后。这一年并无什么突出事件,稿中记这一年事情的也极少。稿中主

要写了几个历史人物，即万历皇帝、张居正、申时行（此二人是宰相）、海瑞、戚继光、李贽。以这几个人为中心，叙述明朝中期的政治（如内阁组织、皇位继承、建皇陵、地方吏治）、经济（如漕运、赋税）、军事（如防倭寇、蒙古人）、思想等情况，作者企图从这些方面说明中国封建社会的某些特点，正是这些特点导致明朝灭亡，而这些封建社会的固有弊病也影响后代甚至现代。因此书名虽为万历十五年，实际是论述明代中期的社会情况，着眼点是较广的。

我在这里之所以详细引录这段审稿文字，是向读者介绍当时我作为一个普通的编辑，有这样的认识，确还是不容易的，因为那时还是1979年，即20年以前。在那一时期，这样写，说老实话，我还是有一定顾虑的。因此在这段文字之后，我就提出几点意见，一是"写作的布局与文字，和国内现在写法很不一样"，"有些地方对外国人可能是必要的，但对中国人就显得累赘有余"；二是译文有些地方，"文句不通，词不达意"；三是"序言的后半部分涉及我国现在搞现代化建设，不好"。

后来我与古代史编辑室另一副主任魏连科共同写了报告，报告中建议"原则上接受出版"。但当时中华书局的一位领导，表示"不宜接受"，他还在口头上对我说，我们何必要出国外人的书。这就造成一定的困难。幸亏当时任副总编的赵守俨先生明确表示同意出版，并且说稿中"涉及现实问题之处，似乎在提法上并没什么大问题"。守俨先生的意见是9月24日写的。因此他还特别提及："由于此稿经几个人看过，已耽搁了一定时间，盼尽速阅示。"

正因有这样的表态。这部书稿终于通过了。

《万历十五年》是黄仁宇先生最初用英文写成的,后由他自己译成中文,正如黄先生后来在自序中所说:"本书由英文译为中文,因为国内外情况的差别,加之所译又是自己的著作,所以这一翻译实际上是一种译写。笔者离祖国已逾 30 年,很少阅读中文和使用中文写作的机会,而 30 年来祖国的语言又有了不少发展,隔膜更多。"原稿在遣词造句上确有不少难懂之处,因此在征得黄苗子先生同意后,由我请大学时同窗好友沈玉成先生(时在中国社会科学院文学所),对全书作一次全面的文字加工。1980 年 1 月,在沈玉成先生将第一章修改后,即将修改稿寄黄先生,并附一信,说明改稿时的几条原则:

一、保持原作的论点和材料;

二、尽可能保持您原有的文字风格,即文言白话交融、具有某些幽默感的语言,同时又希望在一定程度上保持有译文的意味;

三、对某些语意不甚明了的,或并非必要的词句稍作删节;

四、个别段落稍作词整。

这样,我们就把沈玉成先生修改后的稿件,逐章寄给当时在纽约的黄仁宇先生,每一次寄时都由我拟写一封信。如第二章于 1980 年 3 月 21 日寄,信中说:"三月八日寄来尊著《万历十五年》原稿第一章,以及给编辑部与傅璇琮君的信函,均已收悉。沈君之润色稿(第一章)既蒙首肯,则当照此进行,今随函寄上第二章,亦请审正。"

就这样,我们逐章寄出,都附有我所拟的信函,而这些信函都经赵守俨先生阅改,可见当时的中华书局对此确很认真。我们既充分尊重著者的意见,但也不回避我们的想法。

黄仁宇先生对沈的修改稿是满意的,后来在序言中还特别表示谢意,并且建议将稿费的30%交给沈玉成先生。

《万历十五年》于1982年5月出版,初版一下子就印了27500册,而且很快销售一空。全书将近20万字,当时定价为0.93元,这在现在也是一种罕闻了。在这之后,台湾马上要出新版,日本也要据中华版译成日文。最近我重读书前的序言,觉得其中有两点,现在还值得玩味。一是序中说,过去关于明史的叙述,几乎无不有"税重民穷"的说法。二是著者叙述了明代社会弊病的种种现象,然后提出:其症结到底何在?黄仁宇先生明确回答:"笔者以为,中国两千年来,以道德代替法制,至明代而极。这就是一切问题的症结。"这两点颇值得思考,以此作为这篇琐记的结语。

原载2000年3月9日《新闻出版报》(题为:值得回味的记忆——《万历十五年》出版琐记),刊《出版参考》2007年第2期,略有删节,据以录入

吴承学《中国古代文体形态研究》序

今年 4 月间,吴承学先生来信,约我为其新著《中国古代文体形态研究》写一篇序。刚看到信中所提的书名,马上就想到明代两部文体学著作,即吴讷的《文章辨体》和徐师曾的《文体明辨》。《文章辨体》详列歌谣、赋、乐府、诗及各种骈散文体 59 类,《文体明辨》更细分为 127 类。当时我很担心吴承学先生如何把中国古代如此繁复、琐细的文体作统括全局的概述和分类辨析的细研呢?后来接到来稿,先翻目录,不禁眼光一亮,原来全书十七章,第一章至十二章分别选择了先秦盟誓、谣谶与诗谶、策问与对策、诗题与诗序、留别诗与赠别诗、题壁诗、唐代判文、集句、宋代橪栝词、明代八股文、晚明小品、晚明清言等文体进行个案式的清理与研讨,第十三至十六章则对文体学理论作历史性和逻辑性的梳理,最后一章则以独特的视角对中国古代以评点形式所显示的文化传播与文化普及行为作出颇有当代意识的评议。以上章节,大部分前些年曾以论文形式在《文学评论》、《文学遗产》等刊物上发表过,当时也读过几篇,这次为了遵嘱写序,就集中把全稿细读一遍。每读一章,说实在话,真有一种艺术享受的美感,又得到思辨清晰、论议深沉所引起的理性的愉悦。

我想，书序这一文体不是书评，不必对书作全面的介绍和评论，——此书书前的"绪论"也已对本书的宗旨作明晰的阐释。书的序言应当是一种较为自由的文体，大致是撰写者的一篇读后感，可以对书作感想式的评论，也可与著者作学术上或友情上的交流，也还可抒发撰序者本人的某些感慨。就我个人来说，吴承学先生比我年轻约二十余岁，按照友人蒋寅先生《四代人的学术境遇》所述，在20世纪古典文学研究行列中，我算是第二代，承学先生算是第三代，但我总有一种与吴、蒋都是同一代的感觉，因此每一次在学术会议上，彼此都能促膝而谈，大有"忘年"之感。这样，我这篇序也就随意而谈，无一定之体。

我读这本书，以及读《中国古代文学风格学》、《晚明小品研究》，曾于灯下默想，承学先生治学有怎样一种路数？于是得出八个字，这就是：学、识贯通，才、情融合。再演绎为四句话：学重博实，识求精通，才具气度，情含雅致。我认为，博实、精通、气度、雅致，确是这些年来吴承学先生给学术同行的一个总印象，也是承学先生一辈中的前列者这些年来在其著作成果中所显示出来的艺术才能和精神素质。

将以上的八个字、四句话，具体落实到这本书，首先我觉得承学先生有一种坚实而敏感的学科建设意识，而学科建设也确是当前古典文学研究界面向新世纪所必须正视和承担的理论课题和实践项目。十年前承学先生在复旦攻读博士学位时，就提出"中国古代文学风格学"，并写有专著，经过近几年的潜心研究，又提出中国古代文学文体学。我认为，这不只是针对目前学术界对文体形态研究的薄弱情况,更重要的是有鉴于文体学研究对于整个古代文学研究有不可忽视的完整学术结构的意义。正如作者在书中不止一次地说道:"我的研究目的是回归到文学自身,从文体研究的角度切入研究中国古代文学史。"过去很长一段时期,往往把文体单纯看做一种形式技巧,不予重视,这是出于一种偏重所谓政治因素的误解,从而限制研究的视野。如果按绪论中所说,我们在建立文体学的过程中,全面研究古代文体的内部结构、文体的审美特征,以及文体之间的互相影响、互相融合、文体发展的规律等,并在此基础上,研究文体所反映出来的人类感受方式和审美心理及文化心态,这就能促使我们古典文学研究的整体推进。

当然,作为学科建设,一方面要有科学规范,另一方面更要有重点突破的创新意识。以古代文体学而论,面对从先秦至近代三四千年间几十种、上百种的文体,要一个个排着队来评述,谈何容易,这也是古代文体学面临的一个客观难题。但我们可以作主观突破,这就是本书的一种创新精神,即先不作系统的概论,而是对过去长时期不受重视而实有文化涵义的包括文学文体和实用性文体,从文体体制、渊源、流变及各种文体之间的相互影响等,"作历史的描述和思考"。我觉得这样做,对当前学科建设来说,有方法论的启示意义。我们不要先做大而全的概述性工作,这样难免重复、浅层;先选择有一定代表性的几个点,作精细而又有高度概括的探讨,这就能使这一学科成为富有现代意义的、具有众多坚实实验室的科学园区。

这里提到实验室,我以为人文科学也应该有自己特色的文献材料库，而本书在这方面也颇有建设性的创新点。我在上面曾讲到学重博实，而就现代来说，博实必须注意利用新的科技成果。在第一章《先秦的盟誓》中，作者表示，他通过现代先进的电子检索系统，得到"盟"字在《左传》中出现 640 次，在《公羊传》中出现 162 次，在《穀梁传》中出现 172 次；"誓"字在《左传》中出现 22 次，在《穀梁传》中出现 1 次，在《公羊传》中没有出现。又，在《汉字游戏与汉字诗学》一章，作者从《诗牌谱》中摘下开头 30 个字，根据北京大学网站《全唐诗电子检索系统》，得出它们在《全唐诗》中出现的次数，分别是：天 17614，云 19029，烟 6176，霞 2008，霜 3813，等等。这样的"总账"式数字统计，并不纯粹是技术性的，它往往会带给人们一种文化探索的兴味。我在一次会议上也曾听《全唐诗电子检索系统》制作者说过一段话，他说他拿出"夕阳"一词，来检索《全唐诗》出现次数，结果是初唐时期最少，晚唐时期最多，说得与会者发出会心的微笑。

当然，对我们搞文学研究的人来说，掌握文献材料，不能全靠电子检索，还得靠头脑积累，头脑中的众多积累和有效利用，有时是电子检索不能代替的，它的表现特点是"活"。譬如本书中讲到判文对叙事文学文体（戏曲、小说）的影响，就举出宋代《醉翁谈录》所引用的公案小说，元代的《陈州粜米》、《碌砂担》、《蝴蝶梦》、《灰阑记》、《窦娥冤》等十余个杂剧，明代的《包公案》、《龙图公案》等白话判案小说。又如《晚明小品》一章述及古人以本草、药方形式写出富有情趣之文，所举之例，有唐张说《钱本草》，贾言忠《监察本草》，侯味虚《百官本草》，宋释慧日《禅门本草》，明袁中道《禅门本草补》，清张潮《书本草》（按药方所举例，省）。这是现在电子检索还做不到的,需要我们当代学人,排除外界的诸种干扰,安心读书做学问,才能有所获得。

　　承学先生的可贵之处,还在于博通中外古今,书中好几处引及现代外国的哲学、文学理论著作,如论集句时,引述俄国美学家什克洛夫斯基"陌生化"美学原理;论《诗牌谱》,就随手联系西方文论中的意象研究,以美国学者华兹生对《唐诗三百首》所作统计为例。更让人感兴趣的是,《晚明小品》一章中论及作者自己立名的"意象式小品",也即一连串的意象联缀而成的小品,这些意象有时看来只是杂纂而成,而实际上则有内在的联系,构成一种独特的艺术意境。作者写到此,特地举了现代作家汪曾祺的小说《钓人的孩子》一段描写。为提供给我们搞古代研究的人欣赏,我这里把这段美文移录于此:

　　　　抗日战争时期,昆明小西门外。
　　　　米市、菜市、肉市。柴驮子、炭驮子。马粪。粗细瓷碗,砂锅铁锅。焖鸡米线,烧饼块。金钱片腿,牛干巴。炒菜的油烟,炸辣子的呛人的气味。红黄蓝白黑,甜酸苦辣咸。

这样的意象式字句,更能使人体味抗战时期昆明郊区一个普通小镇的独特景致。讲古代文体,引用现代文学创作,这不但是增加书中的文采,更使人得到沟通古今的启发。我过去在论述朱东润先生史传作品时,曾提到"朱先生的传记作品还有一种神来之笔,那就是在讲述历史时,忽然会把过去的生活拉到现代来,增进人们的时代意识与生活情趣",并举《杜甫传论》中论及杜诗《严氏溪放歌行》,引及近代乐曲《二泉映月》,论及杜甫在江陵的遭际,联系法国雨果的小说《笑面人》(见《文学遗产》1997年第5期所刊拙文《理性的思索和情感的倾注》)。沟通古代文学与现代创作的内在联系,挖掘我们华夏民族的潜在文化意蕴,这应当也是我们古代文学学科建设的一个命题。

　　我恐怕不能讲得太多,影响读者对这部佳作的研读和欣赏。我想再补充谈两点。一是作者注意过去不大受人重视的一些文体所具有的文化内涵,强调"文体其实是人类把握世界的方式,是历史的产物,积淀着深厚的文化意蕴"。如论文字僻涩的先秦盟誓,指出"盟誓是中国古代历史最为悠久、文化内涵最为丰富的文体之一";讲到具有神秘意味的谣谶和诗谶,说"它们具有某些其他类型诗歌所没有的文化内涵";说古人的题壁、题树等题诗,"实际上已经成为古代的一种特有的文化氛围,一种寓有艺术色彩的人文景观";讲到一向被视为政治文体的判文,说"判辞研究具有特殊的文化与文学意义";对一向被视为臭文的八股文,说它是"对于中国古代知识分子生存状态影响最大的文体之一"。这样从文化视角来探讨文体的产生、演变及社会意义,确能使人扩展视野,加深思索。另一点是书中对某些流行看法和传统观点,能独出新见。如论八股文,说八股文确影响明代文人和文学的创新精神,但又指出其理论却比较复杂,对于古代文章学、技法理论产生的影响难以断然否定,并说作为科举的一种文体,八股文"确综合和融化了古代许多文体的特点";又如这些年来备受人赞赏的晚明小品,作者在作了肯定论述外,提出其一个特点是"虽小亦好,虽好亦小";对晚明清言,指出其思想内容的两重性,即:"清言所标榜的是清旷,而最终却容易使人走向平庸、世故和滑头。"这些都是使人惬意的中肯之论。

承学先生于4月中旬寄来此书书稿时,并附一信,信中有几句话,颇值得深思:"这里远离学术中心,在许多外地学者看来,此间不是做学问之处;而在此间世人看来,做学问乃是不合时宜之事。这两种看法都近于事实。既难以得到学术界的认可,也难以得到社会的承认,所以学者在这里想真正做点学问实在具双重的困难和压力。也许正是这样,我的论文总是带有某种'边缘'色彩和寂寞之音,格格不入时流。"这几句话我是完全能理解的。我觉得,像我们这样做古代学问之人,是不能与股票"联网",与"票房"比值的。我们要有一种高层文化导向的自期,这也就是我在前面所说承学先生那样的才具气派与情含雅致。人生总是有压力的,就我个人来说,二十几岁时就承受过难以想象的政治重压,现在也还不时有一些莫名其妙或所谓世态炎凉之压,根据我早年的经验,这就需要有一种"傲世"的气骨。我总是以为,一个学者的生活意义,就在于他在学术行列中为时间所认定的位置,而不在乎一时的社会名声或过眼烟云的房产金钱。

关于广州的文化环境,最近我从上海古籍出版社送我的一本书得到新的启示。上海古籍出版社于今年年初出版一本大十六开本的图集:《十九世纪中国市井风情——三百六十行》。书中影印了19世纪初期广州画铺中的画师绘制的所谓外销画,画师当时从赢利出发,将各种题材的水彩水粉外销画绘制出来,销售并流传到欧美各地。这些外销画所表现的是中国历史与文化的片断题材,而画法却摹仿西方,现在看来十分别致,可以看出中西文化交流融合的具体情景。这是在 1840 年鸦片战争之前。可见在鸦片战争这个被作为中国近代史起点之前,广州的社会与文化风气已有一种相当西化的倾向。社会的发展与文化的走向是一个整体且相对独立的行动,并不完全受政治的制约和影响。陈寅恪先生早年所作的宗教史名篇论文《天师道与滨海地域之关系》,就提出过一个论点,说两种不同民族的接触,"其关于文化方面者,则多在交通便利之点,即海滨港湾之地","海滨为不同文化接触最先之地,中外古今史中其例颇多"。对读上海古籍出版社新出的这本表现广州 19 世纪初期三百六十行市井风情图集,更显得陈寅恪先生论点预测性和推导性之可贵。近二十年来广州的开放成绩显著,文化的活跃也有其他地区所不及的,吴承学先生在这样的一个环境中,他以寂寞之心钻研其所称之"边缘",必将是一片为人注目的学术"新境"。——这,也是拙序的殷切期望之情。

2000 年 6 月中旬,北京六里桥寓舍,

时当数十年来未有之高温

原载中山大学出版社 2000 年版《中国古代文体形态研究》,此据大象出版社 2008 年版《学林清话》录入,另收入大象出版社 2004 年版《唐宋文史论丛及其他》

程国赋《唐五代小说的文化阐释》序

　　程国赋同志于 1994 年在南京大学中文系获博士学位,其学位论文为《唐代小说嬗变研究》。毕业后到广州暨南大学,对论文花了几年工夫修改,并增补成分,于 1997 年 7 月在广东人民出版社出版。90 年代后期,程国赋同志在广州这样市场经济极为发达的环境中,仍安心于唐代小说的研究,于 1999 年 8 月将《唐代小说与中古文化》一书交台北文津出版社出版。正如作者自己所说,《唐代小说嬗变研究》以纵向的角度分析唐代小说在后世文学中的影响,《唐代小说与中古文化》则从横向的角度探讨唐代小说与当时文化背景之间的关系。而现在这部《唐五代小说的文化阐释》(文化艺术出版社)又更往前发展,从史官文化、门第、科举、宗教、婚恋思想、商业、士子文化形态等七个层面,作唐五代小说的全方位文化探索,将文化研究引入到中国古典小说研究之中,一方面分析唐五代文化思想对小说创作的影响,另一方面又透过小说显示当时广阔而生动的文化背景。国赋同志这样做,确表现出90 年代年轻学人极为难得的不断创新意识和潜心钻研精神。

　　80 年代前期,我写作《唐代科举与文学》,就想把唐代的科举与唐代的文学结合在一起，"试图通过史学与文学的相互渗透和沟通，掇拾古人在历史记载、文学描写中的有关社会史料，作综合的考察，来研究唐代士子(也就是那一时代的知识分子)的生活道路、思维方式和心理状态，并努力重视当时部分的时代风貌和社会习俗，以作为文化史整体研究的素材"(《唐代科举与文学》自序)。

在当时我这样做，只是一种尝试。80年代后期，尤其是90年代以来，"历史—文化"的研究已经渗透到人文科学的许多领域。我认为，这是近十余年来我们古典文学研究的一大进展，特别在年轻研究者中表现得更为突出。人们认识到，不能孤立地研究文学，也不能像过去那样把社会概况仅仅作为文化背景贴在作家作品背上，而是应当研究一时期的文化背景及由此而产生的一个时代的总的精神状态，研究在这样一种综合的"历史—文化"趋向中，怎样形成作家、士人的生活情趣和心理境界，从而研讨出一个时代以及一个群体、个人特有的审美体验和艺术心态。如果说，这些年来我们的古典文学研究真正有所进展的话，那么，这种文化意识的观念及其在实际研究工作中的运用，是最可值得称道的成就，如果我们要从理论上对古典文学研究的经验进行一些探讨，那么这个文化意识问题就是其中值得重视的新的课题。

从这样的学术大环境来看程国赋同志的这部书，我认为此书的意义和价值，已经不仅仅是对于唐五代小说研究本身的加深，而更是在拓展文学史研究的视野，加强与其他学科的沟通等方面，提供一种高层次的方法更新的经验。

文化史研究确是近十余年来古典文学界的一个热点，也是值得肯定和重视的一大进展,但也应该看到,这些年来,伴随着某些炒作,一种虚空、假造的作风也有蔓延之势。有些打着文化研究的旗帜,口气很大,实际则是不踏实地,卖弄一些新名词、洋句子,有时故意造一些晦涩难懂的长句,完全与所论述的学术对象没有关系;有些则对古代已有的一些所谓概念、术语、范畴等等,作一些位置性的移动,并无学术创新可言。我觉得,从这点来说,国赋同志此书又体现一种学术正气,那就是对研究对象的史料,仍作沉潜的研索。我们仍应坚持并发扬前辈学者长期努力而积累下来的严谨学风,也就是一种勤奋的实证训练,只有如此,才能支撑我们作大幅度的理论探索。

国赋同志此书是下了不少实力的。我过去撰《唐代科举与文学》,确感到如只限于史书、文集,对于研究当时知识分子在科举制度环境下的各种活动与心态,是远远不够的,因此翻阅和引用了一些传奇和笔记小说所载的情节,这不单可增添书中文采,也能相当充实时代生活气息。我在讲述当时考试选人的行贿时,引用了《太平广记》卷一五七《李君》,以及《续玄怪录》卷二《李岳州》,大大增强了一种难得的社会实景。但我引录的终究是少数,而国赋同志此书中的《唐五代小说与科举》,则讲得非常全面、充实,确使我们透过小说作品的有关记载,了解到唐代文士对科举的态度,科举对士风以及文士生活的影响,科举与朋党的关系,等等。特别是第六章《唐五代的商品经济与小说创作》,非常吸引人。作者画龙点睛地指出,唐五代小说中商人群体的形象塑造,在不同程度上体现了当时文士对经商的看法,隐含着一定的文化内涵,随即具体分析了小说中刻画的几种类型的商人形象,如所谓巨商、奸商、投机商、善于经营者、正派商人,等等;然后又具体论述那一时期商人有三种挥之不去的情结,即土地情结、儒本情结、官本位情结。这是已有的古代工商业研究所未曾注意的。这一章中还特设《胡商现象的文化内涵》一节,分别讲述胡人的来源地,小说中大量出现胡商的原因,胡商从事的行业,胡商在中国的分布以及胡汉融合的趋势,唐五代人眼中的胡商,关于胡商生活习俗的记载,等等。这里差不多把当时小说中的有关胡商的描述都尽量展示出来,真如同近些年考古发掘的新材料,使人耳目一新。

通读全书后,更觉得宋人洪迈在《容斋随笔》中把唐人小说与诗律同称"一代之奇",确有见识。我们研究唐代文学,其位置往往首先是诗,其次是文,再其次才是小说,而研究历史的人,则更不把传奇放在眼里,认为研究历史是不能把这些传而又奇的故事写入的。之所以如此,就是缺乏文化眼光。从文化角度来看唐代的社会,唐代社会的各种人群,则唐代的小说应是一座材料宝库,一个有待发掘的文物宝地。本书的有些论点,当然还可讨论(如论行卷之风与小说之兴等),但从整体来说,全书应该就是提供一种观念开拓与方法更新的探索实践。

原载人民文学出版社 2002 年版《唐五代小说的文化阐释》,先发表于 2000 年 7 月 21 日《人民政协报》,此据大象出版社 2008 年版《学林清话》录入,另收入大象出版社 2004 年版《唐宋文史论丛及其他》

唐玄肃两朝翰林学士考论

一

1984 年冬,我撰成《唐代科举与文学》一书,在自序中曾说及,我想从不同的角度,探讨有唐一代知识分子的生活方式和心理状态,并由此研究唐代社会特有的文化风貌,于是就先选择科举制度,想从科举入手,掌握科举与文学的关系,以便从较为广阔的社会背景来认识这一时期的文学。序言中还写道:"如果可能,还可以从事这样两个专题的研究,一是唐代士人是怎样在地方节镇内做幕僚的,二是唐代的翰林院和翰林学士。这两项专题的内容,其重点也是知识分子的生活。"①在这之后,一直在扬州师院和扬州大学任教的戴伟华先生,即专注于唐代方镇幕府与文学的研究,撰写有《唐方镇文职僚佐考》、《唐代使府与文学研究》等

① 《唐代科举与文学》,陕西人民出版社,1986 年 10 月,第 2 页。

书,在这方面极有开拓之功。我曾遵嘱于1993年为《唐方镇文职僚佐考》作序,序言中再次提及唐代的翰林学士与方镇幕僚,对前者,我较《唐代科举与文学》自序多说了几句,谓:"翰林学士,那是接近于朝政核心的一部分,他们宠荣有加,但随之而来的则是险境丛生,不时有降职、贬谪,甚至丧生的遭遇。他们的人数虽然不多,但看看这一类知识分子,几经奋斗,历尽艰辛,得以升高位,享殊荣,而一旦败亡,则丧身破家。这是虽以文采名世而实为政治型的知识分子。"①

我始终认为,研究唐代的翰林学士,其重点仍然在于那一时期一部分知识分子的生活道路,从这一点着眼,可能收获会较多。但这些年来,有些论著从史学角度,又以宏观手法,对唐代翰林学士的政治作用,作过高的估价,认为翰林学士设置以后,特别是中唐以后,"内廷外朝便有了两个并行的决策机构"②,"其设置目的在于排斥中书门下决策体制,削弱宰相职权",并认为"外朝中书门下则由于丧失决策权而逐渐蜕化为行政机关"③。有些论著不加分析地沿袭唐代文献中所谓"内相"的比喻说法,把翰林学士的权力凌驾于宰相之上。实际上这些都不是从材料本身出发,与事实不合。唐代的知识分子,固然有通过翰林学士的途径,表示自己的政见,施展自己的谋略,但在朝中并没有形成独立的中枢机构作用。他们往往屈从于掌握实权的宰相和宦官,如果与这两者

①戴伟华:《唐方镇文职僚佐考》,天津古籍出版社,1994年1月,第2页。
②袁刚:《隋唐中枢体制的发展演变》,台北文津出版社,1994年6月,第83页。
③袁刚:《隋唐中枢体制的发展演变》,第77、196页。

有所冲突,则大多以失败而告终。这是古代文人参与政治的根本弱点和带有一定普遍性的惨痛教训。如大家知道,白居易于宪宗元和十年(815)贬为江州司马,史书上记载是因为宰臣武元衡为盗所杀,白居易第一个上书,于是为人奏为越位,而实际上白居易自己则以为,此事乃起祸于前几年即元和二年至六年任翰林学士时,那时"不识时之至讳","直奏密启",这样一来,"握兵于外者,以仆洁慎不受赂而憎;秉权于内者,以仆介独不附己而忌;其余附丽之者,恶仆独异,又信猜猜吠声,惟恐中伤之不获。以此得罪,可不悲乎!"这是白居易贬至江州后的第二年写给亲友杨虞卿的①。这是很有代表性的例子,而却为人所忽视。白居易是一个很有见解、很有个性的人,他的《新乐府》、《秦中吟》即作于翰林学士时。而正因如此,得罪了"握兵于外者"、"秉权于内者",以及"附丽之者",终于被贬,成为政治斗争的牺牲品。类似者还有,甚至比白居易更惨。我们不应从某种观念、设想出发,作一种看似概括性强而实为虚拟的推想。

遗憾的是,这些年来的有关论文,还往往出现一些常识性的错误。如把李白、杜甫,与宋朝的苏轼、欧阳修、王安石、司马光同样列入翰林学士之列②。事实上李白只是翰林供奉,未曾作过学士,杜甫则根本与翰林学士院无关。又如说翰林院设立于唐初,唐高祖、太宗时的大臣如魏徵、李百药、岑文本、褚遂良,高宗初期

①《白居易集笺校》卷四四《与杨虞卿书》,上海古籍出版社,1988 年 12 月,第 2770 页。
②见杨果《古代翰林制度及其对封建文化的影响》,《光明日报·史林》第 266 期,1999 年。

的许敬宗、上官仪，都曾在翰林院内待诏①。实则唐代史籍明确记载，翰林院是唐玄宗即位后才设立的，这距唐高祖、太宗时已有八九十年。

有的更对过去的材料不加鉴别，以讹传讹。如《新唐书·百官志》一，记翰林学士，"入院一岁，则进知制诰，未知制诰者不作文书"。宋朝叶梦得《避暑录话》（卷下）所载同，费衮《梁溪漫志》亦载，并加上一句"但备顾问、参侍行而已"（卷二）。前些年凡论述唐翰林学士者，均本此说。而实际上，仅根据两《唐书》列传所载，即可证明此说不确。如李德裕于元和十五年（820）正月穆宗即位后，即召为翰林学士，"禁中书诏，大手笔多诏德裕草之"，后长庆元年（821）才为知制诰，二年二月转中书舍人②。又杜元颖，元和中召入为翰林学士，"手笔敏速，宪宗称之。吴元济平，以书诏之勤，赐绯鱼袋，转司勋员外郎、知制诰"（《旧唐书》卷一六三本传）。类似的情况，又见《旧唐书》卷一六七《段文昌传》，卷一六八《钱徽传》、《高钺传》，卷一七二《萧俛传》，卷一七三《陈夷行传》，都是入为翰林学士，即已草诏，然后再知制诰。由此可见，我们应对过去的材料作细心的考察，对有关的记载作全面的清理，这样才能对翰林学士的职责、作用等，作出准确、客观的评析和判断。

---

① 见杨友庭《唐代翰林学士略论》，《厦门大学学报》1985 年第 3 期，第 104 页。
② 《旧唐书》卷一七四《李德裕传》，中华书局点校本，第 4509 页。按，以下凡两《唐书》、《资治通鉴》，皆用中华书局点校本，不另出注。又，李德裕此事，又参见傅璇琮《李德裕年谱》，齐鲁书社，1984 年 10 月；又河北教育出版社 2001 年 11 月修订重印本。

二

据上所述,唐代翰林学士确有深入研究的必要。而要研究翰林学士,则必须注意两点,一是应把重点放在当时文人参与政治的方式及其心态,从而以较广的社会角度来探讨唐代的文人生活及文学创作;二是应着重于个案研究,避免笼统而又不适当的所谓宏观概括。就第二点而言,我以为,应先从不同的时代段,来看一看这翰林学士群体在不同时期所处的政治环境与文化世态,并对有代表性的人物作某种典型性的剖析,然后可以作出总体性的、有学术价值的结论。

这几年来,我已积累了一定的材料,拟仿照《唐代科举与文学》,撰写一部《唐代翰林与文学》。现在这篇《唐玄肃两朝翰林学士考论》,就是其中之一,拟以文和史相结合,对唐代翰林学士起始阶段作一番考察。

关于唐玄宗时设翰林学士的过程,《新唐书·百官志》一,有较概括的记述:

> 玄宗初,置"翰林待诏",以张说、陆坚、张九龄等为之,掌四方表疏批答、应和文章;既而又以中书务剧,文书多壅滞,乃选文学之士,号"翰林供奉",与集贤院学士分掌制诏书敕。开元二十六年,又改翰林供奉为学士,别置学士院,专掌内命。

这一段大致是概括中唐时李肇《翰林志》及《旧唐书·职官志》而成的。李肇《翰林志》记述,唐朝开国初,依据前朝典制,在中央设有中书舍人六员,专掌朝中重要官令(即"诏诰")的起草,但从太宗起,历高宗、武后、睿宗,其间又选取有文名才气的官员,召入宫中,为帝王撰草文书,但未有正式名号。《翰林志》接着说:"玄宗初,改为翰林待诏,张说、陆坚、张九龄、徐安贞相继为之,改为翰林供奉。开元二十六年,刘光谦(谨)、张垍乃为学士,始别建学士院于翰林院之南。"①关于翰林供奉与集贤院学士之合与分,《翰林志》也有记载:"至玄宗置丽正殿学士,名儒大臣,皆在其中。后改为集贤殿,亦草书诏,至翰林置学士,集贤书诏乃罢。"②

　　《旧唐书》卷四三《职官志》二,在记述翰林院时,也说及"玄宗即位,张说、陆坚、张九龄、徐安贞、张垍等,召入禁中,谓之翰林待诏"。但没有如《翰林志》所说,张说等入为翰林待诏,又改为翰林供奉。事实上,在当时,所谓翰林待诏、翰林供奉,实为同一职名,即在皇帝左右,待皇帝吩咐,替皇帝办事。这方面,司马光的《资治通鉴》卷二一七天宝十三载正月所记,较为清晰:"上即位,始置翰林院,密迩禁廷,延文章之士,下至僧、道、书、画、琴、棋、数术之工皆处之,谓之待诏。刑部尚书张均及弟太常卿垍皆翰林供奉。"清顾炎武《日知录》卷二四有"翰林"一条,即据两《唐书》,记唐代历朝工艺书画之士,及僧人、道士、医官、占星等,均入"待诏

---

①唐李肇:《翰林志》,百川学海本。
②按文中"后改为集贤殿",原于"贤"后尚有"仙"字,衍。集仙殿之名在前,后改集仙为集贤。

翰林"之列,而这些人又称之为翰林供奉。

唐代的"供奉"一词,甚为复杂,有称僧道为内道场供奉的,也有称某些朝官的,如中书舍人内供奉、殿中侍御史内供奉、左补阙内供奉等,这可专文探讨,此处不赘。而在有关唐代墓碑的署名中,更可见出翰林待诏与翰林供奉实为一事。如清王昶所辑《金石萃编》卷八八《大唐赠东平郡太守章仇府君神道之碑》,书碑者为玄宗时著名书法家,其所署之衔为"翰林院学士内供奉";同书卷一〇七《邠国公(梁守谦)功德碑并序》,所署为"朝议郎权知抚州长史上柱国赐紫金鱼袋翰林待诏陆邳篆额"。类似者还有:宋陈思《宝刻丛编》卷六《唐何进滔德政碑》:"翰林待诏梁王府司马唐玄度篆额";卷七《唐赠司徒马璘新庙碑》:"太子中允翰林待诏韩秀寔分书题额"。明都穆《金薤琳琅》卷十《唐故右武卫将军赠工部尚书上柱国上蔡县开国侯臧公神道碑铭并序》:"翰林待诏光禄卿李秀岩篆额"。——从这一侧面,确可见出,当时在宫中任翰林待诏、翰林供奉的,不少是有才艺之士,并非像现在有些文章所说的,他们是品位极低的滥竽之徒。翰林学士与翰林供奉、待诏等相聚在一起,应是组成一个有较高层次的文化群体。这也可作为一个唐代的文化专题进行研究。

李肇《翰林志》及新旧《唐书》,都提及中书舍人、集贤院学士与翰林学士的关系。这对我们研究玄、肃两朝翰林学士的政治环境与文化氛围,是必须注意的,特别是中书舍人,在整个唐代,其作用不可忽视,不能像有些论著所说,自有了翰林学士,中书舍人的职权被大大削弱,甚至变成可有可无,或形成与翰林学士相敌对的官僚机构。事实上,在玄、肃两朝,中书舍人,其政治声望与文学声誉,是大大超过这一时期的翰林学士的,这可能也为现在一些研究者所忽略。

南宋王应麟《玉海》卷一二一《官制·台省》记中书舍人,曾谓:"自永淳以来,天下文章道盛,台阁髦彦,无不以文章达,故中书舍人为文士之极任,翰廷之盛选。"①永淳为唐高宗年号(682),自后即武则天实际掌权。此处对中书舍人的称誉,简直如同中晚唐时对翰林学士的赞词。至唐玄宗开元时,中书舍人以文词见称者更多,前后成为接续不断的群体。如《旧唐书》卷一九〇中《文苑中·许景先传》:"俄转中书舍人。自开元初,景先与中书舍人齐澣、王丘、韩休、张九龄掌知制诰,以文翰见称。"又同卷《席豫传》:"开元中……三迁中书舍人,与韩休、许景先、徐安贞、孙逖相次掌制诰,皆有能名。"天宝时,玄宗还特赞赏其诗:"览卿所进,实诗人之首出,作者之冠冕也。"同卷《孙逖传》,载孙逖于开元后期任中书舍人,"掌诰八年,制敕所出,为时流叹服。议者以为自开元以来,苏颋、齐澣、苏晋、贾曾、韩休、许景先及逖,为王言之最"。

肃宗接替玄宗之初,也极重视中书舍人。大家知道,玄宗受位于睿宗,册文是中书舍人贾曾撰写的,后玄宗在成都将传位的册文送往灵武的肃宗,其诏文又为贾曾之子、时任中书舍人的贾至所撰,当时传为美谈(见《旧唐书·文苑中·贾曾传》)。而肃宗即位后,即召见徐浩,任为中书舍人:"时天下事殷,诏令多出于

①《玉海》,台北大化书局影印本,第2299页。此据日本京都建仁寺两足院所藏元至正十二年重刊本影印。

浩,浩属词赡给,又工楷隶",徐浩"参两宫文朝,宠遇罕与为比"（《旧唐书》卷一三七《徐浩传》）。可见,玄、肃之际,凡传帝位、发要令,也多出于中书舍人之手。

而且当时一些诗人也多与中书舍人交往。如苑咸于天宝前期为中书舍人,有文名,《唐诗纪事》卷一七曾记云:"颜真卿序孙逖文集,曰:'公之除庶事也,苑咸草诏曰:西掖掌纶,朝推无对。议者以为知言。'唐人咸推咸为文诰之最。"①王维曾作诗称之为:"名儒待诏满公车,才子为郎典石渠。"②又李白于天宝后期有《书情赠蔡舍人雄》,中云:"夫子王佐才,而今复谁论?曾飙振六朝,不日思腾骞。"③把中书舍人赞为王佐之才,并抒发自身还想飞腾之念。至肃宗至德三载(758),王维、贾至均为中书舍人,杜甫时任左拾遗,岑参任右补阙,由贾至首唱,撰《早朝大明宫呈两省僚友》七律一首,王维等即有《和贾舍人早朝大明宫之作》。贾诗有"共沐恩波凤池里,朝朝染翰侍君王",杜诗有"欲知世掌丝纶美,池上于今有凤毛"。虽对当时还处于乱世的景况仍不免有虚饰之辞,但由此也可见当时文人对中书舍人之看重。这样的相互吟咏、共抒友情,在同时的翰林学士中则是未见的。

---

① 按《唐诗纪事》所载颜真卿语,亦见《颜鲁公文集》卷五《孙逖文公集序》,《四部丛刊》本。
② 《苑舍人能书梵字兼达梵音皆曲尽其妙戏为之赠》,清赵殿成《王右丞集笺注》卷十。本文引王维诗均见此书。
③ 《李白全集校注汇释集评》(詹锳主编)卷九,百花文艺出版社,1996 年 12 月,第 1458 页。

三

自唐玄宗后，记载历朝翰林学士姓名最多的，要算丁居晦于文宗开成二年（837）所作的《重修承旨学士壁记》（收于南宋洪遵《翰苑群书》卷上）。不过对这一篇名，近世学者岑仲勉先生有所辨正，他在《丁居晦〈重修翰林学士壁记〉注补》中说："余按元稹之《承旨学士壁记》，系专记承旨学士，此壁记兼及学士、侍讲学士、侍书学士等，而命名曰《承旨学士壁记》，殊嫌名实不符，直应曰重修学士院壁记也。"①岑先生的意见是对的，南宋陈振孙《直斋书录解题》卷六职官类，即记其为《重修翰林壁记》一卷。

据丁居晦所记，玄宗朝的翰林学士共八人：吕向、尹愔、刘光谦、张垍、张埱、张渐、窦华、裴士淹；肃宗朝共五人：董晋、于可封、苏源明、潘炎、赵昂。我们不妨对此略作考索，以见出这一时期翰林学士的情况。

吕向，《新唐书》卷二〇二《文艺传》中有传，称"玄宗开元十年，召入翰林，兼集贤院校理，侍太子及诸王为文章"。又《新唐书》卷二〇〇《儒学下·赵冬曦传》，载赵于开元初由监察御史坐事贬岳州，后召还复官，与秘书少监贺知章等为集贤院修撰，而这时"翰林供奉吕向、东方颢为（集贤）校理"。据岑仲勉《翰林学士

---

① 原载《历史语言研究所集刊》第十五本，1948 年；后附载于上海古籍出版社 1984 年出版的《郎官石柱题名新考订》之后。

壁记注补》所考,时亦为开元十年。又据《新唐书·艺文志》四著录的《五臣注文选》三十卷,此书于开元六年进上,作为五臣之一的吕向,此时尚为"处士"。这也可证明,唐玄宗设置翰林院确在开元初,开元十年以前已有"翰林供奉"之职,而入翰林供奉以前,可以是毫无官职的处士——这对于李白于天宝初,由一个白衣之士应召至长安为翰林供奉,也是一个佐证。

　　吕向在翰林供奉时,所任官职有集贤院校理、左拾遗、起居舍人,所作之事,初为"侍太子及诸王为文章",又曾为皇帝书碑刻石,传中称:"帝自为文,勒石西岳,诏(吕)向为镌勒使"。据王昶《金石萃编》卷七五《述圣颂并序》所考,当在开元十三年(725)。吕向赴行时,孙逖曾有诗送之,其《春初送吕补阙往西岳勒碑得云字》,首四句云:"刻石记天文,朝推谷子云。箧中缄圣札,岩下揖神君。"时任中书舍人的徐安贞也有《送吕向补阙西岳勒碑》:"圣作西山颂,君其出使年。勒碑悬日月,驱传接云烟。"①由此可见,这完全是为帝王个人服役的文职差吏。又清胡聘之《山右石刻丛编》卷六载《大唐龙角山庆唐观纪圣之碑》,为开元十七年九月建,碑阴有吕向署衔,文字甚长,中有"敕建造模勒龙角山纪圣碑使……集贤院学士……翰林院供奉……"②又《旧唐书》卷一九四上《突厥传》上,开元二十年,突厥阙特勒死,"诏金吾将军张去逸、都官郎中吕向赍玺书入蕃吊祭,并为立碑"。

杜甫有一诗,题为《送翰林张司马南海勒碑》,见《钱注杜诗》卷十,于"司马"下注云"一作学士",题下注"相国制文"。此张某为谁,尚未能确考,诗当为杜甫于天宝时在长安作。由此可见在翰林院中任职者,为帝王、宰臣书碑刻石,是一项经常职务。

《新唐书》本传最后记吕向"再迁中书舍人,改工部侍郎,卒",未提为翰林学士事。丁居晦《重修翰林学士壁记》谓吕向由中书舍人充翰林学士,后出院为工部侍郎,未载年月。岑仲勉《注补》推论当卒于天宝初。可能玄宗于开元二十六年设翰林学士时,吕向为第一批人选。但无论是官修的两《唐书》,或同时人诗文,都一字未提及吕向曾为翰林学士,这一现象是值得思考的。

其次我们再看两位学士:尹愔、刘光谦。这两位与吕向可组为一类,即只顾本身的职务,而不参预当时已相当复杂、矛盾的朝政。《重修翰林学士壁记》记尹愔仅一句:"谏议大夫充";记刘光谦,也只两句:"起居舍人充,累迁司封郎中。"今按《新唐书》卷二○○《儒学传》下,有尹愔传,称为秦州天水人,全部事迹为:"初为道士,玄宗尚玄言,有荐愔者,召对,喜甚,厚礼之,拜谏议大夫、集贤院学士,兼修国史,固辞不起。有诏以道士服视事,乃就职,颛领集贤、史馆图书。开元末卒,赠左散骑常侍。"看来尹愔是一个颇有个性的人。他本是一名道士,《太平广记》卷三三《申元之》篇,记开元中著名道士数人,就有尹愔。《全唐文》卷九二七载尹愔《五厨经气法序》,文末即署为"开元二十三年十二月十一日,京肃明观道士臣尹愔上"。可见此时仅为道士。《旧唐书·玄宗纪》下,开元二十五年正月癸卯,即记"道士尹愔为谏议大夫、集贤学士兼知史馆事"。可见玄宗信服老庄之学,可以迁就让尹愔穿道士之服以就官职,怪不得《新唐书·五行志》一称之为"服妖":"开元二十五年正月,道士尹愔为谏议大夫,衣道士服视事,亦服妖也。"

《新唐书》本传只记尹愔开元末卒。今查到宋佚名《宝刻类编》卷三"名臣·唐"于韩择木名下有《左散骑常侍尹愔碑》,下云:"吴巩撰,八分书,开元二十八年,京兆。"①此条材料,过去未有人发现,由此可以确定尹愔卒于开元二十八年(740)或稍前。他也当为开元二十六年设立翰林学士时第一批入充的。

刘光谦的材料更少,《新唐书·艺文志》一经录礼类著录《御刊定礼记月令》一卷,下云:"集贤院学士李林甫、陈希烈、徐安贞,直学士刘光谦、齐光乂、陆善经,修撰官史玄晏,待制官梁令瓒等注解。"据清徐松《登科记考》卷九,此书当上于天宝五载(746)。李林甫有《进御刊定礼记月令表》(《全唐文》卷三四五),所署刘光谦官职为"直学士、起居舍人"。刘光谦既以起居舍人充翰林学士,其时间当在天宝初期。

从以上吕向、尹愔、刘光谦三人的材料,无论官修正史两《唐书》,各类典籍,及石刻文献等,都未有一字提及他们入为翰林学士事,这是很值得思考的。

以下四人,即张垍、张埱、张渐、窦华,与上述三人不同,即直接参预政治纷争,而结果则是身败名裂,这是有唐一代翰林学士因卷入政治斗争而终致惨败的一个开头。

张垍、张埱与兄张均,皆为开元时名相张说之子,有传附见

---

① 《宝刻类编》卷三,粤稚堂丛书本。

《旧唐书》卷九七、《新唐书》卷一二五《张说传》。张说于开元中居相位时，张均兄弟最为得势。张说为中书令，张均即任中书舍人（又见唐陈翱《卓异记》，及《南部新书》戊卷、《太平广记》卷一八六《张说》篇），而张垍又尚玄宗女宁亲公主，为驸马，因此入为翰林学士。中唐时李肇《国史补》卷上曾记："张均、张垍兄弟俱在翰林，垍以尚主，独赐珍玩，以夸于均。均笑曰：'此乃妇翁与女婿，固非天子赐学士也！'"①《新唐书》张垍所载同，当据此采入。

　　据两《唐书》本传，张均、张垍倒也是很想谋居高位的。张均于天宝九载（750）迁为刑部尚书时，"自以才名当为宰辅，常为李林甫所抑。及林甫卒，依附权臣陈希烈，期于必取。既而杨国忠用事，心颇恶之，罢希烈知政事"，同时也压抑张均，"均大失望，意常郁郁"（《旧唐书》本传）。张垍也相类似，天宝中，玄宗曾面许张垍代替陈希烈为相，但"杨国忠闻而恶之"（《新唐书》本传）。终于在天宝十三载（754）出了大事。那年正月，安禄山以范阳节度使身份入朝，因立有军功，请求带平章事（即加宰相虚衔）。《安禄山事迹》卷中，曾记唐玄宗是同意给予的，因此"命太常卿、翰林学士张垍草诏"。但此事因杨国忠反对而作罢。安禄山返回时，玄宗命高力士送之于长乐坡。后玄宗问高力士：安禄山心情如何？高力士答："恨不得宰相，颇怏怏。"杨国忠就说："此张垍也。"就因杨国忠这一句话，就使得张家兄弟均被贬出：张均出为建安太守，张垍为卢溪郡司马，张垎为宜春郡司马（《旧唐书》本传）。虽然不到一年，他们还是被召回，但从此不能再有迁升的

① 李肇：《国史补》，卷上，上海古籍出版社，1979 年 1 月，第 16 页。

机会。

这样,安禄山乱起,唐玄宗匆忙逃往四川,张均、张垍为安史军队所掳,在洛阳受伪职。后肃宗收复两京,严惩叛逆者,这时张垍已死,而张均总算得到肃宗的庇护(肃宗与宁亲公主为兄妹),免死,长流合浦郡①。张埱未见记载。

杜甫有《赠翰林张四学士》诗(《钱注杜诗》卷九),张四即张垍。这是唐天宝年间以翰林学士为题的最早一诗,云:"翰林逼华盖,鲸力破沧溟。天上张公子,宫中汉客星。赋诗拾翠微,佐酒望云亭。……"诗中着重所写的,不过"赋诗"、"佐酒",确如晚唐时陈翱《卓异记》所云:"按玄宗初置翰林待诏,寻改为学士,以备顾问、祗对而已。"

张渐、窦华则是另一种政治投向,即依附于宰相杨国忠。张、窦二人,新旧《唐书》皆无传。据唐郑处诲《明皇杂录》,窦华于天宝中已任中书舍人②。《旧唐书》卷一○六《杨国忠传》载,天宝十一载(752)杨国忠继李林甫为相,曾主持官吏考选,"国忠使胥吏于私第暗定官员,集百僚于尚书省对注唱,一日令毕,以夸神速,资格差谬,无复伦序"。但即使处于此种混乱之中,"其所昵京兆尹鲜于仲通、中书舍人窦华、侍御史郑昂讽选人于省门立碑,以颂国忠铨综之能"。由此可见窦华其人的政治品质。至于张渐,据

①张垍的结局,旧史记载有异,两《唐书》本传都说张垍死安史军中,但《旧唐书》的《肃宗纪》、《刑法志》、《郭子仪传》,《通鉴》卷二二○肃宗至德二载,都谓张垍仍受到惩处。

②郑处诲:《明皇杂录·补遗》,上海古籍出版社《开元天宝遗事十种》,第36页。

《新唐书》卷二〇六《杨国忠传》，天宝十载，杨国忠为剑南节度使，就召张渐入其幕府。

张渐、窦华都是天宝后期，杨国忠得势时，由中书舍人入充为翰林学士的，而他们的结局，也与杨国忠是同样的命运。《旧唐书》卷一〇六《杨国忠传》："国忠之党翰林学士张渐、窦华，中书舍人宋昱，吏部郎中郑昂等，凭国忠之势，招来赂遗，车马盈门，财货山积；及国忠败，皆坐诛灭。"《新唐书》卷二〇六《杨国忠传》："其党翰林学士张渐、窦华，中书舍人宋昱，吏部郎中郑昂，俱走山谷，民争其赀，富埒国忠。昱恋赀产，窃入都，为乱兵所杀；余坐诛。"此处所谓的"坐诛灭"，含义不大清楚，可能最初他们因安史军队入长安，逃入终南山，后又随官军西走，至凤翔，即因杨国忠被杀而同时被诛。

玄宗时最后一位翰林学士裴士淹，天宝后期曾为给事中、知制诰，后随玄宗至四川，此后又曾任礼部侍郎知贡举，因与翰林学士之事无关，就不多讲。

四

玄宗朝的八位翰林学士，前已提及，大致可分两类，一是并未直接参预当时政治或政事纠纷，如吕向、尹愔、刘光谦、裴士淹，他们倒也平平安安地做了几年学士，但确没有像过去一些关于翰林学士的记载所说的那样，替皇帝出主意、谋略，或起草重要政令，他们所作的，只是依从皇帝个人之所好，做些文职方面的差使；另一类，则是直接插足朝政，而他们所关心的，还仅是个人的仕途，这就牵涉到当时掌握朝政的实权者。玄宗在后期，已无心于政治作为，朝中大政先后由李林甫和杨国忠把持。《旧唐书》卷一〇六《李林甫传》即谓："上在位多载，倦于万机，恒以大臣接对拘检，难徇私欲，自得林甫，一以委成。"晚唐时范摅《云溪友议》也称："李相国林甫当开元之际，与巷陌交通，权等人主，天下之能名须出其门也，如不称意者，必遭窜逐之祸。"天宝五六载间，李林甫即调动一批酷吏，杀害李邕、裴敦复等，是当时轰动朝野的一场大冤狱，李白后来在《答王十二寒夜独酌有怀》中抒发感慨："君不见，李北海，英风豪气今何在？君不见，裴尚书，土坟三尺蒿棘居。"①

这就是张均、张垍等受李林甫、杨国忠排挤、压制，张渐等依附杨国忠而谋取个人财势的社会政治环境。所谓翰林学士之建立，成为皇帝的私人秘书机构，影响中枢三省的行政运转，削弱宰相的权力，这在玄宗朝是根本不存在的，而且在肃宗朝也未能如此。

肃宗李亨于天宝十五载六月即位于灵武，随即改元为至德，后于宝应元年（762）四月卒，在帝位实际不过六年，时间并不长。《旧唐书·职官志》二，却把这一时期当作翰林学士职能发展的一个重要环节："至德已后，天下用兵，军国多务，深谋密诏，皆从中出。"此恐本于李肇《翰林志》所引陆贽于贞元三年（787）所上之疏，中有云："肃宗在灵武、凤翔，事多草创，权宜济急，遂破旧章，

①王琦注：《李太白全集》卷一九。

翰林之中,始掌书诏。"

实际上,肃宗朝的翰林学士,其职能与地位并无多大改变。丁居晦《重修承旨学士壁记》所列只四人:董晋、于可封、苏源明、潘炎。岑仲勉先生《注补》据韦执谊《翰林院故事》,补赵昂一人。值得注意的是,这五人中,两《唐书》立有专传的,只董晋、苏源明二人,而传中一字也未提及他们曾任翰林学士。韩愈于贞元中曾在董晋的汴州节度幕府做过事,他后来所写的董晋行状,提及董晋曾去彭原进见肃宗,时"宰相以公善为文","入翰林为学士"①。可见董晋之能入翰林为学士,是因为宰相的推荐(由宰相推荐得入为翰林的,中晚唐甚多,这也为当前有些论著所忽略,当另文论述)。但董晋在任职期间未有所作为,韩愈所撰的行状对此也只一笔带过,董晋后来反而出朝去做汾州司马,这也很有意思,可见时人对翰林学士一职还并不十分看重。

苏源明在这几人中是最有文名的,《新唐书》把他列入《文艺传》中。他先与杜甫、郑虔有过交往,后又称赏元结、梁肃之文。但值得研究的是,《新唐书》传中记苏源明的仕历,在朝中只记为国子司业、考功郎中、知制诰、秘书少监,未言其为翰林学士。杜甫所作《八哀诗》②,中有追忆苏源明一诗,题为《故秘书少监武功苏公源明》,述及苏氏一生,也未记其为翰林学士。

赵昂,两《唐书》及其他笔记等文献著作,都未曾提及。现在所能见到的是清陆增祥《八琼室金石补正》中的一篇墓志:

---

① 马其昶:《韩昌黎文集校注》卷八,上海古籍出版社,第332页。
② 见仇兆鳌:《杜诗详注》卷一六。

《刘府君(奉芝)墓志铭》,署有"宣义郎行左金吾卫仓曹参军翰林院学士赐绯鱼袋赵昂撰"。此文后来由清末陆心源收入《唐文拾遗》卷二七①。这里可以注意的是,赵昂所署衔称"翰林院学士",则开元二十六年设置学士后,仍可称"翰林院",非如现在有些论著,说开元以后将学士院与翰林院分开,翰林院专称翰林供奉等。

还可注意的是,肃宗朝的这几位学士,并没有受到皇帝的信重,他们在朝中的地位与声望,也不如当时的几位中书舍人。如前面提及的,肃宗一即位,即召徐浩为中书舍人,"时天下事殷,诏令多出于浩"(《旧传》)。另一位文士萧昕,《全唐诗》卷一五八曾载他两首诗。他先是随玄宗入蜀,后又奉传位册文赴灵武,肃宗即授他为中书舍人(《新唐书》卷一五九本传)。又《旧唐书》卷十《肃宗纪》,肃宗于天宝十五载(至德元载)七月甲子即位于灵武,同日,即"以朔方度支副使、大理司直杜鸿渐为兵部郎中,朔方节度判官崔漪为吏部郎中,并知中书舍人"。按是年六月,玄宗西赴四川,肃宗停留平凉,未知所适,这时朔方留后杜鸿渐、魏少游、崔漪遣判官李涵奉笺迎奉,劝至灵武,这是肃宗在西北立下根基的关键,由此也可见肃宗对杜鸿渐等之信任,而特命之为中书舍人,可见当时中书舍人在朝中职位之重。所谓从至德开始,天下用兵,深谋密诏,多出于翰林学士之手,就肃宗朝的这几位学士来

---

① 按清编《全唐文》卷六二二载有赵昂《浮萍赋》、《攻玉赋》两文,小传云:"昂,冯翊郃阳人,官司封郎中。"未知所据。据所列卷次,似为中唐德宗以后人。陆心源将其与作刘奉芝墓志之赵昂为同一人,误。

看,是不合实际的。翰林学士真正起政治作用,并作为文士的极为荣耀的出路,在文学创作上产生较大影响的,是从德宗初期的陆贽开始,这有待进一步研究,本文只是唐代翰林学士篇章的开头,希望引起对这一课题的关注。

又,本文原还想论述李白于天宝初期在长安任翰林供奉的一段生活。现在有关李白的论著已经很多,但我觉得李白的这一段事迹还可进一步探讨。限于篇幅,这里只能从略,但我想可以提几点:(一)李白此时确只是翰林供奉,并非学士,所传李华所作的墓志,刘全白所作的墓碣,范传正、裴敬所作的墓碑,提及"翰林学士"字样,都是不可靠的。(二)翰林供奉与翰林学士一样,都是职称,不是官名,在一般情况下应同时带上正式的官称,如那时的翰林供奉蔡有邻,其官称为左卫兵曹参军;李秀岩,其官称为光禄卿;穆宗时的陆邳,还带有"翰林部、权知抚州刺史"(见《金石萃编》卷一〇七《邠国公(梁守谦)功德铭》),这就使供奉、学士具有一定的官品和可以落实的俸钱。这是当时的社会实际,我们今天不应忽视。但李白做了三年供奉,什么官职都没有,这是很奇怪的,在当时极少见。(三)李白在宫中所作的《宫中行乐词》、《清平调词》等,过去的一些记载,如宋代乐史《李翰林别集序》、《杨太真外传》等都说为杨妃、太真妃而作,后高力士进谗言,也称太真妃。实际杨氏本为玄宗子寿王之妃,后为玄宗所赏,遂想办法先把她度为女道士,衣道士之服,召入宫中,虽仪礼与妃等,但对外来说还是一个女道士。直至天宝四载,先是于七月册韦昭训女为寿王妃,后于八月,才正式册杨氏为贵妃。陈寅恪先生《元白诗笺证稿》第一章《长恨歌》,订正清人朱彝尊、杭世骏等之失,定杨氏以女道士入宫为开元二十八年①。这是可信的。可见李白在任翰林供奉时,有关记载中凡称杨氏为贵妃、太真妃的,都不合实际,那时她的身份还是女道士。这对于研究李白那时的生活及所以被逐的原因,都可以提供新的思考。

原载《文学遗产》2000 年第 4 期,此据万卷出版公司 2010 年版《当代名家学术思想文库·傅璇琮卷》录入,另收入大象出版社 2004 年版《唐宋文史论丛及其他》

---

① 《元白诗笺证稿》第一章《长恨歌》,中华书局上海编辑所,1962 年 6 月,第 20 页。

带读者到南宋遗民诗人中去

夜间一个人坐在书房里,于灯下逐页细读《南宋诗人群体研究》,我突然对时间产生了奇怪的错觉,觉得我自己似乎不是在二十世纪末、二十一世纪初,而是进入十三世纪后半期经过一场大战乱后那种"青芜古路人烟绝,绿树新墟鬼火明"、"回首西湖湖上路,新蒲细柳为谁妍"的特殊境地。

我也同时想起闻一多先生在《风诗类钞》中的一句话:"缩短时间距离,带读者到《诗经》的时代。"这就是如何提供一种综合的文化考察的视野,把昨天的历史用一种整体、流动的眼光,加以开发,使得我们可以把历史与现实联结,从而使古代广阔的文化背景给现实一种新鲜的启示,也可以使过去长期积累、但封存于书库的多种史料和各种论说,作全面的有活力的清理。这,是我对方勇同志这部书的一个总的印象。

正如方勇同志自己所介绍的,这部书着眼于把南宋遗民文化作为中国传统文化在特定历史时期的独特表现来加以考察,又选择"群体"角度进行研究,以便全景式地展示宋末诗坛的全貌。全书内容大体分为两大部分,第一部分是对南宋遗民诗人群体构成和群体特征的研究,第二部分是对诗歌作品的研究,这两部分各有他书所未及的特色。我觉得,从这样的大视野来看,《南宋遗民诗人群体研究》当然可以看作是一部古典文学史或断代专题史著作,但对历史研究来说,其方法论的意义是更应重视的。过去的文学史,包括文学通史或宋代文学史,述及宋末时,无非提出文天祥、谢枋得、谢翱、林景照、汪元量,以及词人周密、张炎等,作个体的介绍、评论,但遗憾的是看不到南宋亡后,浙江、江西、福建,以及江苏、广东等地文人活动的全景。

文学史的研究,说实在话,无非一是史料,一是史识。史料是固定的,你可以搜集到,他也可以搜集到,但史识却不一定,而且史料的选择往往决定于史识。对于史实至关重要的有些史料、"证据"、"事实",往往在一个特定的命题中才有效,与此命题相抵触的材料则会有意无意地忽略、遗漏,或排除。而另一方面,有些看来极平常、极一般的材料,由于研究者特有的见识与方法,它们一下子会显得非同一般,极为精采。方勇同志确实非常勤力、细致地翻检史料,引录大量的总集、文集,以及笔记、方志、族谱,正因为这些材料进入其互动相倚与群体网络的结构体系,就显得更为活跃,更有生气。

我很佩服这位年轻的研究者对材料作胆大心细的排比,这样,就在十三世纪最后二十几年,在南方出现了好几个遗民诗人的地域群体,如以杭州为中心的临安群,诗社联袂的绍兴(会稽、山阴)群,浙东的台州、庆元群,浙江西南的浦阳群、严州群,以庐陵为中心的江西群,以建阳、崇安为中心的福建群,以及广东的东莞群——这,好像我们突然在宋末元初发现好几块文学的新大陆;这些本来在历史上存在过、而后来又随着时间的消逝而逐步流失的颇为突兀的文学图象,经过七八百年,又重新出现在当代人的面前。这就是古典文学研究视野拓宽、观念更新所带来的极有现代意义的成果。我于二十年前写成的《唐代诗人丛考》,在谈及中唐大历时期时,曾对当时作家群作了整体的考察和分析,指出当时南北诗人,"大致可以分为两大群,一是以长安和洛阳为中心,那就是钱起、卢纶、韩翃等大历十才子诗人。他们的作品较多地呈献当时的达官贵人。一是以江东吴越为中心,那就是……刘长卿、李嘉佑等人,他们的作品大多描写风景山水。"(《李嘉祐考》)我的这一群体研究尝试,后来的有些评论者对此给予肯定。但我这样做确还是初步的,而且这还是二十年以前,观念和方法多受束缚。九十年代以来,古代文学的整体、群体研究已有很大的进展,即以南宋而言,就有张宏生的《感情的多元化选择——宋元之际作家的心灵活动》(1990)、《江湖诗派研究》(1994),王兆鹏的《宋南渡词人群体研究》(1992),欧阳光的《宋元诗社研究丛书》(1996)。我觉得,方勇同志此书的突破点,就是以地域分布与互动相倚网络来凸现南宋遗民诗人各种复杂心态,而在论述诗人的结群、唱和等创作活动时,又注意于每一地区独特的历史文化、自然环境,以及常为人忽略的经济区域差异。正是由此作综合的考察,就既显示出南宋遗民诗人处于当时江南环境下具有共性的民族危机感和悲愤意识,又反映出某种不均衡的生活方式和心理追求。应该说,作这样的群体研究,才显得扎实、创新,而不致流于浮泛、蹈旧。

原载 2000 年 7 月 25 日《中国图书商报》,据以录入

《唐代科举与文学》韩文译本序

1994 年 11 月,中国唐代文学学会主办的唐代文学国际学术研讨会在浙江新昌举行,韩国国立庆北大学中国语文学科李鸿镇教授应邀前来参加这次颇有浙东特色的学术会议。当时我忝任中国唐代文学学会会长,忙于会务,未能有较多时间与李鸿镇教授交谈,但他对学问的执着之意与对中国友人的谦和之情,给我印象很深。1995 年秋,我应邀赴韩国岭南大学参加中韩文化交流研讨会,就与李教授有充分的时间叙谈,他谈起翻译钱锺书先生的著作,还特地送我钱锺书先生《宋诗选注》的韩文译本,我对此深为钦佩。在这之后,李教授就开始翻译我的《唐代科举与文学》,并于 1996 年 11 月译毕,又经数年,现在即将出版。我作为对韩国古代文化深有感情的一个中国学者,对此是甚感欣慰的。

1995 年秋我在韩国岭南大学,做过一次题为"古代中韩文献典籍的交流"学术报告。我在报告中曾说到,中、韩两国都有数千年的悠久历史,文化交流源远流长,共同开拓、创造了东方文明。在古代"汉文化圈"中,中、韩两国文化交流密切,贡献突出,影响深远,而文献典籍的交流,则是文化交流中极重要的内容。中、韩两国在典籍方面的交流，较之其他各国，可以说时代最早，也最广泛。这是非常值得我们研究的。现在我觉得，我们在研究古代文化的同时，更应注意中、韩两国当代学术成果的交流。我认识好几位韩国学者，他们对中国文化很有研究，也已受到我国学术界的重视。几年前，我与中国社会科学院文学研究所周发祥研究员，共同主编一套书，名为"中国古典文学走向世界"丛书。这套丛书大致分为两部分，一是中国古典文学是怎样传播到世界去的，二是世界各不同地区的学者怎样对中国文学进行研究，特别是二十世纪的研究情况。这套书约有十种，已陆续由江苏教育出版社出版。中国古典文学，无论是对外传播，还是国外的反馈研究，韩国的学界，在这些方面，无论古代和现代，都起过相当作用的。因此，从当代学术交流来说，李鸿镇教授将我的这部《唐代科举与文学》翻译，并在韩国出版，将能更好地促进两国学界的彼此了解和切磋。

中国的科举制度，从七世纪开始，直至二十世纪初，延续的时间这样长，对中国政治、文化，包括文学，起过很大的影响。唐代作为科举制的开始阶段，对后世影响更为深远，对当时的周边国家，也极有影响。据韩国古代著名历史著作《三国史记》中的《新罗本记》所载，当时新罗仿唐科举之制，攻读书出身科。新罗曾派遣大批年轻学子留学唐朝，仅公元837年（唐文宗开成二年）就有216人之多。崔致远是新罗留学生中的佼佼者。他十二岁随海舶来唐，十八岁中进士，曾在唐朝担任官职。二十八岁，作为国使持唐僖宗诏书回国。其《桂苑笔耕集》一书，极受中国学者的重视，北宋初欧阳修等编撰《新唐书》，就将此书著录于《艺文志》中。

此书流传至今，现在中国已有好几位学者在研究崔致远。

我这本《唐代科举与文学》是想以科举作为中介环节，把它与文学沟通起来，来进一步研究唐代文学是在怎样的一种具体环境中进行的，以及它们在整个社会习俗的形成过程中起着什么样的作用。我的这一思路，受到学界的肯定。当时天津南开大学中文系系主任罗宗强教授就提到，此书"是从文化史的角度研究文学的范例，它从一个侧面非常生动地展示了有唐一代士人的文化心态"（见罗宗强先生为拙著《唐诗论学丛稿》所写的序）。因此，我希望此书的译本在韩国出版，为当代中、韩两国学者在人文科学研究的现代化进程中，也能彼此交流、研讨。

最后我想再提一下：我在《唐代科举与文学》自序中曾说及，对研究有唐一代知识分子的状况来说，科举制度是重要的方面，但"还可以从事这样两个专题的研究，一是唐代士人是怎样在地方节镇内做幕府的，二是唐代的翰林院和翰林学士。这两项专题的内容，其重点也是知识分子的生活"。关于前一个专题，现在在广州华南师范大学中文系执教的戴伟华教授，已撰有《唐方镇幕僚文职考》、《唐代使府与文学研究》，颇有工力。但关于翰林学士，目前研究还很不够。翰林学士是唐朝中期以后文士参预政治的最高层次，对其生活、思想及文学创作，都有较大影响。我现在正在从事这方面的研究，已写有《唐玄肃两朝翰林学士考论》（《文学遗产》2000 年第 4 期）、《李白任翰林学士辨》（《文学评论》2000 年第 5 期），另有一文《唐代宗朝翰林学士考论》将刊于侯仁之先生等主编的《燕京学报》第 9 期。我在这里之所以提此事，是因为唐代文士与地方节镇幕府，以及作为翰林学士参与中央政治,与科举制度一起,是构成唐代士人文化的基本内容,对唐代政治与文化关系极为密切。我希望这一研究情况也能引起韩国学者的注意与重视,并进而在更深层次和更广范围内进行双方的学术交流。

2000 年 8 月,北京

原载《书品》2001 年第 2 期,据以录入

《名家彩绘四大小说名著》序

　　《红楼梦》、《三国演义》、《水浒传》、《西游记》,是中国古代小说中声名最著、流传最广、读者最多,而又刊刻最为繁富的四大名著。明、清时期,这四部小说就有各成系统的众多版本;20 世纪以降,特别是近二十年间,又出版有各种影印本、点校本、选评本、赏析本。现在,上海辞书出版社从高层次着眼,经过精心策划、制作,推出规模宏大的《名家彩绘四大小说名著》。其思路很明显,即是为了更广泛地展现这四大名著的永恒魅力,并进而提升其不朽的珍藏价值,一方面对全书进行精心细致的校勘标点,力图使之成为可以传世的可信读本,一方面又在全国范围内邀请知名的人物画家,绘制精美国画,以彩图形式再现四大小说名著的丰富社会生活和深邃艺术境界,以使其原著的卓越文化内涵与当代名家的高超画艺相结合。通览全书,确使人有"图文并茂,珠联璧合,丹青妙手,别开生面"之感。

　　本书是由两大部分组成的,即原著文本与新创彩图。以原著文本来说,我作为一个古籍整理出版工作者,凭多年的经验,觉得现在这样的处理,是严谨而通达的,也就是既符合古籍整理的规范,又适合当前广大读者的口味。首先,本书采取全文排录,不加节选,使读者可以了解作品的全貌,提高阅读的品位。其次,是选择信实可靠的本子作为底本,又通校几种有代表性的版本,同时又参考近一二十年来几家有影响的出版社出版的新点校本,从而做到既汇众本之长,又使之要而不繁。这里值得特别提出的是,本书虽经过通校、参校,但不出校记,这就是我前面所说的"通达"。因为这四部小说,版本流传都是非常复杂的。如据有些文学史著作所载,《三国演义》在明、清时期的版本,就可以分为甲、乙、丙、丁四大系统,每一系统不但在回目、分卷上各有不同,在情节和文字上也多有歧异。现在本书选取清代以来流行最为长久,读者最为众多的毛宗岗评本作为底本,并参校各本。凡底本可通者,悉仍其旧,凡底本有误、有漏者,即据信实可靠的本子加以订补,但不写校记;同时,小说中习用的一些古字俗字及某些特殊人名、地名,仍保留不改,以反映原书特有的用字风貌。试想,如果我们把《三国演义》四大系统的几类本子的异同,都一一出校,则满纸皆是数码符号,每页都有标记说明,这就将大大影响阅读的兴味。而现在,一是底本可靠,二是文字信实,三是版面明净,这无疑是提供一个新版本,对广大读者和专业工作者,都很合适。

本书的第二个特点,也是最大特点,就是新创彩图。我们中国人读书、藏书,在古代,就有所谓"左图右史"的习惯和爱好,倡导"文不足以图补之"。这就是说,图像和文字之间,可以互相诠释。可见中国人,其读书眼光是不狭窄的,很早就有文字与图像互相转化功能的卓见。这套《名家彩绘四大小说名著》既体现对传统的继承,又能有新的开创。

宋、元开始,通俗化的戏曲、小说兴起,随着雕版印刷技术的发展,木版画即与戏曲、小说图文合璧,这就为中国文学史、艺术史开创新貌。元代有两种三国故事的平话小说:《三分事略》、《新全相三国志平话》,都是上图下文,这为以后明、清时期有图文的小说,提供创造性的样本。

　　明代后期,即万历、崇祯年间,是古代小说版画创作的黄金时期,当时号称“四大奇书”的《三国》、《水浒》、《西游》及《金瓶梅》,都有插图本,其他一些长篇、短篇小说,也都如此,几乎是无书不图,佳作迭出。那时的小说版画,有几个特点。一是数量大,如万历时容与堂刊本《李卓吾先生批评忠义水浒传》,天启、崇祯间《新刻绣像批评金瓶梅》,以及《李卓吾先生批评西游记》,均有图100页200幅。清康熙时刻印的绿荫堂刊本《李卓吾先生批评三国志》,插图多达240幅(以上参见《古本小说版画图录》,北京线装书局,1996年版)。二是在版式、构图上不断改进、创新,由习见的上图下文逐步发展为整版图及双面连式,后来又有月光版的圆形构图及单面独幅的俯瞰式插图,这样,内容的辐射面更为宽广,笔法则更为细腻。三是刻书家多请有名画家绘图,共同合作,使版画作品的艺术性不断加强,更能吸引读者。明崇祯四年(1631)人瑞堂刊本《隋炀帝艳史》其“凡例”中即称:“兹编特肯名笔妙手,传神阿堵,曲尽其妙。一展卷,而奇情艳态勃勃如生。”晚清时王韬在《新说西游记图像序》、《镜花缘图像序》中,都提到“特倩名手为之绘图”,“倩沪中名手,以意构思,绘图百”。这确是小说版画提高艺术水平和文化品位的极重要途径。

　　20世纪的中国学术史上,中国文学史的编撰是一大热点,据不完全统计,中国文学史著作,包括古代、近现代,已不下一百五六十种。但面对中国古代小说文本与绘画互相辉映的实践,不少文学史著者却是极为漠视的。这方面最有创始之功的是郑振铎先生,他于30年代前期所作的《插图本中国文学史》,在"例言"中明确提出:"中国文学史的附入插图,为本书作者第一次的尝试",说这些插图"可以使我们得见各时代的真实的社会生活的情态"。此后郑振铎先生在《中国古代版画史略》中谈及崇祯本《新刻绣像批评金瓶梅》插图时,又说:"这些插图,把明帝国没落时期的社会生活的各方面无不接触到。是他们自己生活于其中的,故体验得十分深刻,表现得也异常'现实'。"(《郑振铎艺术考古集》,第417页,文物出版社1988年版)

郑振铎先生把插图作为当时社会现实的又一反映,以作为小说对当时生活的补充表现,这从文化史整体研究来看,是很有见识的,对我们现在也很有启发。另外,小说插图本身也有其独立的审美意义,精美的彩图对小说文本的思想与艺术,都能有美感的引导和启示作用。西方一位文艺理论家曾说:"凡是有艺术感的人,都会从一行诗句中,从诗人的一首小诗中既找到音乐性和图画,又找到雕刻力和建筑结构。"(克罗齐《美学或艺术和语言哲学》,中国社会科学出版社1992年译本)我们不妨引申为,凡有一定文学修养的人,都能从小说插图的人物、衣饰、居室及林园草木中,领略到小说文字所难以表达的情趣和哲理。——这,尤其是本书,荟萃当代名家,彩笔传模精华,当更能如此。

现代著名学者、作家戴不凡在其所著《小说见闻录》中,曾感叹道:"程伟元刻《红楼梦》,其绣宝哥哥、林妹妹之像,一团俗气,固无论矣,刻工刀笔之粗率,雪芹见之,必将痛哭九泉。"(浙江人民出版社1980年版)应该说程伟元本《红楼梦》图还是有影响、有历史地位的,但在20世纪的人看来,古代小说版画固然有不可替代的特色,但确也有其时代的局限,特别是一些所谓美女形象,往往有千人一面的缺陷。现在上海辞书出版社竟有如此气魄,邀请当代南北著名国画家一百多位,来参与描绘这四大名著各种不同身份的人物,各种不同的景象场面,我想这无疑会超过明、清以来的木版画、石印画,将使中国小说插图的艺术乃至国画的境界跃上一个新的台阶。

清光绪十六年(1890)上海石印本《绘图镜花缘》序中有云:"披其图而如见其人,岂非千古快事乎?"我想套用这两句话,在这部《名家彩绘四大小说名著》面世之际,以"看图阅文,心领神会,书情画意,千古知音"相赠,并以此供中外读者参酌。

2000年9月,北京

原载上海辞书出版社2000年版《名家彩绘四大小说名著》,此据大象出版社2008年版《学林清话》录入,另收入大象出版社2004年版《唐宋文史论丛及其他》

清华学风应作进一步具体探索

数年前,我应邀为《清华大学学报》特辟的"清华人文传统和学术风格笔谈"写了一篇短文,对清华的学风作了这样三点概括:一、视野开阔,不局限于某一细小局部,能从一个时代的文化总体来把握所研究的课题,整个研究思路总蕴含有一种清晰的文化意识;二、能着眼于当前的现实,具有鲜明的当代意识,而又能够沟通古今,并不牵强于什么厚今薄古或厚古薄今;三、对中华的历史和文化有强烈深沉的爱,但在清理传统时总保持一种理性的自觉。

这是我从清华几位前辈学者治学道路的研讨中得出来的。我对陈寅恪先生和闻一多先生的学术思想曾写有专文,提出两位学者所倡导的文化批评精神;我也就朱自清先生的《经典常谈》一书写有一篇随笔,讲到朱先生注意于在专门研究基础上作传统文化的普及工作。我曾有一种想法,这就是,我们现在研究清华人文传统和学术风格,作宏观概括和整体掌握当然是必要的,像我前面所提的三点,也是颇费心思想出来的,觉得尚有一定理论概括性,但对现代学人来说,光是宏观、整体,恐不一定切实有用;而且清华的学风,也并不一定是清华所独有的,20世纪前半期,我国高校的人文社会学科也正有一种新的发展走向,具有一定的共性,个性与共性,可以互相比较、启发、参考。因此,我觉得今天我们要进一步研究清华学风,最好从历史、哲学、外文、中文等各系有代表性的学者着手,先作个体研讨,一一来考察其治学业绩和个性风貌,然后再作总体概括,我想这对新一代学者可能会带来更为实在和新颖的认识。

因为我于50年代初期在清华中文系学习过,对中文系的教师稍微知道一些。以古典文学而言,给我印象较深的是王瑶先生和浦江清先生。他们两位在中国古典文学领域所做出的业绩,确是在清华的环境中获得的。

王瑶先生于新中国成立后主要从事于"五四"以后的现代文学研究,那已是在北京大学执教时期,而他的《中古文学史论》则撰写于1942至1948年在清华期间。王瑶先生提到他从事于魏晋南北朝这一阶段的文学研究,一方面受到鲁迅先生《魏晋风度及文章与药及酒之关系》的影响;另一方面在具体写作过程中,还是受到朱自清、闻一多两位师长的指导。鲁迅先生这篇文章,结合当时的政治斗争、社会思潮、文人生活及其兴趣爱好和心理状态,作综合的考察,这种系统的整体研究,是鲁迅先生很早就建立起来的文学史研究格局。我们在探讨20世纪文学史研究进程时,对此应予以充分的重视,而这一种研究格局,确也与清华的几位著名学者十分接近。王瑶先生在清华的环境中经受此启发并进一步作具体探讨,是完全可以理解的。

我觉得,王瑶先生研究中古这一时段的文学,能很好地抓住两个要点，一是注意于一个时期带有普遍意义的文人心理和文学情趣，一是注意于作家群体。譬如在《文人与药》一文中，提出魏晋人的诗，有一种最普遍、最深刻、最能激动人心的，是诗中充满一种时光飘忽和人生短促的思想与情感，一直到东晋，在陶渊明诗中这一类表现仍然很多。近几年来，有些中青年学者提出古典诗词中的生命意识问题，我感到提法很新，现在看来，王瑶先生在40年代已经提及，很值得我们注意。王先生提出这一文学主题是与时代思潮密切结合的，他提到，东晋以后，随着南方社会的相对稳定和佛教的盛行，人对"死"不像先前那样恐惧，诗中的这种情绪就慢慢少了起来。我觉得这样的思考是很通情达理的，也能够启人心智。

《中古文学史论》曾分别题名为《中古文学思想》、《中古文人生活》、《中古文学风貌》而出版，在论述文学风貌时，即注意于一个时期的作家如何汇合在一起，形成一个群体。而这一群体又与时代风气、思想潮流如何联系在一起。如论建安文学，就有《曹氏父子与建安七子》；论西晋文学，就有《潘陆和西晋文士》；讲东晋诗，以《玄言·山水·田园》为题；论庾信和徐陵，就从骈文这一体裁的源流和特点即所谓徐庾体的历史涵义上来加以考察（《徐庾与骈体》）。这种群体研究对近二十年来的古典文学研究是有启示的。

浦江清先生应该说是我的业师。1955年夏我在北大毕业，即留校为浦先生助教，此后两年间一边听浦先生讲授宋元明清文学史课，并整理成讲义，一边为学生做些辅导工作，浦先生在因病医疗期间，还叫我为学生讲明代诗文和近代文学。可惜浦先生于

1957年夏去世,我未能继续从浦先生求学,后得读吕叔湘先生整理的《浦江清文录》,受到不少启示,近年来又读了已出版的浦先生部分日记及《文史杂文集》,对浦先生的治学思路有了进一步的体会。

应该说,浦先生的著作,在数量上比起清华其他学者,相对来说是少了一些。浦先生曾有志于写一部文学史专著,可惜未能作成。但浦先生的著作,可以说是少而精的,特别是他的三篇学术专文:《八仙考》、《花蕊夫人宫词考》、《屈原生年月日的推算问题》,可以说是20世纪中国文学史研究中少有的精品,在学术史上是永远站得住的。特别是这三篇文章所提供的研究方法和治学途径,更值得为后来者思考、琢磨。我曾想用几个字来表达我的体会,后来想到八个字,两句话,就是"诗史互证,情理兼融",不知道是否确切。这里就分别以这三篇论文略作介绍。

《八仙考》刊于1936年1月的《清华学报》(第11卷1期),撰写当在此前。浦先生生于1904年,则写此文时刚三十岁出头,在这样的年岁写出学术上如此创新之作,实在难得。八仙是过去历来为人所熟悉的,常见于绘画、瓷器、戏剧、小说及各种传说,但从学术上去探索,除了明代王世贞(《弇州山人四部续稿》卷一七一《题八仙像后》)、胡应麟(《少室山房笔丛》卷四〇《庄岳委谈》)外,再无人认真研究过,浦先生也注意到英国学者叶慈氏刊于《英国皇家亚细亚学报》上的有关文章,但无论王、胡及叶慈氏,都未作系统考述。浦先生的《八仙考》,大体分为两部分,一是分别论述吕洞宾、铁拐李等八位神仙的传说来历;二是考察八仙是在什么时候以及为何会合的。尤其是会合一节,很有启示意义。过去往往把八仙的传说与道教在社会上的流传联系在一起,浦先生经过仔细考析,否定这一说法,认为在唐代前后,八仙观念是道家的,但仍非常空泛,而考后世有关八仙的起源以及会合的原因,应当从绘画与戏剧上求之。于是,文中从宋《宣和画谱》起考述,到明代俗传的严嵩家所藏元绣《八仙庆寿图》,认为八仙会合在一起始于元代的绘画,而且是用作庆寿。随后又考述元明杂剧,杂剧中也同样出现祝寿的八仙戏,"戏剧及绘画所以需要,皆为祝寿","戏剧及绘画互相推移"而形成这八仙群体。这种着眼于社会民俗与文学的关系,无论是当时和现在,对文学研究都是一种别开生面的新路。一个时代的社会生活民情风俗对于文学的影响,是潜移默化、深刻而全面的,不细心考察,不大容易发觉。特别有意思的是,浦先生还从元代杂剧中的演员角色分配来考察八仙,说戏班角色分生、旦、净、丑,而生又可分为生、小生、仆,旦又可分为旦、贴、老旦,如此则适得其入。可能有人问:旦既有三,而八仙中女性仅何仙姑一人,如何解释? 文中回答说,过去戏中以旦角扮男,此常有事,这里还可以贴扮何姑,正旦扮韩湘,老旦扮蓝老(采和)。这一点睛之说,如果没有对古今戏曲有综合考索和实际观摩,是得不出来的。

《花蕊夫人宫词考》,初稿写于 1941 年在上海探亲时,1943 年 1 月改订于昆明,而刊出则已是 1947 年(《开明书店二十周年纪念文集》)。这是发千古之覆的奇文。花蕊夫人《宫词》号称百首,传世为 98 首,是与中唐时王建《宫词》齐名的佳作,也是五代时除《花间》词外颇有时代性的词作。但其作者,自北宋神宗时起,就定为后蜀主孟昶之妃。北宋《后山诗话》且作了具体描述:"费氏,蜀之青城人,以才色入蜀宫,后主嬖之,号花蕊夫人,效王建作《宫词》百首。国亡,入备后宫。(宋)太祖闻之,召使陈诗,诵其国亡诗云云。"浦江清先生却从其中一首诗发现这千余年来定论之破绽,其诗为:"法云寺里中元节,又是官家降诞辰。满殿香花争供养,内园先占得铺陈。"浦先生考证谓:若以作《宫词》者为孟昶妃,则此官家非孟昶莫属,而昶之生日,《旧五代史》、《宋史》,以及北宋初年的《五国故事》等都明确记载孟昶生于十一月,这就与《宫词》的第一手材料不合。晚清时俞正燮《癸巳类稿》也曾注意到这一点,但仅质疑,未再深考,且所论也有得有失。浦先生之功力即在于进一步考订此中元节乃王建之子前蜀后主王衍的生日,则传世之《宫词》乃非后蜀之诗,而为前蜀之《宫词》。文中还继续追索,谓诗中所具体记述的,多为王衍时其别宫宣华苑中之景物,宣华苑则为后世颇有盛名的摩诃池之故址,可惜宣华苑当时之繁华如昙花一现,五代后期已破坏殆尽,至北宋中期已少为人知悉,现在幸亏有此旧苑中飘零之歌曲,尚记当年风月繁盛之情景,"今读此《宫词》,不啻温习王蜀一朝兴亡之历史焉"。浦先生将此说成"以史证诗,以诗补史"。——由此可见,这已经超出对作者问题的具体考证,而涉及于这虽名为宫词而实具有相当文物意义的文化遗产了。

《屈原生年月日的推算问题》刊于《历史研究》1954 年第 1 期。实际上浦先生自闻一多先生被刺后即于 1946 年 10 月接替闻先生在清华中文系讲授"楚辞"课,进行对屈原的研究。经过数年的钻研,写成此文,于是他所确定的屈原生年月日即公元前 339 年正月十四庚寅(阳历 2 月 23 日),遂成为定论。我以为浦先生此文的学术意义不仅仅在于这一年月日的确定，而主要还在于他所应用的方法，即精确利用现代天文科学的成果，把战国、秦汉之间的岁星纪年作通盘考虑。正如文章的开头所说："本论文虽然以屈原生辰的推算标题，讨论的问题广泛及于岁星纪年的各方面。这里讨论到：（一）岁星纪年和干支纪年的分别，即太岁超辰问题；（二）岁星纪年的原理和它的发展过程的推想；（三）岁星纪年的甲乙两式；（四）岁星摄提和大角摄提的关联作用。"说实话，我对这些论述是不太懂的，但浦先生有关我国古代天文历算的涵养及现代科学知识的掌握，并以之应用于古典文学研究，这实在是将人文科学与自然科学打通的一次成功范例。文中有好几处是颇为复杂的数学公式，真使人目瞪口呆。听说抗战时在西南联大清华就有这样的课程安排，即学文科的人要选一门理工科的课程，学理工科的要选一门文科课程，而浦先生的这一研究路子，确为我们提供一个新思路，可以作为开辟清华新学风的参考。

我想附带再说一段。浦先生的文章是很注意于史料征引的，譬如《八仙考》一文，在《浦江清文录》这一 32 开本的书中，开头不到 4 页，就引有明王世贞《弇州山人四部续稿》，胡应麟《少室山房笔丛》，清赵翼《陔余丛考》，汉牟融《理惑论》，南朝陈沈炯《林屋馆记》，唐王勃《八仙径》诗，晋陶渊明《圣贤群辅录》，唐杜甫《饮中八仙歌》，王绩《游仙诗》，宋苏轼《谢苏自之惠酒诗》，宋徽宗《题聚八仙倒挂儿画轴诗》，周密《齐东野语》，郭若虚《图画见闻志》，元赵道一《历世真仙体道通鉴》，等等。但同时浦先生在有些文章中是很注意对古代诗词的艺术体验和分析的，如写于 1944 年至 1945 年的《词的讲解》（刊于《国文月刊》），对相传为李白所作的《菩萨蛮》、《忆秦娥》及温庭筠的十四首《菩萨蛮》词,作富有情致的讲解。现在读来也真有爱不释手之感。如对"平林漠漠烟如织"的"平林"一词,把它与"青林"、"芳林"、"春林"等作比,真讲得细腻至极。我们现在作古代诗词的艺术鉴赏,是很可把它作为范文来读的。

三四十年代的清华中文系,还有好几位教师,限于篇幅,这里就不多作介绍了。除了中文系,人文学科的其他系,一定还会有值得探索的学者。如果我们有一计划,列出一份名单,作深入具体的分析,我想这一定会给我们开发出丰厚的学术矿藏。

2000 年 12 月

原载《清华大学学报(哲学社会科学版)》2001 年第 2 期(题为:清华学风可作进一步具体探索),此据万卷出版公司 2010 年版《当代名家学术思想文库·傅璇琮卷》录入,另收入大象出版社 2004 年版《唐宋文史论丛及其他》

王勋成《唐代铨选与文学》序

　　我于 80 年代前期撰写《唐代科举与文学》，旨在以科举作为中介环节，把它与文学沟通起来，研究唐代士子的生活道路、思维方式和心理状态，以进一步考察唐代文学是在怎样的一种文化环境中进行，以及它们在整个社会习俗的形成过程中起着什么样的作用。这样的研究思路曾得到学界的认同。当时南开大学中文系主任罗宗强教授在为拙著《唐诗论学丛稿》所作的序言中，就说："至于《唐代科举与文学》，则纯粹是从文化史的角度研究文学的范例，它从一个侧面非常生动地展示了有唐一代士人的文化心态。"（1990 年 3 月）广西师大中文系张明非教授在《百年学科沉思录》一书的论文中，提到 80 年代以来我国古典文学研究所兴起的"一种切实而有生命力的研究方法"，即古典文学的历史文化研究，即以《唐代科举与文学》作为重点例子进行分析（人民出版社，1993 年 9 月）。这些年来，已有好几位学者从事于类似选题的开发，已在进行的有《唐代进士与文学》、《宋代科举与文学》，现在兰州大学王勋成先生的《唐代铨选与文学》已成稿，并将在中华书局出版——这些，对我确带来一种深挚的欣慰之情，使我感到，我近二十年来,在治学道路上,虽间有曲折、坎坷,但总算是得到学界友人的首肯。

但《唐代科举与文学》仍还有许多不足之处。我写此书是在1983、1984 年间,这时关于唐代科举的文章极少,专著则一本也没有。那时我只见到北京大学历史系吴宗国教授的几篇文章,后来他写成《唐代科举制度研究》一书,并送给我,已是 1992 年以后的事了。我这本书的重点是从文学角度出发,采取所谓描述的方式,希望写得生动一些,而不是主要采取考证和论述的方式,因此有关科举中的一些具体环节,有些就回避,有些则后来察觉到并不确当。这是一。其二,我的重点是考察唐代士人在登第以前或落第以后的生活情景,至于登第以后如何通过吏部铨选进入仕途,则只用最后一章(第十七章《吏部铨试与科举》)加以概述。我曾在这一章的开头交代说:"所谓铨试,一方面是指对未入仕者的甄录,另一方面是对已在官位者政绩的考核,这实际上包括了封建社会官僚制度的一个庞杂的体系,这个体系是如此地庞杂和繁琐,以致现存的有关材料,没有一份是叙述得既完整、准确,而又清楚、明洁的。近人的研究成果,也不是太理想。"这十余年来,可以说还没有一部全面论述唐代士人如何通过吏部铨试而进入仕途以及在职官吏如何进行铨选的著作,王勋成先生的这部专著可以说是填补了这一空白,把唐代科举与文学的研究和唐代官制史的研究,又推进了一大步。

本书分九章,共二十余万字,为使读者较清楚地了解这部著作的内容和特点,我想先简要介绍全书的脉络,这对读者或能起一种类似导读的作用。

唐代士子科举及第后还不能作官,得先由礼部把他介绍给吏部,使他们取得出身,成为吏部的选人,这就是关试。通过试判两节,成为吏部的选人,还要守选,守选一般要几年,它是唐代为解决选人多而员阙少这一社会矛盾所立的制度。及第举子守选期满就可以参加吏部的冬集铨选。但他们并不是吏部铨选的主要对象,吏部铨选还有庞大的队伍,这就是数以万计的六品以下称为旨授的官员。这些官员,每一任即四考或三考满后,就得停官罢秩而守选,作为吏部的常选人,他们一到守选期满,便赴吏部参加冬集铨选。凡守选满的各色选人,到吏部后经南曹磨勘,废置详断,三铨铨试,就可以注拟授官了。作官后,还需经四考、三考,考满而罢,选满而集,铨试注授,周而复试,直至达到五品,才算脱离了吏部铨选之门,改由中书、门下制授。由此可见,一个念书人,即使进士、明经登第了,还是需要有不少时间上下奔波的,有的到各地漫游,实际是进行入仕的准备,有的则谋求在方镇幕府中供职,以解决实际生活问题。吏部选人若不等守选期满而想提前入仕,可参加制举试或科目考试,中者即可授官。科目选是为弥补裴光庭于唐玄宗开元中期而制定的“循资格”失才之弊而开设的。科目选中最主要的科目是博学宏词科和书判拔萃科,这两科都设置于开元十八年冬。这两科是属于吏部的,不能与制举的类似名称相混淆。这两科在唐中期以后,对士人的入仕是起很大作用的,特别是唐代后期制举实际停止,不少士人即走向科目选之途。

这是全书的概括,也是王勋成先生研究这一课题的思路。读者不难认识到,这样的研究是非常实在的,对了解唐代士人的求仕之途,特别是中唐以后的士人生活,十分有用。因为大多数的唐代士人,包括绝大多数的唐代诗人、古文家、传奇小说家,等等,都有这样的经历,而我们如果不清楚这一入仕之途,就搞不清他们的具体经历及其思想感情,有时甚至连有些诗题也看不明白。

应当说,唐代吏部铨选,材料是很繁杂的,读起来有时候会感到相当枯燥乏味,其研究本身就难度很大。但王勋成先生立志于治学的求实克艰,把这一脉络理清,同时还纠正了过去史书上的不少误载,包括著名的唐代科举史代表著作清代徐松的《登科记考》,以及拙著《唐代科举与文学》。又譬如唐代举子经吏部关试后还需有一定时间的守选,这在过去似没有人提出过的。当然,书中论述的官制中的有些具体问题,学术界还可进一步讨论,这是学术研究的经常现象,我相信本书所涉及的这些方面当有助于对唐代官制作进一步的考察。

本世纪40年代,朱自清先生曾为林庚先生《中国文学史》一书作序,序中说:"文学史的研究得有别的学科作根据,主要的是史学,广义的史学。"这使我想起北宋时一部笔记《王氏谈录》的两句话:"盖经书培养人根本,史书开人才思。"联系朱自清先生所说,这"开人才思"一语,颇值得思考。

我总认为,近二十年来我们唐代文学研究之所以有如此大的进展,是不少学者注意将文学研究与史学研究结合起来。有史学研究的扎实基础,就能使文学作品的涵义理解得更为深切、丰满,否则就很容易泛泛而谈,虽然词句很美丽,构思很机巧,但往往会在基本史实方面出差错,从而降低了整篇文章或整部著作的品位。唐代文学研究与整个中国古典文学研究一样,近二十年来虽然已成果不少,但可开拓的领域还极多,这就要求我们真正下实实在在的工夫,不求近利,不沽虚名,这样作出来的,必能在时间历程上站得住脚跟,在学术进途上标注出业绩。这也可以说是我读了王勋成先生此书后,于新世纪即将来临之际,对我们唐代文学研究的期望。

2000 年 12 月中旬,于北京六里桥寓舍

原载中华书局 2001 年版《唐代铨选与文学》,此据大象出版社 2008 年版《学林清话》录入,另收入大象出版社 2004 年版《唐宋文史论丛及其他》

《宋登科记考》札记

一

关于《宋登科记考》,我们曾先后撰有两文,一是《填补科举史研究的一项空白》,载于北京大学中国传统文化研究中心编的《汉学研究国际会议(1998.5)论文集》(北京大学出版社,2000年版),一是《关于〈宋登科记考〉的撰编和出版》,载于《古籍整理出版情况简报》2000年第11期,分别对于此书的立项缘起、主要内容、文献价值及学术意义,作了简要的介绍。此书的起动是在20世纪90年代初,当时我们考虑到,一是宋代科学,在整个中国科举制史上有其特殊地位,它上接唐代,进一步使考试程序和任职办法规范化,又启示明清两代作合理的调整;二是宋代登科人数是历朝最多的,据初步统计,其每年平均取士人数,约为唐代的五倍,元代的近三十倍,明清两代的三至四倍。而从整个文化史研究来说,宋代科举更有其丰富的内涵。20世纪后半期,海内外学人对宋代科举制的研究已陆续开展,也取得不少成果,但宋代科举制的研究有个根本的缺陷,就是还没有像清人徐松所编《登科记考》那样全面记载唐代科举发展基本情况的史料书。因此我们立志于此,想仿照徐松之书,作一部有宋一代三百余年的科举编年史。

傅璇琮在 80 年代前期撰写的《唐代科举与文学》一书中,曾提到:"如果效徐松之书的体例,编撰一部《宋登科记考》,材料一定会是更丰富,但搜辑和排比的工夫一定会更繁重。"(第一章《材料叙说:唐登科记考索》,陕西人民出版社,1986 年版)我们两人在商量编纂体例时,确也估计到《宋登科记考》的工作量是繁重的,但没有想到其繁重之程度竟使这一课题一直延续了七八年,到现在,材料辑集虽已大体完成,但排比、整理还需一定时间。全书的编纂构思,是我们二人共同议定的,工作的基地则放在杭州大学(现为浙江大学)古籍研究所,由时任古籍所所长的龚延明带年轻教师祖慧和研究生做具体工作,出版则由江苏教育出版社承担。江苏教育出版社十分支持这一项目,并特地作为重点选题向上级申报。

《宋登科记考》工作量之重,一是资料辑集的范围广,二是整理、排比的工夫大,由于宋至明清的史料记载时有疏误,因此还需加以核查、校正。根据我们这几年的工作实践,我们所引用的书,已近千种,大致包括以下各类:第一类是今存的宋登科记。宋代各科各榜,在当时是编有登科名录的,苏轼就说过:"观进士登科录,自天圣初迄于嘉祐之末,凡四千五百一十有七人。"(《送章子平诗叙》,《苏轼文集》卷一〇)可见苏轼是亲自见到过仁宗一朝共十三榜的登科录的,因此他有具体的统计数字。但可惜这些最原始的第一手资料,后来绝大部分已经佚失,现在完整保存下来的只有《绍兴十八年同年小录》(内有进士朱熹)、《宝祐四年登科录》(内有状元文天祥),和元刘壎《隐居通议》卷二七《前朝科诏》所保留的《咸淳七年同年小录》(不全)。另外南宋末马端临《文献通考》中的《宋登科记总目》,也接近于原始记载,我们就一并收录。第二类是有关宋史的基本史书,如《宋会要辑稿》、《续资治通鉴长编》、《宋九朝编年备要》、《皇宋十朝纲要》、《建炎以来系年要录》、《皇宋中兴两朝圣政》、《全宋文续资治通鉴》、《太平治迹统类》,以及《宋史》中的本纪及《选举志》。第三类为人物传记,如《东都事略》、《名贤氏族言行类稿》、《通志·氏族略》、《宋史》列传、《万姓统谱》、《宋史翼》、《宋史新编》、《楚纪》等。第四类为方志,如《宋元方志丛刊》、《明天一阁藏方志选刊》初编、续编及诸直省《通志》等。方志类的书,资料价值极大,我们这部书中的历代各榜登科姓名,大部分就是据以辑录的。第五类为文集、笔记,这类书中的内外制、行状、墓志铭,及人物轶事、故事,是对有些历史书的误记加以补正的。第六类为碑刻及出土文物资料,如清人所编的《金石萃编》、《八琼室金石补正》、《两浙金石录》,及近二十年来出版的《中国历代碑刻汇编》、《江西出土墓志选编》、《台州金石录》等。以上史料的检录,等于对两宋登科人进行一次普查。根据我们现在的初步统计,这次收录近四万人。宋代,包括北宋和南宋,共举行过一百十八榜科举试,各种科目登第人数,现在研究者有所统计,当然各有歧异,但大致在十万至十一万之间。现在我们考出近四万人,不到原来的一半,但已经是迄今为止著录最多的了。如台湾学者昌彼得、王德毅等所编的《宋人传记资料索引》（台北鼎文书局，1974—1976 年版），是目前所录人数最多的宋人传记资料工具书，共收二万二千多人，但其中登科人仅六千余，我们的这部《宋登科记考》，所录人数已是该书的六倍多。

由于这部书还未最后完工，我们还不可能对此书所反映的两宋科举情况作全面的研讨，现应王水照先生之嘱，撰此小文，仅将北宋太祖、太宗两朝之大事记，并以宋仁宗嘉祐二年、神宗元丰二年、高宗绍兴十五年登科录为例，略作一些介绍，以札记的体式写出，谨供学术界参考，并请指正。

二

《宋登科记考》的结构，全书按年编排，每年分大事记与登科名录两部分。大事记辑录宋代科举方面的诏令、历届科举试之知举官与考试官，及有关各种规定、考试情况等，资料力求齐全，以省却读者翻检之劳，并据此可通盘了解宋代科举制度的沿革与进展。宋代科举制的改革，主要在北宋神宗熙宁年间王安石执政时，太祖、太宗两朝，发展较为平稳，但一方面继承唐代，一方面仍有革新之措。如太祖开宝三年（970）特奏名的创建，殿试制的建立与确定。又如进士登科人数，太祖一朝，基本上是每年一榜，录取的人数，一般在十至二十人，最多为开宝八年（975），也不过三十一人，与唐代接近；太宗朝则有较大变化，为两年或三年一榜，所取进士人数大多在二百人左右,淳化三年(992)达到三百五十三人,至于诸科人数,则更多,大多为五六百,淳化三年竟达九百余人。与此相应的,各地所送的贡士,也数量猛增。如太宗太平兴国二年(977)正月记,"诸道所发贡士凡五千三百余人"(《续资治通鉴长编》卷一八、《文献通考·选举考》三、《宋史·选举志》一《科目》)。唐代对各州府所送应举人数,是有明文规定的,如《唐摭言》卷一《贡举厘革并行乡饮酒》,记云:"开元二十五年敕,应诸州贡士,上州岁贡三人,中州二人,下州一人;必有才行,不限其数。"(《通典》卷十五《选举》三《历代制》所载略同)根据《新唐书·地理志》所载开元、天宝时州府设置,则每年举子最多不超过一千人,一般应为六七百人。而中唐时人数有所增加,柳宗元《送辛殆庶下第游南郑序》中说:"朝廷用文字求士,每岁布衣束带,偕计吏而造有司者,仅半孔徒之数。"(《柳宗元集》卷二三)这就是说,这时每年集合于长安的举子,大约有一千六百人。而同时的韩愈,则估计较多,他于德宗贞元十九年(803)所作的《论今年权停举选状》说,当时长安人口达百万,前来应试的举子,连同其仆人,占长安人口的百分之一(《韩昌黎文集校注》卷八)。按照韩愈的说法,应试者就有四五千人。韩愈的话可能有所夸张,根据《唐摭言》卷一《会昌五年举格节文》所载国子监及各节镇所送明经、进士的限定人数,总计约二千一百人,再参照所谓"必有才行,不限其数",也大致为二千四五百人(参见《唐代科举与文学》第三章《乡贡》)。武宗会昌五年为公元845年,过了一百二十几年,也就是北宋初期的太宗太平兴国二年(977),各地所送的应试者人数就增加了一倍多。这还只是唐、宋之比,值得注意的是,同是太宗朝，过了六年，太平兴国八年（983）正月，两京、诸道州府贡士达一万二百六十人（据《宋会要·选举》一之二《贡举》、《续资治通鉴长编》卷二四）。六年之后，其间仅隔两榜（太平兴国三年、五年），到京应试者就增加将近一倍。更甚者，太宗淳化三年（992），"正月六日，诸道贡举人万七千三百，皆集阙下"（《宋会要·选举》一之三《贡举》、三之六《贡举杂录》、十九之二《试官》、《续资治通鉴长编》卷三三）。也就是九年之后，又增加七千多人，为十五年前太平兴国二年五千三百余人的三倍。这恐怕不仅是科举制本身的原由，可以联系当时的政治、经济及文化情况作综合的分析。总之，这一情况是值得研究的。

宋代的贡举常科，除进士外，还有诸科。宋代的诸科，有九经、五经、三礼、三传、学究、开元礼（后改为通礼）、三史、明法等，既包括唐代的诸科，又包括唐代的明经（参见张希清《宋代贡举科目述论》，载《国际宋史研讨会论文选集》，河北大学出版社，1993年版）。王安石变法，只设进士科，从徽宗朝起，就正式取消诸科取士。但在这之前，特别是太宗、真宗、仁宗几朝，诸科录取的人数是大大超过进士科的，有时竟多至一倍。不过宋代的史籍，著录诸科姓名的极少，太祖一朝几乎连诸科所取的人数也未有著录。我们的这部书，就尽量著录其诸科姓名，如太祖开宝四年（971）九经科李符（《宋会要·选举》九之三《赐出身》），开宝八年（975）三礼科纪自成，三传科林松、雷说（《宋会要·选举》七之二《亲试》、《续资治通鉴长编》卷十六）；太宗端拱元年（988）王又言（《宋会要·选举》七之四《亲试》），淳化三年（992）九经科王惟庆（《宋会要·选举》七之五《亲试》，《续资治通鉴长编》卷三三）。

这些材料虽然不多，但总算可补缺佚。

从史料的整理、比勘来说，书中引录有关记载时，还注意对文字的订正。如太祖乾德元年（963）二月据《宋会要·选举》一之一《贡举》，记礼部"奏合格进士苏德详已下八人"。"苏德详"之"详"，据《皇宋十朝纲要》卷一、《续宋编年资治通鉴》卷一，应改作"祥"；又《旧五代史》卷一二七《苏禹珪传》末亦记："子德祥，登进士第，累历台省。"又乾德二年（964），据《宋会要·选举》十四之十三《发解》、《续资治通鉴长编》卷五，于九月癸未载权知贡举卢多逊上疏，其中有五十一字（"其进士，取文字乖舛、词理纰谬最甚者为第五等，殿五举，其次者为第四等，殿三举，以次稍优者为第三、第二、第一等，并许次年赴举"）为脱文，今据《册府元龟》卷六四二补（《五代会要》卷二二亦有引周显德二年礼部侍郎、知贡举窦仪奏议，也有此数语，可证）。太宗朝也有类似情况，如端拱元年（988），据《宋会要·选举》一之三《贡举》，记三月庚辰下诏放合格进士、诸科程宿以下一百二十人，而据今存的《太宗实录》卷四四、明嘉靖本《文献通考·选举》三及明李濂《汴京遗迹志》所引"宋登科记总目"，登科人数应为一百二十九人。又如《宋史·太宗纪》二，淳化三年（992）三月"戊午，以高丽宾贡进士四十人并为秘书省秘书郎，遣还"。此又见于《宋会要补编》页336《举士》，作"三月丙辰，宾贡王彬、崔罕并授秘书省校书郎，于归高丽"。则"秘书郎"当为"校书郎"之误，《宋史》所云高丽宾贡有四十人，亦恐不至如此之多，《宋会要》只记二人姓名，则较确切。

在大事记中除了一般史书外，还注意辑集宋人笔记，因为笔记虽为个人见闻，但因时代较近，多信实可靠。太祖、太宗两朝，引录的宋人笔记,有《涑水纪闻》、《东轩笔录》、《石林燕语》、《燕翼诒谋录》等。如《宋史》卷四四〇《文苑传》有《柳开传》,称"开宝六年举进士,补宋州司寇参军"。本书于太祖开宝六年(973),引录宋叶梦得《石林燕语》卷六的一段文字,中有云:"柳开少学古文,有盛名,而不工为词赋,累举不第。开宝六年,李文正昉知举,被黜下第。徐士廉击鼓自列,诏卢多逊即讲武殿覆试,于是再取宋准而下二十六人,自是遂为故事。再试自此始。然时(柳)开复不预,多逊为言:'开英雄之士,不工篆刻,故考校不及。'太祖即召对,大悦,遂特赐及第。"由此可知《宋史》本传所说的"举进士",太简单,柳开当为特赐进士及第,非考试合格者。

但笔记所记也偶有笔误者,如司马光《涑水纪闻》卷三,记云:"王嗣宗,汾州人,太祖时举进士,与赵昌言争状元于殿前。太祖乃命二人手搏,约胜者与之。昌言发秃,嗣宗殴其幞头坠地,趋前谢曰:'臣胜之!'上大笑,即以嗣宗为状元,昌言次之。"按王嗣宗为太祖开宝八年(975)状元,而赵昌言则至太宗太平兴国三年(978)始以进士第三人及第(《宋会要·选举》二之一《进士科》记有"十一月辛丑,以新及第进士胡旦、田锡、赵昌言、李蕤为将作监丞;又《宋史》卷二六七《赵昌言传》也载其为太平兴国三年进士)。

三

登科名录部分,凡收录者,都撰有一小传,包括姓名、字号、籍贯,以及何种科目及第,及第之年,初授何官,最高官或终任官等。

小传之下，附有书证；凡所引材料有疑有误者，加按语予以说明。登科录所依据的材料，大部分是地方志书，包括州府志、县志及各直省《通志》；省《通志》因便于查阅，且汇总州府县志的材料，因此是查阅登科人物的一大资源。同时，宋人文集、笔记，所载登科人物的数量虽少，但因时代较近，可信程度较高，我们也尽量予以辑录。登科名录的资料价值，从另一角度看，也可以说是超过大事记的，因为它不但提供大量人名，而且根据登科者的仕历、籍贯，可以对两宋士人的政治经历、宋代地理文化的分布特点等，从更广的领域作新的探索。

仁宗嘉祐二年（1057）科举试，由欧阳修主持，同考官有韩绛、王珪、范镇、梅挚及梅尧臣等，所录取的有苏轼、苏辙、曾巩等知名文士。通过考试，排除当时流行的行文艰涩的所谓"太学体"，对北宋散文风格的革新与新一代文人群体的形成起了很大作用。现在一般文学史著作都对这一年的科举试作了很高评价，王水照先生有一篇《嘉祐二年贡举事件的文学史意义》专文，更对此作了全面深入的分析（见《王水照自选集》，上海教育出版社，2000年版）。这里拟从文献资料角度作若干补充。

关于这一年的进士登科人姓名，宋代时最早记载的，是南宋彭百川《太平治迹统类》。其书卷二七"仁宗科举取士"条记嘉祐二年："丁亥，赐进士章衡等二百六十三人及第，一百二十六人同出身。"文中小注引李复圭《纪闻》，记有以下十五人姓名：章衡、窦卞、郑雍、吕惠卿、蒋之奇、苏轼、曾巩、朱光庭、曾布、宋希、史元道、王韶、梁焘、苏惟贤、刘元喻。前面提到的王水照先生文章，曾据福建、江西、浙江、河南、山西、陕西、广东、广西、湖南、湖北等几个省的通志及若干州县志,以及苏轼、苏辙、曾巩的文集,考录出本年被录取者二百零四人的姓名。(王先生自注:"不完全统计。")由于我们这些年来专门从事登科辑录的工作,资料的面较广一些,因此所得的人也较多一些,据现在所收集到的有二百六十二人。当然,这里恐怕还包括诸科及特奏名,不过据所辑的材料,这二百六十二人绝大部分还是进士科及第的。

这之中有意义的是地域分布。据我们初步统计,按现在的省份,这一年录取最多的前五名,依次为:福建(六十九人),浙江(四十八人),江西(三十九人),四川(三十三人),江苏(二十二人)。十人以下的为:安徽(十人),河南(八人),广东(六人),广西(四人),山东(四人),山西、陕西、湖北、湖南(各二人),河北(一人)。其他则为籍贯不明。如果把福建、浙江、江西、四川、江苏五个地区的人数加起来,则为二百一十一人,超过本年进士及第总数的一半了。这确为我们提供一个信息,即北宋中期,建政后将近一百年,南方几个省的登科人数已大大超过北方。

福建这次登第者人数居于首位,但在唐朝,情况是很不一样的。福建因地处沿海鱼米之乡,经济是富裕的,但唐时本地人士却安于本土,"不肯北宦"(《新唐书》卷二〇三《文艺下·欧阳詹传》)。中唐时德宗初期,常衮由广东潮州迁升为福建观察使,一开始就觉得"闽人未知学",后来他为设乡校,亲加讲导,"由是俗一变,岁贡士与内州等"(《新唐书》卷一五〇《常衮传》)。随后就有名士欧阳詹,与韩愈同登贞元八年(792)进士第。晚唐时,北方战乱相继,福建相对稳定,文化当也逐渐普及,应举者日渐增多。文人王棨于咸通三年(862)登第,黄璞作《王郎中传》(《全唐文》

卷八一七），中云："盖七闽之地，自欧阳詹、王棨为之倡首，相继登上第，遂盛于时云。"不过，晚唐五代，福建籍登第者也不是太多，北宋嘉祐二年的情况，确值得研究。

江西也是如此，唐时科举应试，及第者甚少。晚唐文宗时李德裕贬为袁州（治所在今江西新余）刺史时，曾欣赏当地士人卢肇，加以推荐。后卢肇于武宗会昌年间登进士第，却因其为袁州人而受人讥嘲。《唐摭言》卷一二《自贡》条记载："卢肇初举，先达或问所来，肇曰：'某袁民也。'或曰：'袁州出举人邪？'肇曰：'袁州出举人，亦由沅江出龟甲，九肋者盖稀矣。'"当时在长安的"先达"者，竟对袁州有举人前来应试提出疑问，卢肇虽加以反刺，但也可见江西当时应举者确实甚少。

在省区以下，州县的应试、登第者也有密度很大的，如苏轼《谢范舍人启》说此次其家乡眉山发解"举于礼部者，凡四五十人"，录取者"十有三人"（《苏轼文集》卷四九）。这种情况，在福建、浙江也有。王水照先生文中还提到："个别进士密集地区和文化家族，也作为一种特殊的文化因子加入这一文化圈，如江西南丰的曾巩及弟曾牟、曾布，从弟曾阜，妹夫王无咎、王彦深一门六人，临川蔡元导、蔡承禧父子及其同里潘洙等同登此榜"；王先生文中还提及，除苏轼、苏辙兄弟外，还有福建林希、林旦兄弟，王回、王向兄弟，林开、林棐兄弟，江西黄湜、黄灝兄弟，蜀人张师道、张师厚兄弟，楚人杨寿祺兄弟。此外，据我们查录，如浙江新昌这样一个小县城，就有石深之、石麟之、石景渊三人；安徽绩溪有汪淇、汪深、汪激三人（同为水字偏旁，似为同一宗族）；福建侯官有陆长倩、陆宪元兄弟（同为陆广之子），等等。这样同一县区、同一宗族、同一家庭，于同一年登科，在唐代极为少见（似还未见），可能唐时还有所限制。由此也可见宋代科举试对这方面似较为宽松，这也是一种文化现象。

当然，应该提一下的是，前面所说的登科人数，嘉祐二年以福建、浙江、四川、江西居于前列，及同一州县、宗族、家庭，连袂登科的，也均见于南方数省。这主要是根据方志，而方志的纂修，各地可能是不平衡的，比较起来，北方的方志，不论省或州县，著录登科姓名，不如南方的详细，但并不一定就表明北方几个省登科人就如此之少。不过方志的著录是前后相承的，有一定的文献依据。以福建而言，嘉祐二年居于首列，下面我们所举的元丰二年及南宋的绍兴十五年，也是在前列的，可见并非偶然，而且嘉祐二年殿试所放的第一名章衡，也是福建浦城人。另外，方志还可补其他文献的不足，如嘉祐二年泰州如皋有登科者王观，宋秦观《淮海集》卷三三《李氏夫人墓志铭》，曾提及"海陵王君观及其从弟觌"，曾"相继举进士中第"，但未言何年，而明嘉靖重修《如皋县志》卷八《人物·科贡》则明确记载王观为"开封府解元，嘉祐二年丁酉章衡榜"，清厉鹗《宋诗纪事》卷二二也载有王观，即据此定王观为嘉祐二年进士。可以想见，如没有《如皋县志》这一著录，本年进士就缺一名额了。又如绛州曲沃人史籍，清人所修的《山西通志》只录盖抃一人，无史籍，我们这次查到明嘉靖《曲沃县志》，其书卷四载有宋王居正《左武卫大将军史公神道碑》中有云："公讳绪，字仲昌，绛州曲沃人。二子：籍、符，经举擢第。"后即云史籍于嘉祐初登第居官。虽仅云嘉祐初，嘉祐二年即为嘉祐年间的第一个榜次。

类似的情况还很多，限于篇幅，就不列举了。这里想再提一下宋代文集与笔记的作用，其所记有时可与方志相印证，有时还可补方志之不足。如建州浦城县黄好谦（字几道），《天一阁藏明代方志选刊》之《建宁府志》及清人所修《福建通志》，均载其嘉祐二年进士及第，不过我们可从宋人文集中找到较早的材料予以印证，即南宋楼钥《攻媿集》卷一〇三《奉议郎黄君（仁俭）墓志铭》有云："曾祖好谦，朝散郎、知颍州……与二苏公为同年，且通婚姻，书尺甚多。"这还提供了苏氏兄弟的一些材料（《苏轼文集》卷六三有《祭黄几道文》）。

有些则是仅有文集所载而为他书所无的，如山东淄川之梁师孟，宋刘挚《忠肃集》卷十三《梁公墓志铭》："君讳师孟，字醇之，淄川人。公嘉祐二年擢进士第，调沂州费县主簿。"另一山东人郭源明，《宋史》卷二九七《郭劝传》曾简单地提及："郭劝……郓州须城人……子源明，治平中为太常博士。"而《苏魏公集》卷五九有《郭君（源明）墓志铭》，明确记其为"嘉祐二年及第"。这两人都是山东人，其登第均未见于方志。另外如《欧阳修全集·居士集》卷二五《河南府司录张君墓表》所记之开封府襄邑县张山甫，吕陶《净德集》卷二《刘公墓志铭》所记之徐州人刘庠，綦崇礼《北海集》卷三四《郑公行状》所记之拱州襄邑（今河南睢县）人郑雍，方回《桐江集》卷四《跋冯抱瓮诗》所记之普州安岳县冯山（初名献能），皆嘉祐二年登第，均为最早最确切的材料。

宋人笔记中也可找到一些记载，如叶温叟其人，宋《咸淳临安志》卷六一《国朝进士表》及清修《福建通志》均有，但较早之记载则为叶梦得《避暑录话》卷下："叔祖度支讳温叟，与子瞻同年，议论每不相下。元祐末,子瞻守杭州,公为转运使。"

这次辑录的材料,有的还可纠正清人记载疏误,如清陆心源《宋诗纪事补遗》卷十四记余京为嘉祐三年进士(应为二年);同卷记李中,谓"官承奉郎,致仕归",而据《江西出土墓志选编》24页《严矩妻钱氏墓志铭》(熙宁六年十月),称"承事郎、守秘书省著作郎、知开封府韦城县事李中撰"。熙宁六年已自承奉郎迁承事郎,此云官至承奉郎,则不确。

四

本节拟就宋神宗元丰二年(1079)与高宗绍兴十五年(1145)两榜再略作一些介绍。前者为熙宁间科举改革后之榜,后者为南宋前期刚由汴京迁至临安不久之榜,都有一定的时代特点。现拟仍就科试本身作一些分析。

元丰二年,《太平治迹统类》卷二八对登第者姓名有所著录:"(元丰二年)二月辛未,知举许将上合格进士朱浚明等。庚辰,御集英殿策试,遂赐时彦、陈瓘、朱浚明、晁补之、家彬、张康国等三百四十八人及第出身。"共三百四十八人,但只举出六人姓名。第一名时彦倒是河南开封府人,但据我们的辑录,河南登第者仅二人。这次我们考出的有二百七十三人,其中当包括少数诸科与特奏名。据统计,福建仍居第一(九十二人),其后依次为:浙江(四十七人),江西(四十四人),江苏(二十六人),四川(二十二人),广东(十一人),安徽(八人),湖南(七人),陕西(四人),山东(三人），广西、湖北与山西均为一人，其他还有赵氏宗室及籍贯不明的。绍兴十五年，情况似稍有变化，进士及第者，以浙江为首，为九十人，其后依次为：江西（七十人），福建（五十八人），江苏（三十六人），四川（十六人），安徽（七人），湖南（七人），广东（六人），广西与河南各一人，北方其他几省则均未见著录。浙江登科人数为第一，且本年状元刘章，亦为浙江之衢州龙游人，这很可能与南宋建都于临安（杭州）有关。福建的名次是下来了，但我们于这一年特地记录了特奏名的姓名，发现福建本年特奏名登录者有五十八人之多，如果与进士登第者相加，就有一百一十六人，则仍居首列。四川较少，这是因南宋时川人来东边，交通不便，当地士子有时在本地得解后即不赴临安省试，这当可以参照后几榜再作考虑。

这两榜也与前述嘉祐二年一样，有同里、同宗以及兄弟共同登第的。元丰二年有：福建兴化县有方公衮、方次皋、方安道、方原道叔侄四人同第；福建光泽县同里有上官行、上官敦复二人；山东东平府有刘跂、刘蹈兄弟二人；江西余干有同里都颉、都随二人；浙江丽水一个小县城，亦有应通、应皓二人。绍兴十五年则有湖南郴州兴宁县同族黄观志、黄观政二人。我们如果把两宋历年登第者作通盘考察，则有关这方面的材料定会提供意想不到的情况。

就文献资料来说，宋人文集仍是必须查考的原始资料。如宋王偁《东都事略》卷一〇〇及《宋史》卷三四五均有《陈瓘传》，但都只说举进士甲科，未记何年，南宋魏了翁《鹤山先生大全集》卷六三《跋陈忠肃公岳山寿守观留题》则明确载其为"元丰己未（二年)擢进士三名"。又陕西人李复,亦为本年进士,《四库全书》有从《永乐大典》中辑集的李复《潏水集》十六卷。其书卷十三有《舟行出峡先寄峡州太守荣子邕同年》诗,卷十六有《答彭同年劝应贤科》诗,这里的荣子邕与彭某,其人不详,但从李复的诗得知其同为元丰二年进士登第,可作为进一步考索的材料。绍兴十五年也有类似情况,如李亮,《永乐大典》卷一〇四二一录宋王灼《颐堂集》之《李教授墓志铭》,载其为邛州大邑县人,后出游至江苏、浙江一带,历述其行迹,并云于绍兴十五年登进士第。按王灼,《宋史》未有传,《四库全书》录其《糖霜谱》一卷,《碧鸡漫志》一卷,其字海叔,号颐堂,绍兴时人。则《永乐大典》之《颐堂集》即此王灼所作,惜清时修《四库全书》时未加辑录,幸亏今存《永乐大典》中尚有此一篇,能考出绍兴十五年登进士第之李亮,虽是孤证,也是难得的。

在辑集古代文献时,还应对资料可靠性加以甄别、订正。现姑举一例。晚清时陆心源著有《元祐党人传》十卷,其卷六有《李积中传》,云,"李积中,广东四会人……元丰元年进士。为御史……历翰林直学士……崇宁三年入党籍,除名勒停,编管洪州,家焉。崇宁五年复宣德郎。建炎元年,以朝请郎知襄阳府……知洪州。四年,坐投拜,除名编管。"李积中其人,一生是很坎坷的,陆心源确撰写得很详细,但神宗熙宁九年(1076)榜后,即到元丰二年(1079)榜,元丰元年无进士榜次,清修《广东通志》(卷六六)倒是准确记其为元丰二年的。但《广东通志》与《元祐党人传》都记李积中曾为"翰林直学士",按宋时无翰林直学士之名,当作直学士院,这是清人不太明白宋代翰林院与学士院之别。又南宋王十朋《王忠文公集》卷三《南昌李氏谱序》，提及李积中"元丰三年进士"。元丰三年也无榜次，这里很可能是版刻之误。

以上只是以札记的体式对《宋登科记考》的编撰略作一些介绍，涉及的也只是其中的一小部分。不过读者也可看到，这部书由于篇幅大，辑集的资料面较广，不管是大事记，还是这一百十八榜的登科名录，我们当可从中发掘出有关政治、文化，特别是士子与文学方面的不少资源。资料搜集的工作确还是应该重视的。文献资料的辑集与整理，与义理的探讨，必能互相启示，这就能促进学科建设有一个求实、创新的进展。这也就是本文对这部书的期望所在。

2001 年 1 月

与龚延明合撰，原载上海辞书出版社 2001 年版《新宋学》第一辑，此据东北大学出版社 2015 年版《中国当代名家学术精品文库·傅璇琮卷》录入，另收入大象出版社 2004 年版《唐宋文史论丛及其他》、万卷出版公司 2010 年版《当代名家学术思想文库·傅璇琮卷》、首都师范大学出版社 2010 年版北京社科名家文库《治学清历》

唐代宗朝翰林学士传

常衮传

　　常衮，两《唐书》有传，见《旧唐书》卷一一九，《新唐书》卷一五〇。又《新唐书》卷七五下《宰相世系表》五下载其世系，其曾祖毅，杞王府司马；祖楚珪，雍王府文学。楚珪有子四人，依次为无名，礼部员外郎；无为，三原令；无欲，未记官职；无求，右补阙。常衮为无为子。但常衮有《叔父故礼部员外郎墓志铭》(《全唐文》卷四二〇)，称其叔无名"即文学之第三子"。如此，则《新传》记无名为长子，并为常衮父无为之兄，误。又《旧传》载"常衮，京兆人也"，《新传》同，而上述《叔父故礼部员外郎墓志铭》称"河内温人也"。此当为郡望，《新传》谓"唐有新丰常氏"，据《元和郡县图志》卷一，新丰即属京兆府。则两《唐书》本传称其为京兆人，是。又于邵有《与常相公书》(《全唐文》卷四二六)，称己与常衮同里，且同年登进士第："昔尝陪相公乡里之举，时应神州甲乙之选。"《旧唐书》卷一三七《于邵传》即称其为京兆万年人。

两《唐书》本传皆载常衮"天宝末举进士",徐松《登科记考》卷九即据此记常衮登玄宗天宝十四载(755)进士第。《旧唐书·于邵传》亦记于邵"天宝末进士登科",亦与《与常相公书》所记合。按据《旧唐书》本传所载,衮卒于德宗建中四年(783),年五十五,则生于玄宗开元十七年(729),天宝十四载(755)登进士第时年仅二十七岁。

《旧唐书·常衮传》在记其进士登第后,叙其仕历为:"历太子正字,累授补阙、起居郎。宝应二年,选为翰林学士、考功员外、郎中、知制诰,依前翰林学士。永泰元年,迁中书舍人。"《新唐书·常衮传》则极简略,关于这段时期的官职迁转,只两句话:"由太子正字,累为中书舍人。"一字未提任翰林学士之事,值得推究。

又,《颜鲁公文集》卷一《皇帝即位贺上皇表》,为至德元载(756)七月颜真卿向时在成都的唐玄宗所上,文后有"上皇批答"几行文字,注谓"常衮行"①。则此时常衮随玄宗在蜀,替皇帝起草对臣下奏议的批答。按此年为其进士登科后第二年,即使随玄宗入蜀,也不可能在皇帝身边对大臣所上表起草批答。《全唐文》卷四一五确也载有常衮此文(题为《玄宗答颜真卿贺肃宗即位表》)。清劳格《读书杂识》卷六《文苑英华辨证补》即认为《全唐

---

①按此据《四部备要》本《颜鲁公文集》。《文苑英华》卷五五三、《全唐文》卷三三六皆收有颜真卿此文,但文末都未有"批答"。

文》此处为误载①。

韦执谊《翰林院故事》记宝应(762—763)以后翰林学士六人,首为常衮,记云:"自补阙充,迁考中,又充,出知制诰。"丁居晦《重修承旨学士壁记》所记宝应后六人,亦首列常衮,云:"右补阙充,累加工部员外郎、知制诰,出守本官。"二者所记,稍有差异,而最大的问题,则均未记载常衮入翰林学士与出翰林学士之年月。岑仲勉《翰林学士壁记注补》对此有所考证。今参岑氏《注补》,考

①按劳格此说是,但另一处考常衮文则有误。其所著《读书杂识》卷八《读全唐文札记》,谓《全唐文》卷二五有玄宗《宣慰湖南制》,卷四一四常衮文又有《宣慰湖南百姓制》,劳格云"当删此存彼",即非常衮作,其意当谓常衮不可能在玄宗朝撰写制词。按此制文乃因湖南诸州连遭水灾("震泽之南,数州之地,顷以水涝暴至,沱潜溃溢,既败城郭,复潴原田"),故特下宣慰之制,并派朝臣前往视察。可注意的是,文中云"宜令中散大夫、给事中贺若察往湖南宣慰处置"。此贺若察,两《唐书》未有记。梁肃有《处州刺史李公墓志铭》(《全唐文》卷五二一;又见胡大浚校点《梁肃文集》卷五,甘肃人民出版社 2000 年 5 月版),文中云:"给事中贺若察宣慰南方,请公为察佐。"即指宣慰湖南事。而此处州刺史李公,乃代宗、德宗时人,未在玄宗朝任职。《全唐文》卷四一〇又载常衮《授贺若察给事中制》,称"中散大夫、行尚书吏部郎中贺若察",而此吏部郎中贺若氏,又见独孤及《吏部郎中厅壁记》(《毗陵集》卷一七),称"岁在乙巳,河南贺若公用贞干谅直,实莅厥位"。乙巳,即代宗永泰元年(765)。独孤及亦中唐时人。又《旧唐书》卷一一《代宗纪》大历二年(767),八月"辛卯,潭、衡水灾",年末又记:"是秋,河东、河南、淮南、浙江东西、福建等道五十五州奏水灾"。又《册府元龟》卷一六二《帝王部·命使》二,有云:"大历二年八月,以衡、潭水灾,命给事中贺若察使于湖南宣慰。"此可为确证。而大历二年,常衮正任中书舍人,可撰制词。由此,则《全唐文》卷二五玄宗名下之《宣慰湖南制》,误,当属常衮,劳格之说不确。

述如下。

《旧传》明确提及常衮于宝应二年(763)选为翰林学士。按代宗于宝应元年(762)四月其父肃宗卒后即位,宝应是肃宗的年号,第二年七月壬子改元广德,广德则为代宗的年号。这就是说,凡广德元年正月至六月,当时人是称宝应二年的。据前韦执谊、丁居晦所记,常衮以补阙为翰林学士,而据《旧传》,入学士后,又由补阙迁为起居郎,后又为考功员外郎、考功郎中。补阙为从七品上,起居郎为从六品上,郎中则为从五品上。可见常衮是按正常程序升迁的。堪可注意的是,《全唐文》卷四一七载有常衮《谢除考功郎中知制诰表》,首云:"臣衮言,伏奉去年十二月二十六日恩制,授臣考功郎中,余如故。"后又云:"爰锡朝章,俾迁郎位,典掌如旧,宠荣有加";"禁垣之右,朝奉如给;宸扆之前,夜参视草。以地尤密,惟才必精。"这几句所述与翰林学士身份相符。而《文苑英华》卷五八八所载此表,于著者常衮名下注"宝应二年"。这就提供一个重要的信息,即常衮此表当为宝应二年年初所作,而其授考功郎中并依前为翰林学士当在上一年即宝应元年十二月二十六日。代宗于宝应元年四月即位,则常衮当为宝应元年四月以后由右补阙入翰林,后又陆续迁为起居郎、考功员外郎、考功郎中。《旧唐书·常衮传》记衮于宝应二年始为翰林学士,当不确①。

①按岑仲勉《注补》谓若据《文苑英华》所记,常衮于宝应元年一年之内,自补阙迁起居部,又迁考中、知制诰,"未及一岁,固不应经过三迁也",因疑《文苑英华》所注之"宝应"应是"广德"。岑说有一定道理,但终是推测,《文苑英华》明言"宝应二年",当有所据。

其次是常衮于何年出院？应当说，韦执谊《翰林院故事》谓"迁考中，又充，出知制诰"，是较为确切的。《旧传》在叙其任考功郎中、知制诰并依前为翰林学士之后，接云："永泰元年，迁中书舍人。"从上下文意来看，常衮应是由考功郎中出院，出院后又升迁为中书舍人（正五品上），而中书舍人之职也就是知制诰，与《翰林院故事》所记"出知制诰"意合。

这里再提供两个较为直接的证据。一为释慧灵《仁王护国经道场念诵轨仪序》（《全唐文》卷九一六）："乃大兴善寺大广智三藏不空与义学沙门良贲等一十四人，开府鱼朝恩、翰林学士常衮等，去岁夏四月，于南桃园再译斯经，至秋九月，诏资圣、西明两寺各五十人，百座敷阐。下紫微而千官作礼，经出内而万姓欢瞻。"据《旧唐书》卷十一《代宗纪》，永泰元年（765）九月，吐蕃因受仆固怀恩之诱，进军逼凤翔府、盩厔县，京师戒严："时以星变，羌虏入寇，内出《仁王佛经》两舆付资圣、西明二佛寺，置百尺高座讲之。及奴虏逼京畿，方罢讲"；后吐蕃兵退，同年十月，"己未，复讲《仁王经》于资圣寺"。《通鉴》卷二二三永泰元年九月也载："庚寅朔，置百尺高座于资圣、西明两寺，讲《仁王经》，内出经二宝舆，以人为菩萨、鬼神之状，导以音乐卤簿，百官迎于光顺门外，从寺至。"另《贞元续开元释教录》卷上也记有："爰命……翰林学士常衮等于大明宫南桃园详译《仁王》……至（永泰元年）四月十五日译毕送上。"由此可见，常衮作为翰林学士，当时是奉命参与佛经翻译的（这与代宗崇信佛教有关，翰林学士作为近臣，不得不参与，玄宗时吕向作为翰林供奉，也数次出外为玄宗立碑镌刻）。据此，则永泰元年四月，常衮尚在翰林学士任。

第二个材料为《全唐文》卷四一〇载常衮《授郎士元等拾遗制》，称"前渭南县尉郎士元等"。拙著《唐代诗人丛考》中《钱起考》，曾考郎士元于宝应元年为渭南尉，二年闰正月尚在任①。蒋寅《大历诗人研究》述及郎士元生平时，也谓郎于宝应元年任渭南尉，不过他进一步确定郎士元于大历元年（766）入朝任拾遗②。我想此说是可信的。左右拾遗，官品为从八品上。按唐惯例，授六品以下官，由外廷中书省发制词，不由翰林学士草诏（参见李肇《翰林志》）。据此，常衮既于大历元年行此文，则已在中书省，不在学士院，与《旧传》所云"永泰元年，迁中书舍人"合，参照前慧灵文及《贞元续开元释教录》，则常衮出院当在永泰元年下半年。

　　由此可以考定，常衮当为代宗刚即位不久，也即宝应元年（762）四月后入为翰林学士，于永泰元年（765）下半年出院，共约三年余，当是代宗时首任翰林学士。韦执谊、丁居晦所记宝应后学士六人，首列常衮，当有所据。

　　常衮于永泰元年任中书舍人，大历九年（774）十二月改任礼部侍郎，并于次年春起，连续三年主持贡举考试。其真正名扬一时的，应当说是在中书舍人任期，也就是大历中期。这时杨炎也为中书舍人。《旧传》称"衮文章俊拔，当时推重，与杨炎同为舍人，时称为常、杨"。《旧唐书》卷一一八《杨炎传》也记："迁中书舍人，与常衮并掌纶诰，衮长于除书，炎善为德音，自开元已来，言诏制之美者，时称常、杨焉。"宋计有功《唐诗纪事》卷二九常衮条

①《唐代诗人丛考》，页436，中华书局，1980年1月。
②蒋寅《大历诗人研究》，页281，中华书局，1995年11月。

也称："为中书舍人，文采赡蔚，长于应用，誉重一时。"①应当说，制诏也是唐代的一种重要文体。它是一种官方的实用文书，虽与我们通常理解的文学性的散文、骈文不同，但在当时对文人的社会生活与仕宦之途是密切相关的。如常衮为杨炎任知制诰所撰的制词中说："诏令之重，润色攸难，其文流则失正，其词质则不丽。固宜酌风雅之变，参汉魏之作，发挥纶旨，其在兹乎。"②常衮于此对诏令的修辞，要求是很高的，提出要参照秦汉赋作，并有所革新。这与后来长庆时的白居易任中书舍人、元稹为翰林学士所作的文体创新，主张是一致的，很值得研究。

《新唐书》卷六〇《艺文志》四集录别集类，载："常衮《集》十卷，又《诏集》六十卷。杨炎《集》十卷，又《制集》十卷，苏弁编。"常衮的制诏集竟达六十卷，为杨炎的六倍，可见他在当时的影响是超逾于杨炎的。但常、杨的这些集子都没有传下来，南宋的晁、陈二志都未有著录。清人编《全唐文》，常衮之作有十一卷（卷四一〇至四二〇），除首列赋两篇，其余绝大部分为制、表、墓志等。杨炎之文列于《全唐文》的仅二卷（卷四二一至四二二），其制文也仅二篇：《王缙兼幽州节度使制》、《杜鸿渐兼东都留守制》，不过从这两篇制文中倒可以看出当时中书舍人职权之重：王缙之兼幽州节度使，杜鸿渐之兼东都留守，都是以宰相之位去兼的。这样的制词应当由翰林学士撰写，而却出于中书舍人之手，这与当时元载在相位专权，又与王缙、杨炎交善，都有关系。唐代的中书

---

① 《唐诗纪事》卷二九，页 447，上海古籍出版社，1965 年 8 月。
② 《授庾准杨炎知制诰制》，《全唐文》卷四一〇。

舍人，其在朝廷、社会及文人生活中的影响，是不可轻视的。

这里还可一提的是，北宋初期所编的《文苑英华》，是按文体分的，首列赋、诗、歌行，接着是包含有韩愈《原道》、柳宗元《天说》、杜牧《罪言》等的杂文，然后就是中书制诰（卷三八〇至四一九）、翰林制诏（卷四二〇至四七二），以及策问、判、表等。按分类体例，中书制诰当出于中书舍人，翰林制诏当出于翰林学士。常衮有不少制文是编入《英华》中的翰林制诏，而核其写作时间，则多在大历元年之后，即在中书舍人任内。应当说，《英华》把中书制诰与翰林制诏分列，有便于对唐代这两类官方文书的研究，但其具体编排却多有不合理之处。如将卷四二四沈约《南郊恩诏》、张九龄《南郊赦书》，卷四二五孙逖《天宝三载亲祭九宫坛大赦天下制》，均列入翰林制诏，实则沈约为南朝梁时人，张九龄仕宦于开元中期，当时未设置翰林学士，而孙逖撰此文时为中书舍人。唐代不管前后期，对中书舍人是很看重的，好些重要文书仍由中书舍人及其他兼知制诰的职官撰写。如前曾述及，与常衮同年登进士第的于邵，曾任谏议大夫、知制诰，"当时大诏令，皆出于邵"（《旧唐书》卷一三七本传）。

据上所考，常衮于永泰元年（765）下半年出翰林学士院，为中书舍人，大历九年（774）十二月改任礼部侍郎。也就是说，大历前期、中期，常衮任中书舍人长达九年。可以注意的是，常衮在任中书舍人时所撰的制词，品阶是相当高的，如《全唐文》卷四一五所载《大历四年大赦天下制》、《大历五年大赦天下制》、《大历七年大赦天下制》。据李肇《翰林志》，宪宗元和时起，"凡赦书、德音、立后、建储"等，都是由翰林学士撰制的，而在玄宗、肃宗、代宗等几朝,中书舍人所草拟的制文,其政治品位,有时还超过翰林学士。这值得作进一步研究。

但唐代文人以中书舍人、翰林学士之任参预政事,有时是很复杂的。如《新唐书·常衮传》:"由太子正字,累为中书舍人。文采赡蔚,长于应用,誉重一时。鱼朝恩赖宠,兼判国子监。衮奏:'成均之任,当用名儒,不宜以宦臣领职。'"此事《通鉴》卷二二四大历元年八月亦载:"甲辰,以鱼朝恩行内侍监、判国子监事。中书舍人京兆常衮上言:'成均之任,当用名儒,不宜以宦臣领职。'"鱼朝恩是代宗朝最受皇帝宠信,也最为专横的宦官,《通鉴》卷二二四大历五年正月记其"专典禁兵,宠任无比,上(指代宗)常与议军国事,势倾朝野。朝恩好于广座恣谈时政,陵侮宰相,元载虽强辩,亦拱默不敢应"。正因此,虽常衮上言不宜任鱼朝恩判国子监事,但代宗还是应鱼朝恩之请,在其赴国子监上任时,还"命宰相以下送朝恩上"(《通鉴》同上卷大历元年八月)。值得注意的是,正是常衮,起草撰写《授鱼朝恩国子监制》(《全唐文》卷四一二),首述国子监责任之重:"敬业乐群,系于化成,旧选尤重,参其事任,今亦难之。"继之即极称鱼朝恩"雅达名理,参尚儒玄,远涉源流,旁通训诂",因此能"用宏儒风,式允公望"。这与他在此之前上言"不宜以宦臣领职",完全是截然相反的两种格调。

常衮在大历以后,还有两件事值得一提,这两件事都与当时的文化有关。

一是常衮与当时的文人颇有交往。《全唐诗》卷二五四载常衮《晚秋集贤院即事寄答徐薛二侍郎》,其中叙及与徐、薛的交友:"旧德双游处,联芳十载余。北朝荣庾薛,西汉盛严徐。侍讲亲华宸，微吟步绮疏。"末云："序秩东南远，离忧岁月除。承明期重入，江海意何如。"关于此诗，我在《唐代诗人丛考·司空曙考》中曾定其作于永泰元年至大历二年间，后蒋寅《大历诗人研究》下册《大历诗人生平事迹订补》，考订此诗当作于大历八年或九年秋，时常衮仍为中书舍人。蒋寅说是，不过他并未进一步阐明此诗的政治背景，现拟作若干补充。

按常衮诗题中"徐薛二侍郎"，乃指徐浩、薛邕。两位在当时都以文才著称，尤其是徐浩，肃宗在灵武即位之初，即任徐浩为中书舍人，"时天下事殷，诏令多出于浩"（《旧唐书》卷八七本传）；代宗时，又升迁为吏部侍郎、集贤殿学士。《旧传》载："坐以妾弟冒选，托侍郎薛邕注授京尉，为御史大夫李栖筠所弹，坐贬明州别驾。"《旧唐书·代宗纪》系此事于大历八年："二月甲子，御史大夫李栖筠弹吏部侍郎徐浩。徐浩、薛邕违格，并停知选事"；"五月乙酉，贬吏部侍郎徐浩明州别驾，薛邕歙州刺史，京兆尹杜济杭州刺史，皆坐典选也。"其实这几处都记得不很清楚。《通鉴》倒是有点睛之笔的，卷二二四大历八年载其事，指出："吏部侍郎徐浩、薛邕，皆元载、王缙之党。"元载在代宗即位之初就任宰相，后协助代宗去除宦官专权者鱼朝恩，更得代宗的宠信，但随即志气骄益僭侈无度。《通鉴》于大历六年（771）八月曾记："上（代宗）益厌元载所为，思得士大夫之不阿附者为腹心，渐收载权，丙子，内出制书，以浙西观察使李栖筠为御史大夫，宰相不知，（元）载由是稍缩。"因此，大历八年二月由李栖筠出面弹劾徐浩、薛邕，是有代宗忌恨元载，想抑制其权势的政治背景的。而常衮与杨炎友善，又同为中书舍人，杨炎则又受到元载的赏拔，因此常衮对徐、薛远贬东南之同情与怀念,确有当时的政治背景。值得注意的是,那时几位大历诗人如钱起、卢纶、司空曙,以及以写古文著称的独孤及,都有和常衮之作,题《奉和中书常舍人晚秋集贤院即事寄徐薛二侍郎》:《全唐诗》卷二三八钱起,卷二七六卢纶,卷二九三司空曙,卷二四七独孤及。而钱起、卢纶等人也都受元载的提携,在京城宴游唱和,差不多是奔走于元载、王缙之门的(此事《文学遗产》1998年第3期查屏球《元王集团与大历京城诗风》一文,有很好的论析)。可见,在大历总的政治、文化环境中,常衮与钱起、卢纶等京城诗人尚有一种共同心境。

此外,他与曾得到过杜甫赞誉的诗人兼古文家元结也有交往。元结于大历七年卒于长安,年五十四,颜真卿曾为作《元君表墓碑铭》(《全唐文》卷三四四),中云:“中书舍人杨炎、常衮皆作碑志,以抒君之志业。”可惜杨、常所作的碑志皆已失传,但也可见常衮对当时文士的联系与关切之状。

《旧唐书》卷一一九《杨绾传》载绾为礼部侍郎时,曾上疏陈述唐代科举贡试之弊。《通鉴》卷二二二系此事于广德元年(763)六月,杨绾以为“古人选士必取行实,近世专尚文辞”,积弊甚深,请停止明经、进士等科,恢复过去察荐之制。《旧唐书·杨绾传》记:“代宗以废进士科问翰林学士,对曰:‘进士行来已久,遽废之,恐失人业。’”这里并未指明翰林学士是谁。广德年间任翰林学士,除常衮外,当另有柳伉,代宗“以废进士科问翰林学士”,常、柳二人都有可能。不过这里常衮可能性较大,据《旧唐书·常衮传》,常衮后来做宰相时,掌有用人权,“尤排摈非文辞登科第者”,可见常衮是重视文辞,重视科第的,这也与大历时的文风有关。

　　另一件事是他晚年在福建做官时对地方教育的开发。据两《唐书》本传及《通鉴》所载,常衮于大历九年由中书舍人迁为礼部侍郎,连续主持三年贡举考试。大历十二年元月,代宗治元载、王缙罪,元载被勒令自杀,王缙、杨炎均被贬出,常衮却被任命为相,但接着又牵涉到种种人事矛盾。大历十四年五月代宗病死,德宗立,常衮即贬为潮州刺史。建中元年(780),杨炎再度入相,常衮因杨炎之力,由潮州迁为福建观察使,直至建中四年(783)正月,一直在福建任。《新唐书》本传载:"始闽人未知学,衮至,为设乡校,使作为文章,亲加讲导,与为客主钧礼,观游燕飨与焉,由是俗一变,岁贡士与内州等。"这是符合实际的,韩愈在一篇文章中曾作过具体的记述:韩愈与欧阳詹同于贞元八年(792)登进士第,欧阳詹卒,韩愈为作《哀辞》,就特别叙及常衮在福建的业绩:"今上(指德宗)初,故宰相常衮为福建诸州观察使,治其地。衮以文辞进,有名于时,又作大官,临莅其民,乡县小民有能诵书作文辞者,衮亲与之为客主之礼,观游宴飨,必召与之。时未几,皆化翕然。詹于时独秀出,衮加敬爱,诸生皆推服,闽越之人举进士由詹始。"①

　　《旧唐书》卷十二《德宗纪》上,建中四年(783)正月,"丙午,福建观察使常衮卒"。两《唐书》本传也都载常衮卒于官,年五十五。《新传》并于传末特为记云:"其后闽人春秋配享衮于学官云。"

---

① 《欧阳生哀辞》,《韩昌黎文集校注》卷五,上海古籍出版社,1987年12月。

柳伉传

柳伉，两《唐书》无传，事迹不详。《元和姓纂》曾提及柳伉，云：“冯翊谏议大夫伉。”①则为冯翊（唐时治同州，今陕西大荔县）人。又《困学纪闻》卷十四引南宋时尚存之唐《登科记》，载柳伉为肃宗乾元元年（758）进士②。其早年事迹仅此两条。

韦执谊《翰林院故事》记代宗宝应已后，继常衮之后第二人即柳伉，云：“自校书郎充，出鄠县尉，改太博又充，兵外又充，大谏又充，寻丁忧。”丁居晦《重修承旨学士壁记》“宝应后六人”，第二人柳伉：“秘书省校书郎充，累加太常博士、谏议大夫，依前充。”皆未记具体年月。按秘书省校书郎官阶为正九品上，较低，一般为进士登第经吏部试合格后所授官。柳伉于肃宗乾元元年（758）登进士第，可能在此后几年中即仕为秘书省校书郎。据前《常衮传》，常衮于宝应元年（762）四月代宗即位后不久即入为翰林学士，柳伉继其后，而又于广德元年（763）十一月已为翰林学士、太常博士（详后），太常博士为从七品上，较校书郎高五阶，其升迁当有一定时间，故其入学士院，当也在宝应元年下半年。

又，《翰林院故事》谓由校书郎“出鄠县尉”，“出”字误。鄠县为京兆县，京县尉为从八品下，较校书郎高一阶。柳伉在入院前

---

① 参见《元和姓纂四校记》，中华书局，1994年郁贤皓、陶敏校补本。
② 《困学纪闻》卷一四，页1156，商务印书馆，1959年1月排印本。

当已有数年任秘书省校书郎，在其入院后则即擢迁一阶，为鄠县尉，而仍任为翰林学士，如姜公辅、白居易在学士任内曾为京兆府户曹参军。故不能谓"出"，应为"迁鄠县尉，仍充"。

柳伉最突出的事迹，是广德元年（763）十一月上疏请斩宦官程元振。按代宗于宝应元年（762）四月即帝位，是得宦官李辅国、程元振之力的，当时李辅国的权位在程元振之上，以司空兼中书令，又号为尚父，后程元振就出主意，由代宗出面，解除李辅国的军政大权；十月份的一个夜里，李辅国在家中被杀，据说是"盗入其第"。由此程元振执掌军事大权。第二年广德元年（763）正月，安史之乱最终平定，却又引起吐蕃的军事侵略，而同时唐朝的大将仆固怀恩又不满朝政，起兵反叛，唐朝中央朝廷处于东西军事威胁之中。十月，吐蕃突然进军至长安西郊，"边将告急，程元振皆不以闻"（《通鉴》卷二二三）。在吐蕃军即将攻入长安时，代宗才匆忙奔赴华州另一宦官观军容使鱼朝恩的军营。《通鉴》对此有记："骠骑大将军、判元帅行军司马程元振专权自恣，人畏之甚于李辅国。诸将有大功者，元振皆忌疾欲害之。吐蕃入寇，元振不以时奏，致上狼狈出幸。上发诏征诸道兵，李光弼等皆忌元振居中，莫有至者，中外咸切齿而莫敢发言。"（卷二二三广德元年十月）柳伉就是在这种"中外咸切齿而莫敢发言"的情况下奋然上疏的。

《旧唐书》卷一一《代宗纪》：广德元年"十一月辛丑朔，太常博士柳伉上疏，以蕃寇犯京师，罪由程元振，请斩之以谢天下。上甚嘉纳，以元振有保护之功，削在身官爵，放归田里"。此处记柳伉，仅云太常博士；《新唐书》卷二〇七《程元振传》记此事，则称为"太常博士、翰林待诏"。南宋时王应麟在《困学纪闻》卷十四加以辩驳,云:"以《翰林(院)故事》考之,伉是时为学士,非待诏也。"王应麟于此处并引北宋时苏轼试制科对策文:"及其有事且急也,虽代宗之庸,程元振之用事,柳伉之贱且疏,而一言以入之,不终朝而去其腹心之疾。"对此,王应麟亦辩云:"伉以博士在禁林,职近而亲,不可谓贱且疏。"①

按据《旧唐书》卷四四《职官志》三,太常寺,有太常博士四人,从七品上,"掌五礼之仪式,本先王之法制,适变随时而损益焉。凡大祭祀及有大礼,则与(太常)卿导赞其仪。凡公已下拟谥,皆迹其功行,为之褒贬"。可见太常博士只是从事于朝廷礼乐仪式及榷议大臣谥号之官,与现实政事无关,柳伉如果只是太常博士,按规定是不当上此疏的。《全唐文》卷四五七载有柳伉《请诛程元振疏》,首云:"臣出身事君,忝备近密,夙有志愿,铭之在心。"太常博士在外廷,不可能自称为"近密"。柳伉主要是以翰林学士的身份,才能与皇帝亲近,才能上这一份既与当时政事直接有关又有一定机密意味的奏疏,故篇末云:"伏乞陛下读臣此表一二十编,亲与朝廷商量,事若可行,则自处置,不用露臣此表。"这就是说,柳伉是在内廷学士院值班时撰写此疏,并由内使直接递上,外面不知,因此说,若认为可行,则处理程元振事乃由皇帝亲定,不必对外提及这份奏表。这也符合当时翰林学士办事的体制。

值得注意的是,柳伉的这份奏表,言词十分质直,它并不限于斩除程元振个人,而且述及解除宦官的总的军权,甚至还直接批评代宗,说:"天下之心,皆恨陛下不练士卒,疏远贤良,委任宦官,

①岑仲勉《注补》亦曾引及《困学纪闻》此语,但误记为卷一八。

离间将相,以至于此。"这样直接指斥当今皇上,是唐玄宗设立学士院以后翰林学士中的第一个。

柳伉上疏的主要内容,《新唐书·程元振传》概述为:"必欲存宗庙社稷,独斩元振首,驰告天下。悉出内使隶诸州,独留(鱼)朝恩备左右,陛下持神策军付大臣。"这就是说,一是斩程元振,二是将宦官掌管的军权转给朝中大臣掌管,鱼朝恩可留在皇帝左右供职,其他宦官则出由地方官吏管理。这确是一个大胆的建议,在唐代是有很大影响的,过了将近半个世纪,裴度于穆宗长庆时(821—824)一篇奏议中还说:"臣读国史,知代宗朝蕃戎侵轶,直犯都城。代宗不知,盖被程元振蒙蔽,几危社稷。当时柳伉,乃太常一博士耳,犹能抗表归罪,为国除害。"①当然,裴度上此疏,是因为与元稹有矛盾,说元稹与宦官相联,阻挠其用兵(裴度时任河东节度使,充镇州四面行营招讨使),不过他特别举柳伉为例,也可见柳伉表请斩程元振,对唐朝中后期政治是有影响的。当然,裴度仍称柳伉为太常博士,是他对翰林学士的忽视。

还值得一提的是,柳伉奏疏中最后几句话。他说陛下在处理完斩程元振,并以军权交付朝中大臣之后,还应削尊号,下诏引咎自责,并提议诏文中应有这样的意思:"天下其许朕自新改过乎,宜即募士西与朝廷会;若以朕恶未悛耶,则帝王大器,敢妨圣贤,其听天下所往。"这几句话应是触大忌的。其意谓:天下如果认定我确实改过自新,则应马上召募士兵,到西面来,与朝廷共同抵御

---

① 见《旧唐书》卷一七〇《裴度传》,又见《全唐文》卷五三七《论元稹魏弘简奸状疏》。

外敌;如果认为我还未能革除旧恶,则帝王之位本为大器,当听天下民意,不要妨碍圣贤之人。在古代封建社会,能说这样的话,真是大胆之极。代宗当出于当时的实际处境,缓解矛盾,把程元振削去官爵,放归田里(第二年正月,又令流放于外)。

据《翰林院故事》,柳伉于广德元年(763)十一月衔太常博士官位,后又迁为兵部员外郎(从六品上)、谏议大夫(正五品上),官阶较高,当受一定的重视,也需有相当的时间。

又,《宋高僧传》卷三《唐大圣千福寺飞锡传》记:"代宗永泰元年四月十五日,奉诏于大明宫内道场同义学沙门良贲等十六人参译《仁王护国般若经》并《密严经》。先在多罗叶时,并是偈颂,今所译者多作散文。不空与(飞)锡等及翰林学士柳伉重更详定。"①由此,则永泰元年(765)四月柳伉仍在翰林学士院。其参与佛经翻译事,与前常衮同,这也可作为唐代翰林学士研究的一条值得思考的材料。

《翰林院故事》记柳伉迁谏议大夫后丁忧外出,则可能与常衮差不多同时,于永泰元年(765)、大历初(766)出院,出后事迹不详。其著作,除上述《请诛程元振疏》外,别无诗文传世。

张涉传

张涉,《旧唐书》卷一二七有传,《新唐书》无传。《旧传》谓:

①《宋高僧传》卷三,中华书局,1987 年 8 月范雍祥点校本。按原文"柳伉"之"伉"误作"抗",失校。今改。

"张涉者,蒲州人,家世儒者。"

关于其早期仕历,《旧传》有记云:"涉依国学为诸生讲说,稍迁国子博士,亦能为文,尝请有司日试万言,时呼张万言。"此处所载,一是过略,二为不明,时间、地点均不清楚。其所记较为详切的,为中唐时期的《封氏闻见记》,其书卷十《敏速》条有云:"天宝中,汉州雒县尉张陟应一艺,自举日试万言,须中书考试。陟令善书者三十人,各令操纸执笔就席,环庭而坐,俱占题目,身自巡席,依题口授。言讫即过,周而复始。至午后,诗笔俱成,得七千余字,仍请满万数。宰相曰:'七千可谓多矣,何必须万?'具以状闻,敕赐缣帛,拜太公庙丞,直广文馆。时号为张万言。"此亦见于宋王谠《唐语林》卷三《夙慧》条,其名亦作"陟",当作"涉"①。清徐松《登科记考》卷二七即据此系于未能确定年份的制科。按此类制科似不规范,或当出于传闻,但由此可知者,张涉于玄宗天宝中曾任汉州雒县尉。据《元和郡县图志》卷三一,汉州属剑南道,所属有雒县。张涉当于天宝中在任雒县尉时又至长安应制举试,以才艺闻名,乃直广文馆(广文馆可参前肃宗朝《苏源明传》所述郑虔事)。

张涉在天宝时即已任县尉、直广文馆,出仕甚早,但此后仕历不明,至代宗时则入为翰林学士。

韦执谊《翰林院故事》代宗"宝应已后"列五人,常衮、柳伉后为于益,于益后为张涉。丁居晦《重修承旨学士壁记》则记"宝应

---

① 参方积六、吴冬秀编撰《唐五代五十二种笔记小说人名索引》,页102,中华书局,1992年7月。

后六人"，张涉居常衮、柳伉后，列为第三，次为李翰，于肃、于益在李翰后，为代宗朝最后两位。张涉，《翰林院故事》记为："靖恭太子庙丞充，迁左省常侍，又充，卒。"《重修承旨学士壁记》记为："靖陵太子庙丞充，累迁左散骑常侍，依前充，敕停。"两者所记有异，所记出院事，一云卒，一云敕停，以丁居晦所记为是（详后）。

又，丁居晦记张涉自靖陵太子庙丞充。岑仲勉《注补》有所正之，谓："同书（即《旧唐书》）一〇七，玄宗第六子琬，天宝末赠靖恭太子，此作靖陵误，应依《故事》作靖恭也。"按岑说是。《旧唐书》卷一〇七《玄宗诸子传》，琬为玄宗第六子，天宝十四载十一月安禄山反，起兵南下，玄宗即任琬为征讨元帅，高仙芝为副，但不数日，琬卒（《旧唐书》卷九《玄宗纪》下，琬卒于天宝十四载十二月辛亥）。《旧传》谓："琬素有雅称，风格秀整，时士庶冀琬有所成功，忽然殂谢，远近咸失望焉。赠靖恭太子，葬于见子西原。"可能正因琬有人望，故特赠封太子庙衔，并立官署。张涉当于天宝末直至肃宗朝，由直广文馆改为靖恭太子庙丞，而于代宗即位后又由此入充翰林学士。但具体年份仍未能确定，其名次既在常衮、柳伉之后，李翰之前（李翰入院在大历五年五月以后，详其传），则张涉入院当在大历初期。

韦执谊、丁居晦均记张涉于翰林学士任期内曾升迁为左散骑常侍，但未记何时。《旧唐书·张涉传》则记为德宗初即位时，云："德宗在春宫，受经于涉。及即位之夕，召涉入宫，访以庶政，大小之事皆咨之。翌日，诏居翰林，恩礼甚厚，亲重莫比，自博士迁散骑常侍。"据《旧传》所记，则张涉于德宗即位时才召入为翰林学士，此有误。关于此事，《册府元龟》卷一七二《帝王部·求旧》二所记较确,云:"德宗即位初,以国子博士、翰林学士张涉为左散骑常侍,仍为学士。"①据此,则张涉于代宗大历时,在翰林学士任期内,已升任为国子博士(正五品上,与中书舍人、给事中同阶),同时在东宫为太子侍读,得到德宗的信重,故德宗在其即位时,一方面咨询政事,一方面又擢迁其官位。中晚唐时,有好几位文士曾因任太子侍读,后即召入为翰林学士的。

　　但张涉却因识见不高,反而因此而受牵累。《旧传》载:"上(指德宗)方属意宰辅,唯贤是择,故求人于不次之地。涉举怀州刺史乔琳为相,上授之不疑,天下闻之皆愕然。数月,琳以不称职罢,上由是疏涉。俄受前湖南都团练使辛京杲赃事发,诏曰:'尊师之道,礼有所加;议故之法,恩有所掩。张涉贿赂交通,颇骇时听,常所亲重,良深叹惜。宜放归田里。'"又《旧唐书》卷十二《德宗纪》上,建中元年(780)三月,"辛未,左散骑常侍、翰林学士张涉放归田里"。此事,《旧唐书》卷一二七《乔琳传》亦有载,云:"出为怀州刺史。琳素与张涉友善,上在春宫,涉尝为侍读。及嗣位,多以政事询访于涉,盛称琳识度材略,堪备大用,因拜御史大夫、平章事。琳本粗材,又年高有耳疾,上每顾问,对答失次,论奏不合时。幸居相位,凡八十余日,除工部尚书,罢知政事。"又据《新唐书》卷六二《宰相表》中,乔琳于大历十四年(779)八月甲辰,与杨炎同时拜相,而于"十一月壬午,琳罢为工部尚书"。乔琳居相位之职虽只八十余日,但这也是唐代因翰林学士之荐而任宰相的

①岑仲勉《注补》亦引此,但记卷数为一二七,误,且未记"《帝王部·求旧》二"数字。

首例。

关于"受前湖南都团练使辛京杲赃事"，《新唐书》卷一四七《辛云京传》附从弟京杲传未有记载。按据传，辛云京在平定安史之乱的战事中，颇有功，代宗前期，治太原，也甚有政绩，"大历三年，检校左仆射，卒，年五十五，代宗为发哀流涕，赠太尉，谥曰忠献"。辛京杲也曾从李光弼在山西与安史之军战，曾得肃宗赞赏。《旧传》有记曰："代宗立，封肃国公，迁左金吾卫大将军，进晋昌郡王，历湖南观察使，后为工部尚书致仕。朱泚盗京师，以老病不能从，西向恸而卒，赠太子少保。"对辛京杲全是正面、肯定的评述，未记有向张涉进贿事。据《旧唐书·代宗纪》，辛京杲任潭州刺史、湖南观察使，在大历五年（770）五月，何时改任，未有确记①。不过辛京杲在湖南任职，是有弊政的，《旧唐书》卷一三一《李皋传》有记云："建中元年，迁湖南观察使。前使辛京杲贪残……"因此张涉于大历时任翰林学士，位居亲近，乃受方镇贿赂，是有可能的。这种情况，玄宗时翰林学士的张渐、窦华等已有（见前张、窦传）。

又，乔琳此人，确不足称，德宗建中四年（783）十月，朱泚作乱，占长安称帝，即起用乔琳为吏部尚书；后官军收复长安，乔琳即被诛杀。

据上所考，则丁居晦《重修承旨学士壁记》谓张涉在院后敕停，较确切，即《旧唐书·德宗纪》建中元年三月"辛未，左散骑常

---

① 参郁贤皓《唐刺史考全编》，卷一六六江南西道潭州，页 2412，安徽大学出版社，2000 年 1 月。

侍、翰林学士张涉放归田里"。韦执谊《翰林院故事》记其"迁左省常侍又充,卒",以为在院中任职时卒,不确。

张涉此后行迹不详,亦无诗文传世。唐朱景玄《唐朝名画录》,载唐朝以画名世者,分神、妙、能、逸四品,能品又分上中下,能品下二十六人,其中记有张涉,谓"王朏、萧溱、张涉、张容,皆士女之特善也",即张涉乃以绘仕女著称。但此张涉是否为大历时期翰林学士张涉,未能确定。正如孟郊有《奉报翰林张舍人见遗之诗》,岑仲勉《注补》于张涉条下曾提及,但此翰林张舍人是否即为张涉,也甚可疑,因张涉在院中任职期间未任中书舍人或兼知制诰。故岑仲勉后亦云:"此诗之考证,尚须存疑。"华忱之《孟郊诗集校注》对诗中之"翰林张舍人"亦未有考①。

李翰传

李翰,两《唐书》有传,见《旧唐书》卷一九〇下《文苑传》下,《新唐书》卷二〇三《文艺传》下,但其简略。又中唐前期古文家梁肃有《补阙李君前集序》(《全唐文》卷五一八)、《送李补阙归少室养疾序》(同上),也叙其事迹。以上是考索李翰生平的基本史料。

李翰,赵郡赞皇人(按此当为郡望),与同时稍前的古文名家李华同宗。两《唐书》本传均载李翰进士登第,梁肃《补阙李君前

---

① 见《孟郊诗集校注》卷七,页339,人民文学出版社,1995年12月。

集序》则谓"弱冠进士登科,解褐卫县尉"①。此当在天宝中后期,因《新传》在记"调卫尉"后接云:"天宝末,房琯、韦陟俱荐为史官,宰相不肯拟。"这当也本于梁肃的《补阙李君前集序》:"始君筮仕,值蔽善者当路,故屈于下位(自注:天宝末房公琯、韦公陟荐公充史官、谏司之任,当国者不听,乃已)。"天宝末,当权者为宰相杨国忠。

安史之乱初期,李翰"从友人张巡客宋州"。《旧传》载:"(张)巡率州人守城,贼攻围经年,食尽矢穷方陷。当时薄巡者言其降贼,翰乃序巡守城事迹,撰张巡、姚訚等传两卷,上之,肃宗方明巡之忠义,士友称之。"《全唐文》卷四三〇载李翰《进张巡中丞传表》,谓"臣少与巡游,巡之生平,臣所悉知"。可见张巡坚持守城和不屈殉节的忠义事迹,是靠李翰所撰的传文才得以辨明,这是关键之作,李翰也因此而为人所知,可见他在肃宗后期即有文名②。

《旧传》在叙述李翰撰张巡传之后,接云:"上元中为卫县尉,入朝为侍御史。"此处谓上元中为卫县尉,不确,因上元为肃宗年号(760—761),而据前所述,李翰进士登科后仕为卫县尉,天宝末房琯等又曾推荐其为史官,而为当权者所抑。更使人奇怪的是,《旧传》叙李翰生平,即到此为止,也就是至肃宗时止,而实际上李

① 按梁肃《补阙李君前集序》、《送李补阙归少室养疾序》,均见于《全唐文》卷五一八;又见于胡大浚等编《梁肃文集》卷二,甘肃人民出版社,2000年5月。以下所引,卷数、出处从略。

② 按《旧唐书》卷一九二《张巡传》,肃宗时期张巡之坚持守城,时人甚有异议,"于是张澹、李纾、董南史、张建封、樊晃、朱巨川、李翰咸谓巡蔽遮江淮,沮贼势,天下不亡,其功也。翰等皆有名士,由是天下无异言。"称李翰在当时已为有名之士。又经查核,除李翰外,此处所列李纾等人皆无有议叙张巡之文。

翰的主要事迹是在代宗时,包括代宗大历时任翰林学士,《旧唐书》本传对此却一字未提。《新传》记叙李翰后半生也甚简略,仅云:"翰累迁左补阙、翰林学士。大历中,病免,客阳翟,卒。"两《唐书》本传皆漏略一事,即李翰于大历五年左右曾在淮南节度使幕府,任书记,并为杜佑《通典》撰写序言。

梁肃《补阙李君前集序》云:"其后以书记再参淮南节度幕。"不过梁肃此处并未指明李翰在淮南幕府的时间。李翰的《淮南节度行军司马厅壁记》,末署"大历五祀夏五月丁丑记",文中又有"韦公统戎旅"语①。郁贤皓《唐刺史考全编》"淮南道·扬州",据《旧唐书》本纪,列崔圆于肃宗上元二年(761)二月至代宗大历三年(768)六月在任,韦元甫于大历三年闰六月至六年八月在任,则李翰大历五年五月作此记时正在淮南韦元甫幕。又戴伟华《唐方镇文职僚佐考》,据独孤及《毗陵集》卷一六《送蒋员外奏事毕还扬州序》,记李翰在韦元甫以前即已在崔圆幕②。独孤及序中称"李司直翰",则李翰于崔圆幕中已带大理司直的官衔。

李翰曾为杜佑《通典》撰序,这里就有一个撰序的时间问题。《旧唐书》卷一四七《杜佑传》记杜佑于德宗贞元十七年在淮南节度使任上时完成《通典》二百卷,"自淮南诣阙献之"。不过他在献书上表中有"自顷纂修,年逾三纪"之语(《全唐文》卷四七七所载杜佑《进通典表》同)。贞元十七年为公元 801 年,上推三纪(36),当为大历元年(766)。而据《旧唐书·杜佑传》,杜佑曾得

①《全唐文》卷四三〇。
②《唐方镇文职僚佐考》页 353,天津古籍出版社,1994 年 1 月。

韦元甫的赏识，"元甫为浙西观察、淮南节度，皆辟为从事，深所委信，累官至检校主客员外郎"。则李翰与杜佑曾同时在韦元甫幕。可以注意的是，李翰《通典》序中云："淮南元戎之佐曰尚书主客郎京兆杜公君卿，雅有远度，志于兴邦，笃学好古，生而知之。以大历之始，实纂斯典，累纪而成。杜公亦自为序引，各冠篇首。"①这就牵涉到李翰此序所作之时间。前已述及《旧唐书·杜佑传》，杜佑于贞元十七年撰成后上献朝廷，而李翰序中称呼杜佑，一为"淮南元戎之佐"，即淮南节度使之僚佐，二为"尚书主客郎"，即《旧唐书·杜佑传》所称在淮南幕时所署之官衔"检校主客员外郎"。如李翰此序为贞元十七年杜佑于全书撰成后上献时所作，则杜佑此时已为检校礼部尚书、检校右仆射，李翰不可能以幕府中同事之口吻只称之为"杜公君卿"。又本文所引李翰此序，记杜佑"以大历之始，实纂始典，累纪而成"，此本于《全唐文》。中华书局1988年12月出版之点校本《通典》，以清末浙江书局刻本为底本，而浙本是据清乾隆时武英殿本翻刻的，此本卷首李翰之序，"累纪而成"之"纪"则作"年"，中华书局点校本有校记，谓此系清人妄改，北宋本及《文苑英华》卷七三七作"纪"。这倒提供一个信息，即《通典》的流传版本中，有一种是作"累年而成"的，而这恰好符合杜佑、李翰二人的交友实情，即：杜佑于大历初已开始纂修《通典》，"累年而成"，大历五年前后与李翰同在淮南幕府，共同讨论此书，于是又请李翰为之作序（李翰序中云"翰与杜公数旬探讨，故颇详旨趣，而为之序"）。杜佑于此时已大体成书，且于各类之

①《全唐文》卷四三〇。

前写就序引,此后约又经过三十年左右的修订,于贞元十七年定稿。李翰,则据梁肃《补阙李君前集序》及《新唐书》本传,大历时即出学士院,归阳翟,不久即病卒,不可能于贞元十七年仍在世。因此可以说,清武英殿刻本之"累年而成"是胜于宋本的,我们不能完全以版本的早晚来定文字的是非。

李翰对于编撰《通典》一类的政书,是很有见识的。他在序中一开头即批评当时"儒家者流"为"博而寡要,劳而少功"。因此他认为,"君子致用在乎经邦,经邦在乎立事,立事在乎师古,师古在乎随时。必参今古之宜,穷终始之妙"。他认为只有这样能通古今,才可称为"通儒"。

梁肃《补阙李君前集序》在记叙李翰任淮南幕府后,云:"天子闻其才,召拜左补阙,俄加翰林学士。"则此次代宗皇帝将李翰召入,主要是李翰的文才已为人所称。

《册府元龟》卷二六三记:"(大历)八年十月,中书舍人常衮、谏议大夫杜亚、起居郎刘湾、左补阙李翰考吏部选人判。"本年冬刘晏知三铨事,用常衮、杜亚、刘湾、李翰等参与吏部选人判,吉中孚等五人登书判拔萃科。这时李翰既已任为左补阙,当同时已入学士院。据此,则他充任翰林学士,当在大历五年(770)五月以后,大历八年(773)十月以前,也即为大历中期。

按韦执谊《翰林院故事》记代宗朝翰林学士,依次为常衮、柳伉、于益、张涉、于肃,而无李翰。丁居晦《重修承旨学士壁记》"宝应后六人",常衮、柳伉、张涉后为李翰,当是,但仅记一句:"左补阙充"。对这位当时颇负文名的翰林学士,韦、丁两书,所记如此缺略,甚可怪。

李翰何时出院，丁居晦《重修承旨学士壁记》未记，《新传》也只说"大历中，病免"。梁肃《送李补阙归少室养疾序》虽也未记具体年月，却透露李翰出院的原因，云："夫君子之道，与命与时，三者并，则不期达而达，不然则或鼓或罢，或塞或通，是以长卿屡去其官，而君亦以疾退息，各其时也。"梁肃与李翰为挚友，他在这里提到君子之道须与命、与时相合，才能有所达，而现在李翰与命、时均不合，则只能以疾告退。很可能在大历后期，他看不惯元载的专权，自己又无有可为，就主动求退，归居河南阳翟（阳翟即在少室山东南附近），当不久去世。

　　李翰退居阳翟后，曾编其所作为《前集》三十卷，请梁肃为之作序。梁肃《补阙李君前集序》谓："君既退，归居于河南之阳翟，家愈贫而禄不及，志愈迈而文益壮，暇日以尝所述作三十卷，目为《前集》，命予述之。"按《新唐书》卷六〇《艺文志》四集录别集类即着录"李翰《前集》三十卷"，但仅此一种。可能李翰在退居阳翟不久，把此前所作先编为《前集》，拟以后再有续作，可编为"后集"，但不久即谢世，故只有《前集》。可惜这三十卷《前集》，至南宋时已不传，《郡斋读书志》、《直斋书录解题》均未着录。现李翰所存，仅有文，无诗，《全唐文》所载为十三篇。堪可注意的是，这十三篇，没有一篇是在翰林学士任内所作的制诏诰令，他在翰林学士期内的活动也未有记载。很可能如前所述，李翰是一个有个性、有见识的人，他虽在翰林学士院，但那时的朝政为元载所把持，他不能有所为，因此虽处于近职，也就虚度而过。

　　李翰的著述，确实佚失极多，即如当时著称于世的《张巡姚阎传》，《新唐书》卷五八《艺文志》二，传记类也着录："李翰《张巡姚阎传》二卷。"韩愈于宪宗元和时也曾读过,其《张中丞传后叙》有云:"元和二年四月十三日夜,愈与吴郡张籍阅家中旧书,得李翰所为《张巡传》。翰以文章自名,为此传颇详密,然尚恨有阙者,不为许远立传,又不载雷万春事首尾。"①于是特为补叙许远、南霁云及张巡事。但李翰后来传世的,只有《进张巡中丞传表》,无《张巡姚訚传》。

李翰之文虽于宋后失传甚多,但在唐时是声誉很高的。梁肃《补阙李君前集序》称唐朝开国至此时将近二百年,文章有三变,开头是初唐陈子昂,"以风雅革浮侈",其次是开元时张说,"以宏茂广波澜",第三变则为天宝以后的萧颖士、贾至、独孤及,也就是韩愈倡导的古文运动的前驱,而梁肃认为,在这一时期,李翰最为特出:"若乃其气全,其辞辨,驰骛古今之际,高步天地之间,则有左补阙李君。"按梁肃卒于德宗贞元九年(793),年四十一(见崔元翰《右补阙翰林学士梁君墓志》,《全唐文》卷五二三)。他这篇序当作于大历后期,此时不过二十六七岁,但已为李华、独孤及所称许,崔元翰所作《墓志》称其"年十八,赵郡李遐叔、河南独孤至之始见其文,称其美"。而此时梁肃于李翰当为后辈,但已以文友自许,故序中称"君与予实有伯喈、仲宣之义"。

于益、于肃传

于益、于肃,为兄弟二人,其事迹附见于两《唐书》其父于休烈

---

① 《韩昌黎文集校注》卷二,上海古籍出版社,1986 年 12 月。

传（《旧唐书》卷一四九，《新唐书》卷一〇四），但所记极为简略，如《旧传》云："嗣子益，次子肃，相继为翰林学士"；"肃官至给事中"。《新传》云："二子益、肃，及休烈时，相继为翰林学士。益，天宝初及进士第。肃，终给事中，赠吏部侍郎。"仅此数句。

于益、于肃，确以家世文史盛名。其父休烈之高祖志宁，在太宗时，曾为著名的贞观十八学士之一，又为中书侍郎，居相位。于休烈，则于玄宗开元初即有文名，《旧传》谓："自幼好学，善属文，与会稽贺朝、万齐融，延陵包融为文词之友，齐名一时。"关于贺朝、万齐融等，《旧唐书》卷一九〇中《文苑中·贺知章传》亦有记，云："先是神龙中，（贺）知章与越州贺朝、万齐融，扬州张若虚、邢巨，湖州包融，俱以吴、越之士，文词俊秀，名扬于上京。"神龙为中宗年号（705—706）。按于休烈卒于大历七年（772），年八十一，则神龙时为十四五岁，开元初为二十余岁。

《旧唐书·于休烈传》称其为河南人，《新唐书·于志宁传》谓京兆高陵人。《新唐书》卷七二下《宰相世系表》二下，于氏自西魏孝武帝时即西入关，遂为京兆长安人。

按据两《唐书·于休烈传》，于休烈曾仕为集贤殿学士、比部郎中，天宝后期为宰相杨国忠排挤，出为外郡太守；肃宗时复又入朝，为工部侍郎、修国史，但又为宰相李揆所忌，由实职的工部侍郎转为国子祭酒，仍留于史馆，"休烈恬然自持，殊不介意"（《旧传》）。代宗即位，元载居相位，"称其清谅"（《新传》），累升为工部尚书，封东海郡公。应当说，于益、于肃兄弟二人在代宗一朝相继为翰林学士，是与于休烈受到元载信重有关，故《新传》称益、肃二人"及休烈时，相继为翰林学士"。

可以注意的是,韦执谊《翰林院故事》、丁居晦《重修承旨学士壁记》所记于益、于肃二人入院次序有所不同,韦执谊所记为常衮、柳伉、于益、张涉、于肃,缺李翰。丁居晦所记为:常衮、柳伉、张涉、李翰、于肃、于益。韦记将于益列于肃前,且在张涉前,丁记则将于氏兄弟列于最后,而于肃在于益前。岑仲勉《注补》已注意于此,并引及《萃编》九三《白道生碑》予以论证。今据岑说,再加阐释。

清王昶《金石萃编》卷九三著录有《大唐故左武卫大将军赠太子宾客白公神道碑铭并序》,下署:"朝议郎、行尚书礼部员外郎、翰林学士、赐绯鱼袋于益奉敕撰",并记为"永泰元年三月廿四日建"。永泰元年为公元765年,为代宗即位之第四年。

按此文亦载于《全唐文》卷三七一,但未有如《金石萃编》所署撰者姓名及官衔。文中记碑主白道生为西北边城名将,曾任宁朔州刺史,颇有功;其子元光,代宗时为朔方先锋使、同节度副使、开府仪同三司,封南阳郡王,"皇上宠乃茂功,义崇追远",遂追封其父,并"以永泰元年三月二十四日,迁窆于万年县凤栖原"。据此,则可确定于益在永泰元年三月已为翰林学士,且其所带官衔为礼部员外郎。按韦执谊记于益由驾部员外郎入,后改谏议大夫,未记礼部员外郎(丁居晦未记于益官衔)。据前所考,常衮为宝应元年(762)四月后入充翰林学士,柳伉于广德元年(也即宝应二年,763)十一月前已为翰林学士,则于益当于广德二年(764)入院。又前已考李翰于大历五年(770)五月以前尚未任翰林学士,则《翰林院故事》将于益列于第三位,即在常衮、柳伉之后入,是符合实际的。丁居晦将于益列于于肃之后,作为代宗朝最后一个入翰林学士者,则不当,也与《旧唐书·于休烈传》所云"嗣子益,次子肃,相继为翰林学士"不合。

驾部员外郎、礼部员外郎为从六品上,谏议大夫为正五品上,要高好几阶,也需有相当时间。《翰林院故事》谓于益卒于其任职期间所带官衔谏议大夫,这也与《新唐书》卷七二下《宰相世系表》二下记于益"谏议大夫"相合,但未能知其卒年。

《新唐书·于休烈传》记于益"天宝初及进士第",其他仕历皆未载,而两《唐书·于肃传》则皆谓其官至给事中,与前引《新唐书·宰相世系表》同。据韦、丁所排列的次序,于肃在后,则其入院当在大历中后期,但当在大历七年于休烈卒之前。据韦、丁所记,于肃由比部员外郎(从六品上)入,后迁考功郎中(从五品上),又升为给事中(正五品上),与谏议大夫同阶,同时兼知制诰,也是中书舍人的前阶,可见他也卒于给事中官衔期间,不过卒年也不详。

于肃有文一篇:《内给事谏议大夫韦公神道碑》(《全唐文》卷三七一)。此韦公(名不详)即一宦者,卒于乾元元年(758)七月二十八日,乾元二年(759)五月七日与其妻合葬。此碑当为于肃奉命而作,则其在肃宗时已在朝中任职,但未知其具体官职,且是否如其兄于益那样曾科举及第,亦不详。

于益、于肃其他著作均无著录,也未见与当时士人有文字交往。

原载《中华文史论丛》2001年第1辑,此据大象出版社2004年版《唐宋文史论丛及其他》录入;可参看专著《唐翰林学士传论》

《中国藏书通史》导言

　　1996 年 12 月上旬,浙江省宁波市曾举办过一次"天一阁及中国藏书文化研讨会",来自北京、天津、上海、武汉、焦作、长春、南京、杭州等地的四十余位学者,就天一阁在中国和世界图书馆的学术地位,以及中国藏书史的文化内涵,进行了广泛而深入的论证。就在这次会议上,宁波出版社与学者们共同商议,决定以群体合作的方式,编撰一部《中国藏书通史》。经过数年的艰苦努力,在学者们独立撰写、互相讨论、反复修改、细心核查的基础上,这部一百余万字的通史专著终于面世。这在中国藏书史研究上应该说是一部兼具总结性、开创性的著作,我们愿以此作为弘扬中华民族文化、创新学科研究的奉献,来迎接文化创造更为高扬、知识扩张更为急剧的 21 世纪。

　　我国藏书的起源,是可以上溯到夏商周时期的。根据当代"夏商周断代工程"的最新成果,可以确定夏代始于公元前 2070 年,夏商分界为公元前 1600 年,商周分界为公元前 1046 年。如此,则中国藏书史已经有四千年的历史,即使以周武王克殷,孔子所说的"郁郁乎文哉,吾从周"起算,也已经三千余年。"书籍是人类进步的阶梯。"作为世界文明古国中书籍数量最多、流传时间最久的中国来说,其悠久的历史文化,是与书籍的收集、保管、流传及开发利用等密不可分的。中国藏书文化应该说是中国传统文化极为重要的组成部分。

从20世纪二三十年代起,中国学者对中国藏书史就开始进行切实的研究工作。80年代以来,中国藏书史研究更趋于繁荣,不少学者和出版工作者,不但对历代藏书家题跋和书目等加以系统的整理和影印,而且对私家藏书、书院藏书和寺观藏书分别作了比较具体的考察、评述,此外还编印了好几部藏书家与文献学的辞典。在这样的学术氛围中,我们觉得,应该有学科建设的创议,就是说,在20世纪中国藏书史研究已经取得不可忽视的成就基础上,已可以把藏书学或藏书文化学作为独立的学科,梳理出中国藏书史及中国藏书文化的基本观念、学术范畴。这应该说是当今藏书研究面向新世纪所必须正视和承担的理论课题和富有实践意义的项目。这也能促使我们的研究会有一种整体推进的趋向。而作为学科建设来说,这部《中国藏书通史》更能涵括古今研究成果、展现现代研究成果的序列化、系统化,并且更可以打通与相关学科(如历史学、目录学、版本学、校勘学、图书馆学等)的联系。这也是我们撰写此书的本意和推动建立中国藏书学、藏书文化学的宗旨。

一、中国藏书史的概念

藏书,顾名思义就是收藏图书典籍。它是人类为了阅读、鉴赏、校勘、研究和利用的目的，而进行的收集、典藏、整理图书的活动。

那么，什么是图书呢？对此，我们有必要从"图书"两字的字源上加以追根溯源。根据《辞源》的解释，"书"字在古代有六种意义：一是记载，写作；二是文字，字体；三是书籍；四是书法；五是书信，尺牍；六是《尚书》的简称。在这六种解释中，与本书有关的是第三种，即书籍。如《论语·先进》："何必读书，然后为学。"《说文解字》叙论："著于竹帛谓之书。""书"在古代又有概括载籍的含义，如司马贞在给《史记·礼书》的"书"字作注时解释曰："书者，五经六籍总名也。"而"图"字，则有以下八种意义：一是计议，谋划；二是设法对付，谋取；三是绘，画；四是所绘的画；五是地图；六是河图的简称；七是法度；八是地方区划名。其中第五种解释与本书有关，如《周礼·夏官·职方氏》："职方氏掌天下之图。"注："如今司空舆地图也。"另《战国策·燕策三》所说的"图穷匕现"的"图"字也是指地图。

对"图书"一词的含义，历代学人多有论述。如司马迁《史记·萧相国世家》："沛公至咸阳……何独先入，收秦丞相御史律令图书藏之。"《易经·系辞下》："河出图，洛出书，圣人则之。"而据文献记载，我国最早的书籍可以追溯到传说时代的简牍帛书。如东汉许慎在《说文解字》叙论中说："黄帝之史仓颉，见鸟兽蹄远之迹，知分理之可相别异也，初造书契。……仓颉之初作书，盖依类象形，故谓之文。其后形声相益，即谓之字。字者，言孳乳而浸多也。著于竹帛谓之书。书者，如也。"《古文尚书·序》中也有这样的话："古者伏羲氏之王天下也，始画八卦，造书契，以代结绳之政,由是文籍生焉。"至夏商时期,简书和帛书等更是大量出现。当然,随着书籍的正式产生,与之相关的藏书活动也就开始出现了。《墨子·天志下》所说的"有书之竹帛,藏之府库",便指此。

但"藏书"作为一个术语,迟至战国末年才开始出现。如《庄子·天道》曰:"孔子西藏书于周室,子路谋曰:'由闻周之征藏史有老聃者,免而归居,夫子欲藏书,则试往因焉。'"又,《韩非子·喻老》曰:"王寿负书而行,见徐冯于周涂。冯曰:'事者,为也,为生于时,知者无常事;书者,言也,言生于知,知者不藏书。今子何独负之而行?'于是,王寿因焚其书而舞之。故知者不以言谈教,而慧者不以藏书箧。此世之所过也,而王寿复之,是学不学也。故曰:'学不学,复归众人之所过也。'"《韩非子·显学》:"藏书策,习谈论,聚徒役,服文学而议说。"

据上所述,我们可以得出这样一个结论:中国藏书史是一门总结中国历代藏书事业发生、兴起、发展、繁荣、鼎盛及其转型的过程和规律的学问。

研究中国藏书的历史,有助于加深人们对中华民族灿烂文化的全面认识。著名史学家吴晗在其早年所著的《江苏藏书家小史》一书的序中曾说道:"学者苟能探源溯流,钩微掘隐,勒藏家故实为一书,则千数百年来文化之消长、学术之升沉、社会生活之变动、地方经济之盈亏,固不难一一如示诸掌也。"①

---

① 吴晗《江苏藏书家小史》,第 117—118 页,中华书局 1981 年版。

二、中国藏书的四大系统

中国的藏书系统,大致可以分为公藏和私藏两部分。其中公藏包括皇家藏书、中央官府藏书和地方官府藏书;私藏是指私家藏书。此外,还有处于两者之间的书院和寺观藏书。

(一)官府藏书

官府藏书也称公家藏书,因属于官府或公家所有,故名。它又可细分为皇室藏书、中央官府藏书和各地方官府藏书三个部分。其中,皇室藏书是皇宫内专门收藏皇帝御笔御札及供皇室成员阅读使用图书的处所;中央官府藏书主要包括具有国家图书馆性质的三馆藏书和秘阁藏书;地方官府藏书,则是各州、府、县等官署内收藏的供官员阅读使用书籍的处所。

中国官府藏书始于夏商时期,那时已有类似管理图书的官员。至西周时期,中国官府藏书系统已渐趋完备。到春秋战国时期,中国的官府藏书管理制度已具雏形,出现了真正的官藏机构;同时官府藏书也得到了一定的利用。

西汉建立后,历代统治者广开献书之路,并建"藏书之策",进一步完善了官府藏书机构。其时,官府藏书分宫廷的内书和中央官府的外书。其中,内书又分石渠阁、天禄阁、麒麟阁、兰台、石室、洪都、东观和仁寿阁等;外书则有太常、太史(大史)、博士、太卜、理官之藏。东汉时期的官藏事业在西汉的基础上又有了发展,其时创建了中国历史上第一个管理图书的中央最高机构——秘书监,正式列入国家的职官系列。皇室及中央官府的藏书机构主要有辟雍、宣明殿、兰台、石室、洪都、东观和仁寿阁七大处。

魏晋南北朝时期的官府藏书,由于历朝统治者大都比较重视对图书的搜求和典藏,社会生产和文化发展的进步,南北文化的交流和融合,使这一时期的藏书事业在总体上比秦汉时期有一定程度的发展。这主要体现在以下几个方面:一是官府藏书的数量比汉代大大增加,如梁武帝带到江陵的书籍就达七万卷(一说十万卷)之巨;二是藏书管理机构较前代要完善,如魏有秘书监、中外三阁,蜀、吴均有东观,而南北朝时的秘书监制度已趋于成熟。晋武帝时设秘书郎四人,分别负责经、史、子、集四部。随着官藏图书的增多和图书形态的变化,不少政权还对国家藏书进行了整理,从而诞生了一批像《中经》《中经新簿》《元嘉八年秘阁四部目录》《宋元徽元年四部目录》《天监四年四部书目》《七录》《七志》《晋元帝四部书目》《秘阁四部录》《综理众经目录》等有影响、有价值的目录学著作。

唐代官府藏书之盛,莫盛于开元。当时除秘书监统管全面的事务外,参与国家藏书管理的还有弘文馆、崇贤馆、司经局、史馆、翰林学士院、集贤院等机构。这些机构除进行大规模的图书搜集外,还组织了较大规模的校书活动,建立了图书典藏和利用制度。

宋代的官府藏书可分为皇室藏书、中央官府藏书和各地方官府藏书三部分,与之相应,宋代官府藏书还建有一套体制健全的藏书机构。皇室藏书有太清楼、龙图阁、天章阁、宝文阁、显谟阁、徽猷阁、翰林御书院和玉宸殿等;中央官府机构藏书除昭文馆、集贤馆、史馆三馆和秘阁藏书外,还有国子监、舍人院、御史台、司天监等处的藏书;地方官府藏书则包括两个方面的藏书:一是路州(府军监)、县行政管理机构,二是州府、县府官办的学校。统治者为了充实这些官府机构的藏书,曾制定了多项求书措施,千方百计搜集图书典籍,并组织官员对这些图书进行整理和校勘。其时官府藏书的保管措施也已非常完备,以馆阁藏书的防火措施为例,一是新省围墙外留空地,充作巡道;二是省内专设有"潜火司",备有灭火器材及设施;三是严格实行火禁。在图书防潮方面,每年五月一日至七月一日要举行曝书会。此外,还设有图书专职保管和宿值制度。

明代由于太祖、成祖及宣宗等的重视藏书,广事搜求,故皇家藏书极一时之盛。皇家的文渊阁、皇史宬的藏书琳琅满目。除了皇家内府藏书外,其时中央机构各部院、国子监及各府、州、县学等也都收藏有数量或多或少的书籍。

清代虽未设有专门的官藏机构,但在内府皇帝休憩理政之处如文渊阁、武英殿、懋勤殿、昭德殿、南薰殿、养心殿、昭仁殿、紫光阁、南书房、皇史宬、内阁等,都有数量不等的藏书;而乾隆皇帝为分藏《四库全书》所建的南北七阁,其规模和布点堪称是官藏之最。此外,翰林院、国子监等中央官府机构及各省、府、县地方官府机构也往往附设有藏书处。

(二)私家藏书

中国私家藏书的历史比公家藏书的历史要稍迟,学术界一般将其追溯到春秋战国,其时民间已出现了收藏法家、兵家等著作的现象。孔子、老子是我国古代记载最早的藏书家。

至秦汉，私家藏书事业有了一定程度的发展。如汉代出现了像西汉河间献王、东汉蔡邕这样收藏颇富的藏书家。

魏晋南北朝时期，由于书籍的制作基本由竹木简牍和缣帛书籍过渡到物廉质轻的纸抄本，因此私家藏书事业有了飞速的发展，藏书家群体的构成和社会藏书风尚也为之一变。藏书已非贵族高官的专利，贫寒之家也出现了藏书的现象。于是，这一时期无论是藏书家的人数还是藏书数量都比汉代大有增加。特别是在社会政治相对安定、经济文化发展较为平稳的江南，其藏书家的数量在南朝时首次超过北方，并出现了萧绎这样拥书八万卷之巨的大藏书家。在此背景下，这时开始出现了专门用以藏书的书室或书楼及中国私家藏书史上最早的私家藏书目录。他们的藏书思想除个别人比较保守外，大多比较开明，能做到供人借抄、与人共读，甚至无私地捐赠给善读者。同时，他们在藏用结合、推动学术研究和文化发展上也取得了明显的成效。特别需要指出的是，这一时期出现的以抄书和贩卖图书为生的专业人员对私家藏书的发展有着重大的影响。"佣书"和"书贩"作为一种职业的出现，无疑使图书的积聚更为方便，从而大大加速了私家藏书的发展规模。

至隋唐五代时期，是中国古代私家藏书事业的迅速发展期。不仅藏书家的数量远非秦汉时期可比，而且其藏书的数量和质量远在秦汉之上。其时，藏书家还有许多创造，如：唐代藏书家颜师古，在收藏书籍外，还收藏古书画、古器物、书帖等，从而扩大了藏书楼收藏的范围；五代青州藏书家王师范，聚书数千卷，请杨彦询掌管,这是私家藏书聘请专职人员管理藏书的最早记载;五代藏书家和凝,有集百卷,他自篆上版,模印数百部,分送友朋,开藏书家自刻文集之风。这些都对后世私家藏书事业产生了极其深远的影响。

宋元时期是中国古代私家藏书事业的繁荣期。在这一时期,私家藏书有以下几个特征:一是藏书风气非常兴盛,藏书活动从北到南延续不断;藏书家、藏书世家大量涌现,并由贵族官僚向平民阶层发展。二是藏书规模大。在宋代500余名藏书家中,藏书量在万卷以上的就近400人,约占80%。三是随着中国古代经济重心在南方的确立,南方的文化有了很大的发展,已逐步超过了北方文化,自然其私家藏书事业也有了飞速的发展,超过了北方,并由此奠定了其后近千年南方藏书发达的局面。四是私家藏书目录的编制取得了一系列的突破,如晁公武的《郡斋读书志》先开题要之例,陈振孙的《直斋书录解题》首创解题一体,尤袤的《遂初堂书目》独擅版本记载,而郑樵的《校雠录》更是开创了对藏书目录学的研究工作等,从而一扫此前官藏书目一统天下、孤掌难鸣的沉闷局面,极大地改变了私家藏书系统长期以来只有藏书而无学术的简陋形象。由此发端,后之私家藏书编目遂形成制度,书目成果多若繁星,官、私藏书目录形成并驾齐驱、各领风骚的格局①。

明代私家藏书达到了空前兴盛的地步。以藏书家人数而言,

①袁逸《中国古代私家藏书的特征及社会贡献》,见《浙江学刊》2000年第2期。

其人数之多远远超过以前的任何一代，仅叶昌炽《藏书纪事诗》一书就有 427 人（不含以藏书著称的藩王）。而据现代学者的统计，明代藏书家更是多达 700 余人。我们只要略举宋濂青萝山房、叶盛篆竹堂、王世贞小酉馆、项元汴天籁阁、范钦天一阁、赵琦美脉望馆、祁承㸁澹生堂、钱谦益绛云楼……便可想见当时私家藏书之盛况。值得一提的是，此时的一些著名藏书家还根据他们的实践经验提出并总结了一些系统的鉴别古书的经验和庋藏、编目等藏书理论，从而极大地丰富了中国古代藏书文化的内涵。这其中，山阴藏书家祁承㸁及其《澹生堂藏书约》更是功不可没。

清代是我国私家藏书发展的最高峰时期。它承继明代的遗风，讲求宋元旧刻、明刻精印及精校精抄本，并逐步形成地区的群体。20 世纪，初杨守敬在《藏书绝句序》中总结说："其收藏之地，于吴则苏、虞、昆诸剧邑，于浙则嘉、湖、杭、宁、绍诸大郡，大都一出一入，此散彼收，朱玺红坭，灿然罗列。"①除苏、浙两地外，北京则是北方藏书家的荟萃之地。山东、福建等地也是藏书家集中之地。其时，藏书家有按藏书目的、藏书特色而形成的赏鉴家、校勘家的区别。藏书家的数量及其藏书规模，均超过任何一代。他们在学术研究、文化发展等方面起到了极其重要的作用。

进入近代以来，中国私家藏书开始由盛转衰，其原因有二：一是近代社会新的文化机构"图书馆"的出现和文化教育事业的发展，一定程度上加剧了封建私家藏书的衰落；二是由于私家藏书

①《流通古书约·古欢社约·藏书十约·藏书绝句》，古典文学出版社 1957 年版。

赖以发展的基本条件,如经济之支撑、馆舍之建造、藏书之补充等均有所削弱,并促使其逐步解体。其时私家藏书的变化,莫过于藏书的散出。这种情况是私家藏书无法回避的事实,一方面由于政局的更迭、战争的毁坏,藏书家家道中落,无力支持家中藏书,这些都直接影响了私藏的延续。另一方面,则由于沿海通商,财富积累迅速,出现了一大批富商豪贾;中兴将帅更是权大势大;他们通过让购、掠夺取得旧刻名抄,马上成为远近闻名的新兴藏书家。

对于历代私人藏书的现象,明清学者多有论述。如明代胡应麟将藏书家划为好事家和赏鉴家两类,清代洪亮吉则分为考订家、校雠家、收藏家、赏鉴家、掠贩家五类,而叶德辉则分为著述家(考订、校雠家之合称)、校勘家、收藏家、赏鉴家四类。

(三)寺观藏书

1. 寺院藏书

佛教寺院藏书起源于东汉末年,那时的白马寺等寺院已有藏书形态出现,并具备了一定数量的藏书。相传佛典《四十二章经》流入中国后,便收藏在兰台石室。

至魏晋南北朝时期,佛教在中国有了很大的发展,印度和西域僧人大量进入中国,在中原内地广泛传教,大量译经,中国信佛和出家人成倍增长,全国各地广建寺院,历代统治者不仅实行扶持佛教政策,而且还专门设立僧官制度,置专地庋藏佛教典籍。在此背景下,寺院藏书事业也有了很大的进步,特别是在东晋时期,我国南方地区已形成了庐山东林寺和建康道场寺两大寺院藏书中心，并产生了专门的佛典目录——《众经目录》和《综理众经目录》。

隋唐时期是寺院藏书的极盛时期，无论是藏书的数量，还是藏书的品种和规模，都达到了前所未有的水平。明代胡应麟在《少室山房笔丛》卷二《经籍会通二》中曰："凡释氏之书，始于汉，盛于梁，极于隋唐。"其时，各地寺院都或多或少收藏有官写及民间所抄的佛经典籍，其中一些像庐山东林寺这样大的寺院往往收藏量在万卷以上。其中手写的大藏是这一时期寺院藏书的主体，另外还有少量的雕版印刷的佛经。与此同时，寺院藏书制度也趋于完善、成熟。如庐山东林寺在义彤主持经藏院时，从采集到分类、编目、排架等工作，已形成了比较完备的藏书工作程序，与现代图书馆的业务流程几乎无二，这表明经藏制度在唐代已经确立。

宋、辽、金、西夏、元数代统治者都非常注重对佛教的扶持，故这一时期的寺院藏书虽不及隋唐之盛，但也比较发达。一些大的寺院往往藏书达万卷上下。当然，这些寺院藏书绝大多数为佛教经卷，但也有少数为历朝君主所赐的御书、御札和僧人所作的语录及诗词、散文等。其藏书特色除传统的手抄本外，大量的为雕版印刷品。

明清时期的寺院藏书沿袭唐宋以来的传统，藏书内容仍以《大藏经》为主。但在寺院和道观藏书的藏书楼建设及图书管理方面取得了一定的成就。如清嘉庆十四年、嘉庆十八年，著名学者阮元曾分别为杭州灵隐寺和镇江焦山寺撰写了《书藏条例》。

2. 道观藏书

道观藏书的起源时间要比寺院藏书稍迟一些,开始于西晋。与此同时,西晋时期还出现了我国最早的道书目录——葛洪《抱朴子·遐览篇》。至南北朝时期,道观藏书经过充实与完善有了较快的发展,个别道教道观已收藏有近万卷经书,并出现了分类体系比较完备的道经专门目录——陆修静《三洞经书目录》。隋唐时期是道观藏书的繁荣时期,其时一些大的道教官观藏书量往往在万卷左右;其内容涉及道家诸子、道教经典、科仪、类书、论著、诗词及变文等,而且大多还编有目录。此后,道观藏书随着道教的不断发展而日臻完善,成为我国古代藏书的重要组成部分。

但从整体上说,中国历史上的道观藏书不及寺院藏书发展得快,也不如佛教藏书地位高。另外,需要说明的是,中国历史上的宗教藏书绝不止佛教和道教两种,伊斯兰教、基督教等宗教机构也收藏有或多或少的图书,如近代耶稣会士就在上海设有徐家汇藏书楼、尚贤堂藏书楼等,但它们的地位和影响远不及佛教和道教寺观藏书。

(四)书院藏书

书院藏书是我国古代四大藏书系统中最后形成的一个藏书系统。它始于唐代,如清光绪《江西通志》卷八二云:"乐林书院在德安县,唐义门陈衮建,聚书千卷,以资学者。"宋元时期为中国古代书院的兴盛期,书院藏书也得到了飞速的发展。宋代白鹿、岳麓、应天、嵩阳四大书院的藏书之富自不必说,即使是普通之书院,其藏书也很丰富,有的甚至超过国家藏书。如魏了翁《鹤山书院始末记》曰:"堂之后为阁,家故有藏书,又得秘书之副而传录焉,与访寻于公私所板行者,凡得十万卷。"①这些书院藏书为师生提供研习之资,形成了独具特色的公共性与开放性。元代的书院藏书在宋代的基础上又大大进了一步,以藏书规模而言,成都草堂书院石室贮藏了全国各地收集来的刻本、手抄本、拓本、手稿本书竟达"廿有七万"卷之多,远远超过宋代鹤山书院十万卷之数。其时书院藏书事业之盛,于此可见一斑。此外,书院的藏书建设至元代也已进入了正规化、制度化阶段,已设置专人管理书院的藏书,并形成图书借阅制度。同时,元代书院的藏书刊播、藏书利用及藏书特色等方面也都有可纪之处②。其时,像杭州的西湖书院已承担了国家图书出版的主要任务,支持着国家文化事业的发展;他们还利用书院中的藏书编写了许多院藏图书目录和学术著作。明清时期,书院的藏书事业没有达到宋元时期水平,但这一时期的书院藏书仍在某些方面作出了自己应有的贡献,如藏书楼建设、院藏书目的编制以及图书管理制度的规范化等。

书院的藏书,来源主要有以下几处:一是朝廷敕赐;二是官吏向各官书局征集;三是官吏捐置;四是私人捐赠。

书院藏书的出借有一定的规定,不得随意出借,有的甚至还有比较严格的规章制度。如《白鹿书院志》卷一〇、卷一一便载有这方面的内容。同时,有的书院还往往编制书院藏书目录。

书院藏书具有公共图书馆的性质,它供书院的师生借阅,这

----

① 魏了翁《鹤山先生大全集》卷四一,《四部丛刊初编》本。
② 详见班书阁《书院藏书考》,见李希泌、张椒华编《中国古代藏书与近代图书馆史料(春秋至五四前后)》,中华书局 1982 年版。

是它与私家藏书楼的最大区别。师生正是利用丰富的书院藏书研究学术，从而造就了众多的人才，促进了中国传统文化的继承和发展。

三、中国藏书史的分期

在长达数千年的中国藏书史中，就藏书形态的演进或藏书事业的发展来看，其间虽有一定的曲折，但总的来说，是随着社会的不断进步和社会发展的日益需求而不断向前发展的。这已成为当前藏书研究者的通识。鉴于此，我们将中国藏书史划分为以下几个阶段：

（一）中国藏书的起源阶段

先秦时期为中国藏书的起源阶段。在这一时期，我国的官方藏书系统首先在夏代已初步建立起来，并在商、周两代得到了进一步的完善。特别是周王室的藏书非常丰富，已有了专门的藏书场所，藏书的管理制度和管理方法也比夏、商两代要进步得多，藏书的利用也得到了一定程度的开发。

至东周时期，也就是人们常说的春秋战国时期，中国藏书事业中的私家藏书系统也继官府藏书系统之后正式形成了①。当时许多大学者为了兴办教育、游说诸侯，遂拥有了较多的藏书；与

---

① 以上参见：杨宽《战国史》第十章，上海人民出版社 1998 年版；冯天瑜等著《中华文明史》第 340—341 页，上海人民出版社 1990 年版。

此同时,他们还对藏书理论进行了比较系统的研究,在藏书分类研究上作出了重要贡献。

(二)中国藏书的兴起阶段

秦汉魏晋南北朝时期是中国藏书的兴起阶段。这一阶段,可分为秦汉、魏晋南北朝两个时期。

1. 秦汉时期

秦始皇统一中国后,发生了"焚书坑儒"事件。这一事件虽然对官府藏书影响不大,但对当时的私家藏书却是沉重的打击。

西汉王朝建立以后,统治者认识到秦的弊政,总结了亡秦的经验教训,因而采取了一系列稳定社会、巩固政治制度、扶植文化发展的措施,并用法规的形式加以确定,从而基本上完成了国家向封建大帝国的转型。它对有汉一代学术文化的发展,特别是图书收藏事业的开展,产生了极其深远的影响。古代文献记载道:"自秦汉以来,作者益众,纸与字画趋于简便,而书益多,世莫不有";"由秦而降,每以斯文之盛衰,占斯世之治忽焉。"①于是到东汉,都城洛阳市肆中就有了专门的"书市",人们能够很方便地购买到要看的书籍,从而使"博通众流百家之言"②成为一种可能,中国古代的藏书事业也从此走上了良性发展的历史轨道。一些对后世藏书家产生了深远影响的言论,如"遗子黄金满籯,不如一经"③,就产生于此时。

---

①《苏轼文集》卷一一《李氏山房藏书记》,中华书局 1986 年版;又《宋史》卷二〇二《艺文志一》。
②《后汉书》卷四九《王充传》。
③《汉书》卷七三《韦贤传》。

2. 魏晋南北朝时期

魏晋南北朝时期,虽然长期处于动乱之中,但各朝统治者都非常重视对图书的搜集工作,以至梁元帝时皇室和中央官府藏书已达十余万卷,较之汉代增长了数倍。与此同时,官府藏书机构更较前完备。私家藏书则无论是藏书家人数还是藏书数量都比汉代有了进步。另外,随着佛教的普及,佛教典籍的收藏和整理也成为当时藏书的一大风尚。

魏晋南北朝时期藏书事业得以发展的主要原因有三:一是历代统治者大都比较重视对图书的搜求和典藏,如魏武帝曹操、魏文帝曹丕、晋武帝司马炎、北魏道武帝拓跋珪、宋武帝刘裕、梁武帝萧衍等便是其中的代表。二是社会生产和文化教育的进步,特别是纸的生产技术的改善和其使用的普及,使图书的数量和品种急剧增加。三是南北地区各民族文化的交流,使这一时期的文化出现了大融合的新景象。

(三)中国藏书的发展阶段

隋唐五代时期是中国藏书的发展阶段,也是中国古代藏书发展史上承前启后的阶段。这一时期的藏书事业既承袭汉朝以来的成就和遗风,同时又较前代有了很大程度的改进。这表现在以下几个方面:

第一,中国古代的官府藏书系统在隋唐时期已经趋于成熟和完备。其时,皇室和国家内外藏书除得之于前代亡国之府藏外,统治者还下诏从民间广泛征集遗逸之书,并有组织地进行大规模的抄书录副工作,从而使其藏书量比前代大有增加。在此基础上,隋唐时期形成了皇室和国家内外藏书的格局。内库藏书与秘阁藏书皆有特点：内库藏书率多御本，如隋之嘉则殿、唐之集贤殿书院；而秘阁藏书也往往有正本。其时，秘书省藏书已演变成类似今日的国家图书馆。与此同时，统治者还多次下诏对皇室藏书和国家内外藏书进行大规模的整理工作。如隋代开皇初年，秘书省在牛弘的领导下，对其藏书进行了较为全面的整理工作，形成了《开皇四年四部目录》。此外，这一时期官府藏书在庋藏制度方面也有许多特色，依甲（经）、乙（史）、丙（子）、丁（集）分类庋藏。这种成熟与完善的藏书体制，一直贯穿于其后宋元几代数百年，并对海外产生了重大的影响。例如在隋唐时期，与中国交往甚密的东瀛日本，至今其国家图书馆系统中的皇室藏书机构仍保持着隋唐皇室藏书的遗风。

第二，隋唐时期，特别是唐代，科举制度的推行，极大地推动了民间读书应试的积极性，从而使中国私家藏书的发展进入了一个高速期。其时，私家藏书成风，藏书助学求功名、藏书治学以及藏书以保持家传名教，成为世家大族和文人士大夫的共识。在此背景下，唐代还出现了我国最早的私家藏书目录——《吴氏西斋书目》。

第三，隋唐时期是寺院和道观藏书的极盛时期，无论是藏书的数量，还是藏书的品种和规模，都达到了前所未有的水平。与此同时，寺院经藏制度在唐代也已经确立。

第四，隋唐时期，中国古代的藏书系统已经完备。这一时期，不仅官府藏书、

（四）中国藏书的繁荣阶段

宋元时期是中国藏书的繁荣阶段。这一时期，中国藏书事业

又可分为宋、元两个阶段。

1. 宋代藏书

宋代是中国古代文化最为发达的时期,当代国学大师陈寅恪说:"华夏民族之文化,历数千载之演进,造极于赵宋之世。"①著名史学家邓广铭更认为:"宋代文化的发展,在中国封建社会历史时期之内达到顶峰"。"宋代是我国封建社会发展的最高阶段,两宋期内的物质文明和精神文明所达到的高度,在中国整个封建社会历史时期之内,可以说是空前绝后的"②。

私家藏书和寺观藏书三大系统进一步发展和完善,而且还产生了书院藏书。

宋代藏书作为宋代文化的重要组成部分,自然也进入了大繁荣的时期,无论是以馆阁为中心的中央政府藏书,还是各路府州县的地方政府藏书,以及方兴未艾的书院藏书和寺观藏书,都出现了前所未有的繁荣景象。至于私家藏书,其风气之普及,藏书家人数与藏书数量之多,藏书内容之丰富,校勘之精当,都是前代所无法比拟的。可以说,宋代是中国古代藏书发展史上具有里程碑式的重要阶段。

2. 元代藏书

元代建立与统一中国后,虽然采取民族歧视与高压政策,但对汉文化还是比较重视的,也注意保护汉族文化典籍,使当时的

---

① 陈寅恪《邓广铭〈宋史职官志考证〉序》,见《金明馆丛稿二编》第245页,上海古籍出版社1980年版。
② 邓广铭《关于宋史研究的几个问题》,见《社会科学战线》1986年第2期。

藏书事业在遭受了宋末元初很大的战争破坏后很快得到了恢复，并走上较快的发展道路。虽然其时的藏书事业不及宋代兴旺，但从中国藏书事业发展的历史来看，仍属于繁荣时期。仅以藏书规模来看，为前世所罕见。官府藏书，仅元顺帝时所收遗书就达 30 余万卷；而成都草堂书院石室所蓄的 27 万卷藏书量，远非宋代书院藏书所能望其项背。

（五）中国藏书的鼎盛阶段

明清时期是中国古代藏书的鼎盛阶段。在这一时期，官府、私家、书院、寺观四大藏书系统都得到了空前的发展。

明清时期皇室内府藏书，继承了宋、元数代宫廷藏书的精华，加之统治者多次征访民间遗书，使其所藏极富。明初《永乐大典》和清初《四库全书》的编纂成功，便得益于此。其时官府藏书楼的建设，深受统治者的重视。特别是明代文渊阁、清代南北七阁的建成，标志着国家图书馆已具规模。尤其需要指出的是，清江南三阁藏书允许士子借读，这不仅有利于文化的普及，而且对以后私家藏书的影响也极其深远。

但明清藏书事业中影响最大、成就最显著的当推私家藏书。这表现在以下几个方面：一是藏书家辈出，人数空前。明代范钦、项元汴、祁承㸁、王世贞、钱谦益、毛晋、高儒、李开先、陈第，清代黄丕烈、袁廷梼、周锡瓒、顾之逵、杨绍和、瞿镛、陆心源、丁丙等一大批著名的藏书家便是其中的杰出代表，他们不仅以藏书数量多称雄于时，而且其质量也极精。他们在藏书理论、藏书楼的建筑设计、典籍保护、典籍利用等方面作出了重要贡献，为后人留下了宝贵的精神财富。二是地域特征愈来愈强。经济发达的江南是当时中国私家藏书的重心所在。三是藏书理论的学术成果斐然。

（六）中国藏书的转型阶段

20世纪以来是中国藏书的转型阶段。这表现在以下几个方面：一是藏书思想已从传统的以藏为主向藏用结合方向发展。20世纪初，当时西方先进的公共藏书制度和思想已深深地吸引了中国开明士人的注意力，西方公共藏书观念也在中国愈来愈深入人心，各级各类具有近代化乃至现代化色彩的公共藏书楼和公共图书馆实体，在中国古老的大地上不断诞生，并在人们的社会生活中占有了非常重要的地位，特别是这一时期陆续兴建的北平图书馆、故宫图书馆、北大图书馆等，其藏书规模、建筑规模和服务方式与传统的私家藏书楼已不可同日而语，从而成为20世纪中国藏书文化发展的主流。他们参照西方公共图书馆的有关规则，从图书的采购、分类、典藏、流通、阅览等方面制订了一系列章程，成为近代藏书楼规章制度的蓝本。二是随着科技的进步和社会的发展，藏书的类型也从传统的纸书向录音带、胶片和光盘等现代图书载体发展。"由于其体积小、藏书大，'藏'的意义相对减弱；与此同时，通过高科技手段如网络化的建设与推广，使文献资源更广泛更便利于应用，而渐渐落脚于'用'。因此，未来藏书文化将在以用为主的基本理论指导下来完善和发展中国的图书事业"①。三是藏书内容也发生了根本性的变化。在此之前，藏书家关注的往往是宋版元椠和以抄稿校本为主体的中国古代文化

①来新夏《中国藏书文化漫论》，见黄建国、高跃新主编《中国古代藏书楼研究》第18—19页，中华书局1999年版。

典籍,但自 20 世纪以来,中、西文的书籍和报刊开始大举登堂入室,在藏书结构中占有越来越大的比例。四是藏书家的结构和藏书风尚发生了根本性的变化。曾经紧密依附于封建世家大族的私家藏书活动日趋衰落,而新兴的经营工商实业的民族资本家乃至军阀、政客队伍中,不断有新的购书豪客崛起,他们往往挥霍重金,兼收并蓄,从而极大地影响了这一时期的藏书活动和藏书风尚。五是中国古代藏书的研究进一步兴起。叶昌炽《藏书纪事诗》和叶德辉《书林清话》等著作是 20 世纪初期的开拓领域之作。近二十年来,藏书史的研究更向深广的方面发展,已逐步形成一个独立的学科。

中国藏书史研究,除了上面所述的藏书概念,以及本书以通史体式概括其四大系统及不同的发展阶段外,还包括诸如图书的购置、鉴别、校勘、装治、典藏、抄补、传录、刊布、题跋、用印、保护等内涵。这无论在中国文化史或世界文化史上,都显示出其他领域所不可代替的特色。我们将在本书各个历史时期的叙述中,作具体的介绍、阐述,以供读者参考、研讨。

与徐吉军合撰,原载宁波出版社 2001 年版《中国藏书通史》,此据东北大学出版社 2015 年版《中国当代名家学术精品文库·傅璇琮卷》录入,另刊《浙江学刊》2001 年第 1 期(题为:关于中国藏书史研究的几个问题),文字略有增改

奇文共赏　疑义相析

——《柳如是别传》怎样读

北京三联书店几年前即有决心,将陈寅恪先生现在所能找到的全部著述,辑集面世,这确使我们钦佩,但也使我们担心:陈寅恪先生的专著,如《隋唐制度渊源略论稿》、《唐代政治史述论稿》、《元白诗笺证稿》,从20世纪50年代起已分别印过几次,上海古籍出版社于80年代又一次性地陆续出版七种,而且陈先生的书专题性强,材料繁复,立论细密,又用文言体写作,阅读难度较大,现在全部重新印出,市场效益如何?

没有想到,三联于今年2月先把《柳如是别传》推出,印10000册,这部共三大册、1200多页、80万字的大书,不到一个月的时间,竟销售一空。听说很多书店和读者还纷纷要求增印,出版社正在加印第二版,再印10000册。于是有些报纸就提出:《柳如是别传》这一脱销现象,带给出版界一个什么启示? 现在出版界都在谈论市场意识,那么什么是真正的市场? 图书市场究竟需要什么?

这使我想起一件事:钱锺书先生于"文革"后期把他的《管锥编》前几册交中华书局,中华书局于1979年8月印出第一版。应该说《管锥编》的阅读难度是大于《柳如是别传》的，但中华书局在收到新华书店征订单后，决定印 21000 册，这在当时也是冒风险的，但没有想到，这 21000 册很快也就销完。

这又使我想起一件事：当代美国著名传记文学作家欧文·斯通，他在为中译本《梵高传——对生活的渴求》（北京出版社，1983年10月）所作的导言中说，他在写完这部著作后三年中，这部手稿曾被美国十七家大出版社所拒绝，后来对原稿删减了十分之一，才勉强为英国一家出版社的小分社接受出版，老板还神情阴郁地说："我们印了 5000 册，我们还在求神保佑。"而后来，时隔多年，到欧文·斯通写这篇导言时，这本书已经翻译成好几十种文字，销出了大约 2500 万册。

这些，给人以什么启示呢？当然，对此可以各人有各人的看法，不过我认为，图书市场的真正涵义是文化，一部有高品位文化的书，不但能带动图书市场，也还能使一个时期的图书市场有一种"更上一层楼"的活力。

那么，话说回来，《柳如是别传》在今天到底有什么吸引人的地方呢？我们怎样来看它的学术意义呢？

1989 年初，我曾写过一篇题为《一种文化史的批评》论文（载于 1989 年 12 月《中国文化》创刊号）。文中认为，在近现代中国有影响的史学家中，恐怕没有人像陈寅恪先生那样集中注意于文化问题的。作为一代学术大师，陈寅恪先生有他的学术体系，这个体系，不妨称之为对历史演进所作的文化史的评论和阐释。对于陈寅恪先生来说，这种文化史的批评不是一种偶然性和局部性，而是一种根本观点，那就是对历史、对社会采取文化的审视，这样的研究就能使某一具体事件得到整体的呈现。

　　陈先生于 20 世纪的 30—40 年代主要是研究中古史,也就是魏晋南北朝和隋唐史。他反复强调,民族和文化问题是研究中古史重要的关键,而民族与文化相比较,文化则带有更为本质的属性。譬如他在《唐代政治史述论稿》中,论述北朝的用人政策,以及当时音乐、建筑等艺术样式所包含的不同民族风格的融合,即明确提出:"汉人与胡人之分别,在北朝时代文化较血统尤为重要。"这种情况不仅是北朝,南朝也是那样,他在《魏书司马睿传江东民族条释证及推论》中说:"寅恪尝于拙著《隋唐制度渊源略论稿》及《唐代政治史述论稿》中,详论北朝汉人与胡人之分别在文化,而不在种族。兹论南朝民族问题,犹斯旨也。"(见《金明馆丛稿初编》)

　　《柳如是别传》讲的是明清之际的社会,我在这里之所以引述陈寅恪先生关于中古时代民族与文化的议论,是因为《柳如是别传》中也特别提到了这一点:"寅恪尝论北朝胡汉之分,在文化而不在种族。论江东少数民族,标举圣人'有教无类'之义。论唐代帝系虽源出北朝文化高门之赵郡李氏,但李虎李渊之先世,则为赵郡李氏中,偏于武勇,文化不深之一支。"(第 1002 页)这给我们一个启发,我们当遵循陈先生的治学思路,以文化角度,来阅读和研索《柳如是别传》,这样可能会有所新获。

　　柳如是出身卑下,而又一生坎坷。她幼少年时在吴江故相周道登家为一个普通婢妾,后为周家所逐,流落人间,辗转数年,则与当时文人结社团体(几社)的年轻文士诗歌唱酬,从而很快提高其诗文造诣与社会见识。陈先生用相当多的篇幅,考述她在和钱谦益正式同居前与几位名士的交酬,特别是李待问(存我)、宋征舆(辕文)、陈子龙(卧子)三人,这三人,如书中所说,"李存我则以忠义艺术标名于一时,自是豪杰之士";宋辕文"当崇祯中叶与河东君交好之时,就其年少清才而论,固翩翩浊世之佳公子也";陈子龙,"则以文雄烈士,结束明季东南吴越党社之局,尤为旷世之奇才"。由此可见,柳如是并不是一般的所谓名妓,实是一个"不世出之奇女子",她是以"文采风流"的高品位文化要求来与文士交往的(第347页)。

陈先生还不限于论述柳如是与几位文士的个别交往,而是更进一步提出她与当时江南文士有一种不同寻常的群体结识。如说:"当时党社名士颇自比于东汉甘陵南北部诸贤。其所讨论研讨者,亦不止于纸上之空文,必更涉及当时政治实际之问题。故几社之组织,自可视为政治小集团,南园之宴集,复是时事之座谈会也。"书中还引述宗征璧(字让木)《秋塘曲序》,说柳如是参预宴集时,"凡所叙述,感慨激昂,绝不类闺房语"。因此陈先生说应把柳如是"视为几社之女社员",并说:"继经几社名士政论之熏习,其平日天下兴亡、匹'妇'有责之观念,因成熟于此时也。"这实际上是拈出柳如是有一种不寻常的文化升格之路,这也为我们研究明清时代妇女文化提供极好的事例。

陈寅恪先生特别提出,他考察柳如是与陈子龙的交往,"可谓发三百年未发之覆。一旦拨云雾而见青天,诚一大快事"(第288页)。自来研究、论及陈子龙者,都突出他的抗清英勇事迹,似乎对他与柳如是的关系,一是不加注意,二是故意避开,认为这对陈子龙的评价不利。如当代著名史传文学专家朱东润先生于80年代前期撰写《陈子龙和他的时代》一书,他事先是读过《柳如是别传》的,还引述过第三章的一段文字。但朱先生记述陈子龙与柳如是的交往,只以不到一页的文字作了极为一般的交代,而陈先生则以二百多页的篇幅详作笺疏,且满含感情。两位前辈学者看法有如此之差距,这一学术现象也很值得探讨。以我个人的浅见,陈、柳交往,对柳如是来说是一种识见的提高,对陈子龙也是一种诗情交流。陈子龙的早年生活应该是多方面的,他与柳如是的合与离,也从一个侧面反映明代末期江南士人的生活风习。《柳如是别传》在这点上也为我们考察明清之际江南士人的文化生活拓展研究的视野。

另外一点,大约有的论著也谈及过的,即陈寅恪先生在这部著作中颇注意经济因素的重要性,我想这里还可以再提一提,这应当也是文化整体研究的一部分。《柳如是别传》在论述这位才女早年居住地及与名士交游地的吴江盛泽镇时,很注意"吴江盛泽实为东南最精丝织品制造市易之所,京省外国商贾往来集会之处";正因如此,这一"江浙两省交界重要之市镇",也成为"明季党社文人出产地"。也正由于盛泽成为明末江南经济、政治发展的特殊地区,也使"声妓风流之盛,几可比拟于金陵板桥"(第335—336页)。使人感兴趣的,陈寅恪先生又联系唐代,说他"昔年尝论唐代科举进士词科与都会声伎之关系,列举孙棨《北里志》及韩偓《香奁集》等,以证实之",见其所著《唐代政治史述论稿》中篇。事实确是如此,科举制开始兴起时期的唐代,每年有好几千士人集中到长安,有些士人即与某些歌伎有真实的感情交往,这在唐人传奇如《李娃传》、《霍小玉传》等都有反映。唐代长安的娼伎,多集中居住于平康里,平康里也就成为少年进士向往的地方。如唐末王仁裕《开元天宝遗事》就说:"每年新进士以红笺名纸游谒其中,时人谓此坊为风流薮泽"。孙棨《北里志序》更说到,平康里"诸伎多能谈吐,颇有知书言诗者",蜀中名伎薛涛,也比不过这些才辩之徒。我在 80 年代初作有《唐代科举与文学》一书,在《进士试与社会风气》一章中曾对此专门加以描述,并说明是受到陈寅恪先生论《崔莺莺传》的启示,现在联系《柳如是别传》,使人进一步感受到陈先生确能从经济、政治、文化诸方面的有机联系中探寻一个时代的文人(包括男女)心态。

这也使我联想起过去好长时期的一个疑问。我曾对自己提出一个思考:陈寅恪先生对魏晋南北朝和隋唐史已有精湛的研究,也已有极为扎实的基础,这一长达七百年的历史还有不少可以开发的,陈先生为什么在 50 年代中期起就放弃这方面的研究,而着手于明清之际的课题呢?这不是很可惜吗?

陈先生对自己为什么作这方面的研究也有所说明,见第一章《缘起》。他先说起他早年曾见到钱曾所注的钱谦益诗集,"大好之",后抗战时在昆明,在一卖旧书的商人处得见钱氏的常熟白茆港故居一粒红豆,大喜,自此遂重读钱集,"不仅藉以温旧梦,寄遐思,亦欲自验所学之深浅也"。后又"披寻钱柳之篇什于残缺毁禁之余,往往窥见其孤怀遗恨",于是就立志撰书,"以表彰我民族独立之精神,自由之思想"。这些,都是可以理解的,我想当也符合陈先生的本意。不过我曾与学术挚友、中山大学历史系姜伯勤教授谈起过,陈先生自己是这么说的,但我们今天来探讨、认识这部著作的意义,似还可以再开阔些。我与姜伯勤先生有一个共识,即明清之际对中国来说,不只是一般性的改朝换代,实是一个"天崩地解"、思想创新的时代,当时出现了不少奇异之士,不只是有名的顾、黄、王,还有如方以智、石涛、八大,包括陈子龙和柳如是,还有在岭南一带的高僧。20世纪50—60年代,正当学术界被迫从事于拔白旗、批右倾之际,陈寅恪先生却着眼于这一独特的领域,这在当时确是空谷足音。80年代开始,学界已注意于明清之际文化的研究,现在已逐渐成为一个热门,我们不得不回想陈先生当时的卓异之识与开拓之功。

当然,我对陈先生的这部书,还有一点点保留看法的,就是陈先生以三分之一的篇幅,即专立一章《复明运动》,来考述钱谦益在柳如是的促动、赞助下,于顺治年间,在江浙一带从事于反清复明的活动。我觉得有些地方是说得过分了一些,依陈先生对钱诗的笺释,钱谦益当时以七十多岁的高龄,似已不是一个老年文人,而是到处从事串联、劝说的地下革命的活动家与组织者,这似与钱谦益当时整个思想、行为不甚适应。当然,陈先生一反过去对钱谦益的成见,通过今典、古典的详释,从多方面帮助我们来了解钱氏的为人,这也是一大启发,但说"足知此十七年间,钱柳已由言情之儿女,改为复国之英雄"(第1130页),是否提得太高了?

因此,我想用"奇文共赏,疑义相析",作为这篇小文的题目,说明我们今天怎样来读《柳如是别传》,这也是我们后辈学者提高自己的学术素质与文化品位的一个途径。

原载2001年4月7日《文汇读书周报》,此据北方文艺出版社2008年版《书林漫笔》录入,另收入大象出版社2004年版《唐宋文史论丛及其他》

唐诗中的钱塘江潮

钱江潮是天下奇观;钱江潮是城市的一张名片。

杭州地处钱塘江下游北岸、西湖之滨,襟江带湖,江海交会,风景优美;其地介乎古代吴越交界之处,堪称东南形胜。北宋柳永《望海潮》曾称誉"钱塘自古繁华",然该称誉并不完全属实。自秦置钱唐县起,到南朝梁、陈相继置临江郡、钱唐郡,再到隋初置杭州,在如此漫长的一段时间里,杭州无论在政治、经济还是文化等方面其实都比不上周边毗邻的越州、苏州、湖州等行政区域。杭州真正步入繁华,是在唐五代时期,尤其是在五代吴越国钱氏政权在该地建都之后。关于此点,司马光在《资治通鉴》卷二六七"开平四年(910)八月甲申"条下曾指出:"吴越王镠筑捍海石塘,广杭州城,大修台馆,由是钱塘富庶盛于东南。"尽管繁华迟来,但钱塘之名却早著,究其缘由,乃在于从西向东贯穿吴越、汇入东海的钱塘江。

钱塘江,古名"浙江",素以排山倒海的江潮而闻名天下,其中尤以澎湃江潮最为著名。《史记·秦始皇本纪》载公元前210年秦始皇巡狩会稽(绍兴),"过丹阳,至钱唐,临浙江,水波恶,乃西百二十里,从狭中渡",可见浙江江潮之险。正因为钱江惊涛的奇绝,在杭州远未闻名时,当地的江潮已名声在外。东晋无锡顾恺之观此惊涛奇潮后,作有《观潮赋》云:"临浙江以北眷,壮沧海之宏流。水无涯而合岸,山孤映而若浮。既藏珍而纳景,且激波而扬涛。"郦道元《水经注》也有关于钱塘潮的记载。钱塘江潮其壮能撼动天地,然潮平之时却清净秀美。尤其是钱塘富春江一段,其间奇山异水,天下独绝。关于富春江之美,南朝齐梁吴均在《与朱元思书》中提及:"风烟俱净,天山共色……水皆缥碧,千丈见底。游鱼细石,直视无碍。"可以说,杭州钱塘江之美集阳刚与柔美于一体,与越州会稽山水相比毫不逊色,可惜此间卓绝美景,在唐代以前却终因所属政区的无闻而未得到众多文人墨客的青睐。

当时空转换到了唐代,钱塘江之美才真正在文人骚客的笔下得到肯定。尤其是中唐以后,随着江南经济的发展,杭州也逐步迈入到东南名郡的行列。北宋与司马光同时的越州山阴学者陆佃在《适南亭记》中感叹道:"会稽为越之绝,而山川之秀甲于东南。自晋以来,高旷宏放之士多在于此。至唐,余杭始盛,而与越争胜,见元、白之称。然杭之习俗华媚善占形胜,而丹楼翠阁辉映湖山,如画工小屏,细巧易好,故四方之宾客过而览者,往往后越。夫越之美,岂至此而穷哉?意者江山之胜虽在,而昔贤往矣。"陆佃作为一名饱学之士,《宋史》本传称其"精于礼家名数之学,著书二百四十二卷",他对有唐一代,余杭形胜取代了越州山水在文人名士心中地位的现实有感不平,其中虽不无地域观念,却也应该是较为客观地反映了唐人对杭州景致之美的发现和推崇。白居易《答微之见寄》中有"可怜风景浙东西,先数余杭次会稽"之句,也印证了同样的情况。而在杭州众多形胜中，唐人印象最深的当属钱塘江。唐代士子文人在开放、自由的社会风气影响下热衷漫游，如果说长江在他们的漫游中扮演着重要的角色并在不同程度上滋养作家的心灵，给他们的文学创作带来影响的话，那么，唐代文人对钱塘江迟来的关注同样也或多或少地给他们的创作带来一股清风。

唐代文人语及杭州乃至吴越，常会提到钱塘秋潮。在相当部分文人墨客的心目中，雄浑壮阔的钱塘潮水大概已成为杭州的天然名片。因此，若唐人作品地涉余杭，则钱江潮涌被言及的可能性是很大的。例如宋之问《灵隐寺》（《全唐诗》卷五三）有"楼观沧海日，门对浙江潮"句，全诗虽以吟咏灵隐寺为主，但其中最为精警的句子却是吟咏浙江潮涨情景。关于此联句子，《唐才子传》卷一"骆宾王"条下称它是遁入空门避祸的骆宾王所作，因此与宋之问创作的其余几联诗歌相比，乃成"篇中警策"之句。不管事实如何，不能否认的是，在此诗中，钱塘潮的动感与灵隐寺的清寂相得益彰，才成就了《灵隐寺》的成功。

又比如，唐代文人流动性较大，他们或漫游以开阔视野，或游宦以求功名。在此背景下，风景优美的杭州逐渐成为文人的游历胜地，于是出现了不少送行诗，例如：

> 海水不满眼，观涛难称心。（李白《送纪秀才游越》）
> 树色分扬子，潮声满富春。（王维《送李判官赴东江》）

李白曾漫游吴越，对当地的自然风景了解颇多，因此送友人游越,他也不忘推荐其观潮经验,语句平凡却不乏豪放之意。王维为友饯行也提及富春江潮,但似乎未曾把握钱塘江潮的精粹,因富春江潮与杭州湾钱塘江潮相比,富春江潮无疑是难以匹敌的。中唐以后,居于吴、越交界的杭州愈加受到文人的青睐,相关送行诗的数量也有所增多,壮观的钱塘潮作为杭州胜景,更成为诗人重点表现的内容:

> 新家浙江上,独泛落潮归。(刘长卿《送金昌宗归钱塘》)
> 西兴待潮信,落日满孤舟。(郎士元《送李遂之越》)
> 樟亭待潮处,已是越人烟。(皇甫冉《送薛判官之越》)
> 春草吴门绿,秋涛浙水深。(权德舆《送二十叔赴任余杭尉》)
> 浙江涛惊狮子吼,稽岭峰疑灵鹫飞。(刘禹锡《送元简上人适越》)
> 镜呈湖面出,云叠海潮齐。(元稹《送王协律游杭越十韵》)
> 三山期望海,八月欲观涛。(皎然《送刘司法之越》)

“浙江”乃钱塘江的别称,由以上例子来看,唐代诗人似乎倾向于以此别称来称代钱塘江。郎士元诗中所言“西兴”、皇甫冉诗中“樟亭”皆是观潮佳处。

除了送行诗之外,唐代文人自己若有游历杭越经历,也常在诗歌中展现他们观潮的经历。例如羊士谔《忆江南旧游》中称“曲水三春弄彩毫,樟亭八月又观涛”(《全唐诗》卷三三二),每年农历八月,钱塘秋潮最为壮观,由此八月观潮与暮春三月曲水流觞的文人传统一道成为了当时生活在吴越地区文人的主要活动。又白居易《宿樟亭驿》云:"夜半樟亭驿,愁人起望乡。月明何所见,潮水白茫茫。"登樟亭可观钱塘潮,月夜下,潮白亭空,滔滔江水、满耳潮声唤起了诗人思乡之情。而在晚唐诗人方干那里,钱塘江潮的震撼给他留下了深刻的印象,因此他在《叙钱塘异胜》和《途中言事寄居远上人》分别以"一道惊波撼郡城"(《全唐诗》卷六五一)和"震泽风帆归橘岸,钱塘水府抵城根"(《全唐诗》卷六五二)来描述钱塘江潮。同样地,李廓的"一千里色中秋月,十万军声半夜潮"①(《忆钱塘》)、贯休的"鼓角揭天嘉气冷,风涛动地海山秋"②也同样道出了钱塘潮的排山倒海。总的来看,到了唐代,钱塘江潮已成为杭州的一个具有标志性的自然景观,因此也有了"闲话钱塘郡,半年听海潮"③的说法。

钱塘江潮奔腾不息,有万马奔腾、雷霆万钧之势,震撼观者心魄。唐代诗人,如陶翰、孟浩然、宋昱、李白、刘禹锡、姚合、朱庆馀、罗隐、贯休等在观潮后都对潮涌场面进行了描绘。其中,陶翰《乘潮至渔浦作》记自己泛舟钱塘,在渔浦停靠:"舣棹乘早潮,潮来如风雨。樟台忽已隐,界峰莫及睹。崩腾心为失,浩荡目无主……云景共澄霁,江山相吞吐。伟哉造化工,此事从终古。流沫诚足诫,商歌调易若。颇因忠信全,客心犹栩栩。"(《全唐诗》

---

①一作赵嘏诗句,见《全唐诗》卷五五〇。
②《献钱尚父》,《全唐诗》卷八三七。
③李频:《陕府上姚中丞》,《全唐诗》卷五八九。

卷一四六)渔浦与西陵皆处于钱塘江入海处,是古时钱塘江最重要的两大渡头。钱塘巨潮卷来,如狂风暴雨袭来,常被用于观潮的樟亭和附近的山峰都被潮水带起的飞沫所掩。浪潮来时,其奔腾壮观令人惊心动魄;当潮水退去,天地又恢复了澄清,不得不让人感叹天地自然的造化神功。

　　孟浩然游历吴越,钱塘江潮给他留下了较深的印象。他的《与杭州薛司户登樟亭楼作》、《与颜钱塘登樟楼望潮作》、《初下浙江舟中口号》皆言及钱塘观潮事。其中《与颜钱塘登樟楼望潮作》对壮阔江潮作了正面的描写:"百里闻雷震,鸣弦暂辍弹。府中连骑出,江上待潮观。照日秋云迥,浮天渤澥宽。惊涛来似雪,一坐凛生寒。"孟浩然诗风历来以"清"见称,然此诗语甚壮伟,盖受江潮雄壮濡染所致。诗歌开篇以雷霆喻潮声之震撼,可谓先声夺人。潮涌未来之时,诗人正与友人鸣弦共乐,闻见潮声,众人皆舍清玄而观潮。江潮涌至,浪卷如雪,飞沫高溅,亦犹如秋雪纷下,使人寒意顿生。对比之下,孟浩然其他两言及钱江观潮的诗虽未对潮涌现象进行正面描写,但恰反映了诗人徘徊于仕隐、进退之间的心态。在《与杭州薛司户登樟亭楼作》中,奔腾的江潮唤起了诗人积极入世的心态:"今日观溟涨,垂纶学钓鳌。"面对滚滚江潮,诗人雄心勃发,希冀建立非凡的功业。而在《初下浙江舟中口号》中,孟浩然却呈现出截然不同的人生追求:"八月观潮罢,三江越海浔。回瞻魏阙路,空复子牟心。"历览三江烟波浩渺、潮起潮落以后,诗人心情归于平静,曾经心怀魏阙之念也归于空灵。处于进退之间的孟浩然,一如钱塘江潮,潮涨时热烈澎湃,潮落后却归于安宁平缓。

与孟浩然友善的李白,在《横江词》中亦对钱塘江潮奔涌表示了惊叹,诗云:"海神来过恶风回,浪打天门石壁开。浙江八月何如此,涛似连山喷雪来。"钱塘江此种独绝奇观使得曾饱览壮丽山川的李白也心生惊异,则其雄壮可见非一般。在《送王屋山人魏万还王屋》中,李白再次写到了令人惊绝的钱塘江潮:"逸兴满吴云,飘飘浙江汜。挥手杭越间,樟亭望潮还。涛卷海门石,云横天际山。白马走素车,雷奔骇心颜。"创作此诗时,李白身处吴越,友人魏万从王屋山远道而来,两人当共同目睹了钱塘潮汐的壮观,因此,在送别友人之际,李白再次忆起与友同度的难忘时刻。诗人以飘逸文笔,从视觉与听觉两方面集中地勾勒出钱塘江潮的神韵:潮涌来时,波涛如千百万的白马素车奔涌而至,惊涛袭卷山石,水石相撞与潮水声产生的巨响骇人心魄。而另一盛唐诗人宋昱在《樟亭观涛》(《全唐诗》卷一二一)中同样也道出钱塘江潮的汹涌:

> 涛来势转雄,猎猎驾长风。雷震云霓里,山飞霜雪中。
> 激流起平地,吹涝上侵空。翕辟乾坤异,盈虚日月同。
> 艅艎从陆起,洲浦隔阡通。跳沫喷岩翠,翻波带景红。
> 怒湍初抵北,却浪复归东。寂听堪增勇,晴看自发蒙。
> 伍生传或谬,枚叟说难穷。来信应无已,申威亦匪躬。
> 冲腾如决胜,回合似相攻。委质任平视,谁能涯始终。

诗人对潮汐的描绘与孟浩然、李白相近,皆突出钱塘江潮涛白如霜雪,潮声如雷霆的特点。不过在此诗中,诗人却较有创作性地以千军万马的互攻决战来比喻江潮,此外,更言听怒潮以增勇,言语间透露着盛唐文人所特有的豪迈之气。

中晚唐时期的诗人在表现钱塘江潮时,诗意多与初盛唐诗人相近,不过部分诗篇也能自出新意。例如刘禹锡《白舍人自杭州寄新诗有柳色春藏苏小家之句因而戏酬兼寄浙东元相公》以"鳌惊震海风雷起,蜃斗嘘天楼阁成"之句简言江潮气势;在《浪淘沙》中,诗人具体写到钱塘秋涛:"八月涛声吼地来,头高数丈触山回。须臾却入海门去,卷起沙堆似雪堆。"刘禹锡创作好别出新意,在此诗当中也不例外,除了和前人一样极言钱塘秋涛的壮阔雄奇外,诗人更紧扣诗题,描写了潮水骤来急去后,遗留在河床上色白如雪的沙堆,这层层的沙堆的出现其实同样呈现潮涌排山倒海的力量。又如徐凝有《观浙江涛》其诗云:"浙江悠悠海西绿,惊涛日夜两翻覆。钱塘郭里看潮人,直至白头看不足。"(《全唐诗》卷四七四)诗歌写钱塘江潮部分,语句通俗流畅,诗意却并不新颖。该诗的特别之处在于提到了钱塘弄潮的习俗。据李吉甫《元和郡县图志》杭州钱塘县"浙江"条记载,"每年八月十八日,数百里士女,共观舟人渔子溯涛触浪,谓之弄潮。"每年的农历八月十八,相传为"潮诞",当日钱塘潮最为壮观,当地渔民往往借此机会大显身手,在大潮来时泅水弄潮。能掀起数米巨浪的钱塘大潮本身已震撼人心,再加渔民的弄潮活动,使得观潮活动更让人惊心动魄,因此徐凝有"直到白头看不足"之叹也不足为奇了。关于弄潮风俗,晚唐陈陶在《钱塘对酒曲》中也曾提到:"风天雁悲西陵愁,使君红旗弄涛头。东海神鱼骑未得,江天大笑闲悠悠。"(《全唐诗》卷七四五)由诗中"使君"可知,中晚唐时期,钱塘弄潮活动已有官府介入举办，由此成为钱塘秋季一项盛事。除了上述中晚唐诗篇外，姚合的《杭州观潮》、朱庆馀《观涛》、贯休《秋过钱塘江》和罗隐《钱塘江潮》都以钱塘江潮为表现对象，其诗意及诗境多与前人相似。其中，值得一提的是罗隐的《钱塘江潮》：

> 怒声汹汹势悠悠，罗刹江边地欲浮。
> 漫道往来存大信，也知反覆向平流。
> 任抛巨浸疑无底，猛过西陵只有头。
> 至竟朝昏谁主掌，好骑赪鲤问阳侯。

晚唐诗人罗隐作诗为文常蕴激愤，而语带讥讽，此诗中也不例外。诗人在写钱塘怒涛的同时，篇末宕开一笔，借潮涨而及政事，此种过渡也可谓别出心裁。

总的来看，入唐代以后，文人墨客对钱塘大潮的关注大大增加，浙江秋潮的排山倒海、汹涌澎湃也恰与宏大的盛唐气象相呼应。到了中唐以后，钱塘秋潮被视为杭越一绝，成为了文人士子向往且津津乐道的名胜景观，由此产生了数量可观的观涛诗作。当然，唐代文人除了对钱塘江的雄奇表示惊叹外，也不乏抱怨之音，例如周匡物《应举题钱塘公馆》诗云："万里茫茫天堑遥，秦皇底事不安桥。钱塘江口无钱过，又阻西陵两信潮。"（《全唐诗》卷四九〇）此乃贫穷士子面对钱塘天堑的悲苦言语。卢纶《渡浙江》则讲述渡江之难："飞沙卷地日色昏，一半征帆浪花湿"；而贯休在《怀钱唐罗隐、章鲁封》称"风涩潮声恶"（《全唐诗》卷八三〇），似对钱塘江潮嫌恶多于喜爱。当然，此种抱怨之音并不多，而且归根结底,诗人言钱江险恶,实叹人世之多艰。

与戴伟华合撰,原载《浙江学刊》2001 年 B05 期,据以录入

《浙江图书馆古籍善本书目》序

    1975 年 10 月,周恩来总理在病重期间,排除"四人帮"极"左"路线的干扰,为保护历史文化遗产,继承和发扬民族优秀传统文化,提出应尽快把全国古籍善本书总目录编出来。遵照周总理的这一指示,在"四人帮"粉碎后,当时国家文物局即部署《中国古籍善本书目》的编纂工作,从 1977 年春开始,在北京图书馆、上海图书馆,以后又扩大到江苏和浙江两省进行试点。浙江图书馆是最早被确定为参与这一有历史意义项目的少数重点单位之一,开始进行全省古籍善本调查编目工作。至 1980 年 5 月,全省古籍善本编目工作基本结束,共上报古籍善本 9605 部,其中浙图为 4010 部。《中国古籍善本书目》的编纂,开创了新时期中国古籍普查、编目的先例。浙江图书馆的同志颇有远见,一方面充分吸收了《中国古籍善本书目》编纂的有益经验,一方面又在本馆已有的古籍书目的良好基础上,决定及时编制本馆所藏的古籍善本书总目。经过近二十年的艰苦努力,这部体系完备、著录详确,并极具地方文献特色的《浙江图书馆古籍善本书目》终于完成,并于近期内由浙江教育出版社出版。这应该说是面向新世纪的一项富有学术意义的文化建设工程,也为我国古籍整理研究、古籍书目著录提供不少求实、创新的经验。

20世纪90年代初,国务院任命著名学术界老前辈、南京大学名誉校长匡亚明先生为国家古籍整理出版规划小组组长。在制订1991—2000年全国古籍整理出版十年规划时,匡老提出编纂《中国古籍总目提要》,后因我是古籍小组秘书长,匡老就要我担任这一课题的总主编。我在起草《中国古籍总目提要》编纂总纲时,曾提及:"古籍编目并不单纯是一种技术性的工作。我国古代著名的目录学著作,从汉朝刘向的《七略》、班固的《汉书·艺文志》起,一直到清朝的《四库全书总目》都是传统学术的综合研究。它们的作者大多能体现这一时代的学术成就,反映一个时代的文化发展。"我觉得以此来看这部新编的《浙江图书馆古籍善本书目》,确更能体验到其中的文化学术涵义。

浙江图书馆自其前身杭州藏书楼于1900年建立起,于今已有百年。这百年中,它的自身建设一直与藏书编目紧密联系,这也是很好地继承我国藏书史上的一个优良传统。杭州藏书楼建立的第二年,即编有《杭州藏书楼书目》;1903年,杭州藏书楼经扩充改建为浙江藏书楼,又于1907年编印《浙江藏书楼书目》;1909年浙江藏书楼正式改称浙江图书馆,随后又编印《浙江公立图书馆保存类目录》四卷(1915年刊印),其中收善本书近三百部,这是浙江图书馆编制的第一部馆藏善本目录。在这之后又陆续编制好几部书目,直至60年代中期,又把在这之前所编的两部特藏目录重新考订、删选,编成新的甲乙编《浙江图书馆善本书目》,甲编收2661部,乙编收3016部。可见浙江图书馆编制古籍善本书目,是有深厚的学术积累的,其中参与者好几位是对传统文化有深湛研究的著名专家。现在这部新编的古籍善本书目出版问世,既使学术界人士及广大读者能有效地利用,其本身又可作为一项研究成果,对我们如何进行善本收录、版本鉴定,如何在传统编目基础上对古籍分类进行科学的归纳,都有极大的学术参考价值。

前面说过,本书的编纂是吸收了《中国古籍善本书目》的经验的,但同时也有其自身求实、创新的特色。譬如什么叫善本,这是古籍善本书目的第一关口,而善本一词虽已见于宋人行文,但历来就缺乏统一的、科学的界定。《中国古籍善本书目》把善本范围概括为"凡具有历史文物性、学术资料性、艺术代表性而又流传较少的古籍"。这比起传统的某些说法,确有新见,如晚清时著名藏书家丁丙在其所著《善本书室藏书志》中把善本书简单地总括为旧刻、精本、旧抄、旧校,确显得笼统。但对《中国古籍善本书目》的这一界定,学术界也有不同意见,有认为这样的表述不够明确,三性又加"而又",则善本是三性兼备还是具备一性或两性即合格,而且三性的概念也较抽象,难于操作。现在《浙江图书馆古籍善本书目》在"编例"中明确规定:"本目收录范围,一般以清代乾隆六十年为下限。凡乾隆六十年以前之写本、刻本、活字本、抄本与稿本,皆在选录之列。清代嘉庆元年以后宣统三年以前之稿本、流传较少之刻本抄本、名家批校题跋本,1912年以后罕见之传抄本,亦在选录之列。"我个人认为,这一界定,既较具体,有操作性,也根据馆藏的地方特点,甚为合理。实际上,《中国古籍善本书目》、《北京图书馆善本书目》也大体以年代划界,其间颇具伸缩性,这要看专家行家把关。即以 1912 年以后而论,如清初归安沈炳巽所辑《续全唐诗话》一百卷和《全宋诗话》一百卷,这两部书向无刻本,且有残缺,《全宋诗话》稿本甚至仅存一至十三卷。但现代学者并曾任浙江图书馆馆长的张宗祥先生,对此二书潜心专力,重新予以编辑,采集全备,对当今研究者很有参考价值,这次就编入馆藏善本书目。另外,本书作为地方馆藏目录,对浙江乡邦文献,包括各类有学术价值的遗著、稿本,录取稍宽。如《中国古籍善本书目》,经编委会讨论、鉴定,收录浙图馆藏古籍善本为2881 部,而本书载录则近 7300 部,增加的部分大多即为浙江籍学人的著作。这样做,并未降低善本的标准,反而更合乎情理,这无论对浙江地区的研究人员,或其他省市及海外学人,都能提供他处不易见到的文献信息。

另外,在具体版本著录中,本书较之《中国古籍善本书目》有一很大改进,即注明所录书籍的行款。《中国古籍善本书目》在编纂时,是要求各藏书单位填写版本形式即行格版式的,如每页几行,每行几字,以及例如黑口左右双边,等等,但后来正式出版时,这行格版式的项目都被删去。不少人对此颇有意见,有的曾举例,如《尔雅》一书,一连九种都注有"明刻本",《春秋经传集解》则有十四种明刻本,让读者辨不清这些明刻本究竟有什么不同。现在《浙江图书馆古籍善本书目》恢复过去已编的传统做法,对所录书目注明行格版式,这就对鉴定版本有很大帮助,使读者可以获得进一步的信息。前些年有的省所编善本书目,也未注行格,当是受《中国古籍善本书目》的影响,浙江图书馆现在这样做,确是一种坚持高标准和规范化的要求。

图书分类，历来是目录学的一项重要内容。清代文史学家章学诚，就着重论述过编目分类的学术意义："部次流别，申明大道。叙列九流百氏之学，使之绳贯珠联，无少缺逸，欲人即类求书，因书究学。"（《校雠通义·互著》）就是说，图书目录的分类编得清楚、合理，就能使人按类而求书，又能因书而治学。古籍分类，传统的做法是四部分类法，即分经、史、子、集。《中国古籍善本书目》在传统四分法的基础上又作适当的调整，最大的变动是把丛书从子部杂家类中分出，单列一类，得到学界的认定。《浙江图书馆古籍善本书目》也参照此，并在一些类目中稍有调整，也较合理。当然，有些地方还可商讨，如宋元明清时期的短篇、长篇小说，清代的《四库全书》是不收的，因此也不存在分类问题，《中国古籍善本书目》突破过去的传统观念，加以著录，但仍列入子部，不过改"小说家类"为"小说类"，下设笔记、短篇、长篇三属，短篇、长篇即著录传奇、话本、文言小说和讲史等。本书这方面的分类也照此处理。比较起来，《北京图书馆古籍善本书目》似较为合理，即子部仍设小说家类，在集部则增设小说类，收录传奇、话本和通俗小说。前些年我协助顾廷龙先生，与顾先生共同主编《续修四库全书》，在征求学术界意见后，经编委会讨论，采取《北京图书馆古籍善本书目》的做法。总之，《浙江图书馆古籍善本书目》在这方面所作的探讨，是有助于古籍分类这一传统学术体系的继续考索的。

　　这里我还想提一下本书的附录，即：一、"文澜阁四库全书版况一览表"，二、"日本、朝鲜、越南刻汉文古籍善本书目"。这虽为附录，实际与正文书目有同样的文献价值，能作这样的附录，确表现出编纂者的卓识新见。

关于"文澜阁四库全书版况一览表",书前的"编例"中曾有简要的说明:"文澜阁四库全书,曾经三次补抄,其版本状况,本目专门编为附录(著者从略)。其著录'原抄'者,为清代乾隆内府写本;著录'丁抄'者,为清代光绪八年至十四年间(1882—1888)丁申、丁丙补抄本;著录为'钱抄'、'张抄'者,分别为1915年(乙卯)钱恂、1923年(癸亥)张宗祥补抄本。"限于体例,"编例"在此处未能详加阐释。原来乾隆时修《四库全书》,成书后曾分别抄写四部庋藏于文津阁(承德避暑山庄)、文渊阁(紫禁城宫内)、文源阁(京郊圆明园)、文溯阁(盛京,今沈阳),称北四阁;后又抄写三部,分藏于扬州文汇阁、镇江文宗阁、杭州文澜阁,称南三阁。太平天国战事起,扬州、镇江两处因兵祸,全被焚毁。杭州文澜阁在战乱中倾圮,所藏书也多散失,事后幸得当地藏书家丁申、丁丙热心赞助,与当地士人共同搜集,尚存八千多册。光绪六年(1880),杭州人士重建文澜阁,丁氏兄弟组建抄补工作,其抄补所据的底本,主要为丁氏家藏八千卷楼旧本,其他又从宁波范氏天一阁、卢氏抱经楼,仁和朱氏结一庐,湖州陆氏皕宋楼等著名藏书楼借得。丁氏发起的抄补工作,不仅使文澜阁所藏初具规模,还补足某些原书的缺佚,如据文献记载,宋魏了翁《尚书要义》原二十卷,四库本缺三卷,元许谦《读四书丛说》原二十卷,四库本中《中庸》部分残缺,这些丁氏都据好的本子加以辑补。元辛文房《唐才子传》本为十卷,但此书明中叶后失传,清修《四库全书》时只能从《永乐大典》辑集,也只得八卷,清代后期有人从日本传过来原书十卷本,丁氏就以此十卷本补入,这在其他今存的文溯阁、文渊阁本都未有。民国年间钱、张两氏所补，则全为文津阁本，而文津、文澜原来所抄，文字间也有不同的。现在《浙江图书馆古籍善本书目》把丁、钱、张所补抄的，分别于书目后注明，这实在是对今存《四库全书》的各本比较研究，提供了难得的材料。

"日本、朝鲜、越南刻汉文古籍善本书目"，也是其他同类书目所少有的。这类书籍应当说是中国古代文献典籍在东亚流传的一种特殊形式，过去日本翻刻的称和刻本，朝鲜翻刻的称高丽本，越南翻刻的称安南本，是中国典籍在域外传播与保存的一个特殊系统，这些本子以前很长时期并不被重视，现在人们已逐渐认识到其中蕴藏着丰富的文献资源，如初唐重要政书《群书治要》五十卷（唐魏徵撰），北宋初尚存，元初就已佚。但日本元和二年（1616）德川家康据金泽文库旧藏古写本以铜活字印出，现在《浙江图书馆古籍善本书目》附录即有著录。前几年杭州大学出版社出版的《中国馆藏和刻本汉籍目录》（王宝平主编），其中就有浙图所藏的数百种书目。现在本书在附录中，亦按四分法分别著录日、朝、越刻本书目，著录著者、编者、刊刻年代、行款格式以及抄本等。这数百种书目，对今天展开有关历史上汉字文化圈的研究，极为有用。

另外，本书书后编有书名和作者索引。《中国古籍善本书目》可能数量庞大，由于工作原因，至今还未见有索引印出，给使用者带来极大不便。现在本书将索引与正文同时编印出版，确很规范。

最后，我想表示一个希望，也可以说是提一个建议，就是浙江图书馆能否乘胜而进，在现有成果的基础上，再编一部浙江全省现存古籍善本总目。《中国古籍善本书目》固然已收辑了浙江所藏,但那是20世纪80年代初所编,这二十年来我们浙江当陆续有新的发现,而且《中国古籍善本书目》是从全国范围考虑的,收录标准较严,当时浙江上报的,不少未被录入。浙江自古就是人文荟萃之地,在中国藏书史上占有重要地位。近数年来我与武汉大学情报学院谢灼华教授共同主编《中国藏书通史》(宁波出版社2001年3月出版),书中对浙江藏书,自宋代以来,就给予极高评价。台湾学者潘美月《宋代藏书家考》著录两宋时期最著名的128位藏书家,其中浙江有31人,居全国之首。南宋时浙江已成为刻书和出版业的中心。明清时期,浙江藏书楼之多,藏书之富,为全国之甲。我国古代自宋以来,南北均有藏书楼之建,清代更为发达,至今保存下来的,浙江有宁波天一阁,余姚五桂楼,海盐西涧草堂,东海之滨孙氏玉海楼,以及民国初年吴兴刘氏嘉业堂,就是说,全国保存古藏书楼,浙江也居于第一。晚清著名学者、诗人俞樾在为《武林藏书录》题辞时,就有这样的诗句:"武林山水甲神州,文物东南莫与俦。"因此,我们今天确有义务,有责任,把浙江省这一宝贵的文化资源加以调查研究、保存开发。浙江图书馆是完全有条件从事这一有全省意义的文化建设事业的。这也可以说是我写这篇序言最殷切的期望。

2001年5月,北京

原载浙江教育出版社2002年版《浙江图书馆古籍善本书目》,此据大象出版社2008年版《学林清话》录入,另收入大象出版社2004年版《唐宋文史论丛及其他》

新世纪中国诗歌研究三题

一

从创作的角度出发来进行中国古代诗歌理论的研究,我们过去对古代诗歌理论研究,多是从各个时期的研究角度出发,没有能把研究工作和当时创作的实际结合起来。今后,我们的眼界可以更开阔一些。文学史上有一个值得注意的现象,对中国古代文学、古代诗歌的研究比较有影响的一些理论家,往往本身就是作家。他们经常从当时创作的要求出发,对过去以及当时的一些文学理论、文学创作进行有益的研讨,提出自己的理论见解。我是研究唐代文学的,就以唐代为例。初唐中期,如王杨卢骆四杰、陈子昂等都对当时文坛崇尚齐梁绮靡文风提出过批评。"四杰"之一的杨炯在《王勃集序》一文中,明确提出要反对当时以上官仪为代表的所谓"龙朔文体"的绮靡文风,中有云:"思革其弊,用光志业。"王勃、杨炯当时提出改革文体,是从当时的创作也就是改革那时的文体出发。稍后的陈子昂在《与东方左史虬修竹篇序》中云："仆暇时观齐梁间诗,彩丽竞繁,而兴寄都绝,每以咏叹……风雅不兴,以耿耿也。"也是从创作出发,提出如何改变当时文坛风气。文学史上这样的例子比比皆是,如中唐时韩愈、柳宗元倡导的古文运动提出的一些理论主张,北宋时江西诗派黄庭坚的一些诗歌见解如点铁成金等,一直到明清时众多的诗歌流派及其诗歌理论创作主张,都是从自己的诗歌创作及当时的创作风气着眼,而不单纯是为了搞研究而提出自己的理论见解。所以我们今后的诗学研究应该更多地以当时的文学实际出发,来研究他们的主张。单纯的文艺批评、文艺理论对创作的影响并不大,南朝时刘勰的《文心雕龙》,无疑是中国古代文论的巨著,但以其对当时和稍后的隋唐诗文创作的实际影响来说,并不是很大,甚至还不如当时搞创作的人提出的主张影响大。前些年南开大学的罗宗强先生主编的《中国文学思想通史》曾提出,我们搞文学思想史研究应当与作家本身的创作体现结合起来,也是说的这个意思。这很值得我们搞诗学研究的人注意。

二

我们现在作中国诗学研究,应该扩展视野,其中重要的一点是沟通古今,即把传统的诗歌与"五四"以来的新诗结合起来进行研究。长期以来,存在这样一种情况,研究中国古代诗的人不但不染指新诗,而且也逐渐不关心新诗创作,而搞新诗创作的也不读古诗,认为古代的格律诗与现在的自由体诗,完全是两条路,这样古和今就被人为地割裂。其实把两者贯通起来,对古代诗的研究和现代诗的创作都有好处。应该说,"五四"以来的新体诗,其社会影响还是很广的,对社会进步和文学发展都起了很大的作用,出现了不少杰出的诗人。虽然我们的专业重点是搞古诗研究,但也应该读一些新诗的优秀之作。当然我们对新诗没有对古诗记得那么多,但有些新诗也是百读不厌、堪称经典的。像闻一多先生的《祈祷》:"请告诉我谁是中国人,/启示我,如何把记忆抱紧;/请告诉我这民族的伟大,/轻轻的告诉我,不要喧哗!"艾青有两句诗也很好:"为什么我的眼里常含泪水,因为我对这土地爱得深沉。"(《北方,我爱这土地》)再比如1976年清明节天安门事件中悼念周总理的诗:"人民的总理人民爱,人民的总理爱人民。总理和人民同甘苦,人民和总理心连心。"通俗易懂而琅琅上口。这些新诗虽没有格律,但同样富有艺术魅力。

对沟通古今的诗歌进行研究的前提是把现代诗歌和古代诗歌衔接起来。过去,胡适先生有一个观点,他认为唐代的元白一派是现代白话诗的前例。朱自清先生在20世纪20年代编的《中国新文学大系·诗集》导言中,谈到中国新诗的第一个十年出现过自由诗派、格律诗派、象征诗派。闻一多先生就主张格律诗,他在新诗的格律化方面作过一些探索。理论方面,他在《诗的格律》一文中说:"律诗的格律与内容不发生关系,新诗的格式是根据内容的精神造成的","可以……随时制造"、"层出不穷"的。创作方面,他有一篇作品叫《死水》,五节各四句,每句九字,整齐匀称。后来格律诗派却逐渐趋于衰落了。

其实，新诗在自身发展过程中，始终存在着如何继承和借鉴古今中外诗歌传统与经验的问题。我们可以考察一下新中国成立以后关于新诗创作的实践与理论。从 50 年代起，就有与"自由诗"相抗衡的"现代格律诗"的理论与实践。此时的"现代格律诗"是由何其芳、卞之琳等诗人提出来的。他们主张有许多内容更适宜写成现代格律诗。臧克家先生在《毛泽东同志的新诗观》中讲到毛泽东认为新诗"太散漫"，因而主张"新诗，应该精练，大体整齐，押大致相同的韵"（1957 年 1 月 12 日毛泽东致臧克家信）。这一主张是与何其芳等先生的见解相一致的。《文学评论》在 1959 年第 3 期出了一个"诗歌格律问题讨论专辑"，发表了包括王力、周煦良、罗念生、朱光潜、唐弢等先生的多篇探索诗歌格律问题的文章。让我们回顾一下当时那场关于新格律诗的讨论。这次讨论主要涉及在旧体诗词格律之外建立新格律诗的必要性，建立什么样的新格律诗和新格律诗能否建立成功等三个方面的问题。当时的大多数论者均肯定建立新格律诗的必要性。何其芳先生认为新诗不能完全自由体，他在《再谈诗歌形式问题》等文中，详细阐述了有一定格律便于表现反复回旋、一唱三叹之情，以及表现丰富复杂的内容并非自由诗的特点，等等。他主张有一种"和现代汉语更相适应的新格律诗"（《关于诗歌形式问题的争论》）。林庚先生则提出了新诗应由诗行构成，合乎"半格律"要求的新格律诗（《再谈新诗的建设问题》，《文汇报》1959 年 12 月 27 日）。林庚先生的贡献在于他不但倡导了以"九言诗五四体"为中心的新诗形式，而且以数十首格律体新诗实践了自己的理论。当时持反对意见者认为何其芳等的主张行不通，有人认为，企图用来取代其他一些诗歌形式的新格律诗体是建立不起来的。我们必须认识到何其芳先生所说的新格律诗并不等同于旧体诗，何其芳先生是把建立新格律诗作为我国新诗在形式发展方面的一个关键问题来看待的。有必要再引一段何其芳先生在《再谈诗歌形式问题》中的一段话，他说："要解决新诗的形式和我国古典诗歌脱节的问题关键……就在于继承我国古典诗歌和民间诗歌的格律而又按照"五四"以后的文学语言的变化，来建立新的格律诗。"

这并不算完，到了 20 世纪 80 年代以后在诗坛上又再度兴起关于"现代格律诗"的探讨。值得注意的是，大陆和台港澳地区，还纷纷成立中华诗词学会一类的民间诗歌团体。现在的情况是，新诗的作者已比较重视过去的旧体诗即传统的诗歌；而我们搞古代诗歌的倒不太注意新诗的发展、新诗的创作。关于新诗作者重视旧体诗，我们可以拿《诗刊》为例，提请大家注意。众所周知，《诗刊》一向都是刊登一些自由体诗的，但从前两年开始，《诗刊》每期辟一专栏，刊登旧体诗，分量并不大，采用竖排的形式。另外还有一栏叫"新古体诗"，是横排的，标有七律、五律等体。又 2001 年第 1 期起，于每期第一篇即卷首，设"诗家读名诗"，专门请当代的诗人写古代诗歌的类似赏析与研究结合起来的文章。从 2001 年第 1 期到第 4 期，依次所读之诗为王维《山居秋暝》（"空山新雨后，天气晚来秋"五律）、汉乐府《箜篌引——公无渡河》、李商隐《嫦娥》（"云母屏风烛影深"七绝）、李白《将进酒》（"君不见黄河之水天上来"），都是现代诗人写的，这很值得我们思考。受这一启发，我们搞古典诗歌研究的，是否也可选一些新诗名篇，来谈谈我们的体会呢？又如，《诗刊》今年有一篇《诗人访谈录》访屠岸，也值得介绍一下。文中提到一位年轻诗人丁芒，丁芒认为"未来的中国诗将以新诗为河床，以新诗和旧体诗互补和融合而逐渐形成"。屠岸认为这是很有见地的。屠岸建议今天的年轻诗人，"要多读古典诗歌、五四以来的优秀诗歌和外国经典作品"。他又说，许多大诗人都是学养极高的，李白、杜甫就不必说了，"当代年轻诗人要继承遗产，革新传统，没有创新的仿古等于赝品，没有继承的创新则很可能是短期效应"。以上都是很好的见解，很值得我们作进一步的思考。由此可见，搞现代诗的人已在逐步地重视传统的遗产，反过来说，我们搞古诗的是不是也应该借鉴现代人的诗歌方面的东西呢？就诗体形式来看，传统的格律诗与"五四"以来的白话自由体诗，区别是很大的，但中国诗歌的传统应该是贯通古今的，这方面很值得我们作新的探讨，必要时我们还可邀请搞新诗创作的人，与我们一起开会研讨。

最近当代作家王蒙先生送我一本书，书名为《绘图本王蒙旧体诗集》（上海古籍出版社，2001年1月），有一百四十几首诗（包括用旧体诗翻译德国诗）。以写小说著称的当代作家写有那么多旧体诗，这很值得注意。另外，王蒙先生还是李商隐研究学会的名誉会长，写了好几篇关于李商隐研究的文章。他并非像一般的研究者，而是从作家创作的角度来写的，所以独具匠心。他的《雨在义山》一篇谈到李商隐诗中的特点，分为三个层次来谈。第一层表现是义山诗中雨的自然特征，也就是诗中"雨"的最表层特点，其一是细，细雨；其二是冷，冷雨；其三是晚，暮雨、夜雨。第二层次即李商隐对于雨的主观感受，又有四个意思。（1）雨对于李商隐,带来了一种漂泊感,一种乡愁;(2)阻隔是李商隐对于雨的另一层感受;(3)是"迷离";(4)是"忧伤"。第三层次,结合上述,义山诗中雨的意象成为一种非义山难以达到的美的境界。王蒙又将李商隐笔下的雨与韩愈诗、李后主词、温庭筠诗、王驾《雨晴》诗、苏轼诗、韦应物诗、谭用之《夜宿湘江遇雨》诗等作了比较。我们自己搞古代文学的人恐怕不会像他那样从创作的角度来写的。其实,让懂创作的人来搞研究,往往能抉出作家作品的真正精神与内涵,因为他们也搞创作,知晓这其中的甘苦。

我们确实应该考虑把传统的诗与现代的诗特别是"五四"以来的新诗结合起来研究。"五四"以后的新诗数量很多,但真正的精品不多。今后新诗应该如何发展,而传统的旧体诗能给新诗哪些启迪与借鉴,这些都可以作深入的探索与研究。

三

在中外文化交流中,存在着中国古典诗歌传播与影响海外的历史问题,这一研究工作才刚刚起步。中国古典诗歌传播与影响海外的历史包括两个方面:其一是中国汉语汉诗的海外传播史,特别是亚洲方面,主要指古代日本、古代朝鲜、古代越南。日本古代写作汉诗,源远流长,据历史记载,可上溯到我国的初唐。日本在中国的初唐至中唐期间,曾编有三部汉诗集:《怀风藻》(751年)、《凌云集》(814年)、《文华秀丽集》(818年),里面的诗完全是根据我国格律诗的特点写的,这三部汉诗集对古代日本文学的发展影响不小。不止如此，连诗集前面的序言也是依据中国当时传统的诗的理论而写。譬如《怀风藻》序中有云："调风化俗，莫尚于文；润德光身，孰先于学。"而之前唐太宗李世民于贞观末期所作《帝范》，其中的《崇文篇》已有："弘风守俗，莫尚于文；敷教训人，莫尚于学。"可见两者之间的渊源关系。又据日本学界统计，从奈良时期到明治时期，编印的日本汉诗总集、别集共有769种，2339册，20余万首诗，这是非常惊人的数字，要知道我们的《全唐诗》也不过五六万首。应当说汉诗在国外的传播是很值得我们研究的。除了古代日本，古代朝鲜和古代越南在这方面的诗歌也很多。此外，前几年有学者指出古代朝鲜有不少用汉文写的诗话。这些古朝鲜诗话一方面评价古朝鲜的诗歌，另一方面评价中国的诗歌，特别是对中国唐宋时的白居易、苏轼、黄庭坚等人的评价比较多。其中，我们不仅可以考察他们怎样看待中国的汉诗，而且也能研究汉诗怎样影响东亚的国家。

与中国古诗向外传播的研究相对应的，是国外对中国古诗的研究以及一些理论上的见解，这同样值得探讨。前几年，我和中国社会科学院文学研究所的周发祥先生共同编了"中国古典文学走向世界丛书"（江苏教育出版社出版），其中有《国外中国古典诗歌研究》一书，介绍了欧美一些国家及日本对中国古典诗歌的研究。这对于我们今后研究日本、韩国等怎样用汉诗的形式即旧体的形式来创作是有很大帮助的。还以日本为例，日本学者小西甚一著有《芭蕉与唐宋诗》，谈到江户时代著名俳谐诗人松尾芭蕉沿承杜甫、李白、寒山、苏东坡、黄庭坚等人，形成了自己独特的诗风，这是学术界的共识。但他并非直接接受中国诗人的影响，而是通过禅林学人的解说。从天和期到贞享期芭蕉风格的形成,以禅的模式理解唐宋诗乃是重要的契机。这是 17 世纪日本诗坛的一般动向,芭蕉卓有成效地表现出了这一点。这一实例描述了中国文学外播的轨迹:

唐宋诗→五山学僧→松尾芭蕉

再如江户时期日本一位著名学者兼诗人赖襄,有一首《夜读清国诗人诗戏赋》,所评及清朝诗人,有陈子龙、钱谦益、吴梅村、施闰章、朱彝尊、王士禛、宋琬、冯班、蒋士铨、袁枚。异国诗人的评价对我们的古诗研究当然具有参考价值。由此可见,无论是从纵向角度梳理中国古典文学向外传播的历史,还是以横向角度清理国外研究中国古典文学的成果,都是大有可为的。

关于我国的研究者收集、整理、出版日本的汉诗,可以上溯到晚清时候。晚清学者俞樾在日本学者协助下编有《东瀛诗选》,正编四十卷,补遗四卷,共选了五百多位诗人的五千二百首诗。20 世纪 80 年代中期,江苏古籍出版社出版过《日本汉诗选评》,由程千帆先生、孙望先生评、吴绵等注解。此书选约二百位诗人三百余首汉诗,自 8 世纪至 20 世纪初,有律诗、绝句、古体乐府等。这是具有开创性的工作,还可以继续做下去。我建议是否由我们研究者编一本大型的、可以反映古代日本汉诗发展面貌的日本古代汉诗集,选一部分有代表性的作品,每一位诗人写一个作家小传,这对于我们了解日本的汉诗会有帮助,就中外文化交流而言也是一件大好事。

总之,中国古典诗歌的外播与国外对中国古典诗歌的研究,应该采用历史研究与共时研究两种方法。一面以纵向角度去梳理中国古典诗歌向外传播的历史,另一面从横向角度去清理国外研究中国古典诗歌的成果。

以上是我对新世纪中国古代诗歌研究的一些想法。总的来说,就是:中国诗学研究应该在研究的角度实现创新,注意从纯文艺批评、文艺理论的研究中走出来,多从创作的角度去研究古典诗歌创作;其次,要在研究的走向上有所创新,要沟通古今,在古代诗歌与"五四"以后诗歌的渊源联系上,在传统与现代的结合上求得突破;第三,要加强古典诗歌研究的中外交流,既要加强对域外流传汉诗的研究,也要加强中外古典诗歌比较研究以及学术交流。

当然,中国诗学研究的范围还是相当广的,包括诗歌文本的艺术探索,诗歌与其他艺术形式的比较,中国诗学史的历史回顾(特别是 20 世纪诗学史研究)。我这里讲的三点,也算是作一些研究领域拓展的尝试。

原载《安徽师范大学学报(人文社会科学版)》2001 年第 3 期,此据万卷出版公司 2010 年版《当代名家学术思想文库·傅璇琮卷》录入,另收入大象出版社 2004 年版《唐宋文史论丛及其他》

温故知新　倍感亲切

——重读《元白诗笺证稿》

　　北京三联书店出版陈寅恪先生的全部著述《陈寅恪集》,于今年二月先推出《柳如是别传》,初版一万册,三月份又增印一万册,社会影响面颇大。继此又于四月份印出《元白诗笺证稿》,印数又为一万册,实使人感到三联书店真有一种超越于市场意识的卓见。

　　这不禁使我想起,陈先生在抗战后期因生活艰苦,教学劳累,得了目疾,抗战胜利后于 1945 年秋赴英国伦敦治疗,但仍未治好,第二年春返国,在临行前赋诗,深叹"远游空负求医意"(《丙戌春游英归国舟中作》)。在这深为失望的时刻,却寄情于元白诗笺证,在另一首七律诗《来英治目疾无效将返国写刻近撰元白诗笺证》中,自抒当时的心情,"余生所欠为何物,后世相知有别传",他迫切之情就是要"归写香山新乐府"。直至他七十余岁,1963年冬,在一首诗中,感慨时势和身世,曾有"十部儒流敢道贫"之叹,但还是寄情于白诗:"文章堆几书驴券,可有香山新乐府?"(《癸卯冬至日感赋》)现在三联书店以精美之装帧印出此书,陈先生九泉有知，定会有欣慰之情。

我第一次读《元白诗笺证稿》，还在 20 世纪 50 年代中期，那时我还在北京大学中文系学习，在一次偶然的机会从图书馆借到此书。说老实话，作为二十岁刚出头的一个普通大学生，对于这部繁复征引和绵密演绎的著作，很多地方我是看不懂的。但有一处却给我印象极深，使我一直未能忘记。《长恨歌》中的"七月七日长生殿，夜半无人私语时，在天愿作比翼鸟，在地愿为连理枝"，这是唐玄宗于杨贵妃死后，缅怀他与杨在长安东郊骊山温泉华清宫向上天所作的誓言，可以说是千古名句。陈先生于此却提出两个问题：一时间，二空间。据陈先生考证，唐玄宗在位期间，从未在夏日去过骊山，一般他驻跸骊山温泉，总是在冬季春初。另外，所谓长生殿，一直是祭祀天神的斋宫，绝不是寝殿，根本不可能在那边于夜半细叙儿女私情。对这样的深情诗句，陈先生却作了冷酷的判处，使年轻的我极为震惊，但由此产生了对这位学者的钦敬之心。

此后，我因工作需要，曾几次翻阅，但未曾重读全书，这次倒抽暇通读一过，温故知新，倍感亲切。白居易说，"年齿渐长，阅事渐多"，再来阅读像陈寅恪先生那样的著作，就更感受到一种无可替代的吸引力。我再次意识到，对于陈先生这样学者的认识，不是一次或一代人所能完成的，其所著如同世界上为数不多的文学作品和学术专著那样，我们每次阅读它们，都会发现一些过去没有觉察到的有意义的内容。这次，我重读《元白诗笺证稿》，确惊异所得竟如此之多，庆幸三联书店给我一个难得的机缘。

过去一般论《元白诗笺证稿》，多着眼于以史证诗和以诗证史，即所谓诗史互证。这当然是我们探索陈寅恪先生治学思路的一条途径。但我觉得，光是这样还不够。我曾提出，作为一代史学大师，陈寅恪先生是有他的学术体系的，这个体系，不妨称之为对历史演进所作的文化史的批评（参拙作《一种文化史的批评》，《中国文化》创刊号，1989年12月）。这种对历史、对社会采取的文化的审视，就超越于诗史互证的具体演绎。

这里不妨举一例。陈寅恪先生曾有《元白诗中俸料钱问题》一文，文中引用两《唐书》、《唐会要》、《册府元龟》等史书材料，与白居易诗文印证，提出，凡是中央政治官吏的俸钱，史籍所载与白居易诗文所记，无不相合，而白居易在做地方官吏时，即使贬官江州（今江西九江），做江州司马，他的俸钱与同一品级的中央官吏相比，却超出很多，而与史籍所载不符。由此他推断说："据此可以推知唐代中晚以后，地方官吏除法定俸料之外，其他不载于法令，而可以认为正常之收入者，为数远在中央官吏之上。"这一事实，陈先生在文中说不是他首先发现的，南宋学者洪迈在其《容斋五笔》（卷八）就已提到，但他认为，洪氏的旨趣只在记述白居易的"立身清廉，家无余积"，即只着眼于诗人的个人修养、情操，而陈氏本文"则在考释唐代京官外官俸料不同之问题，及证明肃、代以后，内轻外重与社会经济之情势，故所论与之迥别"。他还提及晚唐诗人杜牧请求做杭州刺史而向宰相上书，说"作刺史，则一家骨肉四处皆泰，为京官，则一家骨肉四处皆困"，把问题提到"中晚唐士大夫共同之心理及环境"。这就是说，中晚唐时期，由于内轻外重的经济情势，造成京都官与地方官俸料收入的不等，而这种实际经济利益的差异，就形成士大夫的一种特殊心态与立身处世的准则。陈寅恪先生确有一种难得的通识,他能利用前人提供的线索,又具体运用诗史互证的方法,把具体史料提到历史发展普遍性的高度。

这种情况,在《元白诗笺证稿》中随处可见。此书虽名为"笺证",实际是一种由诗史互证而提高为一种文化探索。这里不妨再举一例,就是元稹所作的《莺莺传》及其艳遇诗。

《莺莺传》也是唐人传奇的佳作,其所叙张生、崔莺莺的情节,后来又衍化为金人诸宫调与元杂剧,以及清代以来的昆曲、京剧。《莺莺传》中的张生,是元稹自叙还是小说中的一个人物,历来就有争议。陈先生是主张自叙说的,现在有些学者也倾向于此。但也有人根据元稹的行年,考证其与张生的经历不同,我是赞同这一说法的。但我们现在来看陈寅恪先生的研究思路,倒不必拘牵于这两种说法,他的着眼点是大大超越于此的。

《莺莺传》写张生与崔莺莺在蒲州普救寺欢会,后来张生赴长安应试,遂与莺莺离绝。张生不但对莺莺始乱之,终弃之,而且在友朋宴谈之际,还用所谓"恶情说"为自己辩护。陈寅恪先生对元稹的这一品行是谴责的,但是他认为,对于此事,不能单纯从道德观念加以评判,而应该把握这样三点:"(一)当日社会风习道德观念,(二)微之(元稹)本身及其家族在当日社会中所处之地位,(三)当日风习道德二事影响及于微之行为者,必先明其梗概,然后始可了解。"从这三点的宏观考察出发,他先考证崔莺莺并非出于高门,而唐代一般文人,最看重的是二事,一为婚,二为仕,"凡婚而不娶名家女,与仕而不由清望官者,俱为社会所不齿"。这是影响文人仕途之关键,特别是舍弃寒女而别婚高门,乃"当日社会所公认之正当行为"。正因如此，当元稹后来在长安与友人杨巨源、李绅、白居易叙及此事时，这几位世称文雅知名之士听后作诗，虽都对莺莺表示同情，但毫无一字触及张生对莺莺的离异，更谈不上谴责，他们只把张、崔的欢会看做风流才子与绿窗娇女的一场艳遇。中唐以后，进士词科盛行，思想有所革新，但这些以文采自负的年轻士人，还不得不受到现实的社会关系以及与仕途密切相关的门第观念的约束。正是这一点造成张、崔爱情的悲剧。陈寅恪先生正是由张、崔的爱情波折揭示出当时一批新兴知识分子思想上的深刻矛盾。他对元稹（张生）当然不无谴责之意，但这种谴责是在对一个时代文人的社会观念裂变作整体考察之后的理性的批判，并非局限于个人的道义的责任。

这就是陈寅恪这样自树甚高的学者，从大的文化背景来对古代作家作品作整体的考察，使我们的文学史研究有新的突破。这也是《元白诗笺证稿》在今天看来仍然具有的一种学术魅力，以及给人一种难以忘怀的美的享受。

当然，陈寅恪先生主要是一位史学家，正因如此，他从历史的角度来提出和探索文学现象，有时是文学研究者自己也没有想到的。如白居易有一首与《长恨歌》齐名的长篇歌行《琵琶引》，是白居易被贬作江州司马，一天晚上到江边送客，不意碰到一位茶商客妇，听她诉说自长安沦落到江南的不幸遭遇，于是"满座重闻皆掩泣"，但"座中泣下谁最多"呢？于是最后一句："江州司马青衫湿。"一般喜读唐诗的人恐怕不会专门注意"青衫"一词的，搞文学研究的人说不定也会忽略。《元白诗笺证稿》中专门有一章论及此诗，特别提到这一句，说"此句为世人习诵，已为一口头语矣"。但陈先生随即提出,为什么白居易要说是"青衫"? 按照一般的史书记载,官员的服色是按职官官品高下而定的,像江州司马,为从五品下,是应该服浅绯色的官服。陈先生注意到清代史学家钱大昕《十驾斋养新录》中的一条考证,说南宋王楙《野客丛书》曾提及,"唐制服色不视职事官,而视阶官之品"。由此陈先生考出白居易在江州时,职事官虽是司马,而其文散官的品阶则甚低,为从九品下,也就是穿当时最低一级的服色:浅青。这看起来是一种纯粹官制的考释,但却使我们进一步体味到,白居易之所以特地用"青衫"一词,确是满含贬谪身世之感。如没有陈先生提出,一般读者是会随便放过去的,由此也体味不出白居易的这一深切之情。知道官员服色的这一特殊规定,对我们读唐诗,就会增长见识,碰到类似问题,也就能顺利解决。

陈先生的可贵之处,就在于用史证诗,而又能注意诗的文学特性,不是单纯用史事对诗体作一种医学解剖。如我们再回到《长恨歌》,诗中叙述唐玄宗经安史之乱,自长安逃出,在马嵬坡杨贵妃被处死,他也无可奈何,就随军从陕南入川,直至成都。诗中叙入川行程,云:"峨嵋山下少人行,旌旗无光日色薄。"这两句,北宋沈括《梦溪笔谈》就质疑:"峨嵋山在嘉州,与幸蜀路并无交涉。"嘉州治所在现在四川乐山,即峨眉山在四川的西南,而唐玄宗由陕南至成都,走的是川北的一条路。沈括的说法不无道理,此后也有人对此提出同样的评论。陈寅恪先生在这里却举了一个反证,说白居易的好友元稹于宪宗元和四年三月曾以监察御史的身份出使东川,也就是四川东部梓、遂、绵、剑等州,但元稹在一首《东川诗好时节》绝句中却说:"身骑骢马峨嵋下,面带霜威卓氏前。"陈先生说,元稹这次东川之行,也是不可能经过峨眉山下的,可见当时诗人往往以峨眉作为典故,来比喻蜀中之行,以增强诗的感染力。

他又提出《长恨歌》的另外二句:"夕殿萤飞思悄然,孤灯挑尽未成眠。"这是唐玄宗在长安收复后返回宫中,夜不能寐,思念杨妃。关于挑灯,宋朝人也提出,说宫中难道没有蜡烛,还点油灯,皇帝还自己挑灯,这样写真是书生之见,可笑(见邵博《闻见后录》)。陈寅恪先生也引了几条材料,说当时富贵人家,"虽寝室亦然烛达旦"。但他却又引录白居易后来入宫为翰林学士,夜中值班,有这样两句诗:"五声钟编初鸣后,一点窗灯欲灭时。"可见宫中即使像品位较高的翰林学士院,也点的是油灯,由此体验出《长恨歌》这两句,是写唐玄宗处于"幽禁极凄凉之景境"。这就使我们更可回头来看"七月七日长生殿,夜半无人私语时",陈寅恪先生确考出白居易不明了当时情况,在时间与地点上有问题,但他又引用另一些史料,说唐代也有把寝殿习惯称作长生殿的,这就将史、诗贯通,理、情融合,无伤于对诗情的涵咏。这应当说也是《元白诗笺证稿》至今仍能使人重读有所获的魅力所在。

《元白诗笺证稿》还有不少论述,可供我们进一步研讨。如由《长恨歌》论及小说《长恨传》,以及《莺莺传》,提出中国文学史一个值得注意之点,说是唐人传奇兴起于贞元、元和之世,与韩愈倡导的古文运动同时,"其时最佳小说之作者,实亦即古文运动之中坚人物"。因此提出:"第一,须知当时文体之关系;第二,须知当时文人之关系。"眼界是相当开阔的。在书的后一部分"附校补记"中,还特别论辨白居易于元和二年由长安郊县盩厔尉进入为翰林学士,《旧唐书》本传与《资治通鉴》都说是因为白居易作有新乐府,为皇帝宪宗赏识,陈寅恪先生认为新乐府中有几首是抨击宦官弊政的,当时皇帝只有靠宦官才能知道臣下诗文之作,宦官怎么能将这些作品转呈皇帝呢? 这对于我们了解唐代学士的地位与实际作用,很有启发。类似情况还有,限于篇幅,就不列举。

当然,《元白诗笺证稿》中有些具体论述,如唐代进士、明经两科的分界,武则天对进士科所起的推进作用,白居易诗中对李吉甫的讥讽,唐代牛李党争的所谓阶级区分,等等,学术界尚有不同意见。这在学术史上是正常现象。科学研究是不断深化、不断发展的认识运动。科学史的实例表明,没有一个大师的观点是不可突破的。前辈学者在风雨交加中好不容易开辟了一大行程,我们现在正可在风和日丽中继续开拓,而在行进中确还需时常回头,看看前辈是怎样在崎岖不平中走过来的——这当也就是温故知新的文化涵义。

2001 年 5 月于北京

原载2001 年 7 月 7 日《文汇读书周报》,此据大象出版社
2004 年版《唐宋文史论丛及其他》录入

陈友冰《海峡两岸唐代文学研究史》序

去冬今春,我分别在北京的《文学评论》、《文学遗产》刊物上读到过陈友冰先生的两篇专文,即关于近五十年来海峡两岸唐代文学研究比较,以及台湾学界唐代文学研究述论。现在我有幸在正式出版前通阅全书,不期有两种心情,一是感谢,二是钦敬,油然而生。我想这不单是大陆学者,就是台湾学者,也会与我有同感的。

所谓感谢,我确实认为,我们现在正是处于高科技、信息化的时代,对新世纪学术研究来说,信息量将是促进发展、提高品位的重要因素,谁在这方面作得富有成效,谁就将居于先行者之列。近五十年来的中国古代文学包括唐代文学研究,由于种种客观原因,在一个较长的时期内,海峡两岸信息互不相通,极为隔膜,对学术研究十分不利。现在通过陈友冰先生的这部专著,我们海峡两岸的学者,都能对对方的学术行程有一个清晰的了解,眼光豁然开朗,胸襟顿然宽畅。没有陈友冰先生这几年的沉潜操作,这种境界我们是达不到的。这就是我们学人一种传统的铭感之情。

所谓钦敬,有两层意思。一是陈友冰先生这样做,为研究者提供查获资料的方便,这实是一种奉献。现在大陆学者中有一种趋向,就是即使搞唐代一朝代文学的,专业领域也越来越细,搞诗的不关心文、赋,更不问及传奇小说,作初盛唐的不关心中晚唐,因此关于唐代文学研究整体进展情况,就不很清楚。我想,不少学者,特别是中青年学者,就可以通过本书,在较短的时间内掌握和利用较多和有用的知识资料,从而提高研究工作的效率。我曾经提到过,我们一些前辈学者,常常是自己动手编制过资料书和工具书。如陈援庵先生,是人们熟知的有深厚基础和精湛修养的史学家,他撰写过多种著作,但也编过好几部工具书,如《中西回史日历》、《二十史朔闰表》、《释氏疑年录》。台湾老一辈学者如严耕望先生编著有《唐仆尚丞郎表》,现在的罗联添先生编有《唐代文学论著集目》正编、续编。这些切实有用之书,实际上是浸融着一种可敬的学术奉献精神的,确使人钦佩。

我所说的钦敬之情另一层意思,是陈友冰先生的识力。本书不是一般的学术报导,实际上是一种学术通论。如记述大陆五十年的研究进程,无论是 1949 至 1965 年期间,以及"文革"后,八九十年代的改革、创新时期,在提供客观的大量的资料之余,总要加以评论,对台湾的几个时期,也是如此。特别是第三章《海峡两岸唐代文学研究比较》,充分肯定两岸学者的成就和各自的优势,就在比较中显示彼此的消长,而在具体评述中又适当指出两岸在某些领域各有所不足。德国哲学家黑格尔在《历史哲学》绪论中曾表述过这样的意思:世界上的事业是要靠一种热情才能做成的,但我们研究历史,一种较高的层次,即哲学历史,就要有"理性"。他明确地说"理性"是世界的主宰(北京:三联书店王造进时译本,

1956 年）。这倒能启人思索。陈友冰先生是大陆安徽学者,现在担任安徽省社会科学院文学研究所所长,有一定行政职务,近几年他又到台湾作学术访问,结识台湾南北各地的不少学者,交情不浅。但他仍能对两岸彼此的学术作出自己的评论,这就不仅需有热情,更要有学术上的一种"理性"。陈寅恪先生在《冯友兰中国哲学史上册审查报告》中,提出对古今学术史,"应具了解之同情"。就是说,了解作为同情的前提,同情又作为了解的趋向,由此就可以达成一种超越于狭隘功利是非的通识。通过本书的阅读,两岸学者确可达到"同情的了解",就是说,既彼此了解各自的优长与不足,又增进彼此的交流与情谊。陈友冰先生这样做,其意义已经超越于一本几百页的书了。

近五十年来,中国的唐代文学研究,包括海峡两岸及港澳地区,其总体成就确是超过以往任何时期的。对这一有特色的学术领域,作一种学术史的探索,陈友冰先生此书确是一部创新之作。我们研究学术史,不能只局限于古代,在新世纪全球化发展的新环境,应当把视野拓展到现当代,这样才能使我们更贴近社会,建设一个有科学含义的现代学科。

关于本书的内容,我就不详作介绍,读者通阅之后,所得一定比我还多。我这里想再谈谈一些个人感想。

台湾学者同行,我最早熟识的是罗联添先生和杨承祖先生。十年前我曾有一文介绍罗先生的《韩愈研究》及《唐代文学论集》,刊于 1992 年的《中国典籍与文化》创刊号。罗先生后来嘱其高足撰文,介绍我的《唐代科举与文学》,刊于台湾《汉学研究》上,自此就开始了我们深切的学术交流。80 年代中期,我邀约二十几位唐代文学研究同行作《唐才子传校笺》,《唐才子传》卷四王季友传,其中说:"家贫卖屦,好事者多携酒就之。"后世多以此作为王季友的事迹。其实这是本于杜甫为王季友所写的《可叹》诗"贫穷老瘦家卖屦,好事就之为携酒"。杨承祖先生曾有《杜诗用事后人误为史实例》一文(刊于台湾《历史语言研究所集刊》,1983 年),文中指出杜诗这里并非写实,是暗用谢承《后汉书·刘勤传》。我曾有机会读到此文,觉得所考新奇而又可信,就举以告作此传笺证的山西大学储仲君教授。按照通例,我们作笺证凡引用现代成果的应注明出处,但限于当时情况,未注明。后我于1990 年在南京大学举办的唐代文学学会年会上见到杨先生,向他谈起此事,他听了甚为欣然,此后就开始了我们切磋学问的交谊。

　　1999 年下半年,我应新竹清华大学之邀,去该校中文系教学一学期,同时又至台北、台中、台南等地大学、研究机构讲学,因此认识的学者友人更多,除与我年龄相若的如汪中、阮廷瑜、罗宗涛、王寿南等几位教授外,还有差不多二十几位中青年学界杰出人才。这样,我对台湾的古典文学研究学风有具体亲切的了解。陈友冰先生书中谈及台湾唐代文学研究的特色和优长,其中有"海外资料比较丰富,学术资讯比较灵通",我确有同感。我感到台湾文史学界对大陆的学术成果是很关切的,特别是一些年轻的博士、硕士研究生,在他们的论文中总要引录不少大陆的专著与论文。我在教课中,有时出题让学生作一些专题报告,他(她)们所交的读书小结,首先是列出与题目有关的大陆方面的成果,真使我惊异。相比之下,大陆学者对台湾的具体成果却了解得很不够。如我在 70 年代后期写有《韦应物系年考证》,刊于《文史》第五辑（1979 年 5 月），现从陈友冰先生书中，得知罗联添先生于 1969 年已发表有《韦应物事迹系年》。又如我在 1982 年底写成《唐代科举与文学》一书，1984 年出版，此书主要从文化背景，通过科举考试，探讨唐代士人的生活与心态，以及文学风气，但对考试文体却涉及不多。现得知台湾王梦鸥先生有《晚唐举业与诗赋格样》（《东方杂志》，1983 年 16 卷 9 期），罗联添先生有《唐代进士科试诗赋的开始及其相关问题》（《中国历史学会史学集刊》，1985 年第 17 期），张正体先生有《唐代科举制度与诗赋体制研究》（《中华文化复兴月刊》，1987 年 20 卷 1 期）。这对进一步了解唐代科举考试及文体沿革就很有参考价值。

我有一个想法，前五十年，大部分时间由于情况壅隔，彼此不通，对研究确有不利一面。但事情也有另一面的，即由于上述情况，对台湾来说，却形成、保持自己独有的治学风尚，这倒是很值得思考。总的说来，台湾的治学风尚，似乎与传统学风更接近一些，这对我们上年岁的人来说，似乎更有一种亲切感。陈友冰先生书中所说的台湾学术著作"选题细密，能小中见大"，以及台湾学者对诗歌格律颇有研究，且能写出古诗美文，似均与此有关。进入新世纪，两岸学术交流将进一步发展，我相信，彼此必能更好发扬各自优势与特有的治学风尚，携手共进。

陈友冰先生在第四章《两岸唐代文学研究的思考与前瞻》中，对唐代文学学科建设提出很有见解的建议，我很赞同。我以为，特别是现在，我们更应进一步扩展视野，建立开放型的文学研究，把海峡两岸的唐代文学研究扩大到全球范围。以唐代文学来说，我们应研究唐诗、唐文是怎样传播出去的，特别是古代的日本、朝鲜,在接受唐代诗文后对本国起了什么样的作用;另一方面,东亚及欧美各国从前几个世纪直到现在,是怎样来研究唐代文学的。这对于我们来说,更是开拓学术领域,提高学术境界,使之成为中国文学的传统研究与世界现代文明相协调、相接轨的一条途径。我相信,本书将是这一行程的起点。

2001 年 6 月,于北京丰台区六里桥寓舍

原载广西师范大学出版社 2001 年版、台湾"中研院"中国文哲研究所 2001 年版《海峡两岸唐代文学研究史》,此据大象出版社 2008 年版《学林清话》录入,另收入大象出版社 2004 年版《唐宋文史论丛及其他》

面向世界的中国古典文学

　　我很赞同中国社科院文学所古代文学研究室将"古典文学与华夏民族精神的建构"作为今后几年内研究的课题。华夏民族精神,当然还包括好几方面,但应当说古典文学是其中重要的组成部分,很值得探究。有的学者说,西方人说英语是思维的语言,德语是科学的语言,法语是爱情的语言,我们应把汉语看成智慧与诗情的语言,不过这些学者都有一个共同的看法,即我们把自己的文学精华介绍给国外,还做得很不够,世界还有不少地方,不少人,对我们的古典文学很不了解。因此提出,我们应当准确而完美地将蕴含着中华哲理的文学精品介绍给世界各国人民,让世人共享璀璨的华夏文明,这也能激励我们走向更高的文明。

　　我们搞古典文学研究,不应一味钻在书堆里,应该有面向世界、面向现实的心胸,一方面,通过翻译,把文学精品译成多种语文,传向世界;另一方面,通过研究,深入阐发华夏民族精神与传统人格,让世人更充分地认识我们中华文化的哲理与

诗情相互融合的内涵,这后一方面的研究,对我们来说,是更
为重要的。

原载《湖南社会科学》2001 年第 4 期《"古典文学与华夏民
族精神"笔谈》栏目,据以录入

古籍标点中两个应注意的问题

我这篇小文,是想就目前出版的我国古籍整理书籍中两个标点问题提出供大家讨论。这两个问题看起来并不大,但牵涉面却很广,而且还并不是"无伤大雅"。

1991年10月,我在担任中华书局总编辑期间,曾由总编办公室出面,请中华书局内部几位对古籍点校有经验的同志,包括曾任中华书局副总编、古籍整理研究专家赵守俨先生,经集体讨论,写成《古籍校点释例》(以下简称《释例》)一文,刊于中华书局出版的《书品》1991年第4期。《释例》前有一说明,中云:"为进一步提高古籍整理的质量,尽量减少校勘和标点中的错误,我们根据实际工作的经验,就校勘和标点中经常遇到的,或容易发生差错的问题,提出我们认为比较合理的处理办法。"虽已时隔十年,现在来看这份《释例》,还是较为合理的。当然,由于篇幅关系,当时有些问题还未能细述。这里我想结合这份《释例》,就目前出现的一些新的问题,谈谈自己的看法。

关于顿号"、",《释例》中说:"表示句子内部并立词语之间的停顿"。这当然是对的,但所举的例子只限于人名、地名、官名,未涉及书名。前几年我因与几位友人编撰一部唐五代的文学史著作，为赶出版时间，我们几个人特地到出版社去看校样，却发现一个经常出现的情况。如唐武宗会昌三年(843)，著名诗人兼词家温庭筠，在本年前后曾撰写十几首为人称道的乐府及歌谣之作，有《织锦词》、《夜宴谣》、《湘宫人歌》、《江南曲》、《苏小小歌》等。又唐宣宗大中元年(847)，李商隐应桂管观察使郑亚之辟，入其幕府，在赴任途中作有《海客》、《离席》、《五松驿》、《四皓庙》等诗。我们在原稿中就是这样写的，把这几首并列的诗篇用顿号隔开。但出版社排出的校样中，却一律把顿号去掉，排成:《织锦词》《夜宴谣》《湘宫人歌》《江南曲》《苏小小歌》《海客》《离席》《五松驿》《四皓庙》。我们当时看了感到很别扭，提出应加顿号。但编辑同志说，上级有发文，凡书名、篇名并列，已加《 》号的，不应再加顿号;如加顿号，以后编校质量检查，就会出问题，我们不敢违背。这样，我们几个作者就只好迁就了，以后印出的书，凡是这样情况的，都不用顿号。我们也注意到，这些年出版的书，有些也是如此。

　　我现在认为，这还是应该用顿号隔开的。过去古籍整理一般用直排繁体，如中华书局过去出版的《二十四史》、《资治通鉴》，一向以符合规范著称。当时直排，书名号用曲线(〰)排在书名的侧面，凡是并列的，一概用顿号隔开，如不隔开，则成为前面是书名，后面是篇名，如史记货殖列传。如果《史记》与《汉书》不隔开，排成史记汉书，就发生差错。现在虽用《 》号代替〰号，但仍应用顿号隔开。如上面温庭筠、李商隐的好几首诗，不用顿号，看起来实不规范，也不好看。

另一问题，牵涉的面更广，情况则似乎比上一问题稍复杂一些，即书名与篇名联写时如何标法。

一般来说，这是比较清楚，也比较好处理的。如《旧唐书》卷一四七有《杜佑传》，我们如把卷次简略，即可写成：《旧唐书·杜佑传》。这在直排时，则更简明，即：旧唐书杜佑传。这就是说，书名与篇名之间不加圆点，但书名号的曲线（～～～），应当分开，前面是书名，后面是篇名。这在古籍整理上，长时期以来一直是这样处理的。

但有另一种情况，如《旧唐书》中有《职官志》，而《职官志》则有三卷，这在过去直排中，正常的标法为：旧唐书卷四二职官志一，旧唐书卷四三职官志二，旧唐书卷四四职官志三；如省去卷次，则可标为旧唐书职官志一等等。这就是说，这里的一、二、三，是不在书名之内的，这是一种通顺的标法，过去中华书局的《二十四史》、《资治通鉴》都是如此。但这几年来改成横排，书名号由曲线改为《 》，就出现异常现象，即上面所举的一、二、三，都分别放在书名号之内，标为：《旧唐书·职官志之一》，等等。与此类似的，有：《梁书·武帝纪上》，《管子·君臣上》，《少室山房笔丛》卷二《经籍会通二》，等等。这样，这"一"、"上"、"二"，就不是标明篇名的次序，而成为篇名的组成部分，含义完全改变。

有些含义更不清楚，如东汉时中央的图书藏处为东观，其中设置秘书监一人，掌宫中图书管理，其下属官员有校书郎。宋末元初史学家马端临所著的史书《文献通考》，其中有职官部分的记述，称《职官考》，《职官考》的第十篇，记载秘书监下的校书郎职务，其篇名，如按直排，则为：文献通考卷五六职官考十秘书监校书郎,非常清楚。但现在出版的有关书中,则标为:《文献通考》卷五六《职官考十·秘书监校书郎》。如不了解《文献通考》一书的性质,则这里的《职官考十》,就可能把"考"单纯理解为动词,说成某一职官去考十。

为与过去直排、曲线的标法相通,并使人更易于理解书名、篇名的主从关系,我认为今后应改为:

《旧唐书·职官志》一

《梁书·武帝纪》上

《管子·君臣》上

《少室山房笔丛》卷二《经籍会通》二(或《少室山房笔丛·经籍会通》二)

《文献通考》卷五六《职官考》十《秘书监·校书郎》(或《文献通考·职官考》十《秘书监·校书郎》)

以上两个问题,我希望能引起有关部门的注意,也希望得到专家学者和从事古籍整理出版的编辑同志指正。我们不妨就此议一议。

原载《古籍研究》2001 年第 3 期,此据大象出版社 2004 年版《唐宋文史论丛及其他》录入

陆游南郑从军诗失传探秘

一

陆游于宋孝宗乾道六年(1170)闰五月离故乡山阴赴夔州通判任,十月到达夔州。乾道八年(1172)又应四川宣抚使王炎之聘,由夔州赴王炎幕府,三月抵南郑(今四川汉中)。同年十月,因王炎召还,幕僚遣散,陆游也离南郑还成都,自此在成都及附近州府供职。至淳熙五年(1178)春奉诏东归,共在蜀中八九年①。自来评论陆游诗的创作,都把他在四川的生活作为一大关键。清人赵翼就说:"放翁诗之宏肆,自从戎巴蜀,而境界又一变。"(《瓯北诗话》卷六)

但实际上陆游真正过军中生活,在当时边境第一线的,只是

---

① 参见《宋史》卷三九五《陆游传》;于北山《陆游年谱》,上海古籍出版社1985年11月。

在南郑的七个月。应当说,这七个月才使陆游亲身体验战争实景,因而使他在诗歌创作上获得前所未有的变化。对此,陆游自己也是首肯的。他晚年隐居绍兴时,回顾自己的创作道路,先说:"我昔学诗未有得,残余未免从人乞。力屠气馁心自知,妄取虚名有惭色";但后来从军南郑,生活有新变:"四十从戎驻南郑,酣宴军中夜连日。打球筑场一千步,阅马列厩三万匹";而诗界则立刻上一新台阶:"诗家三昧忽见前,屈贾在眼元历历。天机云锦用在我,剪裁妙处非刀尺。"(《九月一日夜读诗稿有感走笔作歌》)①陆游当时确实是在最前线的,他说他在南郑,能在城中"望见长安南山"(《南郑马上作》)②,而长安当时仍为金人占据。陆游是很想从南郑往北,攻入长安的:"客游山南夜望气,颇谓王师当入秦。欲倾天上河汉水,净洗关中胡虏尘。"(《夏夜大醉醒后有感》)③

陆游还有好几首诗提到他在南郑的生活和抗敌复国的情怀。如《夜观秦蜀地图》中写道:"往者行省临秦中,我亦急服叨从戎。散关摩云俯贼垒,清渭如带陈军容。高旌缥缈严玉帐,画角悲壮夜传风。咸阳不劳三日到,幽州正可一炬空。"④散关是大散关,当时是宋、金边界线。陆游满有信心从大散关居高而下,直冲向前,这样不到三日就可到咸阳,金人的根据地幽州也可一烧而空。又说:"昔者戍南郑,秦山郁苍苍。铁衣卧枕戈,睡觉身满霜。"

---

① 《剑南诗稿》卷二五,中华书局 1976 年 11 月《陆游集》点校本。以下引陆游诗文,皆用此本,不备注。
② 《剑南诗稿》卷三、卷七、卷一四、卷一一、卷三六。
③ 《剑南诗稿》卷三、卷七、卷一四、卷一一、卷三六。
④ 《剑南诗稿》卷三、卷七、卷一四、卷一一、卷三六。

（《鹅湖夜坐书怀》）①"夜栖高冢占星象，昼上巢车望虏尘。"（《忆昔》）②

不过我们要提醒大家注意这样的一点：这里所举满怀激昂慷慨之情、充溢恢宏雄放之气的诗篇，是陆游怀旧忆昔之作，并不是即在南郑执笔，直抒胸怀。据我们就今存的陆游之诗统计，他在南郑所写的诗，仅存十二首，见《剑南诗稿》卷三。而且这为数不多的诗作，没有一篇是记述当时的军旅生活的。这实在是一个极大的反差。

实际上，陆游在南郑是作有为数不少的从军诗的，他自己就说有"百余篇"，称"山南杂诗"，当是名为《山南杂咏》的专集。山南即关中。还有一个《东楼集》，收古、律三十首，也有包括汉中的作品。这些应当是极为珍贵的名篇，但可惜，据陆游自己说，它们都丢失了。

关于前者，《剑南诗稿》卷三七《感旧》六首的第一首，末二句"百诗犹可想，叹息遂无传"，自注说这百余篇诗，"舟行过望云滩，坠水中"。陆游另有《予行蜀汉间道出潭毒关下……》一诗③。又《读史方舆纪要》卷六八《广元县·潭毒关》下小注："望云关，在县北五十五里。"则陆游所说的望云滩，当即在望云关下。据此，则其所谓失落时间，当为乾道八年冬他自汉中（也即南郑）还成都

---

① 《剑南诗稿》卷三、卷七、卷一四、卷一一、卷三六。
② 《剑南诗稿》卷三、卷七、卷一四、卷一一、卷三六。
③ 《剑南诗稿》卷三，诗的全题为《予行蜀汉间道出潭毒关下每憩罗汉院山光轩今复过之怅然有感》。

的途中。

关于后者,陆游《渭南文集》卷一四有《东楼集序》。序作于乾道九年(1173)六月在成都时,序中说此集收乾道六年"溯峡到巴中"至乾道九年六月前的作品,特别提到乾道八年在王炎幕府"凭高望鄂、万年诸山,思一醉曲江、渼陂之间,其势无由,往往悲歌流涕"的情况;及发而为诗,"欲出则不敢,欲弃则不忍,乃叙藏之"。查现存陆游在南郑之诗,并没有突出地表现以上的情况,只是在《南郑马上作》一诗有"目断南山天际横"之句。可以肯定,表现上述军中情况之诗,已经失传。

我们现在就此作一些思考。

第一,如果《山南杂咏》真的坠落水中,《东楼集序》一定会提到此事,因《东楼集序》作于所谓坠落水中的第二年,不必等到作《忆昔》诗的宋宁宗庆元四年(1198)才说及。

第二,《东楼集》既是"叙藏",是自己珍爱的作品,为什么淳熙十四年(1187),陆游在严州刻《诗稿》时不收进去?序中所说的"不敢",则透露了一点讯息,说的是实情。"不敢"者,犯时之所忌也。估计此《东楼集》保藏了很长时间,陆游长子虡、幼子遹刻《诗稿》时都没有收进去,说明所犯时忌很深,在这以后也就失传了。

由是,我们又可以作进一步推断,《山南杂咏》的失传,同样是由于犯时忌,同样有一段隐情。

那么,隐情何在呢?这里关系到王炎这位积极主张抗金人物的悲剧命运。

二

　　王炎，字公明（见周必大《玉堂杂记》卷二），相州安阳人。年轻时，曾经到庐山东林学道，"闭户面壁，终夏不出"，赢得老宿的赞扬（陆游《静镇堂记》）①。这样有意识地刻苦磨炼自己，对他以后办事果决作风的形成，起了一定的作用。

　　高宗绍兴二十二年（1152）间，王炎为蕲水县令（《建炎以来系年要录》卷一六三）。王之道《相山集》卷一二有诗赞扬他："才业如君真独步，文章政事尽堪传"。王之道年辈大于王炎，他是主张抗金、极力反对和议的，绍兴和议订立时，王之道任滁州通判，与几位友朋上疏，"力陈辱国非便"，秦桧就把他贬黜，"坐是论废者二十年"②。可见王炎早年就与抗金派人物有共识。

　　乾道元年（1165），王炎为两浙转运副使。二年五月，知临安，十一月，以职事修举，除秘阁修撰（《咸淳临安志》卷七三）。三年五月，奏"近来士大夫议论太拘畏"，如朝廷派员"至淮上相度城壁"，这些人就"纷然不以为宜"。王炎以为隆兴二年（1164）虽与金人和议，但恢复大计仍不可变，防御不能丝毫松弛。宋孝宗是赞成王炎看法的，认为"儒生之论真不达时变"，而王炎则为通达时务（《皇宋中兴两朝圣政》卷四六）。

---

①《渭南文集》卷一七，亦见中华书局1976年11月《陆游集》点校本。
②参见《四库全书总目》卷一五六集部《相山集》提要。

事实证明，王炎是具有多方面才干的。正因如此，他在数岁之间，位至公辅。乾道四年（1168）二月，王炎以试兵部尚书赐同进士出身，除端明殿学士，签书枢密院事；五年（1169）二月，除参知政事，兼同知枢密院事；同年三月，以左中大夫为四川宣抚使，依旧参知政事（据《宋宰辅编年录》卷一七，《宋史·宰辅表》）。王炎官位的迅进，也说明他在士大夫中有很高的声望。当时他的一些友人，如李石、晁公溯、王质、蔡戡等，都对他以把握机遇、建立功业、恢复中土相期①。

但当时南宋朝廷，情况也是十分复杂的。朝廷内部仍有主和派，士大夫中也有人主张"当今之计，莫若以仁义纪纲为先"，要人们"格心正始，以建中兴之业"，以为用兵非急务（《宋史》卷四三四《薛季宣传》）。但王炎仍意志坚决，义无反顾。正如陆游感谢王炎聘其入幕府的书启中所说："践危机而志意愈坚。"②

王炎一到任，就把宣抚使的治所由原来的益昌（今四川广元市西南），移至汉中，这是因为他考虑到"帷幄制胜，汉中为便"（《舆地纪胜》卷一八三引王炎语）。汉中更接近战争的前线，迁治汉中，是为了适应形势的需要，也确实表现出王炎进军的决心。王炎在任时，做了两件大事，一是积极组建地方武装，二是广泛延揽人才。在此作简要的介绍。

在四川宣抚使的辖区内，在接近金人的前沿地区兴州、洋州、

---

① 见《方舟集》卷一二《上王宣谕启》，《嵩山居士集》卷三〇、卷三六与王炎柬、札，《雪山集》卷九《上王参政启》，《定斋集》卷九《贺王参政启》。
② 《渭南文集》卷八《谢王宣抚启》。

大安军等地的乡村中,有自行组织起来的、以保卫地方为目的的抗金武装"义士"。王炎很看重这支武装,乾道六年二月二十八日,奏准朝廷,"令安抚司依时差官前去"按试,考察"所习武艺有无精熟"(《宋会要辑稿》第 6768 页)。

在四川宣抚使所属关外成、西和、凤州有"忠勇军",是地方正式武装。他们"原系保甲","各自备鞍马器甲,修置营寨",屡经战斗,立有功绩。对于这支队伍,乾道七年正月十七日,王炎奏准朝廷,决定"差官训练教阅",与"见屯御前军马一般出入",提高他们的待遇;对于因疾病裁汰下来的人,给他们妥善安置(《宋会要辑稿》第 6793 页)。

陆游称王炎四川宣抚使幕府为征西大幕。那么,四川宣抚使治所就是征西司令部。在征西司令部里,有一支特殊的战斗部队——"义胜军"。这支部队,"系招纳契丹、女真、汉儿(当时指契丹化、女真化的汉人——作者)"组成。乾道六年闰五月十四日,王炎奏准朝廷,派员"专一训练"他们及"诸军见管归正北人";考虑到包括风俗习惯及语言在内的许多情况,只有他们内部的人才熟悉,为了表示对他们的尊重,王炎决定从他们中间"选择抽差"一将,以沟通感情,加强联系。应该说,这件事本身即说明王炎具有大将风范,值得特别提出(《宋会要辑稿》第 7052 页)。

在延揽人才方面,王炎的举措更显出不寻常的眼力。当时陆游只在川东的夔州通判任,王炎就招他。陆游在谢启中满含感情地说:"抚剑悲歌,临书浩叹。每感岁时之易失,不知涕泗之横流。昨属元臣,暂临西鄙。获厕油幕众贤之后,实轻玉关万里之行。"(《谢王宣抚启》)他称王炎幕府中人才"众贤"济济,确符实际。

王炎曾提出:"形势地利,须人以为重。"①可见他是很重人才的。据陆游晚年所记,当时在宣抚使幕中的,有"十四五人"(《跋刘戒之东归诗》)②。除陆游外,其代表人物有:

章森,字德茂,广汉绵竹人。陈亮称之为"西州之英,负一世之望,汉廷诸公莫之敢先","开豁亮直,足以起士气"③。

张缜,字季长,唐安(今四川崇庆县东南)人。隆兴元年(1163)进士。杨万里曾称赞其"声誉震于京师"④。陆游说他与张缜,"邂逅南郑,异体同心。有善相勉,阙遗相箴",他是"众彦所钦"的人(《祭张季长大卿文》)⑤。

阎苍舒,字才元,蜀州晋原人。苍舒关心边事,尝与周必大论之(周必大《书稿·与苍舒书》)。淳熙间使金,过汴京,赋《水龙吟》,有"五十年都城如旧,而今但有伤心烟雾,萦愁杨柳"之句,感慨万端⑥。

范仲苣,字西叔,与弟仲艺(东叔)奋发有为,均为蜀中知名之士。张孝祥谓仲苣"白玉比粹温",仲艺"俊逸百马奔"⑦。

可以注意的是,幕府中有不少是四川人,可见王炎是颇有识见的。这征西大幕是一个特殊的参谋部,他们在帷幄中经常商议

①《陈亮集》卷一九《与章德茂侍郎书》引。
②《渭南文集》卷三一。
③《陈亮集》卷一九《与章德茂侍郎书》。
④《诚斋集》卷六八《答张季长少卿书》。
⑤《渭南文集》卷四一。
⑥宋刘昌诗《芦浦笔记》卷一〇。
⑦《于湖集》卷四《劝范东叔饮》。

军事,又有实际军事行动。如其中一位浙江长兴人周颉（字元吉），后来,陆游在绍兴闲居时曾与他话旧,"追怀南郑",有诗云:"阅兵金鼓震河渭,纵猎狐兔平山丘。露布捷书天上去,军咨祭酒幄中谋。"(《和周元吉右司过敝居追怀南郑相从之作》)①他们或者"踏营渭北夜衔枚","盘槊横戈一世雄"(《忆山南》);或者"寝饭鞍马间","扬鞭临散关"(《忆昔》);或者"宿师南山旁","土床炽薪炭"(《十月喧甚人多疾……》)②。这些都是陆游怀旧之作,但由此也可见这是一个颇有生气的群体,正如陆游上述诗中所说:"是时意气快,岂复思江乡。"

王炎还有其他措施,如在兴元府兴修水渠(见《宋史》卷一七三《食货志》),加紧积粟练兵,奏褒忠义及边政有功者,开展对金占区的工作(见《宋会要辑稿》第7028、3750等页,及《剑南诗稿》有关诗作)。

三

王炎的事业正在顺利进展的时候,南宋中央决策却发生突异的变化。

乾道八年七月,陆游应王炎之请,为幕府治所作《静镇堂记》,

---

① 《剑南诗稿》卷二一。
② 以上诗作,分别见《剑南诗稿》卷一一、卷二八、卷五九。

并引用近时宋孝宗给予宣抚使的诏文中"静镇坤维"一语①。这一语很值得注意。按《易》坤卦为西南之卦，《淮南子》说"坤维在西南"，这里指西方，即四川宣抚使辖地。"静镇坤维"是朝廷对待西事的新方针。王炎乾道七年七月，加除为枢密使，依前四川宣抚使时，周必大当时代孝宗作制词《王炎除枢密使加封邑制》，其中说到："西顾未宽，则藉精神而折千里；群方庶定，则还英俊以强本朝。"②显然，这"静镇坤维"的话比起这几句，已经从进取的意味后退了。

接着，过了不到两个月，即乾道八年九月乙亥，下诏王炎还朝赴都堂治事；同月戊寅，正式下命以虞允文为四川宣抚使（《宋史·孝宗纪》）。而且是"促诏"（《王绚神道碑》）。王炎离汉中，幕府星散。九年正月辛未，王炎罢枢密使，奉祠，也就是彻底解除官职。这实在是太突兀了。

王炎苦心经营川、陕近四年，应该说有不少建树的。其友人、著名诗人范成大就盛赞他宣抚四川"四年西略可万世，孤撑独立扛千钧"③。范成大之言是客观公正的。

那么，王炎究竟为什么自汉中罢归呢？

就现有的南宋史料来说，没有一条来说明、回答此事的。对于像王炎这样曾任过宰执副相，又任过西部边防大臣的人来说，在此时发生如此大的变动，应当是有所记载、解析的。而且王炎

---

①见《渭南文集》卷一七。
②周必大《玉堂类稿》卷二。
③范成大《石湖诗集》卷一五《寄题潭帅王枢使佚老堂》。

的后半生遭遇,也值得深思。据《宋宰辅编年录》卷一七,王炎过了一段退居生活以后,于淳熙元年(1174)十二月知潭州(今湖南长沙)。但不到半年,即淳熙二年五月,就有人告他"欺君",于是又被罢官,贬至"袁州居住"。三年十二月,"欺君"的罪名算是解除,并任命他知荆南,但这时他以"疾辞"①。淳熙五年(1178)去世,年六十五。淳熙是孝宗年号,可见王炎在孝宗时,自四川宣抚使罢免后,一直是很坎坷的,有几年甚至还加有"欺君"的罪名,很值得研究。而且,他的死,没有人写祭文、挽词。除《玉堂类稿》及以后的《宋宰辅编年录》外,没有一篇关于王炎汉中罢归后事迹的粗略记载,甚至连传闻都没有。《宋史》也未为他立传(元代修《宋史》,主要是根据宋代留存的史料的)。一个为恢复国土竭尽心力的人,凄凉、冷落到如此地步,颇值得沉思。

王炎一生的转折点,是他任四川宣抚使。这段时间是他一生事业的高峰,但也由此向下跌落。我们觉得,这与王炎在这段时间所创的功绩大有关系,特别是他组建幕府,募用不少蜀人,又在川、陕一带建立地方特色的武装队伍,颇有实力,联系到他晚年曾被人告以"欺君"之罪,恐怕他在四川的作为是受到孝宗的猜忌的。这在当时是一个大忌讳。

另外还有一个因素,就是中国社会上经常发生的人事矛盾。上面曾引用周必大《王炎除枢密使制》,周必大在此后尚有一段跋,云:"初,(王)炎与宰相虞允文不相能,屡乞罢归,允文荐权吏

---

① 周必大《玉堂类稿》卷七《赐中大夫提举临安府洞霄宫王炎再辞免资政殿大学士恩命不允不得再有陈请诏》。

部侍郎王之奇为代。……暨宣炎(除枢密使)制,宰相以下皆莫测云。"可以看出,王炎的罢归,与虞允文有关系。以与王炎"不相能"的虞允文去代替王炎,这当是宋孝宗与虞允文的共识。王炎罢去,虞允文代之,幕府尽散,陆游明确地说:"同在宣抚使幕中,同舍十四五人,宣抚使召还,予辈皆散去。"(《跋刘戒之东归诗》)幕府中十四五个人,一个也不留,这确如中国俗话所说的"一朝天子一朝臣",也由此可见虞允文对王炎意气之深,他完全不从事业着想,而完全为了泄私愤。

辛弃疾于淳熙五年(1178)离知江陵府任时,曾作有《水调歌头》一词,这时王炎刚去世不久,辛弃疾在这首词的小序中曾提及:"时王公明枢密薨,坐客终夕为门户之叹。"[1]辛弃疾明显是同情王炎的,他不但自己流露这一心情,还说当时在座的友客,竟"终夕"议论,认为王炎是受的"门户"之祸。可见这也是当时士大夫中的共识。

历史常常令人惋惜,也使人深思。绍兴三十一年(1161),虞允文在采石之战中,大破金兵,立下了赫赫战功,何等气概。然而,虞允文有一个致命的弱点——"讳缺失"(《宋史·薛季宣传》)。他听惯了歌功颂德的话,听不得不同意见,更有嫉妒的心理,久而久之,不免起"门户"之心,排斥异己。辛弃疾及其友人的感慨确是由此而发的。

---

① 邓广铭《稼轩词编年笺注》卷一。

四

从以上这一政治背景,我们就可真切理解陆游的心情。陆游刚从南郑撤回,在返成都途中,所作的诗,心情一直是极为悲痛、十分深重的。他在刚得到撤散的消息,上路时,感到恢复失土已渺然无望:"渭水函关元不远,着鞭无日涕空横。"(《嘉川铺得檄遂行中夜饮小柏》)途中有时还因忧愤喝醉了酒,"门外倚车辕,颓然就醉昏",他想以此"一洗穷边恨,重招去国魂"(《道中累日不肉食至西县市中得羊因小酌》)。离开汉中时,他还是想再眺望一次长安:"凭高望杜陵,烟树略可指",但毕竟是:"今朝忽梦破,跋马临漾水"(《自兴元赴官成都》)①。

从这样的一种环境和心情,我们可以更真切地体会陆游的这首名篇:

> 衣上征尘杂酒痕,远游无处不消魂。此身合是诗人未,细雨骑驴入剑门。(《剑门道中遇微雨》)

此诗见于《剑南诗稿》卷三,也就是离南郑,永远脱离前线,再无抗敌报国之望,于是对自己的身份产生一种渺茫之感。过去一般对此诗的评论、赏析,往往是不着边际的。

---

①以上均见《剑南诗稿》卷三。

正因为了解了以上的情况，我们也就可以知道陆游为什么在此之后就再也不提王炎。陆游在南郑的诗作，当有叙及与王炎的交往，对其加以赞颂，也会有记录行军生活，与同僚交往，甚或有记录得到敌方情报的即兴之作。王炎，在孝宗后期已是一个政治"忌讳"。前面提到过的范成大那一首赞誉王炎诗，在"孤撑独立扛千钧"之后，即有"危言岌岌愁鬼神"之句。范成大也已感到一种犯时讳的压力，可以想见，陆游肯定会认识到，如果把南郑这些诗保存下来，传之于世，就会给人以口实，给自己和子孙带来不利。他在《东楼集序》中说，他在汉中所写的诗，"欲出则不敢"，这一"不敢"之词，是很沉重的。这种重压之情当一直负荷着，时间一长久，这些"叙藏"着的作品也就自然而然地佚失了。这应当说是政治事件造成的对文学事业的损害，是南宋文学上的一件大事，但过去却为人漠视。陆游在南郑从军诗的失传，不论是对陆游，还是对南宋诗坛，以及我们今天的研究，真是无可弥补的损失。这应当说也是一个教训。

与孔凡礼合撰，原载《文学遗产》2001 年第 4 辑，此据大象出版社 2004 年版《唐宋文史论丛及其他》录入，另收入万卷出版公司 2010 年版《当代名家学术思想文库·傅璇琮卷》

黄世中《中国古典诗词：考证与解读》序

　　温州师范学院中文系颇有学术气度，近来他们一次性推出《教授论丛》十二种，其内容涵盖中国古代文学、文艺美学、语言学三大领域，显示系里教师十余年来在中国语言文学系列方面所取得的引人注目的成果，这当在文化界教育界造就良好的影响。

　　黄世中先生与我是学术同行，我们多次在中国唐代文学会议及李商隐研究年会上相聚。现在作为《教授论丛》之一，其论文集《中国古典诗词：考证与解读》即将面世，他特地约我为这部著作撰一序言。说实在话，我实不敢执笔。世中先生这部书中的论文，大部分我是见到过的，但非常遗憾，当初刊发出来后我并未细读。我于1991年至1997年，被任用为中华书局总编辑。而南京大学校长匡亚明先生担任国家古籍整理出版规划小组组长时，他因常住南京，又约我为小组秘书长。这两项职务使我中断了80年代期间连续不断的学术进程。南开大学中文系罗宗强先生曾几次与我谈起，说这种行政职务对我们来说是一种浪费，耽误我们的时间，会后悔的。确实如此，1997年下半年我卸去这两项职务，一面前瞻，觉得轻松；一面回顾，确大有所失之感。正因如此，这几年来,我抓紧时间,与友人合作,总算出了几本书,如《唐五代文学编年史》(1998 年 12 月)、《李德裕文集校笺》(2000 年 1 月)、《中国藏书通史》(2001 年 3 月)。现在应世中先生之请,为此论著写一小序,我即通阅全书,实际上也是对我过去的耽误所作的一次补课。

说起补课,则确有所获。这里我不拟对本书作全面的论述,因为序言作为一种文体,恐与书评有别。根据我的理解与经验,为人作序,一是抒"淡如水"的友情;二是述"切于学"的旨趣。这样,写的人既可有真情自如的文笔,读的人也能有义理相通的共识。

我的读后所得,主要有两点:一是世中先生从 80 年代中期开始,已经把古代诗人的创作心态,从文化视野出发,作历史性的探索;二是就书名所启示的,我们作为具有现代科学思维的学人,怎样把资料考证与审美解读互相沟通,以期对传统考证方法有新的阐释和把握。

本书的论文可以分为三大组,第一组是关于李商隐;第二组是道教、道家与唐诗;第三组从唐代的白居易、元稹、韩偓,至南宋陆游、明末王次回、晚清龚自珍。值得注意的是,作者着重探讨这些诗人在爱情方面的种种曲折。这些曲折使创作有一种特有的意境,而这种意境又含有中国传统特色的文化价值。如书中论及白居易的湘灵诗,元稹的莺莺诗,李商隐的无题诗,概括为我国中晚唐时第一次出现的一种文人恋情诗,而"文人恋情诗之出现,为我国中古文化思潮向近古过渡的标志之一,是诗人将纯真的爱情纳入人生价值体现的一次觉醒"(《李商隐论》)。同时,这类恋情诗的含义又有历史性的变化,如说:"如果我们将王次回之对待姚氏,同元稹之对待双文作一比较,就不难看出两个品格之高下,心态之不同,同时也深化了我们对明末社会部分质变引起知识分子观念改变的认识。"(《王次回〈疑云〉〈疑雨〉诗探考》)书中好几处提到应当摒除五六十年代所流行的对恋情诗一概贬抑的态度,认为对这部分作品应加以理性的辨析,而那些古代诗人心声真情流露之作,则应视为"文化遗产"(《古代诗人情感心态研究题言》)。作者又认为,唐人恋情诗中富于仙道情韵的大多为艳情诗,从而对道教、道家的诗,也作了美学的研索。曾有学者提出,在唐代文学研究中,关于道教与诗歌的关系,大陆的研究还不如台湾,这是确实的。但我认为,台湾的这方面研究,宗教色彩过浓,像黄世中先生那样从创作心灵的美学角度对文人(包括女冠诗人)生活作多方面的探索,在研究视角与研究手段上是有拓展的。

这使我想起我在 1989 年所写的《一种文化史的批评——兼谈陈寅恪的古典文学研究》(刊于《中国文化》创刊号,1989 年 12 月),文中因陈寅恪对《莺莺传》中张、崔悲剧的评论,我自己就稍作一段阐发:"中晚唐时有不少作家,他们往往有一种爱情上的失落感。白居易早年有个出身平民的恋人,后来由于种种原因分离了,从此失散,未曾重逢,造成他感情上的沉重负担。李商隐有他所爱的女子,这女子由于生活环境的限制,不能与李商隐有正常的爱情的吐露,李商隐只得在'红楼隔雨'的绝望心态中,带着'珠箔飘灯'的失意在风雨中离去。韩偓前期有他所爱的歌伎,歌伎的身份使她与韩偓可以在一段时期内有美好的相处,但社会动乱,韩偓终于流落到闽越海角,从此南北分离,韩偓只能唱出'此生终独宿,到死誓相寻'(《别绪》)的凄苦歌吟。这些并非是个别的、孤立的现象。这时男女之间感情上的悲欢曲折与初盛唐时期显然不同。面对乎此,我们不是应该像陈寅恪那样,从大的文化背景来对他们作整体的考察,使我们的文学史研究有新的突破吗?"

读者可以看出,我的这一段话与世中先生这本著作,学术旨趣是相通的。可惜那时我还未曾读到世中先生的文章,如韩偓所爱的女子,还承袭旧说,未有如本书所考为李商隐女儿那样的新见。而更为主要的是,对中晚唐时开始的一些诗人爱情上的失落感,我还是作文化背景考察的期望,而世中先生却已经有系统的论述。这种文化意识的观念及其在研究工作中的运用,本书自唐至清,都有示范性的个案分析,我很希望能引起文学史研究的注意。

至于近二十年来唐代文学研究中文献整理与资料考证所取得的丰硕成果,为学界所共识。但也有人提出目前似乎有一种"考据至上"的倾向,认为这是20世纪20年代"整理国故"思潮的回流。当然,我们现在进行资料考证,不能完全按照所谓"乾嘉学派"那样来做,不能陷于支离破碎,埋头于一字一句、一人一事的繁琐考订。考证,作为一种治学思路,是不能否定的。当然它应当是一种细密、清晰的理性思考,同时对所治的某一学科要有一种整体的把握和考察,具备一种综合的科学思维方式,这样就能进行有效的工作程序。

从这一点来看,世中先生在这方面所作正合于科学规范。他有不少传统的好做法,如考述李商隐诗宋刻初刊及宋椠流播,及明季清初李商隐诗笺注情况,除了其丰富的家藏外,还查阅过江苏常熟图书馆、北京图书馆、浙江图书馆,以及上海师大、四川南充师院、厦门大学、中央党校等高等院校图书馆所藏的本子。为了考证陆游前妻唐琬家世籍贯及与陆游的合离,除了陆游本人诗文外,还引用了不少南宋史书、笔记、墓志、族谱等。除此之外,值得提出的,是世中先生提出以诗证诗、以诗(词)考事、取得内证的符合于文学研究本身规律的做法。这样一来,就出现不少新见或新说,如白居易正因为有早年与湘灵女子离异之恋,才使《长恨歌》有如此深刻之恨;陆游之所以与唐琬分离,与科场考试中的政治触犯有关;王次回之与姚氏,龚自珍之与顾氏,都牵涉到当时社会实际利害与伦理观念。我认为这提供我们作古代文学考证的一种新思路,即既要遵循传统的符合规范的一种考据通则,又须结合文学作为个性化极强的一种精神活动的特点,将研究真正归位到文学的本体研究上来。

至于一些具体结论,还可进一步探讨。如《钗头凤》词是否就题写于绍兴沈园,李商隐《锦瑟》诗是否即悼念其妻,韩偓早年所恋是否即为李商隐的女儿,等等。考证与解读,是为读者提供思索的路子,至于循这一路子是否真能达到目的地,还要靠读者自己去走,可能在走的过程中还会发现新的途径——学术的行程既是无止境的,又是多样的。

以上是这次补课所得的答卷,谨请审阅。

2001 年 8 月　北京

原载吉林人民出版社 2001 年版《中国古典诗词:考证与解读》,此据大象出版社 2008 年版《学林清话》录入,另收入大象出版社 2004 年版《唐宋文史论丛及其他》

《中华名人轶事》序

一

泰山出版社继《中华野史》之后,又邀约北京、山东等地二三十位学者,经缜密讨论,分工合作,编纂成一部千万字的大书:《中华名人轶事》,即将出版。这应当说是到目前为止材料最为翔实、编排极为合理,而又浓缩我们中华五千年历史名人趣闻逸事的精华之作;也为我们提供了开发我国丰富史学资源的经验,使学术资料性与普及可读性很好地结合起来,也可以说是新世纪初对传统文化现代化的一次有意义的探讨。

同样体裁的书,在 20 世纪有两部,一是 1935 年商务印书馆出版的《宋人轶事汇编》(丁传靖辑编),另一种是 1995 年上海古籍出版社出版的《唐人轶事汇编》(周勋初主编)。《宋人轶事汇编》确是一部首创之作,它以断代史的方式,辑录宋代六百余人的材料,这些材料从宋、元、明、清五百余种的杂史、笔记、方志、诗话中搜集的。这样做对研究宋代各方面人物提供不少方便,也使读者可以从多方面来了解历史人物。但这部书在具体编纂上有不少缺点:一是每条所标出处,只有书名而无卷次,有些卷帙较多的如《三朝北盟会编》、《能改斋漫录》、《容斋随笔》等,读者不易复查;二是有些又从后人辗转抄辑的书中转录,如《宋稗类抄》、《宋诗纪事》,使人有不可信实之感;三是所录的文字时有错误,且有删节,但未作说明;四是出处不确,虽说是引自某书,实为另一书。因此这部书出版后,虽读者面还是较广,但史学工作者对它是不信重的。比较起来,《唐人轶事汇编》则比较谨严,每条材料都注明书名、卷次,有两种或两种以上的,也都标出;所记有重复的,采取互见的办法,使读者可以比较、核查;采录的书籍,择取较好的版本,遇有明显错字,则予以改正。这都显出很高的专业研究水平。但从另一角度看,这部书似还有不足,这就是编纂者完全把此书作为学术研究资料汇编看待,偏重专业性,所录 2700 人,其中不少材料,一条只几句话,可读性不强,有些则似稍为繁琐。这对专业研究者是有用的,但对一般读者想作为消遣性的阅读,看看唐人的生动活泼事迹,则有相当的难度。

对照前述两种有代表性的著作,现在这部《中华名人轶事》,则显出自己的特点。首先从整体来说,它是全,即采取通史的方式。虽中间也是按朝代分卷,但总的说来,它是囊括古今的,就是起自先秦,直至民国(1949 年以前)。读者要了解某一朝代的人物轶事,就可自由选择某一分卷;若想通盘考察过去五千年的历史名人,或作不同时段的比较,就可通阅全书。一卷在手,通览古今,确提供极为方便的条件,是一部名符其实的资料汇编。而且,编纂者是极有历史发展眼光的,也就是治史者常说的详今略古,这不是过去所谓的"厚今薄古",而是符合历史实际的通识。如先秦至隋朝,即以西周至隋而论,就有 1600 余年,而现在这一分卷的字数则为 100 万字。紧接着的唐、宋两朝,其时间约各为 300 年左右,而却各有 150 万字。清朝不到 300 年,安排为 200 万字,民国 1912—1949 年不过三十余年,也有 150 万字。应当说,现在人们对清朝与民国的史事是较有兴趣的,本书以如此多的字数提供这两个时段人物的活动材料,既符合史料积累的实际,也体现今天读者关注相近史事的当代意识。

在具体体例上,本书既吸收 20 世纪唐、宋两部轶事书的长处,又有某些改正。如在人物先后的编排上,上述两部唐、宋书,是将皇帝、后妃、王子、公主等排列在最前面的,为摒除这种传统观念,这部《中华名人轶事》则完全按人物的时代先后排列。另外,轶事的情况较复杂,有些可以提供正史以外的较为丰富的事迹,而有些则由于多种原因,失实之处不少,甚至有故意诬蔑之辞的。为使读者对历史人物先有一个客观、准确的认识,本书于每一人物都写有简明的小传,注明生卒年、籍贯,叙述主要经历,并尽可能标明出处。这就便于读者根据某一人物的真实情况,来审核各种各样的记载,以利于比较研究。另外,所辑的材料,都由辑集者加一小标题,以使眉目清楚,增加阅读兴趣,且便于记忆。当然,这样做,是有相当难度的,使辑集者不只做机械的引录工作,还要仔细揣摸每一条的涵义,并尽可能显示原文的义理与文采。这也使这部书,不仅有相当的学术资料含量,而且有吸引人的艺术风味;我觉得这是很值得提出,向读者介绍的。

二

现在拟从史学与文献学的角度，对"轶事"略作一些阐释，并结合本书取材的特点，对这套书的文化意义和保存价值稍作介绍。

过去一般把轶事理解为正史以外的传闻故事，也就是所谓街谈巷语、道听途说，虽有可观，却不足为据。而实际上，"轶事"一词却首见于我国第一部正史即司马迁的《史记》。《史记》卷六二《管晏列传》末，"太史公曰"，也就是司马迁自己的评论，谓："吾读管氏《牧民》、《山高》、《乘马》、《轻重》、《九府》，及《晏子春秋》，详哉其言之也。既见其著书，欲观其行事，故次其传。至其书，世多有之，是以不论也，论其轶事。"这段话的大意是：我曾读过管仲所著的《牧民》等文，及晏婴的《晏子春秋》，有详细的了解。他们的书既已传之于世，一般人就想了解其为人，因此本书就为之列传。不过这些书，世人多有，这里也就不论其书，主要即载其轶事。所谓轶事，也可理解为逸事，就是正式记载以外的散逸之事。司马迁在这篇《管晏列传》中以风趣的文笔生动记述管仲、晏婴如何过平民生活，以及后来任齐国宰相时的为政之道，字数并不多，也并不像后来正史那样对一个人的事迹平铺直叙。值得注意的是，司马迁把这篇传文所记之事称为轶事，也就是说，他认为历史人物在其正式著作以外那些口头传下来的散逸遗闻，也可以写入正式史书。这是我国第一位大史学家极具卓识的史学观念。

很可惜,这一修史观念并没有很好为人继承。后来官家修史,即依据朝廷所存实录及官府有关典籍。在古代目录著作中,轶事也并未列为史部中的专类。唐初所修的《隋书》,其《经籍志》二,将史部之书分为十三类,即正史、古史、杂史、霸史、起居注、旧事、职官、仪注、刑法、杂传、地理、谱系、簿录。可以注意的是,其中杂传类著录的书最多,为217种,其次为地理类,139种,其他都不过几十种。所谓杂传,就是正史、古史以外的各种人物传记,其所录的书差不多都是魏晋南北朝时人所作,可见东汉以后,为帝王以外社会各层人士作传,已蔚为风气。杂传类小序先提出:"古之史官,必广其所记,非独人君之举。"就是说,为历史人物作传,不能限于帝王,那些"穷居侧陋之士,言行必达",也应列入史传。这方面,虽司马迁、班固开了头,但两汉时仍然不多。《隋志》小序接着说,自魏文帝曹丕作《列异传》,嵇康作《高士传》,一述"鬼物奇怪之事",一叙"圣贤之风",自此"相继而作者甚众",且"名目转广",并"杂以虚诞怪妄之说"。但虽然如此,作为官修的《隋书》,还是将这些列入史部目录中,即"取其见存,部而类之"(《隋志》二)。可见初唐时,人们对这些杂传,已相当重视。再来看这些书目,大致可归纳为以下几类:一是地域性的名人轶事,如《益部耆旧传》十四卷、《兖州先贤传》一卷;二是记载某一方面名人轶事的,如《高士传》六卷、《逸士传》一卷(皆皇甫谧撰)、《高僧传》六卷(卢孝敬撰)、《神仙传》十卷(萧洪撰)、《孝子传》十五卷(萧广济撰)、《忠臣传》三十卷(梁元帝撰);三是记录某个时代的名人轶事,如《正始名士传》三卷(袁敬仲撰);四是记载全域范围名人轶事的,如《海内先贤传》四卷(魏明帝时撰)、《海内名士传》一卷;五是关于某人或某个家族的,如《太原王氏家传》二十三卷、《王朗王肃家传》一卷、《江氏家传》七卷(江祚等撰)。实际上《隋志》中史部其他几类,如杂史类中的《汉末英雄记》、《吕布本事》,霸史类中的《华阳国志》、《十六国春秋》,旧事类中的《汉武帝故事》、《西京杂记》,都可属于轶事的。正如其杂史类小序中所说,"通人君子,必博采广览",这应当说也是一种开放式的观念。

　　唐代前期著名史学家刘知幾,在其所著《史通》中,详列"正史"以外的"史氏流别"十种,有:偏记、小录、逸事、琐言、郡书、别传、杂记、地理书、都邑簿(内篇卷十《杂述》)。他正式把逸事作为"史氏流别"之一。书中解释谓:"国史之任,记事记言,视听不该,必有遗逸。于是好奇之士,补其所亡。若和峤《汲冢纪年》、葛洪《西京杂记》、顾协《琐语》、谢绰《拾遗》,此之谓逸事者也。"这里所举的四部书,《隋书·经籍志》是把《汲冢纪年》、《拾遗》列于古史类,《西京杂记》列于旧事类,《琐语》列于小说家类的,而刘知幾却把它们统列于逸事类。实际上,这十种杂述中,如"小录"类,"普天率土,人物弘多,求其行事,罕能周悉,则有独举所知,编为短部",如戴逵《竹林名士》、王粲《汉末英雄记》;又"琐言"类,"街谈巷议,时有可观,小说卮言,犹贤于己,故好事君子,无所弃诸",如刘义庆《世说》、裴荣期《语林》(按此二书,《隋志》均列为小说家类);其他如"郡书"类中所记的"汝颖奇士,江汉英录","别传"类中"百行殊途"的"贤士贞女",其实都与轶事有关。

　　清乾隆时修《四库全书》,正式把传记类列入史部。但四库馆臣的封建传统观念较深,其中所分的小目与所录之书,实际上还不如《隋书·经籍志》与《史通》开放。《四库全书总目》把传记类分为三个小类:一为"圣贤",专录孔孟年谱之书,正式列入四库的,只两种:《孔子编年》《东家杂记》。二为"名人",这算是将传记冠以"名人",而单列一类的首例,其小序谓:"此门所录,大抵名世之英,与文章道德之士也。不曰名臣而曰名人者,其中或苦节卓行而山林终老,或风流文采而功业无闻,概曰名臣,殊乖其实,统以有闻于后之称,庶为兼括之通词尔。"所录的书不多,只十三种,大多也为名臣,如三国时诸葛亮,唐代魏徵、杜甫、李绛,宋代唐汝舟、鹿何、岳飞等。三为"总录",是"合众人之事为一书"的综合性传录,有《列女传》《高士传》等。其间又有宋代科举考试的登科名录,如《绍兴十八年同年小录》《宝祐四年登科录》。这二书就史料价值来说是很高的,因宋代登科记多已散失,这两个登科名录还保存原始面貌。我前几年与浙江大学古籍研究所龚延明教授等重新编撰《宋登科记考》(约四百余万字),即收录这两种登科录。但这两种登科录虽有较高的史料价值,但只是名录,并非传记。传记类中的第四小类"杂录",其所著录的书也不合乎名目,如南宋范成大《吴船录》、陆游《入蜀记》、元刘郁《西使记》,都是记途中行迹而非记人,因此小序说"其类不一,故曰杂录"。

不过《四库全书总目提要》还是承认"裨乘杂家"、"野史笔记"等书对于研究历史人物有不可忽视的价值,认为有些所谓杂史,虽只"述一时之见闻,只一家之私见",但其"遗文旧事",仍"足以存掌故,资考证,备读史者之参稽"(史部杂史类小序)。即使"小说家"类的书，虽然其间"诬谩失真、妖妄荧听者固为不少"，而"寓劝戒，广见闻，资考证者亦错出其中"（子部小说家类小序）。在具体对某些书的评论中，更指出这些杂史轶事之作，极可补正史之不足。如上述史部传记类的《魏郑公谏录》，《提要》谓："司马光《通鉴》所记（魏）徵事，多以是书为依据"，"足与正史相参证"。又如北宋初的《三楚新录》，记五代时湖北、湖南地区三个地方小国，《四库提要》一方面批评"其中与史抵牾不合者甚多"，但又认为"其所闻轶事，为史所不载者，亦多可采"，因此强调："稗官野记，古所不废，固不妨录存其书，备读五代史者参考焉。"（史部载记类）又如同类著作《五国故事》二卷，记五代时东南几个地方政权，《提要》以为此书"实则小说之体"，有些事"为史所不载"，有些"与史亦小有异同"，但总的评论则为："考古在于博证，固未可以琐杂废也。"

三

据上所述，可见我国古代史学，自司马迁著《史记》以来，对人物轶事的撰写，一直是很重视的。司马迁就把不少人物的遗闻轶事写入正式传记中，特别如后人爱读不辍的游侠、刺客列传等更是如此。北宋史学家宋祁分工担任《新唐书》列传的撰写，为有别于五代时人所作的《旧唐书》，他采辑了唐五代人所写的笔记小说，以丰富列传人物的情节。此事虽为后世批评，也招致同是宋朝人吴缜的"纠谬"，但《新唐书》在记叙中晚唐时人物，还是仍有特色的。正史之外，各类史书，包括经部、子部、集部的一些著作，都有大量轶事材料，这应当说是中国古代典籍的丰富资源，在历史人物研究上是大有开发余地的。

这部《中华名人轶事》，就是一项很有意义的开发工作。它所涉及的面是很广的，所辑集的书，不限于史书，也不只着眼于所谓野史笔记，像先秦卷，就有采自《礼记》《左传》的，这是属于传统的"十三经"之列的。子部的杂录类、小说家类当然更多，集部中有些文集与诗话、词话等也有；民国时期则有现代人所作的回忆录、评论集等。可以说，它是打破了古代以来图书分类的传统局限的。如果以后在史部目录中还可进行新的分类，则自这部《中华名人轶事》起，就可另立"人物轶事"一类，以接唐代刘知幾《史通》之说。

当然，也不可否认，过去书籍中所记的轶事，有相当一部分是否符合事实，是大可存疑的，另有一部分则明显不合事实，或撰写者有意捏造。以唐代而论，自中唐起，朋党之争兴起，所谓牛李之争，影响中晚唐及五代时不少涉及党争的人物，各有所见，攻击对方。如列入《四库全书》史部传记类中的《李相国论事集》，就是李绛后世属于牛党之人对李德裕父亲李吉甫作多种不合事实的记述，我在过去所著的《李德裕年谱》中曾花不少力气，检阅史料，予以辨析。不过这部《中华名人轶事》把各方面的材料都收辑进去，也有好处，使我们今天研究历史人物，可以掌握正反两面的材料，作更为深入的辨析。

我觉得，这部《中华名人轶事》，还有一大好处，这就是，近些年来，出版界、影视界对中国的历史人物很感兴趣，出现了不少历史故事影片与历史小说,颇有市场效应。但现在不少影视作品与剧本、小说读物,"戏说"的成分太多,以致严重违背历史实际,并造成格调过低。这或许是撰写者、制作者不大知道史料依据,难于全面掌握人物事迹材料。如此,则泰山出版社这次推出的整部中华名人的轶事汇编,就提供现代文学创作广阔的取材基地,这也是沟通古今,将文献整理与文学创作结合起来的一次可贵尝试。

2001 年夏于山东威海

原载泰山出版社 2001 年版《中华名人轶事》,此据大象出版社 2008 年版《学林清话》录入,另收入大象出版社 2004 年版《唐宋文史论丛及其他》

唐永贞年间翰林学士考论

一

　　永贞是唐顺宗年号,实际是他让位于太子时所补立的年号,时为公元 805 年。这年正月下旬德宗死,子李诵即位,后称顺宗。他即位就病风暗,说话、行动不便,他就重用在东宫时所信用的翰林待诏王叔文,来实际主持朝政。王叔文于二月由待诏升为翰林学士,与同为学士的王伾、凌准一起,外廷联结刘禹锡、柳宗元等有识之士,进行一系列的政治改革,历史上即称为永贞新政或永贞革新。关于永贞时期的政治措施与王叔文的为人,有些论著尚有不同的看法,但基本上对此还是肯定的。由白寿彝先生担任总主编、史念海先生担任分卷主编的《中国通史》第六卷《中古时代·隋唐时期》明确标出"永贞革新",与其后宪宗时的"元和中兴"并列,认为顺宗即位后重用王叔文等人,在政治上进行了改革①。

近一二十年来，论述永贞新政和与之相关的王叔文、刘禹锡、柳宗元以及韩愈等，著作已经不少，有些还相当深入，如2000年出版的查屏球著《唐学与唐诗——中晚唐诗风的一种文化考察》（商务印书馆），胡可先著《中唐政治与文学——以永贞革新为研究中心》（安徽大学出版社），以较新的视角，从南北学风、南北地域的不同来考察永贞新政，很有见识。但现有的论著似忽略一点，即王叔文是翰林学士，他是想发挥唐代翰林学士的特殊职能来进行改革的，而中唐时翰林学士的发展情况如何；顺宗朝的翰林学士有多少人，其政治表现如何；永贞新政行施不过半年，就遭失败，这与翰林学士的职能、作用有何关系，等等，一般都未论及。

我于1984年撰成《唐代科举与文学》后，曾在自序中提到唐代的翰林院与翰林学士，认为翰林学士与唐代科举进士、明经，以及地方方镇幕僚，都是研究唐代知识分子生活的重要方面②。后我为戴伟华先生《唐方镇文职僚佐考》所作的序中，又说及翰林学士，认为唐代翰林学士是以文采名世的政治型知识分子，他们接近于朝政核心，"宠荣有加，但随之而来的则是险境丛生，不时有降职、贬谪，甚至丧生的遭遇。他们的人数虽然不多，但看看这一类知识分子，几经奋斗，历尽艰辛，得以升高位，享殊荣，而一旦败亡，则丧身破家。"③我觉得，永贞时期以王叔文为代表的翰林学

①《中国通史》第六卷《中古时代·隋唐时期》，上海人民出版社，1997年12月。
②《唐代科举与文学》，陕西人民出版社，1986年10月。
③戴伟华《唐方镇文职僚佐考》，天津古籍出版社，1994年1月。

士参预政治,在整个唐代是很有代表性的,在这之前,还没有一个翰林学士像王叔文那样直接把握朝政,而且大胆提出措施,要把唐朝中央兵权从宦官手中夺过来,但由此也就遭到彻底的失败。这是中唐社会文人参预政治而遭致惨败的一个值得注意的事例,也是文人生活与政治联系的一种文化现象。

为避免重复,本文不拟全面论述永贞一朝的政事,仅就王叔文如何以翰林学士的身份来参预政事,重点来探讨唐代翰林学士究竟能在中枢机构中发挥什么作用,以及所谓参预高层次政治会给文人带来什么样的影响。

二

王叔文,《旧唐书》卷一三五、《新唐书》卷一六八有传;其事迹又见韩愈《顺宗实录》。比较起来,柳宗元的《故尚书户部侍郎王君先太夫人河间刘氏志文》(《柳宗元集》卷一三三)、刘禹锡《子刘子自传》(《刘禹锡集笺证》外集卷九)所记较为确切①。柳、刘与王叔文共同参预新政,柳文作于永贞元年六七月间②,此

①《柳宗元集》,中华书局,1979 年 10 月;《刘禹锡集笺证》,上海古籍出版社,1989 年 12 月。
②据柳宗元所作这篇志文,王叔文之母刘氏卒于永贞元年六月二十六日,卒后"天子使中谒者临问其家",而后又云"是年八月某日,祔于兵曹君之墓",则此文似作于八月。但宪宗于八月庚子(初四日)即位,壬寅(初六日)即下令贬谪王伾、王叔文。柳文不可能作于八月,可能即作于六七月间,其"八月某日,祔于兵曹君之墓",乃预设之词。

时王叔文虽已失势，但尚未贬谪；刘文作于武宗会昌二年（842），时年七十有一，且距永贞已37年，故对王叔文均不会有所讳避。

两《唐书》本传及《顺宗实录》都说王叔文为越州（今浙江绍兴）人。柳宗元《河间刘氏志文》称"夫人既笄五年，从于北海王府君讳某"。所谓北海，刘禹锡《子刘子自传》曾言及"叔文北海人，自言猛之后，有远祖风"，也就是说这北海人是王叔文自言的，还是唐代借重名门郡望的习俗。钱大昕《廿二史考异》卷五四也说："此云北海者，举其族望也。"柳宗元《河间刘氏志文》记王叔文之父曾应明经举及第，授任城尉（今山东济宁）。又云："会世多难，不克如志，卒以隐终。"可能安史之乱起，即归居山阴，隐居不仕。柳文连其名字也未记，可见王叔文家世确是薄寒的。

《顺宗实录》称王叔文"以棋入东宫"（卷五），与王伾"俱待诏翰林，数侍太子棋"（卷一）。刘禹锡《子刘子自传》也说"时有寒隽王叔文以善弈棋得通籍博望"。博望苑为汉武帝为其子卫太子所建交接宾客之所（见《汉书》卷六三《戾太子刘据传》及注）。这就是说，王叔文虽门第低微，但却因善棋得入于太子宫中。又柳宗元《河间刘氏志文》称王叔文"贞元中待诏禁中，以道合于储后，凡十有八载"。顺宗李诵于贞元二十一年正月即位，柳文说王叔文在太子宫中有十八年，则其入宫当在贞元四年（788）①。按据柳氏所记，作此文时王叔文为五十三岁，则当生于玄宗天宝十二载（753），其于贞元四年入宫侍候太子当为三十六岁，这时太子李

---

① 《柳宗元集》百家注本引孙氏曰，也说"叔文善棋，贞元初，出入东宫，娱侍太子"。

诵为二十八岁①。

唐玄宗即位之初,即建翰林院,设置翰林待诏,也称翰林供奉。《新唐书·百官志》及唐韦执谊《翰林院故事》、李肇《翰林志》都有所记叙。《资治通鉴》卷二一七天宝十三载正月有所记,比较清晰:"上即位,始置翰林院,密迩禁廷,延文章之士,下至僧、道、书、画、琴、棋、数术之工,皆处之,谓之待诏。"清顾炎武《日知录》卷二四有"翰林"一条,即据两《唐书》,记唐代历朝工艺书画之士,及僧人、道士、医官、占星等,均入"翰林待诏"之列,而这些人又称之为翰林供奉。这就是说,当时翰林院有两类人,一类是属于文学之士的,主要为皇帝起草文书,并陪侍皇帝作诗文唱酬;另一类是书画琴棋等才艺之士及僧道医卜等,也属于宫中陪从的行列。后至开元二十六年(738),玄宗另建学士院,把上述第一类的文士移入学士院,称翰林学士,"专掌内命"②;第二类人则仍在翰林院,称呼未改。在唐代,其社会声誉和政治待遇,翰林学士是明显高于翰林待诏或翰林供奉的,但待诏、供奉中仍有出色的人才,如玄宗时著名书法家蔡有邻、韩择木,书写有不少碑文,见宋佚名《宝刻类编》;中唐时书法家唐玄度、韩秀实,见宋陈思《宝刻丛编》;唐玄度还是一位字体专家,于开成时曾据《说文》,勘正古今异体字,覆定九经字样,见《玉海》卷四三。大历时江南著名诗人张志和,也曾为翰林待诏,颜真卿《张志和碑》记张年轻时受到

①据《旧唐书·顺宗纪》,李诵生于肃宗上元二年(761),德宗建中元年(780)正月立为皇太子,时年二十。
②见《新唐书·百官志》一。

肃宗的赏识，"令翰林待诏，授左金卫录事参军"①。至于大诗人李白于天宝初在长安入为翰林供奉，已为大家所知。可见翰林待诏、翰林供奉，在唐代与翰林学士一起，应是一个有较高层次的文化群体，我们今天不应以其品位低而轻视之。

由柳宗元《河间刘氏志文》，可知王叔文在李诵的太子宫中时间是相当长的，在这十八年中，不只是以棋陪侍太子，还"献可替否，有匡弼调护之勤"，也就是刘禹锡《子刘子自传》所说的"因间隙得言及时事"。太子李诵是很关心时事的，常与左右议论，但王叔文对此却很谨慎。如《顺宗实录》、两《唐书》本传都记有一事：太子曾有一次与诸侍读谈论当时的宫市之弊（即宦官利用专权强占市场之利，详后），就表示要向皇帝进言，在座诸人都极赞同，独王叔文不言。事后李诵单独问王叔文为何不表态，王叔文就说："皇太子之事上也，视膳问安之外，不合辄预外事。陛下在位岁久，如小人离间，谓殿下收取人情，则安能自解？"（《旧唐书》本传）王叔文的这段话是很合乎情理的，在德宗当时对朝臣常有猜忌的情况下，这番话尤有识见。王叔文在东宫虽常与太子议及时政，但正如刘禹锡《子刘子自传》所说，"如是者积久，众未之知"，就是说王叔文与太子议及朝政时事，十分谨慎，时间虽久，外界却并不知。这应当是符合实际的。韩愈在《顺宗实录》中记述此事时，把王叔文詈为"诡谲多计"，应当说是出于嫉视偏见。

王叔文在此时期也注意交结外面一些有识之士。如他较早就注意结识当时任翰林学士的韦执谊。《旧唐书》卷一三五《韦执

①《颜鲁公文集》卷九。

谊传》："执谊幼聪俊有才,进士擢第,应制策高第,召入翰林为学士,年才二十余。"又据丁居晦《重修承旨学士壁记》,韦执谊于德宗贞元元年(785)即入为翰林学士。此年翰林学士共八人,年龄最高者为归崇敬,年七十四,顾少连年四十五,陆贽年三十二,其他如吴通微、吴通玄兄弟,吉中孚、张周,当都较陆贽年龄为高,而韦执谊则二十岁刚出头,这是中唐时入翰林学士之年龄最轻者。不只如此,韦执谊在入院的第二年,即贞元二年,撰写《翰林院故事》,把自开元二十六年建院以来的学士姓名都按入院先后记录下来,这是唐代有关翰林学士第一部系统著作,可见其很有识见。同时,韦执谊也是德宗一朝翰林学士任期最长的一位。据丁居晦《重修承旨学士壁记》及岑仲勉《注补》,他于贞元元年入院,贞元十六七年间因母卒丁忧出院,十九年服阙官吏部郎中,则任翰林学士有十六七年。

《旧唐书·韦执谊传》载韦执谊入充学士后,得到德宗皇帝的信赏,"相与唱和歌诗",并记:"德宗载诞日,皇太子献佛像,德宗命执谊为画像赞,上令太子赐执谊缣帛以酬之。执谊至东宫谢太子,卒然无以藉言,太子因曰:'学士知王叔文乎? 彼伟才也。'执谊因是与叔文交甚密。俄丁母忧。"据此,则韦执谊在贞元十六七年丁忧出院前就与王叔文"交甚密"了。正因如此,贞元二十一年(即永贞元年)正月下旬顺宗即位,二月韦执谊就因王叔文推荐,任命为宰相,共同行施新政。

王叔文是很重视翰林学士对朝政的作用的。他在贞元末,德宗将去世前,又设法引进凌准为翰林学士,从而使其成为顺宗时新政的参预者之一。丁居晦《重修承旨学士壁记》记凌准"贞元二十一年正月六日自侍御史充"。又《旧唐书·德宗纪》，贞元二十一年，"春正月辛未朔，御含元殿受朝贺。是日，上不康。丙子，以浙东观察判官凌准为翰林学士"。再过十几天，正月二十三日，德宗即去世。而至贞元二十年年底，当时在任的翰林学士已有六人，为什么这时又要加进一个呢？这确如《旧唐书》卷一三五《凌准传》所载，是"王叔文与准有旧，引用为翰林学士"。凌准与王叔文同为浙江人，凌准也家世微薄①，这也是"有旧"的原因。

　　这里再补记一事。有些论著说王叔文早年曾在江南做一小吏，引述《通鉴》的一段话及胡三省注为证。按《通鉴》卷二三六曾记窦群在谒见王叔文时，向其进言："去岁李实怙恩挟贵，气盖一时，公当此时，逡巡路旁，乃江南一吏耳。今公一旦复据其地，安知路旁无如公者乎？"元人胡三省于此处有注："叔文本苏州司功，故云然。"按此事《通鉴》所记在永贞元年三月，当时窦群为侍御史，扬言刘禹锡"挟邪乱政，不宜在朝"，又往见王叔文，说了上面一段话。据此，则所谓"去岁李实怙恩挟贵"，即指贞元二十年，这时李实正在京兆尹任上，确如《顺宗实录》于永贞元年二月贬词中所谴责的"颇紊朝廷之法，实惟聚敛之臣"，因此新政实施后贬其为通州刺史。窦群以李实的下场来讽喻王叔文。不过若以窦群的话，说那时王叔文只不过为江南一吏，则不合事实。按柳宗元《河间刘氏志文》记顺宗即位后，王叔文"由苏州司功参军，为起

---

① 两《唐书》本传都未记凌准的籍贯，柳宗元《故连州员外司马凌君权厝志》（《柳宗元集》卷十）记其为富春人，"以孝悌闻于其乡，杭州刺史常召君以训于乡"。

居舍人、翰林学士"。《通鉴》卷二三六永贞元年二月壬戌也记:"苏州司功王叔文为起居舍人、翰林学士。"表面看来,王叔文的确在苏州做过司功参军,实际上则不然,这牵涉到唐代翰林学士、翰林待诏官阶设置的情况,似乎为现在有些研究者所忽略。

唐代的翰林学士,实际上只是一种差遣之职,并非官名。宋叶梦得《石林燕语》卷五谓:"如翰林学士、侍讲学士、侍书学士,乃是职事之名耳。"清人钱大昕讲得更清楚:"学士无品秩,但以它官充选","学士亦差遣,非正官也"(《廿二史考异》卷四四);"亦系差遣,无品秩,故常假以它官,有官则有品,官有迁转,而供职如故也"(同上卷五八)。《石林燕语》卷四还举家中所藏的唐碑,引录两个例子,一是《李藏用碑》,撰者为"中散大夫、守尚书户部侍郎、知制诰、翰林学士王源中",一为《王巨镛碑》,撰者为"翰林学士、中散大夫、守中书舍人刘瑑",其中"户部侍郎"、"守中书舍人"都是官名。叶梦得原意为唐代翰林学士的结衔,有时官名在学士之上,有时在学士之下,无定制,但不管在先在后,是一定要带有官衔,没有只称翰林学士的。因为只有带正式的官衔,才有一定的品位,一定的薪俸。在翰林学士任期内,经过考核,也可以升迁官位。翰林学士如此,翰林待诏、供奉也是如此。如清胡聘之《山右石刻丛编》卷六载《大唐龙角山庆唐观纪圣之碑》,碑阴有撰者吕向署衔,为"朝议郎,守尚书主客郎中,集贤院学士、翰林院供奉……"又宋《宝刻类编》卷五载唐玄度所篆的碑记,其名下署为"翰林院待诏、梁王府司马、沔王友"。其"尚书主客郎中"、"梁王府司马"都是任翰林待诏时的官衔。可以注意的是,所署也有地方官衔的,如《金石萃编》卷一〇七《邠国公(梁守谦)功德碑》,篆额者为翰林待诏陆邳,其衔为"朝议郎、权知抚州长史、上柱国、赐紫金鱼袋"。又白居易有《侯丕可霍丘县尉制》,此侯丕原也是翰林待诏,现在则为"可守寿州霍丘县尉,依前翰林待诏"①。这就是说,侯邳此时仍在长安宫中任翰林待诏之职,不过给予寿州霍丘县尉的官衔。白居易在制词中说得很明白,这是"既宠之以职名,又优之以俸禄"。

由此可知,王叔文之苏州司功参军,即为他任翰林待诏时所带的官衔,并不是他真的在苏州任过此官职。苏州司功,按唐时官阶,当属于中州诸司参军事,为正八品下(见《旧唐书·职官志》一),品阶较低,因此窦群故意以轻视之语,讽其为"江南一吏"。

三

顺宗即位后,当时任翰林学士的,除王叔文、王伾外,还有七人,即郑絪、卫次公、李程、张聿、王涯、李建、凌准。一个时期有九人在学士院,这是自玄宗开元二十六年(738)设置翰林学士以后所未曾有的。由于人数多,政治纷争加剧,也就造成内部的分化。文人参预政治,在中枢机构中,不单与外廷的中书门下尚书三省,内廷的宦官集团,会有矛盾,而且必然在内部也有各种是非、利害冲突。顺宗之前的德宗朝,陆贽就曾被同院的吴通微、吴通玄兄弟排挤出学士院,过了几年,吴通玄又因与宰相、李氏宗室有所勾

———————————

① 《白居易集笺校》卷五一,上海古籍出版社,1988年12月。

连,加以与陆贽的矛盾,为德宗所忌,就被贬谪而死①。顺宗朝以后,中晚唐时期,翰林学士内部的纠纷还是经常发生的。这也可以说是文人与政治关系研究中值得注意的现象。

这七人中,郑絪与卫次公年资最深,他们二人在德宗贞元八年(792)就已入学士院,至永贞时已有十四年,一直没有出过院。他们最初对永贞新政,尚"守道中立"(《旧唐书·郑絪传》),并未有明显的反对,但也并不合作。到后来,则二人"同在内廷,多所匡正"(《旧唐书·卫次公传》);"顺宗立,王叔文等用事,轻弄威柄,次公与絪多所持正"(《新唐书·卫次公传》)。现在所见到的有关史料,还未发现他们对王叔文等新政措施有哪些具体不同意见,但看来其对立的态度是明显的。因此永贞元年三月,宦官俱文珍为了分散王叔文的权势,又考虑到顺宗"疾久不愈",就策划建立接班人,这时他们首先考虑的就是联络郑絪、卫次公。《通鉴》卷二三六永贞元年三月载:"宦官俱文珍、刘光琦、薛盈珍等皆先朝任使旧人,疾叔文、(李)忠言等朋党专恣,乃启上召翰林学士郑絪、卫次公、李程、王涯入金銮殿,草立太子制。"这样,遂于四月初一正式立顺宗子李纯为太子。宦官俱文珍等之所以召集郑絪等四人参议此机密之事,当事先即有所选择。郑絪态度很坚决,说不必事先请示皇上,他只写"立嫡以长"一纸,待顺宗一点头,就由他起草《立广陵郡王为皇太子诏》、《册皇太子赦诏》,以及后来

---

① 见拙作另一文《唐德宗朝翰林学士考论》,载《燕京学报》新第 10 期,2001 年 4 月。

的《顺宗传位皇太子改元诏》等①。也正因为如此,宪宗于八月初即位,十二月就任郑絪为相。

前面提到,郑絪与卫次公于贞元八年起一直充任翰林学士,这牵涉到德宗朝翰林学士的情况,拟再作一些介绍。

德宗即位之初,是想有所作为的,如施行两税法,对河北、淮西藩镇有所抑制,但由于措施无方,又对朝臣多所猜忌,致使方镇作乱,兵祸连结,待贞元初政局稍为平静后,就宠信宦官,重新让宦官掌握中央军权,而对外廷的宰相,就一直不信任,不让宰臣长久在任。据《新唐书·宰相志》,贞元十年至二十年,当时每一宰相的在任期,一般不过二三年,最长不超过四年,即使在位,也如《唐语林》卷六所说,"贞元以后,宰相备位而已"。但与此同时,却对内廷的翰林学士,采取长期稳定的措施。这里不妨也以贞元十年(794)为例,作一些分析。这年学士共六人:吴通微自建中四年(783)入,已十二年,大约贞元十四年或稍后才卒官。韦绥于贞元七年(791)入,十六年(800)出,共十年。郑余庆于贞元八年(792)入,贞元十三年(797)出,共六年。韦执谊于贞元元年(785)入,约贞元十六十七年(800、801)间出,共十六七年。郑絪、卫次公于贞元八年(792)同时入,一直到顺宗即位,还在院内,已十四年。也就是说,贞元十年的六位翰林学士,比贞元时期任何一位宰相的任期都长。这也使宪宗元和时李肇在《翰林志》中表示这一看法:"贞元末,其任益重,时人谓之内相。"但实际上还是

_____

①见《全唐文》第五一一。

陆贽于贞元三年上疏中所说,翰林学士乃"天子之私人"①。也就是德宗出于对外朝宰相的疑忌,于是就倚信于内廷的学士,不像后来宪宗将"军国枢机,尽归之于宰相","由是中外咸理,纪律再张"②,有一个正常的行政机制。不过德宗朝中期以后翰林学士的处境也是很不正常的,李肇《翰林志》也已注意于此,谓:"而上多疑忌,动必拘防,有守官十三考而不迁,故当时言内职者,荣滞相半。"就是说,德宗让翰林学士较长期稳定在职位上,但不升官,这确是很奇怪的。如前第一节所说,唐代的翰林学士只是一种差遣,他还必须带有官衔,来定其品位与薪俸,学士可以在任期内经过一定的考核来升官阶的。德宗中期以后的翰林学士却反常,如郑絪与卫次公,贞元八年初入院时,一个是司勋员外郎,一个是左补阙,一直到贞元二十一年正月德宗去世时,还是如此,这在外廷三省是绝未有的。但这些学士还是羁于这清誉之职,未提出异议。而且这些学士,表面上虽受到德宗的眷顾,而实则战战兢兢,不敢有什么举动,更未有像陆贽当初在职期间敢直言极谏(当然因此也就受德宗的忌恨而最终被贬远出)。如顾少连,同时友人杜黄裳为其所作的碑文中,说他在翰林近十二年,"以周密自制","以谨审见称","谠言硕画,人莫得闻"③。又如与郑、卫一起共事有九年的韦绶,《旧唐书》本传说:"绶所议论,常合中道,然畏慎致伤,晚得心疾,故不极其用。"因经常畏惧其职而最终得心脏病,不

---

① 见李肇《翰林志》,陆贽集中未见。
② 见《旧唐书》卷一五《宪宗纪》末引史臣蒋系语。
③《全唐文》卷四七八杜黄裳《东都留守顾公神道碑》。

能尽其用,可见一斑。韦绶后来以每年老为借口,请求解职赡养,还使得德宗很不高兴。

郑纲也是如此,"德宗朝,在内职十三年,小心兢谦"①。他在十三年任期内惟一可记者,为贞元十二年(796)六月一件事。据《通鉴》卷二三五所记,这年六月,德宗任命宦官窦文场、霍仙鸣为左右神策军中尉,窦文场要求任命文书用白麻书写发布,德宗就命郑纲起草(按规定,白麻诏令是由翰林学士起草的)。郑纲遂向德宗说,依照惯例,封王、命相才能用白麻,现在用来任命中尉,是陛下特以表示对窦文场的宠爱呢,还是以此定为法令呢?德宗觉得有难处,就作罢。应当说,郑纲此举确是对宦官待遇提高的一种抵制,且其对德宗的答语也表现一定的机智,但并不很强硬,而且也并不因此而影响窦文场等的实力,因此《通鉴》仍云:"是时窦、霍势倾中外,藩镇将帅多出神策军,台省清要亦有出其门者矣。"对这种不正常的情况,郑纲以及其他翰林学士都未有议论。

卫次公与郑纲于德宗朝中后期同在翰林,两《唐书》本传对卫次公这期间的情况,都无一字提及,可见在这十三年的长时期中他也是默默度过的。

至于宦官俱文珍谋立太子时召集商议的另外两位翰林学士,即李程、王涯,他们对当时的新政措施也没有公开反对的表示。李程是唐朝宗室,他与王涯于贞元二十年九月才入院,《旧唐书》卷一六七本传说"顺宗即位,为王叔文所排,罢学士",不确。实际上他在顺宗朝及此后宪宗初一直在学士院,至元和三年(808)才

---

① 《旧唐书》卷一五九《郑纲传》。

出院为随州刺史①。李程的仕宦主要在以后,仕途顺利,在敬宗时还做过宰相,不过史书称他"性放荡,不修仪检,滑稽如戏",因此"物议轻之",甚至死后还被谥为"缪"②。王涯在永贞时也未有什么表态。他于贞元二十年九月自京畿蓝田尉入为翰林学士时,刘禹锡还特地作有一诗表示祝贺,其《逢王十二学士入翰林因以诗赠》云:"厩马翩翩禁外逢,星槎上汉杳难从。定知欲报淮南诏,促召王褒入九重。"③但王涯入充翰林学士后,特别是永贞时期,却不与刘禹锡、柳宗元等交往,而投向于郑䌹等。其仕宦主要在宪宗以后,在宪宗、文宗朝还两度为相,后于大和九年(835)十一月因受李训、郑注事牵累为宦官仇士良所杀,且全家抄斩。可见他永贞时虽依附宦官,但最终还是受宦官之祸。

在几个翰林学士中,列于王叔文集团的,是凌准。前面第一节曾提及,他于贞元二十一年正月入学士院,当因与王叔文有旧,而为荐引。《通鉴》卷二三六永贞元年正月记德宗去世时,"仓猝召翰林学士郑䌹、卫次公等至金銮殿,草遗诏。宦官或云:'禁中议所立尚未定。'众莫敢对。次公遽言曰:'太子虽有病,地居冢嫡,中外属心。必不得已,犹应立广陵王(按广陵王即顺宗长子李纯——引者),不然,必大乱。'䌹等从而和之,议始定。"此又见两《唐书》卫次公本传,但未载于韩愈《顺宗实录》,不知何故,或于宦官不利,后为其所删。这里突出卫次公之功,但柳宗元另有一

---

①见丁居晦《重修承旨学士壁记》,《新唐书》卷一三一李程本传。
②见《旧唐书》卷一六七、《新唐书》卷一三一本传。
③《刘禹锡集笺证》卷二四。

说。按凌准于宪宗即位后,也被列入八司马之列,被贬为连州司马,第二年(即元和元年)即卒于连州,柳宗元这时也被贬为永州司马,特为其撰写志文和悼诗①。柳宗元在志文中特地述及:"德宗崩,迟臣议秘三日乃下遗诏,君独抗危词,以语同列王伾,画其不可者十六七,乃以旦日发丧,六师万姓安其分。"可见当时对抗宦官、议立顺宗,凌准也有独特之功的。

　　另外两人,张丰、李建,似处于中间状态。张丰也与李程、王涯同时于贞元二十年九月入院,李建则稍晚,为贞元二十年十二月下旬。张丰,两《唐书》无传,事迹不详。他于宪宗元和二年(807)正月才出院,后曾任衢州、湖州刺史②。可见他虽未被俱文珍召入参与谋立太子李纯之议,但也未列入王叔文集团而被贬出。李建的情况也有些特殊。他可能与刘禹锡、柳宗元、吕温同于贞元九年登进士第③,有同门之旧。也正因此,柳宗元贬为永州司马时,元和四年(809),特地写一复信给李建④,李建此时已不任翰林学士。据柳宗元这封书信,在此之前他曾收到李建的来

①见《柳宗元集》卷十《故连州员外司马凌君权厝志》,卷四三《哭连州凌员外司马》。
②参见岑仲勉《丁居晦〈重修翰林学士壁记〉注补》。
③《全唐文》卷六三一有吕温《祭座主故兵部尚书顾公文》,此座主顾公为顾少连,卒于贞元二十年,所列门生有刘禹锡、柳宗元、吕温、李逢吉、李建、王播等。按顾少连于贞元九年、十年知贡举,刘、柳、吕为贞元九年登进士第,王播、李逢吉为贞元十年登进士第,故均可称门生。惟清徐松《登科记考》卷一三于这两年均未列李建名,则为未考见吕温文。李建当在贞元九年或十年登第。
④《柳宗元集》卷三〇《与李翰林建书》。

信，又从刘禹锡的贬所得到李建给刘的信，因此说："仆在蛮夷中，比得足下二书，及致药饵，喜复何言!"柳、刘当时都是贬谪的罪人，而李建却能主动给他们写信，并赠送药物，在这种世态炎凉的情况下，实为难得。于是柳宗元又说："仆曩时所犯，足下适在禁中，备观本末，不复一一言之。"可见在柳宗元看来，当时李建在院中，对王叔文等所行新政，并不持反对的态度（当然也不参预）。正因此，柳宗元在信的末尾，特地叮嘱，说他也曾有信写给京中裴埙、萧俛，足下如要看，可以"求取观之"，但"相戒不示人"。这时韩愈的挚友崔群也已为翰林学士，柳宗元信中说崔现"在近地"（按"近地"即宫中，指学士院），我不便写信给他，你或者可"默以此书见之"。由此可见当时翰林学士对接触人事，是很注意回避的，而柳宗元之能如此写，也可见他与李建的交情。（按柳宗元此信对研究唐翰林学士，很有参考价值，但却未引起注意）

由此可见，永贞年间的九位翰林学士，三个是新政的积极参预者（王叔文、王伾、凌准），四个是新政的反对者（郑絪、卫次公、李程、王涯），不过其中李程、王涯只是附和，并无明显反对的迹象；两个是中立者（张聿、李建），其中李建对柳宗元、刘禹锡当是暗中同情的。可见虽有文翰清华之誉，文士一旦涉及政事，不免各有所投，这也是永贞新政未能顺利进行的一大原因。

四

其实，王叔文、王伾还是很注意团结当时的翰林学士同仁的。如永贞元年二月二十二日（壬戌），王叔文由翰林待诏入为翰林学士，同时即以郑絪由司勋员外郎升为中书舍人。司勋员外郎为从六品上，是郑絪于贞元八年刚入院时所授的官衔，十余年间一直没有提升过，至此则迁为正五品上的中书舍人，越了好几阶。同日，卫次公则由左补阙迁为司勋员外郎，赐绯鱼袋，左补阙（从七品上），也是卫次公于贞元八年入院时所授的，至此提到从六品上。十三四年来第一次提升官阶，这应当是特殊的眷顾。

同年三月十七日，李程自监察御史（正八品上）改为水部员外郎（从六品上），张荐自秘书省正字（正九品下）改为左拾遗（从八品上），王涯自蓝田县尉（正九品下）改为左补阙（从七品上），李建由秘书省校书郎（正九品上）改为左拾遗（从八品上），凌准自侍御史（从六品下）改为都官员外郎（从六品上）。二三月间对翰林学士官阶都作了大幅度的普遍提升。

与此同时，所施行的新政，主要是①：

二月六日，罢翰林院中医工、相工、占星、射覆、冗食者四十二人（韩愈《顺宗实录》说王叔文原也是翰林待诏，现作此举动，是因为害怕这些同行与他捣乱。韩愈之说出于偏见）。

二月二十一日，谴责京兆尹李实"残暴掊敛之罪"，远贬为通州长史。"市井欢呼，皆袖瓦砾遮道伺之，（李）实由间道获免"。

二月二十四日，罢宫市、五坊小儿。《通鉴》卷二三六记此事，把宫市视为"贞元之末政事为人患者"。早在贞元十三年（797），

_____

① 据两《唐书》本纪、《通鉴》及《顺宗实录》。

徐州刺史、徐泗濠节度使张建封入京师参见德宗，就议论过此事，要求予以禁止。《旧唐书》卷一四〇《张建封传》载："时宦者主宫中市买，谓之宫市，抑买人物，稍不如本估。……人将物诣市，至有空手而归者，名为宫市，其实夺之。"但当时户部侍郎苏弁"希宦者之旨"，说不宜停，于是"上（德宗）信之，凡言宫市者皆不听用"。前第一节曾说及，顺宗为太子时，其左右也曾与他议论过宫市，可见这是贞元中期后有关长安民生的大事。韩愈虽对王叔文有偏见，但也记此，并说因此而"人情大悦"。

二月二十五日，罢盐铁使额外献进。

三月一日，出宫女三百人，又出掖庭教坊女乐六百人，召其亲属归之。《顺宗实录》记云："百姓相聚，欢呼大喜。"

三月三日，下诏追还德宗时被贬远出的名臣，即忠州别驾陆贽、郴州别驾郑余庆、杭州刺史韩皋、道州刺史阳城等返回京城。可惜陆贽、阳城未及闻诏而卒。

应当说，上述的这些措施都是得人心的，也能为一般朝臣所接受，即使罢宫市影响宦官的额外之利，但对其上层权势影响还并不大，因此这些新政尚能取得共识。即使对王叔文深有成见的韩愈，在其所著《顺宗实录》中，于三月十七日任王叔文为度支盐铁副使、依前翰林学士，还著录了任命的制文，其中称王叔文"精识瓌材，寡徒少欲，质直无隐，沉深有谋。其忠也，尽致君之大方；其言也，达为政之要道。"这是当时的原始材料，是新政实施过程中至此时朝中的评议。后来柳宗元在永州贬所给京兆尹许孟容的信中，也说他当时与王叔文共事，其宗旨即在于"立仁义，裨教化","利安元元为务"①。其意为,当时所行的新政措施,一切都是为了民生。柳宗元这时已远贬在外,无所顾忌,讲的确是实话。

从当时新政实施的先后过程来看,关键时刻是在五月。《顺宗实录》载:五月,"辛未,以右金吾大将军范希朝为检校右仆射,兼右神策京西诸城镇行营兵马节度使。叔文欲专兵柄,藉希朝年老旧将,故用为将帅,使主其名;而寻以其党韩泰为行军司马专其事"。这件事引起宦官极大的震动,"宦者始悟兵柄为叔文等所夺,乃大怒曰:'从其谋,吾属必死其手。'"于是立刻下令地方将领,不要把兵权移交给范希朝。范希朝到京西奉天(今陕西乾县),没有一个将领来见他。韩泰马上把这一情况告知王叔文,王叔文也计无所出,只得叹息:"奈何!奈何!"②就在这五月内,宦官俱文珍设法将王叔文移至外廷任户部侍郎,免去翰林学士之职。王叔文大惊,对人说:"我是要每天到宫里来商议公事的,如果没有这一职务,我怎么还能来呢!"王伾特地为他疏请,但仍未允许,只不过让他每隔三五日入院一次,这就与任翰林学士大不一样了。

这五月份对永贞新政来说确是一个关键时刻。因为如上所说,在此之前,所颁行的措施,并没有引起大的波动,即使其间有些人事变动的纠纷,也未影响大局。正因为如此,王叔文想进一步推动改革,以谋求有新的突破,乃迈出一大步,以朝中之将范希朝来统驭神策军。这确是中唐社会的一大改革,如果成功,则宦

①《柳宗元集》卷三〇《寄许京兆孟容书》。
②见《通鉴》卷二三六。

官集团就失去军权,唐朝政局出现新变,并如有些史家所论,宪宗也不至于最终为宦官所弑。但从德宗时期积聚下来的局面来看,宦官掌握军中大权已成定局,凭王叔文等文人集团,根本不可能扭转这一格局,结果俱文珍等就立即进行根本性的反击,罢免王叔文的翰林学士之职,把他从内廷驱逐出去。我们可以从现有的史料中考见,所谓永贞新政,其施行时期实际只二、三、四月,五月以后再无举措,也就是从王叔文出院以后,新政即已停止,此后,六月份,王叔文母病重将死,柳宗元虽代为其上表,请求母亲病情稍为好转,"冀微臣驽蹇再效"①,但根本未有回复,这时大权都已在俱文珍等掌有实权的宦官手中。等王叔文之母于六月份去世,即迫王叔文丁忧,免去一切官职。接着,七月份,迫使顺宗下令,让太子监国;八月初,顺宗禅位,太子李纯正式称帝,并立即贬王叔文为渝州司户,王伾为开州司马;九月,柳宗元、刘禹锡、凌准等也都被贬出,所谓永贞新政,正式宣告破产。

从上述可以看出,所谓永贞新政,实际上即是以翰林学士王叔文为代表的文人集团与当时握有军政大权的宦官集团的一场政治斗争。这一文人集团确有革新的志向,而且如上所述,其最初几个月的所为,是得人心的,韩愈《顺宗实录》有好几处特地标出"人情大悦"等字句。刘禹锡在时隔三十余年所作的《子刘子自传》,也说这时王叔文"其施所为,人不以为当非"②。关键就在夺兵权,这既表现这一时期文人集团很不寻常的抱负,也表现出王

①《柳宗元集》卷三八《为户部王侍郎陈情表》。
②《刘禹锡集笺证》外集卷九。

叔文等过高估计自己力量的弱点。

王叔文施行新政,也确有不少毛病,主要是过高估计自己,以为凭翰林学士的地位,一方面在宫中值班,靠近皇帝,并通过顺宗左右的所谓牛美人和另一宦官李忠言,可以使顺宗信从他们的计议,一方面又与宰相韦执谊(据说也是王叔文向顺宗推荐的)联通,从而控制外廷。实际上,唐代翰林学士的职务,说得好听一些,只不过当时人所说,乃"赞丝纶之密命,参帷幄之谋猷"①,也就是替皇帝起草重要性文告,为皇帝提供有关朝政的咨询。这也就是一种中央机要秘书的职能。这算是古代文人参预政治的较高的层次。但文人往往是不自量力的。翰林学士应只不过是一个文人机构,其本身是缺乏政治实力的。在当时,总是由宦官俱文珍等带头,一方面联络朝臣,使其与内廷的翰林学士割开,一方面又联结某些方镇(如当时的川西、荆南、河东),促使他们上表劝告请太子即位。同时,他们又分化翰林学士内部。其实郑絪、卫次公等作为资深学士,虽表面上显示所谓"守道中立",实际上仍是依附于宦官集团,现在有些论著把中唐以后的翰林学士政治职能评得太高,认为翰林学士已作为一个单独实体,与外朝宰相、内廷宦官(枢密使),共同构成新的中枢机构,甚至认为翰林学士之实权已能超出宰相,这种误解就是由于没有对唐代翰林学士作具体的考察。永贞时期,王叔文拟发挥翰林学士的特殊作用,积极参预中央重大决策,这是唐代翰林学士的一次突出事件,但很可惜,其最终仍告失败。这是我们研究中国古代翰林学士史一个很

①《全唐文》卷四七八杜黄裳《东都留守顾公神道碑》,贞元二十年作。

值得深入探讨的课题。

　　本文本拟还就当时的宰相机构及实际作用,翰愈《顺宗实录》的纂修过程及史实可靠程度,再作一些探讨,以便较为全面论述永贞新政。限于篇幅,就暂以此结束,待以后有机会再加补述。

原载《中国文化研究》2001 年秋之卷,此据大象出版社 2004 年版《唐宋文史论丛及其他》录入

驼草集

第七册

中华书局

评《中华大典·文学典·隋唐五代文学分典》

　　《中华大典·文学典》的《隋唐五代文学分典》是我国学术界前辈耆宿程千帆先生亲自主持、组织的项目,也是《文学典》最先启动,列为试点的部分。其中直接参与并作为具体负责人,有卞孝萱、郁贤皓、吴企明等,都是我们唐代文学界有卓越成就的著名学者。

　　这一有数百万字的大书出版后,我有机会通读,感到这一分典确符合"编纂通则"所说的,是对汉文古籍进行全面、系统、科学的分类整理,为学术界提供准确翔实、便于检索的分类资料。

　　隋唐五代文学是中国古典文学承上启下的重要组成部分,作家、作品众多,文学体裁多样,并形成了不少文学流派,对后世有很大影响。将这些繁富的文学史料详加辑集、科学编排,难度极大。现在编纂完成的这一分典,正由于当初是作为试点的工程,认真对待,因此整个结构极为合理,为读者了解、研讨这四百年间的文学发展过程提供极大的方便。这是迄今为止有关隋唐五代文学资料最全、最精的一种。现已出版的各种专题作家研究资料、作品汇集考证等,均不可替代此书的价值。

全书除总的绪论外,再按时代先后,分隋、初唐、盛唐、中唐、晚唐、五代六个部分,每一部分又据各阶段的具体情况,再分为总论、总集、体类、作家。这样的结构,一方面反映这一时期的文学实际,另一方面确使读者能准确、迅速查阅到所要了解的某一专题。

我在翻阅全书后,除有以上总的评述,另有几点突出的印象:

一、辑集的资料面极广。如第一部分《绪论》,除历代文集、史书、诗话、笔记以外,还引有类书中少见的材料,如页 39 录《说郛》卷三一所引《艺圃折中诗》,页 42 录《永乐大典》卷八〇八所引《拙轩初稿》,页 57 录《永乐大典》卷九〇一所引刘秉忠《读唐人诗》。又如唐文学部三(中唐),页 210 作家常衮条,引《册府元龟》卷五五一;页 211 作家崔元翰条,引《册府元龟》卷五五一、八四一。这里所引录的都是卷帙极多的大类书,可见编纂者所花的工夫极深,且极精细,能发掘出别处不易见到的材料。又如唐文学部三,页 211 作家谢良弼条,引录宋《宝刻丛编》卷一三,也就是能注意于古代有关石刻文献的著作,这应当说是在资料搜集上对传统做法的一种创新与突破。

二、注意利用近现代学术成果。如唐文学部一(初唐),页 419 著录类,引用现代学者王重民《中国善本书提要》。页 426 总集《话英学士集》,因此书为敦煌遗书,就引录现代著作《敦煌古籍叙录》。而页 422 总集《文馆词林》,此书为初唐时所编,原书为一千卷,后在中国佚失,但日本保存,后又散失,这次著录时就引录中国近代访日学者的《日本访书志》、《书舶庸谈》等。这些都能开拓视野。又如页 417 总论部分辑录近代学者王闿运的诗论,其中有一段引自湖南省社科院图书馆所藏稿本《湘绮老人论诗册子》。辑录材料能注意稿本,可见用心之细。

三、有些特殊条目安排合理。如有些作家、作品,本身材料并不多,现在编纂者则尽量从多方面辑集,很有功力。如晚唐时作家丁居晦,其人是翰林学士,作有《重修承旨学士壁记》,是唐代记载翰林学士内容最多的著作。但丁居晦,两《唐书》无传,现在本书则辑录有《册府元龟》卷一○一、五一五、五五一共三条,《旧唐书》的《文宗纪》、《宋申锡传》中有关记载,宋人笔记《南部新书》,清人徐松《登科记考》,以及唐代刘禹锡诗、李商隐文,宋代石刻书《集古录》、《金石录》、《宝刻类编》。这就使生平不详的丁居晦有一个较完整的概貌。又如晚唐时有一部唐诗选本《唐诗类选》(顾陶编),选诗一千二百多首,共二十卷,是当时很有名的一部唐人选的唐诗。但此书后佚,这次编纂者除引录现在尚存的顾陶自序当后序外,还辑集宋人笔记、诗话如《能改斋漫录》、《艇斋诗话》,宋代公私书目,以及明人的《国史经籍志》、《诗薮》、《唐音癸签》,最后一条为钱谦益的《绛云楼书目》,可见明末清初此书尚存于世,可惜绛云楼失火,此书即焚毁。从这些资料,可以大致了解《唐诗类选》自宋至清的流传过程。

四、注意作品后世影响的文体变化。如唐文学部四(晚唐),页674录有袁郊《甘泽谣》,此书为传奇短篇小说集,在这之后"艺文"目录,则载有明梁辰鱼《红线女》、尤侗《黑白卫》等目录,并辑录《曲海总目提要》,可见出由小说衍化为戏剧的变化。又如同一部的页695,裴铏《传奇》,其"艺文"也著录明梁辰鱼、梅鼎祚等所作的杂剧剧目,及《清平山堂话本》等白话小说目,可见编纂者能注意于文学流传过程中不同文体的传承与衍变。这对研究者提供多方面的材料。

五、对特殊年代特殊处理。如这一分典的最后部分为五代，五代前后六七十年，其特殊性为这一时期乃南北割裂，于是编纂者在作家部分，除了中朝（北方）外，还按地区分设前蜀、吴、南唐、后蜀、南汉、楚、吴越、闽、南平（荆），这就使读者较能清楚地掌握这一时期作家分布的概况。五代作家材料不多，且较分散，编纂者注意从宋元笔记、诗话、方志、杂史等辑集。这是现在所见到的五代文学材料，既较为齐全又编排合理的基本文献。

这一《隋唐五代文学分典》，据我所知，启动是很早的，历经多年，2000 年才出齐，出版的进程确实稍长一些。可能工作进程中有一些具体问题，但由此也可见出编纂者对资料的编排、核实，做得很细。我在北京曾接触好几位自南京来的年轻学者，其中有南京师范大学中文系郁贤皓教授指导的博士生，他们奉命到北京来校阅、核对书中所辑集的资料，奔跑于好几家图书馆。其中有一二部明人所作的唐诗选本，他们说实在找不到，请我设法帮助，我后来自己在中华书局图书馆中寻找，终于查了出来，他们十分高兴，连续看了几天，连午饭也不去吃。由此可见参与此事的，上下都极认真、负责。

原载《中国图书评论》2001 年第 9 期（题为：采辑详备 允称佳构——读《中华大典·文学典·隋唐五代文学分典》），此据大象出版社 2004 年版《唐宋文史论丛及其他》录入

论中国藏书史的内涵

    我国藏书的起源,可以上溯到夏商周时期。根据当代"夏商周断代工程"的最新成果,可以确定夏代始于公元前 2070 年,夏商分界为公元前 1600 年,商周分界为公元前 1046 年。如此,则中国藏书史已经有四千年的历史,即以周武王克殷,孔子所说的"郁郁乎文哉,吾从周"起算,也已经三千余年。"书籍是人类进步的阶梯",作为世界文明古国中书籍数量最多、流传时间最久的中国来说,其悠久的历史文化,是与书籍的收集、保管、流传与开发利用等密不可分的。中国藏书文化应该说是中国传统文化重要的组成部分。

    从 20 世纪二三十年代起,中国学者对中国藏书史就开始进行切实的研究工作。80 年代以来海峡两岸有关藏书史的研究更趋于繁荣,不少学者和出版机构工作者,不但对历代藏书家题跋和书目等加以系统的整理和影印,而且对私人藏书、书院藏书和寺观藏书分别作了比较具体的考察、评述,此外还编印了好几部藏书家与文献学的辞典。在 20 世纪中国藏书史研究已经取得不可忽视的成就基础上,已可以把藏书学或藏书文化学作为独立的学科,梳理出中国藏书史及中国藏书文化的基本观念、学术范畴。这应该说是当今藏书研究面向新世纪所必须正视和承担的理论课题和富有实践意义的项目。

中国藏书史研究,包括中国藏书的基本系统、历史分期、概念内涵以及藏书礼仪、藏书管理、藏书风俗等内容。这些方面无论在中国文化史或世界文化史上,都显示出其他领域所不可代替的特色。本文仅就中国藏书史的内涵作一探讨。

中国藏书史的内涵,大致可以分为图书的购置、鉴别、校勘、装治、典藏、抄补、传录、刊布、题跋、用印、保护等几个部分。

(一)藏书的搜求

图书的搜求是藏书的前提。搜求在古代包括了征书、访书、购书等,是指政府和藏书家为了增益藏书或为了完成特定的收藏目标而进行的典籍图书的访求活动。

在中国,历代藏书家都把访书作为自己藏书事业的重要环节之一。"三十年著书,十年搜访"的宋代著名学者郑樵,在其所著《通志·校雠略》中曾提出皇家藏书患"求之道未至"和"不求",认为"求书欲广必遣官",并把自己的访书经验总结为八个方面:即类以求、旁类以求、因地以求、因家以求、求之公、求之私、因人以求、因代以求,从而在中国藏书史上第一次全面地总结了藏书家的访书经验。此后,明末藏书家祁承爜在宋代郑樵"求书八法"的基础上,又在其所著的《澹生堂藏书约·购书》中将其总结为

"眼界欲宽,精神欲注,而心思欲巧"的"购书三术"。另外,清初孙从添《藏书纪要·购求》、清末叶德辉《藏书十约·购置》等,都对图书的购置问题作了深入的阐述。孙从添在《藏书纪要·购求》中认为:"购求书籍,是最难事。"这体现在以下六个方面:"知有此书而无力购求,一难也;力足以求之矣,而所好不在是,二难也;知好而求追矣,而必较其值之多寡大小焉,遂致坐失于一时,不能复购于异日,三难也;不能搜之于书佣,不能求之于旧家,四难也;但知近求而不能远购,五难也;不知鉴识真伪,检点卷数,辨论字纸,贸贸购求,每多阙帙,终无善本,六难也。有此六难,虽有爱书之人,而能藏书者鲜矣。"

而要访得好书,则需要藏书家作出极大的牺牲,除了节衣缩食、耐得起贫寒寂寞外,还需具备"生应不休""死而后已"的精神[1]。如明代藏书家朱存理,"闻人有异书,必从访求,以必得为志"[2]。杨循吉也是如此,钱谦益《列朝诗集小传》丙集载其"居家好蓄书,闻某所有异本,必购求缮写"。杨循吉在其《题书橱诗》中谈了他一生访求图书的感想:"吾家本市人,南濠居百年。自我始为士,家无一简编。辛勤一十载,购求心颇专。小者虽未备,大者亦略全。经史及子集,一一义贯穿。当怒读则喜,当病读则痊。恃此用为命,纵横堆满前。当时作书者,非圣亦大贤……"[3]甚至为此倾家荡产。王世贞所作的《二酉山房记》就对明代藏书家胡

---

①缪荃孙辑《全编红雨楼题跋》卷二,峭湖楼丛书本。
②钱谦益《列朝诗集小传》丙集,上海古籍出版社1983年版。
③朱彝尊《静志居诗话》卷八,人民文学出版社1990年版。

应麟的购书、访书活动作了极其真实生动的描述:"余友人胡元瑞性嗜古书籍,少从其父宪使君京师。君故宦薄,而元瑞以嗜书故,有所购访,时时乞月俸不给,则脱妇簪珥而酬之;又不给,则解衣以继之。元瑞之囊无所不罄,而独载其书,陆则惠子,水则米生,盖十余岁而尽毁其家,以为书录,其余资以治屋而藏焉。"①对此,胡应麟本人也有记述:"余自髫岁,夙婴书癖。稍长,从家大人宦游诸省,遍历燕、吴、齐、赵、鲁、卫之墟,补缀拮据,垂三十载。近辑山房书目,前诸书外,自余所获才二万余。大率穷搜委巷,广乞名流,录之故家,求诸绝域。中间解衣缩食,衡虑困心,体肤筋骨,靡所不瘁。"②

(二)图书鉴别

图书鉴别是指对所购所藏图书进行好坏优劣及真伪的辨识。藏书家往往对所购所藏之书加以鉴别真伪,实是一种优秀的文化传统。《墨子·非命上》曰:"天下之良书,不可尽其数。"由此可见,先秦时期已有学者把图书分成良书和恶书两大类别。至汉代,藏书家刘德、刘向、郑玄等对此都有创见。如《汉书·河间献王传》载刘德以时间范围、字体、真伪、著者四个条件作为选择善

---

①胡应麟《少室山房笔丛》卷二《经籍会通》二,影印文渊阁《四库全书》本,台湾商务印书馆1983年版。
②胡应麟《少室山房笔丛》卷四《经籍会通》四。

本的标准。此后,晋葛洪,北齐颜之推,唐颜师古、李泌、柳玭、徐修矩,宋沈括、宋敏求、叶梦得、晁公武、尤袤、洪迈、陈振孙,明代高濂、杨士奇、陆深、胡应麟、毛晋等,都在图书鉴别方面作出过贡献。

但图书鉴别的标准大有讲究,明代藏书家祁承㸁《澹生堂藏书约》专门列有"鉴书之训",他认为:"夫藏书之要在识鉴,而识鉴所用者在审轻重、辨真伪、核名实、权缓急而别品类。"而清代孙从添的《藏书纪要·鉴别》中则更看重图书的版本,他指出:"夫藏书而不知鉴别,犹瞽之辨色,聋之听音,虽其心未尝不好,而才不足以济之,徒为识者所笑。"

在长年累月的藏书生涯中,藏书家积累了丰富的图书鉴别经验。明代陈继儒在说及毛晋图书鉴别时说:"吾友毛子晋负泥古之癖,凡人有未见书,百方购访,如缒海凿山,以求宝藏。得即手自钞写,纠讹谬,补遗亡,即蛛丝鼠壤,风雨润湿之所靡败者,一一整顿之,雕板流通,附以小跋,种种当行,非杜裁判断,硬加差排于士人者。盖胸中有全书,故本末具有脉络;眼中有真鉴,故真赝不爽秋毫。无论寒肤嗛腹之儒,骇未曾有,虽士大夫藏书家李邯郸、宋宣献复生,无不侈其博而服其鉴也。"[1]明代藏书家高濂在其所著的名作《遵生八笺》中也谈了他图书鉴别的真知灼见,他认为宋版书"纸坚刻软,字画如写;格用单边,间多讳字。用墨稀薄,虽着水湿,燥无湮迹,开卷一种书香,自生异味";而"元刻仿宋单边,字画不分粗细,较宋边条阔多一线,纸松刻硬,用墨秽浊,中无讳字,

—————————————

① 叶昌炽《藏书纪事诗(附补正)》卷三,上海古籍出版社 1989 年版。

开卷了无嗅味"。故此,他认为宋刻质量要优于元刻。他在书中还对书商作伪造假宋版书的手法作了深刻的揭露:书商"将新刻模宋板书,特抄微黄厚实竹纸,或用川中茧纸,或用糊扇方帘棉纸,或用孩儿白鹿纸。简卷用椎细细敲过,名之曰'刮',以墨浸去嗅味印成。或将新刻板中残缺一二要处,或湿霉三五张,破碎重补;或改刻开卷一二序文年号;或贴过今人注刻名字留空,另刻小印,将宋人姓氏扣填两头。角处或妆茅损,用砂石磨去一角;或作一二缺痕,以灯火燎去纸毛,仍用草烟薰黄,俨状古人伤残旧迹;或置蛀米柜中,令虫蚀作透漏蛀孔;或以铁线烧红,椎书本子,委曲成眼,一二转折,种种与新不同。用纸装衬,绫锦套壳,入手重实,光腻可观,初非今书仿佛,以惑售者。或札伙囤,令人先声指为故家某姓所遗。百计瞽人,莫可窥测,多混名家,收藏者当具真眼辨证"①。

(三)图书校勘

图书校勘又称为图书校雠,是指藏书主人对其所收藏的图书进行校对勘误,它是藏书活动中一项必不可少的工作内容,也是我国藏书文化的一项优秀传统。近代藏书家叶德辉在《藏书十约·校勘》中说:"书不校勘,不如不读。"他认为藏书"校勘之功,厥善有八":"习静养心,除烦断欲,独居无俚,万虑俱消,一善也。有功古

---

① 高濂《遵生八笺·燕闲清赏笺·论藏书》,巴蜀书社 1992 年版。

人,津迷后学,奇文独赏,疑窦忽开,二善也。日日翻检,不生潮霉,蠹鱼蛀虫,应手拂去,三善也。校成一书,传之后世,我之名字,附骥以行,四善也。中年善忘,恒苦搜索,一经手校,可阅数年,五善也。典制名物,记问日增,类事撰文,俯拾即是,六善也。长夏破睡,严冬御寒,废寝忘餐,难境易过,七善也。校书日多,源流益习,出门采访,如马识途,八善也。"程千帆《校雠广义·叙录》也明确指出:"藏书亦自有其道,非目录、版本而兼校勘即可尽者……盖由版本而校勘,由校勘而目录,由目录而典藏,条理始终,囊括珠贯,斯乃向、歆以来治书之通例,足为吾辈今兹研讨之准绳。"①

我国典籍流传,由简策以至写本、印本,历经千百年之久,在这漫长的辗转抄写或刻印过程中,难免会造成字句有误、篇章脱落的状况,故自古以来便有"无错不成书"的谚语。为了保证原书的本来面目,以免产生新的缺失,引出错误的结论,几乎所有有能力、有责任感的藏书家都会毫不犹豫地担当起图书校勘的工作,这成为中国藏书文化的一个重要组成部分。但图书校勘绝不是一件轻而易举之事,它不仅需要藏书家具备比较丰富的知识,而且需要其吃得起苦,耐得住寂寞、专心致志、锲而不舍、长年累月地进行着无休无止的校勘工作。正是对子孙负责、对典籍负责的崇高使命感,支撑着无数的藏书家前仆后继地从事着这种默默无闻的苦差使。如宋代晁公武"日夕躬以朱黄,雠校舛误"②。宋代大藏书家宋绶、宋敏求父子也以校雠精审著称,沈括《梦溪笔谈》

①程千帆《校雠广义·叙录》,齐鲁书社 1998 年版。
②晁公武《郡斋读书志·自序》,江苏广陵古籍刻印社 1987 年版。

卷二五载云:"宋宣献博学,喜藏异书,皆手自校雠,常谓校书如扫尘,一面扫,一面生,故有一书每三四校,犹有脱谬。"此后,明代毛晋,清代顾广圻、钱大昕、黄丕烈、吴骞、严可均等人便是其中埋首故纸堆、精擅校勘且取得较高成就的佼佼者。

(四)藏书抄补

抄书一直是藏书家增益藏书的重要手段。这不仅在印刷术发明之前如此,即使在中国古代印刷业比较发达的明清两代,藏书家抄书之风仍然非常盛行。其原因有二:一是书籍流通地区相对集中,交通不便,购书困难。如福建藏书家谢肇淛,年轻时曾见宋代文学家王禹偁的诗文数篇,深为赏识;后又想遍觅王氏文集一读,但久久未能如愿。及听说湖北黄州曾梓行王之诗文,遂托当地友人代购,又不得。最后,他在叶进卿处借得内府宋本王禹偁《小畜集》一读,成为平生的一大快事,遂抄而珍藏之。二是珍本、异本、罕见之本,既无刊本,购置不易,故只有借抄而藏之。清代藏书家孙从添在《藏书纪要·钞录》中说:"书之所以贵钞录者,以其便于诵读也。历代好学之士,皆用此法,所以有刻本,又有钞本,有底本。底本便于改正,钞本定其字画。于是钞录之书,比之刊刻者更贵且重焉。况书籍中之秘本,为当世所罕见者,非钞录则不可得,又安可以忽之哉?从未有藏书之家而不奉之为至宝也。"有鉴于这两个原因,故中国古代藏书家抄书之风一直久行不衰,并成为他们增益家中藏书、补充藏书特色的重要手段。在此背景下,出现了许多著名的抄本,以明代而言,就有所谓的叶抄(叶盛赐书楼抄本)、吴抄(吴宽丛书堂抄本)、文抄(文徵明玉兰堂抄本)、沈抄(沈与文野竹斋抄本)、杨抄(杨梦羽七桧山房抄本)、姚抄(姚咨茶梦斋抄本)、祁抄(祁承𤊹澹生堂抄本)、毛抄(毛晋汲古阁影宋抄本)、谢抄(谢肇淛小草斋抄本)、钱抄(钱谦益绛云楼抄本)等。

抄书是一种既苦又累的事,如谢肇淛在京抄宋人《竹友集》时,"时方沍寒,京师佣书甚贵。需铨京邸,资用不赡,乃手自钞写。每清霜呵冻,十指如槌,几二十日始竣"①。宋濂"家贫,无从致书以观,每假借于藏书之家,手自笔录,计日以还。天大寒,砚冰坚,手指不可屈伸,弗之怠。录毕,走送之,不敢稍逾约"②。但即使如此,藏书家仍一丝不苟地抄书。如宋本书世所罕见,毛晋酷爱之,他对不能得者,则请名家抄手以佳纸好墨加以影抄,所抄书有古今绝作之誉,其抄本中的字画、纸张、乌丝、图章追摹宋刻,与宋刻本无异,称影宋抄。叶盛也是如此,钱大昕称其"藏书之富,甲于海内,服官数十年,未尝一日辍书,虽持节边徼,必携钞胥自随。每钞一书成,辄用官印识于卷端,其风流好事如此"③。

补书同样是中国古代藏书家的一个传统。所谓补书,就是对残缺图书的搜访集全。对历代留传中因各种原因而导致书籍残缺不全的,藏书家总是将拾残补阙当作自己义不容辞的神圣职

---

①叶昌炽《藏书纪事诗(附补正)》卷三,上海古籍出版社 1989 年版。
②宋濂《宋文宪公全集》卷三二《送东阳马生序》,《四部备要》本。
③钱大昕《潜研堂文集》卷三一《江雨轩集跋》,《四部丛刊》本。

责,呕心沥血、刻意寻访,冀期以自己的诚意和努力使其破镜重圆。在这方面,历代藏书家留下了许多合浦珠还的佳话。如明代藏书家赵琦美购得宋代著名科学家李诫所著的《营造法式》残帙一部,中缺十余卷,为补全此书,他废寝忘食,孜孜以求,遍访四方藏书家,经二十余年的艰难寻访,终使该书臻于完整。明代藏书家沈节甫等人也是如此,沈节甫在其《玩易楼藏书目录》自序中说:"即有残阙,必手自订补,以成完帙。"①

(五)图书储藏

图书的储藏是藏书活动的核心内容之一。但面对"积如丘山"的图书,如何储藏,这是历代藏书家一直探索中的问题。章学诚在《校雠通义·藏书》中说:"孔子欲藏书周室,子路以谓周室之守藏史老聃可以与谋。说虽出于《庄子》,然藏书之法,古有之矣。太史公抽石室金匮之书,成百三十篇,则谓'藏之名山,副在京师',然则书之有藏,自古已然。不特佛老二家,有所谓道藏、佛藏已也。"从汉代开始,人们还用竹制小箱(箧)将图书分类置放,以免损失破坏。唐代藏书家李泌,将自己所藏的三万余卷图书,分为经史子集四大类,并分别标上红、绿、青、白四色。宋代藏书家郑樵亦非常注意对图书的典藏,他曾精选其正御本书写五十副

①转见郑元庆、范锴《吴兴藏书楼》第13页,(上海)古籍文学出版社1957年版。

本,分上中下三品,用不同颜色的卷轴分藏书室,并建立起能自动启合的门窗和书橱等设施。元代学者郝经在为当时藏书家贾辅所撰的《万卷楼记》中详述其分类置放图书的情况:"楼既成,尽以卷帙置其上而为之第,别而为九;六经则居上上,尊经也;传注则居上中,后传也;诸子则居上下,经之余也;历代史居中上,亚六经也;杂传记居中中,次史也;诸儒史论居中下,史之余也;先正文集及诸著述居下上,经史之余也;百家众流、阴阳图籍、山经地志、方伎术数则居下中,皆书之支流余裔也;其法书名画则居下下,艺成而下也。栉比鳞次,高切星汉。"①清初昆山徐乾学的传是楼在图书置放上也有规则,彭士望论述道:"楼十楹,跨地亩许,特远人境,无附丽,启后牖,几席与玉峰相接。中置庋阁七十有二,高广径丈有五尺,以藏古今之书。装潢精好,次第胪序,首经史,以宋板者正位南面;次有明实录、奏议,多钞本;又次诸子百家、二氏方术、稗官野乘齐谐,靡不具备。曲直从横,部勒充四阿,各有标目。"②

(六)藏书传录

　　藏书流通是指藏书主人所收藏的典籍图书在社会和历史间的传播。在中国历史上,藏书的流通主要有借读、借抄、借校、翻刻和捐赠等多种形式。藏书流通虽未在社会上形成一种普遍的

①郝经《陵川集》卷二五,文渊阁《四库全书》本。
②叶昌炽《藏书纪事诗(附补正)》卷四,上海古籍出版社1989年版。

风气,但历代倡导和力行者不乏其人。如汉代的蔡邕,晋代的范蔚,南朝的崔慰祖,宋代的宋敏求、李公择、苏颂、赵不迁、郑文英,明代的曹溶、姚士粦、胡应麟、毛晋,清代的黄虞稷、孙承泽、朱筠、朱彝尊、周永年、宋大樽宋咸熙父子、孙衣言、孙文川、张寿荣、徐树兰等,都是藏书流通的杰出代表。明代藏书家曹溶撰有《流通古书约》,专门讨论和倡导藏书流通的重要意义,对当时及后世的藏书流通活动的开展起到了积极的推动作用。他在《流通古书约》中提出:"予今酌一简便法,彼此藏书家,各就观目录,标出所缺者,先经注,次史逸,次文集,次杂说,视所著门类同,时代先后同,卷帙多寡同,约定有无相易,则主人自命门下之役,精工缮写,校对无误,一两月间,各赉所钞互换。此法有数善:好书不出户庭也;有功于古人也;己所藏日以富也;楚南燕北皆可行也。"①祁承㸁也持有这种观念,他认为个人力量有限,故"必须相结同志者五六人,各相物色而又定之以互易之法,开之以借录之门,严匿书之条,峻稽延之罚,奇书秘本不踵而集,此亦人生之至乐,中天下而定四海,弗与易矣"②。

(七)藏书刊布

藏书刊布是指藏书家对所藏善本书籍或有流通价值书籍的

①李希泌、张椒华编《中国古代藏书与近代图书馆史料(春秋至五四前后)》第31页,中华书局1982年版。
②祁承㸁《澹生堂集》卷一八《尺牍·与徐季鹰》。

印刷出版,借此扩大这些书的影响,使其化身千亿,广布人间,而永不泯灭。人们将藏家翻刻古书、流通珍贵典籍的做法,视为功德无量之事。如藏书家张海鹏在《借月山房汇钞序》中说:"藏书不如读书,读书不如刻书。读书只以为己,刻书可以泽人。上以寿作者之精神,下以惠后来之沾溉。"清末缪荃孙也说道:"单缣另帙,最易销磨;有大力者,汇聚而传刻之,昔人曾以拾冢中之白骨,收路弃之婴儿为比。"①而清末的藏书家张之洞更是力倡藏书家刻书,他说:"凡有力好事之人,若自揣德业学问不足过人,而欲求不朽者,莫若刊布古书一法。但刻书必须不惜重费,延聘通人,甄择秘籍,详校精雕。(刻书不择佳恶,书佳而不雠校,犹糜费也。)其书终古不废,则刻书之人终古不泯。如歙之鲍、吴之黄、南海之伍、金山之钱,可决其五百年中必不泯灭,岂不胜于自著书自刻集者乎。且刻书者,传先哲之精蕴,启后学之困蒙,亦利济之先务,积善之雅谈也。"②叶德辉《书林清话》卷一《总论刻书之益》评价说:"文襄倡此言,故光绪以来海内刻书之风几视乾嘉时相倍。"

藏书家刊布书籍之风始自五代后蜀的毋昭裔。此后,历代藏书家中多有热衷于图书刻印者。如南宋藏书家朱熹、廖莹中、岳珂,明代藏书家毛晋、范钦、项笃寿项元汴兄弟、洪木便、高承埏,清代钱熙祚、鲍廷博、纳兰性德、吴骞、卢见曾、孔继涵、阮元、秦恩复、黄丕烈、汪士钟、卢文弨、蒋光煦、伍崇曜、缪荃孙、叶德辉及民国的刘承干等,都是其中的典型代表。他们选择优秀底本,并加

---

① 缪荃孙《艺风堂文漫存》卷二《适园丛书序》。
② 张之洞《书目答问》附录《劝刻书说》。

以精审校勘，或刊刻乡土文献，或刊刻家集、或校刻佚典秘籍，或刊刻名家文集、笔记、小说等，对我国历代典籍的延续与传播起到了不可估量的重要作用。

（八）藏书题跋

藏书题跋是专指写于被收藏的典籍图书卷册前后（有时在书卷中间的隙处）的题跋文字。据文献所载，题跋这种文体形成于唐代，并在北宋盛行起来，起初用来记录收藏和鉴定书画的过程和结果。文字书于前者称"题"，收于后者为"跋"。苏轼、欧阳修、黄庭坚都是这种体裁的著名作家。此后，其风影响到藏书界，藏书家为藏书写跋蔚成风气。如南宋的陆游，明代的都穆、毛晋，清代的何焯、鲍廷博、陈鳣、钱泰吉、顾沅、卢文弨、蒋凤藻、潘祖荫、杨循吉、叶昌炽、莫友芝、叶德辉，近代的缪荃孙、王国维、邓之诚、叶恭绰、伦明、李盛铎、莫伯骥、傅增湘等，均是著名的藏书题跋作家。如陆游二百五十八篇题跋中，就有近四分之一为藏书题跋，其内容极为丰富，涉及得书经过、辨书籍真伪、评版本优劣、论校勘水平、谈装帧好坏、议纸张墨色等，形成了一个完整的藏书思想体系。叶德辉在《藏书十约》中还将藏书题跋作为藏书的必备技术之一，列为专篇讨论，他在该书的《题跋》篇中说："凡书经校过，及新得异本，必系以题跋，方为不负此书，或论其著述之指要，或考其抄刻之源流。"

从明清藏书家题跋来看，藏书题跋大致可以分为考据类和艺文类两个流派。考据类藏书题跋可以顾广圻的《思适斋书跋》为代表,而艺文类藏书题跋则以黄丕烈的《士礼居藏书题跋记》为代表。

20世纪上半叶以来,藏书题跋的搜集、整理、研究已受到书业界和学术界的重视。这方面代表性的著作有清代吴寿旸《拜经楼藏书题跋记》、陆心源《仪顾堂题跋》、瞿氏《铁琴铜剑楼藏书题跋集录》,以及近代张元济《涉园序跋集录》等。

需要指出的是,藏书题跋与中国传统的解题(书录)有所不同。解题是一种介绍书籍作者、卷次、版刻、旨意、内容正误等情况的文体,如宋代藏书家陈振孙的《直斋书录解题》便是这一文体的代表作。

(九)藏书用印

藏书用印,是指收藏者在自己购置或拥有的典籍图书上钤盖体现藏本所有主关系和表达藏书主人个性爱好的印章。人们称这种印章为"藏书印"或"藏书章"。它是中国历代藏书的一大特征。其目的在于征信,以示某书曾为某人所有。故历来深受版本学家、目录学家和藏书家的重视,用以考查一书的流传渊源或判断一书的版本,或用以补充书史资料的不足。

至于中国古代藏书用印始于何时,目前已难详考。然据唐代张彦远《历代名画记》所载,东晋仆射周𫖮已有藏书印曰"周𫖮",梁朝徐曾权有藏书印"徐",则中国藏书用印已有一千五六百年的悠久历史。至唐代，藏书用印之风开始风行。如唐代宫廷及中央政府机构藏书中，唐太宗有"贞"、"观"两字小印，唐玄宗有"开元"印；唐翰林学士院有"翰林之印"，弘文馆有"弘文之印"。私家藏书亦然，如张彦远《历代名画记》中便载有数个唐代藏书家的藏书用印，如张彦远高祖张嘉贞藏书印为"河东张氏"，曾祖张延赏印为"乌石侯瑞"，祖父张靖有"鹊瑞"印。寺院藏书同样如此，如罗福颐《古玺印概论》云敦煌石室所藏唐人写本《大般若波罗蜜经》上钤有"报恩寺藏经印"。到明清时期，藏书用印之风更是盛极一时。当时一些较为著名的藏书家，几乎都有几方乃至上百方藏书印，每得好书，把玩珍赏之余，必钤印书上，其后或相与流传，乃至朱痕累累。

藏书用印形制不一，风格各异，就印文的内容而言，有姓名印、别名字号印、斋室名印、生年行第印、仕途功名印、收藏鉴定印、校读印、闲章、其他九大类。这些藏书用印除具有史料价值外，大多还具有极高的艺术价值，同时其形制、款式、篆法，亦足为今日藏书印之典范①。

（十）藏书保护

藏书保护是指中国历史上官府藏书机构和私人藏书家等收藏的典籍图书所采取的技术保护措施。威胁藏书的完整和安全

---

① 以上参见林申清《中国藏书家印鉴》自序，上海书店出版社 1997 年版。

的,主要是人为的毁坏和自然的侵害。人为毁坏,如战乱、盗卖、焚书、偷窃和污损等;自然侵害,如火、水、虫等给予藏书的损害。此外,又同书籍的载体素质如纸、墨等的质量有密切的关系。这里专指对火、水、蠹等自然侵害的防治。

中国古代的藏书保护技术主要有四个方面的内容:一是染纸避蠹技术;二是装帧保护技术;三是药物防蠹技术;四是藏书楼建筑防火、防水、防潮技术。

染纸避蠹技术出现于东汉时期,据刘熙《释名》载,当时人们用檗将纸染黄后再用以防蠹。

曝书是中国古代藏书保护的重要手段之一。所谓曝书,即在每年适当的时节(通常是在伏天或秋初天高气爽的时候)将藏书从室中取出曝晒,以驱杀书蠹(俗称"书鱼子")。其俗最早见于《穆天子传》:"天子东游,次于雀梁,曝蠹书于羽陵。"至汉唐时期,曝书已成制度。据《南宋馆阁录》卷三《储藏》所载,宋代馆阁"年例,入夏曝晒书籍,自五月一日为始,至七月一日止"。钱勰《和阁老舍人曝书会》诗有"天禄图书府,芸签岁曝频"之句①。北宋名臣司马光读书堂藏书,一般每年都在上伏及重阳期间,视天气晴明,设几案于当日,将所藏之书放在上面曝晒。明清时期,曝书制度相沿不废。如明代项维贞《燕台笔录》曰:"六月六日,本非令节。但内府皇史宬晒曝列圣实录、列圣御制文集诸大函,则每岁故事焉。"然而藏书愈多,则曝书愈艰。清乾隆五十三年(1788),乾隆帝鉴于有关官员"曝晒书籍,插架归函,竟未能顺叙,

<hr>

①厉鹗《宋诗纪事》卷二四,上海古籍出版社1983年版。

殊非慎重秘书之道"，遂诏令文渊阁"嗣后只须慎为珍藏，竟可毋需曝晒"①。但因曝书之法简单易行，在后世仍大受藏书界的欢迎。叶德辉《藏书十约·收藏》说："古人以七夕曝书，其法亦未尽善。南方……不如八九月秋高气清时，（热力）正收敛，且有西风应节，藉可杀虫。"

此外，藏书家还普遍重视对其藏书的装潢，并把其看作是保护珍籍善本的一种有效措施。孙从添《藏书纪要·装订》曰："装订书籍，不在华美饰观，而要护帙有道，款式古雅，厚薄得宜，精致端正，方为第一。"他在书中介绍了书籍装订时如何制作书面、摺书页、钉线和用套等方面的经验，其中特别提到糊裱宜夏、摺订宜春的要求。而叶德辉在《藏书十约·装潢》中则主张书用夹板，他说夹板以梓木为贵，不生虫，不走性，其质坚而轻。花梨枣木次之，微嫌其重。如清代藏书家黄丕烈购得宋版《温国文正司马公文集》一书时，该书当时已破烂不堪，蠹虫数以百计，缺页及无字处每册均有，黄氏遂择良工精加修补，费时近两年始装潢一新，但其工费已倍于买书价，达百余两银。而黄丕烈为元刻本《元统元年进士题名录》一书支付的装潢费用更是高达购书价的数十倍。

以药物保护书籍的方法也极为风行，其中以用芸草藏书防蠹为最典型。如北宋著名科学家沈括《梦溪笔谈》卷三曰："古人藏书辟蠹，用芸。芸，香草也。"故后人有书香之称。如宋人刘克庄《后村集序》曰："至若以文名世者，家有贤子孙，能绍祖父书香，昭箕裘于不坠，则其文久而弥彰，流传不朽矣。"明代范钦的天一阁

---

①《乾隆东华录》卷四二。

藏书就是利用芸草辟蠹的。当然也有用其他方法的,如宋代藏书家赵元考采用寒食面与腊月雪水调和粘书的方法防蠹;明代藏书家谢肇淛则以物理方法防蠹,他在《五杂俎》卷九《物部》中说:"书中蠹蛀,无物可辟,惟逐日翻阅而已。置顿之处,要通风日,而装潢最忌糊浆厚裱之物。宋书多不蛀者,以水裱也。日晒火焙固佳,然必须阴冷而后可入笥;若热而藏之,反滋蠹也。"明代藏书家毛晋的防蠹法是采用伏天糊裱,书用厚衬料,压平伏。裱面用洒金墨笺,或石青、石绿、棕色紫笺,内用科举连裱,装裱浆糊用小粉、川椒、百部等草药细末拌之。而广东佛山一带还发明了一种名叫"万年红"的防蠹纸,据中国历史博物馆防蠹纸研究小组《对明清时期防蠹纸的研究》(载《文物》1977 年第 1 期)等说,所谓防蠹纸是一种在纸上涂有用铅、硫磺、硝石等化合而成的桔红色粉末的物质铅丹(亦称红丹),其主要化学成分是四氧化三铅,蠹虫接触铅丹就会死亡。清人方功惠则在其藏书中以东丹笺作副叶以防蠹;孙从添《藏书纪要》则详细介绍了用皂角炒末以避鼠害和以炭屑、石灰、锅锈铺地以驱白蚁等藏书保护方法;叶德辉用雄黄、石灰等物避虫蚁。总之,中国历史上的防蠹方法多种多样,因地而宜。

(十一)藏书建筑

藏书建筑是指历代典籍图书收藏者为藏书而专门建造的处所。这种处所,在历代习见的有藏书楼、图书馆等之称。

通过专门建造的藏书处所而使典籍图书不受自然和人为的

损坏,这在很早以前就受到人们的重视。据《周礼·龟人》载:"凡取龟用秋时,攻龟用春时。各以其物入于龟室。"又,《史记·龟策列传》:"高庙有龟室。"据此可知,早在西周时便在宗庙内辟有专门收藏占卜甲骨的"龟室"。至秦汉时,随着藏书的增多,藏书建筑也更受人们的重视。如《汉书·艺文志》中所载的汉初"建藏书之策",可能就含有建造专门藏书建筑的计划。又,《汉书·萧何曹参传》又载:萧何"收秦丞相御史律令图书"之后,曾造"龙石为渠以导水……因为阁名,所藏入关所得秦之图籍。至成帝又于此藏秘书焉。"此阁即石渠阁,在西汉都城长安城未央宫大殿北。另,《三辅黄图》载:"天禄藏阁,藏典籍之所,萧何造以藏秘书,处贤才也。"此外,西汉皇家藏书建筑还有石室、兰台。而私家藏书则自晋代起更加讲究专门的建筑,如北魏平恒"另构精庐,并置经籍于其中"[1];五代四川眉山藏书家孙长孺"喜藏书,贮以楼",被当地人称为"书楼孙家"[2]。

藏书建筑的设计和建造有一定的要求,即要注意防火、防潮、防虫蠹、防盗、采光、便读、省钱等问题。其中防火为首要,我国自古便有"金匮石室"之说,如西汉长安皇家藏书楼——石渠阁,以石建造,并有水环绕。东汉藏书家曹曾的"曹氏书仓"也以积石为仓。清人孙从添《藏书纪要·收藏》评论说:"古有石仓,藏书最好,可无火患,而且坚久。今亦鲜能为之。唯造书楼藏书,四周石砌风墙,照徽州库楼式乃善。不能如此,须另置一宅,将书分新旧

---

①《魏书》卷八四《儒林·平恒传》,中华书局标点本 1974 年版。
②叶昌炽《藏书纪事诗(附补正)》卷一,上海古籍出版社 1989 年版。

钞刻各置一室封锁,匙钥归一经营。每一书室,一人经理,小心火烛,不致遗失,亦可收藏。若来往多门,旷野之所,或近都市,又无空地,接连内室厨灶衙署之地,则不可藏书。而卑湿之地,不待言矣。"明内府的皇史宬也沿袭传统的建造方法,整座书库不用木植,四周上下俱用砖石,书柜用铜皮鎏金,书柜设置于石台之上。如此建筑,既符合古之"金匮石室"之义,同时在防火、防潮等方面也起到了很好的作用。明代浙江藏书家范钦的天一阁藏书楼,更是中国历代藏书建筑中的典范。该楼为一排六开间的两层木结构楼房,坐北朝南,前后均有窗户,以通风防潮;楼上为一大通间,中间用书橱隔而为六,用以藏书。天一阁前一水池,用作防火。当时及后世的许多皇家和私人藏书楼的建造,都深受其影响。另外,藏书楼建筑还要注意防潮,这在南方地区尤然,叶德辉在《藏书十约·收藏》中说:"藏书之所,宜高楼,宜宽敞之净室,宜高墙别院,与居宅相远。室则宜近池水,引湿就下,潮不入书楼。宜四方开窗通风,兼引朝阳入室。东风生虫之候,闭其东窗。窗橱俱宜常开,楼居尤贵高敞,盖天雨瓦湿,其潮气更甚于室中也。"

古代藏书处的名称甚多,常见的有图书库、书坊、书房、书林、书库、书城、书仓、书巢、书垒等。例称图书府的《晋书·天文志上》有载:"东壁二星,主文章。天下图书之秘府也。"又,唐张说《张说之集》卷五《恩制赐食于丽正书院宴》诗:"东壁图书府,西园翰墨林。"而唐代朝省藏书的馆院称为书坊、书房,如《文苑英华》卷一六八载韦述《奉和圣制送张说上集贤院学士赐宴》诗:"台座征人杰,书坊应国华。"唐元稹《长庆集》卷二〇《和乐天过秘阁书省旧厅》诗:"闻君西省重徘徊,秘阁书房次第开。"也有称书林、书城等名称的,如《东观汉记》卷二载和帝永元十三年:"亲幸东观,览书林,阅篇籍。"明陈继儒《太平清话》卷二:"宋政和时,都下李德茂环积坟籍,名曰书城。"清汪玠《三侬赘人广自序》:"玠凤遭屯难,沉痼书城,雕虫琐事,不足名家。"①唐白居易《长庆集》卷三八别集《池上篇》序:"(乐天)又曰:虽有子弟,无书不能训也,乃作池北书库。"王嘉《拾遗记》卷六《后汉》:"及世乱,家家焚庐,(曹)曾虑先文湮没,乃积石为仓以藏书,故谓曹氏为书仓。"宋陆游《渭南文集》卷一八《书巢记》:"陆子既老且病,犹不置读书,名其室曰书巢。……吾室之内,或栖于椟,或陈于前,或枕籍于床,俯仰四顾,无非书者。"《吴礼部集》卷一二《书垒记》:回回人马薛超吾"平生薄嗜好,好读书,所蓄凡万卷,侨居豫章,辟楼鹤轩之左,悉置书于其上,而以'书垒'名之"。

(十二)藏书编目

对藏书进行分类编目,是中国藏书文化的又一优秀传统。关于藏书分类编目的作用,清代学者王鸣盛在其所著的《十七史商榷》一书中曾开宗明义地说道:"目录之学,学中第一紧要事,必从此问途,方能得其门而入。"又曰:"凡读书最切要者,目录之学。目录明,方可读书;不明,终是乱读。"②

①张潮《虞初新志》卷二〇,文学古籍刊行社1954年版。
②王鸣盛《十七史商榷》卷七,商务印书馆1959年版。

中国自古以来，典籍众多，素有"汗牛充栋"、"浩如烟海"、"积如丘山"等说法。面对众多的书籍，如果不进行科学的分类编目，会给求书者带来极大的麻烦。为了有效地管理藏书，就有必要进行图书编目。因为只有通过对所藏图书的编目，才能达到以下几个目的，即：有多少藏书，有什么样的藏书，这些藏书分别放在何处，有什么样的价值和用途，怎样找得快些、准些……清代藏书家孙从添《藏书纪要·编目》中所说的"大凡收藏家编书目有四，则不致错混颠倒、遗漏草率，检阅清楚，门类清晰，有条有理，乃为善于编目者"，乃指此。有鉴于此，历代藏书家都将编目作为图书阅读、互借、交流等利用的首要基础工作，并由此出现了各种不同用途的综合目录、专门目录、特藏目录等。

我国早在先秦时期便有了图书分类编目的记载。孔子是中国历史上最早对图书进行分类和整理的人，他在整理古诗三千余篇时，提出了有关藏书文化的最早理论原则，即"去其重"和"可施于礼义"者。到汉代，对图书进行整理编目的做法已非常流行了。如汉武帝时，为了用兵的需要，曾命杨仆从小丘般的简册中整理出大量的兵书，并编制出一份军事著作的群书目录——《兵录》，这是我国第一部由国家主持编修的专门性目录。但对图书进行大规模的整理、编目工作的应以汉成帝时刘向等所领导的"校书"活动为最早。刘向等经过二十年左右的辛勤工作，终于完成了群书目录的开创性著作——《别录》。这是我国历史上最早的综合性目录。自此以后，对藏书进行编目成为中国藏书家的一个优秀传统。其中，官修目录著名的有唐的《群书四录》、宋的《崇文总目》、明的《文渊阁书目》和清代的《四库全书总目》；私家目录著名的有晁公武《郡斋读书志》、尤袤《遂初堂书目》、陈振孙《直斋书录解题》、毛扆《汲古阁珍藏秘本书目》、钱谦益《绛云楼书目》、钱曾《也是园书目》、黄虞稷《千顷堂书目》等。此外，还有众多的史志目录、专门目录和地方目录。

（十三）藏书思想

在中国藏书史上，一直存在着藏与用两种思想的对立。"藏"在中国藏书文化中占有首要的地位，"用"则往往处于一种次要地位。这种以藏为主，一直是中国古代藏书文化的主导思想。直至近代以后，随着西方近代藏书观念的传入，中国藏书文化的思想才由以藏为主向藏用结合的方向推进。

在古代中国，藏书家往往"以独得为可矜，以公诸世为失策"①。这种重藏不重用的保守落后藏书思想，在中国古代的许多藏书家遗训中等到了充分的反映。如范钦曾立下了"代不分书，书不出阁"的遗训。而范钦的长子范大冲，更是制定了藏书不分、为子孙共有的规约，阁门和书橱门的钥匙分房掌管。"禁以书下阁梯，非各房子孙齐至，不开锁。子孙无故开门入阁者，罚不与祭三次；私领亲友入阁及擅开橱者，罚不与祭一年；擅将书借出者，罚不与祭三年；因而典鬻者，永摈逐不与祭"②。如此严厉的藏书禁约，虽然避免了书籍

---

①曹溶《流通古书约》，见李希泌、张椒华编《中国古代藏书与近代图书馆史料（春秋至五四前后）》，中华书局1982年版。
②阮元《揅经室二集》卷七《宁波范氏天一阁书目序》，《四部丛刊》本。

的流失,但毫无疑义也使藏书的利用受到了极大的限制。

与以藏为主思想相对立的是积书而读、藏书致用的思想,它是中国藏书思想中的精华所在。据文献记载,韩非是中国历史上最早提出藏书利用的人,如他在《三难》篇中说道:"法者,编著之图籍,设之于官府而布之于百姓者也。"元代人藏书家杨维桢也感慨地说:"夫书之能藏者不难,能读者难;能读者不难,能用者难也。书藏而不读与无书等,读而不用与不读等。"①明代藏书家高濂也说:"藏书以资博洽,为丈夫子生平第一要事。藏书者,无问册帙美恶,惟欲搜奇索隐,得见古人一言一论之秘,以广心胸未识未闻。"他认为藏书家应"积书充栋,类聚分门,时乎开函摊几,俾长日深更,沉潜玩索,恍对圣贤面谈,千古悦心快目,何乐可胜?古云开卷有益,岂欺我者!"②而清代藏书家张金吾更是就藏书的利用问题作了深入的阐述,他说:"人有愚智贤不肖之异者,无他,学不学之所致也。然欲致力于学者,必先读书,欲读书者必先藏书。藏书者,诵读之资,而学问之本也。……藏书而不知读书,犹弗藏也;读书而不知研精覃思,随性分所近,成专门绝业,犹弗读也。……然尊闻行知,含英咀实,广以观万,约以守一,视世之玩物丧志者,似有间矣。宋黄庭坚有言曰:'夫大夫家子弟不可令读书种子断绝,有才者出,便名世矣。'丁凯有言曰:'吾聚书多矣,必有好学者为吾子孙。'是则金吾藏书之意也夫。"③

---

① 杨维桢《东维子文集》卷二六《读书难记》,《四部丛刊初编》本。
② 高濂《遵生八笺·燕闲清赏笺·论藏书》,巴蜀书社1992年版。
③ 张金吾《爱日精庐藏书志》自序,见袁咏秋、曾季光主编《中国历代图书著录文选》,北京大学出版社1997年版。

在中国藏书史上，许多藏书家藏书不仅是为了自己阅读，而且还发扬仁人精神。所谓仁人精神，就是私家藏书对外开放，使所藏之书发挥其"作育人才"的社会功能，以造福于社会。如晋代藏书家范平，有书七千余卷，远近来读者常百余人，他还为这些读者置办衣食①。南齐崔慰祖聚书万卷，邻里少年来其家借书，他都"亲自取与，未尝与辞"②。又如元代藏书家冯梦周，曾买书千卷，构堂贮之，以待乡里无力购书者读用，且制定借阅规则，凡借者任意让其取书，记其名与书目，读完归还则销其籍，损坏者不责赔偿，不归还者遂与之，以激其后。图书缺损者则随时补之。对此，时人张翥题诗赞曰："不惜黄金为买书，要令弦诵被乡闾。圣贤事业千年上，经史文章万卷余。"③

（十四）藏书毁散

自古道：求书难，藏书更难。古往今来的藏书，既有由于政治原因而遭禁毁的，又有因兵燹人祸及自然灾害而致散佚毁坏的。所以，隋代牛弘痛陈书籍"五厄"，明代胡应麟又"续五厄"，而至本世纪 30 年代，祝文白"再续五厄"④。南宋藏书家叶梦得曾感叹道："世间凡物未有聚而不散者，而书为甚。隋牛弘请开献书之

---

① 丁申《武林藏书录》卷中，古典文学出版社 1957 年版。
② 《南史》卷七二《崔慰祖传》，中华书局标点本 1975 年版。
③ 《至正集》卷三八《冯氏书堂记》；《蜕庵集》卷四《题冯士启士可藏书室》。
④ 祝文白《两千年来中国图书之厄运》，载《东方杂志》1945 年第 19 号。

路,极论废兴,述五厄之说,则书之厄也久矣。"①周永年《儒藏说》也说:"自汉以来,购书藏书,其说綦详。官私之藏,著录亦不为不多,然未有久而不散者。则以藏之一地,不能藏于天下;藏之一时,不能藏于万世。"黄宗羲同样有此感触,他在《天一阁藏书记》中说道:"尝叹读书难,藏书尤难,藏之久而不散,则难之难矣"②。

凡此种种书厄,充分说明藏书的命运,往往与国家、民族、政治、军事、社会等密切联系在一起。一般来说,当国家安定、经济和文化教育事业发展之时,藏书文化便会得到进一步的发展;而当社会动荡、战火不熄之时,藏书便会遭到浩劫,造成无法弥补的损失。这是中国藏书史上的一个规律。为此,陈登原在其所著的《古今典籍聚散考》一书中将其概括为"艺林四劫":"一、受厄于独夫之专断而成其聚散;二、受厄于人事之不臧而成其聚散;三、受厄于兵匪之扰乱而成其聚散;四、受厄于藏弄者鲜克有终而成其聚散。"③

与徐吉军合撰,原载《阴山学刊(社会科学版)》2001 年第 3 期,据以录入,为原题《中国藏书史研究的结构分析》论文第三部分,文字略有改动

---

① 叶梦得《齐东野语》卷一二《书籍之厄》,中华书局 1983 年版。
② 黄宗羲《南雷文定》前集卷三,粤雅堂丛书本。
③ 陈登原《古今典籍聚散考》,第 16 页,商务印书馆 1936 年版。

横空出世　清逸自如

——历史文化和地域文化中的李白

　　一千三百年前,四川彰明(今属江油市)诞生了中国历史上最伟大的诗人——唐代天才诗人李白。在纪念诗人诞生一千三百周年的今天,我们重读李白的诗篇,那壮丽优美,或朴实敦厚的杰作,永远感染着我们,震撼我们的心灵,让我们从字里行间想象那辉煌的时代,以发自深心的惊叹,赞美、景仰伟大天才的创造力。如果我们以诗的国度自诩,如果我们以拥有唐诗,拥有李白为骄傲,那么我们就更应该为中华民族的伟大传统而自豪,为祖国大地的美丽风光而骄傲。是雄奇的山川孕育了李白,是辉煌的盛唐文化塑造了李白,是悠久的诗歌传统滋养了李白。

　　提到唐诗,不能不提盛唐;提到盛唐,不能不提李白。李白的名字是和盛唐——一个开放的、气象宏大的时代联系在一起的。盛唐造就了李白,李白辉耀了盛唐。在那富庶而又自由的时代,大唐的长安是东方最耀眼的明珠。丝绸之路跨越瀚海,连通西域,不同的文化、不同的文明汇流于曲江之上,雁塔之下。黄发碧眼来自异域,羌歌胡舞争艳绮丽。就在那如流的西域贾客中,一位胡商带来了一颗伟大的诗歌种子。

李白的身世一直是个谜。李白的家庭显然有浓重的西域文化背景。他幼年和青少年是在四川度过的,同时受汉和西域两种文化的熏陶。这就不仅给他一副"眸子炯然,哆如饿虎"的相貌,更赋予他追求自由和豪放不羁的性格,"长不满七尺,而心雄万夫"(《与韩荆州书》)。四川那曾孕育了司马相如、扬雄、王褒和陈子昂的山川培养了他磊落的胸襟,慷慨的激情,更激发了他对自然的热爱。他读书泛览百家,不事章句,颂慕鲁仲连那样扶危济困、功成身退的英雄,鄙视皓首穷经的儒生。又向慕神仙长生之术,喜游侠击剑,曾从赵蕤学纵横家术,修炼剑道,多年后还在诗中描写自己"抽剑步霜月,夜行空庭遍"(《江夏寄汉阳辅录事》)的情景。

就在开元五年(717),李白十七岁,读书匡山,并向赵蕤学纵横术时,杜甫正是六岁,在河南郾城观公孙大娘剑器舞,后来写出名篇《公孙大娘弟子舞剑器行》。而这一年,日本人阿倍仲麻吕(后改名晁衡),又作为遣唐留学生来长安,为中日文化交流作出重大的贡献。这就是李白《古风》所写的"一百四十年,国容何赫然"的大唐国势和浓郁的文化氛围。

二十五岁时,李白"仗剑去国,辞亲远游",开始了他登历名山大川,交结豪侠少年的壮游。在扬州曾"不逾一年,散金三十余万。有落魄公子,悉皆济之"(《上安州裴长史书》)。诗人青年时代的经历显然是丰富而复杂的,但相比他"申管晏之谈,谋帝王之术,奋其智能,愿为辅弼,使寰区大定,海县清一"的志向来说,似乎还是区区不足道的事。唐玄宗天宝元年(742),诗人以人之荐,应召入宫,于翰林待诏。玄宗"降辇步迎","以七宝床赐食,御手调羹以饭之"。

极世间之荣宠,一时名满京城。然而,以李白傲岸不驯的性格,怎能甘心做一名宫廷文学侍从,忍受宫廷生活的束缚呢? 更不要说满朝文武是否能容忍他的"谑浪赤墀青琐贤"(《玉壶吟》)。最后结果是"天子知其不可留,乃赐金放还"(李阳冰《草堂集序》)。李白离开了长安,帝京繁华恍如一梦,重新踏上漫游的旅程。

李白刚出蜀时,就以大鹏自喻,说自己将"激三千以崛起,向九万而迅征"(《大鹏赋》),真有横空出世之概。他坚信"天生我材必有用",但同时又坚持"安能摧眉折腰事权贵"。他对功名富贵是看得很淡泊的,甚至认为"功名富贵若长在,汉水亦应西北流"(《江上吟》)。真有一种清逸自如之气。

这就是李白,永远追求精神自由和人格独立的李白。奇伟的想象力,无与伦比的天才,固然引无数诗人竞折腰;但对自由的热爱和追求,更赢得后人无上的景仰——那自由精神的共鸣,让无数卑微的生命即使在局促的境遇中,也体验到崇高,感觉到威严,这就是李白的伟大所在。

李白的精神世界充满矛盾,既有强烈的纵横家思想,有豪侠之风、放浪之习,又向慕神仙世界,反复吟咏游仙的主题,热心修炼长生之术,同时还抱有儒家的济世情怀,即使长流初归,犹以风烛之年、老病之躯投军效力。他又能融合老庄和佛学思想。他称赞佛家的"空",道家的"无",而这正好促使他解脱烦恼,转向豁达,融入自然。

一千多年来,李白的诗歌一直是诗家的楷模,同时也是学者注释、批评、研究的对象,产生众多的论著。台湾学者杨文雄《李白诗歌接受史》的问世,表明李白研究本身已成为一门学问。时至今日,如何深化对李白的研究和认识,已是需要每个学者认真思索的问题。

　　随着交通和资讯的发达,世界范围内不同文化的接触和交流空前地频繁。一种文化学的眼光,一种文化批评,正在扩大我们的视野,开拓新的学术境界。在李白研究中,除了作品注释、传统研究出现集成性著作外,有关李白家世、生平与地域文化的关系,李白思想、诗歌创作与盛唐文化的关系,也出现了一批研究著作,包括郁贤皓《李白丛考》、葛景春《李白思想艺术探骊》、《李白与唐代文化》、周勋初《诗仙李白之谜》、陶新民《李白与魏晋风度》、张瑞君《大气恢宏——李白与盛唐诗初探》、杨义《李杜诗学》等。一个西域胡商之子,一个道教信徒,一个酒仙,一个属于盛唐也属于四川的伟大诗人,一个内涵丰富而多侧面的李白形象,从这些出于历史文化和地域文化视角的多元观照中凸现出来,走近读者。

　　这是可喜的现象。我相信将来的李白研究,会在更高的层次上开掘李白传记和写作中所包含的历史文化、地域文化内涵。同时,有关天才心理学、艺术心理学、心态史学和文化人类学的研究也会逐步开展起来。李白的诗歌已翻译成多种文字在各国出版,他不仅属于唐代,属于中国,也属于全人类。我们为拥有这样一位诗人而自豪。今年正值李白诞生一千三百周年,人们怀着无限的敬爱纪念他,因为我们许多人从小记诵的第一首诗就是《静夜思》。我在此也略书所感,以表纪念之意。

原载 2001 年 9 月 28 日《光明日报》,此据北方文艺出版社 2008 年版《书林漫笔》录入,另收入大象出版社 2004 年版《唐宋文史论丛及其他》

唐德宗朝翰林学士考论

一

中国古代的翰林学士,是在唐玄宗开元二十六年(738)设置的。在盛唐设置的这一颇有文采声誉的职务,一直延续到清朝末世,也就是 20 世纪初。翰林学士在这将近一千二百年的长时期中,始终与文人的政治生涯和社会声望联系在一起,特别是唐宋两代,更是文人从政的最高层次与企求。这确是中国古代士人文化的一种富有传奇色彩的图像,很值得进行多方面的探讨。

1984 年冬,傅璇琮撰成《唐代科举与文学》一书,在自序中曾述及,拟通过科举考试这一中介环节,从一个侧面来探讨有唐一代知识分子的生活方式和心理状态,序言中还提到:"如果可能,还可从事这样两个专题的研究,一是唐代士人是怎样在地方节镇内做幕僚的,二是唐代的翰林院和翰林学士。这两项专题的内容,其重点也是知识分子的生活。"①在这之后,戴伟华教授即从事于唐代方镇幕府与文学的研究。傅璇琮曾为戴著《唐方镇幕僚文职考》一书作序,序言中再次提及唐代的翰林学士与方镇幕僚,对前者,则较《唐代科举与文学》自序多说了几句,谓:"翰林学士,那是接近于朝政核心的一部分,他们宠荣有加,但随之而来的则是险境丛生,不时有降职、贬谪,甚至丧生的遭遇。他们的人数虽然不多,但看看这一类知识分子,几经奋斗,历尽艰辛,得以升高位,享殊荣,而一旦败亡,则丧身破家。这是虽以文采名世而实为政治型的知识分子。"②

翰林学士的设置及沿革,当然涉及政治变迁及官制更改等史学研究的范围,但从文化的角度来看,其核心还是知识分子的生活道路,如果从这一方面来研究,可以探索到的东西可能更有新鲜感,而涉及的社会面则又更为广阔。从这点出发,我们两人想先就唐及五代的范围,作一部《唐五代翰林学士传论》,对这一时期约二百数十位学士作一个案考察,并相机作一些综合性论述,已写就的有《唐玄肃两朝翰林学士考论》③、《唐代宗朝翰林学士考论》④。

二

有些史学论著往往把宪宗朝作为唐代翰林学士职权演化的

---

①《唐代科举与文学》,陕西人民出版社,1986 年 10 月。
②《唐方镇文职僚佐考》,天津古籍出版社,1994 年 1 月。
③见《文学遗产》2000 年第 4 期。
④见《中华文史论丛》2001 年第 3 辑。

关键时期,实际上德宗一朝的翰林学士,比起前几朝来有明显的特点,而又为后几朝,特别是宪宗朝,提供某些有益的经验和先例。

德宗朝的翰林学士,有几个特点:第一,其人数明显增加。玄宗朝自开元二十六年(738)至天宝十五载(756),十九年,先后有翰林学士八人;肃宗朝自至德元载(756)至宝应二年(763),八年,先后有翰林学士五人;代宗朝自广德元年(763)至大历十四年(779),十七年,先后有翰林学士六人,就是说每一朝都不到十人。德宗朝自大历十四年(779)至贞元二十年(804)①,共二十六年,则先后有二十二人②。德宗朝的时间比玄宗朝只多七年,但学士的人数则为玄宗朝的近三倍。其每年在院值班的人数,少则三人,多至八九人,经常总有五六人,这为宪宗时以六人立制提供先例。第二,提升至宰相的较多。在德宗朝,直接由翰林学士提升为宰相的一人,这是前几朝未有的;另有七人,虽在出学士院担任其他官职后再提为宰相,但也比以前为多(肃、代两朝只各有一人)。这之中当然还有种种情况,德宗朝由翰林学士提为宰相(即姜公辅),只几个月也就下来的,如陆贽后由他官入相,却不过两年就被罢掉、贬官,但由学士拜相,对后世总有较大的影响。不过,德宗朝也开始出现这种情况,即翰林学士因参预政事(以及学士之间的内部纷争),而遭致祸难,这对以后也有影响。第三,翰

---

①按德宗卒于贞元二十一年(805)正月,故这一年就不计算在内。
②按,此处统计,根据唐韦执谊《翰林院故事》,丁居晦《重修承旨学士壁记》(皆载于宋洪遵《翰苑群书》)及近代学者岑仲勉先生《翰林学士壁记注补》。

林学士与当时文坛关系更为密切,在文士中的声誉也较高。如吉中孚本为"大历十才子"的诗人之一,更突出的是陆贽刚离开学士院即于贞元八年(792)主持科举考试,而同时在院的学士梁肃又佐助他,选拔了包括韩愈在内的好几位文士为进士,当时称为"龙虎榜"。第四,产生了第一个记叙翰林学士名次的文献资料,即贞元二年(786)在院的年轻学士韦执谊(时约二十三岁)所作的《翰林院故事》;同时如陆贽留有十卷之多的起草文书(制诰),陆贽本人还撰有关于学士撰写公文文书的范本。这不只是前面几朝,就是在整个唐代,也是少见的。

翰林学士职权,在德宗时确有很大的扩展,但现在有些论著却说得太过分,这之中就有材料引述不够确实的问题,这对当前有关翰林学士研究来说,是应加以注意的。为提供讨论,这里拟先作一些辨析。如有一篇文章述及德宗时翰林学士在朝中权位的加重,宰相之权为之削弱,有云:"当时宰相则'惟忍耻署敕,内愧私叹'。新的内重外轻的权力机构至此已基本成型。"①文中有小注,谓所引的这两句见于《全唐文》卷六三五李翱《论事与宰相书》。

经核查,《全唐文》卷六三五确载有李翱此文,惟题作《论事于宰相书》,作"于",不作"与",此尚是小事。问题在于所谓"当时宰相"究竟是什么时候。按李翱此文涉及二事:"柳泌为刺史,疏而不止;韩潮州直谏贬责,诤而不得。"这里的韩潮州乃指韩愈。韩愈因谏迎佛骨而被贬潮州,是在宪宗元和十四年(819)正月;柳

①见袁刚《唐代的翰林学士》,载《文史》第 33 辑,中华书局,1990 年 10 月。

泌因进言天台有灵草,求为长史以致之,宪宗乃于元和十三年
(818)十一月任其为台州刺史。这都明记于史书。李翱此书乃直
接讥责当时居相位者只保个人禄位,不敢直言时政:"阁下居位三
年矣,其所合于人情者不少,其所乖于物议者亦已多。"然后言韩
愈、柳泌事,即云:"道路之人咸曰:焉用彼相矣!"意谓韩愈、柳泌
这样的事尚未能进言谏之,天下的人都会说:怎么能让这样的人
来当宰相呢!后即言:"阁下天资畏慎,又不能显辨其事,忍耻署
敕,内愧私叹。"可见李翱是完全指责这位宰相的个人品德,并不
是以之与翰林学士的职权相比较。且李翱所说是指的宪宗晚期,
不应拿过来作为德宗时的征引材料。

　　这篇文章在另一处还提到:"三省体制的崩溃,内朝事权的扩
展,曾引起朝臣舆论的不满。据李肇《翰林志》,贞元三年(787),
由翰林学士升任宰相的陆贽曾上疏曰……"李肇《翰林志》确提到
陆贽于贞元三年上疏,但这时的陆贽仍在学士院,后因丁母忧出
院,至贞元六年二月,免丧,仍入为翰林学士,贞元七年八月出任
兵部侍郎,八年春知贡举,四月升任为中书侍郎、同门下平章事,
拜相。这都明载于两《唐书》本传及丁居晦《重修承旨学士壁
记》。所谓贞元三年陆贽已由翰林学士升任宰相,实为不应有的
疏忽。可见我们要作研究,学术观点可以各有所见,但基本史料
必须信实可靠,做到言必有据。我们核查近些年来有关唐宋翰林
学士的文章,时有疏误不实之处,这里仅举德宗朝两例,希望引起
注意。

三

过去往往把翰林学士称作"内相",意指处于宫中的宰相,而这宫中的宰相,其职权则是超过外面的正式宰相,而"内相"的称呼,则又认为是从德宗时的陆贽开始的。如前几年出版的一部《中国通史》,论述"隋唐官制"时就说:"受到皇帝信任的翰林学士,如德宗时的陆贽,还可以与宰相分庭抗礼,被目为'内相'。"①

把陆贽说成为"内相",通常即见于两《唐书》陆贽本传及《通鉴》。《旧唐书》卷一三八《陆贽传》云:"贽初入翰林,特承德宗异顾,歌诗戏狎,朝夕陪游。及出居艰阻之中,虽有宰臣,而谋猷参决,多出于贽,故当时目为内相。"《新唐书》本传所记更进一步,谓:"虽外有宰相主大议,而贽常居中参裁可否,时号内相。"《通鉴》卷二三○德宗兴元元年二月,记德宗因李怀光反,不得不又从奉天出奔梁州,云:"贽在翰林,为上所亲信,居艰难中,虽有宰相,大小之事,上必与贽谋之,故当时谓之内相。"《通鉴》虽也有内相之说,但所记较为客观,只说德宗常与之谋议,并不像两《唐书》本传所说的那样,外面宰相所议决之事,还要由陆贽来"参裁可否"。

这里确有两个问题,一是"内相"之称是否即自陆贽始,二是当时作为翰林学士的陆贽,其权是否超过外廷的宰相。

---

① 见白寿彝主编《中国通史》第 6 卷第 9 册,页 950。上海人民出版社,1997 年 12 月。

自两《唐书》及《通鉴》记载后,一般确以为"内相之称,自唐陆宣公始"①。但无论陆贽本人及同时人,都未有"内相"之说。与陆贽同时的权德舆于宪宗元和时作《陆宣公翰苑集序》,是最早全面评价陆贽政绩、文词之文,也没有"内相"之称,反而说:"古人以士之遇也,其要有四焉:才、位、时、命也。仲尼有才而无位,其道不行;贾生有时而无命,终于一恸;惟公才不谓不长,位不谓不达,逢时而不尽其道,非命欤?"对陆贽的"不尽其道",深为惋惜,根本没有"常居中参裁可否"之意。

　　历史上最早提及"内相"一词的,是李肇。李肇也是一位翰林学士,他于宪宗元和十四年(819)作《翰林志》②,其中提到同为翰林学士的吴通微、吴通玄兄弟与陆贽有矛盾,"争恩不叶,甚于水火",而吴氏兄弟也甚为德宗宠信,于是陆贽于贞元三年上疏,主张把翰林学士的一种特权即起草朝政大令的制诏之权回归于外廷的中书舍人,但,"疏奏不纳"。李肇接着说:"贞元末,其任益重,时人谓之内相。而上多疑忌,动必拘防,有守官十三考而不迁,故当时言内职者,荣滞相半。"这里的内相,并非专指陆贽。因为陆贽于贞元十一年(795)因触怒德宗,就远贬至忠州(今四川忠县),整整十年,只有到贞元二十一年(805)正月,德宗死,顺宗立,才下诏召回,而陆贽已死。李肇说的是德宗贞元晚期,说那时学

①见北宋笔记莫君陈《月河所闻集》。
②据唐丁居晦《重修承旨学士壁记》,李肇于元和十三年(818)七月自监察御史入为翰林学士,十四年四月由监察御史迁为右补阙,十五年闰正月又加司勋员外郎,仍在学士院内。《翰林志》一书结衔题为"翰林学士、左补阙",则当在元和十四年四月至十二月时作。

士的职任更重,当时称为内相。不过李肇又马上说,皇帝非常疑忌,对学士一举一动都防范得很严,甚至有十几年也不给以升官位的。由此可见,陆贽在翰林学士期内,并未有内相之称,而所谓德宗后期称翰林学士为内相,也还需作具体分析。

限于篇幅,我们不可能对这二十几位翰林学士都加以论述,这里就重点以陆贽为例,对陆贽在翰林学士期内,涉及与宰相有关的,作一些评析。

德宗李适于代宗大历十四年(779)五月即位,时年三十七岁。刚登上皇位,倒想有所作为,下诏停止地方节镇的额外贡物,放出宫中为皇帝娱乐的多余人员,又将恃宠贪纵、为众所恶的兵部侍郎黎幹、宦官刘忠翼除名流放,"于是中外皆悦,淄青军士至投兵相顾曰:'明主出矣,吾属犹反乎!'"①同年八月,又召回被代宗贬出的杨炎,任命为宰相,第二年正月,即由杨炎建议,颁布赋役革新的两税法。但德宗的新政,不到一年,也就此结束。在两税法颁布的第二个月,杨炎就排挤同在相位的崔祐甫,"独任大政,专以复恩仇为事"②,随即就诬告代宗时在财政上颇有功绩的刘晏。先于二月把刘晏贬为忠州刺史,后又于七月,由德宗出面,命宦官到忠州缢杀刘晏。据史书记载,刘晏的冤案,"天下怨之"③,好几个方镇节度使对中央政权产生疑惧心理,有些还特地上表,要求公布刘晏的罪状。这时,宫中翰林学士有四人,却毫无表态,可见

①见《资治通鉴》卷二二五。
②见《资治通鉴》卷二二六。
③见《资治通鉴》卷二二六。

杨炎任宰相时,其所作为并未受到翰林学士的干预。

不久德宗又猜忌杨炎,认为他专权,建中二年(781)二月,任命卢杞为相,以分杨炎之权;七月,听卢杞之计,罢杨炎相位;十月,贬杨炎为崖州司马,未至贬所,就缢杀他①。《旧唐书》卷一三七《赵博宣传》,谓"德宗不务大体,以察为明"。同书卷一三六《崔损传》,更明确地说:"自建中已后,宰相罕有久在位者,数岁罢黜。"这种情况是一直延续至贞元末的。我们研究德宗一朝的翰林学士,就应该先了解和掌握这一大的政治环境。

德宗前期的翰林学士顾少连,于贞元十九年(803)病逝,其友人杜黄裳曾为之作一碑文:《东都留守顾公神道碑》②。碑中称其任翰林学士时,"赞丝纶之密命,参帷幄之谋猷"。这也就是对翰林学士职权的概括,即起草事关大局的机密性公文,参预皇帝宫中筹划的计议。当然,这是赞语,倒是上述陆贽于贞元三年所上的奏语,说了一句实话,说翰林学士"是天子私人"③。从这点出发,我们可以看看陆贽究竟能起什么样的作用。

德宗即位之初,是想对河北藩镇削减其军势的,这就促发了河北三镇的再次起兵叛乱。由于德宗任用非人,指挥失当,唐朝的军队屡遭挫折,至建中三年(782)十一月,河北、山东一带,朱滔称冀王,田悦称魏王,王武俊称赵王,李纳称齐王,互相联结,抗拒朝廷。十二月,淮西(相当于今湖北、河南一带)节镇李希烈自称

---

①见《资治通鉴》卷二二七。
②见《全唐文》卷四七八。
③见李肇《翰林志》。

天下都元帅,而朱滔、王武俊等又劝他称帝。建中四年(783)十月,唐朝廷命令西北的泾原节度使姚令言率师东征,想不到泾原军士经过长安,倒戈作乱,德宗仓卒出奔咸阳、奉天,乱兵推奉时居长安的朱泚为帅,朱泚自称帝。这是唐代中期自安史乱后最大的一次战乱。陆贽这时正任翰林学士,也是他充分表现其政见、文才的时机。

《新唐书》卷一五七《陆贽传》载:"从狩奉天,机务填总,远近调发,奏请报下,书诏日数百,贽初若不经思,逮成,皆周尽事情,衍绎彝复,人人可晓。旁吏承写不给,它学士笔阁不得下,而贽沛然有余。"这时,跟随德宗在奉天的翰林学士有七八人,陆贽算是最为突出。前面曾提到杜黄裳所作碑文中的两句:"赞丝纶之密命,参帷幄之谋猷。"应该说,陆贽在起草文书中确是施展其才能的。如建中四年末,明年要改元(兴元),德宗于动乱中为维系人心,拟于年初发布一道赦文。《通鉴》卷二二九载:"上又以中书所撰赦文示贽。"这里倒提供一个信息,在中唐时,像发布赦文那样事关全局的政书,也可以由中书舍人起草的,现在有些论著对此并不注意。当然,陆贽对这一赦文并不满意,主要以为言辞之间,皇帝的自我检讨不够。他认为,在当前这样的处境,要向全国民众致意,"悔过之意不得不深,引咎之辞不得不尽"。这是很有见解的。在这之前,陆贽已几次对德宗提出批评,如建中四年十月,在奉天,德宗与陆贽谈及这几年的祸乱,陆贽就说,兵连祸结,已经三年,"怨言并兴","亿兆同虑",而"陛下穆然凝邃,独不得闻"。十一月,德宗又问"当今切务",陆贽认为当今"上下否隔于其际,真伪杂糅于其间","君臣意乖,上下情隔","独陛下恬然不知,方谓太平可致"①。元代胡三省《通鉴注》,于此特别标出,说陆贽此言"诚足以箴贬德宗之失"。陆贽后来起草的兴元赦文确增加了德宗自言其失的文字,甚至有"天谴于上而朕不寤,人怨于下而朕不知","上累于祖宗,下负于蒸庶,痛心腼貌,罪实在予"。这样的言辞,不但在当时,在后世也是不易见到的。正因如此,收到很好的效果:"赦下,四方人心大悦。及上还长安明年,李抱真入朝为上言:山东宣布赦书,士卒皆感泣,臣见人情如此,知贼不足平也。"②

但正因为陆贽的直言,却使德宗恨记心中。《通鉴》卷二三〇兴元元年二月又记陆贽谏言之事,元人胡三省于此处有注云:"为上追仇陆贽尽言而贬贽张本。"在另一处,胡注又谓:"此数语,曲尽德宗心事,异日安免追仇乎?"由此可见,翰林学士虽在宫中,能随时向皇帝进言,但文人参预政治,总不免要说一些实话,这就难免使祸难暗伏,结果使险境丛生。

四

这里拟仍以陆贽为例,就翰林学士参预政治的角度,重点谈几件事,来论证过去所谓"虽外有宰相主大议,而贽常居中参裁可否"是否确实。

---

①见《资治通鉴》卷二二九。
②见《资治通鉴》卷二二九。

第一件事，关于当时宰相卢杞。建中四年十月，德宗仓卒出奔，曾任西川节度使、后还朝挂一宰相虚衔的崔宁也与其他几个同僚随同西行。而在长安称帝的朱泚行反间之计，发布命令，假装封崔宁为相（中书令）。卢杞因与崔宁有个人私怨，就乘间陷害他，命令崔宁原来的一个部下伪造一封崔宁给朱泚的书信，使崔宁无以自辩。于是德宗听信卢杞，把崔宁杀死，并命陆贽起草诛杀崔宁的文书。陆贽对此是有怀疑的，就要求把崔宁给朱泚的信拿来看看，但卢杞只简单地回答"其书已失"，根本不理陆贽的要求。结果崔宁被杀，而"中外称其冤"①。这里可见，当时任宰相的卢杞行其所当行，陆贽未能"居中参裁可否"。

第二件事，是关于宰相姜公辅的罢免。姜公辅是比陆贽早几年任翰林学士的，建中四年十月德宗刚从长安出走时，姜公辅曾建议先将当时居于长安的朱泚斩除，以免乱兵奉以为主（因朱泚是朱滔之兄，朱滔正在河北一带叛乱），但德宗仓卒之间未听。德宗刚到奉天，有人报告朱泚已在长安称帝，但卢杞认为朱泚为人笃实，不会反，而姜公辅则建议应加强重兵防守德宗的住处，以防万一。后朱泚之兵果来进攻，德宗就因此赏识姜公辅，马上任命他为宰相（谏议大夫、同中书门下平章事）。这是德宗刚到奉天的第八天，也是唐代由翰林学士直接迁升为宰相的第一人。

但不久就有变化。姜公辅当宰相的第二年，即兴元元年（784）二月，本为唐朝大将、与朱泚作战的李怀光，在奉天附近反叛，德宗又匆忙逃奔梁州（今陕西汉中）。途中其长女唐安公主病

①见《旧唐书》卷一一七《崔宁传》。

亡,德宗就要为女儿在当地造一塔,并加厚葬。姜公辅加以劝阻,认为公主之葬,待以后返长安时再议,现在军需紧急,还是应以俭薄为宜。这就触犯了德宗,德宗与陆贽商议,想罢免姜公辅。今存陆贽奏议,有《兴元论解姜公辅状》、《又答论姜公辅状》①,记叙此事。据此二状所记,德宗曾遣宦官告知陆贽,造塔的费用并不多,这不应该是宰相所论之事,姜公辅之所以如此,"但欲指朕过失,拟自取名"。陆贽回答,说姜公辅是以谏议大夫入相的,以事相谏,乃其职分,并非过当。又对德宗所谓"造塔役费微小,非宰相所论之事"提出异议,认为朝中议事,"当问理之是非,岂论事之大小",以造塔而论,"若造塔为是,役虽大而作之何伤;若造塔为非,费虽小而言者何罪"。德宗对此不满意,再遣宦官表示,说姜公辅的才行,实不配当宰相,我早在奉天时就想把他罢免,也曾与他谈过,后因李怀光事起,就拖延下来,姜知道我的本意,就故意以造塔立论,来"卖直取名"。陆贽虽然再上奏解释,但只能是说一些虚词了。这样,就于兴元元年四月将姜公辅降为左庶子,姜公辅在相位不到七个月。姜的罢相制文还是由陆贽起草的。可以注意的是,制文中说姜公辅"自处台司,累疏陈乞,忌满思退,持盈守谦。留中久之,重难其请,式光扮抑,俾尹宫坊"。就是说,姜早已提出要辞去相位,而皇上则又几次留他,实在难于其请,只好如此。这完全是官场套话,对两方面都保留面子,可见翰林学士草拟公文实在有很大难处的。

第三件也是有关宰相之事。建中四年十月,萧复同时与姜公

---

① 见《陆宣公集》卷一五,浙江古籍出版社,1988 年 10 月。

辅任为宰相。他在任相不久，曾向德宗进言，说宦官宜在宫中供奉，不应委以兵权国政，德宗听了不高兴。萧复后又言德宗即位以来，重用杨炎、卢杞，而杨、卢二人干扰朝政，以致造成现在的动乱。有一次他与卢杞共同奏事，当着德宗的面，说："卢杞言不正！"德宗大怒，事后向左右说："萧复轻朕！"就于兴元元年正月，借口国家赋税多出于江淮，应派大臣前去宣慰，即任命萧复仍带着宰相的官衔而为江南宣慰使（《通鉴》卷二二九记此事，司马光特加一句："实疏之也。"）。同时，德宗又派遣宦官，向陆贽告知此事，还特地说，萧复最初接受这一任命，后又联络另一宰相及其他朝臣，想挽留他，问陆贽如何处置。陆贽有《奉天论解萧复状》①，回答很得体，说："臣缘自到行在，常居禁中，向外事情，视听都绝，忽承顾问，莫测端由。"表示他不过问外廷的人事。同时他还是为萧复辩解，认为他"用虽不周，行则可保"，绝不会"翻覆挟奸"，至于或遣或留，还是建议再向朝中大臣征求意见。后萧复出使回来，又对朝政有所议论，德宗更不高兴，索性把他罢免相位。陆贽虽也有所奏议，但德宗根本不听。可见翰林学士作为"天子之私人"，处境也是很难的。

第四件，也就是陆贽在翰林学士任期内参预政治的最后一件事，牵涉到他是如何被排除出院的。原来与他同年入学士院的，有吴通微、吴通玄兄弟二人。兄弟二人，同一年被任为翰林学士，这在历史上是少见的，而所以能如此，又与德宗个人有关。据《旧唐书》卷一九〇《吴通玄传》，吴氏兄弟之父道瓘原为道士，"善教

---

① 《陆宣公集》卷一四。

诱童孺",代宗大历时被召入宫中,"为太子、诸王授经",吴通玄弟兄也因此能出入宫掖。当时德宗为太子,既拜道瓘为师,也就与吴氏兄弟交游,"故遇之厚"。既有这一层原因,再加上吴通微、吴通玄也善作文,文采绮丽,于是就同时被召入院。

但不久,吴氏兄弟就与陆贽发生矛盾。《旧唐书·吴通玄传》载:"陆贽富词藻,特承德宗重顾,经历艰难,通玄弟兄又以东宫侍上,由是争宠,颇相嫌恨。"这是唐代翰林学士内部的第一次人事纷争,这种纷争以后在每一朝经常都会发生,这也是翰林学士研究值得注意的现象。陆贽是有政见、有文采的人,但性格也有些偏急。他在贞元三年(787)索性提出,把起草制诏的职权返归于中书舍人。德宗出于牵制宰相之权,又要在身边有一个咨询班子,当然不会同意。正好这一年陆贽因母卒,丁忧出院,至贞元六年(790)二月才免丧又入院。而吴氏兄弟正好乘陆贽出院期间,与宰相窦参联结。过了一年,他们想办法,于贞元七年八月让陆贽出任兵部侍郎,并让他准备主持明年春天的贡举考试,于是就正式把他挤出学士院。《通鉴》卷二三三记陆贽此事,特别加了一句话:"窦参恶之也。"《旧唐书·吴通玄传》则谓"皆通玄谮之也"。实际上,则是内部的翰林学士与外廷的宰相,互相联结,共同把陆贽排除的。这里也可见,翰林学士作为文人参预政治,在整个中枢机构,其个人往往是没有什么基础的。

不过过了不久,吴通玄与窦参也出了事。原来窦参有族子窦申,得到窦参宠信,而对外则招权纳贿。窦申同时又是李则之的族甥,李则之是李唐宗室,嗣虢王,其先世为唐高祖第十四子。李则之于贞元初为左金吾卫大将军,算是高位。吴通玄与窦参虽把陆贽排除出学士院,还想继续陷害他,于是通过窦申与李则之勾结,买通人上书,诬告陆贽于贞元八年春知贡举,收受贿赂,所选人士不实。这引起德宗的注意,德宗也有耳目,察知窦参等互相联络的情况,反而把李则之、窦参、窦申贬逐,窦参与吴通玄不久还被处死。为什么德宗这次处分得如此严厉呢? 从史书的一些记载看,他倒并非一定站在陆贽一边,他有他自己的想法。他在答复陆贽的一份奏议中,说窦参"此人交结中外,意在不测";又说:"窦参在彼,与诸戎帅交通,社稷事重。"①德宗作为一个君主,对宰相交结中外,尤其是外结方镇,内结翰林学士,更不放心。对吴通玄,据史书记载,吴通玄曾取李唐宗室一个女子为外妇(情妇),为德宗所知,这也犯了忌讳,德宗认为是"污辱近属"。而且作为宫中的翰林学士,既与宰相勾结,又与高位的宗室联通,这更犯了大忌,因此德宗也要把吴通玄杀死。

这时吴通玄之兄吴通微总算未卷入纷争,未受罪,《旧唐书·吴通微传》载:"通玄死,素服待罪于国门,帝特宥之,通微竟不敢为丧服。"自此吴通微谨慎小心,一直到贞元十四年,还在学士院内②。陆贽则因窦参等事发,为德宗提升为宰相(贞元八年四月)。但他自以为受德宗的信知,又屡次上书,直言时政,又造成德宗的不满。这时德宗又宠信户部侍郎、判度支裴延龄,而裴之为人则"奸宄用事,天下嫉之如仇,以得幸于天子,无敢言者。陆

---

① 《陆宣公集》卷一九《商量处置窦参事体状》、《奏议窦参等官状》。
② 权德舆于贞元十四年八月作《祭徐给事文》(《全唐文》卷五〇九),提及共同致祭的,有"中书舍人、翰林学士吴通微"。

贽独以身当之……累上疏极言其弊"①。结果，德宗偏信裴延龄，于贞元十年（794）十二月把陆贽罢去相位，第二年四月更把他远贬为忠州别驾。这时陆贽脱离翰林学士院已好几年，但正如上面引述过的元代胡三省所作的《通鉴注》所说，陆贽在奉天、梁州供职翰林学士时的直言极谏，是德宗恨记在心的，"为上追仇陆贽尽言而贬贽张本"。

这使我们想起在这之后宪宗时期的白居易。大家知道，白居易于元和二年（807）十一月由长安近郊的盩厔尉调入为翰林学士，元和六年（811）因母卒，丁忧出院。在学士院期间，屡陈时政，并且撰有《新乐府》、《秦中吟》等诗，也是讽喻现实的。元和九年（814）冬，服阕，召为太子左赞善大夫。不到一年，即元和十年（815）秋，贬为江州司马，史书上记载是由于宰臣武元衡为盗所杀，白居易第一个上疏，于是为人奏为越位，而实际上白居易自己则以为，此事乃起祸于前几年任翰林学士时，那时"不识时之至讳"，"直奏密启"，这样一来，"握兵于外者，以仆洁慎不受赂而憎；秉权于内者，以仆介独不附己而忌；其余附丽之者，恶仆独异，又信猜猜吠声，惟恐中伤之不获。以此得罪，可不悲乎！"这是白居易贬至江州后第二年写给亲友杨虞卿的②。这是白居易自己申说的，应当可信。这就是说，他认为，这次江州之贬，表面上看来是由于越位上书，而实际上祸根是在翰林学士任期内，因直言极谏，得罪了"握兵于外者"、"秉权于内者"，以及"附丽之者"。

①见《旧唐书·陆贽传》。
②《白居易集笺校》卷四四《与杨虞卿书》，上海古籍出版社，1988年12月。

联系陆贽的经历、遭遇,可以帮助我们了解,那时的翰林学士,虽有极高的声誉,但如果真正投入了政治,就成为政治斗争的牺牲品。

正因如此,德宗中期以后,也即陆贽被贬以后,翰林学士中出现长期稳定的局面。据《新唐书·宰相表》,贞元十年至二十年,当时每个宰相的在任期,一般不过二三年,最长不超过四年,而这时的翰林学士,如韦绶(十年),顾少连(十二年),郑絪(十三年),卫次公(十三年),韦执谊(十六年),任期如此之长,也是前后几朝所未有的。但正如李肇《翰林志》所载,在任期虽然长,官位却升得很慢,甚至有十三考(年)也未有升迁的(唐代的翰林学士只是差遣,其品阶与俸禄要靠所带的官位来定)。而且这些学士,虽表面上受到德宗的眷顾,而实则战战兢兢,不敢有什么举动,更未有像陆贽那样直言极谏。如顾少连,前面曾提及杜黄裳曾为他作碑文,碑文说他在翰林将近十二年,"以周密自制","以谨审见称","谠言硕画,人莫得闻"。又如韦绶,《旧唐书》本传,说"绶所议论,常合中道,然畏慎致伤,晚得心疾,故不极其用"。他是想以心疾为借口要求退出的,后又好几次提出,并说其母年老,请求解职赡养,使得德宗很不高兴。

这些情况,给我们现在研究者提供一个冷静的思考:究竟如何实事求是地探讨唐代的知识分子怎样在高层次参预政治,并在这种参预中,知识分子到底能起多大的作用,最终他们又能为自己争得什么。——唐代是这种参预的起始阶段,而从唐以后的长远进程来看,翰林学士这一文人的特殊阶层,就逐渐被迫与现实政治疏远并淡漠了。这是我国古代文化研究中一个值得注意的现象。

德宗时期翰林学士,还有好几个方面可以讨论,特别是当时的翰林学士在文人中的声望和影响,如陆贽刚离开学士院就主持科举考试,梁肃作为翰林学士则又佐助陆贽来荐拔人才,使得当时"属词求进之士,奉文章造梁君门下者,盖无虚日"①。这些都很值得探究。惟限于篇幅,本文就暂告结束,若有时机,或再作续篇,供学界研讨。

与施纯德合撰,原载《燕京学报》2001 年新第 10 期,此据大
象出版社 2004 年版《唐宋文史论丛及其他》录入

①李翱《感知己赋》,见《李文公集》卷一,《四部丛刊》本。

翰林供奉

李白于唐玄宗天宝元年(742)秋应诏入长安。《旧唐书·文苑传》、《新唐书·文艺传》都说李白这次是"待诏翰林"、"供奉翰林"。李白后来所作的《为宋中丞自荐表》,也自称"翰林供奉李白"。可见李白于天宝元年秋至天宝三载(744)春,是作为翰林供奉在长安任职的。

李白这几年在长安,是感到很荣耀的。他很早就有"拜一京官"的想法,但一直未有机会,只能漫游各地,"少年落托楚汉间,风尘萧瑟多苦颜",现在却忽然如上云霄,"忽蒙白日回景光,直上青云生羽翼"。他确实是颇为得意,就在这首诗中,说自己有幸随从皇上到骊山温泉去宴游,于是"王宫大人借颜色,金章紫绶来相趋"(以上据徐俊《敦煌诗集残卷辑考》,此诗题为《从驾温泉宫醉后赠杨山人》)。

那末翰林供奉究竟是一个什么样的职务呢?它在朝廷中的地位又是如何呢?

翰林院与翰林供奉,是唐玄宗即位后设置的。中唐时韦执谊所撰《翰林院故事》,说皇帝的诏令,本来是中书舍人起草的,唐玄宗鉴于政令繁多，中书舍人忙不过来，就在宫中设置近臣，"以通密命"，于是选择朝官中有词艺学识者，"人居翰林，供奉别旨"。当时一些有文采的朝臣，如张说、张九龄，以及吕向、尹愔等，都担任过这种职务。据考证，吕向在开元十年（722）已为翰林供奉（参岑仲勉《丁居晦翰林学士壁记注补》），可知翰林院及翰林供奉之设，当在开元初期。

在开元前期、中期，翰林供奉的地位、声望是相当高的。前面提到过，当时张说、张九龄可以说是第一流文士。吕向于开元十七年撰《庆唐观碑铭》（《山右丛刻》卷2），其结衔有"守尚书主客郎中、集贤院学士、翰林院供奉"。在当时，五品以上才能为集贤学士。不只官品高，翰林供奉还可与集贤学士分掌制诏书敕。

不过这种情况到开元二十六年（738）起了变化。据唐李肇《翰林志》、韦执谊《翰林院故事》及《新唐书·百官志》，开元二十六年，于翰林院之南另建学士院，设立翰林学士，"专掌内命"，意谓从这一年起，原来的一部分翰林供奉进入为学士，专门为皇帝起草文告。而"集贤所掌于是罢息"，即集贤学士不再掌制诰，主要管"刊缉古今之经籍"（《旧唐书·职官志》一）。至于还有一部分翰林供奉，则仍留在翰林院内，"但假其名，而无所职"，意谓这一部分人只挂翰林的名号，但已无实职。《翰林志》、《翰林院故事》述及此事时，都举有李白之名。

开元二十六年之后的翰林供奉（又称翰林待诏），除了一小部分文士外，主要为书画琴棋等才艺之士及僧道医卜等。清顾炎武《日知录》卷二十四有《翰林》一条，即据两《唐书》，记唐代历朝工艺书画之徒，及僧人、道士、医官、占星，均入"翰林待诏"之列，又称为翰林供奉。在唐代,其社会声誉和政治待遇,是明显低于翰林学士的。但待诏、供奉中仍有出色的人才,如玄宗时著名书法家蔡有邻、韩择木,书写有不少碑文,见宋佚名《宝刻类编》;中唐时书法家唐玄度、韩秀实,见宋陈思《宝刻丛编》;唐玄度还是一位字体专家,于文宗开成时曾据《说文》,勘正古今异体字,覆定九经字样,见《玉海》卷四十三。大历时江南著名诗人张志和,也曾为翰林待诏,颜真卿《张志和碑》记张年轻时受到肃宗的赏识,"令翰林待诏,授左金卫录事参军"(《颜鲁公文集》卷九)。顺宗朝永贞革新的中心人物王叔文、王伾,早期也是以棋艺作为翰林待诏入太子东宫,并结识刘禹锡、柳宗元等,筹备革新朝政。可见翰林供奉(待诏),在唐代与翰林学士一起,应是一个有较高层次的文化群体,我们今天不应以其品位低而仍轻视之。

在李白于天宝初入为翰林供奉时,还有一个情况值得注意。唐玄宗朝的翰林学士,先后有八人:吕向、尹愔、刘光谦、张垍、张埱、张渐、窦华、裴士淹。这八人的文采声誉是抵不上外朝的中书舍人的,与李白更不能相比,而且有几个人在政治上又依附于奸相杨国忠,无品节可言。从这点来看,李白当时在长安宫中供职,应当说是很突出的,杜甫后来在《饮中八仙歌》中说:"李白一斗诗百篇,长安市上酒家眠。天子呼来不上船,自称臣是酒中仙。"可见不只一般人的心目中是如此,李白本人自我感觉是更为优佳的。

不过还有一点应加注意:唐代的翰林学士,与宋以后不同,只是一种差遣之职,并非官名。清代学者钱大昕就明白地说,翰林学士"亦系差遣,无品秩,故常假以它官,有官则有品,官有迁转,而供职如故也"(《廿二史考异》卷五八)。就是说,唐朝的翰林学士,一定要带别的官衔,他就是凭这官衔来定其品阶与俸禄。如著名诗人白居易,他于宪宗朝以集贤校理入为翰林学士,第二年改为左拾遗,过两年应他的请求,又由左拾遗改为京兆府户曹参军,因京兆府户曹参军薪俸收入较高,他就很高兴,作诗说:"喧喧车马来,贺客满我门。"(《初除户曹喜而言志》)但无论是左拾遗、京兆府户曹参军,都是他在翰林学士时所带的官衔。翰林供奉也是如此,如上述吕向,他在任翰林供奉时就带有主客郎中、集贤院学士。又如几位任翰林供奉的书法家,蔡有邻所带官衔为左卫兵曹参军,唐玄度为梁王府司马(见《宝刻类编》卷二、卷五)。中唐时,其所带之官衔,不仅有京官,还有地方官。如为《邠国公(梁守谦)功德碑》篆额的陆伾,其衔为"朝议郎、权知抚州长史"(《金石萃编》卷一○七);原所带官衔为太常寺奉礼郎的侯丕,因"优之以禄俸",又调迁为"寿州霍丘县尉"(《白居易集笺校》卷五一)。据我所看到的材料,除僧、道外,唐代凡任翰林供奉的,均带有官衔,而恰恰李白,则什么也没有。这确很奇怪,很值得探讨。如果刚召入,有待考查,暂不带官衔,还可理解;第二年整整一年,还是没有,直至第三年春,李白离去,也还仅仅是一个"高士"(其友人李华语)。尽管历史上记载唐玄宗对他如何宠遇,却始终不给他一个官衔,实际上只不过把他当作一个陪同宴游的侍者。由此,我们确可认定,李白一生,始终是一个布衣,这倒是李白可引为自傲的。

原载《文史知识》2001 年第 10 期,据以录入

《万历十五年》出版记事

——兼忆与黄苗子、黄仁宇先生之文化交流

　　我于 1958 年 3 月由北大中文系调至商务印书馆，同年 7 月，因商务、中华的出版范围进行调整，我又由商务转至中华，至今已四十四年。在商务的几个月，我主要协助当时古籍编辑室主任吴泽炎先生，重新整理《越缦堂读书记》，后此书在商务出版，我已去中华，吴先生还是邀我为此写一"出版说明"。

　　刚到中华书局，先在古代史编辑室，还不过二十五六岁，对古籍编辑工作是很生疏的。但没有想到，当时的总经理兼总编辑金灿然同志却叫我写一出版说明，即明末李永茂的奏稿《邢襄题稿、枢垣初刻》，这可以说是我由大学教学转行为古籍编辑的第一项考试。不久，我又从古代史编辑室转至文学编辑室，室主任是徐调孚先生。徐先生，新中国建立前我在家乡宁波念初中时就闻其名的。那时徐先生在上海开明书店当编辑，他翻译的《木偶奇遇记》为当时的青少年所爱读，他为王国维《人间词话》所作的校注又为古典文学研究者必读之书。在这样一位资深老编辑、学厚老专家的领导下，我那时虽然有政治压力，但工作起来还是很愉快

的,也很努力。我曾策划过一套《古典文学研究资料汇编》,后来先后出版过《白居易卷》、《陆游卷》、《陶渊明卷》、《韩愈卷》、《柳宗元卷》、《杜甫卷》,以及我自己编纂的《杨万里范成大卷》、《黄庭坚和江西诗派卷》。徐调孚先生还叫我为古籍整理本《诗经通论》、《全唐诗》以及影印本《四库总目提要》写出版说明。那时我的工作是相当重的,但我觉得,这对我的业务进修有很大好处。我以后在学术上稍有成就,主要就在 1958 年到 1965 年期间打下基础的。

1978 年后,我的政治问题解决,领导对我更为重视。我于 1973 年 4 月自湖北咸宁"五七"干校回来后,即作"二十四史"之一《宋书》的责任编辑,与当时住在中华(王府井大街 36 号)的山东大学史学家王仲荦先生合作。自此,我就在古代史编辑室,1979 年与魏连科同志合作,共任古代史编辑室副主任,分管我们的是副总编赵守俨先生。我们三个人相处得很好,经常在一起商议工作,谈论学问。

我在中华虽然做过不少编辑工作,编过不少书,但回想起来,黄仁宇先生的《万历十五年》在中华的出版,由我经手,却是最值得回味的。最近翻检旧日书信,见到友人、著名书法家黄苗子先生一信,中说:"璇琮同志:《万历十五年》听说出版了,我还没有看见,可否设法代买一本。黄仁宇先生也好久无来信了。有空来看您。"我手中拿着这一言简情深的短笺,一动也不动,坐了一二个小时,我好像又回到二十年前中华书局颇有特殊情景的生活。

黄仁宇先生于 2000 年 1 月 8 日去世。近二十年间,他写了不少有关中国和西方的历史著作,享誉中国的海峡两岸,及日、美与欧洲英、德、法等国。北京的三联书店已出版了好几种他的大部头专著。但他的为人所知，实事求是地说，是从《万历十五年》开始的。这本书的撰写，确实拓新了我们看待历史、观察社会的眼光。虽说该书早已在美国耶鲁大学出版社出了英文本，但寻芳追踪，在东亚和世界产生广泛的影响，还恰是从中华书局 1982 年 5 月所出的中文本开始的。中华书局这一本子，初版一次就印了 27500 册，很快就销售一空，特别在台湾地区学界，反应很强烈，认为是难得的好书，接着日本、韩国就相继出了自己的译本。

这样一部书，材料扎实，视野开阔，眼光新颖，文词幽默，而且字数并不多，只不过十八万余字。当时中华书局从 1979 年 6 月接稿，然后审稿、改稿，到 1982 年 5 月才出版（著者拿到书已是那年下半年），也就是花了整整三年时间。这在现在，实在是不可想象的，十八万余字的书稿恐怕不用半年就能出书。但那时就是这样一步步地走过来了。这一段出版过程，却值得今天来加以回顾、思考。

这部书稿，最初是由黄苗子先生与我联系的。20 世纪 70 年代后期，黄苗子先生仍住在南小街，当时中华书局在王府井灯市西口，相距不远，由于志趣相近，我们经常相聚，或通信笔谈。1979 年 5 月 23 日，黄先生给我一信，说："美国耶鲁大学中国历史教授黄仁宇先生，托我把他的著作《万历十五年》转交中华书局，希望在国内出版。"在此之前，金尧如同志仍在北京，他在商务印书馆任过职（后调往香港三联集团），陈翰伯同志则在出版局当领导，黄苗子先生信中特别提到这两位同志对在国内出版此书的看法："第一次寄书稿来时，金尧如同志知道，表示只要可用，就尽快给他出版。这样做将对国外知识分子有好的影响，并说陈翰伯同志也同意他的主张。但书稿分三次寄来，稿到齐时，尧如同志已离开了。"

黄苗子先生是希望中华书局早日接受的，他在信中还说："现将全稿送上，请你局研究一下，如果很快就将结果通知我更好，因为他还想请廖沫沙同志写一序文（廖是他的好友），这些都要我给他去办。"《万历十五年》在中国出版，便是从黄苗子先生这封信开始的。在接到这封信后，他还几次给我打电话，询问书稿处理情况。他希望快一些把"结果通知"他，但在那一时期，实在快不了。

我当时在中华书局任古代史编辑室副主任，接到稿件后，倒是马上通读，并于 6 月 16 日写了一份审稿意见。意见一开头是作了肯定的：

> 万历十五年为公元 1587 年，约当明代中期偏后。这一年并无什么突出事件，稿中记这一年事情的也极少。稿中主要写了几个历史人物，即万历皇帝、张居正、申时行（此二人是宰相）、海瑞、戚继光、李贽。以这几个人为中心，叙述明朝中期的政治（如内阁组织、皇位继承、建皇陵、地方吏治）、经济（如漕运、赋税）、军事（如防倭寇……）、思想等情况，作者企图从这些方面说明中国封建社会的某些特点，正是这些特点导致明朝的灭亡，而这些封建社会的固有弊病也影响后代甚至现代。因此书名虽说是万历十五年，实际是论述明代中期的社会情况，着眼点是较广的。

我在这里之所以详细引录这段审稿文字，是向读者介绍当时我作为一个普通的编辑，有这样的认识，确还是不容易的，因为那时是 1979 年，即二十多年以前。在那一时期，这样写，说老实话，我还有一定顾虑，怕肯定得太过分，出政治问题（因那时出版国外新著似还没有，1978 年 11 月我在完成《唐代诗人丛考》后所写的前言中，虽引录了 19 世纪法国文艺理论家丹纳《艺术哲学》的一段话，作了肯定，但还要批评他不能从经济基础与上层建筑的关系，从阶级与阶级斗争的角度，来阐述文学艺术发展的历史，可见当时环境中的一种心态）。

　　正因如此，我在上述一段评语以后，对书稿又提出几点意见，一是"作者因为长期居住国外，受外国历史研究的影响，因此写作的布局与文字，和国内现在的写法很不一样"，"有些地方对外国人可能是必要的，但对中国人就显得累赘多余"；二是"据序言说，作者先是用英文写成，后来作者自己又译成中文，但看来作者现代汉语的修养不行"，有些地方"辞不达意"；三是"序言的后半部分涉及我国现在搞现代化建设的，不好"。这些意见，不是没有道理，但事后回想，还是有鸡蛋里挑骨头的意味。最后还是说："鉴于作者系美籍学者，出不出此稿，可能有政治影响，因此要慎重考虑。"并提出建议，请别的同志"再审阅一遍，共同商量一下"。

　　这样，就由古代史编辑室另一副主任魏连科同志（当时该编辑室未有正主任）再审一次，他于 9 月 22 日写出审稿意见，邀我联名向上报告。我们倒是明确提出"原则上接受出版"的，当然认为在某些提法及文字上还须作编辑加工。当时中华书局的一位领导，批为"不宜接受"，"可与介绍人婉言退却"，他还在口头上对我说，我们何必要出国外人的书。幸亏其时副总编赵守俨先生明确表示同意出版，而且他还提出，稿中"涉及现实问题之处，似乎在提法上并没有什么大问题",至于以后作文字上的加工,他还认为,"这种润饰,可限于非改不可的地方,不必改变原来写法和风格"。守俨先生治学以严谨见称,但又通达。他那时所作的批语,现在看来确实十分难得。人的见识,往往在关键之处表现出来。

赵守俨先生的意见是 9 月 24 日写的,距黄苗子先生对此书稿的推荐信函已有四个月,因此他特别提及:"由于此稿经几个人看过,已耽搁了一定的时间,盼尽速阅示。"意思是要其他几位领导尽早翻阅,作出决定。

正因为有这样的表态,这部书稿终于通过了。今天的读者可以从中看到那时出版社对外籍华人作者的书稿,以及书稿中一些不同寻常的表述,是有种种顾虑的。而编辑也是过分地谨慎小心,出这样的一部书是多么的不易。

《万历十五年》是黄仁宇先生最初用英文写成,后由他自己译成中文的,正如黄先生在自序中所说:"本书由英文译为中文,因为国内外情况的差别,加之所译又是自己的著作,所以这一翻译实际上是一种译写。笔者离祖国已逾三十年,很少阅读中文和使用中文写作的机会,而三十年来祖国的语言又有了不少的发展,隔膜更多。"原稿在遣词造句上有不少难懂之处,因此在征得黄苗子先生同意后,由我请北大求学时同窗好友沈玉成同志对全书作一次全面的文字加工。沈玉成同志也于 1958 年因"右派"政治问题调到中华书局,我们又成为难友,1969 年又同至湖北咸宁"五七"干校,1974 年他调到《文物》编辑部工作,"四人帮"粉碎后至中国社会科学院文学所从事古代文学研究。他头脑灵敏,文笔快,有文采,确是修改、润色书稿的合适人才。

1980 年 1 月，玉成同志将第一章修改完毕，我复阅一过，就由我起草，以中华书局编辑部名义，给在美国的黄仁宇先生写一封信，并将修改稿寄他，信中说明改稿时的几条原则：

　　一、保护原作的论点和材料；

　　二、尽可能保持您原有的文字风格，即文言白话交融，具有某些幽默感的语言，同时又希望在一定程度上保持有译文的意味；

　　三、对某些语意不甚明了的，或并非必要的词句稍作删节；

　　四、个别段落稍作调整。

　　信的最后还特别提出："润色稿如您认为有不妥之处，请径加改正。"这样做，既坚持编辑工作的规范，又充分尊重原稿和作者写作的意向。中华书局自 50 年代起就接触过不少专家学者，"文革"前后，因整理、点校"二十四史"，编辑部人员经常与唐长孺、王仲荦、启功、张政烺、王钟翰等先生一起商讨书稿问题，已养成一种不卑不亢、切磋交流的风气。玉成同志在《万历十五年》的文字加工工作上花了不少力气，但当时我们在信中还是表示最后由作者来定稿。

　　黄仁宇先生对第一章的修改稿表示满意，由我起草的中华书局编辑部 1980 年 3 月 22 日信中即提到："3 月 8 日寄来尊著《万历十五年》原稿第一章，以及给编辑部与傅璇琮君的信函，均已收悉。沈君之润色稿（第一章）既蒙首肯，则当照此进行，今随函寄上第二章，亦请审正。"

　　这样，我们就把沈玉成同志修改后的稿件，逐章寄给黄仁宇先生，每一次寄时都由我拟写一封信，而这些信函都经当时副总编赵守俨先生阅改，可见当时的中华书局对此书稿很认真。我们充分尊重著者意见，同时也不回避我们的看法，如 1980 年 6 月 6

日一信中就提及:"第七章中有一段对马克思的评论,我们认为以删去为宜,或作必要的修改,均请酌定。"

黄仁宇先生对编辑部的信也很认真、重视,每一次接到修改稿后都加回复,有时还谈得很具体,如1980年3月8日的信,还详细解释明代的"仗刑"与"笞刑"有什么区别,以及他原稿中的笔误;他还注意校样中英文字母的错植处,这封信中即提到该稿所列参考书目,其中Ricciane,其第4个字母c,校样中排成e,可见其十分细心。他也尊重我们的意见,如上述提及的关于马克思评论一事,他在1980年6月24日的回信中就表示同意删去:"第七章提及马克思也与论李贽关系至浅,遵命删去。"

当然,他有时候也认为修改稿的行文风格前后有所不同,并与其原稿有差异之处,提出一些看法,对此我们也作了解释,如1980年4月22日将第四章寄出时,附我起草的编辑部一信,其中说:"沈君润色稿中某些笔误和材料上的异同,您可径加改正。他曾向黄苗子先生及编辑部表示,他本人并非专攻明史,所以仍以您的定稿为准。又,二、三两章及以后各章的润色稿,亦均出沈君之手。据我们看,行文风格与第一章似尚能一致,或许由于内容的需要以及希望尽可能保留您原作的风格,致使您有差异之感。您在下次来信时,请具体提出您的想法和要求,以便转致沈君再作润色。"

这里附带交待一下,当时我们收到黄仁宇先生的信,为便于沈玉成同志参考,就把信转玉成同志,但他并不全部返回给我们,可能积存于书堆中忘了,而他本人又于几年前去世,因此我们的文书档案中还缺少好几封黄先生的信,甚为遗憾。

这样,书稿来回修改、寄递,一直到1981年6月间才大致定稿,并发排,中华书局编辑部于1981年6月7日致黄仁宇先生一信,告知此事,并谓:"因印刷厂排印日期限制,校样以后拟即请沈玉成先生(或转黄苗子先生)阅定,不再寄上(因邮件来往日期太长)。"但黄仁宇先生很认真,还是要看校样,直至1982年3月5日,他才把最后一部分校样阅毕寄还,并在信中表明:"内注释及书目部分曾辗转查核,正文则只粗率看过,亦有以前执笔的地方稍改正三数处。"接着,1982年3月14日又写一信,请改正数字。读者可以想见,这本不到二十万字的书,不论原稿、校样,经中、美两地的编者、作者反复阅看,差不多经历两年半的时间,可以说是慢工出细活,这在现在也是很难想象的了。

接下来就是出书,出书就涉及稿酬问题。黄仁宇先生于上述1982年3月5日信中即已表示:"杀青之日,仍遵原议,著者不受金钱报酬。"但中华书局仍与黄苗子先生联系,托他征求著者关于稿酬支付的意见。黄苗子先生分别于1982年4月20日、5月21日给中华书局编辑部两封信,5月21日信中还附上黄仁宇先生同年5月7日的信,黄仁宇先生对沈玉成同志的修改稿是满意的,他在书前的序言中还特别提及:"幸经中国社会科学院文学研究所沈玉成先生将中文稿仔细阅读一过,作了文字上的润色;又承中华书局编辑部傅璇琮先生关注,经常就各种技术问题与笔者书函磋商。所以,本书与读者见面时,文字方面已较原稿流畅远甚。"正因如此,他表示,他不收钱,只要书,希望中华书局多寄他一些,以便他分送海外学人,但同时又说,数量不必过多,怕"印数不敷分配"。他明确提出,将稿酬的三分之一交给沈玉成先生,还说,再有一部分给黄苗子、廖沫沙两位先生,作为联系此事的"车马费"。关于后一点，黄苗子先生两封信中都提出免收，他于4月20日信中说："关于廖沫沙同志的封面题字，你局当然照向例付酬，此外并无其他所谓'奔走'费用，黄先生不了解国内情况，已代解释。"实际上黄苗子先生为此书操心出力，已远超于一般的"奔走"。这是君子之情。附带说一下，黄仁宇先生本是请廖沫沙先生为此书写一序言的，但后来廖先生由于健康原因，未写序，只题了书名。

黄仁宇先生在祖国大陆有一位妹妹，在广西桂林橡胶设计院工作，黄苗子先生曾问及是否能够予一部分稿费，仁宇先生说可以考虑，但信中说："但如贵局愿付与少量报酬，笔者亦不阻挡，只是人民币三十元、五十元之间则已至矣尽矣，再多一分即与鄙意相违，亦陷笔者于不诚。"这样的数字，我们现在实难以想象。黄仁宇先生一再表示，他只要书，不要钱。两位黄先生作为文化人士，在那一时期这种不同寻常的心态，很值得回顾、研思。

这是1982年初版印出时的情况。上面说过，1982年初版印数为27500册，很快销售于海内外，此后即有日文、韩文、德文、法文等译本，这就牵涉到著作权的问题，需按有关规定办理，不能像1982年那样纯粹是君子一言而定。这就要签订各种出版合同。1981年我已任中华书局副总编，不在古代史编辑室，因此《万历十五年》正式发稿时就由北京大学中文系古典文献专业毕业后来到中华书局工作的王瑞来同志担任，以后涉及再版等合同事，则由此后任副总经理的邓经元同志及对外图书贸易部主任许宏同志办理的。当时中华书局对市场经济下的著作权问题，还不是很熟悉，这从1994年10月17日黄仁宇先生给我的信中可以看出。到这时，《万历十五年》除英文原版及中文版外，已有日、韩、德、法文版,但中华书局那时寄去的合同草稿,还写中华书局享有"全世界"版权,黄仁宇先生对此提出异议,表明他毕竟在国外,除华夏的君子情谊外,还是有清醒的市场意识的。关于此事,后就由邓经元同志起草一信,于1994年11月上旬致函黄先生,信中谓:"上次信中附上的由傅先生签字的合同,是我局通用的重印合同。当时未细加斟酌,诚如您来信指出的,其中确有不妥之处,如称有'全世界'版权字样,等等,谨致歉意。现草拟另一份寄上,您可以修改补充,待双方同意后再签字。"邓经元同志处理很得体,事情也就圆满解决。

这一本不到二十万字的书,从编辑部审稿,修改,看校样,直至出书,竟花了三年有余的时间,这当然有当时的客观环境,但书籍总是一种文化产品,作为一种文化成果,当时中华书局编辑部与著者合作,还有黄苗子先生周旋,用三年时间出这一精品,从时间观念放开来看,还是值得的。出版社能如此投入,反复阅改,这恐怕在那时才能做得到。

2001 年 10 月

原载《出版史料》2001 年第 1 期(题为:《万历十五年》出版始末),此据北京联合出版公司 2013 年版《濡沫集》录入,另收入中华书局 2002 年版《我与中华书局》、大象出版社 2004 年版《唐宋文史论丛及其他》、北方文艺出版社 2008 年版《书林漫笔》、首都师范大学出版社 2010 年版北京社科名家文库《治学清历》,各本或无副标题,文字略有增删

傅明善《宋代唐诗学》序

　　傅明善同志在宁波大学中文系执教，前些年，又去浙江大学攻读博士学位，在萧瑞峰先生的指导下，写作学位论文《宋代唐诗学》。因为我与萧瑞峰先生有学术交往，我又是宁波人，近些年宁波出版社委托我主编《中国藏书通史》，因此常去家乡，故与明善同志相识，他乃就这一选题常与我交换意见，我有时也提供一些参考资料。今年五六月间，举行论文答辩，我未能去，曾写有评阅书，后有机会见到复旦大学王水照先生、陈允吉先生评阅意见，他们都对论文评价很高，认为是用功甚深并创获颇多的优秀博士论文。作为同是浙江籍的同行学人，我是很感欣慰的。经过半年的细心修改，又经北京的研究出版社审阅认可，此书即将出版，明善同志嘱我写一序言。我现在写东西，确有力不从心之感，甚为费力，友人要我作序，我真有如中小学生课堂作文的负担。我为友人作序，也总有一个习惯，一定要通阅全书，有时还不只看一遍，一边看一边提出问题，请著者核阅或修改。明善同志的这部书，我就上半年看一次，最近又看一次。对这部 30 万字的专著，我就不想在序言中作全面介绍或评论，因为序言与书评总是两种文体,序言可以自由一些。南北宋之际的许颛在其所著《彦周诗话》中,曾给诗话的体制下一定位,谓:"诗话者,辨句法,备古今,纪盛德,录异事,正讹误也。"意谓北宋时兴起的诗话,其论诗的范围是很广的,这可以使人读来轻松惬意。我想序言也是如此,宋代如欧阳修、苏轼为人作序,也有同样意味。现拟仿许颛的语气,云:"序文者,辨学术,论世情,记交谊,抒己见,重理趣也。"

1983 年,我曾为《唐代文学研究年鉴》写一小文,其中提到:"唐代文学研究发展到现在,已经有条件创立唐代文学研究史。一门学科之可以建立学术史,是成熟的标志,而它的建立又可以进一步推动研究的深入。唐代文学的研究是一门科学,我们应当对它的历史加以探讨,作出总结。"(《唐代文学研究年鉴》1984 年)那时我虽然提出可以从学术史的角度来研究唐代文学,但仅是一个设想,想得并不周全、明确。陈伯海先生于 1988 年出版其所著《唐诗学引论》,则首次把唐诗学作为学科建设提出,并把唐诗学的建设史分为五个时期:唐五代为酝酿期,宋金元为形成期,明代为发展期,清及民国初为总结期,"五四"以后为创新期。在这以后,我们海峡两岸,即大陆与台湾,就有不少唐诗学方面的专著与论文面世(详见陈友冰先生近著《海峡两岸唐代文学研究史》)。唐诗学作为学科提出,确从理论建构与具体操作上深化唐诗的研究,我们推进新世纪的唐代文学研究,对此确应重视,并作进一步探索。

已有的唐诗学论著,其探讨的范围是相当广的,有体系建构与批评方法的研索,有风格、声律、意境、情志等范畴的设计,也有时期延续性与断代性的构筑,但到目前为止,还没有以一个朝代为中心，以专书的体式，来全面论述某一时期唐诗研究的演绎过程。明善同志选择这一课题，我不敢说有突破性，但应该说是极有识见的。

我可能受传统观念影响较深，总偏向于专题研究。就传统文化来说，宏观的把握，规律性的探索，固然重要，但基础还是个体性的研究。唐诗学，也是一个相当宽泛的概念，我们如果不从一个个具体的课题进行研究，很可能热闹了一阵之后，回过头来还是停留在原来的起点上。我们现在已经有了唐诗学的理论建构，就不要再做大而全的概述性工作，可以选择有代表性的几个点，作精细而又有高度概括的探讨。而在唐诗学史上，宋代是最具有代表性的一个点。唐诗是中国诗歌史上的一个高峰，宋诗是继唐诗之后的又一高峰。一个时期的高峰，是不能离开大家的，正因为唐代有李白、杜甫、韩愈、白居易、李商隐等大家，才形成这三百年间的文化强项、优势，而可以注意的是，宋代也出现欧阳修、王安石、苏轼、黄庭坚、陆游等大家，因而形成那一时期的文化强项、优势。欧阳修等人的出现，是离不开对唐诗的传承的，而唐诗之能为后世所接受和张扬，也离不开宋代这些大家在创作和理论上的琢磨和研索。宋代唐诗学之所以在唐代之后形成一个特殊起点，是与宋代这一超级文化时代密切相关的。

20 世纪 80 年代后期，我应邀参与北京大学古文献研究所的《全宋诗》主编工作，深感宋人对唐代诗文集整理之工力，后来我在起草该书的"编纂说明"中曾强调：宋人的这些努力，促进了唐诗的传播，开阔了人们对唐诗的认识，也提高了宋代诗人本身的文学素养，宋诗之所以继唐诗之后有新的开拓和发展，与宋代对唐诗所作的大规模整理、流布有密切的关系。后来我的这一想法，再经修改、补充，写入《文学遗产》创刊四十周年暨复刊十五周年的"纪念文集"（1995 年编印），题为《文学古籍整理与古典文学研究》。不过我当时还只着眼于古籍整理对文学创作、文学思潮的影响，现在明善同志从宋人的文献整理扩展为整个宋代唐诗学，其视角高度就不一样了。

　　明善同志这部书还有一个明显的特点，是治学思路的清晰和结构体制的严密，显出这一代中青年学人对学科建设的理性探索和系统化、序列化的自觉追求。著者着力于纵横交叉的结构来展现宋代唐诗学的几个层面以及历史进程，又从禅学、理学、史学与唐诗学的关系，提示其实际存在的深隐体系及其基本特征、研究方法；最后又从明清唐诗学的比较中突现其历史地位。这样的一个结构，对今后开展断代唐诗学研究提供了很好的参照样式。尤可贵的是，书中在按这样的框架阐述中，并不泛论，还着重于具体究索，特别是对宋代几部有代表性的诗话，如《岁寒堂诗话》、《沧浪诗话》等都能从其诗学体系出发详作比较分析。宋代唐诗研究演进，更从当时作家的创作要求着眼，把创作主张与理论宗旨结合起来，这对古代文学思想研究也是一种拓宽。

　　应当说，明善同志在写作中还是尽量参阅和吸收现代学者的成果，但仍有所选择，对有些不确切之处又能给予指正，这样的一种学风在当前也应提倡并加重视的。

　　不过我想提一点不足之处，即可能是由于篇幅所限，最后部分，即宋代与明清两代的比较，似写得不够充分，这当有待明清两代研究的加强。又，这一章的两个标题，一是《开疆拓土的开创性品格》，二是《独自树立的背离性精神》，对第二节又概括为"诗学精神上的背离性"。我是同意第二节的具体论述的，认为宋人能冲破唐诗藩篱，学唐而变唐，在"变"与"复"的辩证统一中自立全新的诗风，又能面对"本朝诗"作出严肃反思，背离宋诗发展的主潮，主要是指扭转江西诗派的诗风，而回归唐音。我想这是符合实际的。但把这种情况概括为诗学精神的背离性，似有费解，这里的背离性应是指诗学精神本身，这样含义就有歧解。我想我们在作新的理论探讨时，不免会出现新词，但还是应求词通义顺。这一点也是与著者的切磋、交流，我想是符合前面所说的序文可以有"辨学术"这一体制。一笑。是为序。

2001 年岁末，于北京六里桥寓舍

原载研究出版社 2002 年版《宋代唐诗学》，此据大象出版社 2008 年版《学林清话》录入，另收入大象出版社 2004 年版《唐宋文史论丛及其他》

国学研究呼唤务实学风和创新思维

——从两个实例谈起

近些年来,论文、专著,数量猛增。有些人,申报成绩时,一年可有一二十篇论文,好几本著作。但同时,报刊媒体也披露,目前,那种论著抄袭、履历伪造、浮夸虚假、商业骗局等丑恶怪状,真是层出不穷,使人触目惊心。如前不久揭露的,浙江省原新闻出版局局长罗鉴宇,已因贪污巨额钱财被判死刑。此人据说连手也不便提笔,更不用说著书立说,但他有论文发表,有书出版,都是别人捉刀代笔的。

社科界如此,科技界也有类似情况。《中华读书报》2001 年11 月 14 日曾有一篇报导,题为《学术腐败:中国科学的恶性肿瘤》,也是很说明问题的。

因此我觉得,在目前各种新著频繁、新词频出的情况下,我们的传统文化研究或云国学研究,的确应该安下心来,结合传统文化的特点,探索一条健康的学科之路。

现在有些论著,名义很好听,一谈就要从宏观上把握,或者动不动编一些大书,挂几个主编的空头衔,而实际上没有扎扎实实地下功夫。国学或传统文化，本来就是一个相当宽泛的概念，如果不从一个个具体的课题进行研究，很容易热闹了一阵之后，过了若干年，回过头来一看还是停留在原来的起点上。对文化，宏观的把握和规律性的探索固然重要，但基础则是个体性的研究。对我们的传统文化来说，比较实际的则是专书研究。我一向认为，专书的研究，实际上是对研究者功力的一种考验，也是我们整个研究的不可或缺的支撑。如果我们对古代若干种有代表性的专著分别做专题性研究，这就会使我们整个研究基础较前更为扎实，也会使年轻的研究者得到谨严学风的熏陶。

为把这问题谈得实一些，我这里想举两个例子。我个人以为，从这两个实例中，是可以看出务实学风与创新思维的。

《醉翁亭记》的例子

大家知道，宋代大文学家欧阳修因受朝廷党争牵累，被贬在滁州做地方官，曾写有《醉翁亭记》一文。宋代朱弁《曲洧旧闻》卷三中说："《醉翁亭记》初成，天下莫不传诵，家至户到，当时为之纸贵。"这当然是件好事，但正因流传广，版本多，历代相传就有不少文字差异。安徽滁州有位上年岁的业余研究者管笛同志，先后到北京、上海、山东、河南、安徽、江西等十几家大图书馆、博物馆，查阅资料，尤其是他得悉山东费县藏有与欧阳修同时的苏唐卿篆书碑刻《滁州琅琊山醉翁亭记》拓本，就不辞辛劳，三次去费县。苏唐卿碑要比苏轼楷书碑早，而且他的篆碑文字经欧阳修两次过目,欧阳修未提出异议。这样,管笛同志就以此作为重要依据,并参考其他代表性碑刻及书面文献,发现《醉翁亭记》这四百余字的文章,须要辨正和研讨的字和词,就有二十几处。明显之处,如"泻出于两峰之间者让泉也",南宋以后的传本,"让"大多作"酿";"水清而石出",现在流传的本子,"清"一般作"落"。管笛同志花了十几年的功夫,反复修订,写了《醉翁亭记研究》一书。这部三十几万字的专著,以碑文考、词句辨、创作谈、价值论、诗文选、碑帖集六个部分组成,不仅订正异文,辨析词句,还对《醉翁亭记》本身,及欧阳修的政治观念与创作思想,进行具体深入的探讨。

　　管笛同志的研究方法是值得一提的。如上面提到过的苏唐卿篆碑拓本,是现在所见最早的校勘底本,但管笛同志并不完全以此为准,他还对照苏轼的碑文,以及欧阳修文集的版刻传本,做综合的考察。如篆书碑所写"往来而不穷者滁人游也"句中的"穷"字,他即依苏轼楷书碑、欧阳修《居士集》刻本以及上下文对照,认为应作"绝"。这是合乎情理的。又如文章首句"环滁皆山也",南宋朱熹说,他曾买得一份《醉翁亭记》稿本,最初作者说滁州四面有山,凡数十字,末后改定,只"环滁皆山也"五字(见《朱子语类》)。这极为概括并寓含诗意的开篇五字,一直为人们赞赏。但明清人也有提出异议,认为"滁州四望无际,只西有琅琊","今日环滁皆少山"。现在去滁州旅游的人,似也有同感。管笛同志则详细考察滁州城地理位置的历史沿革,指出唐宋时滁州城很小,仅限于弘济桥以西一带,就那时的视界来看,确会有"环滁皆山"之感。唐代曾任滁州刺史的诗人韦应物,其《简郡中诸生》诗即有"守郡卧秋阁，四面尽荒山"之句。明代以后城区不断扩大，所获印象自然不同。这种将书面文献与实地考察结合起来，应当说是传统考据学的一种新探索。

《东京梦华录》的例子

另一例子是黑龙江省社科院文学所伊永文作《东京梦华录笺注》。

前辈历史学家邓之诚先生于上一世纪三、四十年代作《东京梦华录注》，于五十年代后期由商务印书馆出版。出版不久，就受到日本学者的挑剔，指出不少毛病，当然日本学者的批评，有些正确，有些是不能成立的。

伊永文同志于七十年代中期在南开大学中文系读书，曾对《水浒传》所表现的市民阶层生活很感兴趣，写有文章，自后即有意投入城市历史的研究，具体即从《东京梦华录》着手。九十年代初，我在任中华书局总编辑期间，他即与我接触，并寄我样稿。邓之诚先生的注，曾引用宋元典籍 148 种，而伊永文后出的注，则引有 450 种书，再加上明清人的书，共达 1000 余种。邓注有 13 万字，伊注则有 30 余万字。邓先生当初作注时，感到最难的是饮食、伎艺两类，而伊注则在这两方面集中力量。如书中"饮食果子"条，他就注了 39 条，其中如"淹藏菜蔬"、"兜子"、"洗手蟹"，都是别人未曾注意的。又如"奇术异能"、"泥丸子"，以及"猴呈百戏，鱼跳刀门，使唤蜂蝶，追呼蝼蚁"，以及有关"元宵"中伎艺的注释,如把正文和注文串联起来,真可视为一部北宋伎艺短史。

他的注文范围颇广,注意用八十年代以来新出土的宋代文物,如卷七"园囿之间"条,就引用 1992 年洛阳发掘出来的北宋衙署庭园遗址。书中还引用大量经得起推敲的宋元话本材料,如宋话本《闹樊楼多情周胜仙》,其中樊楼、曹门、金明池、桑家瓦,都是东京实地;《万秀娘仇报山亭儿》中的山亭儿、茶坊、行院规矩,皆得东京习俗之真。《简帖和尚》中的鹌鹑吃法,可使人如睹东京饮食风貌,现于眼前。这些,都可以说是扩大了宋代文明史研究的领域,而其起点,则是这部《东京梦华录笺注》的个书研究。

与管笛同志作《醉翁亭记研究》相似,伊永文同志作《东京梦华录笺注》,也是:一、时间长,作了二十几年(其间也曾写有论著,如《宋代船坞考略》、《宋代城市风情》);二、费用自支。

以上讲的两位,算来还不是所谓著名人物,但应当说,他们对名是看得很淡泊的,否则不可能十几年、二十几年,才拿出成果来研究。当然,也正因如此,使他们在从事的领域内能长占一席之地。西晋诗人左思在《咏史》诗中有这样两句:"连玺耀前庭,比之犹浮云。"展望前景,我想我们这一代学人,应能超脱名利,安于奉献,如陶渊明所说的那样:"欣有所托","怡然自乐"。

原载 2002 年 1 月 1 日《人民政协报》,据以录入

陈飞《唐代试策考述》序

  陈飞同志于 20 世纪 90 年代在郑州大学执教期间，就从事于唐代科举与文学二者关系方面的研究，较早的专题论文为《唐代科举制度与文学精神品质》(《文学遗产》1991 年第 2 期)；后由我介绍，撰写《唐诗与科举》一书，列入广西漓江出版社 1996 年 5 月出版的"唐诗与中国文化丛书"之中。近几年他在中国社会科学院文学研究所从董乃斌先生就读，又选择唐代试策作为博士学位论文课题，更将研究引向深入，又因策试涉及唐代科举的所有科目，遂全面铺开，综合贯通，成一有系统的论著。现在面世的《唐代试策考述》就是《唐代试策研究》的前一部分，其博士论文中关于唐代试策与文学、政治、文化等方面的探讨，则将另撰《唐代试策述论》一书。

  陈飞同志几次与我说起，他在这方面的研究，与读了我的《唐代科举与文学》一书有关。我这部书于 1986 年由陕西人民出版社出版，出版以后，反应尚可，得到学界的首肯。使我感到欣慰的是，好几位中青年学者，仿我的写作格局，撰写类似的选题。如兰州大学中文系王勋成教授写有《唐代铨选与文学》(中华书局

2001 年 4 月出版);南京师范大学文学院薛亚军同志于去年撰成博士学位论文《唐代进士与文学》;另一位攻读宋代历史的博士生,将写一部《宋代科举与文学》。我在《唐代科举与文学》的序言中曾提到:"我只是把科举作为中介环节,把它与文学沟通起来。"我这样做,只能说是开了一个头,实际上唐代科举牵涉的面很广,其本身也有不少细节需要弄清,当时处于 80 年代前期,限于种种条件,不可能作细致的考索。而上面提到的几部著作,包括陈飞同志的书,应当说比我更为深入,有些地方所论述的比我更为确切。科学研究是不断深化、不断发展的认识过程,后来者居上,这是学术研究自身发展的正常现象。学术道路就是靠众人的努力不断往前延伸的。

2000 年夏天,我曾参与陈飞同志博士学位论文的评审和答辩,限于条件,当时论文并未全部打印,我也来不及通阅。此后陈飞同志于教学之余,集中时间加以补充、修订,先把这部《考述》提出,并约我撰序。这次我确细阅全稿,多有所得。不知怎的,最近忽然想起陈寅恪先生为陈垣先生两部著作所写的序,即《陈垣〈元西域人华化考〉序》、《陈垣〈明季滇黔佛教考〉序》(均见《金明馆丛稿二编》)。前者作于 1935 年 2 月,北京;后者作于 1940 年 7 月,昆明。

陈寅恪先生极其肯定《明季滇黔佛教考》的长处,一是"搜罗之勤,闻见之博",一是"识断之精,体制之善"。他把扎实的功力与精深的识见结合起来,从正面提出对治学的要求,而在《元西域人华化考》的序言中,则含有对那一时期不良学风的讥刺。序言一开头说:"有清一代经学号称极盛,而史学则远不逮宋人。"这两句话是寅恪先生有为而发的,倒不一定是对清代经学、史学作全面的判断。后面就加以阐释,谓:"史学之材料大都完整而较备具",这就不可能"人执一说",对所谓自由发挥就"有所限制"。经学则不然,"其材料往往残阙而又寡少,其解释尤不确定",这对"夸诞之人"则带来好处:"转可利用一二细微疑似之单证,以附会其广泛难证之结论。"这样,"其论既出之后,固不能犁然有当于人心,而人亦不易标举反证以相诘难",于是"奇诡悠谬","不可究诘"。这也就出现一种"速效":"声誉既易致,而利禄亦随之。""于是一世才智之士,能为考据之学者,群舍史学而趋于经学之一途"。我是说,陈寅恪先生这里是有所为而发的,但长时期内却未引起人们的注意。现在重读,联系当前学界一种故弄玄虚、自标新奇的张扬之风,倒使人有温故知新之感。

我之所以在这篇短序中,花了这样一大段文字来引述陈寅恪先生的议论,还因为近些年来确也有不少中青年学者,如陈飞同志那样,在做踏实有用之事,与"夸诞之人"完全是两条路。陈寅恪先生认为陈垣先生那种"搜罗之勤,闻见之博",与"识断之精,体制之善",能对当代"示以准绳,匡其趋向","关系吾国学术风气之转移"。我确是想从这种学术风气的角度,来谈谈我对本书之读后感的。

我这里不拟对本书作全面、具体的介绍,读者读后,或比我更有所得。我想提出的是,陈飞同志选择这一课题,颇有识见。近一二十年来,唐代科举、唐代科举与文学,已成为唐代文学研究的一个关注之点,但有关唐代科举的研究,以常科来说,对进士一般只是重视诗赋试(过去甚至认为进士试诗赋乃促使唐诗的繁荣),

明经则以为就是试帖经,对这两科的策试是不关心的。制举当然是以策试士,但由于科目繁多,一般也就笼统言之。现在陈飞同志经过对唐代基本史料的辑集和梳理,主要得出这样的结论:一、试策是所有科目不可少的试项;二、试策是所有时段必不可少的试项;三、试策在所有的试项里地位最为重要和关键;四、试策往往是惟一的试项,等等。由此,则从试策着手,全面探讨唐代科举考试的科目,从而发现不少一直为人们忽视的专题,有些似乎还是我们第一次见到的,如明经试中的"授散",类进士试中的"多才科",学馆试中的"大成"等。又如武后时刘思立关于杂文试建议的探索,道举与"明四子"的辨别,学馆试各类措置的介绍,制举中的"制目"与"试目"的分辨,等等,都在已有研究基础上作更细致的研讨,使我们今天读来对唐朝的这些科试情况,了解得更为清晰。陈飞同志还有一个大胆的探求,他把明经试分为常明经、准明经、类明经,把进士试分为常进士、类进士,又把制举分为广义制举、狭义制举。当然,其中具体论述可能还有商榷之处,但这样做,提出一种"大科举"的概念,就使唐代常科试与制举试的范围与意义显得广阔和丰富,有助于进一步探讨科举本身与当时文学、政治、文化,及文人心态、生活方式等关系的研究。

对古代文体的研究,过去一般是不大重视与所谓官方文书有关的文体的。譬如策文,包括朝廷颁布的策问与举子应试的对策,可以说是主要用于科举考试的文体,现在的研究者就不大列于文学概念的范围,这与当时的文学情况就不很切合。我近几年来花一部分时间研究唐代翰林学士,发现翰林学士与中书舍人撰写的制诏,表面看来是官方文告,实际是一种近乎政治纲领性的文体,与文人仕途及文学的政治环境,关系很密切。白居易曾几次强调元稹所草拟的诏文,对文体改革起过相当的促进作用。我很同意陈飞同志在书中所述,我们今天通行的"文学"概念,不论内涵和外延,多与中国古代的"文学"概念相去甚远,这就会束缚我们对中国古代文学范围的探索。因此,本书虽然主要是考论唐代科举考试,但由此却能扩展对古代文体研究的领域,拓宽人们的视野。

不过,我不得不说,陈飞同志这样做,难度确是很大的,书中引用的材料之多,使人吃惊。正因如此,恐怕读起来也相当吃力,不像现在有些论著,词藻繁艳,美语巧立,追求目前所谓的"时尚"风气。我们要真正做学问,还是要有自己的标格。陈飞同志这部书中所引,除了常用的新旧《唐书》那样的正史之外,还有如《文苑英华》、《册府元龟》那样有上千卷规模的大部头总集、类书。我想这就是一种原创性,既使人信得过,也使自己的学问站得住。

可能出于我的职业性偏好,使我感到兴趣并心服的,还有陈飞同志在注文中引及出处时,还注意订正原书或现在整理者的讹误。这方面,有对《唐大诏令集》、《新唐书·选举志》、《唐会要》、徐松《登科记考》等文字及句断的订误。这也使人对他所下的功夫产生信任感。当然,有些地方他所提出的疑问确有见识,但还可以作进一步的核查。如291页注(51)所引《封氏闻见记》,影印文渊阁《四库全书》本,提及裴杰《史护异议》,陈飞同志加按语,说"《史护异议》"疑为"《史汉异议》"。后我查《新唐书》卷六〇《艺文志》四总集类,著录有裴杰《史汉异议》,并云裴杰为"河南人,开元十七年上,授临濮尉"。又如68页注(64),引有常衮

《滑州匡城县令杨君墓志铭》，谓徐松《登科记考·附考》将"滑州"作"渭州"，疑误。应当说，匡城确为滑州的一个属县，见唐李吉甫《元和郡县图志》卷八"河南道"四。又如253页引宪宗元和十四年七月诏，谓徐松《登科记考》所引"用贤纳谏"等语，核今本《唐大诏令集》，"实无此语"。按《全唐文》卷六三载有宪宗《上尊号赦文》，其中即有此数语，较《唐大诏令集》更保持原貌。又如49页引及《唐会要》《玉海》等所记，自开元二十五年起，始命礼部侍郎姚奕知贡举，但谓"姚奕其人不可考"。按《旧唐书》卷九六、《新唐书》卷一二四《姚崇传》，及《旧唐书》卷二四《礼仪志》，均有叙及姚奕，《全唐文》卷二五二还载有苏颋草拟的《授姚奕太子舍人制》。

我觉得，做古代学问，材料征引，文献考证，其难度是很大的，有时看起来似乎没有底。有些大师级的学问家，也难免有所疏忽。钱锺书先生的《管锥编》于80年代初在中华书局出版后，我就接到过一些读者来信，指出文字引用中的疏误，《古籍整理出版情况简报》上曾有所刊登。华东师大中文系刘永翔同志提出不少问题，我转给钱先生，钱先生十分感激。我在上一段述及的几点，也如同一个编辑在阅稿中写出一些审稿意见，供著者参考；又如二三知己，促膝而谈，既"奇文共欣赏"，又"疑义相与析"，这当会有一种辨学术、论世情的理趣。是为序，谨就教于著者并学界同仁。

2002年元月　北京

原载中华书局2002年版《唐代试策考述》，此据大象出版社2015年版《书林清话》录入，另收入大象出版社2008年版《学林清话》

陈耀东《唐代诗文丛考》序

　　我与陈耀东先生,早于 20 世纪 80 年代前期即已相识。中国唐代文学学会成立于 1982 年,之后每两年召开一次年会及学术讨论会,我们在会议期间曾有所交谈。他的《张志和生卒年考》刊登于《文学遗产》1984 年第 1 期,很引起我的注意。80 年代中期,我曾动议作《唐才子传》的校笺工作,从笺证的角度,要求做到这样三点:一、探索材料出处;二、纠正史实错误;三、补考原书未备的重要事迹。这样,就使此书的笺证具有作家生平考证专著的性质,工作难度极大,我就邀约近二十位学者共同参与,以发挥各自的学术优长与治学特点。有些学者我是请其专作一个作家的,如周勋初先生之于高适,郁贤皓先生之于李白,是因为他们在有关方面已有专著。当时我就请陈耀东先生作该书卷三张志和的笺证。因此,可以说,陈耀东先生与我,既是学术同行人,又是著述合作者。

　　耀东先生 1961 年毕业于杭州大学中文系,此后一直在浙江从事中国古典文学的教学工作。他在高校任教四十余年,勤恪敬业,甚得称誉。据说有时因劳累腰伤,不能行动,还要请人背到教室,坚持上课。他在教学之余,仍孜孜不倦地作科研,于 1990 年有《唐代文史考辨录》一书出版。时隔十年,他于去年又将历年所作编成一集,即这本即将面世的《唐代诗文丛考》。他在 1993 年曾写有《治学自警录》一文,把范文澜先生所说的"板凳须坐十年冷,文章不写一句空",作为他的座右铭。他在给我的信中,也说及:"'十年磨一剑',这是我的宗旨。"我在遵嘱为这部《唐代诗文丛考》撰序时,一边通阅全稿,一边对当前治学作某些思考,因此,他所提的"十年",又使我想起两件事,我想在这里再提一下。

一是 20 世纪 30 年代初,就读于清华大学研究生院的朱延丰,把他的一篇长论文《突厥通考》提请陈寅恪教授审阅,寅恪先生对他说:"此文资料疑尚未备,论断或犹可商,请俟十年增改之后,出以与世相见。"寅恪先生之所以这样说,是因为"痛矫时俗轻易刊书之弊",也龟勉后学勤恳为学,希望经十年补正,出以问世,"则如率精锐之卒,摧陷敌阵,可无敌于中原矣"(《朱延丰突厥通考序》,载《寒柳堂集》)。另一是清初季振宜的《钱蒙叟杜工部集笺注序》,文中提到钱谦益的族曾孙钱曾(遵王):"一日,(遵王)指杜诗数帙,泣谓余曰:此我牧翁笺注杜诗也,年四五十,即随笔记录,及年八十,始书成。"钱谦益的诗学功底是很深的,对杜诗更多有所得,以他的资力,尚且用三四十年的时间作成一部杜集笺注,使得季振宜这样一位编有九百卷巨帙的《全唐诗》、在唐诗的纂集中花过大力气的专家深为叹服。他之所以特别提及此点,说是因为当时有些轻薄后生,"偶得一隅,乃敢奋笔涂没改窜,参臆逞私,号召于人曰:'我注杜诗矣!'"

以上两例,确使人感到,严谨求实,应是我国学术的宝贵传统,也是治学有成的主要经验。现在有些人,不是十年磨一剑,而是一年磨十剑。这种浮躁之风是很值得警惕的。我很赞同陈耀东先生《治学自警录》中的话:"凑热闹,赶时髦的精神产品,其生命力绝不会久长。"

耀东先生的这部著作,也如同十年前出版的《唐代文史考辨录》,主要侧重于唐代诗文文献方面,如关于作家籍贯、登科、生平事迹考略,诗文集版本源流以及诗文拾遗、辑佚等等。这方面的工作,就唐代文学的整体研究来说,是不可缺少、极应重视的。古代文学界已有一个共识,即从唐代文学研究的学术经历来看,20世纪最好的研究成果,还是出在这一世纪的最后二十年。这二十年,有两个明显的进展,一是史料研究的深入,特别是重视对文献资料的发掘、梳理、考订,另一是研究视野的开拓,从文学扩及整个文化,理论更新加强。这两个方面同步共进,而且相互启示、彼此受益。

谈到史料考证,往往有人将此与乾嘉考据学扯在一起。近年来也有文章对古代文学的史料考证予以指责,认为有回归乾嘉学风的倾向,有追求细屑、不顾大体的繁琐之风以及所谓私人化之嫌。当然,我们要注意在考证工作中可能出现的弊病,但我认为,二十年来我们古代文献史料的考证,主流是应该肯定的。站在20世纪学术发展的高度来看,那种原来形态的乾嘉考据学已不可能恢复,更谈不上占主流地位。这二十年来的唐代文学史料考证,我觉得含有两个特点,一是广博、深切的文献辑集,一是细密、清晰的理性思考。从这两个特点来看,还可以辨析一种误解,就是仅把考证视为微观,理论视为宏观。我认为作考证,既要有微观的细密探索,又需具备宏观的整体素养。我曾说过,我们现在作考据,从治学路数来说,没有对某一学科的整体把握和考察,没有具备一种综合的科学思维方式,是不可能进行有效的工作程序的。乾嘉时期有成就的考据学家,如钱大昕、王鸣盛、王念孙等,都对其所从事的学科以及相关的学科,有通盘的了解。更何况我们自 20 世纪以来,特别是改革开放以后,各种学术思想多元存在,中外文化频繁接触、交流,新时代的考据学更成为一种含有创新意义的调查研究工作。

从这一角度来看这部《唐代诗文丛考》,就会觉得陈耀东先生所作的史料考证,其可贵之处不仅在于具体结论,还可从其治学路数上探究其拓新之途。

譬如本书首篇《〈全唐文〉佚目作者事略考》。一般检阅《全唐文》,当然是就所录的文章,从不同角度加以研索的,但耀东先生却有一种新的思路,即就《全唐文》所未收,而从其他文献中得知其篇目者,考索其作者事略。文中说:"拙文所辑《全唐文》未收之佚文目收作者计三百余人,约可考出一百五十余人之生平事略。今暂选五十六人,或对其生卒字号、或籍贯世系、或文场科第、或职官仕履、或朋辈交游、或佚文残目等事略钩沉稽考,以有助于了解或研治唐代社会历史人文或古籍整理、学术文化之风貌。"这样一种做法,现在作唐文研究者,确还没有想到。

此文的可贵之处,不仅在于对佚目作者事迹的钩沉稽考,还使人可就文中所提供的佚目及有关材料,作进一步推究,能有发人所未发之获。现仅就平时读书所接触到的,举几个例子,谈谈我读后之所得。如文中据《金石录》卷十所录《赠吏部尚书沈传师墓志》："权璩撰,佟尧章正书,大和九年十一月。"权璩为中唐宪宗时著名文学家权德舆之子,与诗人李贺等交游唱酬,但《全唐诗》、《全唐文》均未载其所作,这篇沈传师墓志是佚文,但从中却可考出沈传师的卒年,并纠正《旧唐书》所载之误。按《旧唐书》卷一四九《沈传师传》谓"大和元年卒,年五十九,赠吏部尚书"。与权璩同时的杜牧有《唐故尚书吏部侍郎赠吏部尚书沈公行状》(《樊川文集》卷一四),文中详记沈氏生平,却未载其卒年;《新唐书》本传亦同。问题是,《旧唐书·文宗纪》记有大和二年十月癸酉,"以右丞沈传师为江西观察使";四年九月丁丑,"以(沈)传师为宣歙观察使";七年四月甲申,"以(沈)传师为吏部侍郎",均在大和元年之后。《旧唐书·文宗纪》既有具体年月及仕履,则《旧传》谓大和元年卒,当误。今《金石录》著录墓志篇目,署为大和九年十一月,结合《旧纪》所载沈传师于七年四月入为吏部侍郎,再参以杜牧所作行状,云"自宣城入为吏部侍郎,二年考覆搜举……及薨于位",则可考知沈传师确卒于大和九年,《旧唐书》所记"元年"之"元"当为"九"之形讹。由此并可推知其生年为代宗大历十二年(777),其入为翰林学士在宪宗元和十二年(817),为四十一岁,是当时在院的学士中最年轻的。这些,都很值得研究。

另一个是据《金石录》卷十著录的《唐兵部尚书卢纶碑》:"卢言撰,崔倬正书,大中十三年正月。"按卢纶是中唐前期的著名诗人,大历十才子之一。宪宗时翰林学士令狐楚曾应皇帝意旨,编选肃、代和德宗时诗人之作,为《御览诗》一卷。此书所传之本,有南宋诗人陆游跋文(又见《渭南文集》卷二六),中有云:"按卢纶墓碑云:'元和中,章武皇帝命侍丞采诗第名家,得三百一十篇,公之章句,奏御者居十之一。'今《御览》所载纶诗正三十二篇,所谓居十之一者也。"可见《御览诗》所载卢纶诗,正符合卢纶墓碑之所记。但自来都未记此墓碑为谁所作(陆游只略记碑文,也未记作碑者姓名)。我在《唐才子传校笺》卷四卢纶事迹笺证中也说:"按此墓碑未知何人所作,以所引数句观之,似出中晚唐人手。"今从耀东先生所录,这个千百年来之疑问乃得解决,即为宣宗大中十三年(859)卢言所撰。这一碑文,南宋时陆游尚见到过,可惜后来佚亡。现从这一篇目还可知卢纶去世后,经过若干年,还得到兵部尚书的官赠,洵属不易。

再有一篇,据欧阳修《集古录目》录有《唐驸马都尉豆卢建碑》,署云:"唐卫尉卿驸马都尉张垍撰……碑以天宝三年七月立。"这使我想起我对李白的考证。自唐魏颢《李翰林集序》记李白是因为受张垍之谗而于天宝三载被迫出走,自来研究者就认为张垍这时正好为翰林学士,以证明李白确为"同列所谗"。我曾撰有《李白任翰林学士辨》(《文学评论》2000年第4期),文中据唐人所记,张垍是由太常少卿或太常卿入充翰林学士的,而据《通鉴》所载,张垍于天宝四载五月尚为兵部侍郎,官品低于太常少卿、太常卿,则张垍不可能在天宝四载以前就已为翰林学士。张九龄于张说开元十八年卒时所作的张说墓志,载其子张垍为驸马都尉、卫都尉,而现在豆卢建碑所署,张垍则仍为卫尉卿、驸马都尉,未署翰林学士职衔。我很高兴,这又可证实张垍于天宝三载前尚未为翰林学士,因此就不可能说是同列而谗害李白。

其他如吉中孚的《唐定光上人塔铭》,韦保衡的《唐同昌公主碑》,都是他们任翰林学士时所撰,由此可以考知翰林学士在起草官方文书之外，还有其他的奉命之作，这对唐代翰林学士的研究也很有参考价值。

我之所以用一千余字来谈本书的首篇之作，一是读后有所得，二是觉得文献资料的发掘与考证，往往能给研究者提供多方面的信息，有时会有意想不到的收获。这也是文献资料考据在学术上所起的不可忽视的作用。我这里不妨再举一个自己治学的实例。我在中华书局做编辑工作，约 1960 至 1961 年间，审读孔凡礼老先生编纂的《陆游研究资料汇编》稿，发现其中有清朝陆时化的《吴越所见书画录》所载的高明、余尧臣《题〈陆游〉〈晨起〉诗卷》两文。高明就是南戏《琵琶记》作者高则诚。从明代中期有关书籍记载起，至现代人著作，包括一些文学史书，都说高明（则诚）在明建国后曾应明太祖朱元璋之召征修元史，但高明以老病辞归。这在过去已成为定论。我在阅陆游资料稿时，看到陆时化所辑余尧臣一文，说及高明《题〈晨起〉诗卷》乃作于元至正十三年，越六年即病逝于四明（今浙江宁波）。由此可考出高明之卒当在元至正十九年（1359），距明朝建立即洪武元年（1368）还有九年。我由此撰《高明的卒年》一文，刊于《文史》第 1 期（1962 年 10 月）。此文刊出后引起学界的注意，也逐渐得到认同，有些文学史著作关于高则诚的卒年即采用此说。我是不搞戏曲的，对高则诚也素无研究，却能提出为人少见的材料，以立新说，这完全得力于孔凡礼先生的陆游资料。由此可见，古典文献资料能起多方面的作用。我很赞同耀东先生的计划，即编《唐代佚文存目辑编》一书。如能将数以逾千的唐文佚目搜辑、汇集，再选录有关资料，并加考证，必能有不少新的发现，这对唐代文史研究将是一个福音。

本书的《黄庭坚论杜甫与寒山子》一文,也很有意思。杜甫诗文中没有提到过寒山子,唐代与杜甫同时或稍后的人也未有二人交往的记载。但耀东先生此文据日本白隐禅师《寒山诗阐提记闻》引《编年道论》卷二十载山谷(黄庭坚)与晦堂宝觉禅师的对话,其中提到山谷一句话:"昔杜少陵一览寒山诗结舌耳。"由此揭示杜甫曾阅寒山诗,甚至为之"结舌"。当然,据考据常规来说,这尚是一个孤证。但耀东先生此文却能突破陈见,一方面搜辑有关佐证,另一方面又着重从杜甫幼年的生活环境、思想倾向及在诗作中所流露的禅识,对盛唐这位以儒学为宗旨的诗人所寓含的禅宗信仰作另一角度的考察。这就是我在前面所说的,我们新的考据学,将义理融汇其中,就能常有创新。

　　书中其他几篇,如《沈既济父子、曾祖籍贯事略考》、《孟浩然诗中"卢明府"是谁》,都能破旧说,立新见。《孟浩然》一文刊于《文学遗产》1998 年第 2 期,我后来看到佟培基先生的《孟浩然诗集笺注》(上海古籍出版社,2000 年 5 月),书中已注明卢明府为卢僎,可见已有共识。这也是我们唐代文学求实务真、互学共进的良好风尚。

　　本书相当一部分是有关唐人别集的传本源流考。限于篇幅,也限于学力,我不拟作具体的评议。总的来说,这类文章有两大特点:一是亲自动手,直接调查;二是综合考察,系统研究。万曼先生所著《唐集叙录》,过去曾在中华书局出版,颇有影响。但该书有一不足,就是其中相当一部分仅依据历代目录书记载,未见原书,间接评述,有不少与实际情况不符。耀东先生则不辞辛劳,除遍检历代书目外,还亲自到图书馆查阅,书中有不少记有今藏北京图书馆、北京大学图书馆、中国人民大学图书馆、苏州大学图书馆、厦门大学图书馆,及上海、山东等地的图书馆等。这就不但信实可靠,而且还有新的发现。如关于唐人苏颋的集子,存世的版本也可以分为好几类,耀东先生于90年代初曾在北京大学访学一年,在北大图书馆善本书库特藏部发现有二十卷抄本《苏颋文集》,这是他书所未著录的,长时间被人忽视,是他首次发现的。他由此细加检阅,并与《唐大诏令集》、《文苑英华》、《全唐文》等比勘,发现其编次、体例、文字、篇数等均有较大差异,这是过去未有人做过的。他在做传本源流考时,不限于简单罗列版本,而是按时代先后,比勘异同,确立几大系统与类别,然后制成若干图表,使人一目了然,很合乎科学规范。

至于本书下编"诗文补录辑佚考",读者当可从中获得不少新材料,我这里就不多说了。我想补充的是,作诗文辑佚,一要勤,二要精。我自己过去也曾做过类似的工作,如《范成大佚文的辑集与系年》(《文学遗产增刊》第11辑,1962年10月),因此有所体会。本书中的《全唐诗补录》,难度更大。因近二十年来,有关《全唐诗》的辑佚,已有不少成果,现在再作补辑,更需广搜与细辨,以免重复或讹误。耀东先生竟能从别人已用过的《祖堂集》再加搜辑,查出"漏网之鱼",又得二十来首佚诗,而这些工作,又是他在春节前后放假之时,不出门不下楼,每天几乎达十五六小时做成的。这使我想起清代学者王鸣盛《十七史商榷》自序中的话:"予任其劳而使人受其逸,予居其难而使人乐其易。"

我这一篇序文不是对本书作全面评论,只是谈谈我读后之所得。面对当前那种玄谈有余、务实不足,求"术"成名、弃"学"于途的学风,读了本书后,更有所启示,早在 1904 年,王国维就提出:"必视学术为目的而不视为手段"(《论近年之学术界》),这样才能如陈寅恪先生所说"不屑同于假手功名之士,而能自致于不朽之域"(《邓广铭宋史职官志考证序》)。因此,我想以"淡泊名利做人,扎实求真治学"二句,列于序末,与学界同仁互勉共励。

2002 年 2 月,北京六里桥寓舍

原载浙江教育出版社 2004 年版《唐代诗文丛考》,先发表于《浙江师范大学学报》2002 年第 2 期,此据大象出版社 2008 年版《学林清话》录入,另收入大象出版社 2004 年版《唐宋文史论丛及其他》

建议加强专题个案性的研究

我们现在已进入 21 世纪的第二个年头。在这个新世纪，人们讨论的一个焦点话题，就是经济全球化，而这个经济全球化，确与社会经济与科学技术的飞速发展密切相关。在这样一个大环境下，我们中华文化发展的趋向又是如何呢？当然，这一专题很有意义，但现在文化或文学研究有一种淡化或泛化的倾向。我认为，文化研究的对象是文化，文学研究的对象是文学，一个学科，如果抛开研究对象，都说各学科一样的话，那就会随风倒伏，不可能有自己的阵地。

我觉得，从目前的情况看，我们传统文化的研究，随着社会稳定、经济繁荣、信息高速传播、观念演进开放，确碰上难得的机遇。但同时不得不承认，也遇到不少冲击，其中一个大家关注的问题，就是学术风气存在着不健康甚至恶劣腐败的现象。

近些年来，论文、专书，数量猛增，有些人，申报成绩时，一年可有一二十篇论文，好几本著作。但同时，报刊媒体也披露，目前，那种论著抄袭、履历伪造、浮夸虚假、商业骗局等丑恶怪状，真是层出不穷，使人触目惊心。如前不久揭露的，浙江省原新闻出版局局长罗鉴宇,已因贪污巨额钱财被判死刑。此人据说连手也不便提笔,更不用说著书立说,但他有论文发表,有书出版,都是别人捉刀代笔的。像这样一个从未编过一本书,从未自己写过一篇像样文章的人,竟获得新闻出版界的高级职称,即相当于大学教授的正编审称号。

社科界如此,科技界也有类似情况。《中华读书报》2001年11月14日曾有一篇报道,题为《学术腐败:中国科学的恶性肿瘤》,其中提到一件事,说有一个年轻科技人员,他自己说曾在苏黎世大学做了一年口腔分子生物学方面的博士后研究,提前两个月完成了课题,交出六篇论文。其导师赞赏其业绩,想聘用他,年薪八万美元,但他自己说出于爱国之情,仍返回国。而实际上,国内一位著名生物学家说,加上实验的时间,在生物学界,一年内写出六篇论文,是不可想象的。事实是,他在国外与人合作研究,未有多少成绩,因而被人提前遣回。事情真相如此,其虚假恶劣之状可见。

因此我觉得,在目前各种新著频繁、各种新词争出的情况下,我们确应安下心来,冷静思考,结合我们传统文化的特点,探索我们的学科如何健康地推进。

我总以为,我们的传统文化研究,或云国学研究,应避免空对空的现象。现在有些论著,名义很好听,一谈就要从宏观上把握,或者动不动编一些大书,挂几个主编的空头衔,而实际上没有扎扎实实地下功夫。国学或传统文化,本来就是一个相当宽泛的概念,我们如果不从一个个具体的课题进行研究,很容易热闹了一阵之后,过了若干年,回过头来一看还是停留在原来的起点上。

对文化,宏观的把握、规律性的探索,固然重要,但基础则是个体性的研究。对我们的传统文化来说,这种个体性研究,比较实际的,则是专书研究。我一向认为,专书的研究,实际上是对研究者功力的一种考验,也是我们整个研究的不可或缺的支撑。如果我们对古代若干种有代表性的专著分别做专题性研究,就会使我们整个研究基础较前更为扎实,也会使年轻的研究者得到谨严学风的熏陶。

为把这个问题谈得实一些,我这里想举两个例子向大家介绍,看看这样做有没有意思。我个人以为,从这两个实例中,是可以看出务实学风与创新思维的。

大家知道,宋代大文学家欧阳修因受朝廷党争牵累,被贬出在滁州做地方官,曾写有《醉翁亭记》一文。宋代一部笔记中说:"《醉翁亭记》初成,天下莫不传诵,家至户到,当时为之纸贵。"(朱弁《曲洧旧闻》卷三)这当然是件好事,但正因流传广、版本多,历代相传就有不少文字差异。欧阳修的这篇散文名作,现在的不少文学选本和中学语文课本都有,很多人都会背诵。但阅读者和研究者一般都着重于欣赏,或从思想与艺术角度探讨作品的价值,而对作品在流传过程中出现的字句差异与讹误,却未加注意。安徽滁州有位上年岁的业余研究者管笛同志,现已退休,他于十余年前在滁州市地方志办公室工作期间,却对此十分关注,潜心研索,先后到北京、上海、山东、河南、安徽、江西等十几家大图书馆、博物馆查阅资料。尤其是他得悉山东费县藏有与欧阳修同时的苏唐卿篆书碑刻《滁州琅琊山醉翁亭记》拓本,就不辞辛劳,三次去费县。苏唐卿碑要比苏轼楷书碑早,而且他的篆碑文字经欧阳修两次过目,欧阳修未提出异议。这样,管笛同志就以此作为重要依据,并参考其他代表性碑刻及书面文献,发现《醉翁亭记》这四百余字的文章,须要辨正和研讨的字和词,就有二十几处。明显之处,如"泻出于两峰之间者让泉也",南宋以后的传本,"让"大多作"酿";"水清而石出",现在流传的本子,"清"一般作"落"。管笛同志花了十几年的工夫,反复修订,写了《醉翁亭记研究》一书。这部三十几万字的专著,以碑文考、词句辨、创作谈、价值论、诗文选、碑帖集六个部分组成,不仅订正异文,辨析词句,还对《醉翁亭记》本身及欧阳修的政治观念与创作思想,进行具体深入的探讨。像这样以古代单篇文章作为研究对象而写成如此规模的专著,在当前学界是极为少见的。

　　管笛同志的研究方法是值得一提的。如上面提到的苏唐卿篆碑拓本,是现在所见最早的校勘底本,但管笛同志并不完全以此为准,他还对照苏轼的碑文以及欧阳修文集的版刻传本,作综合的考察。如篆书碑所写"往来而不穷者滁人游也"句中的"穷"字,他即依苏轼楷书碑、欧阳修《居士集》刻本以及上下文对照,认为应作"绝"。这是合乎情理的。又如文章首句"环滁皆山也",南宋朱熹说,他曾买得一份《醉翁亭记》稿本,最初作者说滁州四面有山,凡数十字,末后改定,只"环滁皆山也"五字(见《朱子语类》)。这极为概括并寓含诗意的开篇五字,一直为人们所赞赏,但明清人也有提出异议,认为"滁州四望无际,只西有琅琊","今日环滁皆少山"。现在去滁州旅游的人,似也有同感。管笛同志则详细考察滁州城地理位置的历史沿革,指出唐宋时滁州城很小,仅限于弘济桥以西一带,就那时的视界来看,确会有"环滁皆山"之感。唐代曾任滁州刺史的诗人韦应物，其《简郡中诸生》诗即有"守郡卧秋阁，四面尽荒山"之句。明代以后城区不断扩大，所获印象自然不同。这种将书面文献与实地考察结合起来，应当说是传统考据学的一种新探索。

这里还应提及的是，管笛是一位清贫之士，他奔赴南北各地，长途跋涉，三进山东费县，经费都是自支的。他的《醉翁亭记研究》后来得以在黄山书社出版，也是付息贷款，自费出书的。我们现在做学问，确实会受到市场经济的冲击与贫富差距的刺激，这就要有一种理性的认识和奉献的气质。我敢于说，一些有关欧阳修研究的高论、泛论之作，是会烟消云散的，而管笛同志的这部书，则是今后凡研究欧阳修，非读不可，这就是一种学术生命。

另一例子是黑龙江省社科院文学所伊永文作《东京梦华录笺注》。《东京梦华录》是南宋初孟元老所作，当时东京开封已在金人之手，孟元老出于缅怀之情，根据他对开封的亲自见闻，成此回忆之作。正如其书赵师侠跋所说："若市井游观，岁时物货，民风俗尚，则见闻习熟，皆得其真。"此后南宋的几位学者有模仿其体例之作，如《都城纪胜》、《西湖老人繁胜录》、《梦粱录》、《武林旧事》等，明清人也有类似之作，形成了都市历史文学的庞大体系。《东京梦华录》对研究宋代的都市经济、市民生活、城市文字（如戏曲、小说），都极有价值。也正因此，对此书作具体研究，则有很大难度，自宋以来，一直没有人对此书作过注，现在有的研究者认为对此书句断也很难。前辈历史学家邓之诚先生于上一世纪三四十年代，作《东京梦华录注》，于50年代后期由商务印书馆出版。出版不久，就受到日本学者的挑剔，指出不少毛病。日本学者的批评,有些正确,有些是不能成立的,但语气很刻薄。可能因此而引发伊永文同志的研究志向。

伊永文同志于 70 年代中期在南开大学中文系读书,曾对《水浒传》所表现的市民阶层生活很感兴趣,写有文章,自后即有意投入城市历史的研究,具体即从《东京梦华录》着手。90 年代初,我在任中华书局总编辑期间,他即与我接触,并寄我样稿。经过二十余年坐冷板凳,现在总算定稿,交给中华书局(尚未出书)。邓之诚先生的注,曾引用宋元典籍一百四十八种,而伊永文后出的注,则引有四百五十种书,再加上明清人的书,共达一千余种。邓注有十三万字,伊注则有三十余万字。邓先生当初作注时,感到最难的是饮食、伎艺两类,而伊注则在这两方面集中力量。如书中"饮食果子"条,他就注了三十九条,其中如:"淹藏菜蔬"、"兜子"、"洗手蟹",都是别人未曾注意的。又如"奇术异能"、"泥丸子",以及"猴呈百戏,鱼跳刀门,使唤蜂蝶,追呼蝼蚁",以及有关"元宵"中伎艺的注释,如把正文和注文串联起来,真可视为一部北宋伎艺短史。

他的注文范围颇广,注意用 80 年代以来新出土的宋代文物,如卷七"园囿之间"条,就引用 1992 年洛阳发掘来的北宋衙署庭园遗址。书中还引用大量经得起推敲的宋元话本材料,如宋话本《闹樊楼多情周胜仙》,其中樊楼、曹门、金明池、桑家瓦,都是东京实地;《万秀娘仇报山亭儿》中的山亭儿、茶坊、行院规矩,皆得东京习俗之真。《简帖和尚》中的鹌鹑吃法,可使人如睹东京饮食风貌,现于眼前。这些,都可以说是扩大了宋代文明史研究的领域,而其起点,则是这部《东京梦华录笺注》的个书研究。正因为此,据说有人把这种做法视为"绝学"。

与管笛同志作《醉翁亭记研究》相似,伊永文同志作《东京梦华录笺注》也是:一、时间长。作了二十几年(其间也曾写有论著,如《宋代船坞考略》、《宋代城市风情》);二、费用自支。伊永文虽在社科院研究机构,但做这样的笺注工作,据说是申请不到科研经费的。这样,他有时要出去参加有关的学术会议,也是自己出钱的。但不管怎么样,他们都作成富有特色的传世之作。

以上讲的两位,算来还不是所谓著名人物,但应当说,他们对名是看得很淡泊的,否则不可能十几年、二十几年,才拿出成果来,当然,也正因如此,使他们在从事的领域内能长占一席之地。西晋诗人左思在《咏史》诗中有这样两句:"连玺耀前庭,比之犹浮云。"展望前景,我想我们这一代学人,是能超脱荣利,安于奉献,如陶渊明所说的那样:"欣有所托","怡然自乐"。

原载《中国文化研究》2002 年春之卷,此据万卷出版公司
2010 年版《当代名家学术思想文库·傅璇琮卷》录入,另收
入大象出版社 2004 年版《唐宋文史论丛及其他》

竺岳兵《浙东唐诗之路》序

　　"浙东唐诗之路"，于 1991 年 5 月由新昌竺岳兵先生正式提出，立即受到学术界的重视。竺岳兵先生之提出这一建议，是经过长期潜心研究的，他并数次邀请国内外著名唐代文学研究专家沿曹娥江、剡溪至新昌、天台等地考察，对这一带富有文化内涵的胜地，专家学者极为赞赏。1993 年 8 月 18 日，中国唐代文学学会正式发函，同意"浙东唐诗之路"的专称，并希望"浙东唐诗之路"的研究与开拓工作取得更大的成绩。自此之后，1994 年 11 月，中国唐代文学学会第七届年会暨唐代文学国际学术讨论会在新昌召开；1999 年 5 月，"李白与天姥"国际学术研讨会暨中国李白研究会特别会议在新昌举行。近十年来，新闻媒体多次报导浙东唐诗之路的学术研究与旅游开发的进展情况。人们已普遍有一个共识：浙东唐诗之路可与河西丝绸之路并列，同为有唐一代极具人文景观特色、深含历史开创意义的区域文化。

　　"浙东唐诗之路"的提出，确很有意义。它首先是拓展我们唐代文学研究的领域，并可把唐诗与六朝遗风、山水胜景、社会民俗、佛道玄理、园林建筑、书画音乐等交融探索，从而显示浙东文化的特色,如我曾经说过的,浙东文化如同山水景观,于秀丽之中含质朴,于自然之中寓哲理。

其次,"浙东唐诗之路"极有现实性,开发利用价值极高。现在我们浙江经济有很大的发展,同时,把浙江建设成文化大省已成为上下普遍的要求。这一极为有利的客观环境,更可促进传统文化与现代建设很好地结合。1990 年 11 月,中国唐代文学学会第五届年会暨唐代文学国际学术研讨会在南京召开后,有 23 位国内外著名学者,沿杭州、绍兴、新昌、台州、临海考察,随即联名致信浙东四市(地)政府,建议开发这条旅游线,并在这条旅游线中心新昌建立一个学术研究所。应当说,正如专家们所强调的,这是一条文化品位很高的旅游风景线。我相信,唐诗之路的景点,随着我们浙东地区经济全面增长,人民生活水平和文化水平不断提高,定会加速开发建设。近几年来,新闻报导中也曾提出,应当让"唐诗之路"尽快从学术研究层面转化为实实在在的旅游产品。我觉得这能开拓我们的视野,很值得重视。这样,既能充实旅游产业的文化内涵,有助于经济建设和精神文化建设,也可使国内外游客和广大群众更真切地领受和欣赏唐诗的魅力,使唐诗更接近现实,走向世界。

为此,我特提出两点建议:一、既然唐代诗人有三四百人游赏和吟咏过这条线路的不少景点,现在保存有千余首诗,我们可以从中挑选有代表性的名作,加以注评,起名为《唐诗之路佳作鉴赏》。二、建议把唐诗之路的中心点,即由新昌向上下扩展,从绍兴起,沿曹娥江,经剡溪,越天台山,直至宁波,挑选这一线路的优美景点,加以拍摄,并附加说明文字(间可加选诗句),编印一本照片图集,起名为《唐诗之路美景观赏》。

竺岳兵先生是一位立志于文化奉献的学者兼社会活动家。"浙东唐诗之路"的发掘开发是与他的艰辛努力密不可分的。他为此已做了不少事,现在又把近十余年来各方面的有关论文、报导、信函、诗词合编成册,由中国文史出版社出版。这使我们可以清晰地了解这一历史文化与现代建设有机结合专题的开发历程。李白诗云:"天姥连天向天横,势拔五岳掩赤城。天台四万八千丈,对此欲倒东南倾。"我谨借李白此诗的气势,预祝"浙东唐诗之路"在新的世纪更有新的进展,使中外人士一如李白的倾心追求:"我欲因之梦吴越,一夜飞度镜湖月。"

2002 年 5 月 1 日,北京。

原载中国文史出版社 2003 年版《浙东唐诗之路》,此据大象
出版社 2008 年版《学林清话》录入,另收入大象出版社 2004
年版《唐宋文史论丛及其他》

跋《续古宫词》

　　俞君自至中华后,与余略有文字交往。余读其文,睹其书,颇感其义理融畅,笔法朴厚。孔东塘之《续古宫词》,当今研究者极少有记,而俞君得能于一藏书馆中获其全貌,且详为考述,可见其治学之精细。又不惮琐屑,全为过录,亦可见其为人之质厚。宋黄山谷有言:"学书要须胸中有道义。"又云:"士大夫处世可以百为,唯不可俗。"余于五一假日,细读俞君所录东塘为人忽视之作,因忆及山谷之言,颇有所得,故略书于后,与俞君切磋互勉。

　　壬午年立夏日,傅璇琮谨记于北京六里桥寓舍。

此据原件录入

杨庆存《黄庭坚与宋代文化》序

  我于 1995 年 2 月在《传统文化与现代化》1995 年第 1 期曾读到过杨庆存同志《苏黄友谊与宋代文化建设》一文。《传统文化与现代化》是由国家古籍整理出版规划小组主办的理论性、学术性文化刊物。当时我在古籍小组任职（秘书长），遵照组长匡亚明先生的意旨，主要协助办两件事，一是组织编撰《中国古籍总目提要》；二是编辑出版《传统文化与现代化》（双月刊）。根据匡老的设想，《传统文化与现代化》，其宗旨是立足于古籍研究，以批判继承、古为今用为指导方针，阐述传统文化在现代化建设中的意义与作用，力求古今融会，中西贯通，从而使传统文化研究既有科学的基础，又有为现代化服务的明确方向。当时我读了庆存同志的这篇文章，深感其学术思路与文风，确很切合刊物的主导思想。

  庆存同志撰写此文时，还是复旦大学中文系博士生，后来他在中宣部国家社会科学规划办公室工作，事务繁忙，但他仍抽空继续研究。现在向学界提供三十余万字的专著《黄庭坚与宋代文化》，则是超越上面这篇文章的范围，对黄庭坚的家世、生平、文学活动、创作思想等作全面的探讨，并与宋代文化研究相结合，探索山谷作品中富有时代特色与艺术内涵的文化意蕴,颇使人有创新、求实之感。

我最近因遵嘱为庆存同志这部著作撰序,乃通阅全书,深有所得,也因而引起一段使人难忘的回忆。我于1955年夏毕业于北京大学中文系,随即留校,任浦江清先生助教,那时北大中文系将中国文学史课程分为四段,每段一年,游国恩先生教第一段(先秦两汉),林庚先生教第二段(魏晋至唐五代),浦江清先生教第三段(宋元明清),王瑶先生教第四段("五四"以后)。这几位前辈教课是很细的,使我们有扎实的基础。我跟随浦先生做了两年助教,从而培养起对宋代文学的爱好,曾有志向为苏、黄立传。后浦先生于1957年夏因病去世,我又于1958年3月因事离开北大,后至中华书局做编辑工作。当时宋代诗文研究是处于冷漠状态的,尤其是黄庭坚,更被评议为"形式主义"、"反现实主义",有些文学史家仍沿袭旧说,认为"脱胎换骨"之说,乃"教人蹈袭剽窃"。那时我倒还是想从资料积累着手,拟由此清理出一些诗文发展的头绪。我一方面做孔凡礼先生《陆游研究资料汇编》的责编,另一方面则利用夜间及假日,编两部书,即《古典文学研究资料汇编》的《黄庭坚和江西诗派卷》、《杨万里范成大卷》。这两部书编于1960年至1962年间,1963年编成,那时我近三十岁。《杨万里范成大卷》于1964年2月出版,而七十余万字的《黄庭坚和江西诗派卷》,却受到当时政治环境的影响,被认为这一群诗人违背文学发展潮流,不宜出书。这样,原书虽已于1964年付型,却一直压存,至1978年8月才出版。没有想到第一版竟印了20500册,这对我是一个安慰,但我那时已将科研兴趣转向唐代,早年萌发的苏、黄研究，对我这一平凡的人来说，已没有精力再作，成为终生的遗憾。因此，20世纪80年代以来，凡我看到有关黄庭坚与江西诗派研究的著作，总有一种惭愧、钦佩和自我欣慰的复杂心情，现在读到庆存同志这部书，更有此感。

由此我也逐渐坚定对古典文学研究的信心。20世纪80、90年代以来，我们古典文学研究界已有为数不少的博士研究生、硕士研究生，这已构成我们古典文学界新一代的研究群体，他们之中不少人更注意广泛吸收当代社会科学的新鲜知识，形成更为开阔的研究视野和观念，而又努力对作为研究对象之一的文学史料作沉潜的探索。因此，从总体来说，这一代研究新人，他们无论从治学道路、理论观念，以及精神气质、学术兴趣，等等，都与我们20世纪50、60年代成长的人有明显不同，这些不同已日益显露出一种新的发展方向和研究格局。因此，我总以为，我们研究古典文学，固然要从事于传统研究，但同时要注意对现状的研究，而现状研究中一个重要环节，就是对现在年轻学人治学思路与研究方法的思考。这对我们学科建设是很有现实意义的。也正因此，我以为，我们来读杨庆存同志的这部著作，最好能就书中所体现的新一代学人之学术风貌、文化涵养，以及创新气度、勤奋志向等，作深切的思索。这也是我作这篇短序的一点心愿。

近二十年来，我们国内文学研究确有很大的进展，进展的一个明显标志，就是重视"历史—文化"的综合研究。也就是说，着重考察一个时期的文化背景及由此而产生的一个时代的总的精神状态，以及作家、士人群体的生活情趣和心理境界，各自特有的审美体验和艺术心态。这就是古典文学研究中的文化意识。当然,这样的研究,主要还不在于研究层面的扩展,而在于研究观念的拓新和研究思维的深进。从这方面来看,庆存同志这部著作确向我们提供一个值得思考的课题,这就是:黄庭坚文化现象的历史启示。

这部书,我印象较深的有三点:一是从具体考证黄氏宗系与家学着手,展示山谷这一文学大家所承受的深潜文化渊源。黄氏先世本为浙江金华人,其六世祖赡于南唐中宗李璟时出仕为著作佐郎,知洪州分宁县,自此这一家就在这山川奇崛、树木茂密的秀丽环境中代代相传。五代是唐宋之际分裂割据的时代,北方中原战火连续不断,东南一带却相对稳定,李氏立国的南唐为此起了不少的作用。曾仕明朝奎章阁大学士的赵世延,在为陆游《南唐书》所作的序中,就称南唐"虽为国褊小,观其文物,当时诸国,莫与之并"。这所谓"文物",实为文化建树。可见这样的文化环境对黄氏是十分有利的,真如书中引及的清人文乃翁《马洲山谷祠记》所说:"阐发英奇,盖有所待。"又如苏、黄的诗文交往及品德相勉,从其深切的情谊,探寻一代文风的建树,并推广认为二人的这种交谊体现出群体意识、历史意识,从而形成阵容强大的文化群体,共同推进文化的发展。这使我想起中唐时,韩愈于贞元中期在洛阳、徐州一带,结聚李翱、孟郊、贾岛,白居易于元和前期在长安,交结元稹、李绅、张籍,都以交谊为轴心,创立各具特色的文风,这种文学和文化发展模式是很值得注意的。

二是由全面论述山谷诗词创作,进而探索其文学思想,特别对多有误解的"点铁成金"、"脱胎换骨"加以深细的辨析。庆存同志首先提出,要求出新和独创,是山谷诗歌理论系统的核心。

正因为抓住这一要点，就能对山谷的创作思想进行规范有序的逻辑演绎。书中还上下贯通，起于先秦两汉至唐，又述及两宋，甚至元明清戏曲小说，作创作实践与理论演化的系统考察，得出这样的结论，即"点铁成金"与"脱胎换骨"说，其价值与意义还不止于诗歌创作的求新，更重要的是触及或揭示古代文学创作中的一条艺术规律。进而又提升至文化研究的格局，认为这对于今天我们如何对待传统的民族文化和如何创造社会主义新文化，都不无启迪。这是有助于文学研究由古代向现代拓展的。

三是提出对山谷散文的重视，并从人文精神的角度探讨其散文的美学意义和文化内涵。书中对山谷散文作细致的数量统计，指出其近二十种体裁的散文，流传至今的达两千六百多篇，再加上日记，其总数为现存诗篇的一倍半。随后又对山谷散文加以分类品藻，指明其散文创作不单数量丰富，体裁多样，且极有情致，从而显示黄山谷整体的文化素质。

以上三点只是我的读后感。我对山谷，虽作过资料辑集，但未有专门研究，因此确不敢对本书作全面的评论。但写了以上三点，使我想起金代作家兼学问家元好问的一句话："近世惟山谷最知子美。"（《杜诗学引》，《遗山先生文集》卷三十六）这真是一句名言，也是对山谷的最佳评语。由此我认为，20 世纪 80 年代以来，已有好几部关于黄庭坚的研究著作，迭有新见，现在又有幸获读庆存同志之作，故套用元好问的话：最知山谷者，惟近世新一代学人。

原载河南大学出版社 2002 年版《黄庭坚与宋代文化》，部分

文字节刊 2002 年 7 月 3 日《光明日报》(题为:黄庭坚文化
现象的历史启示),此据大象出版社 2008 年版《学林清话》
录入,另收入大象出版社 2004 年版《唐宋文史论丛及其他》

博通、集成、创新、致用

——评熊笃《诗词曲艺术通论》

近读熊笃同志新著《诗词曲艺术通论》(中州古籍出版社2000年7月出版,以下简称《通论》),深感这是一部颇具学术功力,并能结合创作实践的专著。全书47万字,分11章51节,书后附录著者近二十年间诗、词、曲、赋等作品数百首。通阅全书,深有所得,觉得该书有四大特点,值得介绍。

一是博通性:过去研究诗体流变和艺术形式之作,大多一是诗歌发展史(包括词、曲),即以时代为经、作家作品为纬的体例;二是论述性质,即分体的诗论、词论、曲论。像《通论》这样既分别纵探古体诗、近体诗、词、散曲的源流衍变,又横比诗词曲三体的文体特征、篇法结构、声律审美、意象意境、风格品类等等,确实不多见。在老一辈学者中,如缪钺先生《论词》专文也曾将词与诗比较,提出词的特征:"其文小"、"其质轻"、"其径狭"、"其境隐"四点异于诗;任中敏先生《散曲概论》、《词曲通义》也曾对散曲与词作过比较,如谓"词静而曲动,词敛而曲放,词纵而曲横,词深而曲广,词内旋而曲外旋,词阴柔而曲阳刚……"。但总观他们的论述，虽精要而多笼统，且重在文体特征方面。而《通论》除文体特征比较外，还从源流、字法、句法、篇法、声律审美、作家作品风格与人格关系等多侧面比较；末章更从体制、格律、典故、诗论等方面论述了对日本汉诗、短歌、和歌、连歌、俳句及诗论的影响。书中所举作品例证的分析，皆能体悟入微，恺切详明，从中可以窥见著者不仅有理论的深度，还有艺术鉴赏的才情，这显然与其长期写作旧体诗词曲的感悟有关。

二是集成性：《通论》系统梳理了历代诗话、词话、曲话以及相关的文论、评注，借以构建自己的论点。例如关于诗、词、曲的字法、句法、篇法，虽然见于各种诗话、词话、曲话和评点，但终归是一鳞半爪，零星分散，不成系统，而《通论》却能淘沙取金，积腋成裘。例如"字法"一节，提炼出五条"炼字通则"：安稳难替，光耀章句；健字撑拄，活字斡旋；传神警策，意余言外；以故为新，以俗为雅；巧而自然，奇而不晦。"句法"一节也总结提炼出六条"炼句通则"：贵言简意赅，忌"合掌"、"闲字"；贵句式变化，须连贯浑成；贵修辞丰富，技巧多样；贵琢对工稳，相得益彰；贵用典贴切，如盐溶水；贵意象飞动，巧拙称题。于"篇法"中论如何"开头"，总结出从风格气势着眼，有"破空突兀，起势峻嶒"、"大气包举、笼罩全篇"、"起笔传神，气韵生动"三种；从表现手法着眼则有"入手对偶起"、"巧用比兴起"、"呼问开合起"、"陪衬顿挫起"、"倒逆耸闻起"、"总藏诗眼起"六种；针对题目着眼又有"明起"、"暗起"、"侧起"、"反起"、"逆起"五种。对如何"结尾"也总结出"突转别意式"、"宕出远神式"、"用典比兴式"、"设问点睛式"、"擒纵顿挫式"、"虚实开合式"、"倒煞点题式"、"首尾呼应式"、"对比显志式"等九种。每一种都博征历代相关理论和作品为证。再如论意境中总结情与景交融的五种类型：触景生情、移情入景、融情合景、缘情造境、索物托情；又总结出兼虚实、贵寄托、尚理趣、创新奇、审距离、尚沉郁、富包孕、传神韵等八种开拓创新意境的方法，这些不仅系统总结了中国古代诗学理论，有的还融会了西方诗学理论，其中也广泛吸收、融合了王国维、钱锺书、朱光潜、龙榆生、闻一多、邱琼荪、王易、夏承焘、任中敏、宗白华、缪钺等前哲时贤的研究成果，既有集成之力，又兼创获之功。

三是创新性：《通论》在集成的基础上颇多创新。例如在"近体诗源流论"一章中"律诗形式文化意蕴初探"一节，著者以沈约《答甄公论》用八卦四象比四声八体为线索，并对永明体诗人各体诗进行统计分析，详析律诗平仄组合结构，多方考证，得出律诗粘对规则源出《周易》八卦"相反相重"的原理，"太极生两仪"与声分平仄清浊相关；"两仪生四象"与平仄分四声仿佛；"四象生八卦"与平仄颠倒组合八种句式相类。又从古代乐律的五音七音的考证分析中破解出律、绝以八句、四句准篇的奥秘。可谓大胆探索，发前人之所未发。清人沈德潜《说诗晬语》和汪师韩《诗学纂闻》曾提出律诗何以要八句又何以要粘对的问题，但只疑而未答。《通论》这种大胆探索，小心求证，虽然结论未必全对，但已是震聋发聩，难能可贵了。又如《词的源流论》一章中提出"声诗与长短句同源于燕乐而分流中有分有合"，举出大量例证说明"以齐言和杂言来界定声诗与词的分界，并不能解决隋唐时期所有歌辞的归属"；"狭义地认为必须是'由乐以定辞'的长短句才算词，也不符合隋唐歌辞发展的实际"。以往论者只强调声诗与长短句并行发展,而《通论》还证明了二者也有交融互转的关系。这些都有助于文体学研究的深入。

四是致用性:《通论》各章节体例构架十分缜密并具有内在逻辑联系。诗、词、曲三体既有相同的共性,又有相异的个性,著者采取同则合论立章节,异则分论各立章节,然后再集中条分缕析作比较研究。如前四章分论"古体诗源流"、"近体诗源流"、"词的源流"、"散曲的源流",各章设节亦按时代先后为原始歌谣、四言诗、骚体诗、乐府诗、五言诗、七言诗、永明体、律诗、绝句、词、散曲,这四章合起来则是一部中国古典诗歌源流史;而第五章"诗词曲文体特征论"则是在前四章纵向探源的基础上集中总结,作横向比较。该章下分五节:题材,诗广阔、词狭深、曲博杂;容态,诗庄重、词妩媚、曲谐放;意境,诗隐显、词隐婉、曲直露;语言,诗雅健、词轻美、曲俗辣;最后是文体特征不同的原因求索。可见其思路清晰、观点鲜明、条贯井然,使读者易于纲举目张,把握要领;不似读有些论著那样玄乎如堕五里雾中,甚至读后不知所云;由此可见该书注重实际致用之一斑。此外从该书自序中可以看出,著者不仅自幼博闻强记,在北大荒艰苦的劳动中还每天坚持背诵几首诗词,以后在高校从教数十年亦坚持学术与创作并重,严格要求自己,教诗词曲也必会写诗词曲,对学生习作也用诗词代替批语,毕业题赠也全用诗词勉励,考试也是理论和创作各半;其书后附录著者二十年的几百篇诗词曲赋骈文,其中不少都是为学生批改作业的批语或给学生的题赠。这种理论与实践、学术与创作并重的双重积累,也是该书之所以富于实际致用的一个主要原因。我相信青年学子认真阅读这部书之后,对于迅速提高古典诗词曲的艺术修养,将会大有裨益。

该书自然也非十全十美,例如风格论中尚未涉及时代风格、流派风格;源流论中诗止于唐代,宋以后未涉;词止于宋代,明清未涉;曲止于元明,清代未涉。但这只是从"通论"大而全上要求的,并不影响现有的成就。至于书中不少新的提法,亦非定论,当是一家之言,完全可以而且应该引起商榷、争鸣的。限于篇幅,就不一一赘举。

原载《中国图书评论》2002 年第 7 期,据以录入

王粲作《英雄记》志疑

今年五六月间应邀评议一位博士生关于建安七子的论文。这篇论文充分肯定王粲《英雄记》的史料价值与艺术特色。《英雄记》是以人物小传的形式记载汉末即相当于曹操时期南北各地英雄交争事迹。此书现已亡佚，郑州大学中文系俞绍初先生辑校的《建安七子集》(中华书局1989年版)，曾辑集其佚文一百三十余条。从文学角度看，这部《英雄记》对当时的政治人物与武将战士，有不少精彩的细节描写，并有生动的人物对话，从小说与史传文学的发展史来看，这确是表现一个时代风貌的杰出之作。

这部著作一直是定为王粲之作的。俞绍初先生的《建安七子集》，在《建安七子著作考》中也即著录，并引《隋书·经籍志》二："《汉末英雄记》八卷，王粲撰，残缺。梁有十卷。"又《旧唐书·经籍志》上："《汉末英雄记》十卷，王粲等撰。"《新唐书·艺文志》二："王粲《汉书英雄记》十卷。"论及王粲著作时，这似已成为定论。

我于1980至1981年间，与同窗好友、中国社科院文学所沈玉成研究员曾一起对魏晋文学作过考析，并合作撰有《中古文学丛考》一文（载《中华文史论丛》1981年第3辑）。那时我对王粲作《英雄记》曾有过怀疑，但因未有核查，所以未写入这一《丛考》之中。今年读这位博士生学位论文，又引起我的质疑之情，随即查阅了一些资料，撰成这篇小文，希望引起学界的关注。

首先一个疑问，这么一部数量不算少的八卷或十卷之书，其涵盖面之广，涉及当时的中原之争及南北双方的赤壁之战等等，这样一部显著之作，王粲自己却从未说及，同时文坛的曹丕、曹植，及刘桢、陈琳等友人，也都没有提起过。陈寿于西晋前期作《三国志》，在《魏志·王粲传》中，记其著作，也仅云"著诗、赋、论、议垂六十篇"。现在所知第一个提出王粲所作的，即为前面引及的《隋书·经籍志》。按《隋书》为魏徵于唐太宗贞观十年（636）受命撰成，这时距王粲之卒（建安二十二年，公元217年），已四百多年，这么长时间竟然没有一人提到王粲作有《英雄记》，甚使人疑惑。南朝刘宋时裴松之为陈寿《三国志》作注，引用了不少书，其中引用《英雄记》的就有七十多条，可见裴松之是见到过此书的。但我遍核《三国志》裴注，其引用《英雄记》时，只提及书名，没有一条在书名前加有王粲之名的。早于魏徵《隋书》的，如撰于隋时的虞世南《北堂书钞》，编于唐高祖武德七年（624）的《艺文类聚》，也录有《英雄记》，但也都没有王粲之名。在魏徵之后，唐高宗之子李贤作《后汉书》注，引及《英雄记》，也未加王粲之名。《初学记》卷二录有"曹公赤壁之败"一条，倒是标为"王粲《英雄记》"，不过此书为唐玄宗时徐坚等所撰，已在《隋书》之后将近一百年了。由此可见，王粲生前，至南朝刘宋时，即最早阶段，没有一书提及《英雄记》出于王粲之手。即使在唐代前期，几部著名文献在著录《英雄记》时，有无王粲之名，也并不一致。

另一个疑点，牵涉两个人的称呼，即曹操与东汉最后一个皇帝献帝。现在辑集的《英雄记》，记载与曹操有关的事迹，大多直称其名——曹操，少处称"曹公"，但使人惊异的是，有好几处称之为"太祖"（如《三国志·魏志》中的曹仁、袁绍、张邈等传裴注，又《北堂书钞》卷一一八）。按王粲卒于建安二十二年（217），曹操卒于建安二十五年（220）正月。曹操卒时谥为武王，后其子曹丕受汉献帝让位，立国，上其尊号为太祖。这就是说，王粲生前是不可能称曹操为太祖的。此点已为学界所注意。俞绍初先生《建安七子集》所辑《英雄记》，曾有按语，谓"太祖"二字系后人所改，粲时不得称太祖，当称曹公。这有一定道理，但毕竟是一种揣测，无实据。且据上所引，称"太祖"者有好几处，除《三国志》裴注外，还有修于隋时的《北堂书钞》。至于王粲当时应称为曹公，这里也可举出反证，如《三国志》卷一《魏志·武帝纪》裴注引《曹瞒传》（中华书局点校本页30），引孔衍《汉魏春秋》（同上页46），均称曹操为公，而此二书都是曹操之后所作的（《旧唐书·经籍志》上载《曹瞒传》，谓"吴人作"；孔衍，则为晋人，《晋书》有传）。就连陈寿所作《三国志》，也有称曹操为公的。可见不能以此为据，认为《英雄记》中有称曹公，就可证明为王粲所作。

另一处，《后汉书·五行志》一，注中所引《英雄记》，有云："京师谣歌咸言'河腊丛进'，献帝腊日生也。"按曹操于建安二十五年（220）正月卒，同年十月，献帝让位于曹丕，被封为山阳公；魏明帝青龙二年（234）三月卒，谥为孝献皇帝。就是说，献帝的谥号，是在王粲卒后十七年才有的。

称号的时间问题，还牵涉到书名的合理性。《隋书·经籍志》以前，都称作《英雄记》，《隋书·经籍志》则称为《汉末英雄记》。王粲生前，曹操虽已实掌大权，但献帝尚在位，还是汉世，至于以后如何，尚未能逆料，怎么能称为"汉末"呢？只有魏晋或魏晋以后的人，才能称建安时期为汉末。至于《新唐书·艺文志》又著录为《汉书英雄记》，则当是承袭《隋志》，而又误"末"为"书"。

　　另外，书中有些所记，于曹操的声誉也是极不利的。《艺文类聚》卷一七，《太平御览》卷三六七，均引有："曹操与刘备密言，（刘）备泄之于袁绍，绍知操有图己之意。操自咋其舌流血，以失言戒后世。"我们知道，王粲于建安十七年自荆州归依曹操后，很得曹操的信任与重用，历任军谋祭酒、侍中，经常随从曹操出征，并有不少应制之作，曹植《王仲宣诔》称其"入侍帷幄，出拥华盖"。很难想象，王粲长期在曹操身边、幕下能写出于曹操如此不利的行为。又一处，《太平御览》卷七七一引，记"曹操进军至江上，欲从赤壁渡江"，但因轻敌，未作周密准备，其船只为周瑜部队所烧，"操乃夜走"。这也是曹操的狼狈失败之举，并反衬周瑜之英明。这样写，对于王粲的身份、境遇也是不合的。

　　王国维在为容庚《金文编》所作的序中，是很称赞孔子所说"多闻阙义"以及"君子于其所不知，盖阙如也"两段话，他举古文字为例，认为过去有些人，虽"绝不可释者"，也"必附会穿凿以释之"。因此他认为阙义之说，"盖为一切学问言"。我这里提出《英雄记》作者问题，只是一种"志疑"。根据目前所掌握的材料，似还未有十分把握断定非王粲所作。《英雄记》确是一部佳作，作为对王粲有钦仰之情，我倒是很想归依于他所作的，但根据以上所述,确有值得思考的疑点。这一小文或似为翻案之作,仅提供给学界,望引起注意。

原载 2002 年 7 月 12 日《文汇读书周报》,此据北方文艺出版社 2008 年版《书林漫笔》录入,另收入大象出版社 2004 年版《唐宋文史论丛及其他》

唐宪穆两朝翰林学士考论

　　我于1962年上半年曾撰有《高明的卒年》一文（当时署名湛之），刊于1962年10月出版的《文史》第一辑。此文考证《琵琶记》著者高明（则诚）乃卒于元至正十九年（1359），即明前九年，非如明中期以后所记叙的高明在明朝建立后朱元璋还征召他修元史，也就是他乃由元入明。这一意见逐渐得到学界的认同，有的文学史著作也已采取此说。时间过得真快，现已过了四十年，我还在中华书局，《文史》编辑部约我再写一文，拟刊于《文史》创刊四十周年专辑，对此我是很欣然的。因《文史》在"文革"前编印了四辑，之后就停了十余年。"文革"后复刊，我曾参与，与吴树平同志一起到《新建设》编辑部搜辑、整理存稿，由此我还清理出马茂元、周勋初先生等难得的旧稿，后陆续刊出。我的《韦应物系年考证》也就刊于复刊后的第一辑（总第五辑，1978年）。

　　近几年来我集中于唐代翰林学士与文学的研究，曾撰有《唐玄肃两朝翰林学士考论》（《文学遗产》2000年第4期），《李白任翰林学士辨》（《文学评论》2000年第5期），《唐德宗朝翰林学士考论》（《燕京学报》新第10期，2001年5月），《唐永贞年间翰林学士考论》(《中国文化研究》2001 年秋之卷),《唐代宗朝翰林学士考论》(《中华文史论丛》总第 67 辑,2001 年第 3 辑)。翰林学士自唐玄宗朝设置,也就是 8 世纪中叶起,一直延续到 20 世纪初,在这将近一千三百年间,其职能与作用有不少变化,但作为古代文人的清高称号及其对文化较为广泛的影响,却一直保持。现在已有一些论著对此进行研究。但我曾提出过,对翰林学士,应先从个案研究着手,避免笼统而又不适当的所谓宏观概括。因此我想先从不同的时代段,来探讨这翰林学士群体在不同时期所处的政治环境与文化世态,并对有代表性的人物作某种典型性的剖析,然后可以作出总体性的、有学术价值的结论。

唐代宪宗朝(806—820)与穆宗朝(820—824),在中唐历史上是关键性的时期。时间并不长,总共只有近二十年,但这近二十年,是所谓唐朝的中兴时期,尤其是宪宗朝对叛乱藩镇的平定。这一时期又是文学创作的一个高潮,无论诗歌、散文、传奇小说,数量多,水平高,过去评论者曾把宪宗朝的元和,与盛唐的开元、北宋的元祐并称,作为中古文学高峰标帜的"三元"。这期间,翰林学士应当说是起有相当作用的。宪穆两朝的翰林学士大致有这样几个特点:一是人数多。德宗朝共二十六年,翰林学士先后有二十二人;而宪宗朝十五年,比德宗朝少十一年,学士却有二十四人,穆宗朝四年,有十五人,都超过前几朝。又宪宗朝的二十四人,其中进士及第出身的有十九人,未可确定的三人;穆宗朝十五人,其中进士及第者十人,明经登科者二人,未可确定者一人。可见科举出身对翰林学士的影响越来越深(明清时非进士及第就不能入为翰林学士)。二是积极参预政事,这也是前几朝所未有的,因而后来由学士提升为宰相的,比例也高,宪穆两朝共有十五人。三是与文学艺术的关系密切。这一时期的翰林学士,有些其本人即为著名诗文作家,如白居易、令狐楚、段文昌、李德裕、李绅、元稹;又如元稹作有《莺莺传》,蒋防作有《霍小玉传》,白居易曾参与陈鸿《长恨传》的写作,高钺曾参与李公佐《庐江冯媪传》的写作,都对唐代传奇作出过贡献。柳公权是著名书法家,他是以书法的成就而入学士院的第一人,开了一个好头。至于翰林学士与其他文士的交往,在当时更成为一种风气,本文后面记述韩愈的《盛山十二诗序》可见一斑。四是对翰林院与翰林学士的文献著述,数量多,很突出。如杜元颖《翰林院使壁记》,韦处厚《翰林院厅壁记》,李肇《翰林志》,元稹《翰林承旨学士记》,韦表微《翰林学士院新楼记》,这也是前后几朝所未有的①。又白居易在任翰林学士时,还专门辑集有关书诏批答等文,作为程式,号曰“白朴”,“每有新入学士,求访宝重过于《六典》”,此书至南宋时还传世②。元稹又将自己所作的诏文编成《制诰》一书。这些对制诰等官方文体的研究颇有意义。

上述的这几个特点,都可以分别撰写为专文的。限于体例,本文不可能铺开来谈,这里谨就过去文献记述中的一些不确之处,作若干考索,以消除现在某些论著中的误点,这对于准确理解、研究翰林学士的实际职能与历史作用,我想还是有用的。

---

① 关于唐人所作有关翰林学士院的著作,详见傅璇琮所编的《翰学三书》,辽宁教育出版社 2002 年 10 月出版《新世纪万有文库》本。
② 见元稹《酬乐天余思不尽加为六韵之作》,见《全唐诗》卷四一七,又参见宋王楙《野客丛书》卷三〇“白朴”条。

一

关于翰林学士起草制诰,自宋以来,一直有一个误解,未引起学界的注意。结合宪宗、穆宗两朝的实例,我觉得这一问题应是到了澄清的时候。

《新唐书》卷四六《百官志》一,在叙及翰林学士时,曾云:"入院一岁,则迁知制诰,未知制诰者不作文书。"这是北宋前期修官史时的一种说法,在这之后,南北宋之际的叶梦得,南宋中后期的费衮,在各人所著的笔记中也都沿袭此说,且更有所添补。叶梦得《避暑录话》卷下谓:"学士未满一年,犹未得为知制诰,不与为文,岁满迁知制诰,然后始并直。"费衮《梁溪漫志》卷二更有所阐释:"入院一岁,则迁知制诰,未知制诰者不作文书,但备顾问、参侍行幸而已。"又云:"然唐之学士必带知制诰三字者,所以别其为作文书之学士也。"这就是说,唐代的翰林学士,入学士院以后,满一年,才能迁为知制诰,在带有知制诰这三个字之后,才能起草重要的官方文书(即制诏诰令),否则只是备顾问,参预行列而已。

这种说法,唐人是未有的。唐人的有关记载,只李肇《翰林志》曾云:"常参官二周为满岁,则迁知制诰。"李肇的这一说法并不太明确,但宋及宋以后的人却不理解李肇这两句话的实义。这里牵涉到翰林学士的体制问题。唐代的翰林学士,只是一种差遣之职,并非官名。李肇《翰林志》就说:"凡学士无定员,皆以他官充,下自校书郎,上及诸曹尚书,皆为之。"这一点,清代史学家钱大昕是理解得较为清楚的,其《廿二史考异》有好几处对此作了解释,如:"学士无品秩,但以它官充选","学士亦差遣,非正官也"(卷四四);"亦系差遣,无品秩,故常假以他官,有官则有品,官有迁转,而供职如故也"(卷五八)。这就是说,翰林学士是一种职,并非官,一个翰林学士,他在入院之前已任官,入院以后,仍带此官衔,其间有升迁,这样,才有一定的品秩(即所谓政治待遇),及一定的薪俸;翰林学士本身是未有这些的。如以诗人白居易为例,他于宪宗元和二年(807)十一月六日入为翰林学士,在此之前任京畿盩厔县尉,入院后仍带着这一官衔;第二年即元和三年(808)四月二十八日迁为左拾遗。所谓迁,因盩厔县尉的官阶为正九品下,左拾遗为从八品上,升了两阶。再过两年,即元和五年(810)五月五日,又改为京兆府户曹参军。京兆府户曹参军为正七品下,更高了好几阶,而且这一官位薪俸较优①,白居易是自己请求的。因此白居易在其请求得到皇帝批准后,很高兴,特地写了《初除户曹喜而言志》一诗,有云:"诏授户曹掾,捧认感君恩;感恩非为己,禄养及吾亲",因为这样一来,"俸钱四五万,月可奉晨昏。廪禄二百石,岁可盈仓囷"②。但不管是盩厔尉、左拾遗、京兆府户曹参军,都是白居易在翰林学士任期内所带的官衔,也就是李肇《翰林志》所说的"常参官"。

不过无论《翰林志》所说的"常参官二周为满岁,则迁知制

---

① 清钱大昕《廿二史考异》卷六〇对此即有所解释,谓:"盖拾遗虽为两省供奉官,秩止从八品,京府参军秩正七品,俸给较厚。"

② 《白居易集笺校》卷五,上海古籍出版社,1988 年 5 月。

诰",以及《新唐书·百官志》所说的"入院一岁,则迁知制诰",都是不确的。其一是知制诰,并不是官,它同翰林学士一样,也是职。我们可以举一个直接的例子作为参证。白居易友人李建,曾于贞元末、元和初为翰林学士,他于穆宗长庆元年(821)卒,白居易特为其作一碑文《有唐善人碑》①。碑中概述李建的仕历,把官、职、阶、勋、爵分得很清楚,其中叙官和职,为:

公官历校书郎、左拾遗、詹府司直、殿中侍御史、比部兵部吏部员外郎、兵部吏部郎中、京兆少尹、澧州刺史、太常少卿、礼部刑部侍郎、工部尚书;职历容州招讨判官、翰林学士、郴州防御副使、转运判官、知制诰、吏部选事。

白居易是当时人说当时事,且其本人曾历仕朝中言事草制之官职,如翰林学士、中书舍人等,因此其说是可信的。从这段记事中,可见唐朝把官和职明显区分,同时又将翰林学士与知制诰都列为职,也就是说,知制诰与翰林学士同样,其本身是未有品秩的,因此不能说翰林学士满一岁或二岁迁为知制诰。这里牵涉到对知制诰的理解,因此顺便稍作介绍。唐代前期,中枢机构有中书、门下、尚书三省,中书省主要为皇帝起草诏令,具体则由中书舍人担任。《新唐书·百官志》二,记中书省,云:"舍人六人,正五品上。掌侍进奏,参议表章。凡诏旨制敕,玺书册命,皆起草进画。"又云:"开元初,以它官掌诏敕策命,谓之兼知制诰。肃宗即

---

① 《白居易集笺校》卷四一。

位,又以它官知中书舍人事。"这就是说,中书舍人是专掌制诰的,但唐玄宗以后,由于政事繁忙,中书舍人(六人)有缺额,有时以其他官来做这方面的事,于是称兼知制诰。唐代,凡是这种情况,都是先称其本官,后再称知制诰。如元稹于元和十五年(820)五月为祠部郎中、知制诰(见《通鉴》卷二四一),即他的本官为祠部郎中,但其职为知制诰,一加知制诰,即行使中书舍人的职务,且至中书省值班。

以上把有关的事务理清后,就可以回来辨析叶梦得、费衮等所记之误。唐代翰林学士,不一定满一岁或二岁即改为知制诰,而且可以说多数情况下并非如此。如元和时著名翰林学士卫次公,他于德宗贞元八年(792)以左补阙入院,至贞元二十一年(805)三月才加知制诰,其间有十几年;萧俛于元和六年(811)以右补阙入院,至九年(814)十二月才以驾部郎中加知制诰①。类似情况很多,不具举。这里特别要指出的是,如上所说,白居易于元和二年至六年在翰林学士院,先后所带之官衔为盩厔尉、左拾遗、京兆府户曹参军,从未加过知制诰,但他却一直为皇帝起草诏令。其《答薛苹贺生擒李锜表》,即作于元和二年十一月②,也就是他刚入院的第一个月之内。白居易所起草的制诰,现在保存下来的有四卷,约有二百余篇,虽其间杂有他作③,但大部分是出于其手的,这是唐朝翰林学士起草的制诰保留至今最多的。

①以上参见唐丁居晦《重修承旨学士壁记》,宋洪遵《翰苑群书》本。
②参见《白居易集笺校》卷五七。
③见岑仲勉《〈白氏长庆集〉伪文》,中华书局,1990年7月版《岑仲勉史学论文集》。

又如宪宗元和后期，集中力量征讨淮西节镇吴元济，在这几年中免去几位力主罢兵的学士，召进四位学士，即张仲素、段文昌于元和十一年（816）八月十五日入，沈传师、杜元颖于元和十二年（817）二月十三日入。元和十二年八月以后，学士院内就此四人，这时正是平淮西之战最剧之际。十月十六日，李愬用计攻下蔡州，擒吴元济，连续数年的战乱始平息。这一年内翰林学士起草诏令也是相当繁忙的。正因此，宪宗于元和十三年（818）二月十八日对这四位学士给予奖赏。《唐会要》卷五七《翰林院》记："（元和）十三年，上御麟德殿，召对翰林学士张仲素、段文昌、沈传师、杜元颖。以仲素等自讨叛奉书诏之勤，赐仲素以紫，文昌等以绯。"《旧唐书》卷一六三《杜元颖传》称其"手笔敏速，宪宗称之。吴元济平，以书诏之勤，赐绯鱼袋"。李德裕后撰《杜元颖平章事制》，亦追叙宪宗时，"妖孽相挺，纷乱南北，朝夕机命，迅如风霆"，而杜元颖则"翰动若飞，神无滞用"①。而这四人，在入院至元和十三年二月受奖时，都未加过知制诰。

　　其他类似情况还有不少，如王涯，《新唐书》本传称"涯文有雅思，永贞、元和间，训诰温丽，多所藁定"，而王涯于永贞及元和前期任学士时，未曾加知制诰或中书舍人。又前面所提李德裕草拟的《杜元颖平章事制》，为长庆元年（821）二月，这时李德裕所带之官衔为屯田员外郎，至长庆元年三月，才改为考功郎中、知制诰。又李绅于元和十五年（820）闰正月与李德裕同时任为翰林学士，

①《唐大诏令集》卷四七；又参见傅璇琮、周建国合著《李德裕文集校笺》页734，河北教育出版社，2000年1月。

长庆元年三月二十三日为司勋员外郎、知制诰,而在这之前,于元和十五年六月即草拟有《授韩弘河中节度使制》①。

刘禹锡曾为其友人、翰林学士韦处厚文集作序,明确地说:"凡言翰林学士,必草诏书。"②杜元颖于元和十五年五月所作之《翰林院使壁记》,也说:"(宪宗)详择文学之士置于禁中,实掌诏命,且备顾问。"③都认为凡入为翰林学士,即可撰写诏书,结合以上所举的例子,可见确是如此。应当说,宋人的记载,从《新唐书·百官志》开始,所谓加有知制诰才能草诏之说,是不合事实的。五代时所撰的《旧唐书》,其《职官志》,则未有此说。

不过上述的误解,从另一角度看,倒提供一个信息,即中书舍人的声望到中唐时仍然很高。我在《唐玄肃两朝翰林学士考论》一文中曾提出,玄宗、肃宗时,虽已设置翰林学士,但设立于外廷的中书舍人,其政治声望与文学声誉,是超出这一时期的翰林学士的④。文中并引南宋王应麟的一段话:"自永淳以来,天下文章道盛,台阁髦彦,无不以文章达,故中书舍人为文士之极任,翰廷之盛选。"⑤又《旧唐书》卷一九〇中《文苑传·孙逖传》,载孙逖于开元后期任中书舍人,"掌诰八年,制敕所出,为时流叹服。议者

---

① 见《全唐文》卷六九四。据《旧唐书》卷一五六《韩弘传》,韩弘于元和十五年六月任为河中尹、河中晋绛节度观察等使。

② 《唐故中书侍郎平章事韦公集纪》,《刘禹锡集笺证》卷一九,上海古籍出版社,1989 年 12 月。

③ 《全唐文》卷七二四。

④ 见《文学遗产》,2000 年第 4 期。

⑤ 《玉海》卷一二一《官制·台省》。

以为自开元以来,苏颋、齐澣、苏晋、贾曾、韩休、许景先及逖,为王言之最"。这里所举的几个人,都是享誉文坛的。可以注意的是,中唐时人对中书舍人仍极为推重。如与段文昌等同时的李虞仲,其《贾悚等中书舍人制》,称:"参掌宥密,斧藻训诰。侍立于文陛之下,挥翰于禁署之中。非第一流,不在其位。"《授李渤给事中郑涵中书舍人等制》:"况较正违失,典司文诰,参伐密命,为吾近臣。"①这里把中书舍人也称为近臣,且认为非具备第一流的文才,是不能在其位的。同时,如上所述,以他官承担中书舍人的职务,称知制诰。当时任知制诰者,是要到中书省值班的,因此唐人往往把知制诰称为舍人。如白居易《酬张十八访宿见赠》,为元和九年(814)在长安任左赞善大夫时所作,诗中提及韩愈,称"韩舍人"②。而这时韩愈则为考功郎中、知制诰,尚未任中书舍人。又如白居易于元和十二年(817)在江州时所作《秋日怀杓直》诗,自注"时杓直出牧澧州",诗中云:"忆与李舍人,曲江相近住。"③杓直为李建字。按李建从未任中书舍人,其出刺澧州在元和十一年九月,此前在长安仕为兵部郎中、知制诰。当时另一诗人朱庆余,曾于长庆三年(823)春作有《上翰林蒋防舍人》诗④。此时蒋防为翰林学士,其所带之官衔为司封员外郎、知制诰(参丁居晦《重修承旨学士壁记》),且蒋防一生从未做过中书舍人。曾与蒋防同时

---

① 此二制均见《全唐文》卷六九三。
② 《白居易集笺校》卷六。
③ 同上卷七。
④ 朱此诗见《全唐诗》卷五一四。此诗写作时间参《唐五代文学编年史》中唐卷页 851,辽海出版社,1998 年 12 月,傅璇琮主编。

在学士院的李绅,也曾称其为"蒋防舍人"①。

由此可见,知制诰虽带有其他官衔,但所做的实际职务则同中书舍人,也可与其他中书舍人同在中书省值班,因此唐朝人把兼知制诰的人即称为"舍人"。正因如此,那时如颇有文名,与韩愈共倡古文运动的李翱,长庆中由朗州刺史入为礼部郎中,"翱自负辞艺,以为合知诰,以久未如志,郁郁不乐"(《旧唐书》卷一六〇本传)。礼部郎中官阶为从五品上,并不低,但这次李翱仍不兼知制诰,以其自负辞艺,未能如志,故极不乐。之所以如此,是因为知制诰实与中书舍人同。中书舍人不但官阶高(正五品上),且声誉高,因此为时人所看重。正如白居易于长庆二年(822)所作的《冯宿除兵部郎中知制诰制》中所说的,冯宿仕历已有御史、博士、郡守、尚书郎等,"在仕进途不为不遇",但如果"不登兹选"(即以兵部郎中知制诰),则"未足其心",这是因为此乃"大手笔","凡选一才,补一职,皆不敢轻易"②。从宪宗、穆宗两朝的翰林学士升迁情况看,有些一开始是以知制诰入院的,有的则逐渐迁转为知制诰,之所以记为"迁知制诰",是把知制诰视为中书舍人的前阶,再进一步,正式任命为中书舍人,就称为"正除"或"正拜"。

也就因此,中唐时人就把中书舍人职能之重与翰林学士并列。如上面提到过的李虞仲,在翰林学士王源中于宝历二年(826)正月为权知中书舍人,宋申锡迁为户部郎中知制诰时,草拟

①见李绅《趋翰苑遭谗构四十六韵》自注,《全唐诗》卷四八〇。
②《白居易集笺校》卷四八。

《授学士王源中等中书舍人制》，有云："朝廷之制，外有纶阁之职，以奉大猷；中有翰苑之司，以专密命。帝王懿范，备举而行；森然在前，其道一贯。"①"外有纶阁之职"，是指中书舍人，"中有翰苑之司"，是指翰林学士。翰林学士在宫中是掌天子的密命，而中书舍人虽在外廷，但其职掌仍是宣达"大猷"，大猷即大道、大法。因此李虞仲认为这二者在宣扬帝王政绩时，应是"备举而行"，"其道一贯"。这可为研究中晚唐时翰林学士、中书舍人职能的很好材料，希望引起注意。正因如此，身为中书舍人的李虞仲，其所存诏文十七篇，其中四篇是草拟在职的翰林学士升迁的②。白居易也说过，穆宗即位之初，他之任中书舍人，由翰林学士元稹草制词，而元稹任翰林学士，则由时为尚书主客郎中、知制诰的白居易草制词③。

　　本节的考述，既清除自《新唐书·百官志》以来关于翰林学士不带知制诰就不能草制诏的误解，又论证中晚唐时中书舍人职能仍重，而且可与翰林学士并提，翰林学士在升迁时以能迁中书舍人之前阶知制诰为重。现在有些论著认为自从设置翰林学士以后，中书舍人之职掌遂被侵夺，甚至变成可有可无，从宪、穆两朝的实际情况来看，这种说法是不能成立的。

_____

① 《全唐文》卷六九三。
② 即《授学士王源中户部侍郎制》《授学士李让夷职方员外郎充职制》《授学士王源中等中书舍人制》《授学士路隋等中书舍人制》。
③ 《白居易集笺校》卷二三《余思未尽加为六韵重寄微之》："除官递互掌丝纶"，及自注。

二

不过翰林学士处于宫中的特殊地位,其参预政事所起的作用还是较中书舍人更为突出。德宗时有一位翰林学士顾少连于贞元十九年(803)卒,其友人杜黄裳曾为其作一神道碑,碑文中称其任翰林学士时,为"赞丝纶之密命,参帷幄之谋猷"①。这可以说是对翰林学士职能的确切概括。前一句是说起草重要的政令,起草前并可参预商议;后一句是说充当皇帝的参谋顾问,能对一些重大政事提出商榷意见,也就是晚唐诗人杜牧所说的:"岂唯独以文学,止于代言,亦乃密参机要,得执所见。"②白居易于穆宗长庆年间任中书舍人时,在为皇帝起草的制词中,也对翰林学士的职能有过这样的称述:"予有侍臣,咸士之秀者,或左右以书吾言动,前后以补吾阙遗。"③这都说明,翰林学士不仅做起草重要诏令的文书工作,还能在内廷宫中,在皇帝身边,为皇帝咨询,谋议朝政大事。这是唐代翰林学士的特点,后来从宋代开始,翰林学士就逐渐与政事疏离,至清代,则翰林学士完全不能过问政事,与政治完全脱离,只做些举子考试官及为宫中写春联、书匾额等闲适事务。从翰林学士的角度,研究中国古代知识分子参预政治的变迁

① 杜黄裳《东都留守顾公神道碑》,《全唐文》卷四七八。
② 杜牧《庚道尉守起居舍人李汶儒寄礼部员外郎充翰林学士制》,《樊川文集》卷一七,上海古籍出版社,1978年9月,陈允吉点校本。
③ 《高铢等一十人亡母郑氏等赠太君制》,《白居易集笺校》卷四八。

及波折，还是很有意义的。

宪宗在中唐时是一个有所作为的君主，他在位的元和年间，能平定藩乱，起用人才，扭转德宗时萎弱不振的局面。宪宗立朝的一个特点，就是能重用宰相，发挥中枢机构的正常作用，同时又能提拔知识分子，信用翰林学士。晚唐时史臣蒋系总结宪宗的政绩，称其"军国枢机，尽归之于宰相，由是中外咸理，纪律再张，果能剪削乱阶，诛除群盗"①。权德舆于元和前期曾在相位，《新唐书》卷一六五记述其事时曾云："是时帝切于治，事巨细悉责宰相。"这话可能说得过分，但也可见修史者对宪宗这一举措的肯定。宪宗对翰林学士的信重，可以举当时人的一段话，作为参证。如韩愈于元和二年（807）初在长安，任国子博士，一次他听说，有人在翰林学士李吉甫、裴垍面前说他的坏话，韩愈为释谗言，特地作《释言》一文，在提及李、裴二人时，说："二公者，吾君朝夕访焉，以为政于天下而阶太平之治，居则与天子为心膂，出则与天子为股肱。"②这里提到李、裴二人在翰林学士任内，宪宗"朝夕访焉"，由此可见宪宗即位之初就如此信用翰林学士。

事实确实如此。永贞元年（805）十二月，西川行军司马刘辟想专权，拥兵胁迫唐朝廷任命他为剑南西川节度使。这是宪宗刚即位时对中央政权的一个考验。《旧唐书·李吉甫传》谓："刘辟反，帝命诛讨之，计未决，吉甫密赞其谋，兼请广征江淮之师，由三峡路入，以分蜀寇之力。事皆允从，由是甚见亲信。"《通鉴》卷二

① 见《旧唐书》卷一五《宪宗纪》末。
② 《韩昌黎文集校注》卷二，上海古籍出版社，1986年12月，马其昶校注本。

三七元和元年(806)正月载其事,所记稍详,当时宪宗是想讨伐刘辟的,但对如何用兵尚有顾虑,"公卿议者亦以为蜀险固难取"。当时宰相杜黄裳倒是坚持用兵的,"翰林学士李吉甫亦劝上讨蜀"。《新唐书·李吉甫传》载:"刘辟平,吉甫谋居多。"刘辟之平,是宪宗朝平定藩镇之乱的第一业绩,当时"李吉甫自翰林学士参定平蜀"(《唐会要》卷五三《委定》),是为宪宗朝翰林学士参预政事开了一个好头。另一件事,当时中书省有一小吏滑涣,与宦官枢密中使刘光琦勾结,有时宫中有旨,宦官并不按规定程序传至省署,而只召滑涣传达,"即为文书,宰相至有不及知者"。宰相有时所议之事与刘光琦不同,也托滑涣为之说情。当时在相位的郑絪、杜佑"皆低意善视之"。另一位宰相郑余庆因不满滑涣专权,曾斥责他,郑就因而罢相。滑涣"由是通四方赂谢","四方书币赀货,充集其门"。在这种情况下,李吉甫这时以中书舍人任翰林学士,就挺身而出,"劾其奸",结果查抄其家,"得赀数千万",遂贬为雷州司户,后又"赐死"①。这实际上也是对宦官势力的一种抑制。第三件事是阻止李锜领盐铁使。李锜在德宗时即任浙西观察使,甚为跋扈,德宗屡姑息之。宪宗即位后,李锜更嚣张,并"厚赂贵幸",要求兼领盐铁使,并要求其控制权扩充至宣、歙二州。宪宗以此问李吉甫,李答:"昔韦皋蓄财多,故刘辟因以构乱。李锜不臣有萌,若益以盐铁之饶,采石之险,是趣其反也。"(《新唐

①以上见两《唐书·李吉甫传》、《旧唐书·郑余庆传》、《通鉴》卷二三七元和元年八月,及傅璇琮《李德裕年谱》,齐鲁书社,1984年10月,及河北教育出版社2001年11月新版。

书·李吉甫传》)宪宗也出于对地方势力的抑制,即听从李吉甫的计议,否决李锜的请求。第二年李锜反叛,很快就平息,确符合李吉甫的估计。

与此相对照的是,宪宗于永贞元年八月刚登极时,即任命翰林学士郑絪为翰林承旨,同年十二月又提升他为宰相。这是因为郑絪在顺宗时反对王叔文新政,与宦官俱文珍一起谋划,先立宪宗为皇太子,后又迫使顺宗禅位于宪宗。顺宗时的《册皇太子赦诏》、《立广陵郡王为皇太子诏》、《顺宗传位皇太子改元诏》,都是郑絪草拟的①。但郑絪拜相后,却无所作为,如元和初商议征讨刘辟,同居相位的杜黄裳是积极赞同的,而郑絪则"谦默多无所事","常默默"(见两《唐书》本传)。宪宗就很不满意,元和四年(809)二月,即以其"循默取容"(《通鉴》卷二三七),把他罢免。其罢相的制文是当时任翰林学士的白居易草拟的,其中斥责之词颇严,有云:"罔清净以慎身,每因循而保位。既乖素履,且郁皇猷。宜副群情,罢兹枢务。"②郑絪在贞元时任翰林学士有十三年,"在内职十三年,小心兢谦",德宗"遇之颇厚"(《旧唐书》本传),宪宗却对他不满,很快就罢免其相位。其罢相的制词,当然是以皇帝的名义颁下的,但其中确也含有白居易对其因循保位的不满。

白居易于元和二年十一月至六年四月任翰林学士,与他同时在院的,先后有裴垍、李绛、崔群、钱徽、萧俛等,都是当时的著名文士。元和前期,是翰林学士参预朝政最为活跃的时期。根据

①《全唐文》卷五一一;又分别见《唐大诏令集》卷二七、二九、三〇。
②《白居易集笺校》卷五四,又《唐大诏令集》卷五五。

《通鉴》的记载,可以举一些事例。如元和三年(808)正月,宪宗因接受"睿圣文武皇帝"尊号,就下诏颁赦文,并令地方长官来京城时,不得进奉钱物。这时知枢密使刘光琦就请派遣宦官作为特使把赦文分送到地方节镇,想乘机分取其钱礼;翰林学士裴垍、李绛则认为"敕使所至烦扰",不主张派遣,"上从之"。元和四年(809)三月,因久旱,宪宗"欲降德音",即下一诏令表示慰问,"翰林学士李绛、白居易上言,以为欲令实惠及人,无如减其租税",于是"制降天下系囚,蠲租税,出宫人,绝进奉,禁掠卖,皆如二人之请"。同年四月,"上欲革河北诸镇世袭之弊,乘(成德节度使)王士真死,欲自朝廷除人,不从则兴师讨之"。但朝臣意见不一,宪宗就"问诸学士"。成德节度使王士真卒后,其子王承宗未接到朝廷任命,就自称为留后,擅掌军务。关于如何处理此事,宪宗于元和四年(809)七月就"密问诸学士"。后来宪宗终于决定派兵征讨,而统率之帅则为宦官吐突承璀,其兵屡败。白居易数次上奏,以为不应任宦官为都统,元和五年(810)六月他又进言,请罢兵。"是时,上每有军国大事,必与诸学士谋之"。

元稹于元和十五年(820)十一月任祠部郎中、知制诰后,曾为翰林学士杜元颖迁户部侍郎、知制诰草拟一制文,中称:"昔我宪宗章武皇帝,重灼威明,兵定八极,大索俊乂,以征谋猷,其在禁林,尤集贤彦。"①这时宪宗已卒,穆宗即位,元稹制文中这几句是回顾之辞,由此也可见出宪宗时翰林学士人才之盛。穆宗登帝位时只二十六岁,在位仅四年,好畋游,朝政不如宪宗。但在初期,

①元稹《授学士杜元颖加侍郎制》,《文苑英华》卷三八四。

他还是很重视翰林学士的。宪宗是被宦官陈弘志谋杀的,吐突承璀想拥立澧王李恽,另一派宦官梁守谦则拥立太子李恒,并将吐突承璀及李恽杀死,这也算是一场宫中兵乱。穆宗李恒仓促即位的第一天,即召见翰林学士段文昌、沈传师、杜元颖、李肇,及曾为其在太子时任侍读的薛放、丁公著,第二天才集合群臣。而在即位的第二个月,就将李德裕、李绅召入为翰林学士,明年二月,元稹又入,时称"三俊"。元和十五年(820),当时的翰林学士,加上侍讲、侍书学士,共九人,此后三年即长庆元年至三年,也有八至九人。这是中唐时每年在院学士最多的。

　　穆宗时还有一件事可提,长庆元年(821)十一月试制科举人,此科科名为贤良方正能直言极谏科。按唐科举制,制举与常科(如进士、明经)不同,第一它是不定时的,它不像常科那样每年在春初举行,而视实际政治需要而定;第二它是以皇帝的名义来召试的,当然实际主持考试的仍为朝臣①。这次的考试官为中书舍人白居易、膳部郎中陈岵、考功员外郎贾餗,而以皇帝的名义出试题策问的,则为翰林学士李德裕。这也是唐代翰林学士参预科举试的值得注意的现象。唐代的进士、明经等科,一般由礼部侍郎、中书舍人主持,名为知贡举,翰林学士在宫中是不能知贡举的。但为了主持下一年科试,有时某位翰林学士可在前一年出院,第二年即安排其知贡举,同时在职的翰林学士则协助主持者进行考试,或有时考试中如有问题,可充当覆试官,如贞元八年(792)及

————————

① 此请参阅傅璇琮《唐代科举与文学》第六章《制举》,陕西人民出版社,1986年10月。

元和三年(808)，此可参清徐松《登科记考》及拙著《唐代科举与文学》有关章节。

可以注意的是，李德裕所拟策问，一开始，气度就很大，谓："古人有言，当引一代之人，以理一代之务。"意谓一个朝代的政事，是要由一个朝代的众人来治理的。后面又仿陆贽兴元赦文的口气，代皇帝作自我检讨之辞，说自登位以来，和气未洽，休祥未臻，百姓未安，五兵未戢，因此希望"方直者举朕之阙，政术者体时之要"①。现在所存的有该年登科的庞严与沈亚之对策，庞严后于长庆二年(822)三月入为翰林学士。庞严策文中曾严厉指出当时科举取士华而不实的弊病，认为"朝廷开取士之门，不为不广"，但"所采者浮华之名，所习者雕虫之技，是以主教化者不道皇王之术，官牧守者不知疾病之源"。沈亚之的对策更为严峻，他直指策问中所提出的弊病，"皆由尚书六曹之本坏而致乎然也"②。由李德裕草拟的策问，及庞、沈二人的对策，可以见出当时翰林学士参预政事之识见，很值得研究。

不过就宪、穆两朝来看，翰林学士的职能，也只是当时文人的一种参政方式，翰林学士院本身并不是一个固定的权力机构，更非如有的论著所说的是与中书门下及枢密院共同形成新的中枢机构(有的甚至说其权力还超过宰相)③。

---

① 《长庆元年试制科举人敕》，见傅璇琮、周建国合著《李德裕文集校笺》佚文补，页736，河北教育出版社，2000年1月。
② 庞、严二文，见《登科记考》卷九，及《全唐文》卷七二八、七三四。
③ 此点，毛蕾《唐代翰林学士》有所论证，可信，见社会科学文献出版社，2000年11月。

这里可以提供一个事例。如前面曾提到过的,据《通鉴》记,元和四年(809)三月,宪宗因久旱,欲降德音,当时翰林学士李绛、白居易上言,以为"欲令实惠及人,无如减其租税"。这一奏议,白居易文集中保存,题为《奏请加德音中节目三件》,其一为"缘今时旱请更减放江淮旱损州县百姓今年租税"[1]。白居易在阐述自己的主张后,提出:"伏望圣恩更与宰臣及有司商量。"可见白居易是有本分的认识的,认为这只是提议,最终还是由皇帝与外廷的宰相及有关部门商议、决定。

应当说,当时人对翰林学士是很看重的。如王涯于贞元二十年(804)以蓝田县尉入为翰林学士,刘禹锡特地写了一首《逢王十二学士入翰林因以诗赠》,有句云:"厩马翩翩禁外逢,星槎上汉杳难从。"[2]按此时刘禹锡亦在长安,任监察御史,秩正八品上,而蓝田县尉为正九品下,刘禹锡的官秩要比王涯高好几阶,但因王涯是以蓝田尉入翰林学士,刘禹锡于是把他比喻为天上人,自谦为难于随从。又蒋防于长庆元年(821)十一月十六日入院,同月二十八日赐绯。这时诗人王建亦在京师,写有《和蒋学士新授章服》诗,有句云:"瑞草唯承天上露,红鸾不受世间尘。翰林同贺文章出,惊动茫茫下界人。"[3]这里也将蒋防与自己比为天上与下界。正因如此,白居易于元和四年(809)在任翰林学士时与友人唱酬诗作,也对自己的境遇甚为满意,自赞为"元和运启千年圣,同遇

<hr/>

[1]见《白居易集笺校》卷五八。
[2]见《刘禹锡集笺证》卷二四,有自注:"时贞元二十年,王以蓝田尉充学士。"
[3]《全唐诗》卷三〇〇。

明时余最幸"，这是因为自己"步登龙尾上虚空，立去天颜无咫尺"①。

但白居易后来对翰林学士的地位与境遇，是逐渐有冷静认识的。他于元和十二年（817）在任江州司马时，曾写有一首长诗寄给友人元稹、李建等（李建于元和初也在学士院），其间曾说及"入视中枢草"的难得机遇，但后说出了这样两句："日近恩虽重，云高势却孤。"②这两句话是很有典型意义的，概括性极高，它说明翰林学士虽亲近皇帝，恩遇亦重，但如天上白云，虽高高在上，其本身则是"势孤"。

那么事实究竟如何呢？这里拟就翰林学士与宰相，翰林学士与宦官，略作一些探讨。

翰林学士，名义上是皇帝召入（当然要经过一定程序的考试），实际上很多情况下是由宰相推荐的，而有些人被迫退出，或甚至贬官远地，也是由宰相、宦官等所致。

李吉甫是宪宗即位后第一个任为翰林学士的。按李吉甫于德宗贞元八年（792）因朝中人事纠纷，由驾部员外郎出为明州（今浙江宁波）员外长史；贞元十一年（795），改迁为忠州（今重庆忠县）刺史。贞元十八年（802），又由忠州改郴州（今属湖南），第二年冬，又改为饶州（今江西鄱阳）刺史。李吉甫是永贞元年（即贞元二十一）八月宪宗即位后由饶州召入为考功郎中、知制诰，同年十二月即入为翰林学士。他在南方做地方官有十余年，却一下子

<hr>

① 《白居易集笺校》卷一二。
② 《东南行一百韵寄通州元九侍御澧州李十一舍人……》，同上卷一六。

调至京师,先为知制诰,又马上正式上学士院,这必有缘故。原来他在任郴州刺史时,前两年即贞元十六年(800),宰相郑余庆因受德宗猜忌,贬出为郴州司马。司马是员外官,往往是贬谪之官的安排位置,实际是不管事的。而李吉甫则是刺史,一州之长,两人当相处不错。永贞元年三月,王叔文实施新政,追前德宗所贬官员返回长安,郑余庆即于此年五月入朝为尚书左丞;八月初,宪宗即位,重新任命郑余庆为宰相。他与李吉甫在郴州有交情,很明显,是他居相位时把李吉甫荐入的①。

又如令狐楚,他在宪宗元和时之入、出翰林学士,都出于宰相,是一个典型的例子。他于元和九年(814)七月自职方员外郎、知制诰任为翰林学士。刘禹锡后为其文集作序记时曾云:“适有旨选司言高第者视草内庭,宰臣以公为首,遂转本司郎中,充翰林学士。”②这就是说,宪宗下旨,挑选在中书省内担任诏令起草的优秀者入为翰林学士,当时宰相推荐的名单,以令狐楚为首,因此被选入。当时居相位者为武元衡、张弘靖,在政治上也是有所作为的。后朝廷对淮西的讨伐战争加剧,元和十二年(817)七月,时任宰相的裴度亲自率军出师征讨。但这时另一在相位的李逢吉却反对这次战争,令狐楚与其一致,裴度就以为令狐楚起草的制书对这次出师不利,就请皇帝把他逐出学士院。上述刘禹锡所作的令狐楚文集序记,就特别提及:“会淮右稽诛,上遣丞相即戎以督战,公(指令狐楚)草诏书,词有涉嫌者,相府上言,有命中书参

<hr>

① 参傅璇琮《李德裕年谱》。
② 《唐故相国赠司空令狐公集纪》,《刘禹锡集笺证》卷一九。

详审定。因罢内职。"由此可见,宰相有权使翰林学士起草的诏书再转中书省审定,并进一步使起草者免职。这当然与当时整个政局有关,但此事宰相裴度是起主要作用的。

与此类似的还有,有些则并不因朝政大事,而是出于人事冲突。如段文昌,他早有文名,宪宗颇想召他入院,但因为他是武元衡的女婿,武元衡与宰相韦贯之不协,韦贯之就反对段文昌入院,说他"志尚不修,不可擢居迎密"①。后韦贯之于元和十一年(816)八月罢相,时李逢吉在相位,李逢吉信用段文昌,于是段文昌在韦贯之罢相后,即于同年同月十五日,与张仲素同时任为翰林学士。而同是这位李逢吉,在敬宗即位之初尚在相位,又因与李绅有隙,就不但诬告李绅,而且还把李绅荐入的翰林学士蒋防、庞严二人贬出。敬宗之后,类似情况更多(如《旧唐书》的崔慎由、崔胤、郑畋等传),待另文详述。

至于翰林学士受宦官的制抑甚至迫害,则在宪、穆两朝,更为突出。宪宗时最大的政绩是对作乱藩镇的征讨、平定,稳定中央政权,从而起用并信重宰相、翰林学士,但相比之下,他对宦官,特别是在他作太子时的侍从吐突承璀,更为宠信。那时的翰林学士,凡言行有不利于宦官的,大多受到排斥、贬抑。宪宗朝翰林学士第一次因此而受贬的在元和三年(808),而其幕后主使者即为宦官。事情是这样的:《旧唐书·宪宗纪》元和三年四月:"乙丑,贬翰林学士王涯虢州司马。时涯甥皇甫湜与牛僧孺、李宗闵并登贤良方正科第三等,策语太切,权幸恶之,故涯坐亲累贬之。"同时

---

① 见《旧唐书》卷一五八《韦贯之传》,卷一六七《段文昌传》。

被贬的还有翰林学士裴垍,他们二人是这次制科试的覆试官。这次制试策文,李宗闵、牛僧孺均已不存,皇甫湜之文则尚传于世,载《全唐文》卷六八五。皇甫湜对当时朝政弊病的批评是很激切的,他认为皇帝应经常与公卿大夫即朝臣讲论政事,这样可以"不视而明","不听而聪",而现在宰相能与皇帝议事的并不多,而宦官这些"亏残之微,褊险之徒",却"使之掌王命,握兵柄,内膺腹心之寄,外当耳目之任"。这种情况,使"壮夫义士所以寒心销志泣愤而不能已也"。因此他建议,皇帝应"日延宰相与论义理",以"去汉之末祸"。"汉之末祸",即宦官专政。这使得"中贵人大怒"①,因此促使宪宗把主试官杨于陵贬出为岭南节度使,连协助的覆试者翰林学士也被免职②。

在这之后,白居易、李绛、崔群等也曾数次对宦官专掌兵权及其他劣迹提出意见,但宪宗大多不接受。如元和四年(809)十月,决定征讨不听朝命的成德王承宗,却使左神策中尉吐突承璀为诸道行营兵马使、招讨处置等使。白居易上奏,以为:"国家征伐,当责成将帅,近岁始以中使为监军",认为不应"自隳法制"、"自损圣明"、"取笑于万代之后"。但据《通鉴》载:"上皆不听。"同时李绛也"极言宦官骄横,侵害政事,谗毁忠良",而宪宗却答以"此属安敢为谗",搁置不听。元和五年(810)十二月,翰林学士李绛又向宪宗"面陈吐突承璀专横,语极恳切",这时宪宗"作色曰:'卿

①李翱《杨公(于陵)墓志铭》,《全唐文》卷一六七。
②关于这次事件,《通鉴》等也有认为是触犯宰相李吉甫,李吉甫因而把这些人贬出,并以为这是中唐牛李党争的开端。岑仲勉《唐史余沈》卷三《牛李问题》曾有辨析,其说是,详参傅璇琮《李德裕年谱》。

言太过！'"正因如此，《通鉴》于元和六年（811）正月载："宦官恶李绛在翰林，以为户部侍郎、判本司"，使其出院。

对白居易来说，感触最深的，是元稹受宦者迫害一事。元和五年（810）二月，元稹由洛阳东台监察御史入朝奏事，至华州华阴县驿站敷水驿。这时元稹已先住入，"有内侍（即宦官）后至，破驿门呼骂而入，以马鞭击（元）稹伤面。上复引稹前过，贬江陵士曹。翰林学士李绛、崔群言稹无罪。白居易上言：'中使陵辱朝士，中使不问而稹先贬，恐自今中使出外益暴横，人无敢言者。又，稹为御史，多所举奏，不避权势，切齿者众，恐自今无人肯为陛下当官执法，疾恶绳愆，有大奸猾，陛下无从得知。'上不听。"（以上见《通鉴》卷二三八）此事的是非是非常明显的，但这时的宦官仇士良、刘士元则一直为宪宗所信用，故虽有三位学士上言，都不管用。白居易的上疏，见《白居易集笺校》卷五九《论元稹第三状》，即李绛、崔群都已分别上奏，白居易这是第三次，文中言："昨李绛、崔群等再已奏闻，至今未蒙宣报。"他一再申称："今中官有罪，未闻处置；御史无过，却先贬官。"元稹贬出的那一天，正好白居易在宫中值班返归，在路上相遇，就一直送他，走了一天，他又要至宫中值班，只好托其弟继续送他。为元稹此次之贬，白居易写了不少思别抒感之诗。

此外，白居易等还曾对方镇与宦官的勾结提出意见。如元和四年（809）四月，山南东道节度使裴均因有宦官之助，向宫中进银器千五百余两，白居易力加劝阻，而"上不听"（《通鉴》卷二三八）。类似情况还有好几起。这些对白居易造成一种极为抑郁的心态，而且逐步萌发后退的念头，如他于元和十二、十三年间在江州写有一诗，说元和前期与元稹同在长安时，已"同蓄休退之心"，诗中有"常于荣显日,已约林泉期"之句①。再过几年,长庆二年(822)在任杭州刺史时,又进一步道出在院中的矛盾心境:"昔虽居近密,终日多忧惕。有诗不敢吟,有酒不敢吃。"②

白居易在学士院中值班,其心情是越来越淡漠的。如《答马侍御见赠》,中云:"谬入金门侍玉除,烦君问我意何如。蟠木讵堪明主用,笼禽徒与故人疏。"③有时他与另一学士钱徽同值夜班,冬夜深寒,真是"夜深草诏罢,霜月凄凛凛"④。有时单独一个人值班,更使得"心绪万端","独宿相思",不禁深深怀念远地的挚友元稹:"三五夜中新月色,二千里外故人心","五声宫漏初明后,一点宵灯欲灭时"⑤。

元和六年(811)四月,他因母丧丁忧,退居京郊下邽乡村,回顾在翰林学士任期:"中年忝班列,备见朝廷事。作客诚已难,为臣尤不易。况予方且介,举动多忤累。"⑥他已感到正因力求尽职,就触犯人。在这之后,特别是元和十年(815)贬江州之后,更引起他对五年间翰林学士生活的反思,终于得出出人意料而又合乎情理的结论。元和十年之贬,表面看来,是宰相武元衡被盗所杀,他第一个上疏要求追查此案,被指责为越位(时白居易任左赞

①《白居易集笺校》卷七《昔与微之在朝日同蓄休退之心迨今十年沦落老大追寻前约且结后期》。
②同上卷八《咏怀》。
③同上卷一四。
④同上卷五《冬夜与钱员外同直禁中》。
⑤同上卷一四《八月十五日夜禁中独直对月亿元九》、《禁中夜作书与元九》。
⑥同上卷六《适意二首》。

善大夫,确为闲职),而其祸根实始植于翰林学士任期。他于贬江州后的第二年,即元和十一年,在《与杨虞卿书》中,他说"始得罪于人也,窃自知矣"。这是因为"当其在近职时,自惟贱陋,非次宠擢",就积极上言,"不识时之至讳","直奏密启"。这样一来,"握兵于外者,以仆洁慎不受赂而憎;秉权于内者,以仆介独不附己而忌;其余附丽之者,恶仆独异,又信猜猜吠声,惟恐中伤之不获"。由此得出结论:"以此得罪,可不悲乎!"①所谓握兵于外,就是地方方镇,所谓秉权于内,就是宫中宦官,他认为他自己之贬出就是因为得罪了他们。我于1993年在为戴伟华先生《唐方镇文职僚佐考》所作的序中,曾谓:"翰林学士,那是接近于朝政核心的一部分,他们宠荣有加,但随之而来的则是险境丛生,不时有降职、贬谪,甚至丧生的遭遇。他们的人数虽然不多,但看看这一类知识分子,几经奋斗,历尽艰辛,得以升高位,享殊荣,而一旦败亡,则丧身破家。"②这是八九年前说的话,现在具体研索唐翰林学士这一群体,更可以体认到,白居易所谓"可不悲乎",就是中国古代封建文人,积极参政,秉公直言,虽能享有盛誉,但往往却因此而成为政治斗争的牺牲品。

三

宪、穆两朝,翰林学士的文学创作,以及与其他文人的交往,

---

① 《白居易集笺校》卷四四。
② 戴伟华《唐方镇文职僚佐考》,天津古籍出版社,1994年1月。

很值得探讨。限于篇幅,这里不能铺开来谈,以后有机会,当可另文详述,现扼要作概括的介绍。

白居易在翰学期间,与当时的著名诗人元稹、李绅、张籍都有诗歌唱酬。尤可贵的是,刘禹锡因参预永贞新政而作为"八司马"之一被贬为朗州(今湖南常德)司马,白居易在任翰林学士时,不顾忌讳,竟寄给他一百篇诗,使刘禹锡十分感动,作诗答之,云:"吟君遗我百篇诗,使我独坐形神驰。"在偏远的贬所,这使他满怀春意:"玉琴清夜人不语,琪树春朝风正吹。"①刘、白二人早年并无交往,其诗作交酬当在刘禹锡这一艰难境遇时开始的。大家知道,唐代的翰林学士,地位虽高,但管制很严,尤其是不能泄漏宫中机密,不能随便与人交往。如前面提到过的韩愈《释言》一文,韩愈记他于元和元年(806)六月自江陵法曹返朝为国子博士,曾拜见刚由翰林学士升为宰相的郑絪,郑絪对他说:"吾见子某诗,吾时在翰林,职亲而地禁,不敢相闻。"②这是指德宗时,郑絪在那时任翰林学士有十余年,连向人索诗看都不敢。这可能与郑絪个人过于畏慎有关,但这种情况也是当时风气。如同是"八司马"之一的柳宗元,于元和四年(809)在贬所永州给京中李建写信,这时李建已离开翰林学士职,他曾有信给柳宗元,表示慰问。柳宗元一面表示感谢,一面还是自述艰苦之状,望京中友人为之申诉。可以注意的是,他在信中提到另外几个人,说也已有信给他们,请他们互相阅看,然后说:"敦诗在近地,简人事,今不能致书,足下

---

① 《翰林白二十二学士见寄诗一百篇因以答贶》,《刘禹锡集笺证》外集卷一。
② 《韩昌黎文集校注》卷二。

默以此书见之。"①敦诗即崔群,这时正在学士院任职,柳宗元因自己是贬谪之臣,就说不敢与他写信。按柳宗元与崔群早期是颇有交往的,贞元中期,他与崔群同在长安任秘书省校书郎,有一次崔群赴洛阳探亲,柳宗元与友人饯送他,并特地为其作序,说他与崔群"忘言相视,默与道合"②。有如此交谊,柳宗元一旦处于贬谪之地,竟不敢与友人写信,可见当时翰林学士禁忌之风。

不过翰林学士与文人的交往,还是不少的,这里拟举一些例子:(一)卫次公于贞元时曾与崔邠同官渭南尉,都作有诗,元和三年(808)秋,卫次公在翰林学士任,二人又重游,并将旧诗刻石,这时同在长安供职,以文著称的权德舆特为之作序③。(二)张仲素、段文昌于元和十一年(816)八月入院后,杨巨源有诗《张郎中段员外初直翰林报寄长句》,称誉为"秋空如练瑞云明,天上人间莫问程"④。(三)蒋防于长庆元年(821)十一月入院,同月二十八日赐绯,王建有《和蒋学士新授章服》诗,朱庆余同时又有上蒋防、李绅诗⑤。(四)韦处厚于元和十一年(816)九月因事出为开州(今重庆开县)刺史,曾与诗人张籍有交往,张籍有《答开州韦使君寄车前子》诗,有云"惭愧使君怜病眼,三千里外寄闲人"⑥。韦处

①《柳宗元集》卷三〇《与李翰林建书》,中华书局 1978 年点校本。
②同上卷二二《送崔群序》。
③权德舆《崔吏部王兵部同任渭南县尉日宿天长寺上方唱和诗序》,《全唐文》卷四九〇。
④《全唐诗》卷三三三。
⑤分别见《全唐诗》卷三〇〇、五一四。
⑥《张司业诗集》卷六,又见《全唐诗》卷三八六。

厚在开州曾作有《盛山十二诗》,五言绝句诗十二首①。长庆二年(822),他任翰林侍讲学士,在长安,遂以此诗赠韩愈,韩愈特为作《韦侍讲盛山十二诗序》,说"于时应而和者凡十人",并称"于是《盛山十二诗》与其和者大行于时,联为大卷,家有之焉"②。他所提及的唱和诗人有白居易、元稹、温造等,其实另外还有,如张籍就有《和韦开州盛山十二首》(见《全唐诗》卷三八六)。由此可见翰林学士与文人的交游,对促进中唐的诗歌唱和风气及诗人群体的形成,都有不可忽视的作用。

这里还应一提的是,白居易、元稹等所起草的诏书,对当时文体改革颇有示范意义。按元稹于元和十五年(820)五月以祠部郎中知制诰,起草中书省文书,第二年长庆元年(821)二月又任翰林学士。这时白居易也在朝中任中书舍人。他极称颂元稹草拟的制诰,"文格高古,始变俗体"③。后白居易在为元稹所作的墓志铭中,更明确地说:"制诰,王言也,近代相沿,多失于巧俗。自公下笔,俗一变至于雅,三变至于典谟,时谓得人。"④元稹在为其制诰所作的序中,也提出应变革当时流行文体的弊病:"近世以科试取士文章,司言者苟务刓饰,不根事实。升之者美溢于词,而不知所以美之之谓;黜之者罪溢于纸,而不知所以罪之之来。而又拘

①《全唐诗》卷四七九。
②《韩昌黎文集校注》卷四。
③《白居易集笺校》卷二三《余思未尽加为六韵重寄微之》,有句云:"制从长庆辞高古。"
④《白居易集笺校》卷七〇。

以属对,蹈以圆方,类之于赋判者流。"①这应当说是中唐兴起的古文运动对官方文书诏令等从文体至内容创新变革的一种促进。白居易与元稹所撰的制诰,是翰林学士中保存下来最多的,很值得作进一步考索。

翰林学士除起草诏令外,还做有不少事。如元和十一年(816)令狐楚遵宪宗之旨编一部诗选《御览诗》,选大历至贞元初之诗,是当代人编当代诗的代表之作②。段文昌于元和十三年(818)奉宪宗之命,在韩愈之后,重新撰写一篇《平淮西碑》,引起不少争议。特别是白居易于元和前期所作的《新乐府》、《秦中吟》,前些年对所谓新乐府运动及白居易的作诗宗旨曾有争论,这些争论虽各有所见,但大都忽略白居易如何从翰林学士的职能出发,来创作"时闻得至尊"的这些反映民情国政类似于奏议性的诗篇。总之,宪、穆两朝翰林学士,其著述的种类极多,涉及面极广,很值得作进一步探讨,这对我们具体了解那一时期的社会风气、文人生活、创作心态、文体变革,等等,能提供一种新的视角,出现新的情景。

原载《文史》2002年第3辑,此据大象出版社2004年版《唐宋文史论丛及其他》录入

①元稹《制诰自序》,《全唐文》卷六五三。
②参傅璇琮编撰《唐人选唐诗新编》,陕西人民教育出版社,1996年7月。

葛振家《崔溥〈漂海录〉评注》序

　　距今五百多年前,明弘治元年(1488),朝鲜一位中层官员崔溥(号锦南),于闰正月初因事奉差出外,在海上乘船,不幸遭暴风袭击,偕同船四十二人从朝鲜济州岛漂至中国浙江台州府临海县地。最初被疑为倭寇,后经层层审查,排除嫌疑,即受到中国官员和平民的良好接待,遂由浙东走陆路至杭州,由杭州走水路,沿运河经扬州、天津等地至北京,再由北京走陆路至鸭绿江,返回故国。在中国停留四个半月,回国后用汉文叙写这一南北经历,约五万余字,名《漂海录》。

　　此书在古代朝鲜受到极大的重视。从 1571 年起,至 1896 年,先后印行过五个版次。而日本早在 1769 年(即清乾隆三十四年),就将此书译成日文,名为《唐土行程记》。美国则于 20 世纪 60 年代中期译成英文出版:《锦南漂海录译注》。作为近邻的中国,又是这部书所记的本土,却长时期鲜为人所知,这是很可惜的。

　　值得庆幸的是,对朝鲜半岛历史文化深有研究的北京大学教授葛振家先生,于 1990 年从高丽大学读到完整的《漂海录》,就着手进行比勘点注,于 1992 年出版《崔溥漂海录》点评本(社会科学文献出版社)。近十年来,葛先生又继续对此书进行探讨,撰有《〈崔溥漂海录〉初探》、《〈崔溥漂海录〉学术价值再探》、《〈崔溥漂海录〉价值再探析》等专题论文,受到学界的关切和重视。在深层研究的基础上,葛先生又对原著加以修订,既广搜资料,充实注释,又增补评介文章,将文献整理与理论研究密切结合,起名为《崔溥〈漂海录〉评注》,为我们现在研讨国外汉字文化古籍提供一个值得注意的范本。

葛振家先生于 2002 年上半年将这部新著的出版事宜与我商讨,我即向线装书局联系。遵照"展示中华精品,弘扬传统文化"的宗旨,线装书局近几年来出版了不少颇有学术价值、艺术价值和版本价值的古籍,海内外颇有影响。线装书局在听到我的介绍后,立即决定接受出版,而且很快列入排印进程。我深感我们出版界,面对当前市场经济的新形势,确实需要有一种坚持先进文化的意识和广泛传播文化精品的理念。

对于《漂海录》,葛振家先生在几篇论文中作了全面的探讨,并有准确的概括,认为此书涉及明朝弘治初年的政治、军事、经济、文化、交通以及市井风情等方面的情况,对于研究我国明代的海防、政制、司法、运河、城市、地志、民俗及两国关系等,提供亲身经历、耳闻目见的第一手资料,极有参证价值。这次我应葛先生之约为这部著作写序,通阅了全书和葛先生的几篇论文,深有所得。葛先生对此书的论述,我就不再重复,我想借此谈谈自己的两点读后感。

一是崔溥有深厚的汉文化素养。他每到一地,就马上与该地的文化名人联系起来。如到浙江绍兴，望见兰亭，就说这是书法家王羲之临水宴会之地；绍兴西南有贺家湖，就说这是唐代诗人贺知章的旧地；当人们提到绍兴南边的剡溪，就马上说这是东晋书法家王子献夜访名士戴逵所经过的溪流。后过嘉兴，乘船自城南过杉青闸，就说原来是唐代名相陆贽故里。接着，渡长江北上，经过淮安府码头，城门外有一漂母祠，其北又有"胯下桥"，就说这是韩信早年"寄食受辱之地"。这种富有情感的记叙不少，使人感受到我们华夏文化的深厚内涵，以及与东亚邻国的亲切交流。

二是崔溥有极其精细的地理观念。书中所记南北行程，不仅一一历叙经过的城市，而且还具体记载城市之间的乡镇，并涉及更小的地名，如桥、铺、门、堰等。这不但是已有的国外人所著中国纪行如日本圆仁《入唐求法巡礼行记》、意大利马可·波罗《东方见闻录》所未曾有的，就是我们中国古代一些游记作品，也是极少有记如此细小地名的。如行程开始的浙东之行，从奉化赴宁波，将近到达宁波府时，就记有："又过虚白观、金钟铺、南渡铺，至广济桥"，后又有所谓进士里、文秀乡、连山驿，都很有诗意。由宁波往慈溪，又记有新清桥、进士乡、石将军庙、景安铺、继锦乡、开禧桥，等等。我是宁波籍人，20世纪90年代，我任中华书局总编辑期间，宁波市和鄞县分别纂修《宁波市志》、《鄞县县志》，在中华书局出版，我并作为学术顾问，参预审稿。我除了阅看这两部新编地方志外，还因查核唐宋文学家事略，翻阅过宋元以后的四明方志，这些书中所记宁波附近的地名，还没有如《漂海录》所记如此具体、精细。限于篇幅，我这里只能举浙东几个例子，实际上书中所记行程，由杭州水路北上，地名更多。由于历史变迁，这些地名恐怕现在已大多不存，这就更如文物遗存，对于我们现在考察各地的地理沿革，是极为难得的资源。

使人更感兴趣、更有启发的，是葛振家先生《崔溥〈漂海录〉探析之三》一文所记述的，朝鲜人于中国明清两代曾定期出使中国，并多撰有见闻录。这些见闻录当时多以手写本传世，一部分由后人刻印刊行，有些则可能收入著者文集。葛先生的《探析之三》文中据日本学者中村荣孝《事大纪行》所记，朝鲜人这些所谓"朝天录"、"燕行录"等文体之作，传世的有一百余种。这些书一般都记录自鸭绿江登岸至北京以及回程，不如崔溥《漂海录》范围广、路程远，但那些书所记，也有其特色。如许篈《朝天记》记述明万历二年，入山海关至北京沿途景物、城池、人物与各地官衙，特别提到严嵩"南宫奏议"等。又如洪大容《燕记》，记清乾隆三十年，出使来中国，在北京期间，同中国士大夫及各阶层人士交往，去钦天监观象台参观，还同当时西方的传教士探讨天文学知识。葛先生在文中特别提出："朝鲜朝对中国的记述，无论数量上类型上，无论深度上广度上，不仅超过前代，而且远超其他任何国家。"这确给我们提供极为难得的信息，可为我们研究明清社会风貌及中外文化交流开阔视野。

20世纪90年代初，我与中国社会科学院文学研究所研究员周发祥先生共同主编一套书，名为"中国古典文学走向世界丛书"，陆续由江苏教育出版社出版。我们在这套丛书的总序中曾提到："近几百年来，特别是本世纪以来，东西方学者对中国文化固有精神和价值的探索，实际上可以说是两种或两种以上不同文化的互相认识和补充。这也构成了近代世界史上文化交流的丰富繁复的图像。"我希望，以葛振家先生这部《崔溥〈漂海录〉评注》为起点，把朝鲜朝时所记述的有关中国记行的材料作系统的整理，并与中国的有关记载比勘，作综合性的研索，这将会使人如盛唐诗人王湾所写的诗句那样，有"潮平两岸阔，风正一帆悬"的开拓之感。

2002 年 9 月

原载线装书局 2002 年版《崔溥〈漂海录〉评注》，此据大象出版社 2008 年版《学林清话》录入，另收入《中国图书评论》2003 年第 3 期（题为：堪与马可波罗游记比美的佳作——谈古朝鲜人崔溥《漂海录》）、大象出版社 2004 年版《唐宋文史论丛及其他》、北方文艺出版社 2008 年版《书林漫笔》（题为：文化交流一范例——葛振家《崔溥〈漂海录〉评注》序）

四库本《毛奇龄合集》序

　　毛奇龄,一名甡,字大可,又字初晴、秋晴,浙江萧山人。他生于明天启三年(1623)。四岁时,他的母亲就教他儒家经典四书中的《大学》,他马上背得出来。又少善词赋,兼工度曲,得到著名文学家陈子龙的赏识,"奇爱之,遂补诸生"(《清史稿》卷四八一本传)。崇祯十七年(1644),清军攻进北京,明亡,毛奇龄本于家国之念,"哭于学宫三日"。顺治三年(1646),清军下江南,毛奇龄曾于当地参加毛有伦的抗清义军,后兵败,为躲避仇人陷害,改名王士方,流浪江淮间。后得赦还乡,捐赀为廪监生。康熙十八年(1679),荐举应博学鸿儒试,列二等,授官翰林院检讨,入史馆,参与修纂《明史》。康熙二十五年(1686),称病南归,从此就居住于杭州,一心向学,从事著述。康熙五十二年(1713),卒于家,年九十一。《清史列传》卷六八,《清史稿》卷四八一,都立有专传。又乾隆时全祖望撰有《萧山毛检讨别传》(《鲒埼亭集》外编卷一二)。

　　毛奇龄在清初,可以说继黄宗羲之后,俨然为浙学盟主。且不仅限于浙江,在当时整个学术发展上,由宋明理学向考据实学转变,毛奇龄起过相当大的作用。嘉庆时著名学者阮元在督学两浙时,为《西河合集》作序,曾明确提出:"国朝经学盛兴,检讨首出于东林、蕺山空文讲学之余,以经学自任,大声疾呼,而一时之实学顿起。"(《揅经室二集》卷七《毛西河检讨全集后序》)这可以说是代表乾嘉学派的共识,也是对毛奇龄学术业绩的公正评论。

毛奇龄治学的特点,首先是涉及面广,著作量富。清乾隆时修《四库全书》,将其所著书正式收入四库的,有二十八种,列入存目的,有三十五种,共六十三种。这可以说是个人著作著录于《四库全书总目》中,毛奇龄为第一位。当时总纂修官纪昀(晓岚),在《四库全书总目提要》中就说:"奇龄著述之富,甲于近代。"(卷一七三集部别集类《西河文集》提要)。《清史列传》谓,毛奇龄卒后,其门人蒋枢曾编辑其遗集,分经集、文集两部,经集自《仲氏易》以下凡五十种,文集合诗、赋、序、记及其他杂著,凡二百三十四卷。毛奇龄治经学,主要集中于《周易》,著有《仲氏易》、《推易始末》、《河图洛书原舛编》、《太极图说遗议》、《易韵》、《易小帖》、《春秋占巫书》等。在清初《易》学诸家中,其著述数量之多,恐未有出毛奇龄之上的。而他也并不限于专治一经,其经学著作,自《易》、《书》、《诗》、《礼》、《春秋》,至《论语》、《孟子》、《孝经》、《大学》、《中庸》以及音韵、乐律,无不涉猎。

实际上根据《四库全书总目》所著录的,毛奇龄除经学外还有不少书值得我们注意。如《越语肯綮录》一卷,"皆记其乡之方言";《萧山县志刊误》三卷,对当时新修萧山县志有所刊正;《湘湖水利志》三卷,据《四库提要》,"萧山湘湖为一邑水利所资"。这都可以看出毛奇龄对家乡故土人文环境的关注。又如史部地理类,《蛮司合志》十五卷,记湖广、贵州、四川、云南、两广等"明代土司始末",是他于康熙十八年后在史馆"修史时所余之稿";子部谱录类有《观石后录》一卷,"记客福建时所得寿山诸石,一一详其形色",这些都可见出其视野之开阔。集部类,除诗文外,还注意于文学批评,有诗话八卷,词话二卷。《四库总目提要》谓自宋以来撰诗话者多,撰词话者少,因此特为录入。收入四库的词话著作,明代只《渚山堂词话》一种,清代前期只毛奇龄《词话》和徐釚《词苑丛谈》两种。而其《西河诗话》八卷所论述的又不限于诗歌,多涉及音乐、舞蹈、名物、风俗,以及宫闱秘事、山川胜迹;且因其深通音律,书中对隋唐之际诗、词、乐的错综关系,有不少精辟的见解。近代著名学者王国维论清学,曾将清初学术归纳为一个"大"字,说:"国初之学大,乾嘉之学精。"(《观堂集林》卷二三《沈乙庵先生七十寿序》)毛奇龄著述之繁富,治学面之广阔,确可与顾炎武、黄宗羲、王夫之等学术大师并列,体现王国维所说"大"的学术品位。

毛奇龄治学的第二特点,可以说是力破旧说,多创新见。他研究经学的一个立足点,就是对既往经说予以重新甄别。他对历代经说几乎达到全部否定的程度,"谓自汉迄今,从来误解者十居其九;自汉迄今,从来不解者十居其一"(《西河合集·与朱鹿田孝廉论论孟书》)。这种大胆的否定传统之见,在封建社会是极难得的。

尤可注意的是他对朱熹的批判。朱熹是宋代大儒,他对儒家著作,有自己的见解,其所代表的宋学,在历史上也有一定的进步性。但自元明以来,朱熹的理学被定为官方之学,其《四书集注》

定为士人科举考试的范本,朱熹所表的宋学遂成为束缚人们思想的桎梏,也阻碍学术思想的发展。毛奇龄在这种情况下,把攻击的矛头指向朱熹,如全祖望所说,其"最切齿者宋人,宋人之中所最切齿者为朱子"(见《萧山毛检讨别传》)。毛奇龄集中指摘朱熹的《四书集注》,特别撰有《四书改错》一书,把朱熹此书之误归纳为三十二类,尖锐地指出:"《四书》无一不错。"如此激烈、大胆的言论,真如清代中期学者凌廷堪所说,"如医家之大黄,实有立起沉疴之效,为斯世不可无者"(《校礼堂文集》卷二五《与阮中丞论克己书》)。毛奇龄曾从多方面指责朱熹的理学,如对朱熹的"格物"说,理欲论等,都有明确的批评。

值得提出的是,毛奇龄在力破旧说的同时,确还多有新见。他在评论朱熹的"格物"说时,阐明一种"本末"问题,说"格物以修身为本,而修身又以诚意为本"(《西河合集·大学知本图说》),而"诚意首功全在去自私自利之意"(同上书,《四书剩言》卷四)。他又从"重事功"出发,批评宋学"尚浮词",而所谓"重事功",则主要是"以民物为怀,以家国、天下为己任"(同上书,《圣门释非录》卷四)。至于治国,则应着重于治事、治人,治事要"敬事",治人要"爱人","爱人则人无不治"(同上卷一)。他认为"理万民"是治国的"大节",而包括士、农、工、商的四民中,毛奇龄特别强调"商亦民也",并认为不应该重农抑商,"重士、农、工而抑商,多为损末,而实于本无所益"(《西河合集·萧山令郑侯生日序》)。这一见解可以说是冲破传统观念的束缚,在当时很有进步意义,对现在也有一定的借鉴、参考价值。

当然,过去对毛奇龄也多有所责议,以为他好于标新立异,负气求新,恃才傲物,目无一切。全祖望《萧山毛检讨别传》特别指出他的诸多错误及立身不当之处。纪昀《四库全书总目提要》也好几处提及:"好为驳辩以求胜,凡他人所已言者,必力反其辞";"好立异议,而颠舛乖谬"。但纪昀仍认为:"偏僻者固多,而精核者亦复不少";"其书虽好为异说,而征引详博,亦不无补于考证,瑕瑜互见,在读者择之而已"。这样的评论还是较为通情合理的。即以他所批驳阎若璩《古文尚书疏证》的《伪古文尚书冤词》而论,阎若璩的著作在当时确有价值,曾被推为一代考据学开创大师,毛奇龄执意与之为难,力辩古文《尚书》并不伪,被后人认为"强与争胜"。但我们现在可注意的有两点,一是如钱穆《中国近三百年学术史》第六章所考析的,阎若璩撰成部分初稿后,见到毛奇龄《冤词》一书,觉得有理,就将已撰成的部分论述删去。可见毛奇龄不是完全无据,对阎若璩修订其书起过积极作用。二是根据近一二十年来出土文物与考古论著,有认为古文《尚书》不一定就是伪书,还应再作甄别,阎若璩的说法不一定就是历史定论。由此则可见毛奇龄所言,如《四库提要》所说,"其持论则不能谓之不正也"。

我的专业是搞古典文学研究的,但因长期在中华书局工作,90 年代时任中华书局总编辑,并兼任国家古籍整理出版规划小组秘书长,治学的面就稍广一些,对清代学术发展课题也有一定的兴趣。这次应萧山政协文史委与杭州出版社之邀,为这部四库全书本《毛奇龄合集》作序,曾通阅《四库全书总目》所著录的毛奇龄全部著作提要,以及现当代有关毛奇龄研究的论著,更感到现在重印毛奇龄的书,确有必要。现由杭州萧山区政协文史委提议并筹划,萧山区政府批准并支持,从《四库全书》及《总目提要》中编纂、印行《毛奇龄合集》,确有识见。不过,毛奇龄有些著作只列入存目,不收入四库,而这些书仍有其学术价值。我希望以后有机会仍把这部分书辑集起来,编纂出版,使我们今天得见毛氏著作的全貌,这对于弘扬萧山的历史文化,以及对毛奇龄学术作全面、深入的研究,都是有好处的。谨序。

2002 年中秋之夜,北京

原载杭州出版社 2003 年版四库本《毛奇龄合集》,此据大象出版社 2008 年版《学林清话》录入,另收入大象出版社 2004 年版《唐宋文史论丛及其他》

《〈红楼梦〉人物姓名之谜》序

　　本书作者翟胜健教授是我大学时期同窗好友。我们于1951年秋考入北京清华大学中文系,第二年秋,因当时进行院系调整,我们又一起转入北京大学。胜健学兄于1955年毕业后,先留在北京,后至内蒙古大学执教,80年代初又回至北京,仍在北京几所大学从事教学工作。在繁忙的教学与行政工作之余,依然孜孜于读书与写作,出版过几部著作。1997年由北京大学出版社出版他的《曹雪芹文艺思想新探》,嘱我写一序。我在那篇小序的结尾有所表示:"他的研究定会在已有的高度上继续下去,我与别的同学好友一道,热切地盼望读到他的第二、第三部新著。"现在,他的有关《红楼梦》的新著——《〈红楼梦〉人物姓名之谜》,将在台湾著名的学海出版社出版。此时我正好应台湾大学哲学系之邀,住在台北,学海出版社社长李善馨先生就把原稿和校样拿来,要我审阅一次校样,同时执意要再写一序言。胜健学兄既已应我们的厚望写出新著,善馨先生又是我的同行老友,我虽然对《红楼梦》缺乏研究,但仍欣然应命,遵循执笔。

　　我在《曹雪芹文艺思想新探》序言中,曾对这部书的写作特点表达过这样两点意思：一、著者是真正进入到曹雪芹这部巨著的胜境中去的，他对于小说中人物、情节等细节熟悉的程度，真使人吃惊，而他又不满足于细节，能从各种细节中抓住要环，给人提示其中的要义；二、《红楼梦》是一部中国封建社会晚期的百科全书，正因如此，研究者就应具备丰厚的历史文化修养，这样就能真正领略曹雪芹作为一代巨人的博古通今的造诣，胜健学兄在这方面真正发挥了他长时期积累所达到的知识面广阔的特长。这次我通读了这部对人物姓名之谜的极为别致的探讨著作后，深感我上面所说的两点，仍然保留下来，而在具体探索中更有新的发挥，真有一种陶渊明所说的"时还读我书"的挚望，让人渴望重读《红楼梦》，以获取新的美感。

曹雪芹和《红楼梦》的研究，确是我们20世纪中国古典文学界的一个热点。这是好事，但有时也会出现使人担心的负面现象。今年9月6日，上海《文汇读书周报》曾有一篇报道，华东师范大学中文系主任陈大康教授曾对近半世纪以来古典文学研究论文做过数理统计，得出这样一个结论：这五十年来，明清小说作家作品研究论文中，近90%都集中于七部名著，而几乎每两篇论文中就有一篇是论述《红楼梦》的，关于《红楼梦》的论文，多达8700余篇。因此陈教授提出，当前古典文学研究存在着内容的高密度重复与格局的严重失衡。当然，这主要是根据大陆方面的统计，但根据我所了解，台湾有关《红楼梦》的论著也不少。

面对这种情况，我们一方面可以通过评论，加以分析探讨，提出改正的办法；另一方面，也是更重要的是正面拿出成果，树立能真正体现学术正常发展的标格。我觉得，胜健学兄的这部新著，对建树健康的学风是颇值得我们思考和借鉴的。

现在,不仅是红学,还兴起曹学,对《红楼梦》和曹雪芹,几乎是面面俱到,有些论著一出来,稍一翻阅,沿用现在习用的套语,真是"耳熟能详",实无新意。现在本书从《红楼梦》人物的姓名着意,探索其起名的含义,并联系曹雪芹的基本创作原则与艺术表现手法,读来使人耳目一新,视野开拓。过去有关《红楼梦》中人物姓名的含义,也有人作过解释,但一是不多,二是不确。现在本书举出二十几个人的姓名,对其姓名之谜作具体考索,这在红学史上还是少见的。

本书还有一个特点,也使我极为钦佩的,是著者对所考人的姓名不作当前流行的一种泛论或所谓"后现代化"的新论,而是执意于我们华夏文化的一种学术传统。这就是先从字义的诂释着手,遵循过去前辈学者陈垣先生所倡导的史源学,从最早的字义训诂考起,然后按文字的形、音、义作历史沿变的阐述。而其引书之多,也使人惊异,就本书的第一篇《薛宝钗姓名新解》来说,所引用的书,从《诗经》及郑玄等传笺起,然后是《山海经》《尔雅》《本草纲目》,直至清初曹寅的《楝亭书目》,有十好几种。而关于空空道人姓名之谜的采索,所引书之多,其类之广,则更骇异。以史部来说,有《史记》的《乐毅传》《留侯世家》《封禅书》,《汉书》的《京房传》《王莽传》,《宋书·蛮夷传》,《南史·沈约传》,《宋史·吴元宬传》;哲学类方面,有《老子》《论语》《庄子》《抱朴子》,以及佛教、道教等书;还有宋人叶梦得《避暑录话》,清人袁枚《随园诗话》,更不用说小学类的字书,如许慎《说文解字》、刘熙《释名》等。我觉得,这才是做学问的正途。而正因如此,才能发前人所未发,纠前人之疏误。如书中《薛蟠的含义是"蟠龙"吗》一文,纠正过去流行的把"蟠"读成 pán 误作龙解,提出应读为 fān,是一种寄生虫,这就与小说中所描写的薛蟠的言谈举止、性格特征相合。这看起来似是一个小点,实际上是涉及研究的大局,很值得我们思索的。

由于我对《红楼梦》没有什么研究,因此不敢多说。我仍想用陶渊明的两句诗来作这篇小序的结语:"奇文共欣赏,疑义相与析。"

2002 年 11 月,于台北市长兴街台湾大学教授宿舍区

原载台北学海出版社 2003 年版《〈红楼梦〉人物姓名之谜》,此据大象出版社 2015 年版《书林清话》录入,另收入北京联合出版公司 2013 年版《濡沫集》

"近五十年来台湾地区中国古代文学研究概况"正在编撰中

2002年10月初,我应台湾大学哲学系之邀,作为期三个月的学术访问,同时应台湾国科会人文学研究中心之约,聘为客座研究员,参与该中心的一些学术课题的讨论。该中心有一项目与文学有关,故与我有所商议。我觉得这一项目较有学术意义,因此就我现在所了解的,略作一些介绍。

这一课题名为"中国文学研究成果",就是以台湾学界自1945年以来的五十余年有关中国文学研究作为探讨对象,除搜辑相关资料外,主要是归纳、分析其主要的研究趋向,发掘其中应予重视的学术见解,在总结、回顾的基础上,对今后提出展望。

这种类似学术回顾性的工作,台湾学者前些年也做过不少,并得到首肯和重视。如谢佩芬《欧阳修研究论著目录初编》,衣若芬《台湾苏轼研究论著目录1949—1999》,沈明得《近三十年来台湾地区对〈左传〉研究概况》,简宗梧《1991—1995年中外赋学研究述评》,陈成文《近五十年(1949—1997)台湾地区唐赋研究概况》,王学玲《五十年(1949—1998)来台湾赋学研究论著总目》

等。在古典文献方面，台湾也编过若干丛书类总集，如《元人珍本文集汇刊》、《历代画家诗文集》、《善本戏曲丛刊》、《中国古典小说新刊》；也编有目录、索引类的书，如《中外六朝文学研究文献目录》、《唐代文学论著集目》、《词学论著总目》、《台湾出版中国文学史书目提要》、《敦煌学研究论著书目》、《中国戏曲总目汇编》，等等。应该说，这些著作都是很实在、很有用的，但从总的方面来看，其对象还是单一著作、单一类别，就总体性回顾、总结五十余年来台湾学界在中国古代文学研究上所作出的努力和成果，以及存在的问题和不足，这种具体的目录、索引类著作，还是不够的。因此学术界提出这一概括性的成果综述，应当说是学术本身的发展要求。这也应当说是台湾学人对华夏文化的情结，体现对中国传统文明的向往。

这一课题共有十种，其中与古代文学研究有关的有散文、骈文（包括楚辞、赋）、诗、词曲、小说、戏剧、民间文学、文学批评、文献研究等。这些专题加起来，其涵盖面是相当广的，可囊括中国古代文学研究的全部。而且其中有些还分得很细。每一种又分两部分，前面为正文，即概述、探析，字数不多，约 8 万字，但要求写得准确、精要；后附代表性论著提要及目录索引（字数不限）。

该项目的资料搜集范围是相当广的，除已出版的专书，报刊上的论文，还包括各大学历年的博士学位论文、硕士学位论文。台湾的这些学位论文，不管是否出版，只要经过专家评议、通过，就是已得社会认同的学术成果，一般有代表性的大学，如台湾大学、台湾师范大学、清华大学，以及一些综合性的图书馆，都有各科博、硕士学位论文收编,以备查阅。这种做法,我觉得是值得我们参考的。

这一课题由资深学术前辈、原政治大学中文系罗宗涛教授主持,人文学研究中心主任林正弘教授起总的协调作用。各专题分别由台北等地的大学教授撰写,如散文撰写者为台湾大学何寄澎教授,诗撰写者为淡江大学陈文华教授等。这一工程于2000年下半年启动,预计于2002年12月完成。据罗宗涛先生介绍,台北的商务印书馆愿意接受出版,并可能与北京的商务印书馆国际公司合作,在大陆出版简体字本。

由此我联想到大陆的一个类似选题,即由福建人民出版社策划,北京几位学者合作主持的"20世纪中国人文学科研究史丛书"(已列入新闻出版总署"十五"期间重点图书),其中文学专辑由我主编,历史学专辑由中国社科院历史所所长陈祖武主编,哲学专辑由北京大学哲学系教授楼宇烈主编,考古学专辑由中国社科院考古所研究员杨泓主编。这套书旨在综述20世纪百年的学术进程。文学专辑中涉及中国古典文学或文献研究的课题有诗学研究(安徽大学中文系余恕诚教授)、词学研究(清华大学中文系刘石教授)、散文研究(郑州大学中文系陈飞教授)、小说研究(福建师范大学中文系齐裕焜教授)、戏剧研究(上海戏剧学院叶长海教授)、古文献研究(中国社会大学张大可教授)等,每一专题的字数约为30万左右,计划于今后两年内陆续撰成、出版。我在该中心于11月3日召开的成果报告座谈会上介绍了这一选题的情况,台湾学者对此也很感兴趣。当我说,大陆是每一专题30万字,而台湾的却只8万字,是否太少?

与会者一致认为,他们的项目只限于台湾地区,8 万字应当够。
这样说,大家都很愉悦。

原载《古籍整理出版情况简报》2002 年第 12 期,此据大象出版社 2004 年版《唐宋文史论丛及其他》录入

《黄庭坚和江西诗派资料汇编》重印后记

《黄庭坚和江西诗派资料汇编》，我于1962年编成，随即由中华书局排校，于1964年夏付型。但由于当时政治环境的影响，涉及对黄庭坚的评价，又一次把黄庭坚与江西诗派贬得极低，编辑部有所顾虑，就把出书日期压了下来。这样经过十年的"文革"动乱，至1978年8月，才正式出版，耽搁了十四五年。现在中华书局从整体考虑，重新印行《古典文学研究资料汇编》，我所编的原《黄庭坚和江西诗派卷》《杨万里范成大卷》也列入此次重印计划。这两部书是我于1960年至1962年辑集的，那时还不到30岁。在那几年中，我尚不顾所遭受的政治压力，仍然潜心于中华书局图书馆、北京图书馆的古书堆中，编出了这两部共约90万字的资料书，得到学术界的首肯，这对于我是最大的欣慰。因为我总以为，我们做学问的，不管是理论探讨，或者是资料考索，一要求真，二要创新，力求出原创性的作品，这样才能真正在历史上站得住脚。

这套《古典文学研究资料汇编》，是中华书局于20世纪60年代前期开始陆续出版的，至现在已出了20余种。我觉得这是中华书局一个极有长远意义的学术构思。每一种书，凡作家生平事迹的记述,作品的评论,作品本事的考证,版本流传的著录,文字、典故的诠释,包括各种不同甚至互有争议的意见,都尽可能加以辑集。这样做,一方面可以省却研究者翻检之劳,另一方面,更为重要的,是为作家作品的研究史提供系统的材料。这是一种高水平的古籍整理,也是文学研究的基础性工程。

这一选题,一开始我就参与。现在中华书局知道的人恐已很少,我想借此介绍有关情况,也可为中华书局提供值得研索的史料。

中国社会科学院文学研究所的前辈学者陈友琴先生,是20世纪50年代著名的白居易研究专家。他在撰写白居易的研究论著以外,辑集自唐至清有关白居易的评论、记述资料,于1958年在科学出版社出版《白居易诗评述汇编》一书。此后他又有所修订、补充,准备出一新版,但当时因出版社分工关系,科学出版社不再出版这方面的书,陈先生就于1959年与中华书局联系。当时中华书局古典文学编辑室主任为徐调孚先生。徐先生于新中国成立前长期在上海开明书店工作,既是编辑名家,又是文学专家,曾为王国维《人间词话》作过校注,又翻译过《木偶奇遇记》,都是传诵的名作。徐先生很有器识,马上就同意接受陈友琴先生的书,并叫我作为责任编辑来加以审读、加工。我是1958年3月由北京大学中文系转至商务印书馆,同年7月又因商务、中华分工,移调至中华书局,在徐调孚先生直接指导下工作。这时正好宋诗研究专家孔凡礼先生受到陈友琴先生的启发,也编有一部《陆游评述资料汇编》。他先于1959年8月到文学研究所拜访陈先生,后由陈先生推荐,介绍给中华书局。当时中华书局在东总布胡同十号，几个编辑室环绕一个小院子，都是平房，是一个很为雅致的四合院。孔凡礼先生今年已八十高寿，当时还不到40岁。他进入院子，跨进文学室，与徐先生及当时任总编室主任的俞筱尧同志联系。我当时也在室内，对他的亢直言谈印象很深。

徐调孚先生接到此稿后，也转给我阅看。这时正好另有一位陆游研究者齐治平先生也向中华书局提交同类的书稿。我经过比较，认为孔凡礼先生所辑的资料较为翔实，编排也较合理，但齐治平先生的书稿也有孔先生所未及的。我就向徐调孚先生提出，因都是资料稿，可以合为一书，共同署名，而以孔先生之稿为主。徐调孚先生也就将合并的工作交我做，并叫我以"编者"的名义写一篇"前言"。将两稿合在一起，须互相比较，去其重复，并查阅时代先后，工作量是很大的，等于重编。但正因此，我倒熟悉了陆游的资料，很快就于1960年1月将"前言"写出，并送交孔凡礼先生复审。

2002年为中华书局成立90周年，孔凡礼先生特为此写了两篇纪念文章，一为《我和中华书局因陆游结缘》（编入《我与中华书局》，2002年5月出版）。孔先生详细记述这一过程，其中特别提到了我起草的"前言"，有云："我看了这篇文章，不禁拍案叫好。这篇文章给我解了围，帮了大忙。后来才知道，这篇文章出自傅璇琮先生之手。在我写这篇回忆文字的时候，重温了这篇文章，和40年前一样，赞叹不已。这篇文章经住了时间的考验。"孔先生的赞誉之辞，我读了当然很感激。由此我也重读了这篇"前言"，心中难免有不可解之情，觉得我那时不过二十七八岁，年纪还轻，且对陆游并无研究，倒能有勇气写出这篇文字，如果现在要我来执笔,是绝对写不出来的。

　　陈友琴先生、孔凡礼先生的书是差不多同时交给中华书局的,这倒给我们一个很大的启示。因我是责任编辑,通阅全稿,引发我的思考。我向领导提议,由中华书局搞一套《中国古典文学作家研究资料汇编》,作为一套丛书,而把陈先生的书标为《白居易卷》,孔、齐两先生的书标为《陆游卷》。中华书局领导多方征求意见,经过认真考虑,同意这一方案,于是这套书就展开来做。“文革”之前,60年代前期,相继出版有《陶渊明卷》《柳宗元卷》《韩愈卷》,我自己于工作之余编纂《黄庭坚和江西诗派卷》《杨万里范成大卷》。1958年后,王国维先生次子王仲闻先生,也受错误的政治冲击,被误列为“右派”“国民党反动分子”,并被原单位开除。当时中华书局领导是注重人才的,不顾这些政治情况,却把王仲闻先生招来。王先生先为《全宋词》作订补,大大提高了《全宋词》的质量。1960年后,金竹槐(后改名金涛)、曾伟强两位年轻同志从北大中文系研究生毕业过来,在王仲闻先生《全宋词》订补工作大体完成后,经文学编辑室商议,就由编辑室自己动手,作李白、杜甫资料汇编,由王仲闻先生主持,金、曾两位具体看书、辑录,其他编辑也有时介入。此书署名为“华文轩”编,是徐调孚先生与我们商议确定的,意为“中华书局文学编辑室”。“文轩”谐音为“文学”,这是徐调孚先生的浙江口音。正如王仲闻先生于1958、1959年为中华书局校订《全唐诗》,后由我起草写一前言,徐调孚先生于前言后署名为“王全”,“王”指王仲闻,“全”谐音我姓名的第二个字“璇”,他按南方口音把“璇”读为“全”的。

我写这一篇后记是想说明，一个编辑，是可以从来稿中引发思考的，我们应该从出版社发展的长远前景来考虑，同时也当蕴含学术胸怀，编辑要有学者化的抱负和气质。过去常常把编辑工作比喻为"为他人作嫁衣裳"，我长期做编辑工作，认为这句话并不全面。编辑固然要认真阅稿、加工，提高书稿质量，这是我们的本职。但我们一边阅读，一边还能学到不少东西，有时还会有意想不到的收获。我曾说过，我就从孔凡礼先生的《陆游卷》获得一条难得的材料，因而撰写一文，即刊发于《文史》第一辑的《高明的卒年》（1962年中华书局出版），署名湛之。《陆游卷》中有清人陆时化《吴越所见书画录》卷一高明、余尧臣《题〈晨起〉诗卷》两文。《晨起》是陆游之诗，孔先生是作为后人将对此诗的评议资料收入的，但我在阅读过程中却注意到高明（则诚）这篇文章是过去有关其诗文辑集的材料中未曾见到的，这也算是对其佚文的补辑。尤其是余尧臣的一篇，其中说高明作这篇题记为元至正十三年，"越六年"即病逝于明州（今浙江宁波）。我由此考出高明的卒年在元至正十九年（1359）。这离明朝建国即洪武元年（1368）还有九年，而过去的记载，从明代的《南词叙录》《留青日札》《闲中古今录》，至现代人著作，包括一些文学史，都说这位《琵琶记》的作者曾应明太祖朱元璋之召征修元史，后以老病辞归。这篇文章刊出后引起学界的注意，曾有异议，但后来逐渐得到认可，浙江大学徐朔方先生与中山大学黄仕忠先生都赞成此说，并进一步补充了论据。我不是专门研究戏曲的，但高则诚卒年的新证应当说是这些年来戏曲研究的一个收获，而就我来说却得之于编辑的阅稿。这就是说，为他人作嫁衣裳，自己并非一无所得，而且有时所得还可能超

过这所"嫁"之"衣"。由此可见,这套《古典文学研究资料汇编》,
对我们来说,裨益是多方面的。

2003 年 1 月

原载中华书局 2003 年重印版《黄庭坚和江西诗派资料汇编》,此据东北大学出版社 2015 年版《中国当代名家学术精品文库·傅璇琮卷》录入,另收入《中国编辑》2003 年第 2 期(题为:作嫁之外收获多)、首都师范大学出版社 2010 年版北京社科名家文库《治学清历》

胡可先《政治兴变与唐诗演化》序

　　我与胡可先同志的学术交往,自 20 世纪 80 年代中期即已开始。那时由我创议,编撰《唐才子传校笺》,就笺证方面说,要求做到:一、探索材料出处,二、纠正史实错误,三、补考原书未备的重要事迹。这实际上是对唐代近四百位诗人的生平就史料方面作一次系统清理与考索,难度是相当大的。因此我就邀约近二十位学者各以其专长,分工合作。当时吴汝煜先生主要分担第五卷即中唐部分作家的笺证,而这一卷中,有十几位作家是胡可先同志与吴汝煜先生合撰的。后来吴汝煜先生由中唐作家的笺证,进而作《唐五代人交往诗索引》与《全唐诗人名考》,胡可先同志都是参与的,我也应邀为两书写了序。那时可先同志还是二十余岁的年轻学人,吴汝煜先生已赞誉有"冷静的头脑、谨严的治学态度和谦逊的美德"(《杜牧研究丛稿》序)。90 年代后期,可先同志又师从浙江大学中文系吴熊和教授攻读博士学位,其学位论文《永贞革新与中唐后期文学研究》,我于 1999 年四五月间曾应邀作过评阅。获得博士学位后又至南京师范大学中国语言文学博士后流动站,在郁贤皓教授指导下继续从事科研工作。可先同志近二十年来的学术经历,有两点给我印象很深:一是他的几位恩师吴汝煜先生、吴熊和先生、郁贤皓先生,都是我的挚友,他们可以说都是恂达君子,厚实而又求新;二是可先同志在随从这几位师长时,还参预他们的科研项目,如近几年来在浙大作有宋词的考证,在南京师大为郁贤皓先生补作《唐九卿考》,这既是教学相长,又是一种学术奉献,是很值得一提的。

正因为此,胡可先同志于2003年元月下旬将其所著《政治兴变与唐诗演化》寄给我,约我写序,我遂于壬午、癸未年交替之际,亦即岁末岁初,通阅全稿。我这篇短序,不拟像书评那样作全面性的通论,只想谈谈我的读后感,作一种学术上的切磋交流。

可先同志此书,着重于阐述唐代的政治兴变,如何影响于诗歌创作的演化。这与前两年出版的《中唐政治与文学——以永贞革新为研究中心》(安徽大学出版社),思路是一致的,但涉及面更广,上起武则天时,沿及盛唐时期的王维、李白、杜甫,后又重点探讨杜牧、李商隐与晚唐诗风。我觉得这里涉及当前古代文学研究的一种倾向,可以引起注意。

作者在《刘禹锡〈阿娇怨〉诗旁证》一文中,明确提出:"近来,笔者致力于研究唐代政治事件与文学的关系。"书中一再强调:进步的政治改革往往对文学发展具有积极的推动作用,而恐怖的政治事件则全面扭曲文人的心态。《甘露之变与晚唐文学》一文,又提出:"近年来,古典文学研究,往往回避政治,而追求纯学术。"

这些,都值得我们思考。20世纪五六十年代,尤其是"文革"时期,单一的政治标准确限制人们的视野,桎梏人们的思路。那时把一切文学作品、文学现象,都按照阶级斗争的标准来衡量。

这种情况，学术界已有论述，不必再作细论。而且80年代以来，我们古典文学研究，一方面着重于基本史料与文献的系统整理与探讨，另一方面更重要的是研究思路的拓展，研究领域的扩大，出现不少优秀成果。但在这其间，确也有一种情况，就是把政治与文学的关系转向另一极端，把各种文学现象归结为人性化，把社会政治环境视为可有可无。

我可能受传统观念的影响较深，我总是以为，中国文学的发展，是离不开每一历史时期的社会政治环境的。唐代文学，在总体上，是一种政治性十分强的文学，没有一个有代表性的作家是远离社会环境的。这也是唐代文学的一个特征。文学不仅受政治演变的影响，而且作家的创作与思想还往往表现其对政治和社会的真切关注。中唐时翰林学士、古文家梁肃就提出："道德仁义，非文不明；礼乐刑政，非文不立。"（《常州刺史独孤及集后序》）同时期权德舆说："文之为也，上以端教化，下以通讽谕。"（《梓州刺史权公文集序》）稍后白居易更要求文学之士"为君、为臣、为民、为物、为事而作，不为文而作"（《新乐府序》），使文学直接作用于国家政治生活。唐代如此，我们还可举宋代一个例子。过去往往单一地把宋代说成崇文的朝代，认为文人生活安定，社会地位提高，文化远超前代，实际上宋代接连不断的党争环境使文学发展屡遭挫折。譬如北宋后期徽宗时，就曾正式下令，将苏轼、黄庭坚、张耒、秦观等文集印板，"悉行焚毁"（《续通鉴长编纪事本末》卷一二一《禁元祐党人》上）；后来大观时，更不许人作诗，官绅、文士及学生之间，如"以诗赋私相传习"，就命"御史台弹劾"（《宋会要辑稿·选举》四之七）。把已经印行的作家文集，销毁其板刻，又不许人作诗传诗，这是历史上极少见的，这就带来北宋末期文学相当一个时期的荒落。

当然，我们强调政治与文学的关系，并不是要回复到 20 世纪五六十年代教条主义式的狭隘观念。政治对文学的影响，并不限于具体的政治事件，同时，它是从多方面来造成一个时代的社会风气，从而影响文人的生活方式、心理状态和创作风气。胡可先同志在这部著作中好几处提及士风与文风，认为士风的变化与社会环境的变化密切相关，而造成社会环境变化的主要因素是政治的动荡变化。他正是由此出发，在论元和体时，认为"士风和文风变化很大，这是元和体产生的社会文化渊源与背景"。《唐代联句诗略论》在述及大历时期吴越地区联句诗之所以兴盛，就提出，安史之乱后吴越地区相对安定，为联句诗的繁荣提供某种社会基础，而这一时期文人心态的变化又直接形成这一地域联句诗的特色。可见胡可先同志在强调政治与文学的关系时，是注意到政治作用的文化涵义，而又具体深入分析文学本身的发展动向。

我觉得，可先同志研究思路还可注意的，正如其"后记"中所说，他多年来研究唐代文史，"撰写学术论文，都是从史料考据入手的"。他既注意到宏观的历史文化学的层面，同时又极力主张以史证诗，以诗证史，史诗互证。正因如此，书中好几篇文章，多能发前人所未发，如对刘禹锡《阿娇怨》诗政治内涵的探索，对前盛唐时吴富体特征的论述，对唐人选唐诗中李白诗流传接受历程的分析，都很有新见，而这些如果没有史料基础，是既不能摸索出这些有学术意义的选题，也无法考察出文学演变的实际内容的。

我有一个想法，即我认为，现在有些人之所以主张文学研究要远离政治,追求所谓纯艺术,以及其他种种奇谈异论,一是想以此炫耀新奇,二是因未能下苦功夫,只能以繁辞绮语来掩饰其弱点虚势。可先同志在书中流露出一种忧思,认为当前"急功近利导致了文化界的庸俗","学术著作的庸俗化,学者的世俗化,已随处可见";古典文学研究逐渐形成趋时之风(《论〈李白与杜甫〉的历史政治内涵》)。这点我也有同感。2002 年 10 月至 2003 年 1 月上旬,我在台湾几所大学讲学,作学术访问,台湾一些学者,如台湾大学资深学者、唐代学会前理事长罗联添教授,与我谈起,也对台湾学风有所忧虑。我曾读到过台湾的一本学术著作,其中有句话很精彩,说:"时尚已成了基础研究最具杀伤力的敌人。"很有识见。目前"时尚"不仅是商品宣传的时髦词语,而且已是某些文化产品的追求标格。

当然,居安思危,是应该有的,但我想我们还不至于杞人忧天。中华文明是有其宝贵传统的,正气发扬总是我们文化发展的主流。因读可先同志此书,鄙人更有对古代文学研究开拓创新、扎实前进的信心。

2003 年 2 月 2 日(癸未年正月初二),北京。

原载中国社会科学出版社 2003 年版《政治兴变与唐诗演化》,此据大象出版社 2008 年版《学林清话》录入,另收入大象出版社 2004 年版《唐宋文史论丛及其他》

中国韵文学构建的突破性进展

——评蒋长栋教授的《中国韵文学概论》

　　蒋长栋教授的新著《中国韵文学概论》，系湖南省社科规划1996年立项资助课题"中国古代韵文学研究"及2001年立项资助课题"中国韵文质素传播接受史与中国韵文学之构建"两项课题的研究成果，已于2002年12月由岳麓书社出版。我最近通阅全书，认为此书在当前中国韵文学研究上有突破性的进展，颇有学术价值，应受到必要的关注和重视。

　　《中国韵文学概论》紧扣湖南省社科规划两课题的研究宗旨，其重点在于将"中国韵文学"构建成一门独立的及具有科学规范的学科。中国韵文，按传统分类，包含有诗、词、曲、赋等文体，既历史久远，又作家、作品众多，历来研究成果丰硕，但以往大多着重于分类分体的个别论述。1984年于长沙成立中国韵文学会时，曾有好几位学者提出学科建设的建议。当时我作为中国韵文学会副会长，曾为《中国韵文学刊》撰写《发刊词》，也提到应"建立具有学科意义的韵文学"，并云："中国韵文学会和《中国韵文学刊》必须回答这样的问题：究竟有没有中国的韵文学？中国的韵文学应当怎样建立?"但十多年来,中国韵文学的总体研究,仍进展不大。

蒋长栋教授的《中国韵文学概论》,首先明确提出"中国韵文学"学科建设的必要性,而其重点内容,也即其学术意义,是提出中国韵文学学科思想构建的突破口,这就是以"情"为中心的内容质素研究及以"韵"为中心的艺术质素研究。由这一突破口,进而探索中国韵文学学科思想体系的基本构架,即一方面具体阐述韵文内容质素如何包含情志内容、人格意识、题材选择、思维方式等,艺术质素如何包含音韵格律、章句结构、表达方式、文体特征等,另一方面又从宏观着眼,探讨内容质素、艺术质素的发展演变及横向联系,并在此基础上进而提出可由此构建更高层次的"分体形态学"与"文体演变学"。这就为"中国韵文学"的学科思想体系构建出了一个完整的框架,既可促进中国韵文的总体研究,又可使其各子项学科能有更深入的探索。这一兼具宏观与微观、动态与静态等多种研究优势的韵文学学科构思,发前人之所未发,在当前中国韵文学研究上可以说是首创的。

由这一总体构思出发,全书又具体就内容体系、艺术体系、体貌性格、体用价值等方面,加以系统论述。这些论述有两大特点:一是按我国历史上各具特色的时代,如分先秦、汉魏六朝、唐宋、元明清,结合经济、政治、文化等社会背景,作历史纵向的考索;二是又以"用韵"等诸多艺术方面的特点,对各种韵文文体进行横向的艺术比较分析。在较为系统而又具体进行纵横两向研究和论述的基础上,从民族性格与时代价值的角度,探讨中国韵文学研究的当代价值,这样,整个研究就能沟通古今,体现传统文化的现代建设之意义。

综上所述,我认为蒋长栋教授的《中国韵文学概论》一著,已达到科学规范要求,有学术创新意义,是一本值得一读的好书。

原载《中国文学研究》2003 年第 4 期,据以录入;另刊 2004
年 1 月 9 日《湖南日报》(题为:沟通古今说韵文——评《中
国韵文学概论》),文字较简略

《宋诗纪事补正》疏失举正

钱锺书先生所著《宋诗纪事补正》出版于 2003 年 1 月（辽宁人民出版社、辽海出版社）。杨绛先生在书前序言中谓，钱先生于20 世纪 40 年代末期即对《宋诗纪事》边看边批，并有题辞云："采撷虽广，讹误亦多。归安陆氏《补遗》，买菜求益，更不精审。披寻所及，随笔是正之。"钱先生还说："整缀董理，以俟异日。"后他长期在中国社科院文学所，请助手栾贵明同志为之核查、增补，自己也间校阅。这样，历经多年，这部三百三十余万字的大书终于出版，共十二厚册。此书在出版前即受到人们的关注，人们希望早日读到钱先生生前从未面世的著作。此书对《宋诗纪事》中"误收、误属、张冠李戴，以及文字错谬讹漏的情况"（凡例语）多有纠正，有些按语也体现钱先生的真知灼见。

但此书出版后，我们也曾听到不同的反响。今年 6 月 15 日，上海文汇报于"学林"专版刊载《对〈宋诗纪事补正〉的几点意见》一文，作者陈福康先生就书中的署名方式、凡例、诗的增补，以及小传撰写体例等，严正提出商榷甚至批评意见，并明确表示："我确实也发现了一些钱先生疏漏甚至搞错的地方。"不过陈福康先生主要仍以全书某些体例不妥提出意见,我们则抽出时间核对有关材料,发现书中按语、增补、校勘等确有疏失,特别是对宋诗的增补有明显讹误。除了不少宋代本朝诗作作者误属外,据目前发现,还有十几首非宋人之作。如将南朝著名诗人江淹《杂体三十首》中的诗句补于《宋诗纪事》中许洞名下;隋炀帝杨广《冬夜》诗二句,补入杨万里名下;杜甫《怀旧》诗中四句,补入林逋名下;杜甫在成都所作的《入奏行赠西山检察使窦侍御》诗中一句,辑入苏轼名下;元朝王恽《秋涧集》的《山中杂咏三十首》中四句,补为宋赵抃诗,并改题为《题词馆》;等等(此不列举,在文中将有考析)。

　　应当说,作于清乾隆前期的厉鹗《宋诗纪事》,在宋代诗人辑录及纪事、评论等方面,确甚有特色。清初有两部较具规模的宋诗辑集之作,即吴之振、吴自牧《宋诗钞》和曹庭栋《宋百家诗存》,《四库全书总目提要》认为"宋诗大略,已几备于此二书"。但《宋诗钞》所录只84家,《宋百家诗存》所录稍多,但也不过百家。而《宋诗纪事》,所录有3812人,这是自宋本朝以来所载诗人最多的。据厉鹗自序,他原是想仿效《唐诗纪事》而作的,所辑的人虽多,但重点仍放在纪事与评论,以便有助于"知人论世"。正因如此,《四库全书总目》将其与《唐诗纪事》均列于诗文评类(卷一九四),并不列于总集类。这是较有见地,也符合其内容的。而且厉书所辑,极受《四库全书》纂修学者的重视,据余嘉锡《四库全书提要辨证》,《四库提要》中对某些宋集的评议,往往暗中袭用厉鹗书中的材料(见寇准、魏野等集及《荆溪林下偶谈》等书提要辨证)。《四库提要》对《宋诗纪事》也有所指摘,谓"采摭既繁,抵牾不免",并举了好几个例子,但结论仍为:"考有宋一代之诗话者,终以是书为渊海，非胡仔诸家所能比较长短也。"应当说，厉鹗此书与晚清陆心源《宋诗纪事补遗》，是宋诗人纪事和宋诗评论资料辑录的一大进展之作。钱锺书先生于二十世纪五十年代中期编撰《宋诗选注》，在序言中就特提及厉、陆二书，说："没有他们的指出，我们的研究就要困难得多。不说别的，他们至少开出了一张宋代诗人详细名单，指示了无数探讨的线索，这就省掉我们不少心力。"这样的评议是公允的。

　　《宋诗纪事》有其历史地位和研究价值，但确实还存在不少问题。近二十年来，我国宋诗研究有很大进展，在作家考证与诗事辑集方面有不少成果。在此基础上，对厉书作全面的正补，确有必要。钱锺书先生着眼于此，确深有见识。我们现在要做的，就应仔细核查书中的材料并甄别纠正其误失，同时增补有实用价值的史料及有研究意义的作品，而不必如对待总集那样，尽量辑补其未收之诗。但使人遗憾的是，钱先生的这部《补正》，辑录的诗过多，特别是已有别集传世的，实无必要多补。又，此书中对厉书之正误，似未充分吸收近二十年来的研究成果。傅璇琮曾参与《全宋诗》的编纂工作，书前的《编纂说明》（1989 年 1 月）是傅起草撰写的，《说明》中有几处提及《宋诗纪事》讹误，如卷十一载曾易占《题洪州僧寺》，经查《能改斋漫录》，此诗实为蔡襄作；卷四曾会名下载《捣砧词》，注谓出自"吴氏《诗永》"，此吴氏（绮）为清人，实则此《捣砧词》已见于南宋龚明之《中吴纪闻》，著者应是龚明之曾祖龚宗元，非曾会；卷十一于谢伯初名下载"移家尚恐青山浅"二句，实则据司马光《续诗话》及其《传家集》，此诗应为司马光友人范景仁作。很可惜，这些明显的错误，钱先生在《补正》中都未提出。

本文拟分三节对《补正》一书所存在的问题加以考析，即：一、按语和补事的疏失；二、增补之诗多有误收；三、违例与重见、失校、迟出。全文共三万余字。如实说，我们这次还未核查全书，检阅的恐还不到三分之一。还应说的是，我们二人对钱锺书先生的人品与学问素所崇仰，我们是本着景仰和挚爱之情来撰写此文的。我们尊信中国传统的一句名言：学术乃天下之公器。著作，特别是名著，一经出版，就即面世，不能讳避其中的优劣得失。我们对学术著作，应对书不对人，树立健康、公正的学术风气，以便从整体上推进学术的发展。杨绛先生于 2001 年 4 月所作的序，最后说："如今经多方努力，《宋诗纪事补正》即将出版。锺书有知，必定会感到欣感的。"我们希望，有关的研究者对钱先生的这部著作再细加核实，以后有机会，出版社将这些正补材料辑集起来，作为此书的附件印出，这就更能显示书中钱先生的精博之见。我们坚信，这定能使钱锺书先生更为欣慰。

一、按语和补事的疏失

《补正》的按语体现了较高的学术价值，既有很多重要的发明，也为后人指示了无数探讨的线索。但我们发现，《补正》的按语也存在着一些问题，具体地说：

1. 有的按语有误断。如《宋诗纪事》卷五七据《诗人玉屑》辑录游次公(字子明)《渔父》一诗："竹里茅茨竹外溪，粼粼白石护渔矶。想应日日来垂钓,石上蓑衣不带归。"钱氏按语云:"此诗重见本书卷七一路得章《游寒岩钓矶》。所谓《诗人玉屑》未见属游氏,仅《千家诗》作游氏耳。"为了说明问题,我们不妨将四库本《诗人玉屑》卷一九的有关文字移录,并按钱氏的意见标点如下:"路德章《盱眙旅舍》诗:道傍草屋两三家,见客擂麻旋点茶。渐近中原语音好,不知淮水是天涯。《游寒岩钓矶》诗:竹里茅茨竹外溪,粼粼白石护渔矶。想应日日来垂钓,石上蓑衣不带归。"以上的标点好像并无不妥之处,据此厉鹗将《诗人玉屑》中的此诗断为游次公作似无任何理由,读者一定也以为钱氏批评得很对。然而,我们进一步查检文献,惊奇地发现宋末无名氏《诗家鼎脔》卷下收录此诗,题作"寒岩游公子明"《钓矶》诗。据此,我们重新判明《诗人玉屑》中的"游寒岩"原来是人名,即"寒岩游公","《游寒岩钓矶》诗"应改标为"游寒岩《钓矶》诗",宋《千家诗》卷二一、明李蘗《宋艺圃集》卷一四亦作游子明(次公)诗,看来还是厉鹗的眼光厉害。我们没有发现古籍中有将此诗归属为路德章的,将此诗断为路作乃是现代标点《诗人玉屑》者的"新发明"。《补正》卷七一还特意在路德章名下补出此诗,并声明厉氏归作游次公"疑误",究其原因是出自对《诗人玉屑》的误读所致。

再如第一册第 234 页李拱"犬眠花影地,牛牧雨声坡"句下按语云:"《锦绣万花谷前集》卷三《春门》引此联,作主属李堪。"我们复核四库本《锦绣万花谷前集》卷三,此句下并未署名,因下条为李堪,辑者遂将上条亦属之李堪,殊不知此书前集卷一三重复收录此条,注正作李拱。查此诗又见宋郭思《林泉高致》引录,亦作李拱。明唐顺之《稗编》卷八四误作"刘后村",《御定渊鉴类函》卷四三五又误作"李后村"。但不管怎么说，作"李堪"者无据。

又如第四册第 2014 页据《永乐大典》卷三五八〇辑录华镇《花村二首》，按语云："'夜宿'一联重见本书卷三十六唐庚《村》第二联。"查《补正》第六册第 2764 页，据《锦绣万花谷后集》卷二十六辑录唐庚《村》之"夜宿"一联，按语云："'夜宿'联见本书卷二十七华镇《花村二首》第一联。"按：这是连环误断的例子。查四库本《锦绣万花谷后集》卷二六，收录的"夜宿"一联注明"子西"，《补正》不慎误断为唐子西（唐庚），其实宋代还有一位著名诗人华岳字子西，《花村》两首正是华岳的作品，见《翠微南征录》卷一〇，由此也可判断《永乐大典》之华镇应为华岳之误题。

又如第三册第 1426 页据《后村千家诗》卷九辑录苏轼《牡丹诗》："绮席偏宜画，香雾独占春。洛阳荆棘久，谁是惜花人。"按语云："'荆棘'一语，不可武断为南宋人。"然而我们初读此诗后两句，觉得内中透溢出无限的荆棘铜驼之痛，似应是南宋人的作品，《后村千家诗》可能误题了作者。为此我们作了一番考查，发现南宋初人洪适《盘洲文集》卷八收有此诗，而今传《盘洲文集》出毛晋汲古阁藏宋刻影写本，四库馆臣称之为"古本之仅存者"，比较可信。这就说明我们的阅读感受能得到文献的印证，而钱先生之"不可武断为南宋人"一说有误导后人之嫌，反倒令人难以接受。

又如第八册第 3767 页据《永乐大典》卷二九五二"神"字韵辑录陆游《绝句七首》，按语云："'己巳'颇与陆氏年代不合，正如此诗标作'十二首'而实仅七首一样。《剑南诗稿》卷四既有'癸巳'嘉川祈雨转霈之载，可证此诗情状不可尽知。文史之打通互证，只能攀活,不宜泥死,存实务本,本源之道。"这里,"文史之打通互证"云云,实在是钱氏治学的经验之谈,弥足珍贵,但前提是材料必须真实钱氏既然已经指出此诗小序中的年代颇与陆氏年代不合,却还拿陆游"'癸巳'嘉川祈雨转霡之载"作证,教读者作"攀活"理解,来平息心中疑窦,这是不可取的。据我们的查证,此组诗并非陆游所作,而是宋末牟巘所作的《绝句七首》,见《牟氏陵阳集》卷七,仅个别字有异文。

又如第十册第 4815 页有卢梅坡,其"梅须逊雪三分白,雪却输梅一段香"的诗句脍炙人口,然而历来均无人能道其生平,《全宋诗》也无传。《补正》按语云:"本书卷六十六有卢钺,字仲威,永福人,疑梅坡其号也。"这样的按语仅仅只是疑似之词,没有切实解决问题。对此我们试着进行了进一步的查考。检《后村千家诗》收录有卢梅坡的诗作,据李更、陈新《分门纂类唐宋时贤千家诗选校证》的考证,该书大约成于 1255—1270 年之间。又卢梅坡与艮泉徐子苍有交,徐子苍又与陈著(1214—1297)有交,陈著《本堂集》卷四四《跋徐子苍徽池行程历》云:"艮泉徐子苍以《徽池行程诗编》示于宣城道上。……艮斋拟寄卢梅坡之诗。"据此,卢梅坡当为晚宋人。陆文圭《墙东类稿》卷六《送唐子华序》云:"壬申、癸酉,余始弱冠,习《春秋》,受学于梅坡卢公。……卢寓苏台,晚归闽。"壬申、癸酉即宋度宗咸淳八、九年(1272—1273),此时卢梅坡还在世,而且知道他"寓苏台,晚归闽"的行踪。我们考查到的卢梅坡事迹比《补正》要确定多了。

此外,《补正》有的按语偶见有因粗心而致误的。如第二册第 568 页厉鹗据《瀛奎律髓》辑录詹中正句:"吟余妓散杯中酒,归去蝶随头上花。"按语云："《瀛奎律髓》中未见此句。"按，此句实见四库本《瀛奎律髓》卷二三方回按语中。

2. 有的按语尚欠完整，有待补充。如第一册第 411 页据《后村千家诗》卷一一辑录杨亿《柳噪竹》，按语仅云："此诗'何堪'联重见卷十一余靖。"按，此诗又见宋庠《文宪集》卷六，应补。又第二册第 683 页《全芳备祖前集》卷一七辑录魏野《蔷薇》诗四句，《补正》指出此诗又见于王义山《稼村乐府》中。按，此又作韩琦《锦被堆二阕》之一，见《安阳集》卷五，《补正》失之。又第三册第 1109 页据《锦绣万花谷续集》卷九、《舆地纪胜》卷三八辑录刘敞《出长芦口》一诗，有按语云："《全芳备祖后集》卷十二《萍门》引此诗后联，属作主刘贡父。"刘贡父即刘敞，那么现存刘敞集中是否收有此诗，读者不能无疑。查刘敞《彭城集》卷一八，确收有《出长芦口》一诗，这为确定该诗的作主提供了一个重要依据，惜《补正》未能补出。

3. 有的按语虽然不能说有错，但探索不够深入。如第七册第 3612 页据《西湖游览志余》卷二四辑录杨万里《山茶》诗，按语云："此诗重见本书卷二十四陶弼。清人曾将此诗辑入《朱子文集大全类编·诗集补遗》，不知何据，亦疑有误。"钱氏怀疑清人题作朱熹诗有误，但未能给出具体理由。按，此诗早见于《古今事文类聚后集》卷三二，列在朱熹《栀子花》之下，未署名，后人遂误解为朱熹作，明彭大翼《山堂肆考》卷二〇〇、曹学佺《石仓历代诗选》卷一八二均题作朱熹。弄清楚了题名朱熹的来龙去脉，就为否定朱熹说提供了有力的依据。另如第九册第 4535 页据《西湖游览志余》卷五辑叶梦鼎《拟农夫诗联》："但存方寸地，留予子孙耕。"按语云:"此联见《全唐诗》卷七百九十五贺公。贺公名下有注云:'石晋兵部。'"这样的按语有欠深入。查《后山集》卷一七《贺水部传》、《增修诗话总龟》卷一九引《王直方诗话》、《齐乘》卷六等记载,贺公名充,琅玡人,宋真宗大中祥符元年封禅泰山时,谒于道左,自称仙人。与之相联系,第4553页据《西湖游览志余》卷五辑录马廷鸾《拟渔翁诗联》:"夜静水寒鱼不食,满船空载月明归。"按语仅云:"其事参见本书卷六五叶梦鼎《拟农夫诗联》。"前条按语还指出了原作主贺公,此条按语则更疏于考证,其实这两句诗出自唐代船子和尚,见《五灯会元》卷五、《诗话总龟》卷四〇等。

厉辑以纪事名书,强调选录有关的"评论"、"本事"以利于"知人论世",但实际上用意却在以诗存人,而以采录事实为辅。"补事"是钱氏《补正》的重要组成部分,内容主要也是采录本事,增益对诗人的一些评论文字。

《补正》收录的纪事本身有错误但辑者未加考证。如第十册第3133页据《爱日斋丛钞》卷三辑录胡铨《失题》诗,并引录该书的简短评论。按,此诗实非胡铨作,乃是胡铨友人王廷珪《夜读韩文公猛虎行》诗,相应地本事亦应改为岳珂《桯史》卷一二《王卢溪送胡忠简》条。

《补正》所录有的本事还有不同说法,但却未予采录。如第一册第200页据《事文类聚前集》卷四六《年齿门》辑录王禹偁句:"蜘蛛虽巧不如蚕。"并录王禹偁本事一则。按,一说此乃翰林梁(一作王)状元灏之事,详见宋吕希哲《吕氏杂记》卷下,《渊鉴类函》卷二七七引《稗史》同之。《钦定四库全书考证》卷五三《子部·吕氏杂记》云："翰林王状元灏卯角时，毕相士安令其属对，曰：鹦鹉能言争似凤。灏应声曰：蜘蛛虽巧不如蚕。案蔡绦《西清诗话》、邵伯温《闻见前录》皆以此为王禹偁事，盖传闻之异也。"惜《补正》未加按语予以说明。

《补正》"纪事"所引用的文献有时出处太迟。如第二册第1069页据《永乐大典》卷八二三"诗"字韵辑录王珪《挽慈圣光献皇后》句："谁知老臣泪，曾泣见珠襦。"并录纪事一则。按，此则纪事原出宋王得臣《麈史》卷二，完全不必从《永乐大典》转引。

《补正》的纪事也有失考的，如第三册第1107页刘敞《壶公祠大树诗》下，据《永乐大典》卷一四五三七引录《壶公大树记》一则，既未指出此文的作者，所录文字中"置灵欹"一句亦不可解。查此文实为刘敞本人的作品，见四库本《公是集》卷三六，"置灵欹"作"冥灵欹"，甚是。四库本《公是集》多辑录自《永乐大典》，《补正》辑自《永乐大典》亦无不可，但没有查出此文的原作者，有所疏忽。

《补正》所收的诗歌，有的有事可纪，但《补正》或缺失，或不全，有不少补充的余地。如第一册第234页据《锦绣万花谷前集》卷一四辑录李拱句两联。按，据《诗话总龟》卷五、《诗人玉屑》卷一一引《翰府名谈》，作方谔诗，有纪事一则，清吴景旭《历代诗话》卷五一又有所发挥，均可补录。第二册第1069页据《永乐大典》卷八二三辑录王珪《挽慈圣光献皇后》句，并录纪事一则。按，叶梦得《石林燕语》卷九亦有一则纪事云："神宗天性至孝，事慈圣光献太后尤谨。升遐之夕，禹玉为相入慰，执手号恸。因引至敛所，发视御容，左右皆感绝。将敛，复召侍臣观入梓宫物。亲举一玉椀及玉弦，曰：'此太后常所御也。'又恸，几欲仆。禹玉为挽辞云:谁知老臣泪,曾及见珠襦。又云:朱弦湘水急,玉椀汉陵深。皆纪实也。"拟补。

二、层出不穷的误收

　　"纪事"一体的一个重要功能是网罗散佚,《宋诗纪事》是如此,陆心源、孔凡礼的续辑更是如此。我们发现钱氏《补正》的重点也是在补诗,但又不太守厉氏规矩。揣摩《补正》的体例,凡是本集之外的群籍有题作某人的诗篇、诗联、诗句,多予收录。如发现有误题,则加以考证,指出其真正作者,这样做能起到存目的作用,使后人辑佚时少走弯路,其好处是显而易见的。然而宋代诗歌数量浩繁,在缺少先进检索手段的情况下,仅靠手工方式操作,即使浩博如钱氏,也是无法完全避免失误的。钱氏及其助手补录的诗数量很大,但在整部著作中问题也最多。翻看全书,采录最多的是《全芳备祖》、《海录碎事》、《锦绣万花谷》、《永乐大典》等类书,几乎有见必采,然而这种类书大多不属于《补正》凡例所宣称的"可靠著作",《补正》大量征引,往往不作考证,这样做实在难逃"买菜求益,更不精审"之讥,从而大大降低了《补正》的学术价值。《补正》于苏轼《寄汝阴少师》条下按语指出:"此类舛误,所见多有,不当一语断论,阻隔深究。"(见第1429页)我们赞赏这种审慎的态度,但至少总应指出舛误的具体情形吧。

　　《补正》采撷既多,属于误收而未加考证的诗篇为数不少。有误收宋以前人诗作的,如第八册第3740页据《永乐大典》卷二三四七"乌"字韵辑录杨方《合欢诗》："尔根深且固，余根浅且洿。移植艮无期，叹息将何如。"按，此乃晋人杨方《合欢诗》中的结尾四句，见《艺文类聚》卷八九，唯"余根"作"余宅"，"艮"作"良"、"何如"作"如何"。又如第二册第690页据《锦绣万花谷前集》卷二十六《哀挽门》辑录林逋《失题》诗："老罢知明镜，悲来望白云。自从失词伯，无复更论文。"复核四库本原书，此四句诗下实未署名，因下条是林逋，故《补正》归入林逋名下。按，此乃杜甫《怀旧》五律的后半首，见《九家集注杜诗》卷二四、《杜诗详注》卷一四等。《补正》也有误收宋以后诗人之作的。如第二册第781页据《永乐大典》卷一一三一三"馆"字韵辑录赵抃《题词馆》诗，按此乃元人王恽《贺东泉翁山中杂咏一十三首·坟馆》诗，见《秋涧集》卷三三。

　　《补正》更多的是误收本朝人的诗作。兹将我们已经查获的误收情况列表如下：

《补正》页码（册/页）	《补正》所列作者和诗篇（首句）	《补正》依据文献	重见的作者及篇名	文献依据
2/773	韩琦《次韵翁监再来馆中》（归老江湖久自盟）	《永乐大典》卷11313"馆"字韵	韩驹《次韵翁监再来馆中》（有异文）	《陵阳集》卷3
2/780	赵抃《上赵少师》（义高德厚贤在躬）	《永乐大典》卷918"师"字韵	徐积《上赵少师》（题下有长序）	《积孝集》卷1
2/906	李师中《中隐岩》（坎止流行但信缘）	《永乐大典》卷9765"岩"字韵	吕愿中《假守睢阳吕愿中……》（题如小序，文繁不录）	《两宋名贤小集》卷152、《抚松集》、《桂胜》卷3、《粤西诗载》卷22

《补正》页码（册/页）	《补正》所列作者和诗篇（首句）	《补正》依据文献	重见的作者及篇名	文献依据
3/1163	陈舜俞《圆通行》（庐山之西形势聚）	《永乐大典》卷6699"江"字韵	郭祥正《圆通行简慎禅师》	《青山集》卷2
3/1369	梅尧臣《鸡冠花》（秋至天地闭）	《全芳备祖前集》卷7（按：四库本作卷26，未署名。唯清《渊鉴类函》卷407、《佩文斋咏物诗选》卷367作梅尧臣诗。）	刘敞《鸡冠花》（《广群芳谱》卷26作无名氏）	《公是集》卷4
3/1387	曾巩《范饶州坐客语食河豚鱼》（春洲生荻芽）	《古今事文类聚后集》卷34	梅尧臣《范饶州坐客语食河豚鱼》	《宛陵集》卷五
3/1430	苏轼《秋日寄友人》（柳条风暖会吟诗）	《永乐大典》卷3005	张咏《秋日寄友人》	《乖崖集》卷5
3/1591	沈括《同行归急困倦不能诗》（行李放迟迟）	《永乐大典》卷896	陈藻《同行归急困倦不能诗》	《乐轩集》卷1
3/1592	沈括《将有远行走笔效江西体赠叔嘉》（我非无伴侣）	《永乐大典》卷8628	陈藻《将有远行走笔效江西体赠叔嘉》	《乐轩集》卷1
3/1593	沈括《读李翰林诗》（杜陵樽酒罕相逢）	《永乐大典》卷896	陈藻《读李翰林诗》	《乐轩集》卷1、《李太白集注》卷33、《宋百家诗存》卷19
3/1593	沈括《云庵觅诗》（百级危阶上翠峦）	《永乐大典》卷896	陈藻《云庵觅诗》	《乐轩集》卷1、《宋百家诗存》卷19

《补正》页码(册/页)	《补正》所列作者和诗篇(首句)	《补正》依据文献	重见的作者及篇名	文献依据
3/1593	沈括《书生海所寄诗后》(摇膝支颐体渐康)	《永乐大典》卷896	陈藻《书子海所寄诗后》	《乐轩集》卷3
3/1593	沈括《谢王尔瞻尔中惠诗》(兄弟初年事网山)	《永乐大典》卷896	陈藻《谢王尔瞻尔中惠诗》	《乐轩集》卷3
3/1593	沈括《诵少陵诗集》(麻鞋奔走杜陵翁)	《永乐大典》卷896	陈藻《诵少陵诗集》	《乐轩集》卷1
8/4218	高翥《清明》(一笠戴春雨)	《后村千家诗》卷3	戴复古《清明感伤》	《石屏诗集》卷2
10/4879	陈藻《别林黄中帅湖南》(清秋缓辔马如云)	《永乐大典》卷15139"帅"字韵	林亦之《别林黄中帅湖南》	《网山集》卷1
10/3133	胡铨《失题》(夜读文公猛虎诗)	《爱日斋丛钞》卷3	王廷珪《读韩文公猛虎行》	《卢溪文集》卷13

《补正》补录的有些诗表面上看是完整的,实际上却是别家诗歌的断篇。如第一册第 502 页《全芳备祖前集》卷十二辑录李迪《萍》诗,实乃李觏《盱江集》卷三十六《萍》五律中的后四句。第二册第 1070 页据《全芳备祖前集》卷七《海棠门》辑录王珪《海棠》诗,第三首六句:"摇摇墙头花,笑笑美颜色。荒凉众草间,露此红的皪。草木本无情,及时如自得。"复核四库本原书,本未署名,在王珪诗下,欧阳修之上,遂被《补正》看作是作者蒙前省,故断为王珪作,实际应是作者蒙后省,查此乃欧阳修《折刑部海棠戏

赠圣俞》二首之一的前半部分,惟"美"作"弄",见《文忠集》卷六。
第三册第 1113 页据《全芳备祖后集》卷二三《笋门》辑录刘敞
《笋》诗四句。按,此乃梅尧臣《韩持国遗洛笋》中的开头四句,见
《宛陵集》卷五二。《补正》收录的有的"完整"诗篇实际上是杂凑
而成的。如第二册第 956 页据《升庵诗话》卷四辑录苏舜钦《吴
江》诗:"月从洞庭来,光映寒湖凸。四顾无纤尘,鱼跃明镜里。"
按,此乃取梅尧臣《送裴如海宰如江》诗中的句子凑成,全诗见《宛
陵集》卷四九。与上诗割裂几句凑合成一诗相反,《补正》还有将
一首完整的诗拆分为句子的。如第六册第 2674 页据《锦绣万花
谷后集》卷二六《舟航门》辑录唐庚《舟航》两联:"蓬窗夜雨短长
梦,啼鸟唤人新旧愁"、"万里论文一樽酒,醉和明月上扁舟"。复
核四库本,这两联实际上是完整的一首诗,不知何故被分拆为两
联,当然我们考出这首诗并不是唐庚写的而是华岳写的。

　　《补正》之误收作品甚至还出现抄遗的疏失。如第三册第
1371 页据《全芳备祖后集》卷二五辑录梅尧臣《山药》六句,意思
很不完整,复核四库本原书,方知还有四句抄遗。四库本此诗下
本无署名,排列在圣俞(梅尧臣)和温公(司马光)之间。《补正》
判断为作者蒙前省,故归为梅尧臣作。但此诗的开头两句"客从
魏都来,遗我山蕷实",高似孙《剡录》卷一〇有引录,作温公《送
薯蓣苗》诗,则所谓《山药》一诗断为温公作更为有据。

　　《补正》有时误收诗篇缘于不够细心。如第四册第 1684 页据
《全芳备祖后集》卷一一《菖蒲》辑录曾肇《菖蒲》句:"莫道幽人无
一事,汲泉承露养菖蒲。"按,复核四库本原书,此联下注:"鲁文。"
不知其为何人? 钱先生可能臆断为"曾文昭"。然而钱先生竟未

曾注意到该书同卷另收有一绝句,前两句为:"窗明几净室虚虚,尽道幽人一事无。"后两句即引"莫道"一联,下注云:"曾茶山。"曾茶山即著名诗人曾几。查《寿亲养老新书》卷三、影印《诗渊》册四页二三四三、《佩文斋广群芳谱》卷八八均作曾几诗,此诗作者差可定论,《补正》作曾肇(文昭)无据。

据凡例,《补正》"对其它可靠著作征引的诗篇、诗联、诗句,尤多注重",所以据类书、笔记、地志等辑录的大量的诗联、诗句,属于误收的更是比比皆是。仅从第二册补录的欧阳修诗中就可发现数例,如第 813 页据《全芳备祖》卷八《李门》辑录欧阳修《李》诗,按,此乃梅尧臣《合流曹光道惠巨李知其炎酷中有此味亦可乐也辄以诗寄》中的句子,见《宛陵集》卷二七,唯"根"作"梢","相"作"犹"。第 819 页据《事文类聚后集》卷四四《乌门》辑录欧阳修句:"矫翼似知机,盘空如改图。"按,此乃刘攽《弹乌》中的句子,唯"盘"作"回",见《彭城集》卷三。第 822 页据《事文类聚续集》卷五〇《蜗牛门》辑录欧阳修句:"断墙着雨蜗成字。"《山堂肆考》卷二二五、《渊鉴类函》卷四四九亦作欧阳修诗。按此乃陈师道《春怀示邻里》中的首句,见《后山居士集》卷六,《瀛奎律髓》卷一〇题作陈师道《春怀示邻曲》,《御定佩文斋咏物诗选》卷二四题作陈师道《春怀示邻》。第 823 页据宋陈元靓《岁时广记》卷九《人日门》辑录欧阳修句:"来时擘茧正探官。"按,此乃梅尧臣《和永叔内翰》中的首句,见《宛陵先生集》卷五一,收入《全宋诗》册五卷二五八页三二一七中,故此所谓欧阳修《造面茧》佚句误辑应删。第 819 页据《全芳备祖后集》卷二八《茶门》辑录欧阳修句:"赤泥开天印,紫饼绝圆玉。"按此乃苏轼《焦千之求惠山泉诗》中的句子,唯"天"作"方","绝"作"截",全诗见《东坡全集》卷三、《东坡诗集注》卷二六、《施注苏诗》卷五。至于其他各家已经查获的误收情况,列表如下:

《补正》所录的作者及页码(册/页)	《补正》所录的诗句(题目)	《补正》引用的文献	实际作者及篇名	文献依据
许洞(1/489)	五难既洒落。(《失题》)	《海录碎事》卷九下	梁·江淹《杂体三十首·许征君自叙》	《江文通集》卷4、《文选注》卷31
杨亿(1/416)	祢狂无自屈岑牟。	《海录碎事》卷五《衣服门》	刘筠《午洞归吴中》	《西昆酬唱集》卷下
刘筠(1/434)	正当河左界,不待雨东来。	《海录碎事》卷一《河汉门》	钱惟演《清风十韵》	《西昆酬唱集》卷下
刘筠(2/439)	削青争落笔,举白斗飞觞。	《海录碎事》卷六《宴会门》	钱惟演《夜宴》	《西昆酬唱集》卷上
王曾(1/492)	愿上菖花酒,年年圣子心。(《夫人阁端午帖》)	《岁时广记》卷21《端午门》	王珪《太上皇后阁》之一	《华阳集》卷5
王曾(1/492)	仙艾垂门绿,魂丝绕户长。(《夫人阁端午帖》)	《岁时广记》卷21《端午门》(《古今事文类聚》前集卷9)	王珪《太上皇后阁》之三	《华阳集》卷5
王曾(1/492)	百灵扶绣户,不假艾为人。(《夫人阁端午帖》)	同上	王珪《太上皇后阁》之六	同上
王曾(1/492)	如何金殿里,犹献辟兵符。(《夫人阁端午帖》)	同上	王珪《端午内中帖子词·皇帝阁》之一	同上

《补正》所录的作者及页码(册/页)	《补正》所录的诗句(题目)	《补正》引用的文献	实际作者及篇名	文献依据
范仲淹(2/563)	金山寺近尘埃绝,铁瓮城高气象雄。	《舆地纪胜》卷 7 "镇江府"	王令《忆润州葛使君》	《广陵集》卷 14
林逋(2/690)	无由睹雄略,火树月萧萧。	《锦绣万花谷前集》卷 26《哀挽门》	杜甫《故武收将军挽词》三首之三("火"实为"大"之误刻,"月"乃"日"之误刻,林逋乃杜甫的误刻)	《九家集注杜诗》卷 19、《杜诗详注》卷 2
宋祁(2/28)	天花真国色,有韵自天香。(《酴醿》)	《全芳备祖前集》卷 15《酴醿门》(《山堂肆考》卷 200、《广群芳谱》卷 42 亦作宋祁诗)	李廌《荼蘼洞》	《济南集》卷 4
王珪(2/1068)	禁苑平明帐殿开,华芝初下未央来。(《后苑赏花钓鱼》)	《海录碎事》卷 10 上《赐宴门》	郑獬《春尽》第二首,《两宋名贤小集》卷 133 题作郑獬《恭和御制赏花钓鱼》二首	《郧溪集》卷 27、《瀛奎律髓》卷 5
陈襄(3/1083)	低回倾北斗,突兀起楼台。(《乌石山》)	《舆地纪胜》卷 128 "福州"	蔡襄《厚觊》	《端明集》卷 8
曾巩(3/1389)	遗之析朝酲,亦以蠲烦疾。(《梨》)	《全芳备祖后集》卷 6《梨门》(按:四库本实未署名,夹在南丰与圣俞之间)	梅尧臣《玉汝赠永兴冰蜜梨十颗》	《宛陵集》卷 29

《补正》所录的作者及页码(册/页)	《补正》所录的诗句(题目)	《补正》引用的文献	实际作者及篇名	文献依据
刘敞(3/1112)	颂声骚客误,锡贡禹书迟。(《橘》)	《全芳备祖后集》卷3《橘门》(按:四库本实未署名,《广群芳谱》卷六四作刘敞)	刘攽《寄橙与献臣》	《彭城集》卷16
刘敞(3/1112)	江南碧水映霜秋,丹实清香破客愁。(《橘》)	《全芳备祖后集》卷3《橘门》	刘攽《黄橙寄黄翁》	《彭城集》卷18
苏轼(3/1450)	蔗浆归厨金椀冻。(《蔗冰》)	《全芳备祖后集》卷4《甘蔗门》	杜甫《入奏行赠西山检察使窦侍御》	《杜诗详注》卷10
苏轼(3/1456)	剡藤蜀罫照松烟。	《永乐大典》卷4908	黄庭坚《再次韵奉答子由》(《坡门酬唱集》卷21作苏辙诗)	《山谷集外集》卷7、《剡录》卷7
苏轼(3/1458)	东山子弟家风在。	《事文类聚后集》卷9《阀阅弟子门》	欧阳修《谢景平挽诗》	《文忠集》卷14、《记纂渊海》卷41
曾肇(4/1678)	盱江郭东门,江水湛虚碧,东南望群峰,连延倚天碧。(《失题》)	《舆地纪胜》卷35	曾巩《李节推亭子》	《元丰类稿》卷4、《宋艺圃集》卷13
张耒(4/1926)	沙边微雨湿孤蓬。	《亚愚江浙纪行集句诗》卷4	陆游《巴东遇小雨》	《剑南诗稿》卷2
张耒(4/1926)	小葺茅茨紫翠间。	《亚愚江浙纪行集句诗》卷4	陆游《看山》	《剑南诗稿》卷1

《补正》所录的作者及页码(册/页)	《补正》所录的诗句(题目)	《补正》引用的文献	实际作者及篇名	文献依据
唐庚 (6/2673)	麦陇雪苗寒剡剡，柘林霜叶暮飔飔。	《全芳备祖后集》卷23《桑门》(经复核，"剡剡"、"飔飔"为重字，《补正》每句各掉一字)	陆游《予行蜀汉间道出潭毒关下……》	《剑南诗稿》卷3
唐庚 (6/2674)	远岸明残日，孤村认小舟。	《全芳备祖后集》卷26《舟航门》	华岳《登楼晚望》	《翠微南征录》卷8
唐庚 (6/2674)	蓬窗夜雨短长梦，啼鸟唤人新旧愁。	《全芳备祖后集》卷26《舟航门》	华岳《后溪》两首之一	《翠微南征录》卷9
唐庚 (6/2674)	万里论文一樽酒，醉和明月上扁舟。	《全芳备祖后集》卷26《舟航门》	华岳《后溪》两首之一(与上联为一首诗)	《翠微南征录》卷9
唐庚 (6/2674)	山断疑无路，林开觉有村。	《锦绣万花谷后集》卷26《村门》	华岳《寿昌道中》	《翠微南征录》卷8
唐庚 (6/2674)	桥横南浦虹千丈，柳护西溪翠一行。	《锦绣万花谷后集》卷26《桥门》	华岳《南浦水阁》	《翠微南征录》卷9
唐庚 (6/2674)	嘶入画桥东畔路，紫骝犹记旧垂杨。	《锦绣万花谷后集》卷26《桥门》	华岳《新市杂咏》之八(此两句实颠倒晏几道《玉楼春》词句而成，见《小山词》)	《翠微南征录》卷10
吴芾 (7/3291)	翠幄不闻杨柳晚，红雪初上海棠春。(《海棠》)	《全芳备祖前集》卷7《海棠门》	王之道《和因上人四首》之一(有异文)	《相山集》卷15

《补正》所录的作者及页码(册/页)	《补正》所录的诗句(题目)	《补正》引用的文献	实际作者及篇名	文献依据
杨万里(7/3614)	月影含冰冻,风声凄夜寒。	《锦绣万花谷后集》卷3《冬门》(按:四库本本条实未署名,下条注出诚斋)	隋炀帝《冬夜》	《文苑英华》卷158、《古诗纪》卷130
杨万里(7/3615)	天开金粟如来藏,人立广寒宫殿秋。(《岩桂花》)	《全芳备祖前集》卷13《岩桂花门》	方岳《木犀》	《秋崖集》卷7
翁元广(10/4926)	水落才余半篙绿,霜高初染一林丹。(《枫》)	《全芳备祖》卷18《枫门》	陆游《秋兴》	《剑南诗稿》卷19

　　《补正》收录的诗联也有属于与别家著作互见的情况,但未注明。如第四册第1655页据《锦绣万花谷前集》卷一三《郡守门》辑录孔平仲《失题》诗句:"遗爱海波无继处,去思秋色有余清。"按,此乃孔平仲《送张通判》中的诗句,见《清江三孔集》卷二四、《古今事文类聚外集》卷一二。进一步检查发现,郭祥正《青山续集》卷七也收录有《送张通判》一诗。另如第一册第248页据《锦绣万花谷前集》卷五《临安门》辑录陈尧佐《临安》句:"门前碧浪家家海,楼上青山寺寺云。"按《瀛奎律髓》卷四作陈尧佐《杭州喜江南梅度支至二首》,《两宋名贤小集》卷八三、《御选宋金元明四朝诗·御选宋诗》卷八四均题作陈襄《喜江南梅度支至》之二。田汝成《西湖游览志余》卷一〇作"陈文惠公述古守杭州,《喜江南梅度支至》二首"云云,尤其滑稽,陈尧佐谥文惠,陈襄字述古,田氏

竟将两者合而为一。不过"守杭州"者是陈襄(熙宁五年任)而非陈尧佐(曾任两浙转运使),则田氏主观上可能认为此诗作主是陈襄。凡此,《补正》亦疏于考辨。

《补正》在收录诗联、诗句时,常因疏于检查而将错就错。如第二册第 692 页据《亚愚江浙纪行集句诗》卷四辑录林逋句:"已作归心即自宽。"复核四库本《江湖小集》卷六《亚愚江浙纪行集句诗》卷四,释绍嵩题作《和自然》,为七律集句诗,其第二联作:"敢将古道为吾事,已作归心即自宽。"前句注出方干,后句注出林逋。按,古人作集句诗,往往仅凭记忆,故常多张冠李戴,且常根据需要改动诗作,释绍嵩亦不能免。查"敢将"一句,乃林逋《曹州寄任独复》七律的第三句,见《林和靖集》卷三;而"已作"一句乃唐代方干《初归故里献侯郎中》七律的第二句,见《全唐诗》卷六五一,《严陵集》卷二题作方干《初归故里》。在绍嵩《和自然》诗中,所注方干和林逋的诗句恰好颠倒,如果不是出于作者的记忆有误,则当出于误刻。如果补正者查一下《林和靖集》,这种错误是不难发现的。当然这类细微之处,《补正》有所疏失,是可以理解的。但《补正》据《亚愚江浙纪行集句诗》卷四辑录林逋句:"发兴真成继庾公"、"蔽野吞村飘不住",就难以令人接受了,因为前者释绍嵩在《赠郎德父》诗中明明注明作者是"晓莹"(《补正》第十二册第 5859 页正归入晓莹名下),后者释绍嵩在《途次遇雨和丘德高》诗中明明注明作者是方干(按,此乃方干《雪中寄殷道士》诗中的句子,原作:"蔽野吞村飘未歇。"见《全唐诗》卷六五一),《补正》均看作林逋,实太粗心。

三、违例和重见、失校、迟出

1.违例。厉辑《宋诗纪事》的收录范围是比较明确的,诗、文的区分比较严格,一般不收骈文、赋之类的作品。《补正》则有所突破。如第二册第1067页据《永乐大典》卷三五八五"尊"字韵辑录王珪《失题》:"北极齐尊,诸天密护。流景光而配日,崇厚德以仪神。"感觉上这不是诗,倒像是四六骈文。查此几句见于《五百家播芳大全文粹》卷八一《祝皇后寿疏》,未题撰人,确属骈文一体。又第1070页据《永乐大典》卷一二一四八"走"字韵辑录王珪《小儿致语》:"百蛮奔走,南逾铜鼓之乡;万里讴谣,西出玉关之路。"按,此乃王珪《集英殿皇子大燕教坊乐语·小儿致语》中的句子,见《华阳集》卷一七,这种四六致语,古人一般将其归入文类,如《五百家播芳大全文粹》卷八九即收录王珪此篇。另如第二册第882页收录元绛《放女童队》、《问女童队》,亦属于此类体式。第八册第4019页据《永乐大典》卷七七五六、一四五四五辑录薛季宣《蛆赋》、《唐风赋》,仅寥寥数句,实际上全文详见《浪语集》卷一、二。《补正》将四六文、辞赋也收罗进来,是否失之宽泛?第二册第911页据明杨慎《升庵诗话》卷十二辑录魏璀《题捣衣图》诗。按,此乃唐人魏璀《捣练赋》,文见《文苑英华》卷一〇九、《王氏农书》卷二一、《御定历代赋汇》卷九八。《全唐文》收在卷三七二中,两相对照,《升庵诗话》乃是节录,并删去了一些句子和关联词。魏璀,天宝十年进士及第。

虽然《补正》在收录范围上未能尽守厉氏规矩，但骈文、辞赋毕竟可算是广义韵文，更有甚者，《补正》还将散文堂而皇之地收录，这就更令人难以理解了。如第三册第 1438 页据《濠南诗话》卷三辑录了苏轼《南行唱和诗序》："昔人之文，非能为之为工也。山川之有华实，充满勃郁而见于外，虽欲无有，其可得到耶。故予为文至多，而未尝敢有作文之意。"按语云："此诗未见《东坡集》，暂辑于此。"辑录的明明是文，按语怎么说成了诗？当然此文当作诗序或纪事收录也无不可，但没有在排列上作出区分，而与诸诗并列而出，明显是自违体例。进一步的查证发现此文竟是苏轼《南行前集序》的节录，全文见《东坡全集》卷三四。据苏轼此序称，"盖家君之作与弟辙之文皆在，凡一百篇，谓之《南行集》，将以识一时之事。"因知苏轼此文并非是其某一篇诗的小序，则所谓"此诗未见《东坡集》，暂辑于此"云云，实在是凭空而来。又如第七册第 3613 页据《永乐大典》卷二九九九"人"字韵辑录杨万里《失题》："丰荒在天，感格在人，愿益修省，以召至和。"按，此乃杨万里《宋故华文阁直文士赠特进程公墓志铭》中引录的程叔达"条上便宜"中骈化的句子，见《诚斋集》卷一二五，不应被收录。又第三册第 1388 页据《升庵诗话》卷一〇辑录曾巩《享祀军山庙歌》一首。按，此乃曾肇《南丰军山庙碑》的结尾部分，见曾肇《曲阜集》卷三，文末清楚写明："大宋建中靖国元年岁在辛巳春三月既望翰林学士朝请大夫知制诰护军曲阜县开国侯食邑一千户赐紫金鱼袋里人曾肇撰"，则此文非曾巩作已无可置疑。明《续文章正宗》卷一六亦收录此文，题作曾肇《军山庙碑》。《补正》所录乃是从文中析出的铭文部分，这类是否应收，也是可以讨论的。

2. 重见。这里的重见首先是指辑录于群籍的诗歌与本集相重。《补正》之凡例云："凡该作者存有别集者，则应选取代表性作品。……凡该作者别集已佚或残存，搜罗愈显不易者，则尽所见查检删汰后补入。"但事实上《补正》辑自类书、笔记、地志的大量作品，在本集中就有收录，《补正》偏据他书辑录，有时加按语说明见于本集某卷，并录出异文。暂不论这种做法是否可议，我们姑将此理解为一种体例，遗憾的是《补正》并没有将复核工作完全贯彻到底，这就产生了很多问题。

首先，类书、笔记、地志等征引的诗篇往往别立题目，常不伦不类，有时甚至脱去题目，如果不说明本集作何题，会让人误以为是不见于本集的佚篇，且题意也得不到完整准确的理解。如第二册第 690 页据《西湖游览志》卷一〇辑录林逋《同运使游灵隐》。按，《林和靖集》卷一题作《和运使陈学士游灵隐寺寓怀》，多有异文，《补正》未及校勘。第二册第 815 页据《事文类聚前集》卷三二《闲退门》辑录欧阳修《闲适》诗。按，此乃欧阳修《赠沈遵》诗中的句子，见《文忠集》卷六。第三册第 1370 页据《全芳备祖前集》卷七《椔树门》辑录梅尧臣《椔树》诗四句，查《宛陵集》卷四三，题作《去腊隐静山僧寄椔树子十二本柏树子十四本种于新坟》，且有八句，文字也多有差异。梅氏原作椔柏并举，《全芳备祖》引录时单举椔树，颇不合梅氏题意。第 1385 页据《永乐大典》卷三五二七"门"字韵辑录曾巩《松门寄介甫》一诗，查曾巩《元丰类稿》卷三，题作《发松门寄介甫》，多出一"发"字，题意就有区别了，从正文"晓开征帆破长浪"云云看，题中"发"字实不可少，《补正》未据本集校出，令人遗憾。第四册第 1787 页据《升庵诗话》卷九辑录陶弼《僧寺》诗："花露生瓶水，松风落架春。"又《早行》："照枕残鸡月，吹灯落叶风。"查此两诗又见于陶弼《邕州小集》中，前者题作《罗秀山》，"春"作"书"，"春"不押韵，作"书"甚是，后者题作《过思明》。特别是一些所谓的失题诗，只要细心查检，完全可以补出题目。如第二册第 996 页据《永乐大典》卷一九六三七"目"字韵辑录司马光《失题》诗："瞑目送千古，飘然一哄尘。山川宛如旧，多少未来人。"按，此见四库本司马光《传家集》卷一一，题作《瞑目》，何曾失题？又第 193 页据《锦绣万花谷》卷三七辑录王禹偁《失题》诗，按宋郑虎臣《吴都文粹》卷七录此诗，唯"向"作"学"，余悉同，题作《长洲种牡丹》，《补正》失之。第四册第 1664页据《舆地纪胜》卷三九"楚州"辑录徐积《失题》诗，查徐积《节孝集》卷一八，题作《寄路倅洪泽阻水》，《补正》辑录少了第二联。辑自类书的诗，往往据类书所立之"门"而立题，有时显得荒唐可笑。如第八册第 3733 页据《全芳备祖》卷二九《肉豆蔻门》辑录张良臣《肉豆蔻》句，据此题好像是一首咏物诗，其实此乃张良臣《芳草复芳草》中的两句，全诗本是一首抒情诗，见《江湖小集》卷九一张良臣《雪窗小集》）。

其次是集中全诗尚存而仅辑断篇断句。厉氏《宋诗纪事》辑录了大量断句，《补正》有时指出全诗见于本集某卷，这是值得称道的。类书、笔记、地志等征引的殊多不完整的诗篇和断句，《补正》有见必录，有的加了按语指出全诗见于某书，更多的未加按语，容易使人误以为全诗已佚而仅存断句。如第三册第 1111 页据《全芳备祖前集》卷二四《樱桃花门》辑录刘敞《樱桃花》诗，仅有六句，查刘敞《公是集》卷一八，题作《樱桃花开留徐二饮》，有二十二句。第七册第 3290 页据《事文类聚》卷一三《各路儒学门》辑录吴芾《和池州陈教授》一诗,仅有六句,诗意很不完整,且两个"今"字犯复。查此诗见于吴芾《湖山集》卷六,乃《和池州陈教授韵二首》之一,"今居"作"合居",尚有结联"会看奋迅为时用,展尽胸中计策长"。凡此,《补正》未加按语说明,给人以其篇已残的感觉。

《补正》收录的有些作品表面上看是"完整"的一首,但若取本集相对照,实际上不过是断篇。如第二册第 815 页据《锦绣万花谷》卷三四《琵琶门》辑录《琵琶》一诗。按,此系欧阳修《赠沈博士歌》中的句子,见《文忠集》卷七。第三册第 1131 页据《舆地纪胜》卷一〇三"静江府"辑录刘攽《送刘长官桂府机宜》四句,按,《彭城集》卷一三收录此诗,题中"桂府"后多一"掌"字,计有八句。同页据《舆地纪胜》卷四五"庐州"辑录刘攽《巢湖阻风》四句,查《彭城集》卷一一,实有八句,且有异文可校地志之失。

至于《补正》所录一联半句见于本集的就更多了,兹以欧阳修为例,将《补正》辑出的欧阳修见于本集的句子列表如下:

《补正》辑出的诗句(篇名)	《补正》依据的文献	《文忠集》中的卷数和篇名	备注
汉宫姊妹争新宠,湘浦妃嫔望所思。	《全芳备祖》卷 11《荷花门》	《文忠集》卷 56《答吕太博赏双莲》("妃嫔"作"皇英"。)	
五色双丝献女攻,多因荆楚记遗风。(《端午》)	《岁时广记》卷 21	《文忠集》卷 83《皇后阁五首》之五	

《补正》辑出的诗句(篇名)	《补正》依据的文献	《文忠集》中的卷数和篇名	备注
隋宫守夜沉香火,楚俗驱神爆竹声。(《岁除》)	《岁时广记》卷40	《文忠集》卷55《除夜偶成拜上学士三丈》("火"作"燎")	
待君今日我何为,手把鉏犁汝阴叟。(《送祖择之》)	《韵语阳秋》卷30	《文忠集》卷8《小饮坐中赠别祖择之赴陕府》("今"作"归")	《龙学文集》卷5《唱和诗》题作《送龙学赴陕府酌饮赠别》
滁人皆喜醉翁醉,至今人人能道之。	《舆地纪胜》卷42"滁州"	《文忠集》卷6《赠沈遵》	《隐居通议》卷7收录
楚俗传筒粽,江人喜竞舡。	《岁时广记》卷21《端午上》	《文忠集》卷83《夫人合五首》之三("粽"作"黍","舡"作船)	
深宫亦行乐,彩索绕长年。	同上	《文忠集》卷83《夫人合五首》之三	
君恩多感旧,谁献辟兵符。	同上	《文忠集》卷83《温成皇后合四首》之一("恩"作"心")	
共斗今朝胜,盈襜百草香。	同上	《文忠集》卷83《夫人合》之二	
凝祥池锁会灵园,仆射荒村安可比。	《锦绣万花谷前集》卷36《果木门》	《文忠集》卷9《初食鸡头有感》("村"作"陂","比"作"拟")	
里门每人从千骑,宾主俱荣道路光。	《事文类聚续集》卷4《荣乡门》	《文忠集》卷12《纪德陈情上致政太傅杜相公二首》之二	
今朝静吸丹禁漏,尚疑身在玉堂中。	《事文类聚别集》卷6《左右丞相门》	《文忠集》卷13《夜宿中书东阁》("朝"作"夜")	

《补正》辑出的诗句（篇名）	《补正》依据的文献	《文忠集》中的卷数和篇名	备注
铃斋幸得亲师席，东向时容问治民。	《事文类聚别集》卷22《官政门》	《文忠集》卷12《纪德陈情上致政太傅杜相公二首》之一	
无择名声重当世，早岁多奇晚乃偶。	《苕溪渔隐丛话前集》卷29	《文忠集》卷8《小饮坐中赠别祖择之赴陕府》（作"择之声名重当世，少也多奇晚方偶"）	《龙学文集》卷5《唱和诗》题作欧阳修《送龙学赴陕府酌饮赠别》
凛凛节奇霜干柏。	《全芳备祖后集》卷15《柏门》	《文忠集》卷12《谢太傅杜相公宠示嘉篇》（唯"干"作"涧"）	《记纂渊海》卷95收录，"干"作"涧"
何但入海求灵犀。	《事文类聚续集》卷36《毛虫部》	《文忠集》卷5《再和圣俞见答》（"但"作"惮"）	
青山答鼓送行舟。	《海录碎事》卷9下《离别门》	《文忠集》卷55《舟中寄刘昉秀才》	
潭潭村鼓隔溪闻。	《海录碎事》卷20《旗鼓门》	《文忠集》卷1《黄牛峡祠》	
金钗坠鬓分行立。	《后村千家诗》卷16《宫词门》	《文忠集》卷12《送郓州李留后》	
路人应羡锦衣荣。	《事文类聚续集》卷4《荣乡门》	《文忠集》卷57《送张吉龙赴浙宪》	
嗟我官居如传舍。	《事文类聚续集》卷5《官廨门》	《文忠集》卷2《初伏日招王几道小饮》	《石仓历代诗选》卷140、《御定佩文斋广群芳谱》卷5收录
寻芳长恨见花迟。	《亚愚江浙纪行集句诗》卷5	《文忠集》卷55《陪饮上林院后亭见樱桃花悉已披谢因成七言四韵》	

《补正》辑出的诗句(篇名)	《补正》依据的文献	《文忠集》中的卷数和篇名	备注
寒山带郭穿松路。	同上	《文忠集》卷11《冬后三日陪丁元珍游东山寺》	

上表中的句子均见于本集,既不见得全是佳句,也无本事、评论可采,仅仅因为类书曾经收录过,就广事搜罗,录此存照,又不说明全诗见于本集某卷某题,容易使人误解为原诗已经散失。也许钱先生辑录是用来备查的,现在全都被整理出来,究竟有多大意义,值得置疑。

最后,即使是确实不见于本集的断句,《补正》的辑录也有不够全面的。如第二册第 540 页据《亚愚江浙纪行集句诗》卷四辑录杜衍句:"此去优游益吟咏。"按,《渔隐丛话》后集卷二一引录,尚有下句云:"枝江集外别成编。"第三册第 1112 页据《全芳备祖后集》卷十五《柏门》辑录刘敞《柏》诗(柏生如拳柳如把),仅仅六句,而赵与虤《娱书堂诗话》完整收录全诗,且可据此补出纪事一则。第四册第 1813 页据《全芳备祖前集》卷二一《水仙花门》辑录钱缌《水仙花》断句:"碧玉簪长生洞府,黄金杯重压银台。"按,《记纂渊海》卷九三收录有四句,前两句为"水仙花木水仙栽,灵种初应物外来。"《补正》均失之。

另一类重见是指另见于别家之诗,《补正》应注而未注。如第三册第 1110 页据《全芳备祖前集》卷一四《葵花门》辑录刘敞《葵花》诗。按,此诗《山堂肆考》卷二○○亦作刘敞,但《两宋名贤小集》卷六四题作刘攽,《御定佩文斋广群芳谱》卷四七作刘攽《黄葵》诗。第 1111 页据《全芳备祖前集》卷一五辑录《酴醾》诗两首。其中,"明红"一首,《两宋名贤小集》卷六四作刘攽《咏荼蘼》两首之一,《御定佩文斋咏物诗选》卷三四六、《御定佩文斋广群芳谱》卷四二均作刘攽。"琼林"一首,《记纂渊海》卷九三作刘敞诗,末有注云:"琼林苑中宴殿中,此花最盛。"《补正》失之。《两宋名贤小集》卷六四则作刘攽《咏荼蘼》两首之二,《御定佩文斋广群芳谱》卷四二亦作刘攽诗。第三册第 1110 页据《全芳备祖前集》卷一○《杏花门》辑录刘敞《杏花》一诗。按,复核四库本原书,作"刘毅父"诗。刘毅父疑为孔毅父(平仲)之误。查《清江三孔集》卷二四,果收有孔平仲此诗,题作《行香》,"出门"作"出行",余悉同。此诗又见于郭祥正《青正续集》卷七,文字全同《清江三孔集》。第二册第 906 页据《永乐大典》卷九七六五"岩"字韵辑录李师中《中隐岩》八句。按,《广西通志》卷一二四、《粤西诗载》卷二二收录元郭思诚《游中隐山》绝句,即前称李师中《中隐岩》诗的前四句。《补正》亦宜注明。

《补正》所征引的诗联,也有作者歧异而失注的。如第一册第 260 页据《锦绣万花谷》卷一九《诗门》辑录孙何《诗战篇》句:"物华如阵笔如锋,沈谢曹刘是七雄。"按,明彭大翼《山堂肆考》卷一二七作宋丁晋公诗。第二册第 692 页据《全芳备祖前集》卷一四《芦花门》辑录林逋句:"最爱芦花丛里宿,起来误作雪天吟。"按,四库本《全芳备祖前集》卷一四《芦花门》作张一斋诗,惟"最爱"作"忘却",《御定佩文斋广群芳谱》卷九○亦同。

3. 失校。类书、笔记、地志等征引的诗句多有误字,如果不用本集校勘,往往让人无从索解。如《补正》第二册第 691 页据《海录碎事》卷三上《总载山门》辑录林逋句："林卜细分山戌削,水波微动鹤丁椿。"未加按语。那么,"林卜"是什么意思?"山戌削"、"鹤丁椿"又应作何解?令人费猜。查此两句实乃林逋《秋怀》七律的第三联,"卜"作"木","戌"作"去",且发现作"椿"不押韵,"椿"乃"桩"之形误,全诗见《林和靖集》卷三。又如第三册第1368页据《永乐大典》卷一三八二二"寺"字韵辑录梅尧臣《刘元甫观相国寺……》诗,查《宛陵集》卷三八收录此诗,"□□□都下"作"吾侪来都下","慈封"作"兹寺","不张评谱品"作"不能评谱品",均以本集为是。再如第七册第3302页据《永乐大典》卷二五三六"斋"字韵辑录周紫芝《学不厌斋铭》,有句云:"嵩华在前,峿嵝自止。"不知"峿嵝"是什么意思,在《汉语大词典》中也没有查到这个词条。检周紫芝《太仓稊米集》卷四二,收有此铭,"峿嵝"作"嶾嵝","嶾嵝"即小山,意义豁然贯通。同页又据《永乐大典》卷二五三七辑录周紫芝《曲肱斋铭》(并叙),也有一些句子较难理解,如"瞋目曲肱"、"颓然隐机"、"物类其明"、"以眼其膺"之类,校以《太仓稊米集》卷四二,"瞋"作"瞑","机"作"几","类"作"泪","眼"作"服",都很明白可解。第七册第3613页据《永乐大典》卷二五三五"斋"字韵辑录杨万里《存斋铭》,有句云:"尼曰尧墙。"查检《诚斋集》卷九八,"尼曰"作"尼日",甚是。以上这些,《补正》未用本集校正,我们认为处置欠当。当然也有别本正确而本集有误的,如第七册第3303页据《永乐大典》卷三五三九辑录周紫芝《洞斋铭》,检《太仓稊米集》卷四二,题作《汩斋铭》,从结尾"谁其似之,如洞有云"推断,作"洞斋"是正确的,惜《补正》未能据此校正本集之误。

《补正》据类书、笔记、地志等辑录的有些诗歌读来虽然可通，但其诗味比起本集所载却差多了，惜《补正》疏于校正。如第二册第691页据《亚愚江浙纪行集句诗》卷七辑录林逋句："一帆还自上归舟。"按，此乃林逋《送僧还东嘉》绝句的结句，唯"帆"作"缾"，"一缾"切合僧人身份，比"一帆"要佳，全诗见《林和靖集》卷四。又下页据《锦绣万花谷前集》卷三《秋门》辑录林逋句："秋移瘦出无多寺，古翠浓连一半云。"细玩此两句，"秋移"与"古翠"似对得不够工整，查《林和靖集》卷二，此乃林逋《采石山》中的句子，"移"作"棱"，甚是。以上校勘尚称简单，但钱著均补而不正，有欠严谨。

校勘上更复杂一些的例子也有，如第三册第177页据《全芳备祖前集》卷二《牡丹门》辑录韩维《牡丹》诗四句："仙娥裁巧样，彩笔费工深。白岂容施粉，红须陌间金。"按，"裁巧样"与"费工深"对得不工，当有误字。同书同卷《杂著》下重录"白岂"两句，有注云："洛中有间金红。"《补正》缺之。查此诗乃韩维《和三兄题蜀中花园》五律的中间两联，全诗见《南阳集》卷七，唯"娥"作"冠"，"巧样"作"样巧"，但于"间金"下失注。又《古今事文类聚后集》卷三〇、《声画集》卷六收录此诗，"巧样"均作"样巧"。前者"间金"下注云："洛阳花。"后者注作："洛花有间金红。"韩维此诗必合诸本参校，方称合璧。再如第二册第691页据叶廷珪《海录碎事》卷一九《诗门》辑录林逋句："诗个句法递去权，应合封回债已还。"这两句诗中，"诗个"是什么意思？全联又是什么意思？实在让人捉摸不透。此诗句不见于《林和靖集》，查明彭大翼《山堂肆考》卷一二七云："林逋诗：递去权应急，封回债已还。"故知前所谓"诗个句法"四字乃叶廷珪所加林逋诗题,林逋诗实际应为五字句,且"合"为"急"之误,《补正》不慎误读为七字句,结果使明白易懂的林逋诗弄得难以读通。再查《御定佩文斋咏物诗选》卷二一一全文收录林逋《诗筒》诗云:"唐贤存雅制,注:元白唱和常以竹筒贮诗往还。诗笔仰防闲,递去权应紧,注:诗权出薛许昌。封回债已还。注:诗债出贾司仓。带斑犹恐俗,和节不辞艰。酒籯将书籯,谁言季孟间。"方知《海录碎事》所谓"诗个",乃"诗筒"之形误。《补正》于此属于综合性的失误。

《补正》对厉氏所录多作校勘,异文误字,一一指出,而自己的补诗却多录而不校,也未免严以待人、宽以待己了。

4. 迟出。《补正》在引用文献上也有溯源不当、出处太迟的。以刘敞为例,第三册第 1110 页据清人《广群芳谱》卷四五辑录刘敞《咏芍药》句:"眼前隋苑多佳丽,未觉吴宫久寂寥。"按,宋陈景沂《全芳备祖前集》卷三收录此联,唯"眼前"作"始知"。又《两宋名贤小集》卷五五、刘敞《公是集》卷二四收录全诗,均题作《园人献芍药》。第 1112 页据《广群芳谱》卷四七辑录刘敞《咏凤仙花》诗四句。按,《全芳备祖前集》卷二六收录,开头多出"手植中庭地,分破紫兰畹"两句,《两宋名贤小集》卷六四承之,题作《凤仙》,明代类书《山堂肆考》卷二○○收录四句亦远远早于《广群芳谱》,而且全诗见《公是集》卷七,题作《题所种金凤花自淮北携子种之云》。《补正》据《全芳备祖》辑录的刘敞诗歌(句)多达 21 条,但何以以上两条舍《全芳备祖》而取《广群芳谱》?再如第一册第 304 页对陈抟《题石水涧》的补正,谓清周亮工《书影》卷一○引《宋艺圃集》收录此诗,"翠光冷"作"睡光冷"。但我们复核四库本明李蓘《宋艺圃集》，发现正作"翠光冷"，而"淡晚晖"作"湛晚晖"，与周亮工所录有差异。另如第一册第413页据明杨慎《升庵诗话》卷一辑录杨亿一偈，其实此偈最早见于《禅林僧宝传》卷一六。在宋诗辑佚中，尽量少用后出的、转引的材料，应该是一条基本的重要的原则。

与张如安合撰，原载《南京师范大学文学院学报》2003年第4期，据以录入；2003年8月13日《中华读书报》刊有二人合撰之"《宋诗纪事补正》掇误"一文，可参看

《全宋笔记》序

    上海师范大学古籍研究所于20世纪90年代后期就开始创议编纂《全宋笔记》，并将这一设想与专家们磋商、交流，立即得到文史学界的认同与支持，学者们不仅对这一计划提出不少宝贵的建议，有些还积极参与具体的点校工作。此后，这一项目又得到教育部高校古籍整理研究工作委员会的大力资助。这样，这套《全宋笔记》就作为上海师大文学院的重点科研选题，在校内外共同合作的基础上，积极进行。历经数年寒暑，现在第一编书稿，即从宋初的《北梦琐言》起，到北宋中期的《月河所闻集》，约五十种，已编定付印，即将面世。由此起步，编委会与大象出版社密切配合，按预定计划，每年分编出版，争取在五年内将现已大致确定的约五百种宋人笔记全部整理完成，齐全出书。

    中国古代笔记的整理出版，20世纪50年代起，就受到出版界的关心和支持。上海古籍出版社前身，即上世纪五六十年代的古典文学出版社（中华书局上海编辑所），就出版过好几种唐宋笔记，如《隋唐嘉话》、《大唐新语》、《唐国史补》、《唐摭言》、《云麓漫钞》、《南部新书》等，同时还印有《明清笔记丛刊》。北京中华书局则于同一时期编印有《元明史料笔记丛刊》、《清代史料笔记丛刊》、《近代史料笔记丛刊》。近二十年来，笔记的出版则更多，上海古籍出版社在已有基础上，更计划编印"历代笔记小说大观"，上起汉魏，下迄清末，按汉魏六朝、唐五代、宋元、明清，分批出版。中华书局则除已有的元明、清代、近代外，又增设《唐宋史料笔记丛刊》，已出有四十余种。其他出版社也陆续有单本笔记问世，如文学性强、颇有阅读兴味的晚明小品文性质的笔记《陶庵梦忆》、《西湖梦寻》等，已有好几家出版社出版。

以上情况，应当说促使人们对这方面的文献整理有进一步通盘的考虑，即扩大范围，加强计划性，注意对某一朝代、某一历史时期的笔记著作进行系统、完整的辑集。这也就是《全宋笔记》的编纂设想得到学界与出版界首肯的基本原因。现在，除了这套《全宋笔记》外，学术界又有提出编《全唐五代笔记》，以与《全唐五代诗》、《全唐五代词》、《全唐五代小说》配合（见《古籍整理出版情况简报》2002 年第 3 期《唐人笔记亟待整理》）。现在，《全唐五代笔记》已由原湘潭师范学院（现合并于湖南科技大学）中文系承担，正在启动中。可以期望，辽金元、明、清各朝笔记总集的编纂，当也能引起相应的关注。

这应当说是 21 世纪古籍整理研究的一个新界。以宋代文献来说，总集方面已出版的，先后有《全宋词》、《全宋诗》、《全宋文》，《全宋笔记》整理完成，则宋代文学的文献资料，基本上就能呈现出一个完整的概貌（当然还有辑集宋元话本小说）。由《全宋笔记》启动，引起其他历史时期笔记总集的整理、出版，其意义当不仅限于文献整理，应当说，这将会引起对笔记这一传统门类作现代科学含义的总体探索。过去很长时期,与诗、文、词、小说、戏曲等相比,笔记的研究是相对薄弱的,现在我们应当把笔记的系统研究提到日程上来。当前的笔记研究,可以考虑的,一是将笔记的分类如何从传统框架走向现代规范化的梳理,二是如何建立科学体系,加强学科意识,把笔记作为相对独立的门类文体进行学科性的探究。

"笔记"一词,倒是很早就出现的,南朝萧梁时刘勰《文心雕龙》在《才略》篇中,论建安时期作家时,说陈琳、阮瑀"以符檄擅声",徐干"以赋论标美",刘桢情高,应玚学优,然后说:"路粹、杨修,颇怀笔记之工;丁仪、邯郸,亦含论述之美。"此处的笔记、论述,是与诗赋等韵文对称的散文文体,虽然与后来唐宋时期的笔记概念不同,但刘勰未将笔记与小说相连,是颇有识见的。因为在中国传统目录分类中,从来就不将笔记作为一个独立门类来处理的,而在具体论述中,又往往将笔记归属于小说,有时则统称为笔记小说。如明代胡应麟《少室山房笔丛》卷二十九丙部,将小说分为六类,前两类是志怪、传奇,后四种为杂录(《世说新语》、《唐语林》等)、丛谈(《容斋随笔》、《梦溪笔谈》等)、辨订(《鼠璞》、《鸡肋编》等)、箴规(《家训》、《世范》等)。这后四种所举的书名,实际上即是现在意义的笔记。又如明顾元庆所辑《顾氏文房小说》,就收有唐刘𫗧《隋唐嘉话》、宋龚颐正《芥隐笔记》等;同是明人的商濬,其小说类丛书《稗海》,即收有宋人笔记 48 种,及宋人诗话 2 种。民国时期进步书局辑印的《笔记小说大观》,更收有不少唐宋笔记。

宋洪迈《容斋随笔》,其卷首自序谓:"予老去习懒,读书不多,意之所之，随即记录，因其后先，无复诠次，故目之曰随笔。"这就是，笔记乃读书所得，见闻所及，随笔杂录，不分先后，文笔自由，不拘形式。至于笔记的内容，唐李肇《国史补》在其短序中则有较确切的概述："纪事实，探物理，辨疑惑，示劝戒，采风俗，助谈笑。"首次以"笔记"命名的北宋宋祁《宋景文笔记》，其书分三卷，上卷称释俗，中卷称考订，下卷称杂说，全书大多为考订名物音训，评论古人言行，杂采文章史事。这些都应当说是符合我们现代意义的笔记内涵的。但笔记的分类归属，在古代书目著录中，却极为纷杂。

中国古代目录著作，自《隋书·经籍志》确定以经史子集为四大部类，至清《四库全书总目》，历一千余年，经过不断调整，已正式固定，成为典范。当然，现在编制古籍书目，从传统习惯来说，是可以继续使用这四部分类法的，但我们现在对古代文化与典籍文献的研究，则应从现代科学分类的概念出发，而不能受四部分类的限制。如四部之首的经部，其《诗经》类，应属于文学研究；《易经》类，应属于哲学研究；《书经》类，应属于历史学研究；《小学》类，应属于语言文字学研究。因此我们现在把笔记研究作为一门学科，就应摆脱传统的框架。

前面说过，古代目录书中从未将笔记列为专类，但仍录有不少笔记书，不过对笔记的分类，并未有固定、明确的准则，有时甚至将同一书分列于两个部类。如唐刘肃《大唐新语》，《新唐书·艺文志》，将其一属于史部杂传记类（《新唐书》卷五十八），一属于子部小说家类（《新唐书》卷五十九）。清朝官修的《四库全书总目》，则更为繁杂，如我们这次收入第一编的两种笔记，《洛阳搢绅旧闻记》与《五国故事》，都系杂记五代旧事，不过一是记洛阳，一是记四川及江南，体裁相同，而《四库全书总目》却将前者列入子部小说家类，后者列入史部载记类。怪不得南宋文献目录学家郑樵早就说过："古今编书，所不能分者五，一曰传记，二曰杂家，三曰小说，四曰杂史，五曰故事，凡此五类之书，足相紊乱。"（《通志·校雠略》）

　　这里还可举一些例子，以备今后对笔记分类作历史的考察。以唐宋笔记来说，《四库全书总目》将裴廷裕《东观奏记》、余知古《渚宫旧事》、王标《燕翼诒谋录》等列为史部杂史类，范成大《吴船录》、陆游《入蜀记》列为史部传记类，龙衮《江南野史》、郑文宝《江表志》、周羽翀《三楚新录》列为史部载记类，龚明之《中吴纪闻》、周去非《岭外代答》、周密《武林旧事》列为史部地理类。子部则更不易辨别，如《东观余论》、《靖康湘素杂记》、《能改斋漫录》、《容斋随笔》、《野客丛书》等，列为子部杂家类杂考，《封氏闻见记》、《石林燕语》等，列为子部杂家类杂说，而与《封氏闻见记》、《东坡志林》、《容斋随笔》体裁相同的《唐国史补》、《涑水记闻》、《东斋记事》、《唐语林》等却又另列入子部小说家类。《四库全书总目》在《中吴纪闻》提要中曾明确提及，此书"仿范纯仁《东斋记事》、苏轼《志林》之体"，而实际上此三书，却分属三类，即分列于史部载记类、子部杂家类、子部小说家类。如果我们按传统目录框架来取舍笔记，恐怕就很难措手。就是说，我们现在研究古代笔记，不能抛开传统目录著作，但不能受这些框架限制。这次《全宋笔记》所辑五百种笔记，其涵盖的门类是相当广的，这也促使人们意识到文献整理与研究有机结合的必要。

关于笔记的研究,应当说,现在还是起步阶段,有不少问题,还需作认真探讨,如中国古代笔记的渊源和分类,笔记与其他文体的关系,其自身的历史发展阶段,它所包含的史料价值和文化意义,等等。至于宋代笔记,也已开始受到人们的注意。过去有的论著曾把魏晋至明清的笔记分为三大类,即小说故事类,历史琐闻类,考据辨证类(参见刘叶秋《历代笔记概述》,中华书局,1980 年 6 月)。当然,按学科来说,还可再加细分,但这三大类大致的框架是可以成立的。比较起来,宋人笔记,小说的成分有所减少,历史琐闻与考据辨证相对加重,这也是宋代笔记的时代特色与历史成就。限于篇幅,这里不可能对宋代笔记作全面的介绍与评论。我这里有一个建议,即待此书全部完成后,可以再做两件事,一是将所收五百种笔记的点校说明,再加补充、订正,汇为一编,这实际上是继清修《四库全书总目提要》以后,另有一个新编的《宋人笔记总目提要》,以使今天的研究者能了解和掌握宋代笔记的全貌;二是结合笔记文献的特点,对整理工作经验作一系统的总结,如底本的选择,校雠的趋向,本事考证的取舍,传统目录分类的探讨,等等,并在此基础上,可就文史结合的角度对笔记(不限于宋代)的史料价值和文化涵义作较深的理论探讨。

应当说,宋人笔记的价值与意义,是很值得研究的,有些恐怕我们现在还未有充分的认识。如北宋的《梦溪笔谈》,其中记载毕昇发明活字印刷,其在中国印刷史上的史料价值已广为人所知,而外国学者李约瑟博士在其所著《中国科学技术史》中,更对《梦溪笔谈》有关自然科学方面的记载,检出 200 多条,并认为涉及数学、天文学、气象学、地质学和矿物学、物理学、水利工程学、农艺学、医药和制药学等(第一卷第六章,见科学出版社 1975 年 1 月中译本)。这种从现代科学观念来探索这部笔记的史料价值,对我们是颇可借鉴的。又如南宋末周密所作《武林旧事》,《四库总目提要》确认并肯定"是书记宋南渡都城杂事","目睹耳闻,最为真确",但我们现在还可以从广阔的社会背景对书中所记的"杂事"作一次文化考察:如卷六《诸色伎艺人》记录有 480 位民间艺人姓名,同卷《诸色酒名》记有 54 种酒名,同卷《糕》条记当时临安(杭州)民间富有特色的食品糖糕、蜜糕、粟糕等 19 种,同卷《书会》记录临安市内 6 个书会成员姓名或绰号,卷十《官本杂剧段数》记录南宋当时官本杂剧剧本 280 部,这些都是官方正史或作家专集未曾记有的。如像考古工作那样,我们可以从中挖掘出过去未曾发现或未予重视的文物资源。又如我们研究宋代诗文,也可以从笔记中查获不少材料,现在新编的《全宋诗》、《全宋文》,其中相当多的作品就是从宋代笔记中考索出来的,《四库总目提要》在谈及《武林旧事》时就特别提到:"南宋人遗篇佚句,颇赖以存。"

又如宋代科举,在整个中国科举史上有其特殊地位,其登科人数是历朝最多的。几年前我与浙江大学龚延明教授等合作,编撰《宋登科记考》,曾多次从宋人笔记中检寻出极有用的材料。如《宋史》卷四四〇《文苑传》载柳开应举,只简云"开宝六年举进士"一句,而叶梦得《石林燕语》则详记柳开此次应举,最初为"被黜下第",后为宋太祖"特赐及第",可见不是一般性的应试及第,此可补正史之不足。又如仁宗嘉祐二年(1057)科试,宋《咸淳临安志》卷六一《国朝进士表》及清修《福建通志》均载是科登第者有叶温叟,但又简记其姓名,而叶梦得《避暑录话》卷下则有具体记载,记其与苏轼同年登第及此后与苏轼的交往(参见傅璇琮、龚延明合撰《〈宋登科记考〉札记》,载《新宋学》第一辑,上海辞书出版社 2001 年 12 月)。

这里还应一提的是,近十余年来出版的几部中国文学史著作,在论及宋代文学时,已把笔记作为宋代散文的一种文体,称"宋代散文中还出现了独具一格的笔记文,这种文体长短不拘,轻松活泼,是古代文体解放的重要标志",特别是南宋时期,如陆游《老学庵笔记》、《入蜀记》,范成大《吴船录》,以及吴曾《能改斋漫录》、王明清《挥麈录》、罗大经《鹤林玉露》等,都列入文学史论述的范围,认为在宋代文学史上应占一席之地(参见袁行霈主编《中国文学史》第五编,高等教育出版社,1999 年 8 月;孙望、常国武主编《宋代文学史》下册第一章,人民文学出版社,1996 年 9 月)。不少古典文学论著已提出宋代笔记已是晚明小品的先驱。另外,宋代诗话的体裁也有受笔记的影响,不少笔记就有评诗记事之作,如《四库全书总目》列为子部杂家类的陈郁《藏一话腴》,《提要》称其"多记南北宋杂事,间及诗话";现在也有把《藏一话腴》列为宋诗话的。这样,古典文学界已把笔记作为文学类的一种文体,与诗、文、词、曲及诗文评并列,这确有益于拓展笔记研究的视野。

关于编纂中的具体问题,本书的凡例(编纂说明)已有述及,这里不再赘述。本书所收的面较宽,把符合笔记体裁的著作尽可能收辑起来,以省却读者的翻检之劳,但有些专题书,如诗话、语录,以及谱录类的茶经、画谱等,其形式虽近于笔记,为收录标准规范起见，仍不予收录。至于收录的时代断限，凡由五代入宋，而其成书在宋建国以后的，则辑入。如列于本书首部的《北梦琐言》，著者孙光宪，长期仕宦于五代后期荆南高季兴，后随高氏入宋。《四库总目提要》据其书名"北梦"，以为比喻荆州，就定此书"仕高氏时作"。其实根据当今研究，其最终成书，在入宋以后。又如周密，为南宋人，而其《武林旧事》作于宋亡入元以后，但其书主要仍记故都临安旧事，故与其所著《齐东野语》、《癸辛杂识》均收入本书。可见时代断限问题，整理工作也必须与考证、研究相结合。

作为一代总集，其整理原则，应是一求全，二求正。求全，前已约述，在这方面，全确是有其优势的。如中华书局的《唐宋史料笔记丛刊》，至今已印有四十余种，但与这部《全宋笔记》相比，如本书第一编，自宋初《北梦琐言》至北宋中期司马光《涑水记闻》，收有三十多种，而同一时段，中华书局出版的仅有五种，其总集的长处就自然显示出来。至于求正，则要求文字、标点方面，力求无误，提供一种信实的版本。宋人笔记，涉及不少史事，其中也有记事之讹及评议之误的，如果有人作专书整理，可以下功夫进行考订、校正，这对研究者极有用，如周勋初《唐语林校证》，刘永翔《清波杂志校注》，都极见功力。但总集不可能如此作，这是总集编纂的通例。这里要提的是，笔记由于记事杂，且所记多为口语俗事，因此文字的订正与句断的准确，难度较大，这方面有时比诗文总集的编纂更难。已出版的笔记，其中文字与标点讹误，经人指摘、批评的，相当多。李一氓先生于 20 世纪 80 年代担任古籍整理出版规划小组组长时，曾嘱咐小组办公室将古籍整理（包括标点、校勘、注释、今译）的批评性文章,汇编成《古籍点校疑误汇录》,由中华书局陆续出版。从已出版的六册中,有关笔记点校失误的书评就很多,而且大部分是关于宋代笔记的。由此也可见出本书整理点校工作的艰辛。

这里我想再提两事。一是多年从事古籍整理研究的资深编审陈新先生,受大象出版社的兼聘,对本书认真通读,严谨审阅。陈新先生长期在人民文学出版社编辑部工作,80年代后期起,作为《全宋诗》的主编之一,又好几年参与《全宋诗》的编纂,极有阅稿、审订的经验。二是大象出版社得悉《全宋笔记》的编纂信息,就立即与上海师范大学古籍研究所联系,他们从文化积累与学术建设的大计出发,毅然承担这一艰巨的出版任务,再次显示其多出文化精品、传扬中华文明的抱负和气概,确令人敬佩。我想借此向大象出版社领导同志深致谢忱。

2003 年 5 月

原载大象出版社 2003 年版《全宋笔记·第一编·一》,此据东北大学出版社 2015 年版《中国当代名家学术精品文库·傅璇琮卷》录入,另收入大象出版社 2004 年版《唐宋文史论丛及其他》、大象出版社 2008 年版《学林清话》、万卷出版公司 2010 年版《当代名家学术思想文库·傅璇琮卷》

张兴武《五代艺文考》序

关于五代文学的研究，近年来，张兴武先生所提供的学术成果是颇为突出的。20 世纪 90 年代，张兴武先生在杭州大学攻读博士学位，师从吴熊和先生，即以五代诗为其研究专题，于 1997年撰就《五代作家的人格与诗格》一书，后由人民文学出版社出版。兴武先生撰写此书，先从史料辑集着手，除诗以外，还搜辑文、词及其他有关史传、笔记等文献材料，于是在此基础上，又编著《五代十国文学编年》一书（人民文学出版社，2001 年 10 月）。现在，他又推出文史结合的新著《五代艺文考》，其面更广，用力更深，无论对文学史研究或历史学研究来说，均极切实有用。

兴武先生这三部著作，都有新意。20 世纪以来，多种中国文学史著作，都未有把五代文学列为专章的，有些书把某一章标为"隋唐五代文学"，而在具体叙述中，则仅论及唐末几位作家及少数几位词人。以五代文学作为专书，过去我所看到的，仅商务印书馆于 20 世纪 30 年代编印的"百科小丛书"中的一种：《五代文学》（杨荫深著）。著者在"绪言"中提出，"就五代而旁及十国，五代仍不愧为有文学的一个时代"，不为无见。但总的来说，论叙仍较简单,只对北方五个朝代及其他十国地区的一些作家略作介绍。在此之后,历经六十余年,才有张兴武先生的《五代作家的人格与诗格》这部五代文学专著,应当说,张著是超越杨著的。过去论及五代文学,大多仅着眼于词,而兴武先生此书,明确提出五代具有独立的研究价值,并从社会历史、政治形态、时代文化、世风人情等多方面探讨作家的人生态度,及其在诗作中所呈现的艺术风貌,也就是人格与诗格;并由此认为,把五代诗作为一个独立阶段来研究,可以发掘其特有的内涵和时代特色。这种总体探索,确较个别论述,更能把握一个时代的特色和趋向。

《五代十国文学编年》又另有新见。大家知道,五代是一个分裂割据的时代,在北方中原,先后有梁、唐、晋、汉、周五个历时短促的王朝;与此同时,除山西部分地区的北汉外,东南有吴、南唐、吴越、闽,中南地区有荆、楚、南汉,西南有蜀(前蜀、后蜀),各自建立地方政权,即所谓十国。每一地区各有作家和文学活动,这些作家有时也往来于不同地区。这部《五代十国文学编年》,按年记述南北各政权范围的作家及文学活动,就使人拓宽视野,宏观观察这五代十国的文学进展全局。

现在这部《五代艺文考》,更超越文学研究范围,涉及目录学、历史学等等,可以说是一部包含多学科的著作。兴武先生邀我为本书作序,我通阅全书,确颇有所得。

首先,我觉得这部书的构思,也就是学术框架,是很规范的。清朝后期有三位学者作过有关五代艺文志的书,即道光年间顾槤三的《补五代史艺文志》,咸丰年间宋祖骏的同名之作《补五代史艺文志》,光绪时汪振民《补南唐艺文志》。这三部书都各有文献价值,但著录中有一缺陷,即一般仅列书名、卷数、著者姓名,未有引证。兴武先生乃先从材料复核着手,以顾櫰三《补五代史艺文志》之先后为序,根据有关文献,逐一复核其著录是否确实,在核查中遂又订正其不确之处,如书名不确、卷数不确、撰人不确等,以及某些分类不当。其次,又考证清人三《志》中误收唐人、宋人之书,即不应列入五代范围的。第三步,作补辑工作,补清人三《志》有所遗漏的,及现代学者如唐圭璋先生《南唐艺文志》等有所未收的;与此同时,又注意辑集金石碑刻材料,作《五代金石辑录》。这样,既有复核、订正,又作新的补充,在此基础上,乃有《新编五代艺文志》,也就是作为研究的成品,向读者提供既信实又完整的五代时期著作总目。

另外,本书的时间断限及取舍原则,也有科学性。作者在《五代作家的人格与诗格》中曾提取我关于这方面的一种看法,并表示认同。我于 1989 年为美籍华裔教授李珍华先生点校的《五代诗话》所作的序言中曾谈及,我们若专作五代文学系年,似可以从唐僖宗光启元年(885)开始,那时黄巢起义虽平复,但各地节镇已乘机拥兵自立,中央朝廷名存实亡,当时的一些著作家如韦庄、韩偓、黄滔、杜荀鹤等,皆由唐入五代。作家的创作,包括其他一些历史、哲学、艺术、宗教等著作,确不能机械地局限于王朝纪年。兴武先生在前后三书中,都认为五代文学创作及其他文化活动,都应从唐昭宗朝开始考虑,这样才可以有一完整的把握。而同时在具体取舍上,又很谨严,指出顾、宋二《志》又误将不少唐、宋人的著述阑入其中。有些是明显与五代相隔较远的,如《渚宫旧事》,著者余知古,本书《考略》中引《新唐书·艺文志》地理类注

"文宗时人"。按《新唐书·艺文志》另一处亦有余知古,即《新志》四总集类《汉上题襟集》十卷,注云:"段成式、温庭筠、余知古。"此为徐商于唐宣宗大中十年至唐懿宗咸通元年(856—860)为襄州刺史、山南东道节度使时,段成式、温庭筠与余知古在其幕府唱和之作(参见鄙人主编的《唐才子传校笺》卷八温庭筠传)。则其《渚宫旧事》当也于大中后期在襄阳时所作,虽然较文宗时晚十余年,但仍距昭宗有三十年。又如《五代记》著者孙冲,《考略》中引《宋史·艺文志》及《宋史》本传,明载其与寇准同时,距北宋建国已有四十年。有些则与宋初时间相接的,如《江南录》著者徐铉、汤锐,都是由南唐入宋的,但《考略》中据史书所载,考明此书乃奉敕即奉宋太宗之命而作,因此也不宜列入五代之书。这样的处理确很规范。

本书另一新意之作,是《五代金石辑录》,就是据《宝刻类编》、《舆地碑记目》、《金石萃编》等著录的碑刻、题名等加以辑入。这些虽为单篇,未是成书,但其中确有不少重要材料,对于文史研究具有不可替代的价值和用途,因此不宜受过去艺文志著录中传统框架的限制。我这次通阅所录,又有一新得,即兴武先生此次所辑,是按国别编录的,我发现北方几个正统王朝,数量并不多,最多的则是南唐、吴越和前后蜀。这使我想起《五代作家的人格与诗格》中几次提及,因北方战乱频繁,南方相对稳定,经济重心南移,文学作家也逐步南迁。书中提及,唐末后梁时南下作家的主要流向为西蜀和闽中,"沙陀三王明"时期南迁作家的基本归属,以吴和南唐居多,而吴越又少涉战乱,其国主也好文尚士。由此可见,金石辑录并不是单纯的文献资料,我们由此可与文人趋向及文化流播联系起来。

艺文志，作为书目著录的一种文体，是极有特色并极有学术意义的。清代学者王鸣盛《十七史商榷》（卷二）就曾提出："艺文志者，学问之眉目，著述之门户也。"20世纪90年代前期，原南京大学校长、著名学术前辈匡亚明先生任国家古籍整理出版规划小组组长，在制订1991—2000年规划时，他特地提出由古籍小组主持，编纂《中国古籍总目提要》。当时我被任为古籍小组秘书长，就负责筹办此事，在我起草的《中国古籍总目提要编纂总纲》中，就曾提出："古籍编目并不单纯是一种技术性的工作。我国古代著名的目录学著作，从汉朝刘向的《七略》、班固的《汉书·艺文志》起，一直到清朝的《四库全书总目》，都是传统学术的综合研究。它们的作者大多能体现这一时代的学术成就，反映一个时代的文化发展。"我现在引用十年前所写的这段话，是想进一步说明，这部《五代艺文考》，经过广泛辑集与细心疏证，就五代时期各类著作作系统、确切的著录，可供学术界有效地利用，其本身即又成为一项学术研究成果。《旧五代史》除记传外，有十志，但无"艺文"。《新五代史》仅有"司天"、"职方"二考，根本不立志，清修《四库全书总目》明确指责："此书之失，此为最大。"（卷四六史部正史类二）唐朝著名史学家刘知幾曾提出史家必须兼有史才、史学、史识三长，尤以史识为重，但很奇怪，他却在所著《史通》卷三《书志》中提出没有必要修艺文志。欧阳修当不致受《史通》的影响，他在《新五代史》中曾两次提及"五代乱世，文字不完"（卷五九《司天考》、卷六〇《职方考》），可见是受当时客观条件限制，文献资料缺乏，未能编修较有规模的《艺文志》，如《新唐书·艺文志》那样有四卷之多。《汉书·艺文志》《隋书·经籍志》，及两《唐书》的《经籍》《艺文》二志，一个很大的优势是当时著录之书，绝大部分后世失传，我们今天可据以查考当时著述情况。清朝及近世学者所补前史艺文志之书，当然不像前人那样能目睹原书，但仍有两个优点，一是广辑群书，补前志之缺，二是细核史料，纠前志之失。这种工作，看来琐细碎杂，实则专研精治，极有裨于今世。我个人是希望我们学界能多出这样实学之作的。

2003 年 5 月于北京

原载巴蜀书社 2003 年版《五代艺文考》，此据大象出版社 2008 年版《学林清话》录入

求真务实　严格律己

——从关于《全宋诗》的订补谈起

　　《全宋诗》于上一世纪80、90年代陆续编纂、出版,其所取得的成就,应该说是得到学术界广泛认可的。清人所编的有关宋诗文献的两部大书,即各为百卷的厉鹗《宋诗纪事》、陆心源《宋诗纪事补遗》,确有不少疏误,但钱锺书先生仍有平心静气的评议,谓:"没有他们的指出,我们的研究就要困难得多。不说别的,他们至少开出了一张宋代诗人的详细名单,指示了无数探讨的线索,这就省掉我们不少心力。"(《宋诗选注·序》)《全宋诗》也确实如此,它可以说为研究者开出全宋诗人的基本名单,考辑出大批无名作者的生平事迹,提供了大量真实可靠的底本,网罗的散佚之作远出厉、陆二书,从而为宋代文史的研究提供了极大的方便。

　　但这样一部诗歌总集,由于规模大,历时久,又出于众手,缺乏细心考订,不免有所失误。出版以后,不断有批评的文章出现,主要是订正其讹误,补辑其缺佚。应该说这是我们文学研究和古籍整理的好现象,不仅对《全宋诗》今后的补订提供众多有用的资料信息,而且对学风建设也极为有利。我们确实需有一种严谨求实的治学精神,不崇虚誉、敢于纠误的正派作风。也正因此,我们特为撰写此文。因为我们对《全宋诗》订补的文章,曾作过一定的复核,发现其中不少自身有误,特别是所谓补《全宋诗》之缺,其辑佚之作,有些是出于宋以前唐、五代时人,有些出于宋以后的金、元、明时人,有些则是《全宋诗》已加辑录的。应当说,由此正可认识到宋诗资料工作的复杂性和艰巨性,以及在学术评议中,注意到资料的细心核实和立论的认真审订。我们希望通过学界友人的磋商、交流,凝聚求真务实的精神,建树严格自律的学风。

已发表的宋诗订补文章,其存在的问题,大致有以下几个方面:

一、订正的失误

首先是关于小传的订正。《全宋诗》的小传纠正了大量前人的失误,发掘出众多新的生平材料,但要为如此多的诗人撰写小传,难免有不周甚至纰漏之处。对此学者们多有订正,但也不是没有失考的地方。如李裕民《〈全宋诗〉辨误》谓《全宋诗》45 册27708 页之陈善与 50 册 31451 页之陈善实为一人,他也说:"两传均云字子兼,罗源人,作有《扪虱新话》,显然为同一人,惟后者称其'孝宗淳熙间由太学第进士'则误,据淳熙《三山志》卷二九,其中进士在高宗三十年。后者所收之诗应并入前者。"①其订正陈善"孝宗淳熙间由太学第进士"之误是正确的,但却不知宋代名叫陈善者不只一人。《全宋诗》50 册 31451 页小传云:"陈善,字子兼,号秋塘。福州罗源人,孝宗淳熙间由太学第进士,未授官而

---

① 《文献》季刊 2003 年第 2 期。

卒。有《扪虱新话》传世。事见《扪虱新话》卷首宋陈益序。"这里,除了"号秋塘"、"孝宗淳熙间由太学第进士"外,俱为另一陈善的事迹。检《扪虱新话》卷首门人陈益序,惋惜陈善"负抱儒业,晚得一命之爵,曾不得寸禄而死"。此序作于淳熙元年孟夏朔日,知此陈善卒于淳熙元年之前。淳熙间之陈善实为另一人,宋张端义《贵耳集》卷上云:"秋塘陈敬甫善有《雪蓬夜话》三卷,淳熙间一豪士。"该书又记载陈善有《送辅汉卿过考亭》诗云:"闻说平生辅汉卿,武夷山下啜残羹。"查文渊阁四库本《朱子年谱》卷三,淳熙十年癸卯夏四月,朱熹结庐于武夷之五曲,正月经始,至四月落成,始来居之,四方士友来者甚众。陈善诗提到辅汉卿在武夷精舍从学于朱熹,则其诗作年必不早于淳熙十年,与淳熙元年之前已经过世的罗源陈善不是同一人,可以得到证明。

方健对《全宋诗》的批评较多,但他的文章也同样有失考之处。如《全宋诗》72 册 3768 卷 45442 页有赵宗吉,据《诗渊》辑录《题武夷》一诗,小传云:"宋金宪。"方健考证说:"今考宋代无此职官,实乃明代'金都御史'别称,明都察院设左右御史,古称御史为宪台,故又别称'金宪'。此不解宋、明官制之失。"①《全宋诗》收录赵宗吉固然不确,但方文将赵氏断为明人亦有误。按,四库全书本《江西通志》卷五一有咸淳三年丁卯解试赵宗吉,江西庐陵人,但其人未作过御史,故非作《题武夷》一诗之赵宗吉。作过御史(金宪)的赵宗吉,应为元代人,元代文献多见其名,如《文献集》卷一《送赵宗吉御史》、《圭峰集》卷上《送金判赵宗吉》、《安雅

---

① 方健《〈全宋诗〉硬伤数例》,《文汇报》(上海)2002 年 6 月 15 日。

堂集》卷三《分题飞龙亭为赵宗吉御史赋》、《蒲室集》卷一四《赵宗吉御史冠像赞》等,《元诗选》初集卷四六有朱德润《简赵宗吉佥宪》,与《全宋诗》小传完全吻合。

其次是关于诗篇的订正。学者们订正了《全宋诗》诸多误收的诗篇,应予充分肯定。但令人费解的是,《全宋诗》有的本来就没有失误,却被无辜指为失误。如吴宗海指责孔凡礼《苏轼诗集》中补辑之诗、句有部分既不入存目,又不收入《全宋诗》备考,也未辨析,不知何故? 但他仅仅将有关诗歌摘录下来,作存疑处理,没有进一步去解决问题,这就缺少学术价值。他举出的所谓苏轼《失题一首》:"读书头欲白,相对眼终青。身更万事已白头,相对百年眼终青。看镜白头知我老,平生青眼为君明。故人相见尚青眼,新贵如今多白头。江山万里头欲白,骨肉十年终眼青。"仔细读来,这根本不是一首诗。查《诗话总龟》卷九,分明是列举出的若干黄山谷有关用"青眼"与"白头"相对的句子,分别见《山谷年谱》卷二六引、《山谷外集》卷一四《南屏山》、《山谷别集》卷一《奉和答君庸见寄》、《山谷外集》卷六《次韵盖郎中率郭郎中休官二首》之一、《山谷集》卷二《送王郎》,后人误读文献,竟成为一首"失题诗"。另如苏轼所谓"枪旗携到齐西境,更试城南金线奇"(出自吴曾《能改斋漫录》卷一五),实乃苏辙《次韵李公择以惠泉答章子厚新茶二首》之一的句子,见《栾城集》卷六。又所谓苏轼《绝句一首》(濛濛春雨湿邯沟),乃苏辙《高邮别秦观三首》之一,见《栾城集》卷九、《坡门酬唱集》卷一八。孔凡礼大概察觉了整理苏轼诗集时所造成的这些错误,所以没有让错误在《全宋诗》中延续下来,却反而招来了订补者的一番议论①,实无必要。还有李裕民据《记纂渊海》卷二五辑录潘阆《渭水》四句②,按此诗实有八句,见《逍遥集·渭上秋夕闲望》,《全宋诗》1 册 57 卷 633 页潘阆卷列为存目,指出《逍遥集》据《瀛奎律髓》卷一二误收,实为魏野诗,见《东观集》卷九,这是正确的,错的反倒是订补者自己。

再次是关于文献出处的订证。对于文献出处,订补者也有不确之处。如房日晰《读〈全宋诗〉札记(十六)》云:"《全宋诗》卷一二七五载王祈句:'叶垂千口剑,干耸万条枪。'注出处谓宋阮阅《诗话总龟》前集卷三九引《王直方诗话》。按,《诗话总龟》前集卷三九无此条,盖卷次有误也。覆核郭绍虞《宋诗话辑佚·王直方诗话》注'《总龟》前三十九',亦误。或《全宋诗》编者沿郭误而来。"③按,王祈此诗句见于四库全书本《诗话总龟》前集卷三九,《全宋诗》和郭绍虞并无失误,既然房氏指其"注出处卷次错讹",为何又不注出正确的文献出处而供人覆核呢?

二、校订的失误

《全宋诗》是诗文总集,按总集校点通例,对文字主要是校是非,提供信实的本子,而不必如别集那样,详校异同,有时还细加论证,补充史事。但有些评论者却未及注意此点,因而出现补校上的问题。房日晰《读〈全宋诗〉札记(十三)》④据清代的《宋百家诗存·青山集》补校《郭祥正集》,就存在一些失误。如《潜山

---

①均见吴宗海《读〈全宋诗〉零札》,《镇江师专学报》1998 年第 4 期。
②《〈全宋诗〉补(上)》,《文史》2001 年第 3 辑。
③《江海学刊》1999 年第 3 期。
④《江海学刊》1998 年第 5 期。

行》："笑别姑熟州。"房校云："'姑熟'《青山集》作'姑苏'。"按，姑熟即姑孰，又名南洲(州)，古城名，因城南临姑孰溪而得名，故址在今安徽当涂。其地当长江重要渡口，东晋、南朝历为南豫州治所，隋移当涂县治此。北宋韦骧《钱塘集》卷五有《姑熟州宅泛舟清饮》诗，所指即为其地。郭祥正是安徽当涂人，故以姑熟州指称自己的故乡。题中的潜山(县)在安徽西南部、皖河上游。郭祥正此行是从当涂出发指向确山。而姑苏乃苏州市的别称，《宋百家诗存》将姑熟改为姑苏，显然属于臆改，若据以校勘，就违背了校是非的原则。另如《留别宣城李节推献父》："水流到海无穷时。"房校云："'水流'《青山集》作'水穷'。"按，若作"水穷到海"，一句中出现两个"穷"字，有犯复之病，故所谓"水穷"之"穷"，应为《宋百家诗存》误刻。又："醉来辞君登海槎。"房校云："'海槎'《青山集》作'海查'。"按，海槎与海查是同一意思，槎、查相通，按《全宋诗》校勘体例，实不必出校。再如《广州越王台呈蒋帅待制》云："百伎尽入呈优俳。"房校云："'百伎'《青山集》作'百使'。"按，从"优俳"两字推断，原文作"百伎"是正确的，"百使"当为《宋百家诗存》的误刻。如果此类情况均要出校，且不加自己的判断，那么《全宋诗》简直要校不胜校了。虽然校勘问题在《全宋诗》订补中不是很突出，但也应该引起我们的注意。

三、辑佚的失误

辑佚的失误是目前《全宋诗》订补工作中存在的最大问题。要发现《全宋诗》的错失也许不是太难的事，但要使自己的补正万无一失，却是相当困难的。根据我们收集到的材料，宋诗辑佚问题特多。

首先是辑佚的质量堪忧。我们抽取了若干宋诗辑佚的论文样本进行了研究分析。吴宗海《读〈全宋诗〉零札》"失收"部分收录 11 位诗家的佚诗佚句 19 条，除了苏颂、李之仪、晁说之、梅执礼 4 条外，其他全部属于误辑，失误率约 79%。房日晰、房向莉《读〈全宋诗〉札记》①辑录 7 家 18 首佚诗，除了华岳 3 首、释道璨 2 首和张先 1 首可靠外，其他全部属于误辑，失误率约 67%。邹陈惠仪《曾巩诗文版本概况与辑佚》②辑录曾巩诗 6 首，其中《咏虞姬》一诗，《冷斋夜话》作曾布妻魏夫人诗，《苕溪渔隐丛话》前集卷六考为许彦国作；《过灵壁张氏园》已见于《元丰类稿》卷八；《范饶州坐客语食河豚鱼》一诗实为梅尧臣作，见《宛陵集》卷五。这样邹陈惠仪所辑曾巩诗有问题的也占一半。至于李裕民《〈全宋诗〉补》疏于考证之处同样为数众多。

　　其次是辑佚失误的类型也很多，凡是《全宋诗》失误的类型，几乎在后来的辑佚者文中也都存在。如误收它朝诗家诗作，从李裕民《〈全宋诗〉补（上）》一文中就可发现数例。他据《蜀中广记》卷八辑录郭周藩《谭子池》诗，小传云："宋进士。"按，宋计有功《唐诗纪事》卷四九即有郭周藩条，称其为唐宪宗元和六年进士，并载其《谭子池》诗。又见清徐松《登科记考》卷一八。《全唐诗》卷四八八也录有郭周藩《谭子池》诗，文字与《蜀中广记》所录大同小异。故所谓郭周藩应为唐人。又有王庆长，小传云："王庆长，义乌人。绍圣元年（1094）进士。历官知南康军、饶州、严州。

①《新疆师范大学学报》2001 年第 2 期。
②《古籍整理研究学刊》2003 年第 2 期。

请老家居，年七十五而卒。事见《宋元学案补遗》卷二五。"并据《记纂渊海》卷二四辑录其《过华州》诗。但那个时代是否仅只有一人叫王庆长呢？查四库本清《陕西通志》卷九六，作王世昌诗，计有八句："拔地三峰冷翠微，落岩飞瀑喷珠玑。吟鞭落拓骑驴过，战刃韬藏牧马归。十丈玉莲秋不谢，半楞掌月昼还飞。地灵人杰无遗逸，未分蟠螭老布衣。"查此八句诗又见于《中州集》卷八，亦作王世昌诗，小传云："世昌字庆长，宁州人，贞祐三年同进士出身，以信都丞致仕。"则此诗显然属于金人王世昌诗。李裕民所辑诗不惟不完整，而且作者也被误考。另如宋雄飞，按四库本《山西通志》卷二二三收其诗，与元人排列在一起，《山西通志》卷一七〇"太清观"条云："元宋雄飞有诗。"则其人应为元人。若李先生认为其人是宋人，应示更多的证据。

又有唐人诗而被误作宋诗的，如李裕民《〈全宋诗〉补（上）》据《永乐大典》卷二二七六〇辑录郑居中《雪山》断句："为爱诗名吟到此，风魂雪魄去难招。"按，此乃唐僧栖白《哭刘得仁》诗中的句子，见《才调集》卷九、《全唐诗》卷八二三。另据《记纂渊海》卷二四辑录李虚己《虢州送别》诗六句。按，此乃唐人岑参《虢州送天平何丞入京市马》诗中的句子，见《全唐诗》卷二〇〇。李之亮《张舜民诗集笺校》据光绪《麟游县志》卷八辑录张舜民《石臼山诗二首》，其实前一首"石臼山中有一僧"乃吴融《阌乡寓居十首》之一，见《全唐诗》卷八六八。

有字号相同而被误辑的，如房日晰《读〈全宋诗〉偶记》①据胡

①《渭南师专学报》2000 年第 1 期。

应麟《诗薮》外编卷五补录陈与义《春晚》诗(转引自白敦仁《陈与义集校笺》附录一《佚诗文》)。按,此诗最早见于《诗人玉屑》卷一九,作于去非《春晚》诗,又见《诗家鼎脔》卷上,题作竹田于革去非《春晚》诗。《宋诗纪事》卷五五云:"于革,字去非,号竹田,丰城人。淳熙八年进士知房州。"《全宋诗》50册2675卷31434页于革名下已经收录此诗,甚确,而白敦仁、房日晰误判为陈与义诗。

也有沿袭旧误而疏于甄辨的。如吴宗海《读〈全宋诗〉零札》据宋谢枋得《千家诗》辑录程颢《秋月》诗。查此诗《记纂渊海》卷二作程伯淳(颢)《秋》诗,《两宋名贤小集》卷一三〇作程颢《秋日》诗,但实际上此诗的真正作者应是朱熹,见《晦庵集》卷二,题作《入瑞岩道间得四绝句呈彦集充父二兄》四首之三。吴先生又据清卞永誉《式古堂书画汇考》(卷一〇,吴先生实际是据《宋诗纪事》卷三四转引)辑录苏过《金陵上吴开府两绝句》,其中"时平"一首,实为刘过《上吴居父》诗,见《龙洲集》卷八。

有作者歧异而失注的。李之亮《张舜民诗集笺校》比《全宋诗》多出六首,吴宗海《〈全宋诗〉疏失原因续探》①袭之,但也不无可议之处。如据吕祖谦《宋文鉴》卷二一辑录张舜民《纵步湘西》一诗,按此诗又见于林之奇《拙斋文集》卷三;又据《宋文鉴》卷二六辑录张舜民《两头纤纤二首》。按,前一首乃孔平仲《两头纤纤五首》之一,见《清江三孔集》卷二七。李裕民《〈全宋诗〉补(上)》据成化《山西通志》卷一六辑录王拯之《灵泉寺》诗。按此诗又见

---

① 《井冈山师范学院学报》2001年第1期。

于清《山西通志》卷二二六、曾燠《江西诗征》卷八,均作黄廉《过灵泉寺》四首之一,《全宋诗》12 册 726 卷 8140 页黄廉名下已据后者收录。以上至少亦应注明互见。

更有《全宋诗》已经收辑,而补辑者不慎而误出的。李裕民《〈全宋诗〉补(上)》据《永乐大典》卷三一四五辑录陈补《隐居》诗一首,《全宋诗》21 册作陈俌,收录此诗。又据咸淳《毗陵志》卷一九辑录元簿《岁后书怀》诗,按元簿当作元溥,《全宋诗》43 册 2358 卷 27070 页已经收录。吴宗海《读〈全宋诗〉零札》据宋张邦基《墨庄漫录》卷八辑录程俱《咏劝酒胡》,按此乃程俱《赠王君玉侍郎集酒胡诗次韵》,见《北山集》卷九,吴氏实踵《宋诗纪事》卷四〇而误。

有割裂全篇而成所谓佚诗佚句的,如李裕民《〈全宋诗〉补(上)》辑录曹汝弼《喜友人过隐居》诗两句:“旋收松上雪,来煮雨前茶。”按,曹诗实有八句,见《瀛奎律髓》卷二三、《石仓历代诗选》卷一三七、《宋元诗会》卷七、《宋诗纪事》卷九,《全宋诗》2 册 93 卷 1053 页全诗收录。吴宗海《读〈全宋诗〉零札》据《中吴纪闻》卷六辑录张扩《赠顾景凡》绝句两首:“顾侯风味更严苦,家贫阙办三韭菹。龟肠撑突五千卷,底用会萃笺虫鱼。”“虎头文字逼前辈,衮衮颛蒙分尺素。天闲老骥日千里,何用盐车追蹇步。”按,前者乃张扩《顾景蕃访大年侄昆仲留宿细柳轩……》中的句子,后者乃张扩《景蕃还所借诗卷并辱以诗辄次韵》中的句子,均见《东窗集》卷二,吴氏实踵《宋诗纪事》卷三七而误。又据叶梦得《石林诗话》卷上辑录黄庭坚的佚句:“人得交游是风月,天开图画即江山。”按,此乃黄庭坚《王厚颂》第二首中的警句,见《山谷集》卷一五。又据宋魏泰《临汉隐居诗话》辑录王安国逸句:"忽吟佳客诗驱暑,远胜前人橄愈风。"按,此乃王安国《和魏道辅雨中见示》七律中的颔联,全诗见《两宋名贤小集》卷六一、《石仓历代诗选》卷一四三,《全宋诗》11册631卷7536页已经辑录。

有的所辑之诗可校而未作校勘,造成了某种缺憾。如李裕民据谢维新《古今合璧事类备要别集》卷九四辑录张舜民《蚕蛛行》,有不少阙字,如"谁谓□□□,谋身一□□。……余事及□木"诸句就有六个阙字。查此诗又见于宋祝穆《古今事文类聚》后集卷五〇,以上几句作"谁谓尔蚕巧,谋身一何疏。……余事及土木",还有若干异字可供校勘。

辑佚者对一些《全宋诗》失收诗人生平的考证也存在着粗疏的错失。如李裕民《〈全宋诗〉补(上)》有黄昌朝,小传仅云:"宋殿中丞。"按,《吴郡志》卷二八:"崇宁二年霍端友榜:黄昌朝,昌衡弟。"《江南通志》卷一一九《选举志·进士》:崇宁:黄昌朝,吴县人。沈迥,李裕民所作小传云:"宋人,生平、籍贯不详。"按《浙江通志》卷一一五台州刺史、知台州栏下云:沈迥,哲宗时任。《广东通志》卷二六知康州军州事栏下有沈迥,年代不详。又据《蜀中广记》卷八辑录王岩《资阳江》诗,小传云:"王岩,南宋金陵人。王龚门人。事见《宋元学案补遗》卷九九。"按,王岩此诗早见于方回《瀛奎律髓》卷二九,题作《残冬客次资阳江》,诗下有传云:"王岩,宋初人,隐居蜀川。"李氏显然误写了小传。

以上我们仅仅列举了部分例子,已可见情况的严重性。那么何以会造成如此之多的辑佚失误呢?这是值得思考的。从当前辑佚者所使用的文献材料来看,以类书产生的问题最多。类书自然是辑佚宋诗的一大材料来源,但类书也存在着任意删节、张冠李戴、真伪杂陈等问题,尤其是宋代的类书如《全芳备祖》、《锦绣万花谷》、《记纂渊海》(此书更经明人改动)等,诗歌文献的可靠性相对较差,所以过信这类著作,据以辑录的佚诗误失率就特别高。如吴宗海《读〈全宋诗〉零札》一文为张耒之作补遗计7条,全部出自《全芳备祖》,没有一条是辑录得正确的,误失率达到100%。兹列表举证如下:

吴文所辑张耒诗首句	吴文所引文献出处	实际作者和篇名	文献依据
卷帘初认云犹冻	《全芳备祖》前集卷一《花部·梅花》	陈师道《和和叟梅花》	《后山集》卷七
拟王拟妃姚与魏	《全芳备祖》前集卷二《花部·牡丹》	梅尧臣《次韵奉和永叔谢王尚书惠牡丹》	《宛陵集》卷五六
千里相逢如故人	《全芳备祖》前集卷二《花部·牡丹》	张耒《秋移宛丘牡丹植圭窦斋前作二绝示秬秸和》(属于重复辑录)	《柯山集》卷二六
渺渺塘阴下鸥鹭	《全芳备祖》后集卷一二《卉部·蒲》	陆游《小阁纳凉》	《剑南诗稿》卷五
桑间葚熟麦齐腰	《全芳备祖》后集卷二一《农桑部·桑》	陆游《初复道中》	《剑南诗稿》卷一
风霜亦饱经	《全芳备祖》后集卷一五《木部·柏》	陈师道《老柏三首》	《后山集》卷四
秋风报秋熟	《全芳备祖》后集卷二〇	文同《蒲氏别墅十咏·稻畦》	《丹渊集》卷三

李裕民《〈全宋诗〉补》(上、下篇)引录《记纂渊海》61条,其中有问题的(包括重出、误辑、割裂、存疑等)有31条,亦过半数,

列表举证如下：

作者	首句(辑录句数)	题目	实际作者及篇名	文献依据	备注
李渼	夷门一把平安火(2句)	句	金人李汾《避乱西山作》(七律)	《中州集》卷一〇	
王荀龙	东北岭高明月晓(4句)	失题	一作王荀《广胜寺》诗(七律)	清觉罗石麟《山西通志》卷二二三	见《全宋诗》22/1288/14626(册/卷/页,下同)
王荀龙	中条山下王官谷(4句)	失题			此四句诗亦见明薛瑄《敬轩文集》卷一〇《题休休亭》中,待考
王庆长	拔地三峰冷翠微(4句)	过华州	金人王世昌《过华州》(七律)	《中州集》卷八	
潘阆	秋色满秦川(4句)	渭水	魏野《渭上秋夕闲望》(五律)	《东观集》卷九	见《全宋诗》2/86/959
王操	地凉宜牧马(4句)	失题	梅尧臣《送晁质夫太守知深州》(五律)	《宛陵集》卷五六	见《全宋诗》5/259/3258
王禹偁	二车何处搔蓬鬓(2句)	题商州	王禹偁《淳化二年八月晦日……》(七律,有异文)	《小畜集》卷九	见《全宋诗》2/65/734
王禹偁	南秦地暖花开早(2句)	题商州	邵雍《和商洛章子厚长官早梅》之二(绝句)	《伊川击壤集》卷二	见《全宋诗》7/362/4464
王禹偁	位卑松在涧(6句)	失题	王禹偁《成武县作》(一作《书怀》,五律)	《小畜集》卷六	见《全宋诗》2/62/686

作者	首句(辑录句数)	题目	实际作者及篇名	文献依据	备注
王旦	应被华山高士笑(2句)	句	张咏赠陈抟诗(4)句	《渑水燕谈录》卷二、《贵耳集》卷中、《侯鲭录》卷八、《事实类苑》卷三七	《全宋诗》失收
李虚己	关树晚苍苍(6句)	虔州送别	唐人岑参《虔州送天平何丞入京市马》诗中的句子	《全唐诗》卷二〇〇	
魏野	昼睡方浓向竹斋(4句)	自题草堂诗	魏野《谢知府寇相公降访》二首之一	《东观集》卷一	见《全宋诗》2/78/895
李宗易	谁将家集过幽都(4句)	寄子瞻	苏辙《神水馆寄子瞻兄四绝》之三	《栾城集》卷一六	见《全宋诗》15/864/10051
文彦博	雪消山骨瘦(4句)	失题	文彦博《枋口作》(五律)	《潞公文集》卷六	见《全宋诗》6/276/3516
文彦博	一派山光倾翠巘(2句)	失题	文彦博《珍珠泉》诗(绝句)	《两宋名贤小集》卷七	《全宋诗》失收
韩琦	破赵降燕汉业成	失题	韩琦《过井陉淮阴侯庙》诗(七律)	《安阳集》卷七	见《全宋诗》6/324/4020
韩琦	中山古战国(2句)	失题	苏轼《三月二十日多叶杏盛开》中的句子	《东坡全集》卷二二,《东坡诗集注》卷二五	见《全宋诗》14/820/9494
赵抃	不是当时经御爱(2句)	题御爱山	赵抃《题御爱山》(4句)	《清献集》卷五	见《全宋诗》6/343/4225
元绛	朔风刮面岁华遒(4句)		元绛《和稚子与诸生登北都城楼》(8句)	方回《瀛奎律髓》卷三五	《全宋诗》失收

作者	首句(辑录句数)	题目	实际作者及篇名	文献依据	备注
沈遘	济曲笛声出禁墙(4句)	失题	沈遘《使还雄州曹使君夜会戏赠》三首之二	《西溪集》卷三	见《全宋诗》11/630/7522（有异文）
程颢	客求墨妙多携卷(2句)	句	程颢《和邵尧夫打乖吟》二首之一(4句)	《二程文集》卷一	见《全宋诗》12/715/8236
程颢	千章古木限崖寺(2句)	句			亦见《秋涧先生大全文集》卷一八《游白荫寺》中,存疑待考
游师雄	崆峒一何高(4句)	崆峒山	游师雄《崆峒山》(6句)	清《甘肃通志》卷四九	《全宋诗》失收
游师雄	势将玉绳齐(2句)	句	游师雄《崆峒山》(6句)	清《甘肃通志》卷四九	此乃上列游师雄《崆峒山》之最后两句
曾肇	重关深锁白云收(4句)	失题	明人曾棨《居庸叠翠》(七律,前四句)	《石仓历代诗选》卷三五〇	覆核四库本《记纂渊海》卷二〇,正作曾棨诗,当系明刊时增入
曾肇	烟生睥睨千岩晓(4句)	失题	明人曾棨《居庸叠翠》(七律,后四句)	《石仓历代诗选》卷三五〇	同上
吴激	凤有沧州趣(8句)	失题	张斛《海边亭为浩然赋》(五律)	《中州集》卷	见《全宋诗》27/1852/17937
吴激	潮蹙三山岛(6句)	失题	金人刘迎《海上》诗(五律)	《中州集》卷三	

作者	首句(辑录句数)	题目	实际作者及篇名	文献依据	备注
宋孝宗	宴开芸阁儒风盛(2句)	句	宋孝宗《秋日临幸秘书省因近体诗一首赐丞相史浩以下》(8句)	《咸淳临安志》卷七、《南宋馆阁续录》卷六	见《全宋诗》43/2337/26868
汪元量	柳摇楚馆牵新恨(4句)	失题	汪元量《平原郡公夜宴》(一作《平原郡公夜宴月下待瀛国公归寓府》)(8句)	《水云集》卷一,亦见《湖山类稿》卷二	见《全宋诗》70/3665/44005
汪元量	瀛州归去琅玕长(2句)	句	同上	同上	同上

　　对地方文献中宋诗材料的辑录,也应慎重。孔凡礼《宋诗纪事续补》引用了大量的地方文献,但有些地方文献本身存在很大的问题,需要细心考辨,如果照抄照录,疏于考证,自然会产生种种的失误。如南宋鄞县史氏家族不仅在政治上影响巨大,而且在文学上也颇有佳绩,自删定史涓以来,人人有集,但除了史浩和史弥宁外,诸史的作品少有传世。其后人辑有《史氏世宝集》一书,就有故意将史浩的作品分拆给诸史的嫌疑。孔辑据《甬上宋元诗略》引《史氏世宝集》辑录了鄞县史氏家族的不少诗作,因此而存在诸多问题。上册301页辑录史才诗三首,其中《送别任龙图》一诗,实际应为史浩的作品,见史浩《鄮峰真隐漫录》卷五,题作《次韵任龙图留别》,有若干异文;另一首《雪窦飞雪亭》一诗,亦为史浩作,见《鄮峰真隐漫录》卷四,亦有数字异文。532页有史浚《偶

作》、《竹村居》二诗，均为史浩的作品，见《鄮峰真隐漫录》卷四，分别题作《下水庵晓望偶题》、《和竹里》，有数字异文。757页收史弥应诗二首，其中《过东吴》，乃史浩《次韵孙季和东湖两诗》之一，见《鄮峰真隐漫录》卷三；另一首《小春见梅》，乃史浩《弥坚小圃小春见梅》，见《鄮峰真隐漫录》卷四。762页收史嵩之诗三首，其中《雪后》一首，见《鄮峰真隐漫录》卷三，题作《雪消得寒字》；《宴琼林苑》一首，见《鄮峰真隐漫录》卷四，题作《和九日赐宴琼林苑》。下册655页有史弥忠《秋桂》云："庭前高挺碧云树，秋日奈兹风露何，两度开花君莫问，为渠天近得香多。"按，此诗颇有寄托，"香"者，相也，是夸耀自己两次为相，此诗显然不是史弥忠所作，而应为两次为相的史浩所作。查此诗又见于史浩《鄮峰真隐漫录》卷四，系《次韵馆中秋香》之一，文字略有差异。单是史氏一族，就发生这么多的误失，主要还在于孔先生过于轻信了地方文献之故。

辑佚者对清代的各类总集也过于轻信。如房日晰、房向莉《读〈全宋诗〉札记》据《宋百家诗存·桧亭吟稿》辑录葛起耕《秋夜》诗。按，此诗最早见于《江湖小集》卷一八，乃张至龙《寓兴十首》之一。该文又据《宋百家诗存·杜清献集》辑录杜范诗六首，其中《燕文贵山水图》、《四圣观》、《憩昌化民家》、《琵琶引》、《答李才翁》五诗，均为高似孙诗；《晚立》一诗，乃黄文雷《看云小集》中的作品，见《江湖小集》卷五〇、《两宋名贤小集》卷三二四，另《御选宋金元明四朝诗·御选宋诗》卷二三、《宋元诗会》卷五七、《宋诗纪事》卷六九均作黄文雷诗。又据《宋百家诗集·无怀集》辑录葛天民《绝句》。按，此诗见《御选宋金元明四朝诗·御选宋诗》卷七二，亦题作葛天民，但郑方坤《五代诗话》卷四提示是白玉蟾诗，查《海琼玉蟾先生文集》卷五，此乃白玉蟾《武夷有感》组诗之第六首《暮》，见《全宋诗》60 册 3138 卷 37593 页。又辑葛天民《竹春词》三首，按此三诗，《御选宋金元明四朝诗·御选宋诗》卷七二题作葛天民《行春词》，而卷九亦收录，题作葛长庚《行春辞》。此实乃白玉蟾《行春辞》九首中的三首，见《海琼玉蟾先生文集》卷五，《全宋诗》60 册 3138 卷 37598 页收录。又辑录华岳《醉归》、《晚登醉楼》、《酒家》三诗。按，前两首出华岳《春闺杂咏》十首，后一首出华岳《寻春十绝》，《全宋诗》2887 卷 34427 页据《翠微南征录》卷一一辑录华岳诗，不知何故脱去自《春闺杂咏》（并奇怪地注有"十首今存五首"的字样），至《早春》共六题诗计 22 首，房辑诗适在其中。《春闺杂咏》十首、《寻春十绝》又见于《两宋名贤小集》卷二五〇，房先生的辑录不惟文献出处太迟，而且也很不完整。又据《华谷集》辑录严粲《失题》诗，按此乃岳珂《梦尚书三桥旅邸》诗，见《玉楮集》卷八，《两宋名贤小集》卷三六〇、《御选宋金元明四朝诗·御选宋诗》卷五四、《宋元诗会》卷四九并作岳珂诗，甚至连《宋百家诗存》卷二四也作岳珂诗。房氏据《宋百家诗存》辑录诗歌 6 家 17 首，只有华岳的 3 首和释道璨的 2 首比较可靠，其他全部属于误辑，误辑率高达 70%，即使所辑华岳的三首诗，也有溯源不当而且也不完整的疏误。

辑佚方法不科学，则是造成失误的又一重要原因。从辑佚的方法来看，一些学者不追根溯源，明明原籍尚存，却引用后出的材料，甚至辗转转引二手材料，从而造成许多不必要的误失。辑佚者还缺少对文献的广泛调查，一见到所谓佚诗就匆忙辑录，疏于考证和甄辨,有的仅仅查一下本集就判断其是否佚诗,根本不考虑误题、互见等复杂的情况,有的连本集的翻检也不细心,遽下断语,以至于不断有重出(往往是化整为零式)的作品。不少材料可能是《全宋诗》有意舍弃的,却被后来者当作佚诗辑录,结果反而拾废为宝。这种见佚就辑、不作甄别的学风,应该引起注意。

与张如安合撰,原载《文学遗产》2003 年第 5 期,据以录入

《五代史书汇编》总序

一

　　五代处于唐、宋之间，而唐和宋，无论政治、经济和文化，正是中国历史上两个高峰时期。过去长时期中，一般认为五代有两个特点：一是时间短促，从北方中原地区梁、唐、晋、汉、周五个朝代的纪年来说，不过五十几年（907—960 年）；二是南北分裂割据，战争频繁，社会动乱，历史进程中没有什么发展。也正因如此，五代史研究一向是中国古代史及古代文学史研究中的薄弱环节，通常将其作为隋唐史的延续。古代就已如此，如南宋计有功《唐诗纪事》、元辛文房《唐才子传》，以及清代官修的《全唐诗》《全唐文》，书名均标为唐，实际上却都包含全五代的　诗文和作家。20 世纪不少历史学或文学史著作，也大多将五代附　于唐末部分，很少独立专书。

　　实际上五代并不局限于北方五朝，梁、唐、晋、汉、周主要在黄河流域,在长江流域及往南延伸至闽、浙、湖南、两广等地,先后有九个地方政权——吴、南唐、前蜀、后蜀、吴越、闽、荆南、楚、南汉,以及山西部分地区的北汉,通称十国。而这十个政权的实际建立,前蜀在 891 年(唐昭宗大顺二年),吴在 892 年(昭宗景福元年),闽在 893 年(昭宗景福二年),楚马殷在 896 年(昭宗乾宁三年)。南唐则为宋灭于 975 年(宋太祖开宝八年),吴越于 978 年(宋太宗太平兴国三年)归附,北汉于 979 年(太宗太平兴国四年)投降。以此计算,则其前后所历的时间,既远超盛唐的开元、天宝,也相当于中唐肃宗至文宗时期,因此不能以所谓历时短促而过分轻视。

而从社会发展的角度来说,虽然这几十年中没有出现过大的政治家、思想家、文学家,但应当说这是一个值得重视的历史阶段。五代处于由唐入宋的过渡时期,而这个过渡,在由中古到近古的转变中带有一定关键性质,只有透彻地研究这个过渡时期的政治、经济和文化,才能对宋代及宋以后的中国社会诸形态有清楚的了解。史学界已注意到,从六朝沿袭至唐朝的高门世族,至宋朝已完全衰落,所谓王谢门第,已荡然无存;土地占有形态也发生很大的变化,即由领主庄园制向一般地主占有制转变;宦官操持朝政,藩镇割据独立,在北宋也已不存。而这些都是通过五代而逐步转变的。另外,就以广义的文化进展来说,自唐末起,北方战乱频仍,南方相对稳定,人才大批南迁,长江流域的社会发展明显超过黄河流域。经济重心的转移也促使南方文化的兴起。同时,五代时雕版印刷的推进,对于文化典籍的传播起着前所未有的影响和作用,也直接促进宋代文献编纂和印刷事业的发展。以文学来说，词在五代，是词史发展的关键，后蜀时编撰的《花间集》是中国词学的范例之作，这已为世所共识；而从唐末开始，历五代几十年，诗歌语言的日常生活化、通俗化的倾向，对宋诗风格的形成有着直接的影响。五代时期文化形态，表现一种过渡的趋向和潮流，而这种趋向与潮流的发展，一定程度上就会促进新的文化现象的兴起。因此，五代作为一个过渡阶段，实际上起着承前启后的作用。学术界对此已有所注意。正因如此，近十余年来，有关五代政治、经济及史学、文学、艺术等，都有新著刊出，预示五代十国史的研究将有新的进展。

二

正因为配合这一研究趋向，我们经与有关专家商议，特为编纂这部《五代史书汇编》。过去相当一个时期，五代史研究之所以薄弱，除了上面所说的对五代的历史意义认识不够以外，就是史料整理很不充分，在史料运用上大多仅着眼于新旧《五代史》及《资治通鉴》，局限性较大。这样，研究的视野就不宽，一方面仅集中于北方几个朝代的更替，南方地区仅概略叙述；另一方面则将重点放在政权上层，涉及面不广，看不到当时南北广大地区社会深层的变化。有鉴于此，我们这次史料辑集面就较广，除一般所谓杂史、野史外，还包括历史体和小说体的笔记、诗话、名画录、艺文志，以及考证性札记等，较广泛地反映五代十国政治、经济、文化等发展全貌，以及五代史史书研究的进程。全书分甲、乙、丙三编,甲编为自宋至清有关新旧《五代史》的考证与评议,乙编为北方五代史的记述,丙编为十国史的记述,共收书 49 种,300 多卷,约 450 余万字,这对一定历史时期史料的辑集还是少见的。

这套书的特点,大致有二:一是如前所说,史料辑集面较广,所收书各有文献史料特色与价值;二是编纂与整理方式力求规范化、科学化,表现在版本流传的探索与底本的选择,详作校勘,提供信实可靠的新的点校本,同时每一种书都撰有能体现当前学术成果的提要,即校点说明。现在拟依此加以介绍,以便于读者检核全书。

甲编有关新旧《五代史》的考证,其中考证《旧五代史》的 1 种,考证《新五代史》的 6 种。清人钱大昕《廿二史考异》、赵翼《廿二史札记》对新旧《五代史》也有所考辨,因是全书的一部分,这次就不录。现在我们所辑集的这七部著作,可以说是迄今为止对这两部《五代史》所作的最全面的辨析与考异。今天我们要研究五代的具体史事,考索这两部史书所记是否信实,是离不开这七部考证著作的。

《旧五代史》为北宋初薛居正监修,于宋太祖开宝七年(974)修成,后曾刊印。但自欧阳修的《新五代史》问世后,此书影响逐渐减弱。金章宗泰和七年(1207)曾明令学官只能读欧史。《旧五代史》大约于明代就绝版,至乾隆时修《四库全书》,就由馆臣邵晋涵从《永乐大典》中辑出成书,有 150 卷。邵晋涵在辑集时,又仿裴松之注《三国志》的体例,从其他史籍、类书、宋人文集、碑碣、笔记、地方志等 80 余种书中辑录有关资料,撰成考异。其史料价值,一为补阙,二为辨异。今传《旧五代史》各本,都有《考异》附于文下的,但经比勘,各本所附与我们这次所提供的国家图书馆所藏蓝墨格抄本专书,不尽相同。这部五卷本的《旧五代史考异》,多可补《四库全书》等本子所缺。

甲编所收第二部书为宋吴缜《五代史记纂误》三卷(据《永乐大典》辑本)。吴缜另有《新唐书纠谬》,也是指欧阳修之失的,《四库全书总目提要》对此评价不高,认为是"有意掊击""吹毛求疵",而对《五代史记纂误》则较为肯定,认为欧书及徐无党注,经吴缜"一一抉其阙误,无不疏通剖析,切中症结"。

吴缜《五代史记纂误》于《四库》本后,又有知不足斋本印行。另有两部较有特色的书,却不大为世人所知,这就是我们这次甲编所收的杨陆荣《五代史志疑》、徐炯《五代史记补考》。杨、徐都是康熙时人,而吴缜《五代史记纂误》此时尚无传本,至乾隆时修《四库全书》才从《永乐大典》辑出,因此杨、徐二人是完全根据自己的独立研究而撰写的。杨陆荣也与吴缜一样,采取纪、传比勘的本校法,摘出欧书的错失,有相当一部分是《五代史记纂误》所无的,是对吴书的重要补充。同时他又不限于本校,凭其渊博的学识,指出欧史多有不当的记载,并且对欧阳修所标榜的正统观念也提出批评,认为"五季十国彼此相等,不必独伪十国",这种尊重历史事实的见识,在当时是极为难得的。徐炯的《五代史记补考》,有 24 卷,30 多万字,更有特点。欧阳修与宋祁等合作,撰《新唐书》,除本纪、列传外,尚有志、表;《新五代史》则除纪、传及二考(《司天考》《职方考》)外,无志、表。他曾两次提及:"五代乱世,文字不完"(卷五九《司天考》、卷六〇《职方考》),意谓五代受战乱影响,文献资料缺乏,未能编修较有规模的《艺文志》等,因此

《四库全书总目提要》对此有明确指责："此书之失，此为最大。"徐炯可能也有见于此，他所谓"补考"，就是接续欧史的《司天考》《职方考》之后，作《五行考》2 卷、《百官考》3 卷、《选举考》2 卷、《食货考》3 卷、《赋役考》2 卷、《征榷考》1 卷、《礼乐考》5 卷、《刑法考》2 卷、《军旅考》1 卷、《艺文考》3 卷，可以说是对《新五代史》作重大的补充。而其取材，除《五代会要》外，又采辑卷帙庞大的《册府元龟》《文献通考》，并广及杂史、笔记等。

在这之后，又有乾隆时吴兰庭的《五代史记纂误补》，道光时周寿昌的《五代史记纂误补续》，光绪时吴光耀的《五代史记纂误续补》，都对吴书有所补充。这几位史学修养都很高，钱大昕认为吴兰庭在史学成就上可与邵晋涵并称，其所著除参校唐宋时典籍外，还采录清人著作，有引用顾炎武、朱彝尊、阎若璩、何焯等之说，这种古今沟通之法也是值得注意的。

乙编记述五代史事者有 14 种。这部分书有两大特点：一是大部分著者多为五代和北宋初人，均能据亲身经历，就见闻所及或前人口耳相传，记述当时情事，多为正史所不及。如列为乙部第一种的《玉堂闲话》，著者王仁裕（880—956），历仕唐、晋、汉、周，曾为秦州节度判官，在前蜀又曾为翰林学士，书中除记有唐末至五代一些要事与名人外，特别于秦陇、蜀中水土风物，所记甚详；王氏以文学名世，书中记有游历各地之诗，对研究五代诗歌创作也很有参考价值。同是五代人所作，列为乙编第二书的，是《于阗国行程录》，著者平居晦于晋天福中任金州防御判官，天福三年（938）随供奉官张匡邺出使于阗，至七年（942）返回后撰此行程回忆录，记录出使始末及沿途所见山川风物，对当时于阗国的政治、文化情况,也有详记。于阗为唐时"安西四镇"之一,属安西都护府,唐末归属吐蕃,其地在今新疆和阗县境内。这应当说是难得的中古时期西北实地见闻录。又如由周入宋的张齐贤,其《洛阳搢绅旧闻记》,记中原名城洛阳的社会风尚与名人轶事,文笔生动,细腻传神,清修《四库全书总目提要》虽提出有些所记与史书不合,但仍云:"其他佚事,亦颇有足资博览者,固可与《五代史阙文》诸书,同备读史之考证也。"此处提及的《五代史阙文》,为宋初名家王禹偁(954—1001)所作,也收入本编。其自序称书中多采"传于人口而不载史笔者"。其书篇幅虽小(仅一卷),但多涉五代重要史实,清王士禛《香祖笔记》赞誉其"辨证精严,足正史官之谬"(卷四)。

乙编所收书的第二特色,是涉及面广,除前面提及的几种著作外,又如《五代会要》,全面记述中原五朝的典章制度,特别是因此书始修于周,成于宋初(乾德元年,963),从当时尚存的实录中援引不少奏章诏令,极有史料价值。又如,相传为北宋韩思所作的《五代登科录》,虽未载登科的姓名及试题,但记有历年进士、诸科人数,这是五代时仅有的有关科举考试的原始文件,因此清人徐松作《登科记考》,即据此为线索,再搜辑有关文献,补缀人名。另北宋中期刘道醇《五代名画补遗》,与丙编所收黄休复《益州名画录》,可以说是研究五代时期南北二地绘画艺术的重要史料。五代时有好几位名画家,如以山水画著称的荆浩、关仝,以花鸟画著称的徐熙、黄荃,人物画家有张图、赵岩、贯休等。动乱时期的五代,仍有不少艺术名家出现,这也是很值得注意的。乙编中清人所著,有三种也涉及文学、文献的,如王士禛原编、郑方坤删补的《五代诗话》，书中辑集宋至清的史书、文集、笔记、诗话等书260余种，记唐末五代诗家400多人，《四库全书总目提要》称其"采撷繁富，五代逸闻琐事，几于搜括无遗"。这也是我们今天研究五代文学的重要参考书。另外两书，都名为《补五代史艺文志》，分别由道光时顾櫰三、咸丰时宋祖骏编撰的。新旧《五代史》均无《艺文志》，这二书与丙编所收王振民《补南唐艺文志》，及前所述徐炯《五代史记补考》的《艺文考》，可以说是较全面地提供五代经史子集四部的著作目录，这也是清人治学的特点。

丙编记十国史事，收书较多，有28种，计有五代人所著2种，宋人所著18种，明人所著1种，清人所著7种。我们的编排是，综述诸国史事的3种，先列于前，即宋初佚名《五国故事》、宋路振（956—1014年）《九国志》、清康熙时吴任臣《十国春秋》；以后则按国来分，记南唐的有11种，记蜀国（包括前蜀、后蜀）的有7种，其他则吴越1种，楚、荆南各1种，南汉4种。每一类则按撰写者时代先后排列。这里可以注意的是，南唐与蜀，史书最多。唐末中原兵乱，北方士人避难南下，至蜀与吴的较多，吴的文人后多沿袭至南唐。范文澜《中国通史简编》第三编第三章记十国事，曾云："蜀与南唐同为五代时期文学的重镇。"明人赵世延为陆游《南唐书》所作序，有云："虽为国褊小，观其文物，当时诸国，莫与之并。"社会稳定、经济发展，确与文化繁荣有密切的联系。

如前乙编几部书同样，丙编好几部书的著者，有五代人，有五代入宋的，又虽为宋人，但因在宋初，能凭口耳相传得之于五代故老。因此这些书所记，看似琐杂，实多为正史所未及，而且我们现在从社会文化研究的角度来看，这些记载，可能含义更深。清修

《四库全书总目提要》对此也有类似的看法,如对宋初佚名《五国故事》,虽议其为"小说之体,记录颇为繁碎",但又认为"考古在于博征,固未可以琐杂废也"。又如宋初周羽翀《三楚新录》,其所载史事,多据故老口传,《四库全书总目提要》虽称其多与史书不合,但仍云:"其所闻佚事,为史所不载者,亦多可采。稗官野记,古所不废。"另外,这些书还有不少文献价值,如由蜀入宋的句延庆,其《锦里耆旧传》记王、孟二氏在蜀地兴衰事迹,其中"于诏敕、章表、书檄之文,载之独详"(《四库全书总目提要》卷六六)。又如后蜀何光远《鉴诫录》,记唐至五代遗闻逸事,以蜀地居多,书中多采诗人诗作及本事,清康熙时修《全唐诗》,据以辑入者有数十首。

丙编清人所著的几部书,也有其特点,就是能广泛辑集前书,予以综合的记述,同时对前人所记有所误失的加以正补。最明显的是清康熙时吴任臣,其所著《十国春秋》,共 114 卷,涵盖南北十国,除列国纪、传外,还撰有《十国纪元世系表》《地理表》《藩镇表》《百官表》等。清初著名学者顾炎武就极称许其"博闻强记,群书之府,吾不如吴任臣"(《亭林文集》卷六《广师》)。诗文评论家洪亮吉在其所著《北江诗话》中还特提及《十国春秋》,称其"搜采极博"。史学家王鸣盛对《十国春秋》之五表,更为肯定:"此书佳处在表,《地理表》与欧阳氏《职方考》参观,则五代十国全局如见";又谓《百官表》"甚便考览,尤其妙者也"(《十七史商榷》卷九八)。又如清道光时梁廷枏所作《南汉书》《南汉丛录》,嘉庆时吴兰修所作《南汉记》《南汉地理表》,都对偏于一隅、向为人忽视的南汉作全面的记述,辑集的材料既广,且每条均注明出处,备异同、资考证,与吴任臣《十国春秋》在小注中引前人史料以纠谬误同样,均显示清人治史的博洽与谨严。

这里要补充说明的是,有些书,有部分重复,但仍有一定参考价值的,为便于查阅,这次仍予收录。如明陈霆《唐馀纪传》,18卷,以纪传体裁记南唐国事,《四库全书总目提要》一方面评其以南唐继李唐正统为非,另一方面又认为已有马令、陆游《南唐书》,"何必作此屋下屋",因而列为"存目"。应当说,南唐的建立,对当时江淮地区的社会安定、经济复兴、文学发展是起一定积极作用的,陈霆并不完全从南唐承袭唐朝正统出发来编撰此书,他在自序中称"斋居之暇,因网罗轶遗,补辑残缺,去舛订是,列为一书"。书中所辑资料,是可以增补马、陆二书的,且于记叙之余,间有议论,也可以见出明人的史识。清吴任臣《十国春秋》在记南唐史事时,也屡次引述其书。故我们仍将其编入。但明末李清的《南唐书合订》25卷,以陆游书为主,将马令书补入,虽也采择其他所谓野史,但总因重复过多,就不编入。同时,宋初还有一些笔记如《北梦琐言》《南部新书》等,也记有五代史事的,尤其是一些文集(如罗隐、黄滔、徐铉等集),其中记序、奏议、碑传,多与朝政史事有关。但这些书,总非专史,限于篇幅,不宜全录,而若挑选,编纂加工量又大。经考虑,以后如有条件,可再有"补编",将有关资料重加辑录,这当能使五代史料更为完备。

三

这次我们除广辑史书外,还按符合现代科学意义的规范化要求,对全书进行标点、校勘,其整理范围包括:对每一部书都写有提要,即校点说明;考查每一部书的版本流传及著录情况,选择较为信实的本子作为底本,再参核其他本子及有关典籍加以校勘,写有校记;有些原书已失,则尽可能查核有关资料,加以辑佚;有些书在流传中有缺漏,也酌予补辑,附于书后。我们希望通过这一"汇编",提供较为完整、可靠的新本。

20世纪前半叶与后半叶,也曾有史书汇编之作,如《二十五史补编》《二十五史三编》等,有关五代史也有少数几种编入。但这些汇编书都为影印。现在编古籍大书,确有一种影印的风气。影印能保持早期刊本、抄本的原貌,特别是对一些善本、孤本,是有意义的。但从全局来说,古籍整理不能仅限于影印。从学术研究与文化传播的角度来看,标点和校勘的作用是大于影印的。从考订、辨异、纠误来说,校点所能达到的质量要求,更在影印之上。我们现在不能一味耽信于所谓宋元善本。钱大昕《十驾斋养新录》卷十九就提出:"今人重宋椠本书,谓必无差误,却不尽然。"并特别引陆游《跋历代陵名》中的话:"近世士大夫所至喜刻书版,而略不校雠。错本书散满天下,更误学者,不如不刻之愈也。"因此钱氏认为:"是南宋初刻本已不能无误也。"

从版本探索来说,这里不妨举一二个例子。如乙编所收北宋史温《钓矶立谈》,其书虽仅一卷,但版本却甚复杂。校点者上海师范大学文学院虞云国教授经调查,将其版本流传归纳为三个系统:一是南宋临安府太庙前尹家书籍铺刊本,后毛晋汲古斋影宋抄本、《四库全书》本都属这一系;二为清康熙四十五年(1706)曹寅在扬州所刊《楝亭十二种》本,后清季张氏《适园丛书》本据曹本翻印;第三系统不甚清楚,但可考知《知不足斋丛书》本曾据毛氏汲古斋旧抄本与曹氏《楝亭十二种》本汇校,兼有两本之长。在清理出这三个系统的基础上,这次点校就选择《知不足斋丛书》本为底本,将鲍氏据两本所校的校记适当吸取,并再以文渊阁《四库全书》本对校。由此可见,古籍整理在校勘上是需有版本的系统考索与目录学的基本素养的。

又如宋初郑文宝《南唐近事》,经上海师范大学古籍研究所张剑光教授细加调查,得知有明万历刻本和崇祯刻本,均为 3 卷,而清《四库全书》本作 2 卷,另外《续百川学海》《宝颜堂秘笈》《唐宋丛书》等本则又为 1 卷。在卷数不同的情况下,校点者就细阅原文,得出内容基本相同的结论,就以文渊阁《四库全书》本为底本,参校诸本,另还参考他书,辑得逸文若干条,编为一卷,附于书末。这就是说,既要普查版本著录情况,又要细核文本,这样就能提供最为齐全的定本,其信实程度是超过早期的所谓善本、孤本的,对研究使用来说更有价值。

北京师范大学古籍研究所曾贻芬教授与中华书局崔文印编审,共同负责甲编七部著作的校点,两位对所援引的书,差不多都一一校核,工作量相当大,而收获也极大。如《五代史记补考》,著者徐炯,其父徐乾学。徐乾学另一子徐骏,雍正时陷文字狱被杀;徐炯此书也就受累一直未能付梓。民国初期张钧衡获此稿本,刻入《适园丛书》,这是清初以来唯一传本,甚可贵,但可能撰时较仓促,又因故未加复核,故错失也较多。这次崔文印编审就细加比勘,补正不少。如《选举考》有一条即据所引《五代会要》补所漏略 22 字,卷十三《征榷考》有一条据所引《册府元龟》也补有 20 余字,其余改正一二字者比比皆是。徐炯地下有知,正当感激万分。

正因版本的普查工作做得较细,故本书所选底本也较珍贵。如邵晋涵《旧五代史考异》选用国家图书馆所藏蓝墨格抄本,杨陆荣《五代史志疑》选用南京图书馆所藏康熙十九年刻本,这都是现存唯一孤本。有些书已逸,这次又重新辑集,如五代王仁裕《玉堂闲话》原为10卷,宋时已逸,复旦大学中文系陈尚君教授,这次就从《太平广记》《永乐大典》《锦绣万花谷》《岁时广记》《能改斋漫录》等书中辑出一八三条,使长期散佚的书重现原貌。又如前面已述及的《于阗国行程录》,五代平居晦撰,此书元代以后已失传,陈尚君教授这次特从《新五代史》卷七四《四夷附录》、《证类本草》卷三、《演繁露》卷一,辑录逸文三则。

至于所收每一种书都撰有提要,即校点说明,这也是这部《汇编》的体例创新之一。每篇提要,都记述著者生平、内容概要、史料价值,以及版本著录与整理情况,体现当前的学术成果。这也是古籍整理与学术研究的具体结合。如《钓矶立谈》,其著者,南宋尤袤《遂初堂书目》不著撰人,清钱曾《读书敏求记》据该书南宋尹氏书籍铺本也谓"不著名氏"。《宋史·艺文志》子部小说家类作史虚白,清曹寅《楝亭十二种》本即据此迳题史虚白撰。而《知不足斋丛书》本鲍廷博跋语又有不同意见,云:"以自序及他书考之,盖虚白仲子之笔",而其名无考。《四库全书总目提要》则不同意此说,认为"荒谬不足为据";余嘉锡《四库提要辨证》以为"此书之作者之名,终莫得而考"。虞云国教授在校点说明中详列各种不同异说,后据《文史》第四十四辑陈尚君《〈钓矶立谈〉作者考》,认定为史虚白之孙史温根据五代南唐时山东一无名叟之所述史事与议论而成。又如《吴越备史》的著者，复旦大学中文系李最欣博士，在校点说明中提出宋、明时的有关记载，有钱俨、范垌、林禹等不同说法，经考证，确定为吴越国文穆王钱元瓘第十四子钱俨所作。这些校点说明，实际上都是学术考证。

校点说明在充分肯定各书的史料价值时，有时也中肯指出书中的缺失之处。如《五代诗话》，校点说明指出其中有明显的错误，如卷五"罗隐"条，引《唐诗纪事》，谓"邺都罗绍威学隐为诗，自号其文为《偷江东集》"；而同卷另一条引《吴越备史》，却谓"时魏府节度使王智兴学隐诗，自号诗卷为《偷江东集》"。校点说明指出，王智兴，两《唐书》有传，为中唐宪宗、穆宗时人，卒于文宗开成元年（836 年），而此时罗隐尚未出生，且他又从未仕为魏博节镇。又如吴任臣《十国春秋》，确有极大优点，但校点说明也提出书中疏误之处，较明显的如卷四四前蜀列传《赵蕤传》，称"乾德时著《长短经》十卷行世"。乾德为前蜀后主王衍年号。实则赵蕤为唐玄宗时人，校点说明据《新唐书》卷五九《艺文志》三，著录有赵蕤《长经要术》十卷，玄宗于开元时曾召其入宫，他不赴；且李白于开元时曾作诗怀念，有《淮南卧病书怀寄蜀中赵征君蕤》。校点说明能如此作，也确显示这部《汇编》的学术品位。

又如陆游《南唐书》，过去的有关记载都未记述陆游何时撰作此书，陆游本人也无自序。这次校点说明注意到书中卷十三《刘仁赡传》后有论云："乾道、淳熙之间，予游蜀，在成都，见梓潼令金君所藏周世宗除仁赡天平军节度使告身，白纸书，墨色、印文皆如新。"因此提出，由此可确定此书为陆游自蜀返浙后所作。这是细心研读文本所得，对陆游生平事迹的研究也提供了一个很好的线索。

　　本书点校工作得到学界的多方支持和帮助,主要有北京师范大学、厦门大学、复旦大学、上海师范大学、清华大学、中华书局等的学者;排校工作,则得到中华书局出版部张宇、洪思律同志等大力襄助,谨致深切的谢忱。这套汇编收书多,篇幅大,可能在校点体例上有不妥之处,也望读者予以指正。

2003 年 8 月

原载杭州出版社 2004 年版《五代史书汇编》,此据东北大学出版社 2015 年版《中国当代名家学术精品文库·傅璇琮卷》录入,另收入首都师范大学出版社 2010 年版北京社科名家文库《治学清历》

文津阁《四库全书》的文献价值

    台湾商务印书馆于上世纪 80 年代曾影印出版文渊阁《四库全书》,后上海古籍出版社曾据此本在内地印行。文渊阁《四库全书》印出后,确为教学、研究带来很大的方便,特别是《四库全书》中保存的 300 多种《永乐大典》辑佚本,能面于世,就更有用。现在北京商务印书馆与国家图书馆合作,影印文津阁《四库全书》,这确是新世纪一件浩大的出版工程。

    鉴于已有文渊阁本出版,可能会有读者提出:文津阁《四库全书》的文献价值如何? 我们现在出版这样一部大书,有何实际文化意义? 按《四库全书》的编纂,于清高宗乾隆三十七年(1772)提出,第二年二月正式建立四库全书馆;乾隆四十六年(1781)年底,第一部《四库全书》,即文渊阁本,正式修成,历时九年。此后,又陆续缮写三部,即文溯阁本(乾隆四十七年十一月),文源阁本(乾隆四十八年十一月),文津阁本(乾隆四十九年十一月)。可以注意的是,文津阁本是北方四阁本最后一部抄成的,且距第一部文渊阁本成书有三年之久,这其中当会有所正补(参见后所举数例)。另可注意的是,《四库全书》在成书后,曾作过两次全面复查,而这两次复查的起因都是从文津阁本开始的。乾隆五十二年(1787)五月,清高宗在承德避暑山庄(文津阁本贮藏地),于消闲时翻检此书,发现有讹误,于是下令全面复查。五十六年(1791)七月,高宗在避暑山庄又发现已经复查的文津阁本,扬雄《法言》卷一首篇竟有空白二行,大为生气,又再次下令全面复查。而这两次复查,文津阁本都是由总纂官纪晓岚(昀)亲自带领有关人员进行的。除北方四阁本外,乾隆又下令再抄写三份全书,分别庋藏于扬州文汇阁、镇江文宗阁、杭州文澜阁。

应当说,这七部书,保存最稳妥的还是文津阁本。藏于圆明园的文源阁本,咸丰十年(1860)英法联军攻占北京,烧毁圆明园,文源阁本也即全部毁灭。太平天国战事起,扬州文汇阁本、镇江文宗阁本全部焚烧,杭州文澜阁本也烧、散大半。其他如文溯阁本、文渊阁本则有几次搬迁,唯独文津阁本自1914年迁至北京,后藏于京师图书馆,80年代移至北京图书馆新馆,长时期未经移动。正因如此,也就引起重视,其他三阁本曾分别据文津阁本加以抄补。如1917年,时尚贮存于清内务府的文渊阁本,经检查,有9种书缺佚,共缺23卷,就据文津阁本补抄。1934年,藏于沈阳的文溯阁本,也发现有缺卷,就特地派人到北京,据文津阁本补抄了《挥麈录》等三书。至于杭州文澜阁,被毁后,则据文津阁本补了更多。可见文津阁本在历史上已起了相当大的文献补辑作用。

也正因如此,20世纪前期,文津阁本就受到学者的重视。1920年,前辈知名学者陈垣就曾亲自对文津阁本进行清查,统计全部收书3462种,列有103架,6144函,36277册,2291100页。

陈垣先生还细阅文津阁本所收书的提要,发现与《四库全书总目提要》有不少差异,因此与几位学者共同撰写《景印四库全书提要缘起》一文,建议将文津阁本的提要汇集影印出来。这可以说是提议影印文津阁本的首例,至今已有八十多年。遗憾的是,文津阁本以善本贮存于图书馆,不对外开放,一般研究者无法借阅,因此长时期来对文津阁本,只能仰而慕之,不能阅而研之。好在于20世纪90年代初,国家图书馆研究员杨讷先生提议并主持了文渊阁《四库全书》影印本与文津阁《四库全书》原书核对录异的工作,核对从集部开始,后由北京图书馆出版社出版《文渊阁四库全书补遗(集部)》,共15册,二百余万字。据该书统计,文渊阁本集部共收书1273种,其中与文津阁本有差异的有788种,而宋代诗文集,文渊阁本失收、可据文津阁补入的,有1160条,涉及118种书。后台湾研究宋史的学者黄宽重,曾据此《补遗》一书,撰写一文:《文津阁本宋代别集的价值及其相关问题》。黄氏仔细将《补遗》与影印文渊阁本核对,发现《补遗》也有疏忽,提出《补遗》所收的宋人诗文,实际上有些已收于文渊阁本,不过卷次不同,而为编者重复收录。但他认为《补遗》所辑的大部分,确是文渊阁本所缺的,因此以为:"文津阁本宋代文集的部分,保留了不少各书作者个人生平事迹及诗文的评论资料,对研究各文集的作者提供了更为丰富的资讯;此外文中也保留许多对研究宋代史事有所助益的史料,显示文津阁本的史料价值。"

在举宋人例子以前,我想先举两个唐代的例子,从这两个例子,人们确可看出,文渊阁本的确有疏漏。如晚唐时与李商隐齐名的诗人杜牧,其《樊川文集》,《四库全书总目》卷一五一集部别集类,著录为二十卷,另外集一卷、另集一卷,并注云"内府藏本",文渊阁本的《樊川文集》提要,与《总目》同。上海古籍出版社曾于1978年出版陈允吉点校本,其卷次也与《总目》同,所据为《四部丛刊》影自明翻宋刊本,可见自宋流传以来各本均大致相同。但现在印出的文渊阁本,《樊川文集》却只有十七卷,外集、别集也没有,杜牧的诗全部失收,杜牧文未收的也有七篇。前面说过,《四库全书》在乾隆时曾复查过两次,而文渊阁本这两个明显的缺失却未经查出。又如,中晚唐诗人许浑,《四库全书总目》著录其诗集《丁卯集》,为正集二卷、续集二卷、续补一卷、集外遗诗一卷,注谓"江苏巡抚采进本"。文津阁本所收与《总目》同(参《纂修四库全书档案》附录一,热河总管世纲等所奏文津阁本书目)。但文渊阁本所收只正集二卷、补遗一卷。与此类似的,《四库全书总目》于集部诗文评类著录有唐司空图《诗品》一卷,但文渊阁本无此书。现经查核,文津阁本也无,这种编纂疏失也值得研究。

宋人文集,文津阁本可补的就更多,限于篇幅,不能一一列举,这里只举几个明显有史料价值的例子,如吕陶《净德集》,《宋史·艺文志》载为六十卷,后失传,修《四库》时据《永乐大典》辑佚为三十八卷。今文津阁本的《净德集》有《周居士墓志铭》,记北宋著名词人周邦彦之父周原的生平事迹,从中可了解周邦彦的家世及周邦彦本人的行事,很有史料价值,但此文却为文渊阁本失收。也正因此,现在人所编的有关宋人传记资料索引也未收周原,王国维《清真先生遗事》及现代学者关于周邦彦的传记著作也都未涉及。这是很可惜的。又如与欧阳修同撰《新唐书》的宋祁,其所著《景文集》,也是从《永乐大典》辑出的。据杨讷等所辑《补遗》，其收录的诗文，有481篇为文渊阁本失收，这是宋人文集中较为突出的。

尤可注意的是，前些年四川大学古籍所编纂《全宋文》，曾据文渊阁本所有辑录，但当时还未能检阅文津阁本。据台湾学者黄宽重复核，《全宋文》宋祁文失收的还有394篇。又据黄氏校核，文津阁本还可补正1984年出版的孔凡礼校辑本汪元量《湖山类稿》22条。可见文津阁本对我们现代从事古籍整理与专题研究，将提供前所未有的丰富资料。文津阁本可补正文渊阁本，文渊阁本也可补正文津阁本的。文溯阁本当也有自己的特点。以后文津阁本全部印出，必将再次推动四库学的研究。

原载2003年8月13日《中华读书报》，据以录入

发挥史料的原创性与活力

　　《出版史料》新刊编印出版，至今已有六期。我每一次接到，先看目录，后阅正文，真有一种与同业好友"联床夜话"的情趣。

　　一般印象，史料总是专业性较强，适合专业研究，有时甚至是偏枯、烦琐的。但《出版史料》新刊，人们一翻阅目录，就会感到十分醒目。目录中，门类既多，且十分吸引人。这样的编排，将专业研究与知识推广有机结合，使出版文化更接近生活、接近现实，这一宗旨是很值得称道与学习的。

　　中国历史编撰有悠长的传统，中国古代史书之丰富可以说是举世无双的，而中国历代史书之所以能连绵不绝，主要就是靠史料。历代王朝修前代历史，先是要依靠前代官方留存的实录及各种档案材料。北宋欧阳修撰《新唐书》，其中有四卷《艺文志》，将唐人著作目录细加编录，对后人研究唐代著述极为有用。但后来他修《新五代史》，却没有立"志"书，清修《四库全书总目》不免指责："此书之失，此为最大。"而欧阳修自己在书中曾两次提及："五代乱世，文字不完。"就是说，受当时客观条件的限制，文献资料缺乏，未能编修较有规模的《艺文志》，因而成为永久的遗憾。

我于1958年由北京大学，先后调至商务印书馆、中华书局担任编辑。最初对出版情况一无所知，后来我特地借阅张静庐辑注的两部中国近现代出版史料书（中华书局20世纪50年代出版）。看了以后，我大开眼界，不由得对出版行业心向神往，油然生情，还使当时虽只有二十几岁的我，已判然地意识到中国近现代文化的发展，确与出版关系密切，要研究近现代文化史，断是离不开出版史研究的。

譬如1992年，中华书局为庆祝成立80周年，特地影印了一部《中华书局收藏现代名人书信手迹》，选辑20世纪前半期文化人士写给中华书局的信。书中收辑较多的有徐悲鸿、顾颉刚、李劼人、刘半农、朱自清、向达、茅盾等。这些都是别处或本人文集所未发表的，如李劼人信中说为了写作长篇小说《大波》，宁肯辞去当时成都大学教授头衔，在成都与妻子合作开一小餐馆，这是他处所未见的。徐悲鸿信是30年代写的，共收了39件，其实中华书局还藏有好几十件真迹。

我由此想到，我们各出版社一定要妥善保存著作者的信件或为出版的图书立档，这类信函或档案记叙很可能便是将来珍贵的文化史料。前年，我应吴道弘和陈子伶先生之邀，写一篇有关《万历十五年》的出版经过，就特地从中华书局该书档案中辑录1979年5月23日黄苗子先生给我的信以及我与黄仁宇先生交往的信件。从这些信函中，人们可具体地了解到这一名著出版的曲折过程与当时的社会环境。

我只能就我个人的见闻谈谈这方面的体会，但由此仍可看出，现在无论出版社机构，或出版工作者本人，都涵有深厚的出版史料资源。《出版史料》在新世纪编印,确如开发文物基地,定能充分发挥史料的原创性与活力。

2003 年 8 月中旬

原载《出版史料》2003 年第 3 期,据以录入

陈耀东《浙籍文化名人评传（唐五代卷）》序

　　早在 1997 年，陈耀东先生就与我联系，说他与几位学者合作，设计一个项目，叫"浙江历代文化名人评传"，并邀我在这一项目完成后写一序言。数年来，作者历经艰苦曲折，克服种种困难。现在，这一"唐五代卷"首先完成，即将出版。陈耀东先生将全部校样寄给我，我通阅全稿，确受不少教益。因出版进度要求较急，且北京正处于所谓"非典"的非常时期，我不能多写，只就读后感受略抒一二，谨供学界友人和读者参考。

　　我觉得这一项目的提出，本身就是拓宽学术视野、创新文化观念的表现。现在我们已进入全面建设小康社会的新时期，而建设小康社会，必须与促进经济繁荣与倡扬先进文化相结合。现在有一种文化、经济一体化的新概念，即经济文化化、文化经济化，这当能建立创新性机制与相应的文化生态环境。这几年来，我们浙江经济有很大的发展，同时，把浙江建设成文化大省已成为上下普遍要求的共识。这就是，从现实建设来说，经济领域、经济行为将越来越充溢文化的成分，依托文化的力量来发展壮大经济；同时就历史研究而言，我们探讨浙江省的长远发展历程，不能仅限于经济学、政治学,还应从文化学的角度,广泛地探索浙江所特有的历史文化内涵。

建国以来的考古发现表明,浙江地区与中原地区一样,都同样地存在着灿烂的原始文化,应当构成中华民族古代文化发源地的一部分。而从秦汉起,直至近现代,浙江文化名人又连绵不断。本书"前言"中曾缕述秦汉以来直至20世纪,每一历史时期浙江都有不少文化名人。他们中有些人的活动是有全国意义、全国影响的。中国自古以来就是一个多民族、各地域相依共存的国家,各民族、地域文化保持自己鲜明的个性,而又互相吸纳和融合,最终形成凝聚力、生命力极强的多元一体的中华文化。从浙江籍历代文化名人的事迹和业绩来看,不同地区的文化确有不同的色彩,这就使得我们整个民族的文化多姿多彩。没有地方特色,也就没有整体风格;不研究地区文化的特点,也不可能对整个民族的传统文化作出准确的判断。因此我认为,陈耀东先生等对整个浙江文化名人作系统的考述,将使我们对文化史研究更能进一步扩展与深入。

就这部"唐五代卷"而言,也有好几点值得我们注意。据本书"前言"统计,清编《全唐诗》《全唐文》,及今人所编《全唐诗补编》《中国文学家大辞典·唐五代卷》,共收有四千人左右,而浙籍作者四百余人,占总数十分之一,这一比例是相当高的。本书列为评传的,有四十七人,另附传三人,附考二人。这五十余人,不限于文学家,还有政治家、书画家以及僧人、道士。当时这些释道人士不仅治教义,还涉及哲理、艺术、天文、地理、医学、人体科学等。从这五十余人的事迹中,可看出当时浙籍人士对唐代整体文化所作的贡献,编纂者在甄选中是颇有眼光的。同时,本书后还附有《浙籍文化名人区域分布名录表》,将当时四百余文化人士的姓名都加以登录,并按杭州、嘉兴、越州、婺州、衢州、台州、丽水(括州)、温州等州郡,及所属县,分别记载这四百余人的身份、著述及材料出处。这一方面可以使读者更细更全地见出浙籍文化人士的地区分布情况,另一方面又便于作进一步查检。像一些名人,如孟郊,举有通常习见的出处,如韩愈所撰《孟氏墓志铭》、《新唐书·艺文志》、《唐诗纪事》、《唐才子传校笺》。更为可贵的是有些冷僻人士,如开元时僧人大光,就注有李绅所撰碑传及《宋高僧传》卷二十四等。"前言"中提及,书中列有专传的五十人,约五分之二为前人从未涉及或很少涉及的,特别是释道人物。现在书中对这些人物都详作考述,确是拓荒之作,足可见出编纂者的功力。

"前言"中特别提出,书中对传主是"作客观的、实事求是的全面的记叙、分析、评述"的。我觉得确是如此。冯至先生所著的《杜甫传》,可以说是建国以来第一部文学家传记。这部书的可贵之处,是写得平实可信,文笔诚恳而质朴,杜甫一生的经历、情怀、遭际、作为,其诗心的杰出、实在之处,读后都使人印象深切。后来的文学家传记繁多,就杜甫研究来说,也有很大进展,但不少传记有过多的抒情和哲人式的文词,"喧宾夺主",把传主的生命历程与品格风貌都淹没了。本书在这方面,为撰写文化人士评传的确提供了不少经验,有些甚至可以说是样本。除材料翔实、记叙准确外,文笔也力求生动、形象,极注意可读性,使这部学术性著作能走近今天的现实与读者的生活。

我附带再提两点。一是,书中传主,虽云浙籍,但不少人的主要活动并不在浙江,他们是全国性的人物;我们在评述其有全国影响的活动时,当然可以注意其与浙江的先天关系。同时也如"前言"中提及的,唐时有不少外省诗人游历浙江,留下许多传世名篇。现在为学者注目的浙东唐诗之路、浙西诗社集合,都极有文化意义。我觉得我们一方面撰写浙籍文化人士传,另一方面还可横面铺叙浙江地区的文化活动,这就能更全面地反映浙江文化发展的特色。

另一点是,现在出版"唐五代卷",我希望其他各卷,以后也陆续印出。浙江地区,特别在宋元明清,文化人士更多,文化活动更盛。我与浙江大学古籍研究所龚延明教授等合作编撰的《宋登科记考》,约四百余万字,即将完成。我们曾撰有一文,选取稿中的材料,举北宋两例、南宋一例,统计科举登科录取人数,在全国范围内,浙江地区于北宋时占第二位,于南宋时占第一位(见《宋登科记考札记》,载《新宋学》第一辑,上海辞书出版社 2001 年版)。由此可见浙江在两宋时文化普及的程度。另,我在为《浙江图书馆古籍善本书目》(浙江教育出版社 2002 年版)所作序中,曾据有关记述,提及两宋时期著名藏书家一百二十八人,其中浙江有三十一人,居全国之首。明清时期,浙江藏书楼之多,也为全国之甲,现在保存完整的,如宁波天一阁、余姚五桂楼、海盐西涧草堂、温州孙氏玉海楼,以及民国初年吴兴刘氏嘉业堂,等等,全国保存的著名藏书楼,浙江也居第一。晚清诗人俞樾有诗云:"武林山水甲神州,文物东南莫与俦。"浙江深厚的文化资源,值得大力开发。这本《浙籍文化名人评传(唐五代卷)》,当是远程起行的先驱。

2003 年夏

原载浙江大学出版社 2003 年《浙籍文化名人评传(唐五代卷)》,此据大象出版社 2008 年版《学林清话》录入

唐玄宗朝翰林学士传

　　中国古代翰林学士，开始设置于唐玄宗开元二十六年(738)，正当盛唐之世。自此之后，历宋、元、明、清，翰林学士一直有很高的社会声誉。在唐代，翰林学士更是文士参预政事的最高层次。据现有史料，唐代翰林学士可考知者有二百余人，其中不少是著名政治家、文学家，很值得研究。

　　近几年来，我想先从史料清理着手，对唐代翰林学士的行迹作较为具体的考索，已有一些论文发表。在研究中，我注意两点，一是把重点放在当时文人参与政治的方式及其心态，从而以较广的社会角度来探讨唐代的文人生活及文学创作；二是着重于个案研究，先从不同的时代，来探索这翰林学士群体在不同时期所处的政治环境与文化世态，并对有代表性的人物稍作典型性的分析。

　　从以上的考虑出发，我想作一个"唐五代翰林学士传"的专题项目。对二百几十个翰林学士一一为之立传，可能更有助于提供全面的情况，也可为对整个中国古代翰林学士研究起一个文史结合的实例。我在具体操作中，尽可能扩大史料的辑集面，除两《唐书》及《全唐诗》、《全唐文》等基本材料外,还较广泛地涉及诗文别集、杂史笔记、石刻文献等。这样做,既可纠正史书中的某些误载,又可从这二百余位翰林学士经历中获取值得思考的历史文化现象。

唐德宗贞元二年(786),时为翰林学士的韦执谊撰《翰林院故事》,记述翰林院之缘起及自玄宗以后入院学士之名次,这是唐代第一部有关翰林学士记载的著作。《旧唐书·职官志》、《新唐书·百官志》关于翰林学士的记叙,也大多本此。韦执谊把开元时翰林学士院的建置分为两个阶段,第一阶段是建立翰林院,设翰林供奉;第二阶段建立学士院,从翰林供奉中选拔一部分进入,即新设翰林学士,而另一部分依旧为翰林供奉,仍在翰林院。这是符合实际的。但无论韦执谊的《翰林院故事》,或丁居晦的《重修承旨学士壁记》,他们只就进入学士院与离开学士院加以记述,且只简单几句话;岑仲勉先生对丁《记》所作的《补注》,也仅对任期的年月、官阶的迁转作简括的考证。而我们现在,则需要全面了解这些学士的生平行迹、参政方式、生活心态、社会交流,这样才能对这一较高层次的文化群体有一个总体的把握。

玄宗朝自开元二十六年(738)至天宝十五载(756),十九年间,翰林学士共八人。这是唐朝翰林学士的创建阶段,翰林学士的职能和参政表现,并不是很充分。但这八人仍有其特色。本文为这八人立传,尽可能勾稽有关史料,谨提供学界参考,看看古代誉为"内相",现代有以为超凌于宰权,是否符合实际。从这一翰林学士创建阶段,还可以与处于高潮时期的中唐比较,当会更有新见。

吕向传

吕向,《新唐书》卷二〇二《文艺传》中有传,云:"吕向字子回,亡其世贯,或曰泾州人。"据《元和郡县图志》卷三,泾州属当时关内道,治所保定县在今甘肃东部泾川县。传又云:"少孤,托外祖母隐陆浑山。"但《旧唐书》卷一一一《房琯传》,称"东平吕向",谓琯少好学,"性好隐遁,与东平吕向于陆浑伊阳山中读书为事,凡十余岁"。据《元和郡县图志》卷十,东平为郓州州治所在县,在今山东省西南。《旧唐书·吕向传》仅谓"或曰泾州人",而《旧唐书·房琯传》则明确称"东平吕向"。又中唐德宗时窦臮所作《述书赋》也提及吕向,称为东平人(《全唐文》卷四四七)。则吕向当为东平人。世系不明,当出身于一般平民。

又《新唐书》卷六〇《艺文志》四载《五臣注文选》三十卷,云:"衢州常山尉吕延济、都水使者刘承祖男良、处士张铣、吕向、李周翰注,开元六年工部侍郎吕延祚上之。"《全唐文》卷三〇〇有吕延祚《进集注文选表》,中云:"乃求得衢州常山县尉吕延济、都水使者刘承祖男臣良、处士臣张铣、臣吕向、臣李周翰等,或艺术精远,尘游不杂,或词论颖曜,岩居自修,相与三复乃词,周知秘旨,一贯于理,杳测澄怀……记其所善,名曰集注,并具字音,复三十卷。"这里"词论颖曜,岩居自修",当指吕向。可惜这里提到的几个人,除吕向外,两《唐书》皆无传。这里可以注意的是,《文选》五臣注于开元六年上,成书当在此前数年间,这时吕向为"处士",

与前所述吕向与房琯隐于陆浑山合。由此亦可知吕向早年即参与《文选》注,尚未出仕。这与《新传》所云"强志于学,每卖药,即市阅书,遂通古今",也相合。可见吕向早年即有文名,且善于书法:"工草隶,能一笔环写百字,若萦发然,世号'连锦书'。"(《新唐书》本传)大约因此,遂于开元十年被召入翰林院,为翰林供奉。

《新唐书》吕向本传明确记载:"玄宗开元十年,召入翰林,兼集贤院校理,侍太子及诸王为文章。"又《旧唐书》卷一九〇中《文苑中·贺知章传》:"开元十年,兵部尚书张说为丽正殿修书使,奏请知章及秘书员外监徐坚、监察御史赵冬曦皆入书院,同撰《六典》及《文纂》等。"《新唐书》卷二〇〇《儒学下·赵冬曦传》:"开元初,迁监察御史,坐事流岳州。召还复官,与秘书少监贺知章、校书郎孙季良、大理评事咸廙业入集贤院修撰。是时,将仕郎王嗣琳、四门助教范仙厦为校勘,翰林供奉吕向、东方颢为校理。"由此可见,开元十年,张说为丽正殿修书史,推荐贺知章等入丽正殿修书,其中有吕向,而吕向此时为翰林供奉。这都可证实,吕向确于开元十年入为翰林供奉,而《翰林院故事》认为是"首充",则翰林供奉可能是开元十年正式建置的,在这之前曾有所谓翰林待诏,实未正式定名。

对此,还可举一佐证。宋人所编的两部类书,即《职官分纪》卷一五,《玉海》卷三一、卷一六七所引唐韦述《集贤注记》,有云:开元十一年,丽正学士张说(时为宰相)率丽正殿文士向皇上进献所赋诗,"上各赐赞以褒美之,敕曰:'得所进诗,甚有佳妙。风雅之道,斯为可观。并据才能,略为赞述。具如别纸,宜各领之。'上自以五色笺八分书之。"就是说,玄宗读到各文士的诗作,甚为欣赏,就按各人的"才能"分别赐以赞词,如张说为:"德重和鼎,功逾济川。词林秀逸,翰苑光鲜。"贺知章为:"礼乐之司,文章之苑。学优艺博,才高思远。"其中也有吕向,注为"校理"。其赞词为:"族茂飞熊,才方班马。考理篇籍,抑扬风雅。"应当说,校理的品阶并不高,在学士之下,但这四句的评语却是不低的。在赐赞词后,玄宗又令画像,藏于书院,有张说、徐坚、贺知章等十八人,其中也有吕向,见《历代名画记》卷九。这真有如唐太宗于武德九年(626)令阎立本画杜如晦、房玄龄等十八学士像,立于宫中,因此当时称能入文学馆者,谓之"登瀛州"(见《唐会要》卷六四,《历代名画记》卷九)。由此可见,吕向当时的翰林供奉之地位与境遇,是大大优于天宝初同为翰林供奉的李白①。

《新唐书·吕向传》在记开元十年召入翰林后,接云:"时帝岁遣使采择天下姝好,内之后宫,号'花鸟使'。(吕)向因奏《美人赋》以讽,帝善之,擢左拾遗。"此《美人赋》见《全唐文》卷三〇一,从文中看不出写作时间。按吕向于开元十三年春已为左补阙(见后)。左右拾遗为从八品上,左右补阙为从七品上。吕向当由左拾遗迁为左补阙,则其因进《美人赋》而擢为左拾遗,当在开元十一二年间。由此可见,翰林供奉,其本身就须带有一定官衔,以后设置翰林学士时也是如此。这就是说,吕向于开元十年召入为翰林供奉,当带有官衔,不久迁为左拾遗,后又升为左补阙,而其职事则仍为翰林供奉。

---

① 李白于天宝元年至三载为翰林供奉的情况,请参阅我另一篇论文:《李白任翰林学士辨》,《文学评论》2000 年第 5 期。

清王昶《金石萃编》卷七五著录有《述圣颂并序》,题下署为:"京兆府富平县尉达奚珣撰序,左补阙、集贤殿直学士吕向撰颂并书。"又引《石墨镌华》,云:"碑在华阴县岳庙中,达奚珣撰序,吕向撰颂并书,不著年月。"此云"不著年月",实则可以考知。宋王应麟《玉海》卷三一《圣文·唐华岳祠碑铭》亦记此事,并引《会要》:"开元十二年十一月四日庚午,上幸东都,十日至华州,命刺史徐知仁与信安王祎勒石华岳祠南道,上御制碑文,仍书之。"此事亦见《旧唐书》卷八《玄宗纪》上,开元十二年"冬十一月庚申,幸东都,至华阴,上制岳庙文,勒之于石,立于祠南之道周。"《新唐书·吕向传》:"天子数校猎渭川,向又献诗规讽,进左补阙。帝自为文,勒石西岳,诏向为镌勒使。"

　　从上述材料,可以确定,玄宗于开元十二年十一月庚申自长安赴洛阳,途中经华阴,为作华岳祠庙文。第二年,乃于祠庙南立碑(《玉海》卷三一引《通典》"十三年于华州岳祠南立碑"),即命吕向赴华阴刻石,吕向则因此与时任京兆府富平县尉的达奚珣为玄宗立碑而撰《述圣颂并序》,颂为吕向作,序为达奚珣作。达奚珣《华山述颂序》(《全唐文》卷三四五)即记皇上撰文,"藻翰自天,发挥神化,建碑于庙,以光宠焉",于是"乃命朝英,实司其事";文末谓:"敢托吕补阙向为之颂云。"则吕向此时确带左补阙的官衔。

　　吕向此行的官衔与时间,还可有两个佐证。一为孙逖《春初送吕补阙往西岳勒碑》(《全唐诗》卷一一八),中有"语别梅初艳"、"往来春不尽"句,与诗题之"春初"合。二为徐安贞(开元中任中书舍人)诗《送吕向补阙西岳勒碑》(《全唐诗》卷一二四),有云:"圣作西山颂,君其出使年","寒尽函关路,春归洛水边"。开元十三年春,玄宗仍在洛阳,吕向当奉命自洛阳赴华阴勒碑刻石,故徐安贞诗谓"春归洛水边"。大约吕向离洛阳时,朝中有好几位文士为之赠诗饯行的。时孙逖也任左补阙(见《旧唐书》卷一九〇中《文苑传》)。

《新唐书》本传接云:"以起居舍人从帝东巡。帝引颉利发及蕃夷酋长入仗内,赐弓矢射禽。向上言……帝顺纳,诏蕃夷出仗。"吕向所议,《全唐文》卷三〇一题为《谏令突厥入仗驰射疏》。玄宗封禅泰山在开元十三年(725)十月、十一月间,则吕向于此时已由从七品上的左补阙迁为从六品上的起居舍人。

《新唐书》本传又接云:"久之,迁主客郎中,专侍皇太子,眷赉良异。"未载升迁时间。今查宋赵明诚《金石录》目录第一千三十一有《唐龙角山纪圣铭》,谓:"明皇撰,并八分书,开元十七年九月。"清人胡聘之《山右石刻丛编》所记则较详,其书卷六著录有《大唐龙角山庆唐观纪圣之铭》,谓在浮山(今山西东部)。末署"开元十七年太岁己巳九月己丑朔三日辛卯建"。《山右石刻丛编》录有全文(《全唐文》卷四一唐玄宗名下亦有《庆唐观纪圣铭并序》),文后有《庆唐观纪圣铭碑阴》,首列诸皇子及朝中大臣姓名、官衔,后有吕向,署为:"敕建造模勒龙角山纪圣碑使、朝议郎、守尚书主客郎中、集贤院学士、翰林院供奉、轻车都尉、赞谕皇太子兼侍庆王忠王棣王鄂王荣王光王仪王颖王永王文章臣吕向奉敕题碑阴并建碑。"可见这次也如前开元十三年奉命赴华阴勒碑同样,吕向为建造模勒专使前往龙角山并题碑阴,此时他已为主客郎中。主客郎中为从五品上,因此可正式充任集贤院学士,但仍为翰林供奉,并兼皇太子及玄宗诸子侍读。

吕向在带主客郎中期间,诗人储光羲曾有诗献之。储光羲《贻主客吕郎中》(《全唐诗》卷一三九),题下自注:"即皇太子赞谕"。此称主客郎中,又谓太子赞谕,皆与前所引庆唐观碑阴题名相符,当即为吕向。诗云:"上士既开天,中朝为得贤。青云方羽翼,画省比神仙。委佩云霄里,含香日月前。君王倘借问,客有《上林》篇。"按储光羲于开元十四年进士登第,登第后尚有几年未释褐入仕,现可知者约开元十八年官安宜县尉。开元十九年迁下邽县尉①。而吕向于开元十九、二十年间已改为都官郎中(详后)。储光羲另有《洛阳道五首献吕四郎中》(《全唐诗》卷一三九),有云:"少年不得志,走马游新市。"孟浩然有和作《同储十二洛阳道》,据佟培基《孟浩然诗集注》卷中②,谓储、孟二诗均作于开元十五年春,时二人均在洛阳。此说可信。储光羲此前虽已登进士第,但未得入仕,故有求于吕向,希望他向上推荐("君王倘借问,客有《上林》篇"),并将吕向赞誉为"开天"之"上士","画省"之"神仙",由此也可看出当时士人对翰林供奉能亲近君主的地位已相当看重。

《旧唐书》卷一九四上《突厥传》上,记云:"(开元)二十年,阙特勤死,诏金吾将军张去逸、都官郎中吕向赍玺书入蕃吊祭,并为立碑。"《新唐书》卷二一五下《突厥传》下,亦记此事,谓:"使金吾

---

① 见《唐才子传校笺》卷一《储光羲传》,陈铁民笺。《唐才子传校笺》第一册,傅璇琮主编,中华书局,1987年。
② 上海古籍出版社,2000年。

将军张去逸、都官郎中吕向奉玺诏吊祭,帝为刻辞于碑。"但《新唐书》记为开元十九年,与《通鉴》卷二一三所记同,《通鉴》记开元十九年"三月,突厥左贤王阙特勒卒,赐书吊之"。当时唐朝为与突厥修好关系,故其左贤王阙特勒卒,特遣朝臣吊丧,并为刻石立碑。此时吕向已改为都官郎中。

《新唐书》吕向本传接着记其父卒,"向终丧,再迁中书舍人"。据前所述,吕向于开元十九年三月已为都官郎中,开元二十六年以中书舍人为翰林学士(详后),则其守丧及免丧后迁为中书舍人,当在此数年间。《贞元续开元释教录》有记云:"故金刚智三藏行记一卷,右灌顶弟子正议大夫、行中书舍人、侍皇太子诸王文章、集贤院学士吕向敬师三藏,因而纪之。"吕向为金刚智法师作传记,又见于中唐时权德舆《唐大兴善寺故大宏教大辩正三藏和尚影堂碣铭并序》(《全唐文》卷五〇六),中云:"初先大师之灭也,吕工部向、杜卫公鸿渐为之记。"按吕向、杜鸿渐所作记文,今皆不传。《宋高僧传》则有传,其书卷一《唐洛阳广福寺金刚智传》记金刚智于开元二十一年"八月既望"卒,"其年十一月七日葬于龙门南伊川之右"①。据此,则吕向任中书舍人约在开元二十二三年间。

韦执谊《翰林院故事》记玄宗于开元二十六年建翰林学士院,以"太常少卿张垍、起居舍人刘光谦等首居之"。此不确②。丁居晦《重修承旨学士壁记》,记"开元后八人",首二人即为吕向、尹

---

① 《宋高僧传》,范祥雍校点,中华书局,1987年。
② 详见本文后有关刘光谦、张垍传辨析。

惛,记吕向为:"中书舍人充供奉,出院拜工部侍郎。"此处"供奉"二字衍,因吕向此前早已是供奉,开元二十六年是入为学士。吕向在这之前已有文名,此时已为中书舍人(正五品上)。中书舍人本来就是为皇帝起草诏诰文书的,在建立翰林学士时,吕向以中书舍人入充,理所当然。在以后中晚唐时,翰林学士于任期内往往是以升迁中书舍人为荣的。

《新唐书》本传云:"向终丧,再迁中书舍人,改工部侍郎,卒,赠华阴太守。"丁居晦所记,则以吕向后出院,任工部侍郎(官阶为正四品下,高于中书舍人)。但何时出院,何年卒,未有确记。宋佚名《宝刻类编》卷三,录有吕向所作碑目五件,其中《龙兴寺法现禅师碑》,天宝元年九月立;《长安令韦坚德政颂》,天宝元年;《寿春太守卢公德政碑》,天宝二年建。又《隋唐五代墓志汇编》陕西卷第一册有《大唐故银青光禄大夫太仆卿驸马都尉中山郡开国公豆卢公(建)墓志铭并序》①,署为"正议大夫、行中书舍人、侍皇太子及诸王文章、集贤院学士吕向撰"。据文中所记,豆卢建卒于天宝三载三月廿四日,同年八月葬,则此时吕向尚为中书舍人,未出院。其出为工部侍郎,及卒,则当在天宝三年或稍后。

吕向自开元十年为翰林供奉,至二十六年正式为翰林学士,其间虽有居丧,但其在翰林供奉任职,总有十余年,可以说是唐代建立翰林院后供职最早、任期最长的一位。就他在这期间的作为来看,当时的翰林供奉,并不是如后世所记仅系工艺书画之徒,及僧道、医官、占星等(参顾炎武《日知录》卷二四"翰林"条)。据

---

① 天津古籍出版社,1991 年。

《新唐书·百官志》所记,翰林供奉在开元二十六年前,"与集贤院学士分掌制诏书敕",即行使中书舍人的部分职能。此外,就吕向的有关材料,翰林供奉还有以下一些情况:一、为皇帝勒碑刻石,做文字方面的服务工作。如吕向开元十三年至华阴,开元十七年至浮山,均为玄宗所作碑文书写刻石,发挥其书法才艺。可见这是翰林供奉、翰林学士作为文士所行使的职务。至于开元十九年奉命出使突厥,虽是专使之命,但也是奉皇帝之命去刻辞立碑的。二、翰林供奉处于宫中,接近皇上,也就因此而能参预政事,进行规谏。如吕向于开元十年刚召入为翰林供奉,就因玄宗常遣使"采择天下姝好,内之后宫",特地写上《美人赋》加以劝谏。《新唐书》本传说是"帝善之,擢左拾遗",但据德宗时窦臮《述书赋》所记,吕向这一举动当时是有风险的,说他奉上此赋,"忤上",即触怒了皇帝。据《述书赋》自注所引张说谏文,玄宗甚至因此而想将吕向杀死。张说所作的谏文中说:"陛下纵不能用,容可杀之乎?使陛下后代有慁谏之名,而(吕)向得敢谏之直,与小子为便耳,不如释之。"①玄宗因张说进言,才改变态度,对吕向给予赏赐,这使吕向如《述书赋》注中所说,"翰林待诏,频上赋颂,皆主讽谏"。这也是以后翰林学士参政议事的先兆。三、作翰林供奉者一般有较高的文化素养。如吕向,年轻时就参与《昭明文选》的注释,成为后世有影响的《五臣注文选》作者之一。他尤善于书法。《述书赋》称为:"吕公欧钟相杂,自是一调。虽则筋骨干枯,终是精神险峭。其于小楷,尤更巧妙。"其注文更赞其"文词学业,当代

①按张说此文,今不存。

莫比"。正因此,开元时以诗文著称的徐安贞、王翰及储光羲等,都与之有诗文交往。中晚唐时,有些翰林学士本身即为诗文名家,有些则与其他文士素有交往,这在开元时即有开端。四、《新唐书》卷六〇《艺文志》四,记有《严从集》三卷,云:"(严)从卒,诏求其稿,吕向集而进焉。"严从,两《唐书》无传,生平不详。宋晁公武《郡斋读书志》卷十七录有严从《中黄志》三卷,云"右唐严从,开元中为著作郎,春宫侍读,集贤院学士卒。自号中黄子。当时命太子侍文吕向访遗文于家,得《训考》、《经颂》等八篇,序为三卷。"严从于开元中为太子侍读,又为集贤院学士,与吕向同职,当为同时友人,故吕向奉命为其编集。从中唐开始,翰林学士奉皇帝之命编前世或当世诗文集者,其例甚多,著名者如令狐楚奉宪宗之命编大历前后诗作《御览集》,今传世①。

尹愔传

尹愔,附见于《新唐书》卷二〇〇《儒学传》下《赵冬曦传》后,因赵冬曦于开元中曾为集贤院直学士,故于传末云:"开元集贤学士,又有尹愔、陆坚、郑钦悦、卢僎,名稍著。"其后即附尹愔等四人简传。

据传,尹愔为秦州天水(今属甘肃)人。其父名思贞,"明《春秋》,擢高第",曾因张说之荐,为四门助教。尹愔之父治儒学,而

---

① 见傅璇琮:《唐人选唐诗新编》,陕西人民教育出版社,1996年。

尹愔本人则专攻道家玄学，传称其"博学，尤通老子书"，后遂为道士。《太平广记》卷二六"叶法善"条，记叶于庚申六月三日卒于长安景龙观，时"弟子既齐物、尹愔，睹真仙下降之事，秘而不言"。按叶法善自曾祖起，三代均为道士，唐高宗时即有声名。《旧唐书》卷一九一《方伎传》有专传，谓"自高宗、则天、中宗历十五年，常往来名山，数召入禁中，尽礼问道"。玄宗初，"仍依旧为道士，止于京师之景龙观"，"当时尊宠，莫与为比"。卒于开元八年。开元八年即庚申（720），与《太平广记》所载卒年合。由此可见尹愔于此时也已为道士，为名家叶法善弟子。

又《全唐文》卷九二七载尹愔所撰《五厨经气法序》一文，文末署："开元二十三年十二月十一日，京肃明观道士臣尹愔上。"文中有云："伏读此经五章，尽修身卫生之要。全和含一，精义可以入神；坐忘遗照，安身可以崇德。研味滋久，辄为训注。臣草茅微贱，恩需特深，天光不违，自忘鄙陋。俯伏惭惧，徊徨如失。臣愔顿首顿首。"此段文字甚可注意：一、自称为道士，时间是开元二十三年（735）十二月十一日。二、这不是一般性的序文，文末所署，于姓名后特标为"上"，文中好几处都自称为"臣"，且云"恩需特深，天光不违"，显然是因受皇上恩眷，特以所注之书进献。这就与韦执谊《翰林院故事》所载开元中设置翰林供奉，吕向与尹愔"首充"相合。不过韦执谊所记，二人为翰林供奉时，吕向为中书舍人，尹愔为谏议大夫，有误，吕向事，前已辨析，尹愔事详后。

吕向于开元十年入为翰林供奉，尹愔何时为翰林供奉，限于史料，未可确知，但从上引《五厨经气法序》，则开元二十三年以前当已任翰林供奉。

这里有一个问题,即道士是否能充翰林供奉?《新唐书·百官志》一,只说"乃选文学之士,号翰林供奉",实际上唐代的翰林供奉,范围是相当广的。司马光《资治通鉴》卷二一七天宝十三载正月有记,谓:"上(指玄宗)即位,始置翰林院,密迩禁廷,延文章之士,下至僧、道、书、画、琴、棋、数术之工皆处之,谓之待诏。"清顾炎武《日知录》卷二四"翰林"条,据两《唐书》,记唐列朝工艺书画之徒,及僧人、道士、医官、占星等,均入"待诏翰林"之列,而这些人又称之为翰林供奉。尹愔于开元中后期虽为道士,但也入翰林院为供奉,他之编注《五厨经气法》,可能也是受命而作的。《全唐文》卷九二七载丁政观《谢赐天师碑铭状》,中云:"敕内肃明观道士尹愔宣敕,内出御文,赐臣师主。臣跪奉天章,仰瞻宸翰,以惶以喜。"此也正可证实尹愔虽为道士,实在宫中任职,即翰林供奉。

《旧唐书》卷九《玄宗纪》下,开元二十五年正月,"癸卯,道士尹愔为谏议大夫、集贤学士兼知史馆事"。关于此事,《新唐书》尹愔本传有具体的记述:"初为道士,玄宗尚玄言,有荐愔者,召对,喜甚,厚礼之,拜谏议大夫、集贤院学士,兼修国史,固辞不起。有诏以道士服视事,乃就职,颛领集贤、史馆图书。"从上引《五厨经气法序》,开元二十三年十二月,尹愔已为京肃明观道士,并为翰林供奉,但未署有官衔,这次明确给予正五品上的谏议大夫,他以为要自道士退出,因此固辞,但玄宗仍允许其以道士身份从职,并可穿道服,他就服从。这时孙逖为中书舍人(见《旧唐书》卷一九○中《文苑传》),有他起草的《授尹愔谏议大夫制》(《全唐文》卷三○八),有云:"道士尹愔,识洞微妙,心游淡泊,祇服玄言,宏敷圣教。虽浑齐万物,独谛于清真;而博通九流,兼达于儒墨。……可朝请大夫、守谏议大夫、集贤院学士、兼知史官事。"对其治学之精与博是极赞扬的。不过当时人对他也有一定的看法,如《新唐书》卷三四《五行志》一,记云:"开元二十五年正月,道士尹愔为谏议大夫,衣道士服视事,亦服妖也。"

尹愔自以翰林供奉为谏议大夫并兼修国史,颇积极从事。如《旧唐书》卷四三《职官志》二"史馆"下,有记云:"开元二十五年三月,右相李林甫以中书地切枢密,记事者宜宜附近,史官尹愔奏移史馆于中书省北,以旧尚药院充馆也。"按张九龄于开元二十四年(736)十一月罢相,李林甫兼中书令,遂集大权于一身,为控制史官记事权,就建议将史馆移近于中书省,尹愔则亦附和其议,就进言"移史馆于中书省北",而当时中书省即在宫内。因此王维《和尹谏议史馆山池》诗(《全唐诗》卷一二六),首云:"云馆接天居,霓裳侍玉除。"云馆指史馆,谓此时史馆靠近皇帝居住之地,即在宫中。王维诗又表示对尹愔能以"霓裳"(即道服)而侍奉君王的羡慕之情。

按王维此诗,已称尹愔为谏议,且称其从职之地"史馆山池",则当作于开元二十五年正月以后。诗中又有"春池百子外",即在春日。王维约于开元二十三年三月前后在朝中任右拾遗,二十五年秋赴河西节度使幕为监察御史兼节度判官,二十八年冬以殿中侍御史知南选,出使岭南①。据此,则王维此诗很可能即作于开元二十五年春(开元二十八年尹愔已卒,见后)。王维此诗末云:

---

① 参见《唐才子传校笺》卷二《王维传》,陈铁民笺。

"君恩深汉帝,且莫上空虚。"意谓皇上恩眷既如此之深,则不应再弃官从仙。由此可见王维对尹愔的境遇也是很看重的。

于是,开元二十六年玄宗创建翰林学士,就将吕向与尹愔作为首批引入。值得注意的是,尹愔当时是道士,而吕向又服膺于佛学,其于开元二十一二年间为高僧金刚智所作行记,自称"灌顶弟子"。玄宗作为一国之君,把这两位释、道之士召为翰林学士,可见开元盛世确有开放之气度,这对于研究唐代翰林学士的初创阶段,也颇值得思考。

不过尹愔在入翰林学士院后,未有事迹记述,可能因其不久即卒。《新唐书》本传记云:"开元末卒,赠左散骑常侍。"未有确切年月。今查宋佚名《宝刻类编》卷三"名臣·唐",于韩择木所书诸项,有《左散骑常侍尹愔碑》,下云:"吴巩撰,八分书,开元二十八年,京兆"。这是意外的发现。岑仲勉先生为丁居晦《重修承旨学士壁记》作补注,在考证有关学士事迹时也曾引及《宝刻类编》,但可惜于此处却失之交臂,未考及尹愔的卒年。今从《宝刻类编》著录的碑目,可知尹愔卒子开元二十八年或稍前,他任翰林学士大约只二年。

尹愔著述,除《全唐文》所载《五厨经气法序》外,其他未见。上引王维《和尹谏议史馆山池》,是为和作,则尹愔亦曾有诗,且能为当时已有诗名的王维所和,可见尹愔在当时文士中亦颇有声誉。

刘光谦传

刘光谦,两《唐书》无传,其他材料也少,因此其字号、籍贯、生卒年均不可知。现仅就其翰林学士任职事,加以考述。

韦执谊《翰林院故事》、丁居晦《重修承旨学士壁记》均记刘光谦由起居舍人入为翰林学士。在唐人史料中,最早记刘光谦为起居舍人的是李林甫《进御刊定礼记月令表》(《全唐文》卷三四五),中云:"乃命集贤院学士、尚书左仆射兼右相、吏部尚书李林甫,门下侍郎陈希烈,中书侍郎徐安贞,直学士、起居舍人刘光谦,宣城郡司马齐光义,河南府仓曹参军陆善经,修撰官家令寺丞兼知太史监事史玄晏,待制官安定郡别驾梁令瓒等,为之注解。"

岑仲勉先生为丁居晦《重修承旨学士壁记》作《注补》,曾提及此,但他据清徐松《登科记考》卷九,谓李林甫此表"系天宝五载所上",似不确。按《登科记考》卷九天宝五载(746),据《册府元龟》、《唐会要》,载正月二十三日诏,中云"其《礼记·月令》,宜改为《时令》",后即引李林甫此表,岑氏《注补》即据此系于天宝五载。按《唐会要》卷七七《论经义》确有此诏,但此诏的重点是改《礼记·月令》为《时令》,而李林甫所上表,则仍肯定《月令》之宗旨,他不过邀集陈希烈、徐安贞、刘光谦等为皇上的刊定本作注解,则应在天宝五载正月之前。

《旧唐书》卷九《玄宗纪》下,天宝元年(742)二月丙申,祭天地于南郊,赦天下,"改侍中为左相,中书令为右相,左右丞相依旧为仆射","天下诸州改为郡,刺史改为太守"。《通鉴》卷二一五所记同。李林甫表中自称"尚书左仆射兼右相",称齐光义为"宣城郡司马",则当在天宝元年二月以后。又称陈希烈为门下侍郎,据《旧唐书》卷四三《职官志》二,"门下侍郎"下注云:"隋曰黄门侍郎,龙朔为东台侍郎,咸亨改为黄门侍郎,垂拱改为鸾台侍郎,天宝二年改为门下侍郎。"由此,则李林甫此表当上于天宝二年以后,天宝五载正月以前,这也就是刘光谦任起居舍人、直学士的时间。又,起居舍人官阶为从六品上,按规定,五品以上官才能为集贤院学士,六品以下在集贤院称直学士,故刘光谦这时只是直学士。

但仅据此还不能断定刘光谦何时入院。今查宋孙逢吉《职官分纪》卷一五引唐韦述于天宝时所作的《集贤注记》,于"习艺馆内"下有注云:"刘光谦,开元二十九年以习艺馆内入院校理"①。《玉海》卷一六五亦引此,于"内"下省"教"字,作"习艺馆内教"。校理是直学士以下的职务。韩愈于宪宗元和时有《送郑十校理序》②,称"郑生涵始以长安尉选为校理"。据《旧唐书》卷四二《职官志》一,京兆、河南、太原府诸县尉为正九品下。韩愈文中又谓:"其他学士皆达官也,校理则用天下之名能文学者。"就是说,集贤院中凡学士、直学士,都有一定高度的官阶,校理则只因其有文名而用之,"苟在选,不计其秩次"。从郑涵以正九品下的长安尉入为校理,可见刘光谦于开元二十九年(741)入院为校理,只不过习艺馆内教,不可能已为起居舍人。韦执谊《翰林院故事》谓开元二十六年(738)建立翰林学士院,"太常少卿张垍、起居舍人刘光谦等首居之",就刘光谦来说,他这时还不可能任起居舍人,因此也不能首批进入学士院(张垍,见后),《翰林院故事》此说不确。如前吕向、尹愔传所考,尹愔于开元二十八年或稍前卒,吕向

----

① 中华书局 1988 年 2 月据商务印书馆影印文渊阁《四库全书》本。
② 《韩昌黎文集校注》卷四,上海古籍出版社,1986 年。

于天宝三载或稍后卒,院内乏人,刘光谦当于天宝四五年间以起居舍人充。

韦执谊记刘光谦为:"自起(居舍)人充,累改司中,又充。"丁居晦《壁记》记为:"起居舍人充,累迁司封郎中。"岑仲勉《注补》有所考,谓:"今《郎官柱》封中有光谦,次于杨玄章之前,据《郎官考》五,天宝九载,玄章尚是殿中侍御史,则光谦官封中,当在天宝后半叶。"岑氏的意思是,杨玄章于天宝九载尚为殿中侍御史,从七品上,而司封郎中为从五品上,则其为司封郎中当在天宝九载以后,而刘光谦在杨之前,则其为司封郎中当在天宝九载前后。岑氏的推测有一定道理。这里还可补一佐证,《郎官考》卷五司封郎中,刘光谦之前有李稹,据《旧唐书·礼仪志》四,天宝十载正月,李稹为大理少卿。按大理少卿系从四品上,则此时李稹已由司封郎中(从五品上)升迁,刘光谦在其后,亦可证其由起居舍人进为司封郎中,当在天宝中后期。

不过刘光谦何时出院,则不可知,岑氏《注补》谓:"至光谦是否因天宝乱出院,或其他事故,不得而详。"限于史料,确也如此。但有一点可以注意,前引李林甫的上表,由他领衔,邀集贤院诸人参与注解《礼记·月令》,其中陈希烈明显为其助手,是李林甫将其"引为宰相,同知政事,相得甚欢";李之"阴谋奸画足以自固,亦希烈佐佑唱和之力"(《旧唐书》卷九七《陈希烈传》)。而徐安贞,他较长时间任中书舍人,"在中书省久,是时李林甫用事,或言计议多所参助"(《新唐书》卷二〇〇《儒学传》下)。这就可以作如下的推测:一、刘光谦于天宝前期以起居舍人入为翰林学士,当由李林甫所荐。这与天宝后期翰林学士张渐、窦华依附于宰相杨国忠一样，当时的翰林学士并无独立的政治地位与作用，只能依靠执政、掌权者。二、李林甫于天宝十一载（752）十一月卒，杨国忠随即专权，诬告李林甫与外族阿布思谋反，遂由玄宗下令制削李林甫官爵，子孙除名外流，"近亲及党与坐贬者五十余人"（《通鉴》卷二一六天宝十二载二月）。刘光谦或于此前已卒，或即于李林甫卒后，受此牵累而外出。这可能也是其事迹所载甚少的原因。

张垍传

张垍为张说子，其传附见于《旧唐书》卷九七、《新唐书》卷一二五《张说传》后。张说有子三人，即均、垍、埱。垍、埱为玄宗朝翰林学士。

张说在玄宗朝曾"三登左右丞相，三作中书令"（《唐语林》卷四《容止》）。"前后三秉大政，掌文学之任凡三十年，为文俊丽，用思精密"，为"朝廷大手笔"，"当时荣宠，莫与为比"（《旧唐书》本传）。这就是张垍兄弟在开元时仕历荣显的基础。

张垍早年最大的机遇是做驸马都尉。《旧唐书》卷十《肃宗纪》，记肃宗李亨为玄宗第三子，"母曰元献皇后杨氏，景云二年乙亥生"；"开元十五年正月，封忠王"。《旧唐书》卷五二《后妃下·杨氏传》，杨氏生肃宗后，又生一女，后封为宁亲公主，"张说以旧恩特承宠异，说亦奇忠王仪表，心知运历所钟，故宁亲公主降说子垍"。其时在开元十六年（728）。《唐大诏令集》卷四一《封唐昌公主等制》，下署"开元十六年"，中云："今选婚华族，待礼笄年，宜加玺绶之典，俾开汤沐之赋。第四女可封唐昌公主，第六女可封常山公主，第八女可封宁亲公主，各食实封五百户。唐昌公主出降张垍，俱用八月十九日。"①此处提供公主下降的确切日期，但"唐昌公主出降张垍"有误②。《新唐书》卷八三《诸帝公主传》，记玄宗女二十九人，其中唐昌公主嫁薛锈，宁亲公主嫁张垍，常山公主嫁薛谭。《唐大诏令集》此处当为："唐昌公主出降薛锈，常山公主出降薛谭，宁亲公主出降张垍，俱用八月十九日。"

《旧唐书》卷八《玄宗纪》上，开元十八年（730）四月，"壬戌，幸宁亲公主第，即日还宫"。可见唐玄宗对其女嫁于张说之子，是很重视的。其《答张说谢赐碑额表批》，还特地说："方接婚姻之礼，长荣带砺之族。"（《全唐文》卷三七）后张说于开元十八年十二月病逝，二十年八月墓葬，张九龄为作《张公墓志铭》（《全唐文》卷二九二），文末提及："长子均，中书舍人；次曰垍，驸马都尉、卫尉卿；季曰埱，符宝郎。"卫尉卿官品为从三品，是相当高的。但据《通鉴》卷二一四开元二十三年（735）六月所记："驸马皆除三品员外官，而不任以职事。"则张垍之为卫尉卿，只是一个虚衔。

张垍于开元中为驸马都尉、卫尉卿，至开元末（二十九年），史书中未记有其他官职。韦执谊《翰林院故事》："至（开元）二十六年，始以翰林供奉改称学士，由是遂建学士，俾专内命，太常少卿

---

①（宋）宋敏求编：《唐大诏令集》，商务印书馆，1959 年 4 月排印本。
②岑仲勉《唐史余沈》亦已指出此句"必有夺误，否则不应云'俱用八月十九日'"（卷二"玄宗诸女"条），上海古籍出版社，1979 年。

张垍、起居舍人刘光谦等首居之。"但具体开列的名单，"开元已后"，前四名依次为吕向、尹愔、刘光谦、张垍。张垍名下云："自太常卿充，贬卢溪郡司马。"丁居晦《壁记》，前云"学士姓名，此本据院中壁上写"，即翰林学士院墙壁上记有入院名单次序。其"开元后八人"，前四名次序也同韦执谊《翰林院故事》，于张垍名下云："太常卿充。"这就是说，首批入院的，是吕向、尹愔，于开元二十六年入，详见前吕、尹传，而开元二十年至二十九年，却未有记张垍为太常卿或太常少卿的，并有相反的例证，即《通鉴》卷二一五天宝四载（745）五月记："李适之与李林甫争权有隙。适之领兵部尚书，驸马张垍为侍郎，林甫亦恶之，使人发兵部铨曹奸利事，收吏六十余人付京兆与御史对鞫之。"按《新唐书》卷六二《宰相年表》中，李适之于天宝元年（742）八月入为左相，同月又兼为兵部尚书。很可能李适之兼兵部尚书后即荐引张垍为兵部侍郎。由于李林甫与李适之争权，设法陷害，李适之于天宝五载四月罢相，张垍则亦同时由掌实权的兵部侍郎转为虚职的太常少卿（或太常卿）。兵部侍郎为正四品下，太常少卿为正四品上，太常卿为正三品。按官阶升迁惯例，张垍不可能在兵部侍郎之前为太常少卿或太常卿。这就是说，天宝四载五月之前，张垍不可能任太常少卿或太常卿，也就是在这之前他不可能是翰林学士。与张垍同时入院的刘光谦，也是天宝四五年间才入院的（详见前《刘光谦传》）。

又《通鉴》卷二一五天宝六载十一月，李林甫"以杨钊（按即以后改名之杨国忠）有掖庭之亲，出入禁闼，所言多听，乃引以为援，擢为御史"，杨钊"所挤陷诛夷者数百家"，"幸太子仁孝谨静，张垍、高力士常保护于上前，故林甫终不能间也"。《通鉴考异》引

《明皇杂录》、《新书·李林甫传》，言李林甫数危太子（即后肃宗），意欲动摇其太子地位。据此，则张垍此时当已入翰林，故能在宫中，亲近皇帝，保护太子，如在外庭，无论如何高官，也不可能做到的。

另可注意的是杜甫奉赠张垍的诗，明确写其为翰林学士：《赠翰林张四学士垍》（仇兆鳌《杜诗详注》卷二，又见《钱注杜诗》卷九）。而据诸家年谱，杜甫是于天宝五载才入长安的（详参闻一多《少陵先生年谱会笺》①。此诗前四句将翰林学士的地位写得极高：“翰林逼华盖，鲸力破沧溟。天上张公子，宫中汉客星。”学士院逼近皇宫，身为学士的张公子，就犹如天上客星。诗的后半篇云：“无复随高凤，空余泣聚萤。此生任春草，垂老独漂萍。倘忆山阳会，悲歌在一听。”是杜甫感叹自身坎坷不遇，希望张垍为之荐引。这可以说是有唐一朝第一个写翰林学士的诗，也是唐代不少文人向翰林学士求援的首篇。《杜诗详注》卷六又有《送翰林张司马南海勒碑》：“冠冕通南极，文章落上台。诏从三殿（原校：一云天上）去，碑到百蛮开。野馆秋花发，春帆细雨来。不知沧海使，天遣几时回。”诗题中“司马”，下有校“一云学士”。当作“学士”，且亦为张垍。吕向于开元中期为翰林供奉时，亦曾出使为皇帝勒碑（详见前《吕向传》）。张垍当在任职期间，曾出使海南，杜甫特作诗送之。由此可见杜甫与张垍有所交往，也是当时翰林学士文学交往一个很好的例证。又《旧唐书》卷一〇二《韦述传》末有记萧颖士事，称萧“富词学，有名于时，贾曾、席豫、张垍及（韦）述皆引为谈客”。萧颖士是中唐时古文运动的先驱，天宝时已颇

①闻一多：《唐诗杂论》，上海古籍出版社《蓬莱阁丛书》本，1998 年。

有文名,张垍这时也"引为谈客",可见张垍与文士是很有交往的。

李肇《国史补》卷上又记有:"张均、张垍兄弟俱在翰林,垍以尚主,独赐珍玩,以夸于(张)均。均笑曰:'此乃妇翁与女婿,固非天子赐学士也。'"《旧唐书》张垍本传也有记:"垍,以主婿,玄宗特深恩宠,许于禁中置内宅,侍为文章,赏赐珍玩,不可胜数。"由此可见玄宗对张垍是很眷顾的,他之入翰林,当也出于玄宗之意。张垍是唐朝以驸马都尉入翰林的首例,也是兄弟二人同任学士之职的开创之作,这也是值得注意的。

但张垍与其兄张均于天宝时先受到李林甫的排挤,后受到杨国忠的陷害。《旧唐书》本传记张均"自以才名当为宰辅,常为李林甫所抑";李林甫卒,杨国忠用事,又"心颇恶之","仍以均为大理卿。均大失望,意常郁郁"。张垍的境遇也如此,终于遭致天宝十三载(754)贬斥。《旧唐书·玄宗纪》天宝十三载:"三月丁酉,太常卿张垍贬卢溪郡司马,垍兄宪部尚书均贬建安太守。"关于此事,中唐元和时刘肃所撰《大唐新语》,所记既简括又确切:"驸马张垍,以太常卿、翰林院供奉官赞相礼仪,雍容有度。玄宗心悦之,谓垍曰:'朕罢(陈)希烈相,以卿代之。'垍谢不敢当。杨贵妃知之,以告杨国忠,杨国忠深忌之。时安禄山入朝,玄宗将加宰相,命垍草诏。国忠谏曰:'禄山不识文字,命之为相,恐四夷轻于唐。'玄宗乃止。及安禄山归范阳,诏高力士送于长乐陂。力士归,玄宗问曰:'禄山喜乎?'力士对曰:'禄山恨不得宰相,颇有言。'国忠遽曰:'此张垍告之也。'玄宗不察国忠之诬,疑垍漏泄,大怒。黜垍为卢溪郡司马,兄均为建安郡司马,弟埱(按当作埱)为宜春郡司马。"此后两《唐书》本传及《通鉴》均有所载。

《旧唐书·张垍传》："岁中召还，再迁为太常卿。"杜甫另有《奉赠太常张卿垍二十韵》(《杜诗详注》卷三)，闻一多《少陵先生年谱会笺》系于天宝十三载，以为："岁中，张垍自卢溪召还，再迁为太常卿，公复上诗求助。"又引前杜甫《赠张四学士》诗"倘忆山阳会"句，又引此诗"桃阴想旧蹊"句，谓"张必公之旧交"；又引此诗"几时陪羽猎，应指钓璜溪"，谓"是仍望其汲引也"①。可见杜甫与张垍是颇有交谊的。不过张垍虽于当年召还，仍为太常卿，当不再入翰林学士院，其出院时间在天宝十三载三月。

关于张垍与李白，这里说明两点：一、李白于天宝元年(742)就应诏入长安，为翰林供奉；天宝三载(744)春，因不得意，离开长安。关于出走的原因，中晚唐之际刘全白《唐故翰林学士李君碣记》谓"同列者所谤"，魏颢《李翰林集序》谓"以张垍谗逐"。刘、魏二人都以李白为翰林学士，而张垍此时亦在院中，因此是"同列"，李白乃受张垍之忌，被谗而出。这是不可靠的，因李白此时在长安为翰林供奉，非翰林学士②；又据上所考，天宝元年至三年，张垍尚在兵部侍郎任，未曾以太常卿或太常少卿而入为翰林学士。这一长时期的误解现在可以澄清。二、李白有《玉真公主别馆苦雨赠卫尉张卿二首》，研究者有以此诗系李白于开元十八年第一次入长安时作，此张卿为张垍，但也有不同意见。此与张垍任翰林学士的时间无甚关系，限于篇幅，这里不加讨论。

---

① 此又可参见拙编《唐五代文学编年史》初盛唐卷，系于天宝十四载十月，辽海出版社，1998年。
② 参傅璇琮《李白任翰林学士辨》，载《文学评论》2000年第5期。

现在记述张均、张垍的结局。天宝十四载（755）十月安禄山起兵南下，十五载（756）六月攻陷潼关，唐玄宗仓皇出奔。张均、张垍却未随从。据《旧传》、《通鉴》等所记，当玄宗至剑州普安郡时，刑部侍郎房琯随至，玄宗问及张均兄弟，琯曰："臣离京时，亦过其舍，比约同行，均报曰已于城南取马。观其趣向，来意不切。"由此可见张均兄弟的意向。后安禄山将留在长安的张均、张垍徙往洛阳，任张均为中书令，张垍则与陈希烈同时为宰相，于是"贼势大炽"（《通鉴》卷二一八至德元载，即天宝十五载）。正因如此，造成玄宗对二人的忿恨。肃宗至德二载（757），唐军收复长安、洛阳后，处分为安禄山所任伪职的官员。《旧唐书》卷十《肃宗纪》，至德二载十二月下制："达奚珣等一十八人，并宜处斩；陈希烈等七人，并赐自尽；前大理卿张均特宜免死，配流合浦郡。"这里只提及张均，且是免死。但据《通鉴》卷二二〇所记，肃宗特向玄宗为张均兄弟说情（肃宗之妹宁亲公主即嫁于张垍），玄宗即作出决定："张垍为汝长流岭表，张均必不可活，汝更勿救。"肃宗只得"泣而从命"。这就与前所引《旧唐书·肃宗纪》不合。而两《唐书》张垍本传，则谓张垍已早死于安禄山占据洛阳时，张均则特为免死，长流合浦郡。关于这方面的记载，其他一些笔记，也多有不同，看来还是两《唐书》本传所记较合于情理。

《新唐书》卷六〇《艺文志》四，著录《张均集》二十卷，但身为翰林学士的张垍，据现有史料，无诗文传世。又据宋陈思《宝刻丛编》卷八"陕西永兴军路·京兆府·万年县"，有《唐兴唐寺金字大般若经藏铭》，著录为："唐张垍撰，李仙行书，天宝中立。"则当是张垍于翰林学士时作，但此文也不传。

张垍传

　　张垍,为张说子,张均、张埩弟。两《唐书》无专传,其事迹附见《旧唐书》卷九七、《新唐书》卷一二五《张说传》后,其名作垍,偏旁为"土"。但《新唐书》卷七二下《宰相世系表》二下,《唐郎官石柱题名考》卷一六金部员外郎,均作"埱",当不确。

　　张垍事,所记甚少。作于开元二十年(732)的张九龄《故开府仪同三司行尚书左丞燕国公张太师张公墓志铭并序》(《全唐文》卷二九二),文末记张说三子:"长子均,中书舍人;次曰埩,驸马都尉、卫尉卿;季曰垍,符宝郎。"据《旧唐书》卷四二《职官志》一,符宝郎,为从六品上,与尚书诸司员外郎同阶(又可参见宋孙逢吉《职官分纪》卷六)。其时张垍恐仅二十岁左右,有从六品上的官阶,已不算低。此当因张说曾为宰相,张埩为驸马都尉,而赐此虚衔。

　　在此以后,就未有记。韦执谊《翰林院故事》在记吕向、尹愔、刘光谦、张埩后,云:"自后给事中张垍、中书舍人张渐、窦华等相继而入焉。"丁居晦《重修承旨学士壁记》也记张垍为"给事中充"。给事中为正五品上,与中书舍人同阶,属门下省。又前所考,张埩约于天宝四五年后入院,张垍当在其后,天宝中期。

　　天宝十三载(754)三月,张埩因受杨国忠之陷害,被贬为卢溪郡司马(见前《张埩传》),"垍自给事中为宜春郡司马"(《新唐书·张说传》)。当于此时即出院。后张埩于岁中召还,再迁为太常卿,张垍当也召回,是否复原职,不详。

安史乱起,长安陷,张均、张垍受伪职,肃宗至德二载受严惩(详见前传)。张塪情况,则不可知。在玄宗朝翰林学士中,张塪事迹是最少记载的,也无诗文传世。

又,李白有《夜别张五》一诗,岑仲勉《唐人行第录》曾提出此张五为张塪,谓:"首四句云:'吾多张公子,别酌酣高堂。听歌舞银烛,把酒轻罗霜。'擘首即称公子,继而叙述华侈,活现贵家气概。今既知垍为张四,故疑张五为垍弟塪也,待证之。"此处岑氏仅以张四为张垍而推论张五为垍弟塪,并无其他证据,故只以疑问提出,并云"待证之"。

李白《夜别张五》诗云:"吾多张公子,别酌酣高堂。听歌舞银烛,把酒轻罗霜。横笛弄秋月,琵琶弹陌桑。龙泉解锦带,为尔倾千觞。"从诗的本身看不出此张公子的具体身份,也未能确定写作时间。现在有些研究者则即据岑氏《唐人行第录》而确定此张五为张塪。安旗主编的《李白全集编年笺注》,因定《玉真公主别馆苦雨赠卫尉张卿二首》为开元十八年李白第一次赴长安时所作,遂将《夜别张五》也编于开元十八年①,似李白于该年也与张塪相聚。这些只能备参,未能如杜甫赠张垍几首诗那样可以确定。

张渐传

张渐,两《唐书》无传,其事迹的记载也极少,且很分散。从

---

① 见安旗主编:《李白全集编年笺注》,巴蜀书社,1990 年,第 138 页。

《旧唐书》卷一〇〇《苏晋传》得到一个线索，谓张渐之父名仲之，仲之兄循之，洛阳人。《旧唐书·苏晋传》云："晋与洛阳人张循之、仲之兄弟友善。"据《旧传》，苏晋父苏珦，在武则天专政时，连任监察官（监察御史、御史大夫），对时政累有切谏；神龙初，武三思擅权，更受到排挤。苏晋则年轻时就有文名，时人誉为"此后来王粲"。玄宗即位初，苏晋任中书舍人，"每有制命，皆令晋及贾曾为之"。由此可见，与其交友并为其所善的张循之、仲之，确"以学业著名"。

张渐少时，即受到其父被杀的不幸遭遇。《旧唐书·苏晋传》记："（张）循之，则天时上书忤旨被诛。仲之，神龙中谋杀武三思，为友人宋之逊所发，下狱死。"此事，《旧唐书》卷一〇六《王琚传》、卷一八六下《酷吏·姚绍之传》、卷一九〇中《文苑·宋之问传》，及《新唐书》卷一九一《忠义·王同皎传》、卷二〇二《文艺·宋之问传》、卷二〇九《酷吏·姚绍之传》皆有记，多有异同。比较起来，以《通鉴》卷二〇八中宗神龙二年（706）三月所记较为确切："初，少府监丞弘农宋之问及弟兖州司仓之逊皆坐附会张易之贬岭南，逃归东都，匿于友人光禄卿、驸马都尉王同皎家。同皎疾武三思及韦后所为，每与所亲言之，辄切齿。之逊于帘外闻之，密遣其子昙及甥校书郎李悛告三思，欲以自赎，三思使昙、悛及抚州司仓冉祖雍上书告同皎与洛阳人张仲之、祖延庆、武当丞寿春周憬等潜结壮士，谋杀三思，因勒兵诣阙，废皇后。上命御史大夫李承嘉、监察御史姚绍之按其事，又命杨再思、李峤、韦巨源参验。（张）仲之言三思罪状，事连宫壶。再思、巨源阳寐不听，峤与绍之命反接送狱。仲之还顾，言不已，绍之命拽之，折其臂。仲之大呼曰：'吾已负汝，死当讼汝于天！'庚戌，同皎等皆坐斩，籍没其家。"《通鉴》并有《考异》，引及《御史台记》、《朝野佥载》及《唐历》、《统纪》等，又可参见拙编《唐才子传校笺》卷一《宋之问传》及第五册《补正》①。

由此可见，张仲之反对武三思是很坚决的，而所受的遭遇又甚惨，在处死前即已被挝断臂。幸亏其下狱死后，其子张渐受到苏晋的抚养，"晋厚抚仲之子渐，有如己子，教之书记，为营婚宦"（《旧唐书·苏晋传》）。这时，神龙二年（706），张渐当还是孩童，其生年或在 700 年左右。苏晋卒于开元二十二年（734），"及晋卒，渐制犹子之服，时人甚以此称之"（同上）。时当三十余岁。

开元及天宝前期，张渐仕历不明。《唐尚书省郎官石柱题名考》卷一六金部员外郎，有张渐，或在天宝前期。据《严州图经》卷一"题名"："张渐，天宝九载十月自饶州刺史拜"；"张朏，天宝十载三月十日自抚州刺史拜"。则天宝九载（750）十月前，张渐曾任江西鄱阳郡太守（饶州刺史），九载十月至十载三月任浙江新定郡太守（严州刺史），此后即入朝依附于杨国忠。

据《旧唐书》卷九《玄宗纪》下，天宝十载（751）五月，"剑南节度使鲜于仲通将兵六万讨云南，与云南王阁罗凤战于泸川，官军大败"。杨国忠时为御史大夫兼兵部侍郎，掩匿鲜于仲通之败，自请兼领剑南节度使，时为天宝十载十一月。《新唐书》卷二○六《外戚·杨国忠传》："俄加本道兼山南西道采访处置使，开幕府，引窦华、张渐、宋昱、郑昂、魏仲犀等自佐，而留京师。"就是说，杨

---

① 《唐才子传校笺》第一册，中华书局，1987 年；第五册，1995 年。

国忠于天宝十载、十一载之际,身在京师,而遥领剑南、山南西道,并借开设幕府之名,将窦华、张渐引入。又《旧唐书》卷一一五《赵国珍传》:"天宝中,以军功累迁黔府都督,兼本管经略等使。时南蛮阁罗凤叛,宰臣杨国忠兼剑南节度,遥制其务,屡丧师徒。中书舍人张渐荐国珍有武略,习知南方地形,国忠遂奏用之。"此当也在天宝十载、十一载间(参郁贤皓《唐刺史考全编》卷一七五"黔州")。据此,则张渐当已以中书舍人而在杨国忠剑南幕府,但仍在长安。又据《旧唐书·赵国珍传》,赵在黔中是有政绩的,"在五溪凡十余年,中原兴师,唯黔中封境无虞"。可见张渐有一定见识。

　　天宝后期又有一值得注意的事。刘太真《送萧颖士赴东府序》(《全唐文》卷三九五),中云:"顷东倭之人,逾海来宾,举其国俗,愿师于夫子。非敢私请,表闻于天子,夫子辞以疾而不之从也。"有唐一朝,日本屡有遣唐使来中国,进行文化交流。他们当仰慕萧颖士的文名,请其到日本讲学,这应当说是件好事。《旧唐书》卷一九○中《文苑下·萧颖士传》、《新唐书》卷二○二《文艺中·萧颖士传》都记有此事,不过《新唐书》本传记为新罗人来聘。据陈铁民《萧颖士系年考证》①,当以东倭即古日本为是,其时在天宝十二载(753)三月。当时萧颖士在长安,待制史官。刘太真《序》是说萧颖士自己"辞以疾而不之从",而《新唐书·萧颖士传》则谓:"倭国遣使入朝,自陈国人愿得萧夫子为师者,中书舍人张渐等谏不可而止。"则天宝十二载三月,张渐仍为中书舍人。

---

①载《文史》第 37 辑,中华书局,1993 年 2 月。

据韦执谊《翰林院故事》、丁居晦《重修承旨学士壁记》，张渐是"以中书舍人充"，即先已任中书舍人，后以中书舍人入为翰林学士。很可能杨国忠于天宝十一载十一月李林甫卒后居相位，撤原来的剑南幕府，遂荐张渐以中书舍人入翰林学士院。日本使者请萧颖士赴日，确是要正式上表的，张渐因已在翰林禁中，接近皇上，故有可能对此表示意见。不过他为何反对萧颖士赴日，尚待研究。

清顾燮光《梦碧簃石言》卷二录有唐玄宗第五孙女墓志（原名为《皇第五孙女墓志铭并序》），署为"中大夫、行中书舍人、翰林院待制、上柱国臣张渐撰，朝议郎、行太子宫门郎、翰林院供奉臣刘秦书"。文中称："以天宝十三载岁次甲午十一月七日丁酉，恬然委顺，时春秋廿一岁"；"以其载闰十一月廿九日庚寅法葬于京兆咸宁县义丰乡之铜人原，乃命小臣志于幽壤"。这里称张渐为翰林院待制，实即翰林学士。另据韦执谊《翰林院故事》，董晋于肃宗时曾以校书郎入充翰林学士（丁居晦《壁记》同）。韩愈《董公行状》亦记有"拜秘书省校书郎，入翰林为学士"（《韩昌黎文集校注》卷八），而《旧唐书》卷一四五《董晋传》则记为："授校书郎、翰林待制"。可见唐代玄、肃两朝，亦即翰林学士前期，翰林学士也可称翰林待制。由此，则天宝十三载（754）十一月，张渐已在翰林学士任上。

上述墓志的撰写也是翰林学士的职务之一，这也是张渐传存的惟一文章，但《全唐文》未载①。《全唐诗》卷一二一录有其所作

---

① 宋陈思《宝刻丛编》卷八"陕西永兴军路·京兆府·万年县"，著录有《唐青城县令曹琳墓志》，谓唐张渐撰，天宝六年，则当另有一文，但也未传存。

诗一首,题《朗月行》:"朗月照帘幌,清夜有余姿。洞房怨孤枕,挟琴爱前墀……"按写闺怨之情也是盛唐诗常见的基调,王昌龄七绝如《长信秋词》、《青楼曲》、《闺怨》,都是名作。张渐此诗,如"去岁草始荣,与君新相知;今年花未落,谁分生别离",文词清新,情意真切。可以注意的是,与张渐、窦华共同依附杨国忠的宋昱,天宝后期也任中书舍人。《全唐诗》卷一二一录其《晓次荆江》、《樟亭观涛》等作,如"秋色湖上山,归心日边树","向夕垂钓还,吾从落潮去",也可称为佳句。

这些大约都是早年所作,后来他们身居要位,心境就不同了。《旧唐书》卷一○六《杨国忠传》:"国忠之党翰林学士张渐、窦华,中书舍人宋昱,吏部郎中郑昂等,凭国忠之势,招来赂遗,车马盈门,财货山积。"正因如此,天宝十五载(至德元载,756)六月,杨国忠随从唐玄宗匆忙西出,"其党翰林学士张渐、窦华,中书舍人宋昱,吏部郎中郑昂,俱走山谷,民争其赀,富埒国忠。(宋)昱恋赀产,窃入都,为乱兵所杀;余坐诛"(《新唐书》卷二○六《杨国忠传》)。《旧唐书·杨国忠传》也谓张渐等"及国忠败,皆坐诛灭"。很可能马嵬驿之变,杨国忠被杀,其亲信如张渐、窦华等也被杀。

窦华传

窦华,两《唐书》无传。《元和姓纂》卷九河南洛阳窦氏,记有:"戒盈,青州刺史。生庭芝、庭华。庭芝,陕州刺史。庭华,中书舍人。"岑仲勉《元和姓纂四校记》谓:"《翰林院故事》、《重修壁记》暨

《会要》五七有窦华,官翰林学士、中书舍人,应即此庭华。"①岑说是。两《唐书》的有关记载,均记作窦华。惟《新唐书》卷七一下《宰相世系表》一下,仍记为窦庭华,其父诚盈,"青州刺史",四子:庭芝,太府少卿;庭华,中书舍人;庭蕙,扬府长史;庭芳,未注官职。

宋赵明诚《金石录》卷七有《唐北海太守窦诚盈碑》,下注云:"徐浩撰并八分书,题额李遇正书,天宝七载正月。"②据《元和郡县图志》卷十,河南道有青州,《新唐书》卷三八《地理志》二,河南道有青州北海郡。按唐初,地方建制,改郡为州,太守为刺史,而玄宗天宝元年二月,"天下诸州改为郡,刺史改为太守"(《旧唐书》卷九《玄宗纪》下)。又据《元和郡县图志》卷十,青州是唐高祖武德二年建立的(相当于今山东潍坊、青州等地),而天宝元年又改为北海郡。《金石录》著录为"北海太守",又云"天宝七载正月",符合当时改州郡名体制,可信。可惜徐浩此碑碑文,现在未见,因此我们未能详知窦诚盈的生平与家世。按李邕于天宝六载(747)正月在北海任上为李林甫陷害,被杀,则可能接任者为窦诚盈,而不久即卒,故徐浩所撰之碑在天宝七载立。徐浩擅长于制诰文体,肃宗、代宗两朝连任中书舍人,"时天下事殷,诏令多出于浩";"玄宗传位诰册,皆浩为之"(《旧唐书》卷一三七《徐浩传》)。天宝前期,徐浩约四十余岁,已有文名。由他来为这位北海太守撰写碑文,也可见窦诚盈当时已有声誉。

窦华早年仕历不详。清赵钺、劳格《唐御史台精舍题名考》卷

①《元和姓纂四校记》,郁贤皓、陶敏校订本,中华书局,1993年。
②《宋本金石录》,中华书局影印本,1991年。

三"碑阴额题名",有"知杂御史",下注"自天宝元载已后",有窦华名(《月河精舍丛钞》本)。"知杂御史"并不是专有官称,据《旧唐书》卷四四《职官志》三,"御史台",其中有侍御史,其职务为"掌纠举百僚,推鞫狱讼",有注云:"侍御史年深者一人判台事,知公廨杂事。"又《新唐书》卷一三四《杨慎矜传》记杨于玄宗时"迁侍御史,知杂事"。《唐御史台精舍题名考》卷三"碑阴额题名·知杂御史"也有杨慎矜名。由此,则窦华当于天宝前期曾任侍御史。侍御史为从六品上。窦华于天宝七八年间丁父忧(见前徐浩所撰《窦诫盈碑》),不久即为杨国忠引入。

据《新唐书》卷二〇六《外戚·杨国忠传》,杨国忠在兼兵部侍郎时,曾遥领剑南节度使、山南西道采访处置使,"开幕府,引窦华、张渐、宋昱、郑昂、魏仲犀等自佐,而留京师"。时在天宝十载(751)、十一载(752)间(详见前《张渐传》)。天宝十一载十一月李林甫卒,杨国忠正式任宰相(右相),撤幕府,当于此时荐张渐、窦华以中书舍人入为翰林学士。韦执谊《翰林院故事》、丁居晦《重修承旨学士壁记》,在张渐后,记窦华由中书舍人充。又,《玉海》卷一六七《宫室院·唐集贤殿书院》引韦述《集贤注记》,中云:"自贺知章至窦华,开元十三年四月至天宝十四载,集贤院学士、直学士三十三人。"集贤殿书院创设于开元十三年(725),是唐朝中央有盛誉的文化机构,五品以上才能入为学士,六品以下则称为直学士(《新唐书·百官志》二)。中书舍人为正五品上,窦华当于天宝十二载起,既由中书舍人入为翰林学士,同时又兼集贤书院学士。又据前所引《新唐书·宰相世系表》,窦庭华之子"叔展,左拾遗"。宋孙逢吉所撰《职官分纪》卷十五有引《集贤注记》，称"（天宝）十三年，窦叔展以宜寿尉迁左拾遗，入院待制。叔展则中书舍人华之子，父子相次入院"。左拾遗为从八品上，故只能为待制，但父子相次入院，在当时是享有荣誉的。

窦华以中书舍人入为翰林学士，当在宫中值班，但仍依附于宰相杨国忠。《通鉴》卷二一七天宝十三载曾记有一事："杨国忠忌陈希烈，希烈累表辞位。上欲以武部侍郎吉温代之，国忠以温附安禄山，奏言不可，以文部侍郎韦见素和雅易制，荐之。八月丙戌，以希烈为太子太师，罢政事，以见素为武部尚书、同平章事。"按陈希烈于天宝五载（746）四月李适之为李林甫所排挤而荐引入相，至此则为杨国忠所忌而罢相。据《旧唐书》卷一〇八《韦见素传》："国忠访于中书舍人窦华、宋昱等，华、昱言（韦）见素方雅，柔而易制。上亦以经事相王府，有旧恩，可之。"宰相人选，是朝中大事，虽最后由皇帝任命，但实际主意却是杨国忠征询窦华等而提出的。

这是杨国忠倚重于窦华等，而另一方面窦华等也就献媚于杨国忠。《旧唐书》卷一〇六《杨国忠传》载，杨国忠于天宝十一载后继李林甫为相，"以宰臣典选"，"故事，吏部三铨，三注三唱，自春及夏，才终其事。国忠使胥吏于私第暗定官员，集百僚于尚书省对注唱，一日令毕，以夸神速，资格差谬，无复伦序"。这样不按照规制办事，完全出于个人私意，而"其所昵京兆尹鲜于仲通、中书舍人窦华、侍御史郑昂讽选人于省门立碑，以颂国忠铨综之能"。正因如此，窦华与张渐、宋昱等"凭国忠之势，招来赂遗，车马盈门，财货山积"（同上）。翰林学士如此依附权贵，招赂聚财，在唐朝还是极少见的，这也是天宝后期整个腐败政局所造成的。

这里还应提出的是,两《唐书》记窦华、张渐天宝后期的仕历,一般都称为中书舍人,很少称为翰林学士,这值得注意。这一方面是,唐代的翰林学士,是一种差遣之职,并非官名。宋叶梦得《石林燕语》卷五谓:"如翰林学士、侍讲学士、侍读学士、侍书学士,乃是职事之名耳。"清人钱大昕也说:"学士无品秩,但以它官充选","学士亦差遣,非正官也"(《廿二史考异》卷四四);又称翰林学士"有官则有品,官有迁转,而供职如故也"(同上,卷五八)。这就是说,一个翰林学士,他必须带有其他正式的官衔,这样,才有一定的品位,有一定的薪俸。韦执谊《翰林院故事》、丁居晦《重修承旨学士壁记》在记各朝翰林学士时,都记任期内官位的迁转。如前《刘光谦传》,丁氏《壁记》就记为:"起居舍人充,累迁司封郎中。"就是说,刘光谦自起居舍人入为翰林学士,后又由起居舍人(从六品上)迁为司封郎中(从五品上),但仍在翰林学士任内。又如白居易自元和二年(807)至六年(811)在翰林学士任,他先以集贤校理为左拾遗,元和五年改为京兆府户曹参军。京兆府户曹参军为正七品下,比左拾遗(从八品)要高好几阶。正因如此,唐人往往就以翰林学士所带的官衔称呼。另一方面,唐代玄宗、肃宗两朝,中书舍人,其政治声望与文学声誉,是大大超过这一时期翰林学士的,如玄宗时期的孙逖、贾曾,肃宗时期的徐浩、贾至,凡册立帝位,发重要诏令,都出自这几位中书舍人之手。故两《唐书》多以中书舍人称时为翰林学士的窦华、张渐,可以理解。

天宝十五载(至德元载,756)六月,安禄山军攻陷潼关,玄宗西走,杨国忠于马嵬驿为众军所杀,窦华、张渐等也"皆坐诛灭"(《旧唐书·杨国忠传》),详见前《张渐传》。

又前所引《新唐书·宰相世系表》，记窦华兄庭芝，太府少卿。《通鉴》卷二一七记天宝十四载（755）十二月，安禄山起兵南下，时安西节度使封常清入朝，唐玄宗即任其为范阳、平卢节度使，赴洛阳抵御安军，但屡败，"封常清帅余众至陕，陕郡太守窦庭芝已奔河东，吏民皆散"。此又见《旧唐书·安禄山传》。则天宝后期，窦华之兄庭芝曾任陕郡太守。

窦华，无诗文传世。

裴士淹传

裴士淹，两《唐书》无传。《新唐书》卷七一上《宰相世系表》一上，记裴士淹为礼部尚书、绛郡公；其祖知节，南和令；父情，未注官职。颜真卿《正议大夫行国子司业上柱国金乡县开国男颜府君神道碑铭》（《全唐文》卷三四一），记颜允南之交友，中有"河南陆据，彭城刘悚、刘秩，陇西李揆，河东裴士淹，特敦莫逆之欢"。则裴士淹为河东人。

裴之早年仕历不详。清赵钺、劳格《唐郎官石柱题名考》卷六司封员外郎、卷七司勋郎中，皆记有裴士淹。卷七司勋郎中，裴士淹之后为韦咸、崔圆，而据《旧唐书》卷九《玄宗纪》下，天宝十五载（756）六月，"庚子，以司勋郎中、剑南节度留后崔圆为蜀郡长史、剑南节度副大使"。天宝十载、十一载之际，杨国忠遥领剑南节度，即将崔圆由司勋员外郎提升为司勋郎中，兼蜀大都督府左司马、知节度留后（《旧唐书》卷一〇八《崔圆传》）。裴士淹之名既在崔圆之前,则其任司勋郎中当在天宝中期。

韦执谊《翰林院故事》记"开元已后"翰林学士八人,最后一个是裴士淹:"自给中充,出为礼侍。"丁居晦《重修承旨学士壁记》记"开元后八人",第八位是裴士淹:"给事中充,知制诰。"就是说,裴士淹是由给事中入为翰林学士的。司勋郎中官阶为从五品上,给事中与中书舍人相等,为正五品上。很可能裴士淹于天宝十载(751)前后由司勋郎中升迁为给事中,不久,即以给事中入翰林学士院。

《旧唐书》卷九《玄宗纪》下,天宝十四载(755)三月,明确记载裴士淹以给事中身份出使河北等地:"(三月)癸未,遣给事中裴士淹等巡抚河南、河北、淮南等道。"此事,以《通鉴》所记较详。《通鉴》卷二一七,天宝十四载二月,记当时宰相韦见素、杨国忠对安禄山已有怀疑,"(韦)见素因极言禄山反已有迹";于是三月辛巳,"命给事中裴士淹宣慰河北",实际上是去视察。《通鉴》于此年四月接着记:"安禄山归至范阳,朝廷每遣使者至,皆称疾不出迎,盛陈武备,然后见之。裴士淹至范阳,二十余日乃得见,无复人臣礼。"此事,唐姚汝能《安禄山事迹》亦有记,大致相同:"禄山自归范阳,逆状渐露,惧朝廷诛之,使者将至,辄称疾不迎,严介士于前后,成备而后见之。士淹之至也,亦如之,令武士引入,无复人臣之礼,士淹宣旨而退。"

这是关于裴士淹仕历最早的记载。应当提出的是,《旧纪》、《通鉴》及《安禄山事迹》虽然都称裴士淹为给事中,而裴士淹此时当已由给事中入为翰林学士。奉皇帝旨意,出外考察军情,这也是唐代翰林学士的职务之一。中唐时德宗皇帝遭"泾师之变",

曾于兴元元年（784）派遣翰林学士陆贽至李怀光军中宣谕，陆贽即奉命与李晟、李怀光洽商军情（详见两《唐书·陆贽传》，及《通鉴》有关记载）。

与此相关的，还须辨析一事。《全唐诗》卷一二四载有裴士淹一诗，题为《白牡丹》，诗云："长安年少惜春残，争认慈恩紫牡丹。别有玉盘承露冷，无人起就月中看。"关于此诗，中唐时段成式《酉阳杂俎》曾有记，其书前集卷十九《广动植之四·草篇》记云："开元末，裴士淹为郎官，奉使幽冀回，至汾州众香寺，得白牡丹一窠，植于长安私第，天宝中，为都下奇赏。当时名公，有《裴给事宅看牡丹》诗，诗寻访未获。一本有诗云：'长安年少惜春残，争认慈恩紫牡丹。别有玉盘承露冷，无人起就月中看。'太常博士张乘尝见裴通祭酒说。"这里提及的裴通，为裴士淹子，见《新唐书》卷五七《艺文志》一，经部《易》类："裴通《易书》一百五十卷：字又玄，士淹子，文宗访以《易》义，令进所撰书。"《新唐书·宰相世系表》一上，也载有裴士淹第二子通。由段成式所记，则关于裴士淹植白牡丹及所传之诗，乃得之于裴士淹子裴通之说，当可信。这就是说，裴士淹出使幽冀回，经汾州，得一白牡丹，移植于长安宅中，而为都下奇赏，当时就有一位名公，作有《裴给事宅看牡丹》一诗，此诗原本虽未见，但另有一诗相传。由此可见，诗为他人作，《全唐诗》列于裴士淹名下，误。不过由此也可看出，裴士淹作为翰林学士，与当时文士也有所交往。

当然，《酉阳杂俎》此则所记裴士淹仕历，有不确之处。裴此次奉使幽冀，就前所考，为天宝十四载三月官给事中时，故当时名公所作诗，题也即为《裴给事宅看牡丹》，则《酉阳杂俎》所谓"开元末,裴士淹为郎官"而出使,即与史书所记不合。又谓此白牡丹乃"天宝中"为都下所赏,也不确,当在天宝末。按裴士淹出使河北,在三月,四月返长安,这与诗中所谓"长安年少惜春残",时节相符。

天宝十五载(756)六月,安禄山军攻占潼关,向关中推进,唐玄宗仓皇西奔,后至四川成都。这次随从玄宗赴蜀的,翰林学士只裴士淹一人(张垍、张渐、窦华等,见前传),且得到玄宗的信重。作于宪宗元和初(807)的刘肃《大唐新语》卷八即记有:"玄宗幸成都,给事中裴士淹从。士淹聪悟柔顺,颇精历代史。玄宗甚爱之,马上偕行,得备顾问。"晚唐李冗《独异志》卷下亦云:"玄宗幸蜀,裴士淹从驾,马上以商较当时卿相。"关于此事,《新唐书》卷二二三上《奸臣上·李林甫传》所载较详:"帝之幸蜀也,给事中裴士淹以辩学得幸。时肃宗在凤翔,每命宰相,辄启闻。及房琯为将,帝曰:'此非破贼才也。若姚元崇在,贼不足灭。'至宋璟,曰:'彼卖直以取名耳。'因历评十余人,皆当。至(李)林甫,曰:'是子妒贤嫉能,举无比者。'士淹因曰:'陛下诚知之,何任之久邪?'帝默不应。"

关于对房琯的议论,《唐语林》所记更为具体,其书卷三"品藻"类,有云:"玄宗西幸,驾及古界,灵武递至,房琯新除丞相。玄宗于马上看除目,顾左右,谓裴士淹曰:'亦不是灭贼手。'士淹低语曰:'请陛下勿复言。'上色少愧。"前引《大唐新语》及《新唐书·李林甫传》在记述议论房琯事,均未记有裴士淹"低语"。按据《旧纪》,玄宗于天宝十五载(756)七月"甲子(十二日),次普安郡,宪部侍郎房琯自后至,上与语甚悦,即日拜为吏部尚书、同中书门下平章事",即任为相。八月癸未朔（初一）抵成都，癸巳（十一日）接到灵武来使，告知皇太子李亨即帝位，玄宗事先未知，因此时兵权已在李亨手中，他只得自称上皇，并命随身的宰臣韦见素、房琯奉册书赴灵武。房琯等见到肃宗（李亨），"肃宗以琯素有重名，倾意待之"，随即"诏加持节、招讨西京兼防御蒲潼两关兵马节度等使"（《旧唐书》卷一一一《房琯传》）。据此，则《唐语林》所谓玄宗在赴蜀途中，"灵武递至"，及"房琯新除丞相"，均不确。但玄宗在成都闻知房琯掌握兵权，有所不悦，说了一句讥刺的话，裴士淹马上低语："请陛下勿复言。"当是裴士淹觉得这涉及肃宗，不利于玄宗当时的政治境遇。这也符合翰林学士在君主左右参政议政的身份。

正因如此，玄宗就于至德二载（757）春将裴士淹由给事中（正五品上）升迁为礼部侍郎（正四品下），并在成都主持贡举考试。据《唐语林》卷八"神龙元年已来累为主司者"，有裴士淹：至德二年、三年。按至德二载春，长安尚为安禄山军占领，不过据徐松《登科记考》卷七，当时唐廷分别在江淮、成都府、江东诏试进士，在成都即由裴士淹知举。韦执谊《翰林院故事》记裴士淹"出为礼侍"。按唐朝惯例，翰林学士因在宫廷禁中，不能出外廷主持科试，一般是先出院，任礼部侍郎，然后知贡举。据此，则裴士淹当于至德元载末、二载初出为礼部侍郎。这也是唐朝翰林学士出知贡举试的首例，很值得注意。又，至德二载九月，唐军收复长安，第二年，至德三载，亦即乾元元年（758），春，裴士淹又在长安再次主持科举考试。本年进士登第者有柳伉，后为代宗时翰林学士，曾因上疏斩宦官程元振而闻名一时（详见后代宗朝《柳伉传》）。

裴士淹此后的仕历为:宝应二年(763)三月在兵部侍郎任,见《唐会要》卷一"帝号"上,记肃宗于宝应元年四月十八日卒,宝应二年三月庚午葬于建陵,庙号肃宗,哀册文由"兵部侍郎裴士淹撰"。文见《全唐文》卷四九裴士淹《肃宗大宣孝皇帝哀册文》。按此文后有《章敬皇后哀册文》,亦裴士淹撰。据《旧唐书》卷五二《后妃传》下,章敬皇后吴氏为代宗生母,早在开元二十八年(740)即卒,因肃宗于宝应二年三月行施葬礼,代宗遂从宰臣郭子仪等建议,即将其母谥为章敬皇后,祔葬于肃宗皇陵。裴士淹《章敬皇后哀册文》也即宝应二年三月作。值得注意的是,裴士淹已于至德二载(757)初春出翰林院,为礼部侍郎,知贡举,后于宝应二年(763)三月在兵部侍郎任,却仍能撰皇帝、皇后葬礼册文,而这时翰林学士已有董晋、于可封、苏源明等。可见唐朝前期,一些重要制诰册文,不一定非出于翰林学士之手。

　　唐代宗永泰二年(766)八月,裴士淹在礼部尚书任。《唐会要》卷三七"礼仪使",记云:"永泰二年八月十三日,礼部尚书裴士淹除礼仪使。"又见于《旧唐书》卷十一《代宗纪》。礼部尚书(正三品)虽然官阶要高于兵部侍郎,但在唐朝,尚书一般均为虚衔,不如侍郎有实权。

　　大历五年(770)八月,贬官外出。《旧唐书·代宗纪》,大历五年五月,"庚辰,贬礼仪使、礼部尚书裴士淹为虔州刺史,户部侍郎、判度支第五琦为饶州刺史,皆鱼朝恩党也"。又《旧唐书》卷一八四《宦官·鱼朝恩传》,末云:"朝恩素待礼部尚书裴士淹、户部侍郎判度支第五琦,二人亦坐贬官。"按代宗即位初,先后去除宦官李辅国、程元振,而重用鱼朝恩。《通鉴》卷二二三代宗广德元年（763）十二月记："以鱼朝恩为天下观军容宣慰处置使，总禁兵，权宠无比。"后来元载拜相，与鱼朝恩争权，代宗也忌恨鱼朝恩骄横太甚，遂于大历五年三月，与元载谋议，暗杀之。裴士淹当因受牵累而出贬，但他如何受鱼朝恩信用，不详。

按清王昶《金石萃编》卷七九载有《裴士淹题名》，注云"在华岳颂碑左侧"，记云："礼部尚书裴士淹出为饶州刺史，大（此下原注：庙讳）五年六月六日，于此礼谒。"所谓"庙讳"，当为"历"字，系避乾隆弘历名讳。又同卷有《华岳苏敦苏发等题名》："大历中，发任华阴县令，时礼部尚书河东裴公出牧鄱阳，敦与发、彻同送至此。……五年夏六月六日。"按裴士淹于五月庚辰下制外贬，至六月六日才至华州，且有当地华阴县令陪登华岳，可见此次贬谪，并不很严。

此后行迹不详。郁贤皓《唐刺史考全编》卷一五○江南东道温州，引顾况《祭裴尚书文》，定裴士淹于大历九年（774）卒于温州刺史任。此为推测，不一定确实。

裴士淹诗，前已考，《全唐诗》所载《白牡丹》诗非其所作；此外，近代学者孙望先生《全唐诗补逸》卷五尚补辑有《游石门洞》一诗，采自《永乐大典》卷一三○七四（见《全唐诗补编》页137，中华书局，1992年10月）。按此又见于《古今图书集成》卷一三三《方舆汇编·山川典》。但是否为其所作，尚待考。《全唐文》卷四○九载其文五篇，除前所引《肃宗大宣孝皇帝哀册文》、《章敬皇后哀册文》外，另有《内侍陈忠盛神道碑》，作于肃宗乾元三年（760）五月，在礼部尚书任。此当亦奉皇帝之命为宦官撰作碑文。其他两篇，《对大夫祭判》、《对不供夷盘判》，似为吏部铨试时所作,具体年月不详。总之,其在翰林学士任期内,无诗文传世。

原载《文史》2003 年第 3 辑,此据大象出版社 2004 年版《唐宋文史论丛及其他》录入;可参看专著《唐翰林学士传论》

傅璇琮文集

驼草集

第八册

中华书局

独具标格的唐代试策考

近一二十年来,唐代科举、唐代科举与文学,已成为唐代文化研究的一个关注点,但有关唐代科举的研究,以常科来说,对进士一般只是重视诗赋试(过去甚至认为试诗赋乃促使唐诗的繁荣),明经则以为就是试帖经,对这两科的策试是不关心。制举当然是以策试士,但由于科目繁多,一般也就笼统言之。而陈飞著《唐代试策考述》通过对唐代基本史料的辑集和梳理,主要得出这样的结论:一、试策是所有科目中不可少的试项;二、试策是所有时段必不可少的试项;三、试策在所有试项里地位最为重要和关键;四、试策往往是唯一的试项,等等。由此,则从试策着手,全面探讨唐代科举考试的科目,从而发现了不少一直为人们忽视的专题,有些似乎还是我们第一次见到的,如明经试中的"授散"、类进士试中的"多才科"、学馆试中的"大成"等。又如武后时刘思立关于杂文试建议的探索,道举与"明四子"的辨别,学馆试各类措置的介绍,制举中的"制目"与"试目"的分辨等等,都在已有研究基础上作更细致地研讨,使我们今天读来对唐朝的这些科试情况,了解得更为清晰。作者还有一个大胆的探求,他把明经试分为常明经、准明经、类明经，把进士试分为常进士、类进士，又把制举分为广义制举、狭义制举。

当然，其中具体论述可能还有商榷之处，但这样做，提出一种"大科举"的概念，就使唐代常科试与制举试的范围与意义显得广阔和丰富，有助于进一步探讨科举本身与当时文学、政治、文化，及文人心态、生活方式等关系的研究。

对古代文体的研究，过去一般是不大重视与所谓官方文书有关的文体的。譬如策文，包括朝廷颁布的策问与举子应试的对策，可以说是主要用于科举考试的文体，现在的研究者就不大将其列于文学概念的范围，这与当时的文学情况就不很切合。我近几年来花一部分时间研究唐代翰林学士，发现翰林学士与中书舍人撰写的制诏，表面看来是官方文告，实际是一种近乎政治纲领的文体，与文人仕途及文学的政治环境，关系很密切。白居易曾几次强调元稹所草拟的诏文，对文体改革起过相当促进的作用。我很同意陈飞在书中所述，我们今天通行的"文学"概念，不论内涵和外延，多与中国古代的"文学"概念相去甚远，这就会束缚我们对中国古代文学范围的探索。因此，该书虽然主要是考论唐代科举考试，但由此却能扩展对古代文体研究的领域，拓宽人们的视野。

不过，我不得不说，作者这样做，难度确是很大的。书中引用的材料之多，使人吃惊。正因如此，恐怕读起来也相当吃力，不像现在有些论著，词藻繁艳，美语巧立，追求目前所谓的"时尚"风气。我们要真正做学问，还是要有自己的标格。作者这部书中所引，除了常用的新旧《唐书》那样的正史之外，还有如《文苑英华》、《册府元龟》那样有数百卷规模的大部头总集、类书。我想这就是一种原创性，既使人信得过，也使自己的学问站得住。

原载 2003 年 10 月 16 日《光明日报》，据以录入；可参看中华书局 2002 年版《唐代试策考述》序

学术情谊　永志不忘

——记美籍华裔学者李珍华教授

　　我与李珍华先生相识，是 1984 年在兰州召开的唐代文学学会第二届年会上。但在这之前，我已与他有文字交往。1982 年 5 月下旬，由西北大学中文系承办召开唐代文学学术会议，并正式成立中国唐代文学学会。学会决定编纂《唐代文学研究年鉴》，实际工作由我负责。正好这一年，李珍华先生在西安度过一整个夏天，畅游八百里秦川，与陕西学者多有接触。我当时就通过《年鉴》编辑部，与李珍华先生联系，请他为《年鉴》撰稿。李先生返美后，即于同年 9 月撰成《美国学者与唐诗研究》一文，此文即刊于《唐代文学研究年鉴》第一辑（1983）。

　　李珍华先生此文全面概述 20 世纪 50 年代以后美国学者有关唐代文学研究的进展历程，写得很清楚，很概括。他将美国学者对中国唐代文学研究，分列三代人，每一代学人，都举有美籍华人。如他提到第一代学人洪业（20 世纪二三十年代曾在燕京大学执教），说他曾于 60 年代时拜访过洪业教授，就有关杜甫的诗学问题向其请教，谈了两个钟头。文中说："当他知道我曾将《全唐诗》和《全唐文》全部读过,便很谦虚地向我'请教'豆卢氏一家的历史,询问我对刘知幾的历史观点和文学观点的看法,最后还留我便饭。"写得很亲切。这篇文章特别介绍七八十年代美国唐诗研究"新秀的崛起"第三代人(这第三代人也包括他自己),并从观念创新与视野开拓的角度重点论述执教于哈佛大学的欧文教授,认为他在处理唐诗时,适当地采用了西洋比较文学和文学批评的方法与术语,很给人以得体之感。后我于 1987 年上半年为厦门大学贾晋华同志所译欧文《初唐诗》(广西人民出版社,1987 年 12 月版)作序,就特为提及李珍华先生此文,认为"这篇文章讲的虽然是美国的唐诗研究,实际上是以反映美国于 20 世纪 50 年代以来汉学研究的重大进展"。当时我们对国外学者研究中国古典文学现状的了解是很不够的,李珍华先生此文是一个很有启发性的开端。

李珍华先生长期在美国密歇根州立大学的美国思想与语言系任教。他所教的课目包括美国现代诗人如艾理略和庞德等。他为了探讨印象派和象征派的来龙去脉,进行国际间比较,就从 20 世纪的美国文坛追溯到 19 世纪的法国文坛,后又进入第八、九世纪的中国诗界,重点放在杜甫的诗歌创作、诗论及其所处的那个时代的美学观念和批评标准。正因如此,他很想了解中国大陆学者的研究情况,希望多与唐诗学者接触。唐代文学学会是每两年召开一次年会与学术研讨会的,因此他从 1984 年起,多次参与,如 1984 年在兰州、敦煌,1986 年在洛阳,1990 年在南京,1992 年在厦门。他在与我合著的《河岳英灵集研究》后记中说,他参加唐代文学会议,"与会的学者,无论老中青,都把我当作自己人、老朋友看待,学问上无所不谈",因此他认为,"我深深地体会到社会开放和学术交流的重要性"。

李珍华先生认为他探讨杜甫诗论,深度不够,就想进一步研索盛唐诗歌的理论。在此之前,他认为他对"第八世纪中叶这一段,还欠全面的深入的了解"。1986 年在洛阳唐代文学会议时,我们二人进行几次交谈,达到一个共识,以为对盛唐时期诗歌理论研究,当做两个项目,一是王昌龄《诗格》,一是殷璠《河岳英灵集》。这样他就提出,拟于 1987 年邀我去他的学校作学术访问,共同对这两个项目进行研究。在这之前,他曾邀请过两位学者,第一位是当时尚在台湾的叶嘉莹教授,第二位是西北大学的安旗教授。但李先生说,她们两位到校后,住有大半年,一是作杜甫《秋兴八首》笺评,一是专研李白,都单独自己做,未有合作的打算,他未免有些失望,因此特希望我们共同探讨学问,做出成果。

为此我查阅了一些书,做些准备,特别是殷璠《河岳英灵集》,一般通行多为三卷本,如《四部丛刊初编》本,上海古籍出版社的《唐人选唐诗(十种)》本。清修《四库全书》所收也是三卷本,《四库总目提要》还就这三卷之分作出解释,说是"毋亦隐寓钟嵘三品之意乎"。钟嵘《诗品》三卷,分上中下三品,中含高低评价的,则殷璠之书分三卷,也有对所收盛唐诗人作上中下的评判。这对现代研究者也有影响。不过我翻阅殷璠原书,其自叙明说"分为上下卷";《新唐书·艺文志》总集类也载《河岳英灵集》二卷,南宋时《直斋书录解题》同。我又去北京图书馆善本部查阅,发现有两种二卷本,一为明清之际季振宜所藏,一为清末莫友芝所藏据毛扆校本过录。这两种,据仔细核对,可以确定是出于同一刻本,即宋刻本。由此可见,殷璠自编确为二卷,南宋时尚有传本,但后失传,明代前期开始即流行三卷本。这对《河岳英灵集》的研究提供基本文献基础,很有意义。李珍华先生在美国教学,虽偏重于理论探讨,但也很重视文献研究,在上述《唐代文学研究年鉴》这篇文章中,就曾提出:"美国学者似乎不耐烦于考证";因此认为:"这总算是一个缺点,有时甚至是严重的缺点。"正因如此,他于1987年10月上旬在西安西北大学参加"周秦汉唐国际学术会议"后,来北京时,我陪他到北京图书馆去看这两种二卷本,他后来记道:"我与傅璇琮先生在北图一同看了廿五年来梦寐以求的《河岳英灵集》的宋本。当时惊喜之情实非笔墨所能形容"(《河岳英灵集研究》后记)。由此亦可见李先生的学术挚深之情。

我于1987年10月中旬至1988年5月上旬,在李珍华先生所在的学校——密歇根州立大学。他特地给我安排在一教学楼,下面一层是学生宿舍,二层大多是办公室,只有一室是住宿间,我就住在该处。这样,平日倒是热闹,但一到星期日与节假期,整个二层只我一人,我就日夜关闭房门,一人在室内看书。李珍华先生在生活上很照顾我,每星期六总驾车带我去商场购物,有时在他家吃饭。他善于做菜,其夫人因科研工作忙,家务的事多由李先生做。夜间临睡前总把楼下一层的地面擦扫干净,有时我也帮做一些。

我住的地方离学校图书馆不远,步行约10分钟就走到。李先生为我办理借书证,还特地在书库内给我安排一个研究间,这样我去图书馆内看书,不必再办借书,在书架上把要看的书搬到我的研究间即可。我这个人是不善于生活安排的,除有时在校园散步外，经常就在图书馆。为了便于阅读、写作，李先生还驾车把成套的书，如新旧《唐书》《全唐诗》等，都借出来送到我住宿处。

这样，在几个月内，我们经常共同商讨，分头撰写，由我执笔写《唐人选唐诗与〈河岳英灵集〉》《盛唐诗风与殷璠诗论》《殷璠生平及〈河岳英灵集〉版本考》，由他执笔写《〈河岳英灵集〉音律说探索》。我对音律、平仄是不大熟悉的，李先生虽长期在美国，但对汉语音韵学极为投入，他在这篇《音律说探索》中引用了郭绍虞、唐兰、王力、周祖谟等好几位学者的材料，又参阅日本空海《文镜秘府论》，对殷璠书中很冷僻的语词"拈二"作了很透彻的诠释，并联系初盛唐诗的发展，阐释殷璠对盛唐诗律要求的意义。后来葛晓音等唐诗学者多有引及此说的。

在《文镜秘府论》后，我又集中一个月的时间，考释王昌龄的《诗格》，主要是根据日本空海《文镜秘府论》所引用的材料，论证《诗格》一书的真伪，在认同王昌龄确有此作后，又对其诗学思想稍作分析。我在文中罗列好些琐细例子，李先生曾稍作修饰，笑着对我说："你生活中不细心，想不到写文章倒这样细！"

李珍华先生曾有《王昌龄》一书（1982年版），我于《唐代诗人丛考》（中华书局，1980年版）中也有《王昌龄事迹考略》一文。我们两人商议，在已有基础上，可对王昌龄生平中一些不大清楚或者有争议之处再作考索，于是在几次共同交谈后，由我执笔，经他修改，写有《王昌龄事迹新探》一文（后载《古籍整理与研究》第5期，中华书局，1990年10月版）。大家知道，王昌龄是盛唐时期著名的边塞诗人，其现有诗篇以边塞为题材的有21首，如"秦时明月汉时关"等都是第一流杰作，这些诗写边地风物，不亲历其境，只凭想象,是绝写不出来的。这就有他是否去过西北及何时去的问题。我们经共同考研,确定王昌龄于唐玄宗开元十三、十四年曾有甘肃之行。文中引述王昌龄《旅望》一诗"白草原头望京师,黄河水流无尽时"二句,说:"白草原实有其地,它就在今甘肃与宁夏之间。该处有大小二白草原,小白草原在宁夏会宁西二百二十里,大白草原则在会宁东北。黄河在会宁北二百七十里。这大小白草原北临黄河,西接甘肃靖远,东连屈吴山,地'平旷肥饶多白草'。由于靖远距离黄河仅一里,而白草原又靠河,诗人是不难在这一带的高处望见黄河的。"这段文字由书面记载与实地游历结合起来,没有亲历其地是不易写出的。前已说及,李珍华先生于1982年夏天曾遍游秦川与甘肃等地,由于他已注意王昌龄游踪,故特记下,这段文字是他特为补入的,由此可知其不寻常的识见。

1988年5月我返回北京后,就接着做《河岳英灵集》的点校工作。我与李先生商议,拟以原宋刻二卷本为底本,再校以明清时期较有代表性的三卷本,以提供较为完整、可信的定本。这些本子都藏于北京图书馆(即国家图书馆)善本部,不能出借,只能自去校阅。我有时自己去,但由于本职工作忙,主要乃由内人徐敏霞去校。我们家住六里桥附近,当时交通条件差,她坐公交车,要换二三次车。整天校阅,中午随便吃些简便饭食。李珍华先生对此是很感动的,后此书《河岳英灵集研究》于1992年由中华书局出版,他以个人署名写篇后记,文后特别提到对徐敏霞的感激,说:"《河岳英灵集》的汇校如果没有她的参与,是无法如愿完成的。我尤其心感她在寒风凛冽的北京城,早出晚归挤公共汽车到北图去抄查和复审校对材料。她不求名,不谋利,一切为了学术友谊，坚决不肯署名为作者之一，这真使我既惭愧又感动。"我之所以引录这好几句，也是想说明李先生之真情厚德。

这里再简述几件事：

一、我在美国停留后期，曾与李珍华先生谈及唐末五代在中国历史和文学中的特殊地位，我们认为可就五代的文学与文化思想作些研究，而首先则应弄清基本事实，整理基本材料。这样，就由他据《粤雅堂丛书》本《五代诗话》先作校点，后由我复阅，我并撰写一篇近万字的序言。出书后即由李珍华先生署名点校，我向书目文献出版社推荐，于1989年12月出版。

二、李珍华先生与时为厦门大学中文系副教授的周长楫合作，根据近几十年来学者对汉语语音研究的成果，把九千个左右汉字的上古音、中古音、近代音、现代音列成表格，用国际音标标出读音或拟音，并注明字的纽、韵、调和中古音的开合、等、摄、诗韵韵部。这个音表，设计极为科学，观念又很创新。此时我仍任中华书局副总编，分管语言文字编辑室，就由我与编辑室主任李解民同志联系出版。此书字体复杂，音标各异，难于铅字排版，我们就找书法家梁天俊用钢笔字誊写。全书16开本，七百多页，可见抄写工夫之艰巨。书将印出时，我又请吕叔湘先生为题写书名。这些，李珍华、周长楫两位在前言中都深表谢意。此书于1992年出版，后于1995年获新闻出版署直属出版社第二届优秀图书选题二等奖，1997年获厦门市人民政府第二届社会科学优秀论著荣誉奖。

三、如上所述，李先生于1982年已写有《王昌龄》一书，约数万字，后与我合作，又有关于王昌龄的几篇论文。他提议合在一起,起名《王昌龄研究》,由我向友人、西安太白文艺出版社负责人陈华昌同志联系,于 90 年代初出版。

另外,1988 年 4 月间,我即将返国,曾与李珍华先生叙谈,拟由他向学校申报一项科研项目,名为"唐诗研究集成",把中国大陆学者关于唐诗研究的成果,选取有代表性之作,编印一套系列丛书,重点放在基本文献的整理研究。应该说这是很好的设想,李先生表示积极推进。但由于申报项目有一过程,他后来又因病未能进行,并于 1993 年冬去世,此事我只好一个人做,约集几位学者,没有经费资助,完全各自投入。后在陕西人民教育出版社于 1996 年出版四种(即由我编撰的《唐人选唐诗新编》、陶敏《全唐诗人名考证》、佟培基《全唐诗重出误收诗考》、张伯伟《唐人诗格辑考》)。如果李先生健在,在他合作、支援下,这套书肯定会有相当规模的。

我这里谨就学术合作,记述李珍华先生的治学业绩与真切友情。他的学术历迹是很值得探讨的。不幸他于 1993 年去世,未能在学术上更上一层楼,这总使我长期压在心头。写至此,不禁想起杜甫《秋兴八首》中"闻道长安似弈棋,百年世事不胜悲;王侯第宅皆新主,文武衣冠异昔时",更感到珍华先生之学术情谊,才使我永志不忘。

原载北京大学出版社 2003 年版《李珍华纪念集》,此据首都师范大学出版社 2010 年版北京社科名家文库《治学清历》录入,另收入北方文艺出版社 2008 年版《书林漫笔》

唐肃宗朝翰林学士传

　　唐代的翰林学士,开始设置于玄宗开元二十六年(738)。自开元二十六年至天宝十五载(756)六月,共十九年,有翰林学士八人。肃宗朝系自至德元载(也即天宝十五载,756)七月起始,至宝应元年(762)四月,实际只有六年,却有五人,按比例说,是比玄宗朝多。中唐时也曾任翰林学士的李肇,在其所著《翰林志》中有云:"玄宗末方置翰林,张垍因缘国亲,特承宠遇,当时之议,以为非宜,然止于唱和文章,批答表疏,其于枢密,辄不预知。肃宗在灵武、凤翔,事多草创,权宜济急,遂破旧章,翰林之中,始掌书诏。"李肇意谓,玄宗朝翰林学士只是在唱和文章方面为皇帝服务,另外为代拟批答朝臣的表疏,而肃宗朝正处于讨伐安史之乱,军情紧急,于是翰林学士就担负起撰写制诏公文的职务。李肇所论不一定确切、全面,但他提出肃宗朝与玄宗朝,翰林学士的职能有所不同,倒是值得注意的。肃宗朝年份不长,翰林学士人数不多,但其参与政事,及社会交流、文学活动等,确比玄宗朝大有进展。

　　我对唐代翰林学士的探讨,拟先着重于个案研究,从不同的时代,来考索这翰林学士群体在不同时期所处的政治环境与文化世态,并对有代表性的人物稍作典型性的分析。同时,我对自己的要求,总想以文献史料研究作为治学的前提,因此想对唐代二百几十个翰林学士的生平事迹及社会生活,辑集有关史料,一一为之立传。我想我们要把握翰林学士总体的历史作用及其与文学的关系,不能仅局限于其任职翰林学士期间的行迹,应当全面考察其前后期的参政方式、生活心态、社会交流。

唐代记述翰林学士的史书,主要是中晚唐时期韦执谊《翰林院故事》、丁居晦《重修承旨学士壁记》,这两部书提供了学士们任职期间的原始材料,但所记却过于简略(且有疏误),尤其是前期玄宗、肃宗、代宗几朝,都无入院、出院的年月记载。如肃宗朝,即使如董晋、苏源明那样,在《唐书》中列有专传的,也不过一两句话,如记董晋:"自校书郎充,出为汾州司马";于苏源明,《翰林院故事》只云"自中书舍人充",丁氏《壁记》则补述一句:"出守本官。"应该说,这对研究翰林学士的政治职能与社会作用,是极不够的。因此我想尽可能扩大史料的辑集面,除两《唐书》及《全唐诗》、《全唐文》等基本材料外,还较广泛地涉及诗文别集、杂史笔记、石刻文献等。这样做,既可纠正史书中的某些误载,又可从这二百余位翰林学士经历中获取值得思考的历史文化现象。

董晋传

董晋是肃宗时首任翰林学士。其生平,两《唐书》有传,见《旧唐书》卷一四五,《新唐书》卷一五一。又有权德舆《唐故宣武军节度副大使知节度事董公神道碑铭》(《权载之文集》卷一五)①,韩愈《赠太傅董公行状》(《韩昌黎文集校注》卷八)②。据上述所记,董晋字混成,河中虞乡万里人。权德舆《神道碑》称其"三代有令德,而无贵仕",即非世族出身。

这里拟主要记二事,一是他前期任翰林学士的时间,二是他后期任宣武节度使时对韩愈文人群体形成的作用。

董晋一生仕历,即从由校书郎入为翰林学士起始。韦执谊《翰林院故事》记"至德已后",第一位即董晋,云:"自校书郎充,出为汾州司马。"丁居晦《重修承旨学士壁记》则仅云"秘书省校书郎充",未记出院后任何职。权德舆所作《神道碑》,有记其任翰林学士事,云:"初肃宗受端命以合兵车,思欲去元元于汤火,致王度于金玉,以文告威让远猷密布之为重也,故公解巾披荆,校文视草,凡三徙官,被以采章。"权德舆赞誉其在学士院期间为皇帝草制文诰的业绩,其人在肃宗即位初,其间曾"三徙官",后出为御史监察官。但也与韦、丁二记相同,均未记有具体年月。

韩愈《赠太傅董公行状》所记较详,在记"少以明经上第"后,即云:"宣皇帝居原州,公在原州,宰相以公善为文,任翰林之选闻,召见,拜秘书省校书郎,入翰林为学士。三年出入左右,天子以为谨愿,赐绯鱼袋,累升为卫尉寺丞。出翰林,以疾辞,拜汾州司马。崔圆为扬州,诏以公为圆节度判官,摄殿中侍御史。以军

---

①《权载之文集》,商务印书馆《四部丛刊》本。
②马其昶《韩昌黎文集校注》,上海古籍出版社,1986年12月。

事如京师朝,天子识之,拜殿中侍御史、内供奉。"韩愈于德宗贞元中曾在董晋节度幕府,故所作《行状》对其仕历所记较为具体,但其间也有误,如此处谓董晋于原州谒见肃宗,即不确。

《旧唐书·董晋传》记云:"至德初,肃宗自灵武幸彭原,晋上书谒见,授校书郎、翰林待制,再转卫尉丞,出为汾州司马。"(《册府元龟》卷九七《帝王部·奖善》所记同)这里牵涉到原州与彭原是否同一地,及肃宗在至德元载(756)六月以后的行迹。

据唐宪宗元和八年(813)撰成的李吉甫《元和郡县图志》,卷三关内道有原州,另有宁州,彭原即为宁州所属县①。如此则为两地。又据《旧唐书》卷十《肃宗纪》,《通鉴》卷二一八,天宝十五载(756)六月,马嵬驿之变后,玄宗赴蜀,太子李亨(即肃宗)受命留关中抵御安禄山军。肃宗遂北上,先至彭原,后至平凉(即原州),在平凉只停留数日,即听取朔方留后杜鸿渐等建议,再北行,于七月初至灵武(今宁夏银川东南,黄河东岸),并于同月即帝位,改元至德。后又听李泌之议,应军事需要,又于九月自灵武南下,十月再至彭原,直至年底。第二年,即至德二载,正月初一朔日,尚在彭原受朝贺,随后又南下至凤翔,直至九月收复长安,十月返京。

据此,则肃宗于至德元载六月北上时是经过原州的,但只停留几天,而九月南下,未经过原州,而于十月至明年元月,一直在彭原。因此《旧唐书·董晋传》谓"肃宗自灵武幸彭原,晋上书谒见",是符合肃宗当时行止及地理方位的,韩愈《行状》云"宣皇帝

①《元和郡县图志》,中华书局,1983年6月,贺次君点校本。

居原州,公在原州",不确。韩愈似误以彭原为原州,对当时的州县建置不甚清楚。

又据韩愈《行状》及《旧传》,董晋先以明经及第,但未记何年。大约董晋于明经及第后,未曾入仕,适值安禄山之乱,他正好又在彭原,遂于至德元载十月至十二月间向肃宗"上书谒见"。而据韩愈《行状》,"宰相以公善为文,任翰林之选闻,召见,拜秘书省校书郎"。此宰相似为崔圆。从董晋后出院时即受崔圆之聘为汾州司马,不久又随其赴扬州淮南节度使幕府(详见后),他与崔圆关系是很密切的。崔圆于天宝十五载(即至德元载)六月在任剑南节度使时已由唐玄宗任为中书侍郎、同中书门下平章事,至德二载正月又自蜀来至彭原,仍在肃宗朝居相位。由此,很可能董晋先于至德元载十至十二月间因向肃宗上书,任为秘书省校书郎,崔圆于第二年即至德二载正月至彭原,又推荐董晋为翰林学士。据韩愈所作《行状》,董晋卒于贞元十五年(799),年七十六,则当生于开元十二年(724),至德二载(757)为三十四岁。据《通鉴》卷二一八所载,肃宗于灵武即帝位时,"文武官不满三十人",可见人才极缺。董晋是肃宗在西北时惟一的翰林学士,这时尚未收复长安,军事紧张,因此权德舆所作《神道碑》称其"解巾披荆,校文视草",职务繁重,可惜其所起草的诏诰文书未见存世。

韩愈《行状》谓"三年出入左右,天子以为谨愿,赐绯鱼袋,累升为卫尉寺丞"。秘书省校书郎为正九品上,官阶是很低的,这大约是董晋原先由明经及第,未曾授其他官职。卫尉寺丞为从六品上,可见三年内升迁是很快的。

韩愈《行状》谓"三年出入左右"后,乃"出翰林,以疾辞,拜汾州司马。崔圆为扬州,诏以公为圆节度判官,摄殿中侍御史"。
《旧唐书·董晋传》记与崔圆的关系更为明显,云:"出为汾州司
马。未几,刺史崔圆改淮南节度,奏晋以本官摄殿中侍御史,充判
官。"又韦执谊《翰林院故事》也记为:"出为汾州司马。"由此可
见,董晋出院时,先为汾州司马。若任职期三年,以至德二载
(757)正月算起,则出院应是乾元二年(759)下半年或上元元年
(760)初。

　　据《旧传》所叙,董晋出为汾州司马时,崔圆正在汾州刺史任,
后崔圆改为淮南节度使,又聘他至扬州。又据《旧唐书》卷一〇八
《崔圆传》及郁贤皓《唐刺史考全编》①,崔圆任汾州刺史当在上元
元年、二年(760—761)间,上元二年二月又改任淮南节度使(《旧
唐书·肃宗纪》)。如此,则董晋约于乾元二年(759)下半年或上
元元年(760)初离开翰林学士院,又受崔圆之聘,为汾州司马。由
此可见,唐代文士之能入翰林学士院以及出院后之任职,宰相是
起很大作用的,如同玄宗天宝时翰林学士张渐、窦华,就是因宰相
杨国忠之荐而入②。

　　这里有一个问题需要讨论,即《全唐文》卷三六七贾至《授董
晋殿中侍御史制》是否为贾至所作。制文云:"汾州司马董晋,恪
慎励精,详于吏事,饮冰将命,克有成绩。准绳之地,举直任能。
俾彰善于使车,宜即真于宪简。可殿中侍御史。"贾至在玄、肃两
朝曾任中书舍人,颇有文名。他在肃宗朝任中书舍人,为至德元

---

①《唐刺史考全编》第二册,1215 页,安徽大学出版社,2000 年 1 月。
②见另作《唐玄宗朝翰林学士传》。

载(756)八月至乾元元年(758)春,后因党争纠纷外出,至代宗于宝应元年(762)四月即位才又入朝复原职,但仅一年又以为尚书左丞①。而据上所考,董晋出为汾州司马在乾元二年(759)下半年或上元元年(760)初,上元二年(761)二月后又改为淮南节度制判官。这就是说,董晋出院及改赴扬州期间,贾至都在外地,未在中书舍人任。可见《全唐文》所载《授董晋殿中侍御史制》,非出贾至之手,乃他人之作而误入贾至名下。

以上所考,主要为董晋入任翰林学士及出任其他官职的年月,这些,唐人所记及现代学者(如岑仲勉)所考,均未确切,本文理清一个大致轮廓。以下概述董晋此后的仕历,重点介绍其任汴州刺史、宣武节度使时韩愈的文学活动。

据韩愈《行状》、权德舆《神道碑》、两《唐书》本传、《新唐书·宰相年表》等记载,董晋在崔圆淮南幕府,不久,即入朝为殿中侍御史,德宗时又历任御史中丞、华州刺史、尚书左丞、太常卿。贞元五年(789)二月为门下侍郎、同平章事。这是唐朝翰林学士升迁至宰相的第一位,颇可注意。但过去研究者往往把翰林学士视为入相的阶梯,实际上并非如此。唐朝由翰林学士直接升为宰相,是极少数,大多则在离开学士院后,任其他官职,后因各种原因拜相,而其间翰林学士与宰相,没有必然的因果关系。如这第一位任相的董晋,其出院在乾元二年(759)或上元元年(760),入相为贞元五年(789),相隔有三十年,中间历任多种官职,又经过

---

① 关于贾至的生平仕历,参见傅璇琮《唐代诗人丛考·贾至考》,中华书局,1980年1月。

两个皇朝(代宗、德宗)。

贞元九年(793)五月,董晋罢相为礼部尚书,后为东都留守。贞元十二年(796)夏,汴州节度使李万荣病甚,其子李迺谋为乱,后为部下所执,送京师,德宗皇帝就于此年七月派遣董晋由东都留守改为宣武节度使。董晋赴任时,韩愈受聘从行。

按韩愈于贞元八年(792)春登进士第,同年参加吏部博学宏辞试,落第①。贞元九年、十年,又应吏部试,均未取。贞元十一年五月,离长安,在洛阳、河阳闲居。贞元十二年七月,即应董晋之聘赴汴州幕,任观察推官(带校书郎衔)。应予注意的是,韩愈入汴州幕,是他入仕的开端,也就是在此后几年,即有条件约集一些文士,进行有意识的文学交流活动。开始他与李翱交结,论道析文。李翱后在其所作《祭吏部侍郎文》有云:“贞元十二,兄在汴州,我游自徐,始得兄交。视我无能,待予以友,讲文析道,为益之厚。”(《李文公集》卷一六)韩愈在《与冯宿论文书》中也谓:“近李翱从仆学文,颇有所得。”(《韩昌黎文集校注》卷三)第二年,张籍由和州来汴,经孟郊介绍,与韩愈交友。韩愈《此日足可惜一首赠张籍》诗有云:“念昔未知子,孟君自南方,自矜有所得,言子有文章。……开怀听其说,往往副所望。”(《韩昌黎诗系年集释》卷一)②上引《与冯宿论文书》在述及李翱后,又提及张籍:“有张籍者,年长于翱,而亦学于仆,其文与翱相上下,一二年业之,庶几乎

①本文所叙韩愈行迹,据李翱《韩公行状》,皇甫湜《韩文公墓铭》、《神道碑》、两《唐书》本传,及宋人诸家年谱。
②钱仲联《韩昌黎诗系年集释》,上海古籍出版社,1984年3月。

至也。"后又继续与孟郊、李翱论文说诗,相互唱和,贞元十四年,韩、孟、李有《远游联句》,韩愈有《答孟郊》、《醉留东野》(均见《韩昌黎诗系年集释》卷一),孟郊有《汴州别韩愈》诗①。这时张籍曾有信致韩愈,劝其"弘广以接天下士,嗣孟轲、扬雄之作,辨扬墨老释之说,使圣人之道复见于唐",韩愈则有《答张籍》、《重答张籍书》(《韩昌黎文集校注》卷二)。这些,都为唐代使府与文学研究提供极好的材料,也是韩愈从事古文运动、主张诗格新变的开始。而这些,都是在董晋的节度幕府进行的。这是董晋在任翰林学士后,又一次在文学活动上所作出的贡献,虽时隔多年,但与早年的翰林学士文化职能不无关系。

董晋卒于贞元十五年(799)二月宣武节度使任。其所著,无诗,《全唐文》卷四四六载其文两篇:《冠冕制论》(即《旧传》所载),《义阳王李公碑记》(在相位时所作)。又清陆心源《唐文拾遗》卷二三载文三篇:《昭德王皇后祔庙奏》、《公主出嫁行册礼奏》、《册公主典故奏》,皆贞元初期任太常卿时作。这就是说,他在翰林学士任期内,无诗文传世,这是很可惜的。

于可封传

于可封,两《唐书》无传。《新唐书》卷七二下《宰相世系表》二下,有于可封,"国子司业";又记其父于汪,秘书监;汪子:公胄、

---

① 华忱之、喻学才《孟郊诗集校注》卷八,人民文学出版社,1995 年 12 月。

庭顺、庭海、庭谓、复,后为可封。《元和姓纂》卷二略同。按《新表》谓于氏从西魏孝武帝入关,遂为京兆长安人。但于复子于頔,两《唐书》有传,《旧唐书》卷一五六《于頔传》记为河南人,《全唐文》卷六二一载有于可封文,小传称其为洛阳人。则于氏入唐后又有自长安东迁至河南洛阳的。

于可封之仕历不详。韦执谊《翰林院故事》"至德已后"第二人为于可封,云"自补阙充,出为司业"。丁居晦《重修承旨学士壁记》:"于可封:补阙充,迁礼部员外郎、知制诰,除国子司业,出院。"均未记其具体年月。岑仲勉《翰林学士壁记注补》[1],曾云:"其官司业,殆继苏源明。"按据《通鉴》卷二二〇,苏源明于至德二载(757)十月由国子司业擢为考功郎中、知制诰(苏之事迹详见后《苏源明传》),但《旧唐书》卷四四《职官志》三,国子司业有二员,则于可封不一定非接苏源明之任不可。且至德二载十月为肃宗刚返回长安,此当为于可封入院之际,不可能即已出院继苏源明为国子司业。

据前《董晋传》,肃宗于至德元载(756)六月北上,七月至灵武即位,九月南下,十月至彭原,董晋在彭原上书谒见,后于至德二载正月因宰相崔圆之荐,入为翰林学士。此为肃宗朝第一个翰林学士。后唐军于至德二载九月收复长安,肃宗于十月返京,在这之前肃宗在彭原、凤翔等地,正处于战争交激之际,于可封不大可能在此时进入。于可封当于至德二载十月至十二月间,先为(左右)补阙,后入为翰林学士。

---

[1] 附见《郎官石柱题名新考订》,上海古籍出版社,1984年5月。

《翰林院故事》仅云"自补阙充，出为司业"，丁氏《壁记》则增补其间"迁礼部员外郎、知制诰"。按左右补阙为从七品上，礼部员外郎为从六品上。清赵钺、劳格《唐尚书省郎官石柱题名考》卷二〇礼部员外郎亦有于可封。按翰林学士任职期间之升迁，一般为一年左右，于可封于至德二载冬入，则其迁礼部员外郎或在乾元元年（758）秋冬。国子司业为从四品下，较礼部员外郎高好几阶，其迁为国子司业可能在肃宗后期，即上元、宝应年间（760—762），肯定代宗广德元年（763）十月前已不在此职位。

按代宗于宝应元年（762）四月即位，后数月间集中兵力东进，于十月收复曾再次为史朝义所据的洛阳；第二年广德元年正月，终于在河北中部消灭史朝义军，历经八年的安史之乱平定。但正因如此，唐朝在西部兵力空虚，吐蕃就乘机东进，于广德元年七月，"尽取河西、陇右之地"（《通鉴》卷二二三）。但这时掌握兵权的宦官程元振"皆不以闻"（同上）。吐蕃军遂于该年十月攻陷长安，代宗在此之前出奔陕州。据《旧唐书》卷一一《代宗纪》，十月"戊寅，吐蕃入京师，立广武王承宏为帝，仍逼前翰林学士于可封为制封拜"。《通鉴》卷二二三记吐蕃入长安后，"立故邠王守礼之孙承宏为帝，改元，置百官，以前翰林学士于可封等为相"。

据《旧唐书》卷八六《高宗中宗诸子传》，高宗第六子章怀太子李贤，贤有三子，其二为守礼，守礼有子承宏。《新唐书》卷八一《三宗诸子传》同。由此，则《旧纪》谓"守礼之孙承宏"，误。以行辈而论，承宏较代宗为高一辈。可能正由于此，郭子仪收复长安后，"送承宏于行在（陕州），上不之责，止于虢州"（《旧唐书》卷八六）。这可能也因吐蕃在长安只十余天，不久即退，承宏也仅为被迫,未有作为。

可能也正因此,于可封也未受责罚。《新唐书·宰相世系表》记其为国子司业,即为其终官。又宋陈思《宝刻丛编》卷十"陕西永兴军路·耀州",有:"《唐国子司业于立政碑》:撰人姓名残缺,陈道正八分书,调露元年十二月。"下注据《金石录》①。紧接其后、与此并立者有:"《国子司业于可封碑》:弟淑之撰,调露元年立。"下注据《诸道石刻录》②。按调露元年(679)为高宗年号,时为高宗后期。于立政为于志宁子,于志宁在高宗时曾为相(见《旧唐书》卷七八《于志宁传》)。据此,则调露元年所立的于立政碑,合于时序,可信。但紧接其后的《国子司业于可封碑》,亦记为调露元年立,当如岑仲勉先生《注补》所言,因国子司业官职偶合,当时编金石者遂将于可封碑也误记为调露元年。不过由此可知,后人为于可封立碑,仍记其为国子司业,则确未受吐蕃入据长安之事的影响。

另,宋欧阳修《集古录跋》有一为他书所未及的材料,其书卷八有《唐于复神道碑》,为宪宗元和时立,卢景亮撰。此文未见于《全唐文》③。据前所引《新唐书·宰相世系表》,于复为可封兄,其子于頔,两《唐书》有传,其本人事迹则不详。《集古录跋》引录

---

① 《宝刻丛编》,此据《丛书集成》据《十万卷楼丛书》本排印,云丛书只有此本。
② 按《宋本金石录》目录,第七百二十三有《唐国子司业于立政碑》,下注"撰人姓名残缺,陈道正八分书,调露元年十二月"(中华书局1991年影印本),但未记可封碑。《诸道石刻录》已佚。
③ 《全唐文》卷四四五载有卢景亮所作《照露盘赋》一文,小传称卢为德宗、宪宗时人。

其碑文二句:"其弟可封好释氏,夐每非之。"欧阳修并加评议:"然可封之后不大显,而夐之后甚盛,以此见释氏之教,信向者未必获福,毁贬者未必有祸也。"①由此则于可封也是翰林学士中较信从于释氏的,与玄宗朝第一个翰林学士吕向相似②。

于可封无诗,《全唐文》卷六二一载其文一篇:《至人心镜赋》(题下注:以人心融道清鉴应物为韵),未详其作年,可能应试而作。首云:"庄生有言曰,至人用心若镜,有旨哉是言也。"可见他也信从老庄之说。文接云:"夫镜也者,以明为体,是故有来而必应;心也者,以静为照,亦可不思而元通。拂拭生光,挂新台而月满;罔象求得,映赤水而珠融。"颇含哲理,辞亦清新,较其前任董晋,显有文采。

苏源明传

苏源明是唐玄、肃两朝翰林学士中文名最高,且与当时诗文名家交往最广的。韩愈于德宗贞元年间提出"物不得其平则鸣"的文学主张,就在这一名篇中,他将苏源明与陈子昂、元结、李白、杜甫等并提,云:"唐之有天下,陈子昂、苏源明、元结、李白、杜甫、李观,皆以其所能鸣。"然后提及与他同时的孟郊、李翱、张籍,认为是承接以上的名人,"三子者之鸣信善也"(《送孟东野序》,《韩

---

① 此《集古录跋》,据中华书局 2001 年点校本《欧阳修全集》卷一四一。
② 见前《唐玄宗朝翰林学士传》。

昌黎文集校注》卷四）。

苏源明，《新唐书》卷二〇二《文艺中》有传，云："苏源明，京兆武功人，初名预，字弱夫。"苏之改名，是为避代宗名讳。杜甫《怀旧》诗下自注："公前名预，避御讳，改名源明。"①按据《旧唐书》卷一一《代宗纪》，代宗为玄宗孙，开元时初名俶；肃宗乾元元年（758）四月，立为皇太子，改名为豫；宝应元年（762）四月，肃宗卒，代宗即位。据此，苏源明为避帝讳改名，当在宝应元年四月以后，也就是他大半生是以预名世的。因此，《宋本金石录》目录卷七，"第一千三百二十二《唐赠文部郎中薛悌碑》"；天宝十三载（754）立；"第一千三百六十一《唐五原太守郭英奇碑》"，乾元二年（759）三月立，皆著录为"苏预撰"。

《新唐书》本传称其"少孤，寓居徐兖"。关于其早年生活，杜甫后于夔州所作的《八哀诗·故秘书少监武功苏公源明》有具体的记述："武功少也孤，徒步客徐兖。读书东岳中，十载考坟典。时下莱芜郭，忍饥浮云巘。负米晚为身，每食脸必泫。夜字照爇薪，垢衣生碧藓。"唐代翰林学士，未有如苏源明那样，其早期有如此贫苦的。

苏源明后于玄宗开元十五年（727）曾至洛阳应制举试。苏有《自举表》（《全唐文》卷三七三），自称"草莽臣"，"臣山东一布衣"，则尚未入仕。《表》中又云："伏奉今年正月五日制，诣阙自举。"按《旧唐书》卷八《玄宗纪》上："（开元）十五年春正月戊寅，制草泽有文武高才，令诣阙自举。"据陈垣《二十史朔闰表》，该年

---

① 仇兆鳌《杜诗详注》卷一四，中华书局 1979 年 10 月点校本，下所引同。

正月戊寅,即为正月五日。又清徐松《登科记考》卷七开元十五年,据《册府元龟》,记为:"九月庚辰,帝御雒城南门,亲试沉沦草泽、诣阙自举文武人等。"不过此次制举试,苏源明并未中选。上引杜甫《八哀诗》有云:"制可题未干,乙科已大阐。"乙科为进士试。按唐代科举试规定,凡制举试已中选者,即可入仕,这样就不能再应进士试①。杜诗意为此次举试不久,苏于进试即大为顺利,也就是登第。《新传》以其于天宝间登进士第(《登科记考》同),当不确。杜甫于开元二十六年(738)前后曾东至齐赵,就与苏源明相识、共游,时苏已任监门胄曹②。杜甫《壮游》诗,中云:"忤下考功第,独辞京尹堂。放荡齐赵间,裘马颇清狂。春歌丛台上,冬猎青丘旁。……苏侯(自注:监门胄曹苏预)据鞍喜,忽如携葛彊。"监门胄曹为京官,或此时正出使在齐赵,遂与杜甫相识,交游颇乐。由此亦可见苏源明在此之前已进士及第,并已入仕。

自开元后期至天宝前期,苏之仕历不明。现可知者,天宝九载(750)在河南令任,与元结交结,元结时隐居于商馀山③。天宝十二载(753)7月在东平太守任(见《全唐诗》卷二五五苏著《小洞庭洄源高亭宴四郡太守诗并序》)。东平郡原即郓州,治所东平(即今山东东平县)。第二年(天宝十三载)秋入朝(见《全唐诗》

①见傅璇琮《唐代科举与文学》第六章《制举》,陕西人民出版社,1986年。
②参见闻一多《少陵先生年谱会笺》(上海古籍出版社,1998年12月《唐诗杂论》本);又《唐五代文学编年史》初盛唐卷开元二十六年条(辽海出版社,1998年12月)。
③参见孙望《元次山年谱》,中华书局上海编辑所,1962年8月;又《唐五代文学编年史》初盛唐卷天宝九载。

同上卷《秋夜小洞庭离宴诗并序》,又见《新唐书》本传)。

《新传》接云:"召源明为国子司业。"则苏源明于天宝十三载秋入朝即任国子司业,直到天宝末(十五载六月),在长安三年间,与郑虔、杜甫、独孤及等人交往。

按郑虔,《新唐书》卷二〇二《文艺中》有传,杜甫《存殁口号二首》(《杜诗详注》卷一六)及唐张彦远《历代名画记》卷九,皆称其为"高士"。好书善画,尤长于作诗,据说唐玄宗曾因此称誉为"郑虔三绝"①。但郑虔一生坎坷,开元末、天宝初被人告"私撰国史"(此事见后),被外谪将近十年。天宝九载秋冬被召回,为广文馆博士。《唐会要》卷六六《广文馆》条:"天宝九载七月十三日置,领国子监进士业者。博士、助教各一人,品秩同太学。以郑虔为博士,至今呼郑虔为郑广文。"又王定保《唐摭言》卷一《广文》条:"天宝九年七月,诏于国子监别置广文馆,以举常修进士业者,斯亦救生徒之离散也。"这就是说,当时国子监、太学中生徒(学生)求学以备考进士试,有离散的现象,唐朝廷为补救这种情况,另设广文馆,品阶同太学,招收"修进士业者",相当于进士考试的补习班。但当时广文馆虽新设于国子监,房舍却极破败②。天宝十三载(754)秋连续阴雨三个多月,房子多半倒塌,主管部门不但未予修复,而且还打算撤毁,挪作别的用处。《新唐书》郑虔传亦载:"久之,雨坏庑舍,有司不复修完,寓治国子馆。"当时杜甫也在

---

① 见《新唐书》郑虔本传,唐张怀瓘《书断》卷三,及杜甫《八哀诗·荥阳郑公虔》:"昔献书画图,新诗亦俱往。沧洲动玉陛,寡鹤误一响。三绝自御题,四方尤所仰。"
② 见《唐语林》卷五所记,周勋初校证本,第459页,中华书局,1987年7月。

长安(参见闻一多《少陵先生年谱会笺》),特地提到郑虔的苦难处境及苏源明对他的资助,其诗《戏简郑广文虔兼呈苏司业源明》(《杜诗详注》卷三)有云:"广文到官舍,系马堂阶下。醉则骑马归,颇遭官长骂。才名三十年,坐客寒无毡。赖有苏司业,时时与酒钱。"国子司业相当于国子祭酒的副职,从四品下,而广文博士为正六品上,因此可以说苏源明是郑虔的上级,但两人仍为平等相处的文友。

苏源明与郑虔学术交流,还有一事值得一提。《封氏闻见记》卷十《赞成》条云:"天宝初,协律郎郑虔采集异闻,著书八十余卷。人有窃窥其草稿,告虔私修国史,虔闻而遽焚之。由是贬谪十余年,方从调选,授广文馆博士。虔所焚书,既无别本,后更纂录,率多遗忘,犹成四十余卷,书未有名。及为广文博士,询于国子司业苏源明,源明请名《会粹》,取《尔雅》序'会粹旧说'也。"杜甫《八哀诗·荥阳郑公虔》也曾提及此书,写作"荟蕞",文义相通。这实是一种类书体。晚唐懿宗时段公路所著笔记《北户录》,辑有《会粹》佚文二十余则,其内容以记植物为多,又有记动物、文具等,各条涉及地域有江南越州,岭南交州、滦州、高州,西域河西、安西,及勃律国、大食国等①。由此可见《会粹》一书在晚唐时尚存,但后世不传。就《北户录》所引,可见郑虔此书极为博洽,苏源明将此书定名为"会粹",也足见其见识之精,及其与郑虔交谊之深。

前已述及,杜甫于开元二十六年前后曾与苏源明有齐赵之游。从上述杜甫记郑虔之诗,也可见出苏源明天宝后期在长安,

———————————

① 参见《唐才子传校笺》第五册郑虔条,陈尚君所作补正。

与杜甫相交更切。杜甫后于《哭台州郑司户苏少监》诗,首二句即云:"故旧谁怜我,平生郑与苏。"(《杜诗详注》卷一四)

　　苏源明这时与之交友者,还有中唐前期享有盛名的古文家独孤及。德宗时翰林学士、古文名家梁肃,为独孤及的弟子,其所作《独孤公行状》(《全唐文》卷五二二)有云:"天宝十三载,应诏至京师。……以洞晓玄经对策高第,解褐拜华阴府。……赵郡李华、扶风苏源明并称公为'词宗',由是翰林风动,名振天下。"据徐松《登科记考》卷九,该年试洞晓玄经等制举,在十月一日。此时苏源明已在长安任职。据梁肃所作《行状》,则苏源明此时与李华亦有交往,曾共同对独孤及加以赞许,由此使独孤及"名振天下",此亦可见苏源明当时在文坛上的地位与影响。另,李华《三贤论》(《全唐文》卷三一七),三贤为元德秀、萧颖士、刘迅,其中述及元德秀时,特别提到苏源明对他的称许:"若司业苏公,可谓贤人矣,每谓当时名士曰:'使仆不幸生于衰俗;所不耻者,识元紫芝。'"此亦被载于《新唐书》卷一九四《卓行·元德秀传》。元德秀为元结从兄。

　　又,苏源明于天宝时期的文友还有权倕、席预。《新唐书》卷一九四《权皋传》:"父倕与席预、苏源明以艺文相友。"权倕为德宗贞元中期诗文名家权德舆之祖父。席预,《旧唐书》卷一九〇中《文苑》有传,玄宗时曾任中书舍人,"与弟晋俱以词藻见称"。可见苏源明于天宝时以文会友,颇广。

　　以下叙苏源明后半生,即主要任翰林学士事。

　　《新唐书》本传:"安禄山陷京师,源明以病不受伪署。肃宗复两京,擢考功郎中、知制诰。"按安禄山军于天宝十五载(756)六月占据长安，此时苏源明当因病未能随玄宗出走，但也不受安禄山伪职，故肃宗于至德二载（757）十月自凤翔返京后，即授以考功郎中、知制诰（《通鉴》卷二二〇即明确记于至德二载十月）。

韦执谊《翰林院故事》"至德已后"，第三人为苏源明，记云："自中书舍人充。"丁居晦《重修承旨学士壁记》同。但均未记年月。唐代往往以尚书诸郎中兼知制诰作为中书舍人的预备官阶，不久即正除中书舍人。《通鉴》卷二二〇乾元元年（758）提供一个线索：该年五月记："张后生兴王（李）佋，才数岁，欲以为嗣，上疑未决，从容谓考功郎中、知制诰李揆曰：'成王（按即后代宗）长，且有功，朕欲立为太子，卿意何如？'揆再拜贺曰：'此社稷之福，臣不胜大庆。'上喜曰：'朕意决矣。'"《旧唐书·肃宗纪》即记乾元元年五月"庚寅，立成王俶为皇太子"。据此，则李揆于乾元元年五月已为考功郎中、知制诰，当在此之前已接苏源明任，由此亦大致可定，苏源明于至德二载（757）十月为考功郎中、知制诰，第二年（乾元元）五月前由考功郎中、知制诰正除中书舍人，后即以中书舍人入为翰林学士。

苏源明在任翰林学士期间，其所作为有两大特点，一是积极参预政事，评议时政之失，二是尽力推荐人才，特别是文学之士。《新唐书》本传载："是时，承大盗之余，国用窭屈，宰相王玙以祈禬进，禁中祷祀穷日夜，中官用事，给养繁靡，群臣莫敢切诤。昭应令梁镇上书劝帝罢淫祀，其它不暇及也。源明数陈政治得失。"按肃宗于至德二载尚停留在凤翔时，即已"常使僧数百人为道场于内，晨夜诵佛"（《通鉴》卷二一九）。收复长安返朝后，这种崇信鬼神的风习更进一步发展。"太常少卿王玙专依鬼神以求媚，每议礼仪,多杂以巫祝俚俗。"肃宗竟因此擢迁其入相,为中书侍郎、同平章事(见《通鉴》卷二二〇乾元元年五月)。同时他又宠用宦官李辅国,使其专掌兵权,甚至朝中所发的制敕官文,都须经李辅国签署,才能施行,"常于银台门决天下事,事无大小,辅国口为制敕,写付外施行,事毕闻奏"(《通鉴》同上,乾元二年四月)。按右银台门内即翰林学士院,由此可见,李辅国实际上已能监督和控制翰林学士的政治作为。但即使如此,苏源明还敢于直言上疏,指斥政失。乾元二年(759)九月,史思明再度率兵南下,攻占洛阳;十月,肃宗表示要亲征。《旧唐书·苏源明传》记"源明因上疏极谏",其奏文又详载于《全唐文》卷三七三。这一奏议谓当时朝政之失,造成"饿夫执殳,仆于行间,日见二三;市井馁莩求食,死于路旁,日见四五"。又谓当今"大河南北,举为寇盗",影响一般官员的薪俸和将士的粮食供应,而另一方面却是"中官冗食,不减往年,梨园杂伎,愈盛今日"。这应该说只有在翰林学士院内,靠近皇宫,才能上言,如仍为考功郎中,虽兼知制造,仍在外廷,是未有条件能使肃宗见到的。《旧传》记:"帝嘉其切直,遂罢东幸。"也可见翰林学士参政议政所能起的作用。这也是唐玄、肃两朝翰林学士参预政事最为突出的。

与此同时,诗人元结也有上书,作《时议》三篇,斥言当今"百姓疾苦,时有不闻",而"厩刍良马,宫籍美女,舆服礼物,休符瑞谍,日月充备",且"朝廷歌颂盛德大业,听而不厌",甚至"凡有诏令丁宁,事皆不行,空言一再,颇类谐戏"。应该说,元结与苏源明是有同感而发的。正因如此,当肃宗召见苏源明,"问天下士,(苏)荐结可用"(以上见《新唐书》卷一四三《元结传》)。按苏源明于天宝中即已赞赏元结,见前所引《集古录目》,又颜真卿《元君表墓碑铭并序》(《颜鲁公文集》卷五)也记有:"尝著《说楚赋》三篇,中行子苏源明骇之曰:'子居今而作真淳之语,难哉!然世自浇浮,何伤元子。'"①不过当时只赞叹而已,未有实效,乾元二年苏源明在宫中任职,身居学士要位,经他推荐,元结在上《时议》后,不久即被任命为右金吾兵曹参军、摄监察御史,充山南东道节度参谋。可见翰林学士在推荐人才中所起的实际作用。中晚唐时,不少文士多有求荐于翰林学士,可以说苏源明起了良好的开端。

苏源明何时出院,未能确知,《翰林院故事》只记其入院,"自中书舍人充";丁居晦《重修承旨学士壁记》则在"中书舍人充"后云"出守本官",即出院时仍为中书舍人。《新传》则谓"后以秘书少监卒"。中书舍人为正五品上,秘书少监为从四品上,是升了两阶的。其出院可能在肃宗末、代宗初,其卒则在代宗广德二年(764),杜甫在成都,有《哭台州郑司户苏少监》(《杜诗详注》卷一四),谓"凶问一年俱"。仇注引宋黄鹤注,谓"苏、郑(虔)同是广德二年卒"。又杜甫《八哀诗·故秘书少监武功苏公源明》(《杜诗详注》卷一六)记苏卒时情景,有云:"呜呼子逝日,始泰则终蹇,长安米万钱,凋丧尽余喘。"前人即有认为苏源明是因饥饿而死的,仇注引胡夏客曰:"武功少孤忍饥,为官又以饥终,读此不禁三叹。"《旧唐书》卷一一一《代宗纪》,广德二年有记:"是秋,蝗食田殆尽,关辅尤甚,米斗千钱。"此年秋关辅确有蝗灾,杜甫当因传闻而

①《颜鲁公文集》,商务印书馆《四部丛刊》本。

表示对挚友的悼念之情。

关于苏源明的著述,《新唐书》卷六〇《艺文志》四别集类著录为:"《苏源明前集》三十卷。"何以云"前集",不可解,但即使这三十卷前集,后亦不存。今存苏源明诗仅二首,见《全唐诗》卷二五五在东平所作的《小洞庭洄源亭宴四郡太守诗》、《秋夜小洞庭离宴诗》。看来苏源明所长还在于文,《全唐文》卷三七三载文五篇,除前已记述的《自举表》、《谏幸东京疏》外,有为《元包》一书所作的传文三篇(详后)。按《宋本金石录》目录记有其文之篇目,为:"第一千三百二十二《唐赠文部郎中薛悌碑》:苏预撰,徐浩八分书,天宝十三载二月";"第一千三百六十一《唐五原太守郭英奇碑》:苏预撰铭,顾诚奢八分书,韦述撰序,乾元二年五月";"第一千三百七十五《唐渭南令路公遗爱表》:苏源明撰,行书,上元二年"。上述《唐赠文部郎中薛悌碑》,宋陈思《宝刻丛编》卷十"陕西永兴军路·河中府"亦有著录,并有内容介绍:"悌,长卢人,中宗时为雍州司兵参军,坐魏元忠流死袁州。天宝中,子伯连为咸宁令,追赠悌文部郎中。"薛悌,《新唐书》卷七三下《宰相世系表》三下仅记其名,别无记述。《宝刻丛编》卷八"陕西永兴军路·京兆府·万年县"又著录有《唐代宗赐建法和尚塔额碑》,下注:"唐苏源明撰,段光献行书,大历六年。"以上从石刻书目中所见的篇目,皆未见于《全唐文》。苏源明文绝大部分佚失,确甚可惜。

《全唐文》卷三七三载有苏源明《〈元包〉首传》、《〈元包〉五行传》、《〈元包〉说源》三文。关于《元包》一书,《新唐书》卷五七《艺文志》一,《易》类,有记云:"卫元嵩《元包》十卷。苏源明传,李江注。"南宋时晁公武《郡斋读书志》(卷一)、陈振孙《直斋书录解题》（卷一）也均列于《易》类，而清修《四库全书总目提要》却列于卷一〇八子部术数类。卫元嵩为北周人，《直斋》对其书评价不高，谓"其书以八卦为八篇首。……用意僻怪，文意险涩，不可深晓。"而为之作注、稍后于苏源明的李江，却对此书甚为赞许，书前其序云："包之为书也，广大含弘，三才悉备，言乎天道，有日月焉，有雷雨焉；言乎地道，有山泽焉，有水火焉；言乎人道，有君臣焉，有父子焉。理国理家，为政之尤者。"对苏源明所作"传"，评价更高："秘书少监武功苏源明，洗心澄思，为之修传，解纷以释之，索隐以明之。帝王之道，昭然著见，有以见理乱之兆，有以见成败之端。"可见苏源明之"传"，是能将《易》理与治国之道相结合的。但《全唐文》仅录其"传"三篇，实际上据文渊阁《四库全书》，所存五卷本《元包》，差不多每卷都有苏"传"，可见苏源明对哲理的探索极感兴趣，故其《〈元包〉说源》有云："哲人观象立言，垂范作则，将以究索厥理，匡赞皇极，推吉凶于卦象，陈理乱于邦家。广论《易》道，冀裨帝业，盖时尚质之书也。"

赵昂传

赵昂，两《唐书》无传。《元和姓纂》卷七有记："司封郎中赵昂，冯翊郃阳人。"郃阳，今陕西合阳县东南。

赵昂，仅见于韦执谊《翰林院故事》，其"至德已后"第四人为赵昂，云："自太博充，祠外又充，卒于驾外。"丁居晦《重修承旨学士壁记》未有记，当为漏略。

清陆增祥《八琼室金石补正》卷五九录有《故朝议郎行内侍省内侍伯上柱国刘府君（奉芝）墓志铭并序》，下署："宣义郎、行左金吾卫仓曹参军、翰林院学士赐绯鱼袋赵昂撰，从侄朝议郎、行卫尉寺丞、翰林院待诏秦书。"据文中所述，刘奉芝卒于上元元年（760）十二月十九日，葬于上元二年（761）正月十一日。此时赵昂已为翰林学士，则其入院当在此之前。据前《苏源明传》所述，苏源明入为翰林学士当在乾元元年（758）上半年，赵昂入院名次接于苏后，则当在乾元元年、二年间。

据《八琼室金石补正》所署，赵昂此时所带官衔为左金吾卫仓曹参军。《旧唐书》卷四四《职官志》三："左右金吾卫之职，掌宫中及京城昼夜巡警之法，以执御非违。"赵昂作为文臣，当然不可能去行使这种巡警职务，但翰林学士所带官衔有属于武官，则为少见。又据《旧唐书·职官志》，仓曹参军为正八品下，而太常博士为从七品上，如此，则赵昂当先由仓曹参军入，再迁为太常博士，后又升迁为祠部员外郎（从六品上）。《翰林院故事》记赵昂"自太（常）博（士）充"，误。

又据《八琼室金石补正》所署，墓志书写者刘秦为翰林待诏，即翰林供奉。刘秦所带之官衔为卫尉寺丞，其官阶为从六品上，则较赵昂所带之仓曹参军要高好几阶。由此可见，翰林供奉（翰林待诏），其声望与职务待遇乃低于翰林学士，但其所带之官衔却有高于学士的，当由各人具体情况而定。这一事例颇可注意。

赵昂所撰刘奉芝志，《全唐文》未收，清末陆心源《唐文拾遗》有载，见卷二七，当据《金石补正》。据赵昂所撰《志》，刘奉芝为宦官，"出入宫禁，周游里闾，望之俨然，真天子之近臣矣"。据《旧唐书》卷一八四、《新唐书》卷二〇七《高力士传》，高力士所属的宦者十余人中，有刘奉庭。这些人"并内供奉，或外监节度军，修功德，市鸟兽，皆为之使，使还，所裒获，动巨万计，京师甲第池园，良田美产，占者十六"（《新唐书·高力士传》）。刘奉庭当为刘奉芝兄，因据赵昂所撰《志》，刘奉芝为其父第二子，又云其兄时任右监门卫大将军伯。不过赵昂所记刘奉芝之品行尚可，称其"夙奉严训，早闻诗礼，谦和仁厚，履信资忠，口不茹荤，心唯奉佛"；"自出身事主廿余年，三命益恭，四知尤慎，言辞谨密"。赵昂于文末自称"昂学旧史氏，书法不隐，举善无遗，庶旌恭友之风，以成褒贬之义。"意谓是按修史之法，不隐恶，不遗善。但由此也可见，唐朝翰林学士多有为宦官撰墓志碑传的，这当也是奉皇帝之命，而成为学士的一种职务，中晚唐时类似情况不少，赵昂此文当为先例。

《翰林院故事》云"卒于驾外"，意谓在院任职期间卒于驾部员外郎。但《元和姓纂》记为"司封郎中赵昂"，意谓司封郎中当其终官。《唐尚书省郎官石柱题名考》卷五司封郎中亦记有赵昂。司封郎中为从五品上，又较员外郎高几阶，赵昂当由祠部员外郎迁为司封郎中。"驾外"误。但其卒于何年，则不可考。

赵昂所著，除前述《刘志》外，《全唐文》卷六二二载文两篇：《浮萍赋》、《攻玉赋》（题下注：以他山之石为韵）。当为应试或唱酬之作。

潘炎传

潘炎,附见于两《唐书》其子潘孟阳传。《旧唐书》卷一六二《潘孟阳传》仅一句:"礼部侍郎炎之子也。"《新唐书》卷一六〇《潘孟阳传》所叙则起自大历后期,肃宗时未记,当然更无记翰林学士事。

《新唐书·潘孟阳传》谓"史亡何所人"。《元和姓纂》卷四则记为:"唐监察御史潘玠,世居信都,称相乐之后。玠生炎,礼部侍郎。"潘玠,两《唐书》亦未有记载。据《元和郡县图志》卷一七,信都县属冀州(今河北冀州市)。

潘炎早年仕历,即起自韦执谊、丁居晦所记的翰林学士。《翰林院故事》"至德已后"第五人,也即肃宗朝翰林学士最后一位,潘炎:"自左骁卫兵曹充,累改驾中,又充,中人又充,出守本官。"《重修承旨学士壁记》略同,惟"左骁卫"之"左"为"右",又中间未记"累改驾中"。按《旧唐书》卷四四《职官志》三,左右骁卫兵曹参军,官阶为正八品下,可见其入院之品阶不高。又据前《赵昂传》所述,赵昂约于乾元元年、二年间(758—759)以仓曹参军入,潘炎接靠其后,且同为武官衔,又同为正八品下,则很可能同时或稍后入为翰林学士。

潘炎入院后,曾迁为驾部郎中(从五品上)、中书舍人(正五品上),后即以中书舍人出院。按《唐大诏令集》卷二八有《册雍王为皇太子文》,下署为潘炎撰,首云:"维广德二年岁次甲辰,三月戊辰朔,二日己巳。"①《全唐文》卷四四二所载潘炎文,亦有此作。此云广德二年(764)三月二日。《通鉴》卷二二三广德二年则记为:"(正月)乙卯,立雍王适为皇太子。"与《新唐书·宰相年表》同,当以《通鉴》所记为是。

据《新唐书·潘孟阳传》,潘炎为肃、代两朝理财名臣刘晏之婿,惟正因如此,潘炎后半生即受当时党争之累而坎坷不止。在上述草拟《册雍王为皇太子文》后,刘晏即为人所告,谓与宦官程元振交结,程元振因吐蕃入侵长安而得罪,刘晏也就罢相,时在广德二年正月癸亥(据《旧唐书·代宗纪》、《新唐书·宰相年表》及《旧唐书》卷一二三《刘晏传》)。潘炎既为刘晏之婿,则当也受牵连而出院,其册太子文即为其在翰林学士任期最后一篇诰文。也就是说,潘炎于肃宗后期入为翰林学士,延续至代宗初,广德二年正月以中书舍人出院。

此后仕迹,《新唐书·潘孟阳传》有述,谓:"大历末官右庶子,为元载所恶,久不迁。(元)载诛,进礼部侍郎。"按代宗即位初,元载就居相位,颇专权,亦忌刘晏之才。大历十二年(777)三月,元载为代宗所嫉恨,罢相,被诛。当时审讯元载,即由吏部尚书刘晏主持。同年四月,潘炎即由右庶子迁为礼部侍郎(《旧唐书·代宗纪》)。又据《唐语林》卷八,潘炎于大历十三、十四年连续两年知举。大历年间,连续两年、三年知科举贡试者,有潘炎、常衮,潘、常二人在此之前都曾任翰林学士。权德舆《唐故朝散大夫守秘书少监致仕周君墓志铭并序》(《全唐文》卷五

---

①《唐大诏令集》,商务印书馆排校本,1959年4月。

〇六），记周渭于大历十四年登进士第，文中有云："大历末，常、潘继居小宗伯，号为得士。"这也可见翰林学士在科举取士中所起的作用。

《唐语林》卷三又有记曰："潘炎，德宗时为翰林学士，恩渥极异。其妻刘氏，晏之女也。京尹某有故，伺候累日，不得见，乃遗阍者三百缣。夫人知之，谓潘曰：'岂有人臣，京尹愿一见，遗奴三百缣帛？其危可知也。'遽劝潘公避位。"此又见于《幽闲鼓吹》《南部新书》等书。所云潘炎为德宗时翰林学士，时代不合，显然有误。所记之事在潘炎任翰林学士时还是知贡举时，尚未能定。礼部知举，唐代，特别是中晚唐时期，这种干谒之风是很盛的。

潘炎的结局，也仍然受刘晏之累。《新唐书·潘孟阳传》："（刘）晏得罪，坐贬澧州司马，时舆疾上道，不自言。于邵高其节，申救，不见听。"按代宗于大历十四年（779）五月卒，德宗即位，于八月召杨炎为相。杨炎原也受元载之累而外贬，此时复入为相，就为元载复仇，首先把矛头指向刘晏，向德宗进言。刘晏遂于建中元年（780）正月罢相，二月贬忠州刺史，七月被缢死。《旧唐书·刘晏传》载，刘晏贬出时，"家属徙岭表，坐累者数十人"。潘炎为其家属，当然贬出。澧州，治所澧阳县，唐时属武陵郡（见《元和郡县图志·阙卷逸文》），在今湖南澧县。

《全唐诗》卷二七二载潘炎诗一首：《清如玉壶冰》（五言排律），似为应试时所作。《全唐文》卷四四二所载，除上述《册雍王为皇太子文》外，尚有数篇。又《全唐文补遗》第七辑载有潘炎所作高力士墓志铭，署"尚书驾部员外郎、知制诰潘炎奉敕撰"（三秦出版社,2000 年 5 月)。此为《全唐文》等未载。

原载大象出版社 2003 年版《新文学》第 1 辑,此据大象出版
社 2004 年版《唐宋文史论丛及其他》录入;可参看专著《唐
翰林学士传论》

文化界、学术界值得庆贺的一件喜事

　　由中国道教协会、华夏出版社、中国社会科学院道家道教研究中心三家共同筹划、合作编纂的《中华道藏》，经七、八年艰苦努力，现在以四十九册的浩大规模，出版问世，这确是我们文化界、学术界值得庆贺的一件喜事。

　　《道藏》是道学经书的总集，但实际上它的涵盖面是极其广泛的，其中有儒家如汉扬雄《太玄经》，法家《韩非子》，兵家《孙子》，墨家《墨子》，医家之书更多，如《素问》、《灵枢经》，孙思邈《千金方》，还有历史类书《穆天子传》，地理类书《山海经》等，牵涉到中国古代的养生学、冶炼学、化学、医药学、天文学，以及包括音乐、绘画等在内的文学艺术。应该说，道家作为中国古代文化的一种深层结构，其长期积累的经书典籍，也已成为中国古籍的重要组成部分。

　　这次出版的《中华道藏》，主要辑集明代初期以前的道教典籍，共收书一千五百多种，五千五百多卷。大家知道，中华书局于上一世纪五十年代中期起，开始整理、校点"二十四史"及《清史稿》，几经曲折，历二十年，于七十年代后期完成出版，是建国以后古籍整理的一件大事。但"二十四史"共 3238 卷,《清史稿》563 卷,加起来不到四千卷。现在出版的《中华道藏》,其卷数规模超过"二十四史"与《清史稿》,这应当说也是我们新世纪初古籍整理研究值得注意的一项盛举。

道教正式形成于东汉后期,但先秦时已有道家之学的著作,至魏晋时已积累大量经籍与文献资料。南朝刘宋时期陆修静,根据当时的道书积累,编有《三洞经书目录》,共著录 1228 卷书,这是我国第一部《道藏》目录的雏型。而我国第一部《道藏》,则是编于盛唐开元时的《开元道藏》,已收书五千多卷。唐代是道教的繁荣时期,同时在文化思想方面也出现辉煌灿烂的景象。值得注意的是,唐代杰出诗人中,有好些与道家有密切的关系,如伟大诗人李白就受过道箓,李商隐早期与女冠道士有深切接触。被誉为中国古代文士精英的翰林学士,即开始创建于唐玄宗开元时期,当时最早两位翰林学士,其中之一就是道士尹愔。唐明皇非常看重他,特地允许他可以穿道服进入宫中办事。后中唐时大历十才子之一的诗人吉中孚,早年也曾为道士,后返俗,又入为翰林学士。在这样的文化氛围中,编有五千多卷的道藏,是深有社会基础的。

使人可惜的是,这部《开元道藏》,后历经战乱,大都被毁。于十世纪中期建立的宋朝,曾五次编纂《道藏》,并于公元 1113 年北宋徽宗时,将已修成的一部《道藏》送福州刊刻,这是我国第一次正式《道藏》刻本。虽然宋代修的《道藏》后也经战乱被毁,但因已有刻本,就有不少存本为明朝所修的《正统道藏》所吸收。从明初开始纂修,至英宗正统十年(1445)完成这部《道藏》,后万历年间又增补编印的《续道藏》,二书共 5485 卷,这是一直为后世相传,并保存完整的道经总集。这次《中华道藏》四十九册本,就以明代这两部《道藏》本作底本,同时还辑集近代考古发现的黄老简帛书,敦煌遗书写本,以及金元时期残留的刻本,可以说补缺求全,为今天的读者提供明初以前最全的本子。同时,根据编委会的计划,以后还将搜集明中期以后新出的经传道书,使中国古代道家之书更为完备,这应当说是系统化的完备体现。

20 世纪时,这两部明藏本,曾有几次影印。同时还编印有其他的道经丛书,如《藏外道书》等,都有一定的价值。但这些总集本,都为影印。从古籍整理来说,影印能保持早期书籍的原貌,特别是一些宋元善本及后世的孤本等。但从学术研究和传统文化传播、普及的角度来说,仅限于影印,作用是不够的,我们今天应当从现代科学意义出发,对古籍作规范化的整理。现在这部《中华道藏》,按已制订颁发的规则与体例,对全书统一加以标点,虽然难度较大,但更便于广大读者阅读,有助于理解原意。同时在工作进行中,还根据其他本子加以校勘,改错补缺,这也是影印本所不及的。古籍整理学者早已指出,即使宋元刻本,也并非一无错失,现在出版的较好古籍著作,就并不限于所谓宋元善本,而是参校其他有价值的本子加以校勘。现在这部《中华道藏》本也是如此,如书中四卷本《道德真经注》,又题《老子道德经章句》,这次就据敦煌 S·447 等四个抄本及民国时期《四部丛刊》本相校。又如分类,南朝刘宋时陆修静的《三洞经书目录》已提出三洞分类法,后《道藏》全书分类大多即依据传统的三洞四辅十二类来分,《正统道藏》即是如此。由于道家之书内容较广,完全按此分类,难免使人有混杂之感。清修《四库全书总目提要》对此即有"牵强"的批评(见卷 147 子部道家类《道藏目录详注》)。现在这部《中华道藏》,一方面既照顾传统的分类,仍保留三洞四辅的名目,另一方面则根据各书的内容,重新分类编次,并在书前目录、书后索引中标出。

全书以上的这些系统化、规范化做法,确符合求实创新的原则,为当今古籍整理提供一个范例,也为道家文化的进一步深入研究提供完备信实的佳本。

原载《中国道教》2003 年第 6 期,据以录入

《唐宋文史论丛及其他》前言

收于本书,时间最早的是 1958 年夏为中华书局《邢襄题稿、枢垣初刻》而写的出版说明,那时我刚从北京大学中文系转至出版社,年二十五岁,而本书所收时间最近的是 2003 年上半年为上海师范大学古籍研究所编纂、大象出版社出版的《全宋笔记》所作的序,其间竟有四十五六年。在这四十余年中,我除了自作或与友人合作,编撰有几部专著外,另出版有三本论文集,即《唐诗论学丛稿》(黑龙江人民出版社 1992 年初版,京华出版社 1999 年增订重版)、《濡沫集》(湖南人民出版社"书海浮槎文丛"本,1997 年)、《当代学者自选文库·傅璇琮卷》(安徽教育出版社,1998 年)。现在我新编这本论文集,为自己立有两项宗旨,一是与前面三本所收不重复,二是所收之作,不论长文或短篇,希望从总体上能反映我这几十年间的治学途径与坎坷历程。

我不拟在这里对本书详加论述,只是想对编排略作介绍。由于所收的篇目多,为便于读者披览,就大致分为六编,即分甲、乙、丙、丁、戊、己。甲编所收是近几年来所撰的有关唐代翰林学士研究论文,重点是就唐代高层士人作为研究的中介环节,探讨当时文学与政治的互动关系,这似乎已引起文史学界的关注。乙编所收,重点是有关唐宋时期作家作品的考索,也涉及某些学术著作的评论。丙编则是为学界友人所作的书序。丁编所收为缅怀已去世的三位学术前辈:匡亚明先生在任南京大学校长期间开始主编《中国思想家评传丛书》,我于上一世纪八九十年代之际曾几次去南京参与过有关的学术会议,后他于 90 年代初受任为国家古籍整理出版规划小组组长,嘱我为古籍小组秘书长,我就与匡老接触较多,深受教益。我与钱锺书先生与邓广铭先生,学术交往更多,所受教益更深,我在文中诚致怀念之情。戊编是我在中华书局工作期间起草撰写的几篇出版说明,并略叙我在古籍整理出版工作中的一些情况与体会。己编,似不能算是学术文章,我想借此向读者介绍中国唐代文学学会。在古典文学界,唐代文学学会所起的作用是较为突出的,这已为学界所共识。唐代文学学会建立于 1982 年,在此之后,就每年编有《唐代文学研究年鉴》,每两年召开一次学术会议,会议后则编印《唐代文学研究》论文集,这一有序的学术活动,已坚持了二十多年,实很难得。首届会议时,我当选为常务理事(当时会长为山东大学萧涤非教授),具体工作是与西北大学、陕西师范大学几位学者合作,编辑《唐代文学研究年鉴》,因此曾写有《年鉴工作要有一个总体规划》一文。后我于 1992 年被选为唐代文学学会会长,《年鉴》与《唐代文学研究》的编辑重任就由广西师范大学中文系张明非教授和西北大学中文系阎琦教授承担,由广西师范大学出版社出版,延续至今。这次我选录几篇年会开幕词,以供读者了解唐代文学学会健康发展的历程,和唐代文学界求实、创新、团结、奉献的学术风气。

每一编所收之文,除己编外,不按时间先后排列,而按内容,作适当的编排,但文后都注明刊发日期。

这里我想再补述两点:一是"文革"前所作,我这次选了七篇。1958年初,我因所谓参与筹办"同仁刊物",与现仍为北大中文系教授的乐黛云、褚斌杰等被划为右派。我于1958年3月被迫离开北大,至商务印书馆做编辑,后因中华书局、商务印书馆出版任务分工调整,我又转至中华书局,先在古代史编辑室。当时中华总经理兼总编辑金灿然同志曾对我说:"你来中华,先要好好工作,在工作中改造。"我没有想到,我一到古代史编辑室,金灿然同志就叫我写《邢襄题稿、枢垣初刻》一书的出版说明。这是明代末年一位官员的奏议,颇有史料价值,但从未刊刻,仅有抄本,中华书局从河南一位收藏者获得,加以校点,并加排印。当时给我的就是已排出的清样。对于一个刚跨进中华书局大门、只不过二十五岁的年轻人,就交给这一任务,真不可想象。当时我确很畏惧,但还是谨慎小心,勉力为之,到图书馆去查阅一些资料,终于写出这二三千字之文。后我在文学编辑室,又遵编辑室主任徐调孚先生及影印部老辈学者陈乃乾先生之嘱,为点校本《全唐诗》、影印本《史通》、影印本《四库全书总目》、影印本《清人考订笔记》撰写出版说明。现在我每次重读这几篇文章,一种受信重的感激之情总要涌上心头。当时我在政治上是受压抑的,但在中华书局的特殊环境中,我却有一心做学问的志向,未有什么屈辱感。正因如此,我在工作之余,就利用夜间和节假日,读书作文,于1959年至1963年间,撰成《黄庭坚和江西诗派研究资料汇编》、《杨万里范成大研究资料汇编》。《黄庭坚和江西诗派研究资料汇编》,共收辑北宋至晚清四百六十余种书的有关资料,约七十余万字。在《杨万里范成大研究资料汇编》基础上,另撰有《范成大佚文的辑集与系年》,刊于《文学遗产增刊》(1962 年)。这次阅校样,重读此文和 1962 年 9 月所写的《读〈陶渊明研究资料汇编〉》,我真惊讶,文中所提及的一些书,我竟很陌生,好像没有读过;我真觉得,现在要我来写,是绝对写不出来的。我由此有这样一种感受,就是我们做学问,确不必有什么政治牵挂之虞和世态炎凉之辱,真如我为《李德裕年谱》新版题记所立的标题:"一心为学,静观自得。"(河北教育出版社,2001 年 11 月)

另一点是,我于上一世纪 80 年代,即受学界友人之约,为其所著撰序。最早的一次,是北大中文系师友陈贻焮教授要我为他的《杜甫评传》作序,此序作于 1981 年 10 月,其书上卷于 1982 年8 月由上海古籍出版社出版。第二篇是为中国社会科学院文学所邓绍基先生《杜诗别解》所作,写于 1984 年 12 月,书则于 1987 年10 月在中华书局出版。此后受托,年龄比我稍大的,是曹道衡先生(《中古文学史论文集续编》)和罗宗强先生(《玄学与魏晋士人心态》),其他多是中青年学者。说实在话,我受约作序时,真有一种压力,怕写不好。也正因此,我每次作序,都要通阅全书,有时还不止看一遍。可能因长期做编辑工作,习惯于札录一些问题,请作者复核、修订。在序中我除了介绍书的内容外,总还是就学术上的一些问题谈自己的一些看法,这也可以说是与友人在学术上进行切磋交流。我于 1990 年为《唐诗论学丛稿》所作的后记中曾说:"近十年来,我有两个收获,一是写了几本书,二是结识了不少学术上的朋友;在某种意义上说,第二个收获比第一个更宝贵,更值得忆念。"1998年原国家古籍整理出版规划小组办公室成员张世林同志,邀约当代学者撰写自己的学术历程,编《学林春秋》一书,我应约写《我和古籍整理出版工作》(即收于本书戊编)。在文前我又按此书体例,写了两句自作的格言:"我最大的心愿是为学术界办一些实事,我最大的快慰是得到学界友人的信知。"我想,这或许也可作为本书的概括,其他我就不说了。

不过最后我还想特为一提,就是本书之能面世,完全是因为得到大象出版社的支持。我最初向大象出版社名誉社长周常林和社长李亚娜两位先生提出时,马上得到赞同出版。这使我想起,1999年夏上海师范大学古籍研究所因已启动编纂《全宋笔记》,就曾与我商议出版事,我当时说,大象出版社在郑州,河南是北宋的基地,最好首先请大象出版社考虑。《全宋笔记》规模不小,分量大,出版社经济负担是很重的。但大象出版社完全从长远的文化建设着眼,毅然承担。上海师大古籍所后陆续交稿,大象出版社还特地聘请原人民文学出版社资深编审陈新先生为之审稿,往返修改,质量有明显提高。我这次的稿件,也由大象出版社约请袁健先生审阅,帮我改正不少文字上的错失。对此我铭感于心。

傅璇琮记于2003年12月,

北京六里桥寓舍,时当多年未有的暖冬。

原载大象出版社2004年版《唐宋文史论丛及其他》,据以录入

把饮食史研究推向高潮

——评《中国饮食史》

  种类繁多、制作精美、工艺技术独特的烹饪饮食与由此派生出来的中国饮食文化,使中国在世界上赢得了"烹饪王国"的崇高美誉。然而令人遗憾的是,很长时间内我国尚无一部全面系统阐述中国饮食历史的著作。1999 年 10 月华夏出版社出版的徐海荣主编的多卷本《中国饮食史》就弥补了这一缺陷。这是目前所见的卷帙最为浩繁、内容最为翔实的中国饮食史研究学术专著。

  《中国饮食史》共分 6 卷,约 300 万字,设绪论、原始社会的饮食、夏商周时期的饮食、汉唐之间的饮食、宋辽金西夏饮食、元代饮食、明代饮食、清代饮食、民国时期的饮食、少数民族饮食共 15编。每编又设数章,对各时期饮食文化涉及的饮食原料的生产与制作、饮食的烹饪方法、饮食器具、饮食礼俗和制度、饮食风尚、饮食业、饮食思想和食疗养生以及中外饮食文化交流等进行多方位的阐述。

  通观《中国饮食史》全书,我觉得其有以下几个特点:

  一是论述全面、系统,本书以时间为经,内容为纬。既系统阐述中国各个时期的饮食历史，又对各个时期饮食文化涉及的内容进行全面的透视；既阐述汉族的饮食历史，也对中国少数民族绚丽多彩的饮食文化进行了深入的探讨。特别需要指出的是，本书注重对少数民族饮食史的研究，尤为可贵。

二是史料翔实。首先就文献资料的使用来说，作者在书中不仅充分利用"廿五史"等官修史书，而且还广泛搜集野史、诗文集、笔记小说及地方志、档案等。在占有大量文献资料的基础上，利用传统的考据方法，进行归纳整理，反复辨析，仔细推敲，去伪存真，去粗取精。同时，作者还及时融汇最新的考古成果和民俗学、民族学等方面的调查研究资料，互相印证，最后才得出结论，从而使其论点信实有力。

三是论点新颖，有理论建树。在绪论中，作者对中国饮食史的概念与内涵、中国人的饮食思想、中国饮食史的流变与分期、中国饮食史的基本特征、中国饮食在中华文明史及世界上的地位与影响、中国饮食史研究的历史与现状等进行了详细的阐述，以清晰严密的逻辑，层层展开了条分缕析，从而构建起了自己的、比较完整的理论体系。全书在理论观点上还有许多持之有故、言之成理，且成一家之言的精辟之说，如对茶和豆腐的起源问题的探索，对夏商时期"以乐侑食"、"食以体现"的分析研究，对西周时期饮食观念的阐述，对秦汉时期宴饮活动的社会意义的论述，等等，都是典型的事例。

四是结构严谨，自成体系。目前国内外已出版的研究中国饮食史的著作中，或专论烹饪（如张起钧的《烹饪原理》），或专论茶酒（如庄晚芳《中国茶史散论》），或专论饮食器具（如杜金鹏等编著的《中国古代酒具》），或侧重于饮食科技（如洪光住《中国食品科技史稿》），或侧重于饮食民俗（如王仁兴《中国年节食俗》），或侧重于某一时期（如陈伟明《唐宋饮食文化初探》），或侧重于某一区域（如贾大泉等《四川茶业史》），很少有进行全面系统论述的。而本书弥补了这方面的缺陷。

五是图文并茂，文字优美流畅。在本书中，附有彩色插图近200幅，黑白照片及线绘图700余幅。

这部由徐海荣先生主编、徐吉军先生任副主编，并由众多专家撰写的《中国饮食史》，确是一部中国饮食史研究里程碑式的著作，相信这部著作能够带动饮食史领域的深层研究，并最终把中国饮食史的研究推向高潮。

原载《饮食文化研究》2004年第1期，据以录入

杜甫与严武关系考辨

一

　　杜甫与严武的交往与关系，是杜甫研究中的一个重要话题，史书和笔记小说乃至诗话、古今人的论说均多有记载与议论。为了使读者对此有个大致的了解，我们先简略地叙述典籍所记载的杜、严的交往、关系以及前人的主要议论。

　　据《旧唐书·杜甫传》："武与甫世旧，待遇甚隆"。[1](P5054) 所谓的"世旧"，乃如《读杜札记》引《养一斋诗话》所论："史称公与武世旧，而武少于公十四岁，则知挺之已与公为交好，公亲见武之成立，故《八哀》诗云：'昔在童子日，已闻老成名'，明友其父也。"[2](P199) 杜、严不仅是世交，而且他们也同朝共事过，关系密切。杜甫至德二载在朝任拾遗时有《奉赠严八阁老》诗，诗称给事中严武"扈圣登黄阁，明公独妙年。……新诗句句好，应任老夫传"，仇兆鳌注引"顾注：武父挺之与公友善，故称武妙年而自称为

杜甫与严武关系考辨 ｜ 2175

老夫"。[3](P379)他们间的关系又因房琯而更进一层。房琯任相时，因严武为"名臣子，荐为给事中"。后来因房琯陈涛斜之败及为人所挤等事，房琯罢相，严武"坐管事贬巴州刺史"。[4](P484)而房琯罢相时，作为房琯的知己好友，杜"甫上疏言管有才，不宜罢免。肃宗怒，贬琯为刺史，出甫为华州司功参军"。[1](P5054)因被贬的共同命运，严、杜间更有唇齿相依的密切关系。

　　此后杜甫和严武多有诗作往还，在严武两次镇蜀时，两人酬唱往来不断，严武还亲访杜甫草堂，并力邀杜甫入幕府，推荐为节度参谋，以至为检校工部员外郎。且看其中的几首诗及人们的评说。当严武于代宗宝应元年（762）第一次镇蜀奉调入京时，杜甫亦随其离蜀送行，途中有《奉济驿重送严公四韵》："远送从此别，青山空复情。几时杯重把，昨夜月同行。……江村独归处，寂寞养残生。"黄生说此诗云："上半叙送别，已觉声嘶喉哽。下半说到别后情事，彼此悬绝，真欲放声大哭。送别诗至此，使人不忍再读"。[3](P916)两人初别后，杜甫又有《九日奉寄严大夫》，末云："遥知簇鞍马，回首白云间。"严武即有《巴岭答杜二见忆》，末云："跋马望君非一度，冷猿秋雁不胜悲。"《杜臆》评云："读此二诗，见两公交情之厚，形骸不隔，故知欲杀之诬也。"[5](P154)杜甫久有离蜀之想，广德二年（764）春，他欲出峡往荆楚，时闻严武将再镇蜀，遂喜而留待严武，并重回成都投依严武，时有《奉侍严大夫》诗："殊方又喜故人来，重镇还须济世才。……身老时危思会面，一生襟抱向谁开。"其中洋溢的欣喜与深厚的情谊一读可知。故前人于严、杜交谊多交口称扬，并斥严欲杀杜之说。洪迈《容斋续笔》卷六即谓："甫集中诗，凡为武作者几三十篇，送其还朝者，曰'江村独归处,寂寞养残生'。喜其再镇蜀,曰'得归茅屋赴成都,直为文翁再刳符'。此犹是武在时语。至《哭其归榇》及《八哀诗》'记室得何逊,韬钤延子荆',盖以自况,'空余老宾客,身上愧簪缨',又以自伤。若果有欲杀之怨,必不应眷眷如此。"[6](P283)

上面我们简单介绍了严、杜的交谊情况,但与此相反,还有史籍和笔记小说中也有些关于杜甫酒后失言,忤严武,严武或不以为忤,或中衔之,以致一日欲杀杜甫的说法。最具代表性并为后人所信的应是《新唐书·杜甫传》的记载:"武以世旧,待甫甚善,亲入其家。甫见之,或时不巾,而性褊躁傲诞,尝醉登武床,瞪视曰:'严挺之乃有此儿!'武亦暴猛,外若不为忤,中衔之。一日欲杀甫及梓州刺史章彝,集吏于门。武将出,冠钩于帘三,左右白其母,奔救得止,独杀彝。"[4](P5738)《新唐书》之说其实是相信了《云溪友议·严黄门》的有关记载:"武年二十三,为给事黄门侍郎;明年拥旄西蜀,累于饮筵,对客骋其笔札。杜甫拾遗乘醉而言曰:'不谓严挺之有此儿也',武恚目久之,曰'杜审言孙子,拟捋虎须?'合座皆笑,以弥缝之。武曰:'与公等饮馔谋欢,何至于祖考矣。'房太尉琯亦微有所忤,忧怖成疾。武母恐害贤良,遂以小舟送甫下峡。母则可谓贤良也,然二公几不免于虎口矣。李太白为《蜀道难》,乃为房、杜之危也。"[7](P14)《云溪友议》所记多有荒谬不实之处,如果比照其前后的有关记载,其小说家言的编造就更为显然。《唐国史补》卷上《母喜严武死》云:"严武少以强俊知名,蜀中坐衙,杜甫袒跣登其几桉。武爱其才终不害。然与章彝素善,再入蜀,谈笑杀之。乃卒,母喜曰:'而今而后,吾知免官婢矣!'"[8](P22)稍后于《云溪友议》的《唐摭言》卷十二记:"杜工部在蜀,醉后登严武之床,厉声问武曰:'公是严挺之子否?'武色变。甫复曰:'仆乃杜审言儿。'于是少解。"以上所记《唐国史补》为最早,所说已有不合情理之处。《唐摭言》所记乃本于《唐国史补》,然已去掉明显的不合情理之说,但增添了"武色变"一情。值得注意的是处在二书之间的《云溪友议》却又添油加醋,夸大了严、杜间的冲突,使其严重化,其所记的真实性不免大打折扣。更令人诟病的是《新唐书》又在《云溪友议》的基础上坐实了"几不免于虎口"的欲杀杜之说,并编造了戏剧化的情节,以此后人多斥其说之不可信。郭曾炘引刘克庄言:"世传严武欲杀子美,殆未必然。"又引张上若言:"杜入蜀实以依武,野史所载不尽可据……至'莫倚善题《鹦鹉赋》',语盖虑少陵恃才傲物,或造祢生江夏之厄,是杜良箴,亦千古才人韦弦之佩,苦心热肠,正英雄本色,岂可反以罪严乎?"[2](P268-269)关于上面提及的"莫倚善题《鹦鹉赋》"句事,这里补充说明一下。宝应元年(762)严武初镇成都时,即有《寄题杜二锦江野亭》诗,中有"莫倚善题《鹦鹉赋》,何须不着鵔鸃冠。……兴发会能驰骏马,终当直到使君滩"句。严武之作本是对杜甫极为友善关心的诗作,却引起有些人"指严为语多刺讥,指公为始终傲岸"。[3](P887)

　　对于上述杜、严关系的记载,宋以来学者疑、信皆有。《新唐书》的这一记载仍然为杜诗学者所关注,并且至今仍有信严、杜间存在冲突,严确有欲杀杜的所谓"睚眦"之事者。论者还依杜甫的不少诗作,从不同角度力图证实它,造成似乎确有其事的样子。我们认为严、杜的关系究竟如何,是应该进一步讨论的。为此,我们拟就论者的若干论说,谈谈我们的看法。

二

　　有论者认为杜甫《立秋雨院中有作》诗表达自己愧疚之意，
"已费清晨谒"指严武清早看望过杜甫；"主将归调鼎，吾还访旧
丘"一句指严武回去处理军务，而自己获准回家一趟，提出杜甫为
什么要表示愧疚？严武为什么要清晨看望杜甫？"礼宽"具体指
什么？并引杨伦《杜诗镜铨》中李子德云："高人入幕落落难堪，触
事写之，自有其致"，问："触事"，触的到底是什么事呢？认为这事
就是杜甫酒后失礼，严武怒欲杀之引起的"睚眦"。杜甫愧疚，说
明他自知失礼。严武前往宽慰，说明严氏在"睚眦"事发时亦有激
烈表现，例如怒至欲杀。

　　按，论者的上述解读多有误。其实"清晨谒"并不是严武看望
杜甫，而是杜甫清晨到幕府上班，想尽其节度参谋之责。"谒"，此
处为晋见义，指卑者或下级晋见尊者或上级。杜甫怎会把严武来
看望自己说成"谒"呢？论者将其反倒解读，本来通畅的诗意也就
阻塞了。论者对杜甫表示愧疚不清楚，其实这也是明白的，这就
是杨伦在"那成长者谋"句下所释的："言无老谋以佐严公
也。"[9](P637)"礼宽"句也没有奥妙，并非所释的好像杜甫做了什么
对不起严武的事，而得到严武的宽解。所谓"礼宽"，乃指严武对
诗人格外的放宽礼节规矩上的要求，如诗中所说的诗人在幕府院
中得以"解衣"、"高枕"等。"归调鼎"并不是严武回去处理军务。
"调鼎"，即如仇兆鳌引《汉官仪》所释："三台助鼎调味。牛弘食

举歌:'盐梅既济鼎铉调'。"[3](P1170)调鼎、盐梅均乃就宰相言。因此,这两句诗是说:如果主将今后回朝任要职,我也就算尽了酬知之份还是要回去"访旧丘"的。可见,论者以这诗的某些句子来论证杜、严间确实有"睚眦"冲突,这是不足信的。

为了证明严、杜之间确有"睚眦"之事,有的论者对用于证明这观点的杜甫《遣闷奉呈严公二十韵》诗的某些句子的解读,颇有与诗原意不符之处。如论者释"乌鹊愁银汉,驽骀怕锦幪。会希全物色,时放倚梧桐"中后二句,认为这简直就是哀求,并引张溍"物色,物之本色,谓得全其闲旷之本色也"。[9](P542)认为这"物色"恐怕不只是指"闲旷之本色",也指性命。因为"倚梧桐"显系化用自《庄子·德充符》"倚树而吟,据槁梧而瞑",而众所周知,庄子是讲"保命""尽天年"的。因此论者又进而说杜甫是担心往后再有所触犯而遭不测。

我们认为这一诠释未免将事态看得过于严重了。宋人赵次公云:"言如乌鹊之微,力不任于填河;驽骀之蹇,不足以被锦幪之饰。则所望于故人知己者,幸全其物色而放令倚于梧桐也。"[10](P639)明代王嗣奭云:"且如'乌鹊愁银汉'之难渡;'驽骀怕锦幪'之拘绊,幸全体面,放使归家而已。"[6](P204)前人的这些解释基本符合诗意,但绝无将"物色"和"倚梧桐"与性命、"保命"、"尽天年"连在一起的意思,而是从"全其闲旷之本色"上着眼的。论者为了全其"睚眦"之说,却别作新解,可惜却远离了诗的原意。这首诗的中心乃在于表明诗人性喜闲旷自适,身体又残病,难于忍受。因此希望严武全其闲旷本性,格外准许其离开幕府,而得以稍能逍遥自适,祛除身心之疲累。这全与怕杀、"保命"无关,何来"遭不测"之恐慌？杜甫诗中的"倚梧桐"，乃取意于庄子的"倚树而吟,据槁梧而瞑"。庄子这两句出于其《德充符》,是庄子对惠子说的,前面还有这么两句:"今子外乎子之神,劳乎子之精。"王先谦注云:"成云槁梧夹膝几也,言惠子疏外神识,劳苦精灵,故行则倚树而吟咏,坐则隐几而谈说,形劳心倦,疲怠而瞑"。[11](P37)郭庆藩《庄子集释》所注疏也相同。[12](P101)可见庄子所说的"保命"、"尽天年"还是有所不同的。再则,庄子所讲的是养生意义上的"尽天年"、"保身",而非"保命"。其《养生主》是这样说的:"为善无近名,为恶无近刑,缘督以为经,可以保身,可以全生,可以养亲,可以尽年。"[11](P18)所说的"保身"与论者改作的"保命"不同,是与生命受到外来的直接严重威胁而需"保命"的意义不同的。庄子与杜甫所说,决非为了"保命"而发出"哀求"之音。设想杜甫果真受到这一威胁,他也不会说"时放",而应该说"放我倚梧桐"之类的话。所谓"时放",即时尔放,放后,还是要回来的。如果生命受到严重威胁,正是巴不得逃之夭夭,还会仅仅要求"时放"吗?

三

杜甫与严武是"世旧,待遇甚隆"。[1](P5054)但有的论者以杜甫与严武有关的诗中提到礼数问题,如"谢安不倦登临赏,阮籍焉知礼法疏""非关使者征求急,自识将军礼数宽""宽容存性拙,剪拂念途穷""礼宽心有适,节爽病微瘳"等,对比杜甫和高适的关系,认为:杜甫跟高适完全没有礼数相隔一说,因而杜甫对严武屡次言及礼数,说明他们的关系并不轻松,是不正常的,并以此作为确有杜甫当众失礼,严武刹那间动一下杀的念头的"睚眦"之事的佐证。

我们认为即使杜甫跟高适完全没有礼数相隔,那也不能反衬杜甫与严武的礼数相隔为不正常,也不能以此作为两人存在"睚眦"的佐证。应该承认,杜、严间是有礼数之隔的,这特别在他们为上下级同僚时。但这一礼数相隔在封建官场中,特别在上下级间是通常如此的。在论者所举诗例中,杜甫对年高且官高的高适所以显得亲密与不拘谨,那是因为这些诗作于杜甫上元元年他不在官场,也非时任彭、蜀州刺史的高适的下属或所辖子民,因此关系就较轻松、不拘谨。而上引杜、严间所涉礼数的诗句,都是严武要么是杜甫的父母官,要么是顶头上级时作。在这一处境下,对注重礼法的杜甫来说,他对严武的拘谨与显得"礼数相隔",实在没有什么太不正常的,不能作为两人存在"睚眦"的佐证,更不必将此夸张到杜甫具有伴严如伴虎隐衷的地步。

杜甫另有《奉赠严八阁老》诗,中有"客礼容疏放,官曹可接联。新诗句句好,应任老夫传"句。这首诗作于至德二载(757)杜、严均在朝时,其时严武的官职同样也大于杜甫。正如有的论者引这诗后接着说的:虽说杜甫是前辈口吻,但是"客礼容疏放"一句就透露了二人的礼数之隔。再者,论者所引的另二例显示二人"礼数相隔""拘谨"的"谢安"、"礼宽"等诗句,均写于严武首次镇蜀时,即在论者下文所认为的发生"睚眦"及最后只杀章彝之事前。既然两人在朝时以及在杀章与"睚眦"事件前已有"不正常"

的"礼数之隔",按照论者的逻辑,不是也可以将此作为其时两人已存在"睚眦"的佐证吗？又何必迟到杜甫入严幕后的"睚眦"事件中去追寻"礼数相隔"的原因呢？显然,杜、严之间的礼数关系早就存在,与他们在幕府时是否有矛盾是没有因果关系的。

为了证明严、杜间确实存在"睚眦"险情,论者又举《将适吴楚,留别章使君留后兼幕府诸公,得柳字》诗证明说:"常恐性坦率,失身为杯酒",诗虽写于梓州严武自蜀赴京之后,但未尝不可以理解为此前一段交往中险情的写照。这里所说的"险情",指的乃是论者所说的杜甫酒后失礼的"睚眦"险情,据论者所考,这一"酒后失礼"乃在广德二年六月杜甫入严武幕之后。那么"失身为杯酒"诗作于何时？据诸家杜甫年谱,此诗乃广德元年(763)冬杜甫在夔州章彝幕府中所作,这时不仅尚未发生传说的章彝被严武所杀、杜甫也险些被杀之事,更未发生所说的再迟些的杜甫与严武"睚眦"之事,既然诗乃写于这两次"险情"之前,那么此诗句又何能成为后来的一段险情的写照？显然,"常恐性坦率,失身为杯酒"与所谓的"睚眦"、"险情"之事无关。

四

有的论者为了论证确有"睚眦"之事,并且"睚眦"事乃杜甫坚决辞幕的原因,极力论证杜甫在代宗登基后,因时局发生新、旧交替变化,杜甫的隐逸心情也一去不返,所以严武再镇蜀,杜甫即回到成都,不待严武招邀,于归家兴奋之际在《草堂》诗中说出了

"飘飘风尘际,何地置老夫? 于时见疣赘,骨髓幸未枯"的心里话,
大有主动请缨之意,并有好好干的想法。杜甫《释闷》中的"江边
老翁错料事,眼暗不见风尘清"更是明白地对自己卜居成都近两
年的想法进行了否定。而后来杜甫的突然辞幕,即因发生"睚眦"
之事。

我们认为这里对杜甫诗的理解有两处值得商讨。先说"江边
老翁"二句。这两句并非论者所说的那样,因为诗中所谓的"错料
事"并非指卜居成都的想法之事,而是指自己先前对时局的料想
是过于乐观错误的。《释闷》诗作于广德二年(764),时距代宗登
基的宝应元年(762)已前后三年,此诗正是对这段时局的写照以
及诗人的态度。将诗歌与《旧唐书·代宗纪》对这段时局的记载
相对照,是颇相符合的。诗中的"不见风尘清",正是对这段时势
乱象的慨叹与不满。故仇兆鳌释云:"吐蕃入寇,逼乘舆,毒生民,
祸皆起于程元振。所望一时君臣,翻然悔悟。……岂知嬖孽不
除,则兵不得解。兵不能解,则诛求仍不得息。其事之舛谬,真出
于意料之外矣。"[3](P1070)可见,这两句诗乃表明诗人对时事的不满
与失望,表达此前自己对代宗朝的期望料想乃是"错料事",这与
此前自己隐居成都之事是风马牛不相及的,怎能以此诗句说明杜
甫对自己卜居成都近两年的想法进行了否定呢? 又怎能以此作
为杜甫抛弃隐居想法,而"主动请缨"入严武幕府的论据呢?

论者所引《草堂》诗,乃作于广德二年春杜甫结束一年半多的
流离生活重回草堂时。论者认为诗中的"飘飘风尘际,何地置老
夫"句的意思是诗人大有主动请缨之意。我们以为这种解读需细
酌。《草堂》诗乃围绕草堂而作,故于篇首四句概括全诗:"昔我去

草堂,蛮夷塞成都。今我归草堂,成都适无虞。"以此仇兆鳌谓:
"以成都治乱为草堂去来,四句领起全意。"[3](P1113) 此四句后即叙
述诗人前离草堂后成都乱起景象。接着又叙"贱子且奔走,三年
望东吴。弧矢暗江海,难为游五湖。不忍竟舍此,复来薙榛芜。"
意为天下未平,难于东游,又舍不得草堂,故又回来。最后一段
云:"天下尚未宁,健儿胜腐儒。飘飘风尘际,何地置老夫? 于时
见疣赘,骨髓幸未枯。饮啄愧残生,食薇不敢余。"仇兆鳌解释最
后这一段云:"此既归之后,慨叹身世也。世乱未休,托身无地,得
草堂以养余年,此外更无他望矣。"[3](P1116)《杜臆》亦谓"士既无用
于世,则一饮一啄,已愧此残生,而'食薇'甘之矣。"[5](P190) 可见此
诗阐明回草堂乃是在"托身无地"时的最后选择,盖草堂尚可养余
生,虽食薇亦已足矣。可见,"飘飘风尘际,何地置老夫"两句乃就
草堂言,表达在别无托身之地时,只有草堂可托残生。因而这两
句又怎能是于"兴奋之际",表达"大有主动请缨",期望入严幕的
愿望之意呢?

有的论者认为杜甫入幕之初,作出了效力戎幕的决定,他在
《扬旗》中说:"吾徒且加餐,休适蛮与荆!"认为这又从一个侧面
说明,杜甫后来的坚决辞幕,真正起着决定作用的应该是杜甫与
严武发生了酒后的"眄眦"。

我们说杜甫既然已入幕,在意气高扬时暂时打消近期去蜀之
想,效力戎幕,这是可以理解的。但这并不意味着杜甫此时或稍
后就不存在以后还是要离开幕府之想,而如有这种想法就是极为
突然的转变,就非得有非常严重的"眄眦"事件使然。我们认为通
察杜甫的经历、思想,其入蜀后,想离蜀回中原、长安的愿望久存

不去,这一根深蒂固的念头就是在入幕后也依然存在,并与初入幕时的效力戎幕,暂时压下去蜀之想是可以并存的,这正如他在初入幕的《立秋雨院中有作》诗中所表明的:"主将归调鼎,吾还访旧丘",在稍后的《到村》诗中他还私下打算"稍酬知己分,还入故林栖"。既然如此,那么此后又由于其他原因诗人较快地想离开幕府,这不也是自然之事吗?尽管诗人的离幕要求在入幕后不久似乎有点突然,也确是另有理由的。这理由就是诗人所说的身体致病,难于忍受幕府紧张的生活,以及规矩的拘束,与逍遥自适的天性格格不入等原因,而非得有"睚眦"发生才如此,因为入幕后,很快地他那上述的自身原因就让他觉得难于忍受,遂有离幕的要求。退一步说,假如还有其他更为主要的原因,那么也未必非因"睚眦"不可,在多种可能中怎能只认定尚有待于证实其真实性的"睚眦"传说呢? 这在论证逻辑上是讲不通的。

五

杜甫有悼念郑虔、苏源明、高适、房琯诗,又有《哭严仆射归榇》的悼严诗。有的论者以为除悼严武诗外,其他诗无不发自肺腑,感人至深。而作这些诗的时候,严武应该还活着,认为对亡友特别的怀念,有时候不妨理解为对活着的朋友的失望。我们且先不管悼严武诗究竟如何,也先置杜甫的为人不论,即从上述的逻辑上讲,也是成问题的。通过对友人哀痛的悼念与特别的怀念,来寄寓对活着友人的失望,不能说绝无可能,但这也是极为罕见的,可能毕竟不等于事实,为什么非要认定这一极为罕见的可能呢? 这从概率、逻辑上讲都是不能令人信服的。

再则,论者认为,将杜甫悼严武和悼高适等人诗相较,可以看出杜甫感情的彼厚此薄。高适死了,他痛惜朝廷失人,严武死了,无一语及此。我们觉得悼诗的写法、内容并无具体规定,即使对于感情相同、评价一样的几个友人,其在内容上不同也不会因此被认为厚彼薄此。那么,为什么悼念严武的诗就非得写及与悼高适的"致君丹槛折,哭友白云长"一样或相似的诗句? 论者以此来说明严、杜因确实有"睚眦"之事影响及两人感情,所以才会如此。果真如此吗? 我们认为诗人对严武的伤悼悲情是不容置疑的。在这一基本事实下,即使说与悼诸人诗相较,其感情果有深浅之别,也不能凭此确证严、杜间就一定有"睚眦"存在,这道理在于,感情较浅有各种各样的原因,并非仅是可能的"睚眦"。再者,在我们看来杜悼严诗的感情,并非有人所说的那样。此诗云:

> 素幔随流水,归舟返旧京。老亲如宿昔,部曲异平生。
> 风送蛟龙匣,天长骠骑营。一哀三峡暮,遗后见君情。

前人对此诗某些句子的解释尽管有所不同,但多有谓其感情深厚的。赵次公云:"末句盖公言今为之一哀,正当三峡暮色之凄凉,所以遗传于后世,见君有恩德于公之情如此也。"按:此言有校语谓:"末句至暮色之凄凉,《九家注》作:'言悲哀之极,而江山亦为之动色。'"[10](P647)王嗣奭亦云:"感今追昔,一哀而三峡为之暮,何其痛也!"[6](P17)关于"蛟龙匣",我们赞同朱鹤龄注的说法:

"霍光传,赐璧珠玑玉衣梓宫。则人臣亦可称蛟龙匣也。"[3](P1228)
"骠骑营"句,我们取赵次公之解:"言送严公之归者皆恋恩德之兵
也。"[10](P674)上述的解读肯定杜甫在诗中对严武的深情和极高评
价的说法我们深为认同。这情感与评价,还可从诗人作于此后的
《八哀诗》中哀悼严武的诗句得到印证:"郑公瑚琏器,华岳金天
晶。……匡汲俄宠辱,卫霍竟哀荣。……诸葛蜀人爱,文翁儒化
成。公来雪山重,公去雪山轻。……颜回竟短折,贾谊徒忠贞。
飞旐出江汉,孤舟转荆衡。虚无马融笛,怅望龙骧茔。空余老宾
客,身上愧簪缨。"《八哀诗》乃哀悼王思礼、李光弼、张九龄、严武
等八人之作。这些人或以功勋卓著,或以交情深厚,或以文章气
节为诗人所敬重。严武之入其中,可见他的功勋、交情在杜甫心
中的地位。当然,论者所认定的杜甫对他们的感情高过于严武的
房琯、高适却不在其中,我们也没有理由因此怀疑杜甫对两人的
深情。

有的论者认为,杜甫对严武的不满很难明白说出,而严武对
杜甫也不无侮慢,故少年同僚对杜甫的侮慢,很可能根源于主将
的态度,严武真正尊敬的长者,当不致于受到同僚们的侮慢。由
于有这一看法,论者也以悼严诗的"老亲如宿昔,部曲异平生"句
来证实它,认为二句表现严武昔日部曲对杜甫的前恭后倨,部曲
在严武死后的变态正可活画他们在严武生前趋附的嘴脸,这又可
以佐证幕中此辈的轻侮系效法严武本人对杜甫的态度。

我们以为这一论述存在两个问题:一,所谓的"前恭后倨",是
说严武的部曲在严武死前对杜甫恭敬,死后则变为无礼。而论者
以后又说此辈的轻侮系效法严武本人对杜甫的态度。这也就是

说严武生前对杜甫是轻侮的,所以其部曲在严武生前死后即仿效他而轻侮杜甫。同一段话中就这样自我矛盾,这叫读者相信哪种说法呢? 二,"前恭后倨"之说是有所本的,《杜臆》云:"公在幕府,乃严公故交,诸部曲见之,必当起敬;今部曲亦必有送樣者,见公异于平生矣,故不无今昔之感也。若止云老亲无恙、部曲不虔,何足道哉!"[5](P216-217) 又,浦起龙云:"三、四,冷暖之慨。……但有'老亲',无多'部曲'。"[14](P489-490) 上述二条其实还是不一样的。后者之"冷"乃就部曲而言,与杜甫无关。所谓"冷",可能有两种理解:来送行者少,故场面冷清;来送行的部曲无多,实可见部曲对严武感情的冷暖变化。不管浦氏的解读是哪种、对否,均与部曲对杜甫的态度无涉。《杜臆》之说则同某些论者,但这一说法是不可取的。我们且不管部曲对杜甫的态度如何,试想在哀送友人之樣的悲痛时刻,杜甫哪会有心思耿耿于怀地计较部曲对自己的脸色? 更怎会在专为哀悼友人的、又是这么短的悼诗中记恨似地写下别人对自己的冷淡呢? 倘若如此,则于情于地于理皆不合,一般的人尚不会如此,更何况是最为通情达理的杜甫呢! 其实前人对杜甫这两句诗还有别的解释,并不是都着眼于部曲对杜甫态度的变态的。赵次公释此云:"言严公有老母在,弃之而去,其母之健尚如宿昔耳。公既死,若一旦不能管部曲,为异平生矣。旧注不知何自得别本,为老亲知宿昔,便引《新史》:'武卒,母哭且曰:今而后,吾知免为官婢矣。'如此则公云老亲知宿昔,不亦成嘲辞乎?"[10](P674) 此说可参,唯"部曲"句,我们是这么理解的:《八哀诗》赞严武"诸葛蜀人爱,文翁儒化成。……堂上指图画,军中吹玉笙。"赵次公释后二句:"则政治优游可见矣。"[10](P697) 因此,因严武善于治军、宽待部曲,故部曲先前优游愉悦;而严武死后,部曲则为之悲哀满容,大异于先前之愉悦矣! 如此解读则两句均可表现悲戚之情,正如"刘后村曰:老亲两句,极其凄怆",[9](P570) 正可见部曲对严武的哀悼与感恩。倘上所说不太误,则论者对此二句的解读即不可从。

上面我们对以杜甫的某些诗句的误读来论证杜甫酒后失言,严武欲杀杜甫之事的说法进行辨析,目的在于说明这一传说与论证不可靠。因为这一传说与论证关系到人们对杜甫与严武友谊的误解,也关系到杜甫的思想与人格的问题,不能不辨。当然,我们的理解不一定全对,欢迎方家指正。

参考文献:

[1]旧唐书[M].北京:中华书局,1975.

[2]郭曾炘·读杜劄记[M].上海:上海古籍出版社,1984.

[3]仇兆鳌·杜诗详注[M].北京:中华书局,1979.

[4]新唐书[M].北京:中华书局.1975.

[5]王嗣奭.杜臆[M].上海:上海古籍出版社,1983.

[6]洪迈.容斋随笔[M].上海:上海古籍出版社,1978.

[7]范摅.云溪友议[M].上海:古典文学出版社,1957.

[8]李肇.唐国史补[M].上海:上海古籍出版社,1957.

[9]杨伦.杜诗镜铨[M].上海:上海古籍出版社,1962.

[10]林继中.杜诗赵次公先后解辑校[M].上海:上海古籍出版社,1994.

[11]王先谦.庄子集解[M].北京:中华书局,1954.

［12］郭庆藩.庄子集释［M］.北京:中华书局,1954.

［13］钱谦益.钱注杜诗［M］.上海:上海古籍出版社,1958.

［14］浦起龙.读杜心解［M］.北京:中华书局,1961.

与吴在庆合撰,原载《文史哲》2004 年第 1 期,据以录入

谈线装版简体字点校本《资治通鉴》的出版

　　北宋司马光所著《资治通鉴》，是我国古代的一部史学名著。全书共294卷，规模巨大。

　　清乾隆时编修的《四库全书总目提要》，对《资治通鉴》就有极高的评价，称"其书网罗宏富，体大思精，为前古之所未有；而名物训诂，浩博奥衍，亦非浅学所能通"（卷四七史部编年类）。现在看来，《资治通鉴》有两大特点。第一，正如司马光自己所说，他作这部书，是要"鉴前世之兴衰、考当今之得失"，也就是吸取过去历史上兴和衰的经验教训，用来考核当代政治的得和失。也正因如此，他就"专取关国家盛衰，系生民休戚，善可为法，恶可为戒者"，编入书中。因此这部《资治通鉴》，重点就在于记述政治事件，及与政治有关的战事，以及各种措施和议论。当时修这部书的直接目的，是备皇帝阅览的，希望当政者能"以清闲之宴，时赐省览"。但实际上这部书，其政治意义与作用更为广泛。我们可以从现代先进文化的角度，来看待司马光把历史经验与治国之道如何有意识地结合，探讨"以史为鉴"如何成为我们固有的思想传统，这就能使传统文化的内涵更丰富、更深邃，并能获得走近现实的途径。

这部《资治通鉴》的第二特点:是历史幅度大的编年通史。我国著名的"二十四史",即所谓正史,从司马迁的《史记》起,至清初所修的《明史》,这二十四部史书,少数是通述几个朝代的,如《史记》等,但大部分还是记述某一个朝代的,如《汉书》等;同时这些史书又大致按本纪、志、表、列传,把每一朝代的史事分为几个框架,分别编写。《资治通鉴》则接续孔子的《春秋》,上起周威烈王二十三年(前403),下迄五代周世宗显德六年(959),记载1362年的历史,而其体裁又是按年按月(有时按日)连续叙述。材料十分丰富,记载极为详细。这种编年史有一突出优点,即能给人一种综合的历史发展观,尤其是《资治通鉴》通贯一千三百多年,更能使今人对我们上古、中古史有一个总体的把握。

此书刊印后,历经宋、元、明、清,有不少注本、校本,著名的有元朝胡三省的《通鉴注》,明朝胡应麟的《通鉴地理通释》。清朝胡克家翻刻元刊胡三省注本,并将原来单行的《通鉴考异》分列于有关的正文之下,以便阅读。我们这次只采用正文,加以标点,不采集《考异》和胡注。因为我们是面向广大读者,如前面所论的《资治通鉴》两大特点,希望广大读者阅读此书,一方面获得综合的历史知识,一方面加强"以史为鉴"的发展观念,这样就以读正文为宜。

线装书局这次点校,以涵芬楼影印宋刊本作为底本。为什么选用此本,也可略作介绍。

《资治通鉴》一书,自宋以后,就有不少刊本。民国前期,章钰曾以胡克家翻刻的元刊胡三省注本为底本,校勘过九种宋刊本,其中也包括涵芬楼影印宋刊本。章钰于1928年(民国十七年,戊

辰)写有《胡刻〈通鉴〉正文校宋记述略》一文。中华书局于 1956
年 6 月出版点校本《资治通鉴》,是约集好几位专家,以胡刻本作
底本,并把章钰校记择要附注在正文之下。应当说,这是新中国
成立以后有权威性的高质量点校本。但是这一本子,如前所述,
除正文外,还包括司马光《考异》、胡三省注、章钰校,较适合于专
业工作者参阅,不大适宜广大读者阅读。另一方面,胡刻本有些
地方有明显的错字或漏略,章钰曾根据几种宋本作出校记,但读
者阅读时不一定注意到章校,这样就会受到原文疏误的影响。这
里不妨举几个例子。如卷二一九唐肃宗至德元载(756)十月:"房
琯上疏,请自将兵复两京。上许之,加持节、招讨西京兼防御蒲潼
两关兵马、节度等使。"按这时正是安史之乱,安禄山军队占领长
安、洛阳,唐朝廷就任命房琯向东进兵,与安史军队交战。所任命
的房琯官职,其中"蒲潼",即蒲州、潼关,位于山西、陕西交界之
处,与当时战争形势相合。但胡刻本,"浦"作"漳",漳即漳州,在
今福建,不合于当时的地理位置,是明显的错字。我们这次涵芬
楼宋刊本即正作"蒲",不误。

　　以上只是举例,类似情况还有不少,限于篇幅,不一一详列。

　　这次线装书局经研究,选择涵芬楼宋刊本作为底本,请有关
学者加以点校,并采取简体字的方式排印出版。我作为参与者,
认为这一整理本,一是可信,二是便于阅读,是《资治通鉴》这一古
典名著较高文化层次的读本,值得向广大读者推荐。

原载《中国图书评论》2004 年第 1 期,据以录入

毕宝魁《九梅村诗集校注》序

　　我与毕宝魁同志学术交往已近二十年，我们有时在中国唐代文学学会年会或王维、韩愈等学术研讨会上叙谈，有时书信来往，并交换一些各自的著作。我接受过他好几本书，如《王维传》、《李商隐传》及《东北古代文学概览》。他曾邀我为其《韩孟诗派研究》一书撰序。我觉得，对我们这样的人来说，学术情谊比什么都宝贵。

　　宝魁同志自20世纪80年代后期起，先后执教于沈阳师范大学和辽宁大学中文系。这段时期，他于教学之余，一直是勤奋刻苦、孜孜不断地从事学术研究。他的研究，大致分为两路，一是唐宋时期文学，一是东北古近代文学。唐宋文学研究应该说是学术熟地，从事的人甚为密集，难度较大；东北文学虽然是大片沃土，但真正要有所收成，也需费不少劳力。我觉得，宝魁同志在这两方面，都能不局限于传统格局，力求拓宽研究领域，加强探索深度，并努力把专业研究成果更好地为广大读者接受，这应当说是当前我们古典文学界值得思考和倡导的。

　　我于1999年6月为其所著《韩孟诗派研究》所作的序中，对

《东北古代文学概览》作过概略的评述,谓:"此书勾勒出东北古代文学的大致轮廓和发展脉络,材料宏富,考证翔实,结构清楚,新见迭出,拓展中国文学史地域性研究,表现出难得的开拓精神。"此书虽于1993年出版(春风文艺出版社),但实际操作已从1988年开始,1991年完成。大家知道,我国关于古代的区域文学史研究于20世纪90年代形成一个热点,有好几部颇有特色、学术性较高的专著,如王齐洲等著《湖北文学史》、陈庆元著《福建文学发展史》、陈书良主编《湖南文学史》等。但这几部书都于1995年后问世,宝魁同志的《东北古代文学概览》,与《岭南文学史》、《山西文学史》,则同于1993年出版,可以说是这一文学史新领域的较早启动之作。

宝魁同志此书虽从东北的古代神话与民间传说及先秦两汉期间开始,贯述魏晋南北朝及至辽金元明清,而其重点则是清代;其书下编清代胪列不少作家,包括中原地区流放于东北,及东北本地区的文人,他们的作品是很有时代、社会特色的。但现有的中国文学史著作,对此极为漠视,不但一般作家,即使在清代颇有声誉的"辽东三老"(李锴、戴亨、陈景元),也无一字提及。实则这"三老"与中原文士多有交往,如桐城派散文大家方苞就与李锴相交甚厚,著名书画家郑板桥特有诗赠李锴。《四库全书总目》将李锴所著纪传体史书《尚史》一百七卷列于史部别史类,即正式收于《四库全书》,赞誉"其用力颇勤"。李锴与陈景元的诗文集虽被列于《四库全书》存目,但《四库全书总目提要》仍评李锴之《睫巢集》为"其诗意思萧散,挺然拔俗,大都有古松奇石之态";陈景元之《石闾诗》,"性既孤僻,思复刻峭,结习所近,乃在孟郊、贾岛之间"。至于列为《东北古代文学概览》最后一章,作为东北诗坛古近代之交的代表诗人魏燮均,所有文学史著作对此更未有注意。如果今后撰写新的文学史,充分吸收宝魁同志此书以及其他的区域文学史专著,我相信,我们中国文学史的整体内容定当更为规范。近几年来,文学的地域研究,已引起学界的关注。老一辈学者如曹道衡先生有好几篇论文,论述南北朝时期学术、文艺的地域差别(见所著《中古文史论丛》,河北大学出版社 2003 年 10 月);中青年学者如李浩教授,有《唐代关中士族与文学》、《唐代三大地域文学士族研究》。这是我们古典文学研究进一步发展的良好前景。

值得庆幸的是,宝魁同志在完成《东北古代文学概览》之后,继续往前,立志于扩大研究成果,从事于文献整理。他先计划校注《湛然居士集》,近年又将魏燮均《九梅村诗集》作全面辑集,并作详细校注。金毓黻先生曾于民国年间编纂《辽海丛书》,辑集不少东北古代文献,极有价值,但可惜未能得到魏燮均此书。宝魁同志对此甚为遗憾,又本于对华夏文化整理的挚爱之情,因此立志:"尽全力收集、整理、弘扬古代近代之东北文学成为我人生主要理想之一。"(见本书《前言》)这部新版《九梅村诗集》应该说就是这种学术奉献精神与乡土挚情的体现。

文学史著作是由文学史观与文学史料构成的,这二者缺一不可。在某种意义上,史料当是前提。如宝魁同志《东北古代文学概览》之所以能将魏燮均独列一章,就是因为他及时注意到光绪与民国时的《九梅村诗集》两种版本。尤为可贵的是,他于早期一个偶然的机会获得另一原稿本,这一原稿本比上述两种版本多出

248首诗,这不仅使魏燮均所传存之诗增至1720首,而且使魏诗增强数量无可比拟的文学价值和史料价值。特别是魏氏当时两次进京,记录19世纪60年代的京师风情,以及据其亲身见闻,具体记叙、描述崇文门内的贡院,宣武门外的法源寺,广安门附近的天宁寺,以及郑板桥曾居住过的天宁寺后绿野山房。这些,对于今天居住于北京的人来说,无异是出土文物的开发。

中国古代编纂地方文献,是一个很好的传统,这对于今天撰写区域文学史,是基本的史料依据。唐代在这方面已编有好几种,如盛唐开元时殷璠,一方面选辑全国范围的著名诗作,编为《河岳英灵集》,一方面又专心于当地润州(今江苏镇江)五县诗人作品的编选,辑有当时十八人的诗作,编为《丹阳集》,这可以说是唐代编地方诗歌文献的开端。可惜此书于南宋中叶已散佚,现有复旦大学陈尚君教授的辑佚本(载拙编《唐人选唐诗新编》,陕西人民教育出版社1996年10月)。据《新唐书·艺文志》,当时还有一些地区的诗人聚会唱和诗集,如《大历年浙东联唱集》、《汝洛集》、《吴蜀集》、《汉上题襟集》等。宋代由于版刻印刷兴起,文化普及,这方面的文献就更多,且容易传存,不像上面提及的唐代这几种诗集,经唐末五代战乱,几乎都已流失。我因是浙江人,这里不妨举浙江区域的几个例子。一是北宋神宗时孔延之所编《会稽掇英总集》二十卷。会稽(今浙江绍兴)的山水人物,久有美名,赋咏的诗文也多,但至北宋也多散失,孔延之"因博加搜采,旁及碑版石刻","所录诗文,大都由搜岩剔薮而得,故多出名人集本之外,为世所罕见"(《四库全书总目提要》卷一八六集部总集类)。前面提到的《大历年浙东联唱集》,为五十七位文士于中唐大历时在越州联句唱和之作,此书后失传,而《会稽掇英总集》则辑有二十多首。清初修《全唐诗》,曾据以录入,但仍有好几首诗失收。另外南宋时又有三部类似的地方诗文集,如李庚等所编《天台集》,林表民编《赤城集》,董弅编《严陵集》。据《四库全书总目》卷一八七《严陵集》提要,称"弅自序谓尝与僚属修是州图经,搜求碑版,稽考载籍,所得逸文甚多"。这些总集类的书,不单为今人编《全宋诗》、《全宋文》提供丰硕的材料,而且也是研究宋代浙江文学的基本依据。浙江在这方面,自宋以后是一直延续的,如清前期胡文学辑有《甬上耆旧诗》三十卷,后全祖望又编有《续甬上耆旧诗集》一百四十卷,民国时宁波籍学人张寿镛更编有《四明丛书》八集,收书178种,共1177卷。去年12月,宁波市召开"明清浙东学术文化国际研讨会",就有学者提出,由于浙东文化源远流长,底蕴深厚,可以继张寿镛后,再编一部《续四明丛书》。这似乎已成为当今地方文化建设的新起风尚。今年3月初,我接到一封聘书,杭州市决定编纂"西湖丛书",该丛书由三大板块组成:一部大型学术著作《西湖通史》,一套分述西湖名山、胜景、人物等四十分册的《西湖全书》,一套综合型的古文献著作《西湖文献集成》,杭州市领导特为此聘我与其他一些作家、学者为学术顾问。我这里之所以概述、介绍古今地方文献的编著情况,是想寄望:以宝魁同志这部《九梅村诗集》校注本为新的起点,对东北的文学史料和地方文献,能有一个全面系统的整理规划。

我这里再说几句,就是我感到宝魁同志治学有一个很好的格局,就是不使专业研究的局面限于小范围,尽量拓宽读者面,使传统文化的优秀因素为现代读者易于理解和乐于接受。这部《九梅村诗集校注》也是如此。他不限于古籍整理的传统做法,即只是一般性的标点、校勘,而是注释字句,阐发诗意;既扼要指明诗篇主旨与含义,又画龙点睛地启示诗句的艺术情趣与魅力。在注中有好几处指出此处意境从某某诗句化出,上起陶渊明、鲍照,后有王维、李白、杜甫、李贺、李商隐、苏轼、范成大等。这一方面固然是魏燮均本身的艺术造诣,而另一方面更体现宝魁同志两种治学路子,即研究古典文学与东北文学,能互相推动与融合。这也是我这次应嘱作序,再次翻阅宝魁同志几部著作和这部《九梅村诗集校注》所得的感受。

2004 年 3 月下旬于北京六里桥寓舍

原载辽海出版社 2004 年版《九梅村诗集校注》,此据大象出版社 2008 年版《学林清话》录入

《中国古代诗文名著提要》选辑

　　近一二年来,我受学界友人的委托,筹划一个项目,名为《中国古代诗文名著提要》,大致包括传统集部别集类与诗文评类。总集类与楚辞类,因工作量太大,这次就不列入,待以后考虑。目录著作一直受到古代学者的看重,清代著名学者王鸣盛在其《十七史商榷》中曾引金榜的话说:"不通《汉书·艺文志》,不可以读天下书。《艺文志》者,学问之眉目,著述之门户也。"(卷二十二《汉艺文志考证》)而目录类著作,一般分书目与提要两类,提要即自西汉刘向《别录》就已开始,但比较简单。此后很长时期,如官修正史《艺文志》,有时仅有一二句小注,并未有提要。自南宋《郡斋读书志》、《直斋书录解题》起,到明人一些私人藏书目录,又撰有提要,但大致还较简略,并只偏于版本著录。真正从学术角度为经史子集四部传统典籍作提要的,是清乾隆时由纪昀主持修纂的《四库全书总目提要》,故清季张之洞给予极高的评价,认为:"将《四库全书总目提要》读一过,即略知学术门径矣。"(见其所著《輶轩语》)《四库全书总目提要》实际上已不止是目录类的书,而是从文献学的角度,对乾隆以前我国传统典籍进行整体概括和具体评析。

我觉得,我们现在应当站在新世纪学术发展的高度,继承前人和当代的研究成果,用提要这一极有意义的民族形式,选择古代有学术价值、有代表性的著作,一一加以介绍和评议。

如果我们把传统经部中《诗经》类列入,再加上集部各类,以及为《四库全书》屏弃的戏曲、小说等,合在一起,编纂一套颇具规模的提要丛编,这就会是新时代的中国古代文学要籍百科全书,将为古代文学研究的持续发展奠定扎实的基础。因此我希望这一诗文名著提要为这一宏大行程启一个良好的开端。现在将已撰就的提要选出十一篇,刊登于《文学遗产》,是得到编辑部大力支持的。因为《文学遗产》刊登的主要是论文,而我们这次提供的则是提要。我曾向编辑部提出,古典文学研究,可以采取多种方式,我们的研究思路宜于开阔,研究方式同样可以活跃,提要可以作为学术研究的一种体裁,在新时代进行尝试。事实上,近些年来有些学者已从《四库总目》中关于词集、词话的提要论述清代中期的词学思想,从金、元时期诗文集提要论述当时学者对金、元诗文创作的评估,可见学术界已对《四库总目提要》所反映的清代文学思想发展行迹加以重视。这是值得注意的。我的这一意见也得到《文学遗产》编辑部的首肯,因此编辑部给予相当的篇幅,刊登这十一篇提要,我深致谢意。

我们经多次商议,确定每一篇提要,大致包括著者(及校注者)简历、内容要旨、学术评议与版本介绍。这四部分视各书情况,可各有侧重。著者事迹,凡正史有传或知名度较高者可少写,不知名者可适当多写。所叙行迹,都须注明出处,以表示言必有据。内容要旨与学术评议,主要从文献学的角度,论述各书的编集情况,同时兼述文学成就与创作倾向,但并不以此作为主要内容,以与文学史著作有所区别。版本介绍,主要概述著作流传和刻印过程,并且注明当代整理成果,有些版本著录较复杂的,可作较详的说明,以提供切实有用的知识。

现在的分工情况是:汉—唐分卷由南京师范大学郁贤皓教授主持,两宋分卷由四川大学祝尚书教授主持,辽金元分卷由安阳师范学院查洪德教授主持,明清分卷由苏州大学马亚中教授主持,诗文评分卷由上海大学刘德重教授主持。所收书将不低于二千种,这就远远超越《四库全书》这一门类所收(《四库全书》所收别集类为九百六十一种,诗文评类为六十四种),也较目前已出版的文学史著作,涉及面更广也更细。我们希望在学术界的协助下,尽快完成这一项目。

李太白文集三十卷　(唐)李白撰　(宋)宋敏求编(提要略)(郁贤皓)

薛涛诗一卷　(唐)薛涛撰　(提要略)(陈敏杰)

咸平集三十卷　(宋)田锡撰(提要略)(祝尚书)

河东先生集十五卷(宋)柳开撰(提要略)(祝尚书)

湛然居士文集十四卷　(元)耶律楚材撰(提要略)(查洪德)

桐江集八卷　(元)方回撰(提要略)(李　军)

四溟山人全集二十四卷　(明)谢榛撰(提要略)(陈国安)

两当轩集二十卷　(清)黄景仁撰(提要略)(马亚中)

诗式五卷(唐)释皎然撰(提要略)(张伯伟)

唐诗纪事八十一卷　（宋）计有功编撰（提要略）（刘德重林建福）

莲堂（塘）诗话二卷　（元）祝诚辑（提要略）（陈尚君）

原载《文学遗产》2004 年第 2 期，据以录入，有删节

《步辇图》题跋为李德裕作考述

一

　　故宫博物院藏《步辇图》是一幅流传有绪的历史名画,历来以为是唐初阎立本所绘。徐邦达先生主编《中国绘画史图录》上对此画是如此说明的:"唐　阎立本　步辇图卷(宋摹本)","设色画:唐太宗李世民接见西藏使臣禄东赞的一段故事。画中李世民乘坐着'步辇',由四宫女抬行。无款,传为阎画。本幅上有宋初章友直(伯益)用小篆书写的那段故事情节,并录唐李道誌、李德裕'重装背'时题记二行。"①这段说明可说是多闻阙疑,慎言其余。首先,其断定此图是"宋摹本"。其次,说明此图"传为阎画",亦即宋人摹本以阎画为底本。最后,确定唐李道誌、李德裕"重装背"时有题记二行(实际上有三行;说详下文)。这些都是

---

① 徐邦达:《中国绘画史图录》上,上海:上海人民美术出版社,1981 年版。

正确而有价值的意见。略嫌不足的是，章伯益篆书共十四行，除开头三行为"李道誌、李德裕'重装背'时题记"，末行"唐相阎立本笔"一句显然是章氏口吻，那么中间十行写的"唐太宗李世民接见西藏使臣禄东赞的一段故事"系何人所撰呢？作者未明确说明，这就难免使读者生疑。

在 2002 年末至 2003 年初，由上海博物馆首创的晋唐宋元国宝书画展上，传为阎立本之《步辇图》引起学界的特别关注。书画研究者陈启伟对著名画家陈佩秋的访谈《还〈步辇图〉的真实面目》在上海《文汇报》刊出①，不久，陈启伟撰写的《名画说疑——陈佩秋访谈录》一书出版②。章伯益篆书是引起陈佩秋先生种种怀疑的主要原因。陈先生语出惊人，她判定：此图"非唐画，更非阎立本的作品，而是后人的一件伪作"，其"绘画艺术水平很差，它的榜题以及后面的章伯益的书法艺术的水平也差"，其"既不是唐人的，也不是宋人的。"③陈氏之论谓其"非唐画"确有多闻阙疑之益，然其余论断则可商榷。对这样一幅千古名画作是非优劣的判定应较为审慎，陈先生的贬抑之论在相关的《题跋的疑问》及历史文化背景的阐述上均未稳妥，此不仅仅关涉书画艺术，更有关于史学。

---

①陈佩秋：《还步辇图的真实面目》，上海：文汇报，2002—11—13。
②陈启伟：《名画说疑——陈佩秋访谈录》，上海，文汇出版社，2003 年版。
③陈佩秋：《还步辇图的真实面目》，上海：文汇报，2002—11—13。下文引陈佩秋语，未注出处者均同此。

二

综合现存关于《步辇图》的各种文献,笔者以为此图应是北宋前期的摹本,而阎立本的原画在宋元之时,米芾、汤垕都曾亲眼有见,记于他们的著作中。

章伯益生于宋真宗景德三年(1006),卒于仁宗嘉祐七年(1062),与唐宋八大家的欧阳修、苏洵差不多同时,严格地说,他是北宋前期人。章氏以篆书著称,宋人撰《宣和书谱》云:"自李斯篆法之亡而得一阳冰,阳冰之后得一徐铉,而友直(伯益之名)在铉之门,其犹游夏欤!"[1]徐铉由南唐入宋,卒于宋太宗淳化二年(991)。翌年,宋太宗命侍书王著将内府所藏前代书札名迹临摹刻版,拓赐大臣。著名的《淳化阁帖》即产生于这一时期,并长期影响了宋代文士注重书法的风习。章伯益未及为宋初徐铉之及门,他是徐铉卒后的私淑弟子;在那个注重书法艺术的时代,他们都名重一时。此番在书画国宝展上,我们有幸千载一逢,目睹此画,并仔细观摩了章伯益书写的十四行篆书,觉得其浑圆中锋,庄严美观,足与画中形神兼备的人物描绘相得益彰,并非如陈佩秋先生所说是:"没有水平的人所写"。笔者无意在此对章篆之优劣作见仁见智之辩,重要的是探索其是否为章伯益所书关系到此画

---

① 宋佚名:《宣和书谱》卷二,上海古籍出版社出版之文渊阁《四库全书》第813册,1987年版。

的临摹年代,以及其是临摹本还是后人伪作等问题。

此画应是北宋早期的临摹本,其底本当是阎立本原画。如前所述,章篆末行"唐相阎立本笔",显然是唐以后人的口吻;同时,章氏此语已透露此画是按"唐相阎立本笔"而临摹的。我们在画幅拖尾还看到北宋米芾、刘次庄、张舜民等十余人从元丰三年(1080)八月廿八日到元祐元年(1086)孟夏四月的题跋观款,其中对章篆作评价的二人:其一曰:"阎相国之本,章伯益之篆,皆当时精妙。元丰甲子孟春中澣日圃泽张向书于长沙之静鉴轩。"元丰甲子即元丰七年(1084)。其二曰:"元丰七年二月三日观步辇图,章伯益篆诚佳笔也。长沙刘次庄。"张向、刘次庄所言确非无根之谈,尤其是刘氏为北宋书法名家及书法理论家,其专著《法帖释文》乃专精之作,像他这样的专家是不会轻许他人的。

既然此画是宋人摹本,那么章篆末行何以称其为"唐相阎立本笔",张向题跋又称其为"阎相国之本"呢? 这其实是当时文士对宫院摹本的习惯称法。摹本是当作"下真迹一等之副本"被珍视的。中唐宰相张弘靖家富有历代书画收藏,可与宫廷秘府相比,其中有些就是唐代宫廷的摹本。晚唐时,张弘靖之孙张彦远曾专门描述过宫中高手摹搨前代书画的情况:"古时好搨画,十得七八,不失神采笔踪,亦有御府搨本,谓之官搨。国朝内库翰林、集贤秘阁,搨写不辍。承平之时,此道甚行,艰难之后,斯事渐废。故有非常好本搨得之者,所宜宝之,既可希其真踪,又得留为证验。"①

---

① 张彦远:《历代名画记》卷二,上海古籍出版社出版之文渊阁《四库全书》第 812 册。

张彦远所述唐人珍视宫院摹本的情况，相沿成习，对后代也有深刻影响。北宋宣和画院和南宋绍兴画院，聚集了不少书画高手，摹揭历代名家书画，真迹与摹本同被珍藏。那些"下真迹一等之副本"亦常被当作真迹珍视。如唐初冯承素、虞世南、褚遂良临摹王羲之《兰亭序》，传为冯承素的摹本最得王羲之原作神韵，后人往往称冯氏摹本为王羲之《兰亭序》，这犹如章伯益称宋摹本《步辇图》为"唐相阎立本笔"，张向称其为"阎相国之本"那样。又如王羲之《快雪时晴帖》，今人考证为唐摹本，由于摹揭逼真，大获乾隆喜爱。他在《三希堂法帖》的题跋中称："王右军快雪帖为千古妙迹，收入大内养心殿有年矣……因合子敬中秋、元琳伯远二帖，贮之温室中，颜曰三希堂。"精妙的摹本连赵孟頫这样有鉴赏力的行家都辨识不清，信以为真，更遑论乾隆之辈了。因之，这些"下真迹一等"的临摹本与后人为谋利作伪的作品是有本质区别的，不可混为一谈。

三

　　章伯益用篆书书写的长跋包含着多重历史信息，如今书画界恰恰对跋文的阐释有不少错误，亟须澄清。知人论世，把跋文当作历史文献来阅读，我们才能弄清晚唐时对阎立本原画重新装裱者、跋文撰写者，以及用篆书过录跋文到临摹本上者等问题。为便于读者理解，按其格式将章篆十四行跋文加标点，重录于下：

太子洗马武都公李道誌　　　　　　（行 10 字）

中书侍郎平章事李德裕　　　　　　（行 10 字）

大和七年十一月十四日重装背　　　（行 13 字）

贞观十五年春正月甲戌，以吐蕃使　（行 14 字）

者禄东赞为右卫大将军。禄东赞　　（行 13 字）

是吐蕃之相也。太宗既许降文成　　（行 13 字）

公主于吐蕃，其赞普遣禄东赞来逆，（行 14 字）

召见顾问进对皆合旨。诏以琅邪　　（行 13 字）

长公主外孙女妻之。禄东赞辞曰：　（行 13 字）

臣本国有妇，少小夫妻，虽至尊殊　　（行 13 字）

恩，奴不愿弃旧妇。且赞普未谒公主，陪（行 15 字）

臣安敢辄取。太宗嘉之，欲抚以厚　　（行 13 字）

恩，虽奇其答，而不遂其请。　　　　（行 10 字）

唐相阎立本笔　　　　　　　　　　（行 6 字）

紧接篆文，另起一行下端有"章伯益篆"四个小字，乃用楷书书写。

酌参唐宋文献，我们以为跋文表明，"重装背"者是李道誌与李德裕，撰写题跋者是李德裕，用篆书过录题跋到临摹本上者确实是章伯益。

关于李道誌，陈佩秋先生说："从题跋看，'太子洗马武都公李道誌'，表明此题跋由李道撰写。按李道的官衔，史书应当有传，但廿五史的人名索引中只有三名李道，他们所处的朝代分别是魏、北齐和宋。"这显然是误读跋文，至于阎立本图上跋文的人物更与魏、北齐和宋各朝的人不相及。古代汉语固然可释"誌"为

"记",但从题跋格式看,第一行"太子洗马武都公李道誌"与第二行"中书侍郎平章事李德裕"平齐,因而此人姓李名道誌,而不是姓李名道。严格地说,第三行"大和七年十一月十四日重装背"仍是"李道誌、李德裕'重装背'时题记"。这种精确的年月日记事,说明他们都是晚唐文宗大和间生活着的人。李道誌官位太子洗马,据《新唐书·百官志》:东宫官,"司经局,洗马二人,从五品下。掌经籍,出入侍从。"但史书上没有他的传并不奇怪。晚唐时期,史失其官,晚唐实录多有亡佚,乃至方镇大吏在两《唐书》中亦不乏语焉不详者。然其爵位武都公,乃武都郡公之省称,高达正二品,此人当是李唐宗室。《旧唐书》卷六〇《宗室传》,记唐高祖从父兄子淮南王李道玄,其弟道明即为武都郡公,唐太宗时人。此即可为一佐证。李道誌可能就是《步辇图》的收藏者。大和七年(833),李德裕首次任宰相,进封赞皇伯。七月丁酉,为中书侍郎。李道誌请有"大手笔"之称的宰相李德裕鉴赏并题画,这是很自然的事。李德裕为著名书家,不仅家中富有书画收藏,而且经眼的历代书画名迹极多,因此主张对这幅名画重装裱褙的应是李德裕。在题写姓名时,他将爵位崇高的李道誌写在首行,亦是很自然的事。

书画研究者陈启伟在与陈佩秋先生讨论李道誌其人时,表现出对唐代历史颇为隔膜。他说:"这个李道可能是中唐时人。因为他前面的官衔是'太子洗马',这个官衔从秦汉开始设置,唐代仍有传承。我估计,这个李道可能是武则天时期的一名为太子掌管书籍的小官。武则天好赐'武'姓,'武都公'是否为武则天的赐名?"①

---

① 陈启伟:《名画说疑——陈佩秋访谈录》,上海,文汇出版社,2003年版。

且不说其误读跋文,将李道志说成李道,其年代上的混乱实在不应该。大和年间是晚唐,武则天在初唐,两者相隔150年之遥。作者又说"李道可能是中唐人",这就连唐朝初、盛、中、晚的基本常识都没有弄清楚。武都公明明是封爵,却被作者误解为武则天赐名。这对普通读者造成的混乱是亟须澄清的。

关于李德裕,陈佩秋先生说:"假设《步辇图》中的题跋是李德裕所写,那么让我们再来对照题跋内容和史书记载,结果发现,题跋行文内容与史书有惊人的相似",由此她推断题跋不是李德裕撰写,因为"《旧唐书》,后晋同中书门下平章事刘昫撰修,唐朝中期的李德裕是不会从100多年后的史书中抄录题跋的。"

事实恰恰相反,此图题跋应出自李德裕之手。首先,李德裕撰写题跋有文献为证。米芾《画史》述《唐画》第二条即云:"唐太宗《步辇图》有李德裕题跋。人后脚差是阎令画真笔。今在宗室仲爰君发家。"① 元代汤垕《画鉴》述《唐画》第一条更明确说:"赞皇李卫公小篆题其上,唐人八分书赞普辞婚事。"② 汤垕《画鉴》乃经后人辑佚成书,中间多有脱误,此处将禄东赞辞婚说成赞普辞婚,即是一例显误。但他与米芾一样看到过原画上李德裕的题跋,这是毋庸置疑的事实。如今的宋人临摹本上已不见李德裕篆书与唐人八分书,只有章伯益的篆书。但是题跋中精确的年月日"大和七年十一月十四日"、"贞观十五年春正月甲戌",与李德裕仕履合榫的官职"中书侍郎平章事",只能来自亲身经历过,而又

---

① 米芾:《画史》,上海古籍出版社出版之文渊阁《四库全书》第813册。
② 汤垕:《画鉴》,上海古籍出版社出版之文渊阁《四库全书》第814册。

精通史书的李德裕。因此,可以肯定的是,章伯益篆书前三行说明"重装背"的题记,后十行用小篆书写的那段故事情节,都是过录李德裕在原画上的题跋而来的。

其次,关于题跋行文内容与《旧唐书》所载惊人相似的问题,这当然不可能是李德裕抄录《旧唐书》,而是《旧唐书》的编撰者大量抄录唐代的实录及相关文献资料而造成的。如《旧唐书·李德裕传》就大量抄录李德裕的文章、奏疏。早在"文革"时期出版的中华书局标点本《旧唐书》的《出版说明》中,编辑者就指出:"《旧唐书》成书时间短促,大抵抄撮唐代史料成书。"李德裕身历翰林、方镇、宰相,十分注重修史。他的题跋内容自当本之于《太宗实录》,因之年月日都有明确记载。同样原因,《资治通鉴》卷一九六《唐纪》载贞观十五年春文成公主入藏事件,内容与李氏题跋、《旧唐书》所载相一致,而纪事更为详尽。这些史书与题跋惊人相似的现象实不足为奇,因为它们的史料来源是一致的,当同出于《太宗实录》。

最后,此图题跋应出自李德裕之手尚有充分的历史文化背景可予证明。我们曾合作编撰了《李德裕文集校笺》。此书的大量资料表明李德裕为书法名家及书画鉴赏大家。早在宪宗元和十三年(818),他就代张彦远的祖父,时任河东节度使的张弘靖撰拟过《代高平公进书画状》、《进玄宗马射图状》①。此事,张彦远《历代名画记》卷一《叙画之兴废》亦有记载。另外,李德裕家的历代

---

① 傅璇琮、周建国:《李德裕文集校笺》别集卷五,河北教育出版社,2000年版。

书画收藏亦很丰富。宋洪迈《容斋三笔》中录有李德裕题王维《辋川图》跋文两则:一则题于"大和二年戊申正月四日",另一则题于"开成二年秋月望日",年月日分明,下署官职或钤官印,其格式正如《步辇图》的题跋。其中李氏说到其父李吉甫的书画收藏曰:"乘闲阅箧书中,得先公相国所收王右丞画《辋川图》,实家世之宝也。先公凡更三十六镇,故所藏书画多用方镇印记。"①由此可见,他所经目的历代书画名迹之多。作为一代名臣,李德裕题写的手迹,还被欧阳修《集古录》、赵明诚《金石录》等著录,可见其影响之广泛。上引洪迈文的结处云:"虽今所传为临本,然正自超妙。"说明洪氏所见李德裕题跋同样是由临摹者过录的,这与宋摹本《步辇图》题跋的情况相似。

李德裕身居高位,胸怀大志,其题画往往有浓厚的历史政治色彩。如李氏所撰《进真容赞状》、《进黠戛斯朝贡图传状》②、《重写前益州五长史真记》③、《圯上图赞》④,都是与绘画有关,历史政治色彩浓厚的文章。李德裕在经历了大和、开成的仕宦风波后,武宗会昌时期再度任宰相。其时,他所撰《进黠戛斯朝贡图传状》反映了唐廷坚持太宗以来汉胡和睦、天下一家的边境政策。其云:"臣伏见贞观初,因四夷来朝,太宗令阎立本各写其衣服形貌,为职贡图。……所冀圣明柔远之德,高于百王;绝域慕义之

---

①傅璇琮、周建国:《李德裕文集校笺》别集卷五,新补李德裕佚文佚诗引洪迈文。
②傅璇琮、周建国:《李德裕文集校笺》正集卷一八。
③傅璇琮、周建国:《李德裕文集校笺》别集卷七。
④傅璇琮、周建国:《李德裕文集校笺》别集卷八。

心,传于千古。"①会昌三年(843)二月底,与此文同时又有《黠戛斯朝贡图传序》回顾太宗正确处置殊域来朝者的政策,盛赞:"太宗往日之惧,致我唐百代之隆,则圣祖诒谋,可谓深矣。"②李德裕对于外族入侵主张坚决抵抗,对于友好的来朝者则坚持汉胡和睦政策。这些文章与他在文宗大和七年任宰相时所作《步辇图》的题跋如埙篪相应,奏出了汉胡和睦、天下一家的主旋律。

四

关于此画所反映的历史真实问题也有必要探讨一番。陈佩秋先生断其为"后人的一件伪作",因而怀疑道:"大唐的太宗皇帝,接见外国使节,怎么可能随随便便就接见呢? 禄东赞来自西藏,唐太宗身边怎么可能没有一名侍臣? 而且左右侍候的人全是女的呢?"事实是禄东赞为吐蕃向唐朝求婚的友好使者,并非被迫出使的荆卿之辈。左右侍候的人亦非全是女人。禄东赞前为穿红袍的典礼官,禄东赞身后穿白衣的翻译人员,皆为唐廷官吏。

此画的历史背景在李德裕的题跋中已说得很清楚:"太宗既许降文成公主于吐蕃,其赞普遣禄东赞来逆,召见顾问进对皆合旨,诏以琅邪长公主外孙女妻之。"和亲政策带来汉胡民族间的睦邻友好,而不是猜忌。今据史法严谨的《资治通鉴》记载可知事件

①傅璇琮、周建国:《李德裕文集校笺》别集卷一八。
②傅璇琮、周建国:《李德裕文集校笺》正集卷二。

的大致经过。《通鉴》卷一九五载,贞观十四年冬闰十月丙辰,"吐蕃赞普遣其相禄东赞献金五千两及珍玩数百,以请婚。上许以文成公主妻之。"题跋所谓"贞观十五年春正月甲戌,以吐蕃使者禄东赞为右卫大将军",已是许婚以后三个月的事情了。《通鉴》卷一九六所载与题跋同,然后又载:"丁丑,命礼部尚书江夏王道宗持节送文成公主于吐蕃。"正月甲戌为十二日,丁丑为十五日,前后只有三天,文成公主即行入藏,可见唐与吐蕃的关系十分友好,太宗对这位来自吐蕃的使者也十分信任。《通鉴》卷一九七载,贞观十八年十二月,太宗就处置汉胡关系对群臣说了一番很深刻的道理。他说:"夷狄亦人耳,其情与中夏不殊。人主患德泽不加,不必猜忌异类。盖德泽洽,则四夷可使如一家;猜忌多,则骨肉不免为仇敌。"这幅画所反映的唐廷与吐蕃的和亲事件,以及李德裕画龙点睛的题跋,实为对于太宗此语的典型而生动的描述,深刻地反映了当时的历史真实。

陈佩秋先生还提出如何看待乾隆皇帝对宫中所藏此画不作题跋的问题,她说:"乾隆是个好鉴定并喜欢在画上盖章题字的皇帝,我想或许他也怀疑此画是伪作,所以没有在上面题字和盖印。"这确实是一个发人深省的问题。乾隆不在此画上题字盖印,恐怕是事出有因。清代前期康乾之世虽号称盛世,而明遗民及其后人的反抗精神依然十分强烈。清廷以少数族入主中原,在文化上以儒家继承者的面目出现,以谋引用汉族士人。但清廷对夷夏之辨,汉官威仪一类文辞高度敏感。乾隆时也兴文字狱,修《四库全书》时馆臣们有篡改古籍中"夷"、"虏"等字样,可见其对汉人猜忌之深。像这样一幅大唐皇帝接见少数族使臣的画作,场面上是汉官威仪,题跋中吐蕃宰相自称"奴"、"陪臣";吐蕃君主见唐廷公主称"谒"。诸如此类的画面文字会引起乾隆皇帝怎样的观感是可想而知的。因此,乾隆不愿在此画上题字盖章,恐不是他在鉴定上发现了什么疑点,其原因在历史背景与政治文化上去寻找会更合适些。

与周建国合撰,原载《文献》2004 年第 2 期,据以录入,另刊《中国书画》2004 年第 11 期

徐宗文《三余论草》序

  20 世纪 80 年代以来，我不自量力，曾连续应嘱，为学界友人的专著作序。首次所作的，是我的师友、北京大学中文系陈贻焮教授的《杜甫评传》（上海古籍出版社 1982 年版），后有几位比我年龄稍大、可称为我之学兄的，如南开大学中文系罗宗强教授《玄学与魏晋士人心态》（浙江人民出版社 1991 年版）、中国社会科学院文学所曹道衡研究员《中古文学史论文集续编》（台北文津出版社 1994 年版）、南京师范大学中文系郁贤皓教授《唐刺史考全编》（安徽大学出版社 2000 年版），其他多为近二十年来有独到成就的中青年学者。他们都为高校或研究机构的学者，现在徐宗文先生要我为他的学术论文集《三余论草》写几句话，这可以说是我多年来唯一为我同行写序，真是一个难得的缘分。正因如此，我在接到宗文先生所寄校样后，即不畏酷暑，通阅全稿，读后既有一种思辨清晰所引起的理性愉悦，又重增编辑学者化、为同行争气的信念。

  宗文先生在《跋》中解释其书名"三余"时，说他长期在编辑岗位上，正常事务日不暇给，法定假日也不能保证，因此，他这本书是在"审稿编稿之余,开会出差之余,吃饭饮茶之余"争抽时间写出的。这对我来说真有"同甘共苦"之感,实际又含有同行互勉的欣慰之情。宗文先生说他在 20 世纪 70 年代末、80 年代初作《中国古代文学作品选》责任编辑,一种工作的责任感逼着他反复看校样,连一个标点都不能错过。这我也有同感。我于 60 年代初在中华书局,有一次审阅北京大学中文系所编的《魏晋南北朝文学史参考资料》,注文中引文我差不多一一查书核对,在稿纸旁边贴满纸条。"文革"后北京大学袁行霈先生一次与我闲叙,就特为提起此事,说北京大学教师当时看了后,对编辑工作之艰辛真是深有所感。

宗文先生后又任社领导,除书稿复审、终审外,还会有制订计划、安排工作以及开会、接待等众多事务。这我也有同感的。我自 80 年代初以后,先后任中华书局副总编、总编职务,1992 年以后又受匡亚明先生嘱托,兼任当时国家古籍整理出版规划小组秘书长,事情杂乱,几乎达到杜甫所说"束带发狂欲大叫,簿书何急来相仍"的程度。但我与宗文先生同样,仍有一种想读书、做学问的心愿,而编辑工作也能提供这种机缘。如宗文先生在《跋》中说及,因为他任《中国古代文学作品选》责任编辑,就将此书三校苦读,这样也就"把这三本书、几百篇诗文读得滚瓜烂熟",这恐怕在高校、研究机构也不一定能有的。同时,他又因这部书所选司马迁文章较多,他也就将《史记》反复阅读,发现司马迁是尊儒崇孔的,并非如班固所说司马迁"论大道则先黄老而后六经",于是写出他第一篇颇具学术意义的论文:《略论司马迁思想的基本倾向——兼驳班固的道家说》,这对于研究司马迁思想,确能起一种重新探索的作用。

我觉得，作为一个编辑，当然首先要把本职工作做好，审读稿件，把住质量，开阔视野，组织选题，但同时还应提高本身的文化素质和学术修养，尽可能使自己在某一专业领域有所发展。学术研究与审读书稿，是可以互补互长的。比较起来，高校与研究机构，对专业研究来说，其客观条件应该说比出版社有所优越，但出版社的编辑也有其自身的有利之处。首先是，编辑无论组稿、审稿，接触面较广，有时文史哲不分，有时古今连通。"文革"前，我在中华书局文学编辑室，有时上个月应命写《诗经通论》出版说明，下个月又审晚清《人境庐诗草辑佚》。另外，无论审稿、加工，既要仔细核实材料，又要认真发现问题。出版界有一诙谐的戏语，说编辑工作者有一职业病，就是"挑毛病"。我想这是有见识的对编辑才能的善意评估，文化界是完全可以理解的。

过去对编辑工作者还有一种戏语，称"为他人作嫁衣裳"。实际上，真正自觉有所进取的编辑，虽为他人作嫁衣裳，自己并非一无所得，而且有时所得还要超过这所"嫁"之"衣"。我想，真正投入者，会有高校、研究机构所不易具备的求实、广学、敏思、高效这几项兼备的机能。就以宗文先生的这部学术论文集来说，这四项机能是体现得很明显的。1990年他参加山东大学举办的第一届国际辞赋学术讨论会，这是他第一次正式接触赋体文学专题领域，但他却马上写出《走向世界的标志——首届国际辞赋学学术讨论会述评》，对这次会议所讨论的有关赋体文学的意义、价值及其在文学史上的地位、影响，以及继续深入研究的取向，作了极为细致的全面报道。这确为体现编辑职业本身所具备的高效、广学的优势。

宗文先生幽默地说，这次是他由古代文学进一步进入辞赋研究的偶然机会。实际上这并非单纯的偶然，而是编辑学者化的必然趋势。宗文先生从事的辞赋研究，似并非面的铺开，而是点的深化。现在这部书中所收十六篇辞赋论文，以及有关汉魏六朝诗歌、散文、诗论著作，涉及的面是很广的，而每一篇所论，都是有为而发，新见迭出。如一般总认为司马迁是肯定大赋的，似乎是学界共识，但宗文先生却对此置疑，认为这关系到文学史、文学批评史以及司马迁本人的文艺观等一系列问题，于是撰写《史迁肯定大赋说献疑》一文，逐一对有关论点加以评析，提出言之有据、辩之有理的明确主张："他对汉大赋并不是如前人所评述的那样持积极的、肯定的态度，恰恰相反，总体上是保留的、消极的，有时甚至是否定的。"

又如西汉枚乘的代表作《七发》，一般研究者受时代因素的制约，多偏重于政治上的评估，忽视对作品本身的研索。宗文先生《〈七发〉三问》就特为提出三个问题，即：《七发》的基本思想是什么？《七发》的文体是什么？"七"体之源在哪里？后又写有《〈七发〉形式美之探讨》，可以说是切中要点，是建国以来集中阐释这一赋体杰作的少见佳篇。又如《东方朔作品小考》，先据史料记载，一一列出所传东方朔三十一篇作品，然后即逐篇考其真伪。这样做，确可补"迄今未有一人作出比较认真而全面的考证"之缺陷。又如《班氏赋作与班固赋论》、《崔为文宗　世禅雕龙》两文，不局限于单一作家作品，而举两汉时期有创作影响的班氏、崔氏两家，根据"知人论世"原理，从家族历史着眼，研究这两个家族有代表性人物的辞赋创作与理论,这可以说是古代文学群体研究一个很好的先例。这些年来,古代文学研究确已能开拓视野,不限于作家作品个体,而将文学与家族、地域结合起来进行综合的探索。宗文先生这样做,对当前古代文学研究确能提供有益的经验。我想,这也体现我们编辑求实、敏思的职业优势。

宗文先生所论,往往注意于创作实践与理论观念的结合,并进而探讨作家审美理想的文化涵义与艺术价值。如西汉末扬雄,东汉王充、南朝刘勰都对他评价极高,但学术界对扬雄文学观、审美观作系统性的评议与阐发还不够,宗文先生则抓住扬雄所说的"诗人之赋丽以则",并以此为题,详细论述扬雄的文学思想,精细阐释丽、则的含义,并具体探讨与之相关的"尚丽"与"重用"、"立事"与"著意"、"贵实"与"贱虚"、"因循"与"革化"等四对观念。这样细致的分析,不仅对两汉,而且对中国整体文学批评史与美学史研究,也很有意义。

正因如此,书中有好几篇论文,当时写出就立即受到学术界的重视与好评。如《也论山水诗兴盛的原因》,对这方面深有研究的北京大学葛晓音教授,见到此文后,即摘编该文论点,刊发于《文学遗产》。又如《钟嵘〈诗品〉"准的"蠡测》,针对后世评论者对钟嵘所品高下只作就人论人、就事论事的概述,乃着重分析钟嵘《诗品》的"准的",细释"准的"的三条标准,与作家、作品评议具体结合。这样做,也是一般研究者所未及注意的。也正因此,徐中玉先生主编《古代文学理论丛刊》时就特将此文选录。

这部著作可谈的的确还不少,有些倒不一定仅限于某个专题。如《当断不断反受其乱——昌邑王被废之因揭秘》,宗文先生可谓别具慧眼,给出了一个颇有启发性的答案,并引起学术界的注意。又如古诗名篇《孔雀东南飞》,一般读者是很感兴趣的,但其中有一个被忽略的问题,即诗中女主人公刘兰芝为什么被焦婆逐出,因而导致悲剧? 书中《为兰芝被休进一解》,就提出很有意思的解释,很多读者看了一定会很高兴的。限于篇幅,我这里就不一一介绍。我主要是就读后所得,作一次我们作为出版社编辑同行难得的学术交流。

我在前面提及编辑学者化,现在可能有不同看法。我觉得,编辑学者化,并不是说编辑一定要作一个专业学者,而是说编辑具有一定的专业志趣与成就,就有利于与文化界的交往,促进出版业务的发展。我们出版业正处于改革和发展的关键时刻,面临出版改制,注重市场经济,但我们还是要把社会效益放在首位,以此为基点,寻求社会效益与经济效益的结合点。

在这方面,宗文先生有两件事是使我很感动的。一是我的学术挚友吴汝煜先生,他于 20 世纪七八十年代长期执教于徐州师范学院,诚挚朴实,一心治学。他于 80 年代后期,在编成百余万字的《唐五代人交往诗索引》后,又与青年学者胡可先同志合作,编撰《全唐诗人名考》。这部书就《全唐诗》所收诗篇,共考核七千三百余人,对众多以行第、别称、官职、谥号相称的人物考出其本名,而且还连带指正《全唐诗》的错讹。我当时为此书所作的序言中,就已提出这部书的学术价值很高,但对出版社来说,必有相当经济压力。就在此书即将编成时,汝煜先生又身患重病,不久逝世。而宗文先生当时已是出版社的骨干编辑,对选题具有一定发言权,就毅然接受出版,且又作为此书的责任编辑,对稿件"反复校订，完备凡例体系，统一标点字体，夙夜匪懈，未遑暇息"；且在汝煜先生于南京就医住院期间，他"每隔日即趋探视，虽风雪无阻"。我这次重读宗文先生当时所作《全唐诗人名考》"后记"的这几句话，真使人深感编辑与学术界真挚合作的可贵精神。

另一事，是我八九年前与杭州大学古籍研究所龚延明教授叙议，鉴于宋代科举在唐代基础上更向前发展，制度更完备，登第人数更增多，多出唐人好几倍，很值得研究。但宋代科举史料条件较差，唐代有清代学者徐松所编《登科记考》，宋代则只有两三份单年科第名录，因此我和龚教授下定决心，共同策划编撰一部《宋登科记考》。此书的文献价值必将大大超过徐松的《登科记考》，但此书范围广，规模大，做了几年，已估计至少有四百万字，这就有一个出版的实际问题。后我与宗文先生谈及，他经与社领导商议，就毅然接受出版，并且还预支一定经费，减轻编纂工作的难度，这真是对学术工作的莫大支持。我想，这也可以说是编辑学者化的一种体现。

以上累赘叙述，可能还是词不达意，但终是我奉读这部《三余论草》之后的一次新的收获，谨以此向编辑同行和学界友人讨教。

2004 年夏于北京

原载江苏人民出版社 2004 年版《三余论草》，此据大象出版社 2008 年版《学林清话》录入

日藏稀见汉籍《中兴禅林风月集》及其文献价值

1999 年下半年,傅璇琮赴台湾清华大学讲学,时韩国在台湾大学读博士学位的研究生全文京,赠送了一份日藏宋代古籍《中兴禅林风月集》的复印材料,并有致傅的函件云:"此书藏于京都龙谷大学图书馆,严先生《日本所藏宋人文集目录》未收。注解乃日人所撰,不足取。诗则南宋末年禅僧之作,似乎中国已失传,然也不敢确定。"后因种种原因将此复印件暂时搁置,今方邀约宁波大学文学院的张如安,共同对此书作了初步的整理、考证。

一、《中兴禅林风月集》的成书及其选诗概貌

从互联网上查得,抄本《中兴禅林风月集》3 卷,日本京都府立综合资料馆藏,收录于平松文库及日本"新抄物资料集成"第 1 卷。此书从未见中国历代各类古籍书目著录,新出的古籍书目如严绍璗编撰《日本藏宋人文集善本钩沉》等亦未著录,我们迄今尚未获知国内各大图书馆有收藏的信息,看来这是一部弥足珍贵的

海外佚书。

《中兴禅林风月集》原题为"若洲孔汝霖编集,芸庄萧漈校正"。编集者孔汝霖生平待考。校正者萧漈,江西宁都人,淳祐六年丙午(1246)解试,淳祐七年丁未张渊微榜特奏名。萧漈是晚宋一位有一定名声的江湖派诗人,宋理宗绍定中曾避乱隐居赣州金精山。陈起《江湖后集》卷一五收录其诗30首,有传云:"漈字汛之,自号金精山民,有《竹外蛩吟稿》。按,金精山在赣州宁都县,《道书》三十五福地也,漈盖赣之隐者。"萧漈的生平交游难以详考,仅见江湖诗人胡仲弓有《柬萧芸庄》诗:"十载江湖梦,鸿飞不到君。近闻吟思苦,半为宦情分。往事随流水,怀人看暮云。相逢又相别,安得细论文?"表达了两位诗人的真挚友情。另元吴澄《吴文正集》卷十八《淡轩康氏诗稿序》提到芸庄萧漈、冰厓萧立之等有康氏诗稿的题句跋语。又吴澄《故县尹萧君墓志铭》云:"萧氏居赣宁都之小田,至于君五世矣。君之世父讳漈,能诗,有集曰《芸庄》,五试礼部,特奏授户曹。君之父讳立之,诗宗江西派,绝句有唐人风致,其集曰《冰厓》。登进士科,由镇南军节度推官班见改籍田令,累官至通直,抢攘之际,擢为道守,不及赴。"由此我们略知其家世的点滴情况。

《中兴禅林风月集》具体的成书年代难以判明,所收诗歌也无可系年,只有个别作品有时代色彩。如宗璞《降虏》云:"鞑哨兵多金哨稀,怕闻坐夏入秋期。祗今跨马弯弓者,曾是襄淮十岁儿。"襄淮一带出现"鞑哨兵多金哨稀"的情形,应该是端平二(1235)、三年以后的事。因此,此书的成书不会早于端平之前,该选本以"中兴"为名,也极具时代特征,即与宋理宗时代有多种版本的《中兴江湖集》以及《中兴群公吟稿戊集》、《中兴以来绝妙好词选》、《中兴诗话》等书的出现相映成趣。罗大经《鹤林玉露》卷十云："惟宝、绍间《中兴江湖集》出。"黄昇的《中兴以来绝妙好词选》有淳祐九年（1249）自序。看来，《中兴禅林风月集》也应该是同一期间的产品。全文京先生判断其诗为"南宋末年禅僧之作"虽然不是十分准确（因收录的作品也有出于北宋僧家之手的），但该书编纂于晚宋应无疑问。

从书的内容看，选录的僧诗大多幽深清隽，韵味盎然，极富禅趣，与江湖派的诗风有一致处。但该书何时通过何种途径传入日本，我们还不得而知，很可能是通过频繁往来中日间的僧人携至日本的，后来有日人喜爱此书，为之作注，并附注日本假名。此书卷首有序云："孔汝霖编集之，萧澥校正之，未听有注者，盖有之未行于世欤？近代往往颇有注者，未听出于名家，但道听而途说等类也。虽愚不敏，遂集诸家善说以注集之，犹何晏集解《论语》也。"此序没有落款，故不知其真正作者及作文年月，但可判断序文乃出自为此书作注之日本学人之手。卷中注释很多地方颇显稚拙，如注"芝"云："芝者，仙药也，兰类也。"注"黄庭卷"云："老子经欤？未详也。"看来此人的汉学造诣并不很高。但他对富有禅趣妙悟的汉诗特别赏爱，于守璋《春晚》诗下注云："今人欲学诗，正趣向效古人之句，自然到得其妙处。故古人云：'欲学诗者，若临书者。'"这不但反映出他的诗学观，而且也隐约透露出作者注释此书的目的，有用作日人学汉诗之摹本的用意。此序还提及"钱塘英实存诗曰诗必通禅"，亦道出其论诗旨趣。考释英（1244—1330?）字实存，号白云，钱塘人，有《白云集》，粤人石田林昉作序云："集中谓'诗悟必通禅'，又'妙处如何说，悟来方得知'，上人尝自道之矣。"按《白云集》之编定约在至元二十九年至延祐六年赵孟頫告归吴兴之际，则《白云集》之传入日本而为日本一般学人所知决不会早于元初。日本无名氏作《中兴禅林风月集序》能引用钱塘英实存的诗意，则其人之作注作序自然不会在《白云集》编定之前。此书收录于平松文库及日本"新抄物资料集成"第 1 卷，原抄大约出天永或文禄年间，与日本"抄物"这类文献的出现时代相吻合。总之，关于该书在日本的传播情况以及日人注本的出现年代，尚有待熟悉日本文献的学者作进一步的考证。

《中兴禅林风月集》前二卷所收均为七绝，后一卷所收均为五绝，作者全系释氏。此书共计收录 63 家诗僧的 99 首五、七言绝句。因为此诗选本国内从未有人引用介绍，国内学者对此书的选诗情况几无所知，故这里将该书收录诗歌的情况介绍如下（括号内所注乃《全宋诗》收录此诗之册/卷/页）：

卷一选录 32 家 53 首：

1. 道潜《江上秋夜》（16/911/10724）、《东园》（16/912/10729）、《临平道中》（16/911/10723）

2. 保暹《巴江秋夕》（16/911/10723）

3. 显万《乘槎图》、《杜鹃》

4. 蕴常《春兴》（22/1288/14616，题作《春日》）、《江村》（22/1288/14616）

5. 法具《江涨桥会仲旅正寺丞》

6. 道全《秋晚》（13/782/9058，题作《秋晓》）

7. 昙莹《姚江》（38/2124/24021）、《睡起》（38/2124/24021）

8. 志南《江上春日》（45/2395/27690，仅题作"诗一首"）

9. 宝昙《岷山图》（43/2362/27107，为《题岷山图三绝》之二）

10. 居简《柳絮》（53/2790/33057）、《舟中酬竹岩》（53/2791/33075）、《山家春日》（53/2795/33162，题作《即事》）

11. 法照《福州开元宫》、《表忠观》（57/3020/35978）、《台州水后》、《桐柏观会仙亭听琴》

12. 义铦《尝北梨》（51/2725/32077）

13. 正宗《登岷台》

14. 志道《送别》

15. 永颐《听琴》（57/3021/35998）、《聚景园》（57/3021/35987，题作《过聚景园》）

16. 善珍《老马》（60/3150/37795）、《古意》（60/3150/37795）

17. 斯植《寒食》（63/3300/39323）、《故宫怀古》（63/3300/39329）、《感怀》（63/3300/39323，题作《晚来》）、《秋思》（63/3201/39336）、《晚春即事》（63/3300/39331，题作《苕溪舟次》）、《老来》（63/3301/39335，题作《晚春偶题呈正甫先生》）

18. 大椿：《淮民》

19. 惠峰：《琅华洞》

20. 绍嵩：《题方广僧舍》、《秋暮江上》

21. 行昱：《寄隐沦万氏子》

22. 永隆：《崇真观》、《宿道场云峰阁下》

23. 觉崇：《庐山杂兴》

24. 赤骥：《钓台》

25. 宗璟：《降虏》

26. 祖元：《多景楼北望》

27. 师侃：《忆得》、《秋夜》

28. 行肇：《探梅》（59/3092/36924，作元肇诗）

29. 惠嵩：《天台道中》（72/3768/45435）

30. 道璨：《送汤晦静赴盱江守》（65/3455/41174，题作《迎晦静汤先生》、《上丞相郑青山》）（65/3455/41174，题作《上安晚节丞相》）

31. 智逸：《湘中春日》

32. 可翔：《秋思》

卷二选录 21 家 27 首：

1. 宗营：《天衣故寺》、《登鸡笼山访六朝诸陵》

2. 希颜：《普和寺》

3. 法渊：《蝶》

4. 梦真：《寄江西故人》

5. 自南：《待月楼》

6. 觉新：《访道士不值》

7. 正逻：《仙女石》

8. 智纲：《寄芳庭法师》

9. 海径：《子规》、《别故人》

10. 若溪：《夜坐》

11. 本立：《秋吟》

12. 法俊：《春日》

13. 妙通：《春梦》

14. 宗敬：《纸帐》

15. 景偲:《春夜》、《偶题》

16. 昙岳:《寄乡友》

17. 如广:《中秋无月》

18. 守辉:《废址》、《八月十四夜简印书记》

19. 永聪:《长干寺》、《怀人》、《闻雁》

20. 子蒙:《春兴》

21. 嗣持:《西湖》

卷三选录19家19首:

1. 显万:《山斋》

2. 守璋:《春晚》(37/2073/23389)

3. 居简:《江上》

4. 义铦:《睡起》(51/2725/32062)

5. 清顺:《深坞》(16/910/10709)

6. 善珍:《山行》(60/3150/37798)

7. 永颐:《画卷》

8. 赤骥:《山中即事》

9. 斯植:《古乐府》(63/3300/39325)

10. 若玢:《秋夜》

11. 若溪:《山中》

12. 景淳:《后夜》(18/1052/12060)

13. 致一:《春暮》

14. 仲宝:《雨中怀人》

15. 法钦:《舟中》

16. 复森:《江上夜眺》

17. 清外:《望海阁》

18. 师侃:《春日吟》

19. 本立:《金井》

以上选录的诗歌,经我们反复查证,仅有少数作品的主名是有疑问的。如释蕴常《春兴》,《全宋诗》册二二卷一二八八页一四六一六题作《春日》,辑录自宋陈起《增广圣宋高僧诗选》。按,此诗洪迈《容斋随笔》三笔卷十二"具圆复诗"条云:"吴僧法具字圆复,有能诗声,予乃纪之于《夷坚志》中,殊为不类。比于福州僧智恢处见其诗稿一纸,字体效王荆公。……又一篇云:'烧灯过了客思家,独立衡门数暝鸦。燕子未归梅落尽,小窗明月属梨花。'皆可咀嚼也。"《宋艺圃集》卷二二、《宋诗纪事》卷九二、《石渠宝笈》卷八并据洪迈所记作僧法具诗。《全宋诗》册二七卷一五三七页一七四五二释法具名下亦辑录此诗。因此,《春兴》一诗的作者是有争议的。另如行肇,原注云:"号淮海。"按,行肇系宋初九僧之一,号"淮海"者应为元肇,所选《探梅》见元肇《淮海挐音》,《全宋诗》册五九卷三〇九二页三六九二四元肇名下已收,《中兴禅林风月集》作行肇乃偶误所致。斯植《晚春即事》,《江湖小集》卷三五题作《苕溪舟次》,但《江湖后集》卷一三作王谌《苕溪舟次》,究竟谁作,也难以遽定。

此外,日人的注解中也引用有若干宋诗,如开卷第一首注中就引录了道潜《赠妓》诗(寄语巫山窈窕娘),卷三释永颐《画卷》诗注中引用了徐灵(即徐玑)《春雨》句:"新雨涨溪三尺水。"明引的还有苏轼、王安石、刘克庄、白玉蟾、林逋等人的诗句,暗引的还有范仲淹、朱淑真、张咏、王珪等人的诗,还有不少笼统引用的古诗，一时无从查考其时代和作者。当然，引用的诗句有些是有问题的。如白玉蟾诗："新巢故国两依依，似与春光秋叶期。"《后村千家诗》卷一九题作白玉蟾《燕》的前两句，惟"国"作"燕"。日人引诗所依据的也许就是这部《后村千家诗》。但《后村千家诗》也有误收的，查此诗又见于贺铸的《庆湖遗老集》卷六中，题作《和田录事新燕》，恐以贺铸作为是。另如引录的东坡诗"无数蜻蜓立上头"，实际是杜甫《卜居》中的句子。但要求一个汉文化造诣不是十分高超的日人注释者要一一核实文献的真伪，恐怕是求全责备了。

二、《中兴禅林风月集》的文献价值

日藏《中兴禅林风月集》抄本的文献价值，若就宋诗研究本身而言，主要在生平、校勘、辑佚等方面，此外此书在中日文化交流、日本的汉文化传播等方面也有一定意义，但因资料所限，本文仅及前者。

1. 有助于了解宋代诗僧的点滴事迹。宋代诗僧迭出，但很多诗僧遁迹深山，事迹向不为人所知。此书于每一僧家后有寥寥数字介绍生平，有助于我们进一步了解宋僧的点滴事迹。如释法具号"化庵"，释道全号"同庵"，释蕴常号"野云"，释景淳号"椎林"，均可补《全宋诗》之缺失。《全宋诗》册七二卷三七六八页四五四三五收录释惠嵩，但没有小传。此书则传云："号雪庭，字少隐，青田人也。"《全宋诗》册七〇卷三七〇二页四四四四五收录释自南，无传，此书则传云："号叔凯，天台人。"释志南，《全宋诗》小传仅云"朱熹曾为其诗卷作跋"，此书则明确指出其为"武夷僧"。还有释清外，《全宋诗》无传，此书则云："吴中僧。"可使后人了解到两僧的活动地域。

2. 有助于对诗歌作品的校勘。《中兴禅林风月集》所收的某些诗歌，与其他文献相对照，有一些异文，可资校勘。仔细品味这些异文，我们发现有的确实是《中兴禅林风月集》本身的疏失，也有的则是其他文献的疏失，更多的异文可以并存。我们将清理出来的一些异文列举如下：

居简《舟中酬竹岩》，《全宋诗》"辩"作"办"，是；"添"作"辕"。

蕴常《江村》诗之"炊烟"，《全宋诗》作"吹烟"，显误。

道璨《送汤晦静赴盱江守》，《全宋诗》题作《迎晦静汤先生》，"手里"作"宇里"。又道璨《上丞相郑青山》乃《全宋诗》之《上安晚节丞相》三首之第一首，而《全宋诗》所收之题目就有问题，因丞相郑清之号安晚，"节"字当为衍文。"空在"作"送在"。

惠嵩《天台道中》，《全宋诗》收录，"渡溪"作"渡头"。

义铦《尝北梨》之"老向"，《全宋诗》作"每到"。

永颐《听琴》之"悲丝"，《全宋诗》作"朱丝"；"离怨"，《全宋诗》作"离恨"。

善珍《老马》之"战瘢"，《全宋诗》作"箭瘢"。《古意》之"乱来"，《全宋诗》作"乱离"。

斯植《老来》，《全宋诗》题作《晚春偶题呈政甫先生》。

守璋《春晚》，《全宋诗》题作《晚春》，"烟色"作"烟景"。

3. 提供了大量可供辑佚的诗歌作品。这也是《中兴禅林风月集》一书最值得表出的文献价值之所在。据初步查证和统计,《中兴禅林风月集》保存的宋代佚诗有 46 家 60 首绝句,其中有 35 家在《全宋诗》中未见其名,有许多诗僧的名字闻所未闻,赖此书得以保存。兹将这些佚诗辑录如下:

显万　三首
原注云:"浯溪僧,字致一。"《全宋诗》册二八卷一六二九页一八二七六有传。

乘槎图
昆仑初不隔悬河,逆浪吹槎去若梭。
莫信银湾清且浅,料知高处更风波。

杜　鹃
杜鹃底苦劝归去,渺渺江湖若个边。
衣弊履穿头半雪,不知归得是何年。

山　斋
林蒿没人腰,甘自卧环堵。
风吹桐叶干,索索下晴雨。

法具　一首
原注云:"字圆复,号化庵。"《全宋诗》册二七卷一五三七页一七四五二有传。

江涨桥会仲旅正寺丞
江涨桥边江水涨,江花未老上江楼。

栏杆惜别春风里,相对藤床话白头。

法照　三首

原注云:"天台僧,号晦岩。"按,《全宋诗》册五七卷三〇二〇页三五九七七有小传,定其生年在 1185 年。但刘克庄《后村先生大全集》卷三六《怀晦岩一首》题注云:"台僧法照……大余一岁。"查刘克庄生于 1187 年,则法照应生于 1186 年。

福州开元宫

七庙阶前朝拜时,御香清裛老臣衣。
百年故国深宫梦,应与归鸿向北飞。

台州水后

旧客难闻墓角声,柳行飞絮又清明。
游人不管东流水,自插桃花上废城。

桐柏观会仙亭听琴

玉闵元和带藓斑,琴弹流水坐松关。
白须道士闭门睡,明月从教下醮坛。

正宗　一首

原注:"吴山僧。"按,《全宋诗》册二八卷一六二九页一八二七四有释正宗,据宋陈起《圣宋高僧诗选集续》辑录《次韵蔡坚老秋日登岘台》诗,与下所选录之诗相合,故当为同一人。

登岘台

笑口何妨此暂开,凭栏日落未知回。
月明江上人归散,狼藉蓑衣在钓台。

志道　一首

原注:"会稽人,号萝屋。"《全宋诗》未收其人。

送　别

池塘梦觉正销魂,满袖春风过别村。

后夜梨花山月冷,有人寂寞倚衡门。

大椿　一首

原书无传。按《宋诗纪事补遗》卷九六云:释大椿,姓张氏,湘阴人。工书善医,赐住雪峰,年九十八示寂。《全宋诗》未收其人。

淮　民

全家百指寄西江,故国山川天一方。

世业膏腴归未得,看人锄地事耕桑。

惠峰　一首

原注云:"字举直,住庐山,所作号《草堂集》。"《全宋诗》未收其人。

琅花洞

琅花洞是神仙宅,咫尺桃源路不赊。

流水夕阳迷远近,天风吹落碧桃花。

绍嵩　二首

原注:"字亚愚,青源山人也。"《全宋诗》册六一卷三二

三三页三八六〇五有传。

题方广僧舍

山势如城绕梵宫,薄岚浓翠锁寒空。

凭栏不见当时事,一片斜阳细雨中。

秋暮江上

水环洲渚更连天,杳杳渔舟破暝烟。

最爱芦花经雨后,晓霜插月作婵娟。

行昱　一首

原注:"字如画,号龙岩。"按,四库本《江南通志》卷十一云:"甲山在句容县西南五十里,宋景定间僧行昱爱其山奇胜,甲于左右诸山,因名。"则知行昱为宋末江苏句容僧。《全宋诗》未收其人。

寄隐沦万氏子

君向江边把钓竿,我从湖海看波澜。

孤舟撑月自归去,风笛一声烟水寒。

永隆　二首

原注云:"南州人,号瘦岩。"按,《咸淳临安志》卷七九云:"普济院:嘉定十一年僧永隆建,移请今额。"似即其人。《全宋诗》未收其人。

崇真观

苔碑岁久龟趺剥,古殿云深鸱吻斜。

道士不知兴废事,又来溪上种桃花。

宿道场云峰阁下

满院秋蚊睡不成，自携团扇下阶行。

辘轳知为谁辛苦，夜夜中庭转月明。

觉崇　一首

原注云："蜀僧，号雪牛。"《全宋诗》未收其人。

庐山杂兴

古殿沉沉月满廊，横秋阁下藕花香。

山中最胜他山处，先得西风几夜凉。

赤骥　二首

原注云："字希良，号北野。"《全宋诗》未收其人。

钓　台

自过羊裘七里滩，寻思欲见故人难。

殷勤问取溪边老，近有谁来把钓竿。

山中即事

块石支颐坐，鸟啼孤梦醒。

林花风落尽，小草立蜻蜓。

宗璙　一首

原注云："自号秋岸。"《全宋诗》未收其人。

降　虏

鞑哨兵多金哨稀，怕闻坐夏入秋期。

祇今跨马弯弓者，曾是襄淮十岁儿。

祖元　一首

原注："字叔圆,号清溪。"按,宋吴泳《赠乡僧祖元》诗序云："僧祖元,本里中秀才,厌世事尘劳,翻然出家。因游雁峰,遂断一指,誓不复还。乡人目之为一指头禅,盖讥笑之也。自后南行,学益长,又有能诗声。予爱其勇猛精进,漫作数语挑之。"吴泳为四川潼川府中江人,则其所称乡僧祖元的籍贯可以推定。南宋另有释祖元,号枯木,《全宋诗》册三一卷一七九九页二〇〇四七有传,当为另一人。

多景楼北望

东风吹散一江云,客子楼头易断魂。

但见碧天随地远,不知何处是中原。

师侃　三首

原注云："天台人,字直翁,号真山也。"卷三原注则作"号直翁"。《全宋诗》未收其人。

忆　得

忆得湖边旧客踪,几回乘月宿高峰。

夜长不寝西风起,听打三茅观里钟。

秋　夜

飞萤出草砌鸣蛩,十二栏杆玉倚空。

碧树无烟月如水,一声砧杵落西风。

春日吟

悠悠春日长,幽人转清瘦。

试问碧桃花,如何度春昼。

智逸　一首

原注云："字仲俊,号竹溪。"《全宋诗》未收其人。

湘中春日

瘦藤七尺带征尘,拨动潇湘一片春。

花柳隐然诗态度,倩谁说与晚唐人。

可翔　一首

原注云："字仲高,自号像翁也。"按,四库本《姑苏志》卷廿九云："宝寿教寺在吴县八都,地名黄芦。唐大中七年僧文奉开山,乾德二年吴越钱氏重建,宋嘉定间重修,僧可翔记。"则知可翔为宋嘉定间吴僧。《全宋诗》未收其人。

秋　思

叶尽林疏见荜门,稻花香动隔篱闻。

一声江上吹长笛,徒觉春腰瘦十分。

宗营　二首

原注："字叔温,玉山人,号玉岩。"《全宋诗》未收其人,《宋诗纪事》卷九三引《东瓯诗集》作宗莹,无传。

天台故寺（按《宋诗纪事》题作《天衣故寺》）

园庙深锁《宋诗纪事》作"关"春寂寞,雨杉风桧翠萧萧。

山中旧事无人说,碎迭唐碑补石桥。

登鸡笼山访六朝诸陵

陵树无阴蔽绿苔,空山寒耸塔崔嵬。

六朝一饷繁华梦,可是僧钟唤得回。

希颜　一首

原注:"关乡僧。"《全宋诗》未收其人。《宋诗纪事》卷九三引《宋高僧诗选》作"晞颜",小传云:"晞颜字圣徒,号雪溪,奉化僧。《补续高僧传》:晞颜,文藻高妙,后进爱慕。尝步菜畦,见垦掘杀伤之多,遂不复茹蔬,惟买海苔三百六十斤,日取一斤供粥。晚住桃源厉氏庵,专志念佛。"

普和寺

朱楼绀殿半江村,石壁深藏佛影昏。

最是《宋诗纪事》作"好"夜深潮水满,橹声摇月到柴门。

法渊　一首

原注:"号别舫,永嘉人。"《全宋诗》未收其人。

蝶

昔曾栩栩入南华,野性如人懒泊家。

每向东风怜薄命,一生不得近梅花。

梦真　一首

原注:"号觉庵,宣城人。"《全宋诗》未收其人。

寄江西故人

自从携手出长安,三见秋光满画栏。

折得水花无寄处,一江风雨雁声寒。

自南　一首

原注:"号叔凯,天台人。"《全宋诗》册七〇卷三七〇二

页四四四四五收录其《广润寺新寮》一首，小传云："生平不详。"

待月楼

山边归隐倦游身，水阔楼高夜望频。

星斗渐稀河汉白，倚栏犹有未眠人。

觉新　一首

原注："会稽僧，字行音，号治城也。"《全宋诗》未收其人。

访道士不值

猿挂垂藤鹤唤松，松间不见采芝翁。

风开案上黄庭卷，疑是朝来读未终。

正逻一首

原注："颍川永宁僧，号谷庵。"《全宋诗》未收其人。

仙女石

江面无风水鉴秋，亭亭照影俯寒流。

无情不入襄王梦，雨鬓风鬟只自愁。

智纲　一首

原注："号柏溪，四明人。"按，智纲有《寄芳庭法师》诗，芳庭即僧斯植之号，则智纲应为晚宋僧人。《全宋诗》未收其人。

寄芳庭法师

尺书无处托飞鸿，空有怀君思万重。

山北山南三百寺，梦魂多在白云峰。

海径 二首

原注："字巨渊，号柏岩。"《全宋诗》未收其人。

子　规

寄身烟翠为谁啼，游子思乡泪湿衣。

满眼江湖都是客，不知唤得几人归。

别故人

城头孤角语呜呜，想得梅花落已无。

老柳阴中回望眼，阳关依旧画成图。

若溪 二首

原注："雪川僧，号云鳌。"卷三则注为"号云岳"。《全宋诗》未收其人。

夜　坐

山中夜半全无暑，惟有微风鸣竹树。

寂寂空庭灏气流，孤萤入袖还飞去。

山　中

阴涧断云过，对人禽自语。

绿叶蔽山深，不知林外雨。

本立 二首

原注："号灵舟。"《全宋诗》未收其人。

秋 吟

秋雁叫霜云暗浦,零落枯茎响寒雨。

篝灯照书有余光,分与山童夜织屦。

金 井

宁为金井栏,莫为金井索。

牵断辘轳声,清泉如泪落。

法俊 一首

原注:"自号退庵。"《全宋诗》未收其人。

春 日

堤云漠漠雨漫漫,杨柳如丝不厌看。

见说前村风更恶,杏花无力耐春寒。

妙通 一首

原注:"字介石,号竹野。"按周弼《端平诗隽》卷二有《送僧妙通游平江万寿寺》,疑即其人。《全宋诗》未收其人。

春 梦

紫霞杯滴酒香残,月上梨花醉梦看。

谁把玉琴花下卷,十三徽上雨声寒。

宗敬 一首

原注:"号菊庄,天台人。"《全宋诗》未收其人。

纸 帐

碎剪松江水上纹,虚堂垂处夜平分。

梦寒不到池塘草,明月梨花一洞云。

景偲　二首

原注:"字与明,号兰渚,天台人也。"《全宋诗》未收
其人。

春　夜

月明庭院篆香销,寂寂门无俗客敲。
孤枕梦回清漏断,子规啼在杏花梢。

偶　题

满径浓阴上绿杨,小窗烟袅石炉香。
楞伽看罢无余事,啼鸠一声春昼长。

昙岳　一首

原注:"闽中僧。"《全宋诗》未收其人。

寄乡友

寒江空见暮潮过,音信何曾到薜萝。
最是一春长是雨,离愁还似落花多。

如广　一首

原注:"号野堂也。"《全宋诗》未收其人。

中秋无月

莫恨今宵已二更,南楼孤负酒杯倾。
浮云自不知人意,明月何尝解世情。

守辉　二首

原注:"雪川人,字明远,所作号《船窗集》。"按,《全宋诗》册七二卷三七五三页四五二五〇收录释辉,即其人,但列为世次无考卷中。考释永颐《云泉诗集》有《游雪城寄辉明远》诗,则知守辉与永颐为同时代人。另释居简《北磵集》卷五有《辉船窗见过》、卷八有《船窗蕙萱》诗,亦可由其交游而证其时代。

废　址

三十年前此水滨,曾将歌舞领芳春。

而今台榭遗基古,种柳栽花几换人。

八月十四夜简印书记

月到中秋未望时,清光犹带一分亏。

与君今夜休寻睡,来日阴晴未可知。

永聪　三首

原注:"灵隐僧。"按释居简《北磵集》卷十有《金山蓬山聪禅师塔铭》,记其字自闻,号蓬山,于潜徐氏子,师事径山别峰,但未记其曾为灵隐僧,不知其人是否与诗僧永聪为同一人。《全宋诗》未收其人。

长干寺

秦淮路入长干寺,千尺浮屠插暝烟。

白发老僧犹念旧,逢人先说赤乌年。

怀　人

人正愁时月正高,双清楼影夜迢迢。

梅花落尽梨花瘦,数尽沧江几度潮。

闻　雁

忆昔南来过洞庭,孤云万里听新声。

自从别后无消息,三十六湾空月明。

子蒙　一首

原注:"天台僧。"《全宋诗》未收其人。

春兴

三月秧针出未齐,老农赤脚荷锄犁。

一声桐角风烟晚,黄犊无人自过溪。

嗣持　一首

原注:"号高峰。"按,张镃《南湖集》卷六有《赠嗣持上人》诗,可据此定其大致生活年代。《全宋诗》未收其人。

西　湖

山堰湖塍弓样弯,踏开云影蓇泥干。

不知夜雨还多少,三十六陂春涨寒。

居简　一首

原注:"字敬叟,号北磵。"《全宋诗》册五三卷二七九〇页三三〇三二有传。

江　上

江上北风急。梅花杂雪飞。

渔翁不耐冷,重迭着蓑衣。

按,《全宋诗》册五三卷二八〇一页三三三〇四据宋俞琰《书斋夜话》卷四辑录居简"渔翁"两句,此处所录则为全诗。

永颐　一首

原注:"字山老,号云泉。"《全宋诗》册五七卷三二〇一页三五九八三有传。

画　卷

双童挽牛角,日暮水云昏。

无奈沙溪涨,平沉一半村。

若玢一首

原注:"号玉硼。"按,其人当即著名画家若芬,《全宋诗》册七二卷三七六一页四五三五七有传。

秋　夜

露澄河汉高,星月光皎皎。

坐看桐叶阴,秋风减多少。

致一　一首

原注:"青原山人。"按,释显万,字致一,浯溪僧,但未闻有"青原山人"之号,故致一与显万似为两僧。

春　暮

客里春将晚,愁边日又低。

若为归梦切,不奈杜鹃啼。

仲宝　一首

原注："武林僧，号月溪。"按，宋周弼《端平诗隽》有《赠僧仲宝月溪》诗，知其人与江湖诗人周弼有交。《全宋诗》未收其人。

雨中怀人

闲步复闲吟，欲共幽人语。

目断白云深，空阶响寒雨。

法钦　一首

原注："吴门僧。"《全宋诗》未收其人。

舟　中

推蓬年已暮，白发不禁持。

水冻舟行涩，天寒月上迟。

复森　一首

原注："山隐(疑为"阴"字)僧。"《全宋诗》未收其人。

江上夜眺

江水深无底，江云湿不飞。

一灯明柳岸，知有钓船归。

清外　一首

原注："吴中僧。"按，《全宋诗》册七二卷三七四七页四五一九五据《增广圣宋高僧诗选》续集辑录清外《葛洪丹井》一诗，无传。

望　阁

飞阁横迥汉,时登见沧海。

万里秋色空,扶桑竟何在。

　　此外,《中兴禅林风月集》的日人注释中还引用了不少汉诗,
如志道《送别》诗注引横川如珙《送别》句云:"半夜鸡鸣山月冷。"
《全宋诗》册六六释如珙名下未收录,查《全宋诗》卷三四六〇页
四一二三三有如珙《寄灌顶长老》诗,首句云"半夜鹤鸣山月吟",
与引诗相类。但这样的引用诗句要一一查证其出处十分困难,在
此只好略提一笔,有待于后来者的继续努力。

　　　　与张如安合撰,原载《文献》2004 年第 4 期,据以录入

探索古代文学研究的新思路

——在"传统文学与现代性"国际学术研讨会上的讲话

　　走过 20 世纪的现代学术之路,古典文学研究已跨入一个新的纪元。回顾过往,审视现有的成果,我们深感古典文学研究的成就是很大的,作家研究尤其是著名作家的研究已有相当的积累,文学史的基本资料和基本问题也大体清楚,文体学研究方兴未艾,古代文学理论面临重新诠释的当代要求。立足于 20 世纪学术发展,面向 21 世纪的学术趋向,我们现在召开"传统文学与现代性"国际学术研讨会,确实具有学术总结、学术探索和学术展望的意义,在研究思路、研究方法以及知识积累、学科建设各方面都有条件开展有开创性和建设性的新型研究。

一、进一步拓展古典文学的社会—文化研究,继承、发扬文史结合的传统,探索古典文学的历史文化研究方法

　　上一世纪 80 年代以来,古典文学研究除作家作品本身即文

本研究外，一个很大的特点就是着重于社会—文化研究。这方面，唐代文学研究，取得了较有特色的成果，如唐代文学与政治、传统思想，唐代文学与宗教、妇女、科举、幕府，唐代文学与其他文艺形式（如音乐、舞蹈、绘画等），甚至唐代文学与交通，都有创新的成果，以此拓展对作家群体与知识分子生活道路、思维方式、心灵状态的探索。其他朝代也有，如《玄学与魏晋士人心态》、《晚明士人心态及文学个案》、《〈儒林外史〉与江南士绅生活》等。我想，研究中国社会及其文化形态，我们如能打通文、史、哲等相关学科，着重于探讨知识分子的生活道路及社会处境，这将有利于对文学发展作全面的把握与历史的考察。

上一世纪 40 年代，朱自清先生曾为林庚先生《中国文学史》一书作序，序中特别提出："文学史的研究得有别的学科作依据，主要的是史学，广义的史学。"这很值得我们思考。回顾 20 世纪古典文学研究，从二三十年代起，郭沫若、闻一多、朱自清、鲁迅以及刘师培、陈寅恪等近现代学术大师，都在这方面作出过颇有启示性的成果，很值得站在当代学术发展的高度加以回顾和总结。

二、加强古典文学的中外交流研究，
倡扬学术视野的国际化

中国诗歌源远流长，对海外特别是亚洲影响深远。如日本相当于我国盛唐、中唐、晚唐时期，曾连续编有三部汉诗集：《怀风藻》（751 年）、《文华秀丽集》（818 年）、《凌云集》（841 年），里面

的诗完全是根据我国格律诗的特点写的。这三部汉诗集对古代日本文学的发展影响不小。据日本学界统计，从奈良时期到明治时期，编印的日本汉诗总集、别集共有 769 种，20 余万首诗，这是非常惊人的数字，要知道我们《全唐诗》也不过是五、六万首。应当说汉诗在国外的传播是很值得研究的。除了古代日本，古代朝鲜和古代越南在这方面的诗歌也很多。前几年还有学者指出古代朝鲜有不少用汉文写诗话，这些古代朝鲜诗话一方面评价古朝鲜的诗歌，另一方面评价中国的诗歌，特别是对中国唐宋时的白居易、苏轼、黄庭坚等人的评价比较多。海外保存的这些大量的汉诗文献，不仅可以为我们提供新的学术资源，还可以使我们从交流角度来考察中国诗歌的传播与影响。由此可见，无论从横向角度清理国外研究中国诗歌的成果，还是从纵向角度梳理中国诗歌向外传播的历史，都是大有可为的。

晚清时俞樾就重视日本人所作的汉诗，在光绪时他编有《东瀛诗选》，正编 40 卷，补遗 4 卷，共选 500 多位诗人 5000 多首诗。20 世纪 80 年代，程千帆、孙望两位学术前辈曾出版有《日本汉诗选评》一书（吴锦等注，江苏古籍出版社），选 200 位诗人 300 多首汉诗，时间为 8 世纪至 20 世纪初。中青年学者贾晋华于八九十年代曾连续翻译美国学者斯蒂芬·欧文的《初唐诗》（广西人民出版社）、《盛唐诗》（黑龙江人民出版社）两部专著。九十年代前期我与中国社科院文学所周发祥研究员合作，共同主编《中国古典文学走向世界丛书》，既考察中国古典文学如何由近及远传播国外，又探索不同国家不同地区的学者如何从不同的角度来研究中国文学。现已出版的有《西方文论与中国文学》等。

20 世纪初,王国维曾说过:"异日发明光大我国之学术者,必在兼通世界学术之人"(《奏定经学科大学文学科大学章程书后》)。这也很值得我们思考。

三、新材料的探求和发现

20 世纪,特别是 80 年代以来,古典文学研究的持续与突破性的进展,是与文学材料的不断发现因而引起新问题的探索紧密相联的。陈寅恪在《陈垣敦煌劫余录序》中谓:"一时代之学术,必有其新材料与新问题。取用此材料以研求问题,则为此时代学术之新潮流。"真正重要的学术研究,确在于发现新材料与寻找新问题。前一时期古典文学研究,有一毛病,就是偏重于方法论的探讨,没有新材料,于是大多流于重复。

当然,我们现在所谓追寻新材料,并不是就一定要像上一世纪那样的敦煌石窟发现,或者近 20 年来新出土的帛书、墓志等。其实随着科学发展观的树立,除了地下文献外,书面文献、域外典籍,都不断进入人们的视野,使研究者得以发现与研究新问题。如现在有些中青年学者,搜辑宋代晁氏家族材料,探讨两宋时期这一家族的文学活动,使宋代文学增加文化内涵。有些学者着眼于地域文化,如南北朝着重搜辑北方文学材料,隋唐时注重于关中地区,提供文学发展的大的文化背景。

又如我于上一世纪 90 年代起,与浙江大学古籍研究所几位学者合作,编纂《宋登科记考》,今年即将完成。在整个中国科举制史上,宋代科举有其特殊地位,一是考试程序和任职办法比唐代有较大改进,符合规范化,二是宋代登科人数是历朝最多的,据初步统计,其每年平均取士人数,约为唐代的五倍,元代的近三十倍,明清两代的三、四倍。但宋代科举制研究有个根本的缺陷,就是没有像清人徐松所编《登科记考》那样全面记载唐代科举发展基本情况的史料书。于是我们就下决心,编一部《宋登科记考》,从宋至清的史书、诗文集、诗话、笔记、地方志等搜辑,考出登科人数近四万人。不但所辑人数多,而且发现不少新问题。如北宋仁宗嘉祐二年(1057)科举试,欧阳修主持,录取有苏轼、苏辙、曾巩等知名文士。我们考辑出 262 人,按地域分布,录取最多的省份为福建(69 人),浙江(48 人),江西(39 人),四川(33 人),江苏(22 人)。南方录取人数之多,是唐朝未有的。后宋神宗元丰二年(1079),录取人数排名榜前六名,福建仍居第一(92 人),其后依次为浙江(47 人),江西(44 人),江苏(26 人),四川(22 人),广东(11 人)。后南宋高宗绍兴十五年(1145 年),进士及第者,依次为浙江(90 人),江西(70 人),福建(58 人),江苏(36 人),四川(16 人),安徽、湖南、广东均为六、七人。不仅人数、地域有变化,且地区与家族也很值得注意,如嘉祐二年,苏轼说其家乡眉山,发解应试者四五十人,录取者十三人,其兄弟二人均录取。江西则有曾巩与其弟、妹夫等,一门六人均录取。以上所举的三年,浙江、福建等省,同一家族、宗族,录取的有好几个人。这对于研究宋代文化分布,提供了新材料,有助于引发新问题。

原载《广州大学学报(社会科学版)》2004 年第 3 期,据以录入

伊永文《东京梦华录笺注》序

　　这部近一千页,约六十万字的《东京梦华录笺注》,经伊永文先生历时二十多年的专心研究,艰苦努力,现在终于由中华书局正式出版,我内心深有欣慰之感。我与伊永文先生于上世纪90年代初即已相识,那时他从天津南开大学来北京,转致前辈学者王达津教授一信,信中介绍了永文先生对《东京梦华录》的笺注工作。我时正任中华书局总编辑,就抽时间阅看永文先生带来的部分样稿,对他的研究思路与笺注方向甚为赞赏,后经交谈,双方达成一致意见,表示中华书局可以接受这一专题。从此以后,他的这一《东京梦华录》笺注工作就全面展开。

　　我对《东京梦华录》一书是深有感情的。1955年我于北京大学中文系毕业后,留校任浦江清先生助教,重点在宋代文学教学,那时我就读了《东京梦华录》。此书著者孟元老于北宋晚期即徽宗崇宁二年癸未(1103)即居住于汴京,至靖康二年(1127)因金人入侵,才避乱南下。他在汴京住有二十四年,很有感于当时"太平日久,人物繁阜"。他后于高宗绍兴十七年丁卯(1147)作此书序时,就特描述汴京城内,"举目则青楼画阁,绣户珠帘;雕车竞驻于天街,宝马争驰于御路;金翠耀目,罗绮飘香";正因此,那时不论"垂髫之童"、"班白之老",皆"时节相次,各有观赏"。这确如南宋时洪迈《容斋诗话》所说:"国家承平之时,四方之人,以趋京邑为喜。"也正因此,孟元老在南方居住时,缅想当年风情,"节物风流,人情和美,但成怅恨",于时立志就省记所及,"编次成集","庶几开卷得睹当时之盛"。孟元老一方面富有情致地缅怀北宋都城的美丽景观,另一方面则以极为精细的笔调描画市民日常生活,应当说这是有关我国城市社会文学作品的开创之作,极有历史文化价值。

也正因此,1980年间,那时我刚由中华书局古代史编辑室主任调任副总编,就建议与商务印书馆协商,将商务印书馆于1959年出版的邓之诚先生的《东京梦华录注》列入中华书局的"中国古代都城资料选刊",重新出版(后于1982年1月印出)。但此后听说友邻国家日本有译注本出版(即永文先生本书序中提及的日本京都大学入矢义高、梅原郁《东京梦华录译注》),对邓注本多有批评。那时我对京都译注本原书虽未看到,但甚有所感。《东京梦华录》是中国古代的一部名著,作为本国的文化遗产,中国的学者有责任、有义务对此作出更大的努力。80年代以来,我们中国学者关于《东京梦华录》的释义,也有一些文章刊发,但还处于零散状态。正因如此,90年代初,我一晤及伊永文先生,即以学术同行与出版者身份,表示极为赞同他的工作意向。

永文先生一开始作此专题,就已有创新意识。上世纪70年代中,他就读于南开大学中文系,与研究中国文学批评史著名专家王达津先生接触甚密,在王先生指导下,开始对《水浒传》进行研究。后又受到南开几位学者如明清史专家郑天挺先生、小说戏曲史专家宁宗一和朱一玄先生等指导,写有《〈水浒传〉是反映市民阶层利益的作品》一文,刊于 1975 年《天津师院学报》第四期,颇受学界的关注、重视,古代小说研究界就有一种"《水浒》市民说"。由此,他就由《水浒传》研究而进入对市民、城市的探索,这就必然触及《东京梦华录》,于是有关《东京梦华录》及市民生活的资料就逐渐有所积累。80 年代起,一方面他获睹中华书局出版的邓之诚注本,一方面在作《宋代城市风情》一书,就将二者结合起来。那时他又较为全面地查阅了宋代笔记小说,一边写书,一边就作《东京梦华录》注,于 1987 年完成十五万字的初稿。据说他曾以这一初稿与一家出版社商议,但却未被接受。他当时已调至黑龙江商学院工作,就又从事于资助项目《明清饮食史》之研究。不过这一饮食史项目,仍有益于对《东京梦华录》作注,特别是因此而熟悉和掌握了许多烹饪资料。邓之诚注本自序中曾特提出:"断句以伎艺饮食为最难。"永文先生因搜集了不少这方面的资料,由此对邓注作了不少补正,并曾写有好几篇有关宋代饮食、科技等专文,在一些学术刊物上发表,据我所知,有《宋代船坞考略》(即《东京梦华录》"奥屋"之释文)、《中国最早的暖水瓶》(即《东京梦华录》"提瓶卖茶"之释文)、《唐宋文身及其文化意蕴》(亦即《东京梦华录》有关"文身"的释文)等。这都为《东京梦华录笺注》作了充分的准备,提供了扎实的史料基础。

这里值得一提的是,永文先生后虽又调至黑龙江省社会科学院文学所,但在这长时期从事笺注工作,从未得到过科研经费资助。这样,他有时出外查阅资料,参加学术会议,长途跋涉,都是自己出钱的。但他不为所动,不受阻挠。《庄子·德充符》有云"知不可奈何而安之若命,唯有德者能之"。我想,就我们学者来说,此所谓"有德",当应是一种理性的认识和奉献的气质。

就上所述,我觉得,从这部《东京梦华录笺注》成书过程与书的本身来说,此书确有两大特色,即一为专,二为通。所谓专,即前所说的,超脱名利,一心为学;专心一致,力求创新。当然这也体现在书的本身,而就书本身而言,则主要是博通,即不拘限于传统的校注体例,而以较开阔的学术视野,多角度多层面地运用各种样式的文史资料,在充分吸收已有成果的基础上,进行跨学科的综合性的学术探索。

本书以邓之诚注本与日本京都大学译注本作为主要参考,虽然按照著者所定的体例,凡二者已注的,此书就不注,但仍细心关照此二书的成果,同时又充分注意我们国内学者的有关论著,作到对成果充分吸纳,对疑误又细心纠察。如卷一"大内"条"泛索"一词,邓注本引《宋会要》、《事物纪原》所载"取索司"以证"泛索",永文先生在另引用《武林旧事》后,加案语,谓邓注此处与原意差远,于是提出日本京都译注本释"泛索"为"临时需求",较邓注所释,文意更明。又同卷"内诸司"条"内弓剑枪甲军器等库"句,京都译注本释为弓箭、衣甲、枪、剑、弩五库,现案语中则引据龚延明《关于东京梦华录部分注文商榷》,指出应为内弓、剑、枪、甲四库,"军器"为总括词。龚延明先生为浙江大学古籍所教授,宋史专家,于宋代官制深有研究,这里就据以纠正京都译注本之误。

应当说,《东京梦华录》一书,如敦煌遗书那样,已广泛引起海外学者的注意与兴趣。除日本学者外，永文先生在序中还提及美国学者奚如谷的《释梦——东京梦华录的来源、评价与影响》一篇专文，充分肯定其精湛功力与新的思维研究方向。当前，学术界已有提出，宋代城市文化研究，现在已可成为一门世界性的前沿学科。我想，这一学科建设，有关中国古代城市文化著作，是应着重研究的。现在这一新的笺注本出版，必将促进中外学者对中华传统文化的交流。我们可以乘此机缘，与海外学者友好合作，团结相处，互相交流，取长补短，这将会是世界汉学研究领域一项有意义的举措。

这一《笺注》本资料之繁富，可以说是同类著作所未有的。邓注本引有宋元典籍一百四十八种，而永文先生此书，则几乎包容了目下所能找到的所有宋代笔记小说，再加上元代及明清人的书，已达一千二百多种。所引用的，又不局限于传统的经学、史学等典章制度之书，而是广泛引用诗文集、笔记、诗话、话本小说，甚至笑话、相声之类俗文学图书，可以说囊括多门类的知识，真是立足于"打通"，还原《东京梦华录》市俗生活的特色。不仅引书多，且注释面广。如邓之诚先生在其书序中曾谓原书"难施句读"，"断句以伎艺饮食为最难"，故其注在伎艺、饮食方面甚为薄弱，而永文先生在这两方面则集中力量。如卷二"酒楼"条，邓注本只注有两条，本书则有十三条；同卷"饮食果子"条，邓注本有二十一条，本书竟注有一百十九条，其中如"淹藏菜蔬"、"兜子"、"烧臆子"、"洗手蟹"等，都是别人未曾注意、也无由释义的。其他如"奇术异能"、"泥丸子"，以及"猴呈百戏，鱼跳刀门，使唤蜂蝶，追呼蝼蚁"，及有关《元宵》中伎艺的注释，如把正文和注文串联起来，真可视为一部北宋伎艺短史。

本书注文范围极为广泛，其中注意以图配文，并多量采用上世纪六七十年代以来新出土的宋代文物，如卷四"会仙酒楼"条，有谓"凡酒店中，不问何人，止两人对坐饮酒，亦有注碗一副"，笺注中除引用李济翁《资暇集》、张端义《贵耳集》外，于案语中指出1963年安徽宿松县有宋墓出土由温碗、注子配套组成的注碗，并配有江西南城墓出土之注碗、酒台子等图，河南禹县白沙宋墓壁画。又如卷六"元宵"条，有三十六条注，记北宋各种伎艺，并选有陈元靓《事林广记》所载之蹴鞠图（共有六人踢球），在案语中又提及湖南博物馆所藏宋代蹴鞠铜镜，又有宋代敦煌壁画顶竿图、元至治《三国志平话》刻本"关公单刀会"之鼓笛图。

我想还有一处更使人感兴趣的，是卷三"相国寺内万姓交易"条，中称相国寺"殿后资圣门前，皆书籍、玩好、图画"，本书笺注就特将"书籍"一词列出，引有好几种宋人著作予以参证，如苏颂《苏魏公文集》、邵博《邵氏闻见后录》、百岁寓翁《枫窗小牍》、张邦基《墨庄漫录》、王明清《玉照新志》、王得臣《麈史》、岳珂《桯史》、魏泰《东轩笔录》，具体记述相国寺内所售之书极为繁富，且多珍奇之作，后并加案语，提及辽宁省图书馆现藏有宋版《抱朴子》即为大相国寺东荣六郎书籍铺所刻（并配有图）。这对于我们现在研究书籍文化史，提供了极有学术价值的史料。

其他如卷三"般载杂卖"条有"又有独轮车"句，即配《清明上河图》中之独轮车图，使文中所记"前后二人把驾"、"前有驴拽"，更为形象；同卷"防火"条记有"火叉"，即配有《武经总要》之"火叉图"，都使人读后有清晰印象。其他所配图还不少，据统计，全书共配有宋代一百余幅摹图,这应是笺注方式的创新之作,多有开拓余地,很值得考虑。

书中引用大量经得起推敲的宋元话本小说及百回本《水浒传》,也富有特色。如宋话本《闹樊楼多情周胜仙》,其中樊楼、曹门、金明池、桑家瓦,都是东京实地;《万秀娘仇报山亭儿》中的山亭儿、茶坊、行院规矩,皆得东京习俗之真;《简帖和尚》中的鹌鹑馉饳儿吃法,可使人如睹东京饮食风貌,现于眼前。这些,都可以说是扩大了宋代文明史研究的领域。有些词句,引用话本小说加以参证,就可以使今天读者真切明白原意。如卷三"饮食果子"条有云"凡店内卖下酒厨子,谓之茶饭量酒博士"。此"茶饭量酒博士"如何理解?现注中引有宋话本《杨温拦路虎传》及《阴骘积善》,就可以明白此茶博士为茶坊中服务人员的一种美称。又卷五"育子"条有"五男二女花样",注中引宋话本《三现身包龙图断案》,后加案语,说明"五男二女"为宋时"家庭美满之喻",如无此注,确不易明了原意。又,这里顺便提一下,即本书注文中一些重要条目,在引用若干材料后往往加有案语,标为"文案"。这些案语有长有短,涉及面广,在吸收诸家之基础上作出自己的判断,引领读者把握问题的核心所在。全书有五百余条案语,言简意深,多为本书著者自己读书深研所得,这也是笺注作法上一种新的探索。

最后我还想提一个建议。著者于《凡例》中说:"中华邓注本、京都译注本已注条目,本《笺注》不注,以免掠美之嫌,亦避免引起混乱。"即过去两本已注的,这部《笺注》本就不列,这在体例上是明确而谨严的。但对一般读者与多数研究、教学工作者来说,邓注本已出版多年，现在少见，京都译注本也不易见到，因此要想通读《东京梦华录》全书，会有一定难度。我过去曾细读过邓注本，邓注当然有所缺失，但它终究是中国关于《东京梦华录》的第一个注本，开创之功不可掩没，有些注引书也是很有史料价值的。因此，我想我们可以编撰一部较为完整的笺注本，既吸收邓注本、京都译注本值得引入的材料，又较广泛采纳国内外其他著作，在吸引时可以标明出处，同时还可作适当的补正，这就不会有掠美之嫌，反而有集大成之誉。我想伊永文先生或可予以斟酌，再过若干年，如对本书还有所正补时，不妨对此作一整体考虑。

2004 年冬初稿，2005 年秋修订

原载中华书局 2006 年版《东京梦华录笺注》，此据大象出版社 2008 年版《学林清话》录入

祝尚书《宋代科举与文学考论》序

　　祝尚书先生于上一世纪 90 年代后期,即从 1998 年开始,将其研究重点逐步转移于宋代科举与文学,并陆续有专题论文刊出,颇得到学界的关注,我也间有研读。现在祝尚书先生将这二十余篇论文结集,正式题署为《宋代科举与文学考论》,由大象出版社出版。因我过去曾撰有《唐代科举与文学》,祝先生视我为同道,故特邀我作序。我长期在中华书局工作,祝先生于数年前已在中华书局出版其所著《宋人别集叙录》、《宋人总集叙录》。近年来我又因受学界友人委托,计划编纂一套较有规模的《中国古代诗文名著提要》,两宋部分约请祝先生主持,因此可以说,我们确有学术合作的深致情谊。也正因此,我遵嘱写序,就按我的惯例,抽时间将这部近四十万字的专题论文集,连续读了两遍,并参阅其他一些文献,可以说,我确是有幸接听了一次宋代科举与文学的系列讲座。

　　我之所以这么说,是因为我于上一世纪 80 年代前期撰写《唐代科举与文学》(1986 年由陕西人民出版社出版),其主旨是想通过科举来展示唐代知识分子的生活道路与心理状态,以进而探索唐代文学的历史文化风貌。当时关于唐代科举的文章极少,专著则一本也没有。那时专题研究唐代科举制度本身的,我只见到北京大学历史系吴宗国教授的几篇文章,后来他写成《唐代科举制度研究》一书,并赐送给我,已是1992年了。也正因此,我虽然在这部书中也分别论述唐代科举诸科、考试程序,以及进士出身、地区、行卷、科场风习、文学风气等等,但自称是描述,未专注于考索与论述。现在祝尚书先生这部著作,虽然看起来是论文集,实际上是全面考论宋代科举的专著,并且将两宋科举制度的变化沿革与文学、理学、文化风尚、士人生活,甚至举子用书之刻印、发行等,作广泛而具体的探讨。这种细致的考索与极有新意的拓展,是近二十余年来宋代科举与文学、文化交结研究所未有的。

应该说,宋代科举在整个中国科举制史上有其特殊地位,其承上启下的历史作用,是前后几朝所不能并比的。其明显特点,一是登科取士人数最多。近七八年来,我与浙江大学古籍研究所学者龚延明教授等合作,编撰《宋登科记考》,即将定稿。据统计,两宋共举行一百十八榜科试,各种科目登科人数,以文科而言,当在十万人以上;即以进士而言,有四万二千余人,平均每科录取人数,为唐朝十八倍,也多于明清两朝。另一特点,是改革频繁,有规范化的趋势,如所设考试科目,常科由宋初十余种,经北宋中期王安石变法后,渐变为进士一科;又确定三级考试制度,即州府发解试、礼部省试、皇帝殿试;废除试前唐时长期流行的"公荐"、"公卷",实行试时"糊名"、"誊录";考试期由每年一次逐步定为三年一次,但人数倍增,且及第后,与唐之只取得入仕资格不同,一经登科,即释褐授官。第三个特点,就是科举与政事更为密切,特别是对士人生活及社会风尚、文学风气的影响更为深广。

　　就上所述，应该说，宋代科举研究可以开垦、拓展的领域相当广阔，而所能获取的成果又将极为丰硕。但要使探索全面开展，难度也大。也正因此，自上世纪前半期起，有关宋代科举一般均仅限于专题论著。我所看到最早的是前辈耆宿聂崇岐所著《宋词科考》、《宋代制举考略》，分别载于建国前的《燕京学报》第二五期及《史学年报》第二卷第五期。中华书局于"文革"前曾与中国科学院近代史研究所合作，计划编印聂先生的《宋史丛考》，且已排竣付型，但却因事拖延未印。1979年11月，我当时在中华书局主持古代史编辑室工作，就提出将原纸型抽出付印。收于书中的聂先生这两篇文章，应该说是宋代科举制分科研究的开创之作，特别是《宋词科考》一文，在分别论述宏词、词学兼茂及博学宏词三科沿革后，即从北宋哲宗绍圣二年起，直至南宋理宗开庆元年，一一列考登科人名、仕历，创个案研究之先例。当时我读后深受教益，也为后来撰写《唐代科举与文学》受到很大启示。此后数十年间，研究宋代科举的当代学者，虽各有进展，但也仍限于专题。现在读祝先生此书，确使人有俯览全局之感。

　　如书中先按科举考试的程序，前四篇，分别考索发解试、省试（及类省试）、殿试。这里可以提出两点，一是发解试。发解试，也就是唐时乡贡，即县、州两级考试，淘汰选拔。唐代乡贡考试，过去研究很不充分，特别是试题，记载既缺，并多歧异。如拙著《唐代科举与文学》中第三章《乡贡》举有一例，即李贺于宪宗元和五年在洛阳应河南府试，留世的有其所作《河南府试十二月乐词》，即从正月写起，每月一首，到十二月，再加闰月，共十三首，非律诗,句子长短不齐,有三言、五言、七言,所写则为民间闺情。而此时韩愈正任河南令,竟保送他赴京应省试。如此不合规格的府试题,却未有人提出疑问。祝尚书先生指出,解试是举子"文战"的首个战役,极为重要,但它未如省试、殿试引人注目,极少有人进行研究,本书首篇《宋代科举发解制度考论》即就发解条制、免解制度、南宋"流寓"发解、发解覆试及利弊得失,详加论述。另一点,是关于南宋在四川举办的类省试,这也是宋前宋后未有的,书中此篇有关类省试的专文不仅详考其本身条制,还引发出:四川类省试经过长期相对独立的发展,使蜀与东南"文体却间有不同处",有谓"蜀士之文,则以文势议论为胜"(据宋曹彦约《昌谷集》卷十六《四川类省试监试入院晓谕榜》)。由此得出:"南宋巴蜀文化的继续发达,与类省试有密切的关系。"这对宋代科举与地域文化的研究,能引人作进一步的思考。

在考试程序之后,就进行科目的全面铺叙,即对诸科、制科、词科等详加考论,就是说,除武举外,宋代常科、非常科,都细加论及。限于篇幅,这里就不复述。

除科举制本身外,本书的重点即考论科举与文学的多方关系与互动影响,这也是这部著作提供给文史学界的一个新的景观,值得细阅与统览。书中有些是专题论文,另有些篇章在谈及科举考试本身时也多述及文学活动,很有意思。如《宋代科举省试制度考论》,介绍各地举子赴京省试,由于当时交通不便,历尽艰苦,就举有慕容彦逢《赴省试到阙偶成》、徐通《赋六人同舟赴省举》二诗,其"行人畏寒兼畏滑,满蹊坚冰如鉴明","竹林风月连三郡,北宿光芒聚一舟"诗句,使我想起唐人刘希夷《送李秀才赴举》

"日月天门近,风烟客路长",张籍《送朱庆余及第归越》"有寺山皆遍,无家水不通",这确使士人扩大行踪,开阔视野,倍增诗意。此文后又叙述知举者、考试官于试前锁院,如欧阳修、梅尧臣等于锁院期间,作诗唱和,时有佳句,这是唐代未有的。尤其值得思考的是,当时经省试,对录取者地区的看法,有所纷歧,但却可提供过去未曾注意的信息,如欧阳修《论逐路取人札子》有云:"东南之俗好文,故进士多而经学少;西北之人尚质,故进士少而经学多。"后范纯仁于熙宁二年所作《奏设特举之科分路考校取人》,有云:"然进士举业,文、赋唯闽、蜀、江、浙之人所长。"苏轼于元丰元年所作《徐州上皇帝书》,也以为,以文词取士,"多吴、楚、闽、蜀之人"。又如《宋代词科制度考论》,着重论述词科的设置直接导致四六文体在南宋的兴起,主要表现在名家辈出,名篇迭起,尤其是四六文集及评点著作层出不穷,如《五百家播芳大全文粹》、《宏辞总类》、《四六话》、《辞学指南》等等。这在不小的幅度上改变了南宋文学的面貌。文学史著作过去对南宋四六文体的兴起也有所注意,但未从科举制度变革着眼,对词科的设置予以必要的论述。

至于书中论科举与文学的专题之作,当更令人注意。如一般认为唐代进士试行卷风行,在一定程度上促进文学的繁荣,宋代则因废除公荐、公卷,行卷就自然消除,一般也就未加留意。而现在书中特设《论宋初的进士行卷与文学》一篇,仔细考索北宋初期太祖、太宗两朝及真宗之初,行卷仍很普遍,而与文学之关系,特为提出:这一时期行卷与受卷,并非仅是为了入仕与举荐。文中举柳开、田锡、王禹偁等几位名家为例,说明他们在投书中主要是阐述自己的文学观点,而受卷者也想借此栽培文学新人,这对促进宋初诗文革新,酿成文坛派别化趋势,起有很大的作用。这确是一个新的视角。又如《论北宋科举改制的异变与南宋文学走向》,提出北宋中后期几次科举改制,不仅罢诗赋试,且诗赋的创作与传习也一时被禁,这就引起一系列后果,如文士文学水平下降,知识面狭窄,古文写作滑坡,而南宋初词科的设置,又促使四六骈体兴起。有意思的是,文中还以此提出吕本中制作《江西宗派图》及江西诗派之兴起与风行,也都与北宋后期的科举改制有关(当然,这可以作进一步的论述),这恐怕是当前作江西诗派研究,未有及此的。

我本来还想就本书所论再多说一些,但考虑到序言作为一种文体,它不同于论文与书评,是不必也不能长论细言的。但遍阅全书,还是引发我对当前文史研究的思考:一是要重视文献资料,这是不能回避的基础性工作;二是要注意个案研究,这是行之有效的典型性分析方法。大家知道,宋代虽未如唐代科举那样,有清徐松《登科记考》这样一种科举编年史,但其文献资源却比唐代丰富。如《宋会要辑稿》中,共有三十四节的“选举”类;南宋彭百川《太平治迹统类》,第二十八卷系统记载北宋太祖至徽宗朝科举取士史实;有三百四十八卷的马端临《文献通考》,其中有十二卷《选举考》;其他如被誉为宋代三家卓然可传的三部私史,即李焘《续资治通鉴长编》、李心传《建炎以来系年要录》、王偁《东都事略》,以及大型类书王应麟《玉海》,传记类著作郑樵《通志略》之《氏族略》、杜大珪《名臣碑传琬琰集》,及数量更为庞大的宋人诗文别集,等等。这些为研究宋代科举,研究宋代历史文化与文学,提供了极为丰厚、极为宝贵的资源。祝尚书先生这部著作,对上述各类著作几乎遍引。当然,对这繁富资源广作开拓,认真挖掘,难度也是相当大的,但真正要有所成就,则不能回避。如作自然科学研究,要发现某种原理,或作新的发明,非要长时期甚至几十年在实验室工作不可。某些未有扎实基础的所谓宏论,看起来似颇为炫耀,实际上避免不了烟消云散。这就如顾炎武在《日知录》中所说:"以无本之人,而讲空虚之学,吾见其日从事于圣人而去之弥远也。"

就个案研究而言,本书更提供不少范例。书中专题论文,本身就是个案研究,而在文中更有不少细例。如《论宋代科举时文的程式化》,据《蛟峰批点止斋论祖》,特举《山西诸将孰优论》为例,逐段加以评析,以显示南宋应试文"论"体的程式。又如《宋代科举用书考论》,对当时著录及后世流传的举子用书,分类编、时文、评论三类,一一列出书名,具体介绍其内容、特点,有三四十种,这不仅说明当时举子为应试而争取扩大文史知识,还为两宋书籍刊刻、发行,从科举角度提供新鲜讯息。个案研究并不是所谓饾饤琐细考据,应当看作是对代表性事例、人物作某种典型性剖析,然后可以作出总体性的准确、客观判断。

以上可以说仅是我的读后感,供学界参考;文末提出的两点,也是有感于学术风气,对研究基础、研究方法,略抒己见,谨请指正。

2004 年冬,于北京六里桥寓舍

原载大象出版社 2006 年版《宋代科举与文学考论》,此据大象出版社 2008 年版《学林清话》录入

《中国古代文学通论》总序

　　走过 20 世纪的现代学术之路,我们的古典文学研究已跨入一个新的纪元。回顾过往,审视现有的成果,我们深感古典文学研究的成就是巨大的:作家研究尤其是著名作家研究已有相当的积累,文学史的基本资料大体摸清,基本问题也得到深入研究,文体学研究方兴未艾,古代文学理论面临着重新诠释的当代要求,传统的风格学、修辞学研究和新兴的社会—文化批评正朝着更广泛和纵深的方向拓展。作为古典学术重要分野的古典文学,知识积累和更新已到了这样一个时刻:层积的、零星的历史知识亟待整合,具体的艺术经验亟待理论提升。总之,一个世纪古典文学研究的成果积累已到了亟须加以清理、淘汰、整合并最终系统化、理论化的时刻。这不只是学科自身发展的必然趋势,也是当前全球化语境下民族文化认同的迫切要求。在迈入新世纪伊始,一种全新的古典文学研究形态,一个全新的学术任务,历史地摆在我们面前,而力图使之得以实现的初步成果,就是现在呈现于读者面前的、由众多学者通力合作完成的《中国古代文学通论》。

　　这部《通论》是一个全新的设想,一个立足于 20 世纪学术发展,面向 21 世纪的学术趋向,具有学术总结、学术探索和学术展望的意义,在研究思路、研究方法以及知识积累、学科建设各方面都力争有开创性和建设性的新型研究。它是多角度地宏观把握中国古代文学史的尝试,同时也是一项跨学科的综合性的学术探索。它的基本思路和内容构成都不同于现有的文学史著作。

历来的中国文学史著作,大多以王朝和文体为经纬,以作家为单元,依次叙述,优点是突出作家的历史贡献,文学史的基本事实交代得比较清楚,缺点则在于头绪较多,史和论、叙述的独立和交叉之间的关系不好处理,而且整体性较差。我们认为,文学史研究的一个重要任务,就是通过揭示不同时代的创作范式,把握整个文学史运动的轨迹。围绕这一中心,我们的工作首先是突破现有文学史著作的体例,横向开展文学史的综合研究。内容包括五个方面:(1)通论不同时期文学的时代特征和文学史地位。(2)根据不同时期的文学创作态势,分论各体文学的创作风貌、高下得失,描述各体文学的盛衰流变。尤着眼于"一代有一代之胜",重点论述《诗经》《楚辞》以及汉赋、六朝乐府、唐诗、宋词、元曲、明代戏曲小说、清代俗文学、文学批评的成就。(3)从不同时期文学的时代特征出发,抓住文学创作中的主要问题,研究文学与社会生活、政治经济、文化艺术、文学传统的关系,注意从"历史—文化"的角度作跨学科的综合研究。(4)梳理历来整理、研究历代文学典籍的成果,对各类文学典籍的存逸、收藏及整理情况加以总结性的评述。(5)站在 20 世纪学术发展的高度回顾近代以来的古典文学研究,从学术观念、研究方法的角度对学术史加以反思,在此基础上指出不同时期文学研究面临的问题,提出学术界当务之急的工作和研究思路。总之，我们的目标是力求全面阐述古典文学的基本内容，展现 20 世纪的学术积累和认识深度，表达当代学者对古典文学的总体认识、评价及对学术史的估量。

这一新的思路形成了《中国古代文学通论》的一些新特点。

首先，"中国古代文学通论"这项研究成果的意义，亦即它的突出特点，在于一个"通"字。我们力求以较开阔的学术视野，多角度多层面地呈现中国古代文学的整体风貌，在充分吸收 20 世纪学术成果的基础上重新审视中国古代文学的文化特征、民族性格和时代风貌，以多元的视角、多样的研究方法，从整体上对古代文学作出新的阐释。对历来关注的热点问题，如《诗经》的时代问题、《楚辞》的作者问题、魏晋南北朝文学与佛教的关系、唐诗繁荣的原因、宋代党争与文学的关系、元代士人的境遇与心态、明代文学与心学、清代文学与社会生活的关系等等，都根据新的研究成果展开论述，并提出自己的独到见解。对历来较少涉及的先秦两汉文学与地域文化的关系，魏晋南北朝文学与门阀氏族及与音乐绘画的关系，宋代文学与西夏文化的关系，明代的八股文写作，清代文学与科举、出版、藏书以及女性的关系等，也作了初步的探讨，其中不乏新的学术生长点。

其次，《中国古代文学通论》从纵横两方面展开论述。纵向描述文学史的运动、文学风尚的嬗变、文学体裁的盛衰之迹，揭示文学史演进的内在逻辑；横向展开文学与不同学科的比较，通过文学与各种外部因素的关系来揭示不同时代文学的主导倾向。书中提出的一些结论不仅能给断代文学史研究带来新的启示，同时也为理解中国古代文学的文化特征和民族性格提供了参照。比如唐代文学，就涉及了文学与政治、文学与传统思想、文学与自身传统、文学与宗教、文学与科举制度、文学与幕府、文学与交通、文学与女性等多方面的问题,全面地反映了唐代文学与其所处的文化环境的复杂关系,在方法论上或许有一定的启示作用,这也是这项研究的理论意义所在。

再次,《中国古代文学通论》特设"文学的基本文献"一编,在扎实的文献调查和研究基础上,对传世文学文献的整理、研究情况加以总结,尤其是目前研究还比较薄弱的明清两代,不仅介绍文献的种类、数量和整理现状,还附及流传、编目和收藏情况;不仅便于初学者掌握文献,少走弯路,同时也有利于规划学科发展战略,促使学术投入向有序、均衡的方向良性发展,这可以说是《中国古代文学通论》的实用价值所在。诸如先秦出土文献、敦煌诗卷、唐代诗文集、明代小说文献、清代诗文文献的考述评介,相信会给有关领域的研究带来触动,改变古典文学研究中投入不平衡的状态,进而使文学史研究的整体水平有所提高。

正如学界普遍感觉到的,当前国内的古典文学研究,在蓬勃发展、日益深入的同时,也面临着一种困境:课题重复,规范缺失,出版无序……对学术现状和现有成果的反思,对旧问题的清理,似乎已到了比提出新问题更为迫切的地步;而确立新的学术起点,寻找新的学术生长点,也成了推动学术良性发展、实现学术创新的基本前提。在学界热烈讨论学术规范、批评浮躁学风的同时,我们也在思索,希望以实际的努力,趟开一条走出困境的新路。最终,我们确定这样一个宗旨,即:整合既有知识,反映学科现状,提出存在问题,明确发展方向。我们构想的研究计划,得到国家社科基金的支持,作为 2002 年度重点课题立项。这对我们是极大的鼓舞和鞭策。

《中国古代文学通论》分为先秦两汉、魏晋南北朝、隋唐五代、宋代、辽金元、明代、清代七卷。在当今提倡打通古今、超越王朝观念的文学史研究风气中，我们仍采用以王朝起讫来划分文学时代的方式，不是为了遵从习惯，而是基于这样一种认识：一个王朝不仅意味着一种政治制度、社会性质和文化精神的统一性，而且维系着一种文化认同，这从易代之际人们对遗民或贰臣身份的选择和指认可以清楚地看出。王朝的概念从来就不是一个空洞的符号，而是具有多方面规定性的标志，集中了臣民的文化认同和心理皈依。我们有理由认为，在王朝意识主宰下的文坛和文学创作，会因政治、文化和文学传统的认同而形成某种同一性，表现为一个时代的创作范式。事实证明，如此分卷确实有其清晰和简明之处，文学史的阶段性和连续性都得到了较好的体现。

　　通论中国古代文学是前所未有的、有开创意义的工作。由于历史跨度大，涉及面广，对学者的知识准备和研究能力有较高的要求，我们特邀一批学有专攻，并就有关专题发表过研究成果的中青年学者，协力完成这项艰巨的工程。总主编提出整体结构、基本思路和写作体例，分卷主编根据各卷的内容和结构安排章节，在力求全面反映20世纪古典文学的研究水平、学术积累和发展趋势的前提下，也鼓励作者提出个人的独到见解。因此《中国古代文学通论》可以说既是我们当代古典文学研究者奉献给读者的集体成果，又是一部专家专论的荟萃。仅就这一点而言，它也有不可替代的参考价值。在为读者提供较全面的文学史知识、开启学术门径的同时，它也呈现了系统的学术总结和学科展望。相信它的学术分量和书的厚度是相称的。

为便于读者了解中国古代文学研究的概况,各卷后面都附录一个研究书目,所收书目迄于 2003 年,包括部分海外学者的论著,一般不收古籍与整理本,但今人新编之书(如陈尚君《全唐诗补编》)及研究性整理之作(如周勋初《唐语林校证》)则酌情列入。这只是一个参考性的书目,适当照顾到专题和作者地区,并不代表我们的学术评价。

《中国古代文学通论》内容涉及面广,作者较多,各卷处理的问题也有所不同,因而行文体例和文字风格都有不尽一致之处,这是要向读者说明并请求谅解的。又因各段研究的学术积累不一样,唐宋以前基础雄厚,元代以后相对薄弱,《中国古代文学通论》所能参考、借鉴的条件也不一样,在课题规定的时间内,尽管我们做了最大的努力,但在搜集材料和思考问题等方面一定还有各种不足之处。恳切希望学界同道多给予批评和帮助,以便我们在今后的学术进程中不断修订,逐步完善。

《中国古代文学通论》从酝酿、撰写到修改定稿,前后历经三年多时间。五十余所高校和科研机构的百余位专家通力合作,付出了辛勤的劳动。呈献在读者面前的七卷"通论",是集体智慧的结晶,相信读者能看出其中包含的独到见解和学术含量。借此机会,我们也要对各位作者的辛勤劳动表示衷心的感谢!

2004 年

原载辽宁人民出版社 2004 年版《中国古代文学通论》,此据东北大学出版社 2015 年版《中国当代名家学术精品文库·傅璇琮卷》录入

文德重扬　桃李滋荣

——林庚师对后学关怀琐忆

　　我是 1955 年夏于北京大学中文系毕业的,毕业后留校任助教,但 1958 年 2 月即因事离校,先后在商务印书馆、中华书局工作。在北大中文系只两年半,且当时我是浦江清先生宋元明清文学史的助教,林庚先生那时是古代文学教研室主任,对我仍很关心。我记得 1955 年 9 月刚开学,林先生有一天特地在他家中(北大燕南园 62 号)安排一次晚宴,请教研室的教师如游国恩、吴组缃、浦江清等先生及前两年已留校任助教的陈贻焮、褚斌杰几位师兄参加,欢迎我进入古代文学教研室。这恐怕是北大中文系极少见的,我一直记在心中。我在 1982 年 2 月因另有事给林先生写信,信中谈及那时我听先生的课及在教研室工作的一些情况,林先生特地于 2 月 27 日回我一信,一开始就写道:“收到 22 日手书,欣慰何似? 特别是早年课堂上的追忆,更是恍如目前。”并又鼓励我:“信中所提出的有关唐诗的那些问题,都很有启发,若是大家能在这些方面多作些探讨,那可能会给唐诗研究带来新的局面。”

林先生对年轻人的科研工作十分关心、支持、鼓励。如我于1979年为中华书局筹划创办《学林漫录》，初集于1980年6月出版，出版后在学界反应不错。1980、1981年，两年内共出了4集，且封面分别请钱锺书、启功、顾廷龙、叶圣陶诸位前辈签署书名。林先生于1981年11月18日给我一信，信中特为提及一事："前者小如先生曾推荐钟元凯同志《李贺诗歌的色彩美》一文于足下，已近一年，不知下落如何？该文于艺术分析上颇有见地。元凯同志研究生已经毕业，现留北大中文系任教，治学甚勤奋。该文如可用，望早日为之刊载，是所至盼！"钟元凯同志此文，我已安排，且已出校样，于是我接到林先生信后马上写信告知，林先生也于接到信后同一天（11月22日），写信给我："21日手书慰悉为谢！该文校样请挂号即寄舍间由我转去更为稳妥，元凯同志宿舍即在我南墙数武，楼中却无收发处，平时信件都通过系里，不如我处直接了当也。阁下感冒如何？殊念。"由此可见，林先生不仅对元凯同志文章早日刊发甚为关切，且特为告知，校样寄至他家中，由他转交，可见师辈对弟子关怀之细心。钟元凯同志《李贺诗歌的色彩美》，即刊于《学林漫录》第5集（1982年4月）。

　　在此之前我曾为中国社科院文学所古代组《唐诗选注》（北京出版社，1978年9月）写过一篇书评，刊于《文学评论丛刊》，我就将此文寄给林先生，林先生也即刻回信（1979年12月2日），除了肯定这一书评外，还对当时北大唐诗中心寄以展望，谓："文学评论丛刊收到，奉读大作，功力甚勤，至为欣佩！北大唐诗中心，因百废待举，课堂为先，一时无力集中，系中仍不忘此事，当待一二年内，教学上基本稳定，再正式展开。届时望共襄盛事，同骋齐足，乐何如之。"

另有一事，未见书信，但我想还值得一提。即陈贻焮先生于1981年上半年，写就《杜甫评传》上卷，不知为什么，一定要我为这部专著写一序。贻焮先生于1953年毕业，毕业后留校做林先生助教，1953至1954年间我与他一起听林先生讲授魏晋南北朝隋唐部分文学史的课，他当是我的师友。当时我不敢写，他就给我写了好几封信，后来我忽然接到林先生的电话，说贻焮同志与他讲了此事。林先生特别说："你应当写，好好看他的文稿，把写序当作一篇课堂上的作文来写。"这样我就只好执笔，这是我为学界友人著作写序的第一篇（《杜甫评传》上卷，上海古籍出版社于1982年8月出版）。林先生所说的，为人作序，先要好好阅看书稿，同时将写序当作课堂上作文，这是我一直铭记在心的。

让我感到自慰的，我总算尽一点微力，为林先生做一件事。1962年，我已在中华书局文学编辑室工作。那一年是杜甫诞生（公元712年）1250周年，当时中国学术界特为此举办学术性纪念会。中华书局编辑部与我商议，后由我具体做，选辑清末至建国以后有关杜甫研究的论文，编辑、出版《杜甫研究论文集》（共三辑）。此项工作进行时，我向领导提议，为反映近几十年来我国古典文学研究的情况，保存历史资料并推动研究更为深入，最好能有计划地系统选录自清末即20世纪初以后至五六十年代报刊上的古典文学论文，按作家作品分别编集。当时领导，总编辑金灿然、文学编辑室主任徐调孚毅然同意，我就着手编与杜甫同时的另一大家李白研究论文集。这一《李白研究论文集》也于1962年6月编成，全书分上下两辑，上辑选清末至建国以前，以闻一多《英译李太白诗》为首,另有陈寅恪《李太白氏族之疑问》、孙楷第《唐宗室与李白》等,共十篇;下辑则为建国以后至 1962 年 6 月以前,共二十三篇,我则选林庚先生刊于《光明日报》1954 年 10 月 17 日"文学遗产"第 25 期的《诗人李白》,列为首篇,同时并将陈贻焮《关于李白的讨论》即北京大学中文系古典文学教研室会议记录也选入,这次会议出席并发言的不仅是研究者如俞平伯、何其芳等,还有现代作家赵树理、冯至等,可以说是体现我国 50 年代中期的文学思想观念的,应当说是很好的文学史研究史料。当时选录这两篇文章,中华书局内部还是有不同意见的,但我作为一名普通编辑,倒敢于坚持己见。后这本论文集于 1964 年 4 月出版,而当时随着形势的变化,这套古典文学研究论文选集,未能继续进行。编这本论文集时,我只近三十岁,作为一名学子,总算为老师的学术成就更为学界熟知和研讨,尽一点微力。

90 年代时,我有时到北大开会,总是抽时间去拜访、问候林先生的。那时林先生已年高体弱,且耳朵不大能听得清声音,但兴趣仍很广。有一次对我讲,他喜欢看电视中足球比赛实况,我说您听觉不便,恐听不清电视中的赛场解说,林先生却说:我年轻时就喜欢踢足球,对足球赛很熟悉,看电视,只看比赛实况,双方踢得好不好,我全看得懂,何必再去听解说!我真笑了起来。此后我有时去北大,怕打扰林先生,不一定进他家去,但我到北大校园,总要抽时间,单独一个人,去燕南园,并在燕南园 62 号大门口,来回走几次,然后默默地离开。

原载人民文学出版社 2005 年版《化雨集》,此据北京联合出

版公司 2013 年版《濡沫集》录入，另收入北方文艺出版社
2008 年版《书林漫笔》、首都师范大学出版社 2010 年版北京
社科名家文库《治学清历》

唐代文学研究：社会—文化—文学

　　走过 20 世纪的现代学术之路，唐代文学研究已经跨入一个新的纪元。无论是基础资料建设还是文学理论探讨，无论是学术领域的开拓还是学术方法的创新，都取得了令人瞩目的成就。立足于 20 世纪的学术发展，面向 21 世纪的学术趋向，唐代文学研究应走向更具广阔前景和广泛意义的社会—文化研究。

　　这意味着，对作家作品及文本研究外，更应将文学视为特定社会历史文化条件的产物之一。对文学的研究应在社会文化大背景之下来进行。从文化视角切入唐代文学研究，是一种历久弥新的方法。如闻一多的唐诗研究、刘师培论文学的地域性特征、陈寅恪以诗证史及文史互证等，皆为后学者树立了典范。作家的出现和成熟、作品的内容和表现形式、文人的唱和和交往、文化的传播和接受，自有其生长的社会文化土壤。应将文学的研究拓展到政治制度、传统思想、社会思潮、社会群体（家族、流派、作家群、社团等）、科举、幕府、音乐、绘画、民俗、交通等文化层面，注意在文史哲相关学科和其他交叉学科的联系中探索知识分子的生活道路、思维方式、心灵状态和社会处境。对复杂的文化背景的综合研究将有助于人们更真实而深入地解读文学,厘清文学与社会文化的多重互动关系,从总体把握文学史的复杂流变和演进规律。这对研究思路的拓宽、研究领域的开辟和研究方法的更新不无裨益。

《华南师范大学学报(社会科学版)》组织、编发的戴伟华的《地域文化与唐代诗歌研究导言》、蒋寅的《孟郊创作的诗歌史意义》、杨晓蔼的《唐诗在宋代的歌唱及其对宋人声诗观的影响》、李德辉的《唐人行记三类叙论》这组论文,就是对上述学术思想的一种实践。

唐代文学研究在社会—文化研究方面走过了艰辛而辉煌的历程,已经取得了不小的成就,也积累了丰富的经验。展望未来,我们有理由对学术的繁荣与发展充满信心。

原载《华南师范大学学报(社会科学版)》2005 年第 2 期,据以录入

走进中华

——《学林漫录》忆旧及其他

　　我于 1951 年秋入清华大学中文系求学,至 1952 年 8 月,随我国高等学校院系大调整而就读于北京大学中文系。三年后毕业留校,担任浦江清先生主讲的"宋元明清文学史"课的助教。本以为就此可以在大学教学和科研的坦途上前进了,不料在 1958 年年初,因所谓的"同人刊物"问题,与乐黛云、褚斌杰、裴斐和金开诚等人一起被诬为"右派集团"而身心俱受打击。

　　1958 年 3 月,我从北京大学被贬逐至商务印书馆。我在北大是教书,只不过三四年,而且那时只是个助教,跑腿儿的机会多,真正上堂讲课不过少数几次;到出版社是编书,倒是每天与书打交道了(当然,"文革"中有几年除外),编书生涯占去了一生中的大半辈子。但现在稍稍作一些回顾,编出的书真能惬意的,却也似乎不多。能说得过去的,我觉得只有《学林漫录》丛刊那一种。

　　到"商务"那会儿,也不过是二十五六岁的青年,但自我感觉似乎已入"中年",那时"商务"在北总布胡同 10 号,由几个四合院组成,都是平房。

我所在的古籍编辑室,正好是在北屋西头,面对的是一个颇为典雅幽静的小院子。室主任吴泽炎先生打算在由云龙旧编的基础上重编《越缦堂读书记》,他可能觉得需要一个帮手,也或许看到我刚从大学出来,得收收心,就叫我帮他做这件事。

　　步骤是将由云龙的旧编断句改成新式标点,并再从李越缦的日记中补辑旧编所遗漏的部分。李慈铭也可以算是我的乡先辈,大学念书时读《孽海花》,对书中所写的他那种故作清高的名士派头感到可笑,但对他的认识也仅此而已,现在是把读他的日记当作一件正经工作来做了,对这位近代中国士大夫中颇具代表性的人物及其坎坷遭遇了解稍多,竟不免产生某种同情。我虽然头上已戴了"帽子",但那时对脑子里的"东西"却似乎还拘查得不严。

　　我是住集体宿舍的,住所就在办公室后面一排较矮的平房里,起居十分方便。一下班,许多有家的人都走了,我就搬出一张藤椅,坐在廊席下,面对院中满栽的牡丹、月季之类,就着斜阳余晖,手执一卷白天尚未看完的线装本《越缦堂日记》,一面浏览其在京中的行踪,一面细阅其所读的包括经、史、子、集的各类杂书,并在有关处夹入纸条,预备第二天上班时抄录,真有陶渊明"时还读我书"的韵味,差一点儿忘记了自己的"罪人"身份。

　　但好景不长,1958年7月,由于几个老牌出版社"专业分工"的确定,我又被调转至中华书局。随即转入纷繁的编书生涯,"商务"那段短暂而悠闲的生活结束了,从此,"此情可待成追忆"(李商隐《锦瑟》语)了。

　　当时的中华书局总编辑金灿然告诫我:"你就在工作中好好

改造吧，安心看稿。"他懂得爱惜专业人才，并不让我去"下放劳动"，而是把我圈在作者的书稿中，专致于编辑业务。我为审读有关书稿，就上自《诗经》下至《人境庐集外诗》地翻阅了不少书。

按照我当时政治处境，是不能写文章往外发表的。于是我白天审读、加工稿件，晚上看我要看的书。当时我处理陈友琴先生的《白居易诗评述汇编》，我提议由中华书局搞一套"中国古典作家研究资料汇编"，领导同意这一方案，于是把陈先生的这部书改名为《中国古典作家研究资料汇编·白居易卷》……我自己就搞《黄庭坚与江西诗派卷》和《杨万里范成大卷》。

我平时从中华书局图书馆借书，夜间翻阅。每逢星期天，则到文津街的北京图书馆看一天书，中午把早晨所带的馒头伴着图书馆供应的开水当一顿午饭。我的近二十万字的《杨万里范成大研究资料汇编》和七十余万字的《黄庭坚与江西诗派研究资料汇编》，就是在这种情况下编出来的，这也就是我真正做研究工作的起点。我没有荒废时间。

我那时就想尝试一下，在出版部门长期当编辑，虽为他人审稿、编书，当也能成为一个研究者。我们要为编辑争气，树立信心：出版社是能出人才的，编辑是能成为专家学者的。

《杨万里范成大卷》于1964年出版，《黄庭坚与江西诗派卷》亦于1978年出版。关于山谷研究资料一卷，我曾寄送钱锺书先生，以求指正，且当时亦未识得荆州，不久即收到钱先生赐函，得悉钱先生已阅读《杨万里范成大卷》，有奖褒后学之厚意，更使我坚定走编辑学者化的道路。钱先生函摘录如下：

璇琮先生著席:

　　十数年前得见尊纂石湖资料,博综精审,即叹可悬诸国门,为兹事楷模……心仪已久,顷奉惠颁新著,望而知为网罗无遗之巨编,沾丐何极。山谷句云:能与贫人共年谷。断章以谢隆情厚赐,亦本地风光也。先此布怀,书不尽意,即祝起居安稳,文章富有。

　　　　　　　　　　　钱锺书上,二十六日。
　　李文饶言好驴马不入行,研究所乃驴马行耳。一笑。

　　应当说,中华书局三十年的工作,打下了我做学问的底子。我始终对这个环境是有感情的。我在《唐代诗人丛考》(中华版)2003年重印时的"重印题记"中说过:我在编辑工作中学到了那时大学环境中学不到的许多实在学问,这也得力于中华书局在学术界的特殊位置。但后来却又受到一种莫名其妙的压抑、欺凌,以及因所谓世态炎凉而致的落井下石的遭遇。但我这个人毕竟是个书生,从上世纪50年代起,不管环境如何,总是抓时间读书作文。

　　不过,头几年的事务也确实丛杂得够呛。

　　刚到中华书局文学编辑室,即碰到新编唐诗三百首之事。在1958年的大浪潮中,对古人一切都要推倒重来,说是清代乾隆年间蘅塘退士的《唐诗三百首》"美化封建社会",对今天的读者毒素很大,我们要新编一本来加以"消毒"。新编当然无可厚非,问题是依据什么"标准"。既然旧编"美化封建",我们现在就要反旧编之道而行之,揭露封建社会的黑暗面。于是以民间作品为主,把相传为黄巢的"反诗"以及民歌民谣优先选入,再收白居易、杜荀鹤等所谓反映"民生疾苦"的作品。

编辑室内屡次为某些作品入选与否争来争去,编辑室一位副主任,可称"三八式"干部,后来总结这次新编的工作,认为自始至终贯串"两条路线"的斗争,无疑是把我和其他几位列入错误路线中去的。她解放前曾在邓拓手下做过事,有老交情,于是请邓拓当顾问,这本"新编"的前言即出于邓拓之手。当时大家都洋洋自得,认为牌子硬。

殊不料"福兮祸所伏",1966年上半年批"三家村"时,把《新编唐诗三百首》也揭发出来了,说是邓拓借选诗,把唐诗中描写黑暗的作品大量选入,是借此攻击"大跃进"、"总路线",把一个好端端的新中国搞得暗无天日、一塌糊涂。

那时我还在河南安阳农村搞"四清",春夜静寂时,读到《人民日报》上的这一揭发批判文章,真是惊得目瞪口呆。因为我是参与者,明明白白知道诗是编辑室内的人选的,只不过选成后邓拓看看,怎么忽而变成是邓拓选的了,而且是邓拓借此而作为"反党反社会主义的工具"了! 安阳是殷墟的旧地,甲骨文是我们文明的老祖宗,我倚伏于中原大地上一个农家的昏微灯光下,面对着这篇"檄文",真感慨于我们古老的历史传统中一种可怕阴森的东西。

《新编唐诗三百首》工作于1958年10月间结束,随即转入杂务。记得我刚进中华书局时,一位编辑室主任曾给我一部明季抗清的文臣写的文稿《邢襄题稿》和《枢垣初刻》,叫我写一篇"出版说明";后来还经手过顾颉刚先生标点的清人姚际恒的《诗经通论》;第三部是《顾亭林诗文集》,除了通阅、标点外,还要各写数千字的有评析的说明文字。1958 年至 1959 年间文教战线"拔白旗、插红旗",北大中文系师生编了一部陶渊明研究资料汇编,编辑室领导又命我做该书的责任编辑。而自 60 年代初期起,我又参加"二十四史"的校点。这样的一种上下千余年的工作,对于像我这样不到三十岁的人来说,也可以说是一种"锻炼",但它们对于我也是一种事业上的兴趣,并不只是作为一种"任务",我在理智上觉得应当把它做好。

而对于《学林漫录》,则完全是出于一种趣味上的爱好。1979 年至 1980 年间,我任中华书局古代史编辑室副主任。由于工作关系,我在古典文学界之外,又结识了历史学界不少老年和中年学者,交友面比过去稍广了。我感到史学界的研究者,专业性似乎比古典文学界为强,对学术课题钻研较深,但他们与古典文学界中一些朋友一样,大多希望在专业范围之外,浏览一些虽然也是学术问题却比较轻松的漫谈式的文章。这时,我正好从朋友处看到香港出版的《艺林丛录》,受到启发,觉得不妨也编这样一种不定期的学术小品集。这正是《学林漫录》初集"编者的话"所说的缘起:

> 不少文史研究者或爱好者,愿意在自己的专业领域内,就平素所感兴趣的问题,以随意漫谈的形式,谈一些意见,抒发一些感想。而不少读者,也希望除了专门论著之外,还可读到学术性、知识性、趣味性相结合的作品,小而言之,可资谈助,大而言之,也可以扩大知识面,开阔人们的眼界,启发

人们的思想,丰富人们的精神生活。《学林漫录》的出版,正是为了适应这样的要求。

至于编选的宗旨,仍用"编者的话"说便是:

《学林漫录》的编辑,拟着重于"学"和"漫"。所谓"学",就是说,要有一定的学术性,要有一得之见,言之有物,不是人云亦云,泛泛而谈,如顾炎武所说的"废铜"。所谓"漫",就是上面说过的不拘一格的风格与笔调。杜甫在他定居于成都时,写了一首《江上值水如海势聊短述》的七律体,有这样两句:"老去诗篇浑漫与,春来花鸟莫深愁。"是很有意义的。杜甫在他后期,诗律是愈来愈细了,但自己却说是"漫与",似乎是说诗写得不怎么经心了。这是不是谦词呢?不是。老杜经历了大半生的戎马战乱,在离乱的生活中积累了丰富的实践知识,稍有闲暇,又读了不少书,只有在这样的深厚的基础上,才能写出"浑漫与"三字,就是说,看来不经心,其实正是同一篇诗中所说的"语不惊人死不休"的。拿杜甫这首诗中的诗句,来为我们这本书的"漫"字作注脚,恐怕是合适的。

其时,黄裳先生是刊物的作者与读者之一,他曾来信鼓励说:

刊物印刷装帧皆佳,虽出版少迟,亦可满意也。尊撰"大政方针"极是,近来"正经"学术刊物甚多,然质量殊不足与招牌相符。原因可能是人材寥落，后继者少。鲁迅有言，不妨大家降一级试试看，即试写此种小文，不端架子，反能少有新意，亦未可知，不知以为如何。

《学林漫录》第一集出版于 1980 年 6 月。这一集是我一个人编的，筹备了大约半年，向一些文史界相识师友组稿。先是向我素所敬仰的启功先生索文，他欣然先写两篇，一是《记齐白石先生轶事》，一是《坚净居题跋》。启功先生的这两篇可以说是代表《学林漫录》的两大部分内容，就是记述近代有建树的学者、作家、艺术家事迹的文章，以及包括各种内容的学术小品。这在当时，对不少读者来说，都有一种新鲜感，因此，颇受文史界以及其他行业中人的欢迎。正如第三集的"编者的话"所说：

> 读者欢迎已出的初集和二集，大约就在它的别具一格吧。所谓别具一格，从内容上说，就是所收文章的面较宽。举凡近当代一些学者、作家、艺术家事迹的记述，诗文书画的考析和鉴赏，古今著作的推荐和评论，以及读书随笔、序跋札记，只要有一得之见，言之有物，均可登载。另外，从文章的风格上，我们主张不摆架子，不作姿态，希望如友朋之间，促膝交谈，海阔天空，不受拘束。

初集问世以后，我因其他事忙，就约了古代史编辑室的张忱石和文学史编辑室的许逸民两位合编。他们当时还不太忙，三人共同商量，事情就好办得多。《学林漫录》刊登学者、作家、艺术家的事迹,在当时为其他刊物所少见,而约请的写作者一般都是这些学者、作家、艺术家们的朋友、学生或亲属,亲炙日久,了解自深,行文又自然、真挚,读来使人备感亲切。这是《学林漫录》的一大特色。前后所记述的有齐白石、陈寅恪、张元济、朱自清、陈垣、黄侃、邓之诚等四十几位人物。

《学林漫录》的文章一般只不过两三千字,是希望不要给读者以过重的阅读负担。有的还仅数百字,如俞平伯先生的《德译本〈浮生六记〉序》(第八集)和钱仲联先生的《重修破山寺碑记》(第十二集),前者是吴小如先生约来的,后者是许逸民同志和我有一次与钱先生一起开会,钱先生随便谈起时向他约的。两篇都用文言写:俞先生的序潇洒清脱,一如晚明风格,钱先生的记则奥义丽辞,直追六朝译经。

但《学林漫录》所收也有长文章,一是时任上海古籍出版社总编辑的钱伯城。一次我到上海去,他说他写了老画家颜文梁先生年谱,几万字,当时哪家刊物都不能登,颜先生虽然无论人品画品都可称为近代中国油画界的开拓者,但人老了,知道的人不多了,实在遗憾得很。我遂以不拘一格为由向张、许两位推荐,在第六集一次性刊出。想要了解20世纪二三十年代中国油画的发展,此文是非读不可的。

另一长篇是北京大学吴小如先生的《京剧老生流派综说》。这是吴先生的旧作,比钱伯城同志所作的年谱更长,从谭鑫培一直说到周信芳,共八篇,总计超过十万字,这样当然不可能一集刊完,于是与小如先生商定,每集刊两篇。本以为这样的专门记述不易为众人所注意,却不想引起轰动效应,不但像启功先生那样的大学者赞不绝口,据我的大学同窗白化文介绍,北大一位化学系教师,每集必捧读吴先生的这一长篇连载,寝食俱废。更怪的是,据他说,有一位肺癌晚期的在我国工程技术界颇有建树的长者,于平静的回光返照中,对自己的一生是满意的,别无眷恋,只惦记着要看看吴先生对马连良的评议最后究竟如何。

我们几个人还立了一个规矩,那就是从初集起,每一集的"学林漫录"四字,都分别约请一些学者或书法家书写,这样集合起来不啻是当代名人书迹,不但有观赏价值,还有文献价值。初集由我约了钱锺书先生题签,以后几集则是下列诸位先生:启功、顾廷龙、叶圣陶、邹梦禅、黄苗子、许德珩、许姬传、张伯驹、李一氓、赵朴初、王蘧常、任继愈等,这也是别具一格之处。封面设计也是一贯的素雅沉静的风格。

自从 1980 年 6 月出版《学林漫录》初集以后,就进度和印数来说,可以说每况愈下,特别是在 1988 年出现了大滑坡。我曾就各集作了一个统计:初集 1980 年出,印了三万多册;第二、三、四集是 1981 年出,第五、六集是 1982 年出,第七、八集是 1983 年出,第九集是 1984 年出,这几集印数都在一万数千册。1985 年倒也出了两集(第十集、十一集),印数已跌进一万以内了。而 1985 年以后,1986、1987 两年都是空档,1988 年 1 月才出了第十二集,印数只有两千五百册。

这当然要亏本,出版部的同志不热心,经营管理的同志也提了意见。而相识的朋友,包括不少作者,是仍然很关心的,见到必问有新的出来否? 有的开玩笑地说:《学林漫录》的"漫"应该改为"慢"了。

结果第十三集于 1991 年 5 月出版,印一千册;八年后出版了第十四集,印四千册。后来又把它们集合起来,换了封面重印过一次。中华书局拟陆续新编,但恐怕不可能每年都编辑新集了。

在编辑《学林漫录》的过程中,我对于那些谈书人书事的文章就十分有兴趣,先后主张刊登过《傻公子的"傻贡献"——嘉业堂藏书楼的过去和现在》(许寅)和《书林琐记》(雷梦水)等,但毕竟侧重点不同,所用文章有限。多年前,在编纂《中国藏书通史》问世以后,曾与北京大学图书馆学系 1984 届毕业,到南京大学工作后曾经有过多次学术合作的徐雁教授谈及,在此领域尚有文章可做。他表示即可筹划一套《书林清话文库》,大可裨补学坛,沾溉书林。我以为文库的立意颇佳,有关各书的选题,如韦力先生的《书楼寻踪》、曹培根先生的《书乡漫录》、孟昭晋先生的《书目与书评》、刘尚恒先生的《二馀斋说书》、谢灼华先生的《蓝村读书录》、周岩先生的《我与中国书店》以及来新夏先生的《邃谷书缘》、徐雁先生的《苍茫书城》、虎闱先生的《旧书鬼闲话》、林公武先生的《夜趣斋读书录》、胡应麟等的《旧书业的郁闷》、范笑我先生的《笑我贩书续编》,都极有文献价值和文化涵义。

按 20 世纪初叶德辉曾著有《书林清话》一书,以笔记体裁记叙古代版刻、藏书情况,多有专门知识性的掌故。但他未说及何以名为"清话"。按陶渊明有诗云:"信宿酬清话,益复知为亲。"(《与殷晋安别》)他与挚友临别,可以连续两夜(信宿)谈话,即清雅不拘世俗之交谈,故更为亲切。又"建安七子"之一刘桢有"清谈同日夕,情昐叙忧勤"(《赠五官中郎将》之二);东晋时名士殷浩因事离开京都,宰相王导特约其共叙:"身今日当与君共谈析理。"于是："既共清言，遂达三更"(《世说新语·文学》)。可见清话、清谈、清言，都有情深思切、朝夕细叙之意。我想，读者披览这套文库，也必有此感。我读韦力先生之《书楼寻踪》、周岩先生之《我与中国书店》，既有一种沧桑之感，更有对书林的缅怀之情。现在在邓子平先生的倾力支持下，经过两年多的组稿，基本形成了如今的格局。来自各地的作者们的书稿，尽管各自的侧重点有所不同，但他们钟爱书籍文化、探究古今图书的学术趣味却是共同的，想读者必会有"交酌林下，清言究微"(陶渊明《扇上画赞》)之趣。

原载《出版史料》2005 年第 2 期，据以录入

开创了中国古籍全国性书目的先河

    《中国古籍善本总目》的编纂出版,开创了中国古籍全国性书目的先河。这已得到学界的公认。中国古籍不仅数量繁多,浩如烟海,且是我国传统文化的主要载体。要使历史悠久、内容丰富的传统文化为现代化建设服务,就必须对这宝贵的文字载体进行认真的研究,而研究的第一步,就是要从整体上掌握古籍流传与保存的情况。古籍编目的科学意义和社会作用也就在这里。

    1975年10月,周恩来总理在病重期间,为保护历史文化遗产,继承和发扬民族优秀传统文化,提出应尽快地把全国古籍善本书总目编出来。"文革"后,国家文物局即遵照周总理的指示,于1977年春开始,部署《中国古籍善本书目》的编纂工作。后历时18年,约集众多学者,从近800个藏书单位,采辑我国传统善本书目约6万条款目,按经、史、子、集、丛五部分类,陆续由上海古籍出版社出版。应该说,《中国古籍善本书目》的编纂出版,能使中国的珍贵古籍经过广泛调查与合理编排,供海内外学术界有效地利用,其本身又是一项学术研究成果,对我们如何进行版本鉴定,如何在传统编目基础上对古籍分类进行科学的归纳,都有极大的参考价值和启迪意义。也正因为如此,《中国古籍善本书目》又必然是一项难度较大的工程,当时的编纂领导小组和编纂委员会,首先组织普查工作。普查范围不仅包括各级公共图书馆、博物馆、文物保护单位、学校及研究单位的图书馆(室),还包括一些著名的寺院、园林及其他有关机构。据说全国各地共送交十三万多张卡片。经汇总、核查、分类,编一油印本"征求意见稿",再分送有关藏书单位及专家审阅,后又在意见回复的基础上,确立定稿方案,正式编制,交付出版。

应该说,这一"征求意见稿",是《中国古籍善本书目》最早形成的惟一底稿。但因为后来由编委会征求意见,复核稽查,修改定稿,正式出书,这一《中国古籍善本书目》油印稿本就未引起注意。实际上这个"征求意见稿"本身就是古籍善本目录的宝贵文献,它与已出版的《中国古籍善本书目》比较,有两大明显不同之处:一是其所录之书,超过定稿本。如经部,"征求意见稿"本收书6024种,而定稿本的经部收书为5239种,比"征求意见稿"本少785种,即在复核中删去近15%。又如"征求意见稿"经部总类中《通志堂经解》(139种,1845卷),清纳兰性德辑,乾隆十九年刻,乾隆五十年武英殿重修本也被删除。另如经部孝经类,"征求意见稿"本收书50种,而已出版的定稿本则仅38种。编委会经数次研核,对各地上报的书目,是删去不少的。编委会的精简当有一定道理,但"征求意见稿"本是从各地上报的基础上形成的,它所提供的资讯有不可代替的价值。

"征求意见稿"本的另一明显特点,是保留了不少善本的行款格式。《中国古籍善本书目》在组稿时,是要求各藏书单位填写版本形式即行款格式的。其格式为每页几行,每行几字,以及白口黑口左右双边等。后来定稿讨论时,可能认为有些填写内容不一定准确,就索性全部不录。书出版后,不少人对此颇有微词,如《尔雅》,一连有9种都注明刻本,《春秋经传集解》则有14种明刻本,但因没有行款格式,就辨不清这些明刻本究竟有何不同。也正因为如此,线装书局才与故宫博物院图书馆翁连溪先生合作,重新校订,印行《中国古籍善本总目》"征求意见稿"本,并更名为《中国古籍善本总目》。《中国古籍善本总目》弥补了原定稿本的某些不足,对读者查阅古籍善本书目,会更方便,会获得更多的资讯。

　　线装书局出版此书,既不是单纯的翻印,也不是简单地改变书名,而是由翁连溪先生经过五六年的潜心校核,向读者提供一部更为精细翔实的整理本。由于原"征求意见稿"是依据各馆藏卡片汇录而成,有些卡片著录事类不全,印刷不清楚,或缺注著者姓名,或缺版本、行款,翁连溪先生整理时,或亲自翻检原书,或依据相关馆藏书目,甚至电话联系、查询,加以补订,使著录事项尽可能完整。至于错字、缺字,则更细心加以订正、补入。另外,"征求意见稿"本原为按册油印,未将相邻类目编列一起。这次整理,就按四部分类传统分类排序方法,并参考《北京图书馆古籍善本书目》进行调整。特别是子部,调整较多,这对读者查阅,十分方便。清代文史学家章学诚是十分重视编目分类的学术意义的,认为图书目录的分类编得清楚、合理,就能"即类求书,因书究学"(《校雠通义·互著》)。翁先生这次整理,能注意调整类目,是很有眼光的。

还有一点应当提出的是,《中国古籍善本书目》于上世纪 90 年代中期即已出齐,但长期未出版索引,使用者甚觉不便。这次整理,特别编制了书名索引,与正文同时印出,以方便读者检索。

　　古籍编目并不单纯是一种技术性的工作。我国古代著名的目录学著作,从汉朝刘向的《七略》、班固的《汉书·艺文志》起,一直到清朝的《四库全书总目提要》,都是传统学术的综合研究。它们的作者大多能体现这一时代的学术成就,反映一个时代的文化发展。《中国古籍善本书目》原主持编纂的顾廷龙先生、潘天祯先生、冀淑英先生,就是对传统文化有深湛研究的著名学者。这次负责此整理本的翁连溪先生,对古籍版本、目录,研究有素,数年前曾撰一部极有创新意义的专著《清代内府刻书图录》(北京出版社,2004 年 4 月),现在又将其几年来的劳动成果体现在这部《中国古籍善本总目》上,奉献给学界和广大读者,令人钦谢。

　　原载线装书局 2005 年版《中国古籍善本总目》,此据《中国图书评论》2005 年第 7 期录入,有删节

赵逵夫《先秦文学编年史》序

先秦文学是中国文学的开端,也是中国文学的第一个高峰,这已是文学史界的共识。20 世纪以来众多文学史著作,一开头,总是用一章或几章,记述先秦文学,而其编撰框架,大体总分列为原始歌谣与上古神话、《诗经》、历史散文、诸子散文、《楚辞》等,似已成为一个定式。这种章节性的结构,应该说也有其一定特色与长处。而现在由赵逵夫先生主编并具体参与编撰的《先秦文学编年史》,可以说是百余年来先秦文学研究从未作过的第一部编年史著述,体现我们古典文学研究中难能可贵的创新意识与探究学术新知的开拓精神。

赵逵夫先生立意作这一项目,也可以说是我们彼此学术交流、研究切磋的成果。我于 20 世纪 80 年代末,曾就"文学艺术的整体"这一学术构思出发,与几位学界友人协商,拟对唐五代文学的历史进程作编年史研究,后于 90 年代初正式启动,1996 年完成《唐五代文学编年史》,交辽海出版社(1998 年出版)。1997 年 8 月,《文学遗产》编辑部和黑龙江大学中文系联合主办"20 世纪中国古典文学研究回顾与前瞻国际研讨会",我和逵夫先生都参与了。会议期间，我即向逵夫先生介绍此事，并希望逵夫先生承一重担，即作先秦文学编年史；我并转述中国社会科学院文学所曹道衡先生也将着手做汉至隋文学编年史。逵夫先生毅然作出决定，我们两人此后不断书信往来，细研此事，达成一种共识，即我们今后如有一部从先秦一直到清王朝结束（1911），时间长达数千年的文学编年史，人们就可以按历史线索看到中国古代文学发展的具体历程，这将是我们文学史研究规模宏大的基础工程（此意我后就写于《唐五代文学编年史》序言中）。

我多年研究古代文学，总认为，除了文学本身研讨，还应扩大范围，注意文学艺术整体。所谓整体，包括文学作为独立的实体的存在，还应包括不同流派、不同地区可能互相排斥而实际又互相渗透的作家群，以及作家所受当时政治、社会生活与时代思潮的影响。孟子曾对其弟子万章说："颂其诗，读其书，不知其人，可乎？是以论其世也。"这便是他提出的"知人论世"说，对后世很有影响。现代学者鲁迅先生在其《魏晋风度及文章与药及酒之关系》一文的开头就说："研究某一时代的文学，至少要知道作者的环境、经历和著作。"他的这篇文章，就是从整体上来把握魏晋文学的。系统的整体研究，这是鲁迅先生很早就建立起来的文学史研究的格局。法国 19 世纪文艺理论家丹纳在其《艺术哲学》中也提出："要了解一件艺术品，一个艺术家，一群艺术家，必须正确地设想他们所属的时代和风俗概况，这是艺术品最后的解释，也是决定一切的基本原因。"（《艺术哲学》，傅雷译，人民文学出版社1963 年版）我在 1978 年所写的《唐代诗人丛考》（中华书局 1980年版）序中，又曾引及丹纳此书另一处文，他认为艺术家本身并非孤立，"有一个包括艺术家在内的总体，比艺术家更广大，就是他所隶属的同时同地的艺术宗派或艺术家家族"。由此可见，文学艺术的整体研究，古今中外，也早有共识，我们很值得站在新世纪学术发展的高度，作进一步探索。

当然，整体研究，也是多方面的，限于篇幅，这里不详作阐述。我出于个人的研究心得，觉得编年史研究，可能是整体研究一条较有创新且有实效之路。拙编《唐五代文学编年史》出版后，董乃斌先生特以"论文学史范型的新变"为题写一书评(《文学遗产》2000年第3期)。他认为，作为文学史书，作家创作和作家活动自然是其构成的最大要素，编年史著作即可以提供经纬细密的知识网络，"通过一系列作家们的经历际遇、游从交往和诗文创作，就可构建出一幅幅立体交叉而又连续活动的文学时代图景"。

我觉得，这对先秦文学研究更有必要，也更有意义，这部《先秦文学编年史》出版后，学术界和广大读者读后必有深切同感。先秦，自夏初至秦末，近二千年，因此先秦文学就不同于后世的断代文学，有其特殊地位，也应有符合其实际境遇的独特方法，否则就不大可能认识其完整面貌和历史进程。如逯夫先生在《前言》中提及，《尚书》、《诗经》，其时间跨度都各在一千年以上，过去文学史著作都将此两书各作为一章分别论述，就淡化其时间进程。现在《先秦文学编年史》以纵向线索和横向关连，尽量逐年编排，就使这一长时段文学发展演变状况完整系统地呈现在读者面前，确如我过去曾说过，这样做，可能会引发出现在还想不到的新的研究课题。

如我这次初步检阅春秋、战国卷，确增新感。过去文学史著作,对文学作家,诸子学者,往往各自论述,其生平经历及活动环境,也易相互隔膜。现在我们读这部编年史,就可见到文史哲融洽的大环境。如书中记庄子生于公元前 368 年或稍后,屈原生于公元前 353 年前后,其间相距仅十余年;荀子于公元前 325 年前后生于赵,宋玉于公元前 319 年前后生于楚之鄢,仅差六年。更有意思的,公元前 313 年,孟子在齐国,同年屈原曾为楚出使于齐;孟子卒于公元前 302 年前后,而同时屈原则作有《天问》《招魂》。我不是专门研究先秦文学的,但看了这些记载,确有唐代史学理论家刘知幾所说"虽燕、越万里,而于径寸之内,犬牙可接"(《史通·杂识》上)之感,对文学观念产生一种探索兴趣。

应当说,对先秦文学作编年史研究,学术价值高,而其难度也极大,主要是年代久远,资料缺失,作家生平事迹(包括生卒年)及作品著作时间,众说纷纭;先秦作品的文学概念,也各有歧异。正因如此,逯夫先生为此作了大量、细密的基础工作。1999 年,他的这一选题,经过申报、评议,被批准立为国家社会科学基金项目,他就组织他所指导的博士生、硕士生,环绕这一工程,撰写专题论文。据我所知,他这几年指导的博士论文,有《周初礼乐文明实证》(贾海生),《周"二王并立"时期诗歌创作时世考论》(邵炳军),《战国七十年文学编年》(裴登峰),《颂诗的起源与流变》(韩高年),《俗赋研究》(伏俊连),《〈逸周书〉研究》(罗家湘),《〈国语〉研究》(饶恒久),《〈管子〉研究》(池万兴),《先秦儒家文学思想考论》(俞志慧),《先秦文学思想考论》(徐正英)、《先秦时代几个重要文论范畴的研究》(郭全源),《〈礼记〉成书考》(王锷),《〈吕氏春秋〉研究》(黄伟龙),《〈文子〉成书及其思想》(葛刚岩),《〈鬼谷子〉真伪及文学价值》(许富宏),《〈逸周书〉的语言特点及其文献学价值》(周玉秀),《〈韩非子〉成书及其文学研究》(马世年),《先秦兵书研究》(解文超)等。我之所以详细介绍这些论文题目,是想说明,逯夫先生确想把先秦文学史上的一些悬案、难点及重点问题搞清楚,这都是属于先秦文学文献与理论认识的基础性研究。

同时,我也注意到逯夫先生自己发表的一些论文,也与此有关,如《周宣王中兴功臣诗考论》(《中华文史论丛》第 55 辑),《论〈诗经〉的编集与〈雅〉诗的分为"小""大"两部分》(《第二届诗经国际学术研讨会论文集》),《西周诗人芮良夫与他的〈桑柔〉》(《第三届诗经国际学术研讨会论文集》),《〈天问〉的作时、主题与创作动机》(《西北师大学报》2000 年第 1 期),《庄𫏋事迹与屈原晚期的经历》(《文史》第 58 辑),《拭目重视,气象壮阔——论先秦文学研究》(《福建师大学报》2003 年第 4 期),《论讲史传统的流变与诗赋的正宗地位》(《光明日报》2004 年 7 月 7 日),《〈晏子春秋〉为齐人淳于髡编成考》(《光明日报》2005 年 1 月 26 日)等。他的《屈原与他的时代》(人民文学出版社 1996 年第一版,2002 年第二版)、《古典文献论丛》等,也多是对先秦文学文献和有关作家家世、生平、创作及有关政治、军事等活动的考索。可以看出,他在这方面不仅有很好的学术积累,近几年确实也集中精力作了深入的探讨。

另外,听说在 20 世纪 90 年代初,逯夫先生承担了一个教育部项目《唐前诗赋关系研究》,已经完稿,人民文学出版社也已接受,就因为后来进行《先秦文学编年史》研究,觉得两者间的问题相互关联,需作进一步深入探讨,故未交稿。2000年,他承担了"西北师大科技创新工程项目"——"先秦文学基础文本研究"。该项目包括三个子项目:《全先秦文》,是重编严可均《全上古三代文》和《全秦文》。听说他计划收集的严氏失收之佚文,未包括新出土甲骨、金石、简帛文字,也为严氏原书的三倍。第二个子项目为《全先秦诗》,计划收集全部先秦歌、谣、颂及铭赞之类的押韵作品,与《诗经》《楚辞》通编,尽量按年代编排,以整体展示先秦诗歌的发展进程。第三个子项目为《先秦文论全编要诠》,是与其博士生合作,并分工将先秦所有文献梳理一遍,摘出有关文学理论、文艺思想及相关美学理论的文字,由逯夫先生圈定,分头进行注释。据说此书约八十万字,2003年已大体完成,人民文学出版社接受出版。在《先秦文学编年史》统稿结束后,也已定稿交出版社。这三个项目实际上是《先秦文学编年史》的重要基础工作,也可由此作具体指导,使年轻学者掌握文献学的基本理论和基本方法。

按照我的习惯,我遵嘱为友人写序,总要翻阅书稿,有时还不止一遍。由于这部书篇幅大,专业性强,我未能细读,但仍有几点读后感,今再略述如下,与读者共商,并请教。

一、先秦时代一般认为文史哲不分,是否可以编《先秦文学编年史》,人们的看法可能会有不同。我以为,这一时段所谓文史哲不分,主要指散文作品,诗歌如《诗经》《楚辞》以及佚诗,一般是不会视为史、哲之作的。实际上,所谓"文史哲不分",只是相较于后代赋、小说、戏剧和文学散文同专门的史书畛域分明,并不是说全部都混沌不分。事实上,赋在战国末期即已产生;寓言作为文学作品的一种,在先秦时也已大量出现,并广泛流传;《春秋左传》

虽以史书为依据，包含历史事件的过程梗概，但很多生动的细节，一些绘声绘色的描述，乃是瞽史们合理想象，艺术创造的结果，所以实为讲史的文学性作品（以上见该书《前言》）。当然，先秦一段很多作品的时代、作者及创作情况不清，所以采用论述式的方法较为方便，而作编年则难度很大。从这一方面说，则这部《先秦文学编年史》确为开创性之作。对书中一些问题的处理，大家会有不同意见，这也是正常的。这部书的好处也在于：它是在通盘考虑的基础上处理学界的一些分歧意见的，既考虑到大的学术文化背景和政治背景，也考虑到很多具体事件间的相互关系，比孤立地谈一件事、一个人、一篇作品要可信得多。有此一书，将来我们讨论某一具体问题，就便于从大的背景上，联系多方面的事件、现象，作综合的考虑。

二、根据先秦文学的特点，本书同以往几种编年体文学史著作相比，体例上也有所创新。如原始社会一段，文学内容较单薄，也无法系年，书中即以《由考古发现看原始社会的文学》加以概括介绍，一则妥善处理原始社会本身有其特点的一段历史，二则可以让读者明了夏代文学产生的文化根源与背景。全书有一篇《前言》，对先秦时代已发现成熟的几种纯文学作品，加以总体论述，而对于在编年体文学史中无法完整体现的事实，如先秦时代民间一些季节性的聚会对歌活动，先秦时代的文学观念、文艺思想的发展状况等，也在《前言》中细加论述。另外，夏、商、西周、春秋、战国、秦每部分之末尾均有一篇《综论》，对该时期文学的特点、文体、文学表现手法、主要成就等，予以概括说明，这是近几年来已出版的《南北朝文学编年史》、《唐五代文学编年史》都未有的，实际上是在具体编年基础上补作理论阐释,颇有新意。应该说,编年体文学史著作比其他形式的文学史著作,有更难写之处,而先秦一段比其他时段,难度更大。逯夫先生是力求体例严密,尽可能完整、全面反映这一长期的文学发展状况的。当然,书中对某些问题的处理,学者们可能会有不同的看法,这也是正常的,著者可能在若干年之后,自己也会有所修订。而从整体上来说,我们对此书的学术涵义和学术延续性,是坚信不移的。

三、本书关于文学的概念,大体与《文心雕龙》所论述的一致,但同时在《前言》中又突出地论证了今天我们所划定的文学作品在先秦时代的发展状况。该书首先向读者展示先秦文学原生状态发展概况,读者自己则可以从各个方面加以分析、归纳,找出某些联系,甚至总结出某些规律。为了做到这一点,作者翻阅了大量的书籍、文献,对各种观点进行分析、比较,择善而从。先秦文学范围内的每一个问题,著者几乎都提出自己的看法,力求做到尽可能准确的反映。如果说我们在以往的一些文学史著作中看到的是局部,是条块,甚至是管中所窥之豹,则这里我们看到的是完整的,是全豹。此书以实证方法反映了作者对某些前沿性问题的思考,因此可以说是对先秦文学、先秦文化带有前沿性的研究著作。

在1997年黑龙江大学召开的那次会上,逯夫先生在大会发言中曾经说:"强调扎实严谨的学风,不是不要创造性。这二者不是对立的,排斥的。只有深入扎实的工作,才能作出创造性贡献。科学上每一步都得付出艰苦的劳动。……我们具有现代科学思想,掌握现代科学的方法,可以超越前人。但就是现代科学理论,也应下功夫学。作为研究对象的作品应该认真读,有关史料应该掌握。不然,所造体系只能是纸糊楼阁,所谓突破也只是一时的轰动效应。"(《百年学科沉思录》,《文学遗产》编辑部、黑龙江大学中文系编,人民文学出版社 1998 年版)。我觉得,逯夫先生主编的这部《先秦文学编年史》,正体现了他的这种理论主张。自那时至今刚好八年时间,他在这八年中踏踏实实,一步一个脚印,最终完成了这个项目。回忆当时我们讨论这个项目时的情景,看着摆在面前一百多万字的书稿,真是由衷欣慰、钦佩。以此陈述己见,以应逯夫先生作序之嘱,并请学界指正。

2005 年 10 月

原载商务印书馆 2008 年版《先秦文学编年史》,先发表于《长江学术》2007 年 2 月第 1 期,此据大象出版社 2008 年版《学林清话》录入

《黄庭坚研究论文选》序

　　今年是黄庭坚诞辰 960 周年,中国宋代文学研究会、人民美术出版社、中国社科院《文学遗产》编辑部、南昌大学、北京华夏翰林文化艺术研究院和黄庭坚家乡江西修水县政府联合召开学术研讨会。为配合此次研讨会的召开,华夏翰林黄君同志特编辑《黄庭坚研究论文选》。

　　这一套四卷本《黄庭坚研究论文选》是编者在检索新中国成立以来各类报刊、会议及著作中有关黄庭坚研究文献资料后,从数百万字的文章中精心挑选组编而成。130 余篇文章洋洋 140 多万字,内容广泛涉及黄庭坚生平事迹考证,思想观念梳理,诗歌文献整理,山谷诗法、诗观研究,诗歌的分期、传播和影响研究,黄庭坚与江西诗派研究,哲学思想及与禅宗的关系研究等等,其中第三卷专门收集有关黄庭坚书法研究的文章,内容也很丰富,第四卷则是原江西九江师专詹八言、凌左义两人专辑——《江州二贤集》,同时具有对这两位已故黄庭坚专家的纪念意义。《论文选》最后附有 30 余种黄庭坚研究著作简介和 20 世纪以来黄庭坚研究论文索引,收揽文献资料近 700 种,可谓洋洋大观,非常难得。

新中国成立以来，黄庭坚研究经历了一个由前期承清季余波到冷落，再到重建和逐渐繁荣的过程。清季由于同光诗派的影响，山谷诗学地位颇高，20世纪前半期，承其余波，故多侧重关于山谷诗法讨论及江西诗派研究。新中国成立后，黄庭坚诗歌研究一度出现热潮，潘伯鹰、钱锺书等人均投入精力，从事黄研工作，撰文著书。20世纪60年代初，我编辑《黄庭坚和江西诗派资料汇编》时，正是黄研颇为兴旺的时期。但后来形势急转直下，黄庭坚和江西诗派被贬得很低，黄庭坚研究也在国家整体文化形势下转入冷落时期。1978年以后，黄庭坚研究开始恢复和重建，近20多年间，在老一代学者如朱东润、程千帆、匡扶、胡守仁等培养扶持下，一大批中青年学者脱颖而出，其中如黄宝华、水赍佑、莫砺锋、周裕锴、钱志熙、吴晟、郑永晓、龙延、伍晓曼等人不仅发表大量优秀论文，还分别推出黄研专著，使黄庭坚学术研究在20世纪与21世纪之交逐渐形成热潮。

黄庭坚研究在当代学术中具有不可忽视的地位。就整体形势而言，这种地位有待进一步加强和提高。

黄庭坚在中国文化史上是一个具有多棱性质的重要人物，尤其在宋代，他的重要影响不仅表现在诗歌和书法，同时也表现在社会文化层面，尤其是道德品行、思想观念等等。黄庭坚作为宋代最有代表性的诗人，同时以他为首又形成了影响深远的江西诗派，所以黄庭坚诗歌研究便成为宋诗研究的一个枢纽，在宋代学术中可谓举足轻重。黄庭坚书法向以宋四大家之一而论之，但从实际情况来看，黄庭坚的书法造诣以及对元明以降的书法影响，皆远胜于其他名家，尤其他从创作到思想所建构的完整书学体系,是对中国书法史最重要的贡献。此外,黄庭坚是一位道德修养极高,历来被视为传统文人楷模的人物。正是这个原因,黄庭坚的思想、言论在两宋以降的文人之中,是流传最广、影响最多的一位代表,素有"言满天下"的美称。黄庭坚关于社会、政治、道德、人伦、文学艺术的种种思想,早已渗透到社会、文化生活的各个层面,对宋以后我国文化艺术乃至社会、政治产生直接或间接的影响。元明以后,我国盛传"二十四孝",黄庭坚是二十四孝中的最后一位代表,也是自三国时期的孟宗(?—271)之后,唯一受到这种尊崇的文人,这充分说明黄庭坚的影响已经高度社会化。

黄庭坚多棱性、高度社会化的重大影响,是黄庭坚研究重要学术意义的基础。黄庭坚作为一个历史人物,在他身上所包含的,值得挖掘、整理、宣传、弘扬的文化内涵不仅极为丰富,而且很有代表性,带有普遍的意义。以此观照当代黄庭坚研究,我认为已有的成就虽然可喜可贺,但总的来说,"黄研"还应加强,地位有待提高,就黄庭坚人物自身特色来说,还有许多薄弱环节,甚至还有不少待开发的领域,以宋代人物研究作横向比较,也存在很多的差距和不足。比如,黄庭坚研究还基本处于零散和自发的状态,便是一个不容忽视的事实。虽然也有一些学院如四川大学、南京大学、南京师大、江西师大、江西九江师专等,在黄庭坚研究中做了一些有组织、有计划的工作,但迄今为止,黄庭坚研究的学者、专家还没有形成组织,尚未有稳定的学术园地。仅仅在黄庭坚重要纪念的时候召开几次研讨会,这与黄庭坚重要的文史地位和影响还是很不相称。再比如黄研文献整理、信息传播也是比较薄弱,宋代不少人物研究(如苏轼、朱熹、陆游等),有常规性的信息收集、传播渠道,资料比较齐全,这对学术的繁荣与进步很有好处。

《黄庭坚研究论文选》的出版可谓在黄研文献整理、信息传递上做了一件大好事。数十年来的黄庭坚研究,也有人(如原九江师专凌左义先生)进行过认真的反思和总结,但全面、系统地对以往研究成果进行清理,并在此基础上编出资料索引,重新遴选大批优秀论文结集出版,却是从未有过的一个盛举,这里,我们看到编者对黄庭坚研究统揽全局和欲事弘扬、推进的一番苦心和良好愿望。资料工作是学术研究的重要前提,当代学术研究已经进入信息化时代,但从以往研究情况来看,由于资料匮乏,信息掌握不全面,造成选题重复、研究不深入和精力浪费的现象比较明显,这部四卷本论文选的出版,给"黄研"建立了一个比较全面而系统的信息平台,对今后"黄研"工作的开展可谓功德无量。

2005 年 10 月 2 日

原载江西教育出版社 2005 年版《黄庭坚研究论文选》,此据大象出版社 2015 年版《书林清话》录入,另收入北京联合出版公司 2013 年版《濡沫集》

体例完备规范　立意精确创新

——谈《中国古代文学作品选》

　　由郁贤皓教授主编的六卷本《中国古代文学作品选》，是综合性大学、师范院校汉语言文学专业本科生"中国古代文学"课的基础教材，于2003年6月由高等教育出版社出版，至今年（2005年）已第四次印刷，可见这套二百数十万字的大书，社会效益与经济效益达到有机统一。我近日通读全书，又有体例完备且规范、立意精确又创新之感，因此认为，这套书虽主要是高校语文教材，实际上已作为广大读者学习和鉴赏古代文学教育启发意义和实用价值的参考用书，故其社会面能有如此之广。

　　全书六卷，各个时期的作品又按文体分别排列。前辈学者王国维早就提出"一代有一代之文学"。就作品选而言，从文体角度切入，"以文学之体裁举其纲，以作者之承袭系其目"（柯敦伯《宋文学史》，商务印书馆，1934），确可向读者提供较清晰的一个时代文学的演变与全貌。而本书在文体与作品选择处理中，又多有新见。如过去相当一段时期中，宋代文学研究偏重于词，明清文学研究偏重于戏曲、小说，均有轻视诗歌、散文之倾向。而本书宋代部分,选诗 98 题 130 篇,词 71 题 79 篇,文 37 篇,应该说符合宋代文学三体并峙、共同繁荣的实际盛况。明代则诗 32 篇,文 28 篇,占整个明代文学内容篇幅的 75%,这确为当代年轻读者重新认识明代诗文的精神面貌与艺术价值提供具体文学原样。

我们现有的文学史著作和文学作品选注,又有过于重视大作家、忽视小作家的偏颇。而这套书的编选者充分吸收新时代的研究成果,注意选收过去为人忽视而实有价值的作品,特别是明清时期,如清中期的张问陶,鸦片战争时期的姚燮,所选诗作,使人耳目一新。又如清初钱谦益,过去虽目为大家,但终因传统观念影响,多未予提及,而本书于清诗部分即选其赞颂郑成功率军反清,进攻南京一诗,这不但过去作品选,就是已出的文学史著作,也是未有的。此诗之选注,堪与陈寅恪《柳如是别传》相媲互参。

这部书于每一位作者均有简明扼要的介绍,字数虽不多,材料甚扎实,既总括古代基本史料,又准确吸收现有成果。如第三卷隋唐五代部分,一些中小作家,史书无传,就特标今人某某有某某考论。有些大家,当代论著较多的,则加精选,如李白,除古人所作碑传记序外,又云:"今人詹锳《李白诗文系年》、郁贤皓《李白丛考》、安旗、薛天纬《李白年谱》等考订其生平甚详。"为读者提供较精确的资料。

其选录、总括现有成果,特别在本书的"备考"一栏更为明显。其于作品之后,有时设有"备考",对一些有误解、有争议的问题,进行辨析。如宋词中所选辛弃疾《木兰花慢(可怜今夕月)》,王国维《人间词话》有所评析,本书于"备考"中则引述钟振振《中国古典诗词的理解与误解》一文(《文学遗产》1998 年第 2 期)指出王国维所说有不贴切处。另如李白《清平调词三首》之真伪，张继《枫桥夜泊》"夜半钟声"是否属实，《儒林外史》回数之差异，均能选引古今之说，重点则在体现当前研究新见。这是现在已出的同类作品选注本所未有的。这不但对读者正确了解作品涵义极有帮助，而且进一步对历来分歧之说进行探讨，也很有利，这也是本书在学术方面的启导之作。

本书体例完备、规范，又体现在所选作品所用的底本上。书中于作者介绍及作品题解方面，除介绍作者生平及作品背景、主旨、艺术特点外，又说明所选作品见于何书，此书有何版本，所选之作以何书为底本，所选作品后均标明所用底本之书名、卷次。本书这样做一是表明对所选之本认真甄选，确定文字准确可靠，二是提供读者便于查核，以作进一步的探索。书中所用之本，多用过去通用的较好版本，并不拘限于所谓宋元善本，同时又注意选用现当代的整理本、新注本，如宋代苏轼诗，用孔凡礼点校本《苏轼诗集》(中华书局)；陆游诗，用钱仲联《剑南诗稿校注》(上海古籍出版社)。有些诗文集，现当代校注本不少，为妥善起见，就仍用古代校注质量公认较好的通行本，如王维诗，用清赵殿成《王右丞集笺注》；李白诗，用清王琦《李太白文集》注本；杜甫诗，用清仇兆鳌《杜诗详注》。

前面曾就文体与作品排列，说明本书体例的完备、规范，现在还可稍作补充。如秦汉与魏晋南北朝，都专列辞赋体作品。唐宋时期，则仅标为"文"，即唐宋时期流行的古文体散文，但书中唐文仍选有王勃《滕王阁诗序》，萧颖士《代樱桃树赋》，杜牧《阿房宫赋》，实际上唐代除古文体外，赋体之作确仍有很多，且甚有成名之作。元祝尧《古赋辨体》确定杜牧此作为赋,但谓前半篇为赋体,后半篇重议论,"赋之本体,恐不如此,以至宋朝诸家之赋,大抵皆用此格",可见晚唐时赋体文格的沿变及对后世创作所起的作用。宋代古文文体更盛,但书中仍收有汪藻骈文《皇太后告天下手书》,可以使读者感受到宋代,特别是南宋时四六文风的韵味。又如元明清时期,戏曲、小说兴起、风行,过去一些通代文学作品选,可能由于篇幅缘故,多不予选。现在这部书则按照具体情况,分别对待,如元明清的杂剧、传奇,选有部分内容,至于长篇小说,如《三国演义》、《水浒传》、《儒林外史》、《红楼梦》,作品虽未选,但仍立目,标为"存目",内又分别作者介绍、解题、选评及备考(关于作者、回目、主题等异说),这对于读者了解一个时期的文学全貌及某些专题之作的有关问题,甚有帮助,确为当前文学作品选值得称道的规范之作。

至于注释,则是这套书的主要内容,也是编注者花力最多的部分,其详明、确切,且富新见,读者当有感受,这里就不具述。总之,这套书是南京师范大学文学院许多教授参预编注的,这些教授多是各有关领域的研究专家,多有专著问世。因此可以说,这也是南京师范大学文学院集体智慧的结晶,既体现他们最新科研成果,又反映当代古典文学研究有代表性的新的思路。

原载《中国韵文学刊》2005 年第 4 期,为"著名学者谈郁贤皓主编国家级教材《中国古代文学作品选》"第三部分,据以录入

顾志兴《浙江藏书史》序

　　二十年前,即1986年,顾志兴先生就撰有《浙江藏书家藏书楼》一书,当时学术耆宿胡道静先生就特为此书作序,盛赞云:"志兴同志勤奋好学,爱书如命,熟悉地方掌故,以爱乡、爱国、爱护文化遗产的心情来接受这个任务,所以能够把心力扑在上面,认认真真地写好。"确实如此,此书于1987年由浙江人民出版社印出后,即受到学界的关注、读者的爱好,当时初印二千册,一时售罄,后又加印一千册,也立即销尽。藏书学研究的年轻学者徐雁同志,就赞誉此书"考证仔细,阐论充分,是一部很有价值的中国藏书史专著"(《中国历史藏书论著读本·文献录》)。在研究浙江藏书的基础上,志兴先生就更潜心于这一极富文化内涵与学术前景领域的研究,并将藏书事业向刻书、出版拓展,于20世纪90年代初又相继撰有《浙江出版史研究——中唐五代两宋时期》、《浙江出版史研究——元明清时期》。此后又参与涵括古今研究成果的《中国藏书通史》的撰写(明代部分)。这样,经过多年的积累与钻研,现在又有六十余万字的文化专题通史性著作《浙江藏书史》面世,当更受到学术界和广大读书爱好者的关心,定会有盼欲一读之感。

著者于本书《后记》中提及，学界名家蔡尚思教授于阅读《浙江藏书家藏书楼》后，除鼓励外，还致望以后再版时，可加强藏书与学术研究关系的论述；另华东师范大学周子美老教授（曾任嘉业堂藏书楼建成后编目部主任）希望在此基础上，写一部《浙江藏书全史》。应当说，现在这部《浙江藏书史》，正是应两位前辈学者之望，更上一层楼，向新世纪提供一部极有藏书文化学科建设意义的新著。又，胡道静先生曾表示，以后新作撰成时，当再为作序。可惜胡先生于前几年去世，于是志兴先生就约我撰序。应当说，面对这部大书，我是不敢执笔的。因我对中国藏书史虽感兴趣，也曾参与过这方面的工作，但就怕未有这方面应有的学术修养，且更未有胡道静先生之识见。不过我与道静先生也是有学术交往的，如本书所述民国时期浙江私人藏书家嘉兴陈乃乾先生，我自1958年调至中华书局后，即因工作关系，不时到他家访谈求教，他有时还带我去北京师范大学陈垣先生家聚谈。60年代前期，陈乃乾先生主持影印《四库全书总目》与《清人考订笔记》，他还叫我为中华书局写此两书的出版说明，那时我还不过三十一二岁。1969年9月，中华书局大部分人员去湖北咸宁"五七"干校，我们坐车出发离开单位时，乃乾先生还特候于车亭，瞩目摇手相送。但不久陈先生也被迫遣返家乡，旋即病卒。八九十年代时，我多次与道静先生书信来往，相约辑集陈乃乾先生散佚旧文，道静先生说他已搜集一些，并答应出版时为作序文。90年代时，我应中国出版工作者协会之邀，与顾廷龙先生合作，共同主编《续修四库全书》，其间编纂子部农家类书目时，我就请道静先生选辑。

道静先生非常认真,有时一连亲自抄有好几页书目,还推荐当代几位农学文献专家。正因此,我缅怀道静先生对志兴先生与我这样后辈的学术关怀与真挚情谊,就不再胆怯,勉力作序。

我应嘱写序,就通阅全书,读后确甚受教益,并有深感。所谓深感,是想到我们现在研究传统文化,确应有中国特色的自主创新之路,而志兴先生这部著作,在学术立意上是颇有求实创新之味的。这方面,我就此书的特色谈两点感想。

一是为浙江文化史研究提供充实内容与开拓思路。本书以时代为主线,起自东汉三国,迄于20世纪前半期民国时期,以私家藏书为主,又搜采丰硕材料,记述宫廷官府、书院、寺观藏书,对浙江长达二千年藏书事业作极有系统的论述。在论述中,又注意与当时经济发展和当地人文条件结合,既记叙各时期藏书事业的进展所具备的条件,又充分探索社会文化因素,如南宋时杭州刻书业的兴盛对藏书传统的促进与影响;明代方志纂修的盛行对天一阁地方志收藏所起的积极推动作用;清代如浙东学派等的建立,学术研究之风促进藏书楼的建立,而藏书楼藏书之富且精,又大有利于学术研究之风行、发展,学术研究广博与精深。我觉得,这样将文化、学术与藏书事业作相辅相成的历史性记述与探索,可以进一步促进研究浙江文化的历史性特点,因为藏书是文化事业的有机组成部分,这也为浙江文化史研究起一良好的先例作用。

读后所感之二,是本书既立足于浙江省藏书史,就可放眼于中国藏书文化史的全局,即立足于本省,从地域文化研究出发,进一步丰富整个中华民族文化研究的内容。在文化史研究中如没有地方特色,也就没有整体风格;不研究地域文化的特点,也不可能对整个民族的传统文化作出准确的判断。浙江藏书名家的事迹,其背景是当时整个的文化历史,而其活动与贡献,也有全国意义,他们是有全国影响的人物,并不限于浙江一省。书中记述私人藏书家对书籍的收购面相当广,并不局限于本省,甚至如南宋时洪皓,他为金人长期滞留,还在北方搜购难得之书;明代天一阁藏书,也是范钦仕历各地时采购的。没有全国性广大收购地,当然不可能有丰富的藏书,而藏书家的业绩,又不仅于收藏,他们往往利用其所藏,编刻极有历史文化意义的典籍。

本书论述南宋杭州藏书家陈起,据其所藏刊刻了不少唐人专集,对保存和传播唐诗起了很大的作用。这是很有见解的。大家知道,唐代诗文集由于还未有普遍刊刻,仅限于手抄,因此流失极多。如唐白居易曾为其诗友元宗简文集作序(《故京兆元少尹文集序》,朱金城《白居易集笺校》卷六,上海古籍出版社 1988 年版),称元宗简于二十年间,"著格诗一百八十五,律诗五百九,赋述铭记书碣赞序七十五,总七百六十九章,合三十卷",并极赞其文"蔚温雅渊,疏朗丽则"。白居易作为诗文名家,对当时人有如此称誉,是不简单的。但元宗简之作,清人所编《全唐诗》、《全唐文》,却一无所收。此可为唐人之作因未有版刻而佚亡之一例,而唐代诗文集,大多就靠宋人采集、编刻而传存。20 世纪八九十年代我参与北京大学古文献研究所之《全宋诗》编纂,在起草"编纂缘起"中曾提到:"宋人的这些努力,促进了唐诗的传播,开阔了人们对唐诗的认识,也提高了宋代诗人本身的文学素养。宋诗之所以继唐诗之后有新的开拓与发展,与宋人对唐诗所作的大规模整理、流布有密切的关系。"我想,以此来评估陈起编刻唐集的意义是恰当的。此后明代胡震亨利用其所藏编印《唐音统签》,为清康熙时编《全唐诗》提供主要稿本。

其他如南宋时陈思刻印宋人诗集,对江湖诗派创作起积极作用。清康熙时钱塘厉鹗所编《宋诗纪事》一百卷,晚清湖州陆心源所编《宋诗纪事补遗》一百卷,都对清代宋诗派的形成与发展有影响。书中更记述明代长兴藏懋循因"家藏杂剧多秘本",即编印《元曲选》;明杭州洪楩刻印《六十家小说》(《清平山堂话本》),都是有全国影响的戏曲、小说汇集本。又如清杭州鲍廷博除编纂《知不足斋丛书》外,又首刊此前仅有抄本之《聊斋志异》,就使《聊斋志异》广泛流传。而此事长期未为人注意,如前所述之藏懋循刻印《元曲选》,过去一些藏书史著作如叶昌炽《藏书纪事诗》、吴晗《两浙藏书家史略》也都未述及。实际上这些著作可称为经世典籍,都有全国范围的影响。浙江藏书家有全国影响的还不少,如清乾隆时编修《四库全书》,当时征集各省藏书,全国所献书最多的四大家藏书楼,浙江就占三家,即鲍廷博知不足斋藏书楼、汪启淑开万楼、范懋柱天一阁。

民国时期的藏书情况,学界研究较少,一般以为成就不大,其实是个误解。就浙江而言,杭州、嘉兴、宁波、湖州的私人藏书大家迭出,辉煌一时。就以我的家乡宁波来说,张寿镛的约园藏书、孙家溎的蜗庐藏书、冯贞群的伏跗室藏书、朱鼎煦的别宥斋藏书、马廉的平妖堂藏书,以及还有一位女藏书家方矩创建的萱荫楼藏书,都是浙江以至全国排得上号的大藏书家、大藏书楼。如果按这个势头发展,无论是宁波还是浙江,藏书事业会继续发展,甚至可望超越前代。十分不幸的是，20世纪30年代后期，日本军国主义者发动了侵华战争，浙江的公私藏书事业遭受了重大的损失，有的甚至书毁人亡。对于这段史实，志兴先生搜集了丰富的材料，如实加以记载，我认为这是件十分有意义的事。作为一部藏书史这是不能或缺的。还是以我的家乡宁波为例，冯贞群抗战时誓欲以身殉书，张寿镛、孙家溎、朱鼎煦、方矩等千方百计保护祖国文献，但一旦国家承平，中华人民共和国成立以后，他们几乎毫无例外地将所藏珍籍，或亲手，或遗命家属，将所藏献给国家，献给人民，这种精神使人崇敬之情油然而生。实际上，这个状况不仅是宁波，在杭州、嘉兴、湖州、温州等地都有这样一批藏书家。我以为他们的行动，为浙江的藏书事业加上了浓墨重彩的一笔。

据前所述，通过这部对整个浙江省藏书史的研究，确可看出我们浙江文化在全国的影响与历史上达到的程度。这部浙江藏书史所体现的地域文化的特点，必将有助于我们中国文化的整体研究。这也正是我乐意为这部书作序的原因所在。

2005年12月草，2006年7月改定于北京

原载杭州出版社2006年版《浙江藏书史》，此据大象出版社2008年版《学林清话》录入

雒三桂《王羲之集校笺》序

　　王羲之是我国古代书法巨匠,被推尊为"书圣"。实则王羲之也是东晋时期重要作家,诗文并擅,甚有造诣。尤其是永和九年(353)在会稽山阴兰亭,邀集四十余位文士,游宴赋诗,畅咏山水美景,抒发玄理闲情,他自己并撰有千秋传世的《兰亭集序》。王羲之之所以能享盛名于后世,不仅是其造诣极高的书艺,还在于他有见识地组织一次规模大、层次高的诗歌盛会,为中国后世特别是唐代文人集体群会优良传统作一富有文化含义的开拓。因此可以说,王羲之是我国中古时期以来颇有历史影响的文化名人。

　　但迄今为止,当代对王羲之的研究还相当薄弱,对王羲之的事迹、艺绩及有关材料多模糊不清,语焉不详。出现这种局面的原因是多方面的,其中一个重要的原因是研究方向比较单一,搞文学研究的只关注作品本身,搞历史研究的只关注历史现象,搞艺术史研究的只关注书艺鉴赏,缺乏广阔的视野和多角度的探讨。因此,中国古代艺术史的研究还有不少空白,甚有缺憾。无论如何,像王羲之这样对中国艺术和文化史影响十分巨大的人,我们应作全面的研究，中国艺术史上像褚遂良、欧阳询、虞世南、颜真卿、柳公权、米芾等大艺术家，我们确应期待有真正学术价值的著作不断问世。

使人欣庆的是，雒三桂同志经多年艰苦努力，从事于王羲之研究，除了另写有《王羲之评传》，现在这部《王羲之集校笺》又将面世。我通阅全书，深感此书极具规范化。其正文，即卷一至卷六，以清严可均《全上古三代秦汉三国六朝文》中的王羲之文集为底本，进行校勘、笺注，另就历代相传之散佚法帖，尽量予以辑集，并加辨正，为"补遗"；又撰有年谱，详细搜集材料，特别是史事，对王羲之生平事迹的研究极具参考价值。严可均这部总集是在明人张溥《汉魏六朝百三名家集》之基础上重加辑集的，有其长处，但三桂同志重加校勘，有所辨正，如卷一《遗谢安书》，注中指出此处之"谢安"应为"谢尚"，因"谢安此时尚未出仕，安得尚书仆射之位"？同卷《临护军教》有"其羌太史忠谨在公者"句，指出"太史"二字有误，因太史之职为中央官职，地方无此官职，认为此"太史"当作"佐史"。又如同卷《与所知书》有"子敬飞白大有直"句，注中谓"大有直"不可解，张溥《汉魏六朝百三名家集》本作"大有意"，应是（按"子敬"为王羲之之子王献之，字子敬）。又如亦为同卷之《用笔赋》，特加按语，谓"此文仅见于宋人朱长文所编之《墨池编》，他书未见，为后人伪托无疑，严可均置于卷首，现即移于卷末"。这些校勘，不限于文字异同本身，而能与史事考释相结合，这也为当前古籍整理提供了值得思考的好例。

三桂同志此书，其一大特色，即校笺工作能与研究紧密结合，因而极具学术性，谨就翻阅所及，概述以下几点：

第一个特点是史实之稽核。王羲之传世的文字因为大多是写给朋友的书札，不著年月，给后人的研究带来极大困难。三桂同志熟稔魏晋历史，将王羲之的传世书札文字与当时的历史相比勘，找出了许多王羲之书札的写作年代，并对其中的内容作了详细的阐释。如《十七帖》中的"知有汉时讲堂在"一条，三桂同志引用了大量的史料，将与"讲堂"有关的史实基本交代清楚，使读者对蜀中讲堂有一个全面的了解。又如"远近清和，士人平安。荀侯定住下邳，复遣军下城"一条，三桂同志搜集各种有关史料，证明该书札书于晋穆帝永和十二年。又如"得孔彭祖十七日具问为慰。云襄经还盖，是反善之诚也，于殷必得速还，无复道路之忧"，三桂同志搜集史料，证明此札书于晋穆帝永和八年殷浩大举北伐前夕。又"义兴何似？悬情。慕容遂来据邺，可深忧。官复遣军，可以示义兴中书"，三桂同志比勘史料，证明此札约书于晋穆帝永和八年。全书中如此类者甚多。

　　第二个特点是史料之裒集。东晋时期许多历史人物的事迹，在《晋书》之中缺乏详细的记载，如王羲之的父亲王旷、堂兄王胡之、谢道蕴、许询、王羲之的妻子郗璇等。而这些人物，都成长、活动于东晋的那个特殊历史时期，每一个人都有载之史册、传之千载之处。没有了他们，东晋的历史和文化便少了许多光彩。但是，作于唐代的《晋书》在人物的剪裁上有许多漏洞，将许多应列入史册的人物漏载。三桂同志遍检各种史料，将这些在《晋书》中失载或语焉不详的人物的事迹汇为一处，使读者能够对这些历史人物有一个相当的了解。如卷一的《报殷浩书》，注中就对王羲之父王旷广辑史料，有《晋书》、《太平御览》、《资治通鉴》、《三国志》

及裴注,以及明《万历野获编》,还引及田余庆《东晋门阀政治》一书。这也值得注意,即此书注文,并不限于引用古书,还适当吸收当代研究成果。如同卷《遗谢安书》,注中引有周一良《魏晋南北朝史札记》,借以说明扬州在东晋南朝之重要地位。这也是对古籍注释的一种拓新。

第三,是对人物事迹的点评。东晋时期的许多人物,包括一些跻身于名士之林的人物,由于当时的特殊社会环境而备受歧视和嘲弄。如著名的文学家孙绰,便因为出身门第不高而备受褚裒、刘惔等高门士族的蔑视。凡是文中涉及的东晋历史人物,三桂同志都尽可能根据其当时的历史地位和实际的历史贡献给予客观的评价。如对孙绰,既指出他受高门士族歧视的现实,同时又对孙绰在历史和文学上的贡献加以肯定。又如另一个与王羲之关系密切的著名士人许询,三桂同志在充分搜集史料的基础上指出前代史书对许询评价的失实之处,认为许询虽然名头很大,却徒有虚名。又如卷一《与人书》,文中叙及东汉著名书法家张芝,注中即详引有关张芝之材料,自《后汉书·张奂传》起,至梁武帝萧衍《观钟繇书法十二意》、庾肩吾《书品》,有九种,最后并指出"传世张芝之书多为赝品",谓宋《淳化阁帖》所收传为张芝所书之《冠军帖》、《终年帖》等,多非张芝真迹。可见不仅辑集材料,还重在品评、甄辨。

最后一点即第四点,所涉面更广,且更具体,即词语的解释。魏晋南北朝时期正是古代汉语一个较大转变的时期,这一时期的许多传世文献,都带有明显的时代特点,其中有许多当时的口语。这一点集中表现在像《世说新语》一类的著作和当时名士士大夫传世的书札之中。我们今天阅读这一时期的文献,首先要遇到的一个难题便是充斥于当时文献之中的那些难以理解的词语,没有正确的解释,便无法正确理解原意。在这个方面,汉语语言学家们已经做了不少工作,出版了不少专著,但至今仍然有许多字词未有很好的解释。这一点,在对《世说新语》的研究和王羲之的传世书札中表现得尤为明显。如"迟"字,读音"值",王羲之传世的《杂帖》之中多次出现。如:

> 且今多惨戚。迟君果前。(《全晋文》卷二三)
>
> 知比得丹阳书,甚慰。乖离之叹,当复何言!寻答其书,足下反事复行,便为索然。良不可言。此亦分耳。迟面一一。(《全晋文》卷二三)
>
> 见君大小佳不!过此乃知熙佳。觉少不得同,万恨万恨!云出便当西,念远别,何可云!迟见玄度,今或以在道。(《全晋文》卷二三)

而其含义,皆为期待、盼望。此意用法出现很早。《史记·高祖本纪》:"于是沛公乃夜引兵从他道还,更旗帜。黎明围宛城三匝。""黎明"《汉书》作"迟明"。唐司马贞《索隐》:"黎犹比也,谓比至天明也。《汉书》作'迟',音值。值,待也,谓待天明,皆言早意也。"又《后汉书·章帝纪》:"朕思迟直士,侧席异闻。"《晋书·殷浩传》桓温上书曰:"自羯胡夭亡,群凶殄灭,而百姓涂炭,企迟拯接。"

又如"极"字,当作困、疲倦、不舒服讲。《世说新语·言语》:

"顾司空未知名,诣王丞相。丞相小极,对之疲睡。"又《文学》:
"中朝时有怀道之流,有诣王夷甫咨疑者,值王昨已语多,小极,不
复相酬答。乃谓客曰:'身今少恶。有裴逸民(顾)亦近在此,君可
往问。'"又:"(卫)玠体素羸,恒为母所禁。尔夕忽极,于此病
笃。"《史记·屈贾列传》:"劳苦倦极,未尝不呼天也。"可见其起
源甚早。王羲之《杂帖》(《全晋文》卷二三):"十二月一日羲之
白。昨得还书,知极。不加疾,人甚忧。耿耿。"知道了"极"字的
这个含义,其意义便迎刃而解了。

　　总之,对王羲之以及与之相关的历史事件和人物,三桂同志
下了相当的工夫,在笺注的过程中不仅注重史料的衷辑,还尽可
能地通过这些史料来寻绎历史发展的脉络和人物自身命运与社
会历史的联系。通过本书,我们可以对王羲之及其所生活的时代
和环境有比较完整而生动的了解,对魏晋时期的中国艺术和士族
生活也会有比较全面的认识。因此,这本《王羲之集校笺》的学术
价值是毋庸置疑的。

　　三桂同志由历史系本科毕业,硕士研究生的研究方向为秦汉
史,后来又师从聂石樵教授攻读博士学位,方向是先秦两汉文学,遂
有《诗经新注》、《诗经散论》等著作问世。因喜爱书画,长期以来一
直利用业余时间研究中国古代书画史,多有创获。除了这本《王羲
之集校笺》,同时写就的《王羲之评传》也由人民美术出版社出版。

2006 年初撰

原载《山西大学学报》2007 年 5 月第 3 期,此据大象出版社
2008 年版《学林清话》录入

编辑与学界的情谊

——编辑工作掇忆

　　前些日子,中华书局编辑祝安顺同志,把中华书局近期出版的两本书送交我,说:"作者在书的后记中提到您,因此交给您,请看看。"我一看,原来是陈星同志所著的《说不尽的李叔同》和《李叔同身边的文化名人》。陈星同志是一位中年学者,现任杭州师范学院弘一大师、丰子恺研究中心教授,浙江省高等学校学报编辑工作研究会理事长。他在这两本书的后记中提及,祝安顺同志曾约他为中华书局写一本关于弘一大师与丰子恺交往方面的书,他因为过去已写过类似的书,婉言辞谢,后双方几经商讨,他终于同意,原因是"早在20世纪的80年代,我就与该社当时的总编辑傅璇琮先生有了交往,此后又几次邀请傅先生写稿发表在我当时主编的学报上。我想,如今傅先生曾经供职过的出版社诚邀我撰稿,应当遵命才对"。我没有想到陈星同志现在撰写此两种新著,还念及20世纪80年代时与我的交往。

　　这使我想起北京大学中文系孟二冬教授在其新著《登科记考补正》的后记中,也曾提及我,说:"有幸的是,本书的部分内容,曾在成书前投寄刊物时承蒙傅璇琮先生审阅,傅先生提出不少珍贵意见,予皆得以承纳修订。"孟二冬同志近期被授予全国优秀教师、劳动模范称号,报刊、电视台都作了报道。《登科记考补正》是他代表性的学术著作之一,他于20世纪90年代即开始做此项目,有时与我就唐代科举问题磋商。他在后记中如此提及,联系上述陈星同志的后记,我作为一个编辑,能与学术界人士有较真切的交往,并得到学者真情的回应,深有自勉之感,并有所启示。

所谓启示,就是我于1958年,自北京大学中文系助教先后调至商务印书馆、中华书局,那时还不过二十五六岁,就立有一个志愿:要做一个好编辑,当一个有研究水平的编辑。我想,编辑当然首先要把本职工作做好,审读稿件,把住质量,但同时要开阔视野,组织选题,这就需要提高本身的文化素质和学术修养,尽可能使自己在某一专业领域有所发展。现在先举"文化大革命"前的一个例子。

20世纪50年代中期,唐代文学研究前辈陈友琴先生曾编有《白居易诗评述汇编》,在科学出版社出版。后来,他又有所增补,想出一新版,但科学出版社出于分工考虑,不再接受,于是陈友琴于1959年与中华书局接洽。当时中华书局文学编辑室主任徐调孚先生,既是老编辑专家(解放前就在上海开明书店工作),又是学者(曾为王国维《人间词话》作注,又翻译过外国儿童文学作品),他很重视陈先生此稿,就征求我的意见,并叫我做责任编辑。我在审读、加工此稿过程中,产生一种想法,即不限于一个作家,可有系统地辑集资料,以便于对古典文学作系统性、历史性的探索,因此提出一个方案,即由中华书局出面组织,搞一套《中国古典文学研究资料汇编》。领导当即同意我的建议，于是把陈友琴先生这部书改名为《中国古典文学研究资料汇编·白居易卷》，后来相继约《陶渊明卷》、《柳宗元卷》、《红楼梦卷》及文学编辑室自己编纂的《李白卷》、《杜甫卷》，我自己则利用业余时间编了两部，即《黄庭坚和江西诗派卷》、《杨万里范成大卷》。这套书陆续出版，对古典文学研究有很大影响。"文化大革命"后，从 80 年代起直到现在，这套书仍在陆续编印中。自汉魏至宋朝，如《三曹卷》、《王维卷》、《韩愈卷》、《苏轼卷》等，成为中华书局出版的极受海内外关注的品牌。

1959 年 8 月，当时一位宋代文学研究老学者孔凡礼先生，又托陈友琴先生介绍，向中华书局送来他所编的《陆游诗评述汇编》。当时编辑室主任徐调孚先生也交我处理，我们就按统一计划，定名为《中国古典文学研究资料汇编·陆游卷》。不过当时另有一位学者齐治平，也编有陆游诗评述资料稿，送交中华书局。此稿可以与孔凡礼先生稿"互补"，编辑室就叫我做责任编辑，将两稿合为一书，实际上是由我加以重编。当时中华书局还与孔先生联系，希望以他的名义为此书写一前言，而他却感到为难，不能写。徐调孚先生认为既由我统稿，就索性由我起草这一前言，仍用孔凡礼先生的名义。据说，孔先生阅后很满意，但他当时并不知道是谁写的。2002 年，中华书局筹办成立 90 周年纪念，编一本《我与中华书局》，请不少专家学者撰写回忆文章，孔凡礼先生就写有《我和中华书局因陆游结缘》一文，其中便提及当时起草前言一事，说："我看了这篇文章，不禁拍案叫好。这篇文章给我解了围，帮了大忙。后来才知道，这篇文章出自傅璇琮先生之手。在我写这篇回忆文字的时候,重温了这篇文章,和 40 年前一样,赞叹不已。这篇文章经住了时间的考验。"他还举了好几个例子,说我"在当时,把握全局和驾驭这些材料的能力已达到了很高的地步,《前言》对全部陆游资料起到了统率的作用"。我起草这篇《前言》时还不到 30 岁,现在读到孔凡礼先生这篇回忆文章,对我当时在编辑工作中能为学者服务,能达到一定学术标准,确很自慰。

我任这部《陆游卷》责编,还有一事值得一提。我审阅全稿(约八十余万字),发现所辑集的资料中,于清人陆时化《吴越所见书画录》一书,辑有元朝高明、余尧臣《题〈晨起〉诗卷》两文。高明即高则诚,高则诚是元代南戏名著《琵琶记》著者,《晨起》则是陆游之诗,高明、余尧臣二人在读陆游此诗后写有读后记,孔凡礼先生是把它们作为后人对陆游诗的评论资料而收辑的。而我在阅稿中却注意到两点,一是高明(则诚)的诗文,今人曾有所辑集,但未收有此文,可以作为佚文补辑;二是可以补证高则诚的生平事迹。余尧臣在自己的题记中,讲到高则诚所作题记,时为元至正十三年(1353)。余尧臣就说,六年后高氏病逝于四明(今浙江宁波)。余尧臣为其友人,时间相近,所记可信,由此则高则诚之卒离明代建国即洪武元年(1368)还有 9 年,而过去的记载,从明代的《南词叙录》、《留青日札》、《闲中古今录》,至现代人著作,包括一些文学史著作,都说这位《琵琶记》著者曾应明太祖朱元璋之召征修元史,后以老病辞归,即是由元入明的。我即由此撰写一文,题为《高明的卒年》,后刊于中华书局所编的学术刊物《文史》第一期(1962),定为高则诚卒于元时,非为入明以后。此文刊出,受到学界注意，当然也有异论，后经一些学者进一步考订，确定我的这一说法，并已写入文学史著作。1962年，这篇文章算是我早期较有学术意义的文章。我并不是专门研究戏曲的，而我之所以能由此一破成说，即得益于编辑的阅稿工作；当然这里还得靠自己的文化学识，如果我当时并不注意高则诚生平事迹及可疑点，也就不会着意于此，错过这难得的机遇。

再举"文化大革命"以后，约七八十年代，我与学界接触并有利于出版工作的三例。

一是关于《万历十五年》。大家知道，美籍华人学者黄仁宇先生，于20世纪八九十年代写有不少有关中国和西方的历史著作，享誉于中国海峡两岸及日、美与欧洲英、法等国。北京的三联书店已出版了他的好几种大部头专著，但他为人所知，实事求是地说，是从中华书局出版《万历十五年》开始的。

我于70年代后期，与书画名家黄苗子先生较有接触。当时中华书局在王府井灯市西口，黄苗子先生仍住南小街，相距不远，由于志趣相近，我们经常相聚，他给我一信，说："美国耶鲁大学中国历史教授黄仁宇先生，托我把他的著作《万历十五年》转交中华书局，希望在国内出版。"我当时任中华书局古代史编辑室副主任，接到他交来的书稿就马上阅读，并于6月16日写了审读意见，对书稿立意之新作了充分肯定，当然也提出一些具体修改意见。当时大陆出版海外之书是非常少的，可能多少有些顾虑，经与几位领导商议，终于接受出版。《万历十五年》最初由黄仁宇先生用英文写成，后由他自己译成中文。因他长期居于海外，所译的中文，颇有隔膜，较费解。我与黄苗子先生商洽，请我在北大求学时的一位同窗好友沈玉成同志对全书作了一次全面的文字加工。沈玉成时在中国社科院文学所,他文笔快,有文采,著者阅后很满意。中美之间距离遥远,当时邮寄也不便,但历尽艰难,这部书稿终于在1982年出版。此书初版就印了27500册,且很快销售于海内外,此后并有日文、韩文、法文、德文等译本,都是据中华书局本翻译的。黄仁宇先生在书前序言中特别提出:"幸经中国社会科学院文学研究所沈玉成先生将中文稿仔细阅读一过,作了文字上的润色;又承中华书局编辑部傅璇琮先生关注,经常就各种技术问题与笔者书函磋商。"以后我每一次翻阅此书,总有编辑工作者的欣慰之情。

另外,是两位年岁比我稍大的古典文学研究专家与我的交往。一位是中国社科院文学所研究员曹道衡先生,他以研究中古时期特别是南北朝文学著称。他曾为中华书局成立90周年纪念集《我与中华书局》(2002年)写有一文,题为《衷心的感谢》,提到他于八九十年代启动对北朝文学的研究,曾草拟有《十六国文学家考略》一文,但担心在当时一些刊物上很难采用,因此如何开展研究,犹豫得很。"正好有一天,我到中国科学院图书馆(当时在王府井大街)去看书,恰巧那天傅兄也在那里看书。傅兄叫我给《文史》写稿,我就把自己的计划和傅兄谈了,得到他的支持,我就回家对初稿进行修改、加工,投寄《文史》。后来在《文史》第二十三和二十四辑上发表。""当初要是没有傅兄的鼓励,我是没有信心去写这种不大受人注意的课题的。"曹道衡先生提及的具体事情我已记不起来了,读及他的这段回忆,确使我很感动。

另一位是南京大学中文系教授周勋初先生,他也着重于研究汉魏六朝及隋唐文学,"文化大革命"前曾写有两文投寄《文史》。当时中华书局编《文史》,是与《新建设》杂志社合作的,文稿审取,经常两方共同磋商,而"文化大革命"开始后,一切停顿,大部分文稿集中于《新建设》杂志社,很多被烧毁、散失。《新建设》杂志社当时在建国门内大街 5 号,周勋初先生于 70 年代后期来北京,特地到该社旧址去访查,有关同志说现在找不到了,不过过去曾与中华书局合作过,中华书局恢复《文史》时,也有同志来这里整理,可向他们问一下。周勋初先生后写一文《我与〈唐宋史料笔记丛刊〉的文学因缘》(也刊于《我与中华书局》一书),即述及当时情况,说:"过了一两个星期,亲戚家就来了消息,中华书局寄来了一包东西,我知道稿子来了,赶过去看,正是十多年前先后寄到《新建设》杂志社去的《〈文赋〉写作年代新探》和《王充与两汉文风》二文。经过长期捆扎,稿子皱皱巴巴,已有破损,纸质也已发黄。我很兴奋,这毕竟是我多年构思的结晶,失而复得,太难得了。从稿子的生命来说,可谓绝处逢生,这都得归功于傅先生的大力帮助。这种职业道德,可供业内人士效法,我必须向他当面道谢。"我记得当时得知周勋初先生缺稿的信息后,曾两次去《新建设》杂志社从一破房间的一大堆乱稿中杷梳、寻找,终于捡出、寄去。后来我曾向周先生开玩笑说:"我若不寄给你,作为我的东西,在刊物上发表,你是拿不出证据的。"两人都哈哈大笑。

周勋初先生在此文中又特提及,中华书局当时正在筹划编印"唐宋史料笔记丛刊","傅先生来信,希望我为其中的一种——《唐语林》作加工整理"。他最初有为难之感,后来又说:"我以前时受到过他的大力帮助,又蒙厚爱,也就决定勉为其难,尝试一下。"这就是他后来所作的《唐语林校证》,1987 年出版。此书出版后被誉为唐宋笔记整理的规范之作,并于 1992 年获得首届全国古籍整理优秀图书二等奖。

周勋初先生在文章结语中特别提出:"一家好的出版社,不光能出好书,还能引导读者和研究工作者往新的方向开拓,提高国家的总体文化水平。"此意他早就向我提起过,我也有同感,并受到启示。90 年代我任中华书局总编辑期间,曾为文学编辑室筹划两项较大的选题。一是邀约南开大学罗宗强教授主编"中国文学思想通史丛书"。罗先生研究中国文学思想史,不局限于传统的批评性文论著作,而是扩大范围,将文学作品与文学思想研究结合起来,富有开创性。根据我的建议,他就将自己的《魏晋南北朝文学思想史》《隋唐五代文学思想史》交给我们,并组织中文系另一年轻学者张毅同志撰写《宋代文学思想史》。这套通史全部出齐,必将极大促进文学批评史、文学思想史学科的发展。另一个是我与当时文学室两位主任徐俊、顾青同志(现为中华书局副总编)商议,编一套"中国古典文学史料研究丛书",由我任主编。我在总序中曾提及:"这将是古典文学研究可持续发展的基本工程,也是我们这一代学人对于 20 世纪学术的回顾和总结,对于 21 世纪学术的迎候和奉献。"现在这套书已出版了七种,去年出版有曹道衡、刘跃进合著的《先秦两汉文学史料学》与王兆鹏的《词学史料学》,颇受好评。

最后我想再略提一下,近几年出版的一些中青年学者著作,如前引述的孟二冬《登科记考补正》,在后记中特说及我几句。又如西北大学文学院院长李浩教授,在其《唐代园林别业考录》(上海古籍出版社,2005年版)后记中也提到我:"1995年开始动笔时,我即征询先生意见,先生一方面肯定本课题,另一方面又提出许多具体建议。本书出版前又蒙先生提出修改意见,谨致恳切谢意。"凌朝栋同志《〈文苑英华〉研究》本为博士学位论文,在答辩完成后曾寄交给我,现在由上海古籍出版社出版(2005年版)。他在后记中说:"傅先生及时来函热心指导,并提出了珍贵的修改意见。"《中国社会科学》编辑部马自力同志的《中唐文人之社会角色与文学活动》,也原为北京大学袁行霈先生指导的博士学位论文,我曾参与答辩,此书也已出版(中国社会科学出版社,2005年版)。他在后记中叙及写作过程:"傅璇琮先生驰函关心我的写作,并以自己的翰林学士研究成果和最新编著的《翰学三书》相赠。"我确已养成编辑的职业习惯,即使有些学者邀我作序,我也总要通阅全稿,有时不止看一遍,还提出一些修改意见。如中山大学中文系吴承学教授请我为其所著《中国古代文体形态研究》(中山大学出版社,2000年版)作序,他在后记中说我"特地挤出时间阅读书稿,赶写序言,还就书稿一些文献和史料方面的问题,提出具体和中肯的意见,又为我寄来相关的参考资料"。浙江大学中文系胡可先教授在其所著《政治兴变与唐诗演化》(中国社会科学出版社,2003年版)的后记中述及我应约为此书写序时,"并对拙稿中的文献资料及理论观点都提出了中肯的意见"。

　　我并不以此而揄扬自己,而是想说明,编辑在自己长期的工作中会养成工作习惯,就是对书稿负责,不敷衍,不虚夸。而就我自己来说,如我应张世林同志之约,为其所编的《学林春秋》(朝华出版社,1999年版)撰文《我和古籍整理出版工作》,按规定,文前要有两句自勉的箴言，我写为："我最大的心愿是为学术界办一些实事，我最大的欣慰是得到学界友人的信知。"我想这也可以是本文的结语。

原载《中国编辑》2006 年第 2 期，此据北京联合出版公司
2013 年版《濡沫集》录入，另收入北方文艺出版社 2008 年版
《书林漫笔》、首都师范大学出版社 2010 年版北京社科名家
文库《治学清历》

欲穷千年目　通览此套书

　　2005 年下半年，商务印书馆于影印文津阁《四库全书》的同时，又出版一部大书，即林夕先生主编的《中国著名藏书家书目汇刊》。此书收集自宋至 20 世纪前期有代表性的藏书目 158 种，将近半数系第一次公之于众，有 80 来种为名家抄本、校本和稿本。全书皆按原书尺寸拍摄影印，16 开本，共 70 册。这应当说是新世纪古籍研究与传统文献整理的又一部力作。

　　近几年来，我受全国古籍整理出版规划领导小组邀约，参与主编《中国古籍总目》，这部《中国著名藏书家书目汇刊》出版，必将为现正从事于此项工作的几家主要图书馆提供极有价值的信息资料，而对于我们当代不少正从事于古文献整理与古代文史研究的专家学者来说，这套《书目汇刊》也是必读之书。

　　"书籍是人类进步的阶梯"，作为世界文明古国中书籍数量最多、流传时间最久的中国来说，其悠久的历史文化，是与书籍的收集、保管、流传及开发利用等密不可分的。中国藏书文化应该是中国传统文化极为重要的组成部分。清代一位著名藏书家张金吾就特意指出，"欲致力于学者，必先读书，欲读书者，必先藏书；

藏书者,诵读之资,而学问之本也"(《爱日精庐藏书志序》)。这就是说,要做学问,必先读书,要读书,则先要藏书,藏书是"学问之本"。故中国自先秦起至明清,直至近现代,藏书家与学问家总是合为一体的,而藏书家对其所藏之书编目,实为一种特殊性的学术著作。可以说这部《中国著名藏书家书目汇刊》实在可以给我们了解我国古代历史悠久、内容丰富的藏书,"开索书之门径","标研书之脉络"。

这部书的一大特点,即所汇辑的书目有80多种系第一次收辑、印行。如明代会稽纽氏世学楼、清代允祥怡王府、四明卢氏抱经楼以及清季近世的徐世昌晚晴簃、李盛铎木犀轩等,藏书蜚声中外,却无书目刊行,读者渴望一窥珍秘而不可得。现林夕先生与北京煮雨山房文化艺术公司合作,根据已有的书面文献,精心细研,求之公私藏书,觅得抄本甚至稿本,公之于此。

该书不仅广搜各种版本,且对版本进行认真比勘、研究。如吴氏《拜经楼书目》,有两种抄本,一为清抄本,吴骞藏并编,藏于国家图书馆,另一为民国抄本,吴之澄藏并编,藏天津图书馆;经调查,二本内容有所不同,后者尤不为人知,值得研究,就都收入。又如晚清民初藏书家李盛铎,曾为出使日本大臣,在日期间,收购有许多日本、朝鲜古刻本及在中土已佚的宋元珍本,在国内则广泛从湖南、山东等地选购,自编有好几种书目,如《木犀轩收藏旧本书目》《木犀轩藏宋本书目》《元版书目》等初稿,其特点是详记各书外部形态,如装订方式、行格、牌记、藏章、刻工等。现本书《汇刊》则从十几种抄本中择优选辑,即藏于国家图书馆之抄本及民国铅印本,应当说是精选珍贵之作。

即使以往曾经出版过的书目，林夕先生等也经研究，择优而从。如南宋尤袤《遂初堂书目》，过去已有好几种印本，现在则选用民国二十四年（1935）锡山尤氏排印本，此本吸收以往各本之长，并附有校记。赵用贤《赵定宇书目》，20世纪50年代曾影印清初抄本，现本书则用影写清初抄本，影摹工致，字迹清晰，细微处竟较影印本为胜。又如清初钱谦益《绛云楼书目》，著名版本目录学家、陕西师大黄永年教授藏有清初抄本，可谓孤本，黄永年先生跋语鉴定为钱氏原抄本，较世行各本独有胜处。这次就特与黄先生联系，收入《汇刊》，将多年秘藏之本公之于世。

又如清初江南藏书大家钱曾，几十年如一日孜孜以求收藏古书，曾自称"二十年食不重味，衣不完采，捭当家资，悉藏典籍中"（《述古堂藏书自述》）。其平生所嗜，以宋刊本为最，一生所收，多宋元旧刊。其所编《也是园藏书目》，著录各类图书三千八百余种，《述古堂书目》著录二千二百余种。这两种书目也已有刊行，这次收于《汇刊》的，其《也是园藏书目》为清归安姚氏咫进斋抄本，《钱遵王述古堂藏书目录》则用民国七略盦抄本，此本即出自钱氏述古堂抄本，确经过细研精选。

我们如通读、遍检全书，定会深感这部70册的大书确实保存许多珍贵的文献资料。这可分为两类记述：

第一类是记载当时还收存、流传的古书，但有很大一部分后世已无法见到。如清初以来著名藏书家徐乾学、钱曾、季振宜、黄丕烈、汪士钟等收藏有大批宋刊本，递相传存，珍为拱璧。黄丕烈（号荛圃）购藏宋版书达百种，故把藏书室称为"百宋一廛"。同时的王芑孙在《黄荛圃陶陶室记》里就特赞曰："今天下好宋版书，未有如莪圃者也。"但他们所录的书，今天有很多已不见著录，只能在书目中见其名目。这当然是一大遗憾，但我们能在其书目中得见中华民族的文化宝藏，更可显示历代藏书家书目无可代替、不可或缺的历史价值。

第二类是所记的大量古书，仍留传到今天，这更有助于我们梳理这些珍品的身世，追踪收藏的脉络。我们现在要考索古代著作的流传，撰写古书提要，作目录版本研究，就可以借助这部《汇刊》所提供的讯息。当今拍卖会上经常出现往日名家藏书，这就需要翻检、核对他们的书目。如现在拍卖会上经常遇到近代名家徐乃昌旧藏之物，大家就渴望检阅徐氏藏书目，可是徐氏藏书目未刊，仅有个别抄本，知者很少，借阅不便。现在这部《汇刊》影印出国家图书馆所藏的徐乃昌手编之《积学斋书目》稿本，徐氏亲笔书写批注，真是十分难得，可以满足大家的需要。

还有一点值得提出的，是本书在体例上既注意规范化，又着意开创性。如按规定，所收为藏书家书目，而非书志或提要。中国历代藏书目录，体例多样，有些只录书名、卷数、著者、版本，有些则有题解，辨章学术，考证版本，类似随笔札记。这是各有特色、优点的。这部《汇刊》所收主要为前者，当更便于版本核查，自有其特色和价值。如南宋时有三家藏书目，《群斋读书志》《直斋书录解题》各有提要，而尤袤的《遂初堂书目》则仅录书名、版本，但此书录有家藏之书三千二百余种，所录版本有成都石刻本、杭本、京本、江西本等，还有高丽本，有二十来种，这应当是开创后世版本目录学的先河。本书按编例，分明清卷和近代卷，现在则仍将《遂初堂书目》列于明清卷之前。又如近代卷，除一般藏书目外,还着意于辑录包括词曲、小说、闺秀作品的专藏目录,如清末以来词集收藏大家缪荃孙、林葆恒的藏词目录,怀宁曹氏、长白志氏、马廉、吴梅等所藏戏曲、小说目录,昆山徐氏、胡氏所藏闺秀著作目录,皆系第一次刊印。郑振铎的《西谛所藏善本戏曲目录》虽已有民国 26 年刻本,但仍收入,其《西谛所藏弹词目录》,则为民国时打字本,藏国家图书馆,也特为列入。这些专藏书目,对当今词曲、小说及妇女作品研究,可拓展视野,使人耳目一新。

原载 2006 年 3 月 1 日《中华读书报》,此据大象出版社 2015 年版《书林清话》录入,另收入北京联合出版公司 2013 年版《濡沫集》

一件难忘的小事

——缅怀夏承焘先生

词坛耆宿夏承焘先生于 1986 年 6 月去世,至今已二十周年,最近我见到商务印书馆重印的夏先生代表著作《唐宋词人年谱》,翻阅全书,更致深情,故特撰此小文,以志缅怀之情。

《唐宋词人年谱》初版于 1956 年冬,自晚唐韦庄起,至南宋吴梦窗,共撰年谱十种十二家。夏先生于 1954 年 11 月前作序,谓撰此十种年谱,前后共历三十年,可见当时学术前辈对学术事业的执着。后此书又由上海古籍出版社(当时名为中华书局上海编辑部)于 1961 年 12 月出版修订本,书末特增附学者投书讨论的材料,取名为《承教录》,作者自记云:"此书问世一年,屡荷四方读者惠书督诲……皆未尝奉手请教,乃承费日为细校再过,各举谬误之处,盛意尤可感激。"又谓:"他日续有承教,将依次登录,一字之赐,皆吾师也。"

我于 1955 年北京大学中文系毕业后,留校任助教,为浦江清先生讲课之中国文学史宋元明清段做协助工作,因此《唐宋词人年谱》于 1956 年冬印出后,我就下功夫读过。后自 1958 年夏起我在中华书局做编辑，于1962年间见到《唐宋词人年谱》修订本，读到夏先生的《承教录》前记，联系宋人叶梦得所云："古之君子不难于攻人之失，而难于正己之是非"，更感到夏先生做学问的君子之风。

后历经十余年，特别是"文革"十年，学术停滞，《唐宋词人年谱》则于1979年5月又出版新修订本。可能由于当时我工作较忙，未注意此修订本的出版，却于80年代前期，在一次中国韵文学会议期间，时任北京新闻学院教授的周笃文先生对我说："你与夏承焘先生是有交往吧？"我说没有，也从未见过面。他说不可能，说近两年出版的《唐宋词人年谱》，书后《承教录》，就挂有"傅璇琮先生"之名，列有几条材料，并说："夏先生于《承教录》中说到，都是著名老学者，当时我们看到后，还以为你也是六七十岁老人了。"他说了这几句，当时我和在场的几位友人都笑了起来。不过我还是说没有见到，也忘记有此事。

后我特地到中华书局图书馆借阅这次新修订本，果然见到《承教录》有我所提供的材料（《唐宋词人年谱》页527—529），即李昭玘《乐静集》中代北宋词人贺铸（方回）所作书信三封，是书中《贺方回年谱》所未收的。夏承焘先生还特于此三条资料后写几句跋语，云："以上所引昭玘《乐静集》有关贺方回三文，皆北京中华书局傅璇琮先生见告者，应入《贺谱》元祐六年，以李清臣、范百禄、苏轼荐入文资条下，并增补后交游考。"（按：李昭玘，《宋史》卷三四七有传，清《四库全书总目》卷一五五集部别集类著录其《乐静集》三十卷，《四库总目提要》称其"北宋之末，翘然为一作者"。李昭玘为北宋后期人，与贺（方回）同时且友好，其集中载有代贺所作三封信,是请人为其举荐者,对研究贺铸之行迹及心态颇有参考价值。)

这使我想起当时的情况。我于1958年夏由商务印书馆转至中华书局,在文学编辑室。20世纪50年代中期,唐代文学研究前辈陈友琴先生曾编有《白居易诗评述汇编》,在科学出版社出版,后他又有所增补,想出一新版,但当时科学出版社出于分工考虑,不再接受,于是陈先生于1959年与中华书局接洽。当时中华书局文学编辑室主任徐调孚先生既是老编辑专家(解放前就在上海开明书店工作),又是学者(曾为王国维《人间词话》作注,又曾翻译过外国儿童文学作品),他很有学术眼光,立刻对陈友琴先生这部书稿表示接受,并叫我做责任编辑;后孔凡礼、齐治平两位先生又合作编撰《陆游诗评述汇编》,也经陈友琴先生介绍,送到中华书局来,当时徐调孚先生也予以接受,也让我做责编。我在审读、加工过程中,就产生一种想法,即不限于一个作家,可有系统地辑集资料,以便于对古典文学作系统性、历史性的探索,因此提出一个方案,即由中华书局出面组织,搞一套《中国古典文学研究资料汇编》。领导当时即同意我的建议,于是把陈友琴、孔凡礼几部书定名为《中国古典文学研究资料汇编》之《白居易卷》、《陆游卷》,后来相继约编《陶渊明卷》、《柳宗元卷》、《红楼梦卷》等。我当时由于政治等原因,不能撰写文章发表,就利用业余时间编了两部书,即《黄庭坚和江西诗派卷》、《杨万里范成大卷》。李昭玘《乐静集》就是我在辑集黄庭坚与江西诗派资料时,较广泛地披览宋人文集所得的。当时在中华书局文学室工作的还有王仲闻老先生,他是王国维次子,20世纪60年代前期集中为唐圭璋先生《唐宋词》做校订工作,他本人对唐宋词也深有研究。当时我与他在一个办公室,就时常交换意见,就把《乐静集》中为贺铸代作的三封书信告诉他,他说值得参考,叫我录出,事后就由他寄给夏承焘先生。不过他寄予夏先生,并未与我说过,我后来也想不起来,因此 80 年代前期周笃文先生向我谈及此事,我真是不清楚。

《唐宋词人年谱》之《承教录》,所辑确为老辈学者,如王欣夫、周汝昌、胡道静、詹安泰,及日本学者清水茂等,而我写录《乐静集》几条材料,交给王仲闻先生时,还只是《黄庭坚和江西诗派卷》刚编就,即 1962、1963 年间,不过三十岁,且只是一个普通编辑,而夏承焘先生却在后来修订重印时,就将我所录与其他几位老先生的意见一起补入。我现在重阅《唐宋词人年谱》,回忆当时情景,真有恍如隔世之感。夏先生对后辈的谆谆善诱,又能采其片善,正体现了他虚怀若谷的风范,真使我永志于心。

夏承焘先生于 80 年代中期来北京住,我与他见过面,他也曾写给我几封信,待我以后检出时再作文志念。

2006 年 6 月

原载中华书局 2007 年版《学林漫录》第十六集,此据北京联合出版公司 2013 年版《濡沫集》录入,另收入北方文艺出版社 2008 年版《书林漫笔》、首都师范大学出版社 2010 年版北京社科名家文库《治学清历》、万卷出版公司 2010 年版《当代名家学术思想文库·傅璇琮卷》

两《唐书》掇误

上世纪七十年代末、八十年代初，我与中华书局两位编辑同仁张忱石、许逸民合作，编撰《唐五代人物传记资料综合索引》（中华书局，1982 年），选辑有关唐人传记之书八十六种，其中即有《旧唐书》、《新唐书》（中华书局点校本）。我们在采用这两书时，将两书互校并与他书比勘，发现人名讹误者甚多，后就由我起草，合撰《两〈唐书〉校勘拾遗》一文，刊于《文史》第十二辑（1981 年 9 月）。此文就两《唐书》之人名错误及互异，举有八十余例。此后，八九十年代间，又见有若干论文谈及两《唐书》之误者，如卞孝萱《新版点校本〈旧唐书〉校正一百例》，丁鼎《两〈唐书〉校读札记》，吴在庆《读新旧〈唐书〉札记》等，限于篇幅，不俱举；台湾一位老学者严耕望，也作有《〈旧唐书〉本纪拾误》。前几年，南京大学一位年轻学者武秀成更有《〈旧唐书〉辨证》专著面世（上海古籍出版社，2003 年），主要以《旧唐书》本纪之干支系时订正约四百条讹误。根据现有情况，我觉得，我们现在有必要，也已有条件，对两《唐书》进行全面校证。应该说，《旧唐书》和《新唐书》是我们研究唐代社会、政治、经济、文化等方面的基本史书，这两部书提供不少史科,我们研究唐代历史,是不能离开这两部书的。但也正因此,就必须对其讹误加以清理、订正,即不限于版本校,而应参据前辈学者陈垣先生于《校勘学释例》中特别提出的本校、他校两种校则。陈垣先生认为,本校乃"以本书前后互证,而抉摘其异同,则知其中之谬误";他校则"以他书校本书","此等校法,范围较广,用力较劳,而有时非此不能证明其讹误"(《校勘学释例》,中华书局,1959 年)。如此,则将整理与研究相结合,对原书所记史事加以疏证、辨析,这才能有真正符合高质量学术标准的定本,而非所谓全译本、全注本所能相比的。

近数年间,我集中研究唐代翰林学士,一方面从文化角度出发,探讨唐代文士这一特殊群体如何参预高层次的政治生活,并研索其与当时文学活动的关系,另一方面则具体考索这二百数十位学士的事迹,企望有扎实的史料基础。这样在研究中,就发现唐宋时若干史书,在记事方面有不少失误,而失误较多的则为两《唐书》,已写有《唐翰林学士记事辨误》(《燕京学报》新十六期,2004 年 5 月)、《两〈唐书〉记事辨误》(《文史》2006 年第 3 期)。现在则再以二十位翰林学士为例,举两《唐书》所记之误三十余处,撰此《两〈唐书〉掇误》一文。唐翰林学士共约二百七、八十人,在两《唐书》记事中,所占仅为小比例,但已有不少讹误,则翰林学士之外,两《唐书》的其他记叙,误失所占比例当更大,如此,则本人所提供的误例,希望对今后全面整理、研究两《唐书》,能起一定的参考、推进作用。

张　涉

　　张涉,《旧唐书》卷一二七有传,《新唐书》无传。《旧传》记其为翰林学士事,云:"德宗在春宫,受经于涉。及即位之夕,召涉入宫,访以庶政,大小之事皆咨之。翌日,诏居翰林,恩礼甚厚,亲重莫比,自博士迁散骑常侍。"据此,则张涉于德宗即位后才召入为翰林学士。而据作于德宗贞元二年(786)的韦执谊《翰林院故事》,作于文宗开成二年(837)的丁居晦《重修承旨学士壁记》①,记代宗时翰林学士,有常衮、柳伉、张涉、李翰、于肃、于益,丁居晦《重修承旨学士壁记》(以下皆略称丁《记》)记张涉居第三位,在李翰前,而据《册府元龟》卷二六三,代宗大历八年(773)十月前,李翰已为左补阙在翰林学士任,则张涉当于大历中期已为翰林学士,德宗则于大历十四年五月接位,即《旧唐书》本传记张涉于德宗即位后才"诏居翰林",误。

梁　肃

　　梁肃为德宗朝翰林学士,据丁《记》,于贞元七年(791)入院,

---

①《翰林院故事》、《重修承旨学士壁记》,皆编于宋洪遵《翰苑群书》(有《知不足斋丛书》本),今辑入傅璇琮、施纯德编校之《翰学三书》(辽宁教育出版社,2003年)。

但于贞元九年十一月病卒,在院仅二年余。梁肃早期曾师事古文家独孤及、李华,后又与翰林学士李翰、大历十才子之一耿湋等有交往,为中唐前期古文运动名家之一。《旧唐书》无传,《新唐书》附于卷二〇二《文艺·苏源明传》后,甚简,仅九十余字,而所记又有误,如云:"源明雅善杜甫、郑虔,其最称者元结、梁肃。"苏源明为肃宗时翰林学士,玄宗开元、天宝时确已与杜甫、郑虔有交往,对元结亦甚赞誉,而对梁肃则绝不可能有所谓"最称"。

按,元结生于开元七年(719),天宝六载(747)曾与杜甫同在长安应举试,但为宰臣李林甫排斥;肃宗上元元年(760)曾选辑沈千运、王季友等七人诗二十二首为《箧中集》,为今存唐人选唐诗名著之一①;其所作《春陵行》、《贼退后示官吏作》诗,后曾受杜甫盛称,杜甫有《同元使君春陵行序》②。又据《新唐书》卷一四三《元结传》,肃宗曾召见苏源明(时为翰林学士),"问天下士,(苏)荐结可用"。元结即因此入仕,任命为右金吾兵曹参军、摄监察御史,充山南东道节度参谋③。这当是因为元结既生于开元七年(719),至肃宗上元年间已四十余岁,且已有诗文传世。而苏源明卒于代宗广德二年(764),时梁肃仅十二岁④,苏源明于肃宗朝任翰林学士时,梁肃则不过八、九岁。其幼年曾随父居于函关(今河

---

① 参见傅璇琮编撰:《唐人选唐诗新编》,陕西人民教育出版社,1996 年。
② 以上参见傅璇琮主编:《唐五代文学编年史》初盛唐卷、中唐卷(陶敏、傅璇琮撰),辽海出版社,1998 年。
③ 参傅璇琮:《唐肃宗朝翰林学士传》,载《新文学》第一辑,大象出版社,2003 年。
④ 参蒋寅:《梁肃年谱》,《大历诗人研究》下编,中华书局,1995 年。

南新安县），后因安史之乱，避难南下，即长期居于苏州、常州。他十二岁时，曾就教于当地名僧湛然，后独孤及于大历八年（773）为常州刺史，梁肃特为拜谒，始师事之，而此时苏源明已卒有十年。且苏源明长期在长安任职，不可能远闻在江南只十岁左右的儿童梁肃之名，现存苏源明诗文也均未提及梁肃。《新·苏源明传》竟谓其最称者有与元结并提的梁肃，真无所据。

卫次公

卫次公，两《唐书》有传，即《旧唐书》卷一五九,《新唐书》卷一六四。《旧传》记其早年仕历，云："弱冠举进士，礼部侍郎潘炎目为国器，擢居上第。"据宋王谠《唐语林》卷八，潘炎于代宗大历十三年（778）、十四年知贡举①。清徐松《登科记考》卷一一，又据《旧唐书·代宗纪》，记潘炎于大历十二年四月为礼部侍郎，定潘炎于大历十三年知举，卫次公即于是年登进士第②，是。但据《旧·卫次公传》，卫次公既于大历十三年以"弱冠"登第，即是年二十，则当生于肃宗乾元二年（759）。而《旧传》后又记卫次公卒于宪宗元和十三年（818），年六十六，以此推算，则应生于玄宗天宝十二载（753），大历十三年已二十六岁，不当云"弱冠",《旧传》误。《新传》记其"举进士"，并于潘炎知举时登第，但未记年岁，

---

① 周勋初校证:《唐语林校证》，中华书局，1987年。
② 赵守俨校点:《登科记考》，中华书局，1984年。

未称"弱冠",较妥。

《旧唐书》类此误者不止一例,又如《旧唐书》卷一五九《崔群传》记其"十九登进士第"、"年未冠举进士",又记其于陆贽知举时登第,即贞元八年(792),据此则当生于代宗大历九年(774)。但《旧传》后又记其卒于文宗大和六年(832),年六十一,则当生于大历七年,贞元八年登第时应为二十一岁,不能说年未冠,更不能说年十九。而据白居易《七年元日对酒五首》诗①,及刘禹锡《乐天示过敦诗旧宅有感一篇吟之泫然追想昔事因成继和以寄苦怀》②,皆记白、刘与崔群生于同年,而白、刘均生于大历七年。由此可证《旧·崔群传》所谓"未冠"、"年十九",皆误。《旧唐书》于同一列传中常出现如此互异而致误者,应予注意。

李 程

李程,两《唐书》有传,即《旧唐书》卷一六七,《新唐书》卷一三一。《旧传》记李程于德宗贞元十二年(796)登进士第,后又登宏辞科,接云:"累辟使府,(贞元)二十年入朝为监察御史,其年秋召充翰林学士。"丁《记》与《旧唐书·德宗纪》亦皆记李程于贞元二十年秋冬时入为翰林学士,则《旧传》所记是。唯《旧传》后云:"顺宗即位,为王叔文所排,罢学士",则为显误。

---

① 朱金城:《白居易集笺校》卷三一,上海古籍出版社,1988年。
② 瞿蜕园:《刘禹锡集笺证》外集卷四,上海古籍出版社,1989年。

所谓"为王叔文所排",实际是对王叔文施行新政的偏见。顺宗在位时,王叔文以翰林学士身份,联结当时文士柳宗元、刘禹锡及部分翰林学士,实行所谓永贞新政,这已为史学界定论,这里不必复述。李程当时与另外几位翰林学士郑絪、卫次公、王涯等交结,依附于宦官俱文珍,确与王叔文不协。不过事实是:(一)据丁《记》,顺宗于贞元二十一年(805)正月二十六日即位,王叔文于同年二月二十二日自起居舍人入为翰林学士,而此后李程与其他几位翰林学士之官阶皆有擢迁,李程即自监察御史(正八品上)迁为水部员外郎(从六品上);后宪宗于八月即帝位,第二年元和元年(806)九月,李程仍在院中加朝散大夫,至元和三年七月,才出院,授随州刺史。由此则顺宗朝时,李程均在学士院,且官阶又有升迁。(二)韩愈有《赴江陵途中寄赠王二十补阙李十一拾遗李二十六员外翰林三学士》诗,作于永贞元年(805)九月间①,诗题所称即王涯、李建、李程,李程时即为水部员外郎,故称"李二十六员外"。由此亦可佐证顺宗退位、宪宗即位时,李程仍为翰林学士,并仍具水部员外郎衔。(三)白居易于元和二年十一月五日入为翰林学士,李程于元和三年七月才出院,则二人有大半年同在院中,后白居易于元和十四年春由江州员外司马赴忠州刺史任,途中会李程于武昌,时李程为鄂岳观察使,白居易作《重赠李大夫》七律一诗(《白居易集笺校》卷一七),其中特为叙及共在院中值班情景:"早接清班登玉陛,同承别诏直金銮"。以上三条皆可确

①参见钱仲联:《韩昌黎诗系年集释》卷三,上海古籍出版社,1984年;张清华:《韩愈年谱汇证》,江苏教育出版社,1998年。

证《旧传》之误。

赵宗儒

赵宗儒亦为德宗时翰林学士,据丁《记》,于建中元年(780)入,建中四年十一月以尚书工部屯田员外郎出院。出院后仕历颇有升迁,据《旧唐书》卷一六七本传,曾于贞元十二年(796)十二月至十四年闰五月,擢据相位,宪宗初任为吏部侍郎。《旧传》有记:"德宗崩,顺宗命为德宗哀册文,辞颇凄惋。"意谓德宗于贞元二十一年正月卒,顺宗接位,乃命赵宗儒草撰德宗之哀册文。实则赵宗儒所撰为顺宗哀册文,《文苑英华》卷八三六有赵宗儒《顺宗至德大圣大安孝皇帝哀册文》[1],首云:"维元和元年岁次丙戌,正月一日丙寅朔,十九日甲申,大行太上皇崩于兴庆宫之咸宁殿",后又记于七月"十一日壬午,将迁座于丰陵,礼也"(《全唐文》卷四三八亦载此文,当即本《文苑英华》)。《旧唐书》卷一四《宪宗纪》即记顺宗卒于元和元年正月:"甲申,太上皇崩于兴庆宫";七月,"壬寅,葬顺宗于丰陵"。《通鉴》卷二三七所记同,于元和元年七月即记:"壬寅,葬至德大圣大安孝皇帝于丰陵。""至德大圣大安孝皇帝",即与赵宗儒所草册文文题同。且顺宗为禅位于宪宗,故称"太上皇"。《旧传》竟误记为"德宗",真使人诧异。

---

[1]《文苑英华》,中华书局影印明刊本,1966年。

李　绛

关于李绛事迹,《新唐书》卷六二《宰相年表》,《旧唐书》卷一六四李绛本传,各有一误。

据元稹《承旨学士院记》、丁《记》及《旧书》本传,李绛于宪宗元和二年(807)四月入为翰林学士,元和六年二月出院。《旧唐书·宪宗纪》于元和六年十二月己丑,记李绛为朝议大夫、守中书侍郎、同中书门下平章事,即出院后于同年十二月拜相。《新唐书·宪宗纪》、《通鉴》卷二三八同。而《新唐书·宰相年表》则记为该年之"十一月己丑",非十二月。经查陈垣《二十史朔闰表》①,元和六年十二月壬戌朔,己丑为二十八日,而十一月壬辰朔,此月无己丑。且《新唐书·宰相年表》所记宰臣免时日,一般均与《新唐书》本纪同,故此处之"十一月",恐非原书误,而为中华书局点校本误排而失校。

又,李绛于元和九年二月罢相,历仕礼部尚书、华州刺史、兵部尚书等。《旧传》接云:"(元和)十四年,检校吏部尚书,出为河中观察使。河中旧为节制,皇甫镈恶绛,只以观察命之。十五年,镈得罪,绛复为兵部尚书。穆宗即位,改御史大夫。"依上下文意,则穆宗即位前,李绛为兵部尚书,即位后,改为御史大夫。而据《旧唐书·穆宗纪》,李绛由河中观察使入朝为兵部尚书在元和十

---

① 陈垣:《二十史朔闰表》,中华书局,1962年。

五年七月壬寅，而宪宗于元和十五年正月庚子（二十七日）卒，穆宗遂于同月即位，则李绛由河中入为兵部尚书，已在穆宗即位半年后。又据《旧纪》，皇甫镈罢相被贬，在元和十五年正月丁未；同年七月壬寅，"以河中晋绛观察使李绛为兵部尚书"，均在穆宗即位后，可见《旧·李绛传》误记。

韦弘景

《旧唐书》卷一五七《韦弘景传》记："贞元中始举进士，为汴州、浙东从事。"接云："元和三年，拜左拾遗，充集贤殿学士，转左补阙，寻召入翰林为学士。"此数句即有两处错误。丁《记》记韦弘景之入院，谓："元和四年七月一日，自左拾遗、集贤院直学士充；九月，转左补阙。"此处称韦弘景入院时，为左拾遗、集贤院直学士。按，左拾遗之官品为从八品上，据唐官制，凡集贤殿书院学士，须以五品以上之官充，六品以下只能为直学士（参见《旧唐书》卷四三《职官志》三"中书省·集贤殿书院"）。由此，则丁《记》称集贤院直学士，是；《旧传》无"直"字，不合唐官制。又据丁《记》，韦弘景于元和四年七月自左拾遗入，同年九月，转左补阙。左补阙为从七品上，当为其入院后升迁，而《旧传》则记其入院前，已由左拾遗转左补阙，亦不合实。

另，丁《记》记韦弘景于元和七年二月五日又由左补阙迁司门员外郎（从六品上），八年十月二十日出守本官，即出院时仍为司门员外郎。而《旧唐书·宪宗纪》则记为韦弘景以司封员外郎出院。清劳格《唐尚书省郎官石柱题名考》卷六司封员外郎卷末"附存"有考①,谓"《纪》作封误",是。又《旧传》记此事,谓"罢学士,改司门员外郎",云"改",亦非,因据上所述,元和七年二月五日,已由左补阙迁升为司门员外郎,此次为出守本官,不能称"改"。可见丁《记》多可订正《旧唐书》纪、传之误。

杜元颖

杜元颖,两《唐书》有传,即《旧唐书》卷一六三,《新唐书》卷九六。《旧唐书》本传记杜元颖事,有三处显误。

《旧唐书》本传未载杜元颖字号,亦未记早年行迹,唯云"贞元末进士登第"。清徐松《登科记考》卷一五即据此系于德宗贞元二十一年(805)。但《登科记考》卷一四又据白居易《七年元日对酒诗》注"余与循州杜相公及第同年",又系于贞元十六年。中华书局赵守俨点校本即引岑仲勉《登科记考订补》,订贞元二十一年为重出。即应以白居易诗为准,《旧传》所云"贞元末进士登第",误。

《旧传》载其登第后,"再辟使府,元和中为左拾遗、右补阙,召入翰林,充学士"。而据丁《记》,杜元颖于"元和十二年二月十三日,自太常博士充",接云:"二十日,改右补阙"。太常博士与左右补阙皆为从七品上,故于入院后二十日转为右(左)补阙,不必曰迁,可称为改。由此亦可见《旧传》称其任右补阙后才入院,误。

---

① 徐敏霞、王桂珍点校:《唐尚书省郎官石柱题名考》,中华书局,1992年。

杜元颖于穆宗即位后，又由翰林学士直接提升为宰相，《旧传》记为："长庆元年三月，以本官同平章事"。而据《旧唐书·穆宗纪》，长庆元年（821）二月壬申，段文昌免相出镇西川，杜元颖接任，《新唐书·宰相年表》及《通鉴》卷二四一同。《唐大诏令集》卷四七有《杜元颖平章事制》①，署李德裕撰，亦署为长庆元年二月。则《旧传》所记之"三月"，"三"当为"二"之形讹。

韦处厚

《旧唐书》卷一五九本传，记其"元和初登进士第"，后"应贤良方正，擢居异等"，《新唐书》卷一四二本传则谓"中进士第，又擢才识兼茂科"。即韦处厚于元和元年（806）进士登第后又应制举试，而《旧传》称所应为贤良方正科，《新传》则记为才识兼茂科。按，刘禹锡于韦处厚卒（文宗大和二年，828）后十年，曾为其文集作序，即《唐故中书侍郎平章事韦公集纪》（《刘禹锡集笺证》卷一九），亦有记，谓："宪宗朝河南元公稹、京兆韦公淳②，以才识兼茂征。"元稹即于元和元年登才识兼茂明于体用科（参见徐松《登科记考》卷一六）。这与《旧唐书》卷一七二《萧俛传》亦称萧俛于"元和初，复登贤良方正制科"，同误。

元和前期，裴垍任相时，曾监修《德宗实录》，韦处厚参预纂

---

①《唐大诏令集》，商务印书馆，1959 年。
②此处淳为韦处厚原名，后因避宪宗讳，改名。

修,《旧传》称其时任左补阙及礼部、考功员外郎。《旧传》接云：
"早为宰相韦贯之所重,时贯之以议兵不合旨出官,处厚坐友善,
出为开州刺史。"《旧唐书·宪宗纪》与《通鉴》卷二三九,均记元
和十一年八月,韦贯之时任宰相,对当时朝廷征讨淮西、河北诸方
镇有不同主张,不合宪宗之意,罢知政事,韦处厚也受累外出。但
《旧唐书·宪宗纪》记此,则谓"考功郎中韦处厚为开州刺史",而
两《唐书》本传及《通鉴》,皆记为考功员外郎,非考功郎中。按韦
处厚后于元和十三、十四年间入朝,为户部郎中,穆宗于元和十五
年正月接位后,即召其为翰林侍讲学士,韦处厚即将曾于开州时
所作《盛山十二诗》送交友人,元稹、白居易等皆有和作,韩愈时亦
在京,特为作序,即《韦侍讲〈盛山十二诗〉序》①,序中即云："韦侯
昔以考功副郎守盛山。""副郎"即员外郎。由此可证《旧纪》所谓
"考功郎中",误。

庞　严

　　庞严,据丁《记》,于穆宗长庆二年(822)三月二日,自左拾遗
入为翰林学士,后历有迁转。《旧唐书》卷一一六本传,亦记其为
左拾遗后,云："聪敏绝人,文章峭丽。翰林学士元稹、李绅颇知
之。"则庞严之入,即受元稹、李绅推荐。《旧唐书》卷一六六《元
稹传》亦载："后进之士,最重庞严,言其文体类己,保荐之。"但后

----

① 见马其昶:《韩昌黎文集校注》卷四,上海古籍出版社,1986年。

因受人事纷争之牵连,受李绅被贬之累,为宰相李逢吉排挤,与同为翰林学士蒋防同时贬出,丁《记》记为:"(长庆)四年二月六日,贬信州刺史。"《旧唐书》卷一七上《敬宗纪》,长庆四年二月,"癸未,贬户部侍郎李绅为端州司马。丙戌,贬翰林学士、驾部郎中、知制诰庞严为信州刺史,翰林学士、司封员外郎、知制诰蒋防为汀州刺史,皆绅之引用者。"《通鉴》卷二四三所记同。而《旧传》记庞严此次之贬,乃"出为江州刺史"。据《元和郡县图志》卷二八①,江南西道所辖州八,中有江州、信州。江州州治为今之江西九江,信州州治为今之江西上饶,地虽近,但仍为两州。《旧传》可能也因地近而误信州为江州。

郑覃

郑覃为文宗朝翰林学士,丁《记》记为:"大和三年九月二十一日,自右散骑常侍充侍讲学士。四年三月三十日,改工部尚书。六月十七日,出守本官。"即大和三年(829)九月入院,第二年即大和四年六月出院。《旧唐书》卷一七三郑覃本传则记为:"(大和)五年,李宗闵、牛僧孺辅政,宗闵以覃与李德裕相善,薄之。时德裕自浙西入朝,复为闵、孺所排,出镇蜀川,宗闵恶覃禁中言事,奏为工部尚书,罢侍讲学士。"则以郑覃出院在大和五年,为李宗闵、牛僧孺所排。据《新唐书·宰相年表》,李宗闵于大和三年八月入

①(唐)李吉甫撰,贺次君点校:《元和郡县图志》,中华书局,1983年。

相,牛僧孺于大和四年正月入相,大和四、五年间,牛、李确在相位。而据傅璇琮著《李德裕年谱》①,李德裕乃于大和三年八月已由浙西观察使入朝,为兵部侍郎,又为李宗闵所嫉,复于同年九月出为义成军(滑州)节度使;四年十月又改为西川节度使。而《旧传》皆记于大和五年,并将郑覃出院亦记于大和五年,皆甚误。按,《旧唐书·文宗纪》大和四年四月记:"丙午,以右散骑常侍、翰林侍讲学士郑覃为工部尚书",与丁《记》所记之三月三十日,大致同,亦可佐证。《新唐书》卷一六五郑覃本传,亦有记:"李宗闵、牛僧孺知政,以覃与李德裕厚,忌其亲近为助力,阳迁工部尚书,罢侍讲,欲推远之。"虽未记具体年月,但所记事仍合于事实,较《旧传》为正。

李训　周墀

与此二人有关者,为姓名之误。

李训为文宗大和后期之翰林学士,后于大和九年(835)十一月因参预所谓"甘露之变"而为宦官所杀。据《旧唐书》卷一六九《李训传》,李逢吉为其从父。传中记其前期仕迹云:"宝历中,从父逢吉为宰相,以(李)训阴险善计事,愈亲厚之。初与茅彙等欲中伤李程,及武昭事发,训坐长流岭表,会赦得还。"《旧唐书》卷一七上《敬宗纪》记其事于宝历元年(825),谓"(九月)丁丑,卫尉卿

---

①《李德裕年谱》,齐鲁书社,1984年;河北教育出版社,2001年修订新版。

刘遵役人安再荣告前袁王府长史武昭谋害宰相李逢吉,诏三司鞠之";同年十月,"甲子,三司使鞠武昭狱得实,武昭及弟彙、役人张少腾宜付京兆府决。"此云"弟彙",则为武昭之弟,亦姓武,非《旧传》所云茅彙。而《通鉴》卷二四三宝历元年亦详记此事,中称"左金吾兵曹茅彙",后又记"李仲言(即李训)流象州,茅彙流崖州",与《旧传》同。由此可见,《旧纪》所谓"弟彙",甚误;或原书本作"茅",非"弟",为中华书局点校本排版之误。

周墀为文宗开成时翰林学士,两《唐书》有传。《旧唐书》卷一七六本传记其世系,云:"祖頵,父需。"《新唐书》卷一八二本传未记。今查《新唐书》卷七四下《宰相世系表》四下,永安周氏,有记周墀,则记其祖沛,左拾遗;父頵,左骁卫兵曹参军。又,周墀于宣宗大中五年(851)二月十七日卒,六年二月十二日葬,杜牧时在京任中书舍人,应邀为作《唐故东川节度使检校右仆射兼御史大夫赠司徒公周公墓志铭》(《樊川文集》卷七),即记:"祖沛,左拾遗;皇考頵,右卫兵曹参军,赠礼部侍郎。"与《新表》同。由此可见,《旧传》将周墀之祖、父名颠倒,当为撰写时疏失。

郑　朗

据丁《记》,郑朗于文宗开成五年(840)四月十九日自谏议大夫入为翰林学士,同年十一月二十九日,出守本官。此实已为武宗时,因文宗于开成五年正月四日卒,武宗接位。郑朗出院后,历仕朝中及方镇。《旧唐书·宣宗纪》于大中七年(853)记:"四月,以御史大夫郑朗为中书侍郎、同平章事。"而《新唐书·宣宗纪》则记为大中十年,云:"正月丁巳,御史大夫郑朗为工部尚书、同中书门下平章事。"《新唐书·宰相年表》及《通鉴》卷二四九同。《唐大诏令集》卷五〇有《郑朗平章事制》,亦署为"大中十年正月丁巳",云"可工部尚书、同中书门下平章事"。则《旧纪》不仅所记年月有误,且官衔亦误(即应为工部尚书,非中书侍郎)①。由此可见,晚唐时所记朝臣官职任免,《新唐书》之本纪、年表,多可纠《旧唐书》之误。

徐　商

　　徐商,两《唐书》无专传,附记于《旧唐书》卷一七九其子徐彦若传,《新唐书》卷一一三其先世徐有功传,所记甚简,且皆有误。如《旧传》称其"大中十三年及第,释褐秘书省校书郎",即徐商于宣宗大中十三年(859)登进士第,后仕为秘书省校书郎。而《通鉴》卷二四九于大中十二年十月已记"山南东道节度使徐商",因是年五月湖南军乱,特"遣捕盗将二百人讨平之"。曾任职于徐商山南东道节镇幕府的李骘,于所作《徐襄州碑》(《全唐文》卷七二四)即载:"大中十年春,今丞相东海公自蒲移镇于襄。"即大中十年春徐商已任为山南东道节度使、襄州刺史。《旧传》却称其大中

---

① 按,《旧唐书》卷一七三、《新唐书》卷一六五郑朗本传,亦记其于宣宗时入相,但皆未记年月,不过亦均记为工部尚书、同中书门下平章事,非中书侍郎。

十三年进士及第，真为大误。李骘《徐襄州碑》详记其仕历，即谓：
"始举进士，文宗五年春，考登上第。"此文宗五年，即大和五年
（831）。徐松《登科记考》卷二一已注意于此，即据李骘所作此碑，
系徐商于大和五年。

徐商进士登第后，仕迹升迁较顺，于武宗会昌年间入为翰林
学士，出院后历任户部侍郎，及河中、山南东道节度使，后于懿宗
时入相。而两《唐书》传记其任相、罢相时间又有误。《旧传》记：
"（咸通）四年，以本官同平章事。六年罢相，检校右仆射、江陵尹、
荆南节度观察等使。"《新传》亦记为："（咸通）四年，进同中书门
下平章事"，但未记罢相年。而《旧唐书》卷一九上《懿宗纪》咸通
六年（865），记："二月，制以御史中丞徐商为兵部侍郎、同平章
事"；四月，又转中书侍郎。《新·宰相年表》同，亦记于咸通六年。
《通鉴》卷二五〇亦于咸通六年六月记："以御史大夫徐商为兵部
侍郎、同平章事。"至于罢相，出镇荆南，《旧·懿宗纪》记为咸通十
年正月，《新表》为十年六月，《通鉴》卷二五一同。由此，则两《唐
书》传所记均有显误。特别是《旧唐书》，同一书，而本纪与列传所
记有如此差异，其纂修时未经统核，值得注意。

崔慎由

崔慎由为宣宗时翰林学士，据丁《记》，于大中三年（849）六月
八日入，同年十二月，以中书舍人出院，在院仅半年。《旧唐书》卷
一七七崔慎由本传记其在院事，却有一误。《旧传》云："初，慎由

与萧邺同在翰林,情不相洽。及慎由作相,罢邺学士。"按,据丁《记》,萧邺于大中元年(847)二月二十六日入院;三年九月十四日出院,崔、萧同在院中任职有三个月。问题是,据《新·宰相年表》,崔慎由任相为大中十年十二月壬辰,而萧邺出院在此前大中三年九月,何由因崔慎由任相而使其出院?《旧传》竟有此误,真使人费解。

《新唐书》卷一一四《崔慎由传》未记此,但关于崔、萧不洽事,却另有记,云:"俄进工部尚书、同中书门下平章事。与萧邺有隙,邺辅政,引刘瑑,而出慎由为东川节度使。"即二人后同在相位时,因有隙,不和,崔即为萧所排,罢相外出。据《新·宰相年表》,大中十二年初,二人确均在相位,正月戊戌,刘瑑入相;二月壬申,崔慎由罢相出镇东川。时间相接,未如上述《旧传》有大的差异。不过《通鉴》卷二四九大中十二年二月记此事,有《考异》,引《唐阙史》,谓"上欲御楼肆赦",崔慎由有不同意见,宣宗不悦,"后旬日,罢知政事"。《通鉴·考异》谓应从《唐阙史》。则《新唐书》本传所记亦有所不确。

高　璩

高璩父高元裕,元裕弟少裕,皆为文宗开成时翰林侍讲学士,两《唐书》于高璩即无专传,皆附见于高元裕传(《旧唐书》卷一七一、《新唐书》卷一七七),所记甚简。高璩于懿宗时曾为翰林学士,后又为相。《旧唐书》卷一七八《崔彦昭传》记高璩事,则有一误,云:"僖宗即位,就加检校吏部尚书。时赵隐、高璩知政事,与彦昭同年进士,荐彦昭长于治财赋。十五年三月,召为吏部侍郎,充诸道盐铁转运使"。按,《旧唐书》同卷有赵隐传,载赵于大中三年(849)登进士第。徐松《登科记考》卷二二亦系高璩于大中三年,即为同年。唯今检《新唐书·宰相年表》,赵隐确于懿宗咸通十三年(872)二月为相,乾符元年(874)二月出为镇海军节度使,而高璩则早于咸通六年四月入相,同年六月即病卒,则绝不可能于此后六、七年即咸通十三年尚与赵隐同在相位,《旧传》显误。

赵 骘

赵骘为懿宗咸通时翰林学士,无专传,皆附见于《旧唐书》卷一七八、《新唐书》卷一八二《赵隐传》,所记事甚简,并有误。《旧·赵隐传》称"隐性仁孝,与弟骘尤称友悌",而《新·赵隐传》则谓:"隐以父死难,与兄骘庐墓几十年"。则赵骘一为赵隐之弟,一为赵隐之兄。今检《新唐书》卷七三下《宰相世系表》三下,赵存约之子二,为隐与骘,则骘确为隐之弟,《旧传》是,《新传》非。《新唐书》之本纪、列传,所记姓名及仕迹年月,多与《宰相年表》同,而《宰相世系表》则有异,此亦值得研究。

李 瓒

李瓒为李宗闵子,两《唐书》皆附记于《李宗闵传》后(《旧唐书》卷一七六、《新唐书》卷一七四），所记甚简，且又有显误。《旧传》："令狐绹作相，特加奖拔。瓒自员外郎知制诰，历中书舍人、翰林学士。绹罢相，出为桂管观察使。"《新传》则更确记为："令狐绹作相，而瓒以知制诰历翰林学士。绹罢，亦为桂管观察使。"即李瓒之入为翰林学士，乃受令狐绹之荐，时令狐绹为宰相。李瓒为李宗闵子，令狐绹父令狐楚，相传与李宗闵、牛僧孺为一党派，故若粗阅，未核，当即以两《唐书》所记令狐绹于任相时荐李瓒入院，亦合于情理。

据丁《记》，李瓒于懿宗咸通四年（863）四月七日入院，咸通五年六月一日，改权知中书舍人出院。又《新唐书·宰相年表》，令狐绹于宣宗大中四年（850）十月由翰林学士承旨、兵部侍郎入相，而于十三年十月罢相，出为河中节度使。即李瓒入院时，令狐绹已罢相四年（岑仲勉《翰林学士壁记注补》亦已指出令狐绹罢相、出镇，但未细考）。又《通鉴》卷二五二僖宗乾符三年（876）十二月记："青沧军士戍安南，还至桂州，逐观察使李瓒。"并有《考异》，谓"《新纪》在四年十二月，今从《实录》。"虽三年、四年有异，但仍可确定李瓒于乾符二、三年间在桂州刺史任，此也距李瓒出院已十余年，何以云令狐绹罢相（大中十三年），乃出为桂管观察使。

韦昭度

韦昭度为僖宗时翰林学士，《新唐书》卷一八五《韦昭度传》

云:"擢进士第,践历华近,累迁中书舍人。僖宗西狩,以兵部侍郎、翰林学士承旨从。"按,广明元年(880)十二月,长安为黄巢军所占,僖宗西出奔蜀,中和元年(881)正月抵达成都(据《通鉴》卷二五四)。据此,则韦昭度于此前已为翰林学士。《旧唐书》卷一七九《韦昭度传》则未记其为翰林学士事,仅云"从僖宗幸蜀,拜户部侍郎",唯后接云:"中和元年,权知礼部贡举。明年,以本官同平章事,兼吏部尚书。"当时正值战乱,长安为黄巢军所占,中和元年春僖宗在蜀,当于匆乱中在成都仍举行每年一次的科举试,并临时以韦昭度既在翰林学士任,仍主持此年贡举,故云"权知"。徐松《登科记考》卷二三,即系于中和元年,可信。但《旧传》谓"明年,以本官同平章事",意谓中元二年才任相。两《唐书·僖宗纪》则皆记于中和元年七月,《新唐书·宰相年表》中和元年更具体记为:"七月庚申,翰林学士承旨、兵部侍郎韦昭度本官同中书门下平章事。"《通鉴》卷二五四所记同。《唐大诏令集》卷五〇有《韦昭度平章事制》,文末亦署为"中和元年七月"。《旧传》所谓"明年",真不知何所据,显误。

原载《文献》2006年第3期,据以录入

两《唐书》记事辨误

　　纂修于五代后晋时的《旧唐书》与北宋仁宗时的《新唐书》，应当说是我们今天研究唐代政治、经济、文化等方面的基本史书。但由于各种原因，这两部书在纂修时存在不少问题，在记事方面有不少错失，特别是中唐后期及晚唐部分。"唐代诸帝实录自武宗以后，缺而不纪"（《旧五代史》卷一三一《贾纬传》），因此清代学者钱大昕认为《旧唐书》于晚唐史事，所记虽"卷帙滋繁，而事迹之矛盾益甚"（《廿二史考异》卷五七）。关于《新唐书》，北宋时吴缜就写有《新唐书纠谬》。关于两《唐书》校核，清人如沈炳震、张宗泰、赵绍祖、岑建功等，已做了不少工作，各有专书；其他一些考订笔记，著名的如赵翼《廿二史札记》、钱大昕《廿二史考异》、王鸣盛《十七史商榷》，也有相当篇幅著述。20 世纪以来，近现代学者，在这方面更有专研，如老一辈学者，有岑仲勉《唐史余沈》、《翰林学士壁记注补》，严耕望《旧唐书本纪拾误》①等。20 世纪 80 年

①严耕望《旧唐书本纪拾误》，《唐史研究丛稿》，香港新亚研究所，1969 年，第 483—597 页。

代以来,也陆续有考校文章发表。前几年则有年轻学者武秀成作有《〈旧唐书〉辨证》专著①,主要以《旧唐书》本纪之干支系时订正讹误约四百条。我觉得,我们现在有必要,也已有条件,对两《唐书》进行全面的校订,即不限于版本校,而应将整理与研究相结合,对原书所记史事加以疏证、辨析,这才能有真正符合高质量学术标准的定本。

我们现在所用的两《唐书》通行本,为中华书局点校本,出版于20世纪70年代中期。中华书局承担的"二十四史"点校,前四史已基本于"文革"前完成,其余二十史,主要工作于"文革"中后期,当时分别在上海、北京两地分工进行,上海为《旧唐书》、《新唐书》、《旧五代史》、《新五代史》、《宋史》,北京为南北朝诸史,以及辽、金、元、明史及《清史稿》,统一出版则为中华书局,后又陆续重印。应该说,两《唐书》点校,也是花了不少工夫的,有专家指出,特别是《地理志》校勘方面,颇有参考价值。但可能由于当时社会环境和客观条件所限,工作做得并不很理想。黄永年甚至认为,"这恐怕不能说是好本子","如果要进一步研究,还是用百衲本为好"②。武秀成《〈旧唐书〉辨证》更具体指出,这《旧唐书》点校本,学者不满者有四端,一为底本选择不精,二为校勘体例不一,三为漏校甚多,四为误校擅改③。遗憾的是,中华书局几次重印时,均未根据学界的反映,加以补正。

---

① 《〈旧唐书〉辨证》,上海古籍出版社,2003年。
② 黄永年《〈旧唐书〉和〈新唐书〉》,人民出版社,1985年,第83页。
③ 《〈旧唐书〉辨证》二,《〈旧唐书〉流传考索》,第20页。

1979—1980 年间,我与中华书局两位编辑同仁张忱石、许逸民合作,编撰一部《唐五代人物传记资料综合索引》①,选辑有关记述唐人传记之书八十六种,其中所用之《旧唐书》、《新唐书》,即中华书局点校本。我们在采用这两部书时,根据两书互校及与他书对勘,发现人名讹误者甚多,后就由我起草,合撰《两〈唐书〉校勘拾遗》一文,刊于《文史》第 12 辑(1981 年)。这篇文章就点校本两《唐书》之人名错误及互异,举有八十余例。近数年间,我从事于唐代翰林与文学研究项目,拟模仿我于 20 世纪 80 年代所写的《唐代科举与文学》那样②,想从不同角度,文史结合,探讨一个时代知识分子的生活道路与社会处境,以便进一步对文学发展作较为全面的把握与历史的考索。在研究中,我先从史料探索着手,即对唐代翰林学士,从玄宗开元后期起至唐末哀帝时约二百几十位,逐一作事迹考索,而从考索中,发现有关史书,如唐人所撰的几种翰林学士壁记,唐五代的一些杂史、笔记,宋代两部金石文献名著(欧阳修《集古录》、赵明诚《金石录》),及清编《全唐诗》、《全唐文》,徐松《登科记考》等,在记叙翰林学士事迹时,都有所错失,后即撰有《唐翰林学士记事辨误》一文③,在此文中也举有两《唐书》之误。现在,我就再以翰林学士的范围,对两《唐书》记事之误作专门考辨。我想这样做,可有两点值得注意:一、我们要全面研究有唐一代翰林学士,如不订正两《唐书》记事之

---

①《唐五代人物传记资料综合索引》,中华书局,1982 年。
②《唐代科举与文学》,陕西人民出版社,1986 年。
③《唐翰林学士记事辨误》,载《燕京学报》新 16 辑,2004 年。

误,就会出现不少差错,并导致理论探讨不确或失误;二、唐翰林学士共二百数十人,在两《唐书》记事中所占仅为小比例,如此,则翰林学士之外,两《唐书》的其他记叙,误失所占比例当更大,则本文所提供的误例,对今后全面整理、研究两《唐书》,当能起一定参考、推进作用。

本文以下拟分三大段落:第一大段落,举宪宗朝(805—820)之沈传师、崔群、萧俛三例,考辨两《唐书》列传记事极为明显之误失,同一传中,互有差异,导致数误,而当前新的点校本却一概没有提及。第二大段落,考辨宣宗朝(847—860)、昭宗朝(889—904)之《旧唐书》本纪,差误甚多,而这些差误,可据《新唐书》之本纪及《宰相年表》予以纠正,并可用《资治通鉴》加以左证。这说明,《新唐书》之本纪,虽较简略,但当有北宋时搜辑之实录依据。本文所提供的例子,有助于新、旧《唐书》的比较研究。第三大段落,考辨文宗朝(827—840)、懿宗朝(860—874)两《唐书》列传记事之误,这又可分为三小类:(一)举《新唐书》列传三例,考索误袭晚唐五代之笔记小说;(二)举《旧唐书》列传五例,考索又可用《新唐书》之纪、表加以纠正;(三)两《唐书》列传所记一人事迹,有时同一传中有好几处显误。这三大段落所考,除两《唐书》本身互校外,还用其他史料加以左证,如《唐会要》、《唐大诏令集》、《金石录》等史书,并多引用唐人文集,如柳宗元、白居易、刘禹锡、杜牧、李商隐等。前辈学者陈垣先生在其所著《校斟学释例》中,曾特别举本校、他校两种校例,他认为,本校乃"以本书前后互证,而抉摘其异同,则知其中之谬误";他校,则"以他书校本书","此等校法,范围较广,用力较劳,而有时非此不能证明其讹误"①。本文尽力按其准则加以校辨,也希望以后如能全面进行两《唐书》整理,也当依循陈垣先生所定之规范准则。

一

宪宗朝三例。

沈传师,两《唐书》有传,见《旧唐书》卷一四九,《新唐书》卷一三二。据唐丁居晦《重修承旨学士壁记》②,及有关史料记载,沈传师于宪宗元和十二年(817)二月至穆宗长庆二年(822)二月任为翰林学士。《旧传》记其出院后,略云:"俄兼御史中丞,出为潭州刺史、湖南观察使。入为尚书右丞,出为洪州刺史、江南西道观察使,转宣州刺史、宣歙池观察使。入为吏部侍郎。大和元年卒,年五十九,赠吏部尚书。"这里明确记为文宗大和元年(827)卒。《新传》则未记其具体卒年,仅言"入为吏部侍郎,卒,年五十九,赠尚书"。

《旧传》此处所记,与同书本纪有明显差异。《旧唐书》卷一七下《文宗纪》下,记大和二年十月癸酉,"以右丞沈传师为江西观察使";同卷大和四年九月丁丑,"以(沈)传师为宣歙观察使";七年四月甲申,"以(沈)传师为吏部侍郎";九年四月"壬寅,吏部侍

<hr/>

①《校勘学释例》,中华书局,1959年。
②丁居晦《重修承旨学士壁记》,编于宋洪遵《翰苑群书》,今收入傅璇琮、施纯德编校《翰学三书》,辽宁教育出版社,2003年。

郎沈传师卒"。如此，则沈传师于大和二年至七年（828—833）仍历镇江西、宣歙，与《旧传》所谓大和元年卒，差异甚大，则究以何者为正呢？

据《旧唐书》卷一四七《杜牧传》，沈传师在任江西、宣歙节镇时，曾辟杜牧在其幕府："沈传师廉察江西、宣州，辟（杜）牧为从事，试大理评事。"杜牧自己也有明确记述，其《池州造刻漏记》有云："某大和三年佐沈吏部江西府。……后二年，公移镇宣城。"①即大和三年杜牧在沈传师江西幕府，大和五年又在其宣歙幕府。沈传师卒后，杜牧曾为其撰有行状（《樊川文集》卷一四《唐故尚书吏部侍郎赠吏部尚书沈公行状》，第212页），记沈传师自宣州入为吏部侍郎（即大和七年），又经"二年考覆搜举"，后即"及薨于位"。据此计算，则当卒于大和九年，与《旧纪》所记同。

又宋赵明诚《金石录》目录卷一〇，第一千八百二十六，有"唐沈传师墓志"，下注："权璩撰，佟尧章正书，大和九年。"②则沈传师卒后，杜牧为作行状，权璩为作墓志。权璩为权德舆子，《新唐书》卷一六五有传，附于权德舆传后。据传，权璩于文宗大和时曾任中书舍人，大和九年六月，李宗闵因与郑注、李训有人事纠纷，出贬为明州刺史，权璩也受牵连，于八月甲午出贬为郑州刺史（《旧唐书·文宗纪》）。《金石录》著录此沈传师墓志，撰与书均在大和九年，即沈传师于此年四月卒时，权璩仍在中书舍人任，尚

---

①杜牧著，陈允吉点校《樊川文集》卷一〇，上海古籍出版社，1978年，第156页。
②《宋本金石录》，中华书局影印本，1991年。

未出贬，故可为其撰志①。总之，据杜牧所作行状，权璩所作墓志，可考定沈传师之卒确在文宗大和九年，《旧传》所云元年卒，与《旧纪》所载元年后之仕历显然矛盾。《旧传》所记之元年，"元"当为"九"之形讹，或原书未误，系后传抄、传刻时致误。

另一翰林学士崔群，则两《唐书》本传皆有误。《旧唐书》卷一五九《崔群传》记其"十九登进士第"，后又云"群年未冠举进士"，则年十九，即"未冠"。《新传》虽未记年十九，但仍谓"未冠，举进士"。《旧传》又具体记崔群于陆贽知举时应进士试，受梁肃之荐，登第。按陆贽乃于德宗贞元八年（792）知贡举，时梁肃在翰林学士任，曾佐助之，为之推荐人才，此年登第者有韩愈、李观、李绛、王涯等，被誉为"龙虎榜"②。五代王定保《唐摭言》卷四《师友》条记云："崔群字敦诗，贞元八年陆贽下及第，与韩愈为友。"③徐松即据《旧传》、《唐摭言》，系崔群于贞元八年登进士第，是。据此计算，即贞元八年登第时为年十九，则当生于代宗大历九年（774）。但《旧唐书》崔群本传后又记其卒于文宗大和六年（832），年六十一，《新传》同。由此，则当生于大历七年（772），贞元八年登第时应为二十一岁，不能说"未冠"，更不能说年十九，即同一传中竟有如此差异。

今检白居易有《七年元日对酒五首》④诗，其五有云"同岁崔

<hr>

① 按权璩所作此墓志，后未传存，《全唐文》也未载有权璩文。
② 徐松著，赵守俨校点《登科记考》卷一三，中华书局，1984年，第463页。
③ 上海古籍出版社点校本，1959年，第50页。
④ 见朱余城《白居易集笺校》卷三一，上海古籍出版社，1988年，第2099页。

何在",自注:"余与吏部崔相公甲子同岁。"据朱金城笺,此诗作于文宗大和七年(833),崔群已卒于前一年大和六年(832)八月,故云"何在"。其诗第四又云:"梦得君知否,俱过本命年。"自注:"余与苏州刘郎中同壬子岁,今年六十二。"此刘郎中即刘禹锡,壬子为大历七年(772)。又《白居易集笺校》卷一〇《自觉二首》(第538页),有"同岁崔舍人"句,此诗作于元和六年(811),丁忧退居于长安郊区下邽,诗中又有"四十未为老"句,元和六年,白居易正值四十。又刘禹锡诗《乐天示过敦诗旧宅有感一篇吟之泫然追想昔事因成继和以寄苦怀》①,诗末自注:"敦诗与予及乐天三人同甲子。"如此,则崔群与白居易、刘禹锡确为同年,即均生于大历七年。据此,两《唐书》本传所谓年十九,未冠,举进士第,显误。

又《新唐书》卷七二下《宰相世系表二下》,记崔群父名,亦有误,即记其父名积,字实方,检校金部郎中。今检柳宗元《先君石表阴先友记》,记为:"崔积,清河人,至检校郎官。子群。"②又牛僧孺《崔相国群家庙碑》③,作于元和十四年(819)五月,系应崔群之约而撰,亦记其父"讳积,字实方",则《新表》作"积",误。又《新表》记崔群祖名朝,字懿宗,而牛僧孺所作《家庙碑》,则记"字守忠",一作懿,一作守,互异。惜中华书局点校本均未涉及。

同为宪宗朝的翰林学士萧俛,两《唐书》本传所记又有三处错误。萧俛于德宗贞元七年(791)登进士第(据《旧唐书》卷一七二

《萧俛传》及徐松《登科记考》卷一二,第458页),《旧传》接云:
"元和初,复登贤良方正制科。"《新唐书》卷一〇一《萧俛传》亦记
其进士及第后,"又以贤良方正对策异等"。元和初,当指宪宗元
和元年(806)。元和元年确有制举试,而据《唐会要》卷七六《制
科举》条,该年四月,制举科为才识兼茂明于体用科,登科者有白
居易、元稹、独孤郁,其中即有萧俛。本年制举试尚有达于理治又
使从政科,但无贤良方正科;元和三年(808)则有贤良方正能直言
极谏科,即皇甫湜等应试直言造成科试案事,该年未有萧俛。可
见两《唐书》本传记其元和初登贤良方正制科,显系失据。

另《旧唐书》卷一七二《令狐楚传》记:"楚与皇甫镈、萧俛同
年登进士第。元和九年,镈初以财赋得幸,荐俛、楚俱入翰林,充
学士。"即萧俛与令狐楚之入为翰林学士,因受皇甫镈之荐,时在
元和九年(814)。按令狐楚确于元和九年入。丁居晦《重修承旨
学士壁记》(以下皆略称为丁《记》)记为元和九年七月(《旧唐
书·宪宗纪》记为该年十月,稍有差异),而萧俛则于此前三年即
元和六年已入为翰林学士,丁《记》记萧俛:"元和六年四月十二
日,自右补阙充。七年八月五日,加司封员外郎。九年十一月二
十四日,加驾部郎中;十二月十日,加知制诰;十二日,赐绯。"此处
所记,与《旧唐书·萧俛传》合,《旧传》云:"元和六年,召充翰林
学士。七年,转司封员外郎。九年,改驾部郎中、知制诰,内职如
故。"其具体官衔迁转,两者相同,即同有所据。又丁居晦所记翰
林学士姓名次序,是按入院时间先后排列的,其元和时名次,萧俛
在刘从周、独孤郁前,而此二人均于元和八年入,可见萧俛绝非如
《旧唐书·令狐楚传》所载,因受皇甫镈之荐,于元和九年与令狐

楚同人。且元和九年，皇甫镈尚未得势，《旧唐书》卷一三五《皇甫镈传》记元和时曾任户部侍郎，谓："时方讨淮西，切于馈运，镈勾剥严急，储供办集，益承宠遇，加兼御史大夫。"《新唐书》卷一六七《皇甫镈传》亦云："宪宗方伐蔡，急于用度，镈衷会严亟，以办济师，帝悦，进兼御史大夫。"而据史载，元和九年，淮西之征尚未开始，元和十年才正式下诏征讨吴元济，则《旧唐书·令狐楚传》称皇甫镈于元和九年已以财赋得幸，遂荐萧俛、令狐楚入为翰林学士，误。

丁《记》未记萧俛出院时间，《旧唐书·宪宗纪》有记：元和十一年（816）正月，"庚辰，翰林学士钱徽、萧俛各守本官，以上疏请罢兵故也"。《通鉴》卷二三九元和十一年正月亦记："庚辰，翰林学士、中书舍人钱徽，驾部郎中、知制诰萧俛，各解职，守本官。时群臣请罢兵者众，上患之，故黜徽、俛，以警其余。"这牵涉当时宪宗朝征讨淮西及河北诸藩镇事，萧俛与钱徽当因有奏议，不合宪宗意，故自翰林学士院中罢出，其时间即在元和十一年正月。而《旧唐书·萧俛传》则记为："坐与张仲方善，仲方驳李吉甫谥议，言用兵征发之弊，由吉甫而生，宪宗怒，贬仲方，俛亦罢学士，左授太仆少卿。"而张仲方事，《旧唐书·宪宗纪》有记，即元和十二年三月戊辰，"太常定李吉甫谥曰敬宪，度支郎中张仲方非之。上怒，贬为遂州司马"。《唐会要》卷八〇《朝臣复谥》条亦载有此事①。由此，则张仲方之贬在元和十二年三月，而萧俛出院已在

---

① 关于张仲方议李吉甫事，可参傅璇琮《李德裕年谱》（河北教育出版社，2001年修订新版）元和十二年。

此前一年,即元和十一年正月,与张仲方事无关,而《旧传》却谓萧俛之出,受张仲方遭贬之牵连,确为明显错误。且萧俛出院时,仍守本官,即仍为驾部郎中,而《旧传》却谓"左授太仆少卿",亦无据。

二

《旧唐书》本纪之误,现以宣宗、昭宗二朝所记翰林学士事迹为例。按宣宗朝翰林学士二十八人,经查核,《旧唐书》列传有误者六处,《新唐书》列传有误者二处,《新志》有误者二处,《旧唐书》本纪有误者则有十处;昭宗朝翰林学士二十九人①,《旧唐书》列传有误者二处,本纪有误者七处。今集中举《旧纪》之误如下。

杜审权为宣宗朝翰林学士,据丁《记》及岑仲勉《注补》,杜于大中十二年(858)五、六月间自刑部侍郎充,后又转户部侍郎、知制诰,即其为户部侍郎乃在翰林学士任职期间所迁之官衔。而《旧唐书·宣宗纪》则记大中十三年正月,"以虢陕观察使杜审权为户部侍郎、判户部事",乃以其任户部侍郎在出院后,且此前又为虢陕观察使,显然无据。另,丁《记》记杜审权于大中十三年(859)十二月三日,"守本官同平章事",为唐代翰林学士直接迁升

<hr />

① 岑仲勉《补僖昭哀三朝翰林学士记》考昭宗朝翰林学士为三十人,唯其中杜荀鹤非是,见傅璇琮《岑仲勉〈补僖哀昭三朝翰林学士记〉正补》,荣新江主编《唐研究》第10卷,北京大学出版社,2004年。

为宰相之一例。其任相年月，《新唐书》之《懿宗纪》与《宰相年表》均记为大中十三年十二月甲申，《通鉴》（卷二四九）同，且更明确记为："以翰林学士承旨、兵部侍郎杜审权同平章事。"而《旧唐书·懿宗纪》却于咸通元年（860）二月记："以河中节度使杜审权为兵部侍郎、判度支，寻以本官同平章事。"则其任相时间较丁《记》及《新纪》、《新表》、《通鉴》等所记延后一年，且非由翰林学士直接提升，而是先已出为河中节度使，再由河中召回。这又与《全唐文》卷八三所载懿宗《授杜审权平章事制》不合，此制文即称其前所任之官职为"翰林学士承旨、通议大夫、守尚书兵部侍郎、知制诰"，后云"可守本官同中书门下平章事"；文中又云："先皇帝藉其令誉，擢处禁林"，后云"逮余建统，屡承密旨，每多宏益，弥见慎修"，因此"是用委兹大政，列在中枢"，完全未提河中节度使事，而是直接由翰林学士任相。至于杜审权罢相时间，《旧唐书·懿宗纪》记于咸通五年（864）二月，"以门下侍郎、兵部尚书、平章事杜审权为润州刺史、浙江西道节度使"，而《新唐书·宰相年表》与《通鉴》（卷二五〇）则均记为咸通四年五月。经查《唐大诏令集》卷五四有《杜审权镇海军节度使平章事制》①，文末即署为咸通四年五月，与《新表》、《通鉴》同，且文中有云："出入五载，初终一途。"从大中十三年起，按传统计算惯例，至咸通四年，确为五年。则《旧纪》记为咸通五年二月，显误。又《旧传》记此，年份更误，云："（咸通）九年罢相，检校司空、兼润州刺史、镇海军节度使、苏杭常等州观察使。"以四年误为九年，延后五年，其差误实在太大。由此可

①《唐大诏令集》，商务印书馆点校本，1959年，第285页。

见，一位晚唐时翰林学士，《旧纪》《旧传》之误，竟共有四处。

毕諴，丁《记》记云，"大中四年二月十三日，自职方郎中兼侍御史知杂事充"，又大中六年"七月七日，授权知刑部侍郎出院"。《旧唐书》卷一七七《毕諴传》虽未记具体年月，但仍记于宣宗时，"改职方郎中，兼侍御史知杂。期年，召为翰林学士、中书舍人，迁刑部侍郎"。所叙仕历同。而《旧唐书·宣宗纪》大中二年却记为："八月戊子，朝散大夫、中书舍人、充翰林学士、上柱国、平阴县开国男、食实封三百户、赐紫金鱼袋毕諴为刑部侍郎。"则大中二年（848）八月已出院改为刑部侍郎，与丁《记》记大中四年（850）二月才入院，差异甚大。经查杜牧有《毕諴除刑部侍郎制》（《樊川文集》卷一七，第255页），中称毕諴为翰林学士、守中书舍人，现改任刑部侍郎。按杜牧于大中五年八月由湖州刺史入朝为考功郎中、知制诰，六年为中书舍人①。如此，则此制文当为杜牧任考功郎中兼知制诰及中书舍人时所作，结合丁《记》，即毕諴改任刑部侍郎当在大中六年七月间，《旧纪》记于大中二年八月，显误。又，李商隐有《为度支卢侍郎贺毕学士启》，为李商隐在徐州武宁镇幕，为节度使卢弘止起草祝贺毕諴任翰林学士②。又据《旧唐书》卷一六三《卢弘止传》，卢弘止于大中三年任徐州刺史、武宁军节度使，历两年，至大中四年③。李商隐此文，一方面代卢弘止对

①参胡可先《〈唐才子传·杜牧传〉笺证》，见所著《杜牧研究丛稿》，人民文学出版社，1993年，第136页。
②刘学锴、余恕诚《李商隐文编年校注》第4册，中华书局，2002年，第1840页。
③参郁贤皓《唐刺史考全编》卷五五河南道泗州，安徽大学出版社，2000年，第757页。

毕諴入任翰林学士，表示钦情，"唯兹出入，不在寻常"，"击水搏风，一举千里"；一方面又希望为卢弘止进言，望在仕途上又有所升迁："今则坎轲藩维，淹留气律。……抃贺之余，兼有倚望，伏冀必赐监（鉴）察。"由此亦可见翰林学士当时之声望，方镇重臣亦有望其为举荐者。从李商隐此文，益可证丁《记》记毕諴入院，确当在大中四年，不可能如《旧纪》所记在大中二年八月之前。

另苏涤，亦可以杜牧文纠《旧纪》之误者。苏涤，两《唐书》无传，《新唐书》卷五八《艺文志二》，史录实录类，著录《穆宗实录》，参预纂修者有苏涤，唯注中仅云："涤，字玄献，冕子也。"丁《记》记为："大中四年十二月二十四日，自右丞入。五年六月五日，迁兵部侍郎、知制诰，并依前充。六年六月九日，上表病免。□年十一月，守本官出院。"其出院前一句，"年"前缺一字。而《旧唐书·宣宗纪》则有记，记于大中七年（853）："七月，以正议大夫、尚书左丞、上柱国、赐紫金鱼袋崔璪为刑部尚书，以银青光禄大夫、行兵部侍郎、知制诰、充翰林学士苏涤为尚书左丞，权知户部侍郎崔玙可权知兵部侍郎。"崔璪、崔玙皆非翰林学士，苏涤与此二人同时改授官职，当应为出院时所授。此可以杜牧所撰《崔璪除刑部尚书苏涤除左丞崔玙除兵部侍郎制》（《樊川文集》卷一七，第253页）左证。此制文叙及苏涤时，先称之为"翰林学士承旨、银青光禄大夫、行尚书兵部侍郎、知制诰"，后云"近以微恙，恳请自便，君子之道，进退可观"，于是"可行尚书左丞，散官封如故"，即允其出院，为尚书左丞。此与丁《记》所云"六年六月九日，上表病免"相合，当为苏涤因病上表，请免职出院。按杜牧于大中六年任中书舍人,起草制诰,但本年冬即卒①。如此,则丁《记》之"□年十一月,守本官出院",其所缺之字当为"六"或"同",即苏涤于大中六年六月上表请求免职,同年十一月,即允其出院,时间相接,合于情理。《旧纪》记于大中七年七月,而《旧纪》该年八月即无所记,九月仅一句,十月至十二月又无一句记事,可见《旧唐书》纂修时,宣宗朝于实录、国史已极有缺失,其记苏涤出院改授官职在大中七年七月,即因缺失之讹,当据丁《记》及杜牧制文,在大中六年十一月。

　　与杜牧之文有关的,还有庾道蔚、李汶儒。庾、李二人,两《唐书》均无传。丁《记》记二人同于大中六年(852)七月十五日入院,庾道蔚为"自起居舍人充",李汶儒为"自礼部员外郎充"。《旧唐书·宣宗纪》则于大中三年(849)八月记:"以起居郎庾道蔚、礼部员外郎李文儒并充翰林学士。"②即庾、李二人于大中三年八月即已入院。按杜牧有《庾道蔚守起居舍人李汶儒守礼部员外郎充翰林学士等制》(《樊川文集》卷一七,第 257 页),其入院所带之官衔与丁《记》、《旧纪》同,而据前所述,杜牧于大中五年始入朝为考功郎中、知制诰,大中六年迁升为中书舍人,同年冬卒,则此庾、李二人入院为翰林学士制文,只能如丁《记》所记在大

---

①参见傅璇琮主编《唐五代文学编年史》之《晚唐卷》(吴在庆、傅璇琮撰)大中六年条,引吴在庆《杜牧卒年再考》(载《人文杂志》1983 年第 5 期),辽海出版社,1998 年,第 354 页。
②按李汶儒名,丁《记》原记为李淳儒,应作汶。杜牧制文,即作李汶儒,宋计有功《唐诗纪事》卷五三,亦作"汶"。《旧纪》作"文",则误。

中六年七月,绝不可能在大中三年①。又杜牧制文对翰林学士职能特色,有明确论述,云:"天下为公,选贤与能也。况乎拔出流辈,超侍帷幄,岂唯独以文学,止于代言,亦乃密参机要,得执所见。"即翰林学士之职能,不只限于代草制令,而且还可与皇帝密参机要,共商国政。这应当是唐人议论中翰林学士参预政治之一例。

据他文以订《旧纪》之误者,还可举一例。如孔温裕,据丁《记》,于大中九年(855)二月二十九日,自礼部员外郎、集贤院直学士充,后于大中十二年(858)八月三十日,除河南尹出院。此后又历有迁转,《旧唐书》卷一九上《懿宗纪》记为,咸通六年(865)正月,"丁亥,制以河东节度使、检校刑部尚书孔温裕为郓州刺史、天平军节度使、郓曹棣观察处置等使"。则咸通六年正月前曾为河东节度使。经查核郁贤皓《唐刺史考全编》卷九〇,据有关史载,河东节度使,咸通元年至四年为卢简求,四年至七年为刘潼,此时即咸通前期,并无孔温裕。又据《千唐志》一一七六,咸通九年(868)十一月,东都留守衙前判官郝乘所撰《唐故华州衙前兵马使魏公(虔威)志铭》,有云:"丁亥岁,邹鲁尚书自东都留守节镇天平,遵令获事旌麾。"此邹鲁尚书即孔温裕,遵令为魏虔威字号,丁亥岁为咸通八年(867)。《唐刺史考全编》卷四八即据《千唐

①《唐尚书省郎官石柱题名考》卷八司勋员外郎,清劳格亦有考,谓"杜牧于大中五年冬始自湖州刺史拜考功郎中、知制诰,则道蔚之充,年月亦当从《壁记》为定,《旧纪》误"。见徐敏霞、王桂珍点校《唐尚书省郎官石柱题名考》,中华书局,1992年,第440页。

志》此文,谓咸通八年前孔温裕曾任东都(洛阳)留守,咸通八年则自东都留守改任天平军节度使。此为当时人所撰孔温裕麾下魏虔威墓志,故可信。据此,《旧唐书·懿宗纪》记孔温裕为郓州刺史、天平军节度使,即有二误:一为时间应是咸通八年,非六年;二为由东都留守调任,非河东节度使。《旧唐书》卷一五四《孔温裕传》记其任天平军节度使前,"位京兆尹、天平军节度使",即又以东都留守误为京兆尹。丁《记》记孔温裕于大中十二年八月出院后任河南尹,《旧传》此处又以河南尹误为京兆尹。如此,则一人之有关仕历,《旧纪》、《旧传》均各有误。

《旧纪》与《新传》于同一事皆有误者,另有郑颢。据丁《记》,郑颢"大中三年二月二日,自起居郎充"。《旧唐书》卷一五九《郑颢传》记为:"迁右拾遗、内供奉,诏授银青光禄大夫,迁起居郎。尚宣宗女万寿公主,拜驸马都尉。"《新唐书》卷一六五本传亦记为:"以起居郎尚万寿公主,拜驸马都尉。"即郑颢先为右拾遗,后于大中三年(849)二月自起居郎入为翰林学士,宣宗即以其女嫁之,复授驸马都尉。而《旧唐书·宣宗纪》于大中四年却记为:"二月,皇女万寿公主出降右拾遗郑颢,以颢为银青光禄大夫、行起居郎、驸马都尉。"即宣宗于郑颢任右拾遗时即嫁其女于郑颢,则当在大中四年二月,年月差误。又《新唐书》卷一一九《白敏中传》有记:"初,帝爱万寿公主,欲下嫁士人。时郑颢擢进士第,有阀阅,敏中以充选。"而据徐松《登科记考》卷二二,郑颢于会昌二年(842)登进士第,且为状元(第788页),当据同年郑诚名下所引《淳熙三山志》"会昌二年,郑颢榜进士郑诚"。由此,则郑颢进士登第尚在武宗时,白敏中何以能向尚未继位的宣宗推荐? 此亦为

《新唐书》列传之一显误。

蒋伸，于大中十年（856）八月，以户部侍郎入为翰林学士，据丁《记》，大中十二年五月二十三日，以兵部侍郎、判户部出院，同年十二月二十九日，入相，同中书门下平章事。《新唐书》卷八《宣宗纪》记为大中十二年十二月甲寅，与《新唐书·宰相年表》同。而《旧唐书·宣宗纪》却系于大中十三年："四月，以翰林学士承旨、兵部侍郎、知制诰蒋伸本官同平章事。"《通鉴》卷二四九亦有载，记大中十二年十一月，宣宗先与蒋伸议政事，甚为"称叹"，于是"十二月甲寅，以伸同平章事"。则《旧纪》所谓十三年四月，误。而关于蒋伸罢相之年月，《旧唐书·懿宗纪》，竟记有两处，一为咸通二年（861）九月，以毕诚为工部尚书、同平章事，"蒋伸罢知政事"；一为咸通十年正月，"中书侍郎、兼户部尚书、平章事蒋伸为太子太保，罢知政事，病免也"。据《新唐书·宰相年表》，蒋伸于咸通三年正月出为河中节度使，后即未再入相，两《唐书》本传也未记又复为相事。《旧唐书》之晚唐本纪，竟有如此舛误。

关于翰林学士出院，《旧唐书·宣宗纪》记韦澳事又有误。据丁《记》，韦澳于大中五年（851）七月二十日自库部郎中、知制诰入为翰林学士，后历经迁转，于大中"十年五月二十五日，授京兆尹"，出院。而《旧纪》却记于大中八年："五月，以中书舍人、翰林学士韦澳为京兆尹。"实则《通鉴》卷二四九亦载于大中十年五月："上以京兆久不理，夏五月丁卯，以翰林学士、工部侍郎韦澳为京兆尹。"与丁《记》合。又据丁《记》，韦澳于大中五年七月二十日自库部郎中、知制诰入院，六年五月迁中书舍人，八年五月又迁工部侍郎并兼知制诰，则大中十年五月出院时其官衔确如《通鉴》所记为工部侍郎,而《旧纪》则记为中书舍人,实则韦澳于大中六年五月已为中书舍人,八年五月又由中书舍人迁为工部侍郎,其出院时已非中书舍人,可见《旧纪》记韦澳出院,年月与官衔均误。

昭宗朝有三位翰林学士于在职期间直接提升为宰相,但由于昭宗朝史料缺失,未能如懿宗朝以前有丁居晦《重修承旨学士壁记》,有记其入院、出院之年月,此三位,即崔昭纬、崔远、王溥,入院时间未有确切记载,而出院拜相,《旧唐书·昭宗纪》均有年月讹误。

崔昭纬,两《唐书》有传,即《旧唐书》卷一七九、《新唐书》卷二三下。《旧传》:"昭宗朝,历中书舍人、翰林学士、户部侍郎、同平章事。"皆未记具体时间。《新传》则连翰林学士也漏记,仅云:"至昭宗时,仕寖显,以户部侍郎同中书门下平章事。"至于其出院拜相,《旧唐书·昭宗纪》于大顺元年(890)十二月记:"以翰林学士承旨、兵部侍郎崔昭纬本官同平章事。"而《新唐书·昭宗纪》则记于大顺二年正月:"兵部侍郎崔昭纬、御史中丞徐彦若为户部侍郎、同中书门下平章事。"两书有异,《旧纪》记为大顺元年十二月,崔昭纬仍以兵部侍郎(即以本官)同平章事,《新纪》则记于第二年即大顺二年正月,原为兵部侍郎,与徐彦若同时改为户部侍郎入相。经查《新唐书·宰相年表》,大顺二年正月有具体记载:"正月庚申,(孔)纬检校太保兼御史大夫、荆南节度使,(张)浚罢为检校尚书右仆射、鄂岳观察使。翰林学士承旨、兵部侍郎崔昭纬、御史中丞徐彦若为户部侍郎,并同中书门下平章事。"《通鉴》卷二五八同,记于大顺二年正月,孔纬、张浚罢相,崔昭纬、徐彦若接任。《通鉴》胡注云:"二人罢相,以晋、绛丧师也。"则当以《新纪》、《新表》、《通鉴》为是,《旧纪》误。

　　崔远,附于《旧唐书》卷一七七、《新唐书》卷一八二《崔琪传》后。《旧传》记其入院及出院拜相,有云:"大顺初,以员外郎知制诰,召充翰林学士,正拜中书舍人。乾宁三年,转户部侍郎、博陵县男、食邑三百户,转兵部侍郎、承旨,寻以本官同平章事。"大顺元年为公元890年,乾宁三年为公元896年。《新传》所记较简,且如同前崔昭纬,未记有任翰林学士,但仍谓其拜相在乾宁时:"乾宁中,以兵部侍郎同中书门下平章事。"而《旧唐书·昭宗纪》则记为:"光化元年春正月辛未朔,车驾在华州。以兵部侍郎崔远为户部侍郎、同平章事。"光化元年为公元898年,较前乾宁三年为延后二年。实则《新唐书》之《昭宗纪》及《宰相年表》均记于乾宁三年九月,且具体记与崔胤同时入相:"九月乙未,崔胤为中书侍郎兼户部尚书、同中书门下平章事,翰林学士承旨、兵部侍郎崔远本官同中书门下平章事。"《通鉴》卷二六〇。经查《唐大诏令集》卷五〇,有《崔胤崔远平章事制》,文末即署为"乾宁三年九月"(第260页),则可确证《新纪》、《新表》是,《旧纪》误。

　　王溥,《旧唐书》无传,《新唐书》卷一八二有传,记其昭宗时仕迹为:"昭宗蒙难东内,溥与(崔)胤说卫军执刘季述等杀之。帝反正,骤拜翰林学士、户部侍郎,以中书侍郎同中书门下平章事,判户部。"据《通鉴》卷二六二,时为宰相的崔胤谋议诛杀刘季述,以稳定政局,在天复元年(901)正月。王溥早期曾在崔胤幕府(《新传》),故当于此年正月"骤拜翰林学士"。又据《新唐书·宰相年表》及《通鉴》,于天复元年二月又骤擢入相,为中书侍郎同平章事。《新表》与《通鉴》并记王溥与裴枢同时拜相。而《旧唐书·昭宗纪》天复元年正月、月，虽记刘季述被杀、昭宗反正事，却未记王溥、裴枢入相，而于天复三年（903）二月乙未，则记"以户部侍郎王溥同平章事"。实则《新表》于天复三年二月已记："（王）溥罢为户部侍郎。"《通鉴》卷二六四天复三年二月亦记："丁丑，以中书侍郎、同平章事王溥为太子宾客、分司，皆崔胤所恶也。"当时宰相崔胤结合朱温，既胁迫昭宗诛杀宦官，又诬害朝臣，如《通鉴》所记，王溥罢相之同月，"丙子，工部侍郎、同平章事苏检，吏部侍郎卢光启，并赐自尽"。故《通鉴》谓"皆崔胤所恶"。由此可见，王溥之由翰学任相，确应如《新纪》、《通鉴》，在天复元年二月，《旧纪》却记为天复三年二月，其"三"当为"元"之讹。

昭宗朝关于翰林学士所草制诏之时间，《旧纪》有误者有二例，即郑璘与韩仪。

郑璘，两《唐书》无传，唐朝有关史书也未曾记其为翰林学士。考南宋晁公武《郡斋读书志》卷七职官类，载《翰林杂志》一卷，云："右不题撰人。辑唐韦执谊《故事》、元稹《承旨壁记》、韦表微《新楼记》、杜元颖《监院使记》、郑璘《视草亭记》并诗、李宗谔《题名记》为一编。"[1]按此所辑六书，其作者韦执谊、元稹、韦表微、杜元颖皆为唐翰林学士，李宗谔为北宋时翰林学士，故岑仲勉《补僖昭哀三朝翰林学士记》即据此定郑璘亦为唐翰林学士，是。但《新唐书·艺文志》及《全唐诗》皆未录其《视草亭记》并诗，当已早佚。唯《全唐文》卷八二一载其制文六篇，《文苑英华》录有五篇，

①据孙猛校证《郡斋读书志校证》，上海古籍出版社，1990年，第311页。按此条文中所举韦表微《新楼记》，"表"原作"来"，《校证》本改正。

辑入"翰林制诏",则可左证其确曾任翰林学士。《文苑英华》卷四四五"翰林制诏",载其所作《皇帝第八男秘第九男祚第十男祺封王制》,题下注"诏令作封景王辉王祁王制",文末署"乾宁四年十月"。但《旧唐书·昭宗纪》却记于乾宁四年(897)二月,云:"丙辰,韩建上表,请封拜皇太子、亲王,以为维城之计。己未,制德王裕宜册为皇太子。辛酉,制第八男秘可封景王,第九男祚可封辉王,第十男祺可封祁王,第十一男禛可封雅王,第十二男祥可封琼王。"而《旧唐书》卷一七五《昭宗十子传》、《新唐书·昭宗纪》皆系于乾宁四年十月,又《唐大诏令集》卷三三载《封景王秘等制》,题郑璘作,文末署"乾宁四年十月"(第138页)。由此可考定《旧纪》所系月份误。

韩仪,为唐末诗文名家韩偓兄,亦为昭宗时翰林学士。《新唐书》卷一八三《韩偓传》后,略记其事,云:"兄仪,字羽光,亦以翰林学士为御史中丞。偓贬之明年,帝宴文思毬场,(朱)全忠入,百官坐庑下,全忠怒,贬仪棣州司马。"按韩偓之贬在天复三年(903),第二年即天佑元年(904),正月,昭宗为朱温(全忠)胁迫,离长安赴洛阳,即与朱全忠相聚,《旧唐书·昭宗纪》于天佑元年七月记云:"甲子,自汴至洛阳,宴于文思球场。全忠入,百官或坐于廊下,全忠怒,笞通引官何凝。丙寅,制金紫光禄大夫、行御史中丞、上柱国韩仪责授棣州司马。"即韩仪于天佑元年(904)七月被迫出院,贬责。但何年入院,则未有确记,可能在乾宁三年(896),因《文苑英华》卷四五〇"翰林制诏"载有韩仪《授朱朴平章事制》,文末署"乾宁三年八月"。但《旧唐书·昭宗纪》却于乾宁四年记云:"五月乙亥朔,以国子博士朱朴为右谏议大夫、同平章事。"而《新唐书·昭宗纪》《新唐书·宰相年表》则与《文苑英华》同，系于乾宁三年八月乙丑。《通鉴》卷二六〇更有具体记述，乾宁三年七月记："水部郎中何迎表荐国子博士毛诗博士襄阳朱朴才如谢安，道士许岩士亦荐朴有经济才。"又同年八月记："上愤天下之乱，思得奇杰之士不次用之，国子博士朱朴自言：'得为宰相，月余可致太平。'上以为然。乙丑，以朴为左谏议大夫、同平章事。"《通鉴》卷二六一乾宁四年二月又记朱朴为相后，外议沸腾，于是与孙偓同罢相。如此，则《旧纪》记朱朴于乾宁四年五月由国子博士为相，显误，《文苑英华》所载韩仪文即可为之左证。

昭宗时翰林学士张文蔚，其所记事涉及《旧五代史》与《旧唐书·僖宗纪》之误者，亦甚特异。张文蔚，其事曾附见于《旧唐书》卷一七八《张褐传》，而《旧五代史》卷一八、《新五代史》卷三四则有其专传。《旧传》记其"乾符二年进士擢第"。乾符为僖宗年号，二年为公元 875 年。徐松《登科记考》卷二三即据此系于乾符二年（第 870 页）。《旧五代史》本传亦记其于"唐乾符初，登进士第"，但后接云："时丞相裴坦兼判盐铁，解褐署巡官。"而《旧唐书·僖宗纪》亦于乾符二年二月记："以吏部侍郎裴坦为兵部侍郎，充诸道盐铁转运使。"二者连读，则张文蔚于乾符二年初进士登第，解褐后即在裴坦盐铁转运使下任巡官。但《新唐书·宰相年表》明确记为：乾符元年（874）二月癸丑，"检校户部尚书兼华州刺史裴坦为中书侍郎、同中书门下平章事"，而同年"五月乙未，坦薨"。《通鉴》卷二五二同。《新唐书》卷一八二《裴坦传》虽未记其任相及病卒年月，但仍有云："拜江西观察使、华州刺史"，召为中书侍郎、同中书门下平章事，不数月卒。由此，则《旧唐书·僖宗纪》记乾符二年二月，即裴坦卒后之第二年，尚为盐铁转运使，而《旧五代史》本传记张文蔚于同年（即乾符二年）又为其巡官，均为显误。晚唐所记事，《新唐书》之本纪与年表，多可纠《旧唐书》本纪之误，《通鉴》所记亦多与《新唐书》纪、表同，这很值得研究。

<h1 align="center">三</h1>

两《唐书》有关翰林学士的传记，其记事之误，有多于本纪者，特别是晚唐部分。为限于篇幅，本文则以文宗朝、懿宗朝，举十几个事例，分类考述。如《新唐书》列传部分，宋祁撰写时，有采自唐五代笔记小说者，应该说这样做有其优处，即扩大史料范围，增多史事，但其间也有缺失，宋人即有讥议，如南宋晁公武谓宋祁"推刻意文章，采杂说既多，往往抵牾，有失实之叹焉"①。今举数例如下。

许康佐，两《唐书》有传，皆列于《儒学传》，即《旧唐书》卷一八九下、《新唐书》卷二〇〇。《新传》叙其早期仕历，有云："迁侍御史，以中书舍人为翰林侍讲学士，与王起皆为文宗宠礼。"意即许康佐先为中书舍人，后入为翰林侍讲学士，与同院的王起皆受到文宗的信重。此即有二误。据丁《记》，许康佐，"大和元年四月二十三日，自度支郎中改驾部郎中，充侍讲学士"；后在院期间，历

①《郡斋读书志校证》卷五正史类（第 193 页）《新唐书》题记。

有迁转，至大和四年（830）八月二十七日，改中书舍人。《旧传》亦谓："迁侍御史，转职方员外郎，累迁至驾部郎中，充翰林侍讲学士。"即由驾部郎中入，与丁《记》合，《新传》则记云以中书舍人入，误。《新传》又云"与王起皆为文宗宠礼"，更误。据丁《记》，王起乃于文宗后期即开成三年（838）五月入院，而许康佐已于大和九年（835）五月出院，即王起、许康佐未有同时在院。《新传》此处所记，当本《补国史》，宋王谠《唐语林》卷六有一条记王起、许康佐事，即据《补国史》①。此条记文宗"在藩邸"时即"好读书"，即位后更"取书便殿读之"，"乃诏兵部尚书王起、礼部尚书许康佐为侍讲学士，中书舍人柳公权为侍读学士。每有疑义，即召学士入便殿，顾问讨论，率以为常，时谓'三侍学士'，恩宠异等"。据前所述，王起在许康佐出院三年后才入，且其入院时为工部尚书判太常卿事，非兵部尚书。此所谓《补国史》，当指唐李肇《国史补》，经查现在传存之署名李肇《唐国史补》，未有此记。李肇曾自称此书乃记开元至长庆间事，而此条所记为晚唐时，当为唐末五代时有缀异闻夹入者，而宋祁未经考核，采小说、笔记等纂于史书，因误传误。

　　李珏亦为文宗大和时期翰林学士，两《唐书》有传。《新唐书》卷一八二本传记其早期事迹云："甫冠，举明经，李绛为华州刺史，见之，曰：'日角珠廷，非庸人相，明经碌碌，非子所宜。'乃更举进士高第。"此当本自昭宗时裴庭裕所撰之《东观奏记》，其书卷上记李珏"弱冠，徒步（下空六字）举明经。李绛为华州刺史，一见谓

①参见周勋初《唐语林校证》卷六，859条，中华书局，1987年，第594页。

之曰：'日角珠庭，非常人也，当掇进士科。明经碌碌，非子发迹之路。'一举不第，应进士。许孟容为宗伯，擢居上第"①。据杜牧《李珏册赠司空制》(《樊川文集》卷一七，第264页)，李珏卒于大中六年(852)②，年六十九(据《新传》)，则当生于德宗兴元元年(784)。甫冠，即二十岁，当为德宗贞元十九年(803)。而据《旧唐书》卷一六四《李绛传》，李绛于宪宗元和十年(815)才为华州刺史，《旧唐书·宪宗纪》又记其于元和十一年二月甲寅，入为兵部尚书③。如此，则李绛于元和十年、十一年间为华州刺史时，李珏已三十二、三十三岁，怎能说"甫冠"呢？《新传》云李珏因李绛之言，乃改进士试，登高第，当亦本《东观奏记》所谓"应进士，许孟容为宗伯，擢居上第"。据徐松《登科记考》卷一八，许孟容知贡举在元和七年(812)，李珏即本年进士登第者，而此年李珏亦已为二十九岁，均与所谓"甫冠"不合。又，清王鸣盛《十七史商榷》，其书卷九一即有《李珏传〈新书〉多取〈东观奏记〉》条，但王氏未对李珏举试一事加以考辨。

　　张道符为懿宗朝翰林学士，丁《记》记其于懿宗咸通元年(860)十一月二十五日自户部郎中入，但仅历一年，于咸通二年四月二十一日卒。两《唐书》均无传，如无丁《记》，则唐翰林学士就不知张道符名，由此亦可见丁《记》之史料价值。此外，则晚唐时两部笔记亦提供其可贵数据。如王定保《唐摭言》卷三载，王起于

---

① 裴庭裕撰，田廷柱点校《东观奏记》，中华书局，1994年，第90页。裴庭裕亦为昭宗时翰林学士。
②《旧唐书》卷一七三《李珏传》记其卒于大中七年(853)，误，见下考。
③ 可参郁贤皓《唐刺史考全编》卷三京畿道华州，第89页。

武宗会昌三年(843)知贡举,时任华州刺史之周墀以诗寄贺,王起以诗答之,当时"王起门生一榜二十二人和周墀诗",其中第十四位为张道符,载其七律一首①。徐松《登科记考》即据此系张道符为会昌三年登进士第者,后《唐诗纪事》、《全唐诗》即据以载录。另为宣宗时赵璘之《因话录》,卷一记:"大中七年冬,诏来年正月一日,御含元殿受朝贺。璘时为左补阙,请权御宣政殿。"②后记宣宗与宰臣魏謩议此事,从赵璘议,接又记云:"其后宰相因奏对,以遗、补多缺,请更除八人。上曰:'谏官但要职业修举,亦岂在多。只如张道符、牛丛、赵璘辈三数人足矣,使朕闻所未闻。'"如此,则张道符于宣宗大中七、八年间曾受拾遗、补阙之职,这也为他书所未及。《因话录》此处提及牛丛,牛丛为牛僧孺子,《新唐书》卷一七四《牛僧孺传》后附记有牛丛,即记有此事,云:"第进士,由藩帅幕府任补阙,数言事。会宰相请广谏员,宣宗曰:'谏臣惟能举职为可,奚用众耶?今张符、赵璘、牛丛,使朕闻所未闻,三人足矣。'"可见《新传》此处即本《因话录》,应当说这是值得采辑的,与前所述沿《补国史》、《东观奏记》之误不同。但应注意的是,《新唐书·牛僧孺传》所记,却将张道符之名,缺"道"字,误作"张符",如不考索,则以为与后入任翰林学士之张道符为两人。这应当也是《新唐书》误录笔记,现在点校本也仍失校。

以上三例为《新唐书》列传之误,现在拟举五例,掇《旧唐书》列传之误,亦可以据《新唐书》之纪、表予以订正。

①《唐摭言》,上海古籍出版社,第 36 页。
②曹中孚点校《因话录》,上海古籍出版社,2000 年,第 838 页。

路岩为懿宗时翰林学士,其父路群为文宗大和时翰林学士,两《唐书》有传,见《旧唐书》卷一七七、《新唐书》卷一八四。丁《记》记其于懿宗咸通二年(861)五月十八日自屯田员外郎入,时年仅三十三,《旧传》即称其"幼聪敏过人"。后路岩又由翰林学士直接提升为宰相,但其任相之时间,《旧传》与《旧唐书·懿宗纪》均有误。《旧传》记为:"咸通三年,以本官同平章事,年始三十六。"则在翰学仅一年即入相,而《旧唐书·懿宗纪》却记于咸通七年十一月十日:"以翰林学士承旨、户部侍郎路岩为兵部侍郎、同平章事。"同一书记同一事,其时间竟差异四年。而《新唐书·宰相年表》则记于咸通五年:"十一月壬寅,翰林学士承旨、兵部侍郎路岩本官同中书门下平章事。"《新唐书·懿宗纪》同。《通鉴》卷二五○亦记为咸通五年十一月,"壬寅,以翰林学士承旨、兵部侍郎路岩同平章事;时年三十六。"晚唐时所作,仍署名丁居晦之《重修承旨学士壁记》,亦记为咸通五年"十一月十九日,以本官(兵部侍郎)同中书门下平章事"。前已述路岩于咸通二年入院时为三十三岁,则咸通五年入相,确如《通鉴》所谓"时年三十六";《旧传》称咸通三年入相,"年始三十六",即前后矛盾。可见北宋修《新唐书》时,其编撰本纪及年表,因有史料依据,较为可靠。

　　于琮,其祖于肃,为代宗时翰林学士,两《唐书》亦有传:《旧唐书》卷一四九、《新唐书》卷一○四。丁《记》记其于懿宗咸通四年(863)六月七日以水部郎中入院,五年七月八日迁中书舍人,同年九月二十七日,改刑部侍郎出院。《新传》亦有记,谓:"咸通中,以水部郎中为翰林学士,迁中书舍人。闰五月,转兵部侍郎,判户部。"大致与丁《记》同,唯"闰五月,转兵部侍郎",则非,因咸通四年有闰六月（参见《通鉴》卷二五〇），咸通五年未能有闰月。此为小异，问题在于《旧传》，《旧传》不仅未载于琮曾任翰林学士，且又云："乾符中同平章事。"实际上于琮根本未于僖宗乾符时（874—879）任相。《新唐书·懿宗纪》于咸通八年（867）七月记云："甲子，兵部侍郎、诸道盐铁转运使于琮同中书门下平章事。"《新唐书·宰相年表》亦载，咸通八年"七月甲子，兵部侍郎、诸道盐铁转运使、驸马都尉于琮本官同中书门下平章事"。《新传》虽未记年月，但仍谓"（咸通）八年，同中书门下平章事"。《通鉴》不但亦有同记，且于咸通十三年又记云："二月丁巳，以兵部侍郎、同平章事于琮为山南东道节度使"；五月"丙子，贬山南东道节度使于琮为普王傅、分司，韦保衡谮之也"。咸通共十五年，为公元860—874年；乾符为公元874—879年。于琮于咸通八年入相，十三年罢相，《旧传》竟晚于七、八年，记于"乾符中同平章事"，真不知何所据。

刘瞻，丁《记》记其于咸通六年（865）十月八日，自太常博士入。《旧唐书》卷一七七《刘瞻传》云："咸通初升朝，累迁太常博士。"即懿宗即位初，已为太常博士，后即由太常博士入为翰林学士，时间确相接。但《旧传》却接云："刘瑑作相，以宗人遇之，荐为翰林学士。"即刘瞻后由太常博士入为翰林学士，由当时宰相刘瑑推荐。而据《新唐书·宣宗纪》，大中十二年"正月戊戌，户部侍郎、判度支刘瑑同中书门下平章事"；"五月丙寅，刘瑑薨"。《新唐书·宰相年表》同。《通鉴》卷二四九大中十二年正月，更具体记云："初，户部侍郎、判度支刘瑑为翰林学士，上器重之。时为河东节度使，手诏征入朝，瑑奏发河东，外人始知之。戊午，以瑑同平章事"；五月，亦记刘瑑卒，"瑑病笃，犹手疏论事，上甚惜之"。

《新唐书》卷一八二《刘瑑传》虽未记其拜相年月,但亦云"居位半岁卒"。由此可知,刘瑑于宣宗大中十二年(858)已为相,又于同年卒,如何能于懿宗咸通六年(865)仍任相,并荐刘瞻入为翰林学士①? 又《新唐书》卷一八一《刘瞻传》亦云"累迁太常博士,刘瑑执政,荐为翰林学士",与《旧传》同误,而与同书之纪、表异。由此可见,《新唐书》纂修,列传与纪、表,因撰者各异,未能统筹复核,这也是《新唐书》编撰之一大误失。

郑畋,为懿宗咸通后期翰林学士,在院期间,作有入直诗十二首,颇有文采,亦极有史料价值,如《中秋月值禁苑》、《五月一日紫宸候对时属禁直穿内而行因书六韵》、《禁直和人饮酒》等(《唐诗纪事》卷五六、《全唐诗》卷五五七),在晚唐时是少见的。据丁《记》,郑畋于咸通九年(868)五月二十日自万年县令入,历有迁转,至咸通十二年九月二十八日,为梧州刺史出院。据《新唐书》卷一八五本传,因直言草制,宰相韦保衡等怨之,贬梧州刺史。这也是唐翰林学士参预政治所受的不幸遭遇一例。此后仕迹,《旧唐书》卷一七八本传所记则有误,谓:"僖宗即位,召还,授右散骑常侍,改兵部侍郎。乾符四年,迁吏部侍郎。寻降制曰……可本官同平章事。"即于乾符四年(877)拜相。而《新唐书·僖宗纪》则记于乾符元年(874):"十月,刘邺罢。吏部侍郎郑畋为兵部侍郎、翰林学士承旨、户部侍郎卢携,同中书门下平章事。"《新唐书·宰相年表》亦记乾符元年十月,刘邺罢相,出为淮南节度使,僖宗即擢郑畋、卢携同时入居相位。《通鉴》卷二五二亦同,并有

①《旧唐书》卷一七七《刘瑑传》载其"罢相"后,"又历方镇,卒",又误。

《考异》，指出《旧传》所载乾符四年为误，云："今从《实录》此年为相。"可见司马光修《通鉴》时，尚见有北宋时重新搜辑之晚唐实录；《新唐书》所修之纪、表，当也参见此部分实录。

与郑畋所记同误的有卢携。丁《记》记卢携于咸通十四年（873）十二月自左谏议大夫入院，即为承旨学士，又谓"十五年，拜相"。十五年，实为乾符元年（874）。按懿宗于咸通十四年七月十八日卒，僖宗于同月二十日即位，第二年十一月庚寅，才改元乾符，故此年十一月前，也可称咸通十五年，丁《记》此处所记，即与《新纪》、《新表》同，因如前所述，《新唐书·僖宗纪》记乾符元年十月，刘邺罢相，"吏部侍郎郑畋为兵部侍郎，翰林学士承旨、户部侍郎卢携，同中书门下平章事"。《新唐书·宰相年表》同，《通鉴》所记亦同，并有《考异》，谓从实录。而《旧唐书》卷一七八《卢携传》亦误同《旧唐书·郑畋传》，记为："乾符初，以本官召充翰林学士，拜中书舍人。乾符末，加户部侍郎、学士承旨。四年，以本官同中书门下平章事。"按卢携已于咸通十四年十二月入，僖宗已于该年七月即位，确已非懿宗朝，但尚未改元，不能说"乾符初"，而主要则亦误记于乾符四年入相。值得注意的是，《新唐书》卷一八四《卢携传》记其由翰林学士入相，更比《旧唐书·卢携》再晚一年，谓："乾符五年，进同中书门下平章事。"即更误。这如前所考之刘瞻事，《新传》与《旧传》同误，又与同书之纪、表互异，而《新唐书·卢携传》亦与《新纪》、《新表》异，且较《旧唐书·卢携传》更误，这也是《新唐书》列传误撰之一例。

除以上两类外，两《唐书》本传记文宗、懿宗两朝翰林学士，有时所记一人事迹，有好几处显误。现举五例如下：

李珏,前已述及《新传》误袭晚唐笔记《东观奏记》,今检《旧唐书》卷一七三本传,记其"大中七年卒,赠司空";《新唐书》卷一八二本传未言何年卒,而云:"卒,年六十九,赠司空,谥曰贞穆。"而《旧唐书·宣宗纪》则于大中六年记:"秋七月丙辰,前淮南节度使……李珏卒。"即同一书,纪、传互异。今查杜牧有《李珏册赠司空制》(《樊川文集》卷一七,第264页),首记其时,为"维大中六年,岁次壬申,五月丁卯朔,十六日壬午"。按杜牧于大中六年在中书舍人任,其年冬卒(见前文)。据此,则据杜《志》、《旧纪》,李珏当卒于大中六年(《旧纪》记为七月,杜《志》记为五月,小异),《旧传》云"大中七年卒",显误。

　　《旧传》又记:"武宗即位之年九月,与杨嗣复俱罢相,出为桂州刺史、桂管观察使。三年,长流骧州。"此又有两误。据《新表》,文宗开成三年(838)正月,李珏与杨嗣复同拜相,并同中书门下平章事。后开成五年正月,文宗卒,宦官内部有纷争,知枢密刘弘逸、薛季陵联结杨嗣复、李珏,谋以年尚幼的太子陈王成美继位,而中尉仇士良、鱼弘志则奉文宗弟颖王瀍即位,是为武宗,陈王成美、刘弘逸则相继被杀。正因如此,杨嗣复、李珏也受牵累,《旧传》所记,即指此事,唯《旧传》谓"武宗即位之年九月",而据《新表》、《通鉴》,杨嗣复罢相在开成五年五月,即"嗣复罢,守吏部尚书、刑部尚书",非九月。今查白居易有《和杨尚书罢相后夏日游永安水亭兼招本曹杨侍郎同行》诗,此杨尚书即杨嗣复①。据《新表》,杨嗣复以守吏部尚书罢相,故称为杨尚

---

①参朱金城《白居易集笺校》卷三五,第2425页。

书。诗题称"罢相后夏日游永安水亭",诗中又有"竹亭阴合偏宜夏,水槛风凉不待秋",即杨嗣复罢相后,仍于夏日在长安,并作诗寄时任太子少傅分司洛阳之友人白居易,白居易特作诗和之。此与《新表》记开成五年五月罢相合,当时还未外出。又据《新表》、《通鉴》,李珏罢相,为太常卿,在开成五年八月,较杨嗣复稍后数月,非与杨嗣复同时罢相。刘禹锡亦有和杨嗣复、李珏诗,题为《奉和吏部杨尚书太常李卿二相公策免后即事述怀赠答十韵》,称杨为(吏部)尚书,李为太常卿,可见二人免相后,仍在京。此时刘禹锡亦在洛阳,亦作于开成五年八月间①。诗中称杨、李二人"步武离台席,徊翔集帝梧。铨材秉秦镜,典乐去齐竽",即谓二人虽罢相,但仍去相位不远,有再复原位之望。可见《旧传》谓李珏与杨嗣复于武宗即位之年九月(即开成五年九月)罢相,即出镇外地,误。至于《旧传》又称"三年,长流骧州",更误。孝珏于开成五年、会昌元年间与杨嗣复同贬外出,据《通鉴》卷二四六载,会昌元年三月,宦官仇士良又说武宗,欲"遣中使就潭、桂州诛嗣复及珏",后赖李德裕劝谏,才免死,乃"贬嗣复为潮州刺史,李珏为昭州刺史,裴夷直为骧州司户"②。由此可见,李珏由桂州改贬,为昭州刺史,非"三年,长流骧州",而会昌元年同贬者裴夷直,则为骧州司户。不知《旧传》何以有此舛误。另,《新传》又有误记,谓"终以议所立,贬江西观察使,再贬昭州刺史",将"桂管"误为"江西"。如此,则两《唐书》本传记李珏事,连同前误袭《东观奏记》,

①参陶敏、陶红雨《刘禹锡全集编年校注》卷一一,岳麓书社,2003年,第733页。
②参见傅璇琮《李德裕年谱》会昌元年条,河北教育出版社,2001年修订本。

其误竟共有五处,惜中华书局点校本均未有校。

杨收,两《唐书》有传,即《旧唐书》卷一七七、《新唐书》卷一八四。《旧传》记其原为同州冯翊人,后其父迁居苏州,"讲学为事,因家于吴",杨收幼时即在吴,"善于文咏,吴人呼为神童"。《新传》略同。杨收于会昌元年(841)进士登第,后历仕于淮南、东西蜀藩镇幕府。《旧传》接云:"裴休作相,以收深于礼学,用为太常博士。寻丁母丧,归苏州。既除,崔珙罢相,镇淮南,以收为观察支使。"武秀成《〈旧唐书〉辨证》(第335页)认为,裴休罢相在大中六年至十年间,而此时任淮南节度使为崔铉,非崔珙。《新唐书·杨收传》即载:"服除,从淮南崔铉府为支使。"据此,即《旧传》误,《新传》是。又,《旧传》另有一误,即记其入任翰林学士事,武秀成《〈旧唐书〉辨证》未提及,岑仲勉《注补》虽提及,但未细考,故此处加以辨证。《旧传》云:"时故府杜悰、夏侯孜皆在洛,二公联荐收于执政。宰相令狐绹用收为翰林学士。"《新传》未述及此事,仅云"懿宗时擢累中书舍人、翰林学士承旨"。按据丁《记》,杨收于懿宗咸通二年(861)四月十八日,自吏部员外郎入为翰林学士,其间有迁中书舍人、承旨;四年(863)五月,擢入相。《旧传》谓"宰相令狐绹用收为翰林学士",而据《旧唐书》卷一七二《令狐绹传》,绹于大中十三年(859)罢相出镇河中;咸通二年(861)又改为汴州刺史、宣武节度使,三年(862)冬,又徙镇淮南。经查《新唐书·宰相年表》,终懿宗朝,令狐绹均未在朝任相。又据《新表》,杜悰确于咸通二年二月拜相,而夏侯孜则早于大中十二年(858)为相,但于咸通元年十月出为剑南西川节度使,《新表》、《通鉴》记夏侯孜于咸通三年七月又由西川入相。据此,则杨收于咸通二年四月入院时，令狐绹根本未在相位，杜悰、夏侯孜也均未在洛阳。《旧传》竟有如此无据的误记，真使人难以理解。按杨收早期曾在杜悰淮南、东西川幕府任职，咸通二年时杜悰在相位，当由杜悰荐其入任翰林学士，非令狐绹。另，《旧唐书·懿宗纪》亦有一误，咸通八年（867）三月，记杨收罢相，"检校兵部尚书，充浙江西道观察使"。《新唐书·懿宗纪》未记。而据《新表》，杨收罢相在咸通七年十月，而出任方镇为宣歙池观察使。《新唐书·懿宗纪》于咸通七年十月，亦记"杨收罢"（但未记出镇事）。《通鉴》卷二五〇亦于咸通七年十月甲申具体记为："以门下侍郎、同平章事杨收为宣歙观察使。收性侈靡，门吏僮奴多倚为奸利。杨玄价兄弟受方镇之赂，屡有请托，收不能尽从。玄价怒，以为叛己，故出之。"由此可定，杨收乃于咸通七年十月罢相，出为宣歙池观察使，《旧纪》记为咸通八年三月，且谓浙西观察使，即有二误①。又《旧传》虽亦误记杨收罢相在咸通八年（十月），但仍载为出任宣歙观察使，不过《旧传》又有新误，记云："韦保衡作相，又发收阴事，言前用严譔为江西节度，纳赂百万。明年，贬为端州司马。"如此，则杨收被贬为端州司马，在咸通九年。《通鉴》则系于咸通八年，记杨收于咸通七年十月出任宣歙观察使，"过华岳庙，施衣物，使巫祈祷，县令诬以为收罪"，于是韦保衡于咸通八年即又"复言（杨）收前为相，除严譔江西节度使，受钱百万，又置造船务，人讼其侵隐"，乃于是年"八月庚寅，贬收端州司马"。《通鉴》

①据郁贤皓《唐刺史考全编》江南东道润州，杜审权于咸通四年至十年均在浙西任，则杨收不可能于咸通八年插入其间（第1868页）。

记此事时，称韦保衡为右拾遗，并有《考异》，谓"是时保衡未作相，《旧传》误，今从《实录》"。据《新表》，韦保衡于咸通十一年（870）四月丙午，才以翰林学士承旨、兵部侍郎擢相。丁《记》同。又《旧纪》除前之所述，记咸通八年三月杨收罢相后出为浙西观察使，而于咸通九年十月又记"贬浙西观察使杨收为端州司马同正"，则仍误以宣歙观察使为浙西观察使，并再误以咸通八年八月而为九年十月。同一人，《旧唐书》于纪、传中竟有七、八处误记。

张裼，《旧唐书》卷一七八有传，《新唐书》无传。据《旧传》，张裼于武宗会昌四年（844）进士登第，释褐后在寿州（今安徽寿县）任职，为防御判官。此时于琮尚为布衣，"客游寿春，郡守待之不厚"，而张裼"异礼遇之"，赠以绢帛。正因如此，《旧传》接云："大中朝，琮为翰林学士，俄登宰辅，判度支。琮召裼为司勋员外郎，判度支，寻用为翰林学士。"此云于琮于宣宗大中时为翰林学士，而据丁《记》，于琮乃于懿宗咸通四年（863）六月七日，自水部郎中入。《新唐书》卷一〇四《于琮传》亦谓"咸通中，以水部郎中为翰林学士"。又据《新传》及《新表》，于琮于咸通八年提升为宰相，故可称"俄登宰辅"。若大中时已为翰林学士，大中朝有十三年，于咸通八年登相，怎能称"俄"。故《旧传》之"大中"二字，当为"咸通"之讹。又据丁《记》，张裼后于咸通十三年五月十二日，出贬为封州司马。此乃出于同居相位的韦保衡所构害，于琮罢相，出为山南东道节度使，张裼也受牵连，被迫出院，并贬责为封州司马。后僖宗于咸通十四年七月接位，韦保衡即被贬，于琮就受召入朝，张裼也返回为太子宾客、吏部侍郎，乾符二年（875）又授以京兆尹要职。《旧传》接云："乾符三年，出为华州刺史。其年冬,检校吏部尚书、郓州刺史、天平军节度观察等使。四年,卒于镇,时年六十四。"又有显误。《通鉴》卷二五三,乾符五年二月记:"(黄)巢袭陷沂州、濮州,既而屡为官军所败,乃遗天平军节度使张裼书,请奏之,诏以巢为右卫将军,令就郓州解甲,巢竟不至。"《通鉴》同卷又记,乾符六年"三月,天平军节度使张裼薨,牙将崔君裕自知州事,淄州刺史曹全晟讨诛之"。《新唐书·僖宗纪》则于乾符五年末载云:"是岁,天平军节度使张裼卒,衙将崔君裕自知州事。"又《全唐文》卷八四二载有许鼎《唐通和先生祖君墓志铭》,记道者祖贯专研丹经,"喧动公卿耳目,求见就谒,凡累十人";"丁酉年,鄂侯杨公为华牧张公乞丹于先生"。文末记祖贯于己亥(即乾符六年)十一月卒,其文即作于该年,与丁酉年(乾符四年)只差两年,而记丁酉年华牧张公,即乾符四年张裼尚在华州刺史任。由此可证,《旧传》谓张裼乾符四年卒于天平军节度使,误;《旧纪》记乾符二年七月由京兆尹出镇天平军,未记其间曾任华州刺史,缺失;《新纪》记为乾符五年卒,亦误。如此,则记其末年仕迹,也竟有三误。

这里拟再就文宗朝、懿宗朝各举一例,说明记事不止一误,值得引起注意。

李让夷,据丁《记》,于文宗大和元年(827)十二月入院,大和五年九月以职方员外郎出院,出院后仕历较有升迁,至开成五年(840)正月,武宗即位,李德裕于九月由淮南节度使入朝,李让夷即骤加拔擢,于会昌二年(842)七月以尚书左丞兼御史中丞为中书侍郎、同中书门下平章事(见《旧唐书》卷一七六本传、《旧唐书·武宗纪》、《新唐书·宰相年表》)。但也因此涉及当时的党派纠争,宣宗于会昌六年(846)三月即位,李德裕、李让夷均罢相外出。《旧唐书·宣宗纪》即于会昌六年七月记:"以兵部尚书李让夷为剑南东川节度使。"《新唐书·宣宗纪》于会昌六年仅言"七月,李让夷罢",未记出镇,而《新表》则明确记为"七月,让夷检校司空、同平章事、淮南节度使",即李让夷此时出镇为淮南,非剑南东川。按,深受李德裕信重的郑亚,于大中元年(847)春亦受牵连由给事中出为桂州刺史①,于三月赴任后曾托在其幕中任职的李商隐撰信致李让夷,即李商隐《为荥阳公上淮南李相公状》(《樊南文集外编》卷三),刘学锴、余恕诚《李商隐文编年校注》即系于大中元年三月七日(第1226页)。由此,则李让夷确于会昌六年七月罢相后出镇淮南(《通鉴》卷二四八会昌六年记:"七月壬寅,淮南节度使李绅薨"),大中元年仍在任,故李商隐为郑亚起草所撰此信,称"淮南李相公"。《旧纪》显误。又,关于此事,《旧书》李让夷本传又另有一误,曾云"宣宗即位罢相,以太子宾客分司卒",即缺记淮南节度使事,又所谓"以太子宾客分司卒",更无据。《新唐书》卷一八一本传所记则较实,在记"拜淮南节度使"后,云:"以疾愿还,卒于道。"卒年不详,或即在大中初。由此可见,《旧唐书》纪、传若均有误,可以参核《新唐书》加以订正。

不过懿宗时翰林学士刘邺,新、旧《唐书》本传所记也有同误。据《旧唐书》卷一七七、《新唐书》卷一八三本传,刘邺父刘三复,曾数次在李德裕幕府,会昌时李德裕任相,刘三复即升任刑部侍郎,约卒于会昌末。也正因此,宣宗即位,李德裕贬逐,"(刘)邺无

---

①参见傅璇琮《李德裕年谱》会昌六年、大中元年条。

所依,以文章客游江、浙"(《旧传》)。《旧传》接云:"高元裕廉察陕虢,署为团练推官,得秘书省校书郎。"《新传》亦云:"陕虢高元裕表署推官,高少逸又辟镇国幕府。"而《旧唐书》卷一七一、《新唐书》卷一七七《高元裕传》,皆未记高元裕曾镇陕虢。高少逸为高元裕兄,《新唐书》卷一七七其本传,则记其大中时曾为陕虢观察使。《通鉴》卷二四九,记大中八年(854)九月丙戌,高少逸以右散骑常侍为陕虢观察使;《旧唐书·宣宗纪》,记大中十年四月癸丑,高少逸又任华州刺史、镇国军使。由此,则可确证刘邺于大中八年、十年间,先后在高少逸之陕虢、镇国军幕府,《新传》当亦承《旧传》之误,皆记为高元裕。后宣宗于大中十三年八月卒,懿宗立,丁《记》即记刘邺于"大中十四年十月十二日,自左拾遗充"。大中十四年即为咸通元年(860),即懿宗即位之第二年,因此年改元在十一月,故刘邺于十月入,当时学士院壁记仍记为十四年。《旧传》于此记为:"咸通初,刘瞻、高璩居要职,以故人子荐为左拾遗,召充翰林学士。"咸通初,即咸通元年,刘邺以左拾遗入为翰林学士,与丁《记》合,是。问题是,据《旧唐书》卷一七七《刘瞻传》,瞻于咸通前"历佐使府","咸通初升朝,累迁为太常博士"。又据丁《记》,刘瞻于咸通六年十月才自太常博士入为翰林学士,而刘邺于此前,即咸通元年已入为翰林学士。且刘瞻于咸通前长期在外地幕府任职,咸通初才入朝,太常博士也只为闲衔,何能称为"要职"。高璩则于大中十三年四月入院,至咸通三年出院,高璩时在院,因而荐刘邺为翰林学士,是有可能的,但大中十四年十月高璩任为右谏议大夫,也非要职,故《新传》亦有不确切处。

以上所考,两《唐书》记事之误者,有三十人,而所记之事误者则有四五十处。据笔者考核，两《唐书》所记翰林学士，自代宗朝起，至唐末昭宗、哀帝朝，有误者尚有四十余人。限于篇幅，当然未能均将写入。此外，除两《唐书》所记本事外，中华书局点校本在标点、断句上也有误，现在阅读、将来整理时也都须注意、改正。如昭宗时翰林学士杜晓，两《唐书》无专传，附见于《旧唐书》卷一七七、《新唐书》卷九六其父杜让能传。《旧唐书·杜让能传》载云"子光、乂、晓"，即杜晓有兄二，为光与乂，而《新唐书·杜让能传》则记为："子光乂，次子晓。"即"光乂"为一人之名。经查《新唐书》卷七二下《宰相世系表二下》，亦记杜让能有子二人，为："光乂，字启之"；"晓，字明远，膳部郎中、翰林学士"（第 2420页）。由此可断定中华书局点校本将杜光乂误断为二人。这里也仅能举一例，不能多举。笔者或另撰文，将另有误者四十余人再择要加以考辨，并再酌选若干标点、断句之误，以有助于唐翰林学士事迹考索及两《唐书》之整理研究。

原载《文史》2006 年第 3 辑，据以录入

傅璇琮文集

驼草集

第九册

中华书局

面向新世纪的古典文学研究

——国家社科基金项目成果《中国古代文学通论》内容简介

　　这一研究成果是多角度地宏观把握中国古代文学史的一次学术尝试,也是一项跨学科的综合性的学术探索,它在研究思路和研究方法等方面具有创新性,在知识积累和学科建设等方面具有建设性。

　　历来的中国文学史著作,大多以王朝和文体为经纬,以作家为单元,依次叙述。其优点是突出作家的历史贡献,文学史的基本事实交代得比较清楚,缺点则在于缺乏整体性,难以呈现文学演进的历史线索和内在逻辑。该项成果突破了现有文学史著作的体例,把中国古代文学分为先秦两汉、魏晋南北朝、隋唐五代、宋代、辽金元代、明代、清代七段,每段一卷,各包括以下五个方面内容:一是通论各段文学的时间起讫、历史分期、时代特征及文学史地位,并对一些重要理论问题进行综合性评价。二是根据各阶段文学创作的不同状况,分论各体文学的创作风貌、高下得失,描述各体文学的盛衰流变。重点论述《诗经》、《楚辞》、汉赋、六朝乐府、唐诗、宋词、元曲、明代戏曲小说、清代白话小说,特别是对一些较为人忽视的文学部门做了专门的论述。三是从各段文学的时代特征出发,抓住文学创作中的主要问题,研究文学与社会生活、政治经济、文化艺术、文学传统的关系,注意从"历史—文化"的角度作跨学科的综合研究。根据时代的不同,共涉及文学与社会政治、哲学思潮、宗教、经学、史学、语言文字、学术文化、文人境遇、门阀世族、都市生活、民族关系、民族文化、艺术、审美文化、文学传统、地域文化、交通、科举制度、幕府制度、出版藏书、女性创作等 21 个方面,不少问题是迄今为止的文学史尚未涉及的。这是全书较有新意的部分。四是梳理历来整理、研究各段文学典籍的成果,对各类文学典籍的存佚、收藏及整理情况进行总结性评述,继承了古典文学研究立足于文献、重视学术资料建设的优秀传统。这是本书最有特色的部分。五是站在学术发展的高度,回顾了近代以来的古典文学研究,从学术观念、研究方法的角度对学术史加以反思,在此基础上指出各段文学研究面临的问题,提出今后学术界的研究重点和研究思路。总之,全书力求做到全面地阐述古典文学的基本内容,展现 20 世纪的学术积累和认识深度,表达当代学者对古典文学的总体认识、评价及对学术史的估量。

这一研究成果的主要特点表现在以下几个方面:一是力求打通文学各部门之间、文学与文献、文学与社会文化之间的界限,以宽广的学术视野,多角度多层面地呈现中国古代文学的整体风貌;力求在充分吸收 20 世纪学术成果的基础上,重新审视中国古代文学的文化特征、民族性格和时代风貌,以多元的视角、多样的方法,从整体上对古代文学作出新的阐释。书中对历来关注的热点问题，如《诗经》的时代问题、《楚辞》的作者问题、魏晋南北朝文学与世族的关系、唐诗繁荣的原因、宋代党争与文学的关系、元代士人的境遇与心态、明代文学与心学、清代文学与社会生活的关系等等，都根据新的研究成果展开论述，并提出自己的独到见解。二是从纵横两方面展开研究，纵向描述文学史的运动、文学风尚的嬗变、文学体裁的盛衰之迹，揭示文学史演进的内在逻辑；横向展开文学与不同学科的比较，通过文学与各种外部因素的关系来揭示不同时代文学的主导倾向，得出一系列有参考价值的结论，这不仅给断代文学史研究提供一些新的观点，同时也为理解中国古代文学的文化特征和民族性格提供了一定的参照。比如魏晋南北朝文学卷涉及了文学与玄学、文学与世族、文学与音乐、文学与绘画、文学与音韵学、文学与史学、文学与社会环境的关系，唐代文学卷也涉及了文学与政治、文学与传统思想、文学与自身传统、文学与宗教、文学与科举制度、文学与幕府、文学与交通、文学与女性等多方面的问题，拓展了文学研究的视野。三是立足于扎实的文献基础，将传世文学文献全面地加以清理，介绍和评述有关整理、研究的现状，这有利于规划学科发展战略，促使学术投入向有序、均衡的方向发展。诸如先秦出土文献、敦煌诗卷、弹词宝卷、古代小说、清代诗文集、清代诗文评文献的考述评介，无疑将推动有关研究，促进文学史研究整体水平的提高。

与蒋寅合撰，原载《求是》2006 年第 15 期，据以录入

记叶圣陶先生为中华书局所办两件事

上世纪 40 年代后半期,我在浙江省立宁波中学读初中,当时就订购上海开明书店编印的《中学生》、《开明少年》两份杂志(月刊)。那时开明书店编辑部即由叶圣陶和夏丏尊两位出版界专家主持,这两份面对高中、初中学生的杂志也是叶、夏两位先生主办的。我经常阅读两位的文章,也读过他们的著作,深受教益,这对我后来长期从事编辑工作,影响很深。上世纪 90 年代初曾出版《叶圣陶文集》,想来卷帙一定繁富,当时我由于工作杂多,无缘拜读。但那时因偶然的机会,从我所在单位中华书局的文书档案中获睹几件叶圣陶先生手迹的复印件,读后受到一种人格与文品的感召,久久不能平静。今特追记于此,谨以自勉。

从 1958 年起,中华书局即致力于《永乐大典》散佚本的辑集,至 1959 年,已从国内外公私所藏收集到 720 卷。为供学术界研究、观摩,中华书局于该年 9 月选印其中一册,全照原书大小式样,影印仿制出版。这一仿制本前面有一篇出版说明,由编辑部一位同志起草,当时中华书局总编辑金灿然同志特地将这篇说明送请叶圣陶先生修改。该文篇幅不长,大约只有 1200 来字,由

720 字一张的稿纸誊写，共 32 行。使人惊异的是，几乎每一行都有叶老修改的笔迹。叶老修改，每个虚字、每个标点都不放过。譬如文中说《永乐大典》"辑入古今图书七、八千种"，叶老把"七"字下的顿号删去，并在旁边批注："此顿号无论如何不能要。"有一句"未毁者几全被刧走"，叶老改为"未毁的几乎全被劫走"。原稿"劫"字写成"刧"，叶老特地勾出来，用毛笔正楷写成"劫"，最后一段原稿说："要说明《永乐大典》这一类型的百科全书，这一册的内容是具有代表性的。"粗看似也说得过去，但被叶老划去了，并特地在文末写了三行字："一册的内容具有代表性，可以知道全书的体例和规模，我觉得想不通，恐怕一般读者也想不通。因此，代表性的说法不如删去。如果必须保留，就该说得明白些，说明从什么几点可以见出这一册的代表性。"经这几句一点，真使人豁然开朗。

叶老当时的工作是很忙的。他在给金灿然同志的一封信中说："我在最近两三个月内，忙碌殊甚，每日上下午非开会即商量文稿，傍晚归来，颓然无复精神。"但他还是对这样一篇极为平常的文稿作那样仔细的审阅和修改，一点"大名人"的架子也没有。

1959 年至 1960 年间，中华书局准备重印朱自清的《经典常谈》。这是朱先生以通俗的笔法介绍古代经典文献的著作，解放前即出版，无论专业研究者还是一般读者，都爱读。这次中华书局重印时，拟请叶老写篇序。由叶老为此书作序，当然是最合适不过的了。中华书局文书档案内保存了叶老为此事给金灿然同志的一封信，信中说："作序之事，非我所宜。您应了解我，古籍云云，我之知识并不超于高中学生。人皆以为我知道什么，我实连常识也谈不上。此一点恐不能叫人相信，以为我谦虚。您与我相识十年，且非泛泛之交，当知我言非虚也。苟我稍有真知灼见，则佩弦为我之好友，于其遗著，有不肯欣然作序乎？至希亮察。"

我想，读了这几行信中语，就不必再说什么了。叶老的人品，真如光风霁月，能使人胸中那一点灰渣尘屑去除得干干净净。叶老说他于古籍，其知识并不超于高中学生，因而不敢为朱自清先生的《经典常谈》作序，我相信这是叶老真诚的谦虚，也是真正学者的一种自爱。我想，社会上有些人，被捧为什么"大师"，有时却连起码的常识性错误也会在笔端中流出，却颐指气使地训斥别人，对照叶圣陶先生的这几行文字，不知会有什么想法？

原载《书品》2007 年第 3 期，据以录入，另收入北方文艺出版社 2008 年版《书林漫笔》

为学术界办一些实事

    1955年,我北大毕业后留校做助教。1958年上半年,先调到商务印书馆,呆了两三个月后,就转到中华书局了。到今年,也可以算有五十年了。

    别人说编辑是为人辛苦为人忙,我却觉得编辑工作也能提供许多学校、研究室所没有的优势,即知识面广、眼光开阔、与学者联系多。所以我到中华后就许下一个心愿:要做一个好编辑,当一个有研究水平的编辑。1959年,我在审读、加工稿件的过程中产生了组一套《古典文学研究资料汇编》的想法,在中华书局出版,这套书的编撰工作就需要广大学术界人士的参与,我自己也承担了其中的两部。从80年代到现在,这套书仍在陆续编印中,对古典文学研究有很大影响。

    我曾经提出"编辑学者化"。现在出版环境变化了,编辑学者化的说法不一定合适,可以改成"编辑工作应该注意社会化",更好地面向社会,而不仅是专注于某一个专业。比如古籍整理除了专业工作以外,还存在一个普及工作,应该有一个传统文化现代化的观念,思考古籍文化如何与现在的读者沟通、结合。《于丹

〈论语〉心得》重在读书心得,文笔比较自由,是一种普及。还有另外的一种普及,是对作品本身进行注释、解释,启发读者阅读作品本身,也是极为需要的,如中华书局在"文革"以前出版的北大杨伯峻先生的《论语译注》。

五十年的编辑生涯中,印象最深刻的一本书,是黄仁宇先生的《万历十五年》。这本书是黄苗子先生 1979 年 5 月 23 日写信给我推荐的。我当时任古代史编辑室副主任,接到稿件后马上通读,并于 1979 年 6 月 16 日写了一份审稿意见:

> 万历十五年为公元 1587 年,约当明代中期偏后。这一年并无什么突出事件,稿中记这一年事情的也极少。稿中主要写了几个历史人物,即万历皇帝、张居正、申时行(此二人是宰相)、海瑞、戚继光、李贽。以这几个人为中心,叙述明朝中期的政治(如内阁组织、皇位继承、建皇陵、地方吏治)、经济(如漕运、赋税)、军事(如防倭寇)、思想等情况,作者企图从这些方面说明中国封建社会的某些特点,正是这些特点导致明朝的灭亡,而这些封建社会的固有弊病也影响后代甚至现代,因此书名虽说是万历十五年,实际上是论述明代中期的社会情况,着眼点是较广的。

在 1979 年,我作为一个普通编辑,有这样的认识,确还是不容易的。后来我室另一副主任魏连科同志再审一次,他于 9 月 22 日写出审稿意见,邀我联名向上报告,明确提出"原则上接受出版",某些提法和文字上作编辑加工。其时社领导还有顾忌,但副总编赵守俨先生明确表示同意出版,并说稿中"涉及现实问题之处,似乎在提法上并没有什么大问题",文字上的加工"这种润饰,可限于非改不可的地方,不必改变原来写法和风格"。守俨先生治学以严谨见称,但又通达。他那时所作的批语,现在看来确实十分难得。人的见识,往往在关键之处表现出来。

总的说来,五十年的编辑生涯中,我最大的心愿就是为学术界办一些实事,我最大的欣慰是得到学界友人的信知。这是我做编辑的心得,也是我的自我安慰和自勉。

原载《编辑学刊》2007 年第 4 期,据以录入

谈谈《唐翰林学士传论·晚唐卷》

　　《唐代翰林学士传论》上册(即盛中唐卷),于 2005 年 12 月由辽海出版社印成,2006 年上半年发行。使我感到欣慰的是,此书一出版,就受到学术界的关注,并得到首肯。古典文学界名家陶文鹏、韩经太两位先生,于 2005 年 3、4 月间就在《光明日报》、《中华读书报》刊发书评,后两位中青年学者胡可先、李德辉,更撰写长篇评论,分别刊于《唐研究》第 12 卷(北京大学出版社,2006 年12 月)、《文学评论》2007 年第 3 期,他们共同肯定此书开拓了一个新学术空间,通过翰林学士与文学关系的探讨,拓展历史文化层面的整体研究,同时又指出书中订正了史籍的不少错误,为唐代文史的进一步研究提供了坚实的史料基础。另外,我又接到好几位学术挚友的信,信函与正式发表的文章不同,不全面论述,但清新、自由,使人倍感亲切。如复旦大学陈允吉教授,谓此书"禀具文学家之灵魂,就中贯注着作者对古代上层社会一个特殊群体的同情和了解"。杨明教授认为"既是真实准确,又亲切具体还原历史,读来津津有味"。上海大学董乃斌教授也云"读起来真是津津有味","以'传论'的形式来写,也是一种创新"。

但学界对书中所述也有提出探讨意见的。如胡可先教授认为翰林待诏、翰林供奉并非同一职务，而是存有演变与更迭的关系；又指出，关于翰林学士所撰制诏文体的文学与文化价值，关于《蒙求》的境外文献（古抄本与刻本），日本学者已有可观成果，书中未及引用。又如南京师大郁贤皓教授，是李白研究权威学者，他在给我的信中详细考述玄宗朝翰林学士张垍并非如我在张垍传中所叙的天宝四载五月为兵部侍郎，后转为太常少卿或太常卿。这些，我都深受启发、教益。学术研究是不断探索的进程，有所得，也会有所失，这就要在自我摸索并广泛吸收意见中踏实行进。宋人叶梦得有云："古之君子不难于攻人之失，而难于正己之是非。"这应当是做学问的君子之风。

董乃斌教授于信中望我"劳逸结合，多加保重"，但仍云"更企望您对晚唐翰林学士研究的结集"。复旦大学王水照教授信中更引用古人所云"老当益壮，宁移白首之心"，称"洵为我侪立帜"，互勉继续做事。胡可先教授于《唐研究》的书评中更明确提出："晚唐时期史料缺失甚多，有关翰林学士的记载更少，即使有些记载，也是多有舛误的，故晚唐时期翰林学士的考索与研究，还是一项极其艰难的大课题，希望能够早日见到'晚唐卷'。"我对晚唐时期的翰林学士材料，好几年间都已有辑集、积聚，即于 2006 年集中时间撰写此"晚唐卷"。

晚唐期间翰林学士研究，确有不小难度，也当会有极大特色。盛中唐，自开元二十六年（738）建置翰林学士起，至敬宗宝历二年（826），共 89 年，有学士 73 人；晚唐，自文宗大和元年（827）起，至哀帝天祐四年(907),共81年,稍少于盛中唐,而学士却有一百五十余人,多一倍。晚唐时期翰林学士,不仅人数多,且政治、文学活动更频繁,由学士直接提升为宰相的固然不少,而学士因朝政纷争而被贬甚至被杀者也常见。翰林学士之敢于直言,有政见,颇值得研究。如僖宗朝一位翰林学士卢携,在职期间就明确提出:"国家之有百姓,如草木之有根柢。"(《乞蠲租赈给疏》,《全唐文》卷七九二)这就是颇可注意的"以民为本",当时有此见识,洵属难得。正因此,他就向皇帝上疏,由于广泛发生旱灾,向民间就须停止征税,还应加以救济赈给。又如另一位懿宗朝翰林学士刘允章,他于咸通八年(867)十一月以礼部侍郎出院后,即于第二年(咸通九年)初知贡举,这也是唐翰林学士与科举考试关系密切之一例。他知举时,当时有交结宦官的"芳林十哲"应试,刘允章皆予排斥,"及掌贡举,尤恶朋党"(《唐语林》卷三)。可能因此即被遣出为鄂州刺史。值得一提的是,他后期任河南尹时,向朝廷进《直谏书》,开篇自称"救国贱臣前翰林院学士"。文中着重提出,当时国之弊政,有"九破",如贿赂公行、权豪奢僭、赋役不等、长吏残暴等,又谓民间有"八苦",如官吏苛刻、赋税繁多、冤不得理、病不得医等。如此家破人亡情势,文中特为提出:"今国家狼戾如此,天下知之,陛下独不知之。"这时距其任翰林学士已二十余年,但他仍称"前翰林院学士",可见他如此直抒己见,抨击弊政,即认为仍执行翰林学士之职责。晚唐翰林学士如此参预政治,直斥朝政,颇值得重视,但却为过去研究唐翰林学士之唐史学界所未曾注意的。

另可注意的是,晚唐翰林学士在职期间,除撰写制诏等官方文书外,还编撰与时政有关而又具有文献史料价值的著作。现举宣宗时两位学士为例。一为刘瑑,于大中前期在院时,曾编撰《刑法统类》一书,选辑唐太宗贞观二年(628)至宣宗大中五年(851)的刑法条令,二千八百六十五条,分为六百四十六门,并“议其轻重”。刘瑑确是“精于法律”(《旧唐书》本传),能编有这套长达二百二十余年的刑事法条令,应是有唐一代规模最大的法令资料汇编。另一为韦澳,宣宗中期在职时,应皇帝之命,广采各地州郡境土风物及民间习俗资料,编为一书,名为《诸道山河地名要略》,一名《处分语》,备宣宗议政时参考。据《东观奏记》、《通鉴》等所记,新授邓州刺史的薛弘宗,于宣宗召见、应对后,会晤韦澳,深叹皇上对当地情势了解之真切,韦澳询之,实为其所编《处分语》中记叙者。上述二书,确与政事有关,但有相对独立的文献价值,当时的翰林学士能着意于此,也可见其非同寻常的学术意识。惜此二书后未留存,否则对研究唐代社会极有意义。

晚唐时期翰林学士另一特色,是与文士的广泛文字交往。晚唐时,由于社会动乱,科试风气颓坏,广大文士,特别是清寒知识分子,境遇极差,这是盛中唐时所未有的。也正因此,文士就着意与翰林学士的交往,期望学士以其特殊政治地位与社会声望为其举荐。如丁居晦于文宗大和时为翰林学士,当时以诗闻名的刘得仁,因“出入举场三十年,竟无所成”(《唐摭言》卷一〇),就献《上翰林丁学士》诗(《全唐诗》卷五四五),特为标出:“时辈何偏羡,儒流此最荣。”将翰林学士称誉为儒林学界中“最荣”,是晚唐文士群体对翰林学士最具概括性的称誉。也正因此,翰林学士在院期间,文士多有诗文进献。如“咸通十哲”之一张蠙,于懿宗咸通时向翰林学士张祎献诗:《投翰林张侍郎》(《全唐诗》卷七〇二),后又于僖宗乾符时向另一位翰林学士萧遘献诗:《投翰林萧侍郎》(同上),就是因为十年间未曾得第("十五年看帝里春,一枝头白未酬身")。晚唐时期以诗著称者,如薛逢、赵嘏、李频、李山甫、顾云、郑谷等,均有诗求荐。即如晚唐前期两位名家李商隐、杜牧,也是如此。如前所提及的刘得仁进诗称誉"儒流此最荣"的丁居晦,李商隐就连续有两次为泾原节度使王茂元上书(《为濮阳公贺丁学士启》、《为濮阳公与丁学士状》);李商隐又有《为濮阳公与周学士状》,即又代王茂元向学士周墀上书,皆既致祝贺,又望其荐引。李商隐另有以自己身份向武宗时翰林学士孙毅两次上书(《上孙学士状》、《贺翰林孙舍人启》),时未授职,望其荐引。杜牧则于宣宗大中四年(850)向翰林学士郑处诲、毕諴等献诗,求举荐其出任外州刺史,以改善经济境遇。李商隐、杜牧不仅是当时文坛大家,且有独特性格,但仍对翰林学士深表企求之请,这也是当时士人的心理状态。

就上所述,我们现在研究唐翰林学士,就不能仅局限于考索入院、出院年月及在院期间之官阶迁转,而应较全面地探讨学士的生平行迹、参政方式、生活心态、社会交流,等等。应该说,两《唐书》是这方面研究的基本史料,但晚唐时期,两《唐书》,尤其是《旧唐书》,在记事方面有不少错失。清代学者钱大昕认为,《旧唐书》于晚唐史事,所记虽"卷帙滋繁,而事迹之矛盾益甚"(《廿二史考异》卷五七)。我们要全面研究有唐一代翰林学士,如不证正两《唐书》记事之误,就会出现不少差错,并导致理论探讨不确或失误。

也正因此,这次我集中为晚唐翰林学士一一立传,就仔细考察两《唐书》所记,不仅着眼于在院任职期间,而是尽可能探索其一生事迹,特别是入院前仕历。但也正因此,发现两《唐书》讹误之繁复,是盛中唐撰传时所未曾有的。

如本书开首文宗朝前十位学士,新旧《唐书》皆有传,但两《唐书》于此十位学士,均有误记。又就本书所考,文宗朝共有36位学士,两《唐书》有传的为26人,而所记有误者则有23人,这确应引起注意。文宗朝如此,其他如宣宗、懿宗、僖宗、昭宗朝,误处有时更多。如懿宗朝杨收,两《唐书》纪、传所记,有七、八处讹误。又如赵骘,无专传,《新唐书》卷一八二《赵隐传》(赵隐为其兄),记其事仅一句:"终宣歙观察使。"仅此一句,即有误,《新唐书·宰相世系表》及《旧唐书·赵隐传》皆记其终于华州刺史、镇国军节度使。

除两《唐书》外,我在撰传时还注意纠正其他史书之误。如本书晚唐卷第一位学士,文宗朝王源中,清徐松《登科记考》卷一七记其于宪宗元和二年(807)登进士第,标其所据,云"见《旧书·文苑·卢景亮传》"。实则《旧唐书·文苑传》未有卢景亮传,《旧唐书》全书也未有为卢景亮立传者,徐《考》实为显误。而孟二冬《登科记考补正》也未意及,仅云"亦见《新唐书·卢景亮传》",实则《新唐书·卢景亮传》仅云王源中"第进士",未记有登进士年。类似者如文宗朝高元裕,徐《考》亦有误,孟二冬也未补正。另如《全唐文》,也有好几处误。如李让夷,于文宗大和二年入院,《全唐文》卷六九三载有李虞仲《授学士李让夷职方员外郎充职制》,

李虞仲与李让夷同时;而《全唐文》卷三六六又载贾至所撰制文,文题同,贾至则为玄宗、肃宗时人,时代不合,《全唐文》误载。又如《全唐文》卷七六七载宣宗朝学士沈询文六篇,而卷七六三以沈珣名载文十六篇,其小传所记实为沈询事,文亦实为沈询所作。《全唐文》乃误袭《文苑英华》,当前《文苑英华》研究,也未注意及此。

以上纠误、补辑,仅举数例。清章学诚《文史通义》卷五曾谓:"浙东之学,言性命者必究于史。"作为浙东人,我确愿承袭浙东之学,着意于文史结合,如上册"前言"所说,希望为唐史研究补一"翰学"传,算是新世纪所补作的一种唐代史书。

原载《中国图书评论》2007 年第 5 期,据以录入

走出唐诗的"唐诗之路"

浙东文化,源远流长。今嵊州小黄山遗址、余姚河姆渡文化遗址说明,早在公元前七千年到一万年,浙东的先人们已能建造土木结构的房屋,种植水稻,豢养猪狗。自晋代前,这里渐成为人文荟萃之地,中国山水诗在这里滋生;以沃洲为核心区域的佛教"般若学"的兴起,标志着外来佛教与中国本土文化的结合;佛教"天台宗"的产生,标志着佛教在中国流行鼎盛时期的到来;生活在越剡的王羲之,被后人推崇为"书圣",在中国书法艺术史上影响极为深远;南朝刘宋元嘉年间的以天姥山为创作题材的山水画,标志着中国山水画艺术的发生;包括饮茶、弈棋、音乐、园林、造纸等在内的地域文化,对后人的影响至今不衰。

到了唐代,"千岩万壑"的浙东山水和深厚的文化积淀,成为唐代诗人十分向往的精神乐园,有450多位诗人在这里流连忘返,吟咏不绝,留下了1500多首唐诗,使浙东一带成为唐诗发展中一个特异的地区。对于这一人文现象,"唐诗之路"是一个既鲜明又深邃的高度概括和归纳。

"唐诗之路"是由浙江新昌(古剡县东部地区)当地学者竺岳

兵于上个世纪 90 年代初,在南京师范大学和中华书局联合主办的"中国首届唐宋诗词国际学术研讨会"上正式提出来的,立即受到学术界的重视。在多次学术会议论证基础上,中国唐代文学学会专门在浙江新昌县举行了"唐诗之路学术讨论会",肯定了"唐诗之路"的学术价值、遗产价值和现实意义,中国唐代文学学会正式行文命名了"浙东唐诗之路"。此后,在新昌多次举行了以研讨"浙东唐诗之路"为重点的学术会议,浙东深厚的人文底蕴得到了国内外知名学者的肯定和赞许,也获得了进一步的挖掘开发。学者们已形成一个共识:浙东唐诗之路可与河西丝绸之路并列,同为有唐一代极具人文景观特色、深含历史开创意义的区域文化。经我介绍,著名书法艺术家、国学大师启功先生还特地作了一首七绝:

> 浙东自昔称诗国,间气尤钟古沃洲。
> 一路山川谐雅韵,千岩万壑胜丝绸。

启功先生的诗,是对浙东唐诗之路中肯的嘉许。

"浙东唐诗之路"在社会各界迅速得到了公认,这的确是少见现象,其原因主要在于"唐诗之路"在中国文学史、文化史上的地位,在于它的学术价值、遗产价值和现实意义。

首先,它拓展了我们唐代文学研究的领域,并可把唐诗与六朝遗风、山水胜景、社会民俗、佛道玄理、园林建筑、书画音乐等与文学有关的其他亲缘学科进行交叉、交融和综合探索。

其次,"唐诗之路"构建出人文景观、自然景观与唐诗整体性的渊源关系,因而为传统文化研究提供了范例。传统文化研究成果如果利用得当,可以促进当代经济建设和文化发展。这不但为古代文学研究,也为当代经济研究提供了新的课题。古代文学研究应当把传统与现实结合起来,中国唐代文学学会对"浙东唐诗之路"的研究,就极有现实性,开发利用价值极高。当代经济研究,应重视古代文学研究,尤其是身在"唐诗之路"上的经济界人士,可从文化土壤中汲取营养,凭藉地理优势,拓宽思路,发展经济。

第三,"唐诗之路"已经为当代社会发展起到很大作用。《光明日报》有题为《一项文学研究带动一方产业》,对此作了专题调查报道,其他诸多媒体也都撰文指出:"唐诗之路"对于提高当地知名度、优化区域环境、增加全民文化素质、促进地区经济和文化的发展做出了贡献。

"浙东唐诗之路"作为一条文化线路所具有的遗产价值在于:它是名副其实的中华民族遗产,它构建出了"唐诗之路"上的人文景观和自然景观,为保护好和利用好这份民族遗产提供了有利条件。

现在浙江经济有很大的发展,同时,把浙江建设成文化大省已成为上下普遍的要求。这一极为有利的客观环境,更可促进传统文化与现代建设很好的结合。正如专家们所强调的,这是一条文化品位很高的人文旅游和风光旅游路线。李白诗云:"天姥连天向天横,势拔五岳掩赤城。天台四万八千丈,对此欲倒东南倾。"我谨借李白此诗的气势,希望"唐诗之路"尽快从学术研究层面转化为现实的人文旅游产品,既能充实旅游产业的文化内涵,有助于经济建设和精神文化建设,也可使国内外游客和广大群众更真切地领受和欣赏唐诗的魅力,使唐诗更接近现实。

原载《中华遗产》2007 年第 9 期,据以录入

吴伟斌《元稹考论》《元稹评传》序

    吴伟斌同志于 20 世纪 70 年代末，即自 1978 年起，就读于南京师范学院中文系研究生期间，在前辈学者唐圭璋先生和孙望先生指导下，即从事于元稹政治仕迹与文学创作的研究，一方面撰写专题论文，一方面作评传、年谱及诗文编年笺注。积二十八年的辛勤操作，对已刊发的五十一篇论文进行修订补充，重组为三十三篇，同时又将其论证所得凝聚于评传，组合为两部著作，一为《元稹考论》，一为《元稹评传》，由河南人民出版社出版。应当说，这两部书是我们现在唐代文学研究的重要成果，是值得关注的学术新著。

    之所以说"值得关注"，是因为吴伟斌同志的研究颇有特色，这两部著作之考证、评论，及其所得结论，对唐代文学研究，古典文学研究，能起学风思考的作用。

    元稹确是唐代著名文学家，特别是中唐时期，《旧唐书·元稹白居易传》就认为"元和主盟，微之、乐天"，他应该与白居易、韩愈、柳宗元同为元和诗坛的盟主。而于元和前，德宗贞元后期所作的《莺莺传》，对唐人传奇及后世戏曲，起极大的启示作用。之后于穆宗长庆年间任翰林承旨学士时,元稹于制诰文体的创作实践与理论阐释上都极注意改革、创新,在唐宋时均甚有影响,北宋诗文名家王禹偁即特举元稹所撰牛元翼制文,称其为“长庆中名贤所行诏诰,有胜于《尚书》者”(见北宋前期《丁晋公谈录》)。除文学创作外,元稹还应该是中晚唐之际积极参与政事改革的实践家。但从晚唐五代开始,直至20世纪,有关记述元稹的史传、笔记、年谱、专著、论文,多将其评为“勾结宦官”、“巴结藩镇”、“反对革新”、“抛弃莺莺”、“玩弄薛涛”等等,不止人品卑劣,且贬其诗歌淫艳、晦涩,几乎已成为共同结论。在唐代作家中,其生平事迹记载之差谬,文学创作评价之错讹,未有如元稹者。这种不正常现象却未受到重视。对这千余年来似已成为公论的曲解,要加以辨证,是要有勇气的。20世纪80年代前期我作李德裕研究时,面对李德裕记载的纷纭复杂的情况,曾于所著《李德裕年谱》的序言中,引法国作家雨果一句话:“艺术就是一种勇气。”于是说:“这句话也可用之于学术,真正的学术研究,同艺术创作一样,是需要有探索和创新的勇气的。”(《李德裕年谱》,齐鲁书社,1984年)因此我认为,吴伟斌同志是20世纪80年代以来,为首次否定元稹“勾结宦官”说,首次否定“张生自寓”说,确表现他年轻时就极为难得的学术探索和创新的勇气。

清代著名学者章学诚,在其论学著作《文史通义》中曾谓:“高明者多独断之学,沉潜者尚考索之功,天下之学术不能不具此二途。”所谓“独断之学”,即有独创之见。章学诚明确提出,既要有不依附他人的独断之学,又要有专心沉潜的考索之功,这是做学问必须具备的两条途径。吴伟斌同志过去所发表的论文,有些我是读过的，这次为应邀作序，就通阅全书，确对章学诚所言更感亲切。前所提及的吴伟斌同志之学术勇气，当然因有其治学见识，同时也是由于他长期从事专心考索之功。

他所作的考论，一方面注意发掘第一手的原始资料，不沿用旧说成见，一方面又着力于时间、地点等的细致考察。如元稹由虢州长史入朝任为祠部郎中、知制诰，史传即记为受宦官崔潭峻的推荐，时间在长庆初；白居易所作的《元稹墓志》也误记为穆宗长庆时。吴伟斌同志则细加考索，根据元稹自作《同州刺史谢上表》、《进诗状》，及有关记载，考订元和十四年下半年宪宗在位时，元稹即已入朝任职，后文臣令狐楚向穆宗举荐，皆与宦官无关。至于所谓元稹作《莺莺传》，以张生自寓，吴伟斌同志一方面论证元稹作此传奇的年月（贞元十八年九月），一方面就地理学角度辨正西河县非河西县，即元稹早年行迹皆与传奇中之张生未合。确如王枝忠同志《评吴伟斌的〈莺莺传〉研究》（《固原师专学报》1994 年第 2 期）所云："缜密论证，以理服人。"其他如辨正元稹所谓"河朔罢兵"、"玩弄薛涛"，等等，都有细致考析；书中有关篇章，及吴在庆、王枝忠、姜光斗等评议，都有细叙，这里就不复述。

我觉得这里还应一提的是，吴伟斌同志第一篇论文《元微之诗中"李十一"非"李六"之舛误辨》，刊于《南京师院学报》1981 年第 1 期；之后继有所作，1986 年则刊有八篇，即已分别论述元稹与宦官、与永贞革新，及《莺莺传》写作时间、元稹与薛涛，以及有关诗文评价，等等。就这样延续下去，直至 2007 年。二十八年来，专心一致，始终执著于单个作家的研究，对其作全面、重点的探索。这在当前学界是极少见的。一心治学，不慕名利，这种治学风格在当前是很值得思考的。

还需一提，这两部著作，特别是《元稹考论》，主要是就过去对元稹记述、评议之讹误加以考辨、论证，特别是现代著作，更予以辨正，其中卞孝萱先生的《元稹年谱》为重点对象。除了前面提及的元稹依附宦官、巴结藩镇、以张生自寓等以外，还就卞著《元稹年谱》诗文编年有问题的，逐一加以辨析，谓有四百九十三篇，占元稹存世诗文的百分之四十五，这样就写有十八篇论文。应当说，吴伟斌同志对卞著《元稹年谱》是重视的，称读后"深受启发，得益匪浅"（《元稹裴淑结婚时间地点考略》）。学术者，天下之公器。吴伟斌同志做学问，确是治学不治人的。他在提及尹占华、程国赋两位学者所撰对其所刊论文表示不同意见，并加以评议、商榷时，也特为表态："这种批评正是笔者所期待的，因为任何正确的结论只能产生在反复的认真的讨论之后。"我以为这也是治学的正当风气。

前曾引有章学诚的治学之言，章学诚还另有所言："古人差谬，我辈既已明知，岂容为讳！但期于明道，非争胜气也。"（《与孙渊如观察论学十规》）这就是说，对已存在的差谬，既已明知，就不必忌讳，应加辨正，而这在于"明道"，非个人争气。又宋人叶梦得也有云："古之君子不难于攻人之失，而难于正己之是非。"我想，吴伟斌同志对当前论著所提出的商榷、辩论，是能理性接受的。

吴伟斌同志已刊之文，确已受到学者的注意与接受。我的挚友、厦门大学中文系吴在庆教授在为《唐代文学研究年鉴（1992）》所撰《近十年元稹研究述评》中，就充分肯定吴伟斌同志的成果，认为"尤为着力"。吴在庆教授重点研究中晚唐文学，曾与我合作编撰《唐才子传校笺》、《唐五代文学编年史》，治学严谨，时有新见。另王枝忠、姜光斗两位也撰文，认为吴伟斌同志"以详实的资料、严密的论证为元稹翻了案，对元稹作出了实事求是的全新评价"。我本人在研究翰林学士时，就元稹入朝任知制诰，及入、出翰林学士院年月，均吸取吴伟斌同志的成果（见拙著《唐翰林学士传论》元稹传，辽海出版社，2005年12月）。还值得一提的是，由袁行霈先生任总主编、罗宗强先生任分卷主编的《中国文学史·隋唐五代卷》（高等教育出版社，1999年8月），在记叙元稹时，就不提所谓元稹依附宦官事，并在注中引及吴伟斌、尚永亮等文，认为元稹升职与宦官无涉，"在对待朝政弊端和社会恶习等的大问题上，元稹是严正的，不徇私情的"（页357）。在论述《莺莺传》时，虽云传奇作于贞元二十年，与吴说不同，但仍认为非元稹自传，应把它作为真正的文学创作来理解。可见当代文学史著作也已关注吴伟斌同志的成果。

当然，有些具体问题还可以商榷，如《元稹考论》第一编《宦官的跋扈与元稹的冤屈》中《元稹与魏弘简的关系》一节，谓"令狐楚与皇甫镈、萧俛同年进士第，元和九年皇甫镈推荐萧俛、令狐楚担任翰林学士"；此又见《元稹考论》第一编《元稹"劝穆宗罢兵"考辨》所述。按皇甫镈与萧俛、令狐楚确同年（贞元七年）登进士第，而皇甫镈于元和九年荐萧俛、令狐楚入任翰林学士，见《旧唐书·令狐楚传》。实则令狐楚确于元和九年入为翰林学士，而萧俛则早于元和六年四月已入（见唐丁居晦《重修承旨学士壁记》，并参见拙著《唐翰林学士传论》宪宗朝萧俛传），为《旧唐书·令狐楚传》误载，当为《元稹考论》未曾意及。吴伟斌同志在《三论张生非元稹自寓——兼答尹占华程国赋的商榷》中诚恳表示学界所提出的不同意见,"正是笔者所期待的"。这也正是我们学术研究所应有的正常轨范。

是为序,并就教于著者与学界同仁。

2007 年秋,于北京六里桥寓舍

原载河南人民出版社 2008 年版《元稹考论》《元稹评传》,此据大象出版社 2008 年版《学林清话》录入

古籍整理领域的一大收获

　　北宋王钦若等编撰的类书《册府元龟》一千卷,为宋代"四大书"之一,也是流传至今篇幅最大的图书之一。不过这一巨著过去不太受人重视,大家认为该书所引文献出自经子正史,不像《太平御览》那样保存了很多失传的文献。然自晚清以来,这种错误看法逐渐得到了纠正,因为该书编纂态度严谨,取材慎重,历代正史都采自距古最近的善本,唐五代部分则大多采用国史实录编成。由于这些国史实录几乎已全部亡佚,因此《册府元龟》对唐五代历史文化的研究就有其特别的史料价值,据以校正前代正史也可提供很多接近原貌的文字。清代刘文淇与近人陈垣等据此取得了很多重要学术成就,《册府元龟》也就越来越受到大家的重视。只是此书还缺少一种经过整理的本子。南京大学古典文献研究所周勋初教授等人有鉴于此,组织了一批有实力的中年学者,前后花了十三年的功夫,对此书进行了全面的整理。他们以宋本对校,以明抄本与四库本参校,而且常是追溯史源,利用传世的经史典籍,推行严密的他校。其成果,一是较为准确地加以标點点;二是订正了明本讹脱万余处,撰成校勘记数万条;三是编制了详细的人名索引。因此可以说,这是一种学术含量很高的整理本,是近年来古籍整理领域的一大收获。《册府元龟》校订本的问世,对拓展与深化古代文化尤其是唐五代历史领域的研究,将发挥重要作用。

原载《古典文献研究》2008 年第 1 期,据以录入

《续诗苑英华》考论

一

释慧净《续诗苑英华》是唐人编选诗歌总集最早的选本之一。

除是集以外,检阅两《唐志》、《通志》、《崇文总目》、《玉海》等典籍,贞观年间编撰的选诗总集计有三部:一是杨恭仁、赵方等纂集的《宴乐》。杨恭仁,两《唐书》有传,贞观十三年(639)卒。《旧唐书》卷三〇《音乐志》一〇《音乐》三曰:"……时太常旧相传有宫、商、角、徵、羽《宴乐》五调歌词各一卷,或云贞观中侍中杨恭仁、妾赵方等所铨集,词多郑卫,皆近代词人杂诗……"《唐会要》卷三二《雅乐》上、《册府元龟》卷五六九《掌礼部·作乐》九、宋章如愚《群书考索》卷四九《乐门·乐名》类、《玉海》卷一〇六《音乐》之《唐开元乐章》等所载略同,故这是一部专选乐府杂诗的选本。二是刘孝孙《古今类序诗苑》。刘孝孙之生活时代和慧净相近,且二人交情甚深。虽然《续诗苑英华》之《序》为刘孝孙所撰,但刘《序》所提倡的诗学观、选学观以及文学史学观是否也同样体现在《古今类序诗苑》的选诗实践中,据目前的文献资料难以确考。由于该集佚失,诸文献保存是集资料甚少,故其选编内容、卷数等皆难以考定。然是集亦是一部重要的选诗总集,有关刘孝孙及其所撰总集的其他问题,笔者拟另行撰文考述。三是杨师道等撰《安德山池宴集诗》。《唐音癸签》卷二七《谈丛》三载:"唐朝士文会之盛,有杨师道《安德山池宴集》,注曰:'预宴赋诗者有岑文本、刘洎、褚遂良、许敬宗、上官仪及师道兄续。'"考《旧唐书》卷七四、《新唐书》卷九九《刘洎传》,刘洎卒于贞观十九年。故是集当于此年之前纂成,其为唱和诗总集。

《续诗苑英华》稍后,唐高宗朝编撰的选诗总集有郎余令《乐府杂诗》、郭瑜《古今诗类聚》、释玄鉴《续古今诗集》等。《乐府杂诗》,见卢照邻《卢升之集》卷六《乐府杂诗序》,是集约于上元二年(675)前纂成,其选编特点略同杨恭仁等的《宴乐》,属专选乐府杂诗的总集。《古今诗类聚》,《旧唐书》卷四七《经籍志》下集录总集类、《新唐书》卷六〇《艺文志》四丁部总集类、《玉海》卷五四"唐七十五家总集"条、卷五九"梁古今诗苑英华"条皆著录,是集或当纂于龙朔年间。该集的特点,由集名推测,应是以类集诗的通代选诗总集。《续古今诗集》,《宋志》著录,大约编于唐高宗朝,除《续高僧传》卷一七可考其集纂者生平以外,诸典籍所载甚少。

除上文论及的选诗总集,初唐编纂的选诗总集还有大约编成于永徽年间无名氏之《翰林学士集》①、编成于高宗调露二年

<hr>

① 《翰林学士集》最初纂成大约在唐高宗永徽年间,参见卢燕新《〈翰林学士集〉题名职官考辨》,《中国典籍与文化》2007 年第 3 期。

（680）前后的高正臣之《高氏三宴诗集》、稍后崔融之《珠英学士集》以及天授二年（691）无名氏之《存抚集》、睿宗朝徐彦伯之《白云记》等，这五部总集选编内容限于唱和、送别诗。另有《李氏花萼集》与《韦氏兄弟集》、褚亮《古今文章巧言语》与元兢《古今诗人秀句》等，前二者为家集，后两种为诗句选集。在初唐所编撰的诸总集中，值得注意的还有孟利贞《续文选》。孟氏《续文选》当编成于唐高宗至唐中宗朝，宋章如愚《群书考索续集》卷一六《总集文章》曰："如《文选》所选……孔利贞、卜长福之所续，卜隐之所拟……何其慕者之纷纷也。"（"孔利贞"为"孟利贞"之误）可见，从选编动因分析，孟利贞和释慧净选诗有相通之处。但该集为诗文合选集，且从编纂时间上分析，是集晚于《续诗苑英华》数十年。又有武平一的《景龙文馆记》，其编纂之具体时间不可考①。该集除选编诸学士之唱和诗，又另为学士二十九人传三卷，故是集有别于《续诗苑英华》等选诗总集。

初唐编纂的总集还有温彦博《古今诏集》，释道宣《广弘明集》，许敬宗等《文馆词林》、《丽正文苑》、《芳林要览》，李义府《古今诏集》，王方庆《王氏神道碑》，刘允济《金门待诏集》，李麟《制集》，许南容《五子策林》，康显《词苑丽则》等，检阅今存之《广弘明集》，其为诗文合集（详考待后）。又，据《玉海》卷五四"唐七十五家总集"条载："……许敬宗《文馆词林》、《丽正文苑》、《芳林要览》之类皆集文也，昭明《古今诗苑英华》……皆集诗也。"许敬宗

---

①贾晋华认为，武平一编集《景龙文馆记》在 710 年至 741 年间，见其所著《唐代集会总集与诗人群研究》，北京大学出版社 2001 年版，第 45 页。

《文馆词林》为诗文合集①，余者，温彦博《古今诏集》、《丽正文苑》、《芳林要览》、《词苑丽则》等皆属唐人编选唐文的总集②。因此，初唐编撰诸多总集中，虽然《续诗苑英华》亦佚失，但其却有独特的地位。

更为重要的是，除《续高僧传》保留有《续诗苑英华》编撰人慧净的生平事迹外，慧净同时代人刘孝孙为该集所作之序尚存，这篇序文介绍了该集编撰的动因、选编标准及特点等，对后世学者研究唐人编选诗歌总集之诗学观、选学观以及初唐诗歌风貌等都有着重要的意义。序中所记慧净对魏晋六朝诗风之认识等，其价值足以与杨炯《王勃集序》、陈子昂《与东方左史虬修竹篇序》相比。故该集引起当代学者的重视③。然而，诸历史文献中有关该集的记载缪异甚多，因此，全面研究《续诗苑英华》集名、卷数、编撰人、编撰特点、其所反映的慧净对魏晋诗风的认识以及该集在唐人编选唐代诗歌总集发展史中的地位、其编撰人之特殊身份及影响等问题，当甚有学术意义。

---

① 见罗国威《〈文馆词林〉校证·前言》，中华书局 2001 年版，第 1 页。
② 康显《词苑丽则》乃唐人所纂选文总集，参见卢燕新《〈新唐书·艺文志〉重出唐人选编唐代诗文总集考》，载《古籍整理出版情况简报》，全国古籍整理出版规划领导小组办公室编，2007 年第 8 期。
③ 参见傅璇琮《唐诗论学丛稿》，京华出版社 1999 年版，第 208—213 页；吴企明《唐音质疑录》，上海古籍出版社 1986 年版，第 127 页，陈尚君《唐代文学丛考》，中国社会科学出版社 1997 年版，第 186 页。

二

关于《续诗苑英华》之集名,诸文献记载不尽相同。归纳起来,主要有以下几种:第一,《诗英华》,主要见于刘孝孙《沙门慧净诗英华序》(以下简称《序》)。第二,《续英华诗》,主要见于《大唐新语》卷九、《南部新书》乙卷等(《大唐新语》著录为《续英华诗苑》)。第三,《续诗苑英华》,主要见于《法苑珠林》卷一一九等。第四,《续古今诗苑英华》,主要见于两《唐志》等。著录《续诗苑英华》编撰之最早文献为刘孝孙《序》:"自刘廷尉所撰《诗苑》之后,纂而续焉……五众欣其慧识,凡预能流,家藏一本。"考《梁书》卷三三《刘孝绰传》、《通志》卷六九《艺文略》七梁朝别集类,知刘廷尉乃刘孝绰,故慧净纂集旨在续《诗苑英华》(是集详考待后)。虽然刘孝孙在序题中言"诗英华"三字,但不能由此确定该集应有的名称。他之所以这样称呼,就像他称《诗苑英华》为《诗苑》一样,或当有昵称或简称以示敬爱之意。

《诗苑英华》,傅刚《〈昭明文选〉研究》曰:"我们知道刘孝绰也参加了编纂,由于他的工作,时人往往将此书归属于他……"①考萧统《昭明太子集》卷四收有《答湘东王求文集及〈诗苑英华〉书》(下简称为《答湘东王书》),依该文知《诗苑英华》编撰者还有昭明太子。故该集应为萧统、刘孝绰等人共纂。这部选诗总集之

---

① 傅刚《〈昭明文选〉研究》,中国社会科学出版社 2000 年版,第 168 页。

名称,诸文献典籍记载亦有颇多差异。《隋书》卷三五《经籍志》四集部总集类、《旧唐书》卷四七《经籍志》下丁部集录、《新唐书》卷六〇《艺文志》四丁部总集类、《通志》卷七〇《艺文略》八诗总集类、《玉海》卷五四"梁昭明太子文选"条等皆著录为《古今诗苑英华》。然而,萧统《答湘东王书》明确记作《诗苑英华》,明梅鼎祚《梁文纪》卷五、明贺复征《文章辨体汇选》卷二五四所著录者亦同。明王志坚《四六法海》卷七录该文题目为《答湘东王求文集〈诗苑〉书》,但正文所载之集名亦为《诗苑英华》。《玉海》卷五四"唐七十五家总集"条亦曰:"……始于挚虞《文章流别集》、杜预《善文》,次以谢沈《名文集》、孔逭《文苑》、梁昭明《文选》、《诗苑英华》,终于刘孝孙《古今类聚诗苑》。"可见,萧统、刘孝绰等所编选诗总集名称应为《诗苑英华》,"古今"二字盖后人添加,究其因或是源于该集特点之一为通代总集。

《续古今诗苑英华》,见于《旧唐书》卷四七《经籍志》下丁部集录、《新唐书》卷六〇《艺文志》四丁部总集类、《通志》卷七〇《艺文略》八诗总集类、《宋史》卷二〇九《艺文志》八总集类、《郡斋读书志》卷二〇总集类、《玉海》卷五四"唐续古今诗苑英华"条、《唐音癸签》卷三一《集录》二等,故唐初有释慧净编集、其旨在续梁昭明太子等人编撰的诗歌总集,这一点是无疑义的,问题的关键在于集名中的"古今"二字。据上文所论,昭明太子等人所编者为《诗苑英华》,则续集之名加一"续"字即可。

又,考《大唐新语》卷九"著述"条曰:"贞观中,纪国寺僧慧静撰《续英华诗》十卷,行于代……"唐释道世《法苑珠林》卷一一九著录《析疑论》一卷,《续诗苑英华》十卷,《注金刚般若经》一卷,

《诸经讲序》一卷,注曰:"右此四部十三卷,皇朝西京纪国寺沙门释慧净撰。"亦知慧净撰集旨在续编昭明选集。这些文献皆早于两《唐志》等,集名中亦未见"古今"二字。故知慧净续编诗歌总集的集名当为《续诗苑英华》。

《续诗苑英华》的卷数,两《唐志》《通志》《玉海》卷五九等文献皆著录为二十卷,然刘孝孙《序》、释道宣《续高僧传》皆录为十卷,此二人当目睹是集。又,唐释道世《法苑珠林》卷一一九、宋晁公武《郡斋读书志》卷二〇总集类、《宋史·艺文志》、宋钱易《南部新书》乙卷、宋王应麟《玉海》卷五四、明胡震亨《唐音癸签》卷三等皆著录为十卷。《大唐新语》卷九载:"慧静,俗姓房,有藻识,今复有诗篇十卷,与《英华》相似,起自梁代,迄于今朝,以类相从,多于慧静所集,而不题撰集人名氏。"依此推知,与慧净编诗选总集同时,当有另一本略同于《续诗苑英华》的诗选总集传于世,陈尚君认为此集和慧净所编之总集合二为一,则正合两《唐志》二十卷之数,吴企明《唐音质疑录》之《"唐人选唐诗"传流、散佚考》亦认为:"新旧《唐书》著录的惠净《续古今诗苑英华》二十卷,已经把无名氏所撰集的《诗篇》十卷,混于其中了。"诸说皆未说明其所依据①。今综合刘孝孙《序》、释道宣《续高僧传》,该集编撰之目的以及《法苑珠林》等接近原典之材料,可以考定慧净《续诗苑英华》为十卷。

----

①陈尚君《唐代文学丛考》,第186页,吴企明《唐音质疑录》,第128页。

三

关于《续诗苑英华》编撰人，诸典籍记载亦颇多差异，主要有以下几种：(一)惠静撰，主要见于《旧唐志》等。(二)惠净撰，主要见于《新唐志》四、《通志》卷七〇诗总集类、《郡斋读书志》卷二〇总集类、《宋志》八等。(三)慧静撰，主要见于《大唐新语》卷九、《南部新书》乙卷等。(四)慧净撰，主要见于《续高僧传》卷三、《广弘明集》卷一八、卷二二，《法苑珠林》卷一一九，《新唐书》卷五九，《全唐文》卷九〇四等。

《旧唐书》卷四七《经籍志》下丁部集录、《新唐书》卷六〇《艺文志》四丁部总集类、《通志》卷七〇《艺文略》八诗总集类、《宋史》卷二〇九《艺文志》八总集类、《郡斋读书志》卷二〇总集类、《玉海》卷五四"唐续古今诗苑英华"条、《唐音癸签》卷三一《集录》二等皆题为惠净，《旧唐志》题惠静撰。然考《新唐书》卷五九《艺文志》三丙部子录释氏类著录《杂心玄文》三十卷，题慧净撰，注曰："姓房，隋国子博士徽远从子。"此和《新唐志》卷六〇"惠净"一名相矛盾。唐以后有关慧净的资料，如明曹学佺《石仓历代诗选》卷一一、明冯惟纳《古诗纪》卷一三八、《全唐诗》卷八〇八慧净小传、明何良俊《何氏语林》卷八等皆记其名作"慧净"。又，《广弘明集》卷二二收唐褚亮《金刚般若经注序》曰："属有慧净法师，博通奥义，辩同炙辀，理究连环……"考《旧唐书》卷七二《褚亮传》："……太宗幸辽东，亮子遂良为黄门侍郎，诏遂良谓亮曰：

'……想公于朕，不惜一儿于膝下尔，故遣陈离意，善居加食。'亮奉表陈谢。及寝疾，诏遣医药救疗，中使候问不绝。卒时年八十八。"《新唐书》卷一〇二本传所载略同。褚遂良随驾征辽，除史书记载，《翰林学士集》存其唱和诗两首（五言《辽东侍宴山夜临秋同赋临韵应诏》、五言《春日侍宴望海应诏》）亦可为佐证，故褚亮卒年在贞观十九年前后。又，《广弘明集》卷二二收李俨《金刚般若经集注序》曰："……晋室谢灵运、隋代昙琛、皇朝慧净法师等，并器业韶茂、博雅洽闻……"《全唐文》卷二〇一收李俨文一篇，小传曰："俨，字仲思，陇西人。龙朔中官中台司藩大夫。"如此，则褚亮、李俨和释慧净为同时代人，或生活时代相距不远。又，如前论，慧净和刘孝孙生活时代大致相当，且二人关系很好。故刘孝孙、褚亮、李俨所题慧净之名当不致有误。又，唐释道世《法苑珠林》卷一一九著录慧净《析疑论》一卷等，《广弘明集》卷一八等著录略同，据此均可知，《续诗苑英华》编著人乃慧净。陈尚君先生观点略同，此亦可引为佐证①。

慧净，《续高僧传》卷三有传。《全唐诗》卷八〇八小传曰："慧净，俗姓房氏，真定人，开皇大业中，即擅道誉。贞观初，主纪国寺，房玄龄结为法友。高宗在东宫，复请为普光寺主。"此当源于《续高僧传》。据《续高僧传》："释慧净，俗姓房氏，常山真定人也。家世儒宗，乡邦称美。净即隋朝国子博士徽远之犹子也。生知天挺，雅怀篇什，风格标峻，器宇冲邈。年在弱岁，早习丘坟，便晓文颂，荣冠闾里，十四出家。"考《隋书》卷七五《房晖远传》："房

①陈尚君《唐代文学丛考》，第 186 页。

晖远字崇儒,恒山真定人也。世传儒学。晖远幼有志行,治《三礼》、《春秋三传》、《诗》、《书》、《周易》,兼善图纬,恒以教授为务。远方负笈而从者,动以千计。齐南阳王绰为定州刺史,闻其名,召为博士。周武帝平齐,搜访儒俊,晖远首应辟命,授小学下士。及高祖受禅,迁太常博士。太常卿牛弘每称为五经库。吏部尚书韦世康荐之,为太学博士。寻与沛公郑译修正乐章。丁母忧解任。后数岁,授殄寇将军,复为太常博士。未几,擢为国子博士。……诸儒莫不推其通博,皆自以为不能测也。"《隋书》卷三〇《地理志》中"恒山郡"载,真定,旧置常山郡,开皇初郡废。十六年分置常山县。大业初置恒山郡,省常山入焉。故慧净叔父名"晖远",《续高僧传》等所记"房徽远"之"徽"当为"晖"之误,以此知慧净为僧前曾有过良好的儒家文化的熏陶。

慧净的生卒年,考《续高僧传》曰:"及贞观十九年,更崇翻译,所司简约,又无联类。下召追赴,谢病乃止。今春秋六十有八,声问转高,心疾时动。或停法雨,暂有登临,云屯学馆。义侣则掇其冠冕,文句则定其短长,词采则揭其菁华,音韵则响其谐调。神气高爽,足引懦夫,墙宇崇深,弥开廉士。斯并目叙而即笔,故不尽其纤隐云。"贞观十九年是公元 645 年,故知慧净生于公元 577 年。依"今春秋六十有八,声问转高,心疾时动。或停法雨,暂有登临,云屯学馆"等观之,贞观十九年,慧净尚在人世。虽然《新唐书》卷五九《艺文志》三丙部释氏类等典籍记载《续高僧传》起梁初迄贞观十九年,然其云:"于是,帝朝宰贵赵公、燕公以下名臣和系将百许首,中书舍人李义府,文苑之英秀者也,美之不已,为诗序云,由斯声唱更高。"考两《唐书》,唐太宗贞观至唐高宗永徽年间为燕国公者乃于志宁。于志宁和慧净交往，据《续高僧传》所言"三藏法师对仆射房玄龄、鸿胪唐俭、庶子杜正伦、于志宁，抚净背而叹曰：'此乃东方菩萨也'"可证之。考《旧唐书》卷七八、《新唐书》卷一〇四《于志宁传》，于志宁为燕国公在永徽元年（650）以后。又，《续高僧传》称李义府为中书舍人，考《旧唐书》卷八二《李义府传》曰："高宗嗣位，迁中书舍人。永徽二年，兼修国史，加弘文馆学士……寻擢拜中书侍郎、同中书门下三品……"《新唐书》卷二二三上《李义府传》亦曰："高宗立，迁中书舍人……永徽六年，拜中书侍郎、同中书门下三品……"故李义府任中书舍人在永徽年间（650—655）。据此分析，永徽初，慧净尚健在。又，释道宣卒于乾封二年（667），据《续高僧传》所载，疑慧净或卒于乾封二年以后。

据《续高僧传》，慧净十四岁出家，即隋开皇十年（591），大业初即擅道誉。又，《续高僧传》曰"驰名东夏……开皇之末，来仪帝城"，考《隋书》卷二九《地理志》上"延安郡"条，后魏置东夏州，西魏改为延州，置总管府，开皇中府废。故知慧净为僧，始在延州郡，且很快成名，于公元600年左右到长安。大业初曾到始平（《隋书·地理志》上载，始平：故置扶风郡，开皇三年郡废）。武德初，入纪国寺，后为该寺上座。梁国公房玄龄求为法友，义结俗兄。高宗李治为太子时，以慧净为普光寺主，并知纪国寺上座事。《全唐文》卷九〇四据《续高僧传》辑录慧净《辞谢皇储令知普光寺任启》《重上皇储令知普光寺任谢启》二文，即为此而作，文中"皇储"即李治。慧净著述甚丰，除前文所提及两文外，明曹学佺《石仓历代诗选》卷一一《隋诗》类著录慧净诗三首：《和琳法师初春法集之作》、《和卢赞府游纪国道场》、《于冬日普光寺卧疾值雪简诸旧游》；明冯惟纳《古诗纪》卷一三八著录慧净诗四首，较曹学佺选诗多《英才言聚赋得升天行》。《全唐诗》卷八〇八收慧净诗数目同《古诗纪》，然《英才言聚赋得升天行》诗题中多一"与"字。其所撰述，除《续诗苑英华》、《新唐志》三著录《杂心玄文》三十卷以外，唐释道世《法苑珠林》卷一一九还著录其撰《析疑论》一卷，《注金刚般若经》一卷，《诸经讲序》一卷。《续高僧传》并载有其《〈法华经〉缵述》十卷，又叙其"末又以俱舍所译，词旨宏富，虽有陈迹，未尽研求。乃无师独悟，思择名理。为之文疏三十余卷"、"笔受大庄严论，词旨深妙曲尽梵言。宗本既成，并缵文疏为三十卷"，此两部著作名称未详，待考。

　　《续诗苑英华》编于何年？考《续高僧传》曰："慧净……撰《诗英华》一帙十卷。识者怀铅，探其冠冕。吴王咨议刘孝孙，文才翘拔，为之序。"然，《玉海》卷五四引《中兴馆阁书目》考释《续诗苑英华》曰："唐僧集梁大同至唐永徽，合一百五十四人，诗五百四十八首，以续刘孝孙《古今类聚诗苑》。"如前所论，慧净撰集旨在续《诗苑英华》，非为续《古今类聚诗苑》。又，考《旧唐书》卷七二《褚亮传》后附刘孝孙事迹曰："刘孝孙……贞观六年，迁著作佐郎、吴王友。尝采历代文集，为王撰《古今类序诗苑》四十卷。十五年，迁本府咨议参军。寻迁太子洗马，未拜卒。"《新唐书》卷一〇二《褚亮传》后附刘孝孙事迹所述略同。据《旧唐书》卷一《高祖本纪》、卷三《太宗本纪》，武德八年十一月，改封蜀王元轨为吴王，贞观十年春，徙封吴王元轨为霍王，蜀王恪为吴王，《新唐书》卷一《高祖本纪》、卷二《太宗本纪》所载略同。考《新唐书》卷四九下《百官志》四下"王府官"条载：傅一人，从三品，掌辅正过失。咨议参军事一人，正五品上，掌訏谋议事。友一人，从五品下，掌侍游处，规讽道义。故刘孝孙任职吴王友当在李元轨府，任咨议参军当在李恪府。刘孝孙为吴王咨议在贞观十五年（641），其《序》亦当作成于本年。查刘《序》，知其已亲见慧净所编总集，故《续诗苑英华》选诗不得止于唐永徽间。《玉海》卷五九"梁古今诗苑英华"条亦曰："《隋志》十九卷，梁昭明太子撰。《唐志》二十卷。僧惠净《续集》二十卷。"联系上文所考慧净撰集之目的，亦知《续诗苑英华》非为续《古今类聚诗苑》。又，《郡斋读书志》卷二〇总集类"续古今诗苑英华集"条曰："辑梁武帝大同年中《会三教篇》至唐刘孝孙《成皋望河》之作，凡一百五十四人，歌诗五百四十八篇。孝孙为之序。"晁氏或当目见此书。故是集当编于贞观十五年以前。

四

傅刚《〈昭明文选〉研究》曰："《古今诗苑英华》应该在普通元年（520）以前，很可能是在天监年间编成。"[1]因此，慧净选诗，起梁迄刘孝孙，从时间上应为《诗苑英华》之续。但是，慧净似乎不仅仅只是为这一目的而续纂。《续高僧传》曰："由斯声唱更高，玄儒属目，翰林文士推承冠绝，竞述新制，请摘瑕累。净以人之作者

---

[1] 傅刚《〈昭明文选〉研究》，第 168 页。

差非奇挺,乃搜采近代藻锐者,撰《诗英华》一帙十卷。"由此可见慧净选诗直接动机是为创作者提供学习蓝本。然而,《续高僧传》又曰:"然末代所学,庸浅者多。若不关外,则言无所厝。如能摧伏异道,必以此学为初。每以一分之功游心文史,赞引成务,兼济其神。"由此知慧净对隋末唐初学风的态度,故不难看出慧净选诗当还有深层意图。

前文已论,慧净选诗旨在续《诗苑英华》。而昭明太子、刘孝绰等人《诗苑英华》已佚,其具体编选内容已不可考。据昭明太子《答湘东王书》曰:"文典则累野,丽亦伤浮,能丽而不浮,典而不野,文质彬彬,有君子之致。"可知昭明太子的文学主张。傅刚《〈昭明文选〉研究》曰:"《古今诗苑英华》收录何逊诗两首,应该是一个值得研究的问题。依据颜之推的说法是刘孝绰忌嫌何逊,所以才仅选他两首诗,他的这一做法,受到时人的批评。"[1]昭明太子在《答湘东王书》言及其编纂《诗苑英华》时曰:"又往年因暇,搜采英华,上下数十年间,未易详悉,犹有遗恨。而其书已传,虽未为精核,亦粗足讽览,集乃不工,而并作多丽。"萧统明言其"犹有遗恨",故《诗苑英华》并未很好地实现其"文质彬彬,有君子之致"的文学主张。而慧净撰集以"人之作者差非奇挺"为前提,乃"搜采近代藻锐者",是否延续昭明太子、刘孝绰等人"集乃不工,而并作多丽"等弊端呢?

高仲武《中兴间气集序》:"暨乎梁昭明载述已往,撰集者数家,榷其风流,正声最备,其余著录,或未至正焉,何者?《英华》失

---

① 傅刚《〈昭明文选〉研究》,第 169 页。

于浮游,《玉台》陷于淫靡,《珠英》但纪朝士,《丹阳》止录吴人。"这里,高仲武诟病前人,但他评价"《英华》失于浮游"却很有研究价值。《唐诗纪事》卷七〇"郑谷"条曰:"谷不喜高仲武《间气集》,而喜殷璠《河岳英灵集》,尝有诗曰:'殷璠鉴裁《英灵集》,颇觉同才得旨深。何事后来高仲武,品题《间气》未公心。'"清王士禛《精华录》卷五《戏仿元遗山论诗绝句三十二首》亦曰:"中兴高步属钱郎,拈得维摩一瓣香。不解雌黄高仲武,长城何意贬文房。"可见高氏鉴裁审视能力颇值怀疑。

《续诗苑英华》的编纂概况,刘孝孙序云:

> 尝以法师敷演之暇,商榷翰林。若乃《园柳》、《天榆》之篇,《阿阁》、《绮窗》之咏,魏王《北上》,陈思《南国》,嗣宗之赋《明月》,彭泽之摘《微雨》,逮乎颜、谢摛藻,任、沈道文,足以理会"八音",言谐"四始"。咸递相祖述,郁为龟镜,岂独光于曩代而无继轨者乎? 近世文人,才华间出。周武帝震彼雄图,削平漳滏;隋高祖韫兹英略,奄定江淮。混一车书,大开学校。温、邢誉高于东夏,徐、庾价重于南荆。王司空孤秀一时,沈恭子标奇绝代。凡此英彦,安可阙如? 自参墟启祚,重光景曜,大宏文德,道冠前王,蔼轴之士风趋,林壑之宾云集。故能抑扬汉彻,孕育曹丕。文雅郁兴,于兹为盛。余虽不敏,窃有志焉,既而舟壑潜移,悼陵谷而迁贸;居诸易晚,恻人世之难常。固请法师,暂回清鉴,采摭词实,耘剪繁芜。盖君子不常矜庄,删诗未为斯玷。自刘廷尉所撰诗苑之后,纂而续焉。

这段序文介绍《续诗苑英华》选诗的动因:盖慧净纂集旨在"删诗"而续《诗苑英华》,其并非简单地仅从时间上衍续。虽然慧净选诗始于梁代,但道宣《续高僧传》言慧净"每以一分之功游心文史",《序》亦曰慧净与刘孝孙"商榷翰林"。依《续高僧传》及刘孝孙序文观之,慧净研讨的对象几乎涉及整个魏晋文坛著名诗人,如曹丕、曹植、阮籍、陶渊明、颜延之、谢灵运、沈约、任昉、温子升、邢邵、徐陵、庾信、王褒、沈炯等。由序对诸诗人的评论,如"魏王《北上》,陈思《南国》,嗣宗之赋《明月》,彭泽之摘《微雨》"、"颜、谢摛藻,任、沈遒文"等分析,知慧净之评论和后代诗论家之观点甚为相近,故知慧净对魏晋六朝的文学有较为清晰的了解。再者,可从刘孝孙序所论诗人的地域构成状况加以探讨。其言"温、邢誉高于东夏,徐、庾价重于南荆"、"王司空孤秀一时"等,温,即温子升,邢,即邢邵,徐,即徐陵,庾,即庾信,此等皆为南方词藻声律诗风之代表诗人;其所言之王司空,考《周书》卷四一《王褒传》:"……孝闵帝践阼,封石泉县子,邑三百户。世宗即位……建德(北周武帝宇文邕年号,572—578)以后,颇参朝议。凡大诏册,皆令褒具草。东宫既建,授太子少保,迁小司空,仍掌纶诰。乘舆行幸,褒常侍从。"《北史》卷八三《王褒传》亦同,故王司空即为由南入北之王褒。因此,慧净对南北诗风之差异亦颇有认识。再者,据前文所引"末代所学,庸浅者多"、"人之作者差非奇挺"等,又知慧净对其当代文风亦颇为不满。

慧净对魏晋六朝文学及南北文风差异等的认识,可以和魏徵《隋书》卷七六《文学传序》比较:

自汉、魏以来,迄乎晋、宋,其体屡变,前哲论之详矣。暨永明、天监之际,太和、天保之间,洛阳、江左,文雅尤盛。于时作者,济阳江淹、吴郡沈约、乐安任昉、济阴温子升、河间邢子才、巨鹿魏伯起等,并学穷书圃,思极人文,缛彩郁于云霞,逸响振于金石。英华秀发,波澜浩荡,笔有余力,词无竭源。方诸张、蔡、曹、王,亦各一时之选也。闻其风者,声驰景慕,然彼此好尚,互有异同。江左宫商发越,贵于清绮,河朔词义贞刚,重乎气质。气质则理胜其词,清绮则文过其意,理深者便于时用,文华者宜于咏歌,此其南北词人得失之大较也。若能掇彼清音,简兹累句,各去所短,合其两长,则文质斌斌,尽善尽美矣。

关于唐初史家的文学观,罗宗强先生《隋唐五代文学思想史》说:"要言之,初唐政治家们既反对文学沿齐、梁文风发展下去,任其流荡忘返,用于消闲纵欲,主张文学有益于政教,而又重视文学自身的特点。他们在对待文学自身的教化作用与文学的艺术特征的关系问题上,持一种比较全面的、比较稳定的有利于以后文学发展的观点。"[1]据前文考论,梁以前诗人如曹丕、曹植、陶渊明等,慧净很可能没有选他们的诗,《序》中的评论应是表明慧净的文学历史观而已;《序》对温、邢、徐、庾、王及梁以后其他诗人的评价,当表明慧净既评诗人又选其诗。值得注意的是:上文两段引文表明,慧净与唐初史家魏徵等的文学观点基本上一致。故慧净

———————
[1] 罗宗强《隋唐五代文学思想史》,中华书局 1999 年版,第 35 页。

纂《续诗苑英华》,当具有远见卓识之鉴裁力。

慧净对唐前文学的认识,由《序》评价"沈恭子"亦可管窥一斑。考《陈书》卷一九《沈炯传》,沈炯,谥恭子。《序》曰"沈恭子标奇绝代",可见对其人评价之高。《南史》卷六九《沈炯……姚察传》末论曰:"沈炯才思之美,足以继踵前良。"《艺文类聚》卷五五录《陈刘师知〈侍中沈府君集序〉》曰:"陈亢有云,'趋庭学诗,又闻君子。'毛苌亦曰,'登高能赋,可为大夫。'言其善观民风,则与图王政。若沈恭子者,斯乃当世贤焉。"可见《序》之评价与史论合。郑振铎《插图本中国文学史》第十七章曰:"沈炯不甚以诗名,然其乱后所作,确实那样的凄楚沉痛:'犹疑屯虏骑,尚畏值胡兵。空村余拱木,废邑有颓城。旧识既已尽,新知皆异名。'(《长安还至方山怆然自伤》)这种情调,和庾信、王褒所作,却只有更悲切……难怪他是那样的悲歌痛哭着。"第二十章曰:"沈炯的《归魂赋》,写梁末丧乱,身为北朝所羁留……痛定思痛,情意至为凄惶。"第二十一章评沈炯"慷慨类越石诸作"[1],可见,沈炯在南朝注重声色词藻的文坛中,确实是独具风格。从这个角度上说,《序》对其评价是甚有眼界。因此,在编纂《续诗苑英华》之实践中,慧净颇具鉴赏力的眼光及其符合时代要求的诗学观,很可能更为有效地促使其选诗具有兼容性,即不仅注重所选诗篇的声律词采,遴选类似徐陵等人之诗,亦注重选录对象的思想内容,如王褒、沈炯等人的诗作。故慧净选诗,当有追求"文质彬彬"、"有君

---

[1]郑振铎《插图本中国文学史》,上海人民出版社 2005 年版,第 233 页、第 248 页、第 264 页。

子之致"、"尽善尽美"之愿,其"续"纂亦当有补《诗苑英华》"遗恨"之旨,高仲武所谓"《英华》失于浮游",则可视之为一家之言。

《续诗苑英华》的编撰体例,由《诗苑英华》亦可管窥一斑。关于《诗苑英华》的编撰体例,傅刚《〈昭明文选〉研究》认为:"……可见,《文选》在内容上先以文体分类,每一类中再以时代顺序相次……萧统的另一部书《古今诗苑英华》大概也是这样的体例。"这里的《古今诗苑英华》即《诗苑英华》。傅刚还说:"……即此书是于篇题下列有作者小传,说明其时代、爵里、才行等。"①又,《大唐新语》卷九录慧净自言"作之非难,鉴之为贵。吾所搜拣,亦诗三百篇之次矣"。又,前文引"今复有诗篇十卷,与《英华》相似,起自梁代,迄于今朝,以类相从"等,由此可以窥见是集的选编范围及排序等特点:其一,该集以续《诗苑英华》为己任,收录诗人诗作起于梁而迄于唐贞观年间,为通代诗选。其二,该集的排序方式是以类相从。其三,该集篇题下应当有作者小传,介绍诗人生平及创作概况,疑是集中间有评鉴之词。

五

据上文,慧净《续诗苑英华》对魏晋六朝诗风、南北文风差异及初唐诗坛的弊端均有着较深刻的认识,其选诗亦兼顾到思想内容及词采艺术两个方面,故其对唐代文学及唐人选编唐代诗歌总

---

①傅刚《〈昭明文选〉研究》,第36页、第168页。

集均有深远的影响。罗宗强先生《隋唐五代文学思想史》在论述唐初史家文学观的影响时说:"但是他们并没有因此就否定文学的特点。他们也和唐太宗一样,当以史为鉴,着眼于国家的兴亡时,他们是反对淫丽文风的。但是在论述文学如何发展时,他们并没有因反对淫丽文风而反对文采,更没有反对文学的特点,甚至连宫体诗的作者,他们也没有采取完全否定的态度……可以认为,唐太宗和他的重臣们的文学主张,为唐文学繁荣的到来奠定了一个好的思想基础,是唐文学繁荣到来之前的第一次思想准备。"①《隋书》等编成于贞观十年,《续诗苑英华》成书于贞观十五年,故无论是编撰人之生活年代还是其《序》中体现出来的文学思想,慧净与魏徵等皆十分接近。因此,慧净诗学观对唐代文学之影响可以与魏徵《隋书·文学传序》、令狐德棻《周书·王褒庾信传论》等并论,这或即是有唐建国以后,有远见卓识之士在面对浮靡的诗风时共同的心声。换言之,有唐一代这种积极进步的文学思想的形成过程中,慧净之功是不可淹没的。

《续诗苑英华》之后,杨炯《王勃集序》载王勃批评龙朔年间的宫廷诗风"骨气都尽,刚健不闻",陈子昂在其《与东方左史虬修竹篇序》中认为"汉魏风骨,晋宋莫传",批评齐梁诗歌"彩丽竞繁,而兴寄都绝",高举复古大旗,严词批判晋宋以来的诗歌弊病。如将四杰、陈子昂的诗学观与慧净比较,虽然三者反对萎靡诗风的程度不同,但他们的出发点及其总体认识却有共同之处。而慧净的诗学观早于四杰约二十年,早于陈子昂约四十余年。虽然四

---

① 罗宗强《隋唐五代文学思想史》,第 33—35 页。

杰等是否受到慧净诗学观的影响,难以确考,但慧净——四杰——陈子昂等这一变化的主线是比较清晰的。故从产生的时间上分析,慧净之诗学观是不能忽略的。

慧净提出其观点的方式也是应当注意的问题。相比魏徵、王勃、陈子昂等,慧净不仅在序言中表明自己的见解,更重要的则是,慧净将其诗学观付诸选诗实践,即通过选本批评来实现自己的主张,而这一实践活动又是在"翰林文士……竞述新制,请摘瑕累"的前提之下。这样,从传播的角度讲,《续诗苑英华》应当拥有更多的受众。因此,其对初唐诗风的影响无疑是很大的,此其一。其次,《续诗苑英华》传世以后,唐世有诸多续集产生。释道宣为续《弘明集》而纂《广弘明集》三十卷,《旧唐书》卷四七《经籍志》丁部总集类、《新唐书》卷五九《艺文志》三丙部子录释氏类皆著录是集。其著录特点,考宋晁公武《郡斋读书志》卷一六释书类曰:"道宣,麟德初居西明寺。以中原自周、魏以来,重老轻佛,因采辑自古文章,下逮齐隋发明其道者,以广僧祐之书,分归正、辨惑、佛德、法义、僧行、慈恻、成功、启福、灭罪、统归等十门。"《广弘明集》是一部分类编选的诗文合集,需要指出的是,晁氏所言"下逮齐隋"是不够确切的,上文已引该集之卷二二收唐褚亮《金刚般若经注序》、李俨《金刚般若经集注序》等,故该集应为选有唐人散文的诗文合集。此后有释玄鉴《续古今诗集》,孟利贞《续文选》,卜长福《续文选》,李康成《玉台后集》,卜隐之《拟文选》,徐安贞《文府》,李太华《新掌记略》,林逢《续掌记略》,裴潾《大和通选》等,要之,则慧净之续纂实肇发其端。

释慧净对六朝南北诗风之认识,以其独特的眼光看到这种诗风对初唐诗坛的影响，就其特殊身份来说，很值得注意。《全唐诗》卷八〇六至卷八五一收僧人一百一十五人诗共四十六卷，《全唐文》卷九〇三至卷九二二收僧人一百二十一人文共二十卷，这是一个很了不起的数据。虽然慧净仅仅是僧侣文学大军之一员，但其于诗文创作外，致力于选诗实践、探讨前朝文风及其影响、以选本批评纠正本朝不良诗风，其意义是非常巨大的。

同时，慧净广泛参与社会、文学活动，如和朝士房玄龄、于志宁、刘孝孙等人交往，《续高僧传》云其"帝朝宰贵赵公、燕公以下名臣和系将百许首"，又云李义府为之序，故其唱和当已结集。这一现象及其影响亦值得研究。慧净之后，释皎然与颜鲁公唱和、释灵一与刘长卿等唱和、释灵澈与刘长卿等唱和、释广宣与令狐楚唱和等，而这诸多僧侣与文士交往活动及唱和总集的编撰，慧净的影响无疑也是不能忽视的。元辛文房《唐才子传》为释灵一等八人立传，并在卷三历数释灵一以下僧侣诗人四十五人。可见，辛氏已发现僧人对唐代诗坛的影响。然其没有为慧净立传，这不能不算《唐才子传》的一大遗憾。

《四库全书总目》卷一八六总集类"国秀集"条曰："唐以前编辑总集，以己作入选者，始见于王逸之录《楚辞》，再见于徐陵之撰《玉台新咏》。挺章亦录己作二篇，盖仿其体例……梁昭明太子撰《文选》，以何逊犹在，不录其诗。盖欲杜绝世情，用彰公道。今挺章与颖，一则以见存之人采录其诗，一则以选己之诗为之作序，后来互相标榜之风，已萌于此。"四库馆臣没有对唐人选编唐诗总集作系统地整理研究，故这个结论是不确切的。以现有的资料，已难以确考《续诗苑英华》是否选慧净之诗，但慧净选刘孝孙之诗，刘孝孙为《续诗苑英华》作序却是毋庸置疑的,故这种"一则以见存之人采录其诗,一则以选己之诗为之作序,后来互相标榜之风"可溯源到慧净《续诗苑英华》。从另一方面看,这也体现了慧净《续诗苑英华》对唐人选编唐诗总集之多方面影响。

与卢燕新合撰,原载《文学遗产》2008 年第 3 期,据以录入

刘明华《文化视野下的中国古代文学阐释》序

　　刘明华先生长期从事唐代文学研究,我与他久已相识,并多有学术交往。特别是中国唐代文学学会第十一届年会暨唐代文学国际学术研讨会,由明华先生主动承办,于2002年在西南师范大学召开,有国内外一百多位学者参加,西南师大为唐代文学研究提供广泛交流的一次极好机遇,学者印象深刻。

　　据明华先生告及,他于青年时即有机会阅读杜甫诗作,如上世纪六七十年代"文革"期间上中学及后下乡当知青时,就连续阅读倪海曙《弃归吟》、苏仲翔《李杜诗选》等前辈学者的书,后在大学求学时听曹慕樊先生所讲之"杜诗选读"选修课。此后,他就进一步专研杜诗,在读硕士学位时即研究杜诗修辞艺术,后撰一书由中州古籍出版社出版。后来又撰写、出版一本关于杜甫思想研究的书,是从"社会良知"的角度切入对杜甫的思想和影响进行探讨,其间有些章节,也曾作为单篇论文,修改后在《文学遗产》等刊物发表。前几年,即2002年,就将此二书一并收入其所著《杜甫研究论集》(重庆出版社),成为书中的上、中两编。另于上世纪

90 年代中期,又从文体繁荣角度来审视文学史发展,就唐宋文学中最重要的五种文体(诗、词、文、小说、批评)之演变,对唐宋文学史进行新的观照,书名为《丛生的文体——唐宋文学五大文体的繁荣》,于 2002 年由江苏教育出版社出版。

现在,明华先生又于中华书局出版新著《文化视野下的中国古代文学阐释》。应当说,上述二书,即《杜甫研究论集》、《丛生的文体》,一方面是关于作家作品及文学文体的专题研究,另一方面已蕴含使人深思的文化研究意识。譬如研讨杜诗修辞,并非单纯从语言学的角度来做修辞研究,而是从修辞学的角度出发,研究杜诗的艺术成就,并通过艺术现象考察作者的生活、性情、思想方法,力图由此发掘诗人的内心世界。唐宋文体研究,则更进一步将文体演变与文学史发展进程紧密联系,由此可深切探讨唐宋文学的发展轨迹,并可亲切了解文人的创作心态。因此可以说,明华先生于八九十年代专题研究所具备的创新思路与探索气格,已使现在这部文化阐释新著具备扎实的基础。

古代文学的历史—文化角度和方法加以探索,在 20 世纪前半期,已受到学者的注意。闻一多曾提出:"文学史为整个文化史中之一环,故研究某时期之文学史,同时必须顾及此期中其他诸文化部门之种种现象。"(《致梅贻琦》,《闻一多全集》第 12 卷)他在关于《周易》、《诗经》、《楚辞》等阐述中,多顾及"把古书放在古人的生活范畴里去研究"。郭沫若对闻一多所著之《楚辞校补》,就称此书"是属于文化史的范围,应该是最高的阶段"(《闻一多全集·序》)。陈寅恪的文化史评论更为明确,在《隋唐制度渊源略论稿》、《唐代政治史述论稿》中,都反复强调种族与文化是研究中古史最要的关键,而种族与文化二者相比较,文化则带有更为本质的属性。他在唐代白居易、元稹的论述中,多能从具体事节探讨文化现象,并从而探索文人心态。因此我在上世纪 80 年代后期所写的一文中就说:"作为一代史学大师,陈寅恪是有他的学术体系的。这个体系,不妨称之为对历史演进所作的文化史的批评。"(《一种文化史的批评——兼谈陈寅恪的古典文学研究》,《中国文化》创刊号,1989 年)

但 20 世纪前半期这种历史—文化研究,只是少数几位学者所作的开拓尝试,80 年代以后,这种跨学科的综合性研究则渗透到人文科学的许多领域。人们认识到,不能孤立地研究文学,应当注意探索一个时期的文化背景及由此而产生的一个时代的总的精神状态,研究在这样一种综合的历史—文化趋向中,怎样形成士人的生活情趣和心理境界,从而探讨作家独特的审美体验与艺术构思。这种古代文学研究中的文化意识,是二十余年来我们古典文学研究的一大进展,也已成为学界的共识。就唐代文学来说,在此期间这方面就有好些成果,如戴伟华《唐代使府与文学研究》,李浩《唐代关中士族与文学》、《唐代园林别业考录》,程国赋《唐五代小说的文化阐释》,王勋成《唐代铨选与文学》,李德辉《唐代交通与文学》、《唐代文馆制度及其与政治和文学之关系》,吴夏平《唐代中央文馆制度与文学研究》,吴在庆《唐代文士与唐诗考论》,马自力《中唐文人之社会角色与文学活动》等。这仅是我个人所见稍举数例,但已为学界充分评估其意义与价值。

把文学视为一种历史文化现象,把文学放回到具体的历史文化环境中作整体考察,这确能提供一种高层次的方法更新的体制。不过我们要作这种文化阐释,既要拓展政治制度、文化环境、社会风习、文人生活等层面,同时要注重具体切实的实证性研究,要有大量的事实作基础,避免虚夸浮论。这次我作序时,通读刘明华先生的这部《文化视野下的中国古代文学阐释》,感到全书确有此两种特点,即明华先生在"前言"中提出的,着重于对作家、作品及文学现象、文学公案进行"文化学解读的个案研究"。如陶渊明的《桃花源记并诗》是古代文学名篇,文学史著作一般仅评价为陶渊明于归隐之初期盼社会的理想出路与人民的幸福生活,而本书首篇,题为《理想性·神秘性·历史真实》,副题为《对〈桃花源记并诗〉的多重解读》。文中所引,自先秦《论语》、《老子》、《庄子》等起,沿列汉刘向《列仙传》、唐顾况《仙游记》、宋康与之《昨梦录》,及李白、刘禹锡、王禹偁、苏轼等诗,以及史书《三国志》、《晋书》和类书《太平寰宇记》等,从大文化、多角度入手解读这篇名著的丰富文化内涵,确给读者提供无限阐释的可能性。

又如第二篇《杜甫的民胞物与情怀》就一般研究者并不注意的"民胞物与"观念,论析杜甫的人道主义情怀,文中既考析"民胞物与"语出宋儒张载《西铭》,又全面引述、分析杜甫所作诗篇。又如杜甫与李白的交往、友谊,过去李、杜研究者仅作一般的记述,而本书第三篇《李杜友谊的历史演进》则将李、杜交往及杜甫对李白的怀赠之作,分为三个阶段,结合二人经历,特别是杜甫安史之乱后的艰难遭遇,分析杜甫对李白由怀念进而理解,深刻剖析自身受李白的影响改变自己的人生选择。这是当前李白或杜甫研究中所未曾注意的。

其他如《量移制度下的贬谪文人的心态》、《乌台诗案的政治文化解读》，均引用大量历史记载材料，结合唐、宋两代各自的政治变化、社会观念及复杂的党争现象，论述文人作家各具特色的经历、心理与文学创作。特别是《南渡乐禁与宋词的案头化》一文，提出南宋政权于南宋初出于政治考虑提出"乐禁"，直接影响词风的变化，并将辛（弃疾）派词与苏（轼）词变革联系起来，这也是当前词学研究者所未曾涉及的。

全书其他诸文都有上述这些长处与特点，限于篇幅，就不具述。我这里还应一提，就是刘明华先生长期在高校执教，他不仅自己做科研，还要搞教学。在长期讲学中，他就注意将自己的治学思路与科研经验讲授给学生，特别是在研究生教学中尽量按文学研究的新思路解读文学现象，而部分学生也能领会这一想法，遂在毕业论文中就此作实证的研究，本书有些论文就是研究生在老师直接指导下写作的。应该说，现在出版的这部书，是研究与教学的综合成果，这当为高校教学提供值得思考的成功经验与积极范例。

这里还可一提的是，明华先生 2001 年 12 月为其所著《杜甫研究论集》所作的序中，曾引杜诗"百年歌自苦，未见有知音"，"独立苍茫自咏诗"，谓杜甫从不媚俗，但仍有感叹，即感慨于不为人理解，明华先生因而说："今天的学术工作，也需要具备一种不为人知的思想准备。"我是很赞赏这种淡泊心理的。我们真正要治学，即使出书面世，也并不在于宣传。明华先生引述杜甫此诗句，使人感受到学者要有一种理性思辨、深厚学养的气质，及"知音其难哉"（《文心雕龙·知音》篇）的现实情怀。不过现在这本书既有明华先生个人之作，又有他所指导的研究生之文，则绝未有"不为人知",且此书出版后,定能"逢其知音"(《文心雕龙·知音》篇)。是为序。

2008 年春

原载中华书局 2008 年版《文化视野下的中国古代文学阐释》,此据大象出版社 2008 年版《学林清话》录入

《书林漫笔》序

　　去年10月，我应邀在浙东慈溪参加当地所编关于坎墩新志的学术讨论会，会晤从北京赶来的祝勇同志。祝勇同志受北方文艺出版社之托，向我组稿，约我就已撰之文，选辑记叙生活经历、学术交往等文，并配集有关照片、书信，编一部随笔散文之书。祝勇同志对文艺创作、出版，极有创新之见与眷怀之情，我甚有所感，遂据他与出版社的要求，编此一书。

　　我所拟之书名为《书林漫笔》，是与我的经历有关。我自1955年北京大学中文系毕业后，留校任助教仅三年，于1958年春即分配于商务印书馆，同年夏又移调于中华书局，至今已历时五十年。长期的编辑生涯，有一特点，即在审稿、组稿中，与学术界多有交往。作为古典文学、古典文献爱好者、工作者，我与前辈学者钱锺书、启功、夏承焘、吕叔湘、林庚、程个中、王世襄、黄苗子、马茂元等先生，甚有学术情谊。上世纪八九十年代，我所任中华书局副总编、总编期间，与学界交往更多。特别是1982年中国唐代文学学会成立后，我一直参与会务工作，1992年还忝为唐代文学学会会长，与中青年学者接触更多。当然，出版社工作，杂务甚多，但我不忘于治学,同时,我总有一个心愿,即1999年7月应张世林同志编纂《学林春秋》之约,撰写《我和古籍整理出版工作》一文,文前题署二句:"我最大的心愿是为学术界办一些实事,我最大的快慰是得到学界友人的信知。"我自信,这本《书林漫笔》,是能体现我这意愿的,这是我自慰之情。

我曾为第八、第九届全国政协委员。1999年3月上旬,全国政协开会时,韦建桦同志与我同在新闻出版组,他交给我所著的一本学术随笔书《濡沫集》(湖南人民出版社,1997年12月),并在目录页上写有数行字:"1998年8月3日,忽觉咽肿、胸痛,全身发热。4日,去人民医院诊治,输液。整天卧床,而当晚仍在发烧。5日,再去输液,归途经现代书店,得此书。病中读傅先生文章,如得良药。"韦建桦同志并口头告诉我,他住院治病、输液时,看这本书,痛感好像都没有了。这虽是一件小事,但我总缅怀于心。

刘勰《文心雕龙·知音》篇,有云:"知音其难哉!音实难知,知实难逢,逢其知音,千载其一乎!"此书编成,写此短序,特录此语,自慰自勉。

2008年春于北京六里桥寓舍

原载北方文艺出版社2008年版《书林漫笔》,据以录入

古诗赏析与民情风物

　　我们对古诗的赏析,主要应从诗篇本身的结构安排,诗中对人物形象的塑造、自然景物的描摹,以及词藻的运用等方面入手。有时还要结合作者本人的身世,结合作者的政治思想和艺术观点,来探索作品所包蕴的思想意义。另外,我们还应尽可能具体地了解当时的社会习俗、民情风物,以丰富我们对那一时代的认识,从而有助于更真切地感受到诗人写作时的心情和诗篇所反映的意境。本文拟举孟郊《登科后》一诗为例,从唐代进士考试的情况,来谈谈有关的问题。孟郊的这首诗是一首七言绝句,全诗为:

> 昔日龌龊不足夸,今朝放荡思无涯。
> 春风得意马蹄疾,一日看尽长安花。

　　这首诗的佳处是后两句,这后两句也是明白易懂,似乎无甚可说的,因此自来注家对这两句都未加注。从诗句的本身看,确实也没有什么可注的,尽可由读者自己去领会好了。这两句所表现的喜悦心情,恐怕封建时代的知识分子要比我们今天的读者领会得更深一些,因为从隋唐起,科举考试日益成为读书人谋求出路的重要的以至唯一的途径,而除了极少数的幸运者能一帆风顺以外,大多数士人,包括一些在文学史上写出著名作品的作家,都无不经过科场失意的挫折,而且这种挫折有人还不止一次两次。在几经挫折后,处于落拓困顿的人,一旦登科了,就可以跻身于仕途,其心情是可想而知的。

孟郊是唐德宗贞元十二年(796)登进士第的,那时他已经四十六岁。他是湖州武康(今浙江德清县)人。在贞元十二年之前,他已经好几次长途跋涉来过长安,也应过几次进士考试,没有考中。他有一首《落第》诗:"晓月难为光,愁人难为肠。谁言春物荣,岂见叶上霜。雕鹗失势病,鹪鹩假翼翔。弃置复弃置,情如刀刃伤。"又有《再下第》诗:"一夕九起嗟,梦短不到家。两度长安陌,空将泪见花。"都极写落第的悲哀,竟夜不能入睡。不得已而失意归家。另有《下第东归留别长安知己》《失意归吴因寄东台刘复侍御》《下第东南行》《叹命》等诗,充满凄苦和愁怨。正因为长期处于这种抑郁、"龌龊"的境地,一旦中了进士,登了"龙门",就无怪乎"放荡思无涯"了。正像孟郊同时所作的《同年春宴》诗所写的那样,正是"视听改旧趣,物象含新姿,红雨花上滴,绿烟柳际垂"。风景依旧,而心情各异,红雨绿烟,春风高歌,花枝醉舞,这种物象与我同一欣喜的境界,可以帮助我们领会孟郊写出"春风得意马蹄疾,一日看尽长安花"时那种淋漓的兴会。

诗中写登第的喜悦,为什么要用"春风得意马蹄疾,一日看尽长安花"来表现呢? 就是说,为什么要写骑马和看花呢? 这是泛指,还是有特定的内容呢? 我想,如果了解与此有关的情况,或许会提高我们阅读此诗的兴趣。

原来唐朝在进士登第后,有一系列礼节和仪式。如拜谢座主(即主持当年考试的主要官员,唐时称知贡举或知举,玄宗开元二十四年以后一般由礼部侍郎担任),参谒宰相,接着是许多次的宴会,参与者是同科的新进士(唐时称同年)。宴会的名目是繁多的,据五代王定保《唐摭言》记载,比较出名的有大相识、次相识、小相识、闻喜、樱桃、月灯、打球、牡丹、看佛牙、关宴等等(卷三《宴名》)。最有名的是在长安东南举行的曲江宴,所谓"曲江之宴,行市罗列,长安几于半空"。这期间教坊的乐队也要出动,皇帝垂帘观看,公卿之家也在这个时候来挑选女婿,车马填塞,鼓乐喧天,在唐、五代人的记载中,实在是同欢乐的节日一般。

曲江宴实际上包括多种层次,譬如先到曲江北边的慈恩寺大雁塔下题名,大雁塔题名后就在附近的杏园宴会。杏园宴的一个节目就是采摘名花。在同科进士中选择两个年纪较轻所谓俊少者,让他们骑着马,到曲江附近或长安各处名园采摘名花,这两个人叫做两街探花使,也称探花郎(宋以后进士第三名称作探花,可能就是由此而来的)。如果有别的人折得花卉,先持牡丹、芍药来的就要受罚(见宋赵彦卫《云麓漫钞》卷七引《秦中岁时记》)。

那时当新进士举办各种宴会之际,长安城的一些有名的园林都向他们开放,使探花使有遍赏名园、选摘名花的机会。唐穆宗长庆三年(823),礼部侍郎王起知贡举,进士放榜后,诗人张籍还特地写了一首诗:"东风节气近清明,车马争来满禁城。二十八人初上牒,百千万里尽传名。谁家不借花园看,在处多将酒器行。共贺春司能鉴识,今年定合有公卿。"(《喜王起侍郎放榜》)写出了进士及第后长安城的欢乐气氛,可以帮助我们了解那时的习俗。

　　探花郎一般是要年纪轻的人担任的,这在北宋中期以前也仍是如此。宋戴埴《鼠璞》卷上《探花郎》中就说:"本朝胡旦榜冯拯为探花,太宗赐诗曰:'二三千客里成事,七十四人中少年。'《蔡宽夫诗话》亦言:'期集择少年为探花。'"又如《翰苑名谈》载:"西方琥登第,年最少,告状元郑毅夫,乞作探花郎。毅夫云已差二人。琥曰:'此无定员,添一人何害。'"清人赵翼的《陔余丛考》也说:"以榜中最年少者为之。"(《状元榜眼探花》)而孟郊登第时已是四十六岁,在同榜中他绝不可能是俊少者,因此,他所谓的"马蹄疾",所谓"一日看尽长安花",就不可能是躬身为之,只不过是"心向往之"而已。但无论如何,他却用这 14 个字写了当时的一种习俗,一种处于唐代社会那种特定环境中读书人的兴奋心情。

原载《课外语文(初中)》2008 年第 4 期,据以录入

王志清《纵横论王维》(修订版)序

  王志清君的《纵横论王维》出版已近八年。记得初版前他就邀我为序,当时我因为健康原因,未能遂其愿。如今此著再版,志清君又恳切相托,我因为诸事纷杂缠身,序书之事也一拖再拖,甚憾。

  我与志清君交往已有多年,经常互相寄赠著作,切磋治学思路。"以文会友,以友辅仁"(《论语》引曾子语),应该也是我们当今学术交往的标格。

  志清君为人热情真诚,敏于学习,笃于结交,知识面既广,学术视野也较开阔,凭着一股开拓创新的勇气和锐气,在古代文学研究上惨淡经营,特别是在王维研究上另辟蹊径,以其独到的体悟,显示其特点,也做出了规模,获得学术界的较高评价。2007年他就在北京大学出版社和齐鲁书社出版了两本专著,这也是我们当代唐代文学有代表性的成绩,已为学界共识。

  《纵横论王维》初版"后记"中,志清君甚有情致地表达他研治王维,"长达十年的写作跨度",而此后又历经磨砺,潜心探索,乃向学界提供新的修订本。这使我想起清代著名学者章学诚在其论学著作《文史通义》中所说:"高明者多独断之学,沉潜者尚考索之功,天下之学术不能不具此二途。"意谓高明治学者既要有独创之见("独断之学"),又要有专心沉潜之功。现在通览《纵横论王维》之原著与修订新作,对章学诚所言确更感亲切。

志清君有很强烈的修订愿望,追求更好,力争完善。这次修订中可见,他精益求精,竭精殚智。我发现,修订过后,思考更加严密,表现也更加畅达,其走进王维内心世界也更有了深度。志清君再对故人,以诗心去感悟王维的心灵,用诗化的语言去解读诗人的诗歌,将理性的思考,感性的体验,审美的激情融为一体,从而不仅在研究的结果更在研究的方法上给人有益的启迪。

这次修订,主要着力于王维的哲学美学思想、生存智慧和忏悔精神上,这是志清君的长项,也是此著独特之处,新意较多,言人之所未言。修订之后,此著添加了关于王维诗歌体式的研究,这也是王维研究中人们不大愿意花气力的方面,可见其历次研究倍有成效。

《纵横论王维》出版后,影响较大,我在报刊和网上看到好几篇对此著的评论文章。初版上刊有复旦大学陈允吉教授的序,并有三位教授的荐介;此次修订新版又有好几位教授专家的短论,如霍松林、张明非、陶文鹏、陈铁民等等。诸位学者的序、评,均能实事求是,中肯亲切,我读后深有同感,并受启发。确如吴相洲教授所说,"独辟蹊径,从自己对王维诗歌的体悟出发,以哲学思辨的语言,重新解读、描述王维"。吴在庆教授亦评云,全书"多有穿透诗人心灵与诗歌艺术世界幽微深处的透彻而灵光独到的灵思妙语"。读诸位学者深切论评,不禁想到《文心雕龙·知音》的名言:"知音其难哉!音实难知,知实难逢,逢其知音,千载其一乎!"我想这也是我们学界同仁撰序作评的理念,故特举杰出文艺理论家刘勰之语互勉共慰。

志清君正当壮年,必当有更多、更高质量的著作问世,这当也是学界知音者的共同心愿。

2008 年春 4 月上旬

原载齐鲁书社 2008 年版《纵横论王维》(修订版),此据大象出版社 2008 年版《学林清话》录入

《学林清话》自序

近年来,有好几位学界友人向我提出,建议我将二十余年来为人所作的序文汇编一书。有感于友情,亦本于自我慰勉之意,我就于去年下半年陆续搜集,年底竟辑得七十一篇。我遂与大象出版社联系,大象出版社毅然接受,并于今年上半年排出校样。最近我审阅二校,手头则又有今春为二位学者所写之序,书都已出版,于是又补辑进去,则全书共有序七十三篇。我想,我们古典文学界,无论前辈或中青年学人,能为人作序有如此之多者,当甚稀见。这对我来说,不免有自讳并自我慰勉之情。

序也是中国传统的文体之一,就现在来说,为他人所作序与书评,总是两种文体,书评须作全面客观的评论,序言可抒己见,自由一些。宋许颛《彦周诗话》曾谓:"诗话者,辨句法,备古今,纪盛德,录异事,正讹误也。"我在为傅明善《宋代唐诗学》所作序中,即引有许颛语,并仿其语气,对序言的体制定为:"序文者,辨学术,论世情,记交谊,抒己见,重理趣也。"这当是我作序所本的旨意。

具体来说,我为友人作,大致有两种意向,一是抒"淡如水"

的友情,二是述"切于学"的旨趣。所谓"淡如水",即"君子之交淡如水"。特别是几位年龄较长于我及大致同龄的友人,我与他们确有君子之交。如我所作的第一篇序,即于1981年10月所写的陈贻焮《杜甫评传》序。贻焮先生年岁比我大,1953年我们一起在北京大学听林庚先生讲授魏晋南北朝隋唐部分的文学史,那时他已是林先生助教,我还是学生。因此,我一直是以师友对待的。1955年夏我毕业留校为浦江清先生助教,他当时与吴组缃教授同住于未名湖畔镜春园一四合院,经常约我到他家与吴组缃先生家聚谈、吃饭。1980年7月他正在写《杜甫评传》时,特地用毛笔抄录赠陈毓罴先生一首长诗,并云:"兄来札询及该书撰写之事,盛情可感,故书此作为汇报。来日苟得完篇,定当奉呈乞教也。"后于1981年5月、9月又连续写信给我,谓稿已写就,"求序"。我实不敢作,推辞再三,他就托林庚先生致命于我,我就遵作。今天我重阅此序校样,又翻阅他当时给我信的手迹,缅怀之情,充溢于心。

又,我不少篇是为中青年学者所作的。我在序中特别注意自上世纪八九十年代以来古典文学研究的新进展,与中青年学者的研究思路、风气极有关系。在为程章灿《魏晋南北朝赋史》所作序中,即提出:"他们带来了一种特有的学术朝气,带来了近十年来随着改革开放的大环境而培育起来的开阔而敏锐的理论思维,而他们又大多在前辈学者的指导下,受过严谨学风的熏陶,因此又有着令人不得不首肯的扎实的基本功。"又如1997年东方出版社出版的《日晷丛书》,收有十二种关于文学史研究的著作,都是曾获博士学位的年轻学者所著。这些学者我大都有交往,也参加过他们的论文答辩。我应此套书的主编吴先宁同志之约,为作总序,就提出:"他们之中不少人更注意广泛吸收当代社会科学的新鲜知识,形成更为独到的研究视野和观念;而另一方面又努力对作为研究对象之一的文学史料作沉潜的研索。"正因此,我在为张忠纲《全唐诗大辞典》所作的序中,就特地引用盛唐诗名句"潮平两岸阔,风正一帆悬"来作形容比喻,寄抒对我们古典文学研究发展的展望。

我现在所辑之序,上起有关先秦之著,下历汉唐及宋元明清,直至现代(如新编《宁波市志》)。说实话,我当时撰写时,甚感艰难,说好似一个中学生习写作文。正因此,我有时就连读其稿两遍,并作有札记(见陈良运《周易与中国文学》、祝尚书《宋代科举与文学考论》等序)。今春为张明华教授《文化视野下的中国古代文学阐释》作序,就又特地请他寄其前著《杜甫研究论集》、《丛生的文体——唐宋五大文体的繁荣》,同时研读。我在为陈尚君《唐代文学丛考》所作的序中,也就特为提出:"从近十余年来尚君先生著述来看这本论文集,对他的治学路数与研究风格当有一个全面的了解。"

我之所以将此书起名为《学林清话》,即本于陶渊明《与殷晋安别》诗中之"信宿酬清话,益复知为亲"句。陶诗意谓与挚友临别,当应连续两夜(信宿)叙谈,以抒清切之情。这也是前面提及的"切于学"的旨趣。限于篇幅,我不再细述。我这里想再引述刘勰的一段话:"知音其难哉!音实难知,知实难逢,逢其知音,千载其一乎!"(《文心雕龙·知音》)刘勰对治学的知音深有寄望,也感甚有难度。我从所作的序中,深为慰勉的,是我在治学的经历中,觉得知音并不难觅。正如我在《我和古籍整理出版工作》一文之前所写的两句话:"我最大的心愿是为学界办一些实事,我最大的快慰是得到学界友人的信知。"(《学林春秋》三编,张世林编,朝华出版社,1999 年 12 月)谨以此作为此序结语,求教于学界友人。

另我特向王世襄先生深切致谢,他为学者前辈,今已九十四高龄,仍为本书书名题签,真使我益有"知音"之感。

二〇〇八年七月上旬

原载大象出版社 2008 年版《学林清话》,据以录入,另收入首都师范大学出版社 2010 年版北京社科名家文库《治学清历》、东北大学出版社 2015 年版《中国当代名家学术精品文库·傅璇琮卷》

文史贯通的一部佳作

　　郁贤皓教授的新著《李白与唐代文史考论》,作为"随园文库"的一种,2008 年 1 月由南京师范大学出版社出版。全书分为三卷,第一卷为《李白丛考》,收录了著者 20 世纪 70 年代以来考证李白的文章 30 篇,涉及李白生平事迹、行踪、交游、作品系年、辑佚与辨伪,并订正前人在李白研究中的错误,重新勾勒出李白一生的新轮廓;第二卷为《李白论稿》,收录了研究李白的理论与评述文章 30 篇,论述李白的古风、乐府、歌行、绝句等各诗体的特点和成就,李白思想的形成和发展,包括诗文品评,李白集主要版本提要,对国内外李白研究的评述等;第三卷为《唐代文史考论》,收录了有关唐代文史研究的文章 23 篇,包括诗人宋之问、苏颋、李商隐、李德裕等事迹的考证,《全唐诗》作者小传正补,《元和姓纂》整理记感和对《四校记》的校正,《唐刺史考全编》补遗,论"二重证据法"在唐代文学研究中的运用,论唐代文史微观综合研究,以及对一些有重大影响的唐代研究著作的评述等。

　　这部著作凝聚了郁贤皓教授将近半个世纪的心血和精力,对于 20 世纪后期迄今的唐代文学研究作出了重大贡献,主要表现在三个方面：

一是李白研究的重大突破。李白研究，在 20 世纪之前，基本处于停滞不前的状态，尽管有杨齐贤、萧士赟、胡震亨、王琦四家著名注本，但对李白生平与作品的综合研究，还处于简单粗略的状态，与其同等地位的杜甫的研究无法比拟。历代研究李白的学者都认为李白一生只有一次到过长安，也就是天宝元年（742）秋奉诏入京待诏翰林，至天宝三载（744）春离开长安。直至 1962 年，稗山先生发表了《李白两入长安辨》，首次揭出李白二入长安之说。而在这篇文章发表后十年间，并没有产生影响。1971 年，郭沫若《李白与杜甫》一书，才采用李白"两入长安说"，但由于该书出版于特定的年代，加以错误较多，尽管采用两入长安说，仍没有引起学术界的重视。当然，稗山与郭沫若的说法没有引起学术界的重视，与其虽提出新说，而证据不足，加以论证方法的粗略也是密切相关的。收在本书中有关李白考证的论文，如《李白与张垍交游新证》、《李白两入长安及有关交游考辨》、《李白初入长安事迹探索》等，证明李白在开元时期确实到过长安，加上已被确认的天宝初年受诏入长安，则有两次入长安。郁先生使两入长安之说由怀疑发展到实证。这些论文大都是郁先生在 20 世纪 70 年代以后接连发表的，发表后在学术界产生了极大的影响，不仅解决了李白生平事迹中的一些老大难的问题，更重要的是对李白许多重要代表作品的系年必须重新研究，乃至李白的创作道路也必须为之改写。这就彻底扭转了建国以来长期存在的崇尚空谈、不求实证的学风。20 世纪 80 年代以后李白研究呈现出新的局面，学术界产生的一大批新成果，大多是在郁先生学术研究的带动下推出的,他的成果对新世纪的李白研究也具有导夫先路的作用。

二是唐代文史的阐幽发覆。郁贤皓先生治学范围宽广,学术视野宏远,研究领域不限文学,而旁及文字学、文献学与史学,时代方面也不限于唐代,而对唐以前文学都有所研究。本书因体例所限,所收录者都是唐代文史研究的论文。既有文献研究,如《宋之问事迹和交游五事考辨》、《苏颋年谱》、《劳格杭州刺史考补正》;也有理论探讨,如《论胡小石中国文学史讲稿的建构特点》、《唐代诗人与浙东山水》;更有方法总结,如《论二重证据法在唐代文学研究中的运用》、《论唐代文史的微观综合研究》等。如苏颋是唐代重要的政治家与文学家,其文章与张说齐名,被并称为“燕许大手笔”,而学术界对于苏颋的研究成果极为罕见,故收在本书中的《苏颋年谱》与《苏颋事迹考》,就有着填补学术空白的价值。而宋之问研究,一直是唐代文学研究的热点之一,无论其生平研究,还是其创作探讨,或是著述考证,已没有多大的开拓空间,而郁贤皓先生读书得间,就宋之问交游的五个问题,提出了自己的看法,对于宋之问生平作了重要的补正,这对学术界也都有很大的启迪意义。《唐代诗人与浙东山水》,则是郁先生所重视的另一领域,不仅注意到了唐诗与地域的关系,而且将古代文学研究紧密地关合现实,以揭示其现代意义。也因为郁先生在这方面的开拓研究,使得20世纪90年代以后浙东唐诗之路的研究成为学术研究的热点。

三是治学特点的概括总结。郁贤皓先生不仅以其宏富的成果与崇高的地位享誉国内外学术界,更在其半个世纪的学术研究中形成了自己独特的学术个性,并嘉惠士林,沾溉后学。因而探讨与总结他的治学特点与学术范式,对于 21 世纪的唐代文史研究具有进一步推动作用,更会对后辈学者在研究内容与治学方法上的推陈出新有所启迪。收入本书的一些文章,有些是专门谈论治学方法与体会的,如《我与唐代文史》《论唐代文史的微观综合研究》;有些是论述前辈学者的治学方法,而对后学具有启迪作用的,如《孙望先生事迹与治学历程述评》;书中的大多数文章,虽然没有直接谈论治学方法,但从论证的过程当中,也昭示了郁先生的学术个性。这主要表现在以下几个方面:一是从文献考证入手,探讨唐代文学研究的新问题。如 20 世纪后期,学术界对李白生平事迹中的许多疑点仍未能解决,对两入长安的叙述也缺乏足够的依据,对李白的交游大多缺乏考证,因而留下了不少问题。郁先生从 20 世纪 70 年代末期,就将李白作为研究课题之一,并决定从对李白生平及其交游进行深入的考证研究入手,以期逐步解决李白研究中长期存在的疑点和难题。在深入细致地阅读李白作品与相关史料中寻找问题与解决问题。有了问题意识,然后进一步发现问题,竭泽而渔地搜罗相关问题的材料,寻找彻底解决复杂问题的方法,就是郁先生进一步致力的方向。这也就是郁先生总结出来的“微观综合研究”。这样的研究方法又通过四个方面来实施:首先,将微观研究作为综合研究的基础。如果从事唐代文史研究的学人对宏观研究感兴趣,而对具体史料与具体作品的微观研究不太重视,往往流于简单粗疏。宏观研究必须建立在深入的微观研究基础之上,才能总结出正确的结论。反之,微观研究的粗疏,也可能导致宏观研究的差错。其次,通过对各种文献资料的综合研究,以补史书之阙。再次,通过对各种文献资料的综合研究,以订史书之误。最后,运用出土贞石资料与存世文献参合对照,解决一些疑难问题。

总之,《李白与唐代文史考论》是郁贤皓先生半个世纪唐代文史研究的总结,从中可见郁先生在治文学的时候,具有史学的眼光和识见,对唐代史料作细致深密的考察与审核;在治史学的时候,也不断在文学家的诗文中挖掘材料。正因为他在扎实的史料基础上努力创新,才使得自己在学术研究领域中卓然屹立。这部著作的出版,也必定在唐代文史学界产生重要的影响,并对新世纪的唐代文史研究产生巨大的推动作用。

原载《南京师范大学文学院学报》2008 年第 3 期,据以录入

《中国古典散文精选注译》总序

　　在中国古代文学中,散文与诗歌、戏曲、小说,为四个重要门类。散文应尤有特色,一是起源早,其发轫之作《尚书》,即早于《诗经》近千年,先秦时代的历史散文与诸子散文,同以《诗经》、楚辞为代表的诗骚文体创作,共同开启中国文学的历史走向;二是范围广,不但包括世传习称的诸子、史传、碑文、墓志,还包括笔记、序跋、书信、日记,及各种赋体、骈文之作。因此,中国传统的古文,被认为是最具民族文化特色的文字载体,曾有"中国古代散文美学"的学术构想。

　　20世纪以来,特别是近30年间,中国古代文学研究有很大进展,有丰富成果。但学术界也有指出,在当前古代文学研究的整体格局中,"散文研究却是最薄弱的一环"(见王水照先生为杨庆存《宋代散文研究》所作序,人民文学出版社,2002年9月)。这确值得注意。除了研究专著不多外,散文作品本身的整理、选注,面向学术界和广大读者,也并不充分,故未能引人注目。中国古典散文浩如烟海,佳作如林。今人各种选本则多仅按时代撷取名篇,所选篇目往往集中在一些读者熟悉的名家名作上,入选作品数量有限,常令爱好古典散文的读者有不足之憾。又因绝大多数选本没有今译,仅靠注释读通原文,对于普通读者来说仍然存在着相当大的困难。

故我与学界友人合作,由我筹备,编纂这套《中国古典散文精选注译》,期望为广大读者全面、系统、深入地了解、欣赏古典散文提供一套较为完备的读本。

我们拟在规模、体例、选目等方面弥补以往散文选本的一些缺憾,并力求有自己的特色。此套书根据体式和内容,将古典散文细分为哲理、记叙、史传、抒情小赋、游记、书信、笔记、序跋八类,按类分为各自独立成册的八卷,每卷以时代先后为序选录此类散文各历史阶段的代表作。这种以时间为经、以类别为纬的编选体例,克服了仅按时代罗列作品的不足,使读者对散文各个类别有清楚的认识,并由此而把握古典散文历史发展的全貌。八类的划分在继承散文传统划分方法的基础上,参考了现代散文分类法,如哲理散文就是古典散文传统分类中没有出现过的概念。既然对于散文的界定和分类符合中国古典散文的客观事实,又与现代散文观念相通,这就使读者对古代散文的理解和欣赏,能古今贯通,中西融合。

本套八卷,每卷之首均有前言,力求讨源溯流,系统介绍此类散文的发展历史,勾勒各时期特色,深入浅出,简明扼要,相当于一篇文类史,读者可由此了解各类散文的起源、流变及概貌。又因前言为古典散文研究专家所撰,其中既体现作者的学术观点及研究心得,亦可供专业研究者参考。正文包括选文及其注、译、评四部分,兼顾普及性与学术性,使这套书也为普及与专题研究相结合之作。对于典章名物及一些不常见的字词均有清楚、详细的注释。除抒情小赋因其多丽靡之辞不宜今译外,其他七类每篇均有今译。译文力求信、达、雅,并尽量保持原作风格。重要作品和有争议、有特色的作品篇后有选者简评或点评,介绍其写作背景、思想价值、艺术成就及历史地位。普通读者可借助注、译、评,更为深入地理解和欣赏历代的名篇佳作,专业研究者亦可便中查阅有关资料。

在选目方面,我们既注意收录名作,又广采各历史阶段的代表性作品,以求全面展现中国古典散文的风貌。"哲理"卷选文主要出自子书及唐宋以后文集中以"说"名篇的作品,"史传"卷除收录历史传记外,还收录唐宋以后的传记散文,均抓住了各自的特点,并考虑到文体的历史演变。抒情小赋和笔记在以往的散文选本中较少收录,本套书却使之各占一册。"抒情小赋"卷的选编宗旨,一是偏重历史的认识,二是偏重特色的把握,因此其选目颇有新意。选者采取一家一赋的选录方针,选取各历史阶段的名家名作和代表性作品,共七十一家七十一篇,唐宋以后赋家占全编半数,读者可从中窥见抒情小赋的历史全貌。"笔记"卷选录了自《西京杂记》至《阅微草堂笔记》中的精彩片段。选者对每部笔记的内容与特色及其著者的生平均有详细介绍,有助于读者了解笔记这一内容庞杂的散文类别。游记为不少读者所喜爱,鉴于游记大盛于明清的历史事实,"游记"卷在选目上对这一时期的作品作了适当倾斜,选录的明清作品占了一半以上的篇幅。读者从中既可欣赏到早已脍炙人口的名篇,如《与宋元思书》、《小石潭记》、《石钟山记》等,又可见到一般选本中难得一见的明清名作,如有清一代最著名的骈文游记——洪亮吉《游天台山记》，还可一睹名气稍逊而颇具特色的明清作品，如乔宇《恒山游记》、郁永河《采硫日记》等。记叙文是散文大宗，范围很广，所含体类甚多，其中的史传、游记、笔记等类均自成一册，而我们又将其单列一卷，则如何选目就是读者关心的问题。本卷避免重复，选录的作品乃上述几种之外的记叙文，相当于古人所谓的杂记，大致分为园亭楼台记、书画器物记及人事杂记三类，读者从中可一览历代杂记名篇佳构。书信和序跋是古典散文中较常见且重要的两种体式，但作为专门选集，则并不多见。"书信"卷选文侧重魏晋与唐宋，"序跋"卷亦以唐宋作品为主，但均未忽略其他时代特别是明清两代的重要作品，选目颇为全面。

我们期望，此套书能以其明晰的体例，新颖的分类，全面的选目，详细的注释，准确的今译，精当的评介，满足学术界和广大读者的需求。当然，就中国古代散文多方位文体来说，还可以增编，如日记、制诰、科举试文（如策试、八股）、碑传墓志等，当可拭目以待，谨此互勉。

2008 年秋

原载清华大学出版社 2009 年版《中国古典散文精选注译》，此据大象出版社 2015 年版《书林清话》录入，另收入万卷出版公司 2010 年版《当代名家学术思想文库·傅璇琮卷》（题无"总"字）、首都师范大学出版社 2010 年版北京社科名家文库《治学清历》、东北大学出版社 2015 年版《中国当代名家学术精品文库·傅璇琮卷》

《朱关田论书文集》序

我与朱关田先生于20世纪80年代初已有学术交往。启功先生于1981年3月7日曾给我一信,中有云:"杭州美院研究班朱关田同志撰《李邕行年考》一文。拟求赐予指正,兹介绍往谒面谈,望赐延见。"(《启功书信选》,北京师范大学出版社,2008年6月)我当时任中华书局副总编,又主持编纂《学林漫录》,启功先生不但自己应邀撰稿,还数次推荐有特色的学术论文。我读关田先生的《李邕行年考》,当时即深受教益,觉得对李白、杜甫、高适、王昌龄等在盛唐事迹的研究甚有启发。后关田先生所撰文中,又有好几处引及我的《唐代诗人丛考》(如有关李颀、李嘉祐、戴叔伦、钱起等考)。此次我应约为关田先生《论书文集》撰序,又通阅全稿,再次深感,唐代书法研究对唐代诗文创作及文学思想研究,确有开拓领域、转深思路的意义。

唐代是中国文化完成南北融合、走向辉煌灿烂的大时代。唐代书法之于中国书法史,一如唐代文学在中国文学史上的地位,是鼎盛、大气的最高样式,也是远迈魏、晋,后盖宋、元、明、清,名手大家辈出,为后世树立书法经典多样性的枢纽。

关田先生是当今书学繁荣的代表学者之一。其从事以唐代为核心的书法史研究工作已近三十年，探幽发微，实证出新，成果丰殷，有目共睹。举其大端，有《唐代书法考评》《中国书法史·隋唐五代卷》《唐代书法家年谱》和《唐五代署书人墓志年表》(未刊稿)等专著。近日，关田先生又以累年所积论书散篇四十余万言，辑集出版，上编专收成篇论文，下编则以治学笔札为主，所考所论，以有唐书学为目标，涉事及史，论人于书，大体上反映了关田先生学术活动的主线与范围。而从所缀《当代书坛观感》和《思微室序跋选》等内容，也可看出他治史之余关注当代文艺的社会使命感。

从关田先生的系列著作和此集看，他的研究成果具有比较鲜明的学术特色与学术贡献。概而言之，主要有以下几点：

首先，以隋唐书法为着力点而不唯书法是论。比如，在《中国书法史·隋唐五代卷》中，他把研究的重点投置到时代文化与书法发展的关系上，从而揭示出唐代的书法品评标准不全在于书法艺术本身，还与帝王的评骘喜好、书家的家族背景等有着密切的关联。这种文史结合的广阔文化视野，就能为书法研究提出新的问题。又比如，关于书家个案的研究，不是局限于对书作(书迹)本身的钩稽，而是扩大到家世、交游、仕履、诗文等各个方面的综合考述，此集中有关颜真卿、徐浩、李阳冰、李邕等人的篇章尤其深入精彩。

其次，在断代书法史的研究中关注到一个时代的书家群体。关田先生对唐代书法史的研究有着明晰的认识高度，他在完成对欧阳询、虞世南、褚遂良、李邕、徐浩、颜真卿、柳公权等主流书家较为详尽的考察后，以之为关纽，渐次扩展到一个时代的二三流书家，乃至地位卑微的书手、经生的研究中，从而完整地描述出一个时代的书法流脉与书法文化现象。这无疑是文化史研究的重要而有效的方法。即此而论，本集中的《窦臮〈述书赋〉注及所注唐人考》《唐代楷书手、书直和经生》《唐墓志中的书学资料》和《唐书人随考》五十余则，不再是简单的史料学与文献学材料，而是具有鲜活的史学价值。

再次，以文献为根本，关注新材料的实证方法。历史文献学是传统学术的基本范式之一，自晚近王静安先生倡导"二重证据法"以来，学者日益重视近世发现、出土的新材料，20 世纪的中国学术由此得到大步推进。关田先生在他的唐代书法史研究中，有感于近世论书者多喜作高论，往往随意所致，臆断书法渊源之流弊，故于诸多史籍记载的材料并不盲从，而是立足时空的纵横坐标，小心求证，时有新论。比如，他根据新出土的中唐墓志的书法多从徐浩书风而出这一重要线索，力证徐浩不失为盛唐新风的始肇者，而宋人米芾"徐浩为颜真卿辟客"实乃不知徐浩其人之虚论；又以近世多有徐浩子侄辈人物所书墓志发现，书法亦全出季海之法，从而证明徐氏家学传统的久盛。更为可贵的是，他以陈寅恪先生"预流"之倡时相警策，认识到利用近世出土的文献资料，尤其敦煌文书和隋唐墓志，来拓展隋唐五代书法史研究新局面的重要性与迫切性。这样做的同时，虽然会引出一系列必须深入思考的新问题，但充分利用新材料，尽力解决新问题，是任何一位有时代责任感的学者所无法回避的现状。确如书中所说："求新，就是要努力探索，不断地开拓新领域，发觉新资料，提出新见

解。"(《从怀素说起——对当前书学研究的一点意见》)

最后，着重谈一谈关田先生的年谱、年表之作。据我所知，当今的书法史研究队伍中，能潜心年谱之学者尚不多见，而能获得学术界认同的成果更属凤毛麟角。关田先生不辞辛劳，从《唐五代署书人墓志年表》涉及近一千五百方墓志的钩稽，《颜真卿书迹著录散记》钩考近一百五十则之类的基础著述做起，可谓"披沙拣金，有时获宝"。更有《唐代书法家年谱》凡五十余万言的搜汇辑考、订谬增广，出版后又在作进一步的修正。凡此种种，均为其深入治理书法史乃至文化史的必要研究，于史学领域亦多有填补空白的功绩，实为嘉惠后学的大手笔。可见他并不颟意书学一隅，而有治史的胸襟。其中甘苦，作者自知。

近几年来，我从事于唐代翰林研究，已出版《唐翰林学士传论》盛中唐卷、晚唐卷（辽海出版社于 2005 年、2007 年出版）。其中不少翰林学士，如吕向、关通微、柳公权等也为著名书法家，由此可见，书虽小道，其学却非小道。关田先生此部论书文集，以及他的唐书法史研究，可谓是当代有关唐代历史与文化研究领域值得重视的成果之一。

2008 年秋

原载荣宝斋出版社 2008 年版《朱关田论书文集》，此据北京联合出版公司 2013 年版《濡沫集》录入，另收入大象出版社 2015 年版《书林清话》

《中国古代诗文名著提要》总序

　　数年前,我受学界友人的委托,筹划一个项目,名为"中国古代诗文名著提要",即组约多位学者,从当前学术发展的高度,充分吸收前人和现代的研究成果,选择古代有价值、有代表性的诗文别集和诗文评著作,以提要体裁,一一加以介绍和评议。经过几年辛苦编撰,已大体就绪,正值清华大学于 2008 年春建立"中国古典文献研究中心",我正就职于此中心,即与合作的学者商议,将《中国古代诗文名著提要》(以下简称《名著提要》)列入《清华古典文献研究丛刊》,由河北教育出版社出版。

　　提要是我国传统目录学的一个组成部分,目录著作则一直受到古今学者的重视。清代著名学者王鸣盛在其《十七史商榷》中就强调:"目录之学,学中第一紧要事,必从此问途,方能得其门而入。"(卷一《史记集解分八十卷》)并引当时学者金榜的话说:"不通《汉艺文志》,不可以读天下书。艺文志者,学问之眉目,著述之门户也。"(卷二《汉书艺文志考证录》)而目录著作,一般分书目和提要,提要即自西汉刘向《别录》开始。当时称为"叙录"。"叙录"的内容,除著录书名、篇目及雠校原委外,主要是记述著者生平,说明书名含义及书之性质,考辨书之真伪,论述其价值与学术源流,这可以说是我国目录学中"辨章学术,考镜源流"优良传统的开端。也正因如此,20世纪著名史学家范文澜在其《中国通史简编》第二编中,就将刘向《别录》与司马迁《史记》并提,认为"在史学史上是辉煌的成就"。

但此后很长时期,官修的正史《经籍志》《艺文志》,有时仅有一两句小注,并未有《别录》体例的提要。自南宋晁公武撰《郡斋读书志》起,至明代一些私人藏书目录,则连续出现提要,但大致也较简略,并只偏重于版本著录。真正从学术角度为经史子集四部传统典籍作提要的,是清乾隆时由纪昀主持的《四库全书总目提要》。当时参加《四库全书》提要初稿撰写的,多为第一流名家。他们发挥各自的专长,以义理与考据相结合,对各书考订其异同,辨别其得失。故清张之洞给予极高的评价,认为:"将《四库全书总目提要》读一过,即略知学术门径矣。"(见其所著《輶轩语》)即使如近现代学者余嘉锡对《四库提要》中的缺失多加指正,但他在所著《四库提要辨证》一书的序录中,仍明确自承:"余之略知学问门径,实受《提要》之赐。"近二十余年来,我们古典文学界则又从学术史的角度,探讨《四库提要》的文学观念流变与理论批评原则。如有认为《四库全书》对杜甫诗集的选录及评论,是清中叶对杜诗学的一次总结和检讨;也有从历朝词籍提要中探索当时学者对词的发展规律及词学思想、词学风格的认识;更有一些论著,就文体学对《四库提要》作系统的评述。因此我认为,我们这次将古代有代表性的诗文集与诗文评著作,以提要的形式予以系统的记述与评议,这一方面可以体现当前古典文学研究者思路的开拓,另一方面也可如实反映提要这种体裁已超越目录学的传统框架，成为文学研究、史学研究、哲学研究等既扎实而又充分表达理论观念的一种方式。

我们这套《名著提要》所著录的，起自两汉，至清代后期，近2000种，这确远远超越《四库全书》这一门类所收。《四库全书》收别集961种，诗文评64种。再就具体而言，《四库全书》于两汉部分仅著录3种，魏晋南北朝部分13种，而我们这次收录者，两汉13种，魏晋南北朝50种，应当说更能反映两汉魏晋南北朝诗文制作的实际情况。又如古代诗文别集，历朝有不少校注、评议本，我们这次所谓"诗文名著"，既选取在文学史上具有一定地位与影响的作家本身著作，还著录价值较高、有历史意义的评注本。这方面也可补《四库全书》之不足。如《四库全书》收陶渊明集，仅1种，且非注本，我们即收录陶集注本7种。唐代更为突出，《四库全书》所收名家注本，李白集2种，杜甫集5种，韩愈集6种，李商隐集3种；我们这次所收，李白集7种，杜甫集22种，韩愈集11种，李商隐集18种。提要对这些注本，都有具体考述、评议。应当说，这也为学术史研究提供了重要史料。

类似情况者其他朝代也有，可以注意的还有诗文评部分。《四库全书》于诗文评类，收64种，而这次的诗文评卷，则收有670种，竟为《四库全书》所收之10倍，充分反映了我们当代诗文评研究的成果。其中如金元时，《四库全书》仅收4种，且皆为文话，无诗话，这次就收有35种，其中有中国本土已无传本，自日本所藏补辑的。明代，《四库全书》也仅6种，这次收有142种，清代更多。且现在著录的明清诗话提要，颇有一种特色，即选辑相当数量记述地方诗歌创作的诗话，现即举数例，如明时有《豫章诗话》《蜀中诗话》，清时有《西江诗话》《全闽诗话》《全浙诗话》；有些还记述县镇地区的，如明熊迻《清江诗话》记江西樟树镇，清吴文晖《澉浦诗话》记浙江海盐县。这当有助于地域文化的研究。明清诗话，还有记女性诗作诗风的，这也很有社会特色。如明田艺蘅《诗女史》，清沈善宝《名媛诗话》，各记有先秦至明清女性诗人数百人。有些记女性诗人，还与地区、种族结合，如清梁章钜《闽川闺秀诗话》、法式善《八旗诗话》等。

再以清代部分而论，清时修《四库全书》，据其编纂凡例，不收乾隆时著作，故所收清初文人别集，仅 37 种，而我们这次列于清代的，为 200 多种，可以说是有利于具体了解有清一代诗文制作的全程。且所收也有特色，类似于前所述诗文评，现著录于提要的，有好几位女性诗人诗作，如明末清初名妓柳如是所著《柳东君集》，当代国学大师陈寅恪即有《柳如是别传》记其一生事迹。又如李因，与柳如是同时并齐名，清初顺治二年（1645）其夫抗清殉难后，独处四十年。清初学术名家黄宗羲特著有《李因传》，金燕《香奁诗话》称誉其诗"有中唐余韵"。这次就著录其诗作《竹笑轩吟草》。也同为康熙时有商景徽《咏雏堂诗钞》，时称其"诗逼盛唐，讲究格律，居然名家"。又如乾隆时女诗人陈端生，曾作弹词《再生缘》，陈寅恪即有专著《论再生缘》，郭沫若并有《陈端生年谱》，称"为弹词中最杰出作品，堪与希腊、罗马之有名史诗相比"，这次就将其《绘影阁诗》撰写提要。另外还有柴静仪、席佩兰、顾春等几位。提要除记其事迹、著作外，还引用时人及后世评论，可以看出清代诗文创作的时代社会特色，为清代女诗人研究提供极有意义的史料。

明清卷选录的著作，还并不仅着眼于其诗文长处，还着意于其小说、戏曲成就。如明李昌祺《运甓漫稿》，提要除引用朱彝尊《静志居诗话》评议其诗外，还记其有著名文言小说《剪灯余话》《月夜弹琴记》等。又如《四库全书》未收的《敬修堂诗集》著者清初查继佐，著有《续西厢记》杂剧，及《三报恩》《非非想》等五种传奇。金人瑞《沉吟楼诗选》，虽仅一卷，却收有诗384首，他还曾批点《西厢记》《水浒传》，并将《水浒传》一百二十回删编为七十回，为人所称。李渔有诗文集《笠翁一家言》52卷，实则他还有戏曲、小说创作及戏曲理论，20世纪学者名家孙楷第曾为其《十二楼》作序，称其该篇小说为清代第一。又董说有《丰草堂诗集》11卷，他另有小说《西游补》，鲁迅《中国小说史略》对其评价甚高，称"殊非同时作手所敢望也"。明清卷能将戏曲、小说著者的诗文集也予著录，确能体现明清文学多样式发展的特色。

本书每一篇提要，大致包括著者(或编纂者、校注者)简历、内容要旨，以及学术价值和版本情况。这几部分视各书情况，可有所侧重。著者事迹，凡正史有传或知名度较高的，可简写；不知名者可适当多写。内容要旨与学术评议，一方面对著者与作品本身作概括的评价，同时又着重从文献学的角度，对书的编纂、流传作较为全面的叙述与辨析，以与文学史著作有所区别。版本情况，主要概述著作的流传与编刻过程，其中较复杂的则作较多的说明，以提供切实有用的史料。

关于著者事迹，各卷提要撰写者，都极注意充分引用确切的资料；有些著者，正史无传者，更搜辑有关史书的记载。如宋《浮沚集》著者周行己,《宋史》无传,提要中就详引《伊洛渊源录》《直斋书录解题》《宋元学案》《宋史翼》,及明弘治《温州府志》等书。又如《小亨集》著者金杨弘道,史书无传,提要则谓其事迹散见元好问《遗山集》卷三六《杨叔能小亨集引》、魏初《青崖集》卷三《素庵先生事言补序》、王恽《儒士杨弘道赐号事状》等。又如《高青丘集》著者明高启,虽《明史》已有传,本书提要则又引录他书予以补充,如引录《吴中人物志》卷七、《曝书亭集》卷六二《高启传》、《殿阁词林记》卷八、《国朝征献录》卷二一李志光所撰传及清金檀所撰年谱。这可见文献辑集对作家研究极为有利。有些还注意补正著者名字的缺误,如宋时有《诗评》一书,首见于南宋陈振孙《直斋书录解题》卷二二,著录为:"《诗评》一卷,桂林僧淳撰。"于"淳"字前缺一字,空格,自注谓"原缺"。明胡震亨《唐音癸签》著录为"德淳"。现在诗文评卷该书提要,即详引宋惠洪《冷斋夜话》及此书所引诗句,考定应作"景淳",为北宋仁宗至神宗时桂林僧人。这可以说是《诗评》著者之唯一确考。

关于文学成就与学术价值的评议,提要的体裁与论文、文学史著作不同,不能详加阐发,但注意引用时人及后世评议,并概要提出撰写者的研究己见。如宋邹浩《道乡先生邹忠公文集》,提要谓"邹浩信佛教,不以文学著称,但其诗既多且佳,颇有影响",即先录其诗作及论诗主张,又历引时人及后世评议,有释惠洪、李刚、车若水、方回、王士禛等。又如记叙宋朱熹文集时,既对朱熹的文学修养、文学观念予以肯定,但也有批评,认为"他站在卫道立场,对韩、柳、欧皆有贬词",又记朱熹讥苏轼"文害正道,甚于老佛",评为:"这种文学观,不仅限制了他的文学成就,对南宋后期乃至元、明两代文坛产生了巨大的消极影响。"我想,这也是提要可以将文献考述与理论阐释结合之一例,对当代文学史研究也有利。

关于著作编集、版本传刻,提要纠正前人及当代之误者不少,各卷都有,这当也是我们这套书的学术特色。限于篇幅,这里只略举数例,供读者参阅。如唐人殷尧藩集,明胡震亨《唐音癸签》卷一一三著录为一卷,诗 87 首,为胡之友人所编。现提要则详加考索,指出此集中有其他唐人所作的(如韦应物、姚合),非殷尧藩诗,另又为宋元人所作,见于宋王柏,元虞集、萨都剌,明史谨、吴伯宗等文集。又如南宋后期曹彦约《昌谷集》,后逸,清修《四库全书》时据《永乐大典》辑成 22 卷,本书提要则考《四库全书》本辑录之《偶成》七言绝句 21 首,实为另一宋人杨简所作(见其《慈湖先生遗书》卷六)。

本书提要,从文献考证角度纠正《四库全书》编集及版本著录之误者不少。如金元时文集,清修《四库全书》时,多据当时传存的《永乐大典》辑集,有史料价值,但也有讹误。如元姚燧《牧庵集》,原 50 卷,后逸,四库馆臣乃据《永乐大典》辑得 36 卷。现在撰写的《牧庵集》提要,指出"此集误收颇多",即举例提出所辑有唐白居易文,宋姚勉文。另金人杨弘道《小亨集》6 卷,亦从《永乐大典》辑集,提要谓经查核,竟收有元代杨载诗 17 首。又《四库全书总目》所著录的卷数有与原书不合的,如明郑真《荥阳外史集》,《总目》著录为 70 卷,而《四库全书》所收者实为 65 卷;明宋濂《宋学士集》,《总目》著录为 36 卷,而原书实为 32 卷。提要撰写者均经核对,指出其误。

本书考订并纠正《四库全书》及《总目》关于编集及版本著录之误者不少,这里仅略举数例,读者在研究历代《四库全书》本时均请参阅。

本书提要撰写,确也充分吸收现代研究成果,特别关于版本流传,凡有当代校注、整理本的均加著录,以便于读者检阅。但也有纠误,现举两例:一为明胡震亨批注《杜诗通》30卷,20世纪前半期洪业所编《杜诗引得》(哈佛燕京学社),其序谓此书为明万历或天启、崇祯间刻,后当代马同侪、姜炳炘《杜诗版本目录》也以为明末刊本。现本书汉唐五代卷该书提要,即据此书所载胡夏客(胡震亨子)识语,考述胡震亨于崇祯九年(1636)始作此书,崇祯十五年成书,时值鼎革,生前未及刻印,至清顺治七年(1650)始由朱茂时予以刊行,是为初刻。现代学者当未查阅此书版刻序跋,乃误定为明末所刊。二为前几年出版有《清人诗文集总目提要》(柯愈春著)一书,书中有谓袁枚诗集刻本最先有《随园诗草》八卷、附录八卷,为边连宝辑,乾隆四十年(1775)刻。现本书明清卷著录袁枚《小仓山房文集》,提要对边连宝事迹有考,记其字赵珍,亦号随园,直隶任丘(今属河北)人。《随园诗草》乃边连宝自己的诗集,与袁枚了无干涉。《清人诗文集总目提要》当因未核原书及边氏行迹,仅据"随园"二字,即误以为是袁枚诗集之最早刊本。

以上就本书在文献史料上可资参考者,概举一二十例,但还未能充分表达这套《名著提要》的学术长处和内容,我想广大读者、研究者在阅读、使用时当会更有实际收获。我这里再作一补述,即这套《名著提要》共分5卷,即《汉唐五代卷》《宋代卷》《金元卷》《明清卷》《诗文评卷》,各卷分别由南京师范大学郁贤皓教授、四川大学祝尚书教授、南开大学查洪德教授、苏州大学马亚中教授、上海大学刘德重教授主编。他们都是该学术领域深有研究的著名专家。祝尚书先生曾参与《全宋文》编纂，并著有《宋人总集叙录》《宋人别集叙录》（几年前在中华书局出版），他对宋人诗文集有全面研究，故这次宋代卷即由他个人撰写。其他四卷，各卷主编除自己撰写外，还邀请多位学者，撰写者有些可以说是声高望重的老一辈专家，如诗文评卷，有王运熙先生撰《文心雕龙》提要，陈伯海先生撰《沧浪诗话》提要；汉唐五代卷，有刘学锴先生撰李商隐诸集提要，陈铁民先生撰王维、岑参等集提要，吴企明先生撰李贺、王建等集提要，陶敏先生撰宋之问、沈佺期、韦应物等集提要，王学泰、张忠纲先生撰杜甫诸集提要。中青年学者，更有不少卓有成就、备有声望者，如陈尚君、张伯伟、蒋寅、吴在庆、胡可先、张寅彭、邓安生、罗时进、王青、詹杭伦、王树林、李军、章锡良、陈国安、贺国强、杨年丰等，恕不列举。各位学者根据全书统一体例，广辑资料，细加考索，又发挥各自的长处。本书可以说是我们古代文学研究与文献研究相结合的集体成果。

我作为总主编，有一个通读全稿的习惯，即各卷书稿都加细阅，并提出一些意见与各卷主编商议修订。这之中，我自己也确深有所得，前面所举的例子，也正是我阅后所获。我与学界友人的诚挚合作，是深有所感的。

同时我还应向河北教育出版社特致谢忱。我们将这一项目向河北教育出版社领导提出后，他们即毅然接受，实则此书学术含义虽高，但出版社经济压力恐是很重的。各卷陆续交稿，邓子平先生与张静莉女士都加细阅，近年来还特邀河北省社会科学院语言文学研究所原所长、研究员张圣洁先生审稿。张先生真是十分负责,他不仅逐字逐句地通读了全部清样,而且提出了不少中肯的修改意见。在作好语言文字规范使用的同时,还对书中引文、纪年等多加核对,补正缺误文字,确使本书质量得以保证。这也是当前出版社与学术界和谐合作极难得一例,我与各卷主编也都深有所感的。

2008 年 8 月

原载河北教育出版社 2009 年版《中国古代诗文名著提要》,此据东北大学出版社 2015 年版《中国当代名家学术精品文库·傅璇琮卷》录入,另收入万卷出版公司 2010 年版《当代名家学术思想文库·傅璇琮卷》(题无"总"字)、首都师范大学出版社 2010 年版北京社科名家文库《治学清历》、大象出版社 2015 年版《书林清话》

唐诗之路：中国文人的山水走廊

"智者乐水，仁者乐山"，在浙江省东部地区，一条文人的山水走廊生动地阐释了文人和山水的关系。

在中国文化史上，很少有一条线路和中国的山水诗、书画艺术以及宗教思想发生如此密切的关系。正是因为这层关系，才引得诗人纷至沓来；也因为他们的歌咏，成就了一条绝无仅有的"唐诗之路"。

"唐诗之路"由来

浙东文化，源远流长。自晋代，浙东渐成为人文荟萃之地，中国山水诗在这里滋生；以沃洲为核心区域的佛教"般若学"的兴起，标志着外来佛教与中国本土文化的结合；佛教"天台宗"的产生，标志着佛教在中国流行鼎盛时期的到来；生活在越剡的王羲之，被后人推崇为"书圣"，在中国书法艺术史上影响极为深远；南朝刘宋元嘉年间的以天姥山为创作题材的山水画，标志着中国山水画艺术的发生;包括饮茶、弈棋、音乐、园林、造纸等也成为当地的地域文化。这些文化内容对后人的影响至今不绝。

到了唐代,"千岩万壑"的浙东山水和深厚的文化积淀,成为唐代诗人十分向往的精神乐园,有四百多位诗人在这里流连忘返,吟咏不绝,留下了1500多首唐诗,使浙东一带成为唐诗发展中一个特异的地区。对于这一人文现象,"唐诗之路"是一个既鲜明又深邃的高度概括和归纳。

"唐诗之路"由浙江新昌(古剡县东部地区)当地学者竺岳兵于上个世纪90年代初,在南京师范大学和中华书局联合主办的"中国首届唐宋诗词国际学术研讨会"上正式提出后,立即受到学术界的重视。浙东深厚的人文底蕴得到了国内外知名学者的肯定和赞许,也获得了进一步的挖掘开发。学者们已形成一个共识:浙东唐诗之路可与河西丝绸之路并列,同为有唐一代极具人文景观特色、深含历史开创意义的区域文化。

风雅浙东

浙东"唐诗之路"的范围,在钱塘江以南、浦阳江以东,包括苍山山脉以北至东海这一地区。"唐诗之路"所指的浙东的地形,像一个倒放的"爪"字,底面(即南面)一撇是括苍山与大盘山,上面自左而右(即自西而东)三撇,依次为会稽山、四明山、天台山。这三座山脉,由西南向东北倾斜,天台山从关岭算起向东经天台县、新昌县、宁海县、奉化县、象山县、鄞县、宁波镇海、定海区,绵亘起伏155公里,陡落东海再起而为舟山群岛;会稽、四明两山休止于今宁波、绍兴平原。

历史上所谓的"平原",比今天的要小得多,而屡见于唐诗的镜湖,却比今天的鉴湖大110倍。李白"镜湖三百里,菡萏发荷花"是对它如实的描写。而今天的绍兴市区,唐代时多半是镜湖水域,李白"东海横秦望,西陵绕越台"诗句,就把越国古都说成是水流围绕着的一个台地。唐代诗人在诗中,往往用"海上"指代浙东,如宋之问"石帆摇海上,天镜落湖中",李白"我昔东海上,劳山餐紫霞",像这样的用语在《全唐诗》中约有300例之多。

"北马南舟",舟是古人旅游南方最便捷的交通工具。他们由水路坐船赏景,水尽登山放歌,于是有了"山水"、"山川"、"江山"、"河山"这样的合成词。浙东的会稽山、四明山、天台山这三座山脉水系汇注成的剡溪、灵江和位于宁波、绍兴平原上的浙东运河,勾勒出了浙东唐诗之路的干线和支线。

海拔1110米的天台山华顶峰及其西起关岭、东止鄞县的山脊连线,是越州、明州与台州的分水岭,分水岭向南流有多条溪河,其中始丰溪至临海段,是唐诗之路干线。始丰溪源发大盘山和华顶峰,在天台县城汇合成大溪,国清寺、赤城、桐柏宫、寒岩,都在始丰溪流域内。始丰溪向南流约46公里达临海,有龙兴寺、圭峰、委羽山以及南面的李商隐客寓地。

华顶峰北面的溪水,是剡溪最大支流的源头,向北流数里,有石桥(又名石梁飞瀑)。李白"侧足履半月"是对它最为形象的描述。而白居易"缭绫缭绫何所似,不似罗绡与纨绮。应似天台山上月明前,四十五尺瀑布泉",则是对晚上观瀑景观的描写。

过石桥向南 4 公里,有慈圣村。慈圣村往南,河床平缓,千山水注,始成剡溪。孟浩然从襄羊老家舟行经越州至此,有诗云:"高高翠微里,遥见石梁横。"从慈圣向北顺剡溪行 18 公里,就到了著名的沃洲。沃洲在东晋时,是一处南北长里许、烟树凄迷、四面环水的绿洲,与名山天姥仅隔着一条剡溪。白居易《沃洲山禅院记》云:"东南山水,越为首,剡为面,沃洲、天姥为眉目。夫有非常之境,然后有非常之人栖焉。晋宋以来,因山洞开,厥初有罗汉僧、西天竺人白道猷居焉;次有高僧竺法潜、支道林居焉;次又有干、兴……凡十八僧居焉。高士名人有戴逵、许玄度、孙绰、谢万石、王羲之……凡十八人或游焉,或止焉。"

一种文化被另一种文化所吸收,就像输血与受血一样,有一个血型选择的过程。白居易所说的"十八高僧",是推动外来佛教与中国本土文化融合并推动佛教发展的带动人,而戴逵、许玄度、孙绰、谢万石、王羲之等十八名士,则都是耸壑智士、名驰千年的历史人物。唐代诗人追慕晋贤而纷纷来到这里,《唐才子传》所载八大诗僧,都曾亲履于此吟咏。在《全唐诗》中,"沃洲"、"天姥"一词出现的频率竟比"泰山"一词还要多。

沃洲向北 2.5 公里有支遁岭,《世说新语》、《高僧传》记述的东晋高僧支遁向竺道潜买山的典故就产生在这里。孟浩然《宿立公房》咏道:"支遁初求道,深公笑买山。"过支遁岭有兰沿村。在新嵊盆地上,兰沿村是最古老的村落之一。许多的湖泊沼泽,形成了极为畅通的剡溪。"湖上水渺漫,清江初可涉","落日花边剡溪水,晴烟竹里会稽峰",大自然营造了这神秀世界!

刘长卿的"鸟道通闽岭,山光落剡溪"诗句中的"鸟道"在会墅岭,会墅岭也是唐诗之路的干线,这是一条由谢灵运开辟的"谢公古道"。从天台山国清寺向北行38公里,途经赤城山、关岭、越万马渡再2公里到天姥山南端,再依天姥山麓西向北行6.5公里到会墅岭。会墅岭左有圳塍,是剡溪的源头之一,下接惆怅溪。有斑竹村、司马承祯桥,是数百位唐代诗人从旱路游览台州、越州的必经之道。惆怅溪过司马承祯桥向北10公里与兰沿村前的剡溪汇合后,北流11公里到今新昌县城。新昌县在古剡县东南,有江南第一石窟大佛、谢灵运故宅、刘长卿碧涧别墅等古迹。剡溪纵穿新昌县城镇北流5公里处有南岩,南岩是山海遗迹,中多螺壳洞穴,为7000年前卷转虫式海侵堆积而成。它是《列子·汤问》《庄子·外物》两个寓言的背景,尤其是任公子"蹲乎会稽,投竿东海"钓鳌的寓言,因具有怀抱壮志、锲而不舍的内涵,使此地成了唐代诗人十分向往的地方。李白寻访南岩后,常以任公子自比,他的诗集中有"愿随任公子,欲钓吞舟鱼"、"空持钓鳌心,从此谢魏阙"这样带"钓"字诗句的,有50余篇。可以说唐诗中与"钓"有关的诗句,大多以任公子钓鳌为典故。

过南岩6公里为今嵊州城。嵊州城古为剡县县治。境内有东、西白山,皆为儒、释、道之窟宅,东25公里,有王羲之身后建的纪念"书圣"王羲之的金庭观。规模宏大,气象恢阔。王羲之晚年隐居剡县东南之罕岭(今新昌县东),其书楼丹池旧址尚存。

剡溪在雩浦一段溪流,被会稽山、四明山夹持,左转右旋,形如"了"字,称了溪。六朝建有始宁县,有晋宋谢玄、谢灵运故居遗址,唐有朱放、秦系等诗人隐居于此。诗人李绅三次在这里的龙宫寺读书游赏,著名的"锄禾日当午,汗滴禾下土。谁知盘中餐,粒粒皆辛苦"诗作于此地。今尚存龙宫寺的许多文物。

水从雩浦向北流 6 公里,西有小江,东有东山。小江是小舜江的省称,这里在汉唐有"中国瓷都"之誉。又因为在它的西面有唐诗中屡屡提到的若耶溪,所以唐代诗人往来小江颇为频繁。皇甫冉诗曰:"江上年年春草,津头日日行人。借问山阴远近,犹闻日暮钟声。"

东山因有晋谢安"东山再起"的典故而往往成为唐代诗人的兴奋点,其中最典型的是李白,他一遇挫折,便说"东山高卧时起来,欲济苍生未应晚",东山时常使他激荡起高亢的情绪。

唐诗中出现一百多次的"镜湖",在浙东运河与剡川交接处的西面,今称鉴湖。在镜湖的南面有若耶溪。若耶溪是唐代诗人最向往的地方之一,王维、贯休等许多诗人曾隐居于此。

唐诗之路:摸着历史的路标前行

在世上所有的路中,唐诗之路是一条浪漫而特别的路,是一条隐藏在历史中的山水人文道路。这条道路山水秀丽,分布着汉魏六朝的文人、高僧和隐士游历隐居的众多遗迹,但在唐代以前,这些遗迹只是一些风景人文名胜,在浙江东部的山水中若隐若现。有唐一代,四百多位诗人纷至沓来,用他们的双脚把这些分散的遗迹胜地连成一线,而他们自己,也成为这条路上的独特风景。今天,我们正是从他们留下的诗歌当中,发现了从钱塘江口沿鉴湖、剡溪到天姥山、天台山,从新昌、嵊州到上虞、余姚的一条文化线路,这条线路曾经对中国山水诗、书画艺术乃至宗教思想的发展产生了重大影响,可以说是中国文化史上一条举足轻重、绝无仅有的道路。

与竺岳兵合撰,原载《艺苑》2008 年第 10 期,据以录入;与《中华遗产》2007 年第 9 期"走出唐诗的'唐诗之路'"文可互参看

《〈三字经〉古本集成》序

近两年来,浙江宁波市鄞州区为其先贤——南宋末期博大精深的学问大家王应麟,做了两个极具历史文化意义的项目:一是编纂修订版《三字经》,2008 年 4 月由人民教育出版社出版;二即此《〈三字经〉古本集成》,2008 年底由辽海出版社出版。《三字经》是我国传统启蒙教育的典范之作,鄞州区主动与文化学术界合作,编纂、出版这两部普及与专业有机结合之作,应该是既为青少年创造"优良的文化环境",生产"优质的文化产品",也为学术研究提供"优质的文化服务",可以说是以科学发展观的要求,继承、传播、弘扬优秀传统的一项文化战略工程。

2007 年 5 月下旬,鄞州区举办王应麟学术思想与《三字经》学术讨论会,来自北京、安徽、浙江等地的学者把目光投向了《三字经》的文化意义和思想价值。此后,鄞州区与《光明日报》国学版具体合作,筹建《三字经》修订版编纂委员会,借助媒体力量,向全国读者征求修订意见。在充分尊重专家意见和广泛汲取人民群众智慧的坚实基础上,经半年多的努力,修订工程取得圆满成功。

与此同时,宁波市鄞州区向全社会发起征集历代相传的《三字经》古本活动，征集总量逾百种，积累了珍贵的原始资料，为整理研究并编纂《〈三字经〉古本集成》一书创造了有利条件。

修订版《三字经》作为普及读物，面向学生和广大群众；《〈三字经〉古本集成》则是学术类的古籍专题整理，面向学术研究工作者和爱好传统文化的读者。诚如已故的周谷城先生所言，《三字经》这类书，正是形成旧时中国最广大民众世界观的重要来源。它在塑造民族心理、民族性格和民族精神上，起过很好的作用。传统社会就是通过这类蒙学读物给予的教育，在一定程度上确定了一个人在社会化过程中建立起来的内在价值取向与精神认同。

不过，古代中国属于高雅文化时代，上层士大夫习惯于编纂经史类著述，精英作品即代表了我国的古典文化。至于蒙学读物，前人的记载很少，旧时的藏书家也多不重视。《三字经》在今人是珍贵的文化遗产，在古代却一直是不登大雅之堂的小儿读本。也正因此，岁月流逝，大都散失。宁波市鄞州区编纂、整理此书的同仁们，知难而进，广泛查阅和积累文献史料，深入考订各类古本。为了搜寻、甄选富有代表性的、深蕴学术价值的古本《三字经》，他们以自家征集的版本为基础，再赴国内各大图书馆查找相关古版本，甚至去韩国、日本搜索明清时代传播到海外的《三字经》。为了保护、利用文化遗产，可谓"不惜千金买宝刀"，投入了相当的人力、物力。就这样，他们不辞劳顿，未吝心力；上下求索，沙里披金，为搜寻古版本，"上穷碧落下黄泉"，又为辑校解读古本，孜孜以求，坚持不懈。经过不断查找、比较、筛选，现在入书的《三字经》古本总量为十八种，包括从日本所获古本两种，均以王应麟（或区适子）首唱，后人依体延续的《三字经》为收录准绳，并以成书年代为序先后罗列,包括了原文类、注释类、订补类、移译类等各类古本《三字经》,堪称前所未有的集成大观。

珍稀古本,来之不易,几乎每一种古本后面都蕴含着一个感人的故事。在充分掌握第一手文献资料的基础上,整理研究工作者的视野大为开阔。较之王应麟原著,后世的修订、增补、注释、翻译之作,明显存在着认识上的分歧或差异,其人生价值和知识构成等也不尽相同,细加考究,古版本无不带有明显的时代印记。本书编纂同仁认真梳理、比对、勘核,用心琢磨、解说、考订,怡然理顺,焕然冰释,发古人幽思,启今人智识;并从文字的多寡、异同中,发现问题,寻求答案,潜心探索其中的未知。若干前人研究的谬误、疏漏之处也被发现,被纠正。例如早期《三字经》佚名本正文1068字的认定;历史上流传最为广泛的清王相《三字经训诂》,正文1068字乃保持了原作旧貌。然而版本芜杂,《三字经训诂》亦有多种版本,印数高达八十九万册的某书社《三字经》一书,其中选用的《三字经训诂》底本,叙史至"廿二史";另一出版社《三字经辑刊》,选辑的《三字经训诂》,叙史至"十七史",然正文却写到了明代灭亡,内容出现了明显差错——已非王相的《三字经训诂》原作,乃后人在王相原作基础上的订补本。这样,就给研究工作造成了困难,形成了混乱。鄞州的同仁们,决心让文献说话,让古本说话,让事实说话,正本清源,对历史负责,竭尽所能做好这一惠及当世、泽被后人的文化工程。

众所周知,2007年春夏之交,浙粤两地曾出现《三字经》作者之争:是鄞州王应麟,还是顺德区适子?唇枪舌剑,针锋相对。现在,由鄞州方面整理出版的这本《〈三字经〉古本集成》,却坦然列出了由他们找到并编入《集成》的署名区适子原著的《详注增编三字经》。这体现所有汇刊古本数据的来源出处，都能公之于众而毫无保留。我深为他们执着追求、锲而不舍的治学精神所感，深为他们海纳百川、求真务实的学术态度所感，也为国学热持续升温，传统文化在今日中华大地上的发扬光大深感欣慰。我认为，像《〈三字经〉古本集成》这样一种专题的集中整理，从一个独特的角度为我国古代思想史、教育史的研究提供系统、翔实的文献史料，为当前的古籍整理研究作出了新的开拓，定会受到文化学术界的关注和赞许，故乐为之序。

原载辽海出版社 2008 年版《〈三字经〉古本集成》，此据大象出版社 2015 年版《书林清话》录入，另收入北京联合出版公司 2013 年版《濡沫集》

《张九龄学术研究论文集》序

　　张九龄是盛唐时的著名政治家、思想家和文学家,史称"自古南天第一人""岭南名相"。他的政治才识、道德文章享誉盛唐,在开元盛世时起到重要作用和作出重要贡献。他为政清廉,忠君爱国,尚直宽和,正气凛然,世称开元贤相。"安史之乱"后,玄宗皇帝每逢选官用人时常以"风度得如九龄否"来赞誉张九龄。张九龄是与张说齐名的"文儒"集团领袖人物,他风度端凝,文才横溢,亦为当时文坛领袖。他的诗雅正清淡,别具特色,后人称其为"清澹之派";尤其五言律诗最为突出,诗律语言挺拔,对仗蝉联,独树一帜。世人评价张九龄的诗是从陈子昂过渡到李白、杜甫间承上启下的重要诗人。他的代表诗作《感遇》十二首和《望月怀远》等咏怀诗,朴质简劲,意境深远;特别是"海上生明月,天涯共此时"名句,百世传诵,千古流芳。

　　此次广东省社科联与韶关市人民政府联合举办纪念张九龄诞辰1330周年学术研讨会,邀请函我早已收到,因身体原因没能参加这次盛会。其实,早在今年七月初,韶关市在北京师范大学举办的纪念张九龄诞辰专家学者座谈会上,我受邀出席了座谈会。当时在京的唐史研究和唐代文学研究的专家学者大都到会发了言。我作为唐代文学的研究者,在80年代初曾出版《唐代诗人考略》,书中就对张九龄的诗作有较深的研考,认为张九龄的诗在盛唐文学史上有着重要的地位。张九龄为开元时期的杰出诗人,他的诗歌创作继承了《诗经》《楚辞》和汉魏诗歌的优良传统,力排六朝以来的绮靡颓风,对唐诗的形成和发展起到了承前启后的作用。张九龄是盛唐时期岭南最杰出的诗人,也是我国文学史上有影响的第一位岭南籍诗人。

张九龄不仅是盛唐时期的著名文学家,又是一位很有远见的政治家。韶关是张九龄的故乡,在唐代时是岭南数一数二的大州府,文化底蕴深厚,历来是岭南重镇。由于地理环境的优势,韶关是最早接受中原文化的地区,中原文化与岭南文化在此融会,碰撞生辉。自唐开元四年(716),张九龄主持开凿梅岭新路,沟通了南北交通,不仅对经贸、信息交流起到重要作用,而且对促进岭南文化与中原文化交流也起到了推动作用。不仅如此,从张九龄开凿梅岭古道的历史意义上足可以看出他是一位富有远见卓识的政治家。前些年,我曾受广州大学文学院之邀,特地到韶关参观,甚感韶关人杰地灵,山水风光之美。

韶关市此次举办纪念张九龄学术研讨会,共征集到海内外各地研究论文145篇。此次学术论文参与面广,得到了中国社科院、清华大学、北京大学、台湾大学、香港中文大学、上海复旦大学、广州中山大学、北京师范大学、陕西师范大学、暨南大学、华南师范大学以及湖南、湖北、四川、重庆、河南、河北、山东、江苏、浙江、陕西、甘肃、宁夏、西藏、广西、上海、安徽、江西、福建、黑龙江等 20 多个省、市、地区专家学者的参与。此次征集到的论文有几个显著特点：一是研究领域有新的扩展，从张九龄的政绩、人品、诗品以及他的哲学思想、唐代言谏制度、唐代宗法文化等，特别是对"九龄风度"、张九龄与岭南文化等都有新的探究。二是论述的角度有新的拓展，许多专家学者以新的视角对张九龄的政绩和尚直精神探讨研究，并从张九龄的和谐思想和民本思想提出了研究张九龄的当代意义。三是视野开阔，从历史角度，多方面透视，广泛深入地研究张九龄"所不卖公器""抱器怀才"、才杰廉明的道德风范，以及他晚年在荆州的思想和文学方面的贡献。四是探索对张九龄研究历史意义和现实意义的新路子，"九龄风度"既是对张九龄政治才华的综合评价，又是对其功业文德及现实意义的褒奖。他的忠君爱国思想和革新精神，至今都具有现实价值。

值得注意的是，20 世纪八九十年代，有关张九龄的研究虽已有一定成果，但学术界对其文学成就与政治见识，评议仍不够充分，尤其是前几年出版的一部颇有影响的中国文学史著作，不仅对张九龄未有专门章节论述，且在开元盛唐部分对张九龄不着一词。实则张九龄在历史上极有影响和声誉，其友人徐浩在为其所作神道碑中就称其"学究精义，文参微旨""后之作者所宗仰焉"。由此应当是与张说同为盛唐文坛的"文宗哲匠"。故杜甫所作名篇《八哀》诗，就特别怀念张九龄，称其为"仙鹤下人间""波涛良史笔，芜绝大庾岭"。清代著名诗论家刘熙载在其《艺概·诗概》中就以张九龄与陈子昂并提，认为"独能超出一格，为李、杜开先"。翁方纲《石洲诗话》也赞誉其"远出燕、许诸公之上，阮、陈而后，实推一人"。正因如此，我于 20 世纪 90 年代与几位学者合作,并由我主编的《唐五代文学编年史》(辽海出版社,1998年),充分吸收现有研究成果,详记张九龄一生仕历及文学行迹多至80处。因此我认为,这次由韶关市举办的纪念张九龄学术研讨会,不仅对张九龄本人研究,且对唐代文学研究也会有极大的推动。特别是好几篇论文阐述张九龄对岭南文化的开发,我深感,这是区域文化独创性与中华文明整体性和谐结合的深入探讨。

研究张九龄是研究岭南文化中不可或缺的重要组成部分,是一项长期研究工作,仍需广大专家学者开阔视野,深入挖掘,多出新成果、新论著。韶关市政府几十年来一贯注重对张九龄的研究,取得了丰硕的研究成果。此次纪念张九龄学术研讨会,是一次专家学者聚集的盛会,征集到的论文层次高、视角广、议题新,将全国研究张九龄工作推向了一个新的高度。在韶关市张九龄学术研究论文集出版之际,受韶关市嘱托,写下一点感受,谨作为序。

2008 年 12 月 18 日

原载珠海出版社 2009 年版《张九龄学术研究论文集》,此据大象出版社 2015 年版《书林清话》录入,另收入北京联合出版公司 2013 年版《濡沫集》

文献学与文学研究结合

  2008 年 4 月 24 日,清华大学中国古典文献研究中心成立会议上,我在发言时曾提及 20 世纪前半叶清华人文学科学风可以概括为三点:第一,视野开阔,对一个时代的文化有总体把握,具有清晰的文化意识;第二,着眼于当前现实,具有鲜明的当代意识,而又能沟通古今,融会中西;第三,对中华传统历史文化有强烈感情,又能保持一种理性的自觉。这是 1995 年《清华大学学报》为中文系建系 70 周年特辟"清华人文传统和学术风格笔谈",我曾写及的。又鉴于清华大学出版社于 1999 年曾出版齐家莹教授编撰的《清华人文学科年谱》;记清华人文、社会各学科于 1925—1952 年间的教学与学术活动,着重于资料辑集,类似于资料长编书,因此我在 2008 年 4 月的会议上,就加强清华学风建设的理论研究角度,又建议编撰一部清华人文学科编年史。另外我觉得,20 世纪前半叶清华大学人文学科有不少突出成就的学者,他们专业领域各有不同,学术路数各有特色,我们可以将他们的治学道路和著作成果,作具体研讨和总结,分别编纂有代表性学者的学术探讨论集,这一定会开发出丰厚的学术矿藏,对清华的总的学术风格有更深切的了解。

以上提及的两项课题，一是以时间为序、综合记述的学术史，一是以学者个人分列，作专题探讨的学术论著集。这应当有学术意义，但难度很大，须由历史、哲学、中文、外文等院系分工合作，全面筹办。2008年刚成立的古典文献研究中心，就当前的实际情况，拟从文献学与文学研究结合的角度，规划三个项目，即《中国古代诗文名著提要》、《续修四库全书》集部类提要、《宋才子传笺证》。前两项都属于提要的编纂、撰写，提要则是文献学基本部分之一，即目录学的一个组成部分。经讨论我们认为，用提要这一传统形式，就现代治学思路，可以为当前古典文学研究拓展领域，扎实基础。

目录著作一直受到古今学者的重视。清代著名学者王鸣盛在其《十七史商榷》中，就强调："目录之学，学中第一紧要事，必从此问途，方能得其门而入。"（卷一《史记集解分八十卷》条）目录类著作，一般分书目和提要，提要是目录类著作中最具学术性的部分。提要自西汉刘向《别录》开始，当时称为"叙录"。"叙录"的内容，除著录书名、篇目及雠校原委外，主要是记述著者生平，说明书名含义及书之性质，考辨书之真伪，论述其价值与学术源流。这可以说是我国目录学中"辨章学术，考镜源流"优良传统的开端。也正因此，刘向的《别录》分量虽不大，但20世纪著名史学家范文澜在其《中国通史简编》第二编中，却将其与司马迁《史记》并提，认为"在史学史上是辉煌的成就"。

但此后很长时间，官修的正史《经籍志》、《艺文志》，有时仅一二句小注，并未有《别录》体例撰写。自南宋《郡斋读书志》起，至明代一些私人藏书目录,则连续出现提要,但大致也较简略,并只偏重于版本著录。真正从学术角度为经、史、子、集四部传统典籍作提要的,是清乾隆时由纪昀主持的《四库全书总目提要》。当时参加《四库全书》提要初稿撰写的,多为一流名家,他们发挥各自的专长,以义理与考据相结合,对各书考订其流别,辨论其得失。故清季张之洞给予极高的评价,认为:"将《四库全书总目提要》读一过,即略知学术门径矣。"(见其所著《輶轩语》)即使如近现代学者余嘉锡对《四库提要》中的缺失多加指正,但他在所著《四库提要辨证》一书的序录中,仍明确自承:"余之略知学问门径,实受《提要》之赐。"近20余年来,古典文学界有从学术史的角度,探讨《四库提要》的文学观念流变与理论批评原则。这确实可以看出,提要这一体例,已不限于目录学的传统框架,可将文学研究、史学研究、哲学研究等与文献学研究结合,成为既扎实而又充分表达各学科领域理论观念的一种方式。

《中国古代诗文名著提要》,我于两三年前已加筹备,与几位专家合作,组约多位学者,从当前学术发展的高度,充分吸收前人和现代的研究成果,选择古代有价值、有代表性的诗文别集和诗文评著作,以提要的形式,一一加以介绍和评议。经过几年编纂、撰写,已大体就绪,现在即列入"清华古典文献研究丛刊"。

这部《中国古代诗文名著提要》所著录的,起自两汉至清末(1911),将近2000种,这已远远超越《四库全书》这一门类所收。《四库全书》收别集961种,诗文评64种。再就具体而言,《四库全书》于两汉部分仅著录3种,魏晋南北朝部分13种,而我们这次收录者,两汉有13种,魏晋南北朝50种,应当说更能反映两汉魏晋南北朝诗文制作的实际情况。又如古代诗文别集，历朝有不少校注、评议本，我们这次所谓"诗文名著"，既选取在文学史上具有一定地位与影响的作家本身的著作，还著录价值较高、有历史意义的评注本。这方面也可补《四库全书》之不足。如《四库全书》收陶渊明集，仅一种，且非注本，我们即请南开大学一位陶学研究专家，收录陶集注本 7 种。唐代更为突出，《四库全书》所收名家注本，李白集 2 种，杜甫集 5 种，韩愈集 6 种，李商隐集 3 种；我们这次所收，李白集 7 种，杜甫集 22 种，韩愈集 11 种，李商隐集 18 种。提要对这些注本，都有具体考述、评议。应当说这也为学术史研究提供了重要史料。

类似情况者其他朝代也有，可以注意的还有诗文评部分。《四库全书》于诗文评类，收 64 种，而这次的诗文评类，收有 670 种，竟为《四库》所收之 10 倍，反映我们当代诗文评研究的成果。其中如金元时，《四库》仅收 4 种，且皆为文话，无诗话，这次就收有 35 种，其中有中国本土已无传本，自日本所藏补辑的。明代，《四库》也仅 6 种，这次收有 142 种。且现在著录的明清诗话提要，颇有一种特色，即选辑相当数量记述地方诗歌创作的诗话，现即举数例，如明时有《豫章诗话》、《蜀中诗话》，清时有《西江诗话》、《全闽诗话》、《全浙诗话》；有些还记述县镇地区的，如明熊逵《清江诗话》记江西樟树镇，清吴文晖《澉浦诗话》记浙江海盐县。这当有助于地域文化的研究。明清诗话，还有记女性诗作诗风的，这也很有社会特色。如明田艺蘅《诗女史》，清沈善宝《名媛诗话》，各记有先秦至明清女性诗人数百人。有些记女性诗人，还与地区、种族结合，如清梁章钜《闽川闽秀诗话》、法式善《八旗诗话》。

这部《中国古代诗文名著提要》，每篇都撰写著者简历、内容要旨，以及学术价值和版本情况。记述著者事迹，颇注意搜辑有关史料。如宋《浮沚集》著者周行己，《宋史》无传，提要中就详引《伊洛渊源录》、《直斋书录解题》、《宋元学案》、明弘治《温州府志》、《宋史翼》等书。又如《小亨集》著者金杨弘道，史书无传，提要则谓其事迹散见元好问《遗山集》卷三六《杨叔能小亨集引》，魏初《青崖集》卷三《素庵先生事言补序》，王恽《儒士杨弘道赐号事状》等。这确可见文献辑集对作家研究极为有利。

另在版本著录方面，又从文献考证角度纠正《四库全书》之误者。如金元时文集，清修《四库全书》时多据当时传存的《永乐大典》辑集，有史料价值，但也有讹误。如元姚燧《牧庵集》，原 50 卷，后佚，四库馆臣乃据《永乐大典》辑得 36 卷。现在撰写的《小亨集》提要，指出"此集误收颇多"，即举例提出所辑有唐白居易文，宋姚勉文。另金人杨弘道《小亨集》6 卷，亦从《永乐大典》辑集，提要谓经查核，竟收有元代杨载诗 17 首。

《中国诗文名著提要》撰写已大致就绪，现正陆续审改中，故情况较为了解，这里所述也较具体，不过限于篇幅，不再多述。前已提及，古典文献研究中心另有两个项目，即《续修四库全书》与《宋才子传笺证》，2008 年上半年刚启动，这里就作概略介绍。

《续修四库全书》于 1994 年由中国出版工作者协会、深圳南山区政府与上海古籍出版社合作，编纂出版，2001 年完成，共 1800 册（16 开精装本）。2002 年下半年获国家级优秀图书荣誉奖。《续修四库全书》的收录范围，既补选《四库全书》应收而未收之书，又全面选辑乾隆至清末宣统年间的各类典籍，共收书5213种，为《四库全书》的一倍半。应当说，这两部书配套，中国古代的重要典籍大致齐备。2002年5月9日，在北京的人民大会堂举行《续修四库全书》出版座谈会，当时的全国政协主席李瑞环同志特为出席，他在讲话中充分肯定此书的历史文化价值，称"这是一项了不起的工程，对保存、研究和弘扬中华民族的传统文化，必将产生重大影响"。

正因此，《续修四库全书》出版后，学术文化界就提出，应如《四库全书》编纂规格，做《续修四库全书提要》。应当说，将这5000多种书一一撰写提要，与《四库全书》之3000余种书提要合在一起，则将近9000种，就可成为中国古代典籍的百科全书，很有历史文化意义。不过工作难度也较大，由于我曾参与《续修四库全书》编纂工作，上海古籍出版社就与我商议，按经、史、子、集四大类，分约有关专业部门参加编撰。经联系，经部类由河北师范大学文学院承担，史部类由华中师范大学历史文献研究所承担，子部类还未定，集部类即由清华大学古典文献研究中心承担。

《续修四库全书》集部，是颇有特色的。如《四库全书》所收清人诗文别集，仅37种，因据其收书体例，仅收清初康熙、雍正年间，乾隆时诗文作家一概不收；而明代，后期所收也较少。这次《续修四库全书》所收明清别集就有500多种，对这500多种别集撰写提要，即可反映明清时期特别是有清一代的诗文创作情况。又如作为官修书，元明清时期的戏曲、小说，是不列于《四库全书》的，这次《续修四库全书》则将有代表性的戏曲作品，白话、文言小说，精选100多种。这次清华古典文献研究中心承担这一项目，确可对《四库全书》集部类作极大补充,并以提要形式为读者提供1000多种古代文学作品的文献史料。

以下即简介《宋才子传笺证》项目。

1980年代中期,我曾邀约近20位学者,为元辛文房《唐才子传》一书加以校笺,工作内容为:第一,探索材料出处,第二,纠正史实讹误,第三,补考原书未备的重要事迹。全书140万字,共4册,于1987年至1990年陆续由中华书局印出,后于1991年获国家新闻出版署评定的首届优秀中国古籍整理著作二等奖。2008年上半年,我们清华古典文献研究中心,经与有关学者商议,计划继唐之后,编纂《宋才子传笺证》。《唐才子传校笺》立有专传者为278人,我们现拟选辑两宋时期有代表性的诗、文、词人及诗话著者约350人,先撰传文,后作笺证,旁征博采,辨析异同,将有关宋代作家的传记资料,全面系统地加以搜辑考订。

宋诗与宋代散文,较唐代有所进展,宋代诗话更为中国古代诗歌理论的一大发展。但当前一般文学史著作,叙及宋代作家者不超过100人,实际宋代作家人数较唐代多。因此我们将宋代有代表性文体的作家约350人的生平事迹、文学成就、著作流传加以考证、阐释,可以作为有宋一代文人事迹的材料库,为学术进程中一个新的起跑点。

此书分传文与笺证,均为当代学者所撰。每篇传文为数百字,记述作者的主要事迹,及文学成就、文人交往、对当时及后世的影响,显示"才子"的个性特点。笺证则广辑史料对传文作具体考析,既吸收现有研究成果,又论证材料的正讹真伪,每篇约两三千至一万字。全书拟分5册。5卷,即诗文作家分为北宋前期、北宋后期、南宋前期、南宋后期,词人则南北宋合为一卷。总字数为200万至250万。这样,可提供宋代有代表性的诗、文、词作家的基本材料线索和概要的考析过程,使当代研究者可以此为起点,作进一步开拓与深入的研究。

这项工程启动后,与当代专家学者联系,得到极大的支持。如宋代文学学会会长、复旦大学中文系王水照教授承担撰写"四苏"(苏洵、苏轼、苏辙、苏过),宋代文学学会副会长、南京大学中文系莫砺锋教授承担撰写黄庭坚与江西诗派诗人,武汉大学王兆鹏教授更统一筹办两宋词人。目前参与此项工作的近20位专家学者,他们将把各自的研究心得运用到笺证中去,同时总结目前已取得的作家事迹考证的新成就。此项工程当由清华大学古典文献研究中心与有关高校多位学者合作,将宋代文学史料研究的集体成果呈献给读者。

原载《清华大学学报(哲学社会科学版)》2009年第1期,据以录入

《古诗十九首》研究的首次系统梳理和突破

——评木斋的汉魏五言诗研究

一　写作此文的几点思考

自 2005 年木斋在《山西大学学报》第二期发表《初论古诗十九首产生于建安曹魏时代》以来,已经四年多的时间,在此期间,我注意到木斋陆续在多家刊物发表系列论文,从各个角度、不同的层面来论证古诗十九首不可能产生于两汉,而是建安十六年之后的作品。这些论文,环环相扣,论证缜密,资料翔实,颇具说服力,在学术界应该说是产生了积极的反响。对汉魏五言诗,我研究不多,现在,我之所以撰文对木斋的古诗十九首研究给予关注,大致有这样几点原因:

首先,有关古诗十九首问题的研究,可以说是中国诗歌史研究的一个重大课题,也是一个重大难题,学术界对此应该重视,组织学术界的精英力量,投入一定的人力物力来共同攻克难关。现在流行的古诗十九首"东汉"说的说法，是 1924 年的大讨论的结果，这场大讨论一开始延续了古人的两说：1."西汉"说。朱偰、黄侃、隋树森等为"西汉"说。2."建安"说。徐中舒认为"不但西汉人的五言全是伪话，连东汉的五言诗，仍有大部分不能令人相信"，因此"五言诗的成立，要在建安时代"。至于"东汉"说，则首先由梁启超根据其"直觉"提出，罗根泽响应之，以后经过刘大杰、马茂元和游国恩等人的补充，遂流行至今。当今流行的几种文学史版本，仍然沿袭旧说，未能有所突破。学术界何以坐视一代代的文学史都用"大约是东汉中后期无名氏文人所作"之类的含混说法来答复一代代学子求知的目光呢？作为一名古典文学的学者，我感受到一种历史的责任感和使命感，应该力争在我们的有生之年，将这个重大的文学史疑案加以解决，否则，愧对一代代学子求知的渴望。现在，木斋以一己之力对此做出了一次系统的梳理，我们至少应该给予关注，给予支持，给予鼓励，或者至少给予一个正面的回应，若其研究还有欠缺，可用学术界群体的力量对此给予进一步的完善、提升和完成，以期对此能给出一个确切的结论，推动有关古诗十九首问题的最终解决。而我作为古诗十九首问题研究的局外人，希望能给予客观的评价。这是我撰写此文的出发点之一。

其次，建安诗歌，特别是建安五言诗的兴起，可以视为唐诗的源头，同时，也是整个中国诗歌史的一个关键，古诗十九首和汉魏时期的一些所谓"古诗"横亘其中，成为我们能清晰认知中国诗歌史进程的一个瓶颈，而将近一个世纪以来，我所能读到的有关古诗十九首问题以及建安诗歌的研究，主要是有关风格、鉴赏、艺术特征、思想内容的文章,罕见有关古诗十九首产生时间、地点、作者的深入系统的论述,也罕见古诗十九首与建安诗歌之间、古诗十九首与五言诗兴起过程之间内在联系的深入研究,而我所阅读到的木斋关于古诗十九首、五言诗兴起、建安诗歌三者之间的研究,不仅仅是三位一体的研究,而且,更为可喜的,是木斋将汉魏五言诗兴起、成立的过程,给予了一个细致的编年,从而得出了三者本为一体的结论,也就是说,五言诗成熟于建安十六年之后,古诗十九首产生于五言诗成熟之后,三者之间,是三而一、一而三的关系。在读到木斋这样的系统深入论述之后,确实让我有欣喜之感。记得大约十年前,我在给木斋所著的《宋诗流变》的序言中,就做过这样的类似表达:"我是很赞成用流变的模式来写文学史的,这当是我们文学史研究的一种新探索","首先是把中国东西南北不同地区作家的不同活动,放在同一个时间环境中。然后又把这一文学整体,按时间流程,一年一年地向前推移,好似电影屏幕上,有些消失了,有些出现了,很可能这些变动的实景会引发我们原先意想不到的思考。"[1]1-2 现在,我看到,木斋关于古诗十九首、五言诗兴起、建安五言诗三者的研究,正是将这个时期的五言诗写作,按照细致编年的方式一一排列出来,其中不够清晰的,则一一加以考辨,经过一番拨乱反正、去伪存真的考辨功夫,将五言诗兴起的过程初步梳理出来,而古诗十九首的产生时间和可能的作者,以及可能的写作背景,也就在这种梳理之中凸显了出来,从而得出了让人不得不信服的结论。

以我来看,木斋的这一研究,可以看做是自梁启超发表"东汉"说之后对古诗十九首和五言诗起源的第一次系统总结、第一次系统的梳理和第一次具有创新意义的突破。再往前来看，古人对古诗十九首问题采用评点式的论述，也未能对古诗十九首问题进行细致而深入的梳理，因此，我们就不能不承认，木斋的研究，就其研究的深度、广度和系统性来说，是前所未有的，单就这一点来说，就值得学术界重视和反思。这是我愿意撰写此文的第二个原因。

再次，我想从学术的创新性，以及某些学术理念的角度谈谈我的看法。有学者可能会说，对于古诗十九首之类的历史疑案，非不为也，而不能也，由于资料匮乏，任何关于十九首的研究都是徒劳的，或者说，一定要拿出所谓的"铁证"才可以最终定谳。以我之见，此说不妥，既然文物工作者可以根据文物的材料、质地、工艺、题材、格调、表达方法等来最终确定其产生的时间和生产者，那么，我们也同样可以根据诗歌作品的诸多因素加以对比论证，从而达到最终的破译——古诗十九首之不能解读，正凸现出研究方法方面的种种不足。我注意到，木斋所论，多发前人所未发，也可以说是振聋发聩、发人深省。所谓发前人所未发，并不一定是前人没有说过的说法，或是前人没有见到过的资料。我们总是期待着从出土文物之类的材料中来对古诗十九首之类的历史疑案给予最终的答案。这当然是最为简单的，似乎也是最为可靠的答案，其实不然，相对于外证的是否存在，内证的阐发更为重要。上个世纪罗庸先生在为马雍《苏李诗制作时代考·题辞》中所说："余惟史料考证所据以论定者，有本证，有旁证，有内证，有外证。""文学史本以明制作体式之变迁，自用字遣言，比词隶事，以逮寄兴寓思，皆体式之所以变；于此无精审之统理，而徒博征旧说,实为外证,犹买椟而还其珠也。"[2]1 此论甚好。十九首等虽然就目前来看,难有新的出土文物资料来证明它的时间和作者,但我们仍然能够根据"制作体式之变迁,自用字遣言,比词隶事,以逮寄兴寓思"等诸多方面的因素来加以内证,通过内证,寻求对古诗十九首的破译。罗庸先生指出:"文学史所需于内证者尤多。盖时代风会,自有限齐,岁逾五世,则罕能相贸"[3]1,也就是说,一个时期有一个时期的文学,通过汉魏之际时代之风云际会,通过与前后时代、相近时代其他诗人的诸多因素加以对比研究,应该能将这些文学史疑案加以破译。这一点,也正如同梁启超先生所说:"凡辨别古人作品之真伪及其年代,有两种方法,一曰考证的,二曰知觉的。考证的者,将该作品本身和周围之实质的资料搜集齐备,看他字句间有无可疑之点? 他的来历出处如何? 前人对于他的观察如何? ……直觉的者,专从作品本身字法、句法、章法之体裁结构及其神韵气息上观察,拿来和同时代确实的作品比较,推定其是否产生于此时代。譬诸侦探案件,考证的方法是搜齐人证、物证,步步踏实,毫不杂以主观,直觉的方法则如利用野蛮人或狗之特别嗅觉去侦察奇案。"梁先生认为,文学美术作品,往往以直觉的鉴别为最有力。譬如《文选》所载李陵《答苏武书》,别无他种作伪实证,而识者早公认其为六朝人语。凡此之类,皆用直觉的鉴别,似武断而非武断也。[4]100-101

木斋所论,可以视为直觉兼考证,并将内证的和外证的两种方法相结合。我之所以认为他的这一研究,具有积极的创新意义,并可能对古诗十九首问题的研究建树起一个新的平台,主要是在于他新颖的学术视角,以及系统而近乎难以挑剔的方法论。

在这种方法论中，一切资料都鲜活起来，生动起来，似乎回到汉魏时代的历史复原之中。当然，破译文学史的疑案，如同福尔摩斯的刑侦破案，常常不是一次性就能破译，而是通过许多次的假设，最终寻找到破译谜案的正确路径。学术上的破译，也应给予学者一个较为宽松的环境，允许假设，鼓励探索，其实，每一次假设探索，都是从一个路径通向那千古之谜谜底的尝试，若是学术史证明了此一条路径的不成功，也会为后来者排除此一条路径，从而为最后的破译奠定基础。

无独有偶，近日我正有机会阅读木斋的新作《宋词体演变史》，我注意到，木斋在这个课题中，也提出了一系列具有创新意义的观点，譬如提出词体起源并非民间，而是盛唐宫廷，李白词为词体发生的标志[5]等等，也是颇有说服力的。有学者或说，单就古诗十九首问题进行这么深入的研究，已经难能可贵，木斋何以能同时开出两条战线，而且，在古诗十九首和词体起源两大领域分别标新立异，拓疆扩土，一个人能有这样的力量么？但我想，也许正是由于木斋有将中国诗歌史打通研究的特殊性，才使木斋具有某种新的眼光、新的学术理念和新的研究方法，从而使他能突破前人的窠臼，达到一个新的境界。

第四点，我也注意到木斋这个系列研究的一些不足：木斋有关古诗十九首的研究，是采用系列论文的方式，就有关古诗十九首的诸多问题、诸多侧面分别进行阐发论证的，这当然是针对篇幅问题的一种解决办法，但对于读者来说，难以在一篇论文之中看出论者的主要根据，这就对这一新颖观点的接受造成一定的障碍。我拟尝试着将这些论文中最为有价值的部分，或说是我认为比较有说服力的论述进行概括采撷，或许能引发作者做出进一步的系统化写作。当然，以数千字的篇幅来引述数十万字的研究成果，挂一漏万是必然的，希望能起到抛砖引玉、曲径通幽的效果。

二　以五言诗编年史考辨古诗十九首的产生时间

木斋将汉魏五言诗的成立问题与古诗十九首的出现时间问题打并为一体，把整个汉魏五言诗的写作过程，进行了一个细致的编年，从而使原本从外在看来互无关联的五言诗写作，成为一部生动的、有着内在生命流动过程的发生演变史。从宏观上的视野来说，木斋将整个汉魏时代，划分为两大板块，这两大板块的分水岭，并不是以整齐的朝代划分，或是汉代一段，曹魏一段，而是将临界点置放于建安十六年，认为二曹六子几乎同时从建安十六年同时开始他们的这种五言诗写作。建安十六年之前，几乎没有出现类似古诗十九首这样的五言诗抒情之作，也就是说，建安十六年之前，主要还是"汉音"的时代，十六年之后，才开始出现"魏响"，而古诗十九首是典型的"魏响"，这就为古诗十九首的出现与五言诗的成熟，划出了清晰的时间坐标。

木斋认为：在建安十五年、十六年之际，发生了三件具有文学史里程碑意义的事件，从而成为促进文学自觉和五言诗群体写作的时代因素：1. 建安十五年颁发《求贤令》，这是由两汉经术时代到建安思想解放"通脱"时代思想领域易代革命的标志，为五言诗写作准备了政治条件和思想基础；2. 建安十五年冬，铜雀台建成，清商乐兴起,音乐由传统的宫廷雅乐开始向享乐型的非政治文艺观转型,文人开始大规模写作拟乐府五言歌诗,从而成为建安诗人大规模五言诗写作的温床,这是建安诗风的文艺基础;3. 建安十六年,曹丕被任命为五官中郎将,同时,任命刘桢等人为曹丕兄弟的文学侍从。王粲、刘桢等人专职文学侍从的身份以及曹丕兄弟贵胄公子的身份,使他们在游宴诗和女性题材五言诗的写作之中,发生了文学观念的转型,由两汉经术的言志教化文学观而转向了以唯美为特征的新审美文学观念,这是建安文学自觉和大规模五言诗群体写作的作者基础。[6]

在两汉五言诗方面,木斋主要进行了两大诗人诗作的排查考辨,一是有关秦嘉三首五言诗的考辨,二是关于《陌上桑》的考辨。两者一为所谓的两汉文人五言诗的代表作,另一为所谓的两汉乐府民歌之作。两者之间,前者尤为重要,因为,当今学术界之所以能接受梁启超东汉说的说法,一方面固然有梁先生名气大,兼有其弟子罗根泽以及刘大杰《中国文学发展史》等一代代学者陈陈相因延续其说,从而形成了一个虽然未经严密论证,但却被广为接受的学术史实;另外一方面,秦嘉的三首五言诗,被视为东汉时代最为优秀纯熟的五言诗,从而成为古诗十九首可能产生的一个例证。细细体会梁氏所论,大抵有这样的两点值得注意:

首先,梁氏所论,主要是基于对西汉说的否定,如说:我们用历史学家的眼光忠实观察,以为:西汉景武之间未必能发生这种诗风与这种诗体,倘使已经发生,便当继续盛行,又不应中断二三百年,到建安、黄初间始再振其绪。所以,我对于五言诗发生时代这个问题,兼用考证的、直觉的两种方法仔细研究,要下一个极大胆的结论曰：五言诗起于东汉中叶，和建安七子时代相隔不远。"行行重行行"等九首绝非枚乘所作，"皑如山上雪"绝非卓文君所作，"骨肉缘枝叶""良时不再至"等七首绝非苏武、李陵作。[4]101古诗十九首产生时间的结论虽然是东汉中叶，批判的矛头却指向西汉，同时，原本内涵的意思却是建安："这种诗体，倘使已经发生，便当继续盛行，又不应中断二三百年，到建安、黄初间始再振其绪"，分明是说，十九首的诗体，是与建安、黄初间的诗风相似。

其次，梁氏原本针对西汉之说的论证，缘何被断为东汉，这是由于梁氏接着列举东汉中后期的一些诗人："安顺桓灵以后，张衡、秦嘉、蔡邕、郦炎、赵壹、孔融，各有五言诗作品传世，音节日趋谐畅，格律日趋严整，其时五言诗体制已经通行，造诣已经纯熟，非常杰作，理合应时出现。我据此中消息以估定十九首之年代，大概在西纪一二〇至一七〇约五十年间，比建安、黄初略先一期，而紧相衔接。所以风格和建安体格相近，而其中一部分钟仲伟且疑为曹王所制也。……按诸历史进化的原则。四方八面都说得通了。"[4]106 这也就是梁氏所谓"东汉"说的出处了，然张衡、蔡邕去除其有争议的五言诗作，则并不够"音节谐畅"，更何谈"格律严整"？郦炎、赵壹、孔融之属，其偶然的五言诗作，仍然是两汉政治类言志之作，空泛而不具有感动人的力量，不属于十九首风格。期间只有秦嘉三首五言诗，属于此类书写个人的悲哀，而且有着具体场景的模写，属于十九首之后的五言诗风格，成为古诗十九首可以在东汉存在的孤证，而木斋以秦嘉夫妇的四封书信的对比研究，发现和论证其为伪作[7]，则古诗十九首能在东汉存在的最后的一首可以相提并论的诗作也可以大体断定不复存在。

《陌上桑》一直被视为两汉乐府民歌，若是写作于建安之前，则建安之前也应该有比较成熟的五言诗作，木斋大概是感觉到有对此回答的需要，因此，对《陌上桑》可能的写作时间、背景和作者情况，也进行了一番考证。细腻考辨了《陌上桑》从左延年《秦女休行》脱化而来，左延年是"黄初中，以新声被宠。"[8]410 从而得出"曹植是建安时代唯一的一位以五言诗形式同时写作了秦女休故事而又写过《陌上桑》乐府诗的五言诗人，同时，也是唯一一位在其五言诗作中，有与《陌上桑》相同笔法的五言诗人。残存的《陌上桑》，也许会是曹植一开始写作《陌上桑》的初稿，最后，才借鉴了左延年的《秦女休行》而成为叙事体的《陌上桑》诗"的推断。[9]7-11

木斋的研究若到这里而终止，实际上，已经将梁氏的东汉说推进了一步，梁氏所论，将古人的西汉说推后到东汉中后期，而木斋的研究，证明了两汉之际尚不具备产生古诗十九首这样杰作的条件，从而将东汉中后期说推迟到建安之后，这个成果已经很有意义，建安虽然仍在东汉的年号之内，但从文学史的角度来说，建安则属于魏晋南北朝的开端，与两汉分属两个不同的时期，中国文学的历史，当前已经改写。但木斋不满足于此，他还进一步沿波讨源，锲而不舍，深究古诗十九首可能发生的具体时间。于是，木斋论述了曹操五言诗的探索历程以及对山水诗的探索和创制历程：

从东汉后期赵壹的《刺世疾邪诗》其一，到建安初期的孔融的《临终诗》，甚至直到曹操的早期诗作《薤露行》，这些诗作的共同特点：1. 都是言志诗，都是政治性的主题，仍然受着汉儒"在心为志，发言为诗"，以及以诗歌作为政治教化载体的拘限；2. 都将诗歌视为一种押韵记录的工具，因此，都用空泛的议论和叙说的方式来写诗,都还没有寻求到以山水景物等物体形象来表达内心感受的艺术手法。也就是说,曹操写作山水诗的诗史依据,仅仅有远古时代的风骚传统,他所直接面对的汉魏诗坛,是没有任何可资借鉴的荒漠,一切都需要曹操个人自身的探索,这也是曹操仅有的几首五言诗移步换形,与时俱进,即以写作时间为序,每首之间一首一个手法,首首之间的水准都极为不同的原因。[10]129–133

建安十六年之前,曹操孤明先发,独自探索,不仅仅成为新兴五言诗体制的奠基人,而且,是意象式写作方式的创制者。这大概与曹操的身世特征有着直接关系,首先是铜雀台的建立和清商乐的兴起有关,清商乐的音乐节奏适合于齐言五言诗清雅的艺术特征和诗歌节奏,这一点,一直到唐代的清乐和绝句之间的密切关系,仍然能找到佐证;其次,与曹操"往往鞍马间为诗"有着密切的关系,鞍马间为诗,就容易将情感抒发的对象具象化、具体化、眼前化,譬如写"北上太行山",直接就写出了眼前的具体场景,"东临碣石"也是如此,正像是木斋所论,王夫之所说的"一诗而写一时一事"开始于曹操的探索。

曹操之后,木斋论证了王粲、曹丕、刘桢等人五言诗的写作时间,几乎都是开始于建安十六年。其中主要考辨了王粲传统认为写于建安十六年之前的《七哀诗·其一》《杂诗·其四》写作于建安十六年之后,考辨了曹丕的《黎阳作诗三首》,虽然同名为"黎阳作诗",但却并非同一时间所作,前两首四言诗有可能为建安八年经过黎阳所作,而其中的一首五言诗,则确实应为曹丕登基为魏王的延康元年六月所作;而刘桢原本被认为写于建安十四年的《赠五官中郎将》,其中"余婴沈痼疾,窜身清漳滨"的背景,并非是刘桢生病，其背景所写，应是刘桢"失敬被刑"[11]89-93，而从木斋考辨的诗中的时间、事件、场景、口吻无不吻合。应该说，即便是脱离开古诗十九首大问题的研究，就是对王粲、曹丕、刘桢等人五言诗写作具体时间的考辨，本身也有重大意义，何况这些研究的一个更为重大的指向，是揭示五言诗成立的时间，以及由此平台之上论证的古诗十九首产生时间。

在认真阅读木斋所论的五言诗发生演变的历程之后，再去回味梁启超先生所提出的古诗十九首"东汉"说，显然，梁氏就显得近乎武断，而木斋所论的建安十六年之后说，则恰恰像是梁氏所说的"似武断而实非武断也"，盖梁氏所论，纯用直觉，而未能深入体察从东汉末年到建安、黄初之际的风云际会以及五言诗的变迁过程。木斋则采用五言诗编年历史的方法，将汉魏之际一个个有可能早于建安十六年的五言诗人及其作品一一辨析，一一排除，从而得出了古诗十九首不可能早于建安十六年的结论。

三　关于曹植与古诗十九首关系的研究

我想，如果木斋有关古诗十九首和五言诗发生史的研究到此为止，学术界的接受可能会更为容易一点，因为，大家已经熟悉了，或说是已经直觉的将"东汉"说视为了天经地义的真理，是一代代写入教科书的金科玉律。其实，"东汉"说仅仅是梁启超先生的一个仅凭直觉作出的猜想而已，并未加以论证，但学术史有时候就是这样，一位权威的话语，经过几代人的传导，就会被演绎成为真理。梁氏采用直觉的方式,"拿来和同时代确实的作品比较",以便来"推定其是否产生于此时代",而木斋也采用同样的方式,只不过中间更为详细地融合进来细腻详尽的考辨,从而得出了如下的结论,那就是建安十六年之前,并不具备产生古诗十九首的诗歌史条件。木斋若是研究到此,戛然而止,我想,从接受的角度来说,也许更好,但木斋并不至此,他按照他研究的所得,径直将结果诉之于世人,并且,在这些成果的基础之上,还进一步追索古诗十九首可能的作者,于是,他又写作了另外一个系列,那就是有关古诗十九首与曹植关系的论述。

这个论述,首先是从《今日良宴会》可能的作者开始,木斋似乎并不满足于单纯的作者考辨,而是要将古诗十九首作者问题与五言诗发生史问题联系起来,将作者身世进入到五言诗发生史历程来加以研究,这样,外证与内证结合,历史的场景就会生动起来,就会成为了血肉相连的生命。木斋首先论证了这样的一个文学史事实,那就是在建安十六年之前,并没有五言诗中的游宴诗的题材,五言诗中的游宴诗,兴起于建安十六年之后。其原因,正与前文笔者介绍的木斋所归纳的三大事件有关,其中铜雀台的建立和曹丕被任命为五官中郎将以及七子等被任命为文学侍从有着直接的关联。有了这样的文学史大局观的视角,再来审视五言诗诸多题材的兴起,也就成为必然。正如木斋所论:西园之游,二曹和七子中的五位诗人,全部参加了这次写作活动,七子中除了孔融已死,徐干虽没有记载,也当有诗参与。现存的篇章,曹丕四篇,曹植两篇,应玚两篇,其余各一篇,共计十二篇,这么多的诗人,在同一地点、同一时间,使用同一诗体形式(五言诗),写作同一题目的文人雅集,可以说是中国诗歌史上第一次的大规模文人雅会的集体唱和写作活动。五言诗正是在这种大规模的文人集体写作、唱和切磋中渐次走向成熟的。建安十六年的游宴诗写作,带动了建安五言诗各种题材的写作:从写作题材的嬗变来说,两汉诗歌多为类型化写作,难以区别出不同的题材,建安时代,诗歌易代革命,题材竞出,游宴、女性、山水景物,可说是建安诗歌的三大题材。此外,军旅、送别、游仙、咏史、述怀、赠答等题材也都时有出现。从建安时代文学的自觉,直到唐诗的鼎盛,除了中间陶渊明开拓了田园题材,建安诗的诸多题材,可以说是后来唐人边塞诗、山水诗、送别诗、游仙诗,以及唐宋词女性题材,宋诗日常生活等题材诗的滥觞。游宴诗不仅仅带动了五言诗音步节奏的创作,带动了五言诗各类题材的兴起,更为重要的,是将诗歌由言志的政治殿堂带入到了娱乐审美的一个新的天地,这就从根本上改变了诗人的文学观念。[12]91-94 在这个基础之上,木斋再从外证上论证"令德"就是对曹操的尊称:曹植多次使用"德"字来赞美其父,如:"君子在末位,不能歌德声。"(《赠丁仪王粲》)李注:"德声谓太祖令德之声也。"[13]134 不仅说明此处之"德声"是指曹操,而且又一次提及"令德"是指曹操。传为苏李诗中的"令德""明德",如《烛烛晨明月》中的"愿君崇令德",《携手上河梁》中的"努力崇明德",也都应指的是曹操。另《后汉书·袁绍本传》中陈琳《移豫州檄》,也曾直斥曹操是"赘阉遗丑,本无令德";再来引用《书钞》一百一十记载:"弹筝奋逸响,新声妙入神",为曹植《失题》逸文,《曹植集校注·附录一·逸文》中摘引此两句,并《诠评》说:"《书钞》引为植作,当别有据,姑附录以广异闻。"[13]544 其实,综合各方面情况来看,此"逸文"并非"异闻",而确实是曹植所作,这些引证也就有了根据。

关于古诗十九首与曹植关系的研究,木斋所论甚多,篇幅所限,不能一一摘引,但值得一提的是,木斋近期发表的一篇论文,从语句、语汇的角度来论证曹植与古诗十九首的关系,将古诗十九首逐句、逐词的与先秦汉魏的诗作进行一一对比,对古诗十九首进行了近乎 DNA 式的基因检测,最终得出曹植有三十多句与十九首相似的语句,有四句完全相同的语句,十二个首先由曹植在诗文中使用的语汇[6]30-34,这无疑是非常有说服力的。

此外,我想,若是从古诗十九首的情调入手,再来加以研究一下,也许可以对木斋所论,做出一个补证。古诗十九首中所体现出来的悲情,是一种悲天悯人的大悲哀,应该是经历个人的大悲剧才能体验出来和写作出来的,两汉之作,虽有悲哀之作,但大体上仍然属于一种愤世嫉俗的普泛意义上的愤怒或说是悲愤,终不似古诗十九首中的生离死别写得深邃而感人。梁氏所论:"千余年来中国文学,都带悲观消极的气象,《十九首》的作者怕不能不负点责任哩!"[4]109 这一判断,虽然也来自于直觉,但毕竟是判断对了,可惜,梁先生未能思考,这一判断和前一判断,彼此之间却有矛盾,因为,这种所谓悲观的情怀,五言诗以来,曹植却是第一人! 古诗十九首又怎么可能发生于曹植之前呢?

参考文献:

[1]傅璇琮.《宋诗流变》序[M]//木斋. 宋诗流变. 北京:京华出版社,1999.

[2]罗庸.题辞[M]//马雍.苏李诗制作时代考.北京:商务印书馆,1944.

[3]马雍.导言[M]//苏李诗制作时代考.北京:商务印书馆,1944.

[4]梁启超.中国之美文及其历史[M]//梁启超学术论著集.上海:华东师范大学出版社,1998.

[5]木斋.宋词体演变史[M].北京:中华书局,2008.

[6]木斋.从语汇语句角度考量古诗十九首与建安诗歌的关系[J].山西大学学报,2009(1).

[7]木斋.论秦嘉五言诗《赠妇诗》三首为伪作[J].学习与探索,2009(1).

[8]逯钦立.先秦汉魏晋南北朝诗:上[M].北京:中华书局,1983.

[9]木斋.陌上桑创作时间、作者考辨[J].北方论丛,2008(1).

[10]木斋.论建安山水题材五言诗及其诗歌史意义[J].社会科学战线,2006(5).

[11]木斋.试论五言诗的成立及其形成的三个时期[J].山西大学学报,2005(3).

[12]木斋.论建安游宴诗的兴起——兼论今日良宴会的作者[J].山西大学学报,2006(1).

[13]赵幼文.曹植集校注[M].北京:人民文学出版社,1984.

原载《山西大学学报(哲学社会科学版)》2009年第2期,据以录入

从《玉台后集》到《瑶池新咏》

——论唐总集编纂对女性诗什的接受

　　唐人编选女性诗文之总集,可考者有五种,至早者为李康成《玉台后集》,稍晚者有蔡省风《才调集》、《瑶池新咏》等。蔡省风《瑶池新咏》编纂时间与《才调集》相近,但其乃今唯一可考一部由唐人编纂专选女性诗歌之总集①。纵观唐代编纂史,唐人所纂选录女性诗总集数量虽然不多,但从李康成《玉台后集》到蔡省风《瑶池新咏》,可以管窥唐总集编纂家对女性诗什的接受及其心态,故拟考论之。

一　纂选女性诗文总集之文化渊源

　　编选女性作品的总集,最早者可以上溯至《诗经》。如《柏

---

① 《瑶池新咏》有徐俊整理本,拟收入傅璇琮主编《唐人选唐诗新编》,将由中华书局出版,本处及下文引用观点乃从徐俊先生手稿复印资料中征引。

舟》，毛序曰："共姜自誓也。卫世子共伯早死，其妻守义，父母欲夺而嫁之，誓而弗许，故作是诗以绝之。"《载驰》，毛序曰："许穆夫人作也。闵其宗国颠覆，自伤不能救也。"《简兮》，毛序曰："卫女思归也。嫁于诸侯，父母终，思归宁而不得，故作是诗以自见也。"虽然这些诗之作者是否必如毛序所言，尚有待考证，但《诗经》中确有女性作者，前辈学者所论甚多，此不赘述。

编纂家自觉编选诗文，始于晋代挚虞。此后，晋至六朝出现了我国编纂史上第一个诗文总集编纂高峰。然而，据可考资料，自《文章流别集》始，部分总集虽然编选女性诗文，但是，女性诗文所占比重较小。《文选》收东周至梁代130家诗文751篇，选女诗人仅2人诗2首①；梁代钟嵘《诗品》收汉至齐梁122人，据其序云："从李都尉迄班婕妤，将百年间，有妇人焉，一人而已。"其上品"汉婕妤班姬条"云："其源出于李陵。团扇短章，词旨清捷，怨深文绮，得匹妇之致。侏儒一节，可以知其工矣。"中品"汉上计秦嘉、嘉妻徐淑"条云："夫妻事既可伤，文亦凄怨。二汉为五言者，不过数家，而妇人居二。徐淑叙别之作，亚于团扇矣。"下品"齐鲍令晖、齐韩兰英"条曰："令晖歌诗，往往崭绝清巧。拟古尤胜，唯《百愿》淫矣。照尝答孝武云：'臣妹才自亚于左芬，臣才不及太冲尔。'兰英绮密，甚有名篇，又善谈笑。齐武谓韩云：'借使二媛生于上叶，则玉阶之赋，纨素之辞，未讵多也。'"《诗品》所录，后人亦有见疑者。如刘勰《文心雕龙·明诗》曰："……所以李陵、班婕

①参见穆克宏《〈昭明文选〉研究》，人民文学出版社1998年12月版，第29页。

好,见疑于后代也。"故班婕妤诗什至少魏晋时已引起怀疑。虽然如此,若仅从选录女性诗什的选学观与诗学观上分析,《诗品》对待选录女性诗的态度无疑比《文选》更具有进步性。

唐前另一部选女性诗总集《玉台新咏》,其选录诗歌达八百七十首之多①。其卷一录班婕妤怨诗一首并序、秦嘉妻徐淑答诗一首;卷二录甄皇后乐府塘上行一首、刘勋妻王宋杂诗二首并序;卷四录鲍令晖杂诗六首;卷五录范靖妇四首;卷六录徐悱妻刘令娴答外诗二首、徐悱妻刘氏答唐娘七夕所穿针一首、徐悱妻刘氏听白舌一首;卷八录徐悱妻刘氏杂诗一首、王叔英妻刘氏杂诗一首;卷九录乌孙公主歌诗一首并序、苏伯玉妻盘中诗一首、陆厥李夫人及贵人歌一首、王叔英妻赠答一首、范靖妻沈氏晨风行一首;卷十录贾充与妻李夫人连句三首、鲍令晖寄行人一首、钱塘苏小歌一首、范靖妇诗三首,徐悱妇诗三首、王叔英妇暮寒一首、范靖妇诗二首。其总体特点是收录女性诗什以外,录女性诗序 3 篇,这是迄今存留较早的兼收女性诗文的总集。

唐前已经产生编选女性作品的专集,如《隋书·经籍志》四著录《妇人集》二十卷,注曰:"梁有《妇人集》三十卷,殷淳撰;又有《妇人集》十一卷,亡。"《妇人集抄》二卷;《杂文》十六卷,注曰:"为妇人作。"疑是集为选录女性诗文合集。又,《旧唐书·经籍志》有颜竣撰《妇人诗集》二卷。殷淳,《宋书》卷五九有传;颜竣,《宋书》卷七五有传。由此可见,至晚在南朝,女性诗文已受到纂

---

① 参见徐陵著《玉台新咏》,穆克宏笺注,中华书局 1985 年 5 月版,第 3 页点校说明部分。下文引录《玉台新咏》收录女性诗什篇目亦参考是书。

选家较高程度的关注。

二 从《玉台后集》到《中兴间气集》
——选诗家对女性诗态度的渐变

　　前唐编纂家对待女性诗歌的态度,初盛唐诗文总集编纂者并未很好的继承。唐人编选诗歌总集,据吴企明《唐音质疑录·"唐人选唐诗"传流、散佚考》、陈尚君《唐代文学丛考·唐人编选诗歌总集叙录》、张固也《新唐书艺文志补》、卢燕新《唐人编选诗歌总集补考》等研究,今可知确属唐人编纂者达一百七十余种。然多数佚失,其具体内容难以确考①。唐际较早编纂的诗歌总集《古今类序诗苑》、《续诗苑英华》、《续古今诗集》、《古今诗类聚》、《珠英学士集》、《正声集》等,均未有收录女性诗什记载②。今可考唐人编纂选录女性诗什较早的选诗总集乃李康成《玉台后集》,次者高仲武《中兴间气集》,又次者韦庄《又玄集》、韦縠《才调集》、蔡省风《瑶池新咏》,前四种总集,傅璇琮《唐人选唐诗新编》(下文简称傅著《新编》)整理最为详备,《瑶池新咏》有徐俊先生整理本。由《玉台后集》到《中兴间气集》,今人可管窥唐代中前期选

----

① 参见吴企明《唐音质疑录》,上海古籍出版社 1985 年 12 月版;陈尚君《唐代文学丛考》,中国社会科学出版社 1997 年版;卢燕新《唐人编选诗歌总集补考》,《古籍研究》2008 年卷上;张固也《新唐书艺文志补》,吉林大学出版社 1996 年版。
② 参见卢燕新《盛唐编纂的诗歌总集考论》,《山西大学学报》2008 年第 5 期。

诗家对女性诗什态度的变化。

《玉台后集》十卷,李康成集撰。李康成生平资料较少,今可见者,除高仲武《中兴间气集序》、《郡斋读书志》卷二、《后村诗话》等有零星记载外,刘长卿《刘随州集》卷一〇有《严陵钓台送李康成赴江东使》一诗。严陵钓台在睦州桐庐,据此可知是诗为刘长卿大历十三年(778)前后任睦州时作(参见傅璇琮《唐代诗人丛考·刘长卿事迹考辨》)。时李康成自睦州将赴江东使幕,刘长卿为诗送之。故李康成主要生活时期或在盛唐至大历年间。据晁氏《郡斋读书志》卷二"《玉台新咏》"条释曰:"李康成云:'昔陵在梁世,父子俱事东朝,特见优遇。时承华好文,雅尚宫体,故采西汉以来词人所著乐府艳诗,以备讽览。'"其"《玉台后集》"条亦曰:"唐李康成采梁萧子范迄唐张赴二百九人所著乐府歌诗六百七十首,以续陵编。序谓:'名登前集者,今并不录,惟庾信、徐陵仕周、陈,既为异代,理不可遗。'"《后村诗话》卷五亦云:"郑左司子敬家有《玉台后集》,天宝间李康成所选。自陈后主、隋炀帝、江总、庾信、沈、宋、王、杨、卢、骆而下二百九人,诗六百七十首,汇为十卷。与前集等皆徐陵所遗落者。"《全唐诗》卷二〇三小传所载略同。可见,李康成选诗纂集,旨在续徐陵《玉台新咏》,所选多为艳体乐府诗。由此推测,《玉台新咏》对《玉台后集》选取理念会产生较大的影响。

据傅著《新编》录《玉台后集》,可考为女性诗人有丁六娘诗《十索》四首;郎大家宋氏诗四首:《长相思》、《朝云引》、《拟晋女刘妙容宛转歌》二首;乔氏诗一首:《临镜晓妆诗》;总计九首。丁六娘事迹难以确考,《玉台后集》置其于虞世南前、李播后。傅璇琮《唐人选唐诗新编·玉台后集》李播条注释曰:"疑即《旧唐书》卷七九《李淳风传》所载淳风父播,隋高唐尉,弃官为道士,颇有文学,自号黄冠子。"①李播前为蔡环、隋炀帝,俱为隋人。虞世南后为陈子良,乃初唐前期人。明梅鼎祚《古乐苑》卷四〇录《十索》四首,题"隋丁六娘",《全唐诗》亦未见其诗。可见,丁六娘为隋人。郎大家宋氏诗,宋洪迈《万首唐人绝句》卷二〇录《采桑》,元杨士弘《唐音》卷一四录《拟古神女宛转歌》,明高棅《唐诗品汇》卷三七录《拟古神女宛转歌》、卷四五录《采桑》(《唐诗品汇》均题郎大家),《全唐诗》卷八〇一录其诗五首,同《玉台后集》。乔氏诗,唐张鷟《朝野佥载》卷三、《盈川集》卷二、《太平广记》卷二七一、明曹学佺《石仓历代诗选》卷三一等均署名杨炯侄女杨容华,诗名略有差异。《唐人选唐诗新编·玉台后集》置《临镜晓妆诗》于张昌宗后,故无论诗作者何人,其必为唐人。因此,据《玉台后集》选女性诗人跨越的年代以及排列女性诗人位置观之,其纂集旨在续编并学习模仿《玉台新咏》,依《玉台新咏》编纂体例而结集,即以作者列目,以作者世次先后为序。因此,《玉台后集》选女性诗应当是李康成受《玉台新咏》的影响的结果。陈尚君《唐人选唐诗新编·〈玉台后集〉前记》曰:"宋本《玉台新咏》存诗六百八十九首,作者百余人,则《后集》收诗当与之大致相若,作者或近百人。"此谓《玉台新咏》存诗"六百八十九首",其与穆克宏《〈玉台新咏〉点校说明》所考数目有异。因此,至少李康成选女性诗什动因之一,当缘于《玉台新咏》的纂集体例及其选诗观。

---

① 傅璇琮主编《唐人选唐诗新编》,陕西人民教育出版社1996年版,第330页。

高仲武《中兴间气集》选李季兰诗六首,其评价李季兰:"季兰则不然也,形气既雄,诗意亦荡,自鲍昭以下,罕有其伦"、"上比班姬则不足,下比韩英则有余"、"不以迟暮,亦一俊妪也"。观傅璇琮编著《唐人选唐诗新编》录高仲武所选李季兰诸诗,均能完美地再现女性内心细腻的情感变化。以内容观之,有寄赠诗如《寄校书十九兄》,有送别诗如《送韩揆之江西》,有日常生活感兴诗如《湖上卧病喜陆鸿渐至》,有艺术鉴赏评论诗如《从萧叔子听弹琴赋得三峡流泉歌》等。以艺术观之,如《登山忘阁子不至》"相思无晓夕,相望经年月"、《湖上卧病喜陆鸿渐至》"相逢仍卧病,欲语泪先垂"、《寄校书七兄》"远水浮仙棹,寒星伴使车"、《从萧叔子听弹琴赋得三峡流泉歌》"巨石崩崖指下生,飞泉走浪弦中起",等等,可见《中兴间气集》所选录者,内容艺术上均颇具表现力。因此可以说,《中兴间气集》选李季兰诗,表现出高仲武对李氏诗什的赏识与肯定。

高氏选李季兰诗的动因,还可以从其纂集主旨管窥。高仲武选诗,据《中兴间气集序》知其注重"言合典谟"、"列于风雅"、"国风雅颂"、"著王政之兴衰,表国风之善否"等,以"风"与"雅"为其选诗的主要标准。同时,《中兴间气集》主张"朝野通取",表明高仲武选诗宽阔的眼界;高仲武谓其"采察谣俗"、"格律兼收",表明其选诗艺术形式标准的丰富多样化。故高仲武选诗力求不"苟悦权右,取媚薄俗",其志在于"殆革前弊,但使体状风雅"。从这个角度分析,其选李季兰诗,是由其诗学观与选学观决定的。这表明,高仲武《中兴间气集》以选诗家既定标准剪裁诗什,表现出对女性诗什自觉的接受,此乃唐人选诗观一次值得关注的突破。

三 《又玄集》与《才调集》
——选诗家对女性诗什自觉的接受

　　《中兴间气集》以后,选女性诗总集有《又玄集》与《才调集》。据是二集可以看出,唐代总集编纂家对女性诗什的接受发展到一个全新的阶段。韦庄《又玄集》三卷,纂于光化三年(900),时韦庄入蜀前①。卷下选李季兰(2 首)、元淳(2 首)、张夫人(2 首)、崔仲容(2 首)、鲍君徽(2 首)、赵氏(1 首)、张窈窕(1 首)、常浩(1 首)、蒋蕴(1 首)、刘媛(1 首)、廉氏(1 首)、张琰(1 首)、崔公达(1 首)、宋若昭(1 首)、宋若茵(1 首)、田娥(1 首)、薛陶(涛)(2 首)、刘云(1 首)、葛鸦儿(1 首)、张文姬(2 首)、程长文(1 首)、鱼玄机(1 首),计32 首。《又玄集》的选编内容、编纂特点,据《文苑英华》卷七一四、《全唐文》卷八八九存录韦庄《又玄集序》可略知:

　　　　自国朝大手名人,以至今之作者,或百篇之内,时记一章。或全集之中,唯征数首。但掇其清词丽句,录在西斋;莫穷其巨脉洪澜,任归东海。……然则律者既采,繁者是除,何知黑白之鹅,强识淄渑之水。……挈瓶赴海,但汲甘泉。等同于风月烟花,各是其楂梨橘柚。……今更采其玄者,勒成

───────────
①《又玄集》与《才调集》相关考述,参见陈尚君《唐代文学丛考》,第 194、196 页。

《又玄集》三卷。记方流而目眩,阅丽水而神疲,鱼兔虽存,筌蹄是弃。所以金盘饮露,惟采沆瀣之精;花界食珍,但享醍醐之味。非独资于短见,亦可贻于后昆。采实去华,俟诸来者。

据此序知《又玄集》旨在续编《极玄集》,以"记方流而目眩,阅丽水而神疲。鱼兔虽存,筌蹄是弃。所以金盘饮露,惟采沆瀣之精;花界食珍,但享醍醐之味。非独资于短见,亦可贻于后昆"为选编目的,以"清词丽句"、"律者既采,繁者是除"为选录标准。

《才调集》十卷,韦縠编纂。韦縠,清吴任臣《十国春秋》卷五六载:"韦縠,少有文藻,梦中得软罗缬巾,由是才思益进,仕高祖父子,累迁监察御史……縠常辑唐人诗千首,为《才调集》十卷其书,盛行当世。"故《才调集》当作于其仕后蜀期间。是集卷十选张夫人(2首)、刘媛(1首)、李冶(季兰)(9首)、刘云(2首)、鲍君徽(1首)、崔仲容(2首)、张文姬(2首)、元淳(2首)、蒋蕴(2首)、崔公逵(1首)、鱼玄机(9首)、张窈窕(2首)、张琰(2首)、赵氏(2首)、程长文(3首)、梁琼(3首)、廉氏(2首)、薛涛(3首)、姚月华(3首)、裴羽仙(2首)、刘瑶(3首)、常浩(2首)、葛鸦儿(2首)、薛媛(1首)、盼盼(1首)、崔莺莺(1首)。《才调集》是今存唐人选唐诗选诗最多的一种,然韦縠选女性诗什,有因粗疏而产生明显错误者。如其选录崔莺莺等人诗,即未加甄别的从唐人小说中选取。然,以数量论之,《才调集》选录女性诗什是《又玄集》等难以比肩的。

《才调集》学习模仿《又玄集》,此应当为韦縠选录女性诗歌缘由之一。其选诗特点,据《才调集序》可略见一斑:

余少博群言，常取得志，……暇日因阅李、杜集，元、白诗，其间天海混茫，风流挺特。遂采撷奥妙，并诸贤达章句。不可备录，各有编次。或闲窗展卷，或月榭行吟，韵高而桂魄争光，词丽而春色斗美。但贵自乐所好，岂敢垂诸后昆。今纂诸家歌诗，总一千首，每一百首成卷，分之为十目，曰《才调集》。

据此知《才调集》选录重要标准即在于"韵高"、"词丽"。《四库全书总目》卷一四八前《集部总叙》曰："总集之作，多由论定。"今以《又玄集序》与《才调集序》观之，韦庄与韦縠提出"清词丽句"、"韵高词丽"等选诗审美原则，是可谓之"论"。以此观之，《又玄集》与《才调集》依"论"选诗，其收录女性诗什就在情理之中了。

从《又玄集》到《才调集》，其选录女性诗什有以下特点：第一，以数量观之，《又玄集》选女性诗 32 首，《才调集》选录女性诗 100 首，均约占全集选诗总数的十分之一。虽然有误收重收者，但仅以数据论之，是二集所选录者，确实比较可观。第二，《又玄集》以续编《极玄集》自居，然其却创新性地接受女性诗什。是集分上、中、下三卷，隐寓品题之意，其置女性诗于下卷卷末，可见，韦庄对女性诗什的认识并不甚高。《才调集》学习《又玄集》之选诗观，其虽亦将女性诗什列于卷末，但韦縠设独立卷次选录女性诗什，可见，《才调集》很好的接受继承并发展了《又玄集》的选诗观。第三，《又玄集》与《才调集》以既定选诗标准选诗，其选录女性诗什，表明晚唐编纂家选编总集，已经在较大范围里将诗学观与伦理道德观分离；也表明编选家审美自觉性进一步增强；同时还表明唐代编选家接受女性诗什发展到一个更高的阶段。

四 《瑶池新咏》

——选诗家以女性诗为全部审美对象

　　蔡省风集撰《瑶池新咏》一卷，乃唐人选编女性诗的一次突破。是集又名《瑶池新咏集》、《瑶池新集》、《瑶池集》，是集为现存可考唯一一部由唐人编纂专选女性诗什的诗总集。《新唐书》卷六〇《艺文志》四丁部总集类、《崇文总目》卷一一总集类、《通志》卷七〇《艺文略》第八诗总集类、宋尤袤《遂初堂书目》、《郡斋读书志》卷二〇总集类、《宋史》卷二〇九《艺文志》八总集类、明胡应麟《诗薮》杂编卷二均著录是集，《新唐书·艺文志》、《崇文总目》皆录为二卷，题蔡省风集撰，徐俊《瑶池新咏集·前记》据俄藏敦煌写本考订蔡省风曾官著作郎，其生活年代在晚唐五代之际，如此，《玉台新咏》成集年代和《又玄集》大致相近。

　　是集编选内容，《新唐志》注曰："集妇人诗。"《通志》、《诗薮》作三卷，《通志》卷七〇《艺文略》第八诗总集类注曰："唐蔡省风集唐妇人所作。"《宋志》两出，一为一卷，一为二卷，皆题为蔡省风。《郡斋读书志》著录为一卷，曰："唐蔡省风集唐世能诗妇人李季兰至程长文二十三人题咏一百十五首，各为小序，以冠其首，且总为序。其略云：'世叔之妇，修史属文。皇甫之妻抱忠善隶，苏氏雅于回纹，兰英擅于宫掖，晋纪道韫之辩，汉尚文姬之辞，况今文明之盛乎？'"集今存残卷，有徐俊先生整理本，拟收入傅璇琮主编《唐人选唐诗新编》,将由中华书局出版。是集残存四位女诗人诗作二十三篇,其中李季兰七首、元淳七首、张夫人八首、崔仲容一首。是四人均见于《又玄集》与《才调集》。《瑶池新咏》选诗起李季兰,故蔡省风选诗可溯至大历年间。

据《郡斋读书志》及徐俊先生整理本观是集,其编选内容较为复杂,有以描写女子内心感情或爱情为主题者,如《春归怨》、《寓兴》、《寓言》等有咏叹时事者,如《陷贼后寄故人》、《感兴》等,有赠答诗如《闲居寄杨女冠》、《(拾得)韦夫人钿子以诗却赠》等,亦有送别诗如《送阎伯均》、《送□□(师妹)游天台》等。其诗歌形式以近体诗为主,五、七言兼收。其编纂似采用时代兼小序的体例。

概括起来,蔡省风《瑶池新咏》有以下三个特征:第一,遴选对象仅限于女性,徐俊《〈瑶池新咏集〉前记》据集名以及敦煌本《瑶池新咏集》残存四人身份介绍,考以《又玄集》与《才调集》,推测是集与道教有某种关系。尽管目前尚难以推定《瑶池新咏集》是一部专门收录女仙人诗的诗集,但其对研究唐代女冠的价值,是不能忽略的。第二,遴选的时间范围限于中晚唐;第三,遴选的标准之一即编选对象艺术水平。由此可见,《瑶池新咏》对女性诗歌的接受,虽然详于晚季而略盛始,但其以女性诗为全部审美遴选对象,表明纂选家对待女性诗什态度又一次质的飞跃。

五　唐人编纂诗歌总集选录女性诗什的心态

唐代编纂家编选女性诗之缘由比较复杂,如女性诗人的社会活动状况、其诗歌创作的思想艺术成就、女性诗人诗集的整理及传播状况等,均可能影响总集编纂者对女性诗文的接受。然而,就选诗心态而言,据诸选集序、其选录状况以及其评点等,可以窥测唐代总集编纂家编选女性诗什呈现出一定的规律性特点,现概括如下:

第一,对遴选对象艺术成就的肯定,旨在存录符合遴选标准的诗什。如《中兴间气集》评李季兰诗"自鲍照以下,罕有其伦"、"盖五言之佳境也"、"上比班姬则不足,下比韩英则有余",可见其对李季兰诗作评价之高。由此推测,高仲武选纂女性诗什之心态,乃其对遴选对象在内容、艺术等方面是否合乎"风雅"、"格律"标准的个性化审视。即高氏所选者,主要是因为其对纂选对象艺术成就的赏识。据《又玄集》所谓"清词丽句"、《才调集》所谓"韵高"、"词丽"等,亦可知韦庄、韦縠选女性诗什心态,即纂选者对遴选对象艺术成就的肯定。如《才调集》因为强调遴选对象之成就,甚至走向偏颇,诗集误录崔莺莺等人诗,即可为侧面例证。

第二,旨在体现其诗学观。前引《四库全书总目·集部总叙》所谓总集"多由论定"的观点,知总集编纂者总是预设某些编选标准,并据此标准选录符合要求者。如《玉台后集》尚"宫体"、采"艳诗"、"名登前集者,今并不录"、"惟庾信、徐陵仕周、陈,既为异代,理不可遗";《中兴间气集》选诗不拘朝野、不避谣俗;《又玄集》掇其"清词丽句"、采"律者"、除"繁者",《才调集》所谓"或闲窗展卷,或月榭行吟,韵高而桂魄争光,词丽而春色斗美。但贵自乐所好,岂敢垂诸后昆"、"采摭奥妙";《瑶池新咏》所谓"晋纪道韫之辨,汉尚文姬之辞"等。以此推测,凡符合选录标准与诗学批评价值观者,纂选家均收录之。唐人选诗心态对选本的影响,据《四库全书总目·才调集提要》云:"縠生于五代文敝之际,故所选取法晚唐,以秾丽宏敞为宗,救粗疏浅弱之习,未为无见……"由此可见,唐代总集编纂家选诗观、诗学观与选诗心态之关系。

第三,著述过程中继承与创新的心态。《玉台后集》虽然以《玉台新咏》续编者自居,然其谓"已载录者,其不具录"等,知是集编纂者之求新求变的心态。然其既为续编,在某种程度上采用前集既定的选诗观,这自然合乎情理,故其选录女性诗什应当是李康成在选遴范围上的继承。《中兴间气集》受《河岳英灵集》影响,然高仲武提倡"朝野通取",却实为理论上的一次突破。实践上,高氏选李季兰诗,足以印证其确实比《河岳英灵集》选编范围上要稍宽。《又玄集》以《极玄集》续纂者自居,然其强调"更采其玄者",除去纂选诗歌体裁、纂集卷目、编纂体例等,依其选女性诗32首,即可见韦庄追求新变的迹象。《才调集》借鉴《又玄集》乃至抄录①,但由此亦可以管窥韦縠对韦庄纂选效果的肯定,但其列女性诗为一卷,即在《又玄集》基础上之进步。故唐编纂家在对待前人编纂成就时,其继承与创新的心态,亦是女性诗什被遴选的重要因素之一。

---

① 参见傅璇琮主编《唐人选唐诗新编》,陕西人民教育出版社 1996 年版,第 688 页。

六　唐代总集编纂者接受女性诗歌的
历程及其诗学意义

据上文所考,从《玉台后集》到《瑶池新咏》,唐代诗文总集编纂者接受女性诗歌的发展线索是比较明晰的。概括起来,大致经历了三个阶段:

自有唐建国之《玉台后集》,女性诗人参与诗文活动,见于典籍记载者较多。如《全唐诗》卷七九七录武后宫人、开元宫人、天宝宫人,《全唐诗》卷七九九录杨容华、魏氏、乔氏、七岁女子、林氏等,《全唐诗》卷八〇〇录柳氏、程洛宾、晁采,《全唐诗》卷八〇一录郎大家宋氏等。虽然无论从人数上,还是诗歌数量上,唐代女性诗人远不能和唐代男性文士比肩,但其亦形成一定的影响。如前文引《唐音癸签》卷二七谓"骆宾王、上官婉儿身既见法,仍诏撰其集传后,命大臣作序,不泯其名。重诗人如此,诗道安得不昌"。由此可以想见唐代女性诗人创作成就及其影响。然而,唐代前期编纂的诗总集如《古今类序诗苑》、《续诗苑英华》、《续古今诗集》、《古今诗类聚》、《正声集》、《搜玉集》、《国秀集》、《河岳英灵集》等均未纂选女性诗什,至《玉台后集》,总集编纂家始将目光投向女性诗。不过,亦应当看到,李康成选录女性诗歌原因之一乃其对《玉台新咏》选诗观的继承。故止于此际,唐总集编纂家关注女性诗什乃处于不完全自觉状态。

高仲武选李季兰诗,代表唐代总集编纂者开始有意识的关注女性诗歌。以高仲武《中兴间气集》为标志，可谓唐编纂家接受女性诗歌的第二阶段，表明唐代诗总集编纂家诗学观与选诗观的进步。

《又玄集》、《才调集》选女性诗歌，仅以数量与其前选相比，已取得巨大的突破。但韦庄杂录女性诗歌与马戴、雍陶、李涉、许浑、方干以及僧侣等，笼统置其于下卷，如前所论，此表明《又玄集》对女性诗人及其诗什的认识与评价并不甚高。《又玄集》卷十专录女性诗歌，很明显，韦毂对女性诗歌的认识比《才调集》迈进一步。与二韦同期，蔡省风纂《瑶池新咏》，专录女性诗什，表明总集编纂者对女性诗什心态的变化。这三部总集几乎同时产生，表明总集编纂家对女性诗什较大程度的关注与认同，此际可谓唐编纂家接受女性诗歌的第三阶段。

回顾唐总集编纂家接受女性作品之历史，据现有资料，鲜见选录女性文之总集，故唐际编纂家对女性诗的接受甚于女性文。这一方面是因为女性诗歌创作成就，另一方面，也可能取决于唐世纂选家的文学观。仅以纂选女性诗歌观之，唐人的接受过程渐变式的跨越整个有唐历史，这不仅是唐选诗批评家接受女性诗歌的过程，由此也可以看出唐人对女性诗歌审美接受的渐变历程。

唐人编纂诗歌总集存录女性诗什，亦具有极大文献价值。《玉台后集》、《中兴间气集》、《又玄集》、《才调集》等选录女性诗歌并保存女性诗人资料，是宋以后尤其是今人研究唐代女性诗人宝贵的资料。唐编纂家对女性诗人的认识评价，也是今人研究唐代女性诗人及其影响的重要文献。徐俊《瑶池新咏集·前记》据集名以及敦煌本《瑶池新咏集》残存身份说明，考以《又玄集》与

《才调集》,推测四人中有三人与道教相关,并认为:"仅就敦煌本残存部分而言,对唐代女诗人尤其是女冠诗人的研究价值,却是不能忽略的。"据此亦可窥见唐人编纂选录女性诗总集之价值。

与卢燕新合撰,原载《文学评论》2009 年第 3 期,据以录入

《儒林心史》序

　　王志清先生于编纂学术性散文集《文心雕虫》后,现又再次编《儒林心史》,约我为序。我曾为王先生学术专著《纵横论王维》(修订版)作序,这次拟为南通大学几位学者散文作品抒谈读后感,应是难得的机缘。但我自己甚有难度之感,因此书诸文有十一位学者,而与我有学术交往的仅周建忠、王志清两位先生。周建忠教授多年与我有书信来往,现又应邀为大规模丛书《续修四库全书》撰写楚辞类著作提要。志清先生于书中为姜光斗先生专著所作的序(《姜光斗的"人""文"权衡》)中,引有《孟子》"知人论世"语,认为是"重要的研究手段",谓:"写序,最合适以'知人论世'的方法",即"由先'知其人',而后才'颂其诗,读其书'。"由于我对书中大部分学者为人、治学并不熟悉,故觉得难于着笔,以致虽阅稿数遍,仍未能及时写就。

　　不过我抓紧时间阅读后,随即又有志清先生所说的"再经由'颂其诗,读其书',于是更加'知其人'"之感。如志清先生记有访遇霍松林先生之文,我与霍先生于 1982 年中国唐代文学学会建立后,即共同主编《唐代文学研究年鉴》,80 年代时共任唐代文学学会副会长，屡次共商会务。书中又有吉定先生怀念黄永年先生之文，我于1979年在西安参加唐代史学会议时即已与黄先生相识，后屡次交往，有两次到陕西师大参加他与史念海教授共同指导的研究生论文答辩；高校古委会召开会议时，我与他曾合住于一个房间。另王志清先生又有哀悼、追记福建师大陈良运教授一文。我与良运先生也有深交，他于1994年就向国家古籍整理出版规划小组申报《周易与中国文学》课题，当时我任古籍规划小组秘书长，经专家讨论，同意此书列入"中国传统文化研究丛书"；但后来将此稿转向出版社时，稿件佚失，于是他与我商议，重新撰写，并约我为此书作序（后此书由江西百花洲文艺出版社出版）。我对他执着于学术的坚贞之情与刚毅之气深为钦佩，这次读志清先生所作追记之文，亦深起悼念之情。又如王育红先生《负笈南京读博路〈南园杂记十二则〉》，细记他于1998年至2004年在南京大学攻读博士学位，住宿于南京大学正门对面南园。按：我于90年代任古籍规划小组秘书长，当时组长为南京大学名誉校长匡亚明，匡先生年已高龄，不便于来北京，就由我每年好几次到南京大学向他汇报、商议工作，就住于南园的南苑宾馆；1996年冬匡先生病重并谢世时，我在南苑住了一个多月。因此我后来每次到南京开会，就一定去南园行走，这次读王育红先生之文，又起怀念匡老之情。正因为阅读上述蕴含深情诸文，确如志清先生所说，"通过阅古人的诗书而达到与古人为友的精神交流"，我也由此达到与南通大学诸位学者难得的学术交谊，因此才能写此序文。

中国古代散文浩如烟海，佳作如林。传统古文被认为最具民族特色的文字载体，曾有"中国古代散文美学"的学术构想。日前,《中华读书报》曾刊一文,引用当代一位小说、散文作家的话,称"中国仍是散文的国家"。可见当代创作界对散文在中国文学发展、流变中的高度评价和重视。中国古代散文,包括骈体赋文,其艺术风格确是多姿多彩、丰富多样的。但可能受儒家传统"经世致用"的影响,对散文作用多以"文以载道"为评价,这就如志清先生在本书"后记"中所说,"故而抑制了文学散文的发展"。

譬如韩愈,为古代散文名家,传统多以"文以明道"为其文学创作理论要旨,即宣扬道统与儒家思想,其《原道》《原性》等为"大有功名教之文"(清吴楚材《古文观止评注》)。实则韩愈之文,不仅题材多样,文笔活跃,其主要特点则是有为而发,不平则鸣。韩愈"文以明道"之"道",具有强烈的现实意义,着眼于突出现实矛盾,寻求社会变革。如其《与崔群书》中云:"自古贤者少,不肖者多。自省事已来,又见贤者恒不遇,不贤者比肩青紫;贤者恒无以自存,不贤者志满气得;贤者虽得卑位则旋而死,不贤者或至眉寿。"此文作于唐德宗贞元十八年(802),时任国子监四门学博士,低级官位。此数句尖锐指出英才沦落,而不肖者高官富财,确为社会突出的现实矛盾。清人林云铭就谓韩愈此文"感慨淋漓,能令千古失意人,读之伤心欲绝"(《韩文起》卷四)。又于翌年(贞元十九年)秋,朝廷下令,谓今年上半年关中久旱,经济不利,停止明年春初科举考试。韩愈时仍任四门学博士,自称"虽非朝官",但"苟有所知,不敢不言",就特上书(《论今年权停举选状》),认为虽已有旱情,但京师之入已逾百万,人口众多,不会影响各地应举来京就试之读书人,现在突然停试,"是使人失职"。更值得注意的是,韩愈于此文后篇,提出"有君无臣,是以久旱",

认为当代君主固可称"圣明在上",但群臣"不能尽心于国",以至"有君无臣"。实际上,朝中之所以"无臣",其责任当在于"君";所谓"有君无臣,是以久旱",虽仅二句八字,实则其指责之意非同小可。可能正因此,韩愈于本年冬又因另一状文(《上论天旱人饥状》),而远贬广东阳山。

我之所以详举韩文二例,一是说明我国古代散文确不能仅以"文以载道"、宣扬儒家道统为主,二是有感于王志清先生《难遂父愿》中自称"我生性率真,且嫉恶如仇",可与韩愈之说古今融通。这确使人同意《儒林心史》有真切质朴之特色。

这部散文集,确甚有特色,一为所记广,如第二编"走读山水",远记北方之内蒙,西南之贵阳,又记国外(英国)之游;二为情致深,所记家人及个人学历,极有情致。又第六编"闲聊阅读",视野至为阔略,如徐乃为先生所撰三文,叙及三国故事赤壁之战,又评议《红楼梦》中"戏谑""玩笑"情节。张祝平先生二文,一评《史记·项羽本纪》之楚汉相争,一论英国现代诗人西格夫里·萨松诗句之中译。周建忠先生《韩剧的两面》更以欢愉的笔调记他于夜间观看电视剧,谈及韩国的好几个戏剧。这是当代学术界人士(也即"儒林")很少有此佳例的。

集子里的不少散文,无论述友谊,叙交游,谈理想,议时事,个性鲜明,虽篇幅短小,而不拘一格,为叙事说理与抒情述怀相结合的富有色彩的散文。这不禁使我想起书法圣家王羲之《兰亭集序》所言:"仰观宇宙之大,俯察品类之盛,所以游目骋怀,足以极视听之娱,信可乐也。"这当是此书出版后文化界人士的读后感。

这里我想再提一个建议,即继《文心雕虫》《儒林心史》后,可能还陆续编纂学术性散文集,鉴于南通的经济、文化迅速发展,我希望南通大学学者们着意于地域文化研究,多方面地抒写南通地区历史文化发展的地域特点及当前文化发展的生态环境。这就不仅增进对南通本地的认识,也能突出显示江苏文化的丰富内涵,江苏文明的历史成就,为区域文化独创性与中华文明整体性的和谐结合研究,确有进一步扩展与深入的意义。

2009 年春

原载齐鲁书社 2009 年版《儒林心史》,此据大象出版社 2015 年版《书林清话》录入,另收入北京联合出版公司 2013 年版《濡沫集》

《唐诗纪事校笺》掇误

南宋前期计有功编撰的《唐诗纪事》，应是唐诗研究极有文献价值的丰硕之作。其《自序》述其编撰情况，称"寻访三百年间文集、杂说、传记、遗史、碑志、石刻，下至一联一句，传诵口耳，悉搜采缮录"。全书共辑收诗人一千一百五十家，除选录其名篇外，并详辑生平事迹、诗歌评论资料，保存了大量唐代文学史料。《四库全书总目提要》卷一九五称是集"或录名篇，或记本事，兼详其世系爵里，凡一千一百五十家。唐人诗集不传于世者，多赖是书以存"。正因如此，对后世影响很大，自宋至清，也有多种校刊本。

1956年，上海古籍出版社前身中华书局上海编辑所曾出版一部点校本，后于1986年再次修订，重新出版，应是此书首次现代化的整理本。1989年巴蜀书社出版王仲镛先生《唐诗纪事校笺》，对上海古籍出版社的整理点校本既有肯定，又甚有指摘，认为该书"并不曾认真找出有关唐诗总集、别集或笔记、小说来进行参校"，其记事部分，问题更不少，"其不检原书、标点错误和随意校改之处，亦多"。于是他就广辑史料，着重于做两方面的工作，一是"在纪事方面，尽可能找到计氏搜采资料的来源出处，笺证史实";二是对所载诗篇,尽可能根据有关唐人总集、别集,特别举唐人选唐诗之代表作《河岳英灵集》、《中兴间气集》、《极玄集》等,"加以雠校,讹者正之,缺者补之"。王仲镛先生做了不少工作,其书出版后广被采用,很引起研究者注意。2007年11月,又由中华书局重印。

20世纪90年代以来,我连续从事于《唐人选唐诗新编》、《唐五代文学编年史》、《唐翰林学士传论》等项目,在编撰过程中不断参阅《唐诗纪事校笺》,确受有教益。但在研读中也发现不少问题,随时有所记录,我觉得这部《校笺》中存在的问题也有如王仲镛先生对上海古籍出版社点校本指摘之处。我两年前在一高校文学院召开的学术会议上,曾向会议主持者提出,《唐诗纪事》这部极富文献价值之书,搜辑材料既如此丰硕,我们现在确有必要再次作全面的笺证工作;这可作为集体项目,个人之力恐承担不了。该校文学院专家于此正在考虑之中。我现在就已积累的笔录札记,撰为一文,供学界参考。限于篇幅,不能一一细列。(又,文中多次提及《唐诗纪事》者概称《纪事》,提及《唐诗纪事校笺》者概称《校笺》。)

一

书中有好几处明显的排校错误,如卷六一裴廷裕条,《校笺》在校中有云:"《新唐书》卷五八《宗艺文志》:裴廷裕《东观奏记》三卷。"按《新唐书》之《艺文志》共四卷,即分经、史、子、集,卷五八为《艺文志》之二，即史部，而从未记有"宗艺文志"者，其"宗"字显为衍文，未校出。又如卷三〇司空曙条，《纪事》原文载有《经废宝庆寺》诗，《校笺》对此诗题有校，谓《文苑英华》卷二三六题作《废庆宝寺》。经核，《文苑英华》载司空曙此诗，为卷二三五，非卷二三六。排印之误更明显者，卷二三王諲《元夕观灯》诗（五律），其第六句"场移舞更新"有校，校记数码标为（三），而第八句"说向不来人"又有校，却标为（二），数码次序明显误倒。以上三例，中华书局重印时均未复核改正。

《纪事》所载未误，而《校笺》在笺证中却有明显错误。如卷一九苏源明条，《纪事》记苏源明于天宝十二载守东平郡，与当地官员、文士有宴饮作诗。《校笺》谓《全唐诗》卷二五五于此载有二诗，"题作苏源明《小洞庭洄源亭宴四郡太守诗》及袁广《秋夜小洞庭离宴诗》"。按苏源明确于天宝十二载在东平郡太守任，第二年秋则应召入朝，见《全唐诗》卷二五五苏源明《秋夜小洞庭离宴诗并序》。苏源明为肃宗时翰林学士，有文名，杜甫、韩愈皆有诗文赞颂之（参傅璇琮著《唐翰林学士传论·肃宗朝》，辽海出版社 2005 年版）。《全唐诗》卷二五五所载此二诗，实皆为苏源明所作。《秋夜小洞庭离宴诗》，苏源明有序，谓"源明从东平太守征国子司业，须昌外尉袁广载酒于洄源亭，明日遂行，及夜留宴"，乃作此诗。即苏源明于天宝十三载秋离任赴朝，须昌县外尉袁广设宴送之，苏乃作此诗。而《校笺》将《全唐诗》卷二五五所载此诗为袁广作，即未认真核阅。《全唐诗》及今人补编均未载有袁广诗者。

另一例，《纪事》卷六七顾云条，记顾云"咸通中登第，为高骈淮南从事,师铎之乱,退居霅川”。此处所记大致合实。清徐松《登科记考》卷二三僖宗咸通十五年(874),据《永乐大典》引《池州府志》记顾云“咸通十五年进士第”。按咸通十五年于十一月改元乾符,则顾云登第年,确切地当为咸通末,非咸通中。《校笺》未引及,而云:“按《旧唐书》卷一八三《高骈传》:‘广明三年三月,蔡贼过淮口,骈令毕师铎出军御之……’”现经核,《旧唐书》之《高骈传》,为卷一八二,非卷一八三。且《旧传》载“蔡贼过淮口,骈令毕师铎出军御之”,明记为僖宗光启三年(887)三月,为光启,非广明(《资治通鉴》卷二五七所记亦为光启三年)。且广明仅一年(880),广明二年七月改元为中和,则何能云广明三年?此实为《校笺》显误。

《校笺》一书在“前言”中曾提出《纪事》存在着一些问题,如弄错史实,差失原意,“或以一人而分为二人,或以两事而合为一事”,认为“若不加以澄清,必将疑误学者”,故尽量予以纠正。但现在书中在纠误中尚有不少遗漏,或误中有误,以上所举为原书未误而《校笺》出现新误,现在再举数例,指出在纠误中仍有疏失。

如《纪事》卷六七韦冰条,载韦冰《三乡》诗一首(七绝),后云:“冰,唐末为鄠令。”即作此《三乡》诗之韦冰,为唐末鄠县令。《校笺》则引《新唐书》卷七四上《宰相世系表》所载“冰,鄠令”,以证实《纪事》所记,未再引其他史事。按《纪事》此卷所记和作《三乡》诗有王柷等十人,此乃据唐末范摅《云溪友议》卷中《三乡略》,记有无名氏为《三乡》和作诗所作序,时为武宗会昌二年。按会昌二年为公元 842 年,确为晚唐,但不能说唐末(唐王朝亡于 907 年)。《纪事》记为唐末,当并不确切。问题更在于曾任鄠令之韦冰并非作此《三乡》诗者。《新唐书·宰相世系表》所记曾任鄠令之韦冰,实为盛唐时人,非晚唐,更非唐末。《旧唐书》卷一〇五有《韦坚传》,记韦坚于玄宗开元、天宝时历任地方要职,多掌财赋;天宝初为宰相李林甫所忌,连遭贬谪,天宝五载七月又长流岭南临封郡,又云"(韦)坚弟将作少匠兰、鄠县令冰、兵部员外郎芝、坚男河南府户曹谅并远贬";同年十月,朝中又下令"逐而杀之,诸弟及男谅并死"。《新唐书》卷一三四《韦坚传》亦载韦坚流贬时,其弟冰为鄠令,亦贬谪。据此,则任鄠县令之韦冰为韦坚之弟,天宝前期即受累贬谪而死。《新唐书·宰相世系表》所载鄠令韦冰,前有韦兰,后有韦芝,当为兄弟,与《旧传》合。由此可证,和作《三乡》诗者韦冰为晚唐武宗时人,而《纪事》称其为唐末鄠令,误以盛唐玄宗时为鄠令之韦冰乃作此诗者,《校笺》又引《新唐书·宰相世系表》证实之,则误上加误。

又《纪事》卷二七有房白条,录其《得还字》诗一首(五绝),后云"天宝十三年阳浚侍郎下登第"。《校笺》则仅引《李晅墓志》记阳浚于天宝十三载为礼部侍郎,谓与《纪事》所记合,其他未有笺证,也未考房白事。按《全唐诗》卷二〇九载房白《送萧颖士赴东府得还字》,即此诗,小传谓"天宝中登进士第",当即本《纪事》。徐松《登科记考》卷九当亦据《纪事》,于天宝十三载登进士第者有房白。按唐时文献,未载有房白者。清劳格、赵钺《唐尚书省郎官石柱题名考》,于度支郎中、户部员外郎、祠部员外郎皆有房由,无房白,《唐郎官考》又记戴叔伦有《襄州遇房评事由》诗(王安石《唐百家诗选》卷七),郎士元《送新偓房由赴朝因寄钱大郎中李十七舍人》诗(《文苑英华》卷二七二)。钱大为钱起,李十七为李纾。可见房由于盛中唐际与当时著名文士多有交往。又周绍良主编《唐代墓志汇编》载有房由所撰之《大唐故永王府录事参军卢府君(自省)墓志铭》(千唐志斋志八九八),自署"前国子进士房由撰",天宝十三载闰十一月十一日立。即房由于天宝十三载初进士登第,尚未能入仕,故自署"前国子进士"。当代学者陈尚君、孟二冬之唐登科记考亦有订补,皆据此认为天宝十三载于阳浚下登第者为房由(参孟二冬《登科记考补正》卷九,北京燕山出版社2003年版)。又《全唐文》卷三九五有刘太真《送萧颖士赴东府序》,记萧颖士任职于洛京时,后辈文士乃作诗送之;《全唐诗》卷二〇九载贾邕《送萧颖士赴东府得路字》,同卷所作送行诗者有十二人。由此可见,房由于天宝十三载进士登第后,即与著名诗人如戴叔伦、郎士元、萧颖士等有文字交往。《纪事》所记之房白实为房由之讹,很可能计有功撰写时并非有误,后刊刻时乃形近而讹。《校笺》未充分注意有关文献史料,仍沿其误。

又《纪事》卷五九崔元范条,载其诗一首(七绝),未记其诗题,仅云"元范,以监察御史为浙东幕府",即崔元范原在朝中为监察御史,后又以监察御史任职于浙东幕府。《校笺》于此未有笺文,亦即同意《纪事》所记之"以监察御史为浙东幕府"。按《纪事》此卷在崔元范前记有李讷,谓李讷于大中时为浙东观察使,时崔元范在其幕府,"自府幕赴阙庭",李讷乃饯送之,并作诗,幕府中亦有人和作,崔元范即亦作此和诗。《全唐诗》卷五六三即载有李讷《命妓盛小丛歌饯崔侍御赴阙》,并有杨知至、卢潘等同题之作。又据《会稽掇英集》,李讷确于宣宗大中六年八月至九年九月为浙东观察使。杜牧有《李讷除浙东观察使兼御史中丞制》(《全唐文》卷七四八），杜牧时在朝中任中书舍人，故撰有此制。按李讷饯行及崔元范诗，源于唐范摅《云溪友议》卷上《饯歌序》，中称"时察院崔侍御自府幕而拜，即赴阙庭"，李讷乃饯送之。即崔元范原为浙东幕僚，后朝中任其为监察侍御史，故李讷等作诗送之。如此，则非"以监察御史为浙东幕府"，《纪事》误。侍御史为从六品下（《旧唐书》卷四二《职官志》一），方镇幕僚不能兼有此较高官品；如杜甫后期在蜀中幕府为左拾遗，左拾遗仅从八品上。

　　另，《校笺》虽记有《纪事》之误，但未有充分论证者。如《纪事》卷五八霍总条，载其《郡楼望九华》诗一首，后谓"武元衡尝有送总诗"，末又云"总，咸通时为池州刺史"。《校笺》云："按武元衡被盗杀于元和十年（815），去咸通（860—874）约五十年，此言霍总咸通时为池州刺史，当有误。"霍总确非咸通时人，但《校笺》仅云"当有误"，对霍总其人未有论证。按令狐楚《御览诗》收有霍总诗六首（《全唐诗》卷五九七即据载），令狐楚编此书在宪宗元和九年至十二年间（814—817），参见傅璇琮编撰《唐人选唐诗新编》（陕西人民教育出版社1996年版）。由此可确证霍总为中唐时人，故武元衡可有诗送之。又《全唐文》卷七八三有穆员《蝗旱诗序》，谓"甲子岁秋大旱"，霍总"赋蝗旱诗一章七十有二句"，甚赞赏之，故特为作序。霍总此诗后未存，但穆员谓"甲子岁秋大旱"，此甲子为德宗兴元元年（784）。又《旧唐书》卷一五五《穆宁传》，记穆宁仕于大历、贞元间，有四子，中有穆员，杜亚为东都留守时，曾辟其为从事。杜亚乃于德宗贞元五年至十二年（789—796）为东都留守（参郁贤皓《唐刺史考全编》卷四八，安徽大学出版社2000年版）。由上所述，确可考定霍总为德宗、宪宗时人，并可纠正《纪事》所谓"咸通时为池州刺史"之误。

有时《纪事》所载之诗及所记之事，虽未有误，但间有脱略，而《校笺》皆未注出处，不符合笺证体例。如卷六〇崔澹条，《纪事》先录其《赠美人》一诗（七绝），后记云："大中末，崔铉自平章事镇淮海，杨收为支使，收状云：'前时里巷，初迎避马之威；今日藩垣，便仰问牛之代。'澹之词也。"《校笺》于此皆未有笺证。经查，《赠美人》一诗，见唐末孙棨《北里志》之《王团儿》条，有记长安北里歌妓之生活环境。至于崔铉、杨收及崔澹事，所谓"杨收为支使，收状云"，文意不清。按此见宋乐史所著《广卓异记》，记崔铉于宣宗大中末为淮南节度使，杨收时在其幕府，为支使；后杨收入朝，累仕侍御史、吏部员外郎，入为翰林学士，经两年，擢迁为宰相，时"铉未移，铉贺收状云：'前时里巷，初迎避马之威；今日藩垣，便仰问牛之代。'此崔澹之辞"。如此，则《纪事》所谓"杨收为支使，收状云"，文字当有脱略；"收状云"应为"铉贺收状云"，即崔澹此时在崔铉幕府，为其作辞以赞贺杨收拜相。按杨收于懿宗咸通二年（861）四月以吏部员外郎入为翰林学士，四年五月迁为宰相（参傅璇琮《唐翰林学士传论·懿宗朝》，辽海出版社 2007 年版）。《广卓异记》所记，确可有助于对崔铉向杨收称贺的情况，并可补《纪事》所记之脱略。不过咸通三年冬令狐绹已任为淮南节度使，崔铉移镇襄州（参郁贤皓《唐刺史考全编》卷一二三）。《广卓异记》谓杨收擢迁为相时，崔铉仍"未移"，亦误。《校笺》于此皆未引及有关史料并加证释，确不合体例。

二

　　《校笺》于校勘《纪事》所载之诗,颇注意于引及今存的几种唐人选唐诗著作,其"前言"中谓"加以雠校,讹者正之,缺者补之","要务求其是","力求其善",确化了不少功夫。但遗憾的是,在校勘时不注意同一书的不同版本,引用唐人选唐诗,只举其一种版本,即以此进行所谓补正,不免出现不少问题。

　　首先是意想不到的疏失,如《纪事》卷二二李嶷条,载有《少年行》三诗,其二"薄暮随天仗"句,《校笺》有校,谓:"暮,《河岳英灵集》、《国秀集》俱作夜。"按盛唐时殷璠所编之《河岳英灵集》,有宋刊本、明清刊本多种(详后),但此句"薄暮"之"暮"皆作"雾",无异字,并未有作"夜"者,《校笺》所谓作"夜",毫无根据。又同为天宝时芮挺章编选之《国秀集》,共三卷,其卷中载李嶷诗二首:《读前汉外戚传》、《游侠》,《游侠》即《纪事》之《少年行》(《文苑英华》卷一九四同)。但《国秀集》所载此诗,仅"玉剑膝旁横"一首,即《纪事》之《少年行》第三首,《校笺》提出《国秀集》所载文字有异者为《少年行》第二首,而此第二首则为《国秀集》所未收。《校笺》如此出校,所引《河岳英灵集》、《国秀集》二书,皆无根据,甚为疏忽。

　　今就唐人选唐诗代表性著作《河岳英灵集》、《箧中集》、《中兴间气集》、《极玄集》,择要列举如下。

　　《纪事》卷二四载王昌龄《长信秋词》,《校笺》谓此诗题,《河岳英灵集》作"长信宫",即无"秋"字。按《河岳英灵集》为殷璠于玄宗天宝后期所编,其自叙谓收诗二百三十四首,"分为上下卷",即两卷。国家图书馆藏有此书两种宋刊本,皆为两卷,当最接近原书。而后通行的几种明刊本皆为三卷。著名藏书家、校刻家傅增湘在其《藏园群书题记》中曾特为指出,《河岳英灵集》之宋本与明本相校,字句差异极多,"盖自明代翻刻以后,沿讹袭误,已匪一日矣"。上海古籍出版社于1958年编印的《唐人选唐诗(十种)》,即据毛氏汲古阁明刻本(详参傅璇琮《唐人选唐诗新编》)。《校笺》所谓《河岳英灵集》作"长信宫",经核,宋刊本仍作"长信秋",与《纪事》原文同。明崇祯元年毛晋汲古阁刻《唐人选唐诗》八种,其中《河岳英灵集》有何焯(义门)批校,何校于此诗题亦作"长信秋",即亦据宋本者。

类似者,如《纪事》同卷载殷璠评王昌龄诗,举其诗数句,其中"昏为蛟龙怒,清见云雨入",《校笺》则谓《河岳英灵集》,"怒"作"窟","清"作"时"。经核,宋刊本未有此异文,与《纪事》原文同。又如卷一五,《纪事》载王湾《晚夏马升卿池亭即事寄京中二三知己》,《校笺》则谓《河岳英灵集》题作《晚夏马嵬卿叔池亭即事寄京都一二知己》,与此异。实则宋刊本亦与《纪事》原文同。《校笺》所据《河岳英灵集》,即据上海古籍出版社选辑之明汲古阁刻本,未知国家图书馆尚藏有宋本。其他类似情况者多有,限于篇幅,不一一列举,以下如《箧中集》等亦如此。

中唐时元结所编的《箧中集》,也有好几种版本,较早为清徐乃昌覆刻之影宋抄本(《徐氏丛书》),上海古籍出版社之《唐人选唐诗(十种)》,其中《箧中集》即据此排印。另有几种明刻本,亦各有特色,国家图书馆善本部所藏者,有冯舒、黄丕烈校并跋的明刻本,缪荃孙校并跋的明刻本,郑振铎藏明刻本《唐人选唐诗》六种,汲古阁刻本(有何焯校)。徐氏校印之影宋抄本,虽时代较早,但徐氏校文缺漏疏失甚多,傅璇琮之《唐人选唐诗新编》即据有好几例(见《箧中集》前记)。如《纪事》卷二二沈千运条,载有元结《箧中集序》,云所选诸人"皆以仁让而至丧亡",《校笺》乃谓"仁让"原作"仁谦",今据《箧中集》改。按徐乃昌《徐氏丛书》本确作"仁让",但何焯所校之汲古阁旧抄本作"仁谦"。傅增湘《藏园群书题记》卷一九记《箧中集》,谓何焯跋中称曾于康熙年间从汲古阁得见一旧抄本,虽为明抄,其所据为南宋本。可见《箧中集》即有好几种版本,不能仅据其中之一即改文。

又《纪事》卷二三载张彪《北游还酬孟云卿》,此诗题,《校笺》谓"还"原作"远",据《箧中集》改。按冯舒校评本、郑振铎藏明刻本皆作"远",王安石《唐百家诗选》所录亦作"远",则应作为异文校,不能仅引一种版本即据改。另,《校笺》也有漏校者,如《纪事》卷二六载王季友《寄韦子春》诗,首二句"出山秋云曙,山水已再春","山水"一词,《箧中集》作"山木",《河岳英灵集》作"山色","山木"与"山色"均较切合诗意,而《校笺》则未校及。

又《纪事》卷二一载李嘉佑《涧州阳别驾送张侍御收兵归扬州》诗,《校笺》谓《中兴间气集》,"阳"作"王"。按中唐时高仲武所编之《中兴间气集》,现存最早者为国家图书馆所藏毛氏汲古阁影宋抄本,其他为明万历刻本,明嘉靖刻本,汲古阁刻《唐人选唐诗》本(详参傅璇琮《唐人选唐诗新编》之《中兴间气集》前记)。上海古籍出版社之《唐人选唐诗(十种)》,其《中兴间气集》即用明嘉靖刊本（即《四部丛刊初编》本）。汲古阁影宋抄本于李嘉佑此诗题，仍作"阳别驾"，未作"王别驾"。《校笺》当即引用上海古籍出版社本，未注意有影宋抄本。影宋抄本不仅时代早，且所载高仲武对所选诗人之评语，明刻本多有缺漏；所载之诗，影宋抄本是而嘉靖本、万历本误者亦有好几处，《校笺》也多未涉及。如《中兴间气集》卷下李秀兰，高仲武评语颇长，中有记述李秀兰与诗人刘长卿相讥谑一段，云："尝与诸贤集乌程县开元寺，知河间刘长卿有阴重之疾，乃诮之曰：'山气日夕佳。'长卿对曰：'众鸟欣有托。'举座大笑，论者两美之。"按此一段，影宋抄本有，唯嘉靖本、汲古阁本无。《纪事》卷七八李秀兰条引有高仲武评语，但亦无此一段，《校笺》则仅引《太平广记》卷二七三补之。可见其未曾见引影宋抄本，仅据《太平广记》转引。

又《纪事》卷二五张继条，记张继事，有举其《送郱绍充河南租庸判官》诗，《校笺》谓："诗题《中兴间气集》作《送判官往陈留》。何焯校本'送'下有'邹'字，误。"实则《中兴间气集》影宋抄本于"送"下即有"邹"字，实不误，《纪事》以"邹"作"郱"，却误。与张继同时之诗人刘长卿有《毗陵送邹绍先赴河南充判官》诗（《刘随州集》卷五），《全唐诗》卷二四二所载张继此诗，亦作"邹绍先"。按《元和姓纂》卷四邹姓，记有："开元中有象先、绍先、彦先。"《纪事》之卷二二即有邹象先条。绍先当为象先之弟（详参傅璇琮《唐代诗人丛考·张继考》，中华书局1980年版；又《唐才子传校笺》卷三周义敢笺之《张继传》，中华书局1987年版）。由此可证《纪事》所载张继诗，诗题之"郱"字误，并于"郱绍"下缺"先"字，《校笺》皆未校及，有疏忽。

《纪事》卷四三于良史条,有引高仲武评,中云"良史工于清雅",《校笺》谓《中兴间气集》作"良史诗清雅",乃据改。按影宋抄本此句作"侍御诗体清雅",未直称其名,称其官衔。按元辛文房《唐才子传》卷三于良史传,记其"至德中仕为侍御史",当有所据,与影宋抄本之《中兴间气集》合。《校笺》所引,仅提及"良史"名,则未见及影宋抄本及《唐才子传》,又为疏失。

　　又,《纪事》卷二六苏涣条,载其《变律诗》,首四句为:"日月东西行,照在大荒北。其中有烛龙,灵怪人莫测。"《校笺》有校,谓《中兴间气集》载此诗,首句同,其下三句为:"寒暑冬夏易。阴阳无停机,造化渺莫测。"按此三句为明刻本《中兴间气集》,影宋抄本则大致与《纪事》所载同,唯"照在"作"不照","烛龙"作"毒龙"。《校笺》所引《中兴间气集》,误校、失校不少,确需普查,逐一核正。

　　《校笺》中引及《极玄集》,又有漠视现代研究成果事。按中晚唐际姚合所编之《极玄集》,一般为明以后的通行二卷本,所收二十一人诗,各人名下多有小传。《四库全书总目提要》曾谓:"总集之兼具小传,实自此始,亦足以资考证也。"于所收作者名下撰有小传,《极玄集》如此作,被认为是总集体例的一大开创。过去论及中唐及大历诗人,也多引以为据。但《极玄集》今存最早者为上海图书馆所藏的影宋抄本(一卷本),此影宋抄本于所收诗人名下皆无事迹记载,今存南宋以前文献,也未有引录或提及《极玄集》小传者。复旦大学陈尚君教授曾于此影宋抄本有所考,谓此小传非姚合所撰,而是明人在将该书析为二卷时,又采掇通行所见的材料,剪辑而成(参陈尚君《唐才子传校笺补笺》之《姚合传》,中华书局 1995 年版),非姚合原著(又见傅璇琮《唐人选唐诗新编》之《极玄集》前记)。这已成为唐代文学研究通识。但《校笺》却往往引《极玄集》通行本所载作为诗人事迹补正。如《纪事》卷二六刘长卿条,《校笺》谓《极玄集》载长卿"开元二十一年进士"。实则影宋抄本未有此记述。又据当代有关刘长卿事迹研究,刘长卿于玄宗天宝六载前尚未进士登第,其及第当在天宝后期(参傅璇琮《唐代诗人丛考·刘长卿事迹考辨》,陈尚君《唐才子传校笺补笺》,孟二冬《登科记考补正》卷二七)。则所谓刘长卿于开元二十一年进士,不合事实。

《校笺》在文字校勘时,也仅引明刻本,如《纪事》卷二〇祖咏《兰峰赠张九皋》诗,"孤山出幔城"、"长怀魏阙情"句,《校笺》谓"幔城"原作"草城","魏阙"原作"魏国",据《极玄集》等改。按此乃据明汲古阁本(即上海古籍出版社之排校本),上海图书馆所藏影宋抄本则皆作"草"、"国",即应作异文校,不能径改,应保存原貌。另《校笺》又有失校者,如《纪事》卷二〇载祖咏《夕次圃田店》诗,末句"中夜渡泾水"。按此诗较早即见于《极玄集》,此句之"泾水",明汲古阁本《极玄集》及清《全唐诗》(卷一三一)同,而影宋抄本、《文苑英华》(卷二九二)及郑振铎藏明刻本《唐人选唐诗》六种,均作"京水",何焯(义门)有校,云:"京,京索间也。泾字缪甚。"可见《校笺》于此失校。

原载《文学遗产》2009 年第 6 期,据以录入

《鄞州佛教文化》序

　　徐剑飞同志撰写的这本《鄞州佛教文化》，从鄞州佛教的发端写到近现代，将近 20 万字，时间跨度 1700 多年，经历的朝代有两晋、隋唐、宋元、明清和近现代，几乎概括了鄞州佛教发展的全部历史，是目前为止记述鄞州佛教最为详细的一部专著，为此作者查阅了大量的资料。更为难得的是，作者为了避免大多数佛教著述艰涩难懂的通病，利用曾经从事过文学创作的优势，用散文的笔调来写佛教文化的历史，通篇文笔机智，幽默风趣，可读性很强。正如前辈学者曹厚德先生在翻阅此稿后，特在文稿的扉页上赞云："史料翔实，行文流畅，百读不厌，传世之作。"曾经编写过《鄞县志》的金儒宗先生也曾通阅全稿，认为"文学笔法浓郁，许多地方用词很诙谐，很有趣，可读性强""可能与作者过去写过小说、散文有关"。

　　我也有同感。我觉得这部著作在整体结构与行文风格上确有此特色，因此我趁撰序时机介绍作者的写作行迹与成果，供读者更便于赏识、鉴读此书。自去夏起，我与鄞州区文联合作，参与《三字经》修订版的编纂工作（此书后于 2008 年 4 月由人民教育出版社出版);后又代表清华大学古典文献研究中心,与鄞州区文联共同建立"王应麟学术研究基地",参与王应麟著作集成的编纂。正因此,我与鄞州区文联接触较多,今就我所了解,特向读者介绍徐剑飞同志的写作行迹。

徐剑飞同志出生在一个农村小知识分子家庭。曾经当过乡镇干部和县级机关的秘书。20世纪80年代后期鄞县编修县志时,被抽调到县志办当编辑,是县志办唯一的女编辑。五年后县志编纂完毕,与县志办的同事一起创办《鄞县日报》,也就是现在的《鄞州日报》。她在报社先是当记者,当时《鄞县日报》许多有分量的通讯和特写等体裁的文章都是她的手笔。后来当记者部主任,再后来担任《鄞县日报》分管新闻业务的副总编。前几年就调到鄞州区文联任副主席。

20世纪80年代初,也就是改革开放开始实施阶段,文学创作的热潮在中国普遍掀起。徐剑飞同志也是在那个时候加入这个行列的。她一开始便选择了短篇小说这个文学门类,处女作在当时的《鄞县文艺》上发表,第二篇小说又马上刊登于省级刊物《东海》上,而且获得了1981年宁波地区唯一的优秀短篇小说奖。以后又有多篇小说和报告文学在省级刊物上发表。后来由于种种客观原因,她有很长一段时间没有写东西。如果把工作职责范围内的新闻稿和偶尔付诸报刊杂志的生活散文排除在外的话,差不多有将近二十年时间没动过笔了。

四五年前,徐剑飞同志从节奏快捷的报社调到文联机关工作,后者相对悠闲的工作环境再次激发了她的写作热情,其间她写了十几篇读书笔记和地域文化散文,其中《韩岭:一个神奇的村庄》和《大嵩滨海平原垦拓史》两篇文章都是以整版的篇幅刊登在《宁波晚报》的"三江人文讲坛"上的。大概就是从那时起,地域文化的写作便成了徐剑飞同志重新执笔后选定的目标。作为地域文化重要组成部分的佛教文化,徐剑飞同志大约有感于历史悠久又博大精深,即于两年前涉足于此,这应该也是鄞州佛教研究难得的机缘。

我通阅《鄞州佛教文化》,感到此书有两大特色。第一大特色是不限于佛教教义与宗派迁变,而着眼于文化阐释,并就鄞州区的特殊地域文化背景,探索佛教文化与宁波浙东文化交融在一起,互相依存与发展,成为宁波历史文化的重要组成部分。

从全国范围来看,鄞州佛教发端的时间不是特别早。开先河的阿育王寺创建于西晋太康三年(282),天童禅寺是在18年后的西晋永康元年(300)开山的,而当时西晋朝野对佛教的信仰,已经相当普遍,仅洛阳和长安两地就有寺院180所,僧尼3700多人。这虽是后世的记录,未必全信,然而竺法护时代已有"寺庙图像虽崇京邑"之说(《出三藏记集》卷十三)。之前的三国时期浙东地区已有寺院十余所,其中普济寺、五磊寺和吉祥寺即属现在的宁波。但除了五磊寺已在20世纪80年代中期恢复重建外,其余两所早已废圮,不过五磊寺现有的规模和影响远不如鄞州的天童和阿育王两寺。虽然鄞州佛教发端历史不是最早,但到目前为止,宁波地区最有影响的两大寺院都在鄞州境内,那就是天童寺和阿育王寺。如果追溯一下历史,七塔寺、延庆寺、观宗讲寺等许多名刹,历史上均属鄞县范围,都为谱写鄞州佛教曾经有过的辉煌留下了深刻的印痕。

名寺大德相互辉映，这是规律。鄞州几大寺院能够历经千年风雨的洗涤，依然耸立在这方土地上，并且随着时间的推移愈加繁荣，愈来愈有价值，这与历代高僧大德悉心弘扬传承是分不开的。百丈怀海、四明知礼、宏智正觉、大意宗杲、大觉怀琏、长翁如净、密云圆悟、木陈道忞、寄禅敬安、谛闲、圆瑛……每一位都是中国佛教史上重量级的人物。特别是近代，鄞州又成为中国佛教中心之一。天童寺方丈寄禅敬安于民国初期的 1912 年被推举为新成立的中华佛教总会会长。他又是著名诗人，作有 1900 多首诗，后人评价其成就在唐代著名诗僧寒山、皎然之上。圆瑛后来也以天童寺方丈的身份于 1929 年当选为中国佛教会首任主席，在职期间创设有开元慈儿院、华北五省旱灾筹赈会等慈善机构。

本书的另一大特色，是详细记述鄞州佛教文化对外活跃交流。鄞州地处滨海之地，历史上一直是重要的商贸与文化交流口岸。极为发达的佛教文化也由此成为对外文化邦交的主要内容之一。对我国周边的国家，如日本和朝鲜半岛等的佛教都产生了重大影响。特别是日本，为吸收优秀的中国文化，不断派遣唐使入唐。遣唐使走南北两路，南路的到达点为苏州、扬州、明州、楚州等接近长江口的地区。日僧大多搭乘遣唐使船舶和唐商船从明州入唐，入唐日僧的最大目的在于求法，他们一到唐土，历访高僧，学习新教，力求带回新的法门回日本传播。唐代的佛教中心在长安，日本使团往来长安的交通航路，在明州港上下岸要比在山东半岛的登州港或莱州港进出距离为近，又可利用大运河水运。这使明州成了日僧入唐和返日的落脚点，并使唐鄮县的佛教徒与日僧有了接触交流的机会。与此同时，不少唐代僧人转道明州往海外弘法,比如大名鼎鼎的鉴真和尚。在这一过程中,鄞州佛教也开始对外传播。

这样的交流和接触到了宋代达到了鼎盛。宋高宗时,为了管辖海外贸易,在秀州华亭县(今松江)设市舶司,统辖临安(杭州)、庆元(明州)、温州、秀州和江阴军五个市舶司。到庆元元年(1195),其余4个市舶司先后撤销,只保留了明州一处,明州由此成为中日往来的唯一港口。当时入宋日僧大多为参禅求法而来,而禅宗名刹几乎全集中在江南地区。"天下禅宗五山十刹"中的鄞县天童寺和阿育王寺便成为入宋日僧最先熟悉和最早住过的禅院。据《天童寺志》《阿育王山志》《鄞县宗教志》记载,两宋期间,来鄞参禅求法的日僧共计22批次,鄞县僧人应邀赴日弘法8批次,中日佛教文化交流盛事可谓频繁。频繁的佛教文化交流,不仅扩大了鄞州佛教在海外的影响,也极大地推动了宁波浙东地区与海外诸国其他文化与经济的交流。

我虽多年来研究中国古代文学与古典文献,但对佛教史未有深入、具体研究;我虽与王应麟同为鄞州五乡碶人,从小在宁波长大,父母对佛教甚为信仰,但我对鄞州佛教传播、发展也并不熟悉。这次遵嘱为本书作序,连续读了两遍,甚受教益,也对宁波文化的底蕴深厚益增缅怀之情。谨作此短序,就教于我们宁波同乡。

原载宁波出版社 2009 年版《鄞州佛教文化》,此据大象出版社 2015 年版《书林清话》录入,另收入北京联合出版公司2013 年版《濡沫集》

《历史的化石》序

 我与木斋君于 20 世纪 90 年代初即有学术交往。1990 年初春曾应约为其主编《唐诗百科大辞典》作序。此为木斋君策划和主编的"中国文学宝库系列辞典"之一,他在这套系列大书的总的前言中,明确提出这套书为"多角度、跨学科、全方位地研究的大型工具书"。我在序中对此书极为赞赏,记述全书共有 13 个分部,其中更有特色的,是编者从社会、历史的宏观角度出发,把唐诗放在一个广阔的文化背景之下,以此来规划全书的框架。因此,除了文学本身之外,还设立了唐诗美学、唐诗文化、国内研究、海外研究等部类,这在专业辞书的编写上,是使人耳目一新的。翌年,我又为木斋君主编的《中国文学宝库》中的《唐诗精华分卷》撰写序言,我在这两篇序言中都提及木斋君和其他几位与他年岁相仿的中青年学者合作,连续编辑这两部规模宏大、引人注目的系列丛书,且其阐述、立论中往往能对一些传统的、习以为常的说法注入新见,这在当代出版界、读书界还未有过,确属不易。

 木斋君在经历了 90 年代初的编书生涯之后,从 90 年代中期,开始了他个人学术研究和写作的学术之旅,其中的《苏东坡研究》

《宋诗流变》《唐宋词流变》,特别是后来出版的《宋词体演变史》等,都在学术界产生了很大的影响。此外,他关于古诗十九首和汉魏五言诗发生史的研究,关于词体并非如同胡适所说产生于民间,而是产生于盛唐宫廷的论断,在当今之学术界,都可以说是发人深省的具有颠覆性、革命性力度的创新见解。从主编大型工具书到创建系统的中国诗歌史演变规律的学术体系,我想,这在中国当代学术上真是极为罕见的一例,确实值得研究。

木斋君何以有这样的研究能力、写作能力和学术组织能力,他的这些能力是怎样锻炼出来的,套用俄苏文学的话语"钢铁是怎样炼成的",对于学术界同仁来说,至少对于我来说,一直不得其解。这次,东方出版社邀请我为他的个人传记《历史的化石》撰写序言,使我对木斋君的历史,对他的个人奋斗史、成长史有了一个系统而全面的了解。想起杜甫的名句:"文章千古事,得失寸心知。作者皆殊列,名声岂浪垂。"诚然,古今之大学问者、大诗人、大成就者,都会有极为特殊的、艰难曲折的人生经历,历经所谓"天将降大任于斯人""苦其心志,劳其筋骨"的特殊磨砺。因此,接到书稿之时,我虽然忙于一部书稿的审读工作,却几乎是即刻就被木斋君的这本传记所深深吸引,而且看得很动情,几乎是连续两三个晚上都因思绪不平而难以入眠。

通读全书,竟知木斋君于 1968 年才 17 岁,初中二年级,即于北京远赴内蒙古插队,后曾转迁于当地和平学校教书,1976 年分配到煤矿工作,实际上仍然维持知青身份,一直延续到 1983 年考入中国人民大学攻读研究生,前后竟有 15 年之久。期间经历了无数的人生坎坷,如刚刚下乡时候发生的"油灯事件",作者细叙他甫事劳作，仍酷爱读书、写作，每日劳动归来，不论多累，仍在油灯下读书写作，被组长吹熄了给予他知识光明的火光，还被处理以"斗私批修"事件，成为其所在小组的改造对象。作者在这一篇章中沉重地说："油灯事件之后，我度过了人生中最为艰苦的一段时光"，说来似乎平常，但作为一位十七八岁的青年，长达两年左右的时光，没有人和你说话，每日自我惩罚浇菜园，这种精神上和肉体上的苦难，是非亲身经历者所难以体会的。但我想，也正是长达15年的这种精神放逐和肉体磨练，才有了后来的学者木斋、诗人木斋、作家木斋。

特殊的人生境遇，培育了木斋极为难得的倔强和率真的性格，一直到现在，木斋还保持着这种难得一见的童心、率真和倔强，并且，在他从事学术研究之后，这种个人性格影响到他的学术研究，转型成为求真、求实、坚忍不拔、不看别人脸色的学术品格，这一点是非常重要的。有许多学者，并非才华不够，而是其学术品格有所局限，从而限制了其应有的学术视野和学术方法。所谓欲有非常之事，先须是非常之人。清代著名学者章学诚，在其论学著作《文史通义》中曾谓："高明者多独断之学，沉潜者尚考索之功，天下之学术不能不具此二途。"所谓"独断之学"，即有独创之见，章学诚明确提出，既要有不依附他人的独断之学，又要有专心沉潜的考索之功，这是做学问必须具备的两条途径。如前所述，木斋君在学术研究中力求新见，如论证词体发生乃是盛唐宫廷音乐变革的结果；论证古诗十九首并非两汉之作，而是建安时代曹植等人的作品，其中又与曹植、甄后之间的隐情有关。这些，当会引发学术界的关注和争议，实际上体现了木斋理性思辨的深度。

木斋君自言:"我在当下以及此前此后所从事的一切,都是知青时代所播下的种子的结果。"确实,披览木斋的这本自传可以看出,在这 15 年中,他不仅争取时间读书、写作,还加强思考,"从而具备应对各种困难和不断超越自我的能力",这些正是木斋君之所以能在学术界脱颖而出、卓然名家的个人生命史、奋斗史的内在原因。

以上我主要就木斋君的学术经历谈谈我的一些感想,实际上我这次通读此书,又蕴含深情。这是一部回忆录,又应是一部散文佳作。书中引述不少当时的诗作,确深含诗情。这当可引起有"文革"经历并有农村生活体验的学界和文化界同仁极大的阅读兴趣。我在读稿和写序时,每到动情之处,也不断联想起当年我在"五七干校"的情景,竟有潸然泪下之感。1969 年 9 月,文化部组织全国文联、作协、出版协会及直属出版社,去湖北咸宁"五七干校"劳动改造。咸宁在武汉西南,靠近长江,传说为三国时赤壁之战之地。干校设于咸宁郊区,将附近一湖命名为"向阳湖",辟为农田,我们就在这里劳动改造了四年时间,每日下地锄田、插秧、收割等。我所在的中华书局就在向阳湖边,我所居住的宿舍更为靠近湖边,早晨吃饭的时候,经常看到著名作家冰心,一手扛着小锄头,一手提着竹筐,独自一人到湖田劳动。一天,见到她忽然摔倒在地,我马上跑去扶她起来,帮助她拿起锄头,劝她回宿舍,但她仍然慢慢走向湖中。后我屡次向友人说,可惜我当时没有照相机,如有,拍摄冰心经常去湖田劳动的情景,肯定有文物价值。木斋君这本书稿中,我欣喜地看到有百幅左右的照片,其中绝大多数都是历史老照片,这无疑增加了书稿的真实性和沉重的历史沧桑感。

又，我于1973年5月初才返回北京，此前一两年，人走得也差不多了，由热转冷，劳动场地变成休闲场所，晚饭后，我经常去附近人民文学出版社名家萧乾、楼适夷诸先生处聊天，后即转入屋内，点起煤油灯看书。咸宁地处楚泽，广漠的平野常见大湖返照落日的奇彩。晚间，我遥望窗外，月光下的平山远湖，仿佛看到这屈子行吟的故土总有一些先行者上下求索、孤独悠行的影子。这时，心也就渐渐平静下来，埋首于著名老前辈学者杨伯峻先生从北京给我邮寄来的《文心雕龙》《三国志》等书，我由此后来写有《从曹操的佚文谈曹操的文学思想》（后刊登于《北方论丛》1980年第4期）。这算是我在"文革"期间于"五七干校"的草撰之作。

木斋君在书中曾提及《庄子·逍遥游》，我因此想起《逍遥游》三句话："至人无己，神人无功，圣人无名"，意谓思想道德最高境界的"至人"，达到忘我的境界；精神世界超脱物外的"神人"，即不求有功；思想臻于完美的"圣人"，从不追求名声。这也是我通阅木斋君此书的联想感受，当也是与木斋君的同感。

最后，我还想就传记体文学，说上几句外行的话。我一向很爱看传记文学，特别是具有强烈真实感的自传或者是名人传记，传记文学中，又特别爱看能写出其中成长历程、奋斗历程的传记。其中的因缘，也可能与希望能通过自传文学，看到更多心灵深处的隐秘，从而成为自己人生旅程的可资借鉴之物。司马迁笔下的人物，之所以好看，大抵就与这种揭示人物心灵的深度有着密切的关系，后来的官方修史，其中的人物往往脱略这种心灵深度，传主大多成为抽象的符号，也就缺失了引人入胜的审美感受。木斋的这部自传,真实、真诚,以及时时尝试的心灵揭秘,可以说是其中最大的特点;其次,作者由于是自少年时代立志为诗人,诗作伴随作者的人生之旅一路走来,因此,整个书稿洋溢着诗性的光辉,令人有赏心悦目的审美的愉悦。俄苏文学中曾有高尔基的《童年》《在人间》《我的大学》三部曲,西方则有罗曼·罗兰的《约翰·克里斯朵夫》等世界名著,脍炙人口。木斋君作为诗人、学者、作家三位一体,又有着这样曲折传奇的人生经历,我们有理由期望木斋君也能写出一部这样的名篇佳作。

原载东方出版社 2009 年版《历史的化石》,此据大象出版社 2015 年版《书林清话》录入,另收入北京联合出版公司 2013 年版《濡沫集》

在第二届乐府与歌诗国际学术研讨会上的讲话

一、在开幕式上的讲话

今天我很有幸参加第二届乐府与歌诗国际学术研讨会。前两次我也参加了。我觉得这几年以来，首都师范大学诗歌研究中心举办的乐府与诗歌学术研讨会的成果非常好。这次会议不仅印发了论文集，还做了许多有益工作，我觉得这次会议一定会开得很成功。在此，我代表我个人、唐代文学学会，以及在座的各位学者，热烈祝贺这次会议取得丰硕的成果！

借此机会我想提两个建议：我在上次会议中曾经提过建立乐府学会的建议。中国古代文学这二三十年来已经有好几次专题性的学术会议了。以朝代为学会的有唐代文学学会、宋代文学会、明代文学会等；还有以作家为学会的，比如李白学会、杜甫学会等；还有以作品为学会的，比如《文心雕龙》、《文选》、《红楼梦》

等。但我觉得乐府诗学会更有特色。根据现在的史料,乐府诗从汉魏六朝到唐宋元明清一直都有。从诗体的角度来说,很少有诗歌在朝代、时间上这么长,范围这么广的。同时,乐府不仅是诗,而且与音乐、舞蹈等也有很大的关系。因此,乐府诗研究对中国古代文学以及中国古代文化而言是很有特色的学科建设。所以,这次会议大家也可以讨论一下正式成立乐府学会的事宜。这个学会成立以后更可以推进乐府与歌诗的研究。

第二,我想提供这样一则信息。我在十天前,见到国家新闻出版总署的一份文件,他们正在做这样一个规划:"2010—2020国家古籍整理出版重点项目",即在十年之内,做国家一级的重点古籍整理项目。分为两类:一类是出版社可以申报,一类是专家个人可以申报。用十年的时间做这样一个项目,一则可以作为国家级的项目,二则国家新闻出版总署可以提供额定较大的经费支助。我曾经向吴相洲先生提过建议:除了乐府诗的研究以外,对于乐府诗的基本文献也可以整理。譬如宋代郭茂倩的《乐府诗集》,100卷,约5000首诗,虽然有宋刻本,元明清刻本,而50年代以来也有点校本,但并不是很全,而且有些工作做得并不是很仔细。因此,我们也可以把《乐府诗集》重新点校、重新做注、重新笺证,这是乐府研究的一个很好的项目。同时,我们也可以把唐宋以后,《乐府诗集》之外的乐府诗做一个"乐府诗集续编"。此外,还可以把那些不管传唱与否的乐府诗做一个史料的目录、提要。所以,我提议在乐府诗的研究以外,做一下基本史书的整理工作,这也是乐府研究的基础。这里,我建议我们可以向国家古籍整理小组申报,作为我们十年之内的一个国家级出版重点项目。同时,我们也可以把它作为乐府学会的一项工程。当然,这只是我的一些建议,各位学者有自己的想法也可以申报。

由于时间关系,我就说这两点:一是提议成立乐府学会,一是把乐府方面的基本材料、史书经过整理,向国家古籍整理小组申报重点项目。这两点供大家讨论。

二、在闭幕式上的讲话

这次会议很有收获,特别是刚才听完吕正惠等几位教授对讨论情况的总结。从这三个小组的讨论,可以看出这次会议提交的论文在编制上有一个很大的特色,第一组主要是唐以前的,第二组主要是隋唐五代的,第三组主要是宋元明清的。这次会议名称是乐府与歌诗,其选题范围从先秦两汉到宋元明清,乐府学能有如此大的研究范围,在古典文学研究上是很少的。比如唐代就是唐代文学,宋代就是宋代文学,远没有这么宽的范围。这确实是我们乐府学研究的一个很大的特点。

同时,这次会议提交的论文,除了老一辈学者之外,很大一部分是中青年学者,特别是青年学者,包括硕士生、博士生,还有博士毕业后的高校教师。这是乐府学发展的一个很好的前提。我以前也曾经提出过,我们唐代文学会,除了前辈学者以外,我们唐代文学研究从八十年代、九十年代以来,为什么能够取得很大的进展呢,就是从八九十年代以来,硕士生、博士生提供了不少学术成果。我觉得我们这次会议,提供了这么多的学术成果,让我们对乐府学的进一步发展前进充满了信心。

　　第三个感想,我在开幕式上提出成立乐府学会。另外我提供了一个信息,即国家古籍整理小组要报一些项目,我没有想到这得到很多学者的关注。除了吴相洲教授做的《乐府诗集校注笺证》之外,还有好几位学者曾经跟我联系,他们也准备提供一些项目。由此可见,我们好几位学者,特别是中青年学者,非常关心我们学术方面的情况,可见我们现在有很好的学术研究气氛。

　　另外,我们这次学术研讨会叫国际学术研讨会,虽然没有其他国家的学者,但是这次台湾的几位教授很好,还有澳门的施议对教授。我临时想出一个建议,以前唐代文学曾经编过海峡两岸(包括香港、澳门)关于唐代文学研究的总结性的系列材料。关于乐府学,我们下一步也可以做这个工作,从五十年代、六十年代以来,海峡两岸,包括香港、澳门的学者,关于乐府学的总结性的材料,这样对于下一步的工作也有好处。

原载学苑出版社 2009 年版《乐府学》第 5 辑,据以录入;此届会议召开于 2009 年 8 月 22—25 日

地域文化研究的创新性

——"长安学丛书"序

长安文化源远流长,长安文化的研究古已有之,海外特别是日本对长安的研究也历来很关注。晚近以来,有关长安研究的成果已颇为丰硕。但长安学概念及理论的全面系统地提出并有所规划,则源于 2005 年陕西省文史研究馆李炳武馆长发表的《积极开展长安学研究》一文。目前虽得到部分学者的响应,但在全国范围还未引起广泛注意。现在"长安学丛书"综论卷等八卷出版,另有十二卷也即将问世,既展示了海内外长安学研究的丰硕成果,又体现出当代陕西学界锐意进取、勇于创新的愿念,必将使文化学术界对中华文明研究的深广拓展更加充满信心。

20 世纪前半期,作为一代史学大师,陈寅恪已提出"关中本位政策"(详见其专著《隋唐制度渊源略论稿》)。他认为于关陇地区建立的北周政权,最初经济、军事实力不强,但后来则合并东部北齐,克制南朝萧梁,除"整军务农,力图富强"外,即筹划"精神之独立有自成一系统之文化政策",连接"胡汉诸族之人心,使其融合成为一家,以关陇地域为本位之坚强团体"。他所指的"关中本位政策",实际上是一种文化政策,即"维系人心之政策"。陈寅恪提出的"关中本位政策",其着眼点即在于文化。我觉得,这应是长安学在上一世纪的学术渊源。我们可以就学术史的角度,深入探讨长安学的治学历程。

我因为长期从事于唐代文学研究,深感唐代是中国古代社会的一个充分发达的时期,长安地区的文化有着强烈的吸引力。撰写于 20 世纪 70 年代后期的《唐代诗人丛考》(中华书局,1980年),就已很注意唐代士人在长安的活动。在论及中唐大历时文学创作,特提出当时有以长安为中心、江东吴越为中心的两个诗人群体,受到学界的注意(参见黄霖《20 世纪中国古代文学研究史·总论卷》)。后于 80 年代前期研究唐代科举与文学,就着重论述各地士人应试,在相当长的时期居住长安,加强文化交往,促进长安地区文化发展。我于 80 年代,与霍松林先生同为唐代文学学会副会长,共同主编《唐代文学研究年鉴》,经常来长安工作,更加深了我对长安的感情。在我所著《李德裕年谱》的序言中,特为提及,长安作为汉唐京都的历史名城,给后世留下丰富的文化积累,并满含情意地说:"在西安参加唐代文学会议,饱览了西安的山川胜迹,大雁塔、小雁塔、昭陵、乾陵、华清池、杜公祠、兴教寺、青龙寺,引起人们对悠远历史的遐想,使人留下美好的回忆。谨以本书献给永远值得人们忆念的历史文化名都——西安。"现在读到长安学创新之作,"综论卷"等八书,确既有历史文化艺术享受的美感,又得到思辨清新所引起的理性的愉悦。

唐以后,政治中心东移,长安的地位逐渐发生了变化,但是长安文化并未湮没无闻。陕西地区仍有文化名家不断涌现,文化成果也颇为丰富。在北宋，以张载、吕大钧、吕大临兄弟等为代表的"关学"，一度与二程的"洛学"、王安石的"新学"形成鼎立之势。作为著名关学家，张载提出"学贵于有用"，倡导对社会与自然科学的研究，是关中文化精神的一次理学总结。及至明代，关学人才辈出，吕柟、冯从吾等皆秀出一时，王阳明甚至感叹说："关中自古多豪杰，其忠信沉毅之质，明达英伟之器，四方之士，吾见亦多矣，未有如关中之盛者也。"（《王阳明全集》卷六《答南元善》）清代"关中三李"（李颙、李柏、李因笃）对于关学的承传与发展贡献颇殊，他们倡导"明体适用""匡时要务""道不虚谈，学贵实效"等主张，重视躬行实践，使关学走上笃实重礼的实学化道路，对关中地区民风、民俗及人文素养影响深远。全祖望即认为李二曲（李颙）"上接关学六百年之统""守道愈严，而耿光四出"（《鲒埼亭集》卷十二《二曲先生窆石文》）。20世纪以来，秦地的小说、电影也均甚有特色。美术之"长安画派"、文学之"陕军"、音乐之"西北风"、电影之"黄土派"，再次引起大家的注目。这些丰厚的历史文化积淀与辉煌的汉唐文化，共同为长安学的成立提供了坚实的基础保障。

社会文化的形成是受多种因素制约的，可以说各民族、各国家、各地区的文化没有一种是完全相同的，而其中地缘文化的特征尤为突出。不同地域，有着不同的山川风物、民情风俗以及历史传承，我们中华民族的文化正是由这些不同地域的文化汇合交融而成。要深入研究我们的民族文化，就必须注意构成民族文化精神的各区域文化，因此地理或地缘文化的研究角度与方法是必要且有价值的，不仅现在可以运用，将来也不会过时。早在唐代，柳芳《氏族论》中就已对不同地域环境下的人文风气有过简要总结:"山东之人质""江左之人文""关中之人雄""代北之人武"（《新唐书·儒学传中》）。各异的地域环境影响着人们的生活方式,进而又会影响到该地域的文化精神。长安位于我国腹地,"右控陇蜀,左扼崤函,前有终南、太华之险,后有清渭、浊河之固,神明之奥,王者所都"（《旧唐书·郭子仪传》）,历史上确有多个王朝设都于此,正如杜甫所谓"秦中自古帝王州"（《秋兴八首》其六）。得天独厚的地理位置和千余年的文化绵延,使其呈现出鲜明的地域文化特征,具有卓越的研究价值。虽然对于长安文化的研究千百年来并未间断,然而对于以长安为中心的关中文化一直缺乏全面系统的梳理与整合,因此以地缘关注为重点创设长安学学科,对长安文化进行系统综合的研究,是颇具前瞻性和创新性的。

长安学的研究,不仅仅是对地域文化的探讨,更是对时代精神文化的整合。长安作为汉唐故都,既有地域文化的特征,又因曾处于政治文化中心而一度具有主流文化的特征。对于长安学的研究,其实也是对于历史上影响中华民族乃至世界范围的精神文化特质的关注与探究,对于构筑新世纪民族精神家园有着很好的借鉴作用。特别是唐代,可以说是一个兼容并蓄、开放进取的时代,文教昌盛,文明远播,彰显着博大恢宏的气象。这种盛世文化的精神气度应当为长安学研究所吸纳和重视。从目前的学科构想来看,长安学是极具包容性的一门学科,在地缘文化的牵引下,涉及政治、经济、军事、外交、宗教、科技、历史、文学、艺术等多方面的内容。这种不拘泥于一时一事的综合研究视野为长安学的阐释提供了更为广阔的空间。在此基础上，通过对于不同门类学科所共同蕴含的精神特质的开掘与融会贯通，可以更为系统深入地揭示盛世文化的内涵，为陕西文化建设乃至中华民族的精神文化建设提供有力的支持。

长安学不仅具有自身的研究价值和意义，还可以为其他学科的研究带来新的学术增长点，促进相关研究的不断深化。就我所熟悉的古代文学研究领域而言，我想长安学的研究将会对古代文学研究中的文化意识具有推进作用。我们古代文学研究一直有着知人论世的传统，不主张孤立地研究作家作品，因为作家个人的成长经历、思想观念以及与其结合在一起的历史人文环境，无不以巨大的影响力作用于文学的创作。我们现在研究古代文学，应当把"论世"的视野放得更开阔一些，不仅注意到作家作品所产生的历史背景，更要重视研究一个时期的文化背景及由此而产生的一个时代的总的精神状态。这样一种综合的"历史—文化"趋向，能广阔且具体地探索士人的生活情趣和心理境界，有利于了解一个时代作家的独特的审美体验与艺术构思。同时，这样的研究反过来也能促进长安学研究观念的拓进和研究思维的深进。

本套"长安学丛书"分综论、政治、经济、文学、艺术、历史地理、宗教、法门寺文化等八卷，汇集了各领域专家学者长期以来对于长安学的研究成果，既有前贤学者、当代大家对于长安文化的经典论述，又有中青年学人关于长安学的最新研究，对于长安学的相关成果是一个很好的整理与展示，为海内外关注长安文化研究的专家、学者提供了一个很好的学术平台。当然，长安学研究尚处于起步阶段，还有许多工作值得去做，比如除编纂有关论文或组建论坛外，也应将长安学与湖湘文化、齐鲁文化、河洛文化、巴蜀文化等进行比较研究，特别是应关注全球视野中的长安学研究。另外，还可有意识地策划一定的专著，如撰一部《长安（或陕西）文化通史》及《长安文化学术编年史》。通史之作，既可系统阐述文化发展历史全景，又可使广大读者清晰了解乡土文化环境和乡邦文献。培植国民对土地、对乡梓、对文化的挚爱是爱国主义的血脉和鲜活体现，否则，爱国主义就流为无根的套语。如此说来，长安学的研究还可为构建和谐社会，以科学发展观推进陕西乃至西部的政治、文化和社会建设有更大的贡献。

今应邀为"长安学丛书"作序，谨以深挚笔调抒写对长安学文化内涵的情怀，更以乐观畅意寄望长安学研究的广阔前景。

2009 年秋

原载陕西师范大学出版社、三秦出版社 2009 年版《长安学丛书》，此据大象出版社 2015 年版《书林清话》录入，另收入万卷出版公司 2010 年版《当代名家学术思想文库·傅璇琮卷》、北京联合出版公司 2013 年版《濡沫集》

《论语精评真解》序

2008年在芜湖参加"中国唐代文学学会第十四届年会暨唐代文学国际学术研讨会"后,我与宝魁同志由黄山同机返回北京。在候机大厅里,他向我谈起两年来研究《论语》的心得。我听得出,他热爱国学、热爱传统,是以很强的社会责任心投入到《论语》研究中的,甚至达到废寝忘食的程度。他告诉我,近两年来无时无刻不在思考《论语》的问题,吃饭、走路、跑步、候车、做梦几乎都在思索《论语》中的一些疑难章句。他已经把《论语》的大半部分背诵下来,凡有疑难处,便经常思索,有一些章句就是在这种冥思苦想中顿悟的。

他跟我讲起对于"攻乎异端,斯害也已"这句话顿悟时的喜悦,然后不到一天便写成论文,投稿给《东南大学学报》,今年第二期已经发表。他也跟我说起关于"不有祝鮀之佞"一章的独特见解,对于以往的各种说法都提出质疑,最后得出自己的结论。而这种结论是最接近人情的,既表现训诂学的扎实的基础,也有对人情世故的深透的参悟,该文他投给《北京大学学报》,今年第二期亦已发表。对于全部《论语》中"忠""恕"二字,宝魁同志也有独到的理解,他认为此二字是孔子思想的核心,因为曾子曾说过"夫子之道,忠恕而已矣"的话,那么这两个字本身的最确切的含义便是理解孔子思想的关键。以前诸书中对此二字都没有诠释清楚。宝魁同志认为,关于这二字的解释,源头便有问题,许慎《说文解字》的解释就有偏差,而段玉裁《段注说文解字》也未能解释到位,于是专门写成文章投送给《清华大学学报》,今年第六期即将发表。另外他写作的关于《论语》中一些章句的考证文章先后已在《沈阳师范大学学报》《文化学刊》《放鹤亭》等刊物上发表,均表现出很高的学术水准和独到的见解。

宝魁同志这种敢于大胆创新,积极探索的精神我早就有很深刻的印象。唐代诗人王维,生年早有定评,但当出现疑问时,宝魁同志积极思考,在1988年研究生刚毕业第二年便对这一学术界敏感之问题提出自己的看法,而且是在对王维诗作本身新的解释基础上,参照其他因素而提出新见。在太原会议上我看到这篇文章,感觉有新意且有理有据,也是我和宝魁同志交往之始。后来推荐其在《文献》上发表。其后我便很关注他的学术研究动向与发表的成果。他的《李商隐科举考试始末考》一文敢于对冯浩、岑仲勉、张采田、刘学锴、余恕诚这些研究专家的成果提出质疑,有理有据地提出自己的观点,第一次彻底厘清李商隐参加科举考试的起讫年份与过程,受到刘学锴和余恕诚的高度赞扬,并接受其观点。他的《〈金石录后序〉署年考辨兼论李清照生年》一文对于所有李清照专家的说法提出挑战,对李清照生年提出新的看法,很有学术见地和勇气。我讲述这些主要是我相信他的学术功底和认真求实的精神,由此我也相信他《论语》译注评一书的学术价值。

我曾经问及关于《论语》各种注本的问题，他对于众多有代表性的研究成果如数家珍，诸如何晏的《论语集解》《十三经注疏》中邢昺的《论语注疏》、朱熹《四书注疏》中的《论语注疏》《诸子集成》中刘宝楠的《论语正义》、康有为的《论语注》、钱穆的《论语新解》、杨伯峻的《论语译注》、南怀瑾的《论语别裁》、李泽厚的《论语今读》，他都非常熟悉，并能够各自指出其长处，仅从此点，便可知宝魁同志具有兼采众长、融会贯通的学术视野与研究风格。最后，他请我给他即将完稿的《论语精评真解》作序，因我曾给他的《韩孟诗派研究》和《九梅村诗集校注》两书作过序，对于他很有信心，便欣然答应。

我仔细阅读过这本《论语精评真解》的全稿，对它的印象很深刻：翻译流畅准确、清晰简明，非常符合信达雅的标准，中等文化的读者便可以领会其精神；注释简明扼要，不作烦琐考证，能够点中关键之处；评析部分则体现出很高的悟性与理解能力，对于《论语》章句中体现出的人文精神有很深刻而准确的把握，对于读者理解儒家精神将有很多启迪。

我特别赞成宝魁同志能够将宏观把握与微观研究结合起来的研究思路。他把整部《论语》看成一个系统，认为《论语》各篇之排列，每篇中各章之排列，编辑者都是有深刻用心的。在分析各章时，要将其放在前后章句的意义中来考察，并且在行文中指出《论语》中出现重复章句的现象不是编辑者的疏忽，而是编辑思想的需要。同样一句话，编辑在不同篇中表达出的重点不同。如他指出，"巧言令色，鲜矣仁"一章，在《学而篇》中侧重教育学生学习的目的和重点是仁义道德，是忠孝节义，不是语言技巧，不要在学习巧言令色方面下功夫。而在《阳货篇》中侧重评价这种人很少有仁德的本性，前面侧重学习目的，后面侧重对人的观察与评价。对于其他重出的几个地方（有的是半章），宝魁同志也都做了类似的分析与说明，这是以前《论语》评注中从未看到的说法。我感觉很有道理，最起码可以开拓我们的思路，对于这种重出现象有一种全新的思考。

书中新见屡出，如对于"唯女子与小人为难养也"的解释颇有创见，且合乎情理与人性，真正可以解除对于孔子轻视女子这种说法的误解。对于"无友不如己者""色斯举矣"一章的解释，对于"子见南子"一事的讲解，都是全新的看法，且很有说服力。类似的地方不下几十处，对于《论语》的诠释与分析达到一个新的高度，对于普及《论语》，真正全面理解孔子思想将会产生极其深远的影响。

我相信，在对世界文化走向多元，在东方特别是儒家思想的精华以及价值取向日益受到重视的当代，本书的出版将会对普及《论语》，使人们正确认识孔子以及儒家思想方面产生重要的启迪作用。对于世界各国、各民族准确理解孔子思想与儒家文化将会产生重要的影响。由于其知识准确、语言简明通俗的特点，我亦相信其将会得到许多翻译家的青睐而被翻译成诸多种文字，亦可能成为许多孔子学院讲授孔子与儒家文化的教材。

我热切地期待着。

宝魁同志尚未到耳顺之年，对于他们这代被耽误十多年的中年学者来说，正是出现学术成果的黄金季节，希望宝魁同志继续刻苦努力,为弘扬国学而做出更大的贡献。

我热切地期待着。

2009 年 10 月 20 日

原载世界知识出版社 2010 年版《论语精评真解》,此据大象
出版社 2015 年版《书林清话》录入,另收入北京联合出版公
司 2013 年版《濡沫集》

展开我国题画诗的研究

——《中国题画诗发展史》序

翻阅眼前这部厚厚的《中国题画诗发展史》书稿，好似翻阅一页页日历，使我不由得想起十几年前的往事。

大约在 1992 年，辽宁人民出版社为编辑、出版《全唐诗广选新注集评》，该书的主编之一刘继才先生等曾专程来京找我征求意见。从此，我们常有学术交流。同时，刘继才先生担任辽宁唐代文学会会长，因工作关系也多有接触，于是我对他的学术研究逐渐有所了解。他治学的一个特点是善于从边缘、交叉学科入手，研究学术界未加重视或较少有人涉猎的选题。先后发表的关于题画诗、咏物诗和六言近体诗等论著，曾受到学术界好评。其论文《论唐代六言近体诗的形成及其影响》、专著《唐宋诗词论稿》（内有关于题画诗论述），曾被收入了由海峡两岸学者共同编辑的"唐代文学研究论著集成"丛书（此书由傅璇琮、罗联添主编，三秦出版社 2004 年出版）。

刘继才先生自 20 世纪 60 年代大学毕业后，一直致力于题画诗研究，从 80 年代初发表关于题画诗第一篇论文和出版第一本专著,至今已近 30 年。这次即将面世的《中国题画诗发展史》是他集 40 余年研究成果的力作。我粗读此书,深感有以下特点:

——具有较为全面的涵盖性。说它"全",主要体现在三方面,一是论述的诗人、画家、书家比较全,无论是达官显贵,还是布衣隐士,无论是学者名家,还是风尘女子,都以诗取人,全面论列;二是论及的题画诗较全,尽管著者似稍有不安,唯恐有遗珠之憾,但基本做到了好诗必论;三是论述的题画诗种类较全,目前已出版的题画诗论著,大多只限于研究题画诗一种,而对题画词,尤其是题画散曲则少有人问津。现在这部著作不仅全面论述了题画词、曲的产生与发展,而且设专章评论明清题画词、曲繁荣的盛况以及题画词、曲之特点与区别。

——具有深入的探索性。在此部专著中,著者探索的问题甚广,且有一定深度,如关于题画诗的起源,学术界一直众说纷纭,莫衷一是。著者在占有大量资料的基础上,通过深入比较、分析,提出不少新见。又如关于我国诗、画一体化的融合,最早书写于画上的题诗起于何时,著者也力排众议,探索性地提出了自己的观点。但是,著者似乎更注重对历代题画诗发展原因和规律的探索,用力最勤,所用篇幅也多,因而更具参考价值。

——具有可贵的开创性。目前面世的题画诗论著,虽然各有特点,并具学术价值,但多为对某一朝代或某一诗人题画诗的论述,即使是属于纵论的著作,也多是侧重于对题画名篇的分析、鉴赏,往往缺少"史"的特点,并且是只论题画诗,而未涉及题画词、曲。本书对题画诗既溯源探流,又爬梳剔抉;既言题画赞、诗,又论题画词、曲。特别是在评述作家时,不仅谈到其生平与创作,而且善于作横向比较,既从不同作家中找出共同点,又从同一创作群体中找出不同之处,如对"扬州八怪"的评述就是如此。并且对海内外的学术研究成果也能博采众长,出以己意,其中不乏新见。综上所述,此书可谓填补了一项我国题画诗研究的空白,具有开创意义。

——具有承前启后的传承性。题画诗是中国的国粹,特别是书写于画幅上的诗,融诗、书、画于一体,既富诗情画意,又有笔韵书趣,更是极为宝贵的非物质文化遗产。然而这份文化遗产能否继承下来,发扬下去,却不容乐观。当下,有些青年国画家往往只会作画而不善题诗。刘海粟先生曾经说过:"一个画家如若不懂得作诗,不会题画,便是个哑巴画家,等于半个美人。"(江辛眉《刘海粟中国画选集·序》,上海人民美术出版社,1983 年版)而有些诗人或因古典诗词底蕴不够深厚或出于不习惯,也不愿为别人画题诗。长此以往,中国题画诗的传承颇堪忧虑。此书的出版,无疑为有志于学习题画诗的画家和诗人,提供一本可备选用的教材或参考书。

——具有审美的愉悦性。本书虽然是一部学术著作,但文字流畅、生动,饶有情趣。特别是在品赏山水、田园类题画佳作时,作者"使笔如画",或"描绘波澜不惊、一碧万顷的湖面,于心旷神怡中观赏静态美";或"描绘风起云涌、白波若山的海水,于雄奇之中给人以壮观美";或"描绘云遮雾绕、层峦叠嶂的山景,于时隐时现之中领略朦胧美";或"描绘平畴无际、风光旖旎的田园,于闲适之中充溢着恬淡美",等等(参见此书《绪论》部分)。徜徉在美不胜收的艺术化的山水间,阅读者当会一身轻松,得到审美的愉悦。

此外，此书的价值还体现在对题画诗这座文化"富矿"的开掘上。据作者初步统计，从自题画诗中新发现的史籍未载的画家、画人，就不下百位。据此，似可重写《中国绘画史》。

当然，此书并非完美无缺。书中的观点，只是一家之言，或亦有可商之处。又因为它是中国第一部以"史"为名的题画诗专著，当可待学术研究的不断深入而逐加完善。并且，瑕不掩瑜，我们相信凭借此书较为丰厚的内涵和尚属精美的装帧，定会赢得读者的青睐。这里，我拟引用此书"绪论"最后几句话，借作本序的结语，并致我本人对题画诗研究进一步发展的期望："历经两千余年风霜雨雪，题画诗这枝艺术之花已枝繁叶茂，鲜花朵朵。让我们展开想象的翅膀，翻开一页页书纸，去欣赏题画诗的奇花秀朵吧！"

2009 年冬

原载辽宁人民出版社 2010 年版《中国题画诗发展史》，此据大象出版社 2015 年版《书林清话》录入，另收入万卷出版公司 2010 年版《当代名家学术思想文库·傅璇琮卷》、北京联合出版公司 2013 年版《濡沫集》

发扬学诗、诗教的优良传统提高青少年学生的思想文化素质

——介绍《单人耘诗词选读》

2003年,南京农业大学被评为全国校园诗教先进单位,该校"国家大学生文化素质教育基地"兼职教授单人耘被评为诗教先进个人。单人耘先生,南京市浦口区人,江苏省文史研究馆馆员,现年八十三岁。

这本《单人耘诗词选读》是浦口同乡碧泉吟友们用三年时间编著,以供家乡中小学及母校南农大开展诗教之用。共选单氏诗词160首(自12岁至82岁所作),分五七言绝句、律诗、古风及词几种体裁。各体裁内,再按时间顺序排置。各篇都有浅近的赏析和简要的注释。书编成后,编选者们觉得此书还可供其他中小学及大学学生课外阅读欣赏:这就不限于诗教而可有诗教之效应,更可藉以弘扬中华诗词文化,提高学生思想素质、审美情操与读写能力,达到钱学森院士生前一直在期望的:把科学和艺术结合起来,文理学科相互融通,接受艺术熏陶,活跃思维,优化素质,开拓创新。

这160首词绝大部分选自中华书局1997年6月出版的《一勺

吟——单人耘诗词选》（999首）。中华书局是古籍整理的专业出版社，点校出版之书为古人著作，不过我当时任中华书局总编辑，此书稿我审阅后，就为其爱国情怀、诗人吐属所感染，甚受教益，就断然决定，由中华书局出版，这是中华书局出版当代传统诗体的唯一著作，出版后即得到社会的极大关注和评誉。

《江海侨声》1998年第13期"文化休闲"新书屋，介绍《一勺吟》说："作者自幼师从功底颇深的外祖父读古文学书法。历经抗战、'文革'时下放乡间，生活阅历丰富，其诗功力深湛，融古师今，忧时爱国，砥己怡人，所选900多首皆为真情所聚，咏农、咏山水、题画、赠答、述怀，皆质淳清丽，意味隽永；词亦气韵清疏，豪放婉约兼而有之，且有新意。"

这段评介正是我们出版该书所要阐扬的。

此篇短文的开头云："喧嚣的都市里，仍有人固守着自己的一方绿洲，写着清雅的、古典的诗词。给我们躁动的心灵沏上一杯清凉的绿茶。"正文后，末一行是："让我们在身心疲惫的时候，静夜的灯光下，小啜这一杯清茶。"说得很轻松，实则是掬捧一个诚挚庄严的心愿：要把这"一勺""功力深湛，融古师今，忧时爱国，砥己怡人"而又"质淳清丽，意味隽永"、"且有新意"的900多首诗词，当做一壶可涤"喧嚣"、去"浮躁"的"清茶"，捧献给广大读者。

这就是诗教。"寓教于乐，寓教于艺"。诗教不限于在学校、课堂、讲台、书斋中，诗教也应当走向社会，走向人民群众，走向各行各业，与"公众守则"、"行规店规"以及"商德"、"商机"等相结合，这当能得到政府的支持，依靠行政机关，有关组织，并辅佐行政有关组织施行。

1999 年 9 月全国第十二届中华诗词学研讨会上，中华诗词学会、华中理工大学、北京大学、清华大学、中央电视台提出"让中华诗词大步走进大学校园"，开展校园诗教以提高大学生文化素质教育，重视民族优秀文化与中华诗词"言志"、"载道"的功能，自是"兴邦"、"谐世"的高见。而《江海侨声》1998 年在 13 期"文化休闲"新书屋，就着意介绍《一勺吟——单人耘诗词集》也是很有影响的。

　　2002 年，单人耘教授率先为南京农业大学大学生文化素质教育丛书编选了《中国历代咏农诗词选》，在题为《诗可育人，农为邦本》的《前言》里，曾引用清代诗评家蔡世远的一个观点：一首好诗读数百遍，可起到"复性、迁善，敦伦、笃故，惩贪、窒欲"的作用。中国诗词里的许多佳句警句，可说就是中华文化、中华民族文明的结晶，是完全可以用来"正得失，动天地"，"厚人伦，美教化"。

　　"诗人多爱国，贮美在心灵"。一直坚持"爱农、知农、学农、兴农"的单人耘自幼就是一个尊农、爱国者，其爱国、爱农、爱乡、爱校、尊师爱生的诗作，充分体现其治学、为人和品位，值得青少年学生们学习。

　　从这本《选读》，我们还可看到中国的诗词文化因时代之变异，其发展脉络在本土的多个角落的因依、传承状况。

　　最早评赞单氏诗词的是上海人民出版社编审、历史学家、图书版本学家胡道静先生。他认为单氏"修养湛渊，发为文辞，清丽质淳，传世杰作也，毋待我言"。

　　南京大学著名的国学家、书法家胡小石先生的门人，词人、画家、戏剧作家、评论家吴白匋教授，在《一勺吟》序里说："单君人耘，与匋先后同学，敦厚和雅，觌面可知，本习农科，而好文艺，书画篆刻皆有成就。"赞其词师法稼轩，而不掉书袋，"选调皆习见者而颇多新意，清切可诵。"符合他勖勉单氏的"……推陈出新之责，端在吾辈努力，当于宋词外求词，言中有物，文必己出，立新意，咏新事，创新格，铸新辞，庶几可以别开生面为新中国之词也"。

单氏的诗，七律清雄排奡，七绝清新刻露，佳作甚多，可比美宋人；单氏的词作亦佳，不仅可比美宋词，且重在爱农学农，在题材和立意上可以说超过宋人，而在词的语言格调上又能时时出新，不负师传。如咏杨花次东坡韵的《水龙吟》，开头"人间我爱杨花"和结尾的"自古来，惟有杨花年年替天垂泪"，简直胜过东坡"似花还似非花"，"细看来不是杨花，点点是离人泪"。单氏的其他几首《水龙吟》，不管是咏刘桥，咏浦镇，怀远人，纪游旅，也都十分洒脱，豪迈，抒发新意，不逊稼轩。

南京大学中文系许永璋教授是研究老子诗学、精讲杜诗的有名学者，他对单氏的称赞决非虚语，他在《一勺吟》题辞里说："微茫诗道向谁论？旷代高人安乐村……无端每对浮云笑，有作宁期后世存？……"即出于他对单教授的"立品尤有古人风，交久知深，钦羡无既"。

单教授童年起，受教于外祖父、乡贤父执，又拜师乌江林散之学画学诗，耳提面命，深受濡染，于传统文化有一定的基础。但中年迭遭困踬，则又以蹉跎无成为憾，以"一勺"名其庐，以自警惕，得学苑师长们的钟爱激励，又复鼓勇前行。乃至现今文教界、诗词界称之为有师承、有造诣的书画家、诗人，浙江杭州黄宾虹学术研究会推重其为黄派画学传人。该会会员、青年评论家宣伟强著书专论黄宾虹、林散之、单人耘在画书诗三方面的渊源传承关系。会长孙晓泉为之作序,又撰文阐扬单之诗词,置于宣伟强点评单诗《一勺吟》五百篇之首以代序。评赞单诗的爱国、尊师之忱和尊农亲农之情,谓单氏幼年所作《春荒悯农谣》《农夫》等诗是《诗经》"无衣无褐,何以卒岁"思想的继承和发展。下放苏北农村后的《刘桥作》《刘桥老农颂》等诗,回城后《忆刘桥》(五绝65首,录18首)皆至情流露,诚挚感人,可传之作。

中国农业展览馆、中国农业博物馆已约定单教授把15岁在江浦作的"……谁使农夫饥饿甚,一犁养活半城人"和40多岁在涟水作的"……万斛千车凝汗水,从来茧手胜华章"两诗以及回南京农大后的颂农爱农诸作书写成长卷,作为馆藏品,以传后世。这是从未有过的。

单教授家乡浦口区《浦口文艺》称他为文星"三妙",是浦邑大地,当代草圣,诗书画"三绝"林散之先生之后的又一位诗书画家。

《浦口文艺》选录古今名人咏乡邦的专辑里,录明代理学家、大学者、诤臣庄昶的诗77首,第一;录单诗70首,第二。

日本东海大学东洋史研究室农史学家渡步武先生写信赞曰:"先生的诗,不但清澄明晰,而且雅韵可掬,我感觉到杜甫之风,又先生的书法很好,故石声汉先生的隶书是刚毅骨立,您是温润飞逸,是农史之双璧。"

2008年,浦口区桥林中心小学把单人耘十三四岁作的"将军宴未醒,江南寇如林","谁使农夫饥饿甚,一犁养活半城人"等抗日、咏农诸诗刊在《石碛文韵》上,作为高、中、低年级学生诵读的乡土教材,以"宣教今世,陶育后人"。

清钱谦益说过:"夫诗者……盈于情,奋于气,而击发于境风识浪,奔昏交凑之时世"。吉林大学有位学者评论苏东坡时说:"诗人总是在苦难中更能闪耀人性的光辉,更能焕发艺术的魅力,也就更具有文学以及历史文化考索的意义。"单人耘先生既负有乡里、母校、学界耆宿的厚望,又得青年学子童牧的昵爱,这位农史研究者,素质教育者,有承传的书画家,不正是这样一个诗人么?

在我们这样的时代里,能保存这样的诗人,真不容易。

但也因为我们这样的时代,才出现这样的诗人! 更因为是这样的时代,我们才需要这样的诗人!

南京铁路运输学校有一位老教师,诗人王力奴,在中华书局出版单人耘999首《一勺吟》时,曾写文赞曰:"……诗文之传世,除作品份量外,遇合为难,古今同慨。然名山一卷,传诸其人,时间无情而有情,声名有价而无价,此又自古皆然。著作可称,必久于其后,人耘君之笃于治学为人,达节和光,恺悌物与,既有自寿之征,而又厚积于中,词善意美,祥和之气,溢于谈吐,更蕴结于吟咏而不自知,是尤为寿人寿世之德业也。中华书局此举,正可谓知人益世之举也。"

这代表了单教授众多师友的看法,大家认为最难得的是,单教授历经坎坷而能旷达,遭阻厄而不变初衷,且有如此丰厚、熠熠生辉、庶能传世的艺术创作,实在是大可庆幸的。更可庆幸的,有这《选读》吟编,是我们这代人响应"为中华民族的伟大复兴而努力"的号召献上的一声《霜天号角》。

我与单人耘先生结识多年,读其诗,慕其人,察其迹,究其心源,深感单人耘先生不仅12年来,而是60年来乐于诲己育人,力学不倦,心无尘滓,真是"一勺大千",笔耕墨耘不辍,确使人深为感动。12年前,《一勺吟》出版发行,年届古稀的吟者,发扬传统,砺己怡人,其情志才识,已露端倪。今天这160首的《选读》,又得以出版发行,而年八三,吟正酣的耘者,为诗教,为承传,仍在耕烟犁雨不歇肩,真是可喜可贺! 这160首诗词的"词善意美,富有哲理,有祥和之气","有时代精神",是亟待读者们细读,评赏的。有注释,有解析,这里就不一一介绍了。

　　开卷有益。益人益世。

2009 年 12 月 25 日于北京

原载《中国韵文学刊》2010 年第 3 期,据以录入

《王应麟著作集成》总序

　　王应麟博学多才，著作宏富，其学术文化是博大精深的中华优秀传统文化的有机组成部分。清《四库全书总目》卷一一八于《困学纪闻》提要，称"应麟博洽多闻，在宋代罕其伦比"，实际则不仅仅是宋代，在我国学术发展史上，王应麟堪称第一流学者。如梁启超于《中国近三百年学术史》，即称"宋王应麟《困学纪闻》，为清代考证学先导"。

　　《宋史》卷四三八王应麟本传，详细著录其著作之书名、卷数，共23种695卷；后清人张大昌为其所作之年谱，又补录8种49卷，则共为31种744卷。个人著作如此丰多，在中国古代文献学史上，当亦为首例。不过元明时期，其著作甚多散佚。清乾隆间修《四库全书》，则较为完整辑集其所存之著，今据该书所辑，列为：《周易郑康成注》1卷，《诗考》1卷，《诗地理考》6卷，《通鉴地理通释》14卷，《汉制考》4卷，《汉艺文志考证》10卷，《通鉴答问》5卷，《六经天文编》2卷，《困学纪闻》20卷，《玉海》200卷，《词学指南》4卷，《小学绀珠》10卷，《姓氏急就篇》2卷，《四明文献集》5卷，共14种284卷。这14种，涵括经史子集四部，又涉及天文地理、典章制度、文献目录等，王应麟视野开阔，博学多识，确可称为通儒。

应当说，博大精深，构成了王应麟学术体系的鲜明特色。其最著名的两书，《玉海》200卷，大型类书，囊括天文、律历等21门，元人李恒称其"网罗天下之见闻，包括古今之故实"（元刻《玉海》序）；清《四库全书总目提要》更赞誉"其贯串奥博，唐宋诸大类书未有能过之者"。《困学纪闻》，于经史子集各类皆有所考订、评论，对后世极有影响，如前所引梁启超所云"为清代考证学先导"。而当代学者对王氏其余著作也已有研究，极有学术意义的评价。如《周易郑康成注》《诗考》，是现在存世最早的辑佚著作，清人奉为辑佚学的鼻祖。王应麟搜寻诸书，辑录郑玄之《周易注》，为易学研究提供重要线索。《四库全书》即列于经部易类之首位，也是整个《四库全书》的第一部书，《四库全书总目提要》称其"能于散佚之余，搜罗放失，以存汉《易》之一线"。《诗考》辑录韩、鲁、齐三家诗之异字异义，及"三百篇"外逸诗，体例完善，是第一部"三家诗"的辑本，是我国第一部较为完整的辑佚本文献。也可以说辑佚工作正式起始于王应麟。

其他如《汉艺文志考证》，可能说是第一次对《汉书艺文志》这首部古代目录学著作进行系统的梳理，体现辨章学术、考镜源流的传统目录学的意旨，也可以说是全面疏证史志目录之先河。又如《六经天文编》可以说是仰观天象，《诗地理考》奠定了《诗经》地理学的基础，《通鉴地理通释》是流传至今的第一部系统论述历代疆域政区沿革的著作。王应麟又是一位儿童教育读物的编纂专家，他自宋入元，晚年归居故里鄞县不仕，即着力于编著启蒙读物,如《小学绀珠》《姓氏急就篇》,及已亡佚的《小学讽咏》《蒙训》。又历代相传其所著之《三字经》,可以说是我国传统启蒙读物的代表作,具有世界影响,1990 年联合国曾决定将此书列为典范性道德读物,推荐给世界儿童。

王应麟学术著作,多着力于注疏、考辨、辑佚,善于融文献学、考据学、目录学于一炉,但他仍大力提倡经世致用。他能将考释与义理相互融合,如《诗地理考》不仅做材料爬梳工作,而且关乎政教风俗,在此书序中特为提出:"因诗以求其地之所在,稽风俗之薄厚,见政化之盛衰。"《通鉴答问》卷四《置监铁官》乃提出重民观念:"富在民,则国亦蒙其利。"这是有关《资治通鉴》的历史评论之代表作。清代学术也有经世致用的特点,应当说与王应麟有共同的学术追求。

王应麟为南宋庆元府鄞县人,其居籍即今浙江省宁波市鄞州区。他应当是浙东学派的先驱。鄞州区政府为推进文化强区建设,颇着力于弘扬浙东优秀传统文化,大力开拓名贤文化,并力求将悠久绵长、底蕴深厚的鄞州历史文化与新时代的鄞州文化大发展大繁荣前景融会贯通。2007 年、2008 年之际,鄞州区与北京《光明日报》编辑部合作,组建《三字经》重修工程,后修订本《三字经》即于 2008 年上半年由人民教育出版社出版,社会影响颇大。又因我原籍也是鄞县,2008 年春,中共鄞州区委宣传部、区文联即与我联系,和清华大学商议,由清华大学中国古典文献研究中心与鄞州区合作,在鄞州建立"王应麟学术研究基地",以进一步开展王应麟学术研究,更有利于挖掘、继承优秀地域文化。2008 年 5 月,特聘清华大学副校长谢维和教授为学术顾问,与中文系主任刘石教授共至鄞州区参加基地的揭牌仪式，并参加首届王应麟学术研讨会。这确也为我们现当代高等教育与地域文化建设之合作、沟通，提供了值得研究之显例。

20世纪60年代以来，我国海峡两岸学术逐渐开展王应麟生平、思想及学术著作研究，学者研究范围不断扩大，研究成果不断增加；但对王应麟著作的整理，却甚不足。近年来曾出版《困学纪闻》《通鉴地理通释》两种，但仅是一般性的点校工作。"王应麟学术研究基地"即与学术界商议，一致认为：王应麟传存于世的著作极多，提供了很多宝贵的治学方法，现在通过对其学术著作进行系统、深入的整理，当可以更加了解其考据、辑佚，及史学经世致用等方面的成就，这当能更有利于切实保护和弘扬王应麟学术文化。于是就从2008年起，与中华书局合作，建立"王应麟著作集成"项目，组约有关专家学者，对现存王应麟著作作全面、系统的点校整理。参与点校整理的学者，确有明确共识，即系统整理王应麟著作，当更有利于探讨其丰富的学术内涵。

此次参与点校整理的专家学者，对王应麟有关著作确有研究，其点校体例，也甚符合古籍整理规范。对有关著作，先探索版本源流，底本选择不一定求最早刻本。如《通鉴地理通释》。整理者、复旦大学中国历史地理研究所傅林祥教授，就认为此书有几种元刻本，但多有缺字、误字，于是即选取津逮秘书本为底本，此为明崇祯间毛晋校刊本，校勘较精，故作为底本，而以元本作为通校本，同时参用《通释》所引各书原文进行他校，以订正原著文字讹误。又如《周易郑康成注》整理者、河北师范大学文学院院长郑振峰教授，以清光绪九年浙江书局刻《玉海》附刊本作为底本，通校元刻本，同时又据唐李鼎祚《周易集解》、孔颖达《左传正义》等进行必要的订补。其他如《诗考》等也有类似情况。另如《四明文献集》，此次整理时，采用当代成果如《全宋诗》《全宋文》加以补辑，且整理者又加搜辑，有补《全宋文》所未收者。我们希望这次对王应麟现存著作，进行全面、确切的整理，为古籍整理研究提供高质量要求的样本。

此次除整理著作外，还计划组约关于王应麟的当代研究专著，已有者如《王应麟学术评传》《王应麟年谱》等，当可于近年内成稿，另拟筹划对王应麟各书的专题研究。我们运用多种研究方法对现有材料进行多层次而又深入的分析和概括，就更能丰富和扩展现在已有的研究领域和成果。

2010 年 2 月

原载中华书局 2010 年版《王应麟著作集成》，此据东北大学出版社 2015 年版《中国当代名家学术精品文库·傅璇琮卷》录入，另刊 2011 年 4 月 11 日《光明日报》（题为：再现王应麟学术体系，有删节）、大象出版社 2015 年版《书林清话》

关于重写文学史之我见

重写文学史的说法,在我的记忆中,最先是由现当代文学研究领域的几位中青年学者提出来的。1988 年到 1989 年间《上海文论》曾出专刊"重写文学史"进行讨论,此后"重写文学史"这一论题的影响很快超出现当代文学的研究范围,波及古代文学研究和文学史的书写。中国文学的历史书写,至少可以追溯到钟嵘的《诗品序》,但是最早用现代方法来思考和编写中国文学历史的,则是英国人翟理士和日本人笹川种郎、古城贞吉等人,中国人最早编写文学史的,一般则认为始于林传甲氏的《中国文学史》。兹时起,中国人所作文学史著层出不穷,不胜枚举。就近年来中国古代文学研究与文学史建设来看,更称得上是数量繁多,既有分体断代的文学史,又有文学通史的新著。面对这些文学史的写作成果,一方面可以说,或者从某种视角来说,这些文学史著中的佼佼者,本身就是对文学史的一次次重思与重写,这些文学史著编写实践为我们现在来反思文学史重建的方法论提供了宝贵的经验;另一方面,若是从更高的要求、更高的起点、更高的目标上来反思重写文学史的工作,我们也常常会产生写出一部更能体现时代成果的文学史，以及由此产生从方法论的层面上加以总结和提高的愿望。

文学史是不是应该重写，应该怎样重写，怎样才能做到重写，这些确实是摆到学术界探讨日程上的重要的问题。有人认为，狭义的文学史（指的是林传甲以来的文学史书写），经过一个世纪以来的不断总结、写作和更新，已经比较接近文学历史的原貌了，我们后一代学者能做到"仰山而铸铜"、添砖加瓦、修修补补，就已经很不错了。其实，这是不正确的。文学史上的许多疑案，需要我们这一代学者认真加以解决：譬如《古诗十九首》代表的"古诗"，到底是怎么产生的，产生于何时、何地、何人？ 五言诗起源、发生、成立的过程又是怎样的一个过程？ 词的起源到底是产生于民间，还是产生于宫廷？ 等等，很多的问题，都需要经过一代代学者坚持不懈的努力，去论证、创新、辨难，才有可能接近历史的真相。

而欲达到这种突破性地重写文学史，则必须要进行文学观念、方法论上的革新。我们之所以不能实现真正意义上的重写文学史，非不为也，而不能也，目前存在的许多文学观念、学术观念、方法论层面上的问题，成为我们不能实现突破的客观原因。

近年来，木斋的词学研究和十九首的相关研究，在学界引起了热烈的反响。其中体现出的一些新思路与新方法更引发学界讨论，比如有学者认为，木斋的《宋词体演变史》（中华书局，2008年）和《唐五代声诗曲词发生史》（2009 年度国家社会科学基金，其中许多篇章已经作为论文形式发表），提出词体发生于盛唐宫廷，开辟了以词体建构，或说是重写唐宋词史新的写作范式；而木斋的《古诗十九首与建安诗歌研究》的出版问世（人民出版社，

2009 年），又标志了当前对古诗十九首与五言诗发生演变史研究取得了突破性的进展，有学者提出："木斋让中国文学史不得不重思重写"，其影响无疑是深远的。

对于木斋的学术研究，我一直给予了积极的关注和高度评价，我在十多年前曾为他早期写作的《唐宋词流变》、《宋诗流变》等断代诗歌史研究写作序言，曾期待他将尚未完成的《元明清诗歌史》加以完成。当时的期望，是希望能有一部完整的、个人化写作的、创新的《中国诗歌史》。但木斋后来的文学史写作，并没有接续这两部宋代诗词史来接续写作元明清诗歌史，而是重新从两个重要的起源问题做起，也就是在五言诗起源和词体起源问题上进行了新的一轮的深入研究，木斋称其这一次研究，是对其重写中国诗歌演变史的第二轮深度耕耘。我认为，这是一种非常严肃的、严谨的学术态度，将第一轮的诗歌史写作，视为一次预演、演练，从而进入到一个新的高度来加以深度思考和深度考辨。将整个中国诗歌史作为一个整体来进行流变史的深入研究，在这个总体研究之下，来尝试解决五言诗起源发生史和十九首的个案，这也许是木斋取得重写文学史两大突破的原因之一。

当然，还有其他方面的因素值得思考。为木斋《古诗十九首与建安诗歌研究》写序跋的几位学者，从不同侧面给予不同的评价，都很有意味。其中陈怡良先生是台湾学界令人尊重的老学者，专治魏晋六朝文学，对于木斋的十九首研究，陈怡良教授除肯定"木斋是《古诗十九首》研究史上少有的佼佼者"，更对于木斋研究的方法进行了条分缕析的反思，其中对于木斋"运用'以诗证诗'与'以史证诗'"的方法尤加推重。这一点，我是深表赞同的，我本人也一向提倡诗歌史研究与历史研究之不可分,以诗证史,以史证诗,诗史互证,才有可能实现历史的突破。木斋此作,其中以诗证史之处甚多,也非常重要,譬如建安十五年至十六年之际发生的几件大事:曹操《求贤令》的颁布,铜雀台的建成,曹操任命王粲等人为曹丕兄弟的文学侍从,这些事件学者们都耳熟能详,但还没有见到哪位学者将其与五言诗成立的标志联系起来加以考察;同此,对曹植与甄后的关系,木斋通过大量的史料,得出两者之间确实存在隐情关系,而这种隐情关系,带来直接的严重后果,就是魏明帝曹睿对曹植文集的重新撰录,对涉及两者关系的作品给予删除,这就是许多所谓"古诗"失去作者姓名的历史原因。应该说,木斋的这一考辨,逻辑严密,资料翔实,是非常有说服力的。许多读者都有这样的共同感受,阅读这几个章节的时候,有一种阅读侦探小说的快感,颇类学术推理之作。正如宁稼雨先生所说,学术研究不但要允许假设和推理,而且,假设、假想是学术研究,特别是需要破译文学史学案中,必不可少的方法和环节。当然,就其具体背景的诠释,有些可能还需要进一步的研究和确认,譬如《青青陵上柏》一篇,作者给出了三种可能的背景诠释,或者,学术史最后的结论在此三种之外,都有可能,但无论如何,木斋的这一研究,为后来者开辟出新的路线、新的视野,其披荆斩棘、筚路蓝缕的开拓性的贡献,是可以确定的了。这一点,已经由张法教授所指出。

张法教授的文章饱含激情,介绍了他和几位学者由不接受到接受,并且认为:"对于木斋提出的关于五言诗的成立时间和古诗十九首的作者,以及由此引出的一系列问题,是中国文学史的学人必须严肃面对的,不管支持还是反对。正是在这一意义上,木斋对当下的中国文学史研究的推动,都是十分巨大的",从而得出"木斋让文学史不得不重思重写"的论断。这无疑是具有代表性的。龚斌教授的文章则提出:木斋这部著作,新见迭出,多发前人所未发,言而有据,考证精细,学识、功力兼备,尤其是"从历史记载的若有若无的缝隙深入进去,一层一层揭示历史的真相,木斋表现出非同一般的解读历史的能力"。宁稼雨教授则从方法论上对木斋的研究进行了系统的反思,从自觉的方法论意识、假说思维和怀疑方法、文献考证为支撑的系统研究方法及定量分析方法等角度进行了方法论的总结。

结合我个人的学术经历,我认为古典文学和文学史建构中以下几个方面必不可少:首先,是诗史互证的研究方法。在进行《唐才子传校笺》及《唐代科举与文学》等研究工作的时候,我便得益于诗史互证的研究方法。而木斋十九首研究中主要的方法,如陈怡良教授所总结的,正是"以诗证史诗"与"以史证诗"的诗史互证研究方法。其次,是文献学与文学研究相结合的方法。文献的考索与分析是文学研究的基石。无论是对文献的解读还是定量分析,对于文学研究都是大有裨益的。这还要求将文学研究与文学史书写置于社会文化的视野中。上世纪 90 年代初,在为木斋主编的《唐诗百科大辞典》所做的序言中,我提出,从社会、历史的宏观角度出发,把唐诗放在一个广阔的文化背景之下来研究。后来在一篇小文《唐代文学研究:社会—文化—文学》中,我亦提出:唐代文学研究应走向更具广阔前景和广泛意义的"社会—文化"

研究①。实际上，又岂止是唐代文学研究，任何一个时代的文学无不是其社会文学环境中的产物，对文学的研究都应在社会文化大背景之下来进行。再次，关于学术研究的情感投入，乃至于生命的投入，也是必不可少的，这一点，我曾经做过这样的表述：学术研究"既要有理性的思索，又要有情感的倾注，这才能使传统的研究含蕴一种'秋冬之际''山阴道上'的眷恋情怀，又能有一种'仲春令月，时和天气'的舒朗气息"②。在木斋的这本《古诗十九首与建安诗歌研究》中，读者不难看出其中作者的"一把辛酸泪"。

此外，我想，木斋取得的成功经验，还需要看看木斋本人的总结，他在本书《后记》中说："学术研究应该是审美的，而非功利的；应该是探索的、创新的，而非因袭的、陈旧的；应该是整体的、流变的、联系的，而非局部的、僵死的、孤立的；应该是超越古人的，而非迷信盲从的；同时，更应该是超越本时代的，而非受当下意识形态支配的。"其中他所提出的"整体的、流变的、联系的"，此三点尤其重要。其中"联系的"一点，当今学者一般可以做到，譬如以史证诗，就是一种相互联系的方法，但作为"整体的、流变的"，则难以做到。之所以难以做到，与当今学术界研究畛域分工式的学术研究方法有一定的关系。譬如研究词体的起源及其发生史，研究词乐者往往不能精通诗词研究，研究曲词者不仅不能精通音乐史，而且往往不研究六朝诗歌史和隋唐诗歌史，而研究六朝隋唐

①傅璇琮《唐代文学研究：社会—文化—文学》，《华南师范大学学报》，2005年第2期。
②傅璇琮《理性的思索与情感的倾注——读朱东润先生史传文学随想》，《文学遗产》1997年第5期。

诗歌史的学者不研究音乐史和曲词发生史,横向不能跨越学科,纵向不能贯通古今,这样,当然就会出现只见树木不见森林,只见流而不能追源,自然就不能有深度地探究;而木斋的研究,就词体发生史课题来说,从词乐史研究、歌诗史研究、曲词发生史三大视角加以研究,而五言诗起源发生问题,则从五言诗发生史本身、汉魏历史演变、铜雀台清商乐变革多维视角加以研究考索,前后左右,横说竖说,从而寻求到一个合理的坐标和定位。我想,这也是木斋能取得诗歌史两大源头齐头并进,分别获得丰硕成果的主要原因之一。

这次《社会科学研究》组织这个专栏,以木斋的研究为切入点,在学界丰富的研究成果之基础上对重建文学史的方法论进行系统总结和反思,我们有理由相信,这必将推动古典文学研究和文学史建构的发展。

原载《社会科学研究》2010 年第 2 期(为《重写文学史方法的总结与反思———以木斋古诗十九首与建安诗歌研究为中心》专栏引言),此据万卷出版公司 2010 年版《当代名家学术思想文库·傅璇琮卷》录入,另刊《江西师范大学学报(哲学社会科学版)》2010 年第 1 期(题为:关于重写文学史方法论的思考——以木斋的两部新作为例)

论双音词转型视角下的十九首与建安五言诗

一、概说：单音词向双音词的转型

王力先生曾特为提及："汉语构词法的发展是循着单音词到复音节词的道路前进的。历代复音节词都有增加。"就中国诗歌演进的历程来看，《诗经》时代单音为多，当然，也开始有一些双音语汇，如王力先生举例，天子："百辟卿士，媚于天子"（《诗经·大雅·假乐》）；君子："窈窕淑女，君子好逑"（《诗经·周南·关雎》）；大夫："大夫不均，我从事独贤"（《诗经·小雅·北山》）。此处王力先生所举先秦时代双音词，主要是名词，如"天下"、"君子"、"大夫"等，它们"已经老早由仂语变了单词"。所谓"仂语"，仂，读"乐"，零散的意思，此处当指零散的单音语。王力先生说："到了中古时期，双音词逐渐增加。我们很容易误会，以为双音词的大量增加只是鸦片战争以后的事，以为只是受了外语的影响。

实际上,汉语由单音词过渡到双音词的发展,是汉语发展的内部规律之一。"那么,具体是在什么时代发生了这种由单音词向双音词发展的飞跃呢?王力先生接着说:"远在唐代,汉语双音词已经非常丰富了。"以笔者所见,诗歌中由单音词向双音词的大量使用,并非开始于唐代,而是开始于更早的时代,也就是王力先生所说的:"到了中古时期,双音词逐渐增加。"其中具体的时间点,就是建安五言诗中体现出来的双音词的大量增加,其中发展的关键,是伴随着建安时期总体文艺观念的变革以及游宴诗等新的娱乐型的五言诗兴起而发生的①。

《诗经》中的语汇,多为单音词,但今人以现代汉语语汇的角度来阅读的时候,会误以为是双音词。实则这种多数为单音词的情况,一直持续到东汉时代。《后汉书》记载傅毅:"永平中,于平陵习章句,因作《迪志诗》曰:'咨尔庶士……于赫我祖,显于殷国。二迹阿衡,克光其则。武丁兴商,伊宗皇士。爰作股肱,万邦是纪……'"②其诗甚长,共计64句。写法多用生僻字,且多用单音词和虚词。到了灵帝时代,高彪作箴:"文武将坠,乃俾俊臣。整我皇纲,董此不虔。古之君子,即戎忘身。名其果毅,尚其桓桓。吕尚七十,气冠三军,诗人作歌,如鹰如鹯。天有太一,五将三门;地有九变,丘陵山川……"其中仅有少量的名词如"君子"、"武丁"、"太一"、"山川"等为双音词,其余如"于—赫—我—祖"等

---

①王力:《汉语史稿》,北京:中华书局,1980年,第396—398页。
②范晔撰:《后汉书》卷七〇上,见《文苑列传》,北京:中华书局,1982年,第2610—2611页。

句,都是由单音词组成四言诗。单音词组成的语句,会产生生涩的效果,读起来不够圆润,但在当时,却为美文:"邕等甚美其文,以为莫尚也。"①说明单音词在当时诗文中的使用极为广泛,并以此为美。

东汉出现了少量的五言诗,其使用语词,仍然延续着前一时期四言诗以单音词为主体的情况。生活在汉灵帝时期的赵壹,其《秦客诗》还多为单音词组成"河—清—不—可—俟,人—命—不—可—延";《鲁生歌》:"势—家—多—所—宜,咳—唾—自—成—珠……且—各—守—尔—分……"以单音词为基本单位来构成五言诗,并且多用虚词连缀,它应该说还不是完整意义上的五言诗,尚未形成基本的五音音步。

这种情况一直延续到建安时曹操、王粲的早期作品。《三曹年谱》记载曹操的第一首诗作,写于中平元年(184)的《对酒》:"对酒歌,太平时,吏不呼门,王者贤且明,宰相股肱皆忠良,咸礼让,民无所争讼……爵公侯伯子男,咸爱其民……犯礼法,轻重随其刑。路无拾遗之私,囹圄空虚,冬节不断人,耄耋皆得以寿终,恩泽广及草木昆虫。"其中增加了不少的由仂语转换而成的双音词,如"囹圄"、"耄耋"、"恩泽"等,但仍然是以单音词为主:"吏—不—呼—门……爵—公—侯—伯—子—男";建安元年(196),王粲20岁写《赠士孙文始》:"天—降—丧—乱,靡—国—不—夷。我—暨—我—友,自—彼—京师",除了少量名词之外,基本上仍一字一词,读起来,也应该是一字一顿。试比较十九首"今日—

---

① 范晔撰:《后汉书》卷七〇下,见《文苑列传》,第 2650 页。

良—宴会,欢乐—难—具陈",变成单音词和双音词混合而以双音词为主的情况,并在阅读上,亦已初步形成了五言诗的音步。五言诗的音步节奏,从客观上要求双音词的大量使用:两个双音词和一个单音词的交叉使用,必将成为每一诗句的主要构成形式,虽然,这一客观要求还需要一个较长历史时期的转型过程,从班固到曹操早期的五言诗写作,正显示了这一过程的渐进演变过程,但要想实现质的飞跃,还需要从政治通脱到文艺观念娱乐化嬗变的时代基础。

四言诗由于尚在中国诗歌的偶言历程之中,虽然庄重典雅,但显得呆板而少于变化,更由于四言诗是传统之经典诗体形式,作者也就容易仿古,多用生僻古字和虚词,这些都增添了阅读的生涩感,如王粲此诗的"庶兹永日,无愆厥绪。虽曰无愆,时不我已",虽然可以读为两个音步"庶兹—永日,无愆—厥绪",但由于其中每一个字皆为具有独立意义的单音词,也由于虚词和生僻古字的原因,其音步就容易形成一字一音的四音步。

建安时期五言诗兴起,同时,双音词在五言诗歌中大量涌现,这是一个偶然巧合,还是一种必然? 两者之间有何内在的关联? 此外,单音的仂语是如何逐渐成为固定搭配的双音语汇? 这对于研究五言诗的进展是应该关注的问题。

二、对双音词的考察

十九首中出现大量的双音词,先以《今日良宴会》为例:"今日良宴会,欢乐难具陈。弹筝奋逸响,新声妙入神。令德唱高言,识曲听其真。齐心同所愿,含意俱未申。人生寄一世,奄忽若飙尘。何不策高足,先据要路津。无为守穷贱,轗轲长苦辛。"

今日:由"今"和"日"两个单音词组成,在《诗经》中,只有"今"而未有"今日",如《国风·召南·摽有梅》:"摽有梅,其实三兮。求我庶士,迨其今兮";又《国风·唐风·蟋蟀》:"今我不乐,日月其除。"《国风·唐风·绸缪》:"今夕何夕,见此良人",可以翻译成为:"今夜是何夜?见到这个好人。"①欲说"今日"之意而又有空间的时候,会说"今也",《国风·秦风·权舆》:"今也每食无余","今也每食不饱"。《诗经》中出现"今"字,凡 26 见,皆为单音词,而无一处出现"今日"之双音词。屈原楚辞也是如此,以《离骚》为例,"今"字出现 3 次,也皆为单音词"今"。

欢乐:《礼记·檀弓下》:"啜菽饮水尽其欢。"表达"欢乐"之意的双音词,大抵与"欢娱"组合,班固《东都赋》:"圣上睹万方之欢娱。"《诗经》表达"欢乐"意思的词汇,主要使用"乐"字,如《国风·唐风·蟋蟀》"今我不乐,日月其除"。也有与"喜"字并用而为"喜乐",《国风·唐风·山有枢》"且以喜乐"。喜乐,可翻译成"娱乐"②。

"今日"与"欢乐"这两个词汇,在两汉诗作中,延续着先秦时代的用法,仍然主要是单音"今"和"乐"的使用,如秦嘉妻徐淑《答夫诗》:"君今兮奉命。"诗作中较早使用"今日"这一词汇的是

---

① 周振甫译注:《诗经译注》,北京:中华书局,2002 年,第 164 页。
② 周振甫译注:《诗经译注》,第 161 页。

曹操的《气出倡》："今日相乐诚为乐"，随后是王粲的《公燕诗》："今日不极欢"，再后是曹丕《大墙上蒿行》的"今日乐不可忘"，再后是曹植《怨诗行》的"今日乐相乐，别后莫相忘"。

"欢乐"较早出现在诗作中的，是汉武帝《秋风辞》："欢乐极兮哀情多"，但此《秋风辞》有学者怀疑其真实性，梁启超先生即对汉武帝的这首名篇有所质疑，他说此诗见于《汉武帝故事》，而"《武帝故事》这部书是汉时人做的，不甚靠得住。这诗很不坏，但有点柔媚剽滑，没有西汉人朴拙气。我不敢十分相信是武帝作"①。这一观点也要关注。五言诗中较早出现的，是秦嘉《赠妇诗三首》其二中的"欢乐苦不足"，但秦嘉三首五言诗在许多方面皆为特例：两汉五言诗尚不采用对偶，而秦嘉诗连用八处对偶，两汉五言诗尚不会描写具体的场景来抒情，秦嘉诗则以对偶方式描绘具体景物，两汉五言诗较少使用双音词，而秦嘉五言诗以双音词为主体构成，秦嘉五言诗不足为信②。真正可信开始采用"欢乐"一词入五言诗的，应该首先是七子，刘桢的《公燕诗》"欢乐犹未央"，可能是最早在五言诗中采用这个双音语汇的。但建安时期，仍然未能定型。"欢乐"、"欢娱"等并用，如曹丕《孟津诗》："高会构欢娱"；曹植《游仙诗》："人生不满百，戚戚少欢娱"；曹植《孟冬篇》："陛下长欢乐"。十九首和苏李诗中也是"欢娱"、"欢乐"并用，苏李诗："欢娱在今夕，燕婉及良时"，"努力爱春华，莫

---

①梁启超：《中国之美文及其历史》，见《梁启超学术论著集》，上海：华东师范大学出版社，1998年，第156页。
②参见木斋等：《论秦嘉无言诗为伪作》，《学习与探索》2009年第1期。

忘欢乐时","嘉会难再遇,欢乐殊未央",十九首中的"今日良宴会,欢乐难具陈",应该是在这种"欢乐"、"欢娱"的多次使用中出现的,是在双音词被广泛采用的语言基础之上出现的。上述例句中的"春华"、"嘉会"、"高会"、"嬿婉"等,也无不是建安时期五言诗兴起的产物,它们也都是较早开始出现于建安五言诗中的双音词汇。曹植的"愿得展嬿婉"和苏李诗的"燕婉及良时",都是以欢爱来比喻友情。

宴会:建安之前的诗作,使用的还都是单音词"宴",如《诗经·邶风·谷风》:"宴尔新婚,如兄如弟。"建安时期,则为单双音词并用,曹操《短歌行》:"契阔谈宴";建安十六七年左右,以曹丕为首的二曹六子,在铜雀台经常举办宴会,写了许多游宴诗作。曹丕《善哉行》:"朝游高台观,夕宴华池阴",曹植《赠丁翼》:"吾与二三子,曲宴此城隅",阮瑀有《公宴诗》,陈琳有《宴会诗》:"良友招我游,高会宴中闱"。由此可见,表达现代汉语"宴会"的这一词汇,经过由先秦两汉时代的单音词,到建安时代游宴盛行,经过与"夕宴"(侧重说明宴会的时间,相当于现代汉语的"晚宴")、"曲宴"(侧重说明是带有歌曲表演的宴会,相当于现在的音乐宴会)、"公宴"(侧重说明是由官府操办的宴会,相当于现在所说的"国宴")、"宴会"(侧重说明宴会上众人相会的意思)等多种组合的尝试之后,才最终寻到最具代表性的双音词搭配——"宴会",这是由于"宴会"这个双音语汇,最具有中和性,最能说明"宴"所具有的由"宴"而"会"的普泛含义。陈琳的这首《宴会诗》,很可能就是"宴会"这个词汇的最早组合,而诗中的"高会宴中闱",也许正是对"宴会"组合的较早表述。十九首《其三》中另有"极宴娱心意,戚戚何所迫","极宴"侧重说明宴会的程度,相当于皇家宴会,也只有皇家宴会,才有可能使用"极宴"这一登峰造极之用语,此诗应该是曹植和曹彪太和五年岁末于自封地来京城洛阳参加明帝之宴会所作。

"宴会"的"会"字,在诗三百中,也是一个单音词,如《诗经·齐风·鸡鸣》:"会且归矣",这里的"会",是朝会的意思①,可组合为"朝会"的双音;在建安诗歌中,单音词与双音词并用,单音词如刘桢《赠五官中郎将诗四首》:"众宾会广坐","追问何时会",同时,也在寻着双音词的搭配伴侣,如"高会",曹丕《孟津诗》:"高会构欢娱",又如"嘉会",曹植《送应氏诗二首》:"清时难屡得,嘉会不可常",会而有酒宴,自然可组成"宴会"。

新声:在诗歌中首先出自于曹操《善哉行·其三》:"悲弦激新声,长笛吹清气。"随后,曹丕《善哉行》:"悲弦激新声,长笛吐清气。"曹植出现与十九首几乎完全相同的句子:"弹筝奋逸响,新声好入神。"此两句为曹植诗句的断句,可能是《今日良宴会》的残章断句。缪钺先生说:"'弹筝奋逸响,新声妙入神'二句,在《古诗十九首》'今日良宴会'篇中,《北堂书钞·乐部·筝》中引为曹植作,当别有所据。故《古诗》中是否杂有曹植之作,虽难一一确考,然就上引两事观之,可见昔人视曹植诗与《古诗》极近似。"②缪钺先生实际上已经看到了十九首中应该有曹植的作品杂入其中,只

①参见周振甫译注:《诗经译注》,第134页。
②参见缪钺:《缪钺全集·曹植与五言诗体》,石家庄:河北教育出版社,2004年,第31页。

不过因难确考，引而未发。

令德：这是一个古老的双音词，诗三百中多次出现，汉魏五言诗中，则首先出现于刘桢的《赠五官中郎将诗四首·其二》："勉哉修令德，北面自宠珍"，意思为美好的品德。除了十九首之外，还有苏李诗中有"愿君崇令德，随时爱景光"，曹植诗文也多有以"令德"、"圣德"作为对美好品德的赞美，也有以此作为专有语汇来特指曹操，曹植《任城王诔》："幼有令德，光辉圭璋"，曹植同时所作的《登台赋》，也有相似的表述"见天府之广开兮，观圣德之所营"，其中的"圣德"正是赞美父亲孟德建铜雀台之事，以"圣德"替代父亲是十分清晰的。曹植以"德"字在诗文中表达对父亲的敬爱，是非常得体的。而建安十五年以来，曹操政权解构两汉儒家教化的道统，也没有更多的礼教约束，因此，曹植多次使用"德"字来赞美其父，如《赠丁仪王粲》："君子在末位，不能歌德声。"李注："德声谓太祖令德之声也。"①不仅说明此处之"德声"是指曹操，而且又一次提及"令德"是指曹操。

人生：早在班婕好的《自悼赋》中就有"惟人生兮一世，忽一过兮若浮。"在诗歌中则较早出现于秦嘉《赠妇诗三首》："人生譬朝露"，但秦嘉诗不足为凭，如上所述。蔡文姬的《愤诗》在结尾处出现"人生几何时，怀忧终年岁"，如果《悲愤诗》是可靠的，那么此处出现的"人生"，也许是最早出现于文人五言诗中的"人生"双音词。《悲愤诗》由于全篇主题在于对"存亡永乖隔，不忍与之辞"之生命的咏叹，因此，"人生"出现在这里，是一个十分自然的

---

① 《曹植集校注》，赵幼文校注，北京：人民文学出版社，1984 年，第 134 页。

创造,蔡文姬生活的汉末建安时期,正是诗歌写作中由单音词向双音词渐进的时代。汉语的单音词向双音词的渐次转变,是一个漫长时间的定型过程,一个单音词与另外的一个单音词搭配,形成固定的搭配,有些搭配经历反复的寻求,最终找到最为适合的另一半;有些搭配可能由于不太适用,就会遭到沦落。蔡文姬此处例句中的"几何"、"怀忧"等,就没有被接受,仅仅是古代汉语中的特殊用法,"几何"以后有了其他的意思,"怀忧"则被"忧愁"、"忧虑"等代替。蔡文姬的"人生几何时",也许正是曹操"对酒当歌,人生几何"的原型。此外,王粲的《赠蔡子笃诗》:"一别如雨,人生实难",也许是介于两者之间的使用。随后,徐干《室思诗六首·其二》:"人生一世间,忽若暮春草";曹丕《善哉行二首·其一》:"人生如寄,多忧何为",《大墙上蒿行》:"人生居天壤间,忽如飞鸟栖枯枝";曹植诗中"人生"一词凡6见:《赠白马王彪诗》:"人生处一世,去若朝露晞",《浮萍篇》:"人生忽若寓,悲风来入怀",《送应氏诗二首·其二》:"天地无终极,人生若朝霜",《仙人篇》:"人生如寄居",《游仙诗》:"人生不满百,戚戚少欢娱",《当事君行》:"人生有所贵尚"。从徐干、曹丕到曹植,他们所使用的"人生"语汇,以及对于人生短暂、人生意义的咏叹,显然都是从曹操《短歌行》中而来,而曹操的"人生"使用,可能是从蔡文姬《悲愤诗》的一个个体生命的咏叹而来。于是"人生"短暂的命题,就由一个个案的悲哀,而转变为建安带有时代性的痛苦思索。十九首中出现许多的同类命题以及"人生"词汇的同样使用,也就在情理之中。十九首中共计出现4处"人生":"人生天地间,忽如远行客"(《其三》),"人生寄一世,奄忽若飙尘"(《其四》),

"人生非金石,岂能长寿考"(《其十》),"人生忽如寄,寿无金石固"(《十三》)。十九首中的人生思索,应该是蔡文姬、三曹、七子在大量使用"人生"这一双音词汇以及形成一个思索人生的思潮中的产物。

奄忽:形容时间之快,和"倏忽"并用,汉魏诗中较早出现于郦炎《见志诗二首》:"倏忽谁能逐",曹操《短歌行》:"神灵倏忽";刘桢《诗》:"低昂倏忽去";曹丕《折杨柳行》:"倏忽行万亿";苏李诗:"奄忽互相逾";十九首除了"奄忽若飙尘"外,还有"奄忽随物化"。汉魏诗中,共计出现 4 次"倏忽";3 次"奄忽",其中苏李诗 1次,十九首 2 次,说明十九首和苏李诗具有共同的产生时间,甚至拥有共同的作者,它们有共同的用语习惯。此外如"携手",苏李诗:"携手上河梁";十九首 2 例:"不念携手好","携手同车归"。马雍检测所谓苏李诗的词汇用法共计 60 条,认为"意境之同者,诗人处相同之情境,发为相同之咏叹也。必在同一之时代与环境,始可有相同之情境。故与句法例证皆易见出一时代之风格"。又,"建安诗中,间有称'子',多数则呼'君',汉乐府及称为古诗之五言亦然。今所存苏李诗十七首中,除'愿君崇令德'外,其余之称,皆作'子'。今考建安时代称'子'者凡四见,及太和、正始间,称自'子'渐多,已取'君'字而代之。由此推知,苏李诗当成于公元 240 年左右,为曹魏后期作品"①。苏李诗既然为曹魏后期作品,苏李诗与十九首风格相类,两者之间必不久远。

苦辛:这一词汇在汉魏之际的诗作中共计出现 5 次,其中曹

①马雍:《苏李诗制作时代考》,北京:商务印书馆,1944 年,第 21—69 页。

植 3 次,《圣皇篇》:"皇母怀苦辛",在《赠白马王彪诗》中出现 2 次:"仓卒骨肉情,能不怀苦辛","苦辛何虑思,天命信可疑";十 九首出现 1 次:"辗轲长苦辛"。曹植是汉魏之际唯一和十九首这 一用语习惯的相同者。此外,《古诗为焦仲卿妻作》出现 1 次:"伶 俜萦苦辛"。换言之,汉魏之际有使用"苦辛"这一词汇习惯的,唯 有曹植一人,其他两处,也不能排除曹植就是这两首诗的作者。 类似这样的情况,还有"中州",苏李诗:"山海隔中州",曹植《远 游篇》:"昆仑本吾宅,中州非我家",先秦汉魏之际在五言诗中使 用"中州"这一专有名词的,仅有曹植一人和苏李诗。

三、十九首其他作品的双音词

或说,《今日良宴会》是否为十九首中的特殊现象。其实,十 九首连同其他失去作者姓名的"古诗",皆为一体,乃为同一时代、 同一个作者群体(十九首应主要为曹植、甄后之作)之手,不会出 现此数首为建安,彼数首为两汉的现象。当然,我们提出:建安五 言诗的出现,实现了中国诗歌作品中双音词取代单音词的第一次 飞跃,或说是成为这种变迁产生的温床,但这并不是说,两汉五言 诗中没有双音词,或谓建安五言诗中都是双音词。飞跃是相对 的,变化是渐次的,两汉五言诗中出现了比先秦诗三百多一些的 双音词,但单音词仍然占据了主要的地位,而建安诗歌开始出现 大量的双音词,同时,也会时常延续着单音词的传统。有时候,有 点类似于后来的用典。譬如在五言诗中使用"且"来连接两个动词或是形容词,大体开始于郦炎《见志诗二首》:"大道夷且长",以后曹操《对酒》用之:"王者贤且明",遂使王粲、阮瑀、徐干、曹丕、曹植等皆效法之,成为当时的流行用法。王粲《从军行》其一:"所从神且武";阮瑀《诗》:"涉路险且夷";徐干《答刘桢诗》:"草木昌且繁",《诗》:"秋风凉且清";刘桢《赠五官中郎将诗四首·其一》:"季冬风且凉"(此处"风"为名词动用),《杂诗》:"登高且游观",此处"游观"合在一处,显示了向双音词变化的痕迹。曹丕《诗》:"行行游且猎",而不是"行行且游猎";曹植《诗七首·其一》:"之子在万里,江湖迥且深";十九首其一"道路阻且长"等,都是此类。这种用法,带有单音词向双音词的演进以及四言诗向五言诗演进的痕迹"神武"、"繁昌"、"游猎"、"游观"等。在建安时代,可能已经成为了一个个的双音词,由于写作五言诗,出现一个字音的空当,于是,以虚词"且"字连接之。但在刘桢的《杂诗》中,已经出现了将"且"字换一个位置以便使用一个双音词的现象:"登高且游观"。

兹再举"行行重行行"中的双音词:"行行重行行,与君生别离。相去万余里,各在天一涯。道路阻且长,会面安可知。胡马依北风,越鸟巢南枝。相去日已远,衣带日已缓。浮云蔽白日,游子不顾反。思君令人老,岁月忽已晚。弃捐勿复道,努力加餐饭。"

行行:十九首:"行行重行行",曹操《苦寒行》:"行行日已远";曹丕3例,《黎阳作诗三首》:"行行到黎阳",《杂诗二首》:"行行至吴会",《诗》"行行游且猎";曹植2例,《门有万里客》:"行行将复行,去去适西秦",《圣皇篇》:"行行将日暮";汉魏五言诗中,曹操首见,曹丕3例,曹植2例,十九首1例。

别离:十九首2例,"与君生别离","谁能别离此";繁钦《定情诗》:"何以慰别离";《古诗为焦仲卿妻作》2例:"结誓不别离","心知长别离";阮瑀《驾出北郭门行》:"存亡永别离";徐干《于清河见挽船士新婚与妻别诗》:"宿昔当别离";苏李诗"良友远别离"。"别离",十九首2例,苏李诗1例,其余作者皆为建安诗人。

胡马:十九首:"胡马依北风";苏李诗"胡马失其群"。汉魏五言诗中,仅有十九首与苏李诗各1例,说明两者之间的密切关系。

越鸟:十九首:"越鸟巢南枝",曹植《朔风诗五首》:"愿随越鸟,翻飞南翔"。越鸟一词,汉魏时期诗中,仅有曹植与十九首各有1例,说明去除十九首不知名作者之外,此词在诗作中为曹植首用。

白日:十九首"浮云蔽白日";孔融《临终诗》:"浮云翳白日,靡辞无忠诚";王粲《从军诗五首》:"白日半西山";陈琳《宴会诗》:"白日扬素晖";刘桢《赠五官中郎将诗四首》:"仰视白日光";曹丕《诗》:"白日未及移";曹植《野田黄雀行二首》:"惊风飘白日";《名都篇》:"白日西南驰";《太子坐诗》:"白日曜青春";《赠白马王彪诗》:"白日忽西匿"。"白日"一词,出现较早,但在五言诗中,孔融首次使用,随后,王粲、徐干、刘桢、陈琳、曹丕各有1例,曹植最多为4例。

游子:曹丕《于明津作诗》:"游子恋所生";曹植2例,《送应氏诗》:"游子久不归",《情诗》:"游子叹黍离";十九首2例:"游子不顾反","游子寒无衣";苏李诗3例:"游子暮何之","请为游子吟","游子恋故乡"。则"游子"一词,当为曹丕首次在五言诗中使用,为曹植所接纳并广泛使用,十九首与苏李诗皆当为曹植、甄氏、曹彪之作。

弃捐:十九首:"弃捐勿复道";传为班婕妤《怨歌行》:"弃捐箧笥中";曹丕《杂诗二首·其二》:"弃置勿复陈,客子常畏人";曹植《赠白马王彪诗》:"弃置莫复陈";甄后《塘上行》:"莫以豪贤故,弃捐素所爱。莫以鱼肉贱,弃捐葱与薤。莫以麻枲贱,弃捐菅与蒯。"班婕妤之作,当为曹植所作,则"弃捐"这一词汇在五言诗中的采用主要为曹丕、曹植、甄后所用。《塘上行》或作魏武帝之作,误,曹操所存20余首诗作,从无此等别情凄婉之作,此作当为甄后与曹植被诬陷后,与曹植离别之作,十九首之《行行重行行》,当为曹植回复甄氏之作,是故同用"弃捐"。

此诗中其余如"道路"、"会面"、"北风"、"南枝"、"衣带"、"浮云"、"岁月"等,皆为双音词。

《青青陵上柏》:"青青陵上柏,磊磊磵中石。人生天地间,忽如远行客。斗酒相娱乐,聊厚不为薄。驱车策驽马,游戏宛与洛。洛中何郁郁,冠带自相索。长衢罗夹巷,王侯多第宅。两宫遥相望,双阙百余尺。极宴娱心意,戚戚何所迫。"此首有另文单论,仅举数例。

忽如:曹丕《大墙上蒿行》:"忽如飞鸟栖枯枝";曹植《白马篇》:"视死忽如归";十九首2例:"人生忽如寄","忽如远行客"。

远行:汉魏时期在诗中首先使用"远行"的,是曹操的《苦寒行》:"远行多所怀,我心何怫郁",随后,曹植《游仙诗》:"骋辔远行游",《杂诗》:"吾将远行游","远行客"则首先出自曹植的《杂诗》:"悠悠远行客",十九首"忽如远行客"。汉魏之际的五言诗,也只有曹植和十九首出现了"远行客"。

斗酒:"斗酒相娱乐,聊厚不为薄","斗酒",指少量的酒。《史记·滑稽列传》:"一斗亦醉,一石亦醉",与"聊"相连用,这是对的,但仅仅是虚指,因为下文的"极宴娱心意",分明说诗人参加的是"极宴",并不缺酒,但也并不快活,"我归宴平乐,美酒斗十千"(《名都篇》)。"斗酒诗百篇",也成为曹植的象征。

娱乐:首先出自于阮瑀的《公宴诗》:"上堂相娱乐",此处应该是曹植借鉴阮瑀诗句而来,同此,"聊厚不为薄",出自于徐干的《室思诗·其六》:"既厚不为薄"。

游戏:出自于《史记·庄子传》:"吾宁游戏污渎之中自快,无为有国者所羁",汉魏之际的诗作中,则首先出现于刘桢的《公燕诗》:"永日行游戏",刘桢诗中的"游戏",与现代的概念相似,但刘桢此诗中还有"辇车飞素盖,从者盈路傍"的诗句,则"游戏"也可能含有驾车行路的意思。

再以《冉冉孤生竹》为例:"冉冉孤生竹,结根泰山阿。与君为新婚,兔丝附女萝。兔丝生有时,夫妇会有宜。千里远结婚,悠悠隔山陂。思君令人老,轩车来何迟。伤彼蕙兰花,含英扬光辉。过时而不采,将随秋草萎。君亮执高节,贱妾亦何为?"

冉冉:十九首:"冉冉孤生竹";《古董逃行》:"年命冉冉我遒。零落下归山丘"(不知真伪如何);曹操《却东西门行》:"冉冉老将至";曹植《美女篇》:"柔条纷冉冉"。去除十九首和不知作者的《董逃行》,则曹操首用,但曹操之作不传,不能确认,则五言诗中

真正能确认的,仅有曹植使用过"冉冉"。再如"六翮":十九首:
"高举振六翮";曹植《游仙诗》:"意欲奋六翮";汉魏时期五言诗
中也仅有曹植与十九首使用此语六翮,用司马相如《美人赋》。

泰山:十九首:"结根泰山阿";曹植《飞龙篇》:"晨游泰山",
《驱车篇》:"神哉彼泰山",《艳歌行》:"长者赐颜色。泰山可动
移"(残句)。另,曹植《泰山梁甫行》诗名中有"泰山";汉魏时期
在五言诗中出现"泰山"一词的,十九首之外,仅有曹植出现3例。
曹植诗作中出现"泰山",并非假想,曹植《驱车篇》:"驱车掸驽
马,东到奉高城。神哉彼泰山,五岳专其名。"奉高,即为"泰山
郡"。而曹植的封地东阿、鄄城,皆在奉高西侧不远的地方,在曹
魏时代同属兖州境内①。

新婚:十九首:"与君为新婚";徐干《于清河见挽船士新婚与
妻别诗》:"与君结新婚"。

光辉:汉魏诗作中,首先见于班固《论功歌诗》:"参日月兮扬
光辉";五言诗中为阮瑀《诗》中首先使用:"友朋集光辉";曹丕
《代刘勋妻王氏杂诗》:"张以蔽光辉";十九首中的"含英扬光辉"
当在阮瑀、曹丕之后。

秋草:此词汉魏诗作中,首见于徐干《于清河见挽船士新婚与
妻别诗》:"凉风动秋草";十九首中两次出现"将随秋草萎"、"秋
草萎已绿"。

贱妾:在汉魏诗范围内,此词首次出现在《史记·项羽本纪》

---

① 参见谭其骧主编:《中国历史地图集》第2册,北京:中国地图出版社,1982
年,第7—8页。

正义引《楚汉春秋》："汉兵已略地，四方楚歌声。大王意气尽，贱妾何乐生。"①张衡《同声歌》、陈琳《饮马长城窟行》等皆有此词出现。

此外，还有些双音词为十九首中首次出现，建安之前并无其他诗作出现，如"餐饭"、"洛中"、"第宅"、"两宫"、"极宴"、"交疏"、"绮窗"、"阿阁"、"音响"、"中曲"、"玉衡"、"秋蝉"、"玄鸟"、"同门"、"南箕"等，而"倡家"、"荡子"、"空床"、"独守"、"促织"，此一类词汇，在建安十五年之前，是万难在诗歌作品中出现的。

三　结论

从以上的双音分析来看，汉语史的演变情况，是从建安时期才开始双音词汇对于单音词的大批量替换的，十九首、苏李诗与建安诗歌三位一体，共同实现了中国诗歌的语言转型。关于双音词的问题，需要做出补充说明：建安五言诗之所以大量出现双音词，首先在于汉语的语言在由汉至魏转型中发生了质的变化，建安五言诗中多有双音词，是这一转型的反映和结果，正如有语言学者所论："汉语复音化，肇自先秦，秦汉间复音词虽不断增长，但直到魏晋南北朝才取得突破性的进展"，"据程湘清先生统计，东

---

① 不过，有学者怀疑这首诗的真实性。参见曹道衡、刘跃进：《先秦两汉文学史料学》，北京：中华书局，2005年，第418页。

汉的《论衡》21 万字,有复音词 2300 个,而晋代《世说新语》仅60100 字,复音词即达 2126 个,后者比前者复音词的比例高出三倍左右","零星的口语词进入文人笔底,秦汉已见,较大量的口语词的吸收是在魏晋之后"①;其次,建安五言诗中的某些双音词,是在诗的系统中首次出现,但不一定在此前的散文中没有出现,譬如前文所引的"今日"这一词汇,已经在《孟子》中出现 9 次,"中州"等词汇也早见于汉代的散文中,这是吻合于先秦两汉到曹魏时期的客观情况的,因为散文更为接近当时的口语,而诗歌方面,直到建安时期才开始了接近口语化的演变历程。换言之,建安五言诗多用双音词,是诗歌观念由儒家经典到世俗娱乐观念演变的结果。而建安诗歌之所以实现这一转型,是建安时期三大事件的结果,其中特别是清商乐兴起的结果。建安之前的五言诗,主要是文人五言诗,与音乐无关,更与清商乐这种娱乐性质的声乐音乐无关;而建安之后的五言诗,乃是经过清商乐洗礼之后的歌诗。具体而言,五言诗多音节词之所以在建安十六年之后开始大量增多,其原因与建安文学自觉的原因及五言诗为何在建安十六年之后开始走向成熟的原因,基本上是一致的。

第一,建安十五年颁发的《求贤令》,这是建安文学自觉的政治基础;《求贤令》的颁布,标志了曹魏政权内部通脱时代的开始,政治思想的解放,带来了新兴的文艺观念。两汉时代对《诗》的儒家经典的敬畏心理渐次消弭,代之而起的是以新兴的娱乐性、审

---

①均见王忻:《从颜氏家训管窥魏晋时期汉语词汇复音化的发展》,《古汉语研究》1998 年第 3 期,第 28 页。

美性写诗,于是,诗人敢于也乐于采用当时的双音语汇入诗。

　　第二,建安十五年,曹操修建铜雀台,标志了清商乐的兴起,清商乐更为注重娱乐性和抒情性,建安中后期的作品,多为游宴场合下作诗,游宴诗、斗鸡诗比比皆是,还有女性题材诗作,这些诗作多为游戏之作,因此,与口语为两个系统的四言诗写作的神圣感被打破了,口语表达的双音语汇被大量引入五言诗的写作之中。同时,由于建安十六年开始的五言诗写作,多为配乐的歌诗,尤其是配合新兴的清商乐的歌诗,新兴清商乐的音乐节奏与传统雅乐的庄重呆板不同,清商乐对雅乐的取代,带来了新的节奏要求,这一点,与后来词体的发生有着惊人的相似。而双音语汇大量出现,也可能正是为了配合这种新兴的音乐节奏。五言诗的演唱和诵读,需要两个双音和一个单音的错综变化,而由两个单音组成的一个音步,显然没有由一个双音语汇作为一个音步更为顺畅和流利。

　　第三,建安十六年,曹丕被任命为五官中郎将。曹操开始为曹丕和曹植设置文学侍从的官职,建安七子中除去孔融之外的六子,均为曹丕兄弟的文学侍从,从而为建安文学自觉准备了创作队伍的基础。而这些文学侍从,具有专职写作的性质,单音以及古汉语的生涩语汇,比之当下流行的双音语汇,显然后者更为容易、更为快捷,这是建安十六年之后双音语汇在五言诗中大量出现的第三点原因。

　　当然,诗歌语言的变化,是多方面因素造成的,除了上述三个具体原因之外,佛教传入中国,佛经翻译所带来的双音节语汇对先秦两汉以单音为主体构成的文言表达方式的冲击,以及蔡伦造纸所带来的传播媒介，书写方式的影响，都是十分重要的因素。当然，这些因素都属于外在的影响，它们需要文学自身内部的矛盾运动，才能真正使诗歌的语言发生由单音节向双音节大规模转型的易代革命运动。这些文学自身的运动，就是上述的三大因素：思想解放。诗学观念转型与专职自觉写作的诗人群体。

关于十九首、苏李诗等"古诗"，应该是建安十六年之后的作品，可归为以下几点。

第一，梁启超先生所倡导的"东汉"说，并无确切的根据，仅仅是根据"至安、顺、桓、灵之后，张衡、秦嘉、蔡邕、赵壹、孔融等才各有较多的五言诗传世，音节日趋谐畅、格律日趋严密。其时五言体制已经通行，造诣已经纯熟"的所谓"直觉"，而这种直觉有时候是并不准确的①。张衡的《同声歌》不能确认，秦嘉的三首五言诗为伪作，赵壹等人的五言诗，还不是真正意义上的五言诗。判断五言诗的标准，主要是钟嵘所说的"穷情写物"，也就是以具体的物象来表达情感的抒情五言诗，建安十六年之前的五言诗，还是"言志诗"，只可以说是"发生"，而非"成立"，五言诗只有到建安十六年之后才真正"成立"，十九首为五言诗"成立"之后的作品。

第二，曹操、王粲早期之作，孔融临终之作，皆非抒情五言诗，并且，曹操、王粲之作，都有着极为鲜明的探索历程，他们都没有十九首、苏李诗等抒情五言诗作为借鉴和读本；曹丕作为大批评家，也没有只言片语提及十九首、苏李诗；十九首必定产生于建安十六年之后。

---

① 参见梁启超：《中国之美文及其历史》，见《梁启超学术论著集》。

第三,十九首、苏李诗等"古诗",与建安五言诗拥有共同的审美特质,共同的写作手法,而这种抒情五言诗,不仅仅是中国诗歌史的时间问题,而是一个空间的范畴,整个两汉三国时期,仅仅有曹魏政权内部的文人会写这种风格的抒情五言诗,蜀、吴两国的文人,只会写四言诗,而不会写作这种抒情五言诗。即便是曹魏之内,也仅仅是三曹七子会写,此外仅仅有甄氏、曹彪等个别诗人会写,其余如吴质等文人不会写这种风格的诗作。这个状况,一直延续到西晋时代的陆机,陆机、陆云是最早会写这种抒情五言诗的南人,并且是通过《拟古诗》的学习效法形式表现出来。陆机之所以会写,成为这个时代的例外,正是由于他们有入洛的人生经历。事实充分说明,所谓十九首、苏李诗,都是建安时期以邺城、洛阳为中心的一部分诗人创新写作的产物,它们的作者,必定在这个范畴之内,而曹操、曹丕和七子都已逝,十九首、苏李诗中的大悲苦,必定是黄除之后曹植、曹彪兄弟及甄氏才有可能经历,才有可能倾诉出来的产物。

第四,十九首、苏李诗等所谓古诗,之所以不可能出现于建安之前,笔者论述其原因已多。现在,笔者阐论从这些诗作表现出来的多音节词对单音词的大量取代,可能是更为有说服力的因素。因为,语言的变迁是个非常缓慢的过程,诗歌作品中,出现由以单音词为主到以双音词为主的变化,必定有着当时政治背景、文化风俗、审美心理等多方面因素的交织构成,并通过一代人的集体努力才有可能实现的。建安时代,在曹魏政权内部,出现了对于两汉儒家一统和经术牢笼思想的解构,风气渐次通脱,游宴诗兴起,文人的文艺观念出现了由言志讽谏、教化人伦至娱乐审美的转型,诗歌写作不再是那么神圣经典,语言上需要向口语化的转型。而建安拟乐府的盛行,这些诗作都是要播之管弦的歌诗,要求歌唱出来顺口流畅,五言诗新的诗体形式的三个音步的节奏特征,都在客观上需要歌诗语言方面的革新,单音词为主的局面被打破,就是顺理成章的事情。

从中国诗歌语言变迁史的层面来看,若是将十九首、苏李诗等所谓古诗视为两汉之作,则这些以双音词为主的抒情五言诗,就成为无源之水,无本之木,不仅仅在西汉时期找不到与之相类似的诗人作者,即便是放到东汉后期,放到建安早期,仍然没有可以与之相匹配的诗人,也罕见与之相似的双音词为主的五言诗作。而放到建安之后,则十九首和苏李诗中出现的这些双音词的用法,我们就可以从建安诗人中一一见到例证,或是曹操,或是陈琳,或是曹丕等,它们不是个人的创作意愿,而是建安时代三曹七子的群体语言创造。这合于中国诗歌史的发展规律,也合于中国诗歌语言史的渐进规律。

概括而言,本文从汉语史角度的分析,一切数据无不显示,这些作品的基本语词,只有曹植等人才有可能为其真正的主人。

与木斋合撰,原载《清华大学学报(哲学社会科学版)》2010年第 3 期,据以录入

《安史之乱与盛唐诗人》序

　　我刚读到吕蔚同志《安史之乱与盛唐诗人》书稿，我就想起我于 1986 年所撰《天宝诗风的演变》一文（刊于《唐代文学论述》第八辑，陕西人民出版社 1986 年 12 月版）。此文提及，综观天宝时期的诗坛，不少诗人从开元盛世的光圈中走了出来，面对变化的现实，已感到一种深刻的不安，因此特为提出："这种诗化了的深刻的不安，则是天宝诗风的基调。"即不能局限于将开元、天宝为一完整、单调诗风的观念。现读吕蔚同志此书，感到对研究更有进展，特别是盛唐前后历史时期作家群体的形式与消散，文学思潮的兴起与消落，创作风格的变化，不同文体的代兴，善于从政治、经济与文化的相互关系中把握恰当的中介环节，使我们亲切接触到那一时代、社会所特有的色彩和音响。

　　安史之乱于历史、于文学都是一个重要的过渡阶段，研究这一时期的诗人群体及诗歌创作，可以填补研究史上的一段空白，因此也将文学史的发展还原为一个动态的过程，对于理解盛唐到大历乃至中唐文学的转变有着重要的意义。吕蔚同志正是将安史之乱这一使唐代由盛转衰的重大历史事件作为研究的切入点，并以动态的眼光从社会心理的变化、盛唐人口及诗人群体迁移上来解读盛唐诗歌转变的契机、过程以及新变所形成风貌。

要对安史之乱这一时期的盛唐诗人群体及诗歌新变做出整体性研究,首先要从思路上厘清两个问题:其一,合理地截取历史时段作为研究的范围。政治层面与文学层面的历史并不能等同起来,史学家的"盛唐"与文学家的"盛唐"既有联系,又有区别,文学范畴中的"盛唐"绝不仅仅是一个时间和空间的范畴,还应当是一个美学范畴。因此,吕蔚同志选取的诗歌创作研究的时段起自开元二十四年李林甫出任宰相,迄至大历七年盛唐诗人群体相继逝世,将安史之乱爆发的蓄积时期及被平定后诗人们仍受战乱余绪影响的 9 年都纳入了研究视野。从这一时间段中就可以比较完整地看出盛唐诗歌变化的起因、轨迹及新变的风貌。其二,科学地确立盛唐诗人群体作为研究对象。唐代诗人辈出,对于诗人们(如杜甫)分属时期的界定也常有所争论。列入研究范围的诗人有经历过盛世,带有盛唐时代自信、疏阔等精神特征;经历了安史之乱,切身体会了唐王朝由盛而衰的过程;诗歌创作的活跃期在安史之乱前后一段时期。他们的创作既能体现盛唐精神的延续,又注入了战乱对诗风的影响,显示出新变的特征。可以说,本书对研究范围及对象的界定是符合历史及创作实际的。

在这一思路和基础上,吕蔚同志对安史之乱这一转折时期中盛唐诗人群体及其诗歌创作的研究在许多方面都有所创新:首先,对这一过渡时期中的诗人及创作做出了整体性、群体性、社会性的研究,从而将文学史还原为一个丰富而动态的过程。其次,安史之乱引发了全国范围内的人口迁移,盛唐诗人身处移民大潮之中,其迁移的原因、迁移地的选择、迁移过程中的作为、迁移中形成多元的文学创作风貌都是未被学者关注、但又值得关注的问题。吕蔚同志通过对这些问题的考察,探究在战乱情况下社会心理的变化、个体不同的心态、人格与价值取向,这些因素使盛唐诗人的诗歌创作呈现出与开元盛世不同的新变特征。再次,在战乱中,地域在文化上的凝聚力不断分散、变化,随着全国人口的迁移,盛唐诗人在迁移过程中形成了相对集中的创作区域,区域文化对诗人们的创作产生影响,诗人们也为区域文化带来新的内涵,表现出文人与区域之间的文化互动关系。第四,安史之乱打破了唐前期一百多年的太平局面,社会心理在动乱之时遭到了极大的冲击,对诗人群体及其诗歌创作产生了影响。吕蔚同志通过对诗风新变的过程及风貌的研究,指出盛唐诗人群体的创作由热情激越趋向冷静凝重;由异彩纷呈趋向单一务实;由阔大高华趋向内敛低沉;由自然灵动趋向沉郁凝炼。文学的创作实际说明在安史之乱爆发以后,"盛唐气象"不但没有立即终结,反而因为时局的变化,在以李白、杜甫为代表的那些盛唐诗人的创作中体现出来。只不过他们把"雄壮""雄浑"在新的社会环境中变成了"悲壮""沉雄",同样属于"壮美"的范畴,这样就给"盛唐气象"注入了新的历史、精神、文化的内涵。

总之,对安史之乱与盛唐诗人展开综合性的研究不仅可以填补这段文学研究的某些空白,也可以追根溯源地了解文学发展的规律。同时,就治乱对社会心理的影响、社会心理对行为方式的影响、文学与社会的相互关系、文人与地域的文化互动关系等问题的研究,也可以被视为对这段诗歌史的认识深化和价值判断上的新收获。

正因此,通读全书,确有这样一个总感,即富有朝气而又脚踏实地,立论新颖而又基础扎实。这当是应约作序所得的学术上的欣慰之情。

2010 年 6 月

原载中华书局 2011 年版《安史之乱与盛唐诗人》,此据大象出版社 2015 年版《书林清话》录入,另收入北京联合出版公司 2013 年版《濡沫集》

《当代名家学术思想文库·傅璇琮卷》自序

　　近年来,智品书业(北京)有限公司筹办一项甚有历史文化意义的项目:《当代名家学术思想文库》,邀约北京和天津、上海、浙江等地的学者各编一部学术论作自选集,这次第一编先推出十种。对此我确甚有所感,即想起中古时期著名文艺思想家刘勰的一段话:"知音其难哉! 音实难知,知实难逢,逢其知音,千载其一乎!"(《文心雕龙·知音》)我觉得,学术交流最有文化涵义的就是知音。智品书业(北京)有限公司编纂这套"学术思想文库",必将起学术知音的启示作用。

　　著名学者、南开大学文学院罗宗强教授,于上世纪 80 年代起,连续著有《隋唐五代文学思想史》、《魏晋南北朝文学思想史》,提出研究文学思想,不能局限于文学批评、文学理论专著,作家的文学思想,往往在其创作中表现出来:一个时代的文学思潮的发展和演变,大量的是在创作中反映出来的。我觉得,这对我们是一个启发,我们要研究当代学术名家的学术思想,主要也应从他们的专业研究著作加以探讨。这次第一编出版的十种,确能向社会、向广大读者提供当代学术思想发展、演进的甚有研究意义的轨迹。

也正因此,我这次就将过去所作,选编为四辑。第一辑是就一些学者已出版的学术著作,力求从学术研究思路作些探索,如文学史研究的横向、纵向研究,文学研究的结构问题,文学研究中的文化意识,如何与历史、哲学、艺术等互相结合,等等。第二辑即从上世纪 60 年代所作书评,到本世纪关于唐翰林学士的研究论文,就具体问题谈自己一些新的看法。如《读〈陶渊明研究资料汇编〉》,刊于《光明日报》1962 年 9 月 23 日《文学遗产》专刊。那时我还年轻,但已能辑集许多资料对《陶渊明研究资料汇编》予以订补,特别指出所辑资料的疏误。由此也可见出当时我已十分重视文献资料的研究。又,此次特别选有《〈滕王阁诗序〉一句解——王勃事迹辨》,这里也拟再提一提。《滕王阁诗序》是一篇名作,过去流行的说法,认为王勃之父于几年前已出为海南交趾令,后于上元二年(675)王勃去探视其父,路经南昌,邀宴于滕王阁,遂作此赋。我于 1982 年 12 月在陕西《古典文学论丛》发表此文,明确提出,王勃此行是伴随其父南下,并一同游宴于滕王阁。这可以说是一反前说,当能引起学界的注意。而我之所以能提出此说,则主要根据在日本发现的王勃文集残本,又参据语法学关于主语之说,故能有此新说,这也算是自慰自勉。

以后两辑,第三辑是我自著或主编之作的序言,第四辑是记述学界耆宿的学术成就,特别是记钱锺书、吕叔湘、夏承焘诸位前辈与我的学术交往。我想这就不仅是学术探索,还蕴含学术情谊,这当是我们这一时代学术进展的环境特色。

2010 年 7 月于北京六里桥寓舍

原载万卷出版公司 2010 年版《当代名家学术思想文库·傅
璇琮卷》,据以录入

"钓鱼岛归属中国又一铁证"

——从《海国记》的发现说开去

  2005年秋,一个星期六的清晨,山西省平遥县人彭令在南京朝天宫古玩市场一个地摊上,购得一册破烂的旧写本,封面题着"记事珠"三字。内中字迹漂亮,文字有涉及金石书画的内容。谁也没想到,沈复的《〈浮生六记〉(卷五)册封琉球国记略(〈海国记〉)》佚文就在其中。

  沈复的《浮生六记》属于清代中期的作品,过去《中国文学史》、《清代文学史》都提到过这本书,所以,《〈浮生六记〉(卷五)册封琉球国记略(〈海国记〉)》的发现,是文学史、史料学上的重大成果,是一件很有历史与现实意义的事情。人民文学出版社于2010年4月出版了新的《浮生六记》,增补了收藏家彭令发现的第五记,我认为人民文学出版社是有贡献的。

  《海国记》中,沈复记述了他于嘉庆十三年闰五月至八月随正使齐鲲出使琉球册封国王的过程及见闻。其中有一段重要的文字:

至十一日,始出五虎门,向东一望,苍茫无际,海水作葱绿色,渐远渐蓝。十一日(按:应为十二日)过淡水。十三日辰刻,见钓鱼台,形如笔架。遥祭黑水沟,遂叩祷于天后。忽见白燕大如鸥,绕樯而飞。是日转风。十四日早,隐隐见姑米山,入琉球界矣。十五日午刻,遥见远山一带,如虬形,古名琉虬,以形似也。

《海国记》提到我国钓鱼岛的主权问题,是我国对钓鱼岛拥有主权的一个新证据。

另外还有三点:

第一,此次审阅评估的原件是否是钱泳的手抄本,近两年国内对此有所争论。北京大学历史系辛德勇教授早在其2006年撰写的《钱泳〈记事珠〉稿本经眼识略》一文中,就已经明确"检视此书,满纸涂抹圈改,且在多处留有钱氏署名,其为钱泳手稿,自是了无疑义,毋庸再赘予征考"。近一年来,郑伟章先生和蔡根祥教授也对此进行了深入研究。尤其是郑先生,还把钱泳的其他作品找出来比对,这是非常科学的。郑伟章先生在钱泳的《登楼杂记》抄稿中发现了有关《海国记》所载内容的记述,也注意到彭令所藏《海国记》与《登楼杂记》一样,皆为钱泳经手整理的文字。差别在于,《海国记》原件是钱泳亲笔抄录的,为其真迹;《登楼杂记》原件疑是钱泳之子钱曰祥经手整理其父作品之抄本,现藏国家图书馆善本部。此外,我的学术挚友、国家文物鉴定委员会主任委员傅熹年先生,认真鉴定包括《〈浮生六记〉(卷五)册封琉球国记略(〈海国记〉)》在内的《记事珠》原件后,认为"《册封琉球国记略》原件,是清代旧东西,钱梅溪(钱泳号梅溪)手稿真迹,当代人是造不出来的。"因此,我们认为,《〈浮生六记〉(卷五)册封琉球国记略(〈海国记〉)》原件为钱泳真迹,完全能够确定下来。

第二,沈复在《浮生六记》前四记中,除记录了与妻子、父亲的关系外,还记录了去重庆、四川、陕西、山东、河南等地游玩的过程,这是沈复的朋友石韫玉介绍去的。嘉庆十二年,石韫玉前往北京,经其介绍,沈复也来到北京。《浮生六记》第四记就到此为止,后来的没有了。我们注意到,《海国记》中表明,沈复的琉球之行就是嘉庆十三年开始的,这里面可以看出其中的关系,因此,《浮生六记》第五记的发现,对《浮生六记》本身也甚有价值。前四记的文笔风格与第五记可以作比较,这也是很有价值的。

第三,关于《海国记》原件的价值与意义,我是十分看重的。2010年8月11日上午,在清华大学中国古典文献研究中心,我说过:"《〈浮生六记〉(卷五)册封琉球国记略(〈海国记〉)》原件,首先是清代书法家钱泳的手稿,艺术价值较高,可比作一块玉;又系出自古典文学名著沈复《浮生六记》的佚文,文学价值很高,进而可视为一块美玉;再者能广泛传递、宣传'钓鱼台(岛)自古属于我中华'的重要历史信息,现实意义大,历史价值也高,更进一步谓之当代和氏璧,亦应该不为过。"

也许有人会说,这部古籍的文物价值,无法与宋元孤本古籍相提并论;艺术价值,也不可能达到历代顶尖级书法家传世墨迹之地位;"钓鱼台(岛)自古属于我中华"的历史信息,其他文献中亦早有记载。但是,我们应该注意到,古代著名书法家手迹、传世经典佚文与"钓鱼台(岛)自古属于我中华"的重要历史信息,在一部古籍中三位一体,这是从来没有过的事情。这样的历史文献,不是经常能被发现的,著名文献学家郑伟章先生见到原件时曾反复说:"不容易看到,大饱眼福了,赏阅前应该沐浴焚香。"我相信,读者也一定能有尽量高看这文献一眼的期望。

原载 2011 年 1 月 5 日《人民日报》海外版,此据《台声》2012 年第 9 期录入

《宋才子传笺证》总序

　　20世纪80年代,我曾邀约二十几位学者,共同进行《唐才子传》的校勘和笺证工作。从笺证的内容说,要求做到这样三点:(一)探索材料出处;(二)纠正原书所记史实错误;(三)补考原书未备的重要事迹。《唐才子传》所列专传者为278人,按照上述要求,无异是对唐五代著名诗人作全面的生平考证。我在该书"前言"中就特为提及,想通过现代学术规范的笺证方式,科学地集中和概括作家生平事迹研究的成果,"希望这本书能作为有唐一代诗人事迹的材料库"。

　　《唐才子传校笺》,在笺证方面,我除了自己所作外,邀约二十几位学者参与。这种以个人专长与集体协作有效配合的方式,确实收到明显的效果。第一册于1987年夏出版,前辈学者、北京大学中文系王瑶先生写信给我,称赞此书"罗致各方力量,合力完成,确系功德无量之举",并说这种组织方式与体例安排,"富时代特色"。复旦大学王运熙先生来信说,这样做"为唐诗研究提供了扎实的基础"。也正因如此,我长时期以来,就想继此撰写一部宋代文学作家生平事迹考证的汇集之作。1986年冬,我曾在《关于唐代文学研究的一些想法》中,提出"可以组织一套中国古典作家传记丛书,凡在中国文学史上有过贡献,有其特色的作家,从屈原开始,到清末,分别写出传记";并云,这套传记丛书,要立足于信实,从材料辑集、考证出发,体现撰写者的独立研究,"则将是中国文学史研究的一项基本工程,在世界上也会产生影响"(《文史知识》1986 年第 12 期,中华书局 1986 年版)。

我想,这当是这次我与学者合作,共同撰写《宋才子传笺证》的学术心愿。

我于 2008 年 2 月就职于清华大学中文系,自 3 月起,任中国古典文献研究中心主任,即与中文系主任刘石教授商议,正式启动《宋才子传笺证》工程。自 2008 年上半年开始进行编纂工作,确定五个分卷,即北宋前期卷、北宋后期卷、南宋前期卷、南宋后期卷、词人卷,并约定五位著名学者担任此五个分卷主编,即四川大学祝尚书教授、中国社科院文学所张剑研究员、黑龙江大学辛更儒教授、南京大学程章灿教授、武汉大学王兆鹏教授。工作顺利进行,至 2010 年下半年全部成稿,交辽海出版社,并议定于 2011 年出版,则前后为四年。而《唐才子传校笺》,编纂启动于 20 世纪 80 年代前期,至 1987 年夏始出版第一册,至 1990 年底,才出版最后一册(第四册),至少历经八年,全部字数为 140 万字。而现在这部《宋才子传笺证》,总字数恐有 270 万字,为《唐才子传校笺》之一倍,确可引人深思。

于此再略作比较,当亦可见出《宋才子传笺证》的特色。

第一,前已记述,《唐才子传校笺》列为专传者为 278 人,而我们现在这部《宋才子传笺证》,《北宋前期卷》为 73 人,《北宋后期卷》为 81 人,《南宋前期卷》为 64 人,《南宋后期卷》为 87 人,《词人卷》为 80 人,总数为 385 人,极多于《唐才子传》。这应当说更能体现宋代文学作家的生活经历与创作情况。张剑先生在《北宋后期卷》"前言",中就提及,此卷"基本上囊括这一时期重要的作家,对于全面了解北宋后期文学生态和士人精神面貌具有重要的学术意义"。这么多人,现代各类文学史著作是不能比拟的。词人卷 80 人,实则在其他四个分卷,还有突出成就的词人,如欧阳修、苏轼、陆游、杨万里等等,这可以说是当前宋代词人事迹的材料库。又如宋代诗话,是古代诗歌理论的突出文体,甚有特色,过去郭绍虞先生已有《宋诗话考》《宋诗话辑佚》等书,但对诗话著者未有详考。我们这次请上海大学刘德重先生筹备,约请相关学者如四川大学陈应鸾、兰州大学魏宏远,及林建福、颜庆馀等名家,对有事迹材料可辑者的诗话著者,约二十余位,详作考证。这也是当前宋诗话研究的新进展。另还可以一提的是,当代不少文学史著作及有关论著,确有"重北宋,轻南宋"的现状,王水照先生近年所作的《南宋文学的时代特点与历史定位》(《文学遗产》2010 年第 1 期),明确提出,南宋文学史当是一个特定时段的文学史,在文学现象、文学形态、文学性质上具有鲜明时代特点和重要历史地位。我们这次五个分卷人数安排,也可显示南宋文学的重要历史地位:如前所述,北宋前后卷共 154 人,南宋前后卷共 151 人,而词人卷 80 人,其三分之二当为南宋时期,则南宋诗文词作家,当有 200 人,即大大超过北宋。同时在具体笺证中,读者当可观察到南宋作家甚有特色的政治表现、文学活动与创作风采。这应当说也是体现当代宋代文学研究的特色。

第二,前曾提及,《唐才子传校笺》参与笺证者有二十余位学者,经核实,为 22 人。而我们这次参与《宋才子传笺证》的撰写者,仅《北宋前期卷》就有 26 人(见《北宋前期卷》"前言"),再加上其他分卷,则撰写者人数当为《唐才子传校笺》的好几倍,这也可体现我们这部书集体协作的一大特色。经谨慎邀约,有好几位极有声誉的前辈学者,如王水照、刘德重、陶文鹏、刘扬忠、莫砺锋、沈松勤等,但绝大部分为中青年学人,"学界后起之秀"(程章灿先生之《南宋后期卷》"前言")。又正如《词人卷》主编王兆鹏先生在"前言"中所说:"《词人卷》的作者团队,不乏词界的老成精英,尤多后起之秀。"我又非常欣赏辛更儒先生在《南宋前期卷》"前言"中所说,此卷著者"既有老一辈名望甚高的学者,也有近年来新起的优秀学术人才,他们所撰写的稿件都为本卷增添了光彩"。这应当是《宋才子传笺证》的当代学术进展特色。

　　第三,《唐才子传校笺》以元人辛文房作传,当代学者作笺;《宋才子传笺证》则因前人并无作传,故每篇传、笺皆为当代学者同一人所作。我们这次所作,似乎有"自我作古"之嫌,实则为文献整理与文学研究结合的体例创新探索。也就是说,传文对传主之生平、政治行迹、文学交友、创作特色、才情气质、著作流传等,提供基本线索,同时辑集有关文献材料,加以梳理、考证,希望对宋代作家的个人行迹与宋代文学、文化的整体风貌,作出信实、生动并多元的探索。尤可注意者,这次笺证,一方面充分吸收当代研究成果,另一方面又尽量纠正过去史书及现代文献整理的疏失:如有不少处纠正《宋史》之误,又如《南宋前期卷》之刘学箕传笺证,考出《全宋诗》所辑刘学箕诗,其第二卷 54 首诗,皆非刘之所作。这确如辛更儒先生在《南宋前期卷》"前言"中所说,《宋才子传笺证》这次体例创新之作,"不仅对既往宋代文学文献研究作了总结,也必将为开展后续的相关研究提供新的研究基础和文献依据"。在撰写过程中,不少青年学者也都深有所感,西华师大马强才同志(现为清华大学国学院博士后)于 2009 年 1 月寄来所作王直方、韩驹、李彭三传,他并致信于我,说前所收到的样稿,"让我对宋代文学有了更深一层的认识,也使我对学界的最新研究情况有了更加直观的体认"。

在编辑过程中,我又有学术合作、团结之深感。2008 年上半年启动初,我即顺利邀约了五位分卷主编。这五位主编,我都有学谊:王兆鹏、程章灿、张剑三位的博士论文答辩,我都曾前后参与;1991 年还为程章灿所著《魏晋南北朝赋史》作序。2004 年,又应邀为祝尚书先生专著《宋代科举与文学考论》撰序。辛更儒先生几部有关宋代作家文集的整理、研究与出版,也曾与我联系。他们担任主编后,参据我提供的各卷名单初稿,细加核补,又好几次与有关分卷主编商议,调整名单,工作量很大。这应当是这部《宋才子传笺证》取得成功的主要因素。

启动开始时,我约请清华大学中文系谢思炜教授撰写吕本中传笺证,我自己撰范成大、陆游两传笺证,作为样稿分寄有关学者,以供参考。后陆续收到学者所撰稿件,我一方面自己审阅,交换意见,另一方面又选择作为样稿分寄各卷。有些学者接到样稿,也经细阅,提出修改意见,如四川大学陈应鸾教授所作《张戒传笺证》,我分寄后,就收到辛更儒先生及浙江大学陶然先生酌商意见,既确切又细致。张剑先生在《北宋后期卷》"前言"中说,

"撰写者总是不厌其烦地修改。这种对学术一丝不苟、精益求精的精神令我们十分感动"。

我曾长期在出版社工作,确有审稿及与学者作学术交流的习惯。如四川大学陈应鸾教授作有《胡仔传笺证》,他于2009年2月致我信,谓《(道光)徽州府志》有记胡仔材料,但他在成都未能见到此书,我就应嘱到有关图书馆查阅,补寄给他。又《文学遗产》2009年第4期刊有《西清诗案考》一文,我就转告陈应鸾先生,谓此与蔡絛之《西清诗话》有关,请其参阅。而更望读者关心的是,各分卷主编,不仅商议、确定各卷名单,约集众多学者撰稿,还更细心审阅。辛更儒先生在"前言"中说,他审稿时注意于"统一体例,以求学术规范"。尤其是王兆鹏先生,他对收到的每一篇稿子,"都认真修、改、补、校——修润行文,改正疏误,补增史料,校核文献"。他在台湾一所大学教课时,审阅《朱淑真传笺证》,发现所引田艺蘅《诗女史》,未注明卷数,怀疑未引原文,仅录自第二手材料,于是就两次到学校图书馆核查。他在《词人卷》"前言"中有详细记述,请读者参阅。我觉得,我们这部《宋才子传笺证》,不仅撰稿人多,且互相认真合作,这为当代学术团结提供既堪深思又含深谊的切例。我对参与此书编撰的学者深为感谢,也是我作古代文学、文献研究整理的再次自勉。

2011年2月

原载辽海出版社2011年版《宋才子传笺证》,此据东北大学出版社2015年版《中国当代名家学术精品文库·傅璇琮卷》录入,另收入大象出版社2015年版《书林清话》

清董正国《南墩诗稿》

　　董正国是清初宁波地区的诗文名家、学者。被梁启超称为浙东第三位史学大师的全祖望,在其所编《续甬上耆旧诗》卷一二五中,特选有董正国诗二十一首,称其诗受当地前辈诗人赞赏,并称其"尤工古文,精少(小)学,诗学杜,文学韩","不可一世"。全祖望还特称自己早年在甬时"从之受业","先生故爱予,尝曰:'此吾门俊人也。'"①钱大昕总撰《〔乾隆〕鄞县志》卷一七,称董正国"尤精六书,尝补葺张氏《复古编》,且为之注"②。按《复古编》为宋湖州人张有撰,《四库全书总目》卷四一谓"是书根据《说文解字》,以辨俗体之讹,以四声分类隶诸字",称其"剖析毫厘,至为精密"③。董正国能为之补辑、作注,可见其对字体、声韵亦甚有研究。

　　可惜董正国所著多已散佚。全祖望选录其诗二十一首,并记

---

① 《续耆旧》,《续修四库全书》,1683 册。上海古籍出版社,2002 年,页 82 上。
② 《〔乾隆〕鄞县志·人物》,《续修四库全书》,706 册,页 377 下。
③ 《四库全书总目》,北京,中华书局影印,1965 年,页 350 中。

云"生平著述最秘","不肯轻以示人",他曾"求先生集观之,不肯出"。后全祖望同学张宁永,"乃乘先生他出,私启其箧窃抄之,得百余首诗";"已而先生卒,予方在京师,及归,其遗集不知所之,赖张君所抄,得入此选"①。由此可见,董正国所著虽多,但因其个人性格,不肯轻以示人,后全祖望同学张宁永乘董正国外出,私自抄其诗作,全祖望乃据其所抄,选录于《续甬上耆旧诗》,全氏在宁波时则未见其集。故《续甬上耆旧诗》、《〔乾隆〕鄞县志》之董正国小传,均未著录其诗文集。今存有孤本《南墩诗稿》,确甚难得,但当代有关书目予以著录者,甚有舛误,故本文特为辨正考析。

　　清代鄞县诸方志记董正国生平者,均未记有生卒年,可就《南墩诗稿》中确考。《南墩诗稿》之《湖塘杂咏》组诗"古人百岁岂称奇"首,有"而我今方六十四"句。按此书卷首有董正国自序,云"康熙辛丑七月十八日南墩自记",记他于该年闲居于绍兴镜湖时作诗成集。康熙辛丑为康熙六十年(1721),则其生年为顺治十五年(1658)。《〔乾隆〕鄞县志》卷一七记董正国"年七十二卒",则其卒年为雍正七年(1729)。按全祖望记董正国卒时,"予方在京师",全祖望乃雍正七年选充贡生,入京师。如此,《〔乾隆〕鄞县志》与全祖望所记合,其卒年可定案。由此即可定董正国之生卒年为顺治十五年(1658)至雍正七年(1729)。因亦可知,《南墩诗稿》于有清一代,未有显世,世人一般皆未有见者,当确为孤本。

　　《南墩诗稿》,就内容来说,颇有特色。董正国长期住于本地鄞县,除作文、治学外,还在书院教书,"食饩郡庠,名公大人皆有

①《续耆旧》,页 82 上。

'董先生'之目，一时四方文学，争出门下"。六十四岁时，"岁辛丑，寓绍兴之湖塘"①，遂作诗，成集，即《南墩诗稿》。此集首二首《初到湖塘》、《到湖塘半月旋即归里》，为春时；第三首《又赴湖塘》，谓"夏节初交阴复晴，东南方挂片帆晴"，即于初夏时又自鄞县乘船赴绍兴，这样一直至秋季。所谓湖塘，当为绍兴镜湖附近。他携家人居住，一方面与当地文士交游，如《濮彦贞包圣占李希博冯方其同过》、《沈平山过访继王西昆至平山别去西昆留宿》等；另一方面又详记当地景色，其《湖塘杂咏》题下自注："自夏徂秋，见闻所触，悉见之篇。"有云："湖塘十里尽人家，高下门扉向水涯。是处高楼连巷陌，但留隙地种桑麻。"其第三首题下自序："楼北隔河一望，可数十里水田，绿树数点，远水映带村落，其佳境也，故诗中每及之。"既有佳境，即多美句。一位宁波文人，悠居绍兴，既记与当地士人交往，又描抒当地美境，这于有清一代的宁波、绍兴文化交流，很值得探索。

可憾的是，现代关于《南墩诗稿》一书的著录却甚有可议。如《清人诗文集总目提要》著录《南墩诗稿》一卷，谓"此集稿本，与佚名著《绿江初草》合装一册"②，乃据上海图书馆所藏之著录。现在正在编纂的《中国古籍总目》所著录《南墩诗稿》，即据上海图书馆所藏，谓："稿本。与《绿江初草》合订，佚名评语，蹇叟跋。"

按据通例，所谓稿本，即著者自己书写之本。我有一位友人，是古籍收藏家，他借我一本《南墩诗稿》的书写本，谓于 2010 年 5

①董懋煋《南墩诗稿·序》。懋煋，董正国族孙。
②柯愈春《清人诗文集总目提要》，北京古籍出版社，2001 年，页 395。

月在一次拍卖会上收购的，我借此书细阅，确发现一些问题。上海图书馆于"稿本"后，谓"蹇叟跋"，我所借阅之本，即有蹇叟跋，我现在即据我借阅之本加以考析。

上海图书馆于此书之版本著录，所云"蹇叟跋"，未标明蹇叟之真实姓名，也未记何时人，不合版本著录体例。按此册有二枚"美翊小印"（朱印），此美翊即张美翊，号让三、蹇叟，亦为宁波人，为清朝末年学者，民国前期曾任交通大学校长，人称其时"浙江三杰"之一。此书卷首有张美翊一文，文末署"宣统三年正月晦蹇叟重装记"，则此为重装本。不过张美翊记其家藏有手稿本，云："南墩先生诗手稿亦藏吾家"，谓卷端有康熙辛丑南墩自记，"有张锡琨韫山朱评，袁德峻眉少墨评"，又云"此册当与手稿本共宝之"。则张美翊所述，其家另藏有手稿本，而他所跋之本为重装之抄本。由此，则蹇叟（张美翊）非在手稿本内作记，而在重装本中作记，亦即跋，上海图书馆既于版本著录中记其所藏之本有蹇叟跋，则当确定非稿本。此为显误。

又，友人提供的这部《南墩诗稿》书写本，钤印达十一处之多，有美翊小印（二枚），及桃花渡左人家、世统之印章、臣董懋煋印、炳尧、张、黄过草堂、世统印信长寿、张伯学、张氏世统长寿印等。可证张美翊所跋者为承袭前世所藏之抄本。由此亦可认为，友人提供的此本，实即上海图书馆旧藏，不知何因流出，在市场上拍卖。

就现在所见的这部《南墩诗稿》，除张美翊之重装记外，还可上溯一文，即列于卷首的董懋煋叙，叙后自署"乾隆五十一年岁在丙午之闰七月族曾孙懋煋炳尧氏谨录于铭存堂"，有"臣董懋煋"、"炳尧"两朱印。此叙首云："南墩先生名正国，字次欧，别号南墩。"此为"南墩"首见者,全祖望《续甬上耆旧诗》、钱大昕《〔乾隆〕鄞县志》均未提南墩者,可见乾隆时此书尚未公示于世。叙中极称董正国为"吾族之望人,天下之名士";又记叙与当时本地文人之诗文交往:"每与张韫山、袁眉少、蒋季眉诸同志游无虚日,好饮酒,饮少辄醉,醒即赋诗,常以长短歌行自写其牢骚不平之意。"后即具体记述此诗集,谓其族祖息泉先生为董正国"门下高足","得其笔存遗稿,然已被虫雕,多缺字。岁丙午,于锦霞翁处借其集而手录之,非惟心服而雅誉,且将欲后之学者知先生不独以制义见长,诗学亦无愧作者"。乾隆五十一年丙午为公元 1786 年,已为董正国卒后五十七年,董懋煌乃从其族前辈借得南墩集手稿,抄录之,并补正其缺字。今存此本,于页心皆书写为"南墩先生原稿抄"。这一抄本当是《南墩诗稿》当时存于世的最早之本,因叙中未提及原稿仍存于其处。

另可注意者,叙中提及董正国"每与张韫山、袁眉少、蒋季眉诸同志游",常赋诗唱和。《南墩诗稿·湖塘杂咏》中一首(页十四),题下自署"怀袁眉少、蒋季眉",末二句云"予亦有诗成一束,持君为我定推敲",即期望两君以后为此集予以评点。今抄本即有袁眉少、张韫山评。卷首又有张、袁二人题记,文末各署"教弟韫山张锡璁拜评"、"教弟德峻顿首",皆自称教弟,当为同辈。张锡璁,生于康熙元年(1662),卒于雍正九年(1731),亦鄞县人,有《蕴(韫)山集》①。由此可证,张、袁当于董正国卒前已对《南墩诗

①《国朝耆献类征初编》卷三八五,扬州,江苏广陵古籍刻印社影印,1990 年,页 610 下—611 上。

稿》予以点评，董懋煌亦加抄录。张美翊所存、所重装之本，亦有张、袁点评，当即为董懋煌于乾隆五十一年（1786）抄录之本。问题是，张美翊记云"南墩先生诗手稿亦藏吾家"，"此册当与手稿本共宝之"，即他于宣统三年（1911）作重装记，主要即董懋煌之抄录本（包括张、袁点评），但他所谓另藏有手稿本，源于何处，未有记述，且此手稿本，20世纪目录书均未有著录，因此他所谓另藏有手稿本，是否确实，甚可疑。现在只能说，当代传存的《南墩诗稿》仅为乾隆五十一年董懋煌之抄本，张美翊于宣统时重装即承董懋煌抄录之本。

张、袁之点评颇可注意。二人在卷前皆有题记，张氏对董正国此部诗作评价甚高，称"尊作逾百篇，其清和圆润者不减放翁，隽永坚峭者可追永叔"。即此集之诗，可与宋人名家陆游、欧阳修并称。集中《过寓园》七律（页三），首二句"名山信不在深幽，此亦人间一小丘"，袁氏旁批云："古人谓谢朓（脁）工于发端，正是此等。"则袁氏又将其与前唐名家谢朓并比。可引入深思者，张、袁二人所评主要当然是赞誉，但也有提出修改意见，如《往寓园舟中偶书》（页四），诗后有张评："往寓园，意未点，自是漏笔。"《湖塘杂咏》（页三十），眉端有张评："三、四尚欠活相，须改过存之。"《湖塘杂咏》第三十七首（页十九），第七句"隔巷忽闻横短笛"，袁氏眉端有评："横字不稳。"其他类似者尚有数例。由此亦可显示浙东学风，即友人点评，除充分肯定对方成就外，不嫌于提出不足之处，这也可见出浙东文风之求真务实，也为我国古代评点文风研究提供值得思索佳例。

又《怀黄天授》诗（页十五），末二句云："我今久住湖塘，谁复同君月旦评。"眉端有朱笔批（当是张氏评）："塘字下疑落'上'字。"下一首《怀徐芷水》第四句"于人常似饮醇胶"，眉端朱笔批："胶疑'醪'之讹。"这当是张氏作评时，原稿如董懋煋叙中所云"已被虫雕，多缺字"，故张氏提出有缺字、误字，而董懋煋已无法补正。由此亦可知，张美翊于宣统三年仅重装，未有补正，则张美翊所云他另藏有原稿，实不确，他所重装者，仍为董懋煋之抄本。由此也可见，上海图书馆所藏之蹇叟（张美翊）跋本，确非稿本；柯愈春《清人诗文集总目提要》据上海图书馆著录，定为稿本，亦误。

《清人诗文集总目提要》又云董正国所著另有《弃余草》、《越游草》，"今未见传本"，亦显误。《弃余草》确未见传本，但《越游草》实见于《南墩诗稿》。按《南墩诗稿》，前三十六页为康熙六十年春夏期间在绍兴作，自第三十七页起，即题为《壬寅越游草》。壬寅为康熙六十一年（1722），即董正国于康熙六十年秋返甬后，翌年六月又至越（绍兴）游览，有诗十五首。在此期间又与当地文人交往：《过沈平山渔庄纪事》、《追答沈可山旧日赠诗》、《张德符六十又一生朝赋赠》。张锡瑑（韫山）又有评曰："一气旋转，神旺笔健，绝似少陵长歌。"由此可见柯愈春作提要时，未阅核《南墩诗稿》，故误称《越游草》未见传本。

又，上海图书馆著录《南墩诗稿》，既误称此蹇叟跋本为稿本，又谓"与《绿江初草》合订"。此次国家古籍整理出版领导小组组织编纂《中国古籍总目》，我忝为总主编，复旦大学图书馆古籍部主任吴格教授为副主编，做统稿工作。我曾与他联系，告知此事，他回复说，从数据库中检索《绿江初草》，《古籍总目》未有著录，即现在实未见有此书。现存董懋煋、张美翊之抄本，为孤本，仅单独一册,未有与《绿江初草》合订者。又上海图书馆于此书版本著录中又称此书有"佚名评语",实则书中明显记有张韫山、袁眉少评点。上海图书馆著录时当未查阅原书,讹称"佚名评语",这确未合书目编纂之规范。

2011 年 4 月

原载《中华文史论丛》2011 年第 4 期,此据北京联合出版公司 2013 年版《濡沫集》录入

《唐五代逸句诗人丛考》序

　　黄大宏同志与我尚未见过面,但他说他曾读过我所著《唐代诗人丛考》几部书,我则也读到他于去年在中华书局出版的《八代谈薮校笺》,虽未有会晤,但互读之后实有治学上的一种同感共识之见,这当也是一种难得的学术交谊。

　　特别是他前些日子致我信中,特为表述:"文学研究应当建立在文献研究的基础上,文献不熟,文学研究就容易陷入空泛无根的状态",并进而概括:"'义理'之学要以考据成果为基础,'考据'之学要以彰显'义理'为目标,两者相得益彰,相互融合","以达到较为理想的学术境界"。这就使我想起我于1997年为复旦大学陈尚君教授《唐代文学丛考》(中国社会科学出版社1997年10月出版)所作序的几句话:"资料的考证往往与作家作品的整个思想发展,与某一时期文艺观念的演变,有着密不可分的交叉联系。而考证,从治学路数来说,并非只是所谓饾饤之学,实是一种细密、清晰的理性思考。"又想起南开大学罗宗强教授为我的《唐诗论学丛稿》所作序中,称我的《唐代诗人丛考》,"通过诗人事迹的清理所展示出来的诗人诗坛风貌;考其生活之播迁,而往往察其诗风；考其交游，而往往触及诗人群落"。我觉得，以上这些话，确也适合于对黄大宏同志这部《唐五代逸句诗人丛考》之评价与议论。

我于 20 世纪 80 年代编纂《唐才子传校笺》，在总序中概括笺证的工作，大致包括这样三项：一是探索材料出处，二是纠正史实错误，三是补考原书未备的重要事迹。这样做，确得到学术界的好评，复旦大学前辈学者王运熙教授曾致信于我，说这样做"为唐诗研究提供了扎实的基础"。我这次通阅黄大宏同志这部《唐五代逸句诗人丛考》，也觉得他所作，确也如《唐才子传校笺》的三个方面笺证方式，甚见工力，颇具特色。此书于《全唐诗》所载逸句，遍检较早出处，并复核原书，改正误字、误事；又考订作者事迹，增补原辑遗缺。著者力求在所涉及的范围内，尽可能求全求实，并在资料搜辑考辨的过程中，细心发现前人未曾注意的问题，确有抉隐发微、提出新见的引人入胜之长。

由于我的读书习惯，为学界友人著作撰序，总要细读原稿，又想随时了解唐代文学研究成果，故此次我就通读《唐五代逸句诗人丛考》，并参阅我的挚友、唐代文学的文献研究卓越著者陶敏先生新近出版的《全唐诗作者小传补正》一部大书（共 130 余万字，辽海出版社出版），颇有所得。鉴于体例，序言的字数不能过多，故本篇只能概举数例，谨供学界参考、研讨。

《全唐诗》卷七九五载赵仁奖诗二句，题《赠上蔡令潘好礼拜御史》，注谓见《朝野佥载》。按《全唐诗》于康熙年间编纂时，主要即承袭明胡震亨《唐音统签》及清初季振宜《唐诗》，此次黄大宏同志即遍检二书，特别是《唐音统签》。经核检，赵仁奖此二句及其小传，即袭自《唐音统签》卷八二〇，亦注见《朝野佥载》。现本书页四赵仁奖考，考出今本《朝野佥载》，未有记赵氏其人其诗者，即又检出《太平广记》卷七五九《御史台记》，记有赵仁奖此二句诗，则出处应为《御史台记》，非《朝野佥载》，《全唐诗》与《唐音统签》皆误。书中又检出《海录碎事》卷十一，《唐诗纪事》卷十五，亦记有赵仁奖事，即由此详记赵氏及此二句诗之写作背景。《御史台记》，又核检唐代史书，著者有韦述、韩琬二人之说，并加考核。此条确可说是一篇考证专文。

此为出处之书名误考正，本书又有好几处辨正著者姓名之误者。如《全唐诗》卷七九五载有王暕《桂林逍遥》诗二句，未注出处。本书页九宋之问考，谓《全唐诗》此处亦据《唐音统签》卷八六七，作"王俊"；又检《太平御览》卷一六三、《方舆胜览》卷三八，记为宋考功诗，又查核《岁时杂咏》卷九、《全唐诗》卷五三，皆记宋之问此二句诗之全篇，即考核为宋之问于晚年南贬时在桂州作。则《全唐诗》不仅著者姓名有误，且列为逸句，又误。与此相类者，又如《全唐诗》卷七九五载郑说《赠温州大云寺僧鸿楚》诗二句，注见《高僧传》。本书页一七三"十国"吴越郑杼考，除检出《全唐诗》仍承袭《唐音统签》卷八六三，又特复核《宋高僧传》卷二五《梁温州大云寺鸿楚传》所记，检出"（郑）杼诗赠楚"，又搜辑刘长卿有饯送郑说诗，《全唐诗》卷七八九有郑说诗二首，《全唐诗》卷七九四又载郑说与皇甫曾、皎然联句诗，由此，则《全唐诗》不仅误以郑杼为郑说，且郑说为中唐时人，非五代时吴越人。又可注意者，陶敏《全唐诗作者小传补正》页一五〇二，虽亦引及《宋高僧传》，但未检出作郑杼，仅引文，未有考。

著者时代之误者，又如《全唐诗》卷八六八载胥偃诗二句，未有胥偃小传，亦未注出处。现本书页二五六胥偃考，检核谓据《唐音统签》卷九九九，所引为《南部新书》。本书则检出宋曾巩《隆平集》卷十四有记胥偃事，又引《东都事略》《宋史》及《翰苑群书》之北宋《学士年表》，考出胥偃生于北宋太平兴国八年(983)，卒于宝元二年(1039)，则确定为宋人。《全唐诗》承袭《唐音统签》，列于唐，显误。遗憾的是，陶敏之书未有考及胥偃者。

陶敏书所考未及者尚有。如《全唐诗》卷七九五载李郁诗二句，其小传仅云"泉州人"，未标出处。本书页八〇李郁考，检出《唐音统签》卷八五〇载此，亦仅云"泉州人"，亦未注出处。陶敏《全唐诗作者小传补正》页一四七六亦仅云"事迹无考"。本书则引有《旧唐书·懿宗纪》咸通十三年五月，因于琮失势，致大批官员被贬，包括"左散骑常侍李郁贬贺州刺史"，并考核所录吊欧阳柜诗二句，考李郁活动于晚唐文宗、懿宗朝。又如《全唐诗》卷七九五载卢休逸句五则，注谓见张为《主客图》，即本《唐音统签》者。本书页一一六卢休考，谓《唐诗纪事》卷六四有卢休条，记张为《主客图》载有卢休逸句，但仅四则，并无第五则"入门堪笑复堪怜，三径苔荒一钓船"二句。而陶敏书页一四九九，仍谓"所存句五则均出《唐诗纪事》卷六四引《诗人主客图》"。本书又考出《岁时杂咏》卷十一、《唐诗纪事》卷七一记此二句为唐末唐珪作，且为全篇，非逸句。则《唐音统签》《全唐诗》将此二句误作卢休诗，将全篇列为逸句，皆误，陶敏书未有考及。

陶敏先生对《全唐诗》小传详加考订，纠误补事，甚有学术价值，但他对《全唐诗》之逸句部分，有所缺考。黄大宏同志此书应是当今唐诗考订研究之一部力作。

　　但陶敏先生所考，有些地方也有可补本书者。如《全唐诗》卷七九五记有杜鸿渐小传，及逸诗二句。本书页三三引及两《唐书·杜鸿渐传》，记述其行迹，而陶敏书页一四六七引及杜鸿渐同时人元载所作《杜鸿渐神道碑》(《全唐文》卷三六九)，此可为较早材料，本书则未及，可补。又如《全唐诗》卷七九五载剧燕小传及逸诗二句，本书引有《唐摭言》《唐诗纪事》等，有所考。陶敏书(页一四七七)则又引有《剧谈录》卷下所记："大中、咸通之后……剧燕……以律诗流传"，本书未有引及。这里我尚可稍作补充，本书有些条所考唐代诗人，有任翰林学士者(如页八六高元裕考等)，本人前几年出版有《唐翰林学士传论》(辽海出版社)，稍有详考，可参阅。

　　以上只是略举数例，实际上这部著作对唐诗逸句及有关作者作扎实的考察和精细的探索，是《全唐诗》专题文献研究的一部新作。目前，新编《全唐五代诗》正继续进行，我作为主编之一，一直参与。现在这一项目，初盛唐部分基本完成，尚待修订，中晚唐部分尚在编纂、点校中，则黄大宏同志这部著作作为唐诗研究的组成部分，必为这一项目提供极有学术价值的参考资料和科研成果。

2011 年春

原载中华书局 2011 年版《唐五代逸句诗人丛考》，此据大象出版社 2015 年版《书林清话》录入，另收入北京联合出版公司 2013 年版《濡沫集》

《回文集》序

　　现在,由丁胜源、周汉芳两位学术名家编纂的《回文集》,又经国家图书馆出版社精心编印,这部 13 卷 300 多万字的六册大书,印行问世,这应当是我国古代文学有关文体学的一部文献史料经典之作。这次我应邀作序,通读全书,确深受学术共索、互求创新的启示。

　　中国古代文艺理论名著刘勰《文心雕龙》,在其《明诗》篇中已提及回文,称"回文所兴",将回文作为一种诗体专称。据现有史料,较具规模的回文诗作,创始者是北朝十六国初期前秦的苏蕙,因怀念其被流贬的丈夫窦滔,特作"回文旋图诗",《晋书·烈女·窦滔妻苏氏传》记云:"织锦为回文旋图诗以赠滔,宛转循环以读之,词甚凄惋,凡八百四十字。"后唐初编撰的《隋书》,其《经籍志》特为著录其《织锦回文诗》一卷,全文又见北宋时所编大型类书《文苑英华》卷八三四。《文苑英华》同卷又载有武则天所作《苏氏织锦回文图记》,可见苏蕙此作所受的重视。实际上南朝文人名家江淹、吴均已用于诗赋,且东晋、宋初之谢灵运,后人所编目录,也有《回文集》十卷,可见苏蕙之作在南朝已甚有影响。清人康发祥《伯山诗话》三续集卷三,甚至称"回文体六朝时最尚之"。20世纪前半期的谢无量《中国妇女文学史》也特提及苏蕙之作,称"此是古今绝作"。可是当代的文学史著作,包括一些文学史名著,多未提及苏蕙回文诗及回文文体。唯我的两位学术挚友曹道衡、沈玉成于20世纪80年代所著的《南北朝文学史》,有专节论述苏蕙,称她的这篇回文诗"反映了作者技术的熟练和巧思",并从文体流变史的角度,概称:"自苏蕙以后,许多文人都写过回文诗,在诗中成为一体。"颇有识见。

确实如此,有唐一代,从初唐到晚唐,都有回文之作。中唐时刘禹锡所作回文,皮日休《杂体诗序》特为提及:"近代作杂体,唯刘宾客集中有回文、离合、双声、叠韵。"明胡震亨《唐音癸签》卷二九也云:"唐人刘宾客及皮、陆唱和,并有回文诗。"又甚可注意的是,清徐松《登科记考》卷二七据《永乐大典》所辑《宜春志》,谓:"卢邈,唐末寄举湖南,登第,献回文诗二百首。"则此应是唐代科举考试甚有意义的史料。我于20世纪80年代所著的《唐代科举与文学》,第十章《进士行卷与纳卷》,曾详细记述唐代士子应举考试前,先向名臣贤士献其诗文之作,以显示自己文才,请其推荐,以便登第,称行卷,即行卷在唐代科举考试甚起作用。而此位湖南举子卢邈特以回文诗二百首作为行卷,并由此登第,这就可见回文诗在当时社会的影响。

回文在宋代文学也甚起作用,苏轼还以回文之诗体转写词作,刘将孙《养吾斋集》卷十一《黄公诲诗序》就特称"东坡神迈千古,至回文作词,语更可爱"。南宋时桑世昌所编《回文类聚》,是现存最早的回文总集,此书卷四全为宋人词,载有词55首,作者

13家。由此可见,回文以苏蕙《璇玑图》为开端,自南北朝起,历唐、宋、元、明、清,一直吸引才子学士甚至名家大儒积极参与创作,如谢灵运、江淹、庾信、武则天、刘禹锡、皮日休、陆龟蒙、王安石、苏轼、秦观、黄庭坚、朱熹、高启、汤显祖、万斯同、王士祯等,给后世留下各种样式、各种风格的作品,形成了世界上别具匠心、独特文体的文学样式和修辞方式,是我国文化遗产的组成部分。

且回文遍及诗词曲赋,以及尺牍、对联、隐语、乐曲、绘画等,诸体咸备,图文并茂,内容广泛,题材丰富。且回文之作,于国外也有影响,日本也有回文体诗作,西文有回文研究。也就是说,我国这一特殊文体,不仅历史悠远,且有广泛世界影响。我们很值得作文体学史的深切探索。

但是,对于回文体之作,历史上也有不同评价,并有贬议。如明胡应麟《诗薮》外编卷二称其为"诗道之下流,学人之大戒",也有贬称为"雕虫小技""文字游戏"。当然,回文体创作确有难度,也因此,古代文人并不以此为自己创作的主体,只是偶一为之。也正因此,回文之作流传不多,多散见于别集、总集、史乘、笔记中。编为合集者,先有南宋桑世昌《回文类聚》,明万历中云间张之象续之,清康熙间吴郡朱象贤又续之。但此后二百余年,未有续编者。

现在丁、周两位先生编此回文总集,可以说是自南北朝至20世纪二三十年代的回文全集,收辑作者有1300余家,诗词曲赋万首,图785幅,共列为六十三卷,附录一卷。内容不仅包括回文诗图、诗文,还涵盖了域外汉诗、和歌、乐曲,英语的回文,以及回文的专辑叙录、记事、回文释例等,可以说是一部系统、全面、完整、综合的回文总集。尤其书前的《前言》,分列五节:一、中国回文发展的历史回顾;二、当代的动态;三、我国回文的特色;四、人们对回文诗词的评价;五、编纂出版回文集的意义和目的。这可以说是文献史料探索与文体理论研究的结合,为我们当前古代文学研究、古文体研究,不仅填补空白,且至意创新,真使人有"更上一层楼"之感。故特为作序,谨表致我的学术期望与意愿。

2011 年夏

原载国家图书馆出版社 2012 年版《回文集》,此据大象出版社 2015 年版《书林清话》录入,另收入《书品》2011 年第 6 辑、北京联合出版公司 2013 年版《濡沫集》

《孟浩然研究论丛》序

　　唐代诗人孟浩然的家乡襄阳,是一座具有 2800 年建城史的历史文化名城,这里物华天宝,人杰地灵,英才辈出。这次由中国孟浩然研究会、襄阳市人民政府、襄樊学院联合主办,襄樊学院文学院承办,襄州鹿门风景名胜区管委会协办的"2011 年孟浩然研究国际学术研讨会",就是对诗人孟浩然进行的又一次高规格的研讨与纪念的盛会。这次研讨会在襄樊学院顺利召开,充分体现了襄阳市人民政府与襄樊学院的决策者们,对地方文化的建设予以高度重视,也因而取得了令人满意的预期效果。

　　这是一次在孟浩然研究史上占有重要地位的盛会。这次盛会的召开,除了得到各方面的支持与襄助外,还表现出了一个值得注意的特点,就是在中国孟浩然研究会会长王辉斌教授的倡导与努力下,首次于会前出版了大会论文集《孟浩然研究论丛》一书。正因此,凡参与此次会议的学者,在报到的第一天,就都能领到一本由黄山书社出版的精装本《孟浩然研究论丛》,这就更便于大会的学术交流与讨论。这是一本收有近 60 篇论文约 70 万字的论文集,其规模之大,文章之多,内容之丰富,风格之多样,在近年来以个体诗人为研究对象的学术会议论文集中，是很少有能与之匹配的。这一事实表明，对于孟浩然其人其诗的研究，已引起了愈来愈多学者的参与和关注，而使之成为了中国古代文学研究特别是唐代文学研究中的一大亮点。为了证明这一点，我可以先举一个例子来加以说明：这就是自20世纪80年代以来，孟浩然已成为了国内外诸多攻读博士学位者的专题研究对象，如毕业于首尔大学、现为韩国放送通信大学教授并在台湾中山大学作客座教授的李南钟博士，毕业于南京师范大学并留校任教的李园博士，其毕业论文就都是对孟浩然其人其诗所做的专门研究。而李南钟教授能欣然应邀参加此次会议，这确反映他对孟浩然研究的热爱与执着。此外，新西兰坎特伯雷大学亚洲研究系的陈珏教授、日本国立命馆大学文学部的芳村弘道教授，以及这次应邀与会的日本国冈山大学文学部的下定雅弘教授，也都是在孟浩然研究方面作出了可喜成绩的学者。又如浙江新昌，20世纪90年代初就提出"浙东唐诗之路"专题，曾举办数次学术会议，并拟以此申报世界文化遗产，而他们之"浙东唐诗之路"，即以孟浩然与李白之浙东之旅与诗作作为重要内容，已编有专题论丛出版。所有这些均可表明，孟浩然其人其诗，广受文化界关注，这不仅在中国内地与台、港、澳地区蔚为壮观，而且在海外汉学界也是深受学者们所喜爱的。

作为一部大会论文集，《孟浩然研究论丛》所涉及的内容，既相当丰富广泛，又颇具原创性特色，这是很值得我们注意的。如论文集中对孟浩然中庸人格精神的探讨，对孟浩然与佛教的关系及其佛教诗的论析，对孟浩然诗歌中玄言气象的观照，对孟浩然与杨万里山水诗的比较,对中兴四大诗人对孟浩然接受史况的勾勒,对李梦阳评点孟浩然诗集的特点与成就的归纳和阐释,以及对孟浩然画像的考述等,就属于此前无人涉笔的一些典型例子。这次大会论文对这些研究对象的首次涉猎,既是对孟浩然研究领域的一次大的拓展,又填补了孟浩然研究史上的诸多空白,或此或彼,都是值得称道的。

总体而言,此次大会所提交的近60篇论文,在题材内容与研究对象上,本人认为,主要表现在以下几个大的方面:

其一是孟浩然与襄阳的关系及其思想。闻一多先生曾经说过:孟浩然是属于襄阳的,襄阳也是属于孟浩然的。这句话直接道出了孟浩然与襄阳的关系。此次大会论文中的《论孟浩然的涧南园情结》《襄阳与孟浩然的思想倾向》《孟浩然的仕隐情怀与魏晋文士情结》等文,分别从不同的角度、不同的切入点,进行深切讨论,观点新颖,结论中肯。关于孟浩然思想的探讨,由于受了《唐书·孟浩然传》的影响,以前的研究者大都是围绕着"隐逸思想"在转圈子,此次提交的大会论文,如《论孟浩然与佛教及其佛教诗》《试论孟浩然的中庸人格精神》等,则以佛教关系与中庸人格精神等为着眼点,首次对孟浩然的思想进行了新的探索与新的观照,且论析较为深刻具体,颇能启人思路。

其二是多维度的孟浩然诗歌研究。对于这一方面的研究,又具体表现在以下四端:一是对孟浩然诗歌的宏观透视,二是对孟浩然诗歌的微观考察,三是对孟诗艺术风格与特点的论析,四是对孟集版本的梳理与辨正。这方面的论文共有20多篇,从总体上讲,视野开阔,论证严密,新见时出。如《孟浩然诗歌的玄言气象》一文，首次以"玄言气象"为切入点，对蕴含孟诗中的理趣、情趣、归趣进行讨论与归纳，并认为孟浩然"诗中的玄言之思以议论、画境与妙悟为表现形式开辟了唐代诗歌的新气象，对中国诗歌的发展产生了深远的影响"。持说层进层深，新人耳目。又如台湾学者吕正惠教授，1999 年我与他同执教于台湾清华大学，当时他重点研究唐代古文运动，对韩愈文集版本深有考索，这次他又提供《孟浩然诗集的版本问题》一文，以台湾"国家图书馆"所藏明顾道洪刻本《孟浩然诗集》、凌濛初套印朱墨《孟浩然诗集》为依托，分别对宋蜀刻本孟集、元刘须溪评本孟集、明《唐十二家诗集》本孟集、明活字本孟集进行了比勘，认为《四部丛刊》本孟集"所收作品最为完备"，其"异文往往优于宋本"，是现存最好的一个孟集版本。又如范子烨学者过去对陶渊明诗文词义多有辨疑，甚有新见，我们数有聚议，这次他又有《孟浩然〈题终南翠微寺空上人房〉诗"苏门啸"解》一文，也从细微处着眼，对孟浩然《题终南翠微寺空上人房》一诗中的"苏门啸"进行了重新诠释，值得注意。

其三是关于李白与孟浩然的交谊。孟浩然是最为李白所尊崇的一位诗人，所以，李白在《赠孟浩然》一诗的开首，即写下了"吾爱孟夫子，风流天下闻"十字，以表示他对孟浩然的怜爱有加。本次大会关于这方面的论文也有多篇，如《孟浩然"风流天下闻"探因》《从李白〈赠孟浩然〉看李白对孟浩然的认识》《从〈赠孟浩然〉看诗史差异和英译问题》，以及《李白〈黄鹤楼送孟浩然之广陵〉新释》等文，就都对李白与孟浩然的交往关系进行了重新讨论，并提出了一些新的认识与见解。

其四是孟浩然比较研究。对孟浩然进行比较研究,成为了此次大会讨论的一个热点。这次《孟浩然研究论丛》中关于这方面的论文有近十篇之多,即可窥其一斑。这些论文所比较的对象,依次主要有屈原、宋玉、曹植、阮籍、嵇康、陶渊明、谢灵运、谢朓、庾信、王维、李白、杨万里等人,由先秦而南宋,前后时间长达1500年之久,且比较的内容,由诗艺诗风到文学成就,由人生追求到文化意蕴,丰富而宽广。

其五是孟浩然接受史研究。对于这一方面的研究,是此次大会讨论的又一个热点,而且论文的数量之多,涉猎的范围之广,均属盛况空前。其中,既有对由李唐而朱明的历代接受史的考察,又有属于韩国传统时期孟浩然诗的接受研究,更有对闻一多先生研究孟浩然成果的不同评价,真可称得上是古今中外,应有尽有。

其他方面的研究如对孟浩然生平中有关问题的考察,对孟浩然生活方式新质的论析,对孟浩然有关评价的重新审视,对孟浩然诗中盛唐气象"变奏"的探讨,对孟浩然心态与诗境的窥探,等等,确各具特色与风采。从以上的简要介绍中不难看出,这次研讨会对于孟浩然其人其诗的研究,确实涉及到孟浩然研究的各个方面。而且,有些论文的研究还涉及到了其他方面的一些研究,如《李梦阳参评〈孟浩然诗集〉及其对刘辰翁之批点的承变》一文,即为这方面的代表。此文有近30000字之多,对李梦阳评点《孟浩然诗集》的特点,以及李梦阳在评点中对刘辰翁评点《孟浩然诗集》特点的承变等,均进行了逐一梳理,极具参考价值。其他文章如《论孟浩然与佛教及其佛教诗》等文,也大都具有这样的特点。因此,我们有理由相信,通过这次大会的召开,以及这部《孟浩然研究论丛》的出版，必将会使孟浩然研究在今后的一段时期内，得以更加蓬勃地发展，并结出更加丰硕的成果来！

我由此想起，2001 年在襄樊学院召开全国首届孟浩然研究学术研讨会，经历十年，现在又在襄樊学院举办第三届孟浩然研究国际学术研讨会，十年来的丰硕成果，确使我深有所感。我过去已有表述，认为我们对古代文学，在传统研究的同时，应特别注意对现状的研究，以使视野开阔，思想敏锐。当前孟浩然研究者，无论是年长或中青年学者，他们之中不少人广泛吸收当代社会的新鲜知识，形成更为独特的研究视野和观念，另一方面又努力对作为研究对象之一的文学史料作沉潜的探索，这种勤奋的深切实证是足以支撑作大幅度的理论研讨的。特别是本书主编王辉斌教授，不仅其有关孟浩然专著之翔实考察与对旧说的辨正，提出不少新见，而且其作为中国孟浩然研究会会长，长期以来个人专研与学科策划相结合，一直推动孟浩然研究，也颇受我们唐代文学研究界的重视。因此我建议，我们这次会议，在论文探讨的同时，可以进一步对孟浩然的研究经历与成果作总结性的理论考察，以使"更上一层楼"！

2011 年夏

原载黄山书社 2011 年版《孟浩然研究论丛》，此据大象出版社 2015 年版《书林清话》录入，另收入北京联合出版公司 2013 年版《濡沫集》

《中华诗词名篇解读》序

我曾经在商务印书馆、中华书局合营时期的同事,也是我校友的郭庆山君向我推荐了邓荫柯君编著的《中华诗词名篇解读》书稿,望我能给此书作序。经介绍,我得知邓君是晚我四年的北大中文系新闻专业校友,挚爱古典诗词,虽遭"五七"风雨,备尝艰辛,但痴心不改。新时期,邓君在沈阳的春风文艺出版社工作,致力于文学编辑和业余文学创作,耕耘勤奋,著作颇丰。此前,邓君已有《1916—2008 经典新诗解读》一书出版,足见他对诗歌的倾情挚爱和倾力研究。现又编著有《中华诗词名篇解读》,真是扩展视野,沟通古今,把传统诗词与现代诗作结合起来进行品赏、研究,这确是当前学术研究的新探索。这本《中华诗词名篇解读》,从书名就可看出他对古典诗词辉煌遗产的衷心倾慕;从目录来看,可谓编选精当的诗词精华之浓缩版。抽检稿中部分解读文字,深感邓君对古典诗词名家名篇理解之深透,阐释之清晰,领悟之新颖,文笔之潇洒,加之庆山君的一再敦请,故不揣谫陋,勉为之序。

邓君此书的一个亮点是取材和编排上的创造性。与众多古典诗词选本的"别裁"不同,他不再细分古诗、近体诗、乐府、五言、七言,律诗、绝句,而且干脆打乱诗词曲的界限,纯以诗人和诗作的艺术水准、思想高度、个性光彩、审美品格、艺术感染力为标准,在几千年的诗歌发展长河中选取百余位诗人的三百余首传世佳作,给读者提供了一个中国古典诗词的精粹选本,一览博大精深、美轮美奂之古典诗词的全貌。但此书又不是平均分配篇幅之排行榜,而是突出了诗歌初创时期的《诗经》和楚辞的质朴高贵,魏晋南北朝时期的率性吟咏,诗歌巅峰的唐诗无与伦比的辉煌,和唐诗双峰并峙的宋词的不朽风韵以及重现光彩的清诗词的小阳春。在群星闪耀的艺术天宇中突出了《国风》、屈原、曹操、曹植、陶渊明、张若虚、王维、李白、杜甫、白居易、李商隐、杜牧、李贺、李煜、欧阳修、柳永、苏轼、秦观、姜夔、辛弃疾、陆游、李清照、纳兰性德、龚自珍等相当于二十八宿的光辉。读者如果从此书中寻觅自己特别喜爱的篇章,可能有遗珠之憾,但如果品读其中的篇章,无论杰作本身还是解读文章,当会感受其选录的公平精当、解读的言之有理,从而谅解因篇幅所限、挂一漏万的缺失。

此书的最大特色是那些浸透了作者真情和心血的解读文章。这些文章重点不在研究、考据、训诂,而在于对古典诗词巨匠的倾心敬仰与挚爱、远隔千百年的和谐共鸣、富于个性色彩的领悟、文采粲然的表达。为了解读诗词名篇,他广泛阅读了有关网络和图书文章,以一个诗人和研究者的情怀,另起炉灶,以魂牵梦萦之深情,写出自己独有的感悟。文中不再另列注释,所有字词的阐释都融于作者的解读文字之中。

邓君少我三岁,如今也是七十五岁高龄了,能完成如此规模的著作,实在令人感佩。我为学界友人之专著作序,最早是在1981年10月为北京大学中文系陈贻焮教授所著之《杜甫评传》所作。陈贻焮先生当是我的师友,我们分别于1953年、1955年在北大中文系毕业,毕业后皆留校任助教,甚有教学合作情谊。现已经历三十年,又应约为邓君之作撰序,我们又是校友。我觉得,学术序文,就不仅辨学术、论世情,还有记交谊、抒情怀,我现在应邀作序,也可以是表述我学术经历的慰勉之情。2008年夏,我辑集所作之序,共七十三篇,起名为《学林清话》,于2008年10月由大象出版社(原河南教育出版社)出版。此后又陆续应邀撰写,恐已达八十篇,我极愿将此篇与其他篇合辑,出一增补本。

愿邓君此书的出版对弘扬中华文化遗产、提升中国的软实力、提高广大读者的阅读兴趣与文化内涵能有所帮助。

2011年7月5日

原载商务印书馆2014年版《中华诗词名篇解读》,此据大象出版社2015年版《书林清话》录入

《牛李党争研究的新视野》序

　　我有一段时间曾集中研究唐代中后期文学,并对牛李党争和李德裕做过专门探讨,有一些论著问世。我在《李德裕年谱》序文里说过:"中晚唐的文学与初唐、盛唐有一个很大的不同,初盛唐时期的作家,尽管在他们的作品中也表达了他们的政治理想,特别是李白和杜甫,在他们的诗作中,对国家的命运,政治的盛衰,表现得特别关切,但那时的作家,真正卷入当时重要的政治斗争的,却甚少;中晚唐不同,不少作家本身就往往是政治斗争的一员,也有些则是在不同程度上受到现实政治的波涉,他们的作品直接反映了这些斗争,或者带上了他那一时代所特有的政治斗争的色彩。这种情况,对于生活在 9 世纪前半世纪的作家来说,更是如此,而这近五十年唐朝廷政治生活中的一件大事,就是历史上所谓的牛李党争。"唐代政治活动对文学发展的影响十分明显,两者关系非常复杂,尤其朋党政治对唐代中后期的政治、社会、文学都产生了重大而深远的影响,当时许多重要的政治人物和文学家都与其有千丝万缕的联系,这个问题成为学术界长期以来关注的一个重点领域。现在,年轻学者李润强教授《历史、社会与文学——牛李党争研究的新视野》一书,以牛李党争这个重大政治事件为突破口,从历史、社会、文学的角度,对于这一问题进行了新的审视和探讨,相信此书会成为这个研究领域的又一部学术力作。

当然,唐代中后期文学是在较前期更为复杂的社会环境中发展的,研究这一时期的文学,或许会比研究初唐和盛唐更能引人入胜。但另一方面,它也要求有更为广博的历史知识,更为充实的资料基础。作家是社会的人,文学作品是社会生活的反映,脱离具体的社会历史的研究,不了解作家与当时社会生活的联系,不清楚作家当时的各种人事关系,由此,则要确切理解作品的内容,它的思想倾向,它在整个文学发展中的地位与影响,是不可能的。令人欣慰的是,本书作者在唐代文史方面有较深厚的学术积累,在牛李党争和唐代家庭史方面用功尤勤,已有数部专著、译著及数十篇论文发表。他从大学本科毕业后,就开始了隋唐五代文学和历史的学习研究,曾因学习中的疑惑与我交议。1995年,李润强同志承担了教育部高校古委会研究课题"牛僧孺研究",并以此为题撰写了硕士毕业论文,后来在甘肃人民出版社出版,我对其中的一些观点曾表示充分肯定。1998年,他考入浙江大学,在导师龚延明教授的指导下,攻读中国古典文献学博士学位,并参与重大课题"历代登科总录"的研究工作。2001年,进入南开大学历史学博士后流动站,师从张国刚教授,进行中国家庭史的研究,随之在人民出版社推出《中国传统家庭形态及家庭教育——以隋唐五代家庭为中心》一书。2004年,申报并承担了国家社科基金项目"从牛李党争透视唐代中后期历史与文学关系",本书即是其结项成果的重要内容。

这部专著全面概述了这一领域的研究现状，探讨了目前存在的重点问题，在对前人有关成果进行总结和借鉴的基础上，系统地论述了"唐代中后期的朋党政治""牛李党争与唐代中后期的历史""牛李党争与唐代中后期的社会""牛李党争与唐代中后期的文学活动""牛李党争与唐代中后期的作家群体"等一系列重要问题，形成了此书的研究思路和基本观点，提出了一些学术新见，可以说发前人之未发，足资学术界参考；还有一些内容填补了这个研究领域的空白，其中多有颇具启发意义的精切阐述，令人信服。此书在以下方面有着力探讨，并取得重要收获。

第一，比较全面地探讨了唐代中后期政治、社会与文学的相互关系。

唐代中后期既是唐王朝经过安史之乱由盛转衰的时期，又是唐末五代社会的前奏。本书以牛李党争这个重大政治事件为切入点，以这一时期历史与文学的互动为核心，将政治史、社会史、文学史结合起来，突破文学研究与历史研究的界限，考察了唐代中后期政治、社会与文学之间的相互关系。例如书中总结出，在唐代中后期的历史进程中，以朝臣党争、宦官专权、藩镇割据为核心的政治、社会、文化格局的相互作用，给当时文坛以深刻触动，在很大程度上影响了唐代中后期作家的主体人格、创作心态、创作主题、创作风格及文学潮流等。这个时期文学发展与文学家的群体活动，也与政治变迁、社会发展构成了互动关系，作家们在文坛担当主要角色的同时，也自始至终参与了这场政治纷争，他们的政治主张、价值取向、群体意识，都不同程度地触及政局变化、历史进程、社会风气,他们的活动也构成了唐代中后期历史的重要内容。还有,本书通过考察朝廷内部党争、朝臣与宦官关系、朝臣与藩镇关系、党争与科举、科举与文学关系等,探索了政治争斗背后的一些事实真相,这些探讨对于丰富唐代政治史、社会史研究的内容,拓展文学史研究的题材,对于揭示唐代历史与文学之间深层面的关系,甚有重要意义。例如,书中提出"元和制举案"是"永贞革新"的余波震荡,牛僧孺与柳宗元的交往,反映了唐代中后期政治背景之下士人的动荡命运,也从另一侧面体现了古文运动中作家们的合力共振。

第二,以开阔的视野为牛李党争提供了新的研究思路。

本书突破了以往孤立地研究牛李党争之性质,或仅仅专注于某些史料的考证,或只围绕政治层面上朋党之争展开的某些局域,而是上升到牛李党争与政治、社会、文学之关联及影响的整体考察,把牛李党争的研究推进到一个新的高度,促进了人们对于唐代中后期历史与文学关系的新的认识。书中提出,党争的历史,也是党争双方成员活动的历史,包括政治活动、社会活动及创作活动等,党争的方式、过程和结局牵动着历史的进程,他们的文学活动无疑构成了唐代中后期历史的重要组成部分,并时隐时显地影响到时代变迁。例如,文学发展和文士群体意识的变化,也触及历史发展与社会转型,深受"永贞革新"意识影响的党人,试图从儒家的道统中恢复文人的自信,以救治时弊,他们在文学创作上取得瞩目成就的同时,也在家庭教育等一定范围内影响了当时的文风、世风;还有一些作家,在党争中径直将传奇和寓言当作政治斗争的工具。再如,政治党争不仅形成了作家主体人格的异化,而且直接影响了文人群体和社会风气,在某种程度上促使作家创作内容和风格的转变,间接影响了文学的盛衰。

第三,在一定程度上深化了对于唐代中后期文学的认识。

本书从党争的背景论述文学创作,不仅探讨政治活动、历史事件,而且着眼于它们与文学运动、文人主体人格、艺术风格变迁之间的复杂关系,对于作家及其作品的定位也公允有据。在唐代中后期社会,牛李党争实际成为政治生活的焦点,"去河北贼易,去朝廷朋党难"。党争不仅将官僚分为牛、李两派,而且也将文士划分为牛党、李党或近牛、近李两派,大量无辜的文士在非此即彼的党争泥潭中挣扎,于出处进退间徘徊。政治才能无法施展的无奈、人生理想无法实现的苦闷,促使唐代中后期作家主体人格发生变化,最终形成了道德人格与政治人格的分离,致使他们在经世致用与党同伐异的矛盾中艰难前行。例如,当时的作家大多兼有政治家、文学家的双重身份,他们的政治言论极大地促进了政论、史论的繁荣;征异话奇、诗酒流连的生活,引导了传奇创作和闲适文学的兴盛;失意之时,便选择以刺世疾邪的寓言作为热衷的表达方式,求得心理的调适和平衡。还有一些文士,在党争的压力之下,趋向于怪谲、隐晦的文风、诗风。所以,党争在某种程度上促成了创作主体对于文学形式的选择,也间接影响了文学的盛衰。

第四,系统地梳理了以往的研究成果,并在研究方法上有新的探索。

本书全面把握这一领域的研究现状和前沿问题,借鉴前人已经取得的研究成果,折中求是,在党争的性质、争斗类型以及党争与个人关系诸方面都进行了新的探讨,提出了颇具说服力的观点,纠正了既往研究的一些偏差。例如,通过考察牛李党争的社会历史文化背景,给出了唐代中后期家庭教育的一些典型模式及其社会影响,并由此深入讨论了唐代中后期科举制度中存在的一系列社会现象及其与党争的复杂关系。本书在继承传统研究方法的基础上,借鉴近年来学术界的一些新的研究方法。例如,将个案考察与整体研究相结合,数据统计与文字分析相结合,以反映政治集团、作家群体的整体属性和某个个体的特征,这些方法在研究过程中都得以充分运用。本书引征史料,涉猎广博,翔实准确,以细部分析为尚,对研究现状把握周详,对牛李党争的历史事件列举史料而后深刻剖析,对事件争论能够辨析众议而后提出一己新见。同时,在完成国家社科基金项目的过程中,还发表了十余篇系列论文,形成了在这一领域研究的相对优势,这些都是值得肯定的。

另外,本书对于丰富和弘扬陇右文化也颇具现实意义。令狐楚父子、牛僧孺、李商隐,不仅是党争人物,也是重要的陇籍名人,或在陇右留下了许多传世名篇,对后代产生了深远影响,本书的论述无疑也构成了陇右文化的一个重要方面。

缺憾之处,因篇幅所限,"牛李党争大事记"、"牛李党争与中晚唐文学编年"两个部分尚未列入书中,以后方便时可以补入。

2011 年 8 月

原载人民出版社 2012 年版《牛李党争研究的新视野》,此据大象出版社 2015 年版《书林清话》录入,另收入北京联合出版公司 2013 年版《濡沫集》

傅璇琮文集

驼草集

第十册

中华书局

《辛亥革命时期期刊汇编》序

　　历史研究必须是言而有据,信而有征的。一事不知,则一事告缺;一人不晓,则一人阙如。历史研究当然也可以有想象和推论,但正如杨天石先生指出的:"推论只是史家对于历史可能性的一种分析,还有待于验证,不能视为信史。历史学的这一特点决定了史料的特殊重要性。可以说,没有史料,就不会有历史学。"(《海外访史录·自序》,社会科学文献出版社 1998 年出版)

　　辛亥革命时期的史料,用浩如烟海来形容是一点也不夸大的。几十年来已出版了重要人物的文集,如《孙中山全集》《黄兴集》等;出版了不少档案文献,如《临时政府公报》《湖北军政府文献资料汇编》《武昌起义档案数据选编》《清末筹备立宪档案史料》等;出版了石刻史料,如《辛亥人物碑传集》;甚至出版了外文中的相关史料,如《日本外交文书选译——关于辛亥革命》《英国蓝皮书有关辛亥革命资料》等;但有关辛亥革命时期的期刊,尽管已有丁守和先生的《辛亥革命时期期刊介绍》五巨册,已有上海图书馆 1961 年编印的《辛亥革命时期期刊总目》一大本,但欲查原文,仍是费时费力,事倍功半。

辛亥革命时期,没有电视,没有广播,更没有网络,那时的期刊所起的作用,大致就相当于今天的电视和微博吧。任何革命都是离不开思想的启蒙和舆论的宣传的,特别是对中国这样一个有着千年封建传统的国家而言,要把长期束缚在封建枷锁中的人们的思想解放出来,要付出多少艰辛甚至鲜血!李文海先生讲"我们切不可低估辛亥革命在这方面的历史功绩"。而辛亥革命时期期刊的历史作用,也应是这"历史功绩"中不可或缺的光辉一页。

更为难能可贵的是,辛亥革命时期的期刊,并非简单的仅是宣传"排满",而鼓吹革命、对白话文的宣传,对科学的提倡,对妇女解放的要求等,我们都可以在当时刊物中找到,真是不能不让人感叹当时人的胸襟和胆识。而当时人们所做的这一切,都是出自对祖国的热爱。学界认为,当时的知识界特别重视这样两个问题:一是"国魂"的熔铸;二是国民性的改造。当年那些知识分子怀着对祖国民族的拳拳之心、赤子之情,那种"吾志所向,一往无前,愈挫愈奋,再接再厉"(《孙中山选集》上册,104 页,人民出版社 1957 年出版)的革命精神,为我中华民族留下了一笔宝贵的精神遗产。而这一宝贵遗产,不正是借助期刊等载体,才存留至今的吗?

然而,要想收集、整理辛亥革命时期的期刊,绝非易事。首先,这些期刊当年就印数有限,印制简陋,在传播过程中还要受到抄没、毁版的"待遇",而历经劫难保留下来的期刊,又因种种原因分藏各处,查找不易,更不用说有的缺东少西,有的字迹难辨。相关学者克服了种种困难,依托北京大学图书馆,旁搜远绍,汇合纂集,将以往藏之深闺的辛亥革命时期期刊除去尘土,公之于众,缺者补之,残者修之。在这背后蕴藏着多少劳动和辛苦,是可想而知的。首都师范大学出版社在目前大型学术文献出版困难的情况下,毅然担纲此任,对这一切,相信学界是不会吝惜赞美之辞的。章开沅先生讲,辛亥革命时期"资料的发掘、整理、编辑、出版,需要许多有心人甘愿做默默无闻的基础工作"(《辛亥革命辞典·序》,武汉出版社1991年出版),各位辛亥革命时期期刊的收藏者、编辑者、整理者、出版者,不正是这样一些"甘愿做默默无闻的基础工作"的"有心人"吗?

学界一般认为,中国大陆辛亥革命史的研究起步并不晚,1956年孙中山先生诞辰九十周年时,就曾兴起过一个小高潮,但不久即因政治因素冷落了下来。到了十年"文革",更是一片空寥无语。直至改革开放,辛亥革命史一时成为显学,"甚至在一定程度上引领了改革开放之后大陆新史学的发展变革"(见朱英《两岸辛亥革命史研究:兴盛与减缓》,载《社会科学报》2010年12月30日)。从20世纪70年代末到80年代末这十年,是辛亥革命研究大发展、大繁荣时期,但目前这一势头有所减缓乃至萎缩。这一方面固然是由于时局环境的变迁,学者兴趣的转移,但史料的不足和局限,以至剩义已少,是不是也是造成学术研究停滞不前的一个原因呢? 从这一角度看《辛亥革命时期期刊汇编》的出版,又必将为促进辛亥革命研究的再度繁荣献上一块扎扎实实的奠基石。

借辛亥革命百年《辛亥革命时期期刊汇编》出版之机,谈了一些自己的意见。历经百年程,更上一层楼,期望此一百册大书印出,必将进一步推动辛亥革命的研究进程。是为序。

2011 年 8 月

原载首都师范大学出版社 2011 年版《辛亥革命时期期刊汇编》,此据大象出版社 2015 年版《书林清话》录入,另收入北京联合出版公司 2013 年版《濡沫集》

唐诗有了排行榜之后

——读《唐诗排行榜》

新近读到武汉大学王兆鹏教授的《唐诗排行榜》,感到眼前一亮,异常兴奋。这是一部既有传统深厚理论依据,又处处洋溢着现代学术新意的著作。这部著作从传播和接受的角度,依诗作影响深度和广度的标准对有唐三百年间的诗歌第一次进行了令人信服的排行,这种研究方式和文本呈现,无论在理论拓展还是实践创新方面,都具有开创性意义。

众所周知,品第批评是中国传统文学艺术批评中的一个重要组成部分,体现出"中国式批评"注重直觉把握和直观呈现的特点。从汉魏到明清,品第批评的方式,在中国文艺批评史上承流接响,不绝如缕。在"品第批评"这一传统方式逐渐淡出现代批评家的视野的时候,兆鹏先生的《唐诗排行榜》以鲜活的样本让其走出历史的尘埃,又一次展现在人们的眼前。因而,对于"品第批评"这一古老的文艺批评方式在当代的"复活",《唐诗排行榜》功莫大焉!

《唐诗排行榜》既有对传统品第批评方法的合理承继,更有开拓和创新。传统的品第批评虽然有着直观、显眼的优点,但其品第、分级在很大程度上取决于批评家一己之好恶,缺乏科学的依据和规范的操作流程。与之相比,《唐诗排行榜》在具体品第标准的择取和操作规程的设置方面比传统的品第批评模式有了突破性的进展。

以往的文学研究,特别是社会学角度的文学研究,虽然也可以经常见到数据的出现,但这些数据本身并不是作为文学研究的核心因子而存在。而《唐诗排行榜》却不同,它跳出传统人文社科观照的畛域,以数理解析的方式来观照和研究文学。这种研究,无论是角度还是方法,都是全新的,而且运用得相当成功。可以说,《唐诗排行榜》为传统的文学研究探索了一条新路径,开拓了一片新空间,对于当前文学研究界的创新研究,起到了引领和示范的作用。

以往一些文学研究新方法,往往被演绎得颇为复杂,给人以"高处不胜寒"的感觉,在让人感到高深的同时,也会让人产生宁可避之不用的想法。而《唐诗排行榜》却不同,其研究结论虽由一个看似复杂的数学公式计算得出,但经过作者深入浅出的介绍,这个数学公式的各个条项就清楚地展现出来,毫无烦琐或高深之感,易于掌握,便于操作,其他研究者完全可以依据此一方法、借鉴此一公式,做一些诸如"史学名作排行榜""哲学经典排行榜"之类的研究。这就是《唐诗排行榜》"授人以渔"的地方,其理念与方法的创新并不是为了一己之研究,而是为了推动整个学术的拓新与发展,这是《唐诗排行榜》及其研究理念与方法的最为可贵之处。

当然，依据数据为基础的研究，其研究结果是否科学可信，在很大程度上取决于数据采样的全面与否和具体分析讨论的科学与否，《唐诗排行榜》从"古代选本""现代选本""历代评点""当代研究""文学史录入""互联网链接"等多个维度来收集和审视数据，同时，又对所收集的各项数据指标进行了标准化处理和加权计算，应该说，其数据覆盖是有效度和信度的，其具体分析和计算的过程是科学合理的，因而，其研究结论是科学可信的。当然，该书也还有待完善之处，诸如选本的采样、评点资料的采集，还可以扩大范围，特别是古代的选本应该多采样一些。数据的权重，也可以做得更客观一些。

我们传统的文学研究者经常在思考一个问题，那就是："传统的古典文学研究该如何走入大众，进而为人民群众所喜闻乐见、愿意接受？"在这方面，《唐诗排行榜》也为我们提供了一个很好的途径。从这一层面而言，《唐诗排行榜》不仅仅是严肃的学术著作，更是普及经典的功臣！

附唐诗排行榜前十名

第 1 名 《黄鹤楼》　　　　　　　　　　　　　崔　颢

第 2 名 《送元二使安西》　　　　　　　　　　王　维

第 3 名 《凉州词》(黄河远上)　　　　　　　　王之涣

第 4 名 《登鹳雀楼》　　　　　　　　　　　　王之涣

第 5 名 《登岳阳楼》　　　　　　　　　　　　杜　甫

第 6 名 《登柳州城楼寄漳汀封连四州刺史》　　柳宗元

第 7 名 《临洞庭湖赠张丞相》　　　　　　　　孟浩然

第 8 名 《题破山寺后禅院》 常 建

第 9 名 《送杜少府之任蜀川》 王 勃

第 10 名 《蜀道难》 李 白

原载中华书局 2011 年版《唐诗排行榜》,此据大象出版社 2015 年版《书林清话》录入,另收入北京联合出版公司 2013 年版《濡沫集》及 2012 年 2 月 5 日《光明日报》

《阅读中华国粹》序

　　2001 年,泰山出版社编纂、出版了一部千万言的大书——《中华名人轶事》。当时我应邀撰一序言,认为这部书"为我们提供了开发我国丰富史学资源的经验,使学术资料性与普及可读性很好地结合起来,也可以说是新世纪初对传统文化现代化的一次有意义的探讨"。我觉得,这也可以用来评估这部《阅读中华国粹》,作充分肯定。且这部《阅读中华国粹》,种数 100 种,字数近 2000 万字,不仅数量已超过《中华名人轶事》,且囊括古今,泛揽百科,不仅有相当的学术资料含量,而且有吸引人的艺术创作风味,确可以说是我们中华传统文化即国粹的经典之作。

　　国粹者,民族文化之精髓也。

　　中华民族在漫长的发展历程中,依靠勤劳的素质和智慧的力量,创造了灿烂的文化,从文学到艺术,从技艺到科学,创造出数不尽的文明成果。国粹具有鲜明的民族特色,显示出中华民族独特的艺术渊源以及技艺发展轨迹,这些都是民族智慧的结晶。

　　梁启超在 1902 年写给黄遵宪的信中就直接使用了"国粹"这一概念,其观点在于"养成国民,当以保存国粹为主义,当取旧学磨洗而光大之"。当时国粹派的代表人物黄节在写于 1902 年的《国粹保存主义》一文中写道:"夫国粹者,国家特别之精神也。"章太炎 1906 年在《东京留学生欢迎会演说辞》里,也提出了"用国粹激动种性"的问题。

1905 年《国粹学报》在上海的创刊第一次将"国粹"的概念带入了大众的视野。当时国粹派的主要代表人物有章太炎、刘师培、邓实、黄节、陈去病、黄侃、马叙伦等。为应对西方文化输入的影响,他们高扬起"国学"旗帜:"不自主其国,而奴隶于人之国,谓之国奴;不自主其学,而奴隶于人之学,谓之学奴。奴于外族之专制谓之国奴,奴于东西之学,亦何得而非奴也。同人痛国之不立而学之日亡,于是瞻天与火,类族辨物,创为《国粹学报》,以告海内。"(章太炎:《国粹学报发刊词》)

经历了一个多世纪的艰难跋涉,中华民族经历着一次伟大的历史复兴,中国崛起于世界之林,随着经济的发展强大,文化的影响力日益凸显。

20 世纪,特别是 80 年代以来,国学已是社会和学界关注的热学。特别是当前新世纪,我们社会主义经济、文化更有大的发展,我们就更有需要全面梳理中国传统文化的精华,加以宣扬和传播,以便广大读者特别是青少年予以重新认知和用心守护。

因此,这套图书的出版恰逢其时。

我觉得,这套书有四大特点:

第一,这套书是在当下信息时代的大背景下,立足中国传统文化经典,重视学术资料性,约请各领域专家学者撰稿,以图文并茂的形式,煌煌百种全面系统阐释中华国粹。同时,每一种书都有深入探索,在"历史—文化"的综合视野下,又对各时代人们的生活情趣和心理境界作具体探讨。它既是一部记录中华国粹经典、普及中华文明的读物,又是一部兼具严肃性和权威性的中华文化典藏之作,可以说是学术性与普及性结合。这当能使我们现代年轻一代,认识中华文化之博大精深,感受中华国粹之独特魅力,进而弘扬中华文化,激发爱国主义热情。

第二,注意对文化作历史性的线索梳理,探索不同时代特色和社会风貌,又沟通古今,着重联系现实,吸收当代社会科学与自然科学的新鲜知识,形成更为独到的研究视野与观念。其中不少书,历史记述,多从先秦两汉开始,直至 20 世纪,这确为古为今用提供值得思索的文本,可以说是通过对各项国粹的历史发展脉络的梳理总结规律,并提出很多建设性的意见和发展策略。

第三,既有历史发展梳理,又注意地域文化研索。这套书,好多种都具体描述地方特色。如《木雕》一书,既统述木雕艺术的发展历程(自商周至明清),又分列江浙地区、闽台地区、广东地区,徽州、湘南、山东曲阜、云南剑川,以及少数民族的木雕艺术特色。又如《饮食文化》,分述中国八大菜系,即鲁菜、川菜、粤菜、闽菜、苏菜、浙菜、湘菜、徽菜。记述中注意与社会风尚、民间习俗相结合,确能引起人们的乡思之情。中华民族的文化是一个整体,但它是由许多各具特色的地区文化所组成和融汇而成。不同地区的文化各具不同的色彩,这就使得我们整个中华文化多姿多彩。展示地区文化的特点,无疑将把我们的文化史研究引向深入。同时,不少书还探讨好几种国粹品种对国外的影响,这也很值得注意。中华文明在国外的传播与影响,已经形成一种异彩纷呈、底蕴丰富的文化形象,现在这套书所述,对中外文化交流提供十分吸引人的佳例。

第四,这套书,每一本都配有图,可以说是图文并茂,极有吸引力。同时文字流畅,饶有情趣,特别是在品赏山水、田园,及领略各种戏曲、说唱等艺术品种时,真是"使笔如画",使读者徜徉于美不胜收的艺术境地,阅读者当会一身轻松,得到知识增进、审美真切的愉悦。

时代呼唤文化,文化凝聚力量。中共中央十七届六中全会进一步提出社会主义文化大繁荣大发展的建设。我们当遵照十七届六中全会决议精神,大力弘扬中华优秀传统文化,大力发展社会主义先进文化。文化越来越成为民族凝聚力和创造力的重要源泉,我们希望这套国粹经典阐释,不仅促进青少年阅读,同时还能服务于当前文化的开启奋进新程,铸就辉煌前景。

2011 年 10 月

原载泰山出版社 2012 年版《阅读中华国粹》,此据东北大学出版社 2015 年版《中国当代名家学术精品文库·傅璇琮卷》录入,另收入大象出版社 2015 年版《书林清话》(题为:《阅读中华国粹》总序)

《子藏》：一座宏大的子学经典库

——有感于《子藏·道家部·庄子卷》的出版

2010 年 3 月 27 日至 28 日，我应邀参加并主持了华东师范大学举行的《子藏》论证会，与陈鼓应、卿希泰、陆永品、许抗生、王水照、萧汉明、赵逵夫等先生共同为超大型文献整理项目《子藏》工程的启动献言献策。论证会开得很成功，主办方准备得充分、认真，各位专家畅所欲言。会上，形成了《子藏》论证决议书，一致认为《子藏》编纂，"不仅是对现有古籍的再生性保护，而且有助于全面、深入地研究中华传统文化"，"《子藏》编纂工程可以成为国家重大学术文化项目，表明盛世修藏，功莫大焉"。时隔一年半，《子藏》的首批成果——"《庄子》卷"由国家图书馆出版社出版发行了。该卷共收历代《庄子》版本及相关研究性著作 302 种，精装 16 开 162 册，可谓皇皇巨著。惊喜之余，亦感佩《子藏》项目组前期资料准备之充分，日常工作之勤奋。我主要是研究唐宋文学和文献目录学，没有专门研究过"子"。当时在《子藏》论证会上听了华东师范大学方面的介绍，即觉得从文献的角度看，《子藏》亦足以传世。今得见其具体成果，更坚定了我的看法。总的说来，《子藏·道家部·庄子卷》具有以下特点：

一是前期准备充分，积累深厚。编纂者方勇教授是研究《庄子》的专家，20世纪80年代即沉心于《庄子》研究；1997年，进入北京大学中文系博士后流动站，全力研究《庄子》学术史，并取得阶段性成果；出站后，去华东师范大学中文系工作，又历经近十年，完成了200万字的《庄子学史》，于2008年由人民出版社出版。正是通过对历代《庄子》学深入细致的研究，才对其版本传承、价值和特点了然于心，故而编纂起来轻车熟路，得心应手。自2003年起，方教授等即有编纂《庄子》集成的想法，历经近七八年的资料搜集，方成《子藏·道家部·庄子卷》。古人云"十年磨一剑"，方先生历经近三十年，诠释《庄子》、撰写《庄子学史》、编辑《子藏·道家部·庄子卷》，三者相辅相成，文献思辨并备，堪称庄子学研究领域的重大成果。

二是明确的图书收录的体例和编纂原则。超大型图书纂集，这是最重要的。在论证会上，各位专家对此也多有建言。今《子藏·道家部·庄子卷》编成，为《子藏》的进一步编纂树立了很好的体例样本。首先确立了"全"和"精"相结合的选书原则。"全"即凡例合收录原则之书，务必竭泽而渔；"精"即版本必善，印本择善而从，手稿、抄本，搜罗殆尽。其次是针对具体文献具体处理，不搞"一刀切"。如《子藏·道家部·庄子卷》收书下限截至1949年，而对于新中国成立后整理的出土文献如敦煌《庄子》残卷、黑水城之吕惠卿《庄子义》则不受此限制，一并收入，这样既坚持了原则，又不致遗漏重要文献。再次是编纂时最大限度地保持了古籍原貌。在当前条件下，超大型丛书的整理不外乎影印和点校两种方法,有时只取其一,有时兼而用之。《子藏·道家部·庄子卷》版面,设为16开本,原书大小影印,有些善本甚至采用了彩色影印,如金大定十二年(1172)刊本《壬辰重改证吕太尉经进庄子全解》(现藏中国国家图书馆)。原书大小影印的好处是可以避免编纂者的"二次"错误,书籍的版本款式得以保存,原汁原味,书的整个精气神也就出来了。同时,名家批点多在天头地尾,如果缩印或拼接,势必割去,十分影响效果。《子藏·道家部·庄子卷》在这方面做得很好。

三是版本搜罗完备,善本丰富。以历代《庄子》版本汇为一编,最能嘉惠学林者,此前乃有台湾严灵峰纂辑的《庄子集成》初编、续编和《老列庄三子集成补编》。严氏"三编"共收中国《庄子》书172种,今《子藏·道家部·庄子卷》后出转全转精,共收书302部,不仅在收书数量上超过了严氏,在收书质量上也有大幅提升。如明邵弁撰《南华真经标解》六卷、张居正撰《少师张先生批评庄子义》十卷、张位撰《南华真经题评》十卷、李栻辑《南华真经义纂》十卷、顾起元撰《遁居士批庄子内篇》一卷、卢复辑《南华经晋注》、金兆清撰《庄子榷》、陈荣选辑《南华经要删注释评林》、吴伯敬撰《南华经台县》三卷、文德翼撰《读庄小言》一卷、庄元臣撰《南华雅言》一卷、曹宗璠撰《南华泚笔》二卷、陶崇道撰《拜环堂庄子印》八卷等,皆为珍稀之本,严氏未收,本卷一一收录。《子藏·道家部·庄子卷》特别注意对版本的遴选。如陈景元《南华真经章句音义》十四卷、王雱《南华真经新传》二十卷、褚伯秀《南华真经义海纂微》一百零六卷等,不用常见的涵芬楼影印《道藏》本,而直接以原北京白云观所藏梵夹本明正统《道藏》作为底本,因为编纂者发现涵芬楼影印时已将各书中众多扉画尽皆删去,版式也多有改动,已非原书之旧。《子藏·道家部·庄子卷》尤其注意搜集抄本、手稿和名家批注本。如上海图书馆所藏清郭庆藩手稿《读庄子札记》八卷,中国国家图书馆所藏闻一多手稿《庄子章句》《庄子校补》《庄子校拾》《庄子义疏》,均是庄子学研究的重要文献资料,此次均影印刊行。

总之,这部《子藏·道家部·庄子卷》远超严灵峰《庄子集成》等,该书的出版,必定在《庄子》研究领域产生重要的影响,并对新世纪的诸子学研究产生巨大的推动作用。而以"《庄子》卷"为代表的《子藏》工程将顺利完满地完成,并成为传世经典,也是可以预见的。

原载 2011 年 12 月 5 日《光明日报》,此据大象出版社 2015 年版《书林清话》录入,另收入北京联合出版公司 2013 年版《濡沫集》

古籍影印事业的重要开拓者

——深切怀念陈乃乾先生

陈乃乾先生于 1956 年自上海调北京,初任当时名为古籍出版社的编辑。1957 年上半年,古籍出版社与中华书局合并,乃乾先生即作为中华书局正式工作人员,三月份与徐调孚、张静庐等共为中华书局编审委员会委员。1958 年,中华书局正式启动"二十四史"整理工作,乃乾先生又与顾颉刚、宋云彬、章锡琛等共同参与制定"二十四史"整理计划,并承担《三国志》的点校工作。他抓紧时间,很快完成,于 1959 年 12 月出版。

不过乃乾先生在中华书局的主要工作还在于主持大项目的古籍影印工作,有不少显著成就。而这又与他的身世和前期学术活动有关。乃乾先生为浙江省海宁市人,生于清光绪二十二年(公元 1896 年)。他又与近现代国学大师王国维同一籍贯,早期即有学术交流。如 1921 年,他还年轻,26 岁,在上海南洋中学工作,从著名藏书家徐乃昌处,编《百一庐金石丛书十种》,影印出版,特邀王国维为作序;1924 年,又据日本京都大学所藏刊本,影印《古今杂剧》,王国维也特为作序。乃乾先生与王国维素有书信来往,我于上世纪 60 年代初在他家曾见到过几封王国维书信,极为珍视,可惜这些宝贵文化遗产在"文革"时被销毁。

据有关记载,乃乾先生出身藏书世家,其先世有清嘉庆间浙江著名藏书楼海宁向山阁陈某。他在上海,历职学校、出版机构,与友人合作,收购不少古籍珍本、名著。1956 年移调北京时,还特包火车专厢为其运书。这为他在中华书局编纂影印珍本古籍准备了丰硕材料。

乃乾先生在中华书局于 1959 年 1 月就议订影印《永乐大典》规划,到 1960 年 9 月完工,历时 20 个月。在工作开始时,就得到有关方面(如北京图书馆、上海图书馆、南京图书馆等)的支持,郭沫若先生特为撰写序文,充分说明《永乐大典》的价值和这次影印工作的意义。按《永乐大典》于明初编成,原为二万二千九百余卷,后历经破坏,建国后经与各方征集,存有七百二十卷。他还于 1959 年 9 月特地到上海,审阅影印《永乐大典》样书,从版式到用纸,从封套到装订,都细加检查,且几乎每天都写信给中华书局总部商议。这时他已 65 岁,能不避劳倦,确使人甚感。此后《永乐大典》也有补印,但打下基础的是 60 年代初辑集影印此书。

与此同时,乃乾先生又策划影印《册府元龟》。《册府元龟》共一千卷,北宋前期编,是宋代四大部书之一,所收资料丰富,为我国古代著名类书之一,对宋前史料的辑佚和校勘有重要价值。如复旦大学陈尚君教授订补《旧五代史》,主要就是依据中华书局这次影印的《册府元龟》。乃乾先生筹划影印并校补《册府元龟》,还特致函北京师范大学陈垣教授,与其商议。陈垣这位学术名家大力支持此项工作,特应邀写了一篇考证性的序言,并协助中华书局做好补遗工作。这也是我们中华书局与学术界进行学术合作与交流的一个好例。

除《永乐大典》、《册府元龟》外,乃乾先生还编印《文苑英华》、《太平御览》等。中华书局大规模有计划地影印古代典籍,在文化学术界很有影响。除了大型类书外,他还注意编印专题性文献著作,于1960年筹划编印《汉唐地理书钞》。此书为清朝中叶王谟编撰,辑集秦以前及秦汉隋唐地理书二百多种。乃乾先生注意地理著作的历史意义,加以编印,又从当时中国科学院历史研究所借得抄本比勘,增补原书未刻本20种,是现在能够看到的《汉唐地理书钞》最为完备的本子。这对于研究历史地理甚有价值,也可以见出文献整理与学术研究的结合。

当时我在中华书局文学编辑室工作,经常向他请教,他遂逐渐与我联系、商议工作。1964年,他提出影印《四库全书总目》(又称《四库全书总目提要》)。他对此书版本有所选择,就与我交谈,并命我为此影印本撰写“出版说明”。我据他的提示,并参考有关材料,具体记述几种版本,论述我们这次用其中佳本浙江杭州刻本,并参用武英殿本、同治七年广东刻本相校,作校记附后。此后凡研究《四库全书总目》的,大多用中华书局于1965年出版的这一影印本。

其实在此之前,1961年,乃乾先生已与我商议,约我为影印本《史通》撰写“出版说明”。这时我年纪尚轻,到中华书局工作不过三四年,但仍接受这个任务,查阅著者唐刘知幾生平及史学思想资料,叙述《史通》版本流传情况,增加了版本学的知识。后乃乾先生又计划编一部《清人考订笔记》,这也是颇有创新意义的项目。因清代考据之学虽盛行，但多为专门著述，实则不少学者以笔记体裁进行考订，颇有参考价值。他这次选择邵晋涵、汪中、沈涛、李详四人所著七种笔记，加以影印，命我撰写"出版说明"，具体记述此四人的生平、著作及这次所选辑书的内容、特点。我确花了不少时间，但因此也增加了对清人考订学术的认识。

由此也可见，乃乾先生除了本身工作外，还注意对年轻同志的业务指导。又如有一次，他到北京师范大学陈垣先生家聚谈，就带我去。陈垣先生在谈到文献工作时，说我们做文献研究，一定要有扎实的史料基础，力求做到"竭泽而渔"。我很受启发，这对我以后从事唐宋文学研究极有帮助。

我还想一提的是，1969 年 9 月，中华书局大部分人员去湖北咸宁"五七"干校，我们坐车出发离开单位（当时在翠微路 2 号）。乃乾先生当时已 74 岁，还特地从城中家里出来，到中华书局门口，瞩目摇手相送，使我们十分感动。

原载 2011 年 12 月 7 日《中华读书报》，此据北京联合出版公司 2013 年版《濡沫集》录入

《中国华北文献丛书》概述

  《中国华北文献丛书》是中国文献丛书工作指导委员会的重大整理项目,由甘肃省古籍文献整理编译中心具体策划,与好几所高等院校专家学者及国家图书馆等合作,并委任我为总主编,经过好几年共同努力,已可于 2011 年、2012 年间陆续编成、印出(学苑出版社出版)。

  这套丛书共收录历代稀有文献 450 余种,共印为 16 开本 201 册。其中首次公布的发掘性文献 90 余种,约占全书选题量 20%;明清珍善刻本 300 余种,约占全书选题量 67%;其他稀见重要文献约占全书选题量 13%。同时,全书在汉文献以外,还收有相当数量极为珍贵的首次面世的蒙古族及满族文献等少数民族文字文献。

  因此可以说,它全面、系统地反映了中国华北地区历史文献的遗存状况和主体内容,可以评为有史以来第一部华北地区的文献总汇。

  经筹划、研究,这套书的"华北地区",为现行界定的北京、天津、河北、山西、内蒙古等五个地区。中国华北是一个以汉文化为主的多民族地区，是华夏民族文化的发祥地之一，历史上经济繁荣，文化昌盛，民族文明积淀深厚，构成了多民族相互融合的灿烂多姿的文化特质。但受历史和自然条件的制约和影响，华北与其他地区一样，许多早期珍贵文献随历史发展已有散佚、湮没。甘肃省古籍文献整理编译中心即从发掘和保护祖国文化遗产的角度出发，建构编辑委员会和学术顾问委员会，拟对现有华北珍贵文献进行梳理整理，为研究领域与典藏领域提供一座丰富而珍稀的华北地方历史文库，时限上溯先秦下至新中国成立，涵盖人文社会科学和部分自然科学领域，无疑为弘扬和发展祖国民族文化做出了积极的努力。

《中国华北文献丛书》注意文化价值、历史价值和学术价值，重视对当代的启迪和借鉴意义，突出华北地区历史文化和文献资料特色。为此，全书共分8项学术专辑，即第一辑《华北稀见方志文献》，第二辑《华北稀见丛书文献》，第三辑《华北史地文献》，第四辑《华北民俗文献》，第五辑《华北少数民族文字文献》，第六辑《华北文学文献》，第七辑《华北考古文献》，第八辑《晋商文献》。全书由文字资料、拓片资料和图片资料组成，以影印为主。选录文献以宋、辽、金、元、明、清、民国之稿本、木刻本、泥铜活字本、石印本、铅印本、传抄本为版本筛选顺序；对不同版本的同一文献，若内容有异，版本孤善，同时进行了收录；对原稿中出现的明显错误进行了简明的标注；对部分严重漫漶不清的重要文献予以重新整理和排版，并将原稿本和新排本同时选录。

为方便读者了解这套丛书的内容与特色，这里就将八个专辑作一简要介绍：

第一辑《华北稀见方志文献》，由著名史志专家、河北大学吕志毅教授主编。据中科院北京天文台主编的《中国地方志联合目录》（中华书局1985年出版）所录旧志，北京55种，天津26种，河北567种，山西427种，内蒙古50种，共计1127种。这次我们这套书共影印110种，占华北地区总志书的十分之一左右，其中北京13种，天津14种，河北41种，山西31种，内蒙古11种。所录之书，数量虽少，却甚求精。如北京地区的明人谢杰等所编《（万历）顺天府志》六卷，为万历二十一年（1593）初刻本，不仅为最早版本，且分类细致，内容充实，是研究明代北京地情较为系统、完整的一部重要资料。又如河北地区之《乐亭邑志》（明潘敦复纂修），明万历二十一年（1593）刻，天启二年（1622）增刊本。此为孤本，仅存国家图书馆。其他抄本、稿本亦有，可见这次辑录时，甚注意版本价值意义。又可注意者，此辑所收，除辑录通志、府州县志外，还选有村镇志、乡土志、山川志、庙宇志、盐漕志、舆图志等，反映出我们传统方志的特色，又体现现代方志学的成就。

第二辑《华北稀见丛书文献》，由北京市地方志办公室、史志学者谭烈飞主编。此辑所收，不限于一般目录学上安排的丛书，收录域内较有影响和版本稀少的丛刻、汇刊，共计19种，其内容涉及的范围相当广泛，其中既有历史典籍的考证，风土民情演变的记述，社会形态特征及文化视野的考察，也有特定环境的点滴随笔，文人墨客的感情抒怀。特别是近现代人张次溪编辑的五种：《中国史迹风土丛书》《北平史迹丛书》《京津风土丛书》《燕都风土丛书》《清代燕都梨园史料》，为我们研究北京乃至中国北方民俗文化提供了丰富的资料。如其中收录的明嘉靖间张爵所著

《京师五城坊巷胡同集》，书中记内城有九百多条胡同，外城有三百多条胡同，也确是目前研究元代及明清北京城市情况的真切史料。又《清代燕都梨园史料》，辑录清代有关戏曲的著述，对当时的戏曲演出活动、班舍沿革、名优传略，以及梨园的逸闻掌故，搜罗备细，对研究和编撰戏曲剧种史的工作，意义十分重大。又如山西地区虽仅一种《山右丛书初编》，但收录自唐迄清历代 28 位晋籍学者、作家的重要著作 38 种，史料丰富，学术价值颇高，在一定程度上反映了山西学人唐宋以降的学术成果。

第三辑《华北史地文献》，由河北大学宋史研究专家姜锡东教授主编。此辑收录 97 种，为了学者研究和查阅的方便，按照内容分为地理文献和历史文献两大类。地理文献，又分为六个系列，即：关隘系列（如明詹荣《山海关志》、明张绍魁《重修居庸关记》等），山水系列（如明顾炎武《昌平山水记》、清陈琮《永定河志》等），寺观系列（如明何出光《北岳庙集》、清天孚和尚《弘慈广济寺新志》等），水利工程系列（如明袁黄《皇都水利》、清林则徐《畿辅水利议》等），帝陵系列（如民国刘仁甫《前明十三陵始末图说》等），纪游系列（如宋范成大《揽辔录》、民国石璋如《晋绥纪行》等）。历史类文献又分为八个系列，即：战事系列（以下不举例）、地方政治系列、京师掌故系列、宫廷历史系列、民族历史系列、乡贤系列、调查系列、革新系列。这样分类，既符合规范，又有创新之意。

第四辑《华北民俗文献》，由著名民俗史专家、北京师范大学萧放教授主编。我们在清理与探讨中国文化史的过程中，如果充分利用民俗文献，就可以具体了解历史上普通大众的日常生活状态,对前人走过的道路有更感性的认识,确有学术意义与社会文化意义。华北地区的民俗文献,从写作内容与形式看,可分为三类,即庙会文献、岁时文献、地方风土文献。如晚清民国时期北京城西的妙峰山香火兴盛,妙峰山庙会组织有数百之多,此次收录的即有奉宽的《妙峰山琐记》、金勋的《妙峰山志》、顾颉刚的《妙峰山》。又如岁时文献,北京地区辑录了好几种(如明时《帝京景物略》、清时《帝京岁时纪胜》《燕京岁时记》等),可以对北京明清时期的岁时生活史有深切、广泛的了解。风土文献,较突出的有内蒙古地区,辑集好多种,如元人杨允孚《滦京杂咏》、明人岷峨山人《译语》、清人阮葵生《蒙古吉林风土记》等,为我们了解内蒙古地区的风土人情,提供翔实的文献资料。

第五辑《华北少数民族文字文献》,由西北民族大学蒙古语言文化学院的玛·乌尼乌兰教授主编。此次收录蒙古文文献16种,种数虽不多,但极有特色。最早者为18世纪中期的《黄金史纲》,其他主要以清末民国时期的文献为主,大多是手抄本或少见的铅印本,如《玛尼颂》《医药诗》等手抄本均为第一次面世影印,这无疑对蒙古文文献乃至蒙古学研究起积极的推动作用。满文文献为满汉文合璧文献《御制劝善言》,也极有史料价值。

第六辑《华北文学文献》,由西北民族大学多洛肯教授主编。应该说,北京及河北、山西等地、唐宋及金元,已有不少著名诗文作家,如王绩、卢照邻、张说、高适、元好问、纪昀等。但他们的诗文集早已有整理、编印。这次所收,主要为本身有文学创作成就,但流传不广、版本稀少者。如清初塞尔赫著《晓亭诗钞》四卷,乾隆时刻本,集中多歌咏北方山水、缅怀先人战绩,指斥时弊,同情人民疾苦,写实性强,在清初文坛上独具特色,对研究满族文学、历史、民情极有参考作用。又如清代蒙古族作家的汉文作品极为丰富,创作水平也甚卓越,这次收录好几种(如梦麟《大谷山堂集》、法式善《存素堂诗初集录存》等),甚有文献价值。

第七辑《华北考古文献》,由北京大学考古文博学院沈睿文教授主编。收录历代学术专著和版本文献,内容包括宝石、古迹及调查报告、考古文章,最早者有明冯庆润《房山古迹志》,主要为近现代著作。收录有 90 余种,按内容可分为四类,即考古发掘工作、关于古建筑和石窟寺的调查、关于文物古迹的调查和综理(如《华北古迹古物综录》《京兆各县古物调查志》等)、关于文物遗迹的调查与考证(如张江裁《燕京访古录》、刘锡信《潞城考古录》等),这应该说是体现现代考古学的成就,为华北地区的重要文献。

第八辑《晋商文献》,由山西省社科院孙丽萍教授主编。将晋商文献作为华北文献的一个专辑,应该说是显示特色文化。晋商,即山西商人的社会群体,早在先秦时代,山西就开始商业交易活动,后雄踞中华,饮誉欧亚,影响很大,因此,晋商文化是由山西商人创造的物质财富和精神财富的概括。《晋商文献》作为专门的研究专辑,显然对晋商文化乃至中国经济发展历史状况的进一步深入研究都大有裨益。如山西票号是我国封建社会末期的重要信用机构,卫聚贤所著《山西票号史》,是研究票号史和经济金融史的一部重要资料性史书。这一专辑收录 11 种,清刻本 1 种,余皆为民国时石印或铅印本。

总之,《中国华北文献丛书》从发掘和保护祖国文化遗产的角度出发,有计划地对现有华北珍贵文献进行系统性的梳理。它的出版问世,将有力地推动华北古籍整理和研究工作,也为全国古籍整理事业做出自身特殊的贡献。

2011 年

原载学苑出版社 2012 年版《中国华北文献丛书》,此据大象出版社 2015 年版《书林清话》录入,另收入《中国典籍与文化》2012 年第 4 期、北京联合出版公司 2013 年版《濡沫集》(题为:有史以来第一部华北地区的文献总汇——概述《中国华北文献丛书》)、东北大学出版社 2015 年版《中国当代名家学术精品文库·傅璇琮卷》

关于方志学研究

  各位学者，我这次很荣幸来参加这个会议，但是很抱歉，我不能提供论文，因为我不是专门研究方志学的，同时我上个月才接到会议通知。我是研究文献学的，古代的文献学，因此我对文献中的方志还是接触比较多的。今天因为时间关系，我只能介绍一些有关情况，关于方志学提几点建议。

  我觉得古代的方志学是我们中国传统文化重要的组成部分。特别是方志的文献，是我们研究历史，研究文化很重要的资源。我这里举两个例子。第一个，上个世纪 90 年代的时候，我在中华书局任总编，与浙江大学古籍研究所的龚延明教授等合作编了一部《宋登科记考》，是关于宋代科举的编年史，获得了全国优秀图书奖。宋代科举对研究宋代是非常有用的。在此之前，有台湾学者写了一本书，是关于宋代人物传记资料的汇编，汇编了宋代考试登科几千人，还不到一万人。而在我们这本书里收了好几万登科的人，资料来源除了宋元方志之外，大部分是对明代、清代方志资料的辑集。我曾经写过一篇文章，根据这部书我们了解到，按照我们现在的行政区划，福建好几年登科人数是全国第一位，这是很引起人注意的现象,这从一个切实角度说明从北宋开始,当时的文化就从北往南转移了。地方志中的资料使我们得到了很大的好处,假如我们没有从方志学来研究,史料上可能不够完整。还有前几年,因为我是浙江宁波人,是本地人,宁波市委筹划编撰一部《宁波通史》,委任我做主编,今天来参加会议的宁波大学几位教授也参加了通史编撰。我们编的《宁波通史》资料多,其中宋、元、明、清很多资料也是从方志上得到的。所以,我觉得要切实开展对方志的研究,把方志研究作为一个学科建设,建立方志学科,研究方志的历史、方志的目录,这样就可建立真正的学科门类。希望通过这个会议,形成建立方志学的共识

现在甘肃省有一个古籍整理研究中心,他们从上世纪 90 年代开始,按照全国六个行政区编一套地域性的古籍整理文库。现在已经出版的华东、西北等各一套书,每一套书都是把非常好的版本影印出版。现在华东总主编是上海市社会科学院院长,华北让我担任主编。每一部书,专门有一个方志专辑,比如说华东有一个华东方志辑,华东地方志收集了一百七十几种,由浙江大学一个很有名的方志学教授主持做的。华北差不多也有 100 多种方志。到现在我们大陆方面确实形成了比较系统的文献学,方志已成为其中重要的部分。

大陆对方志非常重视,因此我今天提出来,要确确实实把方志作为一个重要研究项目,真正开展方志学的研究。对方志学研究,一个是搞方志目录,中国从二十世纪以来已经很重视方志的目录,中国地方志的联合目录都有了。我建议,按照中国学术传统来说,目录学一个是编目录,还有一个是撰写提要。比如《四库

全书总目提要》在学术上是很有价值的。从上世纪改革开放以来，文献学搞提要的项目已经好几种了。古籍小组本来想搞一个古籍总目提要，后来未有全面进行，现在已有专家编撰两种，一种是《中国古代诗文名著提要》，傅璇琮主编，河北教育出版社2007年出版；另外一个苏州大学文学院黄镇伟教授等编撰的《中国古代丛书名著提要》，他们收集1300多种藏书，每一种丛书写一个提要，明年要在广西师范大学出版社出版。我现在提一个建议，把古代的方志，连同现代的方志，有8000多种，以每个省为单位，选一些比较好的、比较有代表性的方志，搞一个系统的提要，搞一个中国方志名著提要。甘肃省搞了各个行政区文献丛书，他们也准备每本书搞个提要。我建议，通过这次会议，以每一个省为单元选一些方志代表著作搞提要，以后假如条件成熟的话，我们还可以搞中国方志总目提要。

今天时间不多，我这方面的研究也不多，我只能提出建议。现代学者对方志已经下了功夫，方志确实是中国传统文化很重要的组成部分。因此，第一，正式确定开展学科建设，建立方志学科；第二，我们有计划地编撰方志名著提要，这样可以进一步推动方志的研究。

谢谢大家！

原载中华书局2012年版首届中国地方志学术年会《方志文献国际学术研讨会论文集》，据以录入

《骈文论稿》序

于景祥同志于 1985 年 9 月进入南京大学中文系,为学术大师程千帆先生的硕士研究生,1987 年其硕士学位论文题目为《陆贽在中国古代文学史上的地位和作用》,这是他走上骈文研究道路的重要契机。其《中国骈文通史》之"后记"中,特为提及程千帆先生对此论文的指导意见:"学术研究要选好切入点,而不一定要趋向热点。……陆贽上承'燕许',下启'欧苏',在骈文演化过程中具有一定的桥梁作用,你以他为切入点,然后再上下拓展开去,一定会作出好多文章来的。"

此后,程先生又进一步对景祥同志的骈文研究进行筹划,确定研究思路与步骤:其一,在硕士论文的基础上继续开掘,加强重要作家、重点问题的研究,对重要的总集、别集进行整理;其二,由点到面,加强断代骈文史研究;其三,由断代史到通史,揭示、描述骈文在中国历史上产生、发展、演化的整体流程;其四,从理论层面对中国古代骈文批评进行梳理、归纳和总结。

正是在程先生的指导和鼓励下,景祥同志一边在出版社做编辑工作(后在两所大学兼教学职务),一边在骈文领域不断作专题研究，写有不少学术论文，并出版好几部专著，如《陆贽研究》《南北朝骈文》《唐宋骈文史》《中国骈文通史》等。这确使人感到他在步入骈文这一瑰丽而辽阔的天地中所表现的开拓胸怀，一种力求重新认识这一境域的探索精神。

我想就此向学术界真挚叙及程千帆先生对青年学者的深切指导。如南京大学中文系程章灿教授于1989年写成的博士论文《魏晋南北朝赋史》，后于1992年由江苏古籍出版社出版，我曾应邀于1991年2月为此书作序，就特提及程章灿君在前辈学者程千帆先生的指导下，受严谨学风的熏陶，在此书中体现出"令人不得不首肯的扎实的基本功"。

我因此又忆及1983年，与程千帆先生一起在桂林参加全国哲学社会科学"七五"规划项目基金资助评议会，就在那次会议上，程先生提出他的"唐宋诗歌流派研究"的计划，得到与会学者的赞同。程先生早就指出"将考证与评论密切结合起来"的治学路数。"唐宋诗歌流派研究"正是这一治学思路的进一步发展与具体落实。此后，南京大学中文系莫砺锋君的《江西诗派研究》、蒋寅君的《大历诗风》和张宏生君的《江湖诗派研究》就属于这一项目，得到程先生的亲切指导。我在应邀为《江湖诗派研究》所作的序中，就特为指出，这三部著作体现了程先生的治学思路，"在我国的古典诗歌研究学术史上占有特定的位置，其意义及经验必将日益为学界所认识和汲取"。我现在即以这三部名著为例，联系景祥同志有关骈文研究的论著，认为确可见出景祥同志在长期治学与系统研究中那种沟通古今、融合中西、于严谨中创新的极有生气的学风。

由此可见，我们研究现代学术史，除了研讨学者本身的治学特色外，还应探索前后辈学术传承的良好经验和典范学风，也可以我为例，我在《唐五代文学编年史》的自序中，就特为指出："就我个人来说，近二十年来，在唐代文学研究上之所以有一点业绩，都是在程先生指导、鼓励下取得的。"特别是我于20世纪80年代中期所撰的《唐代科举与文学》，即是受程先生于1980年出版的《唐代进士行卷与文学》（上海古籍出版社）的启发。因此，我觉得景祥同志的骈文著作，在当代古典文学研究的历史上很有探索意义。

从20世纪90年代以来，景祥同志先后在《文学评论》《文艺研究》《文学遗产》《社会科学辑刊》等学术刊物发表论文几十篇。现在这部《骈文论稿》就是这些论文的合集，其学术思想和治学风格当受到学界的关注。

从总体上看，这些论文从不同的角度切入，对骈文进行了多方面、多角度的考察：

一是从史的角度揭示骈文产生、发展和演变的历史流程，如《骈文的形成与鼎盛》《骈文的蜕变》二文就是如此。前者以文学史实，以及作家作品等多种文献资料为依据，详细论证了骈文萌芽、形成、鼎盛的发展过程，材料丰富，论证翔实，线索清楚，对人们正确认识骈文从产生到鼎盛这一漫长的发展历史大有帮助。后者专门论述骈文由六朝之末到南宋之末的演变情况，指出其总的演变趋势主要在两个方面：一是内容上由非功利化向功利化的变迁，一是艺术形式上向散文化和素淡化的方向发展。应该说，这些骈文史论，对目前的文学史是很好的补充。

二是从文体学的角度，对骈文和散文，以及其他文体相互关系进行研究。如《骈文与散文之关系》《楚辞在文章骈化过程中的地位和影响》《骈俪之风影响下的南朝散文》《〈红楼梦〉与骈体文》等文章就是如此。通过比较和分析，揭示骈文同散文、小说等文体之间的关系，一方面加深了人们对骈文本身的认识，另一方面也有助于人们进一步认识中国古代各种文体之间的复杂关系。

　　三是把握骈文研究的重点，从重要的骈文作家与批评家入手，进行专门研究。如《"四杰"骈赋与庾信骈赋之关系》《刘知幾关于史书用骈用散问题的几点主张》《朱熹的骈文批评》《徐师曾的骈文批评》《艾南英的师古与反骈》等文就是如此，着重于骈文作家与批评家的专门研究，在要点上作深入的发掘。

　　四是对骈文批评方面相关著作的研究，如《〈文心雕龙〉以骈体论文是非辩》《〈文心雕龙〉与〈文选〉所揭示的赋体骈化轨迹》《从〈古赋辨体〉看祝尧的骈文观》《陈绎曾的〈四六附说〉在骈文批评上的贡献》《〈四六法海〉在骈文批评上的贡献及其存在的问题》《〈四库全书总目〉对六朝骈文的公正态度》《〈四库全书总目〉中的骈文史论》等等，着重揭示这些著作在骈文批评上的特殊价值，进一步发掘骈文批评方面的理论资源。

　　通读全文，我再次忆及程千帆先生《闲堂自述》关于治学思路的概述："在诗歌研究方面，我希望能够做到资料考证与艺术分析并重，背景探索与作品本身并重；某一诗人或某篇作品的独特个性与他或它在某一时代或某一流派的总体中的位置，及其与其他诗人或作品的关系并重。"又云："在历史学和文艺学这些基本手段之外，我争取广泛使用其他学科的知识，假如它们有助于使我的结论更为完整和正确的话。"由此,景祥同志的这些论文,可以这样说:既是一种学术成果,也是一种教学成果,更是现代学术研究极有典型性的治学经验和探索成果。

谨序。

2012 年元月初

原载中华书局 2012 年版《骈文论稿》,此据大象出版社 2015 年版《书林清话》录入,另收入北京联合出版公司 2013 年版《濡沫集》

“家藏四库系列”丛书序

　　经典,应该说是中华传统文化的典范之作,充分体现关心社会和人民群众的“经世治国”精神。它包含的范围十分宽泛:有古人关于天人合一的哲学思考、探索与总结;有历代史学大家对当世政治军事、社会生活等各方面的真实记录;也有古人抒发真情而传唱至今的诗词歌赋;还有那些汇集自身与前人经验而成的、对后辈子孙的谆谆教诲之言。它们或蕴含着古圣先贤们的智慧深见,或承载着古人对人生、世态的感悟感慨,或记录着曾经的一幕幕真实的历史过程……品读这些经典,如同饮啜醇酒,回味无穷。读者可以从中收获心得,换种角度重新品味当前的生活;也能够从中欣赏到古诗文的优美,陶冶自己的性情;可以还原那些尘封已久的历史场景,了解历史的真相;甚至可以学习古人行文中的美意巧技,应用到自己日常的遣词造句之中,别有一番趣味。

　　博大精深的中华民族优秀传统文化,造就了一代代倾心尽力、总结提炼人类智慧成果精粹的学子。因此整理与复原中国经典原籍,磋商旧学,培养新知,应是我们今天的文化责任。我们应该传承与创新文化,引领其可持续的发展。

显而易见,经典的价值的确无可厚非。但它们产生的时空毕竟离我们已经遥远了,远的有数千年以前的,近的至少也有一二百年。这就意味着,我们在阅读古代经典的时候,有必要进行思索和选择,选择最适合我们阅读、最有审美价值的部分,这样才能让阅读更有收获,让读书的体验更为舒心。

　　"家藏四库系列"丛书就体察到了读者的这种需求。在各位读者面前的这套丛书,本着选取经典、还原经典的原则,从经典中选取最适读的典籍,保留下最为精华的篇章,以高水平的文本质量,将这道经典大餐原汁原味地展现在读者面前。轻松展卷,就开始我们品味经典的阅读时间了。原文解读既葆有古典的韵味,又让读者品读原意;栏目安排既有作者简介、题解,交代作品背景,又有注释、译文、评析,深入地解读作品;版面设计上则讲究让读者赏心悦目。这套丛书对自己的理念阐述得十分清晰:典籍中的经典,精粹中的精华;原汁原味地将先贤智慧清晰呈现,做到真正地便于阅读,加深理解。

　　阅读经典,普及经典,关注中国历史文化的传承与发展,加速中华民族文化的伟大复兴。

　　谨为这套丛书作序,以表致我们对文化发展前程的远望。

2012 年 1 月 8 日

原载凤凰出版社 2012 年版"家藏四库系列"丛书,此据大象出版社 2015 年版《书林清话》录入

《唐代试赋研究》序

王士祥同志的这部《唐代试赋研究》,应该说,是当代科举研究中第一次对唐代试赋进行全面、系统的考察与探索,选题具有突破性。书中有不少一直为人们忽视的专题,有些似乎还是我们第一次见到的。著者在本书"结语"中提出,唐代试赋是唐代文学的有机组成部分,在应试文学体式中,是文学性最强的一种文体。这也可以说是使人耳目一新的。

这使我回想起我于20世纪80年代前期撰写的《唐代科举与文学》。我过去曾提及,我作这方面的研究,旨在以科举作为中介环节,把它与文学沟通起来,研究唐代士子的生活道路、思维方式与心理状态,以进一步考察唐代文学是在怎样的一种文化环境中进行。这样的研究思路曾得到学界的首肯。但应当说,当时我这样做,只能说仅开了一个头,实际上唐代科举牵涉面很广,其本身也有不少细节需要弄清。当时处于80年代前期,限于种种客观条件,不可能作细致的考索。其后陆续出版有几种专题性著作,如王勋成教授的《唐代铨选与文学》、陈飞教授的《唐代试策考述》,他们的研索,比我更为深入,有些地方所论述的比我更为确切。我在为他们这两部著作所作的序中，都已对学术研究不断进展表致深挚的欣慰之情。应该说，我这次应邀为王士祥同志这部《唐代试赋研究》撰序，通读全书，确也有"深挚的欣慰之情"。

这里还可一提的是，我的《唐代科举与文学》也略有记述试赋的。如第三章《乡贡》，述及州府及县有试赋，提及几个赋题；特别是第七章《进士考试与及第》，述及试赋题目，提出"有出于经史书籍的"，还分几个小类：一、有关节令的；二、有关景物的；三、以有一定文史含义的器物为题的；四、以有文学意味的题材为题的。这样做，在当时也不容易。但王士祥同志的《唐代试赋研究》，更细致地考索了进士科试赋、博学宏词科试赋、制科试赋，且专节论析试赋命题，具体梳理赋题的出处，特为提出"对于唐代试赋研究而言，全面把握、归纳试赋题目的出处是不可或缺的工作，也是深入研究试赋文化特征的前提"，颇有学术思路的启发意义。又如我的书中也议及用韵，且以《切韵》为例，提出当时社会对韵书的要求。但我论述时，常以诗、赋并论，不专探索试赋。王士祥同志此书，不仅于第五章中有专节"唐代试赋的限韵"，还特列一章，即第八章《唐代试赋特殊韵类考述》。我再次体会到，我们在治学上真要有所得，有所进展，确应真正下实实在在的功夫。

王士祥同志确是坚持下实实在在功夫的。他作唐代试赋这一项目，应当说于 2000 年就开始了。那一年，他大学本科毕业，考上郑州大学文化与传播学院古代文学专业研究生，由陈飞教授指导。后来，陈飞教授确定其硕士学位论文为《唐代省试赋研究》，遂专力于此，写成后获得了河南省首届研究生优秀毕业论文奖。毕业后他留校工作。2001 年，我应邀为郑州大学兼职教授，数次至学校讲学,后又参加了文学院举办的学科建设会议。这样我就与王士祥同志接触较多,建议他在硕士论文基础上对唐代试赋继续研究。2007年,他又考上郑州大学中国古典文献学专业博士生,导师仍为陈飞教授。他曾想做《唐大诏令集》重新整理,我也很赞成,并互有通信联系,还商议与出版社联系事。他为此作有十来万字的读书笔记,由此可见他确在唐代史学文献上有扎实基础。后来在陈飞教授指导下,仍进一步作唐代试赋研究,并以此申报国家社科基金项目,获得立项。2010年6月,他的博士论文答辩,我又应约参加,并主持答辩会议。我确与他有长期的学术交往,并有刘勰提出的"逢其知音"(《文心雕龙·知音》)的深切互勉之情。

为便于对本书作整体的了解和研讨,兹就这部著作的考论,概括四点特色,谨供参阅。

一、学界虽然对唐赋研究颇多,但直接以唐代试赋为研究对象者尚不多见。著者选择对唐代试赋进行专题研究,从历史文献出发探讨其作为一种应试文体的产生、发展、实施、效果及所表现出来的特征,阐释它在当时人才选拔中的地位、影响及经验教训,从而使"史"与"体"达到有机结合。通过正面深入、系统研究,极大地恢复了唐代试赋的历史合法性,从而为端正学界关于唐赋的一些偏激认识提供了理论支持。

二、通过历史还原,对"试赋"概念进行了动态层面(制度)和静态层面(文本)的界定,并从制度和文本两个角度切入系统研竟,既有对"体"的考察,又有对"用"的观照。其中文本部分,不仅依据存世文献对《登科记考》作了一定的补正,而且依据传世唐人《赋谱》所载模式,并通过具体的案例分析,展示了唐代试赋区别于其他应试文学形态的制作规律。

三、唐代试赋所体现的思想多受学界批判,本书一改传统上对其思想局限性的考察,立足唐代试赋所反映的文化特征,重点考察了唐代试赋与帝王文化的关系,较为客观地突出了这一特殊文体的时代性特点,为唐代试赋的文化品质提供了现实依据。同时,归纳总结了唐代试赋文化精神学综经史兼顾道家思想的多元性特征,并指出无论是任何一种思想,当其融入朝廷考试体系时,便具有了与传统儒家统治思想同等的政治功能。

四、学界关于唐代试赋用韵的研究多停留在韵类的归纳和分析上,本书不仅系统考察了试赋所限官韵的出处、与试赋题目的关系,而且结合具体例子进行了较为深入的分析。同时,在对不同韵类的研究方面,尽量避免人云亦云,专章论述了唐代试赋中的特殊韵类,通过不同韵类的比较分析,既显示了唐代试赋限韵和用韵具体形态的丰富性,又客观考察了唐代试赋在创作中对音韵的把握和运用,一定程度上展示了唐代试赋在唐韵保存方面的"活化石"之功。

这里还可一提的是,王士祥同志颇注意于基本史料的辑集和梳理,充分发挥他的文献学专长,对不少专题作细致的清理与阐释。现拟举数例:如第二章《唐代试赋的科目》中第二节"博学宏词科试赋",依年代先后考列,自开元十九年(731)起,历考大历四年、十四年,贞元八年等,直至大中十一年(857),共考列十四例。又如第三章《唐代试赋的层次》,对地方考试专立一节,即第二节"解试赋",就州府级试赋,据《文苑英华》《全唐文》《全唐文补编》

及相关笔记文献,考出十一例,且有细考,如华州府试《登山采珠赋》《破竹赋》,称徐松《登科记考》系于元和十五年,不确,经考核应为元和十三年。这是我们关于唐代科举地方考试所未有述及的。又如第四章《唐代进士科试赋考》,专设第二节"唐代进士科试赋的存佚",自初唐垂拱元年(685)起,至晚唐光化四年(901),历年具考,考有七十四例,其中题目明确者七十例,年代明确而试赋题目待考者五例,现存进士科试赋计一百十三篇,年代、题目明确但无作品流传者二十例。这些,都应该说均极有利于当时科场试赋实际创作的研究,并显示其文献学实力。

综上所述,我深感,这部专题性著作作如此细致的研讨,使我们今天读来对唐朝的这些科试情况,了解得更为清晰,这确有助于进一步探讨科举本身与当时文学、政治、文化及文人心态、生活方式等关系的研究,由此也能扩展对古代文体研究的领域,拓宽人们的视野。

谨以此序抒写我的读后感,供学术界参考。

2012 年 2 月

原载上海古籍出版社 2012 年版《唐代试赋研究》,此据大象出版社 2015 年版《书林清话》录入,另收入北京联合出版公司 2013 年版《濡沫集》

《陆游与汉中》序

纪念陆游从戎南郑 840 周年暨唐宋诗人与汉中国际学术研讨会论文集《陆游与汉中》出版,嘱我作序,我欣然应命。之所以如此,缘于我对汉中的情谊和对陆游的景仰。

由于工作关系,我曾几次到过汉中。尽管这一地区在行政区划上属于西北,但这里饭稻羹鱼、淳厚豪放的巴蜀习俗,渔歌唱晚、小桥流水的南国风韵,总是深深地吸引着我这个长期生活在北方的南方人,使我自然而然地回味起家乡浙东的山山水水。而作为古代中原和巴蜀之间的过渡地带,作为大汉王朝的龙兴之地,汉中在中国历史进程中扮演了重要角色。我在研究唐代文学时注意到,从 6 世纪末叶到 10 世纪的隋唐五代,多数仕宦骚人都与汉中有密切接触和联系,汉中成了研究唐代历史、文学绕不过去的话题。这种现象一直延续到政治文化中心东移南移的两宋。这些年,汉中市在进行文化建设时也很注意与历史传统的结合。基于这些因素,大凡汉中举办学术活动邀请到我,我都尽量参加,主要参加了几次蜀道研讨和陆游研讨活动。

南宋杰出的爱国诗人陆游,同屈原、杜甫等伟大诗人一样,热爱祖国，关心民瘼，赢得后世的景仰和赞颂。陆游的生活道路和诗歌创作，又深受唐代边塞诗人和李白、元稹等的影响，因而也是我关注的。陆游乾道年间在汉中的从军生涯，为其诗风转变提供了机缘，同时也为汉中贡献了华彩诗章。20世纪90年代，当时的汉中地区行政公署和中华诗词学会联合在南郑县举办毛泽东诗词研讨会暨陆游国际学术研讨会，这是首次将诗雄毛泽东和陆游的雄诗在一个会议上展开研究。我和孔凡礼先生向大会提交了《陆游与王炎的汉中交游》论文，论述了王炎、陆游在汉中从事恢复事业时复杂而于其不利的政治环境，提出了陆游自述的《山南杂诗》百余篇坠水中"很可能即是托词，极有可能是陆游有意删去的"的观点，呼应了朱东润先生的"隐情"说。这篇文章后来发表于《杭州师范学院学报》（后又经修订补充，重撰一篇《陆游南郑从军诗失传探秘》，刊于《文学遗产》2001年第4期），引来了一些同意的和商榷的声音，这在学术研究上都是正常的。但无论如何，我认为陆游面对山河破碎、朝政萎靡的恶劣环境，仍致力恢复、至死不渝，这种精神是永远值得纪念的。

现在这本论文集，洋洋50多万言，是一个时期陆游研究的集大成之作。从文章作者的年龄、学术经历来看，既有我熟悉并素有学术交往的陈祖美、刘扬忠、蒋凡、莫砺锋、钟振振等学术大家的厚积薄发之论，也有我不熟悉的高利华、王昊、徐丹丽、吕肖奂、马强等后起之秀的细心探究之作，体现了当前学术研究欣欣向荣、后继有人的可喜现象。许多文章用新的视野，提出了新的观点。莫砺锋《论陆游诗自注的价值》是对陆游诗、词、文的文本细读的范例，它首次全面梳理了陆游《剑南诗稿》中数量丰富的878

则自注,提出陆诗自注是其著述的重要组成部分,论述了陆诗自注在交代写作背景、解释诗意等方面不可或缺的意义;分析了陆诗自注在提供陆游生平经历细节,交代陆游与前代诗人间的传承关系,创造新颖的语词,记录有关社会、风俗资料等多方面的特殊价值。周颖《陆游诗颂泰山封禅论》认为,在南宋大部分士人激烈抨击封禅的大环境下,陆游作《客有言太山者因思青城旧游有作》诗,提出"但愿齐鲁平,东封扈清跸",将东封草奏与北伐勒铭并举,表达对封禅的无限向往,不仅是借以追怀盛世,更是对北伐中原、驱逐金虏、光复国土的希冀,具有积极意义。陈祖美《再读陆游"汉中词"有感》借用陆游"不到潇湘岂有诗"句,提出了"不到'汉中'岂有词"的论点,以陆游赴汉中以后,才出现了令其满意的、一种全新视阈和境界的词作;陆游的南郑词豪放与婉约兼擅,《秋波媚·七月十六日晚登高兴亭望长安南山》《汉宫春·初自南郑来成都作》堪称同调词中"压调之作"。就是对许多过往论题,一些文章也有新的论述。如刘扬忠《研究陆游汉中从军短暂经历的重大意义》对陆游"山南杂诗"丢失原因的论辩,蒋凡《打虎脍鲸说浪漫,忠心报国现实魂——陆游诗歌"打虎"意象小议》对陆游"射虎诗"的分析等。

内容丰富是这个集子的特色之一。除了对陆游思想、诗文的研究,对陆游的书法艺术、家庭诗教、弈棋饮宴、宦游遗迹及其后人在绍兴的分布生存也有探讨。日本学者三野丰浩《关于陆游的夜雨诗》以陆游人生经历变化为考察线索,对陆游东归以前、东归到淳熙末年、绍熙到嘉定三个不同时期的听雨诗进行了细致爬梳,认为陆游的咏雨诗数量多,内容和形式丰富多彩,是以"下雨"

为主题的变奏曲;陆游咏雨诗的世界就是整个陆游作品世界的缩图,夜雨就是陆游最亲密的朋友,论述清晰,细腻缜密。一些文章研究了陆游的诗词观及其特色。马东瑶《壮心与醉梦:爱国诗歌传统中的陆游》高度评价陆游的古体诗特别是乐府诗创作,认为陆游的乐府诗往往直用乐府古题,而用旧题写时事,通过幻想中的对金作战的胜利,表达收复旧河山的强烈渴盼之情,继承传统而又充满创新,使乐府诗的创作在宋代获得了一次"中兴"。王昊《陆游晚唐诗词矛盾价值观探析》认为陆游对晚唐诗词在价值层面上有不同的判断,总体上对晚唐诗持否定意见,对晚唐词的看法则复杂微妙,但陆游自己的诗歌实际上与晚唐诗存在内在关联;陆游的诗词创作呈现畸轻畸重的分野,无疑与其"诗词之辨体"直接有关。谢燕、朱惠国《陆游军旅词探析》认为,陆游受"词为小道"词学观所限,对南郑军幕生活的回忆处理缺少诗里的那种升华与提纯,而过于拘执地宣泄着内心的愤慨,因而造成了其爱国词在艺术上的诸多缺失。这些观点都值得重视。钟振振《读陆游〈老学庵笔记〉小札》对中华书局标点本陆游《老学庵笔记》文本中出现的人名、地名、事件等错讹之处进行了考辨,王永波作了《〈渭南文集〉版本考述》,管遗瑞《陆游与彭州牡丹》论述了陆游《天彭牡丹谱》在研究牡丹时的独特价值,这几篇文章在研究陆游《剑南诗稿》之外的著作上都很有价值。此外,文师华《陆游书法墨迹〈怀成都十韵〉和〈自书诗帖〉解读》、屠纪军《从焦山摩崖题记看陆游的爱国主义思想》研究了陆游的书法艺术;张福勋《"我今谨守诗书业,汝勿轻捐少壮时"》研究了陆游的家庭诗教;常崇宜《陆游的围棋生涯》等文研究了陆游的弈棋饮宴;李霞锋

《陆游与杜甫及成都杜甫草堂》等文研究了陆游在蜀中的宦游遗迹；崔际银《陆游与辛弃疾其人其作异点刍议》、刘扬忠《研究陆游汉中从军短暂经历的重大意义》对陆游与辛弃疾做了比较研究；施权新《阆苍舒兴元活动探微》，陈冠明、孙愫婷《尤、萧、杨、陆、范创作交流年谱》，陶喻之《陆游直系亲属与其蜀中情结关系探考》，陆纪生《陆游后人在绍兴》，都真切研究陆游与他人的交往以及其亲属后裔情况。

视角多元、研究方法多样是这个集子的又一个特色。高利华《论陆游之"诗人风致"——兼论从戎为原型的审美回忆》从创作论的角度对陆游创作的审美特性和个性形成的过程进行了剖析，从朱熹对陆游其人、其诗的评价"有诗人风致"，"语意超然"出发，论述了陆游的过人才情和诗人气质，其诗歌之唐风唐韵以及因其体格性分、才情气质所形成的特殊思维方式、审美特性以及决定陆游创作审美特性的因素，提出了许多启人思路的观点，把陆游诗歌的解读从已有的"南郑情结"等说法提升到了一个新的层面。吕肖奂《一个越中诗人的梁益书写》以地域文化的视角，论述了陆游关于梁益地区大量创作具有的个人化、艺术化特性，指出由于地域差异、心理落差以及越中文化明显优越于蜀汉巴蜀文化的"先知识结构"，陆游的梁益书写不够客观与理性，但却以其率性甚至粗枝大叶而更引人入胜，成为诗人的地域文化书写的一种范型。小田美和子《"愁"之可视化与比喻表现》、侯友兰《陆游汉中诗词语言美质》从语言学角度对陆游诗歌创作的修辞手法、意象选用、抒情模式进行了探讨，认为陆游诗词特别是军旅诗词具现实主义基调，浪漫主义特色浓厚。马强《陆游川陕诗的历史地理学价值及其意义》、孙启祥《陆游汉中诗文的史料价值》以历史地理学、史料学方法,探讨了陆游诗文在研究三峡风物,长江、汉水发源地,南宋气候变化,以及韩信受拜大将、唐玄宗奔蜀、金兵西侵兴元、蜀道兴废等历史、地理问题时的历史学价值。郑永晓《2007—2011 年度陆游研究指数述略》将统计学和计算机科学等方面的技术引入人文科学,通过考察 2007—2011 年间国内 248种核心期刊所发表的有关陆游研究论文的状况,通过统计分析得出研究指数,再以指数为起点,回溯研究历史、分析研究现状、探讨研究趋势,具有新意。

作为以《陆游与汉中》为名的著作,主题紧凑是本书的一个重要特色,全书论述陆游在汉中的多彩生活及其创作内涵、艺术成就的文章有 20 多篇。胡金佳、傅兴林《陆游南郑军旅生活论略》,佐藤菜穂子《陆游在汉中的活动和诗》全方位勾勒了陆游从军汉中时宿营、驰猎、酣宴、侦察、创作诗歌等丰富多彩的生活。龙建国《论陆游追怀南郑诗歌的表达方式》认为陆游常用借酒泄愤、借梦申志、因境感怀等方式,抒写自己对南郑军旅生活的深切怀念,表达自己抗金复国的理想和壮志难酬的愤懑。多数文章对陆游汉中从军生活对其诗风的影响持直接肯定态度。许芳红《偏值宋南渡,郁借江山吐——陆游汉中写景诗探析》以陆游在南郑所写的及以后回忆南郑的诗词作品共 130 首作为研究对象,指出陆游的汉中写景诗是客观的自然地理环境与其内心涌动的爱国热情的结合,再现了山川地理与诗人心灵互相感发激荡之状态。王致涌、张丽君《马蹄初喜踏梁州——陆游汉中之嬗变》,谢开云《嬗变与超越——兼论汉中从军生活对陆游后半生的影响》继续探讨了陆游南郑从戎生活对其诗风乃至人生态度转变的决定性作用。而也有文章与主流看法有异。徐丹丽《论陆游中期诗歌的转变》以列表的方式，细密排比的手法，分析了陆游中期诗歌的题材取向、诗体选择、写作年代、写作速度、艺术手段的存在状况，认为陆游中期诗歌的转变没有发生在自己看重的南郑时期，而是在南郑以后的数年内开始并且很快完成的。汉中地方学者借助地域优势，就陆游在汉中生活的若干史实及其影响进行了探讨。傅杰《从杨从仪碑文看陆游在汉中时的政治气候》认为陆游诗中的"射虎"意象，发轫于早于陆游的地方官吏杨从仪在汉中打虎之史事；李青石《从〈剑南诗稿〉看陆游的秦岭行踪》、宋文富《放翁宁强芳躅探踪》、王景元《征西幕府和吴园遗址初考》，考证了与陆游生活直接相关的汉中若干道路村镇府苑地名的变迁；李锐《地域文化的互动：陆游与汉中》、梁中效《陆游与汉中汉文化》论述了陆游对汉中地方文化的影响。值得一提的是，胡可先《石门题刻文学研究》论述了东汉褒斜道南口石门开凿以来历代名人题刻的文学内涵和意义，认为石门石刻文体类型丰富，纪实性、艺术性强，是中国古代最具特色的石刻群落之一。该文是本书内容的扩展，也是一篇有分量的学术论文。

今年的纪念陆游从戎南郑840周年暨唐宋诗人与汉中国际学术研讨会议，我虽因故未能参加，但论文编成后，我仍通读全书。我觉得，《陆游与汉中》定能使读者读后受到启迪，必能推进关于陆游和宋代文学的深入研究。我还想特为一提，这次学术会议，对当代地域文化建设更有推进意义。唐宋时期，确有不少文人名士来往于汉中，我所著《李德裕年谱》（河北教育出版社，2001

年），记李德裕于唐文宗大和四年任四川节度使，经过汉中，特写有《汉州月夕》等诗，诗文名家刘禹锡特为唱和。文化名人与地域文化有密切关系。立足于本地，又纵贯历史，从地域文化研究出发，必能进一步丰富整个中华民族文化研究的内容。因此我建议，以地缘文化关注为重点，可以设置汉中学学科，希望具有前瞻性和创新性。

2012 年 3 月

原载上海古籍出版社 2013 年版《陆游与汉中》，此据大象出版社 2015 年版《书林清话》录入，另收入北京联合出版公司 2013 年版《濡沫集》

古籍整理与中华文化传承创新

——在"先秦诸子暨《子藏》学术研讨会"上的发言

　　《子藏》应该说是新世纪一个极大型的学术工程,文化学术界已有高度评价,认为这在学术传承乃至整个社会生活中都具有重大而深远的意义。

　　进入21世纪,古籍整理确已进入了新阶段,许多大型类书、丛书如《续修四库全书》、《中华再造善本》等工程相继启动。去年,党的十七届六中全会审议通过了《中共中央关于深化文化体制改革推动社会主义文化大发展大繁荣若干重大问题的决定》,明确指出,文化是民族的血派,是民族凝聚力和创作力的重要泉源,是国家综合竞争力的重要组成部分。在继承与弘扬优秀传统文化方面,古籍整理自然是重中之重。春节期间,中共中央政治局常委李长春同志代表党中央看望了在京的文化界知名人士。我作为古籍整理研究领域的一员,有幸成为其中之一。李长春同志谈得最多的,依然是期待我们古籍整理工作者能抓住这难得的历史机遇,为中华文化和子孙后代留下一些宝贵的文化财富。他特别指出,当前全国文化界的形势很好,党的十七届六中全会是我们党在领导文化建设历史进程中一件具有里程碑意义的大事，标志着我国文化建设迎来了繁荣发展的黄金期。今年是党的十八大召开的喜庆之年，是贯彻落实党的十七届六中全会精神的关键一年。希望广大文化工作者牢牢把握历史机遇，进一步兴起贯彻落实党的十七届六中全会精神的新高潮，以优异成绩迎接党的十八大胜利召开。今年3月22日，中华书局成立一百周年庆祝大会在北京人民大会堂举行，李长春又出席接见庆祝大会代表，他在传达胡锦涛同志祝贺辞后，又讲话，在讲话中特别指出："出版更多思想性、知识性、可读性相统一的优秀作品，更好地弘扬中华优秀文化，增强时代感和吸引力，推动中华文化走出去，在新的起点上再接再厉。"

要弘扬中华文化，培育民族精神，离不开对我国优秀传统文化的继承。中国古籍是中华民族历史文化的主要载体，只有加强古籍整理工作和古文献学研究，才能更好地挖掘中华民族丰富的文化遗产，以保持民族性、体现时代性，成为社会主义新文化建设的重要资源。因此，党的十七大报告提出要"做好文化典籍整理工作"，国家在近年也实施了为期十年的"中华古籍保证计划"

应该说，《子藏》工程正是顺应时代潮流的事业，是承前启后、继往开来的学术壮举。因此确有必要，研讨已开始进行的工作经验，可以作为古文献学的学科建议，探索古籍整理方法的不断创新和古籍整理理论的深入研究。

古籍整理与文化研究、文化建设有密切关系，现就文学古籍整理举一两个例子。以宋诗而论，大家知道，宋诗是中国诗歌史上继唐诗之后又一个新的高峰，但这一高峰的形成，是与宋人对唐诗的编集、刻印分不开的。唐人诗文集，原都是传抄本，至宋代绝大部分都经搜集、校注，如元代诗文大家元好问所见宋人杜诗注即有六七十种，他即称之为"杜诗学"。北宋、南宋，都编纂有较大规模的诗文总集，如北宋前期的《文苑英华》《唐文粹》，南宋洪迈《万首唐人绝句》，都对宋人研习前代文学提供翔实的资料。宋人的这些努力，促进了唐诗的传播，开阔了人们对唐诗的认识，从而也提高了宋代诗人本身的文学素养。又如清代初期，好几位学者编撰了好几部大规模的宋代诗歌选集，这也影响到了清代宋诗派的形成与发展，乾隆时诗文名家翁方纲的肌理说及后来的同光体诗，都与当时宋集的大量编纂、刻印有关。由此可见，文学古籍的整理与文学创作、文学思潮有着密切的关系。

又如清乾隆时编纂大型古籍丛书《四库全书》，同时又从学术角度为所有经史子集四部各有撰写提要，即《四库全书总目提要》。当时参加《四库提要》初稿撰写的，多为一流名家，他们发挥各自的专长，以义理与考据相结合，对各书考订其异同，辨别其得失。故清季张之洞给予极高的评价，认为"将《四库全书总目提要》读一过，即略知学术门径矣"（见其所著《輶轩语》）。现代古典文学界，有从学术史的角度，探讨《四库提要》的文学观念流变与理论批评原则的，如有人认为，《四库全书》对杜甫诗集的选录及评论，是清中叶对杜诗学的一次总结和检讨；也有从历朝词籍提要中探索当时学者对词的发展规律及词学思想、词学风格的认识；更有一些论著，就文体学对《四库全书》作出了系统的评述。这次《子藏》，除了广泛收集子部书籍，亦撰有学术性提要，定会对古代哲学著作、哲学思想的研究起极大的推进作用，即继承"辨章学术、考镜源流"的目录学传统,更有所创新。

《子藏》工程在把握传统文化基本命脉的同时,还综合版本目录学和学术思想史,整理出十分精确的文献搜索范围和编撰体例,明确所谓"子"是指诸子百家。《子藏》没有简单地照搬诸如《四库全书》等所采用的"经史子集"的传统分类。"经史子集"的"子"杂合阴阳五行、天文历法、农业、医学等。其在历史上出现,有着复杂的时代背景。但随着学术的发展,这样简单不加细辨的分类必然会造成编修内容与体例杂而不纯、疏而不当,无法真正体现"子学"之所指及其在传统文化中的基本特点与特殊地位,也无法满足当下对古籍整理极高的学术性要求。此外,《子藏》也不简单地以地域性为标准来局限、割裂传统文化的内部有机联系,而是严格以历史流变为依据,很好地体现和保证了传统文化有机联系的整体性和传承性。

在高屋建瓴、明确大框架的前提下,《子藏》在具体的编纂方面也颇具特点。它特设"儒家部"、"道家部"等诸"部",以标识各家,分摄众子,在版本择取上,严格遵循"既全且精"的原则;且在收录文本的同时,还为每一部书撰写提要。此外,它还编有《诸子学刊》、《诸子研究丛书》等学术期刊、学术丛书,作为羽翼,贯穿始终。可以说,《子藏》工程是一个全面的、系统的、深入的古籍整理与文化研究工程。它为学术界所带来的影响,是深远而不可估量的。

这次《子藏》的大规模整理,一定能从学术上总结古籍整理方面必须达到的标准和要求,能推动古籍整理的规范化,必将有助于古籍整理工作的理论建设,并进一步明确古文献学科的发展方向,完善古文献学科的建设。我希望我们这次讨论,通过对《子藏》整理工作的探索,对诸子学的总结性研究,将深刻阐明古籍整理与古文献学在当代文化建设中的重要作用,加应党和国家整理文化典籍、加强传统文化建设的号召,为推进社会主义文化大发展大繁荣作出贡献。我与在座同仁共襄盛举,亦可谓幸甚至哉!

原载《诸子学刊》2012 年第 7 辑,据以录入。此次研讨会于
2012 年 4 月 7 日召开

《南岗集》序

    我和周常林先生相识是在 20 世纪 90 年代初。那时我在国务院古籍整理出版规划小组工作,当时小组组长为南京大学名誉校长匡亚明先生,我被聘任为秘书长,负责实际工作。当时曾着手编制小组的八五规划。周先生当时是河南教育出版社(大象出版社前身)的社长。一天,他来京商议工作,于是我们在中华书局的会议室面谈。他建议拟和中国科学院自然科学史所合作,计划对中国古代典籍中的科技文献,按现代科学分类进行全面系统的整理出版。我觉得这是各省已报项目中的亮点,就向匡亚明先生汇报,立即引起匡亚明先生的注意。后来他们又先后两次直接向匡先生做了较详尽的汇报,这样,由任继愈先生领衔,定名为《中国科学技术典籍通汇》的选题,正式列入了国家规划。当时,小组资金有限,这个大型项目记得只拨付了五万元。出版社主要靠自己的投入,克服各种困难,保证了项目的如期完成。图书出版后,受到各界特别是中外科学史界的好评。

    大象出版社在周先生的带领下,除《通汇》外,还先后出版了《中国传统工艺全集》《中国音乐文物大系》《中国减灾防灾史》

《四部医典》《中国火器火药史》《清代匠作则例》《西藏科技史》等一大批科学史著作。与此同时,他们还与北京外国语大学海外汉学研究中心、鲁迅博物馆、河南博物院等单位合作,出版了成系列的海外汉学研究丛书及其他大量的专业学术著作。1994年,他创办了海内外颇有影响的《寻根》杂志,并任主编。他还和学者李辉合作出版了"大象人物聚焦书系""大象人物书简文丛""大象人物日记文丛""大象人物自述文丛"等几个系列的书系,在读书界很有影响。后来经我推荐,他们又与上海师范大学古籍所合作,陆续出版大型古籍整理出版项目《全宋笔记》(现已出版五辑五十册),周先生与我都被聘任为主编,我们好几次在上海师大参加编纂会议。

　　周先生是"中国韬奋出版奖"的获得者,享受国务院特殊津贴,是出版界有影响的专家。这是我对他的大致了解。没有想到今年4月读到他的诗稿,我才知道,在20世纪50年代,还在念高中的他,竟然也受到了反右运动的波及和影响。据他说,正是从那时起,为了排遣心中的郁结而开始了传统诗词的写作。他说自己的诗"诗味不多,大多又平仄不调",这当然是自谦。唐代大诗人白香山云,"歌诗合为事而作",我读他的诗,第一印象,便是觉得他的诗确是白氏这一创作主张的具体实践。民生疾苦、社会热点、人生际遇等,在他的诗中都能得到反映。我读今人的诗不多,现确感觉他的诗有相当的欣赏和认识价值。当然,就唐以来所形成的严格的近体格律来衡量,我们还可做进一步探索。读诗的人,希望读到作者每一首诗都是佳构,这要求虽然有些高,甚至有点求全责备的意味,但作为老出版人的诗作,我们读来仍有启示。

鉴读这部诗集,可以促进把旧体诗作与现代诗学衔接起来,沟通古今诗歌的研究。

　　以上是我的读后感,应作者之请,特为之作序如上。

2012 年 5 月

原载故宫出版社 2013 年版《南岗集》,此据大象出版社 2015 年版《书林清话》录入

《文化之旅》读后感

——兼及饶宗颐先生的几封书信

近日,我阅读饶宗颐先生于中华书局出版的《文化之旅》,深受启发。这部蕴含文化之情的佳作,必将进一步促进文化建设研究中清雅鉴赏与深思探索相结合。

书中《玉泉山·关陵》篇明确标出"文化之旅",云:"近时因湖北博物馆的邀请,与利荣森先生等由重庆沿长江而下同游三峡,经宜昌至荆州、武昌。饱览峡中各个不同的风景点和文物古迹,使我真正享受了一次'文化之旅'。"

这使我联想到南宋的两位名人之作,即陆游《入蜀记》、范成大《吴船录》。陆游先居于家乡浙江绍兴,被任为夔州通判,即由杭州起行,沿长江乘船上游,逐日记行,撰成《入蜀记》六卷。《四库全书总目提要》特称其"于山川风土,叙述颇为雅洁,而于考订古迹,尤所留意",且谓"其他搜寻金石,引据诗文以参证地理者,尤不可殚数",因此"足广见闻"。范成大先在四川成都任职,后转徙还家(江苏苏州),于是自重庆沿长江东下,作《吴船录》二卷。《四库全书总目提要》亦极赞誉其文笔,称"于古迹形胜言之最悉,亦自有所考证"，且又载所见蜀中书画，"颇足以广异闻"。

由此可见，我国古代行记名作，除记山川形胜外，又将金石考古、书画辑录及诗文鉴赏蕴含其中，真是文化之旅，这是我国传统文化的一大特色。

饶先生一方面有机继承传统，一方面更大为拓展文化之旅领域，使人耳目一新。我们在书中可以看到他畅游欧亚非诸多胜地。早在 1963 年就去印度旅行，注意于"佛教圣地"。他特为提及"1963 年我在印度从事研究"，却由佛学拓展道学，遂提及"庄子"，并介绍"庄子在讲庖丁解牛的一段故事"（页 17）。又如 1993 年冬 11 月在法国巴黎，除游凡尔赛宫外，还去距巴黎四十公里的密林，探索修道院屋。又曾去埃及，与友人近观金字塔，特为提及"代表埃及文化"的一部《死书》，另还引及一位波斯诗人的两句名诗。又如到布拉格、维也纳，特别去"参观维也纳大学"，又登上附近"号称一百五十六米的高塔"，自我表扬："不需要一分钟便抵达绝顶。"又如到新加坡，特别注意"新加坡最吸引人的植物"。这又使人耳目一新。

本书关于国内行记，则学术性、知识性更强，真使人有"欲穷千里目，更上一层楼"之感。如《关圣与盐》篇，云"我于 1981 年参加太原古文字学讨论会，接着于山西各地作一个月的漫长旅行，跑了许多地方，给我印象特别深刻的是在解县瞻仰关帝庙"。接着就考述关公自汉季后的历代影响，具体介绍明人的几部有关杂剧。另一处记他于 1991 年 11 月在浙江温州参加"谢灵运与山水文学国际研讨会"，述及谢灵运的山水佳作，但却着重指出谢灵运学识最特出的是他对梵典梵文的认识与学习精神，这是现代有关谢灵运研究中很少谈及的。又他另一篇记福建武夷山之游，提及宋代词人柳永三首诗，因柳永之故乡在武夷附近崇安，饶先生又从而考索柳永家世，文末云"故敢著文为作不平之鸣"（页46），令人深感其幽默胜笔。

特应一提的是，饶先生于1988年12月游陕西文物圣地法门寺。法门寺在西安市西，是极有文献价值的佛教佳地，前几年陕西省文史研究馆编纂一套大书"长安学丛书"，共十卷，"法门寺"就是其中一个专卷。饶先生对佛学有专深的研究，就细述有关史事的好几件遗物，特别论述韩愈在唐宪宗时排佛奏议，详细分析韩愈的儒、释思想，这对韩愈研究有拓展新领地的意义。

文化之旅，应该说也是学术交往。我与饶宗颐先生甚有学术情谊。早在1982年，当时任国务院古籍整理出版计划小组组长的李一氓同志主持召开全国古籍整理出版规划会议，我参加此次会议，当时钱锺书先生也与会。之前饶宗颐先生曾将其诗词创作一书送给钱先生，钱先生则将此佳作转赠给我，题写几句话，约我阅读，我确得到一次极好的机缘。1993年2月，我应香港中文大学之邀，去该校中文系讲学一周，就与饶先生会晤，他还邀我到他家吃饭、聚谈。八九十年代，饶先生为中华书局编纂《全明词》，当时我在编辑部任职，就为此常与他商议。今将我所存的饶宗颐先生三封信具录如下：

璇琮先生左右：

前得长途电话，述及四库全书工作，甚盛事也！未知近日进行情况如何？迩来检读来往旧信，得1983年沈锡麟先生转陈李一老对拙编《全明词》读后意见,兹影印一份备览。署名问题,实应遵照李老决定。该书何时可出首册,弟之序言,迟即寄上。年来曾将论清词笔记稍作整理,惜无暇专以及此。最近华东师大举行"清代词学讨论会",弟有"清代地域性之词总集与酬唱词集"一长文,想必已见过。另托人附呈"论清词在词史之地位"与"谈柳永词"二篇,乞指正为感。

　　匆匆备颂

篆祺

弟饶宗颐再拜
(一九九五年)六月一日

璇琮尊兄侍右:

　　在京数日,值文驾赴天津,未获良晤为怅。《全明词》不收小说中倚声之作,可减去大量无谓之作,盼早日成书。四库续修史部,弟建议收入朱彝尊《五代史辑注》稿本,附上拙作跋文以供参考。此书虽未完稿,实开清人治五代史之先路,征得门人现任港大冯平山图书馆馆长简丽冰女士同意。简君函,附呈。如何,尚希卓裁。

　　匆颂

撰祺

饶宗颐再拜
(一九九七年)四月十五日

璇琮先生雅鉴：

　　大函奉悉。欣闻《全明词》可于明年元月中旬面世，此赖
先生督促之力也，谨致谢忱。河南郑州大学《新文学》专刊，
承蒙雅意，嘱撰稿刊载，惟余月前轻微中风，今已稍瘥，但精
力神思未若从前，故未能应命。倘需题刊名之类，则可效力。
至撰稿事，俟今后瘥可再寄上请教。耑此顺颂

新年好！

弟饶宗颐再拜

二○○三年十二月十四日

　　这三封信中都提及《全明词》，乃因饶先生对明词早有研究，
辑集不少材料，古籍小组组长李一氓同志乃于 1982 年 9 月正式约
请饶先生主持《全明词》的编纂工作。饶先生因已有一定材料基
础，乃于 1983 年即辑成《全明词》初稿，得词家 900 余人，交付中
华书局。李一氓同志自己藏有《明词集》珍本，经了解，觉得饶先
生限于客观条件，还须补辑，就约请古典文献专家张璋组建编纂
组，在饶先生初稿的基础上，作进一步完善，中华书局编辑部又认
真审稿，历经十余年，于 2003 年成稿，2004 年 1 月出版，共收词家
1390 余人，词作约 2 万首。90 年代中期饶先生有一次便中来北
京，我曾约张璋先生与饶先生面谈，谈了近两个小时，学术合作很
好。确可见饶先生的博大气度及对学术同行的合作情谊。

　　这里还应一提的是，20 世纪 90 年代中期，我与学术前辈顾廷
龙先生共同主编，编纂《续修四库全书》，饶先生获悉后十分关心，
称其为"盛事"，并具体建议收辑清人朱彝尊的《五代史辑注》稿

本，且与香港大学图书馆联系，提供稿本。可见他对学术事业的关心和支持。

他对我这样的后辈学人，也很关心，于1995年6月1日信中，特为提及拟将他所撰两篇论词学论文寄交给我；2003年12月4日一函又回复关于郑州大学《新文学》约稿事，这是我受郑州大学之托，向饶先生组稿的。

我想引用刘勰一段话："知音其难哉！音实难知，知实难逢，逢其知音，千载其一乎！"（《文心雕龙·知音》）今读饶宗颐先生《文化之旅》，重温他的书信，真有学术知音的深切寄望与慰勉。

原载《书品》2012年第5辑，此据大象出版社2015年版《书林清话》录入，另收入北京联合出版公司2013年版《濡沫集》

《唐人选唐诗新编》增订本序

20 世纪 90 年代初,我与陈尚君先生、徐俊先生两位学者合作,共同编纂的《唐人选唐诗新编》,1993 年完成,1996 年 7 月由陕西人民教育出版社出版。此书出版后,学术界颇为关注,有肯定评价。近数年来,我们再次商议,确定在原有基础上加以增补、覆校,作为增订本,由中华书局出版。我自信,这将为研究者提供更加完整、更有质量的唐人选唐诗新版本。

90 年代《新编》本,共收书 13 种,这次新增 3 种,即陈尚君先生校点的《元和三舍人集》《窦氏联珠集》,徐俊先生辑校的《瑶池新咏集》。我于 1993 年 7 月所写的序中,曾提及《窦氏联珠集》《元和三舍人集》有合集的性质,有些则是酬唱集,与选集的含义稍远,故未列入。实则所谓合集、酬唱集,从广义上说,可属于选集的范围;特别是唐代,唐人选唐诗,可考者虽有 130 多种,但唐后存世者甚少,从唐诗传世研究与文献考索来说,这样的书是应该辑集的。现将此次增补的三者,概述如下:

《元和三舍人集》,为王涯、令狐楚、张仲素三人于宪宗元和十一年(816)八月至十二月同任翰林学士时,用当时流行或新制诗题,相互酬和之作。唐代翰林学士多作诗唱和,但未有如王涯等三人同时共作一百多首诗者。不仅在唐代,就是在翰林学士更为增多的宋代,也未曾再有。这确为我们今天了解唐代翰林学士生活和创作提供了极为亲切的资料。不过,王涯等三人未曾同时任舍人,此书之所以题名为"三舍人",当因唐宋间对中书舍人的重视。据陈尚君先生于该集"前记"中考述,此书编者可能为三人中之一人,或三人合编。可以注意的是,此书未见唐宋两代公私书目著录,南宋计有功《唐诗纪事》卷四二有纪,云:"右王涯、令狐楚、张仲素五言七言绝句共作一集,号《三舍人集》,今尽录于此。"后世未见有传本,陈尚君先生发现复旦大学图书馆所藏明抄本《唐人诗集八种》,其中有《元和三舍人集》。据该书目录,共有169首诗,正文所录则为119首,已较《唐诗纪事》所载多30余首。《唐诗纪事》云"今尽录于此",可见计有功所见已为残本。考虑到此集已属国内孤本,且尚存唐诗原貌,又多可订正宋代以来各书所收诗之讹误,故此次特予校订整理,以复旦大学图书馆所藏明抄本为底本,主要参校《乐府诗集》《唐诗纪事》《万首唐人绝句》等书,多有校异、订正者。

《窦氏联珠集》,褚藏言编选。褚藏言为唐宣宗大中时人,编录窦叔向之子窦常等兄弟五人之诗。窦叔向,代宗大历初登进士第,有诗名。其子窦常等五人,两《唐书》有记载,不详,但可知为德宗、宪宗时人。褚藏言于五窦各编选二十首诗,为今能得见的唐代唯一接近家集的选本,是唐人选唐诗中特殊的一种。此次据《四部丛刊》三编影印南宋淳熙间刊本点校。

《瑶池新咏集》,唐蔡省风编。此书是见诸文献著录的唐人选唐诗中唯一一部女诗人选集,也是中国古代保存至今的最早一部女诗人诗歌专集。《新唐书·艺文志》著录为二卷,但宋以后失传,徐俊先生据俄藏敦煌写本缀合整理。所选五位女诗人,李季兰为唐代宗至德宗间人,张夫人为大历十才子吉中孚之妻,其他三位生平世次不详,其作品曾收入韦庄《又玄集》,当为唐昭宗前人,则蔡省风生活时代为晚唐五代之际,其编选当在唐代末年。俄藏敦煌写本也为残卷,此次整理尽可能保留残卷原貌,一般音形讹字于其下用圆括号括注正字,用方括号括注据其他文献所拟补之字。校记据有关文献典籍并参考今人成果,有详细辨析。

除增补外,此次对20世纪90年代版中有些选集还有所调整、补正。如《翰林学士集》,原以贵阳陈氏光绪间影写刊本为底本,此次改用日本樱枫社出版藏中进《〈翰林学士集〉二种影印和翻刻》所附原卷影印本为底本,参校陈氏光绪间影写刊本等,并新补校记。陈尚君先生于此集后撰有《〈翰林学士集〉考释》,对此次调整、新校作具体说明。

又,《玉台后集》,唐李康成编选,乃继《玉台新咏》之作,所录为自梁至初盛唐之际诗作。此书于明初以后即佚,陈尚君先生于20世纪90年代初,主要据宋郭茂倩《乐府诗集》、刘克庄《后村诗话》、明《永乐大典》残本、清《全唐诗》等辑录,并引他书参校,辑入上版《唐人选唐诗新编》。此次又有新补,如沈群攸,上版未收其作,此次据《九家集注杜诗》所引,并参《乐府诗集》,补《采莲诗》一首(八句)。又如张正见,原仅录诗二句,此次补齐古诗一首。

此次在文字上也有改正。如《翰林学士集》之“前记”,原有云"唐设翰林学士在玄宗以后"（第4页）。按玄宗开元二十六年（738）设置翰林学士，即在玄宗时，未能说"在玄宗以后"，故此次改为："唐设翰林学士在玄宗开元后期。"又《国秀集》之"前记"，首云"《国秀集》二卷"，今将"二"改正为"三"。"前记"后又云"而诗赠一篇"（第215页第2行），"赠"改正为"增"。又《又玄集》之"前记"第一段"光化二年为公元九〇〇年，此年天复元年（九〇一）"（第573页），"此年"改正为"次年"。类似文字改正，此处不具述。

再次说明，本书按各集编选时间先后排列，以有助于对唐人选唐诗进程的了解。查核20世纪90年代版，现有所调整。如：《搜玉小集》，当时考虑因未知其编者姓名，故排列于最后，但"前记"中已考述此集所收诗人为初唐至开元前期；又《直斋书录解题》著录，将其列于《河岳英灵集》前、《国秀集》后，则其编纂当在开元后期、天宝前期，现移列于殷璠《丹阳集》《河岳英灵集》前；又《中兴间气集》原列于《御览诗》后，实则《中兴间气集》编于德宗贞元初，而令狐楚《御览诗》编于宪宗元和后期，则《御览诗》应在《中兴间气集》后，今调整。

又，本书所收16种选集，每集前都有"前记"，概括记述编选者生平，考索成书时间、版本流传，评议各集价值及存在的问题，介绍整理情况。特别是此次增补的三种，"前记"更为深切，学术性更强。我自信，本书的编纂，其古籍文献整理与文学研究相结合，确充分体现于"前记"中，这也是目录提要学研究的新成果。

这里再郑重一提，此次审稿时，在我所存的书中发现一封学术前辈顾廷龙先生于1995年2月20日给我的信，及"唐人选唐诗新编"题签。当时我配合顾先生,共同主编《续修四库全书》,接触较多,故特请顾先生为《唐人选唐诗新编》题写书名。顾先生复信云:"璇琮同志:久未晤叙,为念。上周得手书,敬悉一一。承嘱题写书签两种,兹已涂就,敬呈教正。如不合式,可重写。此请撰安。顾廷龙上。二月二十日。"重阅此信,真有学术知音的缅怀之情。顾先生题写的书名,20世纪90年代版已用于封面上,但顾先生原于书名旁自签其名,而上一版封面未用顾先生之签名,恐有些读者不知书名为顾先生所题,今特补上。

2012 年 6 月

原载中华书局 2014 年版《唐人选唐诗新编》增订本,此据东北大学出版社 2015 年版《中国当代名家学术精品文库·傅璇琮卷》录入,另收入大象出版社 2015 年版《书林清话》

见贤思齐　通古识今

——《鄞州望族传记》序

　　《鄞州望族传记》是一部向历史深情缅怀、向文化深切致意的家族传记，必将受当代世人的关心和欣读。

　　鄞州这块土地，教化昌明，人文荟萃，素有"东南邹鲁""文化之邦"之美称。从宋代到清代拥有过 1047 名进士和 7 名状元，史学家万斯同称誉为"田家有子皆习书"，名儒硕学，难以胜数。一代鸿儒王应麟，浙东学派史学大柱全祖望，甬上状元第一人张孝祥，宋词婉约派大家吴文英，元曲圣手张可久，明朝布衣诗人沈明臣，台湾文献初祖沈光文，布衣史家万斯同等，他们既领一时风骚于华夏，又树永久高标于鄞州，确为鄞州的不竭思想之源和智慧宝库，融合成鄞州悠远浑厚、历久弥新的人文传统。

　　鄞州的文化名人或学问道德、或政治求索，标胜一时，并经由师生、交游、同年、仕宦、婚姻等途径，彼此之间建立密切关系，形成强大的望族网络。期间派裔又秉承先祖开拓创业精神，崇文尚德，倡教育才，簪缨继美，人才辈出，夙为望族。南宋史氏家族，在南宋短短的 150 年间，从一个普通人家发展成名门望族、冠簪门第,只经六世,就出现父子同进士、兄弟同进士、三代同宰相的盛况,至今宁波民间仍有"一门三宰相,四世两封王""五尚书、七十二进士""满朝文武,半出史家"的民谚流传。北宋楼氏家族,为明州四大士族之首,楼氏族望文学、教育、历法、农业、政治各有专攻。教育家楼郁被誉为四明"庆历五先生"之一,与志同道合者在鄞确立新儒学价值体系。楼璹所作的《耕》《织》二图,成为研究宋代农业及农村家庭手工业的珍贵资料。被誉为"南宋三大家"之一的诗人楼钥文章灿然、政声斐然,卓然于世。明清时代的屠氏家族祖孙数代皆领鄞地文坛风骚;万氏家族有"万氏八龙"之称;丰氏家族文脉书香从宋至明,历经几朝。

从明清直到近现代,鄞州成为中国南北海运与内陆水运大动脉的交汇点,在"商船辐辏,列肆交织"的繁华盛景下,宁波商帮成为中国卓越的以家乡为基地而经营天下的商帮。而重视文化气脉接续传承的鄞州人民,依然续写着名人望族的璀璨故事。时至近现代,著名家族当以塘溪沙家、邱隘马家、高桥翁家及塘溪童家等为代表。沙氏家族一门五兄弟,被誉为"沙氏五杰",连同天才艺术家沙耆,在艺术和政治领域产生了深远影响;马氏家族五兄弟倾心于教育救国,均在北京大学等高校任教,被称为"五马",且成为博物学等领域的先驱;高桥翁家致力于科学救国,翁文灏是中国现代地质学的开拓者之一,翁文波是地球物理学家;童氏家族艺术、科学并举,童第周是实验胚胎学的主要创始人,童中焘是著名浙派山水画家。乡贤名士耕读传家,探杏折桂,文化传统世代相承,代有闻人。家族性的人才群成为鄞州发展史上的一大特色。

而正是族望的活动树立起道德文章的精神向标,浇筑成人文传统的巍峨大厦。鄞州区委宣传部和区文联等相关部门倾力追寻先贤足迹,将望族文化作为地域文化精华予以探索,以此做一部名人乡贤文化的鸿篇巨制。他们以传记文学形式研究望族名人的思想观念、精神品格和文化价值,诠释其中包含的文化密码。在组织编撰创作这套《鄞州望族传记》期间,他们细心规划,周密部署,精选名人,物色作者,研究论证,经过近两年时间磨砺,这套丛书终成正稿。此举,既是见贤思齐,感奋有为,又有利于追本溯源,通古识今。这实在是一件功在当今,利于千秋的好事!

因我原籍也是鄞县,2007 年以来,我曾参与主持《三字经》重修工程和《王应麟著作集成》相关文献的出版,并协助清华大学古典文献研究中心与鄞州区合作组建"王应麟学术研究基地",筹办王应麟学术研讨会和王应麟读书节的系列活动。宋代鸿儒王应麟博古通今、著作宏富、名震朝野,在南宋罕有伦比者,后世也多不能望其项背。鄞州的文化部门群策群力,打造《三字经》及王应麟文化品牌,这些文化活动在当地早已深入人心。

文化是人类文明进步的先导和旗帜,是一个民族的根、一个民族的魂,是国家实力的重要组成部分。对乡贤文化的关注,必将牵一发而动全身,使鄞州走向全面弘扬地域文化、塑造独特人文景观的恢宏全局。这部《鄞州望族传记》的出版,必将展示一个美好图景——悠久绵长、底蕴深厚的鄞州历史文化的传统与新时代鄞州文化大发展大繁荣的前景深刻交叠,争相辉映!

原载宁波出版社 2012 年版《鄞州望族传记》,此据大象出版社 2015 年版《书林清话》录入,另收入北京联合出版公司 2013 年版《濡沫集》

再谈关于木斋的探索

——从《曲词发生史绪论》说起

  木斋《曲词发生史》出版将近一年时光,继《中国韵文学刊》为此开办专栏之后,《江西师范大学学报》也再次以此为中心约稿进行笔谈。《江西师范大学学报》两年前曾以木斋的《古诗十九首》研究为缘起,探讨了有关"重写文学史"的问题,在此专栏上,拜读过台湾学者陈怡良教授以及南开学者宁稼雨先生的大作,颇受教益,我也曾发表了个人之浅见。木斋似乎并非主流意义上的权威学者,之所以多家刊物以及海峡两岸众多学者愿意拨冗参加,正说明了木斋所提出的诸多创新见解的学术价值和重要意义。以木斋的两大研究作为突破口,将多年来提倡的"重写文学史"这一话题,引向更为深入,更为广阔的领域,无疑,其意义将是十分深远的。也正是为了这个缘故,当《江西师范大学学报》的责编再次来向我约稿的时候,我感到责无旁贷,愿意再次略陈浅见,以抛砖引玉。

  总体来看,木斋《曲词发生史》,共计十一章,连同《绪论》,实为十二个部分,此十二个部分,环环相扣,构成为一个有机的整体,将曲词的起源发生过程,以时间为次序,以音乐史、乐府史、声乐史、曲词史为对象,纵横交错、经纬分明地阐述出来。木斋所论述的这一过程,不仅观点新颖,合情合理,在文献资料方面,旁征博引,有跨越学科的广度,研究领域涉及魏晋到盛唐的音乐史、乐府史、声诗史、近体诗形成史、唐五代的曲词史,就音乐史内部,又分别研究了清乐史(从建安曹魏的清商乐,到江南梁陈的清乐,再到唐玄宗时代的法曲清乐),燕乐史(主要是从北魏的胡乐燕乐,到隋炀帝和初唐的分部乐(即七部乐、九部乐、十部乐),研究了唐代乐舞制度的变革史,论证了唐代乐舞制度,在天宝之前,是一部禁断史,严格禁止地方州刺史享用音乐歌舞这一文艺消费形式,从根本上论证阐发了曲词在盛唐之前不可能产生于地方,更不可能由民间自发产生这一命题。

在《曲词发生史》中,几乎是每一个章节,都有创新的命题,都有创新的论证,也都有令人信服的文献资料的强有力佐证。同时,全书上钩下连,纵横捭阖,构成一个逻辑紧密的曲词发生史的起源发生过程。现仅仅列举该作《绪论》中的两点谈谈我的思考:

首先,关于词的界说。

"词的界说,也许可以这样表述:词,是借鉴近体诗格律以词调来定型的一种诗歌体裁。"①试比较此前各种工具书对于词这一文学体裁的认识,显然,这一界说,显示出前所未有的学术史高度,比之所谓"词是配乐的歌辞"的笼统的解释,更为接近词的历

①文中所引木斋资料,皆出自其所著《曲词发生史》,光明日报出版社2011年版。

史本色。界说的问题，是一个最为高度概括的问题，它需要经历一系列感性的、史料性研究基础之后才有可能得出较为正确的结论，因此，它的意义也就不仅仅局限于词的界说本身。木斋的这一界说，正如作者所论"以近体诗格律将其定型化，来表现其原本产生时期的音乐性，为其特征表现。以这个界说来辨析一些原本争论不清的作品是否是词，也许能有一个比较客观的尺度。譬如梁武帝的《江南弄》之所以不是词而是清乐歌诗，并非由于它的音乐属性是清乐，而是由于它还不具备歌词的律化特征，近体诗的律化是在初唐时期完成，更为准确地说，是在开元后期才最后定型的，因此，天宝之前的入乐绝句也还仅仅是声诗，而不是词。"同此，以后的刘禹锡的《竹枝词》，我们也不必将其视为所谓民间词的证据，它们不过是历史悠久的乐府诗以及初唐以来新兴的宫廷声诗的民间化形态。

其次，曲词起源问题学术史的梳理和点评。

木斋《曲词发生史》的学术史梳理，其中既有木斋所反对、所颠覆的民间论和燕乐论的形成过程，也有论者有所继承的前代学者的合理内核。木斋的这一梳理，并不满足于停留在所谓纯客观的陈列介绍，而是在做出客观介绍前辈学者观点的基础之上，一一点评，指陈得失，洞幽烛微，考略源流，显示出难得的学术大家风范。

木斋从胡适的"民间论"开始梳理，指出其民间说的产生，一开始还仅仅是一个犹豫不定的怀疑，在没有任何新的证据之后，数年之后，就正式提出了词体起源民间说，而这种说法，并无任何实在证据，在随后的一个世纪之中，竟然就成为了教科书的经典教条：

关于词体起源民间说，胡适在这篇论文中，还仅仅是一个思想，是一个"疑心"："我疑心，依曲拍作长短句的歌词，这个风气是起于民间，起于乐工歌妓。"证据却没有，仅仅是"疑心"而已，到了这本《词选》的序言中，胡适的民间说就已经成为了一个坚定的论断："词起源于民间，流传于娼女歌伶之口，后来才渐渐被文人学士采用，体裁渐渐加多，内容渐渐变丰富。"至于根据，也没有实在的根据，仅仅是根据这个思想，提出"苏东坡以前，是教坊乐工与娼家妓女歌唱的词；东坡到稼轩、后村，是诗人的词；白石之后，直到宋末元初，是词匠的词。"却不知，"教坊乐工的词"本是宫廷的文化，是宫廷乐工的词。所说"娼家妓女的词"，却又没有时间概念。又说"《花间集》五百首，全是为倡家歌者作的，这是无可疑的"，说得非常决断，却不知古人早已经记载了花间集中的某些词人，是以为后蜀帝王作为写作为目的，其中一些词人因此而被称之为"五鬼"。广而推之，胡适进一步推断出一个公式"文学史上有一个逃不了的公式，文学的新方式都是出于民间的。"于是，民间创造一切新的文学体裁，文人学习，久之，遂扼杀之，也就成为了一个日益为大众接受的原理，说得人多了，似乎也就成为了一个真理。全然不管这始作俑者有无证据和合理的论断过程。胡适这一思想的产生及其接受，乃是风云际会，时代风气使然，帝国被打倒，民众成为国家的主人，历史自然是由民众，或说是民间创造的，学术话语在这个时代,又一次成为了政治功利的附庸。

　　胡适以下,木斋依次分析了胡云翼、刘尧民、龙榆生、唐圭璋、夏承焘等前辈大学者的诸多词体起源论,这些词学大师的民间论、燕乐论,从表面来看,似乎各有不同,其实,就本质而言,都是民间论和燕乐论这现代词学研究史开端时期的两大理论的延续或说是沿袭。从这个意义上来说,木斋所创建的新的词学体系,可以视为百年词学研究的新的转折,或说是新的界碑。从木斋之后,对民间说、燕乐说的批判和颠覆,对宫廷说、李白说、清乐法曲说,将会是一个新的学术思潮,一个新的学术史阶段。
　　木斋学说的建树,并非是空穴来风,自我建树完成的,若无前代学者的层累奠基,一个全新的学术体系横空出世,这也同样不符合事物发展的规律。正如马克思主义的完成,是汲取了黑格尔的辩证法、费尔巴哈的历史唯物主义和欧文的空想社会主义等前代学术的合理内核之后,才有可能实现,木斋的这一套体大而思深、体系基本完备的理论,也同样建树在前代学者的合理内核之上。在这一章节的述评中,木斋分析了阴法鲁先生的反燕乐说,同时也批评了他尚未从民间说中跳脱出来;赞赏了刘尧民具体的音乐思想理论,也高度评价了刘崇德先生的燕乐非声乐说,但却批评了他们尚未从燕乐说的窠臼中摆脱出来;高度评价了洛地的格律说,但却纠正了洛地认为词体与音乐无关的认识等基础上,不一而足。木斋的曲词发生论,正是建立在古人的乐府说、近体诗说,现代学者的清乐法曲说、格律说等等,但他并非机械的拼合,而是将这些古今中外接近历史本相的文献材料、义理学说,经过他自身的思考，融合一体，从而建立起他自己的曲词起源发生说的完备体系。

木斋所颠覆的，是胡适以来渐次建立起的近乎定型的现代词学理论，这种理论，由于经历百年来无数学者层累添加，已经形成了一个近乎完备的堡垒，因此，创新理论所面对的，无疑是异常强大的传统，压力和阻力，是显而易见的。但总有一些这样的理论，它们由于创新、创造，而被本时代的正统所不能接受，甚至是不能容忍，但学术史就是这样向前发展的，创新的理论，总是以其弱小的生命，渐次成为强大的潮流，并最终取代那些时髦的、流行的理论，这是学术史发展的基本规律。我们所能作的事情，不过是促进这种接受的早日完成。

当然，一种理论，一部作品，都会有其不够完善之处，这也同样是无庸讳言的，对于木斋《曲词发生史》来说，其中自然会有缺陷，这些缺陷，有待于学术界同仁给予批评，用学术界的群体智慧，来帮助这一理论完善，我想也是义不容辞的责任。

说到木斋曲词发生宫廷说理论尚未完备，还有另外一层意思。木斋在前次来中华书局取稿时，顺便带来了他的一本新作，暂时题名为《曲词发生史续》。又是一部煌煌巨作，大约有将近三十万字的篇幅，并希望我能为之序。新作由《绪论》和十三个章节构成，正文从初唐诗的宫廷文化性质论说开始，对他心目中的"宫廷文化"做了界说，他的宫廷文化，是一个宽泛的概念，借鉴闻一多、欧文等学者的说法，采用了更为宽泛的诠释：

简单说，宫廷诗、宫廷词，就是以宫廷为中心而写作出来的诗或词。换言之,这是一个松散的、广义的概念,以宫廷为中心而写作出来的诗、词,它们写作于宫廷,有着宫廷文化的氛围背景,体现了宫廷文化的风格,当然视为宫廷诗、宫廷词,宫廷帝王、后妃、宫女、乐工、臣僚之作,当然是宫廷诗、宫廷词;而边将藩臣,所写的为帝王拜寿应酬之作,虽然难以断定写作于宫廷,由于其内容和风格,有着浓郁的宫廷文化气息,亦应视为宫廷诗,或者宫廷词。(参见书稿《曲词发生史续》第一章)

引用这段论述,也许有利于我们来理解木斋所说的"宫廷文化"的含义。类似之处,木斋还对"民间"进行了界说,也有利于全面理解木斋的词体起源发生学说。以下,木斋论证了中国文学的三次觉醒的历程,特别分析了盛唐诗歌的出现,是中国文学第二次觉醒的结果,而唐诗的觉醒,带来了宫廷音乐消费形式在歌诗方面的极大缺失,由此促进了词体形式的发生和繁荣。具体的论证,木斋会用自己的作品来给予进一步的诠释。不论如何,我们有理由期待,木斋用进一步的论证,来回复学术界对他这一创新理论的诸多商榷和质疑。本文所起到的微薄作用,也许在于指出了木斋之说,并非无源之水,无本之木,他的理论,不仅仅建立在对于古代诸多说法的理性回归,更是建立在对现当代学术诸多合理内核的继承之上,同时,木斋之论曲词的起源发生,亦非简单的突变论,而是认为,是在一个漫长渐变基础之上的质变《曲词发生史》所论之从建安曹魏铜雀台的清商乐,经历六朝清乐,一直到盛唐法曲,这是一个漫长岁月的渐变过程,而李白入宫撰词,则为这渐变过程之中的突变,或说是质变。李白撰词的突变过程之中,又有自身由模拟宫廷风格的乐府诗到宫廷词的渐变过程。李白之后,又有佛教俗讲的推动,将宫廷音乐消费形式的曲词,推向了地方和所谓的民间,但一直到西蜀花间直到南唐后主词的演变历程,整个唐五代词在本质上仍然属于宫廷文化的属性。两作相合,方为木斋关于词体起源发生学说的合璧。

原载《江西师范大学学报(哲学社会科学版)》2012 年第 4 期,据以录入

关于木斋的探索

——从《曲词发生史》两序说起

　　近年来,木斋的几部学术著作源源不断问世:先是 2008 年中华书局的《宋词体演变史》,2009 年人民版的《古诗十九首与建安诗歌研究》,随后,便是这本颇受学界关注并欲热切讨论的《曲词发生史》。《中国韵文学刊》为此开辟专栏,笔者被邀请为主持,允有一席之地,先发浅见,抛砖引玉,诚为幸事。很多年来的学术评论,大多流于形式,徒有书评,而不见思想的交锋,木斋的词体起源和五言诗起源两大研究,由于反思力度大,学术价值高,争论空间大,引发争论,是自然而然的事情。我希望,各种不同意见的学者,都能各抒己见,通过探讨、论辩,将文学史这两大疑案的研究,推向新的历史阶段。

　　木斋《曲词发生史》,纵横捭阖,规模宏大,一时之间难以做出全面的评价,因此,本文从该作的两序说起。此书稿初成的时候,作者曾经邀请我为之作序,我也曾认真阅读了书稿。阅读全书,颇有一气呵成,令人一经入手便有欲罢不能的阅读快感,因此,也确曾考虑再次为之写序。之所以未能动笔,首先的考虑是词的研究并非我的专门，作为局外人来评论不一定合适；其次，我考虑此前所作书序已经很多，特别是对木斋有关古诗十九首的研究刚刚发表过个人见解，因此，很想听听学术界，特别是词学界其他学者的评价。果然，木斋此作甫一问世，便读到马兴荣先生和刘崇德先生两大书序。两位学者分别主要从词的角度和曲的角度给予高度评价，特别是书中还刊印了两位学者的原稿影印，这都很有意义。

马先生书序中，首先谈到了自身早年师从刘尧民先生，并且接受到的正是词源于燕乐的教育："我早年从刘尧民先生学词，对刘先生主张的'词的起源不是突变，而是一个长期的进程，它是汉魏以来的诗歌长期进化的结果，是诗与音乐由冲突到接近，到融合的结果。使诗在形式和系统都达到融合的是燕乐。'印象很深。后来陆续对燕乐、对敦煌曲子词有所接触，感到谈词的起源，还必须注意民间词。这也就是说，我认为词起源于燕乐与民间词。这在拙著《词学综论》中已有论述。"

随后，马先生对此书的主要观点论述说："木斋确认词起源于宫廷，而不是起源于民间，时间是盛唐天宝初年。正由于词起源于宫廷，整个唐五代曲词的本质属性都是宫廷文化的产物。李白词、花间词、南唐词正是盛唐宫廷、西蜀宫廷、南唐宫廷三大宫廷文化的产物。并以为影响词体发生的音乐因素不是以胡乐为主的燕乐，而是经过法曲变革之后所形成的清乐（吴声西曲）为主体，以声乐曲为本质属性，以内宴、家宴演唱为主要形式的音乐品类。认为曲词在发生史阶段，主要是一种江南文化的产物。江南文化中小巧艳丽等特点，构建成为曲词发生时代的基本特质。认为敦煌曲子词既非早于李白之作,也非主要是民间之作。同时认为唐五代词以后,以柳永为标志,才发生了曲词市井化的变革,随后发生了士大夫群体对曲词形式改造的运动,即张先、晏、欧、苏东坡对伶工之词、市井俗词的改造,从此,词这种形式才真正成为士大夫的词,诗人的词。"这一段论述,可以说是对木斋此作的一个极好概述。马先生随后评价说:"木斋先生在多年积累的基础上以超人的才识,力辟旧说,为词的起源、发展开辟了一个全新的境界,很值得词学界的朋友们(包括我)深思、探讨。"在这里,我读到了一位富有责任感、正义感的学者的博大襟怀,一方面,申明了自身所受到的师传正是木斋所颠覆的词体源于燕乐的传统认识;另外一方面,却并不妨碍对新观点的理解和接受,不妨碍对后辈学者的鼓励和支持。马先生年长我十岁左右,这种学术襟怀值得钦佩。学术,本来就是一个不断求索的过程,否则,停留在旧有陈说上,学术怎能前进?事物的发展规律,总是经历看山是山,看山不是山,看山还是山的过程,但第三个阶段的看山是山,已经不是第一次的直观看山是山。其中的哲理思辨意思,令人玩味不尽。其第二个阶段的否定,也就是看山不是山,看似是错误的,是没有价值的,其实不然,它是事物发展不可或缺的重要组成,没有这貌似远离真相的第二个阶段,就很难实践和完成向第三个阶段的飞跃和革命。木斋自云:他的研究恰恰是对古人说法的回归。想想也确实如此。譬如古人何曾有所谓的民间说?反而关于李白词为"百代词曲之祖"的说法不绝如缕,"民间说,燕乐胡乐说,李白词为传说伪作"之类的说法,基本上是胡适之后的说法,古人虽然有,譬如胡应麟曾经怀疑李白之作为伪作,但并没有引起古代学者的反响和认同，一直到胡适之后才蔚为大观。古人最早的说法，或是较早的说法，应会更为接近历史的真实，它们远比后来学者受到各种思想形态的影响之下形成的学说更为贴近历史。但远离历史的这些认识，实际上是从多维的视角，甚或是从相反的角度，来完成回归历史本相的使命。

刘崇德先生精通于音乐研究，这对于古代文学界，特别是词学界，尤为难得。本人对中国音乐史研究不多，一直以为憾事，所以，也只能就刘先生之所论，略抒自己的感受。刘先生首先说："读其《古诗十九首与建安文学研究》一书，深深叹服其高屋建瓴之架构，摆落旧说、颠覆积习的胆识，亦为木斋先生完成汉魏六朝乐府史论的一次飞跃而备感鼓舞。于是，益加欲其一纵健笔，再申高论，在词学研究领域更辟一新境界。"这一评价极有概括力，首先是"高屋建瓴之架构，摆落旧说、颠覆积习的胆识"，这一点，我深有同感：以学术专著的形式专门来探讨论证曲词发生史这样的文学史公案，非大勇气大学识莫能办。

木斋的两大研究，采用的其实是同一个方法，或说是在同一个方法论之树上结出来的丰硕成果，且其方法论本身也非常值得研究。这种方法论自然有很多方面的因素，我看其中最为重要的一个方面，就是采用了多角度溯本追源的流变史方式进行内证。十九首研究，是从两汉，特别是从西汉逐一排查有无可疑的诗人，逐次排查到曹植，再进一步深入进去研究和论证，这就像破案，将全部嫌疑人一一排查，通过否定和排除的方法，找到作案嫌疑人，然后，深入研究其作案动机和作案过程，最后达到破案完成。木斋词的起源发生问题研究，衔接了十九首研究的成果，从建安曹魏的清商乐论起，依次论证江南清乐、北朝、隋代初唐燕乐，最后论证到盛唐法曲清乐回归，曲词之曲的发生就水到渠成了。这就是刘崇德先生所说的"完成汉魏六朝乐府史论的一次飞跃"。随后，刘先生进一步阐发说：

近百年来关于词体及其起源，可谓丛论脞说，界石林立。一涉词乐，又大多于误区盲点中摸象扪烛。拙著《燕乐新说》虽探词曲之源于燕乐声乐化、娱乐化的曲子，然仅止于就乐论乐。木斋先生此书则以穿透历史的眼力，过人之才识，综观词乐与词体。近辨法曲清乐于"消费""功能"之间，远溯法曲乃魏晋宫廷清乐之流亚，继又深察"艳体"与齐梁南朝宫体之关系，以无可置疑的论据驱去笼罩在词体起源上所谓民间文学说这一"怪物"，明确提出"词体非源于民间，而起源于宫廷"，"词非源于燕乐胡乐，而是新兴声乐曲子的产物"，而这一新兴声乐则是由魏晋宫廷清乐发展而成的法曲，"宫廷""女性"则是曲子的禀赋本貌。书中又将曲子的写作追溯到盛唐，论述了李白对曲子的写作对词体发生的奠基到中晚唐曲辞《花间集》的体格流衍，进一步申明词体与帝王宫廷的关系，探讨曲辞，即词体从宫廷向民间的转移，指出其本为唐宫廷文化的产物，随后，才由帝王宫廷向外转移，渐次进入到一般士大夫阶层和青楼北里，成为一种市民文化。秦楼楚馆实为词曲播散之地，而非其源。此说一出，不仅词体起源发生这一千古之谜得以破解，而且，词体本质何以为"艳科"，"以清切浅丽为宗""要眇宜修"自然明朗矣。

两位学者的序文,给予了木斋词体起源发生于宫廷说、词体音乐为曲子清乐说高度评价,我相信,随着时光的前行,会有越来越多的学者给予木斋之说以更为深入、更为精到准确的解读和评价。

木斋的曲词发生研究,连同以古诗十九首为中心的五言诗起源发生研究,这两大研究,被有的学者评价为"开天辟地""石破天惊",为"让文学史不得不重思重写"之举。当今有熙熙攘攘的功利主义学风,我们对炒作、对故作惊人的不正当学术风尚已经厌倦,因此,当真正有重大价值的学术发现出现的时候,还是有习惯性的对之不屑一顾。我建议那些对木斋这两大研究尚未深入了解的同仁,不妨花费一点时间,来认真看看他的论证过程,必更有学术性的评断。

在这里,我想做这样的一个假设,如果没有木斋的这两大探索,我们的学术史当下是什么样的状况?我们依然会认为十九首为东汉无名氏所作,认为曲词起源于民间,起源发生于胡乐入华的燕乐流行,因为还没有出现任何一种新的理论体系,来为我们展示另外的文学史演变历程。学术史与时俱进,产生了木斋这样探索型的学者,产生了木斋的这两大研究,从此,在十九首东汉无名氏之说之外,有了有关十九首产生在曹植时代的系统而详备的说法;在曲词民间说、燕乐说之外,则有了基本完备的由六朝宫廷清乐到盛唐宫廷清乐法曲的详尽描述。木斋的这两大研究,无疑开启了后来者的学术视野,为学术界提供了极为宝贵的方法论,学术史无疑是前进了。

对木斋学术探索的两大成果,需要一个漫长的学术史接受过程,这是合情合理的——越是颠覆力度大的学说,就越难以被接受,这是规律。有学者认为:木斋的这两项研究,是王国维、胡适以来文学史最为重要的两大突破。这个评价也许过高,或是过早,但想想这两大研究,为我们的学术界带来了如此之多迥然不同的说法,确实值得思考和关注,而对其给予更多的深入批评和商榷,也许是更为有益的思考和关注的形式。

清代著名学者章学诚,在其论学著作《文史通义》中曾谓:"高明者多独断之学,沉潜者尚考索之功,天下之学术不能不具此二途。"通读木斋这些年来的学术专著,对章学诚所言,更感亲切,故特引用,谨供学者参考。

原载《中国韵文学刊》2012 年第 3 期,此据大象出版社 2015 年版《书林清话》录入,另收入北京联合出版公司 2013 年版《濡沫集》

祝贺《蒙学十三经》出版

　　《蒙学十三经》，张圣洁主编，文化艺术出版社于 2012 年 4 月出版。共分四类：一、识字类：《三字经》、《百家姓》和《千字文》；二、训文艺节目类：《小儿语》、《弟子规》、《朱子家训》、《名贤集》和《论语》；三、韵语类：《千家诗》和《声律启蒙》；四、典故、知识类：《蒙求》、《文龙鞭影》和《幼学琼林》。

　　今日的中国，以其强大的经济实力、悠久的文化传统和独具特色的民族性格，正在国际舞台上展现出耀眼的风采，越来越多的人开始探寻东方文化的奥秘，并深深地为她壮大深邃、多姿多彩的永恒魅力征服。而国人对于传统文化的热情与敬仰则从未间断过；在历史长河中，虽偶有文化劫难，但并没能扼杀她那根深蒂固的顽强生命。相反，随着历史车轮的滚滚前行，她留下的是悠长的辙迹和袅袅余音；未来则深不可测而让我们充满期待与向往。《蒙学十三经》的发表，无疑在这条文化旅途上又留下一处显著的印记和不绝的乐声。

　　说蒙学"近一个世纪以来一直不太受重视"，并非无稽之谈。因为蒙学读物百年以来始终处在"大家不愿（或不屑，或无暇）做，小家做不来"的尴尬局面中。然而在古代社会,对于启蒙教育的重视远远超乎我们的想象。试看那些蒙学经典教材,无不出自文章大家、学界巨擘之手。

比如家喻户晓的《三字经》,世传为南宋著名学者王应麟(1223—1296)所著。王应麟为学涉猎经史百家、天文地理,熟悉掌故制度,长于考证。他不但是当时的大学问家,而且是杰出的儿童启蒙教育家。再如,《千字文》的作者周兴嗣(469—521)也是南北朝时期的一位大学问家,他因擅长碑碣铭檄等文体而深受梁武帝萧衍的器重,为皇室撰写文稿。其他如《蒙求》的作者李翰,《龙文鞭影》的初撰者萧良有、增订者杨臣诤,《笠翁对韵》的作者李渔,《声律启蒙》的作者车万育等等,无不以文才学识著称当时。蒙学教材也因为这些大家的编撰、修订而日臻完备,影响广泛,深入人心。

然而世易时移,以近一个世纪的文化教育历史来看,20世纪初期鼎革之际,西学东渐,新潮流行,传统蒙学因其教学形式的不合时宜,被摈弃在社会教育的大门之外,长期冷落一隅,无人问津。近年来,国学热的兴起,对传统文化的日渐重视,使得蒙学这一独具特色的古代教育方式慢慢被人们发现、研究、继承,蒙学教材的整理出版如雨后春笋,大张其军。不过,由于市场因素的制约,不少教材出版仓促,不同程度地存在着标音不准甚至没有标音、解释简陋甚至错讹、校对粗劣、引文失查、史实不确乃至臆改典故等瑕疵,不但不符合国家出版规定,也对读者不负责任。面对这样的局面,亟需一套选材精当、质量上乘的读物,不惟满足市场需求,亦且尊重传统,矫正视听。现在,我敢说,这套《蒙学十三经》达到了这样的水平。

　　由张先生主编的这套《蒙学十三经》,以其准确的标音、详明的注释、精当的翻译、翔实的考证,打破了蒙学读物"大家不愿(或不屑,或无暇)做,小家做不来"的尴尬局面,不但嘉惠读者,也为学界树立了一个典范。我深为蒙学又多了一套精当的教材而喜不自胜,为国学殿堂又添了一颗耀眼的明珠而额手称庆。

　　原载 2012 年 8 月 3 日《文汇读书周报》,此据北京联合出版公司 2013 年版《濡沫集》录入;又《河北学刊》2012 年第 5 期收录"式范学林　嘉惠读者——评张圣洁主编的《蒙学十三经》"一文,颇有增损,可参看

寻本溯源，撮要撷精

——评方勇教授《庄子纂要》

今年 4 月，我应邀到上海参加华东师范大学先秦诸子研究中心主办的"先秦诸子暨《子藏》学术研讨会"，看到了方勇教授所撰《庄子纂要》八册（共 400 万字，学苑出版社），洋洋大观，让我又吃了一惊。近几年来，方勇教授的专著《庄子学史》、主编的《子藏·道家部·庄子卷》先后面世，对庄学研究起到了积极的推动作用，而《庄子纂要》的出版，也必将嘉惠学林。

我们知道，自先秦以来，历朝历代注《庄子》者数百家，研究著述可以说是汗牛充栋。但是，有一个问题是，《庄子》这部书有一种特殊的魅力，"好文者资其辞，求道者意其妙，泪俗者遣其累，奸邪者济其欲"（叶适《庄子》），每一位学习者、研究者对《庄子》都有不同的解读。这些解读成果不只保存在历代的庄学著述中，也散见于其他各种典籍甚至诗文中，亟须有人来梳理、整理、评价。这是我们当前研究《庄子》的基础。为什么这么说呢？现在有些人搞的研究，有一种不好的现象，常常凭空臆断，根据自己的"成心"发挥，这个问题方勇教授在《庄子纂要·序》中也指了出来，说

"时下治庄,或鱼兔未获而筌蹄已弃,尤多华辞臆说,高谈而不根"。所以,我们要寻"根",要有一个立论的基础。

方勇教授受到游国恩先生《离骚纂义》的启发,集八年之功,在浩瀚的古代典籍中,搜辑、整理与庄子学有关的著述,纂成《庄子纂要》。全书八册,前六册为主体部分,后两册附录《庄子诗文序跋汇辑》。《庄子纂要》前六册所收《庄子》三十三篇原文,以清光绪中遵义黎庶昌辑"古逸丛书"所收覆宋本唐成玄英《南华真经注疏》为底本。从体例来看,《庄子》诸篇前有"解题",后有"总论",末附"论文辑目"。这三部分可以说是相互联系、相互发明,而又浑然一体。各篇原文分为若干节,各节原文后依次为"笺注""点评""分解""校勘";篇末所附"论文辑目"则汇辑了近百年间研究者针对本篇所撰的相关论文。附录《庄子诗文序跋汇辑》二册,以手工检索与计算机检索相结合,从浩如烟海的历代文献资料中,辑出有关庄子序跋及诗文,依不同内容及问世先后而次第之,让读者和研究者看到了大量的第一手庄学资料。据统计,该书主要征引书目达到 152 种,涉及书目更是多达数千种,实可谓广而且博,如果方勇教授没有前期《庄子学史》以及《子藏·道家部·庄子卷》的积累,这是很难做到的事情。

在两千余年的庄学史上,有很多的研究成果,不管是一种学说,还是一个概念,都有它产生的源头。这个源头在哪里? 它的发展演变又如何? 这需要做一番扎实的考证工作。从《庄子纂要》征引的文献资料情况看,方勇教授已做了很多这方面的工作。比如,对《庄子·逍遥游》这一标题的阐释,方勇在"解题"中,从魏晋至民国,列举了 50 余家不同的说法,让我们对逍遥义的产生、演变有了一个较为细致的把握。在征引诸家观点后,方勇教授并没有就此止笔,而是以"愚按"的形式说出了自己的见解:"首篇以'逍遥游'三字名篇,陆德明认为是取其'闲放不拘,怡适自得'(《经典释文》)之义。这一解说是正确的。按'逍遥'一词,早在《诗经·郑风·清人》中就已经出现,与'翱翔'同义。而《楚辞》中尤为多见……庄子深受南方文化影响,故文中亦常用此词。……总括上述,可知'逍遥'二字与'相羊''容与''仿佯''彷徨'等词,或同义并举,或互文见义,乃是闲适自得之貌。所以,庄子所谓'逍遥游'者,即是《让王》篇所说'逍遥于天地之间,而心意自得'之意。"当然,这里的解释,有的学者也未必同意即是"逍遥游"的本义,但至少表现出了方勇教授探寻"逍遥游"本义的努力。在《庄子纂要》诸篇中,方勇教授在这一方面的"努力"一直贯穿着,而这正凸显出《庄子纂要》的学术价值。

方勇教授编纂的《子藏·道家部·庄子卷》,共搜辑到从先秦到民国时期的庄子学著作302部。如何从这驳杂的资料中把恰切而精当的内容摘录出来,即入乎其内,又出乎其外,这是很见学术功力的。我仍以《庄子纂要·逍遥游第一》解题中所征引诸家解释为例。《逍遥游》是《庄子》首篇,涉及庄子学说的重大问题,历来注庄者都予以高度重视,如何从数家注释中去粗取精,把庄学发展的脉络呈现出来呢?我们现在来看《庄子纂要》,方勇教授一方面注重选取名家、大家的经典阐释,如郭象、陆德明、林希逸等;另一方面,也注重选取一些新颖的、独到的见解,如王树楠、李大防、秦毓鎏等,把庄学史上的诸种观点都呈现在我们面前。从庄子文本来看,三十三篇在流传过程中产生了一些讹误,有众多的版本。《庄子篡要》以黎庶昌辑"古逸丛书"本为底本,在"笺注"中又依据《经典释文》所出六朝本、敦煌残卷、日本高山寺古钞本、明正统《道藏》各本等进行了校勘,并且还参照《艺文类聚》《太平御览》等类书和历代学者注释古籍时所引《庄子》原文进行补校。另外,凡底本中属衍文而当删者,或因缺文而当补入者,《庄子篡要》除在"笺注"中用文字说明外,一律在正文中将衍文和缺文加上"〔　〕",以示醒目。底本中有讹误,但不属于衍文或缺文者,则仅在"笺注"中写上校勘说明文字。上述做法,无疑能够使我们全面掌握《庄子》文本的情况,对诸种版本情况也能够有一个基本的了解。

在《庄子篡要》中,方勇教授对《庄子》文本的理解还每有自己的真知灼见。如《天道》篇桓公与轮扁的对话,其中有"得之于心而应之于手",世人每以"得心应手"解之,而方教授则认为"以心应手,说明自己的心智尚且不能预知双手的实践活动,更何况想用语言把这一系列实践活动的奥妙之理传授给人家呢?可见,这与后来的成语'得心应手',表现为以手从心、从心役手的境界是完全不同的",这种解释较为独到,似更合乎庄文的原意。对文学《庄子》的阐释,方教授也每有新见,我这里就不一一详谈了。总之,方勇教授《庄子篡要》可以说与其《庄子学史》《子藏·道家部·庄子卷》是鼎足而三,都是庄学史上的鸿篇巨制,对庄学研究必将产生很大的推动作用。

原载 2012 年 9 月 3 日《光明日报》,此据大象出版社 2015 年版《书林清话》录入,另收入北京联合出版公司 2013 年版《濡沫集》

《王辉斌学记》序

素有"南船北马,七省通衢"之称的湖北襄阳,自古就是一方重人文、重学术、重人才的热土,这从《王粲集·荆州文学记官志》《全三国文》之阙名《刘镇南碑》等文中,即略可获知其大概。因此,人们只要提到庞德公、诸葛亮、习凿齿、孟浩然、张继、米芾、魏夫人等历史文化名人,便会很自然地联想到襄阳。而今,又从地处襄阳的湖北文理学院(原襄樊学院)传来消息,这所大学的决策者们,正与中国孟浩然研究会一道,在为该校文学院的王辉斌教授编纂一本《王辉斌学记》的纪念集,并将在黄山书社出版精装本,以纪念其在科研方面作出的突出贡献,于是,嘱托我为《王辉斌学记》写一篇序文。作为一所地方高校,湖北文理学院决策者们的这一举措,无论是就招揽人才而言,抑或留住本校精英以论,都是具有不可低估的影响力的。所以,对于湖北文理学院的这一极高明的决策,我是深表赞同并支持的,自然也是乐意为这极具学术意义之一本书写一篇序文的。

就我的记忆而言,我与王辉斌教授的相识,应该是在 1990 年 5 月的西安,因为当时我们二人都在陕西师范大学参加《新编全唐五代文》的编委会会议。此后，我们便经常有书信来往，并多次见面于"杜甫研究""唐代文学研究""乐府歌诗研究"等学术会议上。2001年8月，王辉斌教授的《孟浩然研究》一书将由甘肃人民出版社出版，他写信托我为该书题写书名，我当即为之书写了"孟浩然研究"五字，2002年1月书出版后，这五字即被印于该书的封面上。我一生很少为他人的著作题签，而《孟浩然研究》却是这很少中的一种。这年11月上旬，中国孟浩然研究会在原襄樊学院成立，王辉斌教授被推选为学会的副会长兼秘书长，我则被聘为学会的顾问，这样就更拉近了我们之间的距离。10年后的2011年10月，"2011年孟浩然研究国际学术研讨会"在原襄樊学院召开，我以中国孟浩然研究会顾问与特邀代表的身份，很高兴地参加了这次会议，并为文学院的师生作了一场关于唐代文学方面的学术讲座。此前，我还应已为中国孟浩然研究会会长的王辉斌教授的邀请，为这次学术会议的论文集《孟浩然研究论丛》写了一篇序文。

王辉斌教授是一位勤勉有加、术有专攻的学者，35年来一直笔耕不辍，勇于探索，因先唐与唐后遂使得他的研究范围越来越宽广。他确实不仅研究唐代文学，如在孟浩然研究、王维研究、李白研究、杜甫研究、唐代诗人婚姻研究等方面，均有一种或几种著作问世，而且也研究唐宋词、宋金元诗、明清小说、唐以后的乐府诗，并出版了《商周逸诗辑考》《先唐诗人考论》两种属于先唐文学史范畴的专书。由商周而明清，上下三千年，逐路探索，一路打通关。这就是王辉斌教授的中国古代文学研究。这种研究，既是研究者一次次自我超越的见证，又充分体现了其学术上的个性与特点,我以为是很值得认真总结与讨论的。据本书《王辉斌学记》中的《王辉斌主要著作列表》可知,迄今为止,王辉斌教授已出版了19种独撰著作,并主编了《孟浩然大辞典》《孟浩然研究论丛》二书。具有如此丰硕成果的学者,且研究对象又是对"文学史打通关",这在当今市场经济条件下的中国古代文学研究界,据我之所见所闻,实在是极为少见的。而且,其中的有关研究成果,还填补了某些方面的空白,如《商周逸诗辑考》《唐后乐府诗史》等。至于王辉斌教授正在研撰的国家社科基金项目"中国乐府诗批评史",就更具有这样的特点了。一所地方高校能"蛰伏"有这样的一位知名教授,这就难怪这所学校的决策者们,要为之出版一本既具有纪念意义又极有学术意义的《王辉斌学记》了。

《王辉斌学记》一书,约55万字,共由六大板块组成,是王辉斌教授从事学术研究35年的最佳记录与最好见证。这六大板块依序为:"甲编:治学自述录""乙编:访谈与述评""丙编:著作评论选""丁编:自序后记选""戊编:与诸生论文""附编:年表及其他"。其中,"治学自述录"所收入的11篇文章,以自传体的回忆形式,将其35年来对商周逸诗、先唐诗人、孟浩然、王维、李白、杜甫、唐宋词、宋金元诗、明清小说、唐后乐府诗等专题的研究经历(含研究缘起、研究方法、所获成就等),一一道来,真实而亲切。其中所涉及到的研究方法、学术识见等,对于后学者来说,乃是不无参考价值的。"访谈与述评"所收7篇文章,在内容上包含着两个大的方面,一是对某种研究对象概括性的观照与展望,如《乐府诗研究的困惑与突破——王辉斌教授访谈录》等;一是对受访者记述本人在某方面研究的总结与回顾,如《新见迭出的宋代文学研究——王辉斌教授访谈录》等。这两类内容互为补充，相互作用，所体现的是王辉斌教授对于学术热点的关注与对自我研究成果的认识。"著作评论选"共选收了 26 篇文章，全部是对王辉斌教授已出版著作的评论，从中可以得见这些著作在学术界的影响。"自序后记选"收有 20 篇文章，除了对王辉斌教授著作的特点略作述说外，还穿插了大量对该书研究对象与研究经历的回忆，可与"治学自述录"中的一组文章并读。"与诸生论文"中的 6 篇文章，是王辉斌教授对一些年轻学子质疑与商榷其相关研究问题的回应。在这些回应文章中，王辉斌教授不仅对其错误进行了逐一揭示与指出，对导致这些错误产生的原因进行了简要评析，而且还将与之商榷的相关文章推荐发表，并劝勉某些文章作者"还是多读一点书为好"，凡此，均体现了一个学者虚怀若谷的应有风范。作为"附编"的"年表及其他"，有两点值得注意，一是《自订学术年表》中的历时性与资料性，真实地反映了王辉斌教授 35 年来的学术研究之况；一为《求是斋诗选》所选收的部分诗作，又表现其既研究诗而又创作诗，这就是王辉斌教授才学兼具的真面目。

总体而言，为《王辉斌学记》编委会所设计的这六大板块，对于了解与认识王辉斌教授 35 年来的治学经历、所获成就、研究方法，以及其学术识见、学术视野、学术思想等，应该说都是能起到相当大的作用的。这本纪念集的出版，对于王辉斌教授来说是一种总结与回顾，而对于湖北文理学院来说，却又是一种相当不错的学术宣传，因此，所收到的效果也一定会是相当不错的。由此，使我想到了一个关于学术品牌的问题。一般说来，学术品牌主要包括两个方面：一个是科研成果，一个是生产科研成果的人，二者是既有区别而又互相关联的。王辉斌教授及其所获得的一系列研究成果，就是湖北文理学院的一个很好的学术品牌，所以，这所学校的决策者们才在他"治学35年、华诞65年"之际，与中国孟浩然研究会一道，共同推出了这本《王辉斌学记》的纪念集。全国如湖北文理学院这样的地方高校甚多，其学有专长的拔尖人才也不在少数，如果各高校都能像湖北文理学院这样，注重对自己学校学术品牌的培养与宣扬，这不仅有利于各高校的学科建设与学风建设，而且也将推助人文社会科学的研究更加繁荣昌盛。

"大学之大，不在于大楼，而在于大师"，这虽然是为人们早就熟悉的名言，但"大师"并不是每所学校都存在的。清华大学的新校长陈吉宁上任之初，于其就职演说中就曾明确表示，大学的根本不在"大"，而在"学"，并且提出了以"学生为本，学者为先，学术为基，学风为要"的十六字办学方针，其中的以"学者为先，学术为基"，讲的就是学术品牌之于高校的重要性。而湖北文理学院编辑出版《王辉斌学记》一书，所表现的正是该校的决策者们已将对"学"的重视落到了实处，这是很值得肯定与祝贺的。是为序。

原载黄山书社2012年版《王辉斌学记》，此据大象出版社2015年版《书林清话》录入，另收入北京联合出版公司2013年版《濡沫集》及《阅江学刊》2012年第3期

继往开来　创新学术

20世纪以来,我国古典文化研究取得了令人瞩目的成就,作为古典文化研究重要组成部分的子学研究也取得了长足的进步和发展。本次会议,以"新子学"为题,颇有创新性,这对新时期的子学研究与传统文化研究有进一步的推动意义。

近年来,我与华东师范大学先秦诸子研究中心的接触颇多,而连接彼此的桥梁就是子学研究。2012年我应邀参加该研究中心主办的"先秦诸子暨《子藏》学术研讨会",在会上作了《古籍整理与中华文化传承创新》的发言。数月前,我再次接到该研究中心寄来的关于"'新子学'国际学术研讨会"邀请函。因此近来我便对"新子学"进行了一些思考,总体说来有以下三点看法:

一、"新子学"应追本溯源,继承传统

"新子学"是新时期提出的新理念。不管是一个理念,还是一种学说,都有它产生的源头。这个源头在哪里,它是如何发展演变的,需要考察清楚。

方勇教授在《"新子学"构想》一文中明确提出"'新子学'是子学自身发展的必然产物"、"所谓子学之'子'并非传统目录学

'经、史、子、集'之'子',而应是思想史'诸子百家'之'子'"。我认为这一说法还是比较准确的。"新子学"的源头,当为诸子百家之学。传统经学中以孔、孟为代表的儒家学说也应当归于"新子学"的范畴。"新子学"根植于诸子百家之学,是在传统子学、经学等传统文化、学术的滋养之中成长而来的。较之相对保守的传统经学,"新子学"的学术体系更具有开放性和多元性;较之相对松散的传统子学,"新子学"更具有综合性和系统性。"新子学"研究,要认识到传统文化、学术的奠基意义,对于"新子学"的直接源头诸子元典更是要高度重视,要对其开展全方位、多维度的深入研究。

关于诸子学的发展演变,我认为需要花大力气做整合梳理工作。随着学术史研究的不断深入,针对传统经典的系统全面研究不断涌现,子学的研究也迎来了新的发展契机。事实上,自晚清以来,学术格局已发生了极大转变,传统经学逐步失去其长久以来所占据的学术主导地位,以儒学为主导、经学为骨髓的旧国学逐渐失去活力,而包括孔孟儒学在内的"新子学"却在迅速崛起,并将成为"新国学"的主导力量。"新子学"的出现,无疑顺应了历史潮流。自先秦以降,历朝历代都对子学予以不同程度的重视,至今,子学的研究著述可以说是汗牛充栋。然而受传统思维方式潜移默化的影响,传统子学中直观性、随意性、零散性的研究较多,具有较强思辨性、系统性的论著相对较少。"新子学"一方面要注重对传统典籍的整合、整理工作,进一步加快子学文献整理的进程;另一方面,要在原始文献的基础上,进一步完善子学研究体系,厘清"新子学"整体的发展演变轨迹。

值得特别提出的是，诸子百家之说多是涵盖文史哲多层面的综合学说，因此"新子学"发展轨迹的全面梳理也不能单纯从某个方面入手，而是应该提倡一种综合研究视角。打通文史哲是"新子学"研究的客观要求。

二、"新子学"应继往开来，创新学术

中国古典文化研究，一方面是古典文化发展史研究，另一方面则是中国古典学术史研究。"新子学"应归属于后者，即从学科属性角度讲，"新子学"应是中国古典学术史的主要分支之一。学术的发展离不开学史的建构与积累，人们必须有专题学术史意识，具有系统的学术史是一个学科发展成熟的重要标志。回顾中国古典文化研究，学术史研究相对薄弱。传统子学学术史研究，虽然成果颇丰，但在深度与广度上还有较大的提升空间。"新子学"要进一步加强学术史的研究，要在传统子学的基础上继往开来，创新学术。

一门学问，越是发展，就越是要综合，要对现有的成果进行及时的概括和总结，以便将这些成果及时有效地传达给学界，从而使研究者们能够及时借鉴、推陈出新，而不是在原有的水准上重复已知的结论。只有这样，才能使学术研究从已有的基点出发向前延伸。因此，我们一方面要对现有的成果进行科学的归纳，把能够成立的、符合历史实际的观点作为定论肯定下来；另一方面，要力求打破已有的格局，创设新思路，开创新学术。这两种工作，前者是学术研究中必不可少的学术积累，是基础；后者是在前人成果基础上的向前开拓，是创新。能够作为定论的点积累越多、成果越丰厚、基础才能更扎实。只有在扎实深厚的基础之上，才能不断涌现出高品位的创新，从而将学术研究向更高层次推进。

　　传统子学研究进展到现在，各种论点、说法已经很多了，我们应该是将现有成果，无论是理论阐释的，还是文献考证的，做一次系统的梳理，择选那些能够固定为定论的成果，汇总起来，建立一个子学的资料库。在此基础上，充分发挥学术界的群体优势，将诸子百家、三教九流之说的成果予以整合、梳理，在完善各"子"研究史的基础上，吸取三教九流之说中的精华，从而在整体上构建诸子百家学术史研究体系，将子学研究作整体的推进，从而达到继往开来，开拓创新的目的。唯有如此，才是符合新时代要求的"新子学"。

　　三、"新子学"应保持特性，着眼国际

　　子学是中华文明的有机组成部分，它蕴含并表征了中华民族的文化精神和艺术精神。我们正处于现代化建设的新时期，正在向全世界展示中华文明所取得的辉煌成就和中华民族全面振兴的灿烂前景。新形势下的"新子学"应该保持中华文明的民族特性，向全世界展示中国学术的优势和为世界学术所作出的贡献。

　　任何一个民族的文化能够走向世界化，其基础必须是高度的民族化。如果缺失了民族化特性，是不可能以独立姿态屹立于世界民族之林的。中华文明是早熟的文明，历史悠久，特色鲜明，它所取得的辉煌成就是在全世界范围内也是相当突出的。改革开放以来，中国传统的文化学术价值受到越来越多世界人民的认可，不少西方学者已经比过去更深切地理解和领会到中国学术对世界学术的意义。然而还有不少研究者热衷于以西方思想、西方观念、西方方法为唯一准则，去归纳、评价和衡定中国古典文学，以至于在古典文学领域中出现了大量以西方现代文学理论诠释中国古典文学的倾向。我们并不否认，西方具有进步意义和科学价值的思想、观念、方法，能够开拓古典文学研究的领域，扩展古典文学研究的视角，并从一定程度上促进古典文学研究的发展。西学中用是学术研究向前推进的一种表现，在当前形势下，具有一定的必然性和必要性。但是，西学中用不能演变成全盘西化。各国之间的文化交流有两个基本条件：一是对本民族的文化有深切的认识和热爱；二是对其他外来文化有清醒的体察和理解。若在一知半解的情况下生搬硬套，那无论是用外国方法解读中国学术，还是用中国方法解读外国学术，都是不科学的。因此，我们不能妄自菲薄，要清醒地认识到我国传统文化和学术的民族性、独特性，在此基础上，着眼于国际，把中国的学术推向全世界

方勇教授在《"新子学"构想》一文中提出的"新子学"将扎根传统文化沃土，以独立的姿态坦然面对西学，体现出一种尊重热爱传统文化的自觉态度和着眼国际视野的开放眼光。新时期"新子学"的研究，应进一步拓宽视野，吸取西方近现代较有科学意义的学术思想、观念和方法，一方面要更加清醒地认知"新子学"的民族特性，充分阐释我国古老文明的价值；另一方面也有必要把我们的民族文化学术在世界学术的大范围内，作公平客观的比较。"新子学"既是中国的，也是世界的。本次"新子学"国际学术研讨会，也必然对全世界范围内的子学研究起到良好的推动作用。

以上三点是我对"新子学"的一些思考，在此与大家讨论交流。当然，一个新理念、新学科的建立，并不是提出理念就可以

的,其类属、内涵、外延及研究方法还需要进一步予以规范。

"新子学"国际学术研讨会为我们提供了一个很好的讨论平台,希望广大同仁以此为契机,继续深入开展对"新子学"的研讨,力争推动"新子学"研究继续向纵深发展,从而更好地传承中华传统文明,开创具有时代性、民族性、世界性的崭新学术。

原载《诸子学刊》2012年第9辑,据以录入

《续修四库全书杂家类提要》序

　　司马朝军教授于20世纪80年代在武汉大学中文系学习,除了研习小学、经学之外,也曾对古典目录学发生浓厚兴趣,90年代又在武汉大学攻读古典文献学博士学位。二十余年甘坐冷板凳,专心致力于四库学与文献学研究,近年陆续推出《〈四库全书总目〉研究》《〈四库全书总目〉编纂考》《文献辨伪学研究》《国故新证》等多种论著。他曾将有关论著寄赠给我,给我留下了深刻印象。

　　2009年10月,清华大学中国古典文献研究中心召开有关《续修四库全书总目提要》编纂会议,他也应邀参加。会后他承担了杂家类三百五十二种提要之撰稿工作。杂家类的分量很大,专业性也很强。他不惧艰辛,迎难而上,对每一种书都细加审阅,并参考有关材料,充分吸收古今研究成果,穷搜博采,提要钩玄,披览万卷,历时三年,终于按时交稿。在此基础上,他又反复打磨,删繁就简,浓缩而成《续修四库全书杂家类提要》一书,将由商务印书馆刊行单行本。

　　近年来,我们曾经就续修四库提要的编纂问题反复商谈,书信不断,电话不断,他多次给我们寄来样稿,根据我们的要求和体例,他又反复调整,认真修改,我对其成书稿过程是比较清楚的。现在,朝军同志将书稿寄来,问序于我,义不容辞。捧读书稿,感到甚具学术内涵,确可体现我们现在所撰、为有当代学术意义之"四库提要"。具体而言,此书大致有以下几个特点:

第一,辨分类。我在 20 世纪 90 年代参与《续修四库全书》编纂,当时编委会对子部杂家类选辑就有一定难度,觉得杂家分类甚为纷杂。南宋文献目录学家郑樵于《通志·校雠略》中就已提出:"古今编书,所不能分者五,一曰传记,二曰杂家,三曰小说,四曰杂史,五曰故事。凡此五类之书,足相紊乱。"我们当时编子部杂家类,收有三百五十二种,在子部中容量较大,收书多,特别是明清书,有文献价值,但确有分类复杂问题。我过去应邀为《全宋笔记》作序,就曾提出《四库全书》对笔记分类也有值得梳理之处。现在司马朝军同志在撰写此类提要时,指出了不少分类问题。如陈鳣《简庄疏记》诠释经义,实为读《十三经》札记,应入经部群经总义类。严元照《娱亲雅言》书中考论皆关经传,陈伟《愚虑录》为经义笔记,似应入群经总义类。《掌中宇宙》一书分为十篇(曰仰观篇、俯察篇、原人篇、建极篇、列职篇、崇道篇、耀武篇、表格篇、旁通篇、博物篇),篇下分部,部下分细目,细目之下又出条目,其书体例实为类书。张岱《夜航船》分二十大类一百二十五小类,为通俗类书,也应入类书类。董正功《续家训》大旨排斥佛教,守卫儒学道统,宜入儒家类。又如唐锦《龙江梦余录》旨在维持名教,以儒家之道衡量群言,故也宜入儒家类。蒋鸣玉《政余笔录》究心理学,犹不失为平正,亦应入儒家类。李铠《读书杂述》一书,名曰"杂述",实则甚醇正,可入儒家类。骆问礼《续羊枣集》为其《万一楼集》中之一部分,似应入集部别集类。张大复《闻雁斋笔谈》为其《梅花草堂集》中之一种,为晚明小品文,抒写性灵,无关典故,亦非说部,应入别集类。我觉得,司马朝军同志的辨析,并不是对《续修四库全书》子部杂家类的分类作全面的否定,而是促使人们对这方面的文献整理做进一步通盘考虑,使人们意识到文献整理与研究有机的结合。这当是本书的学术特色。

第二,别真伪。司马朝军同志在辨伪方面做过大量卓有成效的研究工作,他在杂家类中也发现了几种伪书。如《昼永编》一书,旧本题明宋岳撰,全书凡三百六十条,最早著录于徐乾学《传是楼书目》小说家类,分上下二集,不分子目,其书皆抄录前人嘉言懿行之可为法则者,稍加点窜,掩为己有,而一一讳其出处。数百年来,其书之伪,无人道破。司马朝军同志细心比勘,发现此书实为伪书。他广搜证据,考证出其中三百五十三条伪迹昭彰,从而将其彻底证伪。又如《经史杂记》,旧本题清王玉树撰,书前目录后有道光十年(1830)玉树识语,称公余读书,每究寻经史,偶有所得,辄笔记之,后择其有关考证者荟萃成编,题曰《经史杂记》。司马朝军同志细核其书,考其来源,勘定其为抄袭成书。此外,他将杂家类著作中所涉及的辨伪史料做了大量的辑录,这样的例子可谓不胜枚举。去伪存真,这既是本书的一大宗旨,也成为全书的一大亮点。

第三,明是非。杂家中不乏有学问的思想家或有思想的学问家。司马朝军同志特别注意钩稽他们有关人生哲学的格言警句,对诸多杂家的观点做了拾遗补缺的工作。如《闲中古今》一书称

"保初节易，保晚节难"，"大凡不顺理者，岂可得乎"，"凡百玩好，皆能害德"，"知人固不易，哲人能察之于微"，"人君尚亦谨其所好"，"天之不佑恶人"，"小人聪明才智之过人者，适足以为其身之累"，皆为悟道之言。《四库全书总目》偏重汉学，排斥宋学，对于此类观点往往不屑一顾，甚至大加贬斥。而司马朝军同志汉宋兼采，注意钩稽前贤论点，阐幽表微，其宗旨在彰善瘅恶，树之风声。又如书中一再论及养廉反贪问题，至今仍然具有重大的现实意义。这样的例子在书中随处可见，读者自可从中明辨是非得失，学习古人处世之道、养生之术。

唐代僧人智昇在《开元释教录》序中说："夫目录之兴也，盖所以别真伪，明是非，记人代之古今，标卷部之多少，撮拾遗漏，删夷骈赘，欲使正教纶理，金言有绪，提纲举要，历然可观也。"《续修四库全书杂家类提要》一书，不仅能够"别真伪"，"明是非"，而且在分类方面多有新见，尤为难得。可以这样说，这部书稿对于提升古典目录学的研究层次具有重要意义，对子部杂家类之文献学研究尤具开创之功。此书既是别开生面的目录学力作，更是杂家研究的发轫之作。朝军同志来信称，今后计划扩大规模，将所有杂家类著作一网打尽，编纂一部完备的《杂家叙录》。杂家浩繁，钩稽匪易。我们期待他百尺竿头更进一步，为中国传统学术研究做出更多更大的贡献。

最后我想再补述一点。《续修四库全书》于 20 世纪 90 年代及 21 世纪初即由上海古籍出版社陆续出版。前几年，提要编撰起动时，上海古籍出版社与本书编委会合作，多次讨论，制定提要的撰写体例，以使经、史、子、集全书提要体例统一，文格接近。司马朝军同志应我们编委会邀请,承担子部杂家类提要的撰写。撰成后,出版社、编委会审阅,曾就全书体例规定提出修改意见。司马朝军同志乃就总体着眼,加以修订。应该说,现在单行出版的这部《续修四库全书杂家类提要》,既包含全书的统一体例,更保持了他自己的治学专著特色。这应当也是《续修四库全书总目提要》编纂的另一成就。

2012 年 11 月

原载商务印书馆 2013 年版《续修四库全书杂家类提要》,此据大象出版社 2015 年版《书林清话》录入,另刊《出版科学》2014 年第 2 期(题为:杂家文献学的发轫之作——司马朝军《续修四库全书杂家类提要》书后)

《中华傅氏通谱》序

　　太平兴学，盛世修谱，这是中国数千年来惯行的文化盛事。而今国泰民安，文运昌炽，民间再次掀起了纂修家谱的热潮，当是传承中华文明、弘扬传统文化的幸事。中华傅氏，历史悠久，宗亲众多，分布海内，是中国大姓巨族之一。今傅氏宗亲合族创修《中华傅氏通谱》，当亦是顺应历史潮流、实现七百万傅氏宗亲多年心愿的义举，确是一件有益、有意义的好事、大事。

　　家谱是记载同宗共祖的血缘集团世系人物和事迹等多方面情况的历史图籍，它与传统地方志、正史构成中华民族历史大厦的三大支柱，是我国珍贵文化遗产的一部分。家谱蕴藏着大量有关人口学、社会学、经济学、历史学、民族学、教育学、人物传记以及地方资料，可补助国史、方志之不足，确有不可或缺的作用。因此，现在傅氏举合族之力创修《中华傅氏通谱》，对于国家和社会应是一件十分有益的好事。

　　《中华傅氏通谱》动员了众多的人力物力，广收博采，精选细编，汇集了古今中外众多的傅氏人物和许多珍贵的历史遗迹，不仅内容丰硕，而且体例完备，颇具特色。特别是着意创新，突破了旧有谱牒的固有程式,成功探索了新编家谱的体例,富有创新精神,有极好的学术价值,对于学界而言也是一件有益的好事。

这部《中华傅氏通谱》确可谓形制浩大,结构完备。全书分三编,第一编为"人物",又分三卷,即第一卷《历史人物卷》,第二卷《当代人物卷》,第三卷《创业精英卷》;第二编"文化",亦分三卷,即第一卷《历代谱序卷》(含宗派、堂号),第二卷《文物遗存卷》,第三卷《历代著述卷》(含存目);第三编"世系",亦分三卷,即第一卷《共祖世系卷》,第二卷《重要支系简介卷》,第三卷《宗支简介卷》。又附录一卷,为《研究资料卷》。真可谓学术性极强,应是传统谱氏文化的现代化进展。

还可向社会介绍的是,这套书的编纂队伍,不仅人数众多,且结构完整。全书有编纂领导小组,组长傅秉耀,中国人民解放军成都军区原副司令员(中将);副组长两位:傅双喜,中国人民解放军空军司令部原军职干部,现为中国老龄事业发展基金会副理事长兼办公室主任;傅渤海,中国人民解放军海军北海舰队原副政委兼纪委书记。领导成员有十二位,既有军政领导干部,又有学术界专家及民间企业家(如傅广伟,中国广庆集团有限公司董事长;傅赐彬,上海淮德投资控股有限公司董事长)。专业编撰基地设于武汉,编辑部主编傅传松,为多年来从事族谱文化的专家。另还设有评审委员会,定期对稿件进行审读,参加评议会议,成员皆为专家,如从事地方志工作亦多有专著的中国社会科学院研究员傅能华,中国先秦史学会副会长兼秘书长宫长为,《中国报告文学》主编傅溪鹏,曾主编《中国地方志》学刊的诸葛计等,有八九位。这应当是编纂组织工作的良好经验。

三千多年来，傅氏枝繁叶茂，人丁兴旺，宗支棋布于海内，人口星罗于全球，可谓鼎姓望族。然而，由于代远年湮，昭穆难稽，宗支邻处，世系无辨；同族相逢，目若路人，是以亲者非亲，疏者益疏。而今创修《中华傅氏通谱》，稽考典籍，搜罗宗支，梳理源流，辨析亲疏，使人知其所出，让人明其所尊卑，正人伦，立礼仪，聚族心，促亲情，其功厥伟。同时，万干一本，万派一源，有此本谱，可以作为凭借，方便海内外游子寻根谒祖，认祖归宗。对于当代傅氏大家族而言，《中华傅氏通谱》无疑是具有和谐共处、协力共进的重要意义。

　　《中华傅氏通谱》所载的众多傅氏人物，上自将相，下至平民，集中体现了"清直一节、品敦金玉，耕读传家、孝悌力业，奋发图强、百折不挠，勤劳俭朴、乐善好施，尊祖敬宗、和亲睦族"的傅氏家风，这一薪火相传的宝贵精神财富，必将激励后人奋发向上，创造更吸引人的辉煌前景。对于傅氏子孙后代而言，《中华傅氏通谱》更有深远意义。

　　在《中华傅氏通谱》编纂过程中，我有缘参与其中，能为傅氏大家族的宏创伟业贡献一份力量，深感荣幸之至。值《中华傅氏通谱》编竣发行之际，我衷心感谢广大宗亲和社会各界朋友对通谱的大力支持；我深情寄望傅氏后人超越前辈，为家族、为国家、为社会做出更大贡献。

　　是为序。

2013 年元月

原载《书品》2013 年第 2 辑，此据大象出版社 2015 年版《书林清话》录入，另收入北京联合出版公司 2013 年版《濡沫集》

《濡沫集》前记

上世纪九十年代中期，出版界前辈戴文葆先生策划筹编一部丛书，丛书名《书海浮槎文丛》，共十六种书，1997 年由湖南人民出版社出版。戴文葆先生于八九十年代长期在人民出版社工作，曾为首届韬奋出版获奖者，与文化学术界人士多有交往。他所主编的这套丛书，收有不少极有名声的专家，如巴金、冰心、季羡林、萧乾、吴小如等。这套书所收并非长篇学术论文，类似于读书札记与治学心得，故丛书名为"书海浮槎"，其中有些书，如巴金《读写杂谈》、季羡林《我和书》、萧乾《感觉的纪录》、张中行《读书学文碎语》、吴小如《今昔文存》，都显示为读书治学之心得。

"文革"后期，戴文葆先生曾应邀在中华书局工作，我与他同时上班，时有叙谈，深有交往。正因此，他主编这套《书海浮槎文丛》，也就约我列入这十六位文士之中。我就选择八九十年代所写之文，共 49 篇，17 万 2 千字，则平均每篇三千余字，确类似于学术散文。一般为札记、书评，及为学友之作所撰之序，可谓读书心得，因此文格较为自然。可能正因此，我这本书，印有六千册，不到一年就售完。1998 年，我连续又为全国政协委员，列于新闻出版组,那时同一组有位出版编辑,他对我说:"我已买到你的这本《濡沫集》,很想看,前些日子因病住院,要动手术,就把你的这本书带去。动了手术,虽很痛,但在床上读你的书,痛感就没有了。"这几句话真使我十分感动,我真有一种知音之感。

此书于1997年出版,至今已有十五六年,其间亦有好几位友人向我要此书,我真无法提供。也正因此,我现在做一新版工作,即加以删、补。所谓删,即原版有十余篇为学友著作所写之序,我于2008年上半年曾编一本书,名《学林清话》,辑集1981年至2008年上半年所撰之序,七十三篇,于大象出版社出版(2008年10月)。由于此书出版发行较广,我现在就把此书已收之十余篇序文删去,以为不必重复。另有几篇,为我自己著作所作之序跋(如《唐代科举与文学》自序,《唐诗论学丛稿》后记等),这次也略去。共删略25篇,即删去一半。另外,此次新辑入41篇,主要亦为书评及序言,除少数几篇为上世纪及本世纪初所作,主要为2008年以后。因我于本世纪头几年主要撰《唐翰林学士传论》专著,后又主编《宋登科记考》、《宋才子传笺证》、《宁波通史》等较大项目,时间匆促,不易另写学术随笔。近几年稍宽裕,因此较有时间写一些学术散文。如此,则原版留存24篇,新补41篇,则此次新版,为65篇。

我在编纂时,确有自勉和自慰,即力求好学深思,挚于知音。如此次新补《〈滕王阁诗序〉一句解》一文,早于1982年所作。初唐四杰之一王勃,其《滕王阁诗序》是一篇名作,过去流行的说法,认为王勃之父于几年前已出为海南交趾令,后于上元二年(675)王勃去探视其父,路经南昌,邀宴于滕王阁,遂作此文。我则根据在日本发现的王勃文集残本,加以考证,认为王勃此行是伴随其父南下,并一同游宴于滕王阁,可以说是一反前说。此文已刊于1982年12月陕西《古典文学论丛》,我这次又选入,期望能引起注意。又如原版已收之《卢文弨与〈四库全书〉》一文,因有一位甚有名声的老学者曾撰文论《四库全书存目》事,特为提出当时卢文弨参与编纂《四库全书》,我则根据确切材料,辨析卢文弨从未进入《四库全书》馆,始终未参与其事。我想,这当也是我所谓好学深思的自勉。

所谓知音,是我好几次撰文时曾引及《文心雕龙·知音》篇一段话:"知音其难哉!音实难知,知实难逢,逢其知音,千载其一乎!"这确实表达治学知音的寄望。我在此书原版已有数篇述及对王世襄、程千帆、启功等前辈学者的缅怀,此次新编的,又有对钱锺书、林庚、夏承焘、黄苗子、黄仁宇、饶宗颐、陈乃乾等师辈的仰望。

这里我想再提一提,即现在这部《濡沫集》新版,辑集为学界友人著作及有关单位项目所作之序,有24篇,而我于2008年所编之《学林清话》,辑集1981年至2008年初之序73篇,则与此次补辑,共有序文97篇,这真使我十分惊异。在当代我们古典文学和文献学的学术环境中,能为人作序有如此之多者,确甚稀见,此次回顾,似也不免有自惭。不过我想到我于1990年所作的《唐诗论学丛稿·后记》有云:"近些年来,一些朋友在出版他们的著作之际,承蒙他们不弃,要我为他们的书写序。本来,我服膺于'鱼相忘乎江湖,人相忘乎道术'这两句话的,但在目前我们这样的文化环境里,为友朋的成就稍作一些鼓吹,我觉得不但是义不容辞,而且也实在是一种相濡以沫。"我这本书以"濡沫"为名,也确实是表达我对学界友人学术成就的赞慕与仰望,从而也体现我们当代真切、具体的学术交往。

本书分为上下两编,上编为原版保留的 24 篇,下编为此次新补的 41 篇,总共 65 篇。须要说明的是,1996 年编纂时,我于书前也有一篇前记,所辑之文,文后亦注明刊载出处及时间。但不知何故,出版社既未刊有前记,亦去除文后所注。不过当可知这些为 1985 年至 1996 年间所作。这次新补的下编 41 篇,则均注有写作时间与刊载出处,并按时序排列,以便于读者可具体了解。

2013 年 2 月

原载北京联合出版公司 2013 年版《濡沫集》,据以录入

书法文献整理的意义

——谈《黄庭坚书法全集》

　　修水黄君是我近些年认识的年轻学者。2005 年,应他之邀到修水参加"纪念黄庭坚诞辰 960 周年学术研讨会",印象很深。由他策划并组织的这次会议,广泛邀请文学与书法领域黄庭坚研究的专家,来了八十多人,盛况空前。在这次会上,黄君一次性赠送与会学者七本书,其中包括他主编的四卷本《黄庭坚研究论文选》、一本明刻孤本《黄律卮言》整理点校本、一本《黄庭坚书论选注》,还有他自己的学术专著《山谷书法钩沉录》。会议结束之后,他又编辑出版了厚厚的一本《论文集》再次赠送。我们的学术研讨会很多,但能在一次会议中出版这么多学术成果的,好像还没有先例。黄庭坚会议之后,黄君又请我担任《黄庭坚书法全集》学术顾问,他说要编辑一部网罗天下黄庭坚书法,并作全面研究的大书,果然经过几年的努力,他的这部大书现在正式出版。

　　我认真看了这部大书,确实很精彩、很不容易。这本书有两个特点:一是材料非常广泛,非常多。收集这么多黄庭坚书法图片，其中有大半在国内未经公开出版，是黄君在故纸堆中发掘的新材料，真是功夫不负有心人。这部书是当今信息和科技条件下，有关黄庭坚研究的一个重要成果，具有很高的文献资料价值。二是此书对黄庭坚书法文献的收集与整理不仅很全面，而且编辑有序、科学，考证精深。将书法真迹与非真迹分开，又把非真迹分为临摹之作、托名书和伪作三类，分门别类，一一展示，这是前人没有的做法。开风气之先，很有学术价值。黄君对书法作品的研究很见功力，书中 208 件作品，写出近 20 万字的"作品考析"，每件作品从真伪辨析，到写作时间、背景，作品的风格特色，都有详尽的分析和说明。所以这本书也是文献整理与专题研究相结合的一个成果。这一点，在当代文史研究与探索上具有典型和典范的意义。从近代来说，20 世纪以来，黄庭坚的材料也有不少。20 世纪 60 年代，我编了一本书叫《黄庭坚和江西诗派资料汇编》，编完以后，"文化大革命"开始了，直到 1978 年才正式出版。另外有 2001 年四川大学出版社出版的《黄庭坚全集》，还有一本最近出版的江西人民出版社出版的《黄庭坚全集》。现在黄庭坚研究渐成风气，很有意义。这些书各有特点，但主要是文学方面的材料。现在黄君编书法全集，在书法方面还没有这样全面的本子。据黄君介绍，《黄庭坚书法全集》收集的书法真迹内，涉及黄庭坚的散佚文字多达近 30 篇，计 3000 多字，其中仅信札就多达 18 通。这些文字应该是可以补《全宋诗》《全宋文》的。

古代诗文名家资料，一般都依据前人整理、刊刻的书籍。但像黄庭坚这样同时又是大书法家的人，他的书法真迹无疑是很有价值的一手资料。前人刊刻书籍，难免会有缺失和遗漏，黄君从书法真迹中发现黄庭坚大量佚文，这正是书法文献的价值体现。近些年，唐宋诗文的辑佚时有收获，说明这方面工作还是可以大有所为的。此外，黄君还依据书法真迹材料，校勘了一些刊刻文献中的文字失误。黄君在《作品考析》中多处提到这方面问题。例如作品 62 号《草书李白秋浦歌并跋》的跋文中，有一段释文："余少拟草书，人多好之，唯钱穆父以为俗。初闻之不能不嫌。已而自视之，诚如钱公语，遂改变，稍去俗气，既而人多不好。"这段文字的第一句"余少拟草书"，黄庭坚的各种诗文刊本皆作"秦少游学书"，文意蹊跷，与下文不能通顺。黄君根据原作草书笔迹，纠正了失误，使文意通顺，还原了这一则题跋的本来面目。

文学与书法对古代文士而言是不分家的，所以古人的书法遗迹，理应是诗文整理关注的范围。但很多情况下，这方面的工作我们关注得很不够，其中原因，首先是过去的书法文献，流布相当困难，一般学者识见难以兼顾。现代影印技术发达，古代书法遗迹陆续被整理影印出来。20 世纪以来，甲骨文字、简牍帛书、敦煌石室经卷等文物的发现，既是重要的书法事件，同时也是社科文献的宝库。如近年出土战国时期的楚简，发现今文经学以前的《老子》文本，对研究古文经学意义重大。黄君所编《黄庭坚书法全集》资料翔实，印刷精美，考析论证翔实，在古代书法家文献整理上，具有典范性，这不仅对黄庭坚研究，也包括对宋代文史、艺术研究，都有实际的意义。江西美术出版社投资 200 多万元，高质量出版此书，也体现了一种眼光和魄力。黄君既是书法家，也是诗人和学者，他编辑此书，在关注书法的同时也关注到宗教、文

学、历史以及饮食、茶酒、医药、风俗等诸多领域,所以此书是一部
难得的好书。

原载 2013 年 2 月 8 日《文汇读书周报》,此据大象出版社
2015 年版《书林清话》录入,另收入北京联合出版公司 2013
年版《濡沫集》

《商周逸诗辑考》的学术启示

　　20 年前就计划着将"文学史研究打通关"的王辉斌教授,在先后出版了《先唐诗人考论》《唐宋词史论稿》《宋金元诗通论》《唐后乐府诗史》等著作后,最近又推出了他历经 15 年而完成的《商周逸诗辑考》(以下简称《辑考》)一书。《辑考》全书共从 140 多种子史文集中辑得各类逸诗 600 余篇(含附录),成为可与《诗经》《楚辞》鼎足而三的一部逸诗总集。此书的出版,为全面认识与了解先秦诗歌的创作活动、流变规律、发展概貌等,提供了一份极具文献学价值的"古逸"读本。

　　《史记·孔子世家》记载,由于孔子"去其重"的缘故,而使得"古者诗三千余篇"一变而为"诗三百",汉人为了彰显这"诗三百"的经典性与重要性,即将其称之为人们所熟悉的《诗经》。于是,《诗经》与后来的《楚辞》,便成为了人们观照与研究先秦诗歌的两种主要参照系,现在的高校文学史教材,也无不如此。《诗经》与《楚辞》,虽然具有不可替代的文学史价值,但因其数量所限(二者总共约 350 首诗),而无以窥获先秦诗歌之全貌,所以,自南宋初期始,辑录逸诗即引起学者们的关注。其间,如冯唯讷《古诗纪》、杨慎《风雅逸篇》、钟惺《新刻逸诗》、沈德潜《古诗源》、朱彝尊《经义考》、郝懿行《诗经拾遗》、周应宾《九经逸语》、马国翰《目耕帖》等，就都曾辑录了数量不等的逸诗（多者过 100 篇，少者 50 余篇）。不过这些逸诗辑佚成果也存在不少问题，如陈陈相因，互为重迭，真伪混杂，时代不明，篇目张冠李戴等，所以，若除去重迭与伪作等，实际上只不过 100 篇左右（含"仅存篇目者"）。也正因此，少有文学史著作关注这些辑佚成果。

《辑考》一书，不仅着眼于"辑考"的角度，较为全面地解决了上述逸诗辑佚成果中所存在的种种问题，而且所辑录的 600 余篇逸诗之量，乃为自宋以降历代逸诗成果的数倍。从这一意义上讲，《辑考》对中国诗歌史、先秦文学史等之重新编写，对有关文学史现象的重新阐释等，都具有不可低估的参考价值与作用。为便于认识，这里略举孔子"删诗"以为例。长期以来，人们对孔子是否"删诗"多所争议，但从《辑考》所辑录之逸诗的角度审视，则孔子"删诗"应是极有可能的。这是因为，"删诗"者除精通音乐外，还必须深谙诗歌之道，也就是要擅长于诗歌创作，而《辑考》中所辑录之孔子 15 题 16 篇逸诗的事实表明，孔子在先秦文学史上是仅次于屈原可名列第二的一位重要诗人。孔子精通音乐，《论语》《史记》等均有记载。综合这两方面来看，孔子在当时是符合"删诗"条件的唯一人选。至于《左传》记载的"季札观乐"，所表明的只是周太师对"古者诗三千余篇"进行的一次大的音乐调整和次序排列，而与《史记·孔子世家》所载孔子着眼于篇目内容的角度"去其重"者，并非一事。所以，孔子"删诗"说，应该是可以相信的一件文学史事实。

《辑考》一书将所辑录的600多篇逸诗,按其时代之先后,分为《殷商逸诗》《西周逸诗》《东周逸诗》三编,每编又细分为"目辞俱存者""有篇目逸句""无篇目逸句""仅存篇目者"等几类。除"仅存篇目者"一类外,其余各类所辑录的每一篇逸诗,均由"辑录""校考""斌案"三者组成。"辑录"重在对所辑的每一篇逸诗交待作者、书名、版本、卷次、篇名等,并原文引录该逸诗在某书中的文字,以备属意者复核与验按;"校考"是指对所辑录逸诗之异文进行校勘与考订,并于他人他书之校勘、注释择其要者全文引录,意在彰显其首创之功;"斌案"主要是对所辑录之逸诗进行编年与"伪诗"辨正。三者各司其职,合则为对一部商周逸诗总集的辑考。从辑佚学的角度言,《辑考》的这种分类编排的辑佚方法,既具纲目清晰之特点,又兼多元观照之优长,我以为是很值得肯定的。此外,《辑考》立足于广义逸诗的角度,将逸诗年代的下限由"去其重"之孔子生活的年代,扩展到东周灭亡的公元前256年,以及从王应麟《困学纪闻》之例,将具有韵语特点的"铭""谣""辞""箴""颂""诵""引""语"等一并予以辑录的举措,也都是值得肯定的。而所有这一切,均是作者学术识见与学术视野的一种具体反映。

　　此次通阅全书,对作品的时代判断问题,略表个人的读后感,供作者参考。如书中对作者的时代判断,主要根据所引用的资料的说法,认为第一篇《商铭》是出自《国语》所引:"商之衰也,其铭有之曰……"但根据现在出土的大量商代青铜器铭来看,商代大概不会有这种格式、这种语言的铭文。即使在西周,偶尔有一两件接近"箴言"的铭文,也与此篇《商铭》不同。因此,这篇《商铭》

是否为殷商逸诗原文,尚可考虑。

另,此书融合前人辑佚的标准,把铭、箴、谣、颂等皆算作诗(以具备韵文特点为准),这是可行的。但此书主要使用传世文献,尚忽略出土文献。因为甲骨卜辞和青铜器铭文中,有数量不少的带有韵文特点的篇目,按此标准,应该也能算作古诗。作者可以考虑进一步采用甲骨金文的材料,这样当能让此书增色不少。

总之,作者历经15年完成的这本《辑考》,无疑如一支林中的响箭,使人为之一震。所以,我期待着此书的出版能推动扎实求实的学风,使古代文史本身研究与文献考索进一步结合,愿更有这样的著作问世。

此文作于此书初审稿时期,原载2013年3月15日《中国社会科学报》,此据大象出版社2015年版《书林清话》录入

"中国人"丛书序

　　中华传统文化有两大特点：一是历史悠久、宏博多彩；二是中外交流密切频繁。尤其是第二点，中国传统文化的传播与国外对中国文化的研究，是一种源远流长、横贯东西、异彩纷呈、底蕴深厚的文化现象。历史告诉我们，无论是古代还是现代，中华文明都受到世界各国的瞩目。

　　应当特别提出的是，文化主体是人，而文化是离不开人的。过去长期就有"知人论世"的成语，这当源于孟子的话。《孟子·万章下》有记孟子云："颂其诗，读其书，不知其人，可乎？是以论其世也。"意谓：吟咏人的诗歌，研究人的著作，不了解他的为人，可以吗？所以要讨论其人其世。这确是启人之思，故"知人论世"传为成语。也就是说，研究文化，就必须研究人。

　　现代史学大师陈寅恪在其《隋唐制度渊源略论稿》和《唐代政治史述论稿》中，都反复强调种族和文化问题是研究中古史最重要的关键。也就是说，无论是魏晋南北朝政权割据时代，还是隋唐全国政权统一时期，都应将不同种族的人与各领域文化作比较综合研究。他将人与文化作综合探索，确甚启人深思。

历史的车轮从古走到今，中国经过最近几十年的改革开放，经济建设日新月异，取得了斐然的成就，这使中国瞬间成为世界关注的焦点。人们竞相谈论中国现象，谈论中国人的思想、素质和形象。在此之际，收集中外两个方面的学者在不同角度对于中国人特性的阐述，结集成书，将是一个具有客观性的思想成果。文津出版社编纂这一套"中国人"丛书，不仅会得到社会的广泛关注，当也能启迪读者研讨历史和探索现实的深切思考。

此次编纂的"中国人"丛书，有两部为外国学者于 19 世纪后期所作，有两部为中国前辈学者于 20 世纪前半期所作，其他为我们当代学者关注现实的专著，这当也很有特色。中外学者对中国人、中国文明固有精神和价值的探索，可以说是不同文化观念的交融与互补。作为东方大国，中国的悠久历史文化被世界所认识，以及这种认识的日益深化，当是文化史上令人神往的课题。

近代中国，自 1840 年鸦片战争以后，受外国军事侵略和经济掠夺，积贫积弱。外国人蔑视中国人，但他们又畏惧中国文化的力量。一些到过晚清中国的西方人，就是怀着这样一种矛盾交织的心理，记录了他们对中国人的观察和理解。这其中有对晚清社会现实的真实记录，也有对中国历史文化的迷惑不解，也难免有一些西方的种族傲慢和自大。如本丛书中的《中国人的素质》和《中国人的本色》，两书作者一个是美国传教士明恩溥，一个是美国外交官何天爵。二人均于晚清时期来到中国，并在中国生活多年（明恩溥 34 年，何天爵 16 年）。他们深入中国各地、各个阶层，紧密接触民众，根据其所见所闻和亲身经历，又加上自己的观察和思考写成以上作品。作者以西方人的视角，从政治、经济、文化、社会各个方面全景式地观察、描摹了晚清时期中国人的生活样态，并从中剖析和展示了当时身处没落的封建社会的中国人的各种品质。作者本着客观态度，既颂扬了中国人优秀的一面，也批评了中国人的某些劣根性。基于作者活动区域和西方立场的局限性，书中有些内容对中国文化和中国人的看法仍有失偏颇。特别是百年后的今天，中国人各方面品质已经发生了很大变化，书中有些评论已不能完全适用于现在。但之所以仍将这些书纳入出版，是因为它对于我们理解当时中国人的国民性具有一定的参考价值，对于我们发扬中华民族的优秀传统、克服一些国人的劣根性、优化中国人的国民性，具有积极的参考作用。

这次选择的两部 20 世纪早期之作，也颇有特色。《中国人的精神》著者辜鸿铭（1857—1928），祖籍福建，出生于南洋英属马来西亚槟榔屿，后长期生活于中国本土。他学博中西，号称"清末经杰"，热衷向西方人宣传东方中国的文化与精神，产生了重大影响。他在此书前言中写道："学习中国的典籍与文明，对欧洲人和美国人都是大有益处的。"此书主旨是揭示中国人的精神生活，宣扬中国传统文化的价值，并拟改变部分西方人对中国以及中国人的偏见。据说此书印出后，在西方形成了"到中国可以不看三大殿，不可不看辜鸿铭"的说法。另一部《中国人的修养》，著者蔡元培（1868—1940），他于 1916 年至 1927 年间任北京大学校长，在近现代教育建设中起了很大作用。此书秉承中华修养传统，并融会西方的公民教育观念，教导中国公民如何进行道德修养，是一部此前百年罕见的公民道德实践之书，于现在的教育实践中，对社会大众形成正确的道德观念也会有指导作用。

而关于现代中国人的真实面貌,体现在当代中国作家的笔下,则是另一番品位和风格。例如本丛书中《中国人的休闲》一书,作者以流畅的随笔形式,介绍了中国个性鲜明而又源远流长的休闲文化,着重强调了中国人休闲的品位与情趣,推崇自我心境与天地自然的交流与整合,这无疑对休闲文化盛行、提倡悠漫生活大有裨益。而在《中国人的境界》中,面对"境界"这一深邃的中国哲学命题,作者或耕读暇思,或旅途行色,以诗意的笔触道出中国人几千年来人格思想的最高境界,即始于"修身""齐家",终于"治国""平天下",从而实现最高的社会理想——道德完善的大同世界。《中国人的德行》则从公德、社会、文化、民性、生活、两性、修养等方面对中国人加以剖析,通过自我批评、自我反省,指出中华民族自身存在的一些不良道德观念和行为,以此警醒世人加强自身道德建设,提高自身素质,使中华民族道德形象更趋完美。

本丛书以"中国人"为主旨,选录有参考价值和研究意义的著作,采用宽泛自然的选编方式,使本丛书在解读"中国人"这一宏大主题时,给人以全面、客观之感。撰写者既有中外作家,也有近现代作家。如此,中国社会和中国人就以立体丰满的形象耸立在世人面前,也使世界对中国人的了解更加深入透彻。

我通读文津出版社这次所编之书,期望可再续编,继续上下求索,开拓进取,不断出版中国文化精品。

2013 年 5 月

原载文津出版社 2013 年版"中国人"丛书,先发表于 2013 年 7 月 5 日《中国社会科学报》(题为:中国人与中国文化),此据大象出版社 2015 年版《书林清话》录入

"逢其知音,千载其一乎"

——缅怀学术知音大师程千帆先生

一

我于1955年6月毕业于北京大学中文系,系领导安排我为浦江清教授助教。当时浦先生担任宋至明清文学史教学,我即在浦先生指导下,开始研究宋代文学,后于六十年代初编纂并出版《黄庭坚和江西诗派研究资料汇编》《杨万里范成大研究资料汇编》,就是受浦先生启示的。也因浦先生缘故,得与程千帆先生相识,开始学术交往,一直缅怀于心中。

我任助教时,住于校内6号楼宿舍。1955年夏,有一天,我坐在楼门口看书,忽然见到一位学者,穿西装,特别精神抖擞,问我:"傅璇琮同志吗?"我说我就是。他很高兴,说他要与浦江清先生叙谈,但不知其住处,就特地找我,约我陪他到浦先生家去。我即陪他到当时燕东园浦先生家。我真不知那时程先生何以知道我,且特地先到我宿舍，真是难得的机缘。

程千帆先生于上世纪七十年代后期，即由武汉移调至南京大学，那时我在中华书局工作，就与他开始有密切的学术交往。由陶芸同志编的程千帆先生书信集《闲堂书简》(上海古籍出版社2004年出版)，收有程先生给我的四十封信，第一封信即早在1980年3月，那时我在中华书局任古代史编辑室副主任。他于3月17日给我的此信，就具体约我为他购书，提及代购《宋诗话辑佚》《东斋记事》等，特别值得一提的是，程先生在信中有云："弟所带研究生，有张三夕，以《宋诗宋注考例》为硕士论文题，其文大体仿援庵《通鉴胡注表微》。先生精于宋人文献之学，辄妄拟恭请为该生答辩委员(时间在秋季)，不知能俯允否? 如荷同意，当再上报。谨先奉商，乞示知之。"程先生那时已为德高望重的权威学者，但在信中特标我为"先生"，且约我参加其研究生张三夕同志论文答辩，我既自惭，亦深受鼓舞。张三夕同志现为华中师大文学院教授，五年前曾与我合作，共同编修、注译《三字经》订补本(人民教育出版社出版)。

在这之后，于八十年代中期，他又约我为其博士研究生莫砺锋同志《江西诗派研究》作论文答辩。由于莫砺锋同志为国内第一位参加答辩的古代文学博士，校领导极重视，就约请北京、上海好几位学者参加，且安排在南京市首家五星级宾馆(金陵饭店)居住。我之所以能应邀参加，就是程先生知道我编过《黄庭坚和江西诗派研究资料汇编》。这也是程先生对后辈学者的重视和鼓励。不仅南京大学，八九十年代南京师范大学古代文学博士论文答辩，经常由程千帆先生主持，也常邀我参加，如现为词学研究名家的王兆鹏君，答辩时由程先生主持，我应邀参加。这也促使我与当代学者的学术交往。

《闲堂书简》所收给我的第4封信，写于1991年11月12日，向我提及与徐有富同志合著的《校雠广义》，有云："《校雠广义·目录编》前数年曾呈教，近《版本编》已出样书，缀辑旧闻，并无新意，但可为初学略示门径。"他赞许我"治学精严，于著述中体现对目录版本之学极为精通"，即约我写一书评："不知能亦于百忙之中为拙作拨冗写一书评，刊之《中国文化》、《古籍整理与研究》或《文献》等类刊物中否？"可见他对我的信任。可以一提的是，九十年代前期，我任中华书局总编辑，又兼任全国古籍整理出版规划小组秘书长，就与古籍小组组长、南京大学原校长匡亚明先生商议，筹建一套"中国传统文化研究丛书"，由各出版社申报，每年评议出十部书，给予出版经费。当时，经专家评议，将程先生的这套《校雠广义》（包括版本编、目录编、校勘编、典藏编四册），经修订，由齐鲁书社出版。这应当是我和学术界对程先生之学术成果的尊重。

二

1983年，我曾与程千帆先生一起在广西桂林参加全国哲学社会科学"七五"规划项目基金资助评议会。那时的会议与现在不同，参加评议的专家也可提出自己的项目计划，在会议期间讨论。就在那次会议上，程先生提出他的"唐宋诗歌流派研究"的计划，受到学者的重视，会议上顺利通过。后来他在南京大学中文系指导的几位博士生，就安排列于这一项目，如莫砺锋《江西诗派研究》、蒋寅《大历诗风》、张宏生《江湖诗派研究》等。

程千帆先生在其《闲堂自述》中曾着重提出："在诗歌研究方面，我希望能够做到资料考证与艺术分析并重；背景线索与作品本身并重；某一诗人与某篇作品的独特个性与他或它在某一时代或某一流派的总体中的位置，及其与其他诗人或作品的关系并重。"我于1994年2月为张宏生《江湖诗派研究》所作序中，也特别提出："千帆先生提出的'唐宋诗歌流派研究'，以及莫、蒋、张三君体现了千帆先生治学思路的这三部著作，将在我国的古典诗歌研究学术史上占有特定的位置，其意义及经验必将日益为学界所认识和汲取。"又说，他的治学思想，也体现在他陆续培养出已斐然有成的好几位硕士、博士研究生身上，"因而形成南大古典文学研究那种沟通古今、融合中西、于严谨中创新的极有生气的学风"

又，程章灿同志也在程先生指导下撰写《魏晋南北朝赋史》博士学位论文，我于1991年2月为此书所写的序言，也提出："南京大学中文系和古典文献研究所近十年来养成一种颇为引人注目的学风，就我个人的体会，也可以说是一种在文学的审美研究中加强现代科学思维训练的学术品格。"我还提到，这主要是受益于程千帆先生及周勋初先生倡导的。

另还可举一例子，即辽海出版社编辑部主任于景祥于2012年在中华书局出版他的《骈文论稿》，我在此书的序言中提及，于景祥同志于1985年9月进入南京大学中文系，为程千帆先生的硕士研究生，1987年其硕士学位论文题目为《陆贽在中国古代文学史上的地位和作用》。之后，程先生又进一步对景祥同志的骈文研究进行筹划,确定研究思路与步骤:其一,在硕士论文的基础上继续开掘,加强重要作家、重点问题的研究,对重要的总集、别集进行整理;其二,由点到面,加强断代骈文史的研究;其三,由断代史到通史,揭示、描述骈文在中国历史上产生、发展、演化的整体流程;其四,从理论层面对中国古代骈文批评进行梳理、归纳和总结。正是在程先生的指导和鼓励下,景祥同志一边在出版社做编辑工作,一边在骈文领域不断作专题研究,写有不少学术论文,并出版好几部专著,如《陆贽研究》、《南北朝骈文》、《唐宋骈文史》、《中国骈文通史》等。

我想,就此可更深切地体会程先生对后辈学者的深切指导。我在由我主编的《唐五代文学编年史》自序中,就特为提出:"就我个人来说,近二十年来,在唐代文学研究上之所以有一点业绩,都是在程先生指导、鼓励下取得的。"特别是我于上世纪八十年代中期所撰的《唐代科举与文学》,即是受程先生于1980年出版的《唐代进士行卷与文学》的启发。因此我觉得,我们研究现代学术史,除了研讨学者本身的治学特色外,还应探索前后辈学术传承的良好经验和典范学风。

三

程先生治学范围相当广泛,这里我提一下他对日本汉诗的探讨。

中国唐诗对日本诗歌创作有很大影响。日本古代的汉诗写作,极受中国唐诗的启示。我于1998年在杭州大学举行的中日文化交流会议上,以"唐代长安与东亚文化"为题发言,曾举日本于中国盛唐、中唐时曾编有三部他们自己创作的三部汉诗集(《怀风藻》、《凌云集》、《文华秀丽集》),这三部诗集的序言提出创作观念,在日本很有影响,而其观点及语句都明显依袭唐太宗于贞观末所作的《帝范》。日本汉诗创作,数量极多。据日本学界统计,从奈良时代到明治时代,先后问世的日本汉诗总集和别集达到769种,诗作数量超过二十万首。中国晚清时期一位学问名家俞樾曾编有《东瀛诗选》一书,共44卷,收日本汉诗五千二百首,当时很有影响。但也受到"篇幅过大"、"选择失当"的批评。

上世纪八十年代,程千帆先生与南京师范大学孙望教授合作,编有《日本汉诗选评》一书(江苏古籍出版社1988年出版),选日本古代汉诗三百多首,约二百位诗人,时间为从8世纪至20世纪初。程、孙两位先生对所选诗特加评论,兼有注释。此书出版后,程先生特约我写一书评。我即抓紧时间通阅全书,写有一文,认为此书当于"研究中国古典诗歌在历史上的域外传播",极为有益,并特为提出:程、孙两先生的评语,"简约而隽永,既具理致,又富情韵,实是古体诗歌评论的别开生面之作"(按,此书评后收录于我的《濡沫集》一书,湖南人民出版社1997年版)。

四

最后,我想再着重提一提程千帆先生为《唐五代文学编年史》所撰序对我的鼓励。我于90年代与陶敏、吴在庆等学者合作,编撰《唐五代文学编年史》，并于 1998 年 12 月由辽海出版社出版。辽海出版社编辑部主任于景祥同志，也曾为程先生的硕士研究生，非常重视程先生的评价，就与我商议，约请程先生为这部二百多万字的大书写一序言。程先生自称他近年"耳全聋，目半盲"，但仍慨然允诺，于 1998 年 11 月为此书写了三千余字的序言。此序开端，他特别提及五十年代在北京大学会晤事，深含情意地说："我自五十年代中期由北京大学浦江清先生介绍和傅先生订交，其间虽然经过'扩大化'与'史无前例'，踪迹曾有离合，但求道问学大体相同，近二十年切磋更密。"

他特别提出："在本世纪最后三十年中，傅先生所取得的成绩是卓著的，影响也是非常巨大的。从他的实践来看，几十年中，他是在不知疲倦的有目的的追求。从他的追求看来很明确，用成语来说，就是《孟子》所说的'善与人同'；《荀子》所说的'学不可以已'；《礼记》所说的'在止于至善'。"

我读了程先生此篇学术性极强的序文，很受启发，特别是他对我的赞誉，我在自序中说"我实是不敢当"。我特别提出，程先生此序"是对我的治学的一种激励"。我深感程千帆先生对我们现当代后辈学者所起的指导、鼓励的作用。这应是我国当代学术史值得探索、研究之一大事。刘勰于《文心雕龙·知音》中深含情意地说："音实难知，知实难逢，逢其知音，千载其一乎！"我们能在二十世纪后半期得识程先生这样的学术知音大师，真有刘勰"千载其一"之深情。

原载《古典文学知识》2013 年第 5 期，据以录入

《诗词论鉴》序

　　中国的诗学、词学研究有着悠久的历史,早在中国第一部文献典籍《尚书》中,就提出"诗言志"的观点,孔子整理《诗三百》,提出了自己独特的诗观,即"乐而不淫,哀而不伤",并说"诗亡隐志,乐亡隐情,文亡隐言"。曹丕的《典论·论文》,陆机的《文赋》,钟嵘的《诗品》,以及王国维的《人间词话》等,使诗学理论陆续深入、系统。随着唐诗的繁荣,宋词的兴盛,各种《诗论》《诗话》《词话》真是名家蜂起,异彩纷呈。

　　张步云先生的《诗词论鉴》,真实承袭我国诗词理论的宝贵传统,既博采众长,又独辟蹊径。首先从论述古典诗词的美学特征入手,分析论述诗词的语言美、意境美、含蓄美、用典美等美的内蕴,把握美的真正灵魂。然后运用美学理论对古典诗词的各种题材上的特色进行研究和鉴赏,而且对同一题材不同作家加以比较,使读者领略到不同的特色。接着从诗词的风格流派进行论述和鉴赏,使读者进一步开阔视野,拓宽眼界。作者既吸收了唐司空图《二十四诗品》的观点,又有自己独特的看法。他把诗词的风格分为豪放旷达、沉郁顿挫、雄浑苍凉、慷慨悲怆、直抒胸臆、缜密缠绵、语畅意深等九种,先论述其基本特征,再对历代名家有代表性的诗词按九种风格归类,进行分析品鉴,这就能使读者深入领略诗词的艺术魅力。

特别是第四章"诗词的传承关系",以类系联的方式,从浩如烟海的古典诗词作品中精心搜剔出一系列与其类相适应的精美作品,并有机地将其串联起来,勾画出诗词发展中的传承关系的脉络,反映了诗词的嬗变轨迹。这也使读者领略到历代诗词作家对前人创作优秀成果的继承和发展,进而看出古典诗词对现代诗歌创作的影响。

《诗词论鉴》还有不少值得称道的特色,诗词合论,先诗后词,互相比较,互为印证;每一章节,先总体论述,后个别鉴赏,以古为主,联系现代,分析特色,找出异同,线索明晰,脉络清楚。四章各为一体,又互相关联,不乏真知灼见,令人耳目一新。

还可值得一提的是,张步云先生现为沧州市国学研究会会长,书香门第,教育世家,有极深的国学素养。沧州市国学研究会,当是现代以城市为单位设立国学研究机构的首例,张步云先生在进行国学研究中,重视对传统文化的传播,弘扬传统文化,参悟先哲心性,开展道德教育,启迪成功智慧。他一方面任当地《新国学》杂志主编,并自著出版《走进〈论语〉》《国学讲坛》等书,另一方面又编著出版《语文新课标·中小学必背古诗文》(四部)、《经典古诗词译释》,还有自作的诗词佳作《霜晨晚照》、散文集《心在天山》等。真可谓文史结合,古今融通。我值此通读了《诗词论鉴》,更深感此书出版,确为广大诗词爱好者奉献一桌丰盛的文化大餐,实在是可喜可贺的。

是为序。

2013 年 7 月

原载华文出版社 2013 年版《诗词论鉴》,此据大象出版社
2015 年版《书林清话》录入

《浙东唐诗之路重要源头学术研讨会论文集》序

　　有唐一代,有两个极具人文景观特色、深含历史开创意义的区域旅程文化,一是河西丝绸之路,另一个便是浙东唐诗之路。

　　浙东素以山川秀美、人文荟萃而闻名遐迩。《世说新语·言语》篇引王子敬言:"从山阴道上行,山川自相映发,使人应接不暇。若秋冬之际,尤难为怀。"顾恺之赞浙东山川:"千岩竞秀,万壑争流,草木蒙笼其上,若云兴霞蔚。"魏晋南朝以谢灵运为代表的名士对浙东的赞美,让这一区域骤增不少向往。李白在《梦游天姥吟留别》诗中直呼"我欲因之梦吴越,一夜飞度镜湖月"。唐代诗人吟咏浙东成为一个时代的印记。

　　"浙东唐诗之路"的正式提出是在1991年。时南京师范大学举行"中国首届唐诗宋词国际学术研讨会",新昌的竺岳兵先生正式提出这一概念,引起学术界的重视。时我任中国唐代文学学会会长,即于1993年,学会正式发函,成立"浙东唐诗之路"的专称。此后,专门的浙东唐诗之路的研究著作也陆续出版问世,如《唐诗之路综论》《唐诗之路唐代诗人行迹考》《唐诗之路唐诗总集》《唐诗之路唐诗选注》《浙东唐诗之路》等等。

浙东唐诗之路涉及的,经考证有 400 多位唐代诗人出入浙东,涉及诗篇 1500 多首,涉域面积 2 万余平方公里。浙东唐诗之路的研究还未止步,有待进一步的深入。而其源头的探讨更是一个十分重要的问题,譬如诗人入浙东的起点在哪?

2012 年 11 月 6 日,由中共杭州市萧山区委、杭州市萧山区人民政府主办,由义桥镇党委、政府和萧山区地方志办公室承办的"从义桥渔浦出发——浙东唐诗之路重要源头学术研讨会"在萧山义桥镇举行。参加这次会议的,既有专门研究唐诗的专家,又有研究浙东历史、地理的浙江本省文化工作者,论文学术性强,又极富现实意义。这次研讨会对我们研究唐代文学的确具有开拓性的意义。会议形成的文集论文有 20 篇,充分肯定了义桥渔浦在"浙东唐诗之路"的历史地位。

欣闻义桥镇将与网络媒体"浙江在线"合作,于 2013 年举办"让飞扬的诗情辉映现实'浙东唐诗之路'大型网友体验活动"。这个活动还将征集网友代表,一起重走浙东唐诗之路。同时,综合史学专家、网民体验、攻略大赛和当地旅游部门的规划,对"浙东唐诗之路"线路和沿线的吃、住等行业进行命名授牌,并最终整理出版发行《浙东唐诗之路指南》,推荐沿线的旅游休闲场所。旅游开发借助网络等新平台,实在是一件好事。体验活动的发起点是在萧山的义桥,此论文集也将于体验活动启动之日出版发行,为此我谈几点想法:

第一,收存的论文是唐代文学研究开拓性的一次学术研讨,取得了渔浦是浙东唐诗之路重要源头的共识。渔浦之名最早见于晋人顾夷《吴郡记》:"富春东三十里有渔浦。"渔浦曾是萧山四大古镇之一,乃渔浦古埠所在地,景象繁荣。现在的渔浦古渡口,就在钱塘江、浦阳江和富春江三江交汇之处。义桥渔浦是当时重要的交通要道,是文人雅士至浙东游赏的必经之地。可以说,经由渔浦,沿富春江可以到建德一带甚至远至徽州,沿西小江、浙东运河则可至绍兴等,渔浦成为可以南上、北下、西进、东出的交通枢纽。

第二,进一步挖掘渔浦的地域文化特色及作用。以前研究唐诗,比较注重研究诗人,现在开始关注唐诗里所蕴含的地域文化,比如浙东唐诗之路重要源头——义桥渔浦的地域文化,这是一个新的研究领域。义桥镇应在大力挖掘区域文化、在开发渔浦上做文章。围绕一个地域开展唐代文学研究确是一个新开拓的学术领域,义桥可以邀约专家继续深入研究,将关于渔浦是浙东唐诗之路源头的论文收集起来,整合成义桥地域文化通论方面的著作出版。

第三,申报世界文化遗产。从渔浦出发的浙东唐诗之路可以申报为世界文化遗产。萧山义桥渔浦作为浙东唐诗之路的重要源头,今后可与新昌等地联合申报"浙东唐诗之路"世界文化遗产。建议在义桥建一个浙东唐诗之路博物馆,把浙东唐诗之路上的主要景观建成微型景观,还可以建渔浦诗碑公园。

第四,将浙东唐诗之路作为旅游线路,积极发展与浙东唐诗之路有关的旅游经济。义桥渔浦可以联合新昌、绍兴、上虞等地,与浙江在线、浙江旅游等网络媒体进行联合策划,将从萧山区义桥镇渔浦出发,经绍兴、上虞、嵊州、新昌等地的浙东唐诗之路作为一条旅游线路,并逐渐打造成一条黄金旅游线路,使之真正成为可与丝绸之路相媲美的旅游线路。同时,也可以通过举办渔浦文化节,举办唐诗大赛、唐诗书画摄影比赛等形式,进一步弘扬渔浦传统地域文化。

萧山是浙东唐诗之路的起点,而位于湘湖之东的义桥镇古渡口渔浦,则是浙东唐诗之路的重要起点。渔浦景色奇美,人文绝胜,让历代文人墨客流连忘返,留下了大量讴歌渔浦的诗篇。渔浦唐诗,是唐诗中的精华部分。从南北朝的谢灵运、沈约,到唐朝的孟浩然、崔国辅;从宋朝的苏轼、陆游,到元明清时期的钱惟善、唐寅,诗颂渔浦延绵不绝。义桥在整理当地古诗词时发现有100多首关于渔浦风光的诗歌。另外,《全唐诗》中关于义桥渔浦等的诗歌也有80多首,李白、杜甫、白居易等唐代大诗人与渔浦结缘,让渔浦开启了一条生生不息的渔浦诗路。而今地方政府慧眼卓识,对地方文化极其重视,我相信渔浦研究必将翻开新的一页,渔浦文化在浙东文化史上也会书写新的篇章!我希望,在不久的将来能看到一条文化的、休闲的、娱乐的、山水的"浙东唐诗之路"旅游热线。

在这里我还想补述一点,即萧山历史悠久,据当代研究,萧山具有8000年文明史,2000年建县史。且萧山和义桥当地政府领导又十分重视地域文化研究,挖掘文化内蕴。如由萧山区义桥镇人民政府选编的《渔浦诗词》(中华书局2010年版),选录南朝至清代有关渔浦的佳作;由义桥镇志编纂委员会编的《义桥镇志》(方志出版社2005年版),又选录历朝诗作;另外还有《萧山古诗五百首》(方志出版社2004年版),更可见萧山特色鲜明的地域风貌。又，萧山区政协文史委筹划，从《四库全书》及《四库全书总目提要》中编纂《毛奇龄合集》（杭州出版社 2002 年版），当时邀约我撰写序言。据我统计，毛奇龄之书正式收入《四库全书》的有 28 种，列入存目的有 35 种。个人著作，著录于《四库全书总目》中，萧山籍的毛奇龄是第一位。由此可见毛奇龄的学术地位，也显示出萧山传统文化的历史成就和独特成果。由此我特建议，萧山区义桥镇等可更广泛挖掘本地的丰富文化资源，并进一步编撰文化通史，这必当促进社会、经济、文化的全面发展。

是为序。

2013 年 7 月 18 日

原载浙江人民出版社 2013 年版《浙东唐诗之路重要源头学术研讨会论文集》，此据大象出版社 2015 年版《书林清话》录入

"中国传统文化经典名句"序

  "中国传统文化经典名句"（书法艺术卷）丛书是清华大学继续教育文库之一，其出版活动是清华大学百年树人主题文化活动秘书处继"清华大学百年校庆百年树人主题文化书法展览展示活动"后，又一旨在以传统艺术形式承载民族优秀文化思想，促进中国现代文化建设的项目。

  该项目由清华大学继续教育学院、清华大学校友总会、清华大学国学研究院主办，邀请相关专家从"四书五经"、《道德经》等中国传统文化经典名著中，遴选部分代表名句，分主题原文呈现并附中英文注释翻译，再配以精美的书法作品。这些书法作品皆定向邀请具有深厚文化底蕴及汉语言文字造诣的书法教育家、清华大学德艺双馨的师生校友、社会各界实力派书法名家题写。

  经典名句、传统丹青、中英文释义三位一体是本套丛书的突出特色。

  中国古代的典籍，按照传统的分类法，大致分为"经""史""子""集"四部。经部主要是儒家的经典。其中由《诗》《书》《礼》《易》《春秋》组成的"五经"，是其核心。五经的内容非常多样,后世有历代的诗注,有占卜书籍,也有礼仪制度之书等。宋人又把《礼记》中的《大学》《中庸》两篇抽出,与《论语》《孟子》合称,成为"四书"。此后,"四书五经"就成了古代学子必读之书,也成为中国古代社会重要的精神支柱。四部中的史部,囊括了从先秦到清末的各类体裁的史书,构成了中国古代社会较为完整的历史画卷。而数量最多的集部,则包括了历代不同体裁、不同编排方式的作品集,尤以作家的诗文创作为主。经、史、集之外的专门著作几乎都编列于子部内,《四库全书》收录的子部书有十四类,除儒家外还包括兵家、法家、农家、医家、天文历法、术数、艺术、谱录、杂家、类书、小说家、释家、道家等,内容非常广泛。

虽然传统目录之经、史、子、集四部的涵盖面已经很广,但还不能囊括中国文化的全部典籍。即使如此,对大多数人来说,穷其一生,也只能阅读一些最基本、最核心的著作。胡适、梁启超、顾颉刚、林语堂等先生都曾开列过学生必读的古籍书目。这些书目虽然现在可能还不完全适用,但其中推荐的基本经典,其价值仍不会改变,它们构成了中国文化的核心,是我们中国人不可或缺的文化基因。

党的十八大报告提出要扎实推进社会主义文化强国建设,建设优秀传统文化传承体系,弘扬中华优秀传统文化。这一论述意义重大。文化是一个国家软实力的重要组成部分,是民族素质的重要体现,中国传统文化是中华精神的源泉,中国传统文化典籍在历史上对古代中国和中外文化交流都有过巨大的贡献。随着历史的推进,在现代化进展的背景下,中国传统文化典籍仍有其现实意义,应该是中华民族伟大复兴的基石。

这套"中国传统文化经典名句"(书法艺术卷)丛书,首先从古代影响最大的儒、释、道三家经典典籍中精选出部分代表篇句(今后将陆续出版其他部类),配以书法作品,再加以注释和中英文翻译。这套书所收以名句为主,更为人吸引,更使人领会思想精髓,这应当是突出的特点。又,为了便于诵读,在篇幅允许的情况下,书后还附有名句所在篇目的全文或部分原文,并有部分生僻字、通假字、古今字、多音字的注音。

将中国传统经典内容及书法艺术作品与大家共享,不仅抛砖引玉,而且提供广泛的知识和传统的精髓,为中国传统文化传承与传播尽一份心力。

原载北京大学出版社 2013 年版"中国传统文化经典名句"丛书,此据大象出版社 2015 年版《书林清话》录入

乐府学会成立大会致辞

非常高兴参加乐府学会成立大会。乐府学会能够得到民政部批准真的很不容易。我们古代文学学会有以朝代划分、有按作者划分，也有按文体划分的，民政部批准得非常少。比较著名的，比如宋代文学学会、明代文学学会，到现在为止还没有得到批准。所以我们乐府学会确实很不容易。我觉得我们这次能很快得到批复有两个原因：一个是首都师范大学文学院、诗歌中心做了很多工作，有很多成果，这是得到批复的一个很重要的原因。另一个是乐府学会本身也很有成果，特别是很有特色。乐府诗在秦代已有，真正得到发展是在汉朝。一个是跟音乐结合，一个是和舞蹈有关，这在古代诗歌中是很少见的。跟音乐和舞蹈结合，而且乐府诗创作面很广，从朝廷一直到社会各个阶层都有。所以我觉得这个乐府作为我国古代诗歌来说很有特色。唐代李白有古题乐府，到中唐元白有新题乐府，所以我觉得乐府诗在中国古代也是很有特色的。

乐府学会成立对我们乐府学研究有很大的拓进和开展。在此我提两个建议：一个我觉得我们是不是可以以乐府学会、首都师范大学为主搞一个乐府学史。这方面从秦代开始,以前以为到唐代为止,现在知道到宋代以后还会有。湖北襄阳有个学者叫王辉斌,他作了一本《唐后乐府诗史》。所以我觉得乐府创作的时间跨度还是比较长的,我们可以从乐府学史层面加以研究,包括20世纪以来到现在乐府学成果。另外一个是吴相洲先生提出整理《乐府诗集》。我觉得《乐府诗集》是从秦到唐,之后也可以搞一个《乐府诗集》续编、《乐府诗集》补编。唐代以后有关乐府著作也可以搜集一下,我们把从宋元明清以来所有乐府诗创作和乐府诗的议论、评论都放在一起,搞一搞续编、补编,从文献学角度来做一做这方面工作。我今天借此机会,对乐府学研究提出两个建议:一个搞乐府学史,一个搞《乐府诗集》续编、补编。

原载社会科学文献出版社 2014 年版《乐府学》第 9 辑,据以录入,标题为编者所拟

《鄞州区志》序

　　我是一个地道的鄞州人,生于斯,长于斯。中学毕业后,考到北京上大学,学成后留在了北京,先后在北京大学、中华书局、清华大学工作,从事出版、文学研究、古籍整理研究工作,与文化典籍结下了不解之缘。由于工作的关系,我一直关注家乡编史修志,也期望能做点绵薄的工作。我曾审读《宁波市志》《鄞县志》等一大批地方文化作品。前些年,我还担任《宁波通史》主编。所有这些,都是我想为家乡尽一点心,贡献一点力量。适逢《鄞州区志》行将成书之际,鄞州区地方志办公室的领导希望我能为之作序,我欣然领命。这既是了却自身心愿,也让我有机会重新认知我的故乡。

　　鄞州(鄞县)是历史悠久的文献之邦,历代学者著述丰硕,文化世族的涌现累世不衰,各种文献典籍相继问世。民国《鄞县通志·艺文编》辑录典籍 4400 余种。根据记载统计,自唐宋至清末,有学术专著并由县志著录的有 1550 人,其中唐代 4 人,宋代 61 人,元代 55 人,明代 660 人,清代则有 770 人。作为宁波"书藏古今、港通天下"名片之一的天一阁,在全国藏书楼中享有盛名。

藏书家、目录学家冯贞群曾于1935年登阁编目,历时6个月,编成《鄞范氏天一阁书目内编》,著录了当时天一阁的全部藏书,较为完备可靠,颇受重视。据其统计,天一阁总计藏书18358卷,其中明代及明以前旧本10038卷、清初以来书本及《古今图书集成》8320卷。在这些藏书中犹以明代以来的旧方志最为齐全,由此使天一阁成为现存以地方志为特色的古籍收藏单位。

作为地方文化典籍重要组成部分之一的地方志,在鄞州(鄞县)的地方文献中占有特别重要的地位。根据光绪《鄞县志》、民国《鄞县通志》及洪焕春先生《浙江方志考》等书,整理出鄞县历史上较为有名的有关县志著作,共计19种。《鄞县志》(1996年版)还辑录乾道《四明图经》、宝庆《四明志》、开庆《四明续志》、延祐《四明志》、至正《四明续志》、康熙《鄞县志》、乾隆《鄞县志》、咸丰《鄞县志》、光绪《鄞县志》、民国《鄞县通志》等志序言10篇。可见,历代公私撰著的地方志众多。在这些志书中,唐朝徐浩所著的《古迹记》是现存鄞县志目中最早的志书。历经宋元明三代的发展,到清朝进入鼎盛时期。以鄞县冠名的志书有宋朝编纂的《鄞县记》、明朝永乐年间编纂的《鄞县志》、清朝康熙十一年(1672)修《鄞县志》、康熙二十四年(1685)修成的《鄞县志》、乾隆《鄞县志》、乾隆《鄞志稿》、咸丰《鄞县志》、同治《鄞县志》、民国《鄞县通志》。社会主义时期一轮修志期间于1996年出版《鄞县志》。其中,乾隆《鄞县志》、同治《鄞县志》、民国《鄞县通志》《鄞县志》(1996年版)都是上乘之作。

《鄞州区志》修编在继承前人修志的优良传统上,大胆创新、创优,全面系统记述1978—2008年间鄞州行政区域内自然、政治、经济、文化、社会等各方面的发展变化,修成一部鄞州的改革开放志。全书以改革开放为主线,突出揭示撤县设区以来的历史轨迹,是一部凸现时代特色、彰显鄞州个性的志书。从内容上来看,勾画了鄞州改革开放以来的发展轨迹:完整记述改革开放的历史轨迹,深入记述地方特色的发展路子,突出鄞州从农业大县向都市新区的跨越,凸显传统社会向现代社会转型。这些历史资料,就有助于我们在享受现在发展成果的同时,回望走过的路程,无疑是一种成功的修志路径。从出版质量上来看,全志篇目科学,结构严谨;重点突出,特色鲜明;图文并茂,排印精美。在编印质量和装帧形式上大大超于往日,必将吸引更多的读者来阅读,让更多的人来了解我们的家乡,从而激发建设家乡的热情。

唐诗有名句云:"欲穷千里目,更上一层楼。"我想,现在可略修饰,以舒畅想:"欲历千里程,更读此志书。"

是以为序。

2013 年 11 月

原载浙江古籍出版社 2016 年版《鄞州区志》,此据大象出版社 2015 年版《书林清话》录入

唐后乐府诗史的原创研究

——读王辉斌《唐后乐府诗史》所想到的

　　当我第一次看到王辉斌教授的《唐后乐府诗史》一书时，眼睛即为之一亮，因为以前我所见到、读到的乐府文学之类的著作，全部属于"汉唐篇"，即都是以郭茂倩《乐府诗集》为研究对象而撰写的，此书则是由宋而清，将其间 950 年乐府诗的发展轨迹、演变概况，以及有关乐府文学现象，重要的作家作品等，都首次进行了史的勾勒与描述。可以说，我们平常所强调的学术研究的原创性特色，在本书中已得到了较为充分之体现。所以，《唐后乐府诗史》的出版，对于长期以来的汉唐乐府诗的研究而言，既意味着是一种乐府诗史的衔接，更昭示的是一种研究视野的突破，因而既是可喜的，也是值得肯定的。

　　就目前的文献资料来说，由于迄今为止，还没有一部专门收录宋、辽、金、元、明、清六朝乐府诗的总集，因此，在这种情况下撰写唐后乐府诗史，显然是具有相当大的难度的。而且，对于唐后乐府诗的具体认识，也还存在着一些带有关键性的问题，如对唐后乐府诗的认定，即在唐后什么样的诗才可称之为乐府诗，以及唐后乐府诗与音乐的关系,唐后乐府诗的分类,等等,但《唐后乐府诗史》对此都进行了很好的解决,这从全书七章二十三节的安排中,即略可知其端倪。例如,第一章第三节专门针对唐后乐府诗与音乐的关系,进行了多角度、多方位的讨论,认为在"乐府音节,于唐已失传"的情况下,唐后诗人对于乐府诗的创作,并没有依据音乐,即使如唐代白居易可入乐的《新乐府五十首》,也没有被官方或者乐工配乐以唱,因为"可入乐"与"已入乐"是两个不相同的乐府学概念。为了使这一认识更具坚实性与准确性,王辉斌教授又在第四章第一节中,以一些新的诗例为依据,对这一问题进行了再次讨论,认为在元代可入乐而唱的乐曲、乐调,或为民间俚曲,或为诗人自创的新曲,从而使唐后乐府诗与音乐关系的历史真实,得以更为清晰之呈现。

在现有的条件下研撰唐后乐府诗史,随之而来的,其实就是一个规模很大的"读书工程",因为研究者必须静下心来,认真研读各种相关的文学总集与别集,才有可能从中把握与认识各个朝代乐府诗的基本风貌。而在由宋至清的 950 年间,各种文学总集与别集之多,是远非一年半载可以读完的,这就要求研究者既要持之以恒,一以贯之,又要终年在面壁中讨生活。王辉斌教授不仅做到了这一点,而且做得很到位,这部 40 多万字的《唐后乐府诗史》的出版,就是一个很好的见证。所以,从这一意义上讲,《唐后乐府诗史》带给读者的启示,我以为不仅是一个如何搞科研、做学问的问题,更是一个在市场经济条件下如何潜心读书的问题。这其实也是一种扎实学风的自我培养。古今中外,大凡具备了这种扎实学风的学者,其所作出的种种研究,所获得的种种成果,也就自然是扎扎实实的、一步一个脚印的,而《唐后乐府诗史》一书,就是这样的一份成果。

本书第一章为综论,其余各章为分论。第一章将唐后乐府诗分为旧题乐府与新题乐府两大类,在新题乐府中,又立足于制题、内容,唐后诗人对乐府诗自我认定的实况等方面,将其具体分为即事类乐府、歌行类乐府、宫词类乐府、竹枝类乐府等,而且对于每一类乐府诗的发生发展、规律特点、名篇佳构等,书中都有较为细致的论述与阐释。这种分类不仅打破了前人以音乐分类的藩篱,而且也是极符合唐后乐府诗的发展规律的,因为唐后诗人对乐府诗的创作,并不是围绕着音乐而进行的。更何况,以音乐分类的乐府诗著作,曾为后人多所非议,如梁启超在《中国之美文及其历史》一书中,就曾对郭茂倩《乐府诗集》进行了有关音乐分类方面的批评。由于有了这种迥异前人的乐府诗分类,所以,在以后对各朝乐府诗现状的论述中,本书不是以诗人齿序为依据进行章节安排的,而是以每类乐府诗在各个朝代的创作实况为主线,并使之贯穿全书。这是一种全新的文学史书写方法。这种以类为叙述单元的撰写,既有利于对唐后历代乐府诗发展的脉络进行准确勾勒,又可收到以点带面、点面结合的文学史效果,并能对每一种类别的乐府诗进行集中而深入的剖析。因之,读者极容易从中把握和认识每一类乐府诗的源与流,以及不同朝代之间的差异性与个性特征等。如对竹枝类乐府的描述,本书第一章第三节、第五章第三节、第六章第三节、第七章第三、四节,就分别对包括唐朝在内的历朝竹枝词的发展概貌,进行了较为翔实之梳理,并以一些具体数据进行了比较,轮廓清晰,源流双显,综之则可视之为一部"竹枝乐府史",因而极具特点。

早在 2009 年 8 月召开于首都师范大学的"乐府与歌诗"研讨会上,我曾经说过,乐府诗研究是一个跨越千年历史王朝的研究,因为它不仅涉及汉、魏、六朝,更关涉唐、宋、明、清等朝代。比如,宋朝的周紫芝《太仓稊米集》,金代的元好问《遗山集》,元代的李孝光《五峰集》,明代的李东阳《怀麓堂集》等,就都收有专门卷次的乐府诗,而钱谦益曾为他的一位朋友佟怀东写过一篇《佟怀东拟古乐府序》,表明清代也有人热衷于拟古乐府诗的创作。而实际上,清代的乐府诗创作是非常繁荣发达的,单就咏史乐府这一方面言,就有吴炎、陈梓、郑世元、胡介祉、万斯同、洪亮吉、王士禛等诗人参与了创作,且多为大型连章体组诗,如尤侗《明史拟乐府百首》、王士禛《小乐府三十首》等,即皆为其例。而宗泽元所编《四家咏史乐府》,则更是将这种创作推向了一个新的高度。所有这一切,都是唐后诗人对乐府诗创作从不曾停止过的最好反映,因此,如何将唐后乐府诗纳入研究的范畴,便成为了摆在当代研究者面前的一道学术难题,而《唐后乐府诗史》则在这方面开了一个具有表率性作用的好头。正因此,《唐后乐府诗史》所具有的拓荒特点,我以为是很值得称道的。

从《唐后乐府诗史》所提供的各类信息来看,可知在乐府诗的发展史上,唐以后历朝历代的乐府诗,才是乐府诗史上的一方真正重镇,因为在这一时期,诗人们创作乐府诗的热情、规模、数量,以及所获得的成就与特点等,都是宋以前的诗人所不及的。如元末以杨维桢、李孝光为代表的"古乐府运动",其参与的诗人之多,持续的时间之长,对当时与后世的影响之大,就都超过了中唐时期的"新乐府运动",而由宋而清的宫词类乐府创作,其数量之多,所获成就之众,亦是远非汉唐乐府可以相比的。此外,宋代诗人之于旧题乐府、即事类乐府、歌行类乐府的创作,其规模、其数量,也都是相当可观的。凡此种种,均为王辉斌教授于若干总集与别集中细心爬梳之所获。所以,我们有理由相信,随着《唐后乐府诗史》的出版,对唐后乐府诗的研究,必将会成为古代文学研究界的一个新的学术增长点。

原载 2013 年 11 月 29 日《文汇读书周报》,此据大象出版社 2015 年版《书林清话》录入

《中国当代名家学术精品·刘继才卷》序

　　这是一部自选论文集。刘继才先生从他 100 余篇论文中选出具有代表性的作品,共 33 篇。这些文章无论是新撰写的还是已发表的,都出以己意,不乏创见,当会受到学术界的关注。

　　刘继才先生是唐宋文学专家,长期担任辽宁唐代文学会会长。此前,曾出版过《唐宋诗词论稿》,受到学术界的重视,《唐诗分科大辞典》《宋词大辞典》设专条作简介,由海峡两岸学者共同编辑的《唐代文学研究论著集成》设专节作提要。这次辑入本书的除从《唐宋诗词论稿》中精选的部分论文外,大多是有关研究先秦至近代文学的新作。

　　研究唐宋文学,必须从源头开始,并应适当了解唐宋以降各朝的学术沿革。为此,刘继才先生的学术研究领域颇为宽泛,上自《诗经》下至近代词曲都有所涉猎。他的研究不是人云亦云,也不是浅尝辄止,而是新见迭出,并有许多填补空白之力作。以一个人之精力在专注一两个朝代的文学研究的同时,还能上溯下展,几乎对每个朝代的文学研究都有新发现,实属不易。我初读文集书稿,最突出的感受是它的"新",具体而言,体现在以下几方面：

一、开阔新领域。文集中的有些论文所探讨的多是前人和今人不曾涉及或很少涉及的课题，作者在占有大量资料的基础上进行了新的开拓，如唐代是否存在六言近体诗，何谓六言近体诗，一直是学术界有争议的问题。一种意见认为，唐代根本就没有近体诗，所以也就没有讨论的必要；另一种意见则认为，唐代确有"很罕见"的六言律诗，王力先生还举出卢纶的《送万臣》为例，证明六言近体诗的存在，可惜语焉不详，并没有展开论述。刘继才先生在《论唐代六言近体诗的形成及其影响》（原载《文学遗产》1988年第 2 期）一文中，不仅求证了唐代六言近体诗的存在，而且第一次全面论述了六言近体诗形成过程及其格律特点等，填补了这项研究的空白。又如题画诗，虽然前人有所研究，但题画词却很少有人过问，而题画散曲更是无人问津。文集中的《论明清题画词、曲》一文，不仅论述了题画词、曲的产生与发展，而且阐释了明清题画词、曲繁荣的原因以及题画词、曲之特点与区别，颇具开创意义。

二、提出新观点。刘继才先生做学问的另一个特点是好"标新立异"，敢于反驳前人之成说。这虽然不免引起争议，但也确有不少观点论据确凿，以理服人，并从此确定一种新说，为学者所采用。关于对《孔雀东南飞》中焦仲卿的评价，新中国成立以来公开出版的《中国文学史》几乎全是扬刘贬焦，或说他"委曲求全""犹豫动摇"，或说他受"封建礼教影响较深""性格比较软弱"。刘继才先生的《究竟应当怎样评价焦仲卿——评几部〈中国文学史〉对焦仲卿形象的论述》（原载《文学遗产》增刊十七辑）一文指出，这是很不公平的结论。刘先生通过详解此诗，并联系当时的社会背景，提出完全不同的观点：是焦仲卿最先发出以死殉情的誓言，他的"性格不是软弱，而是寓刚于柔；他临死前流露的愁苦不表明他所受到的封建礼教影响较深，而是因为他死后背负的罪名较多；他不是一个动摇者，而是一位反封建礼教的勇士"，"是我国古代诗歌中第一个反封建礼教的伟丈夫"。此文发表后，一些文学史家在编写或修改《中国文学史》时，基本上采用了这一说法，从此焦仲卿被摘掉了其头上"性格软弱"的帽子。此外，著者在"文革"后所发表的一些论文，还批判了学术界某些"左"的观点，为正本清源做出了积极努力。

三、改换新视角。所谓"新视角"，是指换一个角度来看待某些文学现象。有些学术观点虽然前人提出过，但却不能较为准确地阐释相关问题，而刘继才先生以新的视角或新的方法加以分析，则会使一篇作品得到合理的诠释，如《诗·卫·氓》中对"氓之蚩蚩，抱布贸丝""乘彼垝垣，以望复关"等诗句的解释，前人与今人一向分歧很大。而《说"氓"——〈诗·卫·氓〉别解》（原载《社会科学战线》增刊第三辑）一文，先避开某些争论，从释"氓"入手，阐明"氓"的特殊身份，于是许多问题便迎刃而解。特别是文中对"氓"致富的原因的解释更令人信服。他不是靠"积极生产，勤俭持家"，而是通过"贸丝"，即经商而快速发家。但他又不是一个纯商人，其职业应是从事农业生产、手工业兼经商，即自己种田，自家纺绩，然后"以布贸丝"，从中营利。这样才会很快致富。

刘继才先生在运用方法论方面也做出过新的尝试。他的《论杜审言在唐诗发展史上的地位》一文以系统论的方法，分别从唐代、中国诗歌史和整个人类文化史三个层面来看待杜审言在近体诗定型化、规范化上的贡献,便得出了颇有见地的结论。

四、辑入新论文。这部论文集同常见的论文选集还有一点不同是,它不是只从作者已发表的论文中选取作品,而是既有已发表的较为重要的论文,也有新撰写的论著。这些新论文占论文集的30%以上。其中《论戴叔伦》《柳宗元与陶渊明比较论》《〈四溟诗话〉初探》等,虽然撰写的时间较早,但定稿的时间却较晚。而《论两汉的画赞》《论袁枚的题画诗》等,都是最近完成的新作。

五、进行新修改。按惯例,作者对已发表的论文在结集出版时,为了保留原貌,一般不做修改,即使有所改动,也只是文字上的订正。但是刘继才先生却不然,他对已发表的论文,不仅做了文字上的认真修改,而且还改变了某些观点,增加了许多新的内容。这是因为随着时间的推移,随着自己研究的深入,对原来的观点进行修正是很自然的事。如《中国古代题画诗论略》一文,经过修改,不仅更新了观点,而且补充了许多新材料。文字量从最初在杂志上发表时的不足9000字,增至20000余字,是原文的一倍以上。作者这种永不满足现状、不断探索的精神是可贵的。

此外,选入本书的部分书评、序言和前言等,也饶有新意。

2009年,我曾应邀为刘继才先生之《中国题画诗发展史》专著撰一序言,序中特为提出"他治学的一个特点是善于从边缘、交叉学科入手,研究学术界未加重视或较少有人涉猎的选题"。我这次再读本书论文,更有同感。我认为,从总体看,这是一部很有价值的学术著作。我相信,以其丰厚的内涵、流畅的文字,此书当会赢得同行专家的好评和读者的欢迎!

2013 年冬

原载东北大学出版社 2014 年版《中国当代名家学术精品——刘继才卷》,此据大象出版社 2015 年版《书林清话》录入,曾刊 2015 年 7 月 6 日《中国艺术报》(题为:开拓创新视角独特——读《中国当代名家学术精品——刘继才卷》)

《绿窗唐韵》序

　　《绿窗唐韵：一个生态文学批评者的英译唐诗一百一十五首》是一位美籍华裔学者的译作，它有三个特点，值得向大家介绍一下。第一，它在选材方面还是下了功夫的。译者把《全唐诗》通读了两遍，从中选出了大约五百首以自然环境为中心主题的诗。其中的四百多首符合21世纪生态文学批评标准，被翻译成英文。译者又从其中挑出一百一十五首，写了详细而又较有特色的译者注，由上海古籍出版社介绍给广大的中国读者。其余的三百一十一首，在美国另行出版。我们知道，歌咏自然的唐诗多如牛毛，但是译者根据当代生态文学理论，精选了能够给21世纪关心环境的读者们带来惊喜和启发的四百首。虽说不上排沙拣金，但确实是从《全唐诗》里四万多首中百里挑一得来的。

　　它的第二个特点是为包括唐代文学专业研究人员在内的广大读者提供了一个新的视角。译者俞宁是美国西华盛顿大学英文系的美国文学教授，专攻生态文学批评理论和环境文学作品的研究。他对西方以自然环境为主旨的文学作品和相应的批评理论有较深、较广的研究。同时他三十岁以前生长于北京的一个研究中国语言文学的世家,对于唐诗情有独钟。他能把西方较新的文艺理论运用在唐诗的研究上,又从西方文学里找出了一些与唐诗相通的例证,是难能可贵的。他解读唐诗的角度和方法值得我们参考。

第三是译者为我们提供的《引论》《分类诗引》和《译者注》里面详细地介绍了西方生态文学批评理论的一些概念、重点和分析举例。这是他多年研究后的提炼,深入浅出,比较明快,很方便我们借鉴。从他的理论概括和分析实例来看,译者的治学态度还是比较平实的。生态批评又叫绿色批评。译者的本意大概就是为我们介绍一副绿色的"眼镜",帮助我们透过绿色的窗纱,来欣赏、学习唐代敏感的诗人们对自然环境的认知和感受。

2013 年 12 月

原载上海古籍出版社 2014 年版《绿窗唐韵——一个生态文学批评者的英译唐诗》,此据大象出版社 2015 年版《书林清话》录入

《桐溪书声》序

　　浙江桐乡的几位读书人于去年五月自发组织成立了一个民间读书社团,其社员遍及各个行业,名为梧桐阅社,又于两个月后自筹经费创办了社刊《梧桐影》,至今已编印五期。他们以"以书会友,以友辅仁;分享悦读,传播书香"为宗旨,不仅编印读书刊物,还开展各类读书活动,如读书分享会、品读会、国学讲会等,对地方上读书氛围的营造产生了良好的影响。如此的读书活动和刊物均受到广泛的好评,各地师友纷纷撰文评论,媒体亦勤于报道。现在得到当地文联的支持,拟从五期杂志中选编出一本名为《桐溪书声》的文选,以嘉惠书林同好。

　　此文选共分七辑:"江南拾遗""书人书事""前序后跋""芸窗书谈""智者木心""书人访谈"及"读者关注"。现就结合各期杂志及此次文选,从我个人的观感出发,来谈一谈它们的特色:

　　一是地方特色比较鲜明。首先是作者队伍,每期杂志基本上都能维持本地作者,并联系外地作者,这样一方面对外展示了桐乡读书人的基本风貌,另一方面又加强了与外地读书人的交流。本文选的作者队伍基本上也保持着这样一个构成,而且从桐乡作者所做文章可以看出，他们阅读面广，内容博雅，在藏、读、写方面均有不俗的表现。据说嘉兴市十大藏书家中桐乡就有三位，藏书量都在两万册以上，这三位都先后给《梧桐影》贡献过多篇文章。其次是从文章内容上看，第一期至第四期与本地有关的文章在数量上能够得到保证，其中专设"江南拾遗"栏目，文章与地方文史密切相关。"梧桐新书快递"则是定期发布桐乡籍作者的著作信息。第五期"木心纪念专辑"更是以整本的规模向木心这位乡先贤致敬，被称为是开启了地方研究木心的先声。再次是从装帧设计上看，各期刊名分别由桐乡籍著名书画家丰一吟和吴蓬题签，一、二两期封面图片用的是桐乡的读书古迹崇福镇上的孔庙和乌镇的"梁昭明太子同沈尚书读书处"石坊，三至五期则是吴蓬的墨兰、墨菊和墨竹，既丰富了杂志的文化艺术气息，又提高了观赏度，难怪很多读者以雅气、文气、书卷气来称誉它。

二是编者、作者都很年轻。编辑部成员都是三十岁上下的读书人，力求秉持民间立场，关注读书现状，且富有人文情怀。作者包括老中青少四代，其中不乏朝气蓬勃的大学生。颇值得一说的是"书人访谈"栏目，由"本地读书老人访谈""国内读书民刊主编访谈"和"'80后'读书人访谈"组成。编者在第二期的《编后记》中说："读书老人是前辈，是读书这种生活方式的先行者、践行者和受益者，他们无疑是一个社会、一座城市中的精神贵族和人格高地，他们的道德文章历经岁月的历练和书香的洗礼，衡量着一个社会和一座城市的精神高度。"读书民刊主编是构建书香社会的一支生力军，他们多数不计名利得失，在各自所在的区域联络同好，播撒书香，培育了数量可观的一批读书种子。"80后"的一代在背负着前辈偏见和社会压力中成长,随着他们逐渐进入而立之年,也正成为社会文化建设的中坚力量,编者似乎是想通过这个栏目向长辈们宣告:我们也是有担当有作为的一代。

三是所刊载的文章多数能言而有物,可读性较强,其中有不少新发现,虽是小问题却可补官刊、大刊之遗漏。夏春锦先生曾给我函中提及我于1980年组织编印的《学林漫录》初集中《编者的话》:"《学林漫录》的编辑,拟着重于'学'和'漫'。所谓'学',就是说,要有一定的学术性,要有一得之见,言之有物,不是人云亦云,泛泛而谈,如顾炎武所说的'废铜'。所谓'漫',就是上面说过的不拘一格的风格与笔调。"夏先生说《梧桐影》及其文选在选稿时也在有意识地以此为标准。这些作者中虽也有一部分学有专长的专家学者,但更多地还是普通的草根读书人,文章虽不像学术大家们那样的高屋建瓴,充满真知灼见,表达出的却是他们最真诚的阅读体验。他们不以读书写作为业,但每有所得,便欣然忘食,这种无功利的读书生活当受人钦慕。

已刊行的五期《梧桐影》及这本《桐溪书声》,最使人感受的是地域文化甚为突出,且情谊深挚。习近平同志在担任浙江省委书记时,就已甚重视浙江文化研究,他于2006年所撰的《浙江文化研究工程成果文库总序》中,就特为提出,可以用浙江文化熏陶浙江人民,用浙江精神鼓舞浙江人民。我确深感,培植民众对土地、对乡梓、对文化的挚爱,是爱国主义的血脉和鲜活体现。我们确应学习和执行党的十八大报告中提出的"开展全民阅读活动"。我们可以通过编印《桐溪书声》,倡导家庭阅读,建设书香地域。

我想,由此也应感谢夏春锦先生,并可从他已出版的著作《悦读散记》《山城卧治》,领会到开展全民阅读的意义。

2013 年 12 月

原载海豚出版社 2014 年版《桐溪书声——〈梧桐影〉文选》,此据大象出版社 2015 年版《书林清话》录入,曾刊 2014 年 6 月 4 日《中华读书报》

《西湖通史》序

　　王国平同志在担任浙江省委常委、杭州市委书记期间主持编纂《西湖通史》，这部书是我国，也是世界湖泊史上的首创之作。西湖本是一个天然海岬潟湖，两千多年来经一代代地方长官和广大人民的努力建设，西湖成为世界名湖，其自然风光之旖旎和人文景观之深厚，使世人为之瞩目神往。

　　纵观西湖的发展史，是人类保护自然，与大自然和谐相处的历史。历史上许多先贤为西湖的发展做出了杰出的贡献，人所共知，中唐时白居易任杭州刺史期间，疏浚西湖，建闸蓄水，造福杭人。北宋时苏轼两任杭州地方长官，尤其在元祐年间任杭州知府期间，到任之初适逢杭城水旱灾交加，除救灾设病坊等外，还主持治理城内运河支流茅山、盐桥河，使江潮不入市，又修中唐李泌所浚六井，政绩斐然。更值得称道的是，其时西湖淤塞已久，葑田如云，遂动员兵民除葑田建长堤，又于湖中置三塔植菱，获利以备修湖。自南宋起"西湖十景"盛传于世，溯其本源，"苏堤春晓""三潭印月"二景实为苏轼所创。尔后明清以往杨孟瑛、阮元等复浚西湖建堤（后人称杨公堤），筑六桥，成阮公墩，使西湖更添佳景，秀色可餐。中华人民共和国成立以来，西湖建设虽屡受干扰，然在其时省市领导努力下，总体是不断地建设中。尤其在国家实行改革开放政策以后，西湖建设又逢大好机遇。新世纪以来，杭州市委、市政府大力实施西湖综合保护工程，全面推行"综合保护""还湖与民"等措施，建设力度更大，其最突出者应是西湖水域之扩大，达到清代盛时光景，此尤为不易。西湖申遗的成功则是最好的证明。

王国平同志在任时除致力于西湖建设外，还亲自擘画西湖人文史料的挖掘和研究，成立"西湖丛书"指导委员会，计划编纂《西湖文献集成》《西湖全书》《西湖通史》三部大书。经过几年努力，《西湖文献集成》今大体完成，已出数十册，字数达到二千三百余万字，据杭州友人相告，在西湖申报世界文化遗产中，《西湖文献集成》的丰富史料为申遗成功起了重要作用；而数十册《西湖全书》又以通俗见长，图文并茂，抒写西湖的方方面面，深受广大市民与国内外旅游者欢迎；而今《西湖通史》经多年努力，杀青付梓在即，国平同志托我在杭友人致意，问序于我，敢不应乎？为编纂《西湖文献集成》《西湖全书》《西湖通史》这三套大型西湖文化丛书，杭州市委、市政府曾专门成立以全国人大常委会前委员长乔石为总顾问的顾问班子，我亦忝列其中，自应担负一定责任，故而愉快地应承了。

我国素有修史的优秀传统，皇皇二十四史即是证明。二十四史的开创之作——司马迁的《史记》曾被鲁迅先生誉为"史家之绝唱，无韵之离骚"，为编纂通史树立了典范。这部通史的撰写与《汉书》以下断代史不同，上起传说中的三皇五帝，下迄司马迁所生活的汉武帝年间,前后约达三千余年史事。《西湖通史》可以说继其传统,上限从西湖的成因写起,至西湖申遗成功为下限,前后达两千多年历史。一书在手,西湖的前生今世,纵览无遗。我很欣赏《西湖通史》这种写法,这确是一部通史,而不是一部断代史。我于 20 世纪 90 年代曾主持编纂过一部《中国藏书通史》,也是这样处理的,起自中国有官私藏书活动起,迄于中华人民共和国时期。我以为,当代人亲历之事将之入史,较之后人翻检档案更为可信。关键当是需持有马克思主义的历史唯物史观。《西湖通史》的作者正是坚持了正确的唯物史观,搜集了大量的文献和档案史料,而后编纂成书,故而观点正确、史料有据,撰成这样一部价值甚高的通史。

西湖从一个海岬潟湖,成为今日之世界名湖、旅游胜地、世界文化景观遗产,是经过一代代人的筹划和胼手胝足的操劳而来。我很欣赏在书中写了多人的活动,白、苏、杨浓墨重彩;五代钱镠置撩湖兵保护西湖;南宋建都临安,高宗朝起一百余年间形成西湖繁华;清代康乾二帝十二次南巡,有十一次游西湖,都对西湖文化景观的形成起了重要作用;中华人民共和国成立以来,上至中央领导以及省市委领导直至基层干部,凡对西湖做出贡献者本书以事系人作了充分反映。对于新中国成立以来由于"左"的思想干扰,诸如大跃进、人民公社以及"文化大革命"等政治运动对西湖所造成的损害亦秉笔直书,不作回避和掩饰,这亦是本书所值得称道的。

《西湖通史》应该是浙江地域文化研究的重要部分。党中央总书记习近平同志在任浙江省委书记时,就极为重视浙江文化的研究。他于 2006 年所撰写的《浙江文化研究工程成果文库总序》中，就特为提出："我们希望通过实施浙江文化研究工程，努力用浙江历史教育浙江人民，用浙江文化熏陶浙江人民，用浙江精神鼓舞浙江人民，用浙江经验引领浙江人民，进一步激发浙江人民无穷智慧和伟大创造力，推动浙江实现又快又好发展。"这确使我们很受启示。让历史文化融入现代文明，从西湖古今的历史、文化、经济、社会生活等不同的角度和层面，对西湖历史文化进行全面系统的研究、阐述和展示，承前启后，推陈出新，多角度、全方位、深层次来发掘和弘扬优秀的西湖传统文化，完善地方文化结构，塑造地方文化品牌和人文精神，让历史文化融入现代文明。我深信，确如习近平同志在此篇总序中所说，文化的力量最终可以转化为物质的力量，文化的软实力最终可以转化为经济的硬实力。通读《西湖通史》确使我感受这部文化专著，从地域文化研究出发必能进一步丰富整个中华民族文化研究的内容，并在当代文明建设中起到硬实力的作用。

　　我对西湖历史缺乏研究，今翻阅具备三百余万言的五卷本《西湖通史》，确深有所感，故特为作序，并致祝贺。

2013 年 12 月

　　原载杭州出版社 2014 年版《西湖通史》，此据大象出版社 2015 年版《书林清话》录入，另刊 2014 年 4 月 1 日《光明日报》（题为：书写西湖的前世与今生——《西湖通史》序）

《湘湖古韵》序

　　要了解一个地方的历史人文、山川风物,阅读历代诗词题咏是一条饶有兴味的捷径。这是因为诗词作品篇幅不大,宜诵易记,而且不论是本籍还是流寓,抑或游历,诗人总是首先撷取印象最深的亮点裁入诗篇。一人一题之咏,或仅得其一隅;但汇集历代多人的佳作,则如千珠跳溅于玉盘,琳琅在目,可以纵情饱览矣。

　　杭州湘湖是浙江文明的发祥地之一。跨湖桥文化遗址的发掘,把浙江文明史上推到八千年前。湘湖地区历史文化积淀深厚,其中诗词文化尤为绚丽多姿。早在春秋时期,越国大夫文种、越王勾践夫人分别留下《固陵祝词》和《乌鸢歌》,成为浙江乃至中国诗歌史上的重要文献。于越时期文学作品大多亡佚,而这些仅有的遗存便如吉光片羽,弥足珍贵。

　　与浙江其他地区同步,湘湖地区融入全国诗坛的创作初兴于南北朝时期。谢灵运的《富春渚》、丘迟的《旦发渔浦潭》,都咏及渔浦。这个渔浦,有学者考证即在今萧山义桥,位于钱塘江、富春江、浦阳江的三江交汇处,引起学者的注意,提出这是"浙东唐诗之路"的起点。2012 年 11 月,还在萧山区召开"从义桥渔浦出发——浙东唐诗之路重要源头"学术研讨会。"卧闻渔浦口,桡声暗相拨"(孟浩然《早发渔浦潭》),"早晚重过渔浦宿,遥怜佳句箧中新"(韩翃《送王少府归杭州》),"渔浦浪花摇素壁,西陵树色入秋窗"(钱起《九日宴浙江西亭》),"渔浦"在唐诗中频频出现,标志着湘湖地区的诗歌创作到了唐代已经大放异彩。唐代大诗人贺知章的故里即在湘湖,他的诗虽传世无多,但一首《回乡偶书》传唱至今,成为唐诗中知名度最高的作品之一。李白、皎然、戴叔伦、施肩吾、方干、温庭筠等唐代诗人也都写过与湘湖有关的诗歌,足为此间山水增色。唐以后,苏轼、陆游、文天祥、萨都剌、朱彝尊、查慎行等名家均有吟咏,代有佳作。至于乡贤魏骥、毛奇龄等名士名宦,情系桑梓,篇咏尤多。大量歌颂湘湖的诗歌,形成了本地区历史上不可多得的精神财富和文化遗产。

近年来,湘湖历代文献的整理,日益受到当地政府和社会贤达的重视。有关湘湖诗词的整理推介,也有多种图书印行问世,颇为可喜。当然,这方面仍存在不少空间,比如文本的整理、考证以及研究,普及推广的形式等等,还可进一步探索,不断努力。杭州出版社主办这本《湘湖古韵》,在前人研究的基础上,做了进一步考证,精选出历代歌咏湘湖的优秀诗词作品三百多首,所涉范围上自春秋时期,下至清末。所选每首诗词均请专业人员撰写注释和白话译文,并插配反映诗词内容的精美手绘图,以宣纸线装印制。这是一部从内容到装帧形式都有审美特色,图文并茂、雅俗共赏的地方诗词选本。

《湘湖古韵》应是颇具地域文化特色的佳作。通阅全书,当使读者深感让历史文化融入现代文明,承前启后,推陈出新,多角度、全方位、深层次来发掘和弘扬优秀的湘湖文化,完善地方文化结构,使诗词所表现的文化力量转化成为物质力量,成为社会经济发展的硬实力。我期望本书的出版必是一件扶轮风雅的大好事。

2013 年 12 月

原载杭州出版社 2014 年版《湘湖古韵》,此据大象出版社 2015 年版《书林清话》录入

家族文化、地域文化与中华文化

——《山东文化世家研究书系》读后感

　　中国传统社会是一个宗法社会，家族是基础。山东地区是孔、孟之乡，儒家思想的发源地。一些文化世家往往既是国家政治的中坚，也是文化传承的主体。齐鲁文化的丰厚底蕴和特殊历史贡献，使山东文化世家具有一种特殊的历史承担、文化面貌和家族文化内涵。

　　山东师范大学齐鲁文化研究院王志民教授主编的《山东文化世家研究书系》（以下简称《书系》），选取了山东历史上在政治、经济、社会领域或文学、艺术、教育、思想、科仕等方面具有代表性的 28 个文化家族，每家写成一书，每一书对所写家族从源流盛衰、婚姻交游、代表人物和家风家学等几个方面作了详细考察。这种系统研究一省内文化世家的大型丛书，在全国还是第一次。这套丛书以历代山东文化世家作为研究对象，并进而展开对齐鲁地域文化乃至中华传统文化的研究，是非常有价值和有意义的。

　　总览《书系》，可以概括出以下几个特点：

　　其一，在选题上，侧重学术世家，尤其是文学世家。司马迁在

《史记·儒林列传》中说:"夫齐鲁之间于文学,自古以来,其天性也。"这里的文学,泛指对各种文献典籍的学习,包括学术研究和文学创作,不限于当今"文学"之"语言艺术形式"的意义。从《书系》选定的这 28 个家族中,可以看出山东世家文化以学术尤其是以文学留名后世的较多。先秦时期儒学创立,汉代儒学独尊,孔、孟、颜、曾四大家族因儒学兴家,也以儒学传家。魏晋南北朝时期山东文化世家灿若星辰,文化成就也蔚为大观,如高平王氏家族中王粲的文学、王弼的玄学与易学,兰陵萧氏家族中萧统的《文选》,东海徐氏家族中徐陵的《玉台新咏》。兰陵萧氏是因军功由寒门上升的世家大族,因萧道成屡立军功,代宋而立,为萧齐开国皇帝,成为皇族后的萧齐家族并未忽视对文学的发展。唐宋时期,政治文化重心西移,山东文化世家的发展进入低谷,但仍有可称道者,如临淄段氏家族中段成式的小说《酉阳杂俎》、宋代巨野晁氏家族中晁公武的目录学著作《郡斋读书志》、晁补之的散文、晁端礼的词,章丘李氏家族中婉约派词人李清照的词。明清时期以科举取士,山东自古崇文重教,一时涌现出众多科举世家,典型的如清代聊城傅氏家族,傅以渐从一介寒士到清朝开国状元。济宁孙氏家族中孙毓溎为道光甲辰状元,这些家族大多以学入仕,以仕养学,以学传家,养成了重教好学的家风,在学术上取得了前所未有的成就。在文学方面,山左诗人表现突出,以至形成了"本朝诗人,山左为盛"的局面。如临朐冯氏、新城王氏、安丘曹氏、莱阳宋氏、博山赵氏、德州田氏皆是以文学显名者。冯惟敏是明代著名散曲家。清初诗坛有"六大家",即"南施北宋"(施闰章、宋琬)、"南朱北王"(朱彝尊、王士禛)、查慎行、赵执信,其中三家出自山东，三家中，王士禛是康熙诗坛领袖，影响诗坛数十年。"德州先生"田雯也是康熙朝赫赫有名的诗人，曹贞吉则是"二安"即易安、幼安之后山东另一位出色词人。其他一些与政治密切的家族，如两晋泰山羊祜家族、魏晋南北朝琅琊诸葛亮家族、魏晋南北朝琅琊王导家族、唐代齐州房玄龄家族、清代诸城刘墉家族，在宦海沉浮中也不忘对学术的追求，每个家族无一例外都有文集传世。另外还有以藏书闻名的家族，如清代聊城杨氏藏书世家，杨绍和所撰目录学著作《楹书隅录》有丰富的目录、校刊、版本、辑佚、辨伪知识，非一般书贩商业家庭可比，是齐鲁好学重教之风的体现。

其二，《书系》注重通过对文化世家家风学风的总结，来揭示代表人物成长的规律，为后世家族治理、家庭教育提供借鉴。人才成长与家族文化关系密切，有什么样的家学门风就会造就什么样的人才。除重教、崇德、尊老、尚义等这些齐鲁文化共性外，每一个世家在漫长的家族发展中逐渐积累形成了自己各具特色的家族文化，有着自己的家训族规。如琅琊王氏和颜氏都是南北朝南迁的世家大族，颜氏世代保持儒学传统，南迁始祖颜含年轻时因孝亲闻名，从政后，不阿附权贵，一生言行一依儒学为旨归，对其后裔影响很大。颜含曾孙颜延之继承家学，精通儒经，刘宋初被推举为博士，立身处世清廉节俭，淡泊名利。颜之推为延之玄孙，虽历种种磨难，始终坚守"儒雅为业"的家族传统，所著《颜氏家训》是对颜延之的《庭诰》家教的继承。而琅琊王氏家族的奠基人王祥也是以孝闻名，然而在易代之际，则顺时应变，不拘臣节，专注维护家族利益。这样的处世态度，对其家族有深远的影响。

其后,王氏家族的子孙与时推迁,屡"为兴朝佐命,以自保其家世"(清赵翼《廿二史札记》卷一二"江左世族无功臣"条)。琅琊王氏在两晋南北朝历代贵显,簪缨蝉联,人才辈出,应与家风传统有关。

其三,注重对文化世家婚姻、交游等社会关系的论述,把家族放在更大的区域文化和时代背景中,以探索家族文化形成的时代特征和地域特色。在世家之间,靠婚姻、交游等结成的错综复杂的社会关系网,不仅能扩大家族影响,而且对地域文化和时代风气都有一定影响。如新城王氏家族与淄川赵氏家族、临朐冯氏家族都有联姻,王士禛交友范围遍布北京、扬州、山东,包括京师同僚、诗坛宗匠、乡党等,知名的有赵执信、田雯、蒲松龄。王士禛在顺治十四年(1657)作《秋柳》组诗,"和者不减数百家"(王士禛《自撰年谱》);又于康熙十七年(1678)应皇帝之诏在懋勤殿试诗,"倡天下以'不著一字,尽得风流'之说,天下遂翕然应之"(清永瑢《四库全书总目提要》集部卷一七三)。这数百家"和者"和"天下翕然应之"者中,有姻亲,有师友,有同僚,有同仁,形成了以王士禛为首的山左诗坛。王士禛于康熙诗坛具有极大的号召力,可以说,在他的旗下,积聚了当时几乎大部分青年才俊,他们彼此之间互相唱和,影响和促成了清代诗坛的繁荣。

习总书记在任浙江省委书记时,于2006年撰写的《浙江文化研究工程成果文库》总序中特别指出,可以通过实施浙江文化研究工程,用浙江历史教育浙江人民,用浙江文化熏陶浙江人民。这确使我们深受启示。让历史文化融入现代文明,对地域文化古今的历史、文化、经济、社会生活等不同角度和层面,加以重点阐述和展示。这就更如习近平同志在此篇总序中所说,文化的力量最终可以转化为物质的力量,文化的软实力最终可以转化为经济的硬实力。山东师范大学这套书必有历史价值与现实意义。

2013 年 12 月

此据大象出版社 2015 年版《书林清话》录入

《黄震全集》评介

　　黄震(1213—1281),字东发,一字汝震,号于越先生,南宋庆元府慈溪县(今宁波慈溪市)人。他不仅是南宋后期一位能吏,而且也是一位著名的经学家、理学家和史学家。黄震为学善于博采众说,务求其是,注重致用,在中国学术史上占有十分重要的地位。近年来,学术界对他的研究虽说有一定成绩,但对其遗留于世的著作,长期以来缺乏必要的整理。宁波大学张伟教授与浙江大学何忠礼教授合作,经过艰苦的努力,悉心整理,点校完成《黄震全集》(以下简称《全集》),2013 年 9 月由浙江大学出版社精装出版。全书共分 10 册,计 270 余万字,前有说明,后有附录,内容全面,资料丰富。总而观之,具有以下三个突出的特点:

　　一、遗著汇纂,厥功居伟。黄震一生著作甚富,虽流传下来的只有《黄氏日抄》《古今纪要》《戊辰修史传》《古今纪要逸编》四种,但黄震一生的活动及思想,基本体现在其中。黄震的著作散见各处,学者在研究黄震时,大都只利用其中的一种本子,鲜有顾及版本间的不同差异者。《黄震全集》的整理者第一次将黄震的四部遗著汇为一集,搜罗到各种版本,爬梳比较,择善而从,实非易事。其中《黄氏日抄》，有人认为国家图书馆藏南宋积德堂本为绍定二年刊本，现在全集的整理者否定了这一说法。《全宋文》收录了《黄氏日抄》第六十九卷以后的黄氏自作之文，是以文渊阁《四库全书》为底本，校以光绪刻本。《黄震全集》中亦以文渊阁《四库全书》为工作本，但参校多种本子，较《全宋文》相关点校更为精审。经此努力，黄震遗著终于第一次拥有了"全集"本，树起了一块黄震著述整理的里程碑。

二、校勘精审，尤重他校。古籍校勘向有对校、本校、他校、理校四法，当今学界的古籍整理虽然成果累累，但重点轻校是一个不容忽视的倾向，整理者大多只作对校，而忽视他校，或在他校上所下功夫有限，这就限制了古籍整理应达到的高度。《黄震全集》的整理则不然，对校勘四法有较为娴熟的运用。全集校记，不仅采用对校之法，且更多采用他校之法，此点尤可称道。黄震学识渊博，著作中或明引或暗引前人的文字很多，尤其是他的研经述史部分，大量采录前代文献，这就为他校提供了用武之地。全集的点校者不嫌烦琐，不辞辛苦，查核引文的出处，并直接据以校订原刻的一些错误。如《黄氏日抄》前六十八卷为黄氏读经、史、子、集笔记，张伟教授用《十三经》《续资治通鉴长编》《宋史》《宋史全文》《道命录》《伊洛渊源录》及周敦颐、二程、朱熹、张栻、吕祖谦、陆九渊等有关理学家的文集进行参校，在这方面下了很大的功夫。以卷五十六中的《读诸子二·吕氏春秋》为例，共出校记32条，其中有27条参校了《吕氏春秋》原文。黄震《古今纪要》十九卷是一部以人物纪传为主体而贯通古今的通史著作，其详今略古、提纲挈领的写法，使一般的读者难以窥其端倪。何忠礼教授考其史料来源，发现除宋代部分外，基本上来自《二十四史》中的前十九史，于是在整理点校时，以文渊阁《四库全书》为工作底本，校以十九史所载的相关纪传，并适当参校耕余楼刊本。宋代部分，则参校《宋史》《续资治通鉴长编》《名臣言行录》等有关宋代典籍，经此一番大工作量的校勘工作，得以对原著中一些由于文字过简而造成不易理解的地方，进行适当的疏通，使文义更为明确。以其中的卷十六《五代》为例，校勘记多达 244 条，大多注明是据《新五代史》改或正。有的校勘记，不是机械地罗列文字的异同，而是深入到学术的层面予以剖析。如第二条关于张汉鼎的校勘记云："考之新旧《五代史》，并无张汉鼎其人，故此处'张汉鼎'三字疑为衍文。"第一二七条校勘记云："考之《新五代史》卷四七《杂传·张廷蕴传》载：'李继韬叛于潞州，庄宗遣明宗为招讨使，元行钦为都部署，廷蕴为马步军都指挥使，将兵为前锋。廷蕴至潞……明旦，明宗与行钦后至。'此处谓'元行钦、廷蕴先一日登程破之'。明显有误。"再如卷十九《本朝三·神宗》第二条校勘记云："'四年'原作'元年'，按《宋史》卷一四《神宗一》载，治平四年正月，英宗去世，神宗继位，'（九月）癸卯，以权御史中丞司马光为翰林学士'，据此可知，司马光为御史的时间，决不在熙宁元年，而是在治平四年。"第三条校勘记云："按《长编》卷一九一，嘉祐五年五月癸丑条载，赵抃早在该日即以侍御史为右司谏，谏院供职。又据《宋史》卷二一一《宰辅二》载，赵抃于治平四年九月由知谏院除参知政事，知杭州。由此可知，此处言赵抃于［熙宁］二年入谏院误，耕本同误。"第四条校勘记云："按《宋史》卷二一一《宰辅二》载，韩琦罢相在英宗治平四年，富弼为相在神宗熙宁二年，此处言'富弼继韩琦为相',并不很正确。"这样的校勘记,不但显示了点校者精湛的考证功力,而且指出黄震原著的错误,更有助于读者进一步评估黄震史学的得失,极具学术意义。经此一番校勘,原刊本中的许多鲁鱼亥豕、不知所云之处,得到了改正,文意也得到进一步理顺,从而使黄震遗著的面貌焕然一新。此举不仅大大便利了读者,节省了读者的翻检之劳,也为深入研讨黄震的历史观提供了最佳的范本。

三、订误纠谬,后来居上。黄震的著述,向无点校本,唯《全宋文》中收录了黄震的散文,其点校的得失,可资后来者借鉴。《全集》充分吸收了《全宋文》点校黄震散文的优点,也尽可能改正了其点校的错失。如《全宋文》卷八〇四五所收黄震《回陈总领书》文云:"据实平说参之,愚夫愚妇亦无有不合者。"《全集》将"参之"后的逗号移之"平说"下,甚当。《全宋文》又点云:"虽伊洛说出天地之性、气质之性,亦不过为孟子解性善之说人生而有性,已是气质之性,天地之性已自付与在其中。"如此标点,其义费解,《全集》本在"解性善之说"后加一句号,则文意豁然贯通。又如《回楼新恩书》,《全宋文》标点云:"因此一番前辈出一番议论,改孔夫子,遂变成堂前放世老说古老棚话,名虽尊之,实则违之,检点起来,全不相似。"照此标点,文意难通,《全集》本则改为:"因此一番前辈出,一番议论改,孔夫子遂变成堂前放世老说古老棚话,名虽尊之,实则违之,检点起来,全不相似。"经此小小的改点,不仅遵循了语法,更主要的是使黄震的观点豁然呈露。再看《全宋文》卷八〇五〇《修吴县尉廨纪事》云:"距震之官五十有五年间,无与葺一椽瓦者,而屋颓矣。"这里将"距"与"间"配合,不大符合汉语表达的习惯,《全集》将"间"字下属,表"期间"之义,读来更顺。《重修转般仓记》云:"至有张大籴事者,尝倚转般为子母相私之地。"《全集》本将"籴"改正为"粜",一字之差,意义完全相反。凡此,皆为《全集》点校者胜过前人之处。

何忠礼先生为宋史研究的著名学者,张伟曾先后师从何忠礼、徐规两先生,长期以来研究黄震,成果丰硕,著有《黄震与东发学派》,两人联袂,堪称点校黄震著作的最佳人选。他们精心校勘,订误纠谬,保证了《黄震全集》的点校质量,足以使其成为信实可靠的传世精品。《黄震全集》的整理起点不凡,成绩斐然,堪称古籍整理出版工作的最新成果。《黄震全集》的出版,也可视为黄震研究的新起点,为进一步推进对南宋学术史的研究奠定了坚实的基础。

原载《古籍整理出版情况简报》2014 年第 1 期,此据大象出版社 2015 年版《书林清话》录入,另刊 2014 年 2 月 26 日《中华读书报》(题为:《黄震全集》:古籍整理领域的传世精品)

"中国传统民俗文化丛书"总序

中国是举世闻名的文明古国,在漫长的历史发展过程中,勤劳智慧的中国人,创造了丰富多彩、绚丽多姿的文化,可以说人创造了文化,文化创造了人,这些经过锤炼和沉淀的古代传统文化,凝聚着华夏各族人民的性格、精神、智慧,是中华民族相互认同的标志和纽带。在人类文化的百花园中摇曳生姿,展现着自己独特的风采,对人类文化的多样性发展做出了巨大贡献。中国传统民俗文化内容广博,风格独特,深深地吸引着世界人民的眼光。

正因如此,我们确应深入学习贯彻十八届三中全会精神,按照中央的规定,加强文化建设。2006 年 5 月,时任浙江省委书记的习近平同志就已特为提出:"文化通过传承为社会进步发挥基础作用,文化会促进或制约经济乃至整个社会的发展。"又说:"文化的力量最终可以转化为物质的力量,文化的软实力最终可以转化为经济的硬实力。"(《浙江文化研究工程成果文库总序》)今年他去山东考察时,又再次强调:中华民族伟大复兴,需要以中华文化发展繁荣为条件。

学习习近平同志的重要讲话,确可体会到,在政治、经济、军事、社会和自然要素之中,文化是协调各个要素协同发展、相关耦合的关键。正因为此,我们应该对华夏民族文化进行广阔、全面的检视。我们应该唤醒我们民族的集体记忆,复兴我们民族的伟大精神,发展和繁荣中华民族的优秀文化,为我们民族在强国之路上阔步前行创设先决条件。

实现民族文化的复兴,更必须传承中华文化的优秀传统。我们现在中国人,特别是年轻人,已经对传统文化感到兴趣,蕴含感情。但当下也有人对具体典籍、历史事实不甚了解,比如说,中国是书法大国,谈起书法,有些人或许只知道些书法大家如王羲之、柳公权等的名字,知道《兰亭集序》是千古书法珍品,仅此而已。再比如说,我们都知道中国是闻名于世的瓷器大国,中国的瓷器令西方人叹为观止,中国也因此而获得了"瓷器之国"(英语 china 的另一义即为瓷器)的美誉。然而关于瓷器的由来、形制的演变、纹饰的演化、烧制等瓷器文化的内涵,就知之甚少了。中国还是武术大国,然而国人的武术知识,或许更多地来源于一部部精彩的武侠影视作品,对于真正的武术文化,我们也难以窥其堂奥了。我们还是崇尚玉文化的国度,我们的祖先,发现了这种"温润而有光泽的美石",并赋予了这种冰冷的自然物以鲜活的生命力和文化性格。例如"君子当温润如玉"、女子应"冰清玉洁""守身如玉";"玉有五德",即"仁""义""智""勇""洁";等等。今天,熟悉这些玉文化的内涵的国人,也为数不多了。

也许正有鉴于此,有忧于此,近年来,已有不少有志之士,开始了复兴中国传统文化的努力,读经热开始风靡海峡两岸,不少孩童乃至成人,开始重拾经典,在故纸旧书中品味古人的智慧,发现古文化历久弥新的魅力。电视讲坛里一波又一波对古文化的讲述,也吸引着数以万计的人们,重新审视古文化的价值。现在放在读者眼前的这套"中国传统民俗文化丛书",也是这一努力的又一体现。我们现在确应注重研究成果的学术价值和应用价值,充分发挥其认识世界、传承文化、创新理论、咨政育人的重要作用。

中国的传统文化内容博大,体系庞杂,该如何下手,如何呈现?这套丛书处理得可谓系统性强,别具心思。编者分别按物质文化、制度文化、精神文化等方面来分门别类地进行组织编写,例如在物质文化的层面,就有中国古代纺织、中国古代酒具、中国古代农具、中国古代青铜器、中国古代钱币、中国古代石刻、中国古代木雕、中国古代建筑、中国古代砖瓦、中国古代玉器、中国古代陶器、中国古代漆器、中国古代桥梁等;在精神文化的层面,就有中国古代书法、中国古代绘画、中国古代音乐、中国古代艺术、中国古代篆刻、中国古代家训、中国古代戏曲、中国古代版画等;在制度文化的层面,就有中国古代科举、中国古代官制、中国古代教育、中国古代军队、中国古代法律等。

此外,在历史的发展长河中,中国各行各业还涌现出一大批杰出的人物,至今闪耀着夺目的光辉,启迪后人,示范来者,对此,这套丛书也给予了应有的重视,中国古代名将、中国古代名相、中国古代名帝、中国古代文人、中国古代高僧等,就是这方面的体现。

生活在21世纪的我们,或许对古人的生活颇感好奇,他们的吃穿住用如何?他们如何过节?如何安排婚丧嫁娶?如何交通?

孩子如何玩耍？等等，这些饶有兴趣的内容，这套中国传统民俗文化丛书，都有所涉猎，例如中国古代婚姻、中国古代丧葬、中国古代节日、中国古代风俗、中国古代礼仪、中国古代饮食、中国古代交通、中国古代家具、中国古代玩具、中国古代鞋帽等，这些书籍介绍的，都是我们深感兴趣，平时却无从知晓的内容。

在经济生活的层面，这套丛书安排了中国古代农业、中国古代纺织、中国古代经济、中国古代贸易、中国古代水利、中国古代车马、中国古代赋税等内容，足以勾勒出古人经济生活的主要内容，让我们得以窥见自己祖先曾经的经济生活情状。

在物质遗存方面，这套丛书则选择了中国古镇、中国古楼、中国古寺、中国古陵墓、中国古塔、中国古战场、中国古村落、中国古街、中国古代宫殿、中国古代城墙、中国古关等内容，相信读罢这些书，喜欢中国古代物质遗存的读者，已经能大致掌握这一领域的大多数知识了。

除了上述内容外，其实还有很多难以归类却饶有兴趣的内容，例如中国古代的乞丐，这样的社会史内容，也许有助于我们深入了解这些古代社会底层民众的真实生活情状，走出武侠小说家们加诸他们身上的虚幻不实的丐帮色彩，还原他们的本来面目，加深我们对历史真实的了解。继承和发扬中华民族几千年创造的优秀文化和民族精神是我们责无旁贷的历史责任。

不难看出，单就内容所涵盖的范围广度来说，有物质遗产，有非物质遗产，还有国粹，这套丛书无疑当得起"中国传统文化的百科全书"的美誉了。这套书还邀约了大批相关的专家、教授参与并指导了稿件的编写工作。应当指出的是，这套书在写作中，既钩稽、爬梳大量古代文化文献典籍，又参照近人与今人的研究成果，将宏观把握与微观考察相结合。在论述、阐释中，既注意重点突出，又着重于论证层次清晰，从多角度、多层面对文化现象与发展加以考察。这套丛书的出版，有助于我们走进古人的世界，了解他们的美好生活，去回望我们来时的路。学史使人明智，历史的回眸，有助于我们汲取古人的智慧，借历史的明灯，照亮未来的路，为我们中华民族的伟大崛起添砖加瓦。

2014 年 2 月 8 日

原载中国商业出版社 2014 年版《中国传统民俗文化丛书》，此据大象出版社 2015 年版《书林清话》录入，另收入东北大学出版社 2015 年版《中国当代名家学术精品文库·傅璇琮卷》

《书林清话》前记

　　我于 2008 年上半年所编的《学林清话》（大象出版社于 2008
年 10 月出版），收集我自 1981 年至 2008 年春为学界友人及有关
文化机构的著作所作的序，共七十三篇。我在此书自序中，概述
我所撰的学术性序言，其旨意为：辩学术，论世情，记交谊，抒己
见，重理趣。

　　此书出版后，确得到学术界的肯定评价，不少友人写信给我，
又撰写书评，刊登于有关刊物。中国唐代文学学会副会长、武汉
大学文学院尚永亮教授于 2009 年 1 月 13 日来信中，评云"文字
省净，文风平和"，"如话家常，如老友晤谈"。厦门大学文学院古
籍研究所所长吴在庆教授更以此与教学结合，说"适有学术讲座，
即推荐此书给研究生们"（2009 年 1 月 15 日来信）。

　　更有好几位学者从学术史的角度予以评论。如湖南科技大
学人文学院李德辉教授，写有书评，先刊于《南通大学学报》，后又
载于商务印书馆出版的《傅璇琮学术研究论文集》，认为这七十几
篇序文，所述范围广，跨学科研究，"无异于一部改革开放三十年
来的古典文学研究史"。南通大学王志清教授的一篇书评（刊于

《文汇读书周报》2009年1月16日），认为使人可以见到"新时期古典文学研究的丰硕成果和最新进展"。西北大学文学院李芳民教授一文（刊于《古典文学知识》2009年第3期，又刊于《中华读书报》2009年9月23日），更具体提出，可由此重温近三十年来"学术界所经历的学术观念、思想、方法、范式的演讲过程与学术研究视野不断开拓发展的历史"，"这本书在一定程度上也具有近三十年学术演变的'史'的特征"。

请读者谅解，我之所以记述前两段学者的赞誉之辞，并非出于自我宣扬之旨，而是本于自我慰勉之情。2014年1月6日，《中国社会科学报》刊登采访我学术情况的报道，特别引及我过去说的两句话："我最大的心愿是为学术界办一些实事，我最大的快慰是得到学界友人的信知。"（见张世林于1999年所编《学林春秋》中我的一篇文章《我和古籍整理出版工作》）从学者约我写序，及学者对《学林清话》的评价，我确深感"最大的快慰是得到学界友人的信知"，这当也是我与文化界作学术交往的记录。

也正由此，《学林清话》出版后，更有不少学者及有关文化机构约我写序及书评，书评也是学术交往。据统计，自2008年上半年起，至2014年初，共撰有序文三十六篇，书评十一篇，则平均每年写有近八篇。我写作时确也感到困难，但仍着力于此，于学术交流更滋育较深的情谊。

我这期间所写，不仅是有关古代文学，范围很广，涉及历史哲学、书画艺术及社会文化等。我这里想提一提地域文化研究。王国平同志在任浙江省委、杭州市委书记时主持编纂《西湖通史》，有三百多万字。他与当地学者洽商，约我为此书撰一序言。我是浙江人,对西湖有情谊,但关于西湖历史,了解不多,当然撰序有困难,但仍着力通阅全书,于 2013 年 12 月写成。王国平同志于 2014 年 1 月 15 日特写信给我,对此序甚为肯定,特为提及:"我们将一如既往努力做好工作,以不负先生及关心西湖、关心西湖文化的各方人士。"

我在此篇序文的最后一段,特为提到习近平同志在任浙江省委书记时于 2006 年所撰的《浙江文化研究工程文库总序》,提及习近平同志重视地域文化的历史意义与现实价值,认为地域文化的力量最终可以转化为物质的力量,文化的软实力最终可以转化为经济的硬实力。

当可能我受地域文化意义的启示,写了好几篇与地域文化有关的序言,在杭州附近的有《浙东唐诗之路重要源头学术研讨会论文集》序、《湘湖古韵》序、《桐溪书声》序;有关我家乡宁波的,有《鄞州佛教文化》序、《鄞州望族传记》序、《鄞州区志》序、《〈三字经〉古本集成》序。又应鄞州区政府之邀,主编《王应麟著作集成》,整理宋代本籍著名学者王应麟著作十四种,陆续在中华书局出版。我在此书总序中细致记述清华大学与鄞州区及中华书局合作,特约十几位学者对王应麟著作予以系统整理。

除浙江省外,其他省市的几次学术研讨会论文集,我也应邀撰有序言。如 2008 年下半年,在广东韶关市举办纪念唐代诗人张九龄诞辰 1330 周年学术研讨会,2011 年在湖北襄阳市举办唐代诗人孟浩然学术研讨会,2012 年在陕西汉中市举办宋代诗人陆游在汉中创作活动研讨会,这三次讨论会的文集,我都应邀写有序言。这里还可一提的是,陕西省文史研究馆馆长李炳武主编

"长安学丛书",全书分综论、政治、经济、文学、艺术、历史地理、宗教、法门寺文化等八卷,约集各领域专家学者撰写。因我是中央文史研究馆馆员,参与中央文史研究馆主办的《中国地域文化通览》审稿工作,作为副主编之一,分工审阅"陕西卷",因而与李炳武先生有交往,他就邀我为"长安学丛书"写一总序。又甘肃省古籍整理编译中心策划《中国华北文献丛书》,收集北京、天津、河北、山西、内蒙古五个地区的历史文献,辑集 450 种珍稀材料,邀约有关学者做具体编辑工作,而聘我为总主编,并写有总序,我在此书概述中,特为提出这是"有史以来第一部华北地区的文献总汇"。

我此次所辑的书评中,还有古代文学领域以外的。如我于 2000 年 3 月在上海复旦大学参加宋代文学国际研讨会,第一次与方勇同志见面,他就邀我为他早期一部古典文学研究著作《南宋末年遗民诗人群体研究》撰序(此序已收辑于《学林清话》)。此后他一直执教于华东师范大学,任先秦诸子研究中心主任。2010年 3 月,我应邀参加华东师范大学举办的《子藏》论证会,后时隔一年半,《子藏》首批成果《庄子》卷出版,共收历代《庄子》各种版本及相关研究著作 302 种。我深感《子藏》工作繁重,资料准备充分,积累深厚,甚有学术意义,故特应邀参加会议并撰写一篇书评,题为"《子藏》:一座宏大的子学经典库"。后又于 2012 年 4 月参加华东师大的先秦诸子暨《子藏》学术研讨会,方勇教授向会议提供他所撰的《庄子纂要》(共八册)。有感于他对庄学研究起了积极的推进作用,也应邀写一书评,后刊于《光明日报》2012 年 9月 30 日国学版。我对《庄子》及子部素无研究,却因此而扩大我的知识范围。近数年我参与《续修四库全书提要》编纂工作,故特邀方勇教授承担子部分卷中好几部著作提要的撰写,这当也是学术交流的成果。

本书分三个部分,即上、中、下三辑,每辑各篇均按撰写或刊载时间先后排列。上辑为学者著作所撰之序,三十九篇;中辑为书评,十一篇;下辑为本世纪期间我主编的八部书的总序。这八部书的总序,所述也是学术合作、学术交流,当也符合本书书名"书林清话"的含义。我希望这部《书林清话》向读者提供我与文化学术界合作、交流的情况,也便于读者了解新世纪期间不少学者新的积极成果。这当也是我的学术工作职责。

2014 年 3 月

原载大象出版社 2015 年版《书林清话》,据以录入

论证严密　新见叠出

——《新编元稹集》序

　　吴伟斌同志是南京师范大学前辈学者唐圭璋先生和孙望先生 20 世纪 70 年代的第一届研究生,在两位先生的教诲下,严师出高徒,辛勤耕耘的吴伟斌同志成绩斐然。在诸多的学术期刊上,年年都能看到他一篇又一篇的新作问世。出版于 2008 年的《元稹评传》《元稹考论》,更是颇得学界好评的两部杰作,我曾应邀为此两书作序。近日,吴伟斌同志的又一部大规模著作《新编元稹集》已经完成,即将问世。这是一部唐代文学领域元稹研究方面非常重要的学术新成果,是值得学界今哲时贤关注的学术新著。本人欣喜之余,提笔作序,表述吴伟斌同志元稹研究的特点,阐发《新编元稹集》的特色。

　　《旧唐书·文苑传》将元稹与被后世称为“诗圣”的杜甫,与被誉为“诗中有画,画中有诗”的王维,与被称为“燕许大手笔”的张说、苏颋,以及与汉代晁错、董仲舒“无以过之”的刘蕡等人相提并论,足见史学家对元稹文学才华的充分肯定。而据《新唐书·文艺传》的描述,在唐代文苑里元稹与张说、苏颋、权德舆、李德裕等人并列其中，成为"一世冠"。而从诗歌方面而言，元稹又列名唐代八大诗人之中，与杜甫、李白、白居易、刘禹锡、李贺、杜牧、李商隐等人的诗歌并列。本人以为，这些评价无疑真实地反映了历史的公正认同。在唐代文坛的横向权衡与历史长河的纵向比较之中，《旧唐书·元稹白居易传》的评价则更为清晰："元和主盟，微之、乐天而已。"但回过头来大家再读读近一百年来出版的许多"中国文学史"著作，又有哪一部文学史能够像两《唐书》的《文苑传》《文艺传》那样高度评价元稹的文学贡献，又有哪一部文学史能够像《旧唐书·元稹白居易传》那样充分肯定元稹作为"元和主盟"者而引领中唐文风的巨大作用？

而吴伟斌同志，正是在研究生学习伊始，就已注视到近百年以来一直被忽视、长期被歪曲的元稹评价问题，于是他将元稹研究课题作为自己的毕业论文内容，置身于中唐文学大发展大繁荣的大环境之中。研究生学习期间，就着手从最基础的诗文笺注做起，踏踏实实逐字逐句研读，认认真真逐篇逐首研判，一心扑在研究元稹的工作中。就在研究生毕业前夕，他就发表《元微之诗中"李十一"非"李六"舛误辨》一文，向名家的权威结论提出严正的商榷；此后商榷名家的论文不断，提出了一个又一个新观点。他前后耗时 35 年，先后撰写《元稹评传》《元稹考论》《元稹年谱》等著作，同时又完成了对元稹诗文的辑佚、校勘、注释、笺证、编年、辨伪等工作，编撰篇幅甚巨的《新编元稹集》，与《元稹评传》《元稹考论》一起，为含冤千年的元稹翻案，向读者交出了令人满意的答卷，向学界奉献了引人深思的新著，这或许是吴伟斌同志坚持35 年研究元稹方方面面的意义所在吧！

我与吴伟斌同志相识于 30 年前,缘由是元稹研究。30 年来,或见面交谈,或通信叙情,或电话沟通,话题从来没有离开过元稹研究。尽管如此,当吴伟斌同志近著《新编元稹集》的初校样放在我面前的时候,多多少少还是有点意外:校样总字数在 760 万上下,累高竟有 50 公分左右。内容之丰富,自然不难想象;新见之迭出,更是可以想见。作者由此而付出的艰辛劳动,我作为也是古代文学研究者,确深有同感。这部书稿,在严密论证之下,不时纠正旧缪,考论新见。综观全书,吴伟斌同志尽心尽力,既遵循古籍整理之原有优良传统,又在这样的基础上有所创新有所拓展。具体来说,我有如下观感。

　　选本得当。元稹长庆四年所编《元氏长庆集》流传至今,有两种版本较为完整:其一是明代弘治元年(1488)杨循吉据宋本传抄的《元氏长庆集》,通称"杨本";其二是明代万历三十二年(1604),马元调覆刊本,通称"马本"。"杨本"面世较早,但阙漏不少。"马本"虽然晚于"杨本"一百多年,但经马元调多方搜索,增加了六卷补遗;六卷补遗虽然也杂有他人的少量诗文,但瑕不掩瑜,无疑比以前各本有较大的进步。故清代乾隆年间编行《四库全书》,"马本"即被作为《元氏长庆集》的最佳刊本选入。吴伟斌同志此次选择"马本"作为底本,我个人认为是合适的、明智的。冀勤在中华书局出版的《元稹集》则以"杨本"为底本,各取所长,当也无可非议。但杨军近年问世的《元稹集编年笺注》"诗歌卷"以"杨本"为底本,其"文章卷"又以"马本"为底本,我以为考虑欠周,做法似可商榷。

　　辑佚全面。北宋末年刘麟父子所编《元氏长庆集》原有元稹诗文 978.5 篇,吴伟斌同志《新编元稹集》现辑有诗文 2566 篇。其中经《才调集》《全唐诗》、日本花房英树以及吴伟斌同志自己的收集,共计辑佚篇目 1587.5 篇,其中的 1283 篇,已出版的《元稹集》《元稹年谱》《元稹集编年笺注》《元稹年谱新编》等均没有采录,也没有编年,现为吴伟斌同志独家所辑佚,占全书稿的 50%,占所有辑佚篇目的 80.82%。《新编元稹集》辑佚之全面,收集之详尽,篇目之众多,为近年元稹研究中所仅见。尤其是长庆四年元稹亲手编集《元氏长庆集》之后至元稹暴病身亡的大和五年的七年间,吴伟斌同志辑佚元稹散佚诗文 371 篇,占七年全部诗文的 95.37%,填补了元稹后期诗文创作的大段空白,非常宝贵。不仅如此,吴伟斌同志对散佚在诸多古代文献中的元稹作品,没有盲目跟进而不加辨别地收集,而是根据他自己掌握的元稹资料进行认真的甄别,去伪存真。如留存在《新编元稹集》附录中的 66 篇作品,一直被前哲或今贤,如《元稹集》《元稹年谱》《元稹集编年笺注》《元稹年谱新编》等认定为是元稹的作品,则是经过吴伟斌同志认真辨别之后排除在《新编元稹集》之外的诗文,避免了鱼龙混杂、真假莫辨的误失,更应该予以肯定。

校勘精细。校勘是一项烦琐而又必须小心翼翼进行的工作,因为它是古籍整理必不可少的基础,是古籍整理的第一步。《新编元稹集》的校勘,不仅顾及《元氏长庆集》各种不同版本的异文,同时还兼及目前能够见到的有关元稹诗文的多种文献资料。这样,某一篇诗篇或文章,参与校勘的文献往往多达十多种,除《元氏长庆集》的不同版本外,常见的《文苑英华》《全唐诗》《全唐文》《唐大诏令集》《册府元龟》当然要参与校勘,不常见的文献如《增注唐策》《文章辨体汇选》《历代名臣奏议》《登科记考》《容斋随笔》《唐人万首绝句选》《何氏语林》《清波别志》等也参与校勘,工作量当然成倍增加,而精确度也相应得到提高。且传统意义上的校勘,只是出示某一作家在不同版本的诗文集间的异文,大多不表明自己的主张,由读者根据提供的情况自行确定;《新编元稹集》的校勘不仅客观上表示异同,而且以不同的方式表明自己的观点,不避难就易,不把难题留给读者。这样认真的校勘,大大方便了不同层次读者的不同需求,受到读者广泛欢迎应该是在意料之中。

笺注科学。笺注分"注"与"笺"两个部分,《新编元稹集》的注释不是简单抄抄词典,而是结合元稹的生平加以考察,深入浅出,给出恰当解释。如果吴伟斌同志没有数十年研究元稹的功力,则难以做到这一点。每个解释之后,又附有书证加以证明。所取书证,既为解释词义服务,同时又尽量以内容通俗、辞藻美丽的标准入选,以便与元稹的诗文互为补充互为映衬,充分展示我国古代文学花苑中的艳丽景象。这不仅有利于一般读者对古籍的正确理解,也有利于我国传统文化走出国门走向世界之国策的推行。作者结合三十多年的研究心得,在认真解释词义的同时,又时见吴伟斌同志得心应手之笺文。如《论教本书》笺文:"综观《论教本书》全文,中心突出,结构严谨,脉络清楚,层次井然,并无一节一句一字涉及王叔文王伾等人。既然如此,所谓元稹《论教本书》抨击王叔文王伾反对永贞革新又从何说起?"可谓一语而中的。又如《上门下裴相公书》之笺文:"元稹前期曾经支持裴度弹劾权臣的斗争,并因此招致元稹与裴度一起出贬洛阳,元稹出贬为河南县尉，裴度出贬为河南府功曹，即所谓'昔者相公之掾洛也，稹获陪侍道途'。中期元稹贬放外任十年，而裴度已经登上宰相的高位，本文即是元稹委婉恳请裴度尽快结束自己的贬谪生涯，并将自己调回京城任职，但裴度不予理睬。在挚友崔群的帮助下，元稹最终于元和十四年近移虢州，这年年底回到京城，任职膳部员外郎。此后元稹仕途顺利，最终拜职中书舍人、翰林承旨学士。这时裴度因自己儿子长庆元年科举复试被榜落，裴度因此怨恨元稹，并因他人亦即王播的挑拨而与元稹交恶，无中生有三次弹劾元稹勾结宦官，最后导致元稹被罢免中书舍人、翰林承旨学士之职，贬任工部侍郎。"将元稹与裴度之间错综复杂的人际关系一一指明，也将元稹于元和、长庆间仕途起起伏伏的原因明白标示，从而引导读者顺利阅读《上门下裴相公书》，揭示了中唐历史上一直被掩盖、被歪曲、被误解的谜团。

引用广博。《新编元稹集》书后附有《主要引用书目》，计有一千四百多种，它们包括《全唐诗》《全唐文》《文苑英华》等典籍，涉及文学、史学、小学、地理、医学、农学等学科。这在一般的学术著作中也不多见。作者自述：主要引用书目"虽然不能说是挂一漏万，但遗漏在所难免"，这是作者的谦虚之辞，如果《新编元稹集》没有如许广博的涉猎面，相信作者难以辑佚元稹诗文一千多篇，也难以破解历史典籍存留的诸多谜团，此真是不言而喻。可以说，如果作者没有倾注三十多年的心血，要想如此广泛地涉猎如许众多书目确是不可能的。

正误严谨。《新编元稹集》的正误较多，大到元稹"勾结宦官""谋刺裴度""以张生自寓""玩弄薛涛"诸多历史冤案的正名，小到一字一句的辨伪，如白居易《感旧序》"元相公微之，太和六年秋薨"中的"太和六年"，应该是"大和五年"之误。又如陶宗仪《辍耕录》将李贺"试问酒旗歌板地，今朝谁是拗花人"两句误认为元稹诗句，《全唐诗续补》《元稹集编年笺注》《元稹年谱新编》均误从；又如被《元稹集》《元稹年谱新编》误认的王安石《桃源行》"渔郎放舟迷远近"为元稹佚句……这样的正误在《新编元稹集》中随处可见，多不胜举，而一一举正无疑需要花费作者不少的精力，但这样的付出无疑有利于读者的阅读，这种严谨的学风是值得注意并应该提倡。

编年翔实。吴伟斌同志的诗文编年，认真而严格，每一篇诗文的编年，都列出可信从的根据，而且还与现代出版的同类著作的诗文编年加以对照评析，求真求实。如元和五年的《夜坐》、元和十年的《感梦》、长庆元年的《郭钊等转勋制》、大和五年的《遭风二十韵》等就是其中的一些例子。碰到复杂难辨的问题，《新编元稹集》则不惜花费较多的笔墨，加以考证，辨明真相，如《莺莺传》的作年考证、《有唐武威段夫人墓志铭》与《唐左千牛韦佩母段氏墓志铭》的作者辨别、作年考实就是明显的例子。而随手翻阅已经出版的几部元稹研究专著，编年的情况就不像《新编元稹集》这样认真。如元和四年，元稹《除夜》诗之后，《元稹年谱》又编年诗4首，《元稹集编年笺注》编年诗篇14篇，《元稹年谱新编》编年诗歌9首，而这显然是有悖常理的编年。《新编元稹集》另一个着力点在元稹诗文的混合编年。传统的编年一般是诗歌编年与文章编年分别进行，如果两者混合编年，自然增加了编年的难度。《新编元稹集》的编年，从元稹第一篇的面世到元稹谢世前最后一篇存留,不论是诗歌,还是文章,不论是集内诗文,还是散佚诗文,一律都是按元稹写作时间之先后编排,形成一目了然的元稹39年诗文创作的"路线图"。不仅如此,《新编元稹集》在编年栏目内,首先陈述《元稹年谱》《元稹集编年笺注》与《元稹年谱新编》的编年意见及编年理由,这既是对原著者的尊重,也是正规学术研究必须具备的挚实态度。然后逐条提出三书陈述理由之不当,接着陈述自己的编年理由与编年意见,让读者客观听取双方的不同意见而判定史实的是非,决定自己的取舍,这是传统学术研究的科学规范。抽查数十处《新编元稹集》诗文之编年,篇篇如此,无一例外,给人客观公正之感。《新编元稹集》还在书后附录《〈新编元稹集〉与〈年谱〉〈编年笺注〉〈年谱新编〉编年对比表》,罗列四书对元稹诗文不同的编年意见,《对比表》显示,《新编元稹集》与其余三书的编年异同竟然在90%以上。又随手抽查数十处四书诗文编年之异同,果然如此。

至此,我又想起2007年为其《元稹考论》《元稹评传》作序时引用的清代学术名家章学诚于《文史通义》中所说的话:"高明者多独断之学,沉潜者尚考索之功,天下之学术不能不具此二途。"现在通读《新编元稹集》,更感到亲切。吴伟斌同志将独创之见与专心沉潜的考索之功密切结合,这对文献研究与文学理论阐述结合的研究当甚有意义。如即以校勘而论,据其"前言"所述,仅就元稹《才识兼茂明于体用策》一文,校勘时除各种版本外,还参校有关典籍,如《唐大诏令集》《登科记考》《册府元龟》等,竟有十二种之多,这实为罕见,确如章学诚所说的"沉潜者尚考索之功"。书中还注意对元稹诗文写作时间的考索,作诗文编年,谓其成果有"自成体系的二千五百六十六篇元稹诗文创作的'路线图'"。这对于探索元稹生平事迹及创作行程极有意义。故我用"论证严密,新见迭出"作为序题,当得到学界的共识。

"书山有路勤为径,学海无涯苦作舟。"热诚希望吴伟斌同志在今后研究元稹的岁月中,继续跋涉攀登学术的新高峰,努力破浪到达成功的新彼岸。

2014 年 3 月

原载三秦出版社 2015 年版《新编元稹集》,此据大象出版社 2015 年版《书林清话》录入

《唐人编选诗文总集研究》序

　　2005 年,我应邀受聘为中国人民大学国学院特聘教授、博士生导师。次年,卢燕新同志考入国学院。他是人大国学院第一届学生,也是我从事教学工作指导的第一位博士生。在开学后不久的师生见面会上,他对我谈起读博期间打算研究唐人编选总集的想法。这一领域,我曾作过一些研究。1992 年,我和美国密支根州立大学李珍华先生合撰《河岳英灵集研究》;1996 年,我编撰《唐人选唐诗新编》;此外,我还撰写了几篇论文,相继发表在《文学遗产》等刊物上。虽然这几年学界对唐人选唐诗研究渐有升温的趋势,但据我的观察与体会,这一领域,有诸多问题尚有进一步研究的必要。听了他的想法,我很高兴,便建议他从搜集材料入手,多积累、勤思考,力争能够深入研究这一题目。

　　卢燕新同志极为勤奋。2006 年 10 月中旬,也就是在确定研究方向一个多月稍后,我在南京开会,他打电话告诉我,说他怀疑《翰林学士集》所收录诗人的部分职官题名与史实不完全相符。《翰林学士集》所录诗人均题有职官,长期以来,学界将这些职官作为研究这些诗人的资料。其是否有误,这是一个值得深入研究的学术问题。我希望他详查资料，最好撰写一篇小文章。稍后，他撰写了《〈翰林学士集〉题名职官考辨》。2007 年，这篇文章发表在《中国典籍与文化》上，并在"人民大学复印资料"全文转载。此后两三年，卢燕新同志在唐人编选诗文总集这一领域渐渐步入正轨，相继在《文学遗产》《文史》等期刊上发表近 10 篇文章。在此基础上，他逐步完成了他的博士论文总体构思。

他的博士论文定名《唐人编选诗文总集研究》，共设三个部分：第一编总论部分，重点探讨前唐编纂诗文总集对唐人的影响、唐人编选诗文总集的社会文化背景、唐代编纂者的心态、编撰人员类型特点、选本批评及其特征、唐人编选诗文总集的传播规律。这一部分，他没有局限于对传世十三部诗歌选本的考察，而是把唐人编选的诗歌总集与文总集同时纳入研究范畴，上溯其源，中论其变，下述其流；既研究编者群体，又研究编选收录的文士及其作品，也研究传播过程中的错讹舛误。如第 3 章第 3 节，据李康成《玉台后集》、高仲武《中兴间气集》、蔡省风《瑶池新咏》等五部传世诗总集，考察唐总集编纂家选录女性诗作及其心态。又如，第 5 章第 4 节以《新唐书·艺文志》《玉海》为重点，考察唐人编纂诗文总集在传播过程中的重出与误收等。这些研究，将唐人编选诗文总集作为一种文化现象整体考察，其研究视野是值得肯定的。

论文第二编分论部分，以个案研究为主。他重点选取初、盛、中、晚四个时段几种选本，或探讨编撰人，或研究编选内容，或考辨收录文士及其作品，或论述编选家选本批评的得失。唐人编撰的有些集子，虽然学界成果甚丰，但是，卢燕新同志仍能提出一些新的观点。如《河岳英灵集》，他以（宋）洪迈《万首唐人绝句》、（元）杨士弘《唐音》、（明）陆时雍《古诗镜》、（明）高棅《唐诗品汇》以及王琦注《李太白全集》、赵殿成《王右丞集笺注》等前人成果为参照，统计殷璠选古体诗 174 首，占全集选诗数的 75.6%；选近体诗 56 首，占全集选诗数的 24.4%。这样，他用数据分析的方法，使今人能够看出殷璠对古、今体诗的不同态度。有些集子，学界关注较少，他的论文则做了较为全面深入的研究。如《西汉文类》，这是唐人编辑的为数不多的仅选唐前文章的集子。该集久佚，宋人做过一些整理，但后来，整理本也散佚残存。因此，关于该集的编撰人、编选特点等，都有研究的必要。卢燕新同志论文指出，柳宗直生于唐德宗建中三年(782)，卒于元和十年七月十七日，享年三十三岁；《西汉文类》乃柳宗直"配合柳宗元所倡导的古文运动，为'学古者'提供借鉴之蓝本"；"《西汉文类》追求高古壮丽、比兴风雅、简野质朴，而反对靡荡华丽文风"；等等。其他，如《续诗苑英华》《群书丽藻》等，这些集子，多已散佚，加上相关典籍资料较少，今人往往很难明察唐人编选的诗文总集的详切体制特征。因此，这些研究，就有着特殊的意义。

文章第三编为文献整理辑佚。这一部分，他在前人研究的基础上，辑补杨恭仁、赵方等编选《宴乐》五卷、吴兢纂《古乐府》十卷、姚合《诗例》一卷等，总 15 种。同时，他又辑考温彦博《古今诏集》、王方庆《王氏神道铭》、李吉甫《类表》、马总《奏议集》、李太华《新掌记略》、林逢《续掌记略》、五代前蜀刘赞《蜀国碑文集》等唐人编纂的文总集，总 75 种。这些考证，澄清了《旧唐书·经籍志》《崇文总目》《新唐书·艺文志》等典籍的阙漏错讹，对唐人编撰的诗文总集,做了一次很好的文献整理工作。

《唐人编选诗文总集研究》在总体研究结构上很有特色。全文三个部分,既各自独立,又互相照应。第一部分为总论,乃宏观研究,是论文的主体。第二编分论部分,采用学术界传统四唐分期,虽以个案研究为主,但论文兼及唐人选编诗文总集在不同历史时期的面貌特点。第三编辑考部分,旨在照应宏观理论研究与微观个案研究。这样,全文将理论研究、个案探微、材料考述较好地结合在一起。

光阴似箭,转眼,燕新同志已离开我到南开大学工作了五年。这期间,我常常思忆和他在一起的日子。每次我到人民大学与他讨论问题,他总是提前到公交车站接我。好几次,我到他宿舍看他,为了迎接我,他前一天晚上就开始打扫卫生。他读博期间,我和他平均每礼拜至少见面一次。为了更好地交流,我们选择的地点往往不拘一格:有时,我俩在人民大学国学院办公室讨论;有时,我俩在国学院资料室共同检阅典籍;有时,我俩在人民大学校园散步交流;有时,我俩坐在人民大学校园内草地上畅谈。我和他谈学术、谈生活、谈他的理想……有一次,因冬天寒冷,我俩便坐在人民大学贤进楼会客大厅讨论他的稿件。另有一次,我应邀参加北京大学中文系博士生论文答辩,为了有更多的交流机会,我特意约他提前到北大,我俩绕着未名湖走了一圈。他是陕西人,每学期开学,我都要约他到人民大学西门外陕西餐馆小聚,我们一方面品尝陕西菜肴,一方面交流他一学期的打算。每次放假,他离校前夕,我也会约他到陕西餐馆餐叙,话别之余,我们一方面交谈他一学期的收获,一方面也会谈谈各自假期的工作安排。往事历历在目，每一次，我俩总是那么愉快。

毕业后，他经常用电话或书信和我联系，我也经常关注着他的学术发展。2010 年，南开大学举办唐代文学会，我希望他多做接待工作、谦虚学习。他没有辜负我的期望。2012 年新疆唐代文学会，他就被推选为理事。他的工作取得新的成绩，我很高兴。

为了给他提供更多的学术交流的机会，2011 年，我推荐他与卢盛江教授合作承担智品图书出版公司唐诗选注工作，又推荐他二人为该公司中国历代诗歌选主编。2012 年，台湾三民书局请我推荐几位学者撰写唐代文学史，我便推荐了他。2013 年 7 月，泰山出版社邀请我主编《中国传统文化基础教材》，我又推荐他为编委成员。同年 8 月中旬，我介绍他参加浙江宁波鄞州区宣传部举办的浙东文化学术研讨会。孔子《论语·季氏》曾云"益者三友"："友直，友谅，友多闻，益矣。"我想，只要能有益于燕新同志的学术发展，我愿足矣。

而今，他的博士论文即将出版，我为之感到高兴。同时，我相信，虽然他的论文获评 2011 年全国优秀博士论文，他会戒骄戒躁、不止步于现状。据我的观察，他所感兴趣的领域尚有广阔的空间，我预祝他做得更好。

　　　　　2014 年春于北京六里桥寓居

原载中国人民大学出版社 2014 年版《唐人编选诗文总集研究》，此据大象出版社 2015 年版《书林清话》录入

《中国当代名家学术精品文库·傅璇琮卷》
前记

　　我所撰写的学术性文章,除专题论文外,可分为三个部分:一、为学界友人或有关文化机构的著作所撰的序言;二、对有些已出版的著作所作的评论,即书评;三、为自己的著作或承担主编的书所撰写的前言。我自己觉得,这第三部分应也有学术特点,故此次应邀选辑我为自 20 世纪 60 年代初至 21 世纪近年编著之书所撰写的前言或后记,以供学术界参阅。

　　自 1981 年起,我就应学者之邀,为其学术专著撰写序言,至 2008 年初,辑有七十三篇,编有一书,名《学林清话》,由大象出版社出版。此书出版后,确得到学术界的肯定评价,好几位学者从学术史的角度予以评论,认为这可以说是改革开放三十年来的古典文学研究史。在这之后,又有学者或有关单位约我作序,自 2008 年上半年起,至 2014 年初,又撰有三十六篇。大象出版社即又与我联系,新辑此三十六篇,又选辑 21 世纪所写的书评(十一篇),编印一书,名《书林清话》。这可能会得到学术界的关切。正因如此,我就另编这部书,我觉得这部书,一方面可以表明我的治学意旨,另一方面又可反映我与学术界的文化交流,可能也有一定的学术史意义。

我自 1958 年起即在中华书局工作。20 世纪 60 年代初，两位老学者陈友琴先生与孔凡礼先生，分别向中华书局交他们各自所编的《白居易诗评述汇编》《陆游诗评述汇编》。中华书局文学编辑室主任徐调孚先生命我审稿，我主张接受，并提出中华书局可以编印一套《古典文学研究资料汇编》，以系统辑集古代作家的生平、思想、创作的评述资料。中华书局领导同意我的这一建议，以后就陆续组稿，出版了二十几种，在学术界很有影响。我自己就编有《杨万里范成大资料汇编》《黄庭坚和江西诗派资料汇编》，并写有前记。这应当说是我将编辑工作与学术研究相结合的产物。

我的第一部学术专著是《唐代诗人丛考》，成于 1978 年（序言即写于此年），于 1980 年由中华书局出版。此书主要是考析唐代诗人的生平事迹，纠正不少史料错误（钱锺书先生评誉云"精思邈学，能发千古之覆"），同时又注意作家群体研究，并注意不同地区作家的创作特色，在序言中还特引用法国丹纳《艺术哲学》的几句话。

20 世纪 80 年代我编著有几部书，如《唐代科举与文学》，在序言中提出，想通过科举来了解唐代知识分子的生活道路与心理状态，以进而探索唐代文学的历史文化面貌。这是我关于文化研究的另一尝试。同时又继续重视古典文献资料的探索，编著有《唐五代人物传记资料综合索引》《李德裕年谱》《唐才子传校笺》等。这几部书的序言，都对文献考索与作品整理研究作重点阐述，我自信，这对古典文献的研究有一定意义。《唐才子传校笺》出版后,我于21世纪又编有《宋才子传笺证》(辽海出版社出版)。现在又有中国人民大学国学院副院长袁济喜教授主编的《先唐才子传笺证》,苏州大学古典文献研究所主任罗时进教授主编的《明清才子传笺证》,都将由江苏凤凰出版社出版。由此也可见,我这部《唐才子传校笺》是有一定学术影响的。

我这里想介绍两部较有特色的学术著作:一是20世纪90年代的《唐五代文学编年史》,二是21世纪初的《中国古代文学通论》。《唐五代文学编年史》分四个分卷:初盛唐卷、中唐卷、晚唐卷、五代卷,共二百余万字。我在总序中,较强调文学编年史对整体研究起一种流动观照和综合思考的作用,这是一般文学史著作尚未有的。老前辈学者程千帆先生为此书作序,赞誉此书"为文献学与文艺学的有机结合,找到了一个合适的载体"。这部书对古典文学界也有一定影响,如著名先秦文学研究专家、西北师范大学赵逵夫教授就仿此编了一部《先秦文学编年史》,并约我为这部巨大著作写一序言,并推荐在商务印书馆出版。《中国古代文学通论》由蒋寅先生与我合作主编,我们在总序中强调这是一种全新的设想,具有学术总结、学术探索和学术展望的意义。它的基本思想和内容构成都不同于现有的文学史著作。在总序中对此有具体阐述,应是当代文学史研究的新的思考。

《中国古代文学通论》总序中特为提出:"五十余所高校和科研机构的百余位专家通力合作,付出了辛勤的劳动。"可见,这部大书是当代学术的集体成果。20世纪八九十年代,我筹划编撰《唐才子传校笺》时,注意到学术合作的可贵,便邀约二十几位专家参加,在前言中具体列叙专家名单。这种以个人专长和集体协作有效配合的方式,确实收到明显的效果。第一册出版后,北京大学中文系王瑶先生就写信给我,称赞此书"罗致各方力量,合力完成,确系功德无量之举","富时代特色"。21 世纪我主编《宋才子传笺证》,邀请五位专家任分卷主编,我与他们分别商议,共约一百几十位学者参加笺证,参与人数比《中国古代文学通论》还多。凡是与学者合作的,不管几十人、百余人,或二三人,我在前言中都有记述,以表示我对学术合作的信念。

2014 年 1 月 6 日,《中国社会科学报》刊登采访我学术情况的报道,特别引及我过去说的两句话:"我最大的心愿是为学术界办一些实事,我最大的快慰是得到学界友人的信知。"(见张世林于1999 年所编《学林春秋》中我的一篇文章《我和古籍整理出版工作》)从现在这本书所辑的前言、后记抒写的本人治学心情,以及介绍与学界合作的情况,确表现我自 20 世纪 60 年代以来,尽量为学界做一些实事,由此也获得学术界、出版界的真诚协助,以此体会"信知"这一最大的快慰。我也借此谨感谢东北大学出版社与本套书编委会。

傅璇琮

2014 年 4 月上旬,北京

原载东北大学出版社 2015 年版《中国当代名家学术精品文库·傅璇琮卷》,据以录入

《万斯同全集》中稿本和抄本学术价值选评

　　宁波大学方祖猷研究员主编的《万斯同全集》八大册，作为国家编纂委员会《文献丛刊》之一，在去年底出版了。《全集》，共收有万斯同已发表和未发表著作二十三种，内容非常广泛。其中收有宁波天一阁、浙江图书馆、中国科学院图书馆、天津图书馆、上海华东师大图书馆收藏的万氏稿本《明史列传稿》，抄本《天下志地》、《万季野先生四明讲义》、《周正汇考》、《石园藏稿》、《两浙名贤录》、《明季两浙忠义考》等七种著作，极为珍贵，今举其前三种的学术价值，择要予以评价。

　　一、《明史列传稿》。经方祖猷请沙孟海先生考证，此稿半为万斯同手迹，半为经万氏修改或认可的他人抄本。原稿封面无书名，因李晋华、谢国桢诸先生称《明史稿》，流行于世。由于稿本只有列传，无本纪、志地和表，主编者正名为今名，以符合文献实际情况。

　　康熙十八年清廷开馆修明史，初期由徐乾学、徐元文兄弟任总裁与监修，邀斯同任刊修，所成之稿可称为徐稿（黄爱平教授考证，即今藏于国家图书馆的《明史》四百十六卷本）。康熙二十九年,徐氏兄弟相继被劾回里,新总裁王鸿绪委万斯同专修列传,至康熙四十一年万斯同逝世止,纂修之稿,即本书《明史列传稿》(其中一部分成稿于徐氏兄弟时期),可称为万稿。康熙四十八年王鸿绪带万稿至家独修,成《横云山人明史稿》,可称为王稿。至雍正十三年《明史》最终由张廷玉修订出版,可称为张稿。这样,明史的纂修有从徐稿经万稿、王稿至张稿的漫长演变过程。这一过程中,《明史》的《列传》稿,万斯同亲自纂修虽仅在前二个时期,但也在后二个时期产生深刻的影响,在王稿和张稿中,都可以明显地看到他们取材于万稿,并予以笔削增损的痕迹。因此,如果没有万稿提供《明史》纂修过程这一最关键的资料,明史馆开馆后各个阶段修史成果的演变就显得模糊不清,而万斯同在修史中所占的重要地位,也难以被人们所觉察和承认。

二、《天下志地》。原载书者称《明史地理志稿》。此稿为万斯同侄万言抄本。但原稿卷一前书"天下志地"四字,当为万斯同所定,故《全集》取后者为书名以恢复原貌。不过书稿确为《明史·志地》的"地理"部分,各省排次序与张稿一致,极为完整。这是一本唯一留世的万斯同在明史馆修史时所著的"志地"抄本。(另一本属志第的《明代河渠考》,仅是资料的摘录,以备著书之用,尚未成书,且为残本。)故据此同样可以了解史馆修史各稿之间前因后袭的过程,以及万斯同修此《志》的思想。如以《地理志》的万稿、王稿、张稿相比较,我们可以看到,《天下志地》正是王稿和张稿的底本。三稿在《地理一》前都有一篇类似序的短文,今录于下:

《天下志地》:"自黄帝画野分州,唐虞建牧设服,沿及三代,讫于唐宋,废兴因革,大概可靠而知也。元起于漠北,灭金亡宋,混一中外,其疆域之广,为亘古所未有。"

王稿:"自黄帝画野分州,唐虞建牧设服,沿及三代,以暨汉唐宋元,废兴因革,可靠而知也。元世祖灭金亡宋,混一中外,疆域之广,亘古未有。"

张稿:"自黄帝画野置监,唐虞分州建牧,沿及三代,下建宋元,废兴因革,前史备矣。"

从这三稿比较,王、张两稿因袭万稿十分明显。此外,《天下志地》在每一布政司后,多概述其地理形势、物产、风俗及其在军事上的地位等,这在张稿中是没有的,体现了万斯同写此稿含有为现实服务的经世思想。

三、《万季野先生四明讲义》。这是万斯同在北京修史时回甬探亲,为原证人书院学友子弟要求开经史讲座的记录稿。万斯同史学著作,属通史的仅有表格类的史表、备考等,其论述性之著,仅此一本,因此对开拓研究他的史学思想的视野,极为重要。其所涉年代自夏、商、周三代开始,一般至明止,个别也论及本朝。内容有经济、军事、政治、文化等,可惜的是,记录稿不完整,缺《郊社》、《舆地》、《官制》三卷。

万斯同不仅客观地讲述各代有关的历史,也偶然插入自己的观点予以评论。如在讲"田赋"时,讲从万历四十六年到崇祯十二年六次加征田赋,而且征赋以银,然后评论说:"从古田赋无征银者,至明而征银;从古民间无用银者,至明而用银;从古加赋无如此之重者,至明而极重,生民之困极矣,国欲不亡得乎!"以此说明明亡的根本原因,点出了明亡的要害。

万斯同讲"官制"的记录稿虽佚,有幸的是听课者之一的张锡瑒,有诗记载斯同讲"官制"后的评论。诗中说:"中有两要言,可作《三通》补。白金供正赋,贪风成蛇虎。治道不若古,大半由阿堵。科目取人才,登进杂枯瘀。假令孔孟生,岂由场屋举!二者名利根,斩断须利斧。"贪污的利根和科举的名根是历史上的两大害,这是万斯同在"官制"这次讲会上的总结。万斯同子万世标在这本记录稿中写了一句话:"先君子讲会,议论多出己见,参酌时事,实可见诸施行。"知父莫若其子,道出了万斯同开讲座的经世意图。

《万斯同全集》中其他抄本,如《周正汇考》是研究万斯同经学思想的重要著作。《石园藏稿》收万斯同佚文达三十二篇之多。因此,《万斯同全集》的出版,不仅汇集了至今已知的万氏著作,给学术界完整地研究万氏生平事迹和思想,创造了必要条件,而且其稿本和抄本的发表,为深入研究万氏经史之学,提供了不可或缺的珍贵文献。

原载《中国典籍与文化》2014 年第 3 期,据以录入

记一次人文史迹考察活动

　　我在任全国政协第八届、第九届委员期间,曾参加过几次考察、视察活动,很有收获。记忆最深的是 2001 年 6 月,参加全国政协文史资料委员会办公室组织的西北文物调查、考察活动。

　　6 月 20 日晨,我们的考察团从兰州出发,中午至武威,饭后参观雷台,有出土东汉晚期之飞马模型,非常好看,极有美感。下午 3 时离武威,赴张掖,沿途两边皆沙漠,快到张掖,突然出现绿地,双眼所视也由黄变绿,非常舒服。张掖附近树木亦多,类似于我国东部齐鲁一带的农村。在张掖住一夜,第二天早晨先至附近大佛寺参观。此寺建于西夏王朝时,有卧佛一座,身长 34 米,类似于浙江新昌南朝时所建的大佛,确感到我国古代的西北与东南,在艺术上有一种源远流长的艺术沟通。又据当地介绍,这是西夏时建筑的,也使我拓宽视野,因我过去往往把西夏王朝仅局限在宁夏。北宋时,宋王朝与西夏政权常有交战,但也有文化交流,西夏的印刷术在中国出版史上有特殊地位。这次考察张掖附近的大佛寺,才知道西夏王朝的范围竟扩展至甘肃西部地区,这对于研究西夏的文化很有参考价值。

由张掖赴酒泉,走了大半天。中间一大段又是沙漠、碱地,而至酒泉附近,则忽然又是树木葱郁,绿地极多。午饭后赴嘉峪关,途中曾参观两座魏晋时古墓壁画。据云,此附近有 200 余座魏晋古墓,但大多已被盗。晚饭时到嘉峪关,我就想起 1984 年我为拙著《唐代科举与文学》所写序言中的几句话:"今年 8、9 月间,笔者在兰州参加中国唐代文学学会第二届年会,尔后又随会议代表一起去敦煌参观。东过河西走廊,在晨曦中远望嘉峪关的雄姿,一种深沉、博大的历史感使我陷于沉思之中,我似乎感觉到,我们伟大民族的根就应该在这片土地上。"我觉得这几句是很有深情的,也较有诗意,但那时只是在火车上远望,而我们这次是下汽车,上城楼仔细一游,这种历史感与我们现在开发大西北的责任感,就融汇在一起。

　　这次的河西走廊之行,给我印象最深的是,这汉唐时期的中西交通要道,确与自然地理和人文环境有关。这条长达千余里的通道,南北两边各是雪山、荒漠,就是这条路上有绿地,特别是几座名城。另一印象较深的是,西北地区的现代化发展确实很快,武威市的人口已达 100 万,张掖市内高楼大厦林立,市内广场精致,出租车也相当多。敦煌更发展成旅游热点,上世纪 80 年代初我至敦煌,看到的多是农居小舍,颇有古朴之感,现在则是满街灯火辉耀,商店招牌炫目。

　　我是研究唐代文学的,对唐代文史颇有感情,而长安及秦州、河西,又是多位诗人的经历之地,故就回忆全国政协组织的考察活动,信笔所至,略抒情怀。全国政协组织的考察活动,不只对政治、经济建设,对文化建设也能起积极作用,我们应具与时俱进的胸怀,把我们的古代文明与现代化建设很好地结合起来,并不断推向前进。

原载 2014 年 9 月 21 日《人民政协报》,据以录入

崇贤馆巾箱本序言

古代巾箱本指中国古时刻印开本极小、可以装在巾箱里的书本。《北堂书钞》卷一三五"王母巾箱"条引《汉武内传》,说"帝见王母巾箱中有一卷小书,盛以紫锦之囊"。这里所说的"巾箱"即是古人放置头巾的小箱,而可放入随身携带巾箱中的袖珍版小书,即称巾箱本。巾箱本,具有这种袖珍样式并便携的特点。因其被置于巾箱中,则见巾箱本并非主人仅限于书房阅览,而是更可于闲暇休憩间随手翻阅品读的小书,亦可能是主人极为珍视、须臾不可离的珍爱之作。

清乾隆十一年(1746),乾隆皇帝亦曾下令将武英殿刻经史所留余材,模仿古人巾箱本样式,刻成所谓"古香斋袖珍书"系列,为世所称。

今时今日,崇贤馆欲以巾箱本形式,整理出版一批颇具价值的古藏本。立意是将古书形制之美传达今世,其内涵精神即可为今人所用。现代习惯于西方阅读方式的读者,则通过崇贤馆巾箱本系列,就能对中国传统文化的精致与情韵有亲切的感悟与感动。

崇贤馆巾箱本,从古刻本筛选方面,集多年心血寻访海内外博物馆、藏书楼楼与藏书家,今日已有可观之积累。又择其中版本精美完整、刻字疏密有致之作,涵盖自宋至民国时期的刻本、影印本、铅印本、拓本等,可谓是集览古籍善本中甚为精美、极具欣赏价值的版本。崇贤馆巾箱本主旨崇尚古风,印刷时均谨慎缩印为巾箱本大小,依旧以"中国书"最传统淳朴的宣纸、线订等手工艺装帧.彰显古书最原始自然的风貌。

　　同时,为了读者在鉴赏中国古书形制美之余,亦不忘"书备而不读如刻纸"的宗旨。崇贤馆精心策划,特为每套巾箱本附一册简体通解本,附有原文、注释、译文、赏析等功能板块设计,方便读者在珍赏之外,不忘传承古今的精神内涵,更显示此套巾箱本之特色。

原载《寻根》2015 年第 2 期,据以录入

《续修四库全书提要》总序

1994 年,中国出版者协会、深圳市南山区政府与上海古籍出版社合作,组建编纂出版工作委员会,并邀请启功、饶宗颐、程千帆、杨明照、任继愈、李学勤等 20 余位著名学者为学术顾问,正式开始《续修四库全书》的编纂工作,编委会与学术界、图书馆界紧密结合,历经 8 年,于 2001 年完成全书精装 1800 巨册的出版。

《续修四库全书》既补辑清朝乾隆以前有价值而为《四库全书》所未收的著作,更系统选辑清中期以后至 1911 年辛亥革命前各类代表性著作,共收书 5213 种,为《四库全书》所收量的一倍半。出版后,学术界反响很大,认为这套大规模丛书与《四库全书》配套,中国古代的重要典籍大致齐备,构筑起了一座中华基本典籍的大型书库。

2002 年 5 月 9 日,在北京人民大会堂举行《续修四库全书》出版座谈会,时任全国政协主席的李瑞环同志出席,在讲话中充分肯定此书的历史文化价值,称"这是一项了不起的工程,对保存、研究和弘扬中华民族的传统文化,必将产生重大影响"。2002 年下半年,本书获国家图书奖荣誉奖。

《续修四库全书》开始编纂时，已计划仿《四库全书》之例，对所收之书逐篇撰写提要，一些部类如纪部易类、集部诗文评类等已请学者着手撰写。但由于《续修四库全书》提要工作量大，任务艰巨，编纂工作并未能正式展开。商务印书馆于 2008 年出版《四库总目学史研究》一书（陈晓华著），书中提出："《续修四库全书》在学术界引起巨大反响，但这部丛书至今尚未编撰书目提要。如果有关此丛书的书目提要问世，那么由它反映出来的对《四库全书总目》续编的学术价值也必将是对四库总目学的重大贡献。"学术界对《续修四库全书提要》编撰、出版的期望，由此可见一斑。

　　2008 年 4 月，清华大学聘任我为清华大学中文系教授、中国古典文献研究中心主任。中国古典文献研究中心经与上海古籍出版社磋商，正式启动提要编纂工作。主编由上海古籍出版社原总编辑赵昌平、清华大学中文系主任刘石教授、上海古籍出版社社长高克勤编审和我联合担任。我们又延请曲阜师范大学文学院院长单承彬教授担任经部提要主编，华中师范大学历史文化学院副院长刘韶军教授担任史部提要主编，刘石教授担任子部提要主编，清华大学中国古典文献研究中心副主任谢思炜教授担任集部提要主编。

　　2009 年 11 月，在清华大学举办"目录学与《续修四库全书提要》编纂"学术研讨会，邀请 20 余位学者、出版工作者参加，在研讨传统目录提要学的基础上，就本书编纂的目的、方法和体例等进行了深入研讨。《续修四库全书》原工委会领导也很关心提要编纂工作，2012 年 4 月，在上海古籍出版社召开续修提要编纂工作会议。宋木文、伍杰、王兴康、李国章等同志参加，对加快编纂进度、保证提要质量提出要求。

《续修四库全书提要》包括了所收全部 5213 种古籍的提要，每种提要的内容，均包含著者仕履、内容要旨、学术评价、版本情况等几个方面。著者仕履，凡本部首次出现的著者，均作生平的简单介绍。侧重于姓名、生卒年、字、号、别名、谥号、籍贯、科第出身、历官及最高官爵，非仕宦者的职业或特长，经历的主要生活事件，学术渊源、造诣，主要著作，生平传记资料出处等。

内容要旨，包括定著述缘起、成书过程、书名由来、体例结构、内容梗概、学术源流、序跋简介等，以及若干书籍特殊性所决定的必须介绍的方面。

学术评价，主要评价原书内容及形式特点、成就与贡献，分析其欠缺与局限、在学术史上的地位。观点力争公允平实，以公认的和较为流行的说法为主，个人的见解必须做到慎之又慎。

版本情况，主要介绍所收版本基本情况与版刻源流。有独特价值的善本可述及流传收藏的过程。为说明所收版本在原书各版本中的地位，也可述及原书的版本系统。

《续修四库全书》所收之书，不但数量众多，而且类别繁细，许多书籍鲜有专门研究。这就要求提要撰写者一方面要细读原书，一方面要探索该书所属学术类别的系统资料，将之置于学术史的视野下，考察其学术价值与地位，工作量和学术难度都是很大的。

在当今的学术考评制度下，大规模集体协作的提要撰写是一个"无利可图"甚至是吃力不讨好的工作，因此组织工作甚为不易。全书主编和分部主编为此付出很大努力，我邀约到许多国内外相关专业学有专长的学者参与其事。我们可以从参加《续修四库全书提要》工作的名单中发现，既有在学术界崭露头角的中青年学者，更有不同学术领域享有盛名的专家、学者，总共约有百余位之多。这极大地保证了提要撰写的学术质量，也使这部提要成为体现了古典文献学集体力量的一个成果。

综观所撰提要，很重视各书内容价值与版本情况，有的更以版本源流的阐述为重点，对各书的内容介绍与评议，亦多能注意厘清其学术源流及其在学术史上的特点与价值。撰写时充分参考和吸收已有成果，其间纠正前人及当代学人之误者也时或可见，这也成为体现这套提要学术质量的一个方面。

对《续修四库全书》这部大书所收 5213 种古籍撰写的提要，从规模看是继清乾隆修《四库全书提要》之后 200 余年来规模最大的目录提要类著作，从内容看将成为对中国传统学术最后 200 年之重要典籍及藉此而呈现的学术脉络加以梳理和总结的基本参考文献。

今天的古典学术研究水平、学术环境和学术体制较之过去有很大的不同。与乾隆时期官修《四库全书总目提要》相比，《续修四库全书提要》必定有自己的特点，也必定有许多的不足。但我们希望，《续修四库提要》能够与清修《四库全书总目提要》合在一起，成为对中国古代学术典籍构成的学术史系统和全面的梳理与总结，并以之为后世的古典学术研究搭建一个坚实的学术平台。

原载《清华大学学报（哲学社会科学版）》2015 年第 3 期，据以录入

心念桑梓　慨怀乡情

——《大道周口·王学岭诗文书作集》序

　　周口雄踞黄淮平原，气候温和，川泽沃衍，物产丰美，是我国远古先民理想的栖息地。由于地处南北要冲，东夷文化和楚文化交汇碰撞，各种思想学说并行不悖，堪称中华文明的重要发祥地之一。这片土地有着丰厚的历史积淀，发达的农耕文明，异彩纷呈，不胜缕述。周口文学历史悠久，人才辈出。先秦以《诗经·陈风》为代表，真实生动地描绘了陈地浓郁的民风习俗，格调高古，意象清新。秦汉以降，陈郡的名门望族，如阳夏谢氏、太康袁氏、南顿应氏、长平殷氏等随晋室南迁，涌现出应玚、谢灵运、殷芸等优秀作家，可谓群星璀璨，辉映千秋。唐宋之际，李密、李白、欧阳修、苏轼、苏辙、张耒等文人骚客纷至沓来，或访古凭吊，或唱和抒怀，留下脍炙人口的诗文不计其数，从而成就了旅陈文学的独特景象。至于明季李梦阳，近世袁克文、张伯驹诸辈，都是周口文学的翘楚。

　　中国人向来安土重迁，慎终追远，对家国故园的文化认同和心理皈依是与生俱来的。王学岭同志客居京华，心念桑梓，他把

浓浓的乡情融入《大道周口》的字里行间。就其学术性而言,大致有以下三个鲜明的特色:

其一,体例创新,气势恢宏。

在漫长的历史长河中,勤劳智慧的周口人民创造了丰富多彩的文化,生生不息,至今仍闪耀着夺目的光辉。用何种体裁才能呈现周口的传统文化,彰显周口的时代风貌呢?难能可贵的是,作者大胆摒弃教科书式的习惯写法,别出心裁,采用语言优美凝炼、韵律丰富协畅的旧体诗赋的形式,按现代行政区划,十地十卷,提纲挈领,博观约取,自出机杼。全书以《周口颂》统领其首,依次是“八景新咏”——以五言律诗咏怀古迹;“七台新咏”(淮阳、鹿邑)——以七言绝句记述古今地名;“文化产业”——以词曲讴歌新兴文化景观;“非遗坐标”——以对联记录传承有序的非物质文化遗产;“沧海一瞬”——以辞赋铺叙本县(市、区)历史沿革、人文景胜。律诗平仄合韵,文采飞扬;词曲委婉有致,情景交融;对联工稳典雅,推陈出新;赋作意蕴深厚,熔铸沧桑。兼之,题解简明,注释详赡,语言平易,既方便了阅读,又开拓了诗赋的意象。从整体上看,诸体兼备,条目清晰,形式活泼,雅俗共赏。纵观两千多年的中国古典文学史,以一己之力一种体裁反映一地风情的文学作品并不鲜见,而像本书作者用赞、诗、词、联、赋多种文学样式来表现同一地域文化,应该说是前无古人的有益尝试,拓展了新时代的学术境域。

其二,多重证据,取材广博。

治学之道,必以占有材料为先。上世纪 20 年代,王国维先生提出了“二重证据法”,以地下新材料补正传世文献,给学术研究带来了质的飞跃。在取材上，王学岭同志并不囿于经史、笔记、方志、家乘等历史文献，而是亲临遗址、古墓等历史现场，思接千载；深入田间地头，聆听村妇野叟世代口耳相传的故实，寻绎历史的真相。力求历史文献、考古发现、口述传说和学术成果互相参证，把原本枯燥乏味的历史从千年尘封中唤醒，穿越时空，鲜活立现。所有这些，我想从诗赋文学创作的角度来说都是无可厚非的。

其三，诗书合璧，相得益彰。

自古迄今，文学与书法有着不解之缘，艺文双修的大家代不乏人，举凡陆机《平复帖》、王羲之《兰亭序》、欧阳修《集古录跋尾》、苏轼《前赤壁赋》、黄庭坚《松风阁诗》等传世墨宝，书以文显，文以书传，被后人奉为圭臬。王学岭同志远绍前贤，匠心独运，诗词对联以行书出之，意态纵横，痛快淋漓；赞颂辞赋以楷书出之，首尾相应，沉着谨严。唯其如此，诗赋的意蕴、书法的神采融合为一个新的艺术天地，读者于不经意间便会生发出天高地迥、心旷神怡之感。

要而言之，王学岭同志别开生面的学术追求，赓续文脉，景行前贤，从更高层面上发掘了周口地域文化的历史内涵。同时，有裨于读者陶冶性灵，感受古典诗词和书法艺术历久弥新的魅力。

每个人都有自己的故乡，每个人心中都有一抹挥之不去的乡愁。《大道周口》一书不仅仅是作者对乡园故土的抒情慨怀，还应是地域文化的当代探索。弘扬中国优秀传统文化，实现中华民族伟大复兴，从来就不是一个空洞的符号。由于中国地域文化发展的不平衡，使得中华民族的文化具有以汉族文化为主的各民族文化相互交融、多元互补的文化特质，揭示不同地域的文化风尚，无疑将把我国的文化多样性研究引向深入。地域文化能够进一步激发人民的无穷智慧和伟大创造力,地域文化的力量最终可以转化为物质的力量,文化的软实力最终可以转化为经济的硬实力。《大道周口》的问世,必能使读者更加认识到中华民族文化的灿烂辉煌。

原载 2015 年 6 月 29 日《光明日报》,据以录入,另刊《中国书法》2015 年第 15 期(题为:王学岭的周口情怀),文字略有增损

人类文化生态的哲学思考

　　当今之世,有不少学者在扎扎实实地做学问,默默无闻地思考人与文化的问题。他们着重于立学、引流与创新。文化生态学是创新的生态理性哲学。当然,作为一门新兴的交叉学科,文化生态学的概念尚未广为人知,而研究这一门理论的专家更是屈指可数。现在,由黄正泉教授所承担的国家社科基金项目"社会和谐的文化生态学研究"的成果,最终以《文化生态学》一书的形式出版。这部著作表达的基本思想即文化生态问题是人的问题、文化的问题。

　　长期以来,人类忙于生产的发展、物欲的追逐,却忽视了人类自身生存发展的文化生态系统。至今仍有不少学者将生态问题仅视为人口激增、过度开发、资源浪费、环境污染、生态平衡的破坏等,即囿于人与物的二元结构关系之中。作者期望改变或扭转这种"生态思想",所以该书开篇即言:"我们知道自己生活在大地上,其实不然,我们是生活在文化生态圈中;我们知道自己要有生存的家,其实不然,我们没有家而在路上。我们行走于悬空在茫茫宇宙的星球上……片片思想构成精神之家,串串诗文筑造栖居之所。"斯文暗示生态问题是人的主要问题,是文化观念的问题。自然界有了人为作用,才有了问题。

该书所涉及的范围几乎囊括了文化的方方面面,广采博征,中西搜集,条分缕析,洋洋 80 余万字,从多角度阐发了文化生态学构建的规律、目的、价值和意义。全书结构精巧、思想深邃、观点新颖、内容丰富,反映了作者深厚的学术功底和修养。书中新观点、新思想层出不穷。如提出"反文化生态"这一新的概念,社会被"关系化"为文化生态,文化生态被"事实化"为社会,关系在符号化中进行并论证了文化生态危机的发生及解决途径。论述虚实结合,很有思辨色彩。如提出人是文化生态的存在才能创造文化生态,生命意识是文化生态之源,文化生态是安身立命的家园。家园是人的筑造,筑造即回归。文化生态学是社会存在的历史文化基础。文化生态似乎"包罗万象",文化生态学似乎非虚非实,这就要求研究者心之应然,言说俱妙,与学科相契合。黄正泉就是这样一位研究者,其言广博,其意深远,内外冥契,引人入胜。

文化生态学可以视为哲学或文化学的新的研究领域,也可以说是生态的文明论。该书不是从"生态学"的视角去探讨"文化"的文化学,而是关于"文化生态"的哲学,以"人"的存在为基点阐发文化生态的哲学。从古今中外的哲学、文学和社会科学(如人类学和语言学)以及语言、文化、精神的论述当中凝练、概括出一个新的文化生态学概念,即文化生态学是借用生态学研究文化及人类所处的整个自然环境和社会环境的各种因素交互作用所形成的生存智慧。文化生态学与文化生态是不同的概念。从人与文化的内在关系给文化生态下定义,文化生态是人与文化及文化之间的互动关系。文化生态不是"文化"加"生态"，而是人性与文化性的关系构成。人不是抽象的存在，人是文化生态的存在者。

作者全面论述了文化生态学的历史渊源、基本内容和面临的问题，从而以更高层次和全方位角度解析了文化生态学与其他学科的关系与不同。可以说，该书是有其独特的创新意义和普遍的学术价值的。我认为其中的两个概念值得重视，一是"文化生态学不是纯粹的哲学思辨，而是实证性的研究"，这体现出其现实意义所在；二是"文化生态是人生存的精神家园"，这体现出其内涵的哲学价值。

从本质上讲，文化生态学是一门将生态学的方法用于文化学研究的新兴交叉学科，是研究文化的存在和发展的资源、环境、状态及规律的科学。生态学是研究生物体与它们的环境之间关系的学问。文化生态学是研究人类生存的整个自然环境和社会环境的各种因素交互作用的学问，研究人与文化产生和发展及存在状态。它主张从人、自然、社会、文化的各种变量的交互作用中研究文化及其产生发展的规律，用心寻求不同民族文化发展的特殊形貌与模式。所以，该书提出了一系列新的思想、观点，构建了一个新的体系，的确具有原创性。许多论述独具匠心，道前人之所未道。从生态哲学理性研究人与文化的存在，深化"人—社会—文化生态"的内在关系，拓宽了社会科学研究的基础；从人与文化发展历程研究文化生态的运行，提出了文化生态的"生存—转换"与"转换—生存"，创新了社会科学的研究方法；从社会文化转型研究社会和谐的机制、规律、原则等，构建了一个安身立命的家园。

　　当然,新生的东西总不免有"新"的不完善之处。在该书中,有以下几点似可商榷:一是"文化生态学"应更接近实证性研究,不必有如此强的思辨性和抽象性。如"文化生态就是生存智慧","筑造既是福堂庙宇,又是一条福堂庙宇的回归之路"等,这些语句就比较难以理解。二是"文化生态"在著述当中似乎是一个无所不包的概念,一切文化现象都被纳入到了文化生态之中,使用时是否存在过于泛化倾向,值得斟酌。三是过于理想化,文化生态发展很难按书中提出的理想图景进行。也就是说,这个理想图景很难实现,在目前难免是一种空想。

　　尽管如此,作为一部有相当学术文化价值和社会现实意义的研究著作,《文化生态学》的问世,将对于推动这一学科理论的研究和这一学术领域的拓展有积极贡献和促进作用,这也是本书的最大价值所在。相信随着这样的学术著作不断出现,社会大众将逐渐了解和认识文化生态学这一关于人的文化生存状态的新兴科学。

　　　　　　原载 2015 年 7 月 3 日《中国社会科学报》,据以录入

宋遗民诗文校补的又一重要成果

——评方勇教授《存雅堂遗稿斠补》

  近日,我收到方勇教授寄来的《存雅堂遗稿斠补》(学苑出版社 2014 年 12 月版),精装厚厚一大册,让我颇感意外。

  《存雅堂遗稿》是南宋著名遗民诗人方凤的著作集,明末清初,由其邑人张燧编辑。浙江浦江仙华方氏,为晚唐诗人方干的后代,北宋后簪缨蝉联不绝,方凤出生在这个家庭,自幼多受诗书等儒家传统文化熏陶。在蒙元铁骑即将渡过长江,南宋王朝岌岌可危之时,方凤作为太学生,曾多次上书丞相陈宜中,希望他奋力抗元,保住疆土,但终究不为所用,最后只以特恩授容州文学。宋亡以后,方凤隐居乡里,日与谢翱、吴思齐等纵谈国事,悲慨行吟,形成浦江遗民诗人群。在宋末元初众多遗民诗人群体中,以方凤、谢翱、吴思齐等为首的浦江遗民诗人群是一个重要的诗人群体,其创办的月泉吟社亦为当时影响最大的诗社。元至元二十三年(1286),元世祖屡遣大臣往江南博采遗逸知名儒士,此年十月月泉吟社主持者以《春日田园杂兴》为题,征诗天下,一时浙、苏、闽、桂、赣等省吟士从之者以千数,凡收五、七言四韵律诗 2735

卷。清代浙东学派著名史学家全祖望认为，月泉吟社"以东篱北窗之风，抗节季宋，一时相与抚荣木而观流泉者，大率皆义熙人相尔汝，可谓壮矣"（《跋月泉吟社后》）。方凤本人亦深于诗学，认为南宋"四灵而后，以诗为诗，故月露之清浮，烟云之纤丽"（《仇仁父诗序》），直指四灵诗派的要害。面对国破山河在的现实处境，方凤以为应当师法古人，讲求兴寄，尤其要发挥杜甫的"诗史"精神，以抒发黍离麦秀之悲。这一诗学精神贯穿于其诗作之中。《四库总目提要》评之曰："凤泽畔行吟，往往眷念宗邦，不忘忠爱……幽忧悲思，再三致意，有黍离麦秀之遗音，固犹不失风人之义也。"所以，他在当时及后世都产生了较大影响，元代著名学者黄溍、柳贯、吴莱等皆出其门下，再传而有宋濂这样的一代大家。由上述可见，方凤著作对研究宋末社会政治、浙东文化学术、宋末遗民心态等均具有重要的价值。

方勇教授是方凤的二十四世孙。他原是研究先秦诸子的，辑校《方凤集》（浙江古籍出版社1993年12月版）一书，想来纯是出于对祖先的尊崇与纪念，对家族文化的热爱与弘扬。后来，他跨越研究方向，拜入著名词学专家吴熊和先生门下，以《南宋遗民诗人群体研究》为博士论文题目进行研究。修订后，此书2000年在人民出版社出版，我为之作了序。此后，他又回到并沉潜于先秦诸子研究领域，相继完成了《庄子学史》、《庄子纂要》等重量级学术著作，复又启动并主持《子藏》编纂工程，近年来又大力倡导"新子学"，其活跃的身影受到学界持续的关注。现在，他又将这部《存雅堂遗稿斠补》呈现在大家眼前，着实令人感到惊奇，原来，这二十几年来他还在一直进行着方凤著作的辑校！

据宋濂《浦阳人物记》、程敏政《宋遗民录》、郑柏《金华贤达传》等记载，方凤著作甚丰，仅诗就有 3000 多首，但因家境艰难，兼以诗中民族意识强烈，生前未曾付诸剞劂。方凤去世后，永嘉尹赵大讷（浦江人）只刻了由其弟子柳贯所甄选的 380 首，此为其诗文的最早刻本。此本流传甚尠，诸志书皆罕言及，至明末清初，盖已不传，其邑人张燧恐先贤遗泽之湮灭，虽遍讨群书，掇拾残剩，仅得诗 73 首、文 13 篇（包括《金华洞天行记》），附以凤子樗、梓诗 16 首、文 5 篇。而方勇教授通过长期勤力搜讨，《存雅堂遗稿斠补》共辑得方凤及二子樗、梓之逸诗 15 首，和逸文 4 篇，实属难能可贵，可谓凤公功臣。此书所辑逸诗逸文，不仅可补《全宋诗》、《全宋文》之缺，一些诗文还可展现作者作品风格的另一面，对于研究其全貌至关重要。比如其中的方凤《述志》诗云："只因生在胡元世，岂将蓝缕换罗衣？壮图落落还中止，高蹈悠悠且遁肥。"其直斥胡元的激烈程度在张燧本的诗歌中是不可能见到的，结合此诗我们才可以更好地理解宋濂《浦阳人物记》所说"凤虽至老，但语及胜国事，必仰视霄汉，凄然泣下"的情景。如果没有类似诗歌，他的这种情感将难以得到印证。

据方勇教授的调查，张燧所辑《存雅堂遗稿》十三卷，最早刻于清顺治十一年（1654）浦江西塘纯孝堂，初印本已佚。今所存者，有清雍正二年（1724）纯孝堂补刻本十三卷、清廷所修《四库全书》本五卷（乃是删削雍正二年纯孝堂补刻本而成）、清嘉庆四年（1799）纯孝堂补刻本十三卷、清道光十四年（1834）浦江雅方慎德堂木活字印本六卷、清法式善存素堂抄《宋元人诗集》所收一卷、清抄本十三卷、清同治十三年（1874）浦江仙华登高口方爽斋重刻本十三卷、民国胡宗楙辑《续金华丛书》本五卷。对于这些版本的源流关系，尤其是文字的异同及错讹情况，方勇教授都作了非常认真的考证和校勘，在相应的地方作了说明。

特别值得指出，据方勇教授的考证，张燧所辑《存雅堂遗稿》十三卷本及以后所有补刻或重刻、重排的十三卷本，其中所收《物异考》一卷，实为明代昆山方凤所著。其据明方凤所著《改亭续稿》及昆山邑志等大量资料，所作四个方面的详尽考证，证据甚为确凿，足可使人信服。事实上，最初的辑佚者张燧声称《物异考》是"辑《唐宋丛书》"、"辑宋李兼《异林》"，但李兼是明人而非宋人，其《异林》乃钟人杰《唐宋丛书》内之一种，且《异林》所收《物异》，其中所记皆明朝弘治年间之灾异，怎么可能是宋方凤的著作呢？且《物异》与《物异考》所载又不相同，分明为两种著作，说明《物异考》并非辑自《唐宋丛书》、《异林》，不知张燧为何会出现这一错误。至民国胡宗楙所编《金华经籍志》则说："且《四库总目》于《存雅堂遗稿》下明云'原本尚有《物异考》一卷'，又云'《物异考》出自唐宋遗书'，则非明昆山方凤已无疑义。"他的动机也十分可疑。《四库总目提要》在《存雅堂遗稿》下固然如是说，但《物异考》的提要则明言"明方凤撰"，还指出就是著有《方改亭奏草》的明方凤。胡宗楙只选取了利于自己的证据，可见用心未尝不美，但结论却不可靠。相比之下，方勇教授的考证就显得很客观，并无为祖宗掠美之用意。

张燧所辑《存雅堂遗稿》十三卷，于各篇诗文之后皆辑有后人相关评注文字，或张氏本人的评注文字，但此后又陆续有评注文字出现，方勇教授穷搜博讨，将之从大量文献资料中一一拈出，隶于其后,对相关的研究工作提供了很大方便。清代各《存雅堂遗稿》十三卷本,于方凤诗文之外,还收录了《月泉吟社诗》、诸家唱和赠答以及序跋文字,但每一次刻板都迭有增删,并非保留以前所有内容。方勇教授此次斠补,则作了进一步的完善扩充。如他从顾嗣立编《元诗选·陵阳集》中辑得牟巘《仲实韶父过访有诗奉和》,从上海图书馆所藏雍正二年补刻本中辑得曾安世《方岩南先生私谥》、曹溶《书宋四高士方韶卿先生遗集后》、赵昱《读宋遗民方韶卿集》诗、叶景葵题识等。此外,书末还附有方凤著作的著录情况、关于方凤及其家族成员的若干资料、《方氏家族世系表》以及《方凤事迹诗文系年表》等,这都为研究方凤的生平、交游、著作、家族等提供了详尽的参考资料。

自明末以来,方凤诗文的辑校、刊刻、保存,除邑人张燧外,还依赖于方凤后裔的长期努力,他们在清初就先后走遍了杭州、宁波、温州等地区,询访于诸学者和众多的藏书家,而方勇教授经过二十多年的努力,撰成《存雅堂遗稿斠补》一书,即为此家风之延续,我深感钦佩。但此书的意义决不止于方氏家族,它更给学术界提供了一本有影响、有价值、可信赖的古代名家诗文集,对于研究宋末社会政治、遗民心态、诗文风格的嬗变,均具有重要的价值。再者,我国古代家族文化积淀非常丰厚,我希望有能力的相关家族的后人,也应承担起相应的责任和义务,为弘扬我国优秀的传统文化作出贡献。

原载《中国典籍与文化》2015 年第 3 期,据以录入

我写《唐代科举与文学》的学术追求

——《唐代科举与文学》获第三届思勉原创奖感言

《唐代科举与文学》是我在八十年代完成的一部著作，之所以选择科举为切入点，是考虑到在唐代，科举及第已经成为士人获得政治地位或保持世袭门第的重要途径，牵连着社会上各个阶层知识分子的命运，研究科举在唐代的发展，事实上就研究了当时大部分知识分子的生活道路。由此，可以将科举作为中介环节，把它与文学沟通起来，研究唐代文学是在怎样的具体环境中进行的，从而更深入地认识、理解唐代文学。除此之外，我还有一个更为长远的考量，那就是想尝试通过史学与文学的相互渗透或沟通，来综合考察唐代士子的生活道路、思维方式与心理状态，并且努力重现当时部分的时代风貌与社会习俗，以为整体的唐代文化史研究提供参考与取材。

应该说，在本书写作之时，国内还没有一部堪称学术著作的中国科举史，更没有关于唐代科举的专书研究，其他的相关研究成果也很少，因此在不少地方需要我白手起家。因此搜集、整理并考证相关的基本资料，就成为此项研究的出发点。我首先需要梳理唐代科举制度的全貌:例如通过全面考察有关唐代"登科记"的文献资料,在徐松的基础之上,进一步充实对于"唐代科举与文学"之史料学的认识;又如过去学者对"制举"的认识较为分歧与含混,本书广泛收集相关文献,就唐代制举之源流、科目、考选、授官、策文诸多问题进行了全面考察与论述,从而较为清晰地展现出这一唐代重要制度的情状与影响。这方面的研究应该说主要属于制度史的领域,其研究方法也以历史考证为主。

不过,本书的计划毕竟不是专门研究唐代科举史,而是探讨唐代科举制度背景下的文学。并且我也不希望像过去不少研究那样,简单机械地将科举史与文学史勾连,而是试图考察科举使唐代社会形成了何种风貌,这种风貌又在人们四周构筑了何种氛围,而这种文化氛围又如何影响了人们的心理,使其审美趣味、情感特征、价值标准随之发生变化,并最终导致了文学的变化,用现在时兴的话说,也可谓一种语境研究了。在其中,我尤其注意通过具体丰富的资料细致地论述唐代科举的各个细节,以及这些细节与文学之间的关系。例如举子拜谒公卿与投献行卷、三试过后紧张看榜、中榜后欣喜若狂、参谒宰相、曲江赴宴、题名慈恩、杏园探花以及落第者垂头丧气、借酒消愁、"打既耗"等情状,还有科举中请托贿赂、结党舞弊、恃势怙霸、滥打秋风等种种场面。理解了这些历史细节,才可以更好地理解"春风得意马蹄疾,一日看尽长安花"的狂喜,"妆罢低声问夫婿,画眉深浅入时无"的急切,从而更为细致而恰切地感受唐代文学中微妙鲜活的情感表现,更加立体地了解时代环境与文人心态之关系。

巴尔扎克对于其《人间喜剧》的期望是"写出一部史学家们忘

记写的历史,即风俗史"。我对于这句话印象很深。文化乃是一个整体,为了把握一个时代、一个民族的历史活动,需要从文学、历史、哲学等著作中,以及遗存的文物中,作广泛而细心的考察,把那些最足以说明生活特色的材料集中起来,并尽可能作立体交叉的研究,让研究的对象活起来。从这个意义上说,《艺术哲学》的作者、法国著名学者丹纳所强调的"环境"乃可资借鉴,"环境"就是勾勒社会的文化风貌,通过"环境"之描述来呈现文人的心态,通过文人之普遍心态来理解文学。

此后,法国文学研究泰斗朗松进一步开创了"文学生活史",将文学研究置于更为广阔的文化与生活空间中,取得了很大成就。我的这本书应该说受到了这类研究的启发,尝试以全景式的勾勒与描述方式,细致而具体地展现出在科举制的影响下唐代文人所生存的时代氛围、他们的生活道路与心理状态,从而进一步体察到他们在从事文学创作时所特有的情感与心理。这一点我自己认为是此书在学术方面较显著的创新之处,并且也得到了学术界同仁的认可。

此次,主办方希望我以"跨学科创新的路径与方法"为主题发表演讲,我想正是对于上述之研究方法的肯定与重视。《唐代科举与文学》一书主要涉及的是文学与史学的跨学科研究,其实就中国古典文学研究而言,跨学科是完全必要的。大家知道,现代的"文学"概念来自于西方,虽然我们将其与传统的"集部"之学对应起来具有一定的合理性,但两者的性质与功能还是有其差异的。按照目前普遍的观念,文学研究可分为外部与内部研究,《唐代科举与文学》看上去应属于外部研究。不过对于中国古典文学研究来说,内部与外部的截然划分有其弊端。

其实,诗歌与文章的体制、修辞、模式这些归入内部研究的问题无不有着外部——社会、政治、经济、习俗等方面——的成因,而且作品中体现的美感与情态也是缘于历史长期的塑造。中国古人创作的诗文,往往承载着特定的社会与道德功能,这既构成了作品的外部背景,实际上也规定了作品的内涵,其中的情态与美感都要在特定语境下才能得到最适当的理解与体会,中国古典文学由此才向我们散发出其独有的韵味来。在《唐代科举与文学》中,我引用了大量诗文,一些是作为与唐代科举制度有关的史料论列,还有一些则是展现在科举制度背景下出现的带有特定内容、情态与美感的文学创作,这正足以说明古典文学研究内外之不能截然分割。

从八十年代到今天,古典文学研究已经取得了长足的进展,本书作为初创之作,在其中也发挥了一定的作用。后来有不少学者仿照本书的写作格局,撰写相类似的选题,这些著作或是对于《唐代科举与文学》中相关问题进行更深入探讨,或是将研究范围扩大至其他的历史阶段,各自取得了可喜的成就。我希望今后的研究者能够进一步开阔视野,结合其他学科,更加广泛地从中国社会文化的各方面来探讨古典文学,并且始终将内部与外部研究有机结合起来,如此则古典文学研究之境界必将更为开阔而深入,我虽已为耄耋之年,仍引领以望!

原载 2016 年 1 月 13 日《中华读书报》,此据《科举学论丛》
2016 年第 1 期转载录入

新见迭出的《敦煌文学总论》

  1900 年敦煌石室出土了六万余件中古时代的写卷,由此形成了一门世界性学问"敦煌学"。敦煌文学是敦煌学中最早开展的学科。1908 年底,罗振玉《敦煌石室书目及发现之原始》开始了敦煌文献(包括文学作品)的著录和介绍。次年,王仁俊《敦煌石室真迹录》刊布敦煌文献 30 余篇,这是第一部敦煌文献的资料集,其中有数篇文学作品。王国维《敦煌发见唐朝之通俗诗与通俗小说》(1920),在敦煌文学研究史上具有开创之功。罗振玉《敦煌零拾》(1924),收录了 13 种通俗文学写本,是敦煌学史上第一部文学类文集。刘复《敦煌掇琐》(1925)对以前敦煌文献的辑录作了总结,书中校录的 104 件文献中,民间文学资料占了三分之一以上。郑振铎《敦煌的俗文学》(1929)对敦煌通俗文学进行了探源和分类,极力推崇敦煌俗文学的价值,在敦煌文学研究史上具有不可磨灭的思想光辉和理论价值。此后,胡适、向达、王重民、孙楷第、傅芸子、容肇祖、吴世昌、姜亮夫、周绍良、程毅中等先生发表了一系列论文,或辑佚、或考证、或探源、或辨析,对敦煌文学进行了深入探讨。

1980 年代以来,敦煌文学的研究出现了更为繁荣的局面。主要表现在:第一,世界各地馆藏的敦煌文献大量公布,英藏、法藏、俄藏以及国内各收藏单位的敦煌文献大多影印出版。第二,出现了一批分类整理的高质量的敦煌文学校录本。第三,研究领域进一步扩展,理论的研究更为深入。除了一大批研究论文外,还出现了《敦煌文学概论》《敦煌文学源流》等概论性的著作。

伏俊琏的《敦煌文学总论》正是这样的学术背景下产生的。在此之前,伏俊琏曾先后完成了《敦煌赋校注》《百年敦煌文学研究》《敦煌文学叙录与编年》等课题,为本书的撰写做了比较充分的准备。《敦煌文学总论》与已经出版的《敦煌文学概论》(颜廷亮主编)、《敦煌文学源流》(张锡厚)等相比较,其特点主要体现在以下几个方面:

第一,对敦煌文学重新进行定义,对其特点进行了独到的分析。关于敦煌文学,本书的定义与以往的有所不同:"敦煌文学是指敦煌遗书中保存的文学活动、文学作品和文学思想。"这里把文学活动放到第一位,特别强调文学活动在文学生成中的作用。本书认为,民间性是敦煌文学的本质特点,唐五代的敦煌民众对文学并不自觉,对他们来说,文学仅是某种社会文化活动的一种形式,或者说,是某种社会文化仪式的组成部分。正是从这种认识出发,本书以为,敦煌民众心目中的文学,和文人心目中的文学并不完全相同。比如,敦煌遗书中保存且见于传世文献的文学,像《诗经》《文选》《玉台新咏》及部分唐代诗人的作品,以及独赖敦煌遗书保存下来的一部分文人作品,如韦庄的《秦妇吟》等,这是文人心目中最正宗的文学,但它们是不是敦煌民众心目中的文学,还要做具体分析。这些中原文人的作品只能是敦煌文学的哺育者,是敦煌民众学习文学、创造文学的样板,其本身并不是他们心中的文学。然而,这当中还有一种情况要区分。从中原传来的文人文学,当敦煌人把它们运用到自己生活的各种仪式中的时候,敦煌民众已赋予他们另一种涵义;在这种情况下,它们已经变成敦煌文学了。敦煌文学写卷中有诸多民间歌赋和文人作品混淆杂抄在一起,其原因也在于此。明乎此,我们才能理解敦煌写卷中抄录的文人作品很多没有题目和作者:它们是用在某种民间仪式上的诵词,无须知道作者。

比如,P. 2976 卷首尾俱残,残存部分依次抄写:①《下女夫词》,②《咒愿新女婿》,③无题诗一首(经考为高适的《封丘作》),④阙题诗四首(每首五言四句),⑤五更转,⑥《自蓟北归》(无作者,经考为高适诗),⑦《宴别郭校书》(无作者,经考为高适诗),⑧《誂李别驾》(无作者,经考为高适诗),⑨《奉赠贺郎诗一首》(无作者,《敦煌宝藏》以为高适诗,徐俊以为不是高适所作),⑩《驾行温泉赋》一首。

这个写卷是民间仪式上的讲诵词的汇编,其中高适的诗,也是作为同类讲诵词而被抄在一起的。《下女夫词》和《祝愿新郎文》都是配合说唱的婚礼作品。以下所抄的作品除《温泉赋》外,原卷都没有作者名。这不是抄写者的疏漏,而是本卷的作品的应用性质决定的。我们知道,民间歌手或讲诵者利用流传的文人作品,多是不顾其全篇的意旨,而是看重其中的一些句子,尤其是开头的几句,断章取义,以便在特定的场合表达一种意味。《封丘作》是高适的名作,但此诗开头"我本渔樵孟诸野,一生自是悠悠者。乍可狂歌草泽中,宁堪作吏风尘下"几句,一个狂傲不羁的落魄文人形象跃然而前;一位文郎在欢快的仪式上诵读这些句子,会立即引起参加者的关注,起到镇静听众,调节气氛的效果。其后三首高适的诗,第一首《自蓟北归》"驱马蓟门北,北风边马哀。苍茫远山口,豁达胡天开",也是讲诵文郎借来自塑其形象的诵词,用意相当于起兴。第二首《宴别郭校书》,是宴会上遇到多年不见的朋友,"彩服趋庭罢,贫交载酒过",饮酒交酬,感慨时光流逝,事业无成,而青春不再,"云宵莫相待,年鬓已蹉跎"。第三首《訓李别驾》用意与第二首相同,"去乡不远逢知己,握手相欢得如此。礼乐遥传鲁伯禽,宾客争过魏公子"。这些诗作,是作为节日仪式上的诵词准备的,不需要了解作者,所以也就无需要抄写下来。《奉赠贺郎诗》其实是一首民间流传的婚礼诵词。唐五代时期敦煌有这样一种婚俗,在婚礼结束后,在婚仪上办事的乡人要嬉闹,向新郎索要酒食、赏钱。这首诗正是乡民索闹时的唱词。《温泉赋》以描绘唐玄宗驾幸华清宫温泉为内容,作品语言诙谐调侃。唱诵者抽出其中的某些段落,比如用第三段比喻新婚的美好,是贴切而富有趣味的:"于时空中即有紫云磊对,白鹤翱翔。烟花素日,水气喷香。忽受颛顼之图样,串虹霓之衣裳。共君喜遇,拱天尊傍。请长生药,得不死方。执王乔手,至子晋房。寻李瓒法,入丁令堂。驾行玉液,盛设三郎。"民间文学中的借用和断章取义,在这里表现得无以复加。

因此,本书认为敦煌文学最典型的特点是:以讲诵、演唱、传抄为其基本传播方式,以集体移时创作为其创作的特征,以仪式讲诵为其主要生存形态,而在我们看来随意性很大的"杂选"的抄本也比较集中地体现着这种仪式文学的意义。

第二，基于对敦煌文学特质的认识，本书对敦煌文学的分类也与以往有所不同：它把敦煌文学分为以下几类：

一是唐前经典文学和文人创作的典雅文学。唐前经典文学主要有《诗经》《文选》《玉台新咏》以及诸子散文和史传散文以及文学批评著作《文心雕龙》等。这些经典文学，被敦煌人民传阅珍藏了数百年，其养育敦煌本土文学之功不可磨灭。文人创作的典雅文学主要指保存在敦煌遗书中的唐代文人的创作，它们是哺育敦煌文学的源泉之一。

二是敦煌民俗仪式文学。敦煌民间仪式，大致可分为世俗仪式和宗教仪式。世俗仪式主要包括人生里程仪式，如冠礼、婚礼、丧礼等；岁时礼俗仪式，如辞旧迎新的驱傩仪式、元日敬亲仪式、三月三日禊洁仪式、七月七日乞巧仪式、九月九日登高避邪御寒仪式、腊祭仪式；还包括其他仪式，如各种祭祖仪式、求神祈福仪式、民间娱乐仪式等。民间宗教仪式主要指世俗化的佛教仪式，如俗讲仪式、转变仪式、化缘仪式等。在这些仪式中，唱诵是必不可少的内容，唱诵的内容，除了少量的佛经、道经外，大都是民间歌诀。

伴随各种民俗仪式，文学也呈现出繁荣昌盛、多姿多彩的风貌。如婚礼上的《崔氏夫人训女文》、《下女夫词》及大量的"祝愿新郎新娘文"，驱傩仪式上大量的《儿郎伟》，燕乐仪式上的曲子词，敬亲仪式上的《父母恩重赞》《十恩德赞》，其他民间俗仪式上的《十二时》《五更转》《百岁篇》等。还有"说话"仪式上的话本，"论议"（一种由两个或两个以上的演员争辩斗智的艺术形式，相当于现代的双人相声或群口相声）仪式上的对问体俗赋（《晏子赋》和《茶酒论》等）。

唐五代时期的敦煌，是一个佛教圣地，佛教化俗仪式对文学影响很大。其中最有影响的仪式就是"俗讲"。"俗讲"所用的底本就是讲经文。另外还有"俗讲"前用来安静听众的"押座文"，"俗讲"结束时劝听众早日回家、明天再来听讲的"解座文"。佛教通俗化"说因缘"的底本"缘起"和"因缘"。还有"转变"的底本"变文"等。以王梵志诗为代表的通俗诗是和尚云游化缘的产物，也是在仪式活动中产生的。

第三，本书侧重于从文献学的角度对敦煌文学进行总结，在写法上重视文学写卷的整体探讨、作品句式的分析、作品的叙录、以往研究情况的综述等。

《敦煌文学总论》探讨敦煌文学写卷，总是把一个写卷视为一个整体，尤其重视其中抄写的非文学作品提供的信息。这是敦煌文学写本不同于"刻本时代"的典型"写本时代"文献的特征，也是不同于"经典文献"的以"民间文本"为主的特征。比如第五章《敦煌的唐诗》把敦煌文人诗写卷分为一般流通或保存意义上的"书籍"和个人随意的"杂抄"两类进行分析，以讨论敦煌文人诗歌在敦煌的传播和运用。第七章《敦煌歌辞》对敦煌歌辞的文学审美价值一笔带过，而用专节讨论敦煌歌辞的特殊句式及校勘。第九章《敦煌的小说》用传统的叙录体方式对敦煌遗书中的 17 篇小说进行了详细的分析，包括写卷情况、小说体制、情节单元、故事演变轨迹等。第十一章《敦煌婚仪文学》除介绍敦煌文献中有关婚仪与婚仪文学的内容外，重点是比较敦煌文献与传世文献所见婚仪及其诗文的运用场合,以及敦煌文献与传世文献所见婚仪文学的异同。

第四,本书在理论的探讨方面也取得了突出的成就。如"仪式文学"概念的提出和相关论证,对敦煌文学演进各阶段特点的分析,对俗赋的类型和文学史意义的论述,对上古时期的"看图讲诵"和变文起源的讨论,对敦煌文学在中国文学史上地位的探讨等,都闪烁着理论思辨的色彩,蕴含着作者多年的覃思深悟。

当然,作为一部敦煌文学的总论,本书还有诸多方面的不足:比如一些文学体式尚未论及,尤其是大量的民间文学、佛事文学体式没有纳入其中;对一些文学类型的论述没有很好地贯彻"仪式文学"的思想;对国外、尤其是日本的敦煌文学研究的成果没有很好的吸收。

原载 2016 年 3 月 16 日《中华读书报》,据以录入

把中华民族的根留住

——《唐碑四书六经译释》总序

　　上世纪九十年代,台湾著名男歌手童安格有一首脍炙人口的歌《把根留住》。这首歌之所以能够风靡两岸三地,其根本原因就是唱出了所有人的心声——把根留住。

　　是的,把根留住,把中华民族的根留住,把中华文化的根留住!

　　"文化是一个民族的灵魂,是与人种和土地这些物质要素同样重要的精神要素。"(美国哲学家、教育家约翰·杜威《自由与文化》)"民族文化乃是民族精神的结晶,文化贡献的背后是沉甸甸的思想。"(法国哲学家列维·斯特劳斯《结构人类学(2)》)"文化是一国的命脉,学者是文化的灵魂,只要文化存在,华夏也就存在,别的一切,倒还在其次。"(鲁迅《故事新编·理水·三》)中国博大精深的文化赢得了全世界的赞誉,美国人文主义大师威廉·房龙说:"与其说中国是一个国名,不如说中国是一种文化。"倘若没有悠久灿烂的文化,中国将不成其为中国,中华民族也将黯然失色。

中国文化的主流是"国学",所谓"国学","只是'国故学'的缩写。中国的一切过去的文化历史,都是我们的'国故';研究这一切过去的历史文化的学问,就是'国故学',省称为'国学'。"(胡适《〈国学季刊〉发刊宣言》)美籍华人政论家梁厚甫先生说:"中国之有光明灿烂的文化,能藉以骄人的是我们的祖先,而不是我们自己。"国学的主干是儒学,儒学的根本是经学,经学的主要著作是《十三经》。《十三经》中的《周礼》、《仪礼》阐释官制、礼制,《公羊传》、《穀梁传》诠释《春秋》,《尔雅》是一部同义词词典,这五种经书的思想价值逊于另外八种,而四书六经就是这八种经书的总汇,堪称经学的主根。从这个意义上说,张立华先生主编《唐碑四书六经译释》,确是一项留住中华文化之根的事业。因此,我乐于为本书作序。

　　我与立华先生相识于二〇〇〇年春,当时教育部新修订的中学语文教学大纲首次推荐了中学生课外必读名著。他策划了一套"中学课外必读名著名家导读",请我出任主编。我与当时中华书局的顾青主任(现为中华书局总编辑)等完成了这个项目,据说市场效益很好。后来,他又策划了《华夏阅读黑马》等上百种基础教育图书。《华夏阅读黑马》出版当年就销售了二十多万套,而且历久不衰,至今已经销售了十五年。后来,立华先生调入中国出版集团现代教育出版社任文史哲事业部主任,请我主编了《纪晓岚批点唐诗》和《纪晓岚批点宋诗》。这两种书不仅市场反响很好,而且上级图书质量抽检没有查出一处文字错误,从中可以看出立华先生工作严谨之一斑。二〇一一年,他调入中国出版集团华文出版社任传统文化编辑部暨纪晓岚研究出版中心主任,策划了大型古籍整理项目《纪晓岚全集》。由于人事变动等原因，项目被搁置了，立华先生请我出任《纪晓岚全集》的首席学术顾问，至今仍在为该项目的出版四处奔波。

立华先生从事出版工作之前，曾在中学任教多年，后又在教研室担任初高中语文教研员。当时，上级要调他去组织部工作，被他谢绝了，他说自己追求的是"君子之乐"。所谓"君子之乐"就是孟子崇尚的"君子有三乐，而王天下不与存焉。父母俱存，兄弟无故，一乐也；仰不愧于天，俯不怍于人，二乐也；得天下英才而教育之，三乐也。"（《孟子·尽心上》）不久，他就去了吉林师范大学任教，讲授训诂学和文献学等课程，实现了"得天下英才而教育之"的"君子之乐"。做了编辑之后，尽管工作很忙，但他仍在一些大学兼授国学课。立华先生笔耕甚勤，独立撰写出版的著述有《群经百子类典》、《古代文苑类典》、《学海通鉴》（均由中国青年出版社出版）、《中国哲理诗话》等多种，三百多万字；独立整理校释的古籍有《孔子圣迹图传》、日本正平甲辰本《论语集解》、唐石刻《论语》、《孔门儒教列传》、《孔子家语图传》、《孔子集语》、《孝经传说图解》等数十种；主编的图书上百种。其中，独自整理的《胡适手稿》，宣纸四色印刷，线装十六函四十八册，是目前最为完整的胡适著作手稿。该书甫一出版，就被一家书店全部包销，这在图书市场低迷萧条的今天，实属罕见。他的学术论文《孔子父母"野合"及〈檀弓〉真伪之考辨》（全国高校古籍整理委员会《古籍整理学刊》）、《抱朴子通训辨误》（《松辽学刊》）、《汉语辞书中的类推简化问题》（上海辞书出版社）、《从手稿阅读原生态的胡适》（《中华读书报》）等，都是颇有分量的力作。

我之所以推介作者，是因为一部书的内容质量取决于作者的学养和力度。国学博大精深，因此国学类图书对作者的要求也就更高。随着国学的升温，一些没有"金刚钻"的泥水匠也来干"瓷器活"，结果是造出一堆堆的国学垃圾。要减少和杜绝此类现象，除了国家出版部门应有得力的监管措施之外，在图书中"公示作者"具有十分重要作用。它可以使读者预先了解该作者是否具有"金刚钻"，干过哪些"瓷器活"，干得是否漂亮。这就可以提高国学图书写作的准入门槛，把许多泥水匠挡在门外，从而保证国学图书的质量。

　　古文今译是一门很深的学问，要想做好，殊非易事，而对四书六经的翻译则更其不易。西汉扬雄说："或问：'圣人之经不可使易知与？'曰：'不可。天俄而可度，则其覆物也浅矣；地俄而可测，则其载物也薄矣。大哉！天地之为万物郭，五经之为众说郭。'"（《扬子法言·问神第五》）扬雄乃西汉著名思想家和文学家，一代鸿儒，汉赋"四大家"之一。他仿《周易》著《太玄》，仿《论语》著《法言》，仿《尔雅》著《方言》，西汉以降，无出其右。尤其是他的《太玄经》，在精研《周易》二进制的基础上演绎出三进制体系，从而诠释了天、地、人的互动理念，是全世界最早的三进制体系著作。两千年来，能够读懂的只有邵雍一个人。北宋司马光虽然作《太玄经集注》，但也只能算扬雄的半个知己，因为司马光不懂术数。连扬雄尚且认为"圣人之经"犹如天地一样不易测度，足证翻译之难。好在四书六经的译释者都是对国学研究有素的专家教授，且立华先生本人对十三经的研究已经有二十多年的历史，早在上世纪九十年代初，他就编撰了一百万字的《群经百子类典》。

当时的中国哲学史学会会长张岱年先生，对该书的译注精当称赞有加，并欣然题词："选经子名言，启生活智慧。"相信四书六经的译释定能做到信、达、雅的完美统一，成为足以信赖的译释本。

唐碑四书六经的内容除了《孟子》之外，均来自唐代石经。太和四年（830），唐文宗皇帝诏令将《诗经》、《尚书》、《周礼》、《仪礼》、《礼记》、《易经》、《左传》、《公羊传》、《穀梁传》、《论语》、《尔雅》、《孝经》十二部儒家经典刻于石碑上，目的是作为经学定本和书法楷范。当时，《孟子》还没有列入经书，因而没有刻石。现在的《孟子》石刻，是康熙年间贾三复从唐碑中集字补刻的。唐代石经是现存最早、最完整的儒学经典石刻，是"古本之终，今本之祖"。所刻的每种经典，都由朝廷委派硕儒严格审定，因此具有极高的学术权威性。石经的书写镌刻者均为当时著名的书法镌刻家，字体参用欧阳询、虞世南、褚遂良和薛稷的楷书笔法（只有各卷题首及各经后的字数一行为隶书），工整严谨，前后如一，因而又具有很高的书法价值。

明嘉靖三十四年（1555）陕西地震，经碑损毁严重。由于历代皇帝都不准拓唐石经，故明以前完整拓本今已不存，现存拓本为光绪皇帝的老师王绪私下请示光绪皇帝偷拓的，已成孤品，且多有残缺。民国十五年（1926），皕忍堂依原拓字体影摹刻板，残缺处按阮元覆刻宋椠本经文双钩补足，成为唐代石经最权威的摹刻本。《唐碑四书六经译释》，即以该摹刻本为底本影印，影印的每页之下附横排简体标点释文，以便对照阅读。每种经典影印之后，又附简体译注，以便读者对经书内容的理解。

国学的古为今用，一直受繁体字的困扰。用繁体字排印的书，一般的大学本科毕业生都难以阅读，又遑论启蒙普及？而且，大陆的电脑录排人员，对于用繁体排印的书，基本都是先用简体录排，然后转化成繁体，这中间会出现很多问题，令编辑不胜其烦。近年来，繁体排印的古籍差错率居高不下，电脑的繁简转化问题也是一个很重要原因。倘用简化字排印，则无法解决繁体字中的区别字、通假字问题，平添了很多混淆和困扰。而《唐碑四书六经译释》采用"原典影印——简体释文——简体译注"的新体例，省却了繁体字这个"中间商"，开创了国学启蒙普及的理想模式，这对国学的古为今用，可以说是具有里程碑的意义。四书六经是在四书五经之外又加了一部《孝经》，共八种儒家经典而非十种，《大学》和《中庸》均为《礼记》中的一篇。六经之名，最早见于《庄子·外篇·天运第十四》："孔子谓老聃曰：'丘治《诗》、《书》、《礼》、《乐》、《易》、《春秋》六经，自以为久矣，孰知其故矣？'"关于六经的教育作用，孔子做过这样的阐述："入其国，其教可知也。其为人也，温柔敦厚，《诗》教也；疏通知远，《书》教也；广博易良，《乐》教也；絜静精微，《易》教也；恭俭庄敬，《礼》教也；属辞比事、《春秋》教也。故《诗》之失，愚；《书》之失，诬；《乐》之失，奢；《易》之失，贼；《礼》之失，烦；《春秋》之失，乱。其为人也，温柔敦厚而不愚，则深于《诗》者也；疏通知远而不诬，则深于《书》者也；广博易良而不奢，则深于《乐》者也；絜静精微而不贼，则深于《易》者也；恭俭庄敬而不烦，则深于《礼》者也；属辞比事而不乱，则深于《春秋》者也。"（《礼记·经解》）到西汉时，《乐》已失传，汉武帝采用董仲舒"罢黜百家，独尊儒术"的主张，在朝廷设立五经博士。

四书的形成经历了一个漫长的过程。《论语》虽然在汉代就受到了特殊的重视,但还没有入经。西汉末年,安昌侯张禹根据《鲁论》并吸收《齐论》编定《张侯论》。东汉末年,郑玄混合《张侯论》和《古论》注《论语》,这就是现行的《论语》。南朝梁武帝时,开始将《中庸》从《礼记》中分离出来,和佛经同等看待。唐代韩愈、李翱大力推崇《大学》、《中庸》和《孟子》,认为它们是与《易》等经书同样重要。宋代程颢、程颐将《大学》、《中庸》、《论语》、《孟子》并提,认为它们是达于六经的阶梯。南宋光宗绍熙元年(1190),朱熹将这四种书合成一集,并倾毕生精力作《四书集注》。朱熹认为四书是道德、学问的根本:"先读《大学》,以定其规模;次读《论语》,以立其根本;次读《孟子》,以观其发越;次读《中庸》,以求古人之微妙处。"四书六经都是儒家经书,"经者非他,即天下之公理而已"(清纪昀等《四库全书总目提要·经部一》)。经,就是天道,就是公理,就是常识。经学,就是探究天地之道、人事之理的学问。它是古代圣哲思想智慧的结晶,是万世不易的楷范,正所谓"经禀圣裁,垂型万世"(清纪昀等《四库全书总目提要·经部总论》)。因此,理应成为中华民族的第一读本。

本书的另一特色是国学经典与唐碑楷书珠联璧合。楷书既是各种书法的基础,又是书法的最高典范,它给人以庄严肃穆之感,故凡高文大策、殿堂铭牌,必以楷书为主。大唐楷碑具有端庄、匀称、协调、和谐之美,是中华民族书法艺术的珍品,因此深为藏家、书家所宝爱。然而,古代碑刻的内容价值却远没有书法价值那么高。正如启功先生所云:"买椟还珠事不同,拓碑多半为书工。滔滔骈散终何用,几见藏家诵一通。"(《论诗绝句》第四十一首)此有感于藏家、书家只看重碑刻的书法之美而轻忽文字内容，其实碑文本身不具有可读性也是一个重要原因。《唐碑四书六经译释》集儒家经典与大唐楷书于一身，读者既可以领略古代圣哲的思想智慧，又可以欣赏唐楷书法的高超艺术，具有很高的收藏价值，可谓一石三鸟。

法国著名小说家、诺贝尔文学奖得主加缪说："没有继承，便没有文化，我们不能够也不应该排斥我们的任何遗产。"（《艺术家和他的时代》）党的十八大报告指出"文化是民族的血脉"，是的，"让血脉再相连"，"留住我们的根"。留住国学的根，留住中华民族的根。

傅璇琮乙未仲冬序于北京中华书局

原载《中国文化研究》2016年春之卷，据以录入

附录

傅璇琮先生著作目录

专著

《俄罗斯文学史教学大纲　苏维埃文学》(合译,高等教育出版社 1956 年版)

《杨万里范成大资料汇编》(中华书局 1964 年版)

《黄庭坚和江西诗派资料汇编》(中华书局 1978 年版)

《唐代诗人丛考》(中华书局 1980 年版)

《唐五代人物传记资料综合索引》(合著,中华书局 1982 年版)

《李德裕年谱》(齐鲁书社 1984 年版;河北教育出版社 2001 年修订版)

《唐代科举与文学》(陕西人民出版社 1986 年版)

《宋人绝句选》(合著,齐鲁书社 1987 年版)

《〈河岳英灵集〉研究》(合著,中华书局 1992 年版)

《唐人选唐诗新编》(陕西人民教育出版社 1996 年版)

《唐五代文学编年史》(合著,辽海出版社 1999 年版)

《李德裕文集校笺》(合著,河北教育出版社 2000 年版)

《全图本名家新注汇评唐诗三百首》(合著,辽海出版社 2002 年版)

《全图本名家新注汇评宋词三百首》(合著,辽海出版社 2002 年版)

《翰学三书》(合著,辽宁教育出版社 2003 年版)

《唐诗精粹解读》(合著,中华书局 2005 年版)

《唐翰林学士传论》(盛中唐卷)(辽海出版社 2005 年版)

《唐翰林学士传论》(晚唐卷)(辽海出版社 2007 年版)

选集

《唐诗论学丛稿》(黑龙江人民出版社 1992 年版;台北文史哲出版社 1995 年修订版;京华出版社 1999 年再次修订版)

《濡沫集》(湖南人民出版社 1997 年版;北京联合出版公司 2013 年版)

《当代学者自选文库·傅璇琮卷》(安徽教育出版社 1998 年版)

《唐宋文史论丛及其他》(大象出版社 2004 年版)

《书林漫笔》(北方文艺出版社 2008 年版)

《学林清话》(大象出版社 2008 年版)

《治学清历·傅璇琮自选集》(首都师范大学出版社北京社科名家文库 2010 年版)

《当代名家学术思想文库·傅璇琮卷》(万卷出版公司 2010
年版)

《中国当代名家学术精品文库·傅璇琮卷》(东北大学出版社
2015 年版)

《书林清话》(大象出版社 2015 年版)

主编

《唐才子传校笺》(全五册)(中华书局 1987—1995 年版)

《唐代文学研究》第 1 辑(山西人民出版社 1988 年版;第 2—
11 辑,广西师范大学出版社 1990—2006 年版)

《唐代文学研究年鉴(1991—2003)》(1991 年起任主编,两年
出版 1 期),(广西师范大学出版社 1991—2004 年版)

《中国古典文学少年启蒙丛书》(陕西人民教育出版社 1991
年版)

《唐诗研究集成丛书》(陕西人民教育出版社 1996 年版)

《中国古典诗歌基础文库》(浙江文艺出版社 1996 年版)

《中国古籍研究》第 1 卷(合编,上海古籍出版社 1996 年版)

《中国古典文学史料研究丛书》(中华书局 1996 年起陆续出
版)

《中国文学大辞典》(合编,上海辞书出版社 1997 年版)

《中国古代小说珍秘本文库》(三秦出版社 1998 年版)

《全宋诗》(合编,北京大学出版社 1998 年出齐)

《中国诗学大辞典》(合编,浙江教育出版社 1999 年版)

《中华古诗文名篇诵读》(三秦出版社 2000 年版)

《中国藏书通史》(合编,宁波出版社 2001 年版)

《续修四库全书》(合编,上海古籍出版社 2002 年出齐)

《唐代文学研究论著集成》(合编,三秦出版社 2004 年版)

《五代史书汇编》(合编,杭州出版社 2004 年版)

《中国古代文学通论》(合编,辽宁人民出版社 2005 年版)

《书林清话文库》(合编,河北教育出版社 2005 年版)

《二十世纪中国人文学科学术研究史丛书·文学专辑》(福建
   人民出版社 2005 年版)

《三字经修订版》(人民教育出版社 2008 年版)

《宋登科记考》(江苏教育出版社 2009 年版)

《中国古代诗文名提要》(河北教育出版社 2009 年版)

《中国古典散文精选注译》(清华大学出版社 2009 年版)

《宁波通史》(宁波出版社 2009 年版)

《中国古籍总目·史部》(上海古籍出版社 2009 年版)

《中国古籍总目·丛书部》(中华书局 2009 年版)

《智品阁书系》(合编,万卷出版公司 2009 年版)

《阅读中华国粹》(泰山出版社 2012 年版)

《中国华北文献丛书》(学苑出版社 2012 年版)

《中国传统民俗文化丛书》(中国商业出版社 2015 年起陆续
   出版)

傅璇琮学术论文选集十二种详目

《唐诗论学丛稿》(黑龙江人民出版社 1992 年 11 月版)

序（罗宗强）

序（陈允吉）

加强文学史的横向和纵向研究

古典文学研究的结构问题

谈古代文学研究中的文化意识

古代文学的整体研究评议

王昌龄事迹新探

谈王昌龄的《诗格》

盛唐诗风和殷璠诗论

唐人选唐诗与《河岳英灵集》

《河岳英灵集》音律说管窥

李商隐研究中的一些问题

牛李党争与唐代文学研究

关于唐代文学研究的一些想法

唐代诗画艺术的交融

闻一多与唐诗研究

一种文化史的批评——兼谈陈寅恪的古典文学研究

陈贻焮《杜甫评传》序

邓绍基《杜诗别解》序

欧文《初唐诗》中译本序

《李白在安陆》序

吴汝煜《唐五代人交往诗索引》序

吴汝煜胡可先《全唐诗人名考》序

孙映逵《唐才子传校注》序

任国绪《卢照邻集编年笺注》序

点校本《五代诗话》序

《浙江十大文化名人》序

《中国韵文学刊》发刊词

《唐代文学研究》第一辑编者题记

《唐代文学研究》第二辑编者题记

从《张说年谱》所想到的

《唐代诗人丛考》余论

"壶中天地"的悲哀——文化史研究小议

学养深厚与纵逸自如——《钱锺书研究》编委笔谈

后记

《濡沫集》(湖南人民出版社 1997 年 12 月版)

总序(季羡林)

洒扫封尘 启迪来者——读《纪念陈寅恪先生诞辰百年学术

论文集》

陈寅恪史事新证

普及的层次

感召

启示——读顾颉刚一封论《尚书》今译的信

学养深厚与纵逸自如

读《汪辟疆文集》所想到的

想起一则"附记"

学术理性的启示

读冷僻书

会心处不必在远——读王世襄《说葫芦》

读《日本汉诗选评》

齐燕铭与古籍整理出版二三事

祝贺《中国古籍善本书目》编成

文化精品与学术窗口——评《唐代文学研究》

从《张说年谱》所想到的

宋人绝句艺术谈

壶中天地的悲哀——文化史研究小议

高明的卒年

卢文弨与《四库全书》

文化意识与理性精神

热中求冷

书香飘入百姓家

《文史》掇忆

《学林漫录》琐记

《书品》——与著者读者沟通的桥梁

历史的沉思

细活与精品——从两本冷僻书谈起

理性考索所得的愉悦

潜心于书斋 超然于兢途

一种开拓的胸怀

舍易就难 舍热求冷

"岂无他好,乐是幽居"

坎坷的经历与纯真的追求

《唐才子传》研究的新成果

史文结合的又一新例

他山之石

有朋东来,切磋诗艺

作家传记应当怎么写

行云流水 雅俗共赏

别出新解 如实探讨

对作家的研究首先要理解

思虑周密 征引赅博

山谷诗风研究的新开拓

学问追求与世俗超脱

从一本书看一代学风

开展地域文化的研究

《唐代科举与文学》自序

《唐诗论学丛稿》后记

《当代学者自选文库·傅璇琮卷》(安徽教育出版社 1998 年 12 月版)

　自序

　高明的卒年

　《杨万里范成大研究资料汇编》重印后记

　《唐代诗人丛考》余论

　刘长卿事迹考辨

　李嘉祐考

　卢纶考

　王昌龄事迹新探

　《唐五代人物传记资料综合索引》前言

　《李德裕年谱》自序

　李商隐研究中的一些问题

　关于唐代科举与文学的研究

　论唐代进士的出身及唐代科举取士中寒士与子弟之争

　《唐代科举与文学》自序

　唐代进士放榜与宴集

　唐代举子情状与科场风习

　闻一多与唐诗研究

　一种文化史的批评——兼谈陈寅恪的古典文学研究

　陈寅恪思想的几点探讨

　理性的思索和情感的倾注——读朱东润先生史传文学随想

天宝诗风的演变

谈王昌龄的《诗格》——一部有争议的书

唐人选唐诗与《河岳英灵集》

唐人选唐诗题记

点校本《五代诗话》序

《唐才子传校笺》编余随札

《唐才子传校笺》第五册前记

《唐诗论学丛稿》后记

陈振濂《宋词流派的美学研究》序

陈尚君《唐代文学丛考》序

《日晷丛书》总序

《中国古典文学史料研究丛书》总序

文学编年史的设想

唐初三十年的文学流程

中国古典文学走向世界的启示

附一:实学研究与文化探索——傅璇琮先生的学术思想(刘
石)

附二:试论文化学的批评方法——读傅璇琮先生《唐诗论学
丛稿》(张仲谋)

作者小传

主要著作目录

《唐诗论学丛稿》(京华出版社 1999 年 10 月版)

序(罗宗强)

序（陈允吉）

李商隐研究中的一些问题

关于唐代科举与文学的研究

从《张说年谱》所想到的

闻一多与唐诗研究

《唐代诗人丛考》馀论

天宝诗风的演变

关于唐代文学研究的一些想法

王昌龄事迹新探

谈王昌龄的《诗格》——一部有争议的书

盛唐诗风和殷璠诗论

唐人选唐诗与《河岳英灵集》

谈古代文学研究中的文化意识——由《佛教唐音辨思录》所
　　想起的

一种文化史的批评——兼谈陈寅恪的古典文学研究

《唐才子传校笺》编馀随札

《唐才子传校笺》第五册前记

文学编年史的设想

唐初三十年的文学流程

陈贻焮《杜甫评传》序

邓绍基《杜诗别解》序

欧文《初唐诗》中译本序

《李白在安陆》序

孙映逵《唐才子传校注》序

吴汝煜《唐五代人交往诗索引》序

吴汝煜胡可先《全唐诗人名考》序

任国绪《卢照邻集编年笺注》序

王洪《唐诗百科大辞典》序

吴在庆《杜牧论稿》序

蒋长栋《王昌龄评传》序

陶敏《全唐诗人名考证》序

王洪《中国文学宝库·唐诗精华分卷》序

戴伟华《唐方镇幕僚文职考》序

《韩愈研究论文集》序

柳晟俊《唐诗论考》序

陈尚君《唐代文学丛考》序

张清华《韩学研究》序

从曹操的佚文谈曹操的文学思想

左思《三都赋》写作年代质疑——《晋书·左思传》等辨误

中古文学丛考

潘岳系年考证

后记

重版后记

《唐宋文史论丛及其他》(大象出版社 2004 年 10 月版)

甲编

唐玄肃两朝翰林学士考论

李白任翰林学士辨

唐德宗朝翰林学士考论

唐永贞年间翰林学士考论

从白居易研究中的一个误点谈起

唐宪穆两朝翰林学士考论

唐玄宗朝翰林学士传

唐肃宗朝翰林学士传

唐代宗朝翰林学士传

《翰学三书》编纂小记

乙编

王粲作《英雄记》志疑

读《陶渊明研究资料汇编》

《滕王阁诗序》一句解——王勃事迹辨

武则天与初唐文学

横空出世 清逸自如——历史文化和地域文化中的李白

温故知新 倍感亲切——重读《元白诗笺证稿》

《白居易集笺校》评介

白居易评价中的一个问题

卢纶家世事迹石刻新证

从多方面了解韩愈

柳宗元学术史上的力作——评高文、屈光的《柳宗元选集》

唐代诗人李敬方事迹辨正

新世纪中国诗歌研究三题

唐代长安与东亚文化

谈《全唐文》的修订

关于《全唐诗》的改编

喜读《中国文学家大辞典·唐五代卷》

评《中华大典·文学典·隋唐五代文学分典》

关于编纂《全宋诗》、《全宋文》的建议

《宋登科记考》札记

范成大佚文的辑集与系年

陆游南郑从军诗失传探秘

《万历十五年》出版记事

奇文共赏 疑义相析——《柳如是别传》怎样读

关于《中国古籍整理出版十年规划和"八五"计划》制订工作
    情况说明

力求务实创新 切忌急功近利

文学古籍整理与古典文学研究

古籍标点中两个应注意的问题

清华学风应作进一步具体探索

建议加强专题个案性的研究

细活与精品——从两本冷僻书谈起

《文史》掇忆

于平实中创新——记台湾学者罗联添先生的治学成就

"近五十年来台湾地区中国古代文学研究概况"正在编撰中
丙编
陈良运《周易与中国文学》序

罗宗强《玄学与魏晋士人心态》序

曹道衡《中古文学史论文集续编》序

程章灿《魏晋南北朝赋史》序

郁贤皓《唐刺史考全编》序

陈友冰《海峡两岸唐代文学研究史》序

徐俊《敦煌诗集残卷辑考》序

王勋成《唐代铨选与文学》序

陈飞《唐代试策考述》序

程国赋《唐五代小说的文化阐释》序

陈耀东《唐代诗文丛考》序

胡可先《政治兴变与唐诗演化》序

竺岳兵《浙东唐诗之路》序

张忠纲《全唐诗大辞典》序

《唐宋八大家文钞校注集评》序

傅明善《宋代唐诗学》序

张高评《宋诗特色研究》序

陶文鹏等《宋词三百首新译》序

《黄庭坚研究论文集》序

杨庆存《黄庭坚与宋代文化》序

张宏生《江湖诗派研究》序

方勇《南宋末年遗民诗人群体研究》序

《全宋笔记》序

《名家彩绘四大小说名著》序

翟胜健《曹雪芹文艺思想新探》序

吴承学《中国古代文体形态研究》序

黄世中《中国古典诗词:考证与解读》序

《中国古典文学学术史研究》序

《百年学科沉思录》序

《中国文学大辞典》序

《中华名人轶事》序

《天台山历代诗选》序

《宁波风光画集》序

《中国古典文学少年启蒙丛书》序

《中华古诗文名篇诵读》序

《浙江图书馆古籍善本书目》序

四库本《毛奇龄合集》序

葛振家《崔溥〈漂海录〉评注》序

丁编

纪念匡亚明先生，做好古籍整理工作

独立不阿的人品 沉潜考索的学风——纪念邓广铭先生

记钱锺书先生的几封书信

缅怀钱锺书先生

戊编

《邢襄题稿、枢垣初刻》出版说明

点校本《全唐诗》出版说明

影印本《史通》出版说明

影印本《四库全书总目》出版说明

影印本《清人考订笔记》出版说明

我和古籍整理出版工作

《学林漫录》第一集题记

《学林漫录》第三集题记

"何时一尊酒,重与细论文"——杂忆《学林漫录》

《唐代科举与文学》重印题记

《唐代诗人丛考》重印题记

己编

年鉴的工作要有一个总体规划

中国唐代文学学会第六届年会"十年工作报告"(1992年,福
　建厦门)

中国唐代文学学会第七届年会开幕词(1994年,浙江新昌)

中国唐代文学学会第八届年会开幕词(1996年,陕西西安)

中国唐代文学学会第九届年会开幕词(1998年,贵州贵阳)

《书林漫笔》(北方文艺出版社2008年9月版)

> 我虽然写了一些书,但总是想为学术界做些实事。我希
> 望多做些实在的事,这不但在自己写作的时候是这样,在所
> 从事的编辑工作中,我总也力求组织一些切实有用的书稿,
> 使我们的学术工作有一个丰厚的基础。

序

{壹} 卷一 学术情谊

陈寅恪史事新证

洒扫封尘 启迪来者

缅怀钱钟书先生

记钱钟书先生的几封信

一件难忘的小事——缅怀夏承焘先生

想起一则"附记"

启示——读顾颉刚一封论《尚书》今译的信

学术理性的启示

记叶圣陶先生为中华书局所办两件事

文德重扬 桃李滋荣——林庚师对后学关怀琐忆

齐燕铭与古籍整理出版二三事

学术情谊 永志不忘——记美籍华裔学者李珍华教授

{贰} 卷二 品味书香

《万历十五年》出版记事

读《汪辟疆文集》所想到的

读冷僻书

会心处不必在远——读王世襄《说葫芦》

奇文共赏 疑义相析——《柳如是别传》怎样读

文化交流一范例——葛振家《崔溥评注》序

{叁} 卷三 文化漫谈

"壶中天地"的悲哀——文化史研究小议

唐代长安与东亚文化

文学编年史的设想

王粲作《英雄记》志疑

《滕王阁诗序》一句解——王勃事迹辨

横空出世 清逸自如——历史文化和地域文化中的李白

宋人绝句艺术谈

卢文弨和《四库全书》

热中求冷

《学林漫录》(第一集)题记

《唐代科举与文学》重印题记

《唐才子传校笺》编余随札

《唐翰林学士传论(晚唐卷)》写作记

编辑与学界的情谊——编辑工作掇忆

我和古籍整理出版工作

《学林清话》(大象出版社 2008 年 10 月版)

自序

陈贻焮《杜甫评传》序

邓绍基《杜诗别解》序

《李白在安陆》序

《浙江十大文化名人》序

《黄庭坚研究论文集》序

欧文《初唐诗》中译本序

孙映逵《唐才子传校注》序

任国绪《卢照邻集编年笺注》序

吴汝煜《唐五代人交往诗索引》序

点校本《五代诗话》序

吴汝煜、胡可先《全唐诗人名考》序

王洪《唐诗百科大辞典》序

吴在庆《杜牧论稿》序

罗宗强《玄学与魏晋士人心态》序

程章灿《魏晋南北朝赋史》序

陈振濂《宋词流派的美学研究》序

陶敏《全唐诗人名考证》序

蒋长栋《王昌龄评传》序

王洪《中国文学宝库·唐诗精华分卷》序

黄珮玉《张孝祥研究》序

曹道衡《中古文学史论文集续编》序

戴伟华《唐方镇幕僚文职考》序

《宁波市志》序

张宏生《江湖诗派研究》序

《韩愈研究论文集》序

柳晟俊《唐诗论考》序

《天台山历代诗选》序

翟胜健《曹雪芹文艺思想新探》序

陈尚君《唐代文学丛考》序

《中国古典文学学术史研究》序

《日暮丛书》序

《宁波风光画集》序

张清华《韩学研究》序

《唐宋八大家文钞校注集评》序

《百年学科沉思录》序

陈良运《周易与中国文学》序

郁贤皓《唐刺史考全编》序

毕宝魁《韩孟诗派研究》序

张忠纲《全唐诗大辞典》序

陶文鹏等《宋词三百首新译》序

《中华古诗文名篇诵读》序

徐俊《敦煌诗集残卷辑考》序

张高评《宋诗特色研究》序

方勇《南宋末年遗民诗人群体研究》序

吴承学《中国古代文体形态研究》序

程国赋《唐五代小说的文化阐释》序

《名家彩绘四大小说名著》序

王勋成《唐代铨选与文学》序

《浙江图书馆古籍善本书目》序

《中华名人轶事》序

陈友冰《海峡两岸唐代文学研究史》序

黄世中《中国古典诗词:考证与解读》序

傅明善《宋代唐诗学》序

陈飞《唐代试策考述》序

陈耀东《唐代诗文丛考》序

四库本《毛奇龄合集》序

竺岳兵《浙东唐诗之路》序

杨庆存《黄庭坚与宋代文化》序

葛振家《崔溥〈漂海录〉评注》序

胡可先《政治兴变与唐诗演化》序

张兴武《五代艺文考》序

《全宋笔记》序

陈耀东《浙籍文化名人评传(唐五代卷)》序

毕宝魁《九梅村诗集校注》序

徐宗文《三余论草》序

祝尚书《宋代科举与文学考论》序

伊永文《东京梦华录笺注》序

赵逵夫《先秦文学编年史》序

顾志兴《浙江藏书史》序

雒三桂《王羲之集校笺》序

吴伟斌《元稹考论》《元稹评传》序

刘明华《文化视野下的中国古代文学阐释》序

王志清《纵横论王维》（修订版）序

《治学清历·傅璇琮自选集》（首都师范大学出版社 2010 年 6 月
　　版北京社科名家文库）

　　"精思劬学，能发千古之覆"——傅璇琮先生学术访谈录

　　上编

　　《邢襄题稿、枢垣初刻》出版说明

　　《诗经通论》出版说明

　　影印本《史通》出版说明

　　影印本《四库全书总目》出版说明

　　影印本《清人考订笔记》出版说明

　　《杨万里范成大资料汇编》前记

　　《杨万里范成大资料汇编》重印后记

　　《黄庭坚和江西诗派资料汇编》前记

　　《黄庭坚和江西诗派资料汇编》重印后记

《唐代诗人丛考》前言

《唐代诗人丛考》摭谈

《唐代诗人丛考》重印题记

《学林漫录》第一集题记

《学林漫录》第三集题记

"何时一樽酒,重与细论文"——杂忆《学林漫录》

《唐五代人物传记资料综合索引》前言

《李德裕年谱》序

《李德裕年谱》新版题记

《李德裕文集校笺》前言

《唐代科举与文学》序

《唐代科举与文学》重印题记

《唐诗论学丛稿》后记

《唐诗论学丛稿》重版后记

《唐才子传校笺》前言

《唐才子传校笺》编馀随札

《唐才子传校笺》第五册前记

《宋人绝句选》序

《中国文学大辞典》序

《中国古典文学史料研究丛书》总序

《续修四库全书》编纂前记

《唐五代文学编年史》自序

《五代史书汇编》总序

《中华古诗文名篇诵读》序

《翰学三书》编纂小记

《唐翰林学士传论》前言

《唐翰林学士传论·晚唐卷》前言

《学林清话》自序

《中国古代诗文名著提要》总序

《中国古典散文精选注译》总序

中编

记钱锺书先生的几封书信

缅怀钱锺书先生

独立不阿的人品 沉潜考索的学风——纪念邓广铭先生

纪念匡亚明先生，做好古籍整理工作

一件难忘的小事——缅怀夏承焘先生

想起一则"附记"——忆吕叔湘先生

文德重扬 桃李滋荣——林庚师对后学关怀琐忆

《万历十五年》出版记事——兼忆与黄苗子、黄仁宇先生之文
化交流

于平实中创新——记台湾学者罗联添先生的治学成就

学术情谊 永志不忘——记美籍华裔学者李珍华教授

编辑与学界的情谊——编辑工作掇忆

闻一多与唐诗研究

一种文化史的批评——兼谈陈寅恪的古典文学研究

陈寅恪思想的几点探讨

理性的思索和情感的倾注——读朱东润先生史传文学随想

下编

谈《全唐文》的修订

关于《全唐诗》的改编

关于编纂《全宋诗》、《全宋文》的建议

《宋登科记考》札记

关于《中国古籍整理出版十年规划和"八五"计划》制订工作
　情况说明

文学古籍整理与古典文学研究

唐代翰林与文学——以文史结合作历史—文化的探索

唐翰林学士史料研究札记

傅璇琮著作目录

《当代名家学术思想文库·傅璇琮卷》（万卷出版公司 2010 年 11
月版）

自序

第一辑

加强文学史的横向和纵向研究——重读鲁迅的《魏晋风度及
　文章与药及酒之关系》有感

关于唐代文学研究的一些想法

古典文学研究的结构问题

要重视地城文化的研究——《浙江十大文化名人》序

中国韵文学的创立——《中国韵文学刊》发刊词

唐代诗画艺术的交融

谈古代文学研究中的文化意识——由《佛教唐音辨思录》所
　想起的

古代文学的整体研究评议——从《中国中古诗歌史》谈起

文学编年史的设想

中国古典文学走向世界的启示

古典文学的"历史—文化"研究——《日暮丛书》序

文学古籍整理与古典文学研究

清华学风可作进一步具体探索

建议加强专题个案性的研究

地域文化研究的创新性——《长安学丛书》序

展开我国题画诗的研究——《中国题画诗发展史》序

关于重写文学史之我见

第二辑

读《陶渊明研究资料汇编》

李商隐研究中的一些问题

《滕王阁诗序》一句解——王勃事迹辨

关于唐代科举与文学的研究

天宝诗风的演变

盛唐诗风和殷璠诗论

唐代长安与东亚文化

唐玄肃两朝翰林学士考论

陆游南郑从军诗失传探秘

新世纪中国诗歌研究三题

从白居易研究中的一个误点谈起

唐代翰林与文学

第三辑

《杨万里范成大研究资料汇编》重印后记

《李德裕年谱》自序

《唐代科举与文学》自序

《唐代诗人丛考》余论

《唐才子传校笺》编余随札

《唐才子传校笺》第五册前记

《唐五代文学编年史》自序

《宋登科记考》札记

《全宋笔记》序

《中国古代诗文名著提要》序

《中国古代散文精选注译》序

第四辑

闻一多与唐诗研究

一种文化史的批评——兼谈陈寅恪的古典文学研究

想起一则"附记"

理性的思索和情感的倾注——读朱东润先生史传文学随想

记钱锺书先生的几封书信

一件难忘的小事——缅怀夏承焘先生

《濡沫集》(北京联合出版公司 2013 年 5 月版)

前记

上编

洒扫封尘 启迪来者——读《纪念陈寅恪先生诞辰百年学术
论文集》

陈寅恪史事新证

普及的层次

感召

启示——读顾颉刚一封论《尚书》今译的信

学养深厚与纵逸自如

读《汪辟疆文集》所想到的

想起一则"附记"

学术理性的启示

读冷僻书

会心处不必在远——读王世襄《说葫芦》

读《日本汉诗选评》

齐燕铭与古籍整理出版二三事

文化精品与学术窗口——评《唐代文学研究》

从《张说年谱》所想到的

"壶中天地"的悲哀——文化史研究小议

卢文弨与《四库全书》

文化意识与理性精神

热中求冷

书香飘入百姓家

《学林漫录》琐记

《书品》——与著者读者沟通的桥梁

历史的沉思

细活与精品——从两本冷僻书谈起

下编

《滕王阁诗序》一句解——王勃事迹辩

《中国文学大辞典》序

记钱锺书先生的几封书信

唐代长安与东亚文化

《万历十五年》出版记事——兼忆与黄苗子、黄仁宇先生之文
    化交流

《〈红楼梦〉人物姓名之谜》序

《黄庭坚研究论文选》序

文德重扬 桃李滋荣——林庚师对后学关怀琐忆

欲穷千年目 通览此套书

编辑与学界的情谊——编辑工作掇忆

一件难忘的小事——缅怀夏承焘先生

《朱关田论书文集》序

《〈三字经〉古本集成》序

《张九龄学术研究论文集》序

《鄞州佛教文化》序

《儒林心史》序

地域文化研究的创新性——《长安学丛书》序

《历史的化石》序

《论语精评真解》序

展开我国题画诗的研究——《中国题画诗发展史》序

《安史之乱与盛唐诗人》序

《唐五代逸句诗人丛考》序

清董正国《南墩诗稿》

《孟浩然研究论丛》序

《回文集》序

《辛亥革命时期期刊汇编》序

《牛李党争研究的新视野》序

《子藏》：一座宏大的子学经典库——有感于《子藏·道家
　　部·庄子卷》的出版

古籍影印事业的重要开拓者——深切怀念陈乃乾先生

《骈文论稿》序

唐诗有了排行榜之后——读《唐诗排行榜》

《唐代试赋研究》序

《陆游与汉中》序

见贤思齐　通古识今——《鄞州望族传记》序

关于木斋的探索——从《曲词发生史》两序说起

祝贺《蒙学十三经》出版

《王辉斌学记》序

寻本溯源，撮要撷精——评方勇教授《庄子纂要》

《文化之旅》读后感——兼及饶宗颐先生的几封书信

有史以来第一部华北地区的文献总汇——概述《中国华北文
　　献丛书》

《中华傅氏通谱》序

书法文献整理的意义——谈《黄庭坚书法全集》

《中国当代名家学术精品文库·傅璇琮卷》（东北大学出版社
　　2015年1月版）

珍珠链上的钻石(代序)(刘继才)

前记

《杨万里范成大资料汇编》前记

《黄庭坚和江西诗派资料汇编》前记

《黄庭坚和江西诗派资料汇编》重印后记

《唐代诗人丛考》前言

《唐代诗人丛考》重印题记

《唐五代人物传记资料综合索引》前言

《李德裕年谱》序

《李德裕年谱》新版题记

《唐代科举与文学》序

《唐代科举与文学》重印题记

《唐诗论学丛稿》后记

《唐才子传校笺》前言

《唐才子传校笺》第五册前记

《中国古典文学少年启蒙丛书》序

《唐人选唐诗新编》序

《唐人选唐诗新编》增订本序

《续修四库全书》编纂前记

《宋人绝句选》序

《中国文学大辞典》序

《中国古典文学史料研究丛书》总序

《当代学者自选文库·傅璇琮卷》自序

《唐五代文学编年史》自序

《中华古诗文名篇诵读》序

《李德裕文集校笺》前言

《中国藏书通史》导言

《五代史书汇编》总序

《全宋笔记》序

《唐宋文史论丛及其他》前言

《中国古代文学通论》总序

《宋登科记考》札记

《翰学三书》编纂小记

《唐翰林学士传论》前言

《唐翰林学士传论·晚唐卷》前言

《学林清话》自序

《中国古代诗文名著提要》总序

《中国古典散文精选注译》总序

《王应麟著作集成》总序

《宋才子传笺证》总序

《中国华北文献丛书》概述

《阅读中华国粹》序

《中国传统民俗文化丛书》总序

《书林清话》（大象出版社 2015 年 2 月版）

　　前记

　　上辑

　　《〈红楼梦〉人物姓名之谜》序

《黄庭坚研究论文选》序

《朱关田论书文集》序

《〈三字经〉古本集成》序

《张九龄学术研究论文集》序

《鄞州佛教文化》序

《儒林心史》序

地域文化研究的创新性——"长安学丛书"序

《历史的化石》序

《论语精评真解》序

展开我国题画诗的研究——《中国题画诗发展史》序

《安史之乱与盛唐诗人》序

《唐五代逸句诗人丛考》序

《孟浩然研究论丛》序

《回文集》序

《辛亥革命时期期刊汇编》序

《牛李党争研究的新视野》序

《骈文论稿》序

《唐代试赋研究》序

《陆游与汉中》序

见贤思齐 通古识今——《鄞州望族传记》序

《王辉斌学记》序

《中华傅氏通谱》序

《中华诗词名篇解读》序

"家藏四库系列"丛书序

《南岗集》序

《续修四库全书杂家类提要》序

"中国传统文化经典名句"序

"中国人"丛书序

《浙东唐诗之路重要源头学术研讨会论文集》序

《诗词论鉴》序

《湘湖古韵》序

《绿窗唐韵》序

《鄞州区志》序

《西湖通史》序

《桐溪书声》序

《中国当代名家学术精品——刘继才卷》序

论证严密 新见叠出——《新编元稹集》序

《唐人编选诗文总集研究》序

中辑

欲穷千年目 通览此套书

《子藏》:一座宏大的子学经典库——有感于《子藏·道家
部·庄子卷》的出版

唐诗有了排行榜之后——读《唐诗排行榜》

关于木斋的探索——从《曲词发生史》两序说起

寻本溯源,撮要撷精——评方勇教授《庄子纂要》

《文化之旅》读后感——兼及饶宗颐先生的几封书信

书法文献整理的意义——谈《黄庭坚书法全集》

《商周逸诗辑考》的学术启示

唐后乐府诗史的原创研究——读王辉斌《唐后乐府诗史》所
　　想到的

《黄震全集》评介

家族文化、地域文化与中华文化——《山东文化世家研究书
　　系》读后感

下辑

　　《中国古代诗文名著提要》总序

　　《中国古典散文精选注译》总序

　　《王应麟著作集成》总序

　　《宋才子传笺证》总序

　　"中国华北文献丛书"概述

　　《阅读中华国粹》总序

　　《唐人选唐诗新编》增订本序

　　"中国传统民俗文化丛书"总序